KB151645

Second Edition

부인과 내분비학

편찬 대표 정혜원

GYNECOLOGIC ENDOCRINOLOGY

Gynecologic Endocrinology

부인과 내분비학

Second Edition

첫째판 1쇄 발행 | 2012년 7월 10일
둘째판 1쇄 인쇄 | 2021년 12월 17일
둘째판 1쇄 발행 | 2022년 1월 10일
둘째판 2쇄 발행 | 2024년 8월 22일

지 은 이 대한산부인과내분비학회
발 행 인 장주연
출 판 기 획 최준호
책 임 편 집 이현아
편집디자인 조원배
표지디자인 김재욱
일 러 스 트 김경열, 신윤지
제 작 담 당 황인우
발 행 처 군자출판사(주)
등록 제4-139호(1991. 6. 24)
본사 (10881) **파주출판단지** 경기도 파주시 회동길 338(서패동 474-1)
전화 (031) 943-1888 팩스 (031) 955-9545
홈페이지 | www.koonja.co.kr

ISBN 979-11-5955-803-0
정가 150,000원

Second Edition
부인과
내분비학

부인과 내분비학 2판 E-book

모바일, 테블릿, PC와 함께하는 군자출판사 E-book 시스템.
도서를 구매하시면 무료로 E-book을 이용하실 수 있습니다.

군자출판사 E-book을 이용해보세요.

1. www.koonja.co.kr 혹은 QR코드로 접속해주세요.
2. 회원가입 혹은 로그인을 합니다.
3. 마이페이지에 E-book을 클릭 후 도서 등록하기 버튼을 누릅니다.
4. 구매하신 도서의 표지를 선택하신 후 제공된 코드번호를 입력합니다.
5. 서재목록에서 등록된 도서를 선택하면 내용을 보실 수 있습니다.

E-book 코드

RDC5-ELD7-XMC4

- 부인과 내분비학 2판의 E-book은 2022년 2월 1일부터 보실 수 있습니다.

부인과내분비학 개정판에 부쳐

의과대학 학생들, 산부인과를 전공하는 수련의들은 물론이고 오랫동안 산부인과를 운영해 온 개원의 원장님들도 "부인과내분비학 영역이 이해하기에 제일 어렵다"고 합니다. 부인과내분비학이 다른 세부전공에 비해 연구 대상이 되는 환자의 연령대는 넓고, 그 지식의 양이 방대하기 때문에 처음 접하게 되면 막연하고 어렵게 느껴집니다. 부인과내분비학을 공부하다 보면 산부인과 교과서로는 부족하고 영문원서인 세부전공서는 어렵고 시간이 걸려서 논리적이고 질서 정연한 인체의 신비를 빨리 학습하기에 한계를 느끼게 됩니다.

무차별적으로 쏟아지는 정보의 홍수 속에서 공부의 길잡이가 될만한 좋은 책을 만나기는 어렵고 적절하게 선택되지 않은 책으로 공부하다 보면 투자한 시간이 아쉽게 되는 경우도 많습니다. 특히 빠르게 발전하는 의학 연구들의 결과는 과거에 알고 있던 지식을 더 이상 적용할 수 없고 또 다른 새로운 내용을 알고 임상에 적용해야 하기 때문에 환자를 대하는 의료진 입장에서는 항상 공부를 게을리할 수 없게 합니다.

따라서 최신의 정보까지 잘 정리된 국문 교과서로 시간에 쫓기는 많은 의료진들의 부담을 덜고, 빠른 시간 안에 새로운 지식을 습득할 수 있는 좋은 기회를 제공하고자, 이미 10년 전 대한산부인과내분비학회에서는 김정구 회장님과 최훈 교과서편찬위원장님 이하, 임원진들과 수많은 저자들이 수고와 헌신으로 부인과내분비학을 발간해 주셨습니다. 거듭 감사 드리며, 이후에 발전된 의학의 최신동향을 한층 더 심화하여 회원님들의 환자 진료에 있어 실제적인 도움을 드리고자 이번에 부인과내분비학 개정판을 출간하게 되었습니다. 보다 실용적으로 쉽고 빠르게 업그레이드 된 정보들까지 습득하실 수 있는 충실한 한글 교과서를 만들기 위해 지식과 경험이 많은 백 명에 달하는 국내 최고의 저자들이 참여해 주신 덕분에 무사히 개정판을 편찬하게 되었습니다. 바쁜 중에 집필을 맡아 주신 저자분들과 열정적으로 수고를 다해 준 황규리 편찬위원장 이하 교과서편찬위원님들, 정경아 사무총장과 여러 임원진들 및 군자출판사에 진심으로 감사 드립니다. 본 개정판이 임상에서 부인과 내분비 영역의 환자를 진료하고 있는 모든 분들께 늘 옆에 있으면서 든든한 버팀목이 되는 좋은 선생님이 되기를 바라고 기대합니다.

감사합니다.

2021년 12월

이화여자대학교 의과대학 산부인과 교수, 대한산부인과내분비학회 회장

정 혜 원

부인과내분비학 개정판 출간을 축하하며

부인과내분비학은 여성의 호르몬 분비와 관련된 월경, 임신, 불임, 폐경으로부터 시작하여 호르몬이 관련된 질환 전반을 다루는 방대한 분야로 전체 여성의 건강과 행복을 위하여 매우 중요한 학문입니다. 산부인과학 교과서 내에서는 보다 세분화되어 다루어지지 못했고 영문 교과서는 의미 전달의 한계가 있어서 10년 전 대한산부인과내분비학회에서는 "부인과내분비학" 초판을 발간한 바 있었는데, 다소 늦은 감은 있으나 이제 한층 심화된 내용으로 부인과내분비학 개정판을 출간하게 되어 진심으로 축하합니다.

특히 외과적 술기를 수련 받으면서 충분한 내과적 지식과 논리를 체계적으로 학습해야 하는 부인과내분비학의 특성으로 인해 전공의들에게 가장 부담이 되는 학문인 반면, 끊임없는 도전 정신을 불러일으키는 매우 흥미로운 학문입니다. 따라서 최신의 정보까지 잘 정리된 국문 교과서는 시간에 쫓기는 많은 의료진들에게 부담을 덜고, 빠른 시간 안에 새로운 지식을 습득할 수 있는 좋은 기회를 제공할 것입니다.

이러한 인식을 바탕으로 하여 작고하신 이진용 교수, 송찬호 교수가 2000년대 초반에 각각 내분비학에 관련된 훌륭한 책자를 발간하여 기초를 마련해 주셨고, 하루가 다르게 변화하는 의학적 환경을 감안하여 시대가 요구하는 새로운 내용을 바탕으로 한 "부인과내분비학"을 2012년 대한산부인과내분비학회에서 발간하였습니다. 당시 학회에 적극 참여하였던 내분비학 연구자들이 모여 수개월에 걸쳐 최신 부인과내분비학에 관한 내용을 저술하고 수정과 보완을 거듭하여 발간할 수 있었습니다. 척박한 의료환경에도 불구하고 항상 연구하는 자세를 견지하며 기꺼이 수고와 헌신을 다해 책을 만들어 준 후학들에게 진심으로 감사의 말씀을 다시 한 번 드립니다. 이제 10년의 시간이 지나 그동안의 의학의 발전과 최신 동향까지 한층 더 업그레이드하여 개정판을 출간하였으니 더욱 기쁘고 이러한 끊임없는 열정으로 정진한다면, 앞으로 기대되는 세계적인 발전과 성과는 믿어 의심치 않습니다.

저자 선정부터 원고 집필, 원고 교정 및 편찬 과정에 노고를 아끼지 않은 정혜원 회장 및 황규리 편찬위원장, 편찬위원과 수고한 임원진들을 비롯한 백 명에 달하는 국내 최고의 학자들인 저자분들께 감사와 축하의 말씀을 전합니다. 아울러 본 학회에 언제나 적극적으로 협조하고 격려해주시는 모든 회원 여러분들께도 감사드립니다.

부인과내분비학 개정판으로 모든 회원분들이 학문적 성취를 더 이루시고, 앞으로도 대한산부인과내분비학회가 현재에 멈추지 않고 더욱 전진하여 이와 같은 좋은 책자를 꾸준히 출간할 수 있도록 성원하여 주시길 간곡히 부탁드립니다.

감사합니다.

2021년 12월

서울대학교 명예교수, 대한산부인과내분비학회 명예회장

김 정 구

집필진

편찬위원회

위원장	황규리	서울의대	회장	정혜원	이화의대
간사	김슬기	서울의대	사무총장	정경아	이화의대
위원	이경욱	고려의대	부사무총장	박소연	이화의대
	이다용	경북의대			
	이재훈	연세의대			
	장혜진	아주의대			

집필진 (가나다 순)

구승엽 서울의대
구화선 차의과학대
김미란 가톨릭의대
김미란 아주의대
김석현 서울의대
김성우 서울의대
김성훈 울산의대
김수림 가톨릭관동대
김수아 조선의대
김수웅 서울의대(비뇨의학과)
김슬기 서울의대
김영아 인제의대
김용진 고려의대
김자연 차의과학대
김종현 전북의대
김진영 차의과학대
김진주 서울의대
김철홍 전남의대
김 탁 고려의대
나용진 부산의대
남궁정 가톨릭의대
류기진 고려의대
류상우 차의과학대
류철희 전북의대
박소연 이화의대
박영주 서울의대(내과)
박은주 을지의대
박주현 연세의대
박준철 계명의대
박중신 서울의대
박찬우 차의과학대
박현태 고려의대
배상욱 연세의대
서석교 연세의대

서주태 JTS비뇨의학과의원
서창석 서울의대
송도경 이화의대(내과)
송재연 가톨릭의대
신정호 고려의대
심유진 동국의대
안준우 울산의대
안태규 조선의대
우주현 이화의대(외과)
유은정 차의과학대
유은희 경희의대
윤병구 성균관의대
윤보현 연세의대
윤상호 동국의대
이경욱 고려의대
이규언 서울의대(외과)
이다용 경북의대
이동옥 국립암센터
이동윤 성균관의대
이미화 차의과학대
이병석 연세의대
이병익 인하의대
이사라 울산의대
이성기 건양의대
이승미 서울의대
이은실 순천향의대
이재훈 연세의대
이정렬 서울의대
이정호 계명의대
이지선 경북의대
이지영 건국의대
이택후 경북의대
이향아 강원의대
이혜진 이화의대(내과)
장혜진 아주의대
전균호 인제의대
전명재 서울의대
전성욱 인제의대
전승주 가천의대
정경아 이화의대
정윤지 가톨릭의대
정혜원 이화의대
조문경 전남의대
조시현 연세의대
조연진 동아의대
조현희 가톨릭의대
주종길 부산의대
지병철 서울의대
채희동 울산의대
채희숙 전북의대
최두석 성균관의대
최승도 순천향의대
최영식 연세의대
최원준 경상의대
한명석 동아의대
허성은 건양의대
홍승화 충북의대
황경주 아주의대
황규리 서울의대
황도영 함춘여성의원

목 차

GYNECOLOGIC ENDOCRINOLOGY

PART 7 피임

PART 8 폐경

GYNECOLOGIC ENDOCRINOLOGY

PART 11 일반부인과학

PART 12 인간의 성

PART 13 부인과 내분비학의 최신동향

GYNECOLOGIC ENDOCRINOLOGY

1

부 인 과　내 분 비 학

생식생리

CHAPTER 1

신경 내분비학

정혜원(이화의대), 허성은(건양의대)

시상하부와 뇌하수체는 생식내분비 기능을 조절하는 가장 중요한 뇌 구조이다. 시상하부와 뇌하수체의 해부학 구조와 신경혈관계를 이해하는 것은 신경내분비학과 관련된 여러 기능과 질환을 이해하는 데에 큰 도움이 될 것이다. 과거에는 뇌하수체가 생식내분비 기능의 조절에 있어서 가장 중요한 기관이라고 생각해 왔으나, 최근에는 시상하부가 말초신경계와 중추신경계의 전달에 반응하여 신경전달물질을 문맥계통을 통하여 직접 뇌하수체 전엽에 전달하여 생식내분비 기능을 조절하게 하는 것으로 알려져, 뇌하수체의 중요성이 감소하였다. 시상하부, 뇌하수체와 난소는 정상적으로 월경주기를 조절하는 데 복잡한 상호작용을 하고 있다. 난소에서 배란이 되는 난포에서 생성되는 스테로이드 호르몬과 펩티드는 배란이 원활히 이루어지게 하는 역할을 하는데 이는 뇌하수체 전엽에 대한 난소 호르몬의 내분비 되먹임기전에 의하여 이루어진다.

생식생물학의 기전을 완전히 이해하는 것은 시상하부-뇌하수체-난소 축의 기능 이상으로 흔하게 생기는 부인과 질환을 이해하고 치료하는 데 도움이 될 것이다. 시상하부-뇌하수체-난소 축의 기능에 대한 이해는 내분비계에 모호하지만 유의한 영향력을 가지는 스트레스, 식이, 운동 과다 등에 대한 이해력을 높일 수 있고 다양한 신경내분비계 약물이나 물질을 다루는 데에도 기여할 것으로 여겨진다

Ⅰ. 해부학

1. 시상하부(Hypothalamus)

시상하부는 뇌의 기저에 위치한 사이뇌(diencephalon)의 일부분으로 제3뇌실의 천정과 측면의 일부를 형성하고 있고, 시신경교차(optic chiasma) 부위에서부터 유두체(mamillary body)에까지 이르게 된다. 시상하부의 무게는 성인에서 2.5 g 정도이다. 시상하부에는 펩티드성 세포가 존재하며 자극 또는 억제성 호르몬을 분비하게 되는데, 이들 세포는 신경세포와 내분비샘세포의 특징을 공유한다. 이들 세포들은 혈관내의 신호와 뇌에서 전해오는 신경전달 물질에 의해 반응하며, 이런 신경호르몬 또는 신경전달물질은 신경세포의 세포질의 리보솜에서 만들어지고 골지

체에서 과립으로 만들어져서 신경세포종말로 보내지고 혈관으로 분비, 또는 시냅스를 통과하게 된다(그림 1-1).

생식샘자극호르몬방출호르몬(gonadotropin releasing hormone, GnRH)을 생성하는 세포는 후각구역(olfactory area)에서 기원하여 이동하게 되고, 시상하부의 활꼴핵(arcuate nucleus)에는 1,000-3,000개가 존재하게 되며, 축삭(axon)은 정중융기(median eminence)로 향해져 있다. GnRH 뉴런은 안쪽후각로기원판(medial olfactory placode)에서 나타나서 코에서 사이막핵(septal nucleus)시각앞핵(preoptic nucleus)으로 향하는 뇌신경을 따라 뇌 안으로 들어온다. 영장류에서는 GnRH 세포체는 일차적으로 안쪽바닥 시상하부(medial basal hypothalamus, MBH)에 위치하며 GnRH가 합성되는 활꼴핵 내에서 볼 수 있다. GnRH 뉴런은 다른 뉴런들과 굉장히 복잡하게 연결되어 있으며, 이러한 복잡한 연결이 있기 때문에 신경전달물질이나 호르몬, 성장호르몬 등이 GnRH 생성을 조절할 수 있다. 생성된 GnRH가 문맥계로 전달되는 축삭 통로를 GnRH 융기깔대기로(tuberoinfundibular tract)라고 한다.

시상하부의 뒤쪽에서 뇌하수체 후엽으로 내려가는 섬유가 관찰되며, 이는 세포체를 시신경교차위핵(supraoptic nucleus) 및 뇌실곁핵(paraventricular nucleus)에 두고 문맥혈관을 통하지 않고 직접 뇌하수체 후엽으로 전달되어 바소프레신(vasopressin), 옥시토신(oxytocin), 뉴로피신(neurophysin)의 분비를 자극한다.

시상하부의 활꼴핵에 위치한 GnRH 뉴런에서 문맥혈관으로의 통로와 뇌하수체 후엽으로의 직접적인 연결통로, 띠뇌실막세포에서 뇌하수체 후엽으로의 연결 등이 시상하부와 뇌하수체를 연결하는 중요한 신경해부학적 신경로라고 할 수 있다.

2. 뇌하수체(Pituitary gland)

뇌하수체는 전엽(anterior lobe, adenophysis)과 후엽(posterior lobe, neurophysis)으로 되어 있으며, 태생학적으로 서로 다른 기원을 가지고 있다. 후엽의 경우는 뇌에서 기원하여 사이뇌의 바닥에서 아래쪽으로 뻗어 나와 깔대기(infundibulum)를 형성하고, 신경아교세포와 시상하부 신경조직으로 이루어져 줄기와 신경부분(pars nervosa)이 생성된다. 전엽의 경우는 임신 3주에 뇌하수체주머니(Rathke pouch 원시입[stomodeum]에서 유래) 앞쪽 벽으로부터 기원하였으며 깔대기쪽 후방으로 자라나, 임신 2개월쯤에는 구강과의 연결이 끊어지게 된다. 전엽의 증식으로 융기부분(pars tuberalis)이 형성되고 깔대기 줄기를 에워싸게 된다.

뇌하수체는 나비뼈(sphenoid bone)의 안장(sella turcica

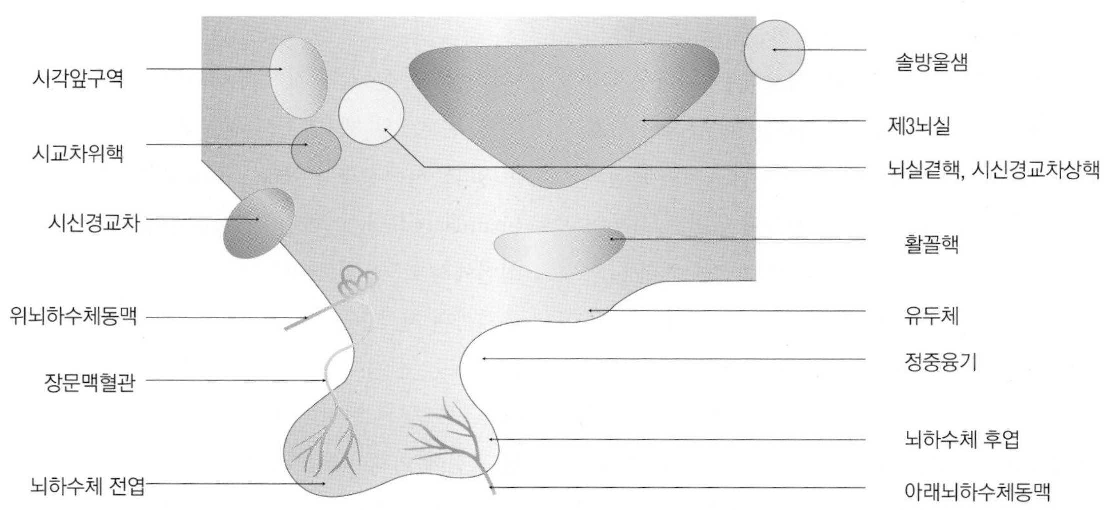

● 그림 1-1. **시상하부와 뇌하수체**

or pituitary fossa)에 위치하며, 전엽과 후엽으로 이루어져 있다. 전엽과 후엽의 사이는 콜로이드 수포(colloid vesicle) 또는 중간부분(pars intermedia)으로 나누어져 있다. 후엽은 제3뇌실의 바닥의 회색융기(tuber cinereum)와 깔대기로 이어져 뇌하수체를 덮고 있는 경질막인 안장가로막(diaphragma sellae)으로 이어진다. 뇌하수체의 측면으로는 해면정맥굴(carvenous sinus)과 시각로가, 위쪽으로는 시신경교차가 있으며(깔대기의 상부 앞쪽), 후외방으로는 시상(thalamus)이 존재하고, 유두체가 뒤쪽에 있다. 안장가로막이 나비뼈의 앞, 뒤 침대돌기(clinoid process)에 부착되어 뇌하수체의 경질막을 형성하여 뇌척수액이 들어가지 못하도록 막아서 뇌하수체가 혈관-대뇌 장벽(blood brain barrier, BBB) 밖에 존재하게끔 한다(그림 1-2).

뇌하수체는 전엽과 후엽이 각각 위뇌하수체 동맥과 아래뇌하수체 동맥에 의해서 공급받으며, 이는 목동맥의 분지이다. 위뇌하수체 동맥에서 공급받는 각각의 문정맥계는 시상하부에서 오는 호르몬 신호를 운반한다. 정맥 배류(venous drainage)는 주로 전엽을 거쳐서 해면정맥굴로 향하고, 바위정맥굴(petrosal sinus)을 거쳐서 속목 정맥(internal jugular vein)으로 가게 된다.

3. 문맥계

시상하부는 시신경 바로 위, 뇌 바닥에 위치하면서 뇌하수체를 조절하게 되는데, 뇌하수체 전엽과는 직접적인 신경연결은 없고, 문맥순환을 통해 연결된다. 뇌하수체 전엽의 혈액공급은 시상하부의 정중융기(median eminence)에서 비롯되며, 위뇌하수체 동맥이 정중융기 내에 치밀한 모세 혈관망을 만들어 문맥혈관으로 배출되어 뇌하수체 전엽으로 뇌하수체줄기를 따라 내려가게 된다. 이 혈류의 방향은 시상하부에서 뇌하수체 쪽으로 흐른다. 뇌하수체 줄기가 끊어지면 문맥순환도 중단되고 시상하부에서 뇌하수체를 조절하는 신호들이 차단되어 생식샘 기능이 멈추고 위축이 일어나게 되며, 부신과 갑상선 기능도 감소하게 된다. 뇌하수체 전엽은 시상하부로 부터 문맥순환으로 방

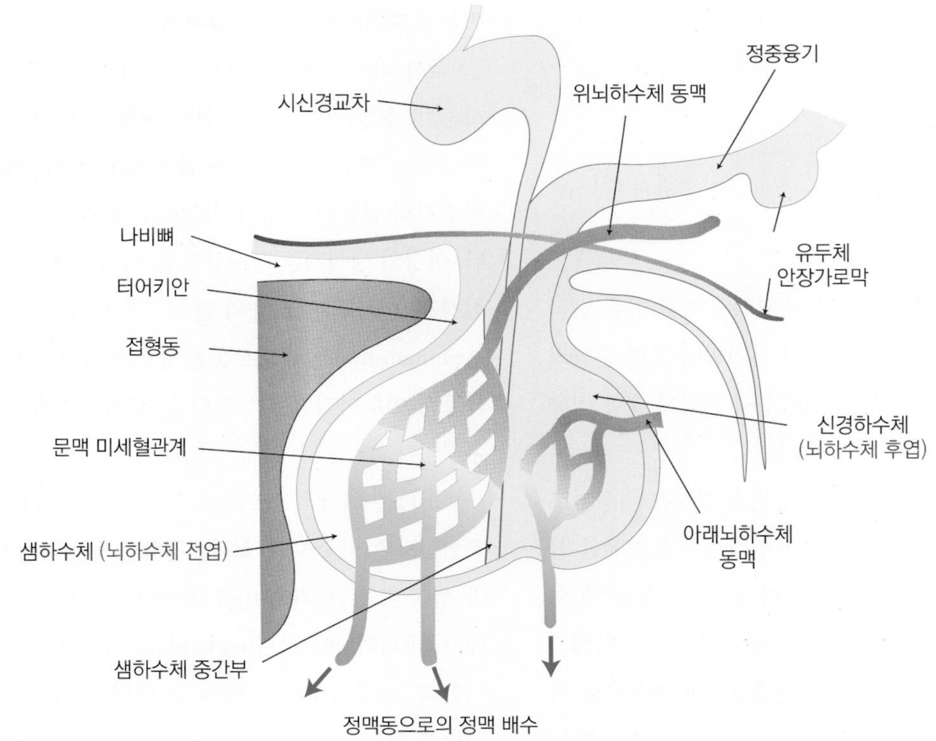

● 그림 1-2. **뇌하수체의 혈액공급과 해부학적인 구조물과의 관계**

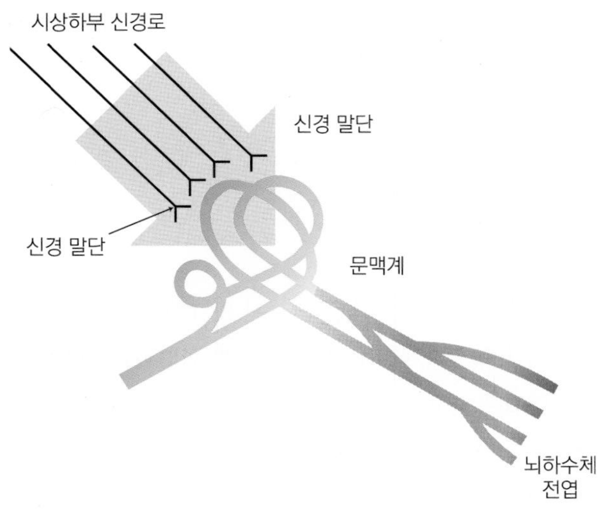

• 그림 1-3. **뇌하수체 문맥계**

출되는 신경호르몬의 직접적인 영향을 받아서 조절된다. 신호 전달의 방향은 역방향도 있어서 뇌하수체에서 시상하부로의 되먹임 기능이 일어난다. 아래뇌하수체 동맥에서 공급받는 뇌하수체 후엽 쪽에서 나오는 짧은 혈관들도 문맥순환 쪽으로 추가적인 혈액공급을 한다(그림 1-3).

Ⅱ. 시상하부 호르몬

1. 신경호르몬

시상하부는 뇌하수체 전엽과 후엽의 기능을 다른 방식으로 조절한다. 시상하부 세포에서 분비되어 문맥 순환의 혈류로 들어가는 물질을 통해 뇌하수체 전엽에 대한 영향을 유지한다.

실제로 뇌하수체 세포 증식과 유전자 발현은 시상하부 펩티드와 수용체에 의해 조절된다. 신경줄기를 절제한 실험에서 뇌하수체 전엽을 신장캡슐 아래에 이식했을 때 시상하부의 신호를 받지 못하게 되고 결과적으로 생식샘기능부전이 된다. 뇌하수체 조직을 정중융기 아래쪽으로 이식한 경우는 문맥계가 재형성되어 정상 뇌하수체의 기능이 재개되고 시상하부 의존적으로 기능하게 된다. 시상하부는 대부분의 경우 뇌하수체 전엽에 대해서 자극하는 기능(positive influence)을 보이는데 예외적으로 뇌하수체 전엽의 프로락틴생산세포에 의한 프로락틴 분비의 조절은 시상하부의 억제 신호에 의해 긴장성으로 조절된다. 실험적으로 뇌하수체 줄기를 절제했을 때 프로락틴 생산이 증가했으며, 뇌하수체 전엽의 조직을 배양하는 연구에서 시상하부의 조직이나 그 추출물과 같이 배양하지 않을 때 프로락틴 생산이 증가하였다.

시상하부에서 유래된 신경내분비 인자는 시상하부 신경호르몬으로 뇌하수체 전엽의 여러 세포들에서 양성 자극 효과를 나타내고 있다. 시상하부의 신경호르몬은 각각의 표적세포들에 따라 명명되었는데, FSH, LH 생산세포에는 생식샘자극호르몬방출호르몬(gonadotropin releasing hormone, GnRH), ACTH를 생산하는 세포에는 부신피질자극호르몬방출호르몬(corticotropin-releasing hormone, CRH), TSH 생산세포에는 갑상선자극호르몬방출호르몬(thyrotropin-releasing hormone, TRH)이라고 하였다. 프로락틴 생산을 조절하는 시상하부의 신경호르몬은 프로락틴억제호르몬(prolactin-inhibiting hormone)이라 하였는데, 이는 도파민으로 더 많이 알려져 있다.

특히 뇌하수체가 중요한 내분비기관으로 작용하면서 사춘기, 성장, 생식, 대사, 삼투 균형, 스트레스에 대한 면역반응 등 생명 유지에 매우 필수적인 역할을 하는데 이 뇌하수체의 발달과 활성은 시상하부에 의하여 조절되고 있다. 여성의 생식기능도 시상하부, 뇌하수체를 포함한 중추신경계와 난소, 자궁 등의 말초기관 사이에 신경전달물질(neurotransmitter)과 호르몬을 통한 복잡한 상호 작용의 결과로서 이루어지며 정상적인 삶에 뇌하수체의 역할은 필수적이다.

CRH는 41개의 아미노산 펩티드로 ACTH 분비의 주 조절인자일 뿐 아니라 교감신경계를 활성화시킨다. CRH가 생식샘호르몬의 분비를 억제하는 것으로 알려져 있는데, GnRH의 엔도르핀(endorphin) 억제가 부분적으로 관여한다. 시상하부의 호르몬 중 몇몇은 뇌하수체에 대한 영향뿐 아니라 행동에도 영향을 주는 것이 밝혀져 있는데, TRH가 여러 약물들의 진정작용에 반대 작용을 하거

Gonadotropin releasing hormone–
a decapeptide

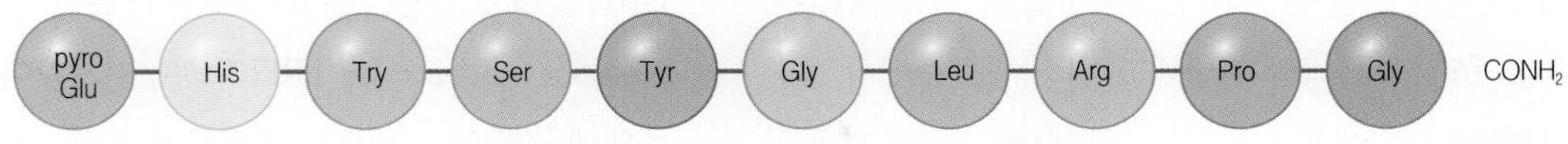

● 그림 1-4. GnRH 데카펩티드

나 사람에서 직접적인 항우울작용이 있음이 보고되었다. GnRH는 동물에서 짝짓기 행동을 유발한다.

초기의 개념에서 FSH와 LH가 각각 다른 방출호르몬에 의하여 조절된다고 생각하였으나, 현재는 두 개의 호르몬을 GnRH 하나가 조절한다고 생각하고 있다. GnRH는 10개의 아미노산으로 이루어져 있는 비교적 작은 펩티드이며, 포유동물에서 아미노산 순서의 여러 변이부분이 관찰된다(그림 1-4). 정제하거나 합성한 GnRH는 FSH와 LH를 모두 자극할 수 있다. 하나의 GnRH에 대한 반응으로 뇌하수체 전엽의 FSH 및 LH 분비의 다양한 패턴이 일어나는 것은 GnRH 분비 빈도 및 진폭, 스테로이드 호르몬의 되먹임 효과와 같은 내분비 환경의 영향으로 설명할 수 있다.

신경전달물질은 신경말단에서 분비된다. 뇌펩티드는 유전자 전사, 유전자부호해독(translation), 부호해독후 과정이 필요하고 이 과정들은 모두 신경세포체에서 이루어진다. 최종 생산물은 축삭으로 이동되어 분비를 위해 신경말단으로 이동된다. 작은 신경 내분비 펩티드는 큰 전구체 폴리펩티드를 공유하며 이러한 단백질은 하나 이상의 생물학적 활성 펩티드의 전구체 역할을 할 수 있다. GnRH의 전구체는 92개의 아미노산으로 알려져 있으며 염색체 8번의 단완에 위치하는 유전자에 있다. GnRH 전구체 단백은 23개의 아미노산 신호서열, GnRH 데카펩티드(decapeptide), 3개의 아미노산으로 구성된 단백질분해과정 부위(proteolytic processing site), GAP이라 불리는 56개의 아미노산서열(GAP, GnRH-associated peptide) 순서로 이루어져 있다.

GnRH 관련 펩티드GAP (GnRH-associated peptide)의 역할은 확실하게 알려지지는 않았지만 유즙분비 호르몬 분비를 억제하고 생식샘자극호르몬을 자극할 가능성이 있으며 주된 기능은 GnRH에 대한 구조적 지원일 것으로 생각된다.

GnRH는 전신으로 자가분비-주변분비 기능(autocrine-paracrine functions)을 보인다. GnRH는 신경 및 비신경 조직 모두에 존재하며 그 수용체는 난소 난포 및 태반 등 뇌하수체 외 부위에도 존재한다. 중심 서열인 Tyr-Gly-Leu-Arg는 GnRH의 보존되지 않은 부분으로 종에 걸쳐 가장 큰 변동성을 가지고 있어 이 부분은 치환되어도 기능이 유지된다.

GnRH 주요 종류는 세 가지로 GnRH-I 유전자는 사람 염색체 8q11.2-p21에 존재하고 모든 포유류에서 발견되며 사람의 뇌에서 주요한 형태로 시상하부에 존재한다. GnRH-II의 유전자는 사람 염색체 20p13에 존재하고 중뇌핵과 대뇌 외의 조직에 주로 존재하는 형태이며 GnRH-III는 어류에서 발견된다. GnRH-I 및 GnRH-II는 포유류의 주 GnRH이며GnRH-I는 뇌에서 발견되는 주요 형태 인 반면 GnRH-II 뇌 밖의 기관에서 광범위하게 발현된다.

뇌하수체 호르몬은 사춘기, 성장, 생식, 대사, 삼투압 균형 및 스트레스에 대한 반응을 조절한다. 뇌하수체 발달과 작용은 다른 중추신경의 영향을 포함한 시상하부의 조절을 받고 있으며, 뇌하수체 영양세포의 표적 조직에서 나오는 호르몬에 의해 미세하게 조절된다. 뇌하수체의 성장과 기능 향상 및 억제를 위한 자가분비-주변분비 체계(autocrine-paracrine system)가 있으며 뇌하수체가 모든 활동의 초점 및 중앙이 되며 이러한 역할은 정상적인 생활에 매우 중요하다.

2. 프로락틴

프로락틴의 유전자는 뇌하수체 전엽의 프로락틴분비세포(lactotroph), 탈락막 자궁내막 및 자궁근층에서 발현되며 다양한 부위에서 분비되는 프로락틴 호르몬은 동일하지만 프로락틴 유전자 조절의 차이를 나타내는 mRNA의 차이가 있다. 프로락틴 유전자의 전사는 5' 촉진자 영역에 결합하는 전사 인자(Pit-1이라는 단백질)에 의해 조절된다. Pit-1의 발현은 Prop1 (Prophet of Pit-1)이라는 전사 인자에 의하여 조절되는데 Pit-1 유전자에 있는 Prop1 결합부위에 돌연변이가 있으면 뇌하수체 호르몬의 결핍을 초래한다. 이런 돌연변이들이 여러 종류의 뇌하수체 호르몬 결핍 유전질환의 대부분을 일으킨다고 볼 수 있다. 나머지는 다른 전사 인자, 특히 HESX1, LHX3, LHX4, TBX19, SOX2 및 SOX3와 관련된 돌연변이에서 발생한다.

프로락틴 유전자 전사는 에스트로겐과 5' 측면 서열(5′ flanking sequences)에 있는 글루코코르티코이드 수용체의 상호 작용에 의해 조절된다. 이러한 5' 측면 서열 또는 Pit-1 단백질유전자의 돌연변이가 있으면 프로락틴 분비가 안 될 수 있다. Pit-1 유전자는 뇌하수체 전엽의 분화 및 성장에 관여하며 이 유전자의 돌연변이가 있으면 프로락틴의 분비가 안 될 뿐 아니라 성장 호르몬과 갑상선 호르몬의 분비도 안 되어 심각한 뇌하수체저하증(hypopituitarism)을 보인다. 분자 생물학적 연구에 따르면 Pit-1은 프로락틴 유전자 전사를 자극하거나 억제하는 호르몬 신호를 매개하는 역할을 한다. 그러나 Pit-1 유전자 발현의 변이는 뇌하수체 종양 형성과는 관련되어 있지 않다.

프로락틴은 포유류에서 유즙생성(lactogenesis)으로 유선의 성장, 유즙분비의 개시, 유즙합성의 유지가 주작용이다. 뇌하수체 특이 전사 인자인 Pit-1은 종들 사이에서 보존성이 높다. 또한 남성과 여성에서 성흥분(sexual arousal)과 성극치감(orgasm) 후 1시간 동안 혈중 프로락틴의 농도가 상승하는데 이는 흥분과 극치감 이후 바로 성욕을 억제하는 것과 관련이 있다고 생각된다.

프로락틴 유전자 전사는 에스트로겐에 의해 자극되고 에스트로겐 반응 요소(estrogen-responsive elements)에 결합하는 에스트로겐 수용체에 의해 매개된다. 에스트로겐에 의한 활성화 기전은 아직 확실히 밝혀져 있지 않지만 Pit-과의 상호 작용이 필요하다. 근위 촉진자 서열(Proximal promoter sequences)은 TRH와 성장인자같이 세포 표면 수용체에 결합하는 펩티드 호르몬에 의해서도 활성화된다. 또한, 고리일인산아데노신(cAMP) 및 칼슘 채널을 제어하는 다양한 물질들이 프로락틴 촉진자 활성을 자극하거나 억제할 수 있다.

뇌하수체에서의 프로락틴 분비는 주로 문맥 순환으로 방출되는 시상하부 도파민에 의하여 억제되는데 지속적인 억제(tonic inhibition)를 하기 위해서는 도파민의 분비량이 많아야 한다. 뇌하수체에서의 도파민의 작용은 아데닐산고리화효소(adenylate cyclase) 활성이 억제된 수용체에 의해 매개된다. 도파민 수용체에는 가지 형태가 있으며 기능에 따라 두 군(two group)으로 분류한다. 도파민 수용체 중 D1과 D2는 성장호르몬 수용체 유전자 근처에 위치하며 5번 염색체에 있는 단일 유전자에 의해 암호화된다. 뇌하수체 전엽에는 주로 도파민 수용체 D2 유형이 있다. 도파민 수용체의 구조와 기능은 G 단백질 시스템이다. 도파민이 수용체에 결합하면 아데닐산고리화효소가 억제되고, 프로락틴 유전자 전사와 프로락틴 분비를 유지하던 cAMP도 억제된다. 세포 내 칼슘 양 억제를 포함한 다른 기전도 활성화된다. Pit-1 결합 부위가 도파민 반응에 관여한다. 프로락틴 유전자 발현을 억제할 뿐 아니라 D2 수용체에 도파민이 결합하면 프로락틴생산세포(lactotroph)의 성장과 분화를 억제하는 기능도 있다. 도파민이 다양한 작용이 있기 때문에, 도파민 작용제(agonist)가 프로락틴의 분비를 억제하고 프로락틴 분비 뇌하수체 선종의 성장을 억제하는 것이 설명된다.

프로락틴은 억제인자와 분비인자의 상호 작용에 의하여 유지되는데, 프로락틴이 박동성 분비를 보여도 지속적으로 억제인자의 작용을 받고 있다. TRH, 혈관작용장펩티드(vasoactive intestinal peptide, VIP), 표피성장인자(epidermal growth factor, EGF), GnRH 등이 프로락틴 분비를 자극하는 것으로 생각되고 있다. 이러한 인자들은 상호 작용에 의해 프로락틴생산세포의 반응에 영향을 미친다. 갑상선기능저하증의 경우 TRH의 증가로 인한 고프로락틴혈증이 된다. 프로락틴의 항상성은 도파민 분비신경의 되먹임 기전을 통하여 프로락틴 자체에 의해 주로 조절된다.

도파민 작용은 에스트로겐에 의해 직접 또는 다른 신경 전달 물질을 통해 영향을 받는다. 프로락틴 분비는 시상하부-뇌하수체 문맥시스템을 통해 들어온 도파민에 의하여 지속적인 억제(tonic inhibition)를 받는다. 도파민은 프로락틴에 의해 자극되어 프로락틴 분비를 감소시키고 에스트로겐에 의해서는 억제되어 프로락틴 분비를 증가시킨다. 내인 아편유사제(opioid) 등이 도파민 분비를 억제하여 프로락틴 분비가 증가하고 세로토닌 및 신경펩티드 Y를 포함한 다른 물질들은 도파민 분비를 자극하여 프로락틴을 감소시킨다. 도파민 수용체 길항제의 경우, 도파민의 프로락틴 분비억제효과가 없어지므로 고프로락틴혈증이 발생하게 된다. 최근 개발된 약물들은 혈관-대뇌 장벽투과성, 도파민 수용체에 대한 친화력의 차이를 이용하여 고프로락틴혈증 발생이 감소하는데 이런 약제에는 clozapine, olanzapine, quetiapine, aripiprazole, ziprasidone 등이 있다. 리스페리돈(risperidone)과 amisulpride는 고프로락틴혈증이 발생한다. 각각의 약물로 인한 영향은 혈관-대뇌 장벽 통과와 도파민 수용체에의 결합능력에 따라 달라지게 된다.

3. 시상하부와 GnRH의 분비

GnRH를 생성하는 신경내분비세포는 후각구역(olfactory area)에서 기원하여 이동한다. 배아발생 동안 코와 전뇌를 연결하는 안면신경을 따라 이동하여 최종적으로 시상하부의 활꼴핵에 GnRH를 생성하는 세포가 존재하게 되며, 그 축삭(axon)은 정중융기(median eminence)로 향해져 있다. GnRH 뉴런은 내측 후각 기원판(감각 기관이 발달하는 외배엽의 두꺼운 판)에서 나타나서 코에서 시작하여 뇌의 중격-시각앞 핵(septal-preoptic nuclei)으로 돌출하는 뇌신경인 신경 말단과 함께 뇌로 들어간다. 이러한 이동이 실패한 경우, 후각 축삭(olfactory axonal)과 GnRH 뉴런의 이동이 안 되어 GnRH 분비가 안 되고 후각이 결여된 칼만증후군(Kallmann syndrome)이 발생한다. 칼만증후군은 X- linked, 상염색체 우성, 상염색체 열성, 세 가지 방식으로 유전된다. 남성에서 5-7 배 더 높은 빈도로 나타나는데 이는 X연관 유전이 가장 흔한 유전적 변이임을 나타낸다. X-linked 유전인 경우 파이브로넥틴 군 중의 하나면서 세포부착과 단백분해억제를 맡고 있는 anosmin-1 같은 신경세포의 이동에 필요한 단백질 생성에 문제가 생기게 되고, 상염색체 관련 유전 종류에서는 섬유모세포성장인자와 프로키네티신(prokineticin)의 수용체 생성이 불가능해진다. 정상 GnRH 뉴런 발달 및 이동은 또한 타이로신인산화효소(tyrosine kinase) 수용체에 의존하는데, 이러한 수용체의 이상은 GnRH 결핍의 일부 임상 사례를 설명할 수 있다.

GnRH 뉴런은 서로 연결되어 있거나 다른 뉴런과 연결되어 있는 복잡한 망(network)을 가지고 있다. 이러한 물리적 배열은 신경전달물질, 호르몬 및 성장 인자와의 상호 작용을 통해 GnRH 방출을 조절한다. 신경에서 분비된 GnRH는 축삭경로(axonal pathway)인 GnRH 융기깔대기로(tuberoinfundibular tract)를 통하여 문맥으로 들어가게 된다. GnRH 항체를 이용한 면역 세포 화학적 방법으로 확인된 신경 섬유는 시상하부의 뒤쪽에서 보이며 뇌하수체 뒤쪽으로 내려가며 변연계로 돌출된 시상하부 앞쪽에서도 나타난다. 하이브리드 기술을 이용한 GnRH mRNA의 위치는 면역 반응성으로 확인된 위치와 동일하게 나타났다. 그러나 정중돌기(median eminence) 이외의 영역으로 돌출하는 GnRH 뉴런을 방해하는 병변은 뇌하수체 생식샘자극호르몬 방출에 영향을 미치지 않는다. 따라서 활꼴핵(arcuate nucleus)은 정중돌기(median eminence)와 하나의 단위로 볼 수 있으며 시상하부내에서 GnRH가 분비되어 문맥 순환으로 들어가는 핵심적인 부분이다. 다른 위치에 있는 GnRH 뉴런은 다양한 행동반응에 중요할 수 있다.

1) GnRH의 분비

GnRH의 반감기는 약 2-4분으로 매우 짧다. 빠르게 분해되고 말초순환계에 들어갈 때 많이 희석되므로 생물학적으로 효과를 나타낼 수 있는 양의 GnRH는 문맥 순환계에서만 작용할 수 있다. GnRH가 지속적으로 분비되는 것에 의하여 생식주기가 조절된다. GnRH의 분비에는 분비호르몬과 다른 신경호르몬, 뇌하수체 생식샘자극호르몬과 성호르몬간의 복잡하고 협조된 상호관계, 즉 자극하는 양성 되먹임 또는 억제하는 음성 되먹임효과(feedback effect)에 의해 조절되고 있다.

긴 고리(long-loop) 되먹임은 성호르몬에 의해 시상하부-뇌하수체가 영향을 받는 것을 말하며 짧은 고리(short-loop) 되먹임은 뇌하수체호르몬이 시상하부에 음성 되먹임으로 작용하는 것을, 그리고 초단 고리(ultrashort-loop) 되먹임은 분비된 호르몬이 자신의 합성을 억제하는 것을 말한다. GnRH는 중추신경계의 상위 센터로부터의 신호들과 도파민, 노르에피네프린(norepinephrine), 엔도르핀(endorphin), 멜라토닌(melatonin), 세로토닌(serotonin) 등의 신경전달물질을 통하여 조절된다. 도파민과 노르에피네프린은 타이로신이 하이드록실화에 의하여 합성된 dihydroxyphenylalanine (DOPA)의 카복실기제거(decarboxylation)에 의하여 신경말단에서 합성된다. 도파민은 노르에피네프린과 에피네프린의 전구체이며 도파민 자체는 시상하부와 뇌하수체에서 핵심 신경전달물질로 기능한다.

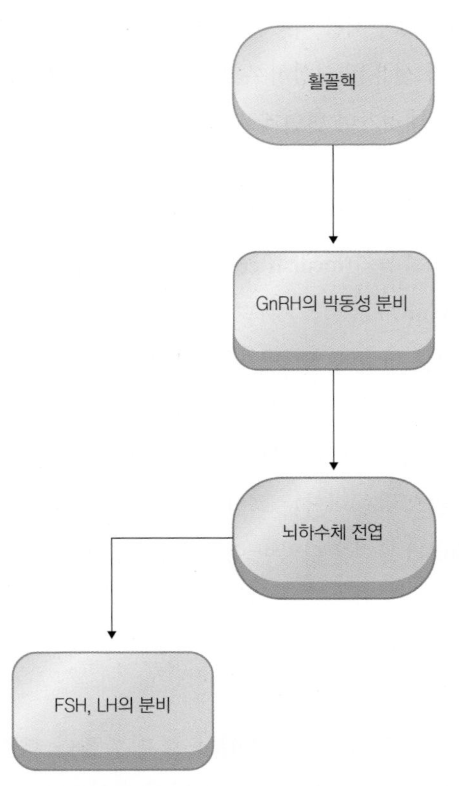

• 그림 1-5. 활꼴핵의 조절과 GnRH의 박동성 분비로 인한 FSH와 LH의 분비

가장 유용한 개념은 박동성으로 GnRH가 문맥으로 분비되는데 활꼴핵이 중심역할을 한다는 것이다. 일련의 실험에서 뇌하수체 생식샘자극호르몬 분비세포(pituitary gonadotrophs)에서 생식샘자극호르몬을 정상적으로 분비하기 위해서는 빈도와 진폭 모두 임계 범위 내에서 박동성 GnRH 분비가 필요하다는 것이 보고되었다(그림 1-5).

실험에 의하면 GnRH 박동성 분비의 임계 범위는 좁다. GnRH의 빈도를 낮추면 LH 분비는 감소하지만 FSH 분비는 증가한다. GnRH의 박동성 분비의 패턴을 반영하여 생식샘자극호르몬도 박동성으로 분비된다. GnRH와 생식샘자극호르몬 분비는 본질적으로 항상 박동성으로 분비된다. 사춘기 직전에는 야간 LH 증가와 함께 생식샘자극호르몬 분비의 박동 패턴이 강화된다. 사춘기 이후에는 강화된 박동 분비가 24시간 동안 유지되지만 진폭과 빈도는 다양하다. 주 자극제인 LH의 파동과 연동하여 난소호르몬도 박동성으로 분비된다. 난소에서의 조절이 없으면 GnRH의 박동성 빈도는 한 시간에 한 번이다.

(1) GnRH 박동성 분비의 시기

GnRH의 박동을 예측하기 위해서는 황체형성호르몬(luteinizing hormone, LH) 박동을 측정하는데, 이유는 난포자극호르몬(follicle stimulating hormone, FSH)의 반감기가 너무 길기 때문에 적합치 않기 때문이다. 월경주기별 LH 박동 주기는 초기 난포기가 90분, 후기 난포기 60-70분, 초기 황체기 100분, 후기 황체기 200분이며 LH 박동의 진폭은 그림 1-6과 같다. 월경주기 동안 나타나는 LH의 파동은 다음과 같다.

GnRH 박동성 분비는 난포기에는 황체기에 비해 빈도가 짧고 진폭이 낮다. 후기 황체기로 가면서 GnRH 박동 빈도가 길어지는데 이는 다음 월경주기를 위해 FSH의 합성 및 분비가 증가하기 위해 필요한 매우 중요한 변화이다. 또한 월경주기 중간에 GnRH 박동 빈도 및 진폭이 증가하여 LH 급증(LH surge)이 일어나고 이로 인해 배란과 황체

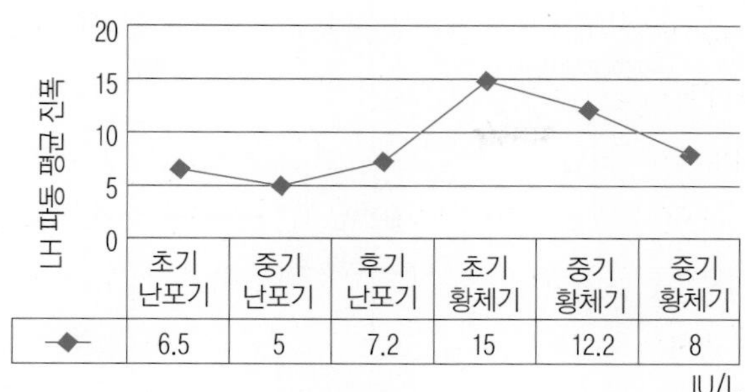

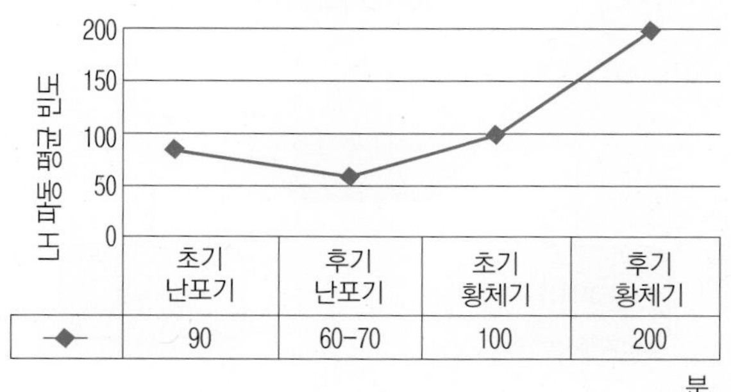

● 그림 1-6. LH 파동 평균 진폭과 평균 빈도

기가 시작된다.

GnRH 박동 빈도 및 진폭은 개인별 차이가 있고 한 개인에서도 변할 수 있기 때문에 정상범위가 넓다. FSH의 반감기가 길어도 LH 분비와 연동하여 분비된다. 박동성 분비에서 진폭의 변화는 주기의 변화에 비해 적어서 생식샘자극호르몬의 혈중 농도의 증감은 대부분 GnRH 박동 빈도에 영향을 받는다. 황체기에서 난포기로 넘어가면서 박동성 분비의 빈도는 약 4.5배 증가한다.

뇌하수체 전엽과 GnRH 뉴런은 고유한 박동 분비를 보인다. 상당한 진폭의 생식샘자극호르몬의 파동은 GnRH 분비와 연관성이 있지만, 뇌하수체 전엽에서의 고주파의 작은 진폭의 파동성 분비는 자발적으로 일어나는 것으로 보인다. 뇌하수체 분비 패턴은 GnRH를 반영하는 것으로 생각된다. GnRH의 박동성 분비는 시상하부에서 일어나는 일시적인 GnRH-I 유전자 발현과 관련이 있다. GnRH-I 유전자의 촉진자 부위는 박동성 분비에 관여하며 이는 일반적인 전사 인자에 의해 조절된다.

(2) GnRH 작용제(Agonist), 길항제(Antagonist)

GnRH는 5-6, 6-7, 9-10 사이의 아미노산 결합 부위가 빠르게 분해되기 때문에 반감기가 짧다. 6번 위치의 아미노산 치환 또는 C-말단 glycineamide를 바꾸어 GnRH 작용제의 효과를 갖는 유사체를 만들었다. 임상에서 GnRH 작용제는 근육내, 피하, 또는 비강으로 투여한다. GnRH 작용제의 투여 초기에는 혈중 LH, FSH 농도가 증가하는데(flare effect), 월경주기중 난포기 초기에 GnRH 작용제를 투여한 경우 더 크게 증가하는데 이 시기에 생식샘자극호르몬이 분비될 여분의 pool이 크기 때문이다. GnRH 작용제를 1-3주 정도 계속 투여하면 뇌하수체의 탈민감(desensitization)과 하향조절이 일어나 생식샘자극호르몬이 낮고(낮은 FSH, LH)와 생식샘저하상태(낮은 에스트라디올)를 보인다. 이는 초기 억제 반응은 탈민감으로 일어났으나 지속 반응으로 GnRH 수용체의 감소, 이펙터 시스템에서 수용체의 결합해제 등이 일어나기 때문이다. 더욱이, 수용체 이후의 기전에서 생물학적으로 불활성인 생식샘자극호르몬이 만들어지게 되며, 이는 면역 분석에 의해 검출이 가능하다. GnRH 작용제 투여로 인한 뇌하수체에서의 생식샘자극호르몬 분비 억제와 그 결과로 저에스트로겐상태가 되는 것을 이용해 자궁내막증, 자궁평활근종, 성조숙 등의 에스트로겐 의존성 질환의 치료에 적용한다. 또한, 임상적으로 혈소판 감소증 환자의 월경과다, 월경전불쾌장애(premenstrual dysphoric disorder, PMDD) 등의 질환 치료에도 이용된다.

GnRH 길항제는 여러 위치의 아미노산을 치환하여 합성되며(2, 3번 아미노산) GnRH 수용체에 결합할 수 있기 때문에 자연적인 GnRH를 경쟁적으로 억제하게 된다. GnRH 길항제 투여 후 신속하게 생식샘자극호르몬이 감소하기 때문에, 투여 24-72시간 내에 즉각적인 치료효과를 보인다. 초기 개발된 제품은 효능이 없거나 히스타민 방출로 인한 바람직하지 않은 부작용이 있었다. 현재에는 자궁내막증, 전립선암, 성조숙 및 여성 난임 치료에 사용할 수 있는 제품들이 있다.

GnRH유사체(작용제와 길항제)는 경구로 투여될 때 파괴될 수 있기 때문에 그간 비경구 형태로만 사용할 수 있었는데, 최근 경구용 GnRH 길항제가 FDA 승인을 받았다. 높은 용량의 GnRH 유사체를 피하로 투여해야만 정맥 및 근육으로 투여한 것과 거의 동일한 효과를 얻을 수 있으나 혈액에서의 최고치를 이루는 데도 오래 걸리고, 기준점으로 돌아가는 데에도 시간이 오래 걸리게 된다. 비강스프레이, 서방형 임플란트, 생분해되는 microsphere 형태로 투여하는 등 다른 경로로 투여하기도 한다. 비강으로 투여하는 경우 사용하면 생체 이용률을 높이기 위해 흡수 향상제를 추가해야 하는데 이는 비강 자극을 심하게 일으킬 수 있다. GnRH 작용제의 데포 제형은 피하로 투여되며 매월 혹은 3개월 요법이 있다.

(3) GnRH 박동성 분비의 조절

정상 월경주기를 위해서는 GnRH의 박동성 분비가 적절한 빈도와 진폭(amplitude)으로 유지되어야 한다. 박동성과 리듬성(rhythmic)은 GnRH 신경세포의 내재적인 특성으로 이를 조절하는 여러가지 호르몬과 신경전달물질에 대해서 살펴볼 필요가 있다.

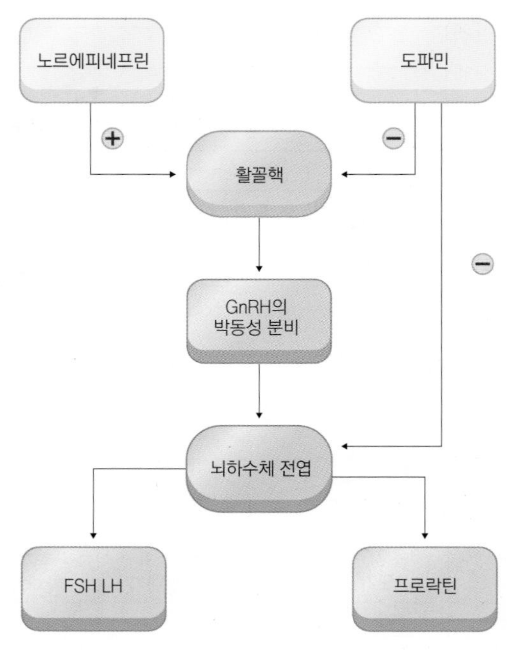

● 그림 1-7. 생체 카테콜아민의 GnRH 박동성 분비 조절

① 도파민 경로

도파민을 생산하는 신경세포의 세포체는 활꼴핵, 뇌실주위핵에서 발견된다. 도파민 융기깔대기로(TIT)는 안쪽바닥 시상하부(medial basal hypothalamus, MBH)에서 시작되며, 축삭은 짧고 정중융기에서 끝나게 된다.

사람에게 도파민을 정맥투여하게 되면 프로락틴과 생식샘자극호르몬의 체내농도가 낮아지게 되는 것을 관찰할 수 있다. 도파민은 뇌하수체 전엽에서 생식샘자극호르몬을 직접 억제하지 않고, 시상하부에서 GnRH의 분비를 조절함으로써 작용한다. 이때 도파민은 문맥계 혈류로 직접 분비되며, 신경호르몬과 유사하게 작용한다. 도파민은 활꼴핵에서 GnRH 활동성을 억제하며, 문맥을 통해 뇌하수체에서 프로락틴 분비를 억제한다. 시상하부의 융기깔대기로(TIT)는 대표적인 도파민 경로이며, 이를 통해 직접 프로락틴 분비 조절을 한다. 뇌하수체 중엽으로 전달된 프로락틴은 멜라닌 세포 자극 호르몬(melanocyte-stimulating hormone, MSH) 방출을 억제한다.

② 노르에피네프린 경로

노르에피네프린을 분비하는 신경세포체는 중뇌와 뇌간하부에 위치해 있으며 같은 세포에서 세로토닌도 합성된다. 이들 축삭은 내측전뇌다발(medial forebrain bundle)을 따라 시상하부를 포함하여 여러 뇌구조로 뻗어 있다.

생체 카테콜아민은 GnRH 박동성 분비를 조절한다. 노르에피네프린은 GnRH의 박동성 분비를 자극하고 도파민과 세로토닌은 이를 억제하는 작용을 한다. 임상적으로는 도파민이 GnRH와 도파민 모두를 억제하는 것으로 보는 것이 좋다. 세로토닌의 역할에 대해서는 잘 알려져 있지 않다. 카테콜아민의 작용기전은 GnRH의 분비의 빈도(아마도 진폭도 같이)에 대한 영향이라고 알려져 있다. 뇌하수체 기능에 영향을 주는 약물이나 심리적 요인들은 카테콜아민의 합성 및 대사에 변화를 줌으로써 GnRH 박동성 분비에 영향을 미친다고 생각된다(그림 1-7).

2) 뉴로펩티드 Y (Neuropeptide Y, NPY)

뉴로펩티드 Y는 렙틴과 인슐린이 개인의 영양상태에 관한 정보를 시상하부에 전달하는데 중요한 펩티드다. 시상하부 신경세포에 있는 뉴로펩티드 Y의 분비 및 유전자 발현은 성호르몬에 의해 조절되고 있다. 뉴로펩티드 Y는 식욕을 자극하고 GnRH의 박동성 분비를 자극한다. 뇌하수체에서는 GnRH에 대한 생식샘자극호르몬의 반응을 증강시키나 에스트로겐이 없는 상황에서는 오히려 생식샘자극호르몬의 분비를 억제한다. 영양결핍은 뉴로펩티드 Y를 상승시키며, 신경성 식욕부진(anorexia nervosa), 폭식증(bulimia nervosa) 환자의 뇌척수액내 뉴로펩티드 Y 농도가 상승되어 있어서 뉴로펩티드 Y는 영양과 생식기능 사이의 연결고리중 하나라는 것을 시사한다. 생식과 관련된 신경 내분비 활동은 개인의 에너지 상태에 민감한데, 생식을 지원하기에 충분한 신체 에너지 상태인가에 민감하다는 것이다.

3) 키스펩틴(Kisspeptin)

키스펩틴은 시상하부에서 발현되는 Kiss1 유전자로 코딩되는 단백질이다. 키스펩틴과 G-단백수용체(G-protein receptor, GPR), GPR54는 정상 사춘기발달에 필수적이라고 알려져 있고, GnRH 신경세포를 활성화시키고 GnRH 분비를 유발하는 역할을 한다. 키스펩틴 신경세포에는 에스트로겐 수용체와 프로게스테론 수용체가 존재하며 사춘기 발달뿐 아니라 배란주기와 관련된 변화와 연관되어 있으며 성호르몬이 GnRH 분비에 영향을 미치는 과정에 연관되어 있다.

III. 뇌하수체 호르몬

1. 뇌하수체 생식샘자극호르몬 분비

LH와 FSH는 유사한 구조를 갖는 당단백질(glycoprotein)로서 α아단위와 β아단위가 서로 비공유결합(noncovalent bond)으로 결합되어있다. LH, FSH, TSH, 사람 융모생식샘자극호르몬(human chorionic gonadotropin, hCG)의 α아단위(αsubunit)는 동일하며 β아단위(subunit)가 서로 달라 수용체에 특이적으로 결합함으로써 독특한 기능을 나타낸다. α아단위에 대한 유전자는 뇌하수체와 태반에서 발현되며, hCG의 β아단위는 주로 태반에서, 뇌하수체에서는 소량 발현된다. LH β아단위는 뇌하수체에서 주로 발현되며, 태반에서는 유의한 양이 발현되지 않는다. 성호르몬의 감소나 생식샘제거(castration)를 하게 되면 생식샘자극호르몬 유전자의 전사가 증가되는데, 이는 특정 mRNA의 증가에 의한다.

LH와 FSH는 뇌하수체의 바깥쪽에 위치하는 동일한 생식샘자극세포(gonodotrope)에서 분비되고, GnRH의 박동성 분비에 반응한다. GnRH는 칼슘 의존적으로 inositol 1,4,5-triphosphate (IP3)와 1,2-diacylglycerol (1.2-DG)을 제2메신저로 사용하여, 단백질 키나아제(protein kinase)와 고리 AMP (cyclic AMP)를 자극한다. 이런 반응에는 G 단백 수용체가 필요하며, 세포내 칼슘 이온의 주기적 분비와 세포막 통로가 열림으로써 세포바깥 칼슘의 세포내 유입과 관련이 있다. 그래서 칼모듈린(calmodulin, calcium-binding protein), 단백질 키나아제, 고리 AMP는 모두 GnRH 작용의 반대역할을 하게 된다. FSH와 LH를 분비하는 세포들에 있어서 속도제한단계(rate-limiting step)는 각각의 생식샘자극호르몬의 β아단위의 합성 단계이다.

GnRH 1형 수용체는 G 단백군의 하나이며, 염색체 14q13.1- q21.1에 위치한다. 사람에서 GnRH와 두가지 GnRH 수용체의 정확한 역할은 알려져 있지 않다. GnRH 수용체는 GnRH 자체와 인히빈(inhibin), 액티빈(activin)과 성호르몬에 의하여 조절된다. GnRH의 박동성 분비에 의하여 GnRH 수용체의 수가 조절된다. 신호전달경로는 자극 전사인자와 억제 전사인자를 유도하거나 변형시키는 것이 포함된다. 저생식샘자극호르몬생식샘저하증(hypogonadotropic hypogonadism) 환자에서 GnRH 유전자의 돌연변이가 보고된 것은 없으나 GnRH 수용체 유전자에는 다수의 유전자 변이가 보고된 바 있다.

생식샘자극호르몬의 합성은 세포질 그물에서 합성되

어 골지체에 분비과립 형태로 저장된다. GnRH에 반응하여 성숙 분비과립이 세포막 쪽으로 이동하고 세포막 투과성이 변하며 생식샘자극호르몬이 배출된다.

GnRH가 뇌하수체 내의 수용체에 결합하면 여러 메신저의 활성과 반응을 일으키게 된다. 즉각 반응으로 생식샘자극호른몬이 분비되고, 지연 반응으로 다음 분비를 준비하게 된다. 즉, 초기 반응은 GnRH 자극에 의하여 이미 만들어져서 골지 장치에 저장되었던 것이 분비되는 것이고, 후기 반응은 GnRH의 자극을 받아 현재 만들어서 분비되는 것이다. GnRH의 지연 반응 중 하나는 자가 시동(self priming)작용으로 다음 GnRH 박동성 분비를 일으킬 뿐만 아니라 월경중기급등(midcycle surge)을 일으키는 데 중요하다. 월경중기급등은 에스트로겐에 대한 노출이 필요하고, 프로게스테론에 의하여 강화된다. 프로게스테론의 이런 중요한 작용은 에스트로겐 노출(에스트로겐에 의해 프로게스테론 수용체가 발현 증가)과 GnRH에 의해 자극된 인산화에 의해 프로게스테론 수용체의 활성화에 의존하게 된다. 이런 작용은 펩티드와 스테로이드호르몬 간의 교차소통(cross-talk)의 예라고 할 수 있다(그림 1-8).

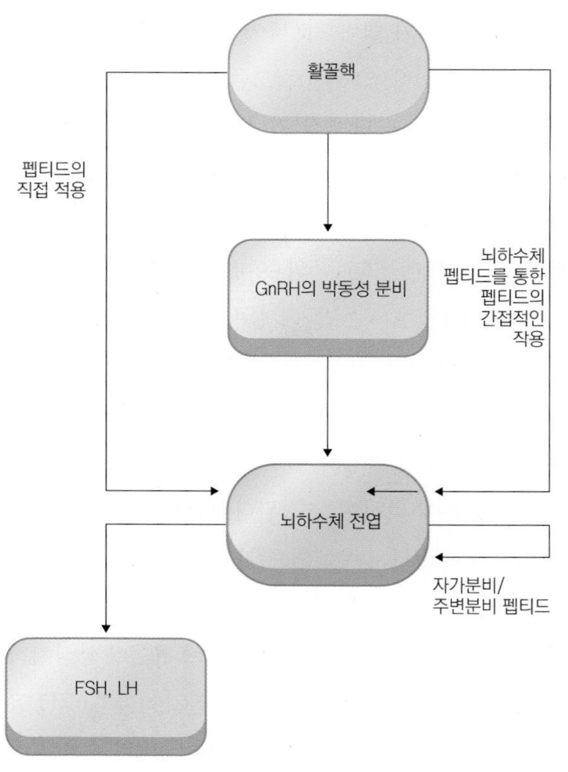

• 그림 1-8. 펩티드와 스테로이드호르몬 간의 교차소통(cross-talk)

뇌하수체 전엽 내에는 생식샘자극세포, 프로락틴생산세포, 갑상선자극세포, 성장호르몬분비세포, 부신피질자극호르몬분비세포의 다섯 가지의 분비세포가 공존한다:

뇌하수체 전엽의 분비 기능은 단순히 시상하부방출인자(hypothalamic releasing factor)에 의한 반응이나 되먹임 신호에 의한 것이 아니고 자가분비, 주변분비 기능에 의해서 보다 복잡하게 조절된다. GnRH 시스템이 주요 기전이지만 시상하부의 다른 펩티드들도 뇌하수체에서 GnRH와 상호작용을 할 수 있고, 뇌하수체로 이동되어 직접 생식샘자극세포에 영향을 줄 수도 있으며(옥시토신, CRH, 뉴로펩티드 Y 등), 뇌하수체 내에서 활성 물질의 분비를 자극함으로써 FSH와 LH에 간접 영향을 줄 수 있다(갈라닌, 인터루킨).

2. 뇌하수체 내의 자가분비-주변분비계

뇌하수체 생식샘자극호르몬의 합성과 분비는 시상하부의 GnRH뿐 아니라 액티빈, 인히빈, 폴리스타틴 등의 여러 인자들에 의해서 조절된다. 액티빈은 GnRH 활성도를 향상시키고, 폴리스타틴은 억제한다. 생체내 및 생체외 실험에서 생식샘자극호르몬이 GnRH에 반응하는 데에는 액티빈이 필요하고, 생식샘자극호르몬의 반응은 폴리스타틴이 억제한다고 보고하였다. 이것으로 지속적인 GnRH의 자극에 의해서 뇌하수체 생식샘자극호르몬 분비가 하향조절되는 것을 설명할 수 있다. GnRH의 박동의 빈도가 증가하면 처음에는 FSH 생산이 증가하고, 높은 빈도가 유지되거나 지속적인 GnRH의 자극이 일어나면 폴리스타틴 생산이 증가된다. FSH의 선택적인 합성과 분비는 억제인자들(인히빈과 폴리스타틴)의 감소로 설명할 수 있으며, 액티빈이 GnRH를 작용을 향상시키고, FHS의 β 아단위 발현을 증가시키는 전사인자에도 관여한다. LH 분비는 인히빈-액티빈-폴리스타틴의 관여없이 GnRH에 의해서 우선적으로 조절된다.

1) 액티빈(Activin), 인히빈(Inhibin), 폴리스타틴(Follistatin)

액티빈, 인히빈은 전환성장인자(transforming growth factor, TGF)-β군에 속하는 펩티드다. 인히빈은 서로 다른 두 개의 펩티드인 α아단위와 β아단위로 구성되어 있으며 이황결합으로 연결되어 있다. 인히빈은 A와 B 두 가지 종류가 알려져 있으며 α아단위는 동일하고, 서로 다르지만 관련이 있는 두 가지 β아단위로 되어있다. 즉 인히빈은 α아단위와 β-A, β-B 세 종류의 아단위로 구성되며 각각의 아단위는 각기 다른 m RNA(messenger RNA)에서 만들어지고 각각 다른 전구물질(precursor)에서 유래한다(표 1-1).

인히빈은 난소의 과립층세포(granulosa cell)에서 분비되지만, α 사슬과 β 사슬의 mRNA는 뇌하수체 생식샘자극세포에서도 발견된다. 인히빈은 선택적으로 FSH를 억제하고 LH에는 작용하지 않는다. 실제로는 FSH 합성을 억제하며, LH 활성도를 향상시킨다. LH를 주로 합성하는 세포는 GnRH 수용체 수를 증가시킴으로써 인히빈에 반응하고 FSH 우성세포는 인히빈에 의해 억제된다. 인히빈은 GH, ACTH, 프로락틴에 대해서는 거의 작용이 없다. FSH 억제는 인히빈이 액티빈 수용체에 액티빈과 경쟁하면서 이차적으로 나타난다.

액티빈도 난소의 과립층세포에서 유래되는데 뇌하수체 생식샘자극세포에서도 분비된다. 두개의 아단위로 구성되며, 인히빈 A와 B의 β 아단위와 동일한데, 몇 가지 변이를 더 가지고 있어서 β-C, β-D, β-E라고 칭한다. 액티빈의 효과는 인히빈과 폴리스타틴에 의해 차단된다. 월경 주기를 조절하는 인히빈과 액티빈의 역할에 대해서는 2장에서 다루어질 것이다. 인히빈의 주요 역할은 FSH 분비를 억제하는 것이지만 액티빈은 뼈, 신경세포, 상처회복, 다른 기관에서의 자가분비-주변분비 기능 등 넓은 범위의 기능을 가지고 있다.

폴리스타틴은 뇌하수체에서 생식샘자극세포을 포함한 다양한 세포에서 분비되는 펩티드다. 폴리스타틴의 주요 역할 때문에 FSH-억제 단백질이라고 불리기도 한다. 주로 FSH를 억제하는 작용을 보이는데 액티빈과 결합하여 액티빈의 작용을 감소시킴으로써 FSH의 합성, 분비, GnRH에 대한 작용 등을 억제한다. 액티빈은 다시 폴리스타틴의 생산을 자극하고 인히빈은 이를 억제한다.

표 1-1. 인히빈과 액티빈의 형태

Forms of Inhibin	Inhibin	
	Inhibin-A	Alpha-BetaA
	Inhibin-B	Alpha-BetaB
Forms of Activin	Activin	
	Activin-A	BetaA-BetaA
	Activin-AB	BetaA-BetaB
	Activin-B	BetaB-BetaB
	Activin-C	BetaC-BetaC
	Activin-AC	BetaA-BetaC
	Activin-E	BetaE-BetaE

3. 내인 아편제제

가장 매혹적인 펩티드군은 내인 아편유사제 펩티드군이라 할 수 있다. 베타-리포트로핀은 91개의 아미노산으로 이루어져 있고 1964년에 뇌하수체에서 처음으로 발견되었다. 그 기능은 아편유사제 화합물 수용체가 발견되기까지 10년 이상 미스터리로 있었다. 수용체의 발견으로 내인 아편유사제의 존재를 추정할 수 있었고, 중요한 생리적인 역할이 있으리라 생각되었다. 엔도르핀(endorphin)은 뇌에서 유래된 모르핀(morphin)과 비슷한 작용을 가지고 있는 물질을 말한다.

아편제제의 생산은 유전자 전사, 전구체 펩티드의 합성과 그 전구체가 여러 생체활성을 지닌 더 작은 펩티드로 만들어지는 과정에 의해 조절된다. 모든 아편제제는 세가지 전구물질 중 하나에서 유래된다.

- 프로오피오멜라노코틴(proopiomelanocortin, POMC) – 엔도르핀의 근원
- 프로엔케팔린 A, B (proenkephalin A and B) – 엔케

팔린(enkephalin) 생산

- 프로디노핀(prodynorphin) – 디노핀(dynorphin) 생산

POMC는 최초로 알려진 전구체 펩티드이며, 뇌하수체의 전엽과 중간엽, 시상하부, 교감신경계 등 뇌의 다른 부분, 그리고 생식샘, 태반, 위장관, 폐 등에서도 만들어지는데 뇌하수체에서 가장 높은 농도를 보인다.

POMC는 ACTH 중간물질과 베타-리포트로핀, 두개의 조각으로 나누어진다. 베타-리포트로핀은 아편유사제의 작용은 없으나 베타-멜리닌세포자극호르몬(β-melanocyte-stimulating homone, β-MSH), 엔케팔린, α-, γ-, β-엔도르핀으로 일련의 단계를 통해 분해된다.

엔케팔린과 알파, 감마 엔도르핀은 활성 아편유사제이며, molar base에서는 모르핀과 거의 같은 정도의 활성을 가진다. 베타 엔도르핀은 모르핀보다 5-10배의 활성을 가진다고 알려져 있다. 성인의 뇌하수체에서는 주로 ACTH와 베타 리포트로핀을 생산하고 소량의 엔도르핀이 만들어진다. ACTH 와 베타 리포트로핀의 혈중 농도는 비슷한 과정을 보이며, 스트레스에 대한 반응으로 뇌하수체 전엽에서 만들어진다. 뇌하수체의 중간엽에서는(태아기에서 두드러지는 부위) ACTH가 CLIP (corticotropin-like intermediate lobe peptide)과 β-MSH으로 나누어진다. 태반과 부신 수질(medulla)에서는 POMC가 α-MSH와 비슷한 물질 또는 베타 엔도르핀 펩티드를 생산한다. 베타 엔도르핀은 난소와 정소에서 발견된다.

뇌에서는 주로 만들어지는 것은 아편제제이며, ACTH도 소량 만들어진다. 시상하부에서는 활꼴핵과 배쪽안쪽핵에서 주로 베타 엔도르핀과 α-MSH가 생산된다. 시상하부의 아편제제 시스템은 축삭을 통해서 뇌하수체와 다른 뇌부분을 조절하게 되고, 뇌하수체의 아편제제 시스템은 순환계로의 분비를 통해서 기능을 갖는다.

베타 엔도르핀은 신경전달물질, 신경호르몬, 신경조절물질로 생각되며, 여러가지 생식기능의 조절, 체온, 순환계와 호흡계에 대한 시상하부의 기능 외에 통각과 기분 같은 시상하부 외 기능에도 영향을 준다고 알려져 있다. 뇌하수체 내에서의 POMC 유전자 발현은 CRH에 의해서 주로 조절되며 당질부신피질호르몬(gludocorticoid)의 되먹임 효과에 의해 영향을 받는다. 시상하부에서 POMC 유전자 발현은 성호르몬에 의해서 조절되며 성호르몬이 없으면 거의 분비되지 않는다.

프로엔케팔린 A는 부신수질, 뇌, 뇌하수체후엽, 척수, 위장관에서 만들어진다. 여러가지 엔케팔린이 만들어지는데, 메싸이오닌(methionine)-엔케팔린, 류신-엔케팔린 등이다. 엔케팔린은 뇌에 가장 널리 분포된 내인성 아편유사체 펩티드이며 자율신경계를 조절하는 억제성 신경전달물질이다. 프로디노핀은 뇌에서 발견되며(주로 시상하부) 그 밖에 위장관 등에서 디노핀을 생산한다. 디노핀은 알파-네오엔도르핀, 베타-네오엔도르핀, 류모르핀 등과 더불어 높은 진통효과와 행동적인 효과가 있다. 류모르핀의 마지막 13개의 아미노산은 다른 아편유사제 펩티드인 리모르핀(rimorphin)을 구성하게 된다. 프로디노핀은 엔도르핀과 유사한 방식으로 기능을 할 것이다.

아편유사제 펩티드들은 서로 다른 수용체를 통해서 작용하는데 여러 수용체 중에 특히 우선적으로 결합하는 수용체가 있다. 날록손(naloxone)은 특정 수용체에만 결합하지 않으므로 아편유사제 길항제로서 완전히 특이적으로 작용하지 않는다.

1) 아편유사제와 월경주기

아편유사제의 긴장도는 월경 기능과 월경 주기성을 조절하는 데에 중요하다. 에스트라디올만으로 엔도르핀 분비가 증가될 수 있지만, 엔도르핀이 가장 증가하는 조건은 에스트라디올과 프로게스테론의 주기적인 투여(난소제거 후 원숭이 실험)였다. 내인 엔도르핀 농도는 월경 시 가장 낮은 레벨을 보였고(에스트라디올이 가장 낮은 시기), 황체기(프로게스테론과 에스트라디올이 높은 농도인)에 가장 높았다. 정상 월경주기는 시상하부의 아편유사제 작용이 높고(황체기) 낮아지는(월경시기) 연속 주기가 필요하다.

LH의 박동 빈도의 감소는 엔도르핀 분비 증가와 관련이 있다. 날록손은 LH 박동의 빈도와 진폭을 모두 증가시킨다. 내인 아편유사제들은 시상하부의 GnRH 분비를 억제함으로써 생식샘자극호르몬 분비를 억제할 수 있다. 아

편제제는 GnRH에 대한 뇌하수체의 반응에는 효과가 없다. 생식샘 스테로이드는 내인 아편유사제 활성을 변경시킬 수 있어서, 생식샘자극호르몬에 대한 스테로이드의 음성 되먹임 기전은 내인 아편제제를 통한 것으로 보인다. 월경주기 내에서 아편제제의 변동은 에스트라디올과 프로게스테론의 변화에 의한 것이기 때문에 성호르몬이 직접 내인 아편유사제 수용체 활성을 자극한다고 추정할 수 있다. 폐경 후나 난소제거 후 상태의 생식샘자극호르몬 농도에서는 아편유사제의 효과가 없으며, 에스트로겐이나 프로게스테론 또는 두 가지 모두 투여했을 때 아편유사제에 대한 반응이 회복되는 것을 볼 수 있었다. 에스트로겐이나 프로게스테론 모두 각각 내인 아편제제를 증가시킬 수 있으나 에스트로겐은 프로게스테론의 작용 또한 향상시키므로 황체기에 GnRH와 생식샘자극호르몬의 박동 빈도가 최대로 억제된다. 프로게스테론의 GnRH 분비에 대한 음성 되먹임(프로게스테론 피임법의 주요기전)은 부분적으로 내인 아편제제에 의해 매개되며 또한 알려지지 않은 신경기전에 의해서도 매개될 것으로 추정된다. 배란기에는 내인 아편제제의 GnRH 분비에 대한 억제 긴장도가 감소되면서 억제에서 해제된다. 이는 에스트로겐에 대한 반응이며, 특히 에스트로겐에 의한 유사아편제 수용체 결합과 유사아편제 방출이 감소되기 때문이다.

GnRH 분비에 관련된 주요한 내인 아편유사제제는 베타-엔도르핀과 디노핀이고 주요 효과는 카테콜아민 경로(주로 노르에피네프린)를 조정하는 것이다. 이 작용은 도파민 수용체, 아세틸콜린 수용체, 알파-아드레날린 수용체 등과는 관련이 없다. 반면 엔도르핀은 중간기 신경아민의 관여 없이 직접 GnRH 분비에 영향을 줄 수 있다.

α-MSH는 베타-엔도르핀과 반대작용을 하기 때문에 POMC의 유전자부호해독 이후 과정이 α-MSH와 베타-엔도르핀의 양을 변경시켜서 시상하부-뇌하수체 기능에 영향을 줄 수 있다.

2) 임상적 의의

날록손에 대한 반응성이 사춘기 이후까지는 발달되지 않기 때문에 유사아편제의 억제긴장도의 변화는 사춘기의 신경내분비에는 중요하지 않다. 유사아편제의 변화가 저생식샘자극호르몬 상태를 유발시키는 것은 프로락틴 레벨의 상승, 과도한 운동, 또는 시상하부성 무월경 등에서 볼 수 있다. 지연 사춘기나 칼만증후군 같은 유전문제인 경우에는 내인 아편유사제 억제가 중요한 역할을 하는 것 같지 않다. 아편유사제수용체를 차단하는 약물(날트렉손)을 사용하여 시상하부 무월경(GnRH 박동분비가 억제됨) 환자를 치료하면 정상적인 기능(배란, 월경주기 및 임신)이 회복된다. 이러한 결과들로 시상하부성 무월경과 관련된 GnRH 분비의 감소는 내인 아편유사제의 억제 긴장도의 증가에 의해서 매개되어진다는 것을 알 수 있다.

실험적인 증거들이 시상하부 CRH가 시상하부 GnRH 분비를 직접적으로 또한 내인 아편유사제를 증가시킴으로써 억제한다는 것을 보여준다. 시상하부 무월경이 있는 여성은 고코티솔증(hypercortisolism)을 가지게 되고, 이는 스트레스가 생식 기능을 방해할 수 있다는 것을 시사한다. FSH, LH, 베타-엔도르핀, 코티솔 파동 간의 관련성을 분석해보면 생식샘과 부신 사이에 신경조절계 간의 유의한 기능 결합이 존재함을 알 수 있다. CRH 유전자에는 에스트로겐 반응요소(estrogen response elements)와 비슷한 두 개의 분절이 있어서 에스트로겐에 의한 CRH 활성도의 증가가 가능하고, 여성 생식계가 스트레스에 더 취약한 것을 설명할 수 있다. CRH로 인한 GnRH 분비 억제 외에도, CRH가 뇌하수체에서 ACTH 분비를 증가시켜 코티솔의 생성의 증가시켜 생식을 억제하는 데 기여한다. 이는 코티솔이 직접 GnRH에 대한 뇌하수체의 반응성을 억제하기 때문이다.

대부분의 연구 들에서 운동에 의해 내인 아편제제가 증가하는 것을 볼 수 있으나, 기분에 유의한 영향이 있는지는 좀 더 연구가 필요하다고 하였다.

모르핀, 엔케팔린 유사물질, 베타-엔도르핀 등을 주입하면 프로락틴이 분비된다. 이런 효과는 정중융기의 융기깔때기 신경세포에서 도파민 분비를 억제함으로써 일어난다. 대부분의 연구에서 기저상태, 스트레스 상태, 또는 임신 상태의 프로락틴 농도일 때, 또는 프로락틴샘종(prolactinoma)에서 분비되는 프로락틴 농도에서는 날록손을 투여하더라도 효과가 없음을 보고하였다. 내인 아편유사제의 프로락틴에 대한 생리적 역할은 남성 및 여성 모두에서 존재하지 않는다고 생각된다. 그러나 고프로락틴혈증에서 GnRH 분비를 억제하는 것은 내인 아편제제에 의해 매개된다고 보인다.

모든 뇌하수체 호르몬은 내인 아편제제에 의해 조절된다. 생리적 효과는 ACTH, 생식샘자극호르몬, 바소프레신(vasopressin, 뇌하수체 후엽 호르몬)에는 중요하다. 그러나 아편유사제 합성물은 뇌하수체에 직접 작용이 없으며, 뇌하수체에 대한 분비호르몬의 작용에도 영향이 없다.

POMC-유사 mRNA는 난소와 태반에 있으나, 이 조직들에 엔도르핀이 존재하는 이유는 확실하지 않다. 난소에서는 생식샘자극호르몬에 의해 발현이 조절되지만 태반에서는 그렇지 않다. 모든 POMC군이 사람 난소 난포액에서 높은 농도로 발견되는데, 베타-엔도르핀은 월경 주기에 따라 변하고, 배란 전에 가장 높은 농도에 도달한다.

4. 카테콜 에스트로겐

에스트로겐을 카테콜 에스트로겐으로 전환시키는 효소(2-hydroxylase 수산화효소)는 시상하부에 많이 존재하므로 시상하부와 뇌하수체에는 에스트론이나 에스트라디올보다 카테콜 에스트로겐의 농도가 더 높다. 카테콜 에스트로겐은 카테콜과 에스트로겐의 양면성을 가지고 있기 때문에 카테콜아민이나 에스트로겐계의 양쪽으로 작용할 수 있는 잠재력을 가지고 있다. 카테콜 에스트로겐은 타이로신 수산화효소(tyrosine hydroxylase, 카테콜아민을 감소시킬 수 있는)를 억제할 수 있고, 카테콜-O-메틸기전달효소(catechol-O-methyltransferase, 카테콜아민을 증가시킬 수 있는)와 경쟁할 수 있다. GnRH, 에스트로겐, 카테콜 에

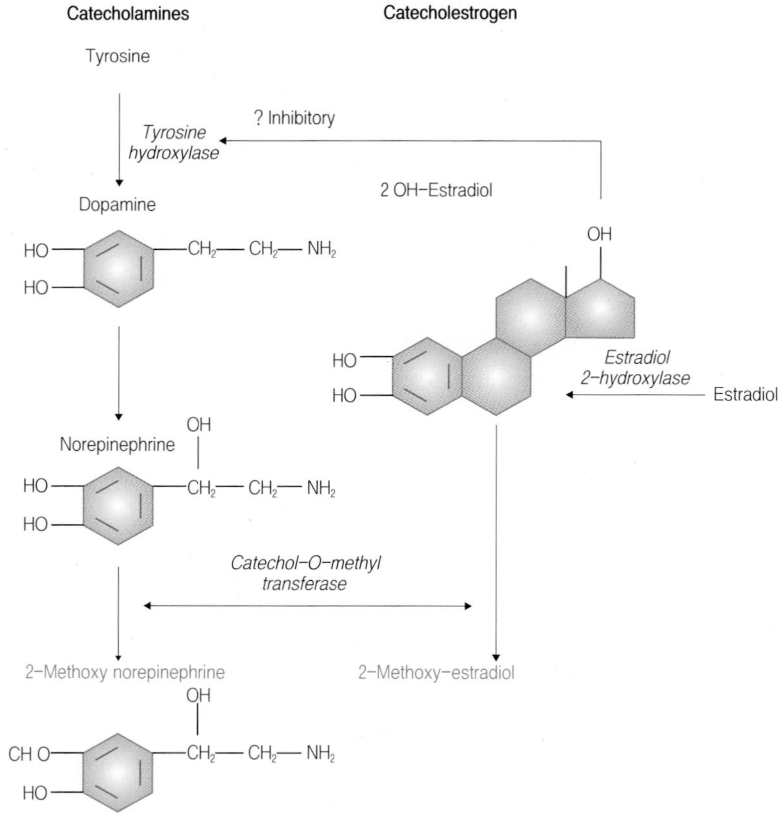

● 그림 1-9. 카테콜아민과 카테콜 에스트로겐의 상호작용

스트로겐 등이 같은 위치에 있기 때문에 카테콜 에스트로겐이 카테콜아민과 GnRH 분비 사이에서 상호작용을 할 수 있다. 그러나 이러한 기능들은 카테콜 스테로이드들의 명확한 역할이 확립되지 않았기 때문에 아직 연구가 필요하다(그림 1-9).

정상 월경 기능을 위해서 빈도와 진폭에 있어서 임계점 이상의 GnRH의 박동성 분비가 필요하다는 것이 가장 중요하다. 월경주기의 정상 생리와 병태생리는 GnRH의 박동성 분비라는 중추 조절로 설명될 수 있다. GnRH의 분비는 노르에피네프린 경로(증가시키는)와 도파민 경로(감소시키는)의 이중 카테콜아민계의 영향을 받는다. 그리고 카테콜아민계는 내인 아편유사제의 활성의 영향을 받는다. 스테로이드의 되먹임 효과는 카테콜 스테로이드 전령(messenger)에 의해 조절되거나, 여러 가지 신경전달물질에 의해 직접적으로 영향을 받게 된다(그림 1-10).

5. 띠뇌실막세포 (Tanycytes)

시상하부가 영향을 주기위한 주된 경로 중 하나는 뇌척수액(CSF)을 통한 것이다. 띠뇌실막세포는 특수 뇌실막세포로서 섬모세포체가 정중융기 위의 제3뇌실을 따라 존재한다. 세포는 문맥 혈관에서 끝나며, 뇌실 뇌척수액에서 문맥계로 솔방울샘의 물질, 바소프레신, 옥시토신 등을 운반

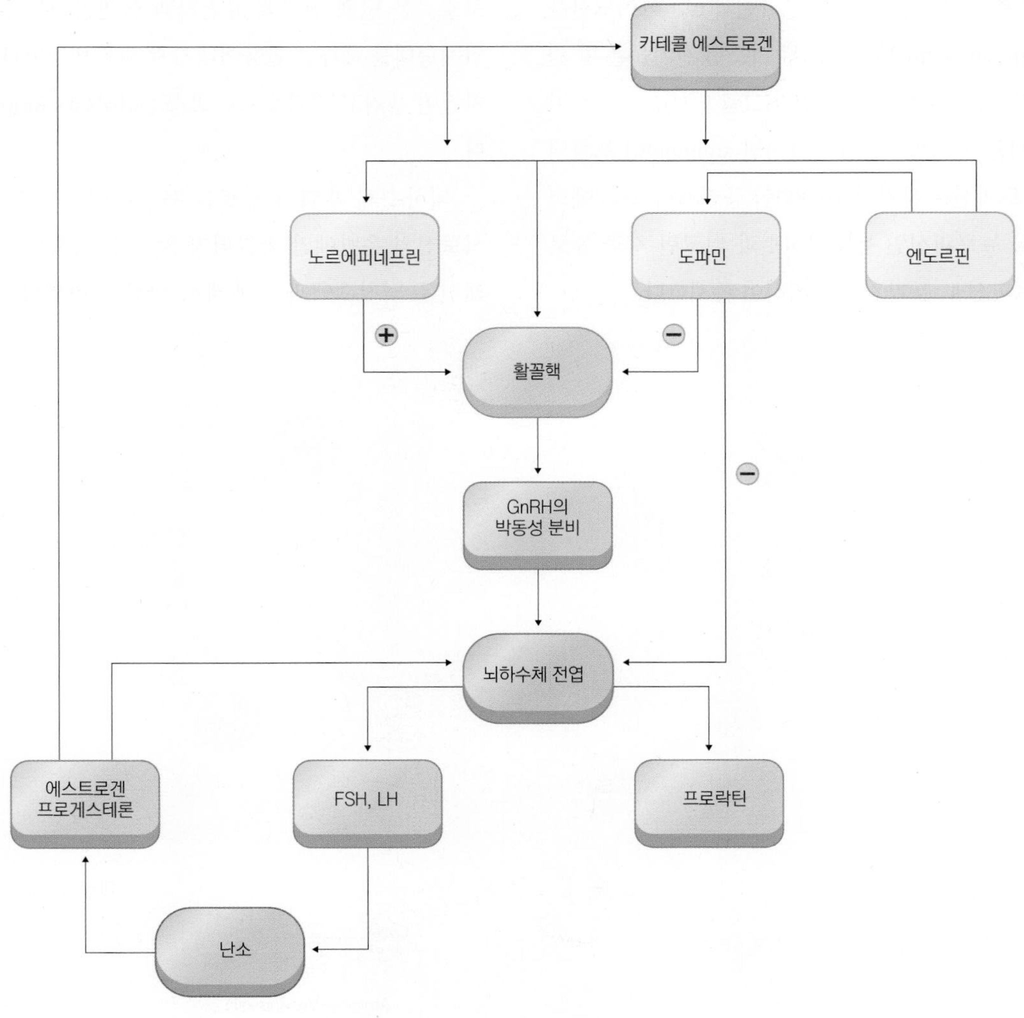

● 그림 1-10. 카테콜아민의 영향을 받는 GnRH 분비와 스테로이드의 되먹임 효과

할 수 있게 된다. 띠뇌실막세포는 스테로이드에 반응하여 형태가 변하게 되는데, 난소 주기에 따라 변화한다.

6. 뇌하수체 후엽 경로

뇌하수체 후엽은 뇌하수체 줄기를 통해 시상하부가 직접 연장된 것으로, 뇌하수체 전엽은 뇌하수체 후엽 쪽으로 이동하는 인두 상피세포에서 발생된다. 시각로위핵(supraoptic nucleus)과 뇌실주위핵에 있는 별개의 신경분비세포들이 바소프레신과 옥시토신을 만드는데, 운반 펩티드인 뉴로피신(neurophysin)을 함유한 거대한 전구물질 분자로서 만들어진다. 옥시토신과 바소프레신은 둘 다 9개의 아미노산으로 이루어져 있는데, 그 중 1번과 6번 아미노산은 반쪽 시스틴(half cystine)이며, 이 두 시스틴 잔기들은 황 원자들의 단일결합으로 연결되어 있다(그림 1-11).

사람에서는 바소프레신에 아르지닌(arginine)이 포함되어 있다. 뉴로피신은 분자량 10,000인 폴리펩티드다. 에스트로겐-자극 뉴로피신인 뉴로피신 I 과 니코틴-자극 뉴로피신인 뉴로피신 II, 두가지 뉴로피신이 존재한다.

옥시토신과 바소프레신의 유전자는 염색체 20번에 가깝게 위치한다. 전사 활성도는 성 스테로이드와 갑상선호르몬 같은 내분비 인자들에 의해 조절된다. 시각로위핵과 뇌실주위핵의 신경세포들은 바소프레신과 뉴로피신 II 이 포함되어 있는 프로프레소피신(propressophysin)과 옥시토신과 뉴로피신 I 이 포함된 프로옥시피신(prooxyphysin), 두가지 종류의 전구물질을 분비한다. 뉴로피신 I 은 특이적으로 옥시토신과 함께, 뉴로피신 II 는 주로 바소프레신과 함께 보관되고, 분비된다. 시각로위핵과 뇌실주위핵에 위치한 신경세포에서 축삭을 통해 뇌하수체 후엽으로 운반되는 과정에서 각 뉴로피신들은 바소프레신과 옥시토신에서 분리된다. 지금까지 알려진 뉴로피신의 기능은 옥시토신과 바소프레신의 축삭수송(axonal transport)이다. 프로호르몬 단백 전구체 유전자의 돌연변이는 뉴로피신의 입체형태를 제대로 만들어내지 못해서 바소프레신 수송에 차질이 생기고 결과적으로 요붕증(diabetes insipidus)이 된다.

뇌하수체 후엽의 경로는 복잡하여 바소프레신과 옥시토신의 운반에만 국한되지 않는다. 옥시토신과 바소프레신은 뇌척수액과 문맥계로 직접 분비된다. 그래서 바

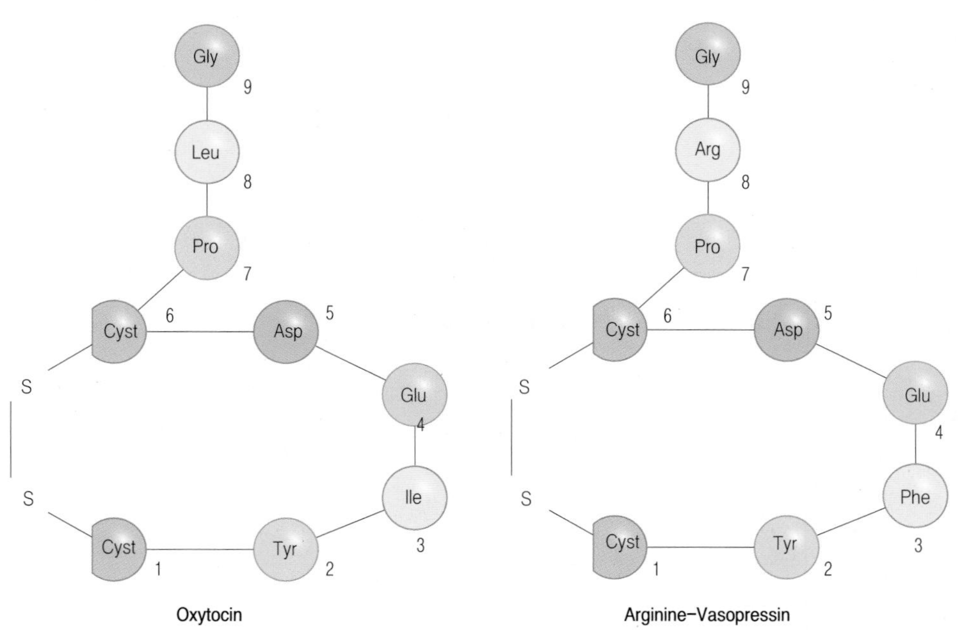

● 그림 1-11. 반쪽 시스테인 두개를 함유한(1번과 6번) 9개의 아미노산으로 이루어진 옥시토신과 바소프레신

소프레신과 옥시토신은 뇌하수체 전엽까지 닿을 수 있고 ACTH 분비(바소프레신의 경우)와 생식샘자극호르몬 분비(옥시토신의 경우)에도 영향을 주게 된다. 바소프레신은 CRH와 함께 ACTH의 생산을 증가시킨다. 바소프레신과 옥시토신양 물질이 난소, 난관, 정소, 부신에서도 발견되어 이들 신경뇌하수체 펩티드들이 주변분비 또는 자가분비 호르몬의 역할이 있다는 것을 알 수 있다. 뇌척수액에서 이들의 농도는 하루주기리듬(circadian rhythm)을 보여주는데 낮시간에 최고치를 보여주며, 뇌하수체 후엽 분비와는 다른 기전이 있다.

뉴로피신 II 는 니코틴 뉴로피신이라고 하는데, 이는 니코틴과 출혈 등의 상태에서 순환농도가 증가하기 때문에 붙여졌다. 뉴로피신 I 은 에스트로겐 뉴로피신이라고 하는데 에스트로겐을 투여했을 때 말초혈액에서 증가하는 양상을 보였고, 뉴로피신 I 과 옥시토신은 LH 급증 때 최대 농도를 보인다. LH 급증 전에 에스트로겐 증가가 나타나고 10시간 이후부터 에스트로겐 뉴로피신의 증가가 시작되어서 LH 급증보다 길게 지속된다. GnRH와 옥시토신이 시상하부 분해효소에 의해 경쟁적으로 분해 되기 때문에 중간주기의 문맥 혈액내 옥시토신이 GnRH 대사를 방해할 수 있으며, 결과적으로 GnRH의 양이 증가하는 것으로 추정해 볼 수 있다. 옥시토신은 특히 배란 시 뇌하수체, 난소, 자궁, 난관까지 직접 작용할 수 있을 것으로 여겨진다.

시상하부의 신경핵과 뇌줄기와 척수의 여러 중추들 사이의 회로들은 뉴로피신을 포함하고 있다. 또한, 학습과 기억에 대해 바소프레신이 일정 역할을 한다는 행동학 연구 결과들이 있다.

옥시토신과 바소프레신 두가지 모두 혈액내에서 반감기가 짧은 자유(free) 펩티드 형태로 존재한다. 옥시토신은 반감기가 1분 이하이며, 바소프레신은 2-3분 정도이다. 혈액내 무게삼투질농도의 변화, 혈액량의 변화, 통증이나 공포 같은 정신 자극 등이 바소프레신의 분비를 조절하는 세가지 주된 자극이다. 바소프레신의 주된 기능은 무게삼투질농도(오스몰랄농도)와 혈액량을 조절하는 것이고, 그 외에 인슐린이나 ACTH의 분비를 조절하기도 하고, 기억 같은 행동학 반응에도 영향을 끼친다. 바소프레신은 강력한 혈관수축제이며 항이뇨호르몬(ADH)이다. 바소프레신 분비는 혈장 무게삼투질농도(오스몰랄농도)가 증가하면 증가하고, 수분저류가 발생하면 억제되어서 이뇨상태가 된다.

옥시토신은 자궁에서 근수축과 유방에서 근상피세포의 수축을 자극하여 분만 및 수유와 관련이 있다. 옥시토신은 간헐적으로 분비되는데 10분에 3회 정도의 급증(spurt)을 보인다. 옥시토신은 퍼거슨반사(질, 자궁경부 자극)에 의해 성교 시에 분비되는데, 후각이나 시각, 청각 등에 의해서도 분비된다. 옥시토신은 성극치감 동안 근수축에도 역할이 있다. 남성에서는 성교 시에 분비되는 옥시토신이 사정 동안 정자 수송에 도움을 준다. 옥시토신은 식욕을 억제하고 성적행동을 자극하는 배쪽안쪽 시상하부 같은 뇌의 특정 부분에서도 분비된다.

옥시토신은 탈락막(decidua)과 자궁근층에서 프로스타글란딘 생산을 자극하여 분만에 기여한다. 초기 진통에서 옥시토신 작용은 옥시토신에 대한 근세포 감수성과 옥시토신의 순환농도에 달려있다. 자궁근층에서 옥시토신수용체의 농도는 비임신 시에는 낮으며, 임신하면 80배가 증가하고, 진통 시에는 다시 그 두 배가 된다. 이런 증가의 기전은 잘 알려져 있지 않으나 프로스타글란딘과 자궁내 호르몬 환경 때문일 것으로 생각된다. 이는 옥시토신에 대한 자궁의 감수성과도 관련이 있다. 옥시토신, 에스트로겐, 프로게스테론의 국소 생산과 효과는 자가분비, 주변분비, 내분비 작용이 복잡하게 작용하여 분만이라는 결과가 나오게 되는 것이다.

옥시토신은 젖먹임에 반응하여 분비되는데, 이런 자극은 유두에서 생성되어 3번, 4번, 5번 흉추신경을 통해 시상하부로 전해진다. 이런 반사는 모유의 분출뿐 아니라 모유수유로 인한 자궁수축도 일으키게 된다. 아편유사제 펩티드는 옥시토신 분비를 억제하는데 모유수유를 하는 여성은 스트레스, 공포, 분노 등으로 인해 모유수유가 억제되기도 한다. 옥시토신은 자가-주변분비 작용을 하는 다른 많은 조직에서도 발현되기도 한다.

IV. 뇌와 배란

신경호르몬, 뇌하수체 생식샘자극호르몬, 생식샘 스테로이드 간의 복잡하지만 조화로운 관계의 결과로서 GnRH의 분비가 이루어지게 되며, 이러한 과정을 양성, 음성 되먹임이라고 명명하였었다.

FSH 레벨은 에스트로겐의 음성억제되먹임(negative inhibitory feedback)에 의해 대부분 조절된다고 생각되었다. LH는 에스트로겐의 음성억제되먹임과 고농도의 에스트라디올에 의한 양성자극되먹임이 모두 관련이 있다고 알려졌다. 되먹임센터는 시상하부에 위치하고 긴장센터(tonic center)와 주기센터(cyclic center)가 있다. 긴장센터는 매일의 생식샘자극호르몬의 기저레벨을 조절하고, 성호르몬의 음성되먹임 효과에 대한 반응을 한다. 생식샘자극호르몬의 월경중기급증은 시상하부의 주기센터에서 에스트라디올의 양성되먹임 작용에 반응해서 GnRH가 크게 증가하는 것에 기인한다.

GnRH의 박동성 분비는 정상 뇌하수체 기능에 필요조건이고 생식샘자극호르몬 레벨을 조절하는 되먹임반응은 뇌하수체 전엽에 대한 난소 스테로이드의 되먹임 작용에 의해 조절된다.

현재의 개념은 안쪽바닥시상하부를 파괴시키거나 외과적으로 절제하여 뇌하수체와 분리시킨 실험에서 비롯되고 있다. 실험에서 고주파를 이용해서 안쪽바닥시상하부에 병변을 만들면 GnRH 원료가 없어지면서 LH 레벨이 감소하는 결과를 보여준다. GnRH를 정맥펌프로 파동성으로 투여하면 LH가 복원된다. 시상하부가 없거나 GnRH 분비가 박동성 없이 계속적으로 분비되는 상황에서 에스트라디올을 투여하면 뇌하수체전엽에 직접 음성과 양성 되먹임 반응을 일으킬 수 있게 된다.

GnRH를 정맥으로 일시에 투여하면 LH, FSH의 혈중 농도가 5분 이내에 증가되고, LH는 20-25분에 최대농도에, FSH는 45분만에 최대농도에 도달하고 3-4시간 후 투여 전 상태로 돌아가게 된다. 최대밑(submaximal) 농도로 지속적으로 투여하면 30분 정도에 첫번째 상승이 일어나고 45-90분 정도에는 정점지속(plateau)에 도달하거나 떨어지게 되며 225-240분 정도에 이르면 두번째 지속적인 상승이 나타나게 된다. 이러한 이상의(biphasic) 반응은 뇌하수체 생식샘자극호르몬에 두 가지 기능 풀(pool)이 존재한다는 것을 알려준다. 빠르게 분비될 수 있는 풀은 초기 반응을 일으키고, 나중의 반응은 저장된 생식샘자극호르몬의 두 번째 풀로서 예비된다.

생식샘자극호르몬 동화(elaboration)에 대한 GnRH의 세가지 주요 작용

1. 생식샘자극호르몬의 합성과 저장
2. 활성화 – 즉각적인 분비를 위해서 저장풀에서 분비풀로의 이동, 자기시동(self-priming) 작용
3. 생식샘자극호르몬의 즉각적인 분비

생식샘자극호르몬의 분비, 합성, 저장은 월경주기에 따라 변화한다. 에스트로겐 농도가 낮은, 월경주기의 시작에서는 분비와 저장 농도가 낮다. 에스트라디올이 증가하면 저장이 많이 증가하게 되고, 분비에는 별다른 차이가 없다. 난포기 초기에는 에스트로겐이 합성과 저장에 있어 양성효과를 가지고, 월경 중기급증에 다다르기 전에 필요한 양을 준비하게 된다. 생식샘자극호르몬의 조기 방출은 GnRH에 대한 뇌하수체 분비반응에 대한 에스트라디올의 음성반응으로 방지된다.

월경주기의 중기(midcycle)가 다가오면서 GnRH에 대한 후속반응은 초기반응보다 커지게 되는데, 각각의 반응은 생식샘자극호르몬의 분비뿐 아니라 다음 반응을 위한 저장풀까지 활성화해야 하기 때문이다. 이러한 GnRH의 민감화 또는 시동작용은 GnRH 자체의 수용체의 수를 늘리게 하거나, 에스트로겐의 존재를 필요로 한다. 에스트로겐 그 자체로도 GnRH 수용체를 증가시킬 수 있다. 월경주기 중기에 에스트로겐이 증가하면서 생식샘자극호르몬이 GnRH에 대해서 더 반응할 수 있도록 준비시킨다.

배란성 LH 급증은 뇌하수체 전엽에 대한 에스트라디올의 양성되먹임작용에 대한 반응으로 생각된다. 혈액내 에스트라디올의 농도가 임계점에 다다르게 되고, 임계시간만큼 지속되면, LH에 대한 억제작용이 자극작용으로 변

화한다. 이러한 스테로이드 작용의 정확한 기전은 잘 알려져 있지 않으나, 에스트라디올의 양성되먹임 작용에는 GnRH 수용체 농도의 증가, 뇌하수체의 GnRH에 대한 반응성의 증가 등 많은 기전들이 관여할 것이다. 에스트로겐의 이런 작용을 양성되먹임이라고 할 수 있으나 억제작용의 급격한 감소로 인한다고 보기도 한다.

에스트로겐의 음성되먹임은 다른 시스템을 통해서 작용된다. 뇌하수체 레벨에서 에스트로겐이 FSH분비를 억제하는 것은 액티빈의 뇌하수체 발현이 감소하는 것과 관련이 있다. 보조억제물질 단백(adapter protein)을 유전자에 결합하고 전사를 억제하게 함으로써, 에스트라디올은 직접적으로 FSH β아단위 유전자를 억제한다.

GnRH의 존재는 필수적인데 배란 전 월경중기에 GnRH 길항제를 투여하게 되면 LH 급증을 막을 수 있다. GnRH는 월경주기 중기에 여성의 말초혈액에서 증가한다. LH-β아단위 유전자의 상류부위는 에스트로겐 수용체와 결합하여 뇌하수체에서 스테로이드 호르몬 조정의 수단이 된다.

녹아웃마우스를 이용한 연구를 통해서 에스트로겐 α-, β-수용체가 GnRH 신경세포에 존재하고 GnRH 분비의 주기적 변화에도 관여한다는 것이 밝혀졌다. 분자 연구에서 에스트로겐이 GnRH-Ⅱ에 대한 mRNA를 감소시키고, GnRH-Ⅰ mRNA는 증가시켰다. 에스트로겐은 시상하부 GnRH 신경세포의 작용을 조절할 수 있다. 너무 빠르거나 느린 GnRH 박동의 빈도는 뇌하수체에서 GnRH 수용체 숫자를 줄이게 된다. 월경주기 중기의 최대 반응을 위해 최대 GnRH 수용체 숫자와 최대 임계점의 빈도가 필요하다. 시상하부에서는 박동 빈도를 뇌하수체에서는 수용체 숫자를 섬세하게 조절한다. GnRH가 과도해지면 급증이 꺼지면서 하향조절이 일어날 수 있게 한다. 양을 이용한 연구에 따르면 LH 급증 상태에서 GnRH 급증은 박동성 분비에서 지속적 분비로 바꾸는 스위치가 되고 높은 GnRH 농도에 노출되면 하향조절로 이어지게 된다.

동일한 뇌하수체 세포에서 발생하는 FSH 및 LH의 GnRH 박동의 빈도에 대한 차별된 반응은 조절 인자 간의 상호 작용의 결과이다. 에스트로겐, 프로게스테론, 인히빈의 내분비적 효과와 액티빈과 폴리스타틴의 자가/주변분비 작용들이 그 상호작용이라 할 수 있다. 특히 FSH의 이상(biphasic) 반응은 에스트로겐과 인히빈에 의해 생성된 액티빈과 폴리스타틴의 균형에 의해 조절된다.

생식샘자극호르몬 분비의 또다른 관점은 임상적으로 중요하다. 월경주기 중기 급증기에 면역분석과 생물학적 분석에 의해 측정된 생식샘자극호르몬의 양 사이에 차이가 있다. 월경주기 중기에 생물학적 활성도가 더 높은 FSH와 LH 분자형이 더 많이 분비된다. 당단백호르몬의 반감기, 분자구성은 활성도와 연관성이 있다. 생식샘자극호르몬 합성에 대한 에스트로겐의 영향은 월경주기 중기 급증에 대한 생물학적 효과를 극대화시키는 부가적인 방법이다. 생물활성도는 GnRH의 박동성 자극에 매우 의존적이다. 난포에서 생식샘자극호르몬의 활성을 선호하는 월경주기 중기변화에 덧붙여, 생물학적 활성도를 더 많이 가진 FSH 동형(같은꼴)은 후기 황체기 동안 증가해서 다음 주기의 난포 성장을 추진할 수 있는 방향으로 향하게 된다.

FSH의 월경주기 중기 급증은 중요한 임상 목적을 지닌다. 정상적인 황체는 과립층세포 표면에 FSH의 특별한 작용으로 유도되는 적당한 수의 LH 수용체가 필요하다. FSH는 난자를 물리적으로 방출시키는 데 필요한 난포내 중요한 변화를 이루게 된다. FSH의 월경주기 중기 급증은 배란과 정상 황체에 중요한 임상적 역할을 한다. 프로게스테론 분비가 배란 직전에 이루어지는 것이 열쇠이다.

에스트로겐이 존재하는 상황에서 프로게스테론이 낮은 농도일 때에는 뇌하수체의 LH 분비를 증강시키고, GnRH에 반응하여 FSH 급증을 일으킨다. 그림 1-12에서 LH가 상승하면서 난포에서 황체화가 일어날 때, 과립층세포들은 프로게스테론을 혈류로 분비하기 시작한다. 황체화의 과정은 난자가 존재할 때는 억제되므로 프로게스테론 분비는 상대적으로 억제되어 낮은 농도의 프로게스테론만이 뇌에 도달하게 된다.

배란 후 빠르고 완전한 황체화가 일어나면서 프로게스테론이 현저히 상승한다. 프로게스테론은 에스트로겐이 존재할 때 생식샘자극호르몬의 분비를 강력하게 억제하는 음성되먹임 작용을 한다. 프로게스테론의 이런 작용은

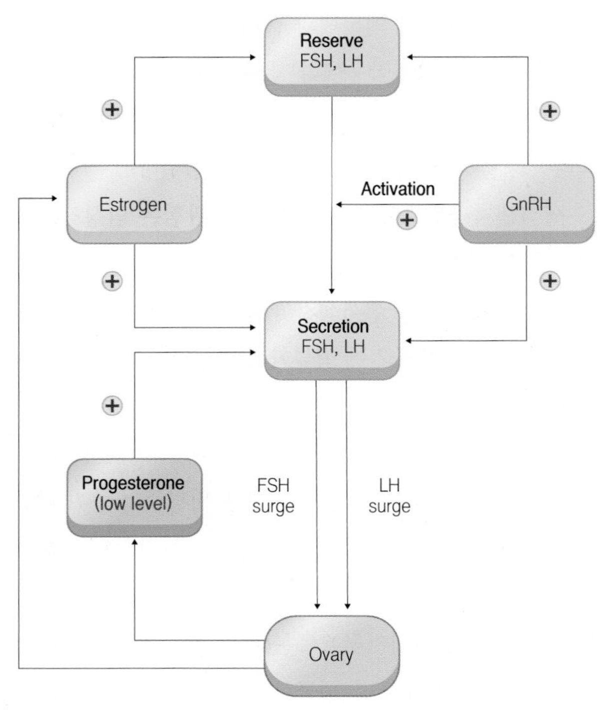

● 그림 1-12. 에스토로겐이 존재하며, 프로게스테론이 낮은 농도일 때 FSH와 LH의 급증이 일어나는 과정

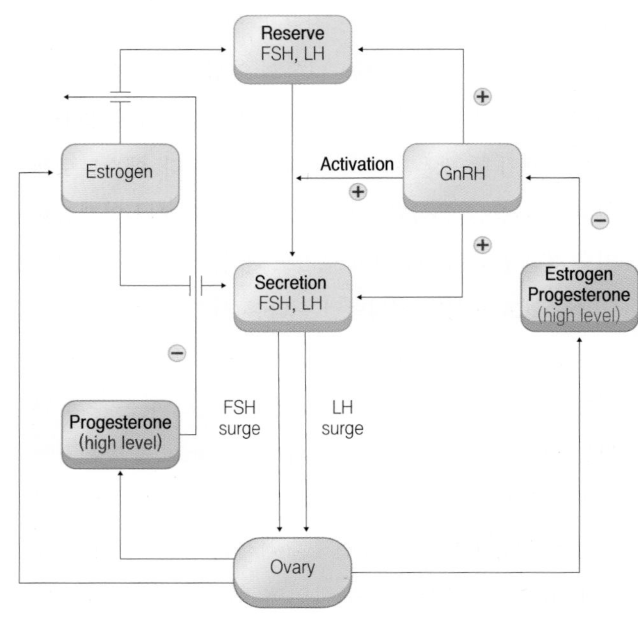

● 그림 1-13. 프로게스테론이 높은 농도일 때 배란이 억제되는 과정

시상하부와 뇌하수체 두 곳에서 발생한다. GnRH를 감소시키는 것은 중추적 작용이 분명하다. 프로게스테론은 황체기 후반에 GnRH 박동을 느리게 하여 다음 주기를 시작을 위한 FSH 증가에 중요한 역할을 한다. 원숭이 실험에서 GnRH 박동이 대체되는 시상하부의 병변이 있는 경우 프로게스테론에 의한 에스트라디올로 유도되는 프로게스테론의 생식샘자극호르몬 억제가 실패하게 된다. 그러므로 프로게스테론이 높은 농도일 때 시상하부 수준에서 배란이 억제된다. 반대로 낮은 농도의 프로게스테론의 촉진작용은 GnRH에 대한 반응으로 뇌하수체에서 작용하게 된다(그림 1-13).

- GnRH의 박동성 분비는 빈도와 진폭 면에서 임계 범위내에 있어야 한다. 이것은 정상 생식기능에 필수적이다.
- GnRH는 뇌하수체 전엽의 생식샘자극호르몬의 합성, 저장, 활성화, 분비 등에 양성 작용만을 가진다. 생식샘자극호르몬은 GnRH의 박동성 분비와 비슷하게 박동성으로 분비된다.
- 황체기 후기처럼 GnRH 박동 빈도가 낮을 때 FSH 분비가 되고, 난포기 후기에서처럼 박동 빈도가 높아지게 되면 LH 분비가 선호된다.
- 낮은 에스트로겐 농도는 FSH와 LH 합성과 저장을 촉진시키고, LH 분비에는 영향이 별로 없으며, FSH 분비는 억제한다.
- 높은 에스트로겐 농도는 월경주기 중기 LH 급증을 유도하고, 에스트로겐이 높게 유지되면 높은 LH 분비가 지속된다.
- 낮은 프로게스테론 농도는 GnRH에 대한 뇌하수체의 LH 반응을 증가시키고, 월경 중기 FSH 급증을 일으킨다.
- 높은 프로게스테론 농도는 시상하부 수준에서 GnRH 박동성 분비를 억제함으로써 뇌하수체의 생식샘자극호르몬의 분비를 억제한다. 또한 에스트로겐 작용을 방해해서 GnRH에 대한 뇌하수체 반응을 길항할 수 있다.

V. 솔방울샘(pineal gland)

사람에서의 솔방울샘의 역할에 대해서는 아직 확실치 않은 부분들이 있으나 시상하부의 생식작용은 솔방울샘을 통하여 대뇌의 억제조절 작용을 받는다. 솔방울샘은 제3뇌실의 천장부위에서 밖으로 증식하여 생기고 출생 직후에는 뇌조직과 연결된 신경세포가 거의 존재하지 않는다. 실질세포는 새로운 교감신경분포를 받아 빛과 호르몬의 자극에 반응하고 24시간 주기리듬(circadian rhythm)을 갖는 활동적인 신경내분비 기관으로 작용하게 된다.

신경경로는 망막에서 시작하여 시상하부의 시각로위핵과 뇌실주위핵을 통해 아래쪽부시신경으로 향하고, 안쪽앞뇌다발(medial forebrain bundle)을 통해 위쪽척수신경으로 향한다. 신경절전섬유는 위목신경절(superior cervical ganglion)에서 끝나고, 신경절후교감신경은 솔방울샘 세포로 직접 들어간다. 이 경로를 차단시키면 어둠과 같은 효과를 줄 수 있으며, 솔방울샘 생합성능을 증가시키게 된다.

멜라토닌 생성에 필수효소인 수산화인돌-O-메틸기전달효소(hydroxyindole-O-methyltransferase (HIOMT)가 솔방울샘의 실질세포에서 주로 발견되며 그 생산물도 유일하게 솔방울샘에만 있다. 노르에피네프린은 트립토판을 자극하여 솔방울샘세포 내로 들어가게 하고 세포막의 아데닐산고리화효소(adenylate cyclase)의 활성도를 증가시킨다. 결과적으로 고리일인산아데노신(cAMP)을 증가시켜 N-아세틸전달효소의 활성도를 증가시키게 되는데 이 과정이 멜라토닌 합성과정의 속도제한단계이다. N-아세틸전달효소와 HIOMT의 작용으로 트립토판은 멜라토닌(N-acetyl-5-methoxytryptamine)으로 전환된다. 멜라토닌의 합성은 아데닐산고리효소를 자극하는 노르에피네프린에 의해 조절된다. 빛이 없을 때는 노르에피네프린이 더 자유롭게 교감신경의 자극을 받게 된다. HIOMT는 망막에서도 발견되며, 멜라토닌은 망막세포와 장관의 색소를 조절한다. 솔방울샘을 제거하면 혈류에서 멜라토닌을 발견할 수 없다.

증식형 솔방울샘 종양이 있을 때 생식샘기능저하가 나타나고, 종양과 함께 솔방울샘을 제거했을 때 성조숙증이 발생하므로 솔방울샘에서 생식샘 억제물질이 생성될 수도 있음을 알 수 있다. 솔방울샘 기전은 생식샘기능에 있어 필수적일 수는 없다. 맹인 여성인 경우 정상 생식기능을 갖고 있으며, 솔방울샘제거술을 받은 영장류동물에서 사춘기 발달이 일어나는 것을 볼 수 있다.

빛이 있고 없음에 따라 솔방울샘 HIOMT 활성도는 리듬이 생기게 된다. 낮시간이 짧고 밤이 길면 멜라토닌 분비가 증가하고 생식샘 위축이 생기게 되는데, 동물의 계절성 번식을 관장하는 주요 기전이라고 할 수 있다. 사람에서는 어둠 이후에 멜라토닌 분비가 증가하는데 최대치는 밤의 한가운데에서 나타나고 이후 감소한다. 이런 리듬은 내인성이며 시각로위핵에서 시작된다. 빛 자체는 리듬을 일으키지 않고 시간에 영향을 줄 뿐이다.

사람에서 솔방울샘의 역할은 체온이나 수면 같은 다른 기능에 있어 하루주기 리듬성을 줄 수 있다는 것이다. 어둠 속에서 수치가 높고, 빛에서 수치가 낮았으며, 여름보다는 겨울에 더 많은 분비가 일어났다. 시간대를 넘어가는 여행을 하는 경우에 시차증후군이 생길 수 있다. 멜라토닌 복용은 수면의 기간과 질을 향상시켜 주지만, 적절한 복용 시간은 알려져 있지 않다. 솔방울샘은 환경과 시상하부-뇌하수체 기능 사이에 경계로 생각된다. 낮 길이를 정확하게 해석하기 위해서 동물들은 멜라토닌 분비의 매일 리듬이 필요하다.

멜라토닌은 솔방울샘에 의해 합성되고, 혈액으로 분비되어 다른 호르몬 같이 혈류에서 순환된다. 중추신경의 신경내분비 센터처럼 먼거리의 목표기관에 영향을 준다. 멜라토닌이 뇌척수액으로부터 시상하부로 도달하는 데는 띠뇌실막세포 수송을 따른다.

멜라토닌과 연관된 생식샘 변화는 시상하부에 의해 매개되고 GnRH 박동성 분비와 생식기능에 대한 억제 효과를 보인다. 사람에서 멜라토닌의 혈액내 농도는 생후 첫 1년에(최대농도는 밤에) 가장 높고, 나이에 따라 감소하고 사춘기 이전까지 GnRH를 억제한다.

솔방울샘 기능은 호르몬과 신경 매개 영향 사이의 균형에서 볼 수 있다. 솔방울샘 내에 활성 성호르몬, 에스트라디올, 테스토스테론, 디하이드로테스토스테론, 프로게스테론, 프로락틴에 대한 수용체가 있다. 솔방울샘은 테스토스테론과 프로게스테론을 활성 5α-환원물로 전환시키고 안드로겐을 방향화(aromatization)시켜 에스트로겐으로 전환시킨다. 솔방울샘은 특이하게 카테콜아민 신경전달물질(노르에피네프린)이 세포막에서 에스트로겐과 안드로겐 수용체를 합성하게 자극하기도 한다. 그러나 일반적으로 하루주기를 만드는 교감신경 작용은 호르몬 효과보다 앞서 일어나게 된다.

여러가지 제시된 내용에도 불구하고 사람에서 솔방울샘의 역할에 대한 정확한 증거는 없다. 그럼에도 빛에 대한 노출과 24시간 주기 사이의 중요한 연관성은 솔방울샘을 그 조정자로서 생각하게 한다. 북쪽에 위치하는 지역에서는 난소기능과 임신율이 어두운 겨울에 감소한다는 계절성 분포가 있다. 솔방울샘이 정상 생식기능을 파괴시킬 수도 있다. 시상하부 무월경을 가지거나, 신경성 식욕부진(anorexia nervosa)이 있는 여성에서 멜라토닌의 야간 농도가 높아져 있었음이 보고되었고, 이는 에스트로겐이 낮아짐에 따른 결과로 원인은 아니었다. 솔방울샘의 영향으로 함께 지내는 여성들 사이에 월경주기가 비슷해질 수 있다는 보고도 있다.

멜라토닌은 1 mg, 5 mg 등 다양한 용량이 있고, 섭취했을 때 정상적인 야간 최대치의 10-100배로 높아진다. 효과는 졸림을 증가시키고 각성도를 감소시킨다.

VI. 태아기, 소아기, 사춘기 동안의 생식샘자극호르몬 분비

사춘기에 일어나는 내분비 변화에서 각성이 시작이라고 생각하지만 내분비학적으로 사춘기는 시작이 아니라 임신에서 시작된 발달의 또 다른 단계이다. 사람 뇌하수체 전엽의 발달은 태아기 4-5주 사이에 시작되며 12주가 되면 시상하부와 뇌하수체 사이의 혈관 연결이 되면서 기능을 하게 된다. 생식샘자극호르몬은 태아기 전반, 아동기 동안에서 성인기에 이르기까지 생산되며 폐경기 같이 높은 FSH와 LH가 태아에서도 나타난다. GnRH는 임신 10주에 시상하부에서 나타나며, 혈관 연결이 완성되는 임신 10-13주에 FSH와 LH가 뇌하수체에서 생성된다. 뇌하수체에서의 FSH와 LH의 최고 농도는 임신 20-23주에 발생하며, 임신 28주에 혈중 최고 농도가 된다. 임신 중기까지 생식샘자극호르몬의 생산증가 속도는 시상하부-뇌하수체 축이 최대능력으로 수행할 수 있는 능력의 증가를 반영한다. 임신 중기부터 스테로이드의 억제에 대한 민감도가 증가하여 생식샘자극호르몬 분비가 감소한다. 유아기 후기까지도 스테로이드에 대한 최대 민감도에 도달하지는 못한다. 태아기에 태반 스테로이드가 자궁내에서 높은 수치로 유지되어 일어났던 음성 되먹임(negative feedback)이 출생 후에 없어지면서 생식샘자극호르몬의 증가가 나타나며 이러한 출생 후 증가는 조산아에서 훨씬 더 크다. 따라서 생후 1년 동안은 생식샘자극호르몬 분비가 억제되어 있는 아동기 후기와는 달리 난소에서 난포 활동이 있다.

태아의 고환 기능은 태아 호르몬 패턴과 연관되어 있다. 초기 테스토스테론 생산과 성 분화는 태반 hCG에 대한 반응이지만, 추가적인 테스토스테론 생산 및 남성 분화는 태아의 뇌하수체 생식샘자극호르몬에 의해 유지된다. 임신 후기의 테스토스테론 감소는 생식샘자극호르몬의 감소를 반영한다. 태아의 Leydig 세포에서 하향조절(down regulation)을 피해서 높은 hCG와 LH에 반응하여 스테로이드를 생산하고 세포증식이 증가한다. 이 세포들은 사춘기가 되면서 성인 세포로 대체되고 높은 hCG와 LH에 대하여 하향조절 반응을 하여 스테로이드 생산이 감소한다.

태아 생식샘자극호르몬 수치에는 성별 차이가 있다. 여아의 뇌하수체와 혈중 FSH, LH 수치가 더 높은데 이는 남아에서 테스토스테론과 인히빈에 의하여 FSH, LH가 낮은 수치를 보이기 때문이다. 유아기 여아에서는 출생 후 FSH 상승이 더 높게 유지되는 반면 LH는 높지 않다. 출생 후 생식샘자극호르몬이 증가되었다가 아동기 초기에 최저치에 도달한다(남아의 경우 생후 약 6개월, 여아의 경우 생후 1–2년). 그 후 4세에서 10세 사이에 약간 증가한다. 남아와 여아의 차이가 큰데, 여아의 경우 생식샘자극호르몬의 억제는 아동기에 늦게 시작되고 남아보다 덜 강하게 나타나며 억제 기간이 더 짧다. 이러한 차이는 남아의 테스토스테론에 의하여 나타난다.

아동기에는 뇌하수체와 혈액에서 생식샘자극호르몬 수치가 낮고 GnRH에 대한 뇌하수체의 반응이 거의 없으며 시상하부가 최대로 억제되어 있다. 생식샘이 제거되어도 변화가 거의 발생하지 않기 때문에 이러한 억제는 난소나 고환에 의해 유지되는 것은 아니다. 중심억제력은 뇌 내에서 사춘기 시작 신호를 기다리면서 조절되고 있다.

중앙의 억제력은 GnRH 박동 분비를 억제한다. 이 기전에는 GABA (gamma aminobutyric acid, 감마아미노뷰티르산), 신경 펩티드 Y 및 키스펩틴과 같은 여러 신경전달물질이 관여한다. 시상하부에서 GABA 방출은 사춘기가 시작될 때 GnRH 분비가 증가함에 따라 감소한다. GABA의 합성 또는 활동이 차단되면 원숭이에서 사춘기가 시작될 수 있다. 신경펩티드 Y는 GnRH 박동성 분비를 억제하는 신경전달물질로 알려져 있다. 키스펩틴은 생식을 조절하는 신경내분비 조절제로 최근 받아들여졌으며 시상하부의 활꼴핵에서 발현되며 사춘기에 GnRH 박동 분비가 재개되기 직전에 증가한다. 키스펩틴에 대한 G-단백질 수용체의 돌연변이가 있으면 저생식샘자극호르몬생식샘저하증(hypogonadotropic hypogonadism)을 유발하여 사춘기가 시작되지 않으나 외부에서 투여한 생식샘자극호르몬이나 GnRH에는 반응한다.

여아에서 혈액에서 가장 먼저 나타나는 스테로이드는 DHEA와 DHEAS로 FSH 증가가 시작되기 직전인 6-8세에 나타나기 시작한다. 에스트로겐과 LH는 9-12세까지 상승하지 않는다. 사춘기의 시작이 혈액내에서 처음으로 증가하는 호르몬에 의하여 촉발되는 것이라면 부신스테로이드의 역할이라고 할 수 있다(그림 1-14). 그러나 부신 스테로이드가 사춘기의 적절한 시기에 필요하다는 증거는 없으며, 성증발현(adrenarche)은 독립적으로 나타나며 생식샘 활동의 시작과 동일한 기전에 의하여 조절되는 것은 아니다. 실제로 추적연구에 따르면 부신 스테로이드 활성도의 증가는 사춘기와 연관되어 갑작스러운 변화를 보이는 것이 아니고 연령 증가와 함께 점차 성숙된다고 한다. 멜라토닌 분비와 사춘기 사이에 명확한 관계도 입증되지 않았다. 영양 상태는 생식 기능에 영향을 미치며 렙틴 시스템이 사춘기 시작에 관여할 가능성은 있으나 일차 신호는 아닐 것으로 보인다. 렙틴의 혈중 농도로 사춘기가 준비되었음을 알 수 있는데, 이는 신체에 생식에 필요한 대사요구를 보조하기 위한 적절한 양의 지방조직이 있음을 나타낸다. 사춘기는 유전, 대사, 호르몬 요인을 포함한 여러 시스템과 영향에 의해 일어나는 것으로 보는 것이 논리적이다.

사춘기 이전에는 생식샘자극호르몬 수치가 낮으며 매우 불규칙하지만 박동성이 있다. 사춘기 전에 나타나는 억제에는 GABA 및 신경펩티드 Y 등의 뇌 펩티드가 관련이 있다.

임상적으로 사춘기 시작 시기에는 야간에 박동성 분비의 빈도, 진폭 및 규칙성 증가가 먼저 일어난다. 이차 성징

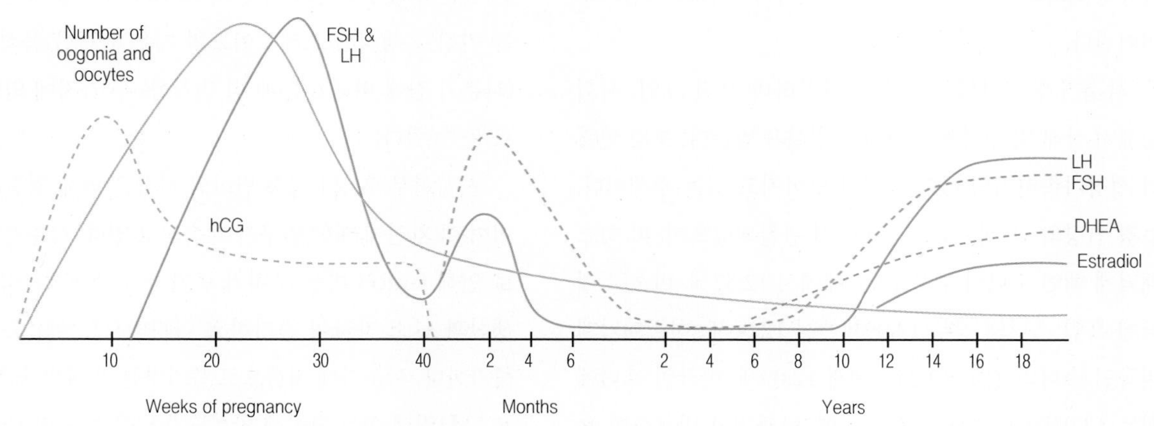

● 그림 1-14. 여아에서 나이에 따른 스테로이드호르몬의 양상

이 나타나는 시기에는 깨어 있을 때 보다 수면 중에 평균 LH 농도가 2-4배 높다. 이 패턴은 사춘기 전후에는 나타나지 않으며 GnRH의 박동성 분비가 증가함에 따라 GnRH 뉴런의 연계가 증가하여 시상하부에서 일어나는 초기 변화이다. 이 패턴은 시상하부 억제의 정도가 증가하거나 감소하는 경우(예: 신경성식욕부진이 악화되거나 회복되는 경우)에 나타난다. FSH는 사춘기 중반에 정체되는 반면 LH 및 에스트라디올은 사춘기 후반까지 계속 상승한다. 사춘기가 시작됨에 따라 면역학적으로 활성을 가진 LH보다는 생물학적으로 활성을 가진 LH가 증가하는 것을 볼 수 있다.

사춘기에 생식샘자극호르몬은 생식샘과 무관하게 증가하는데 생식샘발생장애(dysgenesis)가 있는 환자에서도 동일하게 증가한다. 터너증후군(45,X)인 사춘기 소녀에서도 수면 시 생식샘자극호르몬의 증가를 볼 수 있는 것에 비추어 보아 사춘기의 성숙은 난소의 스테로이드와는 무관하게 시상하부의 변화를 통해서 일어나는 것으로 이해된다.

시상하부의 성숙은 순차적으로 예측 가능하게 일어난다. 증가된 GnRH 분비는 GnRH에 대한 뇌하수체 반응을 증가시켜 호르몬의 생산과 분비를 증가시키는데 이는 뇌하수체에 대한 스테로이드 영향과 GnRH 수용체 수에 대한 GnRH 박동성 분비의 영향에 의한다. 생식샘자극호르몬의 증가는 난소의 난포성장과 발달 및 성 스테로이드 호르몬의 증가를 일으킨다. 에스트로겐이 상승하면 성인의 박동성 GnRH 분비 패턴이 되며 주기적인 월경 패턴으로 이어진다.

사춘기가 시작되는 연령은 다양하며 유전 요인, 사회경제적 상태 및 일반적인 건강의 영향을 받는다. 초경 연령과 성장가속시기의 나이는 점차 낮아지고 있는 추세이다. 초경 연령의 감소는 모든 인종에서 관찰되었으며, 비 히스패닉계 백인 소녀의 경우 12.57세에서 12.52세, 비 히스패닉계 흑인 소녀의 경우 12.09세에서 12.06세, 히스패닉계 미국인 소녀의 경우 12.24세에서 12.09세, 한국인 소녀에서는 13.0세에서 12.6세로 감소했다. 과거와 비교하여 요즘 초경연령이 낮아지는 이유는 의심할 여지없이 영양이 향상되고 건강이 좋아졌기 때문이다. 성장 증가와 초경은 특정 체중(48 kg)과 체지방 비율(17%)에 도달해야 발생하는 것으로 알려져있다. 초경시작에 대한 임계 체중과 관련된 가설은 유용한 개념이지만 실제로 초경 연령이 매우 다양한 것은 여아들 개개인에 있어서 초경이 예상되는 특정 연령이나 체중이 정해져 있는 것은 아님을 나타낸다.

여아에 있어서 성장개시, 유방발달개시(thelarche), 음모발현(pubarche), 마지막으로 초경의 순서로 사춘기가 진행되며 일반적으로 8-14세 사이에 시작되며 2-4년 정도 걸린다. 개인별 변이가 다양해서 진행 순서는 다르게 나타날 수도 있다.

태아기에는 활성화되어 있다가 아동기에는 억제되어 있던 시상하부-뇌하수체 축이 사춘기에 재활성화되어 일어난다. 시상하부-뇌하수체-생식샘 시스템은 사춘기 이전에도 작동하지만 성 스테로이드에 매우 민감하게 억제되어 있다. 영아기부터 사춘기까지 생식샘자극호르몬 분비의 전형적인 "biphasic"패턴은 주로 박동성 GnRH 분비의 중추적 억제 정도가 변화하기 때문이며, 낮은 농도의 성 스테로이드 호르몬의 되먹임에 대한 높은 민감도의 영향은 적게 받는다. 영아기에 생식샘 자극호르몬이 낮은 것을 스테로이드의 음성되먹임만으로 설명할 수 없는데 이는 생식샘 발생장애가 있는 경우에도 정상인 2-6세 어린이들과 마찬가지로 생식샘자극호르몬이 감소하기 때문이다. 이는 내인성 중추신경 억제 기전이 생식샘 스테로이드 호르몬과 무관하게 일어난다는 것을 나타낸다. 사춘기를 억제하는 것은 ①중추신경의 억제력, GnRH 박동 분비를 억제하는 기전 ②생식샘 스테로이드의 매우 민감한 음성되먹임(사춘기 전에 비해 6-15배 더 민감함) 두 가지에 의한 결과로 볼 수 있다.

시상하부에서의 성숙 변화의 시작은 억제 영향의 감소이며 이 기전에 대한 연구가 계속되고 있다. 사춘기의 변화로 인해 GnRH 박동 분비가 증가하여 생식샘자극호르몬 생산과 난소 자극이 증가하고 마지막으로 에스트로겐이 증가한다. 사춘기에 처음으로 증가하는 생식샘자극호르몬은 FSH인데 이는 활꼴핵 활성도가 낮은 빈도의 GnRH 박동성에서 시작되므로 FSH는 증가하지만 LH는 거의 변화가 없기 때문이다. 박동의 빈도가 점차 증가하면서 성인 수준의 FSH와 LH 농도를 보인다. 또한 생식샘자극호르몬의 생활성 형태가 더 많이 증가하는 질적 변화도 나타난다.

에스트로겐에 대한 양성되먹임 반응이 더 늦게 나타나기 때문에 초경 후 첫 수개월(18개월까지 길어지는 경우도 있음) 동안 무배란이 일어날 수 있다.

사춘기는 뇌의 통제 센터에 의해 스위치를 켜는 것처럼 활성화되는 것이 아니라 모든 요인들이 기능적으로 합쳐져서 일어나는 것으로 생각된다. 시상하부에서의 모든 변화의 결과 이차 성징이 생기고 성인 수준의 설정값에 도달하여 생식이 가능해진다. 시상하부의 민감도를 변화시키는 종양 및 혈관 장애는 사춘기 이전의 억제 역치를 역전시켜서 성조숙을 발생시킬 수 있다.

<u> 참고문헌 목록은 대한산부인과내분비학회 홈페이지 http://www.kosge.or.kr 또는 QR코드를 통해 보실 수 있습니다.</u>*

CHAPTER

2 난소주기

박소연(이화의대)

정상 월경주기 및 관련 기전을 이해하는 것은 비정상 월경의 진단 및 관리를 위한 기본이다. 의학의 발전으로 뇌하수체와 성호르몬, 그리고 여성의 난소주기의 관계에 대하여 알게 됨으로써 월경에 대해서도 더 잘 이해할 수 있게 되었다. 이 장에서는 정상 월경주기를 난포기, 배란, 황체기로 나누어 설명하고, 각 주기에서의 난소, 뇌하수체 및 시상하부호르몬의 변화를 살펴보기로 한다.

Ⅰ. 난포기(Follicular Phase)

난포기에는 적절한 수의 난포가 배란을 준비하는 일련의 과정이 일어나게 된다. 10-14일 동안 난포는 원시난포-전동난포-동난포-성숙난포(primordial-preantral-antral-preovulatory follicle)의 순서로 성장하며 이 과정은 호르몬과 자가분비-주변분비(autocrine-paracrine) 펩티드의 작용으로 이루어진다(그림 2-1).

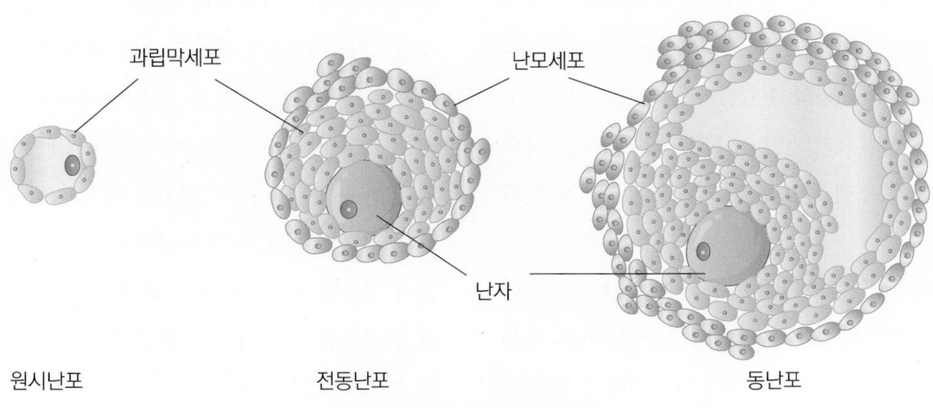

● 그림 2-1. 난포의 성장과정

1. 원시난포(Primordial follicle)

배아의 난황낭, 요막, 뒤창자 등 내배엽에서 기원한 원시 생식세포는 임신 5-6주경에 생식융기로 이주하고, 생식세포의 빠른 유사분열은 임신 6-8주경에 시작한다. 16-20주경에 난모 세포의 수는 최고에 도달하여 그 수는 각각의 난소에서 6-7백만 개에 달하게 된다. 이후 원시난포는 더 이상 자라지 않고 한 층의 과립막 세포에 둘러싸인 채 제1 감수분열 전기 겹섬유기(diplotene stage)에서 멈춰있는 난모세포를 포함하고 있게 되며 배란이 일어날 때까지 그 상태를 유지한다. 과립막세포에서 생성되는 난자성숙 억제인자(oocyte maturation inhibitor, OMI)가 틈새이음(gap junction)을 통해 난모세포로 전달되어 난포의 성장을 정지시키고 황체형성호르몬(lutenizing hormone, LH) 급증(surge)으로 틈새이음이 닫히면 제1 감수분열이 다시 시작된다. 난포는 그 수가 고갈되기 전까지 성숙하고 퇴화되는 과정을 겪는데 이 과정은 신생아와 폐경기를 포함한 모든 연령에서 지속되어, 임신 16-20주에 6-7백만 개로 최고에 달했던 난모세포의 수는 빠른 속도로 감소해서 태어날 때 50만-2백만 개이며, 청소년기에는 30-50만 개로 감소하게 된다. 이 중에서 여성의 생식기 동안 약 400-500개의 난포들만이 배란된다.

난포의 초기 성숙은 몇 번의 월경주기를 거치는 동안 일어나고 배란될 난포는 황체-난포 이행기에 선택되게 된다. 배란 전의 상태가 되는데 걸리는 시간은 대략 85일 정도이다. 선택되지 못한 난포들은 퇴화되기 때문에 난포가 계속해서 이용 가능한 상태로 있으려면 난포자극호르몬(Follicle-stimulating hormone, FSH)의 증가 및 높은 농도를 유지하는 것이 필수적이며, 만약 FSH 농도가 지속적으로 증가되어 있지 않으면 난포는 세포자멸사에 빠져 퇴화된다.

“동원(recruitment)”은 FSH에 반응하여 동난포를 향해 지속적으로 성숙하는 과정을 설명하기 위한 단어로 사용되어 왔으나 실제로 이는 월경주기의 시작점에서 FSH의 자극을 받은 난포들은 세포 자멸사에 빠지지 않게 된다는 개념이다. 즉, 대부분의 난포들은 세포자멸사에 빠지게 되고 FSH 자극으로 인하여 준비된 우성난포만이 황체-난포 이행기에 선택될 수 있다.

난포발달의 첫 징후는 난모세포 크기가 증가하고 과립막세포의 모양이 편평한 모양에서 입방 모양으로 변화하는 것이다. 이러한 변화는 성장과정보다는 성숙과정에서 더 잘 볼 수 있다. 동시에 난모세포와 과립막세포 사이에는 틈새이음이 발달되어 영양분과 이온, 조절인자들이 교환된다. 과립막세포로부터 나온 인자들은 난모세포가 완전히 성숙되지 않도록 하고, 난모세포에서 기원한 조절인자들은 난포의 성장과정에 영향을 준다. 이러한 조절인자들은 형질전환 성장인자-β (transforming growth factor-β, TGF-β)와 여러 가지 신경영양물질(neurotrophin)을 포함한다. 액티빈(activins), 인히빈(inhibins), 항뮐러관호르몬(anti-müllerian hormone, AMH), 그리고 골형성단백질(bone morphogenetic protein)은 형질전환 성장인자-β계의 구성 요소이다. 액티빈은 원시 난포의 발달을 촉진하고 인히빈은 발달을 저해한다. 항뮐러관호르몬은 원시 난포의 성장을 억제하는 인자이며 골형성단백은 그 반대 역할을 한다. 신경영양물질과 그 수용체는 본래 중추신경계과 말초신경계에서 분화와 생존에 필수적인 요소를 담당한다. 포유류 신경영양물질은 지금까지 4가지가 밝혀졌는데, 신경성장인자(nerve growth factor), 뇌유래신경성장인자(brain derivated neurotrophic factor), 신경영양물질-3, 그리고 신경영양물질 4/5 등이며 이들은 모두 Trk 일차암유전자계(protooncogene family)로 코딩된 티로신 인산화 수용체에 붙어서 역할을 수행한다(TrkA, TrkB, Trk-C). 신경성장인자와 TrkA가 제거된 쥐에 대한 관찰 결과, 신경성장인자는 난포가 생성되는 초기 단계에서 난소 중간엽세포의 분화를 자극하고 과립막세포에서 FSH 수용체의 분화와 생성을 촉진하였다. TrkB를 제거한 쥐에 대한 실험에서는 TrkB 신호전달 체계가 난포가 생성된 뒤 난모세포의 생존과 전동난포의 발달에 필요하다는 결과를 얻었다. 이러한 결과들을 통해 신경영양물질이 난포의 성장에 관여하는 것으로 보고 있다.

난모세포는 과립막세포와 틈새이음으로 연결되어 있으며 틈새이음을 통해 칼슘 같은 이온이나 세포 전달 신호

물질 등이 전달된다. 난모세포는 포도당을 에너지로 사용할 수 없고, 필수 아미노산의 이동을 시킬 수 없으며, 콜레스테롤의 합성에 필요한 효소와 결합단백질이 결핍되어 있다. 따라서 난모세포는 필요할 때마다 주변분비신호를 이용해 과립막세포를 자극하여 포도당을 합성하고, 아미노산을 이동시키며, 콜레스테롤을 합성, 이동한다. 이런 신호에 관여하는 단백질들은 형질전환 성장인자-β, 증식분화인자(growth differentiation factor)-9, 골형성단백질-15들이다. 이 중 증식분화인자-9의 돌연변이는 드물지만 난소장애의 원인으로 알려져 있다. 틈새이음은 커넥신이라고 하는 단백질의 집합체로 과립막세포의 성장과 분화, 영양공급과 난소성장의 조절에 매우 중요하다. 커넥신은 FSH에 의해서 발현이 증가되고 LH에 의해서 감소된다. 또한 FSH는 틈새이음의 문을 열린 채로 유지되게 도와주고, LH는 틈새이음의 문을 닫히게 도와준다. 따라서 틈새이음은 FSH/LH에 의해서 조절된다.

입방형 과립막세포가 겹쳐지면서 원시난모세포가 일차난포로 발달해간다. 이 과립막 세포들은 기저층의 기저막의 기저 세포에 의해 분리된다. 둘러싸고 있는 기저세포는 동심원층으로 분화해 가고 이것은 난모막의 내층과 외층으로 구성된 층을 형성한다. 난포층은 과립막세포가 3-6층 정도 포개어졌을 때 나타난다.

난포의 성장이 생식샘자극호르몬 없이 가능하다는 사실이 무뇌아에서 관찰되는 난포 성장으로 증명되었다. 사람의 난포 실험에서 FSH 수용체의 유전자 발현은 원시난포세포의 성장 시까지 관찰되지 않았고 FSH 소체(subunit)의 돌연변이로 비활성화된 여성의 경우에도 공동난포의 활동이 관찰된 점, FSH의 결핍으로 외부에서 주입되는 FSH으로 치료받는 여성의 경우, 난포발달, 배란, 임신 등 모든 과정이 정상적으로 수행되었다는 점은 모두 이를 뒷받침하고 있다.

2. 전동난포(Preantral follicle)

성장이 가속화되면서 난포는 전동난포로 진행되어 난모세포가 커지고 투명대막에 의해 둘러싸여진다. 과립막세포는 여러 층으로 증식하고 주위의 기질로부터 난포막이 형성된다. 이러한 성장은 생식샘자극호르몬에 의존적이고 에스트로겐 생성 증가와 밀접한 연관이 있다.

전동난포의 과립막세포는 에스트로겐, 안드로겐, 프로게스테론 모두를 합성하는데 이 중 에스트로겐 생성이 훨씬 많다. 방향효소 시스템은 안드로겐을 에스트로겐으로 전환시킬 뿐 아니라, 난소의 에스트로겐 생성을 제한하기도 한다. 방향화는 FSH에 의해서 유도 및 활성화되는데 FSH가 수용체에 결합하면 아데닐산시클라아제의 분자 기전을 통해 세포의 성장, 분화, 기능과 관련 있는 단백질들의 mRNA를 발현시킨다. 따라서 FSH는 과립막세포에서 에스트로겐의 합성을 개시시키고 과립막세포의 성장을 촉진시킨다.

과립막세포는 전동난포기에 FSH의 수용체를 발현하여 안드로겐을 방향화함으로써 에스트로겐 환경을 조성한다. 그러므로 에스트로겐의 생성은 FSH 수용체 양에 따라 좌우되고, 이 수용체의 양은 FSH에 의해서 조절되게 되며, FSH의 작용은 성장인자에 의해 조절이 된다. FSH 수용체의 숫자는 빠르게 증가되어 한 과립막세포당 1,500개까지 증가할 수 있다. 난포에서 스테로이드 생성은 생식샘자극호르몬 및 생식샘자극호르몬 연관 신호전달 체계인, 아데닐산 시클라제, 이온채널, 티로신인산화효소, 포스포리파아제 시스템 등이 관여한다. 이 경로는 또한 다양한 인자들(성장인자, 산화질소, 프로스타글란딘, 생식샘자극호르몬 방출호르몬, 안지오텐신 2, 종양괴사인자-α, 혈관작동성장 펩티드 등)에 의해 조절된다.

FSH는 에스트로겐과 상승적으로 과립막 세포의 분열을 일으켜 성장을 촉진하고 빠르게 FSH 수용체를 축적시킨다. 난포 안의 초기형태의 에스트로겐은 비교적 낮은 FSH 농도에도 잘 반응한다. 과립막세포는 성장하면서 난자와의 상대적인 위치에 따라서 여러 가지 다른 형태의 세포로 분화한다. 난포 안에는 소통 시스템이 존재한다. 모든 세포들이 생식샘자극호르몬에 대해 수용체를 가지고 있는 것은 아니며, 수용체가 있는 세포는 틈새이음을 통해 수용체가 없는 세포에게 신호를 전달함으로써 모든 세포들이 수용체를 가지지 않아도 호르몬에 의한 신호가 전달될 수 있다. 이러한 시스템은 황체상태에서도 지속되며 난포안에서 동시에 조직적인 활성화를 촉진한다.

초기의 난포발달에 안드로겐의 역할은 복잡하다. FSH에 의해 촉진되는 방향화의 기질로 이용될 뿐만 아니라 과립막세포에 수용체가 존재하여 낮은 농도에서 방향효소의 활성을 증가시키기도 한다. 안드로겐이 많아지면 과립막세포는 안드로겐을 에스트로겐으로 전환되지 못하는 5 α-안드로겐 형태로 변환시켜 아로마테이스 활성을 억제하고 FSH의 역할을 방해하여 난포 발달의 또 다른 필수단계인 LH 수용체 형성을 억제한다. 따라서 안드로겐이 적을 때는 방향화가 증가되지만 안드로겐이 증가하면 방향화의 능력이 다소 제한되어 난포는 안드로겐화되고 궁극적으로 퇴화된다. 난포는 FSH가 증가되어 있고 LH가 적을 때 출현해야 발달할 수 있기 때문에 황체기 후반이나 다음 월경주기 초반 즉, 과립막세포에서 방향화가 증가할 때 만들어지는 것이 유리하고, 안드로겐이 풍부한 환경에서 에스트로겐이 풍부한 환경으로의 변환이 성공을 좌우하게 된다.

3. 동난포(Antral follicle)

난포가 동난포로 변화되는 과정에서 과립막세포 사이에 난포액이 축적되고 이들이 합쳐져 공간을 형성한다. 난포액의 축적은 난자와 주위의 과립막세포가 특별히 보호되도록 한다. 난자를 감싸고 있는 과립막세포는 이제 난구(cumulus oophorus)라고 불린다. 난구세포의 변화는 난소에서 일어나는 신호에 의해 결정되며, 호르몬과 성장인자와 사이토카인이 풍부한 난포액은 난소와 주변 세포가 발달하는데 중요한 환경을 제공한다.

FSH의 존재 하에서 에스트로겐이 난포액의 주요 기질이 된다. 역으로, FSH가 없다면 안드로겐이 주요 기질이 되며 안드로겐은 에스트로겐에 의해 유도된 과립막세포의 발달을 저해하고 난모세포의 퇴행성 변화를 촉진한다. LH는 월경주기 중반까지 난포액에 존재하지 않다가 LH가 혈장과 난포액에 증가하기 시작하면 과립막세포의 분화는 감소하고 퇴행 과정이 뒤따르게 되며 난포안에 안드로겐이 증가하기 시작한다. 그러므로 난포액에 에스트로겐과 FSH가 주로 존재하는 것이 지속적인 과립막세포의 축적과 난포발달에 중요하다. 과립막세포가 증가하기 위해서는 에스트로겐이 높아져서 안드로겐/에스트로겐의 비가 작아져야 한다. 그리고 이 과정은 건강한 난모세포를 만들기 위해 중요하다.

난포액의 스테로이드 농도는 혈장보다 높다. 이것은 과립막세포와 난포막세포의 기능적인 활성도를 반영한다. 스테로이드 호르몬 생성은 난포 안에서 기능적으로 구획화 되어 있으며 이는 두세포 이론으로 설명된다.

1) 두 가지 세포, 두 가지 생식샘호르몬 이론 (Two-Cell, Two-Gonadotropin Theory)(그림 2-2)

과립막세포 내 아로마테이스의 활성은 난포막세포보다 높다. 전동난포 및 동난포에서 LH 수용체는 난포막세포에, FSH 수용체는 과립막세포에만 존재한다. 난포막세포사이의 간질 세포들은 난포막당 20,000개의 LH 수용체를 가지고 있으며 LH 자극에 반응하여 난포막세포는 안드로겐을 합성하고, 이 안드로겐은 과립막세포로 들어가서 FSH 자극에 반응하여 방향화에 의해 에스트로겐으로 전환된다. 즉, 난소호르몬의 합성과정은 LH, FSH의 자극에 반응하여 난포막 세포와 과립막세포에서 독립적으로 이루어진다.

난포가 발달할수록, 난포막세포는 P450scc와 3β-수산화스테로이드 탈수소효소(hydroxysteroid dehydrogenase)와 같은 LH 수용체 관련 유전자를 활성화시킨다. 스테로이드호르몬 생성 과정에서 콜레스테롤의 미토콘드리아로의 유입 및 LDL-콜레스테롤의 이용 등이 LH에 의해서 매개되기 때문에 난소호르몬 생성은 LH에 상당히 의존적이라고 할 수 있다. 반면에 배란 이후 황체화 시기에는 과립막세포가 HDL-콜레스테롤 과정을 이용할 수 있게 되는데 HDL-콜레스테롤은 직접 세포 내로 유입되지 않고, 세포표면에서 콜레스테릴 에스테르(cholesterylesters)가 분리되어 세포 내로 유입되게 된다.

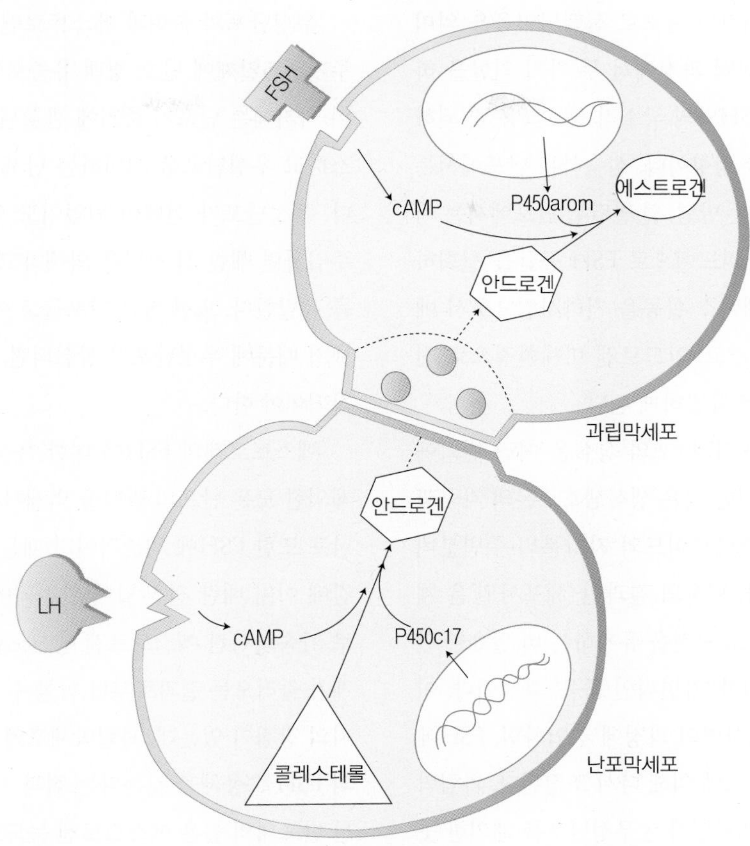

• 그림 2-2. **두 가지 세포, 두 가지 생식샘호르몬 이론**

난포가 출현하면, 난포막세포들은 안드로겐 생성의 속도제한단계(rate-limiting step)를 이루는 21-탄소 효소인 P450c17을 발현한다. 방향화 체계(P450arom)의 발현 증가는 과립막세포의 성숙 증가를 의미하며, P450c17가 난포 세포에서만 발견되고, P450arom이 과립막세포에서만 존재하기 때문에 두 가지 세포를 구별하기 위한 확실한 증거이며 에스트로겐을 만드는 두 가지 생식호르몬을 설명해준다.

영장류에서 두 가지 세포, 두 가지 생식호르몬 체계의 중요성은 생식샘이 부족한 여성에서의 FSH 재조합 치료에 대한 반응을 보면 알 수 있다. 초기의 동원과 발달에서 LH보다도 FSH가 더 중요하기 때문에 이런 여성에서 난포는 발달하지만 에스트로겐 생성은 미흡하다. 즉, 난포기의 초기에 부신에 있는 안드로겐으로부터 에스트라디올을 생성하는 방향화는 약간 이루어질지 모르지만, 난포에서 안드로겐을 생성할 수 있도록 하는 강한 스테로이드의 생성은 LH 없이 불가능하기 때문이다. LH가 부족한 원숭이를 만들기 위해 생식샘자극호르몬 길항제를 사용하고 순수한 사람 FSH 재조합을 주입한 경우 이와 비슷한 결과가 관찰되었다. 이러한 결과는 FSH만이 난포생성에 필요하고 자가분비-주변분비 펩티드 작용으로 생식샘자극호르몬 반응을 조절하며 LH는 에스트로겐 생성에 필요한 안드로겐을 증가시킴으로써 난포성숙의 최종단계를 적합하게 한다는 것을 의미한다.

2) 우성난포의 선택

항상 하나의 난포만이 성공적으로 에스트로겐 우성

난포로 변화하며 이는 배란될 난포로 선택되었음을 의미한다. 에스트로겐은 이 선택 과정에서 두 가지 역할을 하게 되는데, 난포에서의 FSH와의 국소적 상호작용 및 뇌하수체의 FSH 분비에 대한 영향이다. 성숙하는 난포에서는 FSH에 긍정적 영향을 주는 반면, 덜 발달된 난포에서는 시상하부-뇌하수체의 음성 피드백으로 FSH 공급을 철회하여 FSH 의존성 아로마테이스 활동을 저하시킴으로서 에스트로겐 생성을 저하시키고, 안드로겐 미세환경으로 전환시켜 비가역적인 퇴축을 유발하게 된다

퇴축을 통한 난모세포 및 난포의 상실은 여러 변화에 의해 발생한다. 이 중 확실한 것은 생식샘호르몬의 자극과 쇠퇴가 중요하며, 난소 스테로이드와 자가분비-주변분비 인자 역시 관계되어 있다. 퇴축의 결과인 '세포사멸'은 계획화된 세포 죽음이고, 난포 보전을 유지하는 데 필요한 단백질 mRNA의 변화에 의한 '자연적인 죽음' 과정이다. 이렇게 세포들이 일단 세포사멸의 과정에 진입하면, FSH에 대한 반응은 주변 성장 요소에 의해 다시 조정된다. 과립막세포에서 생성되는 종양괴사인자는 우성난포를 제외한 곳에서 FSH 자극을 억제한다. 즉, 종양괴사인자 발현과 과립막세포의 생식샘자극호르몬에 자극에는 역관계가 존재하여 우성난포에서는 생식샘자극호르몬에 대한 반응이 증가함에 따라 종양괴사인자 생성은 감소하고 생식호르몬에 대한 반응이 실패하는 난포들에선 종양괴사인자 생성이 증가되어 사멸을 촉발한다.

항뮐러관호르몬이 초기 원시난포의 과립막세포에서 나타나고 작은 동난포에서는 최고 농도에 다다른다. 즉, 항뮐러관호르몬의 주변분비 활동으로 FSH 자극에 의한 난포의 성장을 억제하여, 작은 난포를 억제하고, 우성난포가 출현되도록 한다. 반면에 FSH가 난포 세포를 자극하여 에스트로겐이 생성이 일어나면 항뮐러관호르몬은 감소한다. 이러한 활동들 때문에 항뮐러관호르몬의 혈중 농도는 성장중인 난포의 수를 반영하며, 난소의 노화와 가임 가능성 여부를 측정하는데 이용된다. 항뮐러관호르몬은 생식샘자극호르몬이나 성호르몬의 영향을 비교적 받지 않기 때문에 월경주기에 관계없이 측정할 수 있지만 경구피임약을 장기간 복용하는 중에는 실제보다 낮게 측정될 수 있다.

우성난포의 출현과 에스트로겐 생성의 불균형은 월경주기의 5일째에 난소 정맥 유출로에서 감지할 수 있는데, 이 시기에는 난포기 중기에 관찰된 FSH가 점차적으로 감소하고 우성난포를 의미하는 난포 직경의 증가가 관찰된다. 우성난포가 선택이 되었어도 외부에서 에스트로겐을 주입하면 배란 전 발달을 와해하고 FSH를 감소시켜 퇴화를 유발한다. 또한 작은 난포들도 이미 퇴화과정으로 진입했기 때문에 우성난포가 상실되면, 새로운 동원 과정이 시작되어야 한다.

에스트로겐의 FSH에 대한 음성 피드백은 우성난포를 제외한 모든 난포의 발달을 억제하는 데 중요하다. 선택된 난포 또한 FSH에 의존적이기 때문에 FSH가 감소되는 순간에 이미 배란 전 발달이 완결되어야만 우성난포는 스스로 가속화시킨 에스트로겐 생산으로 인해 유발된 FSH 억제가 불러오는 결과로부터 피할 수 있다. 우성난포는 두 가지의 장점이 있는데, 과립막세포의 증식으로 인해 많은 수의 FSH 수용체를 갖는다는 점과 자가분비-주변분비로 인한 난포내의 높은 에스트로겐 농도로 FSH 활동이 더욱 증진되는 것이다. 따라서 우성난포는 FSH에 더 민감하며, FSH에 노출되는 동안 계속해서 발달되게 되어 방향화의 자극이 유지될 수 있다. 반면에 덜 발달된 작은 난포는 퇴축된다. 그러므로 작은 난포의 퇴화는 에스트로겐의 상승과 평행하게 일어난다.

과립막세포의 축적은 난포막 혈관의 발달과 함께 이루어진다. 월경 9일째, 우성난포의 난포막 혈관은 다른 동난포의 2배가 된다. 이것은 우성난포에 생식샘자극호르몬 운반의 특혜를 주어 FSH 반응성을 유지하고 생식샘자극호르몬이 감소해도 발달과 기능을 유지하게 한다. 원숭이의 난소에서 혈관생성을 유발하는 혈관 내피성장인자가 모세혈관의 증식이 중요한 시기인 우성난포의 등장과 초기 황체의 발달 단계에서 관찰된다.

과립막세포가 배란에 반응하고 성공적으로 황체가 되기 위해서는 LH 수용체가 필요하다. FSH는 큰 동난포의 과립막세포에서 LH 수용체 발달을 유발하는데, FSH는 난포내의 에스트로겐 농도가 증가함에 따라 작용의 초점이 FSH 수용체 상향조절에서 LH 수용체의 생산으로 변하게

된다. 여기서 다시 에스트로겐과 국소 자가분비-주변분비 펩티드가 주요 조절자의 역할을 하며, 이들의 반응력의 조합은, 우성난포에서의 FSH가 감소하고 국소적으로 에스트로겐이 높은 환경에서도, LH 수용체가 발달할 수 있게 한다.

체외수정을 위한 난소 자극 과정에서 보면, LH가 우성난포의 최종 성숙과 기능을 지원함으로써 난포 발달 후기에 중요한 역할을 한다는 것을 알 수 있다. LH는 난포기 후기에 필요한 에스트로겐을 충분히 제공하기 위해 난포막에서의 안드로겐의 생성을 자극하는데, 난포막 안드로겐은 난포내의 필수 성장인자에 직접 이로운 영향을 끼칠 것으로 생각되고 있다. 따라서 배란에 앞서 난포에서 LH의 출현은 궁극적으로 건강한 난모 세포를 제공하기 위한 최적의 난포 발달에 중요하다고 하겠다.

난소에서 에스트로겐 수용체를 발견하지 못했던 과거에 난포 내에서 국소적인 에스트로겐의 작용은 의문점으로 남아 있었고, 이후에, 사람의 과립막세포와 난모세포에 에스트로겐 수용체-β에 대한 mRNA만 있다는 것이 밝혀졌다. 난포와 황체의 성장과 작용에 있어 에스트로겐 수용체-β의 역동적인 발현은 에스트로겐의 중요한 국소 역할과 연관되어 있다. 프로락틴 또한 난포액에 항상 존재하는데, 일반적인 배란주기 동안 중요한 역할을 한다는 증거는 아직까지 없다.

3) 피드백 기전

우성난포는 자신의 에스트로겐과 펩티드 생산을 통하여 스스로 운명을 조절하는 것으로 추정되며, 피드백 기전을 통해 생식샘자극호르몬 분비를 변화시켜 환경을 최적화한다. GnRH가 생식샘자극호르몬의 분비를 조절하는 것 같지만 실제로는 우성난포에서 나온 스테로이드와 펩티드의 시상하부와 뇌하수체 전엽에 직접 작용하는 피드백 조절의 결과이다. 원숭이에서는 LH 급증(LH surge)을 동반한 GnRH의 증가가 발견되어 뇌하수체와 시상하부 영역 모두에서 에스트로겐 양성 피드백이 작용함을 시사하고 있지만, 사람의 양전자방사단층촬영 연구 결과에서는 뇌하수체에서만 양성 피드백 효과가 일어나는 것이 관찰되었다.

에스트로겐은 시상하부와 뇌하수체 전엽 모두에서 억제 효과를 나타내는데 GnRH의 박동성 분비와 뇌하수체 반응을 모두 감소시킨다. 프로게스테론 또한 두 곳에서 작용한다. 프로게스테론의 억제 작용은 시상하부 영역에서, 양성 작용은 뇌하수체 영역에서 일어난다. 양전자방사단층촬영을 통해 밝혀진 바로는 에스트로겐의 LH에 대한 음성 피드백의 주요한 장소는 시상하부이다.

FSH의 분비는 에스트로겐의 낮은 농도에서도 음성 억제효과에 매우 민감하다. 고농도에서는 에스트로겐이 인히빈과 결합하여 강하게 FSH를 억제하는 반면, LH에 대한 에스트로겐의 영향은 농도와 노출기간에 따라 달라진다. 에스트로겐은 저농도에서는 LH 분비를 음성 피드백으로 억제하지만, 고농도에서는 LH에 양성 피드백효과로 LH 분비를 촉진시킨다. 난포기 중기의 에스트라디올 증가와 관련하여 LH 분비가 억제에서 촉진으로의 이행하는데, 양성 피드백을 달성하기 위한 에스트라디올 농도는 200 pg/mL 이상이어야 하고, 이 농도가 대략 50시간 동안 지속되어야 한다.

생식샘자극호르몬은 월경주기에 따라서 다양한 빈도와 규모로 박동성으로 분비된다. 이러한 박동성 양상은 GnRH의 박동성 분비 때문이기도 하지만, 진폭과 빈도의 조절은 시상하부와 뇌하수체 전엽에 작용하는 스테로이드 피드백의 결과이다. 황체기 때 스테로이드가 시상하부에서의 GnRH 분비의 빈도에 영향을 미치고, 뇌하수체에서 생식샘자극호르몬 박동의 진폭에 영향을 미친다는 연구 결과들이 있다. 황체기 스테로이드의 억제작용은 시상하부의 내인성 아편유사제 펩티드의 증가에 의해 매개되는 것 같다. 정상적으로 시상하부의 아편유사제는 난포기 중기와 황체기에서 높고, 월경동안에는 낮은 활성도를 나타낸다.

4) 인하빈, 액티빈, 폴리스타틴

인히빈, 액티빈, 폴리스타틴은 FSH에 의해 과립막세포에서 합성되는 단백질 그룹으로 난포액과 난소 정맥으로 분비되며, 난소에 국한되지 않고 여러 조직에서 자가분비-주변분비 조절자의 역할을 한다. 인히빈은 FSH의 분비를 억제하는 역할을 하는 반면, 액티빈은 FSH의 분비를 자극하고, 난소에서의 작용을 증진 시킨다. 폴리스타틴은 액티빈에 결합하여 FSH의 활성을 억제한다.

(1) 인히빈

인히빈은 이황결합으로 연결된 두 가지 다른 펩티드, α와 β로 구성되어 있는데. 현재까지 인히빈-A와 인히빈-B가 알려져 있으며 각각은 α 소단위와 β 소단위를 가지고 있고(인히빈-A, α-βA; 인히빈-B, α-βB) 각각의 소단위는 다른 mRNA의 산물이며 각각의 전구물질을 가지고 있다.

인히빈은 FSH에 의해서 과립막세포에서 분비되고, 분비된 인히빈은 다시 직접적으로 뇌하수체의 FSH 분비를 억제한다. 인히빈의 분비는 후에 국소적인 자가분비-주변분비의 조절에 의해 조절된다. GnRH과 외피성장인자는 FSH의 인히빈 분비를 억제하는 반면, 인슐린유사성장인자-1은 인히빈의 분비를 증가시킨다. GnRH과 외피성장인자의 인히빈 감소효과는 이들이 FSH에 의한 에스트로겐 생성 및 LH 수용체 형성에 대한 억제와 일관된다. 두 가지 형태의 GnRH (GnRH-I, II)와 수용체들이 과립막세포에서 관찰된다.

인히빈-B는 난포기의 주된 인히빈 형태이며, 작은 난포에서 FSH 쇠퇴를 강화한다. 인히빈-B는 60-70분마다 느리지만 꾸준히 분비되어 난포기 초기 또는 중기에 최고 농도에 도달한 후 배란 전 후기부터 감소하기 시작하여 황체기 중기에 최저점을 이룬다. 인히빈-B가 배란 다음날 최고점을 이루는 이유는 난포의 파열에 의한 것으로 생각된다. 이러한 인히빈-B와 FSH의 관계는 45세에서 49세 여성에서 젊은 여성보다 난포기 동안 인히빈-B의 농도가 더 낮고 FSH의 농도는 더 높은 것으로 증명된다. 인히빈-B를 분비하는 난소의 섬유난포막종(fibrothecoma)이 이차 무월경과 불임에 관여하는 것은 FSH의 억제 때문인 것이다.

황체기에 인히빈의 발현은 LH의 조절을 받기 시작하고 인히빈-B에서 인히빈-A로 변한다. 이런 인히빈-A의 체내 순환농도는 후기 난포주기에 증가하기 시작하여 중기 황체기에 최고 농도에 도달하게 된다. 그러므로 인히빈-A는 황체기 동안 FSH의 최저점 형성 및 황체-난포기의 전환과 관련이 있을 것으로 생각된다.

인히빈은 FSH의 생성과 분비를 억제하고, GnRH 수용체의 활성을 억제하여 GnRH의 분비를 억제한다. 감소된 GnRH 수용체와 높은 GnRH은 세포내 생식샘자극호르몬 파괴를 증진시킨다.

(2) 액티빈

액티빈은 과립막세포와 뇌하수체의 생식샘자극세포에서 기원하며, 두 가지 소단위로 구성되는데(액티빈-A, βA-βA; 액티빈-AB, βA-βB; 액티빈-B, βB-βB) 이는 인히빈-A, B의 β소단위와 동일하다. 게다가 βC, βD, βE와 같은 변형이 존재한다. 이중 βC와 βE 유전자는 필수적인 것이 아님이 생쥐 모델에서 밝혀졌다. 액티빈은 FSH의 분비를 증진시키며, 프로락틴, ACTH, 성장호르몬의 반응을 억제한다. 액티빈은 뇌하수체에 GnRH 수용체를 생성시켜 GnRH에 대한 반응을 증진시킨다. 이러한 액티빈의 효과는 인히빈과 폴리스타틴에 의해 억제된다.

액티빈은 난포기에 과립막세포에 FSH 수용체를 증가시켜 FSH 작용을 촉진하고, FSH에 의한 방향화를 촉진하며, 인히빈의 생산을 억제한다. 액티빈은 난포막세포에서 인히빈과 함께 남성호르몬 합성에 직접 관여한다는 증거들이 있다. 인히빈이 LH와 인슐린유사성장인자의 자극을 증진시키는 반면, 액티빈은 반대 작용을 한다. 배란 전 액티빈은 과립막세포의 황체호르몬 생성을 억제하여 조기 황체화를 막는 것으로 생각된다. 액티빈에 대한 다양한 결합력과 구조를 가진 막투과 인산화효소 수용체들이 존재하여 동일 펩티드에 대해서도 다양한 반응이 나올 수 있게 해준다. 액티빈-A와 인히빈-A 모두 난자의 시험관내 성숙(in vitro maturation)에서 높은 수정률을 얻기 위해 매우 중요하다.

뇌하수체 전엽은 인히빈-액티빈 아단위(subunit)가 존재하며 여기에서 생성된 액티빈-B는 FSH 분비를 강화시키고, 액티빈-A는 뇌하수체 세포에서 GnRH 수용체의 합성을 직접적으로 자극하는 것으로 증명되고 있다.

(3) 폴리스타틴

폴리스타틴은 다양한 뇌하수체 세포에서 분비되는 당단백으로, 액티빈에 결합하여 액티빈의 활성을 저하시킴으로써 FSH 생성과 분비, GnRH에 대한 반응을 막는다. 이러한 주기능 때문에 FSH 억제단백질로 불리기도 한다. 액티빈은 폴리스타틴의 생성을 자극하고 인히빈은 반응을 막는다. 폴리스타틴은 FSH에 의해 과립막세포에서도 발현되어 인히빈이나 액티빈처럼 난포와 뇌하수체에서 국소적으로 작용하기도 한다.

5) 성장인자

성장인자들은 특정 세포막 수용체에 결합하여 세포의 번식과 분화를 조절하는 폴리펩티드로 주변분비 및 자가분비를 통해서 국소적으로 작용한다. 다양한 성장인자가 존재하며, 대부분의 세포들은 다양한 성장인자에 대한 여러 개의 수용체를 지니고 있다.

(1) 인슐린유사성장인자(Insulin-like growth factor, IGF)

소마토스타틴이라고도 불리는 인슐린유사성장인자들은 인슐린과 구조와 기능이 비슷하고, 성장호르몬의 작용을 매개한다. 인슐린유사성장인자-I, -II는 세 개의 이황화결합을 포함하는 단일 사슬 폴리펩티드이다. 인슐린유사성장인자-I을 암호화하는 유전자는 12번 염색체의 긴 팔에 있고, 인슐린유사성장인자-II를 암호화하는 유전자는 인슐린 유전자가 포함되어 있는 11번 염색체의 짧은 팔에 존재한다.

인슐린유사성장인자-I은 성장호르몬의 성장촉진 작용을 매개하며, 혈중에 순환하는 대부분의 인슐린유사성장인자-I은 간에서 성장호르몬 의존적으로 합성된 것이지만 다른 요소들의 조절 하에 여러 가지 세포에서도 합성되고 있다. 인슐린유사성장인자-II는 성장호르몬 의존도가 매우 약하며, 사람 난포에 가장 풍부한 인슐린유사성장인자이기때문에 태아의 성장과 발달에 중요할 것이라 믿고 있다. 두 인슐린유사성장인자 모두 세포의 번식과 분화에 작용하는 세포 유전자의 발현을 유도한다.

(2) 인슐린유사성장인자-결합단백질

인슐린유사성장인자-결합단백질은 6개가 알려져 있다. 이러한 결합단백질들은 혈중 인슐린유사성장인자들을 운반하고 반감기를 조절하여 조직에 대한 효과를 조절하는데, 인슐린유사성장인자에 결합하여 격리시킴으로써 세포막 표면 수용체로의 접근을 방지한다. 따라서 생식샘자극호르몬과 성장호르몬이 결합되었을 때 생기는 시너지 작용을 막는다. 또한 이들 결합단백질들은 성장인자들과는 독립적으로 세포 기능에 직접적으로 작용한다.

(3) 인슐린유사성장인자 수용체

제1형 수용체는 인슐린유사성장인자-I에 주로 결합하며 인슐린유사성장인자-I 수용체라고 불린다. 제2형 수용체도 비슷하게 인슐린유사성장인자-II 수용체라 불린다. 인슐린유사성장인자-I 수용체와 인슐린 수용체는 구조적으로 유사성을 가지며, 인슐린유사성장인자-I은 인슐린 수용체에 대한 친화성은 매우 낮은 반면, 인슐린은 인슐린유사성장인자-I 수용체에 적당한 친화도로 결합한다. 인슐린유사성장인자-II 수용체는 인슐린과 결합하지 않으며, 단일 사슬 당단백으로 90%는 세포 외에 존재하고, 세포내에서 수용체는 G단백에 연결되어 작용한다. 인슐린유사성장인자-I의 생리적 효과는 인슐린유사성장인자-I 수용체에 의해 매개되나 인슐린유사성장인자-II의 경우 둘 모두의 수용체에 의해 효과가 나타날 수 있다. 인슐린유사성장인자-I과 인슐린유사성장인자-II의 인슐린유사성장인자-1 수용체에 결합하는 친화력은 동등하다. 사람 세포에서는 인슐린유사성장인자-I과 인슐린유사성장인자-II 수용체들은 난포막세포와 과립막세포, 그리고 황체화된 과립막세포에도 존재하며, 난소 기질조직은 인슐린유사성장인자-I 수용체를 함유하고 있다.

(4) 인슐린유사성장인자의 난소에서의 작용

동물실험에서 과립막세포에서 인슐린유사성장인자-I의 합성은 FSH에 의해서 촉진되고 에스트라디올과 성장호르몬에 의해 강화된다. 따라서, 인슐린유사성장인자-I은 FSH와 함께 동반 상승을 보이면서 단백질 합성과 스테로이드 합성을 활성화시킨다. 난소의 난포막세포와 과립막세포에서 인슐린유사성장인자-I의 역할은 DNA 합성, 스테로이드 합성, 아로마테이스 활성, LH 수용체 합성과 인히빈 분비 등이 있다. 인슐린유사성장인자-II는 과립막 유사분열을 자극한다. LH 수용체가 나타난 후에, 인슐린유사성장인자-I은 LH에 의한 프로게스테론의 합성을 향상시키고 과립막-황체 세포의 증식을 활성화시킨다. 또한 FSH와 함께 동반 상승을 보이면서 성숙 난포에서 방향화 활성을 효과적으로 자극한다. 따라서 인슐린유사성장인자-I은 에스트라디올과 프로게스테론 합성 모두에 관련된다고 할 수 있다.

사람에서 인슐린유사성장인자-II는 난포막세포와 과립막세포 모두에서 높게 발현되어 있다. 농도는 과립막에서 가장 높고, 난포의 성장과 함께 증가한다. 또한 황체화 과립막에 의해 합성되어 국소 자가분비 방법으로 기능을 한다. 이러한 사실들은 인슐린유사성장인자-II가 사람의 난소에서 일차적 인슐린유사성장인자임을 나타낸다. 반면, 돼지와 쥐에서 일차 인슐린유사성장인자는 인슐린유사성장인자-I이다.

사람 난포막세포는 인슐린유사성장인자-I과 인슐린 모두의 수용체가 암호화된 mRNA 전사를 발현하는데, 인슐린과 인슐린유사성장인자-II는 인슐린유사성장인자-I의 수용체를 활성화시킬 수 있다. 이 경로도 과립막세포에서 주변 분비 영향력의 행사와 난포막에서 자가분비 활성이 이루어질 것으로 생각된다. 실험실 연구들은 인슐린유사성장인자-II가 사람의 난포막과 과립막세포에서 스테로이드 합성과 증식을 활성화시킬 수 있는 것을 확인하였다.

인슐린유사성장인자-II는 우성난포의 난포액에서 높은 농도로 존재한다. 난포액에서 인슐린유사성장인자 농도는 에스트라디올 농도와 연관되고, LH 급증 후에도 약간 증가한다. 인슐린유사성장인자-I, 인슐린유사성장인자-II, 인슐린유사성장인자 결합단백질-1, 또는 인슐린유사성장인자 결합단백질-3의 순환 농도에는 월경주기에 따른 변화는 없으며 순환농도가 증가하여도 우성난포에서의 농도는 변하지 않는다.

인슐린유사성장인자 결합단백질-1은 인슐린유사성장인자-I에 의한 스테로이드 합성과 황체화, 과립막세포의 증식을 억제한다. 인슐린유사성장인자 결합단백질-1의 혈중순환농도는 인슐린에 반응하여 감소한다고 알려져 있으며, 인슐린의 농도가 올라가 있는 무배란 및 다낭난소여성에서는 그 농도가 감소되어 있다. 실제로 다낭난소 여성의 혈중 농도 및 다낭난소의 난포액에서 인슐린유사성장인자 결합단백질-1 농도는 감소되어 있다. 더구나, 이들 여성에서는 혈중 인슐린유사성장인자-I 순환농도는 오히려 증가되어 있기 때문에 다낭난소에서 인슐린유사성장인자-I의 작용이 효과적으로 억제되지 않는다. 또한 무배란 환자의 난포에서 나온 난포액의 인슐린유사성장인자 결합단백-2와 -4 농도는 퇴화 난포에서 보이는 것과 유사하게 증가되어 있다. 이러한 변화들은 무배란의 병태생리를 이해하는데 도움이 될 것이다.

라론형(laron-type) 왜소증 여성은 성장호르몬 수용체 이상으로 인슐린유사성장인자-I의 결핍 및 높은 인슐린유사성인자-결합단백질이 특징이다. 하지만 생식샘자극호르몬으로 자극을 주면 에스트로겐 생산 및 수정 가능한 난모세포가 있는 다수의 성숙 난포를 생산할 수 있다는 점을 보면, 사람 우성난포에서 인슐린양성인자-Ⅱ가 더 중요한 요소이기 때문이기도 하겠지만 인자가 필수 요소가 아닐 수도 있음을 의미한다.

(5) 표피성장인자(Epidermal growth factor, EGF)

표피성장인자는 다양한 세포의 유사분열물질로 알려져 있는데 다른 성장인자들에 의해서 작용이 강화될 수도 있다. 특히 과립막세포는 성장인자들에 반응하여 증식과 같은 생식샘자극호르몬 자극과 관련된 기전을 수행하는데, 이 중 표피성장인자는 FSH에 대해서는 억제작용을 한다. 또한 표피성장인자와 유사한 리간드인 암피레굴린(amphiregulin)과 에피레굴린(epiregulin)이 LH에 반응하여 황체화된 과립막세포에서 생성되어 황체에서의 프로게스테론 합성을 유도한다.

(6) 형질전환성장인자(Transforming growth factor, TGF)

난포막세포로부터 분비되는 형질전환성장인자-β는 표피성장인자와 반대로 과립막세포의 FSH 역할을 강화한다. 이러한 작용이 과립막세포에서 긍정적인 영향으로 보일 수 있는 반면에, 난포막세포에서는 안드로겐의 생성을 억제하는 부정적인 활동을 한다. 난모세포에서 유래한 증식분화인자 9가 형질전환성장인자-β군에 속한다.

(7) 섬유아세포성장인자(Fibroblast growth factor)

섬유아세포성장인자는 다양한 세포의 유사분열물질인데, 스테로이드를 생산하는 모든 조직에 존재한다. 난포에서의 역할은 과립막세포의 유사분열 자극, 혈관형성의 자극, 플라스미노겐활성화인자(plasminogen activator)의 자극, FSH의 억제, LH 수용체 발현 및 에스트로겐 생산의 억제등이 포함된다. 이러한 작용은 형질전환성장인자-β와 반대되는 것이다.

(8) 혈소판유래성장인자(Platelet-derived growth factor)

이 성장인자는 과립막세포 분화에 관여하는 cyclic AMP 경로를 조절한다. 혈소판유래성장인자와 표피성장인자 모두 난포 내에서의 프로스타글란딘 생성을 조절한다.

(9) 혈관내피성장인자(Endothelial growth factor)

난포의 혈관신생은 과립막세포에서 LH에 의해 생성되는 혈관내피성장인자에 의해 영향을 받는다. 황체세포도 사람 융모생식샘자극호르몬과 혈관내피성장인자에 반응하는데 이는 외인성 생식샘자극호르몬 투여에 의한 난소 과잉자극 과정에서 유발되는 혈관 투과성 상승의 기전으로 여겨지고 있다. 안지오포이에틴(angiopoietin)은 내피세포수용체(Tie-2)에 결합하여 혈관형성에 억제성 영향을 준다. 안지오포이에틴-1이 활성인자이며, 혈관내피세포의 Tie-2 수용체에 안지오포이에틴-2와 경쟁적으로 작용한다. 혈관형성인자들의 발현의 차이는 난포와 황체에서의 조직적인 성장과 퇴행에 관여하고 있다.

(10) 인터루킨-1 (Interleukin-1)

인터루킨은 난포의 백혈구에서 기원한다. 인터루킨-1은 면역조절제 사이토카인군 중 하나로 사람의 난소는 완벽한 인터루킨-1 시스템(리간드와 수용체)을 포함하고 있다. 쥐 연구에서 보면, 인터루킨-1은 난소의 프로스타글란딘 합성을 자극하며 배란에도 역할을 하는 것으로 보인다.

(11) 종양괴사인자-α (Tumor necrosis factor-α, TNF-α)

종양괴사인자-α 또한 백혈구의 생성물이다. 황체융해뿐만 아니라 세포자연사 과정에 중요한 역할을 한다.

(12) 기타 펩티드

레닌(renin)의 불활성 전구체인 프로레닌(prorenin)은 난포액이 혈장보다 12배 높다. LH가 난포에서 프로레닌 합성을 촉진하는데, 사람 융모생식샘자극호르몬의 상승에 의한 난소 과잉자극의 결과로, 임신의 초기에는 혈중농도가 10배 증가한다. 프로레닌은 활성체인 레닌의 혈중농도에는 큰 영향을 끼치지 않는다. 이러한 난소의 프로레닌-레닌-안지오텐신 시스템은 에스트로겐 생산, 칼슘과 프로스타글란딘 대사의 조절, 혈관신생의 자극에 관여한다.

부신피질자극호르몬과 β-리포트로핀(β-lipotropin)의 난포 내 양이 주기에 관계없이 일정하며, β-엔돌핀은 배란 직전에 최고치를 나타낸다. 또한, 엔케팔린(enkephalin)은 상대적으로 농도의 변화가 거의 없다. 부신피질자극호르몬방출호르몬과 이의 수용체 및 결합 단백질을 모두 포함하는 시스템은 난포막세포에서는 존재하지만, 과립막세포에서는 존재하지 않는다. 부신피질자극호르몬방출호르몬은 P450c17 유전자 발현을 억제하여 난포막 세포에서의 LH에 의한 안드로겐 형성을 억제한다.

난포액은 배란 전 LH 급증까지 감수분열의 재개를 막는데, 이러한 작용은 난모세포성숙억제자(OMI)에 의한 것으로 여겨진다. 태반에서 발견되는 임신-연관 혈장단백질 A (pregnancy-associated plasma protein A) 또한 난포액에 존재하며 배란 전 난포 내에서의 단백질분해 작용을 억제한다. 엔도텔린-1은 혈관 내피세포에서 분비되는 펩티드로서, 황체화 억제제로 이미 알려져 있으며 무혈관성 과립막에 연관된 저산소증에 의해 유발되며 LH에 의한 프로게스테론 생산을 억제한다. 옥시토신은 배란 전 난포와 황체에서 발견된다. 성장호르몬-결합 단백질은 난포액에서 발견되며 혈청의 결합 단백질과 유사한 특징을 갖는다.

4. 배란 전 난포(Preovulatory follicle)

배란 전 난포의 과립막 세포들은 그 크기가 커지고 지질 봉입물을 가지는 반면에, 난포막은 공포화되며 혈관이 풍부해져 배란 전 난포에 충혈된 모양을 나타나게 한다. 난모세포는 감수분열을 진행하여 감수분열 완료에 가까워진다.

성숙이 이루어짐에 따라 배란 전 난포에서는 에스트로겐의 생산이 증가된다. 에스트로겐은 초기에는 천천히 증가하다가 빠르게 증가하며, 대략 배란 전 24-36시간 전에 절정에 도달한다. 에스트라디올 수치가 절정에 이르면, LH 급증이 시작된다.

LH는 자신의 수용체를 활성화시켜 우성난포 과립막의 황체화를 촉진하며, 그 결과 프로게스테론이 생산된다. LH 수용체는 한번 발현되면 더 이상의 세포성장을 제한하고, 프로게스테론의 증가는 월경주기 10일째 되는 날 배란 전 난포를 품고 있는 난소의 정맥 배출에서 측정되어질 수 있다. 이 양은 적으나 배란 전기의 프로게스테론의 생산에 있어서는 생리적 중요성을 지닌다. 이러한 난포의 프로게스테론 생산 이전의 혈액 내 프로게스테론은 부신에서 유래된 것이다.

프로게스테론 수용체는 LH의 자극에 의해 배란 전 우성난포의 과립막 세포들에서 나타나기 시작한다. 배란 전기의 프로게스테론과 프로게스테론 수용체의 발현은 직접적으로 과립막 세포의 유사분열을 억제하고 에스트로겐에 대한 양성 되먹임 반응에 영향을 미친다. 적당한 에스트로겐 준비 이후, 프로게스테론은 뇌하수체에 직접 작용해 양성 되먹임 반응을 용이하게 하며, 에스트라디올의 역치 이하의 수준에서 특징적인 LH 급증을 유발할 수 있다. 따라서 때때로 무배란, 무월경 여성이 프로게스틴 유발검사를 했을 때 갑작스러운 배란이 관찰된다. 에스트로겐 자극 전에 프로게스틴을 투여하거나 또는 높은 용량(혈중 수치가 2 ng/mL에 도달)에서, 프로게스테론은 월경 중기의 LH 급증을 차단한다.

성숙한 난포로부터 유래된 적절히 낮은 수준의 프로게스테론은 중기 급증을 정확히 일치시키는 데 기여한다. 또한 중기의 프로게스테론은 LH에 대한 촉진자 역할로 FSH 급증에 대해 크게 기여한다. 에스트라디올 단독으로도 LH와 FSH 급증을 동시에 이끌어 낼 수 있지만, 원숭이 연구에서 중기 프로게스테론 합성 및 활성을 차단시켰을 때 난소 주기와 황체형성에 손상을 입힌 것으로 미루어 보면 프로게스테론의 작용은 필수적인 것은 아니지만, 에스트라디올의 효과를 확실히 강화시키는 것으로 생각된다.

배란 전기에는 17α-히드록시프로게스테론의 혈청 농도가 상승한다. 이 스테로이드는 주기조절에는 관여하지 않고, P450scc와 P450c17에 대한 LH 자극신호를 보낸다. 배란 이후, 일부 난포막 세포는 황체의 일부분으로서 황체화 된 후, P450c17 발현하는 능력을 소실하지만, 일부 황체화된 난포막 세포는 P450c17 활성을 남겨두며, 에스트로겐의 방향화를 위한 안드로겐 생산을 계속하는 것으로 여겨진다.

후기 난포기의 기질세포 안에서 안드로겐 생산은 난소안에서 과립막세포의 사멸과 난포의 폐쇄를 촉진하고 리비도를 증가시키는 효과가 있다고 생각되고 있다. 결혼한 커플의 성교 횟수는 배란기에 증가한다고 알려져 있다. 그러므로 월경중기의 안드로겐 상승이 임신 성공이 가장 높은 시기에 성적 활동을 증가시키는 데 기여하는 것이다.

II. 배란(Ovulation)

배란 전 난포는 에스트라디올의 합성을 통해 배란 자극제를 스스로 제공한다. 에스트라디올의 급상승에 대해서는 자세히 이해되고 있지는 않지만, 에스트라디올의 급상승은 양성 피드백으로 시상하부와 뇌하수체에서 LH 급증을 만들어낸다. 에스트라디올이 최고치에 도달한 뒤 24-36시간, 그리고 LH가 정점에 이른 뒤 10-12시간 후에 배란이 이루어진다고 추정되고 있다. LH 급증은 난포 세포 파열의 34-36시간 전에 개시되며, 배란이 곧 임박한다는 가장 신뢰할만한 지표이다. LH는 난모 세포의 완전한 성숙을 발생시키기 위해 14-27시간 동안 최고치로 유지되어야 한다. 일반적으로 LH 급증은 48-50시간 지속된다.

LH 급증은 2/3 이상의 여성에서 밤 12시에서 오전 8시 사이에 시작하며 다음날 오전 3시에 정도에 발생하는 것으로 여겨지고 있다. 배란은 봄에는 아침에 주로 발생하며 가을과 겨울에는 저녁에 주로 발생한다. 북부 햄프셔 지방에서는 7월에서 2월까지 여성의 90%가 오후 4-7시 사이에 배란을 하며 봄에는 여성의 50%가 밤 12시-오전 11시 사이에 배란을 한다고 한다.

지금까지의 연구들에 의하면 전반적인 가임 기간 동안 우측 난소에서 더 자주 발생하며(약 55%) 우측 난소에서 나온 난모세포가 임신될 가능성이 더 높다고 제시되었다. 젊은 여성의 경우 두 난소에서 번갈아 가며 배란이 일어나지만 30세가 지나면 동일한 난소에서 더 자주 발생한다. 번갈아가며 배란이 일어나는 경우가 한쪽 난소에서만 일어나는 것보다 임신에 더 유리하며 나이가 들고 출산력이 증가함에 따라 동측 배란이 증가한다.

LH 급증은 난모세포의 감수 분열을 재개시킨다. 감수분열은 정자가 진입되고 두 번째 극체가 분비될 때까지 완료되지 않는다. 또한 LH 급증은 과립 세포의 황체 형성과 프로게스테론 생산, 난구의 확장, 프로스타글란딘의 합성과 난포 파열에 필수적인 에이코사노이드(eicosanoid)들의 합성을 개시한다. 미숙한 난모세포의 성숙과 황체 형성은 국소적인 인자들에 의해 예방된다.

LH에 의한 주기적 AMP 증가는 배란 직전에 난포에서 일어난다. 주기적 AMP는 틈새이음(gap junction)을 통해 과립막 세포로부터 난모세포로 이동되며 LH에 의해서 틈새이음이 파괴되면 주기적 AMP도 감소하게 되어 그 결과, 난모세포 성숙억제제(oocyst maturation inhibitor)와 황체형성억제제(luteinization inhibitor)의 국소적 억제 작용도 감소되게 된다. 난모세포 성숙억제제는 과립막세포로부터 나오며 활동성은 난구세포더미(cumulus oophorous)와의 상호작용에 의존한다. 황체형성억제제는 혈관 내피세포에서 만들어진 엔도텔린-1일것으로 생각되고 있다. 국소적으로 생성된 액티빈 또한 황체세포의 프로게스테론 생성을 억제하여 미숙한 황체형성을 예방한다. LH 유도에 의한 형태학, 생화학 변화들은 성장인자와 그들의 수용체, 특히 상피성장인자와 같은 족의 구성원인, 암피레굴린(amphiregulin), 에피레굴린(epiregulin), 그리고 β셀룰린(betacellulin)을 통해서 진행된다. 이러한 경로가 분열되면 난모세포의 감수분열의 재개 및 배란이 방해받게 된다.

난모세포가 단백질 분비를 통해 형질전환성장인자-β족의 대사와 확산에 영향을 주어 과립성 기능을 조정한다는 많은 증거가 존재한다. 이러한 단백질에는 인히빈, 액티빈, 항뮐러관호르몬, 골형성단백질(bone morphogenetic proteins), 그리고 성장분화인자-9 등이 포함되며, 이들의 생성은 난모세포와 과립막세포로부터 나온 신호 단백질의 상호작용에 의해 조절되며, 난포의 발달과 분화의 구성요소인 FSH에 대한 반응성의 변화로 결정된다. 전동 과립막세포로부터의 난구 세포의 분화와 유지는 난모세포의 지시 하에 있다.

난모세포를 둘러싸고 있는 과립막세포(난구세포더미)는 난포막의 과립막세포와 달리 LH 수용체와 프로게스테론 생성이 결여되어 있다. 난모세포에 의해 FSH에 의한 LH 수용체의 발현이 억제되기 때문이다. 난모세포는 배란 직전에 난구세포가 생식샘자극호르몬에 의한 신체, 생화학 변화에 반응할 수 있도록 하고, 국소 인자들인 난모세포 성숙억제제나 황체형성억제제를 통제하여 미숙한 난모세포의 성숙과 황체 형성을 예방할 것으로 생각된다. 이러한 통제시스템의 매개체 중의 하나가 산화질소이다. 산화질소는 틈새이음을 유지시켜 상호작용을 원할히 할 뿐 아니라, 과도한 LH 급증으로 난모세포와 난포세포 간의 소통이 중단될 때까지 난모세포 감수분열의 재개 및, 틈새결합 네트워크가 파괴되는 것을 막는다. 난모세포와 함께 배란된 난구세포는 표면을 거칠게 하고 크기를 키워서 난관채

(tubal fimbria)에 픽업이 잘 되게 해주고, 난모세포를 건강한 상태로 유지시켜주는 역할을 한다.

LH 급증으로 난포 내 프로게스테론은 배란이 될 때까지 꾸준히 증가한다. 프로게스테론은 꾸준한 증가 후 더 높은 농도에서 음성 피드백 효과로써 LH 급증을 종료시키는 핵심 역할을 수행한다. 뿐만 아니라 프로게스테론의 증가는 난포벽의 팽창성을 증가시키는데 난포벽의 탄력 변화는 난포 내 유의한 압력의 변화 없이 배란 직전에 난포액 양이 신속히 증가할 수 있게 해준다. 난자의 배출은 난포벽의 콜라겐의 퇴행 변화와 연관되어 배란 직전에 난포 벽은 얇아지고 늘어지게 된다. FSH, LH, 그리고 프로게스테론이 단백질 분해 효소의 활동을 자극한 결과 난포벽의 콜라겐 소화와 그 확장능 증가가 일어난다. 생식샘자극호르몬의 급증 또한 히스타민을 분비하는 것으로 알려졌는데 히스타민은 단독으로 일부 실험 모델에서 배란을 유도하는 것으로 나타났다.

단백질 분해 효소는 순차적으로 활성화된다. 과립막세포와 난포세포는 생식샘자극호르몬 급증에 대해 반응하여 플라스미노겐 활성체(plasminogen activator)를 생성하는데, 조직 타입의 플라스미노겐 활성체와 유로키나제 타입의 플라스미노겐 활성체가 있다. 이들은 각기 다른 유전자에 코딩되어 있고 억제제에 의해 조절된다.

과립막세포에서 생산되는 플라스미노겐 활성체들은 난포액의 플라스미노겐을 활성화시켜 플라스민을 생성한다. 일반적으로 플라스민은 난포벽을 파열하는 활성화된 콜라겐분해효소를 만들어낸다. 쥐 모델에서 성장인자, FSH, LH 자극에 의해 플라스미노겐 활성체 합성은 촉발되고, 플라스미노겐 억제제 합성은 감소된다. 그러므로 배란 전후에는 억제제의 활동이 고조되고, 배란 때는 활성체 활동은 최고가 되고 억제제는 최저가 되게 된다. 과립막세포에서 플라스미노겐 활성체 합성은 LH에 대한 반응에 의해 배란 전 단계에서만 발생된다. 억제제 시스템은 포자낭과 간질 세포에서 활성화되며, 부적절한 플라스미노겐 활동을 예방하고 난포 성장이 방해받는 것을 막는다. 억제제 시스템은 사람의 과립막세포와 배란 전 난포액에서도 발견되었으며 이 억제제 시스템은 주변분비물질과 상피 성장인자, 인터루킨- 1β에 반응한다는 것이 증명되었다.

배란 예정인 난포의 움직임이 중요한데, 그 이유는 이 난포가 노출된 표면은 플라스미노겐 억제제 시스템이 풍부한 세포로부터 분리되어 있어 파열되기 쉽기 때문이다. 난모세포의 압출(extrusion)은 몇 분만에 이루어지는데, 정확한 기전은 알려져 있지 않으나 난포 내 압력이 증가되어 일어나는 것은 아니다. 배란은 스티그마라고 불리는 지점인 난포 꼭대기의 단백질 가수분해의 결과이다. LH와 프로게스테론에 의해 증가된 금속단백질분해효소 행렬과 억제제인 TIMP도 이러한 과정과 관련이 있다.

쥐에서, 플라스미노겐 활성체를 코딩하고 있는 유전자의 촉진자는 주기적 AMP 반응 물질(cyclic AMP responsive element, CRE)과 같은 몇몇 알려져 있는 전사인자와 결합할 수 있는 염기 서열을 포함하고 있다. 주기적 AMP 반응 물질의 활성을 위해서는 FSH의 자극이 필요하다. 그러므로 LH, FSH 모두 이 과정에 연관되어 있는 것으로 보인다. 원숭이 연구에서 플라스미노겐 활성체의 활성이 프로스타글란딘 E2에 의해 매개됨을 보여주고 있다.

프로스타글란딘 E2, F2α, 특히 E3, 그리고 아이코사노이드[특히 히드록시아이코사테트라노산(hydroxyeicosatetraenioc acids)]는 LH 급증에 반응하여 배란 전 난포액에서 두드러지게 증가하고 배란 시 최고농도에 도달한다. 프로스타글란딘의 합성은 배란관련 사이토카인인 인터루킨-1β에 의해 촉진된다. 아라키돈산에서 유래한 인터루킨-1β는 LH에 의한 황체화 과정과 난자 성숙에는 영향을 미치지 않은 채, 시클로옥시게나아제-2 (cyclooxygenase-2) 합성을 억제하여 난포 파열을 막는다.

프로스타글란딘은 난포벽에서 단백질 분해효소로 활동하고, 히드록시아이코사테트라노산은 염증반응과 유사하게 혈관형성과 충혈을 촉진하는 것으로 알려져 있다. LH와 프로스타글란딘 E2는 모두 표피성장인자 유사신호전달 경로를 활성화시켜 난구세포더미의 확장과 난자 감수분열의 재개를 야기한다. 또한 프로스타글란딘은 난소의 평활근 세포를 수축시켜 난자-난구세포 덩어리의배출을 도와준다. 배란에서 프로스타글란딘의 이러한 역할은 불임 환자가 프로스타글란딘 합성을 막는 약물 사용을 피해야 함을 말해준다.

배란 전에 다수의 백혈구가 난포 안으로 축척되는데 이는 인터루킨 시스템의 화학주성(chemotactic) 기전에 의해 매개된다. 중성구는 건강한 동난포와 폐쇄성 동난포 모두의 난포막 부분에서 두드러지게 존재한다. 그러나 배란은 면역 세포의 침입에 의존하지 않고, 배란과 연관된 면역 유사 반응을 발현한다. LH 발현에 반응하여 난포 스스로 면역반응에 관련된 유전자를 발현하여 배란과 관련된 세포 반응에 영향을 미치는 물질을 배출하도록 하고 황체 유도 과정에 영향을 준다.

LH 급증 시 에스트라디올의 수치는 급락한다. 이것은 난포에 있는 LH 수용체의 하향 조절에 의한 결과라고 여겨진다. 건강한 동난포에서 기원한 난포막 조직은 낮은 농도의 LH에서는 스테로이드 생산이 촉진되는 반면 고농도에 노출되면 스테로이드 생산이 급격히 억제된다. 월경주기 중반의 낮은 프로게스테론 농도는 과립막 세포증식을 억제하고 에스트로겐 농도의 저하 역시 프로게스테론의 국소 난포 역할에 영향을 미친다. 결과적으로 에스트로겐은 수용체를 통하지 않고 유전자에 직접 작용하여 P450c17에 억제 효과를 수행한다.

기저막에 붙어서 난포를 둘러싸고 있는 과립막세포는 황체세포가 된다. 난구 과립막 세포는 난모세포에 붙어있다. 쥐에서, 난구세포는 대사적으로 난모세포와 관련 되어 있고, 배란에 앞서 FSH 급증에 반응하여, 난구세포를 분산시키는 히알루론산을 분비한다. 이 히알루론산반응은 난모세포와의 대사적 관련성을 잘 유지하는 것에 달려 있는데 이는 난모세포가 지지인자를 분비할 거라는것을 의미한다. 난모세포는 또한 과립막 세포 증식을 촉진하고 난포의 형태를 유지시키는 인자들을 분비한다. FSH가 난모세포들에서 분비되는 인자들의 지지 하에 벽과립층 세포의 증식을 촉진하는 반면, 난구세포의 증식은 억제하게 된다.

배란 전의 프로게스테론 상승에 힘입은 FSH의 최고치 도달은 몇 가지 의미를 가진다. 첫번째는 플라스미노겐 활성체 생산은 LH 만큼이나 FSH에도 민감하다는 점이다. 두번째는 난구세포의 확장 및 분산은 난포 파열에 앞서 난자-난구세포 덩어리가 동 수액에서 자유 부유할 수 있도록 하는데 이 과정이 FSH에 의해 촉진된 히알루론산바탕질(hyaluronic acid matrix)의 침착을 수반한다. 마지막으로 적절한 FSH 급증은 과립층에 LH 수용체를 적절히 보충하는데 기여한다. 그러므로 FSH가 농도가 낮거나 난포기의 어느 부분에서든 선택적으로 억제가 되면, 황체 주기가 짧아지거나 부적절한 황체기가 관찰되게 된다.

LH 급증을 차단하는 기전은 알려지지 않았다. 몇 가지 가능성 있는 설명들에 의하면 첫째로, LH가 상승되고 몇 시간 이내에 혈청 에스트로겐의 가파른 저하가 나타나기 때문에, LH의 감소는 에스트라디올의 양성 피드백의 상실이나 프로게스테론의 음성 피드백의 증가 때문일 것으로 생각될 수 있다. 둘째로, 갑작스러운 LH 농도의 하락은 GnRH 박동성 빈도의 변화나 스테로이드 농도의 변화에 따른 뇌하수체의 GnRH 수용체의 하향 조절에 의해서 뇌하수체의 LH 함량이 낮아진 때문으로 생각되어진다. 셋째로, 시상하부에서 발생하는 LH의 짧은 음성 피드백에 의해서도 조절되는 것으로 여겨진다. 시상하부 분비호르몬 생산의 직접적인 LH 억제는 증명되어 왔다. 그러나 양에서 LH 급증은 생식샘자극호르몬방출호르몬 신호 감소가 시작되기 전에 끝나기 때문에, 또 다른 가능성으로 생각해 볼 수 있는 것은, 난소에서 기원한 생식샘자극호르몬-급증 억제인자를 들 수 있다. 생식샘자극호르몬-급증억제인자는 FSH의 조절 하에 과립세포층에서 생산되고 난포 중반기에 최고치에 다다른다. 이것의 주된 역할은 조기 황체화를 막는 것으로 믿어진다. 이 모든 영향의 조합으로 생식샘자극호르몬 분비의 빠른 감소를 야기할 것이다.

원숭이 연구에 의하면 프로게스테론이 배란에 많이 기여하는 것으로 보인다. 이 실험 모델에서 월경주기 중반의 스테로이드 합성의 억제가 배란을 막았지만 프로게스틴 작용제(progestin agonist)를 투여하면 배란이 재개됨이 관찰되었다. 쥐 연구에서 프로게스테론 수용체 유전자를 제거시켰을 때 배란은 억제되었지만 난자의 성숙 및 황체화는 정상적이었던 점으로 보아 프로게스테론 수용체-A가 정상적인 배란에 결정적인 것임을 시사한다.

생식샘자극호르몬의 적절한 급증이 확실한 배란을 의미하는 것은 아니다. 이런 배란 자극에 반응하기 위해서는

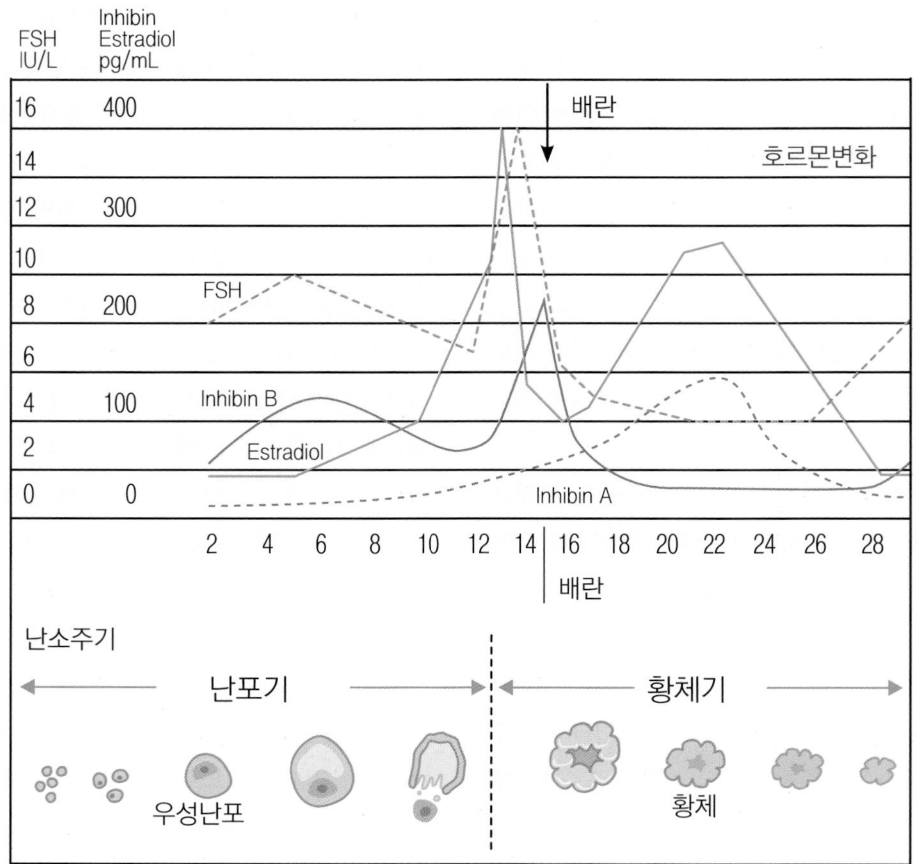

• 그림 2-3. **월경주기에 따른 호르몬의 변화**

난포가 적절한 성숙단계에 있어야만 한다. 정상 월경주기에서, 생식샘자극호르몬 급증의 시점이 난포를 성장시키고 성숙시키는 에스트라디올의 조절을 받기 때문에, 생식샘자극호르몬 분비와 형태학적인 성숙은 종종 동등하게 여겨지고 시간적으로 연결되어 있다. 사람 월경주기에서 이 시스템의 필수적인 피드백 관계가 오로지 하나의 난포만 배란될 수 있도록 한다(그림 2-3).

III. 황체기(Luteal phase)

과립막세포의 크기가 커지기 시작하고 황체(lutein)의 침착과 함께 공포화(vacuolation)된 모습을 보이는데 이렇게 되는 것을 황체화(luteinization)라고 한다. 배란 후 3일 동안에도 과립막세포는 지속적으로 증식해 크기가 큰 과립막황체세포(granulose-lutein cells)가 되고, 배란 후 남아 있는 난포막세포와 간질세포는 크기가 작은 난포막황체세포(theca-lutein cells)로 분화되어 황체(corpus luteum)의 일부를 형성한다.

황체화에서 매우 중요한 과정인 혈관신생(angiogenesis)은 황체기 초기에 혈관내피성장인자(VEGF)의 증가와 함께 이루어지고, 안지오포에틴(angiopoietin)-1에 의해 안정화된다. 배란 후 8-9일에는 혈관화(vascularization)가 정점에 도달하고 황체가 퇴화하면서 혈관내피성장인자와 안지오포에틴의 발현도 감소하게 되어 황체와 혈관이 와해된다. 황체가 형성되는 동안 난포막세포와 과립막세포를 분리하고 있던 기저막이 변성(degeneration)되어 본래 무혈관이던 과립막세포들의 혈관화가 가능해지는데 이러한 모세혈관의 침윤(invasion)은 배란 2일에 시작하여 배란 4일에는 황체의 중심부까지 이르게 되고, 이때 황체는 우리 몸에서 질량당 혈류 흐름이 가장 높은 곳 중의 하나가 된다. 이러한 관류의 증가는 황체 세포에 충분한 LDL (low density lipoprotein)-콜레스테롤을 공급하여 스테로이드 합성에 사용되게 한다. 임상적으로는 혈관의 증식과 출혈은 황체기에 다량의 급성 출혈을 야기하여 응급 수술이 필요할 수도 있으며 특히, 항응고제를 복용 중인 여성에서는 위험할 수 있다.

LH는 LDL 수용체에 결합하여, 내재화(internalization), 후수용체 과정(postreceptor processing)을 조절한다. 또한 혈중 LH 농도를 낮추면 황체기 기간이 짧아지는데, 이는 LH가 황체의 수명에 중요하다는 증거이기도 하다. 또한 뇌하수체 절제술을 받은 여성의 연구에서 GnRH의 투여로 배란을 유도한 다음 철회(withdrawal)하면, 황체가 융해되는 현상 또한 황체가 LH에 의존한다는 것을 뒷받침하고 있다.

황체의 프로게스테론 농도는 정상적으로 배란 직후 급격히 증가하며 LH 급증 후 약 8일째 최고점에 도달하며 프로게스테론 혈중 농도가 3 ng/mL가 넘으면 배란이 일어난 것이 확실하다. 황체에는 황체 세포 외에도 내피세포, 백혈구, 섬유모세포와 같이 스테로이드 합성과 무관한 세포들이 용적의 70%를 차지하고 있다. 특히 내피세포가 황체의 전체 세포의 35%를 차지하는데, 내피세포는 혈액 흐름이나 혈압, 산소 분압 등에 반응하여 발현되는 엔도텔린-1 (endothelin-1)의 근원이며, 엔도텔린-1이 황체융해의 매개체일 것으로 지목되고 있다. 백혈구성 면역세포(leukocyte immune cells)는 인터루킨-1이나 종양괴사인자-α (TNF-α) 같은 사이토카인들을 생성하고, 다른 다양한 백혈구들 또한 세포 용해성 효소나 프로스타글란딘, 그리고 성장인자 등의 풍부한 원천으로서 황체융해나 스테로이드 생성, 혈관 신생에 중요한 역할을 한다.

이렇듯, 황체의 세포 구성이 균일하지는 않지만, 대략 대세포와 소세포로 분류된다. 일부 사람들은 대세포들은 과립막세포에서, 소세포들은 난포막세포에서 왔다고 믿고 있다. 대세포는 펩티드(옥시토신, 리랙신, 인히빈, GnRH, 성장호르몬, 그리고 프로스타글란딘)들을 만들어내고, 소세포에 비해 아로마테이스의 활동성이 더 크며 더 많은 프로게스테론 생산을 하는 등, 스테로이드 합성이 더 활발하다. 반면, 소세포들은 양이 매우 많고 LH와 사람 융모생식샘자극호르몬(human chorionic gonadotropin, hCG)수용체를 가지고 있다. 대세포들은 수용체들이나 틈새이음을 통한 세포내부의 의사소통에 의해서 기능한다고 알려져 있으며, 생식샘자극호르몬에 직접적인 영향을 받지 않을 거라고 여겨진다. 대신, 생식샘자극호르몬 영향을 받는 소세포들에서 나온 조절인자들의 통제 하에 놓이며, 전체 기능은 내피세포와 면역세포의 자가분비 주변분비 신호(autocrine-paracrine signals)의 영향을 받게 된다.

난소는 액티빈, 인히빈, 폴리스타틴을 생성하고 분비한다. 특히 인히빈은 일차로 성선에서 기원하므로 거세 후에는 급격히 혈장농도가 떨어진다. 인히빈의 혈장 농도는 월경주기 전반에 걸쳐서 다양하며, FSH 분비와는 역관계에 있는데 FSH 분비 조절의 음성 되먹임 기전과 일치한다. 난포기 초기동안 FSH는 과립막세포에서 인히빈-B의 분비를 자극하고, 난포기 후기에 인히빈이 증가하면 다시 FSH를 억제하게 된다. 황체기 동안에는 인히빈의 생산은 LH의 통제 하에 있으며, 인히빈-B에서 인히빈-A로 전환되게 된다. 인히빈-A의 혈중 농도는 난포기 후기에 증가하여 황체기 중기에 최고점에 도달하는데 음성 되먹임 기전에 의해서 FSH를 억제함으로써 새로운 난포 성장의 개시가 억제되고, 이 동안에는 성숙한 대난포가 생겨나지 않는다. 이후에는 인히빈은 황체-난포기 전환 시점과 난포기 전기까지 낮게 유지된다. 액티빈은 월경주기 내내 낮게 유지된다. 폴리스타틴도 거의 변화없이 일정하게 유지되는데, 순환 혈중 농도는 난소절제를 받은 여성이나, 폐경기 여성, 생식샘자극호르몬방출호르몬 결핍 여성에서도 비슷하기 때문에 난소에서 기원하는 것 같지는 않으나, 아직 기원하는 곳은 모르고 있다. 모든 폴리스타틴은 월경주기 내내 액티빈에 결합되어 있다.

황체기에는 프로게스테론이 주된 난소 스테로이드이지만, 영장류의 황체는 특이하게 에스트라디올도 상당량 생산하며, 난포기와는 다르게 황체기의 에스트로겐의 합성은 LH에 의존한다. 에스트라디올은 LH 급증 후에 일시적으로 급격히 감소했다가 서서히 증가하여 황체기 중기 동안에 최고치에 이르게 된다. 일시적으로 급감하는 이유는 아직 모르고 있으나, 증가된 프로게스테론이 과립막세포 성장을 억제한 결과라는 관측도 있다. 황체기에 프로게스테론과 에스트라디올의 분비는 간헐적으로 되는데, 이는 LH 박동과 밀접한 관련이 있다. 이러한 간헐적인 분비 때문에, 황체기 중기의 상대적으로 낮은 프로게스테론 농도가 불충분한 황체기의 지표로 잘못 생각되기도 하는데, 완전히 정상적인 황체기의 과정에서도 나타날 수 있음을 알아야 한다. 황체에서 생성되는 에스트로겐은 자궁내막에서 프로게스테론 수용체의 합성에도 관여한다. 자궁내막에 에스트로겐의 시동(priming)의 부적절로 인하여 프로게스테론 수용체 함량이 부적절해지는 것은 황체기 결함으로 인한 불임이나 조기 유산의 원인일 가능성이 있다. LH 급증으로부터 월경이 시작되기까지의 기간은 일정하게 14일에 가깝다. 여성들마다 난포 성장과 난포기의 성숙에 요구되는 날 수가 다양하여 주기의 길이가 다른 것은 잘 알려진 사실이다. 임상에서는 11-17일까지 지속되는 황체기도 정상으로 간주한다. 황체기는 점차적으로 LH에 노출이 증가해도 기한으로 연기되지는 않는데, 이것은 황체기의 종말이 능동적인 황체 분해 기전에 의한 것임을 말해 준다.

임신이 일어나지 않으면, 황체는 황체융해(luteolysis)라는 과정을 통해 퇴화하는데 정확한 기전은 아직 알려져 있지 않으나, 치밀하게 조절되고 있어서 황체기 기간을 거의 일정하게 유지하고 있는 것으로 보인다. 황체 융해 과정에서는 황체에 혈액 공급이 감소하고 프로게스테론과 에스트로겐의 분비가 급격하게 떨어진다. 황체세포는 세포자멸(apoptosis)을 겪고 섬유화되어 백체(corpus albicans)가 된다. 임신이 일어나면, 사람 융모생식샘자극호르몬이 황체 세포의 LH 수용체에 결합하여 활성화시킴으로써 황체를 구출하게 된다. 임신 초기 사람 융모생식샘자극호르몬에 의한 황체의 구출기전은 새로운 혈관의 생성이 아니라 혈관내피생성인자와 안지오포에틴-2에 좌우되는 혈관계의 유지과정과 관련이 있다. 사람 융모생식샘자극호르몬의 mRNA는 사람 배아의 6-8세포기에 발견되는데, 착상은 8-12세포기인 수정 후 약 3일에 이루어지기 때문에 배아가 착상되어 모체에서 탐지되기 전에 이미 사람 융모생식샘자극호르몬을 만들어 내는 것이다. 따라서 배아는 착상 전 신호전달이 가능하고, 사람 융모생식샘자극호르몬에 의해 황체가 자극되어 모체의 사람 융모생식샘자극호르몬이 측정 가능해지기도 전에 에스트라디올과 프로게스테론의 농도가 모체의 혈액순환에서 높게 측정될 수 있으며, 이는 태반에서 스테로이드가 생산되기 전까지 자궁내막의 안정화를 유지하게 된다. 이러한 이유로, 임신 초기에 황체 제거는 임신 중절을 촉발시키며 임신 초기에 혈청 anti-hCG의 주입에 의해 유산을 유도할 수도 있다.

황체 세포의 형태학적인 퇴화는 황체에서 생성되는 에스트라디올에 의해 촉발된다고 여겨진다. 그 증거로는 황체기에 에스트로겐 순환 농도의 증가는 프로게스테론 농도의 하강을 초래한다는 점을 들 수 있으며, 황체가 있는 난소에 에스트라디올을 직접 주입하면 황체 분해를 유도하는데 반대쪽 난소에 주입 시에는 아무런 영향이 없다는 사실을 들 수 있다. 이러한 에스트로겐의 작용은 산화질소 및 프로스타글란딘-F2α에 의한 것으로 생각되고 있는데, 산화질소는 황체기 프로스타글란딘 합성을 촉진시키고 프로게스테론 합성을 감소시키며, 사람 황체에서 사람 융모생식샘자극호르몬과 반대의 작용을 나타낸다. 영장류에서 초기 황체기에는 황체 안에서 황체자극 프로스타글란딘인 프로스타글란딘-E2의 합성이 우세하고, 후기 황체기에는 황체 안의 프로스타글란딘 합성이 프로스타글란딘-F2α로 전환되는데, 프로스타글란딘-F2α는 국소 합성된 황체의 에스트로겐에 반응하며, 황체분해의 마지막 신호일 것으로 생각된다.

프로스타글란딘-F2α의 황체분해효과는 부분적으로 엔도델린-1에 의해 조절된다. 프로스타글란딘-F2α가 엔도델린-1의 합성을 촉진하면, 엔도델린-1은 황체의 스테로이드 합성을 억제하고, 다시 엔도델린-1이 황체 세포에서 프로스타글란딘 생산을 촉진한다. 또한 엔도델린-1은 종양괴사인자-α의 분비도 촉진하는데, 종양괴사인자-α는 황체 용해과정의 정점에서 황체에 수용체와 함께 발현되어, 세포자살을 유발하는 것으로 알려진 성장인자이다.

황체에는 세포-세포 접촉을 통한 세포 간 상호작용이

있다. 틈새이음구조를 통해 소통 및 신호 교환이 일어난다고 생각되고, 이는 배란 전 난포와 마찬가지로 황체 세포의 두드러진 특징이다. 황체의 다양한 세포 유형의 연구에서 보면, 한 세포 유형의 연구에 비하여 더 많은 스테로이드 합성 능력을 보여주었던 결과는 LH와 사람 융모생식샘자극호르몬에 반응을 하는 것은 소세포인데 어떻게 대세포에서 스테로이드 합성이 주로 일어나는지에 대한 설명을 제공해 주고 있다.

황체 파열의 과정에는 단백질 분해 효소, 특히 기질금속단백질분해효소가 포함된다. 이 효소들은 일반적으로 금속단백질효소조직억제제에 의해 억제되는 것으로 알려져 있으며, 황체 조직의 금속단백질효소조직억제제 농도는 거의 바뀌지 않기 때문에 황체 파열은 기질금속단백질분해효소 자체의 발현 증가에 의한 것으로 생각된다. 사람 융모생식샘자극호르몬은 황체 구출기전에서 기질금속단백질분해효소 발현의 증가를 막고, 금속단백질효소조직억제제 생산을 증가시켜서 기질금속단백질분해효소 활동과 황체 분해를 억제할 수 있다. 황체 섬유아 세포는 LH/사람 융모생식샘자극호르몬 수용체가 없기 때문에 기질금속단백질분해효소의 분비 신호는 국소 생성된 액티빈-A일 것으로 생각된다. 임신 시 생겨난 사람 융모생식샘자극호르몬은 액티빈에 결합하는 폴리스타틴을 증가시킴으로써 이러한 액티빈-A 체계를 억제할수 있다.

프로게스테론의 혈중 농도가 배란 후 감소되고 황체 중기에 새로운 최고점이 되는 것과 달리 프로게스테론 합성에 관여하는 두 개의 효소(Cholesterol side chain cleavage와 3β-hydroxysterod dehydrogenase)의 mRNA는 배란 시 최대치가 되고 황체기 동안 감소한다. 이것은 황체의 수명이 이미 배란 시기에 정해짐을 의미하고, 황체퇴화는 황체가 임신시 사람 융모생식샘자극호르몬에 의해 구출되기 전까지는 피할 수 없음을 말해준다.

** 참고문헌 목록은 대한산부인과내분비학회 홈페이지 http://www.kosge.or.kr 또는 QR코드를 통해 보실 수 있습니다.*

CHAPTER

3 자궁내막주기

이병익(인하의대), 전성욱(인제의대)

자궁에 혈류를 공급하는 두 개의 자궁 동맥은 내부 장골 동맥(internal iliac artery)의 분지이다. 자궁의 하부에서 자궁동맥은 질동맥(vaginal artery)과 상행 분지로 분리되고, 자궁동맥의 상행 분지는 활동맥(arcuate artery)으로 갈라진다. 활동맥은 자궁강과 평행하게 주행하다가 서로 문합되면서 자궁강 주위에 혈관 링을 형성한다. 작은 원심 분지(방사동맥, radial artery)는 활동맥에서 분지되어, 자궁내막강과 수직을 이루며 자궁근육층에 혈류를 공급한다. 이 동맥이 자궁내막으로 들어가면 작은 분지(기저 동맥, basal artery)가 옆으로 확장되어 기저층에 혈류를 공급한다. 이 기저동맥은 호르몬 변화에 대한 반응을 나타내지 않는다. 방사동맥(radial artery)은 자궁내막 표면의 방향으로 계속 이어져 자궁내막의 기능층에 혈류를 공급하기 위해 코르크나사 모양을 보이기 시작하는데, 여기서부터 나선동맥(spiral artery)이라고 부른다. 종말동맥(end artery)인 나선동맥 분절은 호르몬 변화에 매우 민감하다. 자궁내막 기능층이 혈관 허혈에 더 취약한 한 가지 이유는 나선동맥 사이에 문합이 없기 때문이다. 자궁내막 분비샘과 기질 조직은 자궁내막의 모든 수준에서 나선동맥에서 기원한 모세혈관으로부터 혈류를 공급받는다. 이후 모세혈관은 정맥총(venous plexus)으로 흘러 들어가 결국에는 자궁근육층 활정맥과 자궁정맥으로 배출된다. 이 독특한 자궁의 혈관 구조는 자궁내막이 일련의 성장과 탈락을 반복할 수 있도록 하는 데 있어 매우 중요하다.

자궁내막은 크게 내막 분비샘과, 주위를 둘러싸고 있는 기질부로 이루어진다. 사람의 자궁내막은 난소에서 생산되는 호르몬의 영향 하에 증식기(proliferative phase), 배란(ovulation), 분비기(secretory phase), 착상기(implantation phase) 또는 월경기(menstruation phase)의 주기 변화를 갖게 된다(그림 3-1). 이러한 과정은 독립적인 단계라기보다는 자궁내막이 생성, 퇴화를 반복하는 통합된 발달 단계로 보아야 하며, 정상 여성의 경우 평생 약 400-500회 정도 일어난다. 자궁내막은 형태학적으로 상부 2/3의 기능층(decidua functionalis)과 하부 1/3의 기저층(decidua basalis)으로 나눌 수 있다. 기능층의 기능은 배아, 즉 주머니배(blastocyst)의 착상을 준비하는 곳으로 이곳에서 증식, 분비, 탈락이 일어난다. 기저층의 기능은 월경으로 인한 기능층의 손실 후 자궁내막의 재생 장소를 제공하는 것이다. 골

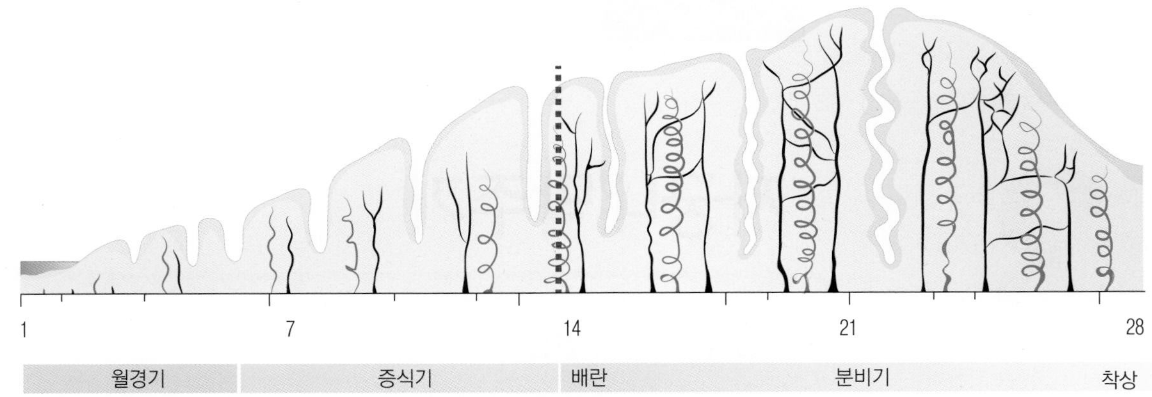

• 그림 3-1. **자궁내막의 주기에 따른 변화**

수이식을 시행한 환자에서 자궁내막 생검을 하였을 때 기증자 HLA 형과 동일한 자궁내막 상피와 기질세포가 존재함을 확인할 수 있었으며, 이로부터 골수에도 자궁내막 줄기세포(stem cell)가 존재하고, 이것이 기저층으로 이동하여 줄기세포를 이루었던 것이란 추정이 가능하다. 자궁내막 상피줄기세포(endometrial epithelial stem cells)는 기저층의 분비샘에서 발견되었으며, 월경 후 에스트로겐의 영향을 받아 기능층 재생을 위해 자궁내막의 노출된 표면의 재상피화(reepithelialization) 및 이후의 분비샘 증식에 관여하는 것으로 생각된다. 자궁내막중간엽 줄기세포/전구세포(endometrial mesenchymal stem/progenitor cell)는 자궁내막 기저층의 혈관 주위에서 발견되며, 이러한 전구세포는 자궁내막 기능의 재생과 성장에 기여하는 것으로 생각된다.

Ⅰ. 조직학적 변화

1. 증식기(Proliferative phase)

증식기 초기에 자궁내막의 두께는 약 2.0 mm 이하로 얇은 상태이다. 이 시기에는 난소에서 난포의 성장이 이루어지고, 에스트로겐의 분비가 증가하여 자궁내막의 성장과 재건이 이루어지게 된다. 이러한 스테로이드호르몬의 작용에 의해 분비샘이 두드러진 반응을 나타내는데, 처음에는 분비샘이 좁고, 작은 관을 가진 낮은 원주상피세포(low columnar epithelium cells)로 이루어진다. 월경주기 5일째부터 주로 분비샘의 상피세포에서 유사분열이 나타나고, 위편평상피화(pseudostratification)가 관찰되는데, 유사분열은 분비샘과 기질 모두에서 배란 후 2-3일 경까지 지속된다. 그 결과, 분비샘의 상피세포는 기저층에서 자궁내막강의 표면 쪽으로 확장되고, 분비샘 상피는 말초적으로 확장되어 인접한 분비샘의 일부와 연결되어 자궁내막강을 향하고 있는 연속적인 상피 연결층을 형성하게 된다.

기질 구성요소(stromal component)는 밀도가 높은 세포 월경 상태에서 짧은 기간의 부종을 거쳐 최종적으로 느슨한 융합체와 같은 상태로 진화한다. 기질을 통과하는 나선형 혈관은 상피 결합막 바로 아래 지점까지 확장되며, 여기서 느슨한 모세혈관망을 형성하게 된다. 또한 증식기 때는 분비샘, 기질세포, 내피세포를 포함한 모든 조직 구성요소가 증식하게 되는데, 월경주기 8-10일째 최고조에 이른다. 이는 혈중에서 에스트로겐의 농도가 정점에 달하고, 자궁내막에서 에스트로겐 수용체의 농도가 최대치에 달하는 것과 관련이 있다. 이러한 증식은 유사분열 활성(mitotic activity)의 증가와 핵 DNA와 세포질 RNA 합성의 증가가 특징적이며, 이는 대개 주머니배(blastocyst)의 착상 장소인 자궁 상부 2/3에 해당하는 기능층에서 가장 활발하게 일어난다. 증식기 동안 자궁내막은 대개 높이가 0.5 mm에서 3.5-5.0 mm로 자라며, 이 단계의 자궁내막 초음파 영상 소견은 양쪽 자궁내막과, 이 둘의 접합부를 포함한 3엽 내막(trilaminar endometrium)이 보이게 된다. 조직구성 요소의 회복은 이온, 물, 아미노산의 병합뿐만 아니라 에스트로겐에 의해 유도되는 성장에 의해서 이루어진다. 기질의 기저물질(stromal ground substance)은 월경 시의 붕괴(menstrual collapse)로부터 "재팽창(reinflation)"된다. 물론 실제로 조직 성장이 일어나긴 했지만, 자궁내막 기질의 재팽창은 자궁내막 높이를 달성하는 데 있어 주요한 요소이다. 에스트로겐에 의한 자궁내막 성장의 특징은 섬모, 미세융모 세포(ciliated and microvillous cells)의 증가로서, 섬모 형성은 월경주기 7-8일째 시작되고, 이는 고농도의 에스트로겐에 대한 결과로서 발생한 과형성자궁내막(hyperplastic endometrium)에서 두드러진다. 이러한 섬모세포의 농도와 패턴은 자궁내막 분비기에 자궁내막 분비물의 이동 및 분포에 영향을 미친다. 또다른 에스트라디올에 대한 반응의 결과인 세포표면 미세융모는 세포질 확장이며, 세포의 활성 표면을 증가시키는 역할을 한다.

결과적으로 증식기 후반에는 분비샘 증식(glandular hyperplasia)과 기질 구성 물질의 증가 때문에 자궁내막이 두꺼워진다. 자궁내막을 조직학적 기준으로 하루-하루 날짜화(day-by-day dating)하는 것은 거의 불가능한데, 이는 증식기의 기간이 정상 가임 연령의 여성에서도 5-30일 정도로 변화가 많기 때문이다.

2. 배란(Ovulation)

배란은 개인 차이가 크며, 같은 여성에서도 월경 주기마다 그 시기가 달라질 수 있는데, 황체형성호르몬(luteinizing hormone, LH)이 최고치에 도달한 후 10-12시간 후에 또는 에스트라디올 혈중 농도가 최고치에 도달하고 나서 24-36시간 후에 생긴다. 배란 전 34-36시간에 나타나는 LH 급증(surge)의 시작은 배란을 예측할 수 있는 가장 믿을 만한 임상지표로 알려져 있다. 난자가 충분히 성숙하려면 적어도 14-27시간 동안의 임계치의 LH 농도 상태를 필요로 한다. 보통 LH 급증은 48-50시간 정도 지속된다. 배란 전, 즉 배란 전기의 내막 시기에는 증식기 초기의 낮은 원주세포가 편평상피화 양상으로 변하게 된다. 배란기 및 배란 후 48시간에는 지방과 당단백질이 풍부한 공포(vacuoles)들이 상피세포의 기저부에 나타나기 시작하는데 이것을 핵하공포(subnuclear vacuole)라고 한다. 이것은 배란이 일어났다는 첫 번째 징후로서 모든 내막선에서 볼 수 있고, 배란 후 분비기 시기에 점차 분비샘의 내강 쪽으로 이동한다.

3. 분비기(Secretory phase)

배란 후의 자궁내막은 에스트로겐과 프로게스테론의 복합작용에 의해서 내막층의 높이가 배란 직전 수준인 약 5-6 mm로 고정되며, 배란 후 3일이 지나면 자궁내막 상피의 증식이 멈춘다. 에스트로겐이 계속 생성되지만 내막이 더 이상 자라나지 못하는 것은 프로게스테론의 영향 때문으로 생각된다. 이와 같은 프로게스테론에 의한 내막 성장의 제한은 에스트로겐 수용체(estogen receptor, ER) 발현에 대한 프로게스테론의 억제 작용과 에스트라디올을 세포로부터 급속히 배출될 수 있는 에스트론황산염(estrone sulfate)으로 전환시키는 17 β-수산화스테로이드 탈수소효소(17 β-hydroxysteroid dehydrogenase)와 술포전이효소(sulfotransferase)에 대한 프로게스테론의 촉진 작용에 의한 유사분열과 DNA 합성의 저하와 연관되어 있다.

프로게스테론의 작용은 배아 착상을 위한 자궁내막의 준비가 이루어지는 분비기에 겪는 변화의 핵심이다. 자궁내막 세포 내의 프로게스테론 수용체(progesterone receptor, PR) 발현은 난포기에 에스트로겐의 증가에 의해 에스트로겐 수용체-α (ER-α)를 통해 촉진되어 이후 황체기 동안 프로게스테론에 대한 반응성 강화를 유도한다. 반대로, 자궁내막 세포 내 ER-α 발현은 프로게스테론 수용체를 통한 프로게스테론 작용에 의해서 억제된다. 자궁내막 상피세포와 기질세포에 미치는 프로게스테론 효과의 차이는 세포 유형에 따른 PR-A와 PR-B 발현과 기능에서의 차이에 기인한 것으로 생각된다. PR-A와 PR-B는 증식기 동안 자궁내막 상피에 존재하며, 기존에 알려진 에스트로겐에 의한 PR 발현 유도와 일치하는 양상으로 에스트로겐 농도의 증가와 함께 증가한다. 자궁내막 상피 구획에서 PR-A 농도는 분비기의 끝으로 갈수록 감소하는 반면, PR-B 농도는 일정하게 유지되어 PR-B가 분비샘의 조절에 역할을 한다는 것을 시사한다. 반면에 기질세포 구획에서는 PR-A가 월경주기 전반에 걸쳐 우세한 수용체 동형이다. 자궁 내 프로게스테론의 작용은 응급피임 목적으로 사용하는 미페프리스톤(RU486)과 같은 PR 길항제들을 이용한 연구와 녹아웃마우스(knockout mice) 실험을 통해 밝혀진 바 있다. 중기 또는 후기 난포기에 RU486을 저용량으로 투여하면 자궁내막 성숙을 지연시켜 불임을 유발하는 반면, 고용량에서는 LH 급증을 지연시키고 배란을 억제한다. 임신 중에 RU486을 투여하면 재태연령에 따라 유산, 태아 상실 또는 분만을 유도한다.

PR 발현의 결함이 있는 유전자 마우스 모델은 자궁에서 프로게스테론 작용을 매개하는 PR의 중요한 역할을 분석하는데 중요한 역할을 해왔다. 전반적 프로게스테론 수용체 녹아웃 마우스는 배란과 착상 결함으로 인하여 불임이 되며, 이들의 자궁내막은 선상피의 비대 및 염증, 그리고 탈락막화(decidualization) 실패가 특징이다. 그러나 PR-B 특이 녹아웃마우스는 정상적인 난소 기능, 착상, 임신 및 분만을 할 수 있으며, 이는 PR-A만으로 정상적인 자궁 기능을 유지할 수 있음을 시사한다. PR-A-null 마우스는 자궁내막 상피 과형성 및 염증을 보이며, 자궁내막 기질의 탈락막화를 나타내지 않는다. 이는 PR-A가 자궁내막 상피 및 기질의 정상적인 기능에 중요하고 PR-B가 상피의 과형성을 촉진하는 기능을 한다는 것을 의미하며, PR-B가 PR-A에 의해 억제되는 효과인 상피의 증식을 촉진하는 기능을 한다는 것을 뜻한다.

내막 조직내 각각의 구성 부분들은 성장을 계속하지만, 고정된 구조 속에 갇혀 있는 탓에 점차 분비샘들은 구부러지고, 나선혈관은 더욱 심하게 꼬이게 된다. 배란 후 1주일에 걸쳐 분비샘 세포내의 분비 활동이 계속됨에 따라 소공들이 세포 내에서부터 분비샘 내강으로 이동한다. 이와 같은 분비 활동의 결과 분비샘의 기능은 쇠퇴하고, 굴곡된 분비샘 내강은 다양하게 확장되며, 각각의 세포 표면은 톱니 모양처럼 조각나게 된다. 이때 기질은 부종에 의해 부풀게 되고, 나선혈관은 뚜렷해지며, 심하게 꼬인 형태를 이룬다. 분비샘 세포 속에는 거대 미토콘드리아와 핵소체 채널계가 나타나는데, 이는 프로게스테론의 작용에 의해 나타나는 독특한 구조로서 핵막이 안으로 접혀 들어가 생기는 것이다. 자궁내막의 분비물은 분비샘 세포로부터 분비되는 당단백질과 펩티드 외에도 혈장으로부터의 삼출액을 포함하고 있는데, 혈액 중의 중요한 면역글로불린이 내막 상피세포에서 분비되는 단백질과 결합하여 자궁내막강으로 전달된다. 자궁내막 분비가 최대에 이르는 LH 급증 7일 후인데, 이 시기는 주머니배 배아의 착상이 일어나는 시기와 일치한다.

4. 착상기(Implantation phase)

난자는 배란 후 12-24시간 동안 생명력을 지니며, 이 기간 동안에 수정이 이루어져야만 비로소 배아로 진행할 수 있다. 수정 후 이틀 이상을 난관 내에 부유 상태로 있는데, 이때 초기 세포분열에 필요한 영양분과 에너지를 난관액과 난자주변에 남아있는 잔여 난구세포(residual cumulus cells)로부터 얻게 된다. 이러한 난관 내 체류를 거쳐 배아는 상실배(morula)가 되는 시기에 자궁강 내로 진입하고, 또 다시 2-3일간 활발한 부유 상태로 있게 된다. 이 때 자궁강 내에는 자궁내막 분비물이 충만해 있어 배아는 영양이 충분한 배양액 속에서 지내게 된다. 이와 같은 자궁내막의 분비 상태와 배아 발육 상태의 시간적 일치는 성공적 착상을 위해 대단히 중요하다. 배란 6일이 되면 이미 주머니배 상태인 배아는 자궁내막에 부착, 착상할 준비를 마치게 된다. 이때 자궁내막은 초기 태반 형성을 위한 조건인 충분한 두께, 혈류량 및 영양 상태를 갖추고 있게 된다. 내막 상피의 바로 밑에는 풍부한 모세혈관총(capillary plexus)이 형성되어 있어서 이후 영양막세포와 모체 혈류사이에 계면(trophoblast-maternal blood interface)을 만들게 된다. 적절한 조직 반응에도 불구하고 사람 융모생식샘자극호르몬(human chorionic gonadotropin, hCG)이 생성되지 않을 경우 에스트로겐-프로게스테론 쇠퇴(withdrawl) 및 월경 자궁내막박리와 관련된 혈관운동성 변화가 일어난다.

착상을 대비한 자궁내막내의 중요한 변화는 배란 후 7-13일 사이에 일어난다. 즉, 이 시기 처음에는 구부러지고, 팽창된 분비샘들이 사이사이에 기질이 거의 없는 상태로 두드러지게 존재한다. 이후 배란 후 13일이 되면 내막은 확연히 구분되는 세 구역으로 분화된다. 전체 내막 중 1/4 미만인 기저층(stratum basalis)은 방사동맥에서 분지한 곧은 혈관분지(straight vessel)에 의해 혈류를 공급받으며, 외부의 영향을 거의 받지 않는 방추형의 기질로 둘러싸여 있다. 전체의 약 50%를 차지하는 내막의 중간 부분은 해면층(stratum spongiosum)이며, 성근 부종성 기질에 여기저기 산재하는 단단히 꼬인 나선혈관과, 확장되어 리본 모양을 이룬 소진된 분비샘으로 구성되어 있다. 해면층을 덮고 있는 자궁내막 상층은 치밀층(stratum compactum)이라고 하는데, 전체의 1/4 정도를 차지한다. 이 부분의 특징적 소견은 거대화된 다면체형으로 변화한 기질세포이다. 기질 세포내 세포질의 팽창으로 세포 간의 간격이 치밀하고, 견고한 구조를 이루게 된다. 이 구역을 통과하는 분비샘은 경부가 압박되기 때문에 현저하게 잘 보이지는 않으며, 상피 아래의 모세혈관과 나선혈관은 충혈되어 있다.

착상이 시작되는 월경주기 21-22일에는 특징적으로 내막 기질의 부종이 나타난다. 이와 같은 변화는 에스트로겐과 프로게스테론에 의해 매개된 내막에서의 프로스타글란딘(prostaglandin) 및 혈관내피성장인자(vascular endothelial growth factor, VEGF) 생성 증가에 따른 영향으로 생각된다. 모세혈관의 투과성 증가 역시 국소적인 프로스타글란딘 생성 증가로 인해 일어난다. 성 스테로이드호르몬 수용체가 내막 혈관의 근육층에 존재하며, 프로스타글란딘 합성 효소 체계가 내막 세동맥의 근육층과 내피에서 모두 발견된다. 내피세포에서 월경주기 22일째에 처음으로 유사분열이 관찰되는데, 이와 같은 혈관의 증식으로 나선혈관의 꼬임뿐만 아니라 성 스테로이드호르몬, 프로스타글란딘 및 에스트로겐과 프로게스테론에 대한 반응으로 생성되는 자가분비인자(autocrine factor)와 주변분비인자(paracrine factor)에 대한 반응이 나타난다.

분비기에 배란 이후 난소의 프로게스테론 생성 증가는 중·후기 분비기에 모든 자궁내막 세포의 최대 40%에 도달할 만큼 현저한 백혈구 수의 증가를 촉진한다. 이러한 백혈구 수의 증가는 주로 임신 제1 삼분기에 최고 농도에 도달하는 자궁자연살해(uterine natural killer, uNK) 세포의 축적에 기인한 것이다. 이들은 착상 및 태반화 과정에서 면역 보호 기능을 갖는 특화된 과립구로써, 혈관 주위에 위치하며, 혈액에서 유래하는 것으로 알려졌다. 최근 연구에서 또한 이 세포들이 탈락막 나선동맥 혈관의 리모델링을 촉진하는 역할도 가지고 있음이 알려졌다. 월경주기 26-27일까지 자궁내막 기질은 다수의 백혈구에 의해 침윤된다. 그 대부분은 자궁자연살해세포와 대식세포인데, 이들은 자궁내막 파괴와 월경 과정에 관여한다고 믿어지고 있다. 이런 세포들의 형태와 기능은 호르몬 신호에 반응하여 자궁내막에 있는 펩티드와 사이토카인의 복잡한 배열에 의해 조절된다. 자궁내막에는 uNK 세포와 대식세포 외에도 월경주기에 따른 변화를 보이지 않는 산재된 T세포와, 황체기의 자궁내막에서는 드물지만 임신 탈락막에서는 더 풍부한 자궁수지상세포(uterine dendtritic cell, uDC)가 존재한다.

자궁내막의 기질 세포는 호르몬 신호에 반응하여 프로스타글란딘을 합성하고, 탈락막 세포로 변환되면 프로락틴, 릴랙신(relaxin), 레닌(renin), 인슐린유사성장인자(insulin-like growth factor, IGF) 및 인슐린유사성장인자 결합단백질(IGF-binding proteins, IGFBP)과 같은 물질을 생성한다. 자궁내막 기질세포는 탈락막 세포의 전구세포(progenitor)인데, 자궁내막 기질세포는 처음에는 태아 생활 동안 자궁내막을 침범한 골수 세포에서 유래한 것으로 알려져 있었으나, 이후에는 원시 자궁 중간엽 줄기세포(primitive uterine mesenchymal stem cells)에서 유래한 것으로 여겨졌다. 그러나, 최근의 사람과 동물 모델 연구는 이러한 자궁내막 기질 세포 중 적어도 일부가 성체 골수 전구세포(adult bone marrow progenitors)에서 유래했다는 개념을 뒷받침한다. 최근의 마우스 실험 결과 다량의 탈락막 세포가 성체 골수전구세포에서 유래했음이 밝혀졌으며, 이러한 골수의 비조혈적(nonhematopoietic) 기여는 착상과 임신에 중요할 것으로 여겨진다.

탈락막화 과정은 황체기에 프로게스테론의 영향으로 시작되며, 자가분비 및 주변분비 인자에 의해 매개된다. 월경주기 22-23일째부터 혈관주변에서 전탈락막세포(predecidual cell)가 보이기 시작하는데, 전탈락막세포는 세포핵 확장, 증가된 유사분열 활성 및 기저막 형성과 같은 특징적 소견을 보인다. 이후 호르몬이 지속적으로 유지되면 착상 및 태반 형성에 적합한 탈락막으로 전환된다. 기질세포에서 유래한 탈락막은 임신의 중요한 구조적, 생화학적 조직이 된다. 탈락막세포는 영양막(trophoblast)의 침윤 속성을 조절하며, 탈락막의 산물은 태아 및 모체조직에서 중요한 자가분비 및 주변분비 기능을 담당한다. 탈락막 세포는 자궁내막 출혈(월경) 과정과 자궁내막 지혈(착상 및 태반) 과정 모두에서 핵심적인 역할을 한다. 착상에는 자궁내막 지혈(endometrial hemostasis)이 필요하며, 자궁내막 출혈의 억제는 탈락막화의 결과로 인한 주요 요인들의 적절한 변화, 예를 들어 낮은 플라스미노겐활성화인자(plasminogen activator, PA) 농도, 금속단백분해효소와 같이 세포 외 기질을 분해하는 효소의 발현 감소, 플라스미노겐활성화인자 억제제-1 (PA inhibitor-1, PAI-1)의 증가와 같은 변화에 기인하는 바가 크다. 이와는 반대로 임신이 되지 않을 경우, 에스트로겐과 프로게스테론 쇠퇴가 일어나 자궁내막의 탈락과 출혈을 초래한다.

전탈락막 변환(predecidual transformation)은 월경주기 25일(월경 3일 전)까지 자궁내막 기능층의 상층부위에 치밀층을 형성한다. 치밀층은 시간이 지날수록 자궁내막의 점점 더 많은 부분을 차지하여 영양막의 침윤에도 불구하고 자궁내막 구조를 유지할 수 있도록 한다. 그러나, 수정과 착상이 일어나지 않고, 결과적으로 영양막에서 hCG가 생성되지 않으면, 에스트로겐과 프로게스테론을 분비하는 난소 황체의 고정된 수명이 종료되어 에스트로겐과 프로게스테론의 농도가 감소하게 된다. 이러한 에스트로겐과 프로게스테론의 쇠퇴로 인하여 혈관운동성반응(vasomotor reaction), 세포자멸사(apoptosis), 조직 손실이 일어나며, 최종적으로 자궁내막이 박리되어 월경이 일어나게 된다. 그러나 모든 조직이 손실되는 것은 아니며, 어떤 경우에도 기저층을 포함한 잔여 줄기 세포가 항상 이용 가능한 상태이기 때문에 에스트로겐의 영향으로 비교적 빠르게 조직 성장을 재개하는 것이 가능하다.

최근에는 착상가능시기(implantation window)에 초점을 맞춘 유전자 발현 연구, 특히 DNA 미세배열분석(DNA microarray analysis)을 통하여 자궁내막 월경 주기의 각 호르몬 및 형태학적 단계와 상관관계가 있는 유전자 발현의 변화하는 패턴이 밝혀지고 있다.

5. 월경기(Menstruation phase)

월경 시의 자궁내막(menstrual endometrium)은 상대적으로 얇지만 치밀한 조직으로, 안정적인 기저층(baslis component)과, 가변적이지만 소량의 잔존 해면층(stratum spongiosum)으로 구성된다. 해면층은 월경 시 분비샘의 소멸 및 지속적인 괴사와 백혈구 침윤을 동반한 혈관과 기질의 분절화, 적혈구의 혈관 외 유출(diapedesis) 등의 다양한 기능 상태를 보여준다. 월경 중 기능성 자궁내막의 2/3 가량이 소실된다. 조직 소실이 빠를수록 월경 기간은 짧아지는 반면, 탈락 시간이 연장되거나 불완전한 경우 더 많은 월경량과 더 큰 혈액 손실이 발생하게 된다. 월경 출혈이 끝나기 전에 재상피화가 시작되는데, 월경주기 2-3일 정도에 완전하게 탈락된 기저층에서 DNA 합성이 일어난다. 새로운 표피상피세포는 월경으로 인한 내막박리(menstrual desquamation) 후 기저층에 남아있는 분비샘의 측면에서 생겨난다. 신속한 재상피화는 기저층과 협부(isthmus)의 표피상피세포, 난관입구(ostia) 내막세포의 증식을 동반한다. 이러한 상피세포 재생에는 섬유아모세포(fibroblast)와 줄기세포의 도움이 필요하다. 기질 섬유아모세포층은 밀집된 군락을 형성하여 재생되는 상피세포가 그 위로 이동할 수 있도록 해 주며, 또한 기질층은 상피세포의 성장과 이동에 있어서 중요한 자가분비 및 주변분비 인자에 기여한다. 이 복구 단계에서 호르몬 농도는 최저(nadir) 상태이며, 따라서 이러한 작용은 호르몬 매개로 발생을 하는 것이 아닌 조직 손상에 대한 반응에 의해 발생한다고 보는 것이 타당하다. 단, 기저층에는 에스트로겐 수용체가 풍부하게 존재한다. 자궁내막의 회복은 매우 빠르게 진행되어 주기 4일째 자궁강의 2/3가 새로운 상피세포로 덮이고, 5-6일째에는 전체 자궁강이 재상피화(reepithelialization)되고, 기질 성장이 시작된다.

6. 자궁내막 날짜측정(Endometrial dating)

그동안 LH 급증 후 자궁내막 분비기의 변화는 자궁내막 발달 상태를 가늠케 하는 척도로 여겨져 왔다. 1950년 이후 배란 후에 자궁내막 검사를 통해 자궁내막의 발달상태가 월경주기에 합당할 정도로 발달되었는지 평가하는 방법으로 사용되었다. 시간에 따른 월경 날짜(chronologic date)와 미리 설정된 조직 날짜(histologic date)간에 2일 이상의 차이가 나는 경우를 병적인 상태로 간주하여 황체기결함(luteal phase defect)이라고 명명하였다. 이런 경우 불임, 착상실패(implantation failure), 또는 임신초기 유산(early pregnancy loss)과 연관된다고 알려졌다. 그러나, 최근 들어 자궁내막 생검이 기존에 알려진 것과 달리 황체기결함을 진단하는 데 있어서 매우 부정확한 검사법이라는 결과가 발표된 이후, 불임이나 초기 임신 소실의 원인 및 진단을 위한 자궁내막 생검의 유용성은 점차 그 자리를 잃어가고 있다. 미국국립보건원(NIH) 주관의 광범위 연구결과 자궁내막의 조직날짜로 가임과 불임여성을 판별할 수 없다는 사실까지 밝혀진 이후로는 불임이나 습관성 유산의 상용적인 평가 목적으로 자궁내막생검을 시행하는 것은 더 이상 권고되지 않는다.

Ⅱ. 내분비기능

자궁은 고전적인 월경주기의 호르몬 변화 신호에 반응하고 변화할 뿐만 아니라, 자궁과 임신 중 태아태반단위(fetoplacental unit)의 인접 조직에까지 작용하는 중요한 자가분비 및 주변분비 기능을 가진 복잡한 조직으로 구성된 동적인 장기이다. 자궁의 가장 역동적인 구성요소는 자궁내막이다.

1. 자궁내막(Endometrium)

자궁내막은 많은 물질을 분비하며(표 3-1), 이들의 기능과 상호관계는 앞으로도 밝혀져야 할 것이 많다. 자궁내막 산출물은 초기 배아를 위한 영양공급 환경을 생성하는 것 외에도, 임신 자궁에서 면역 거부반응을 억제시키는 작용을 한다.

자궁내막 산출물에는 염증과 면역반응에 관여하는 시토카인(cytokines)이 존재한다. 인터루킨(interleukin, IL)은 프로스타글란딘과 다른 사이토카인의 생성을 촉진하고, 집락자극인자-1 (colony-stimulating factor-1, CSF-1)은 세포증식과 대식세포에 영향을 준다. 인터페론-γ (interferon-γ)는 활성화된 T 임파구에서 생성되며, 자궁내막 상피세포 증식을 억제한다. 백혈병억제인자(leukemia-inhibiting factor, LIF)는 다양한 다른 사이토카인 및 성장 인자에 대한 반응으로 발현되며, 인터루킨과 마찬가지로 프로게스테론이 우세한 분비기와 초기 탈락막 단계에서 가장 풍부한데, 아마도 배아 착상에 관여할 것으로 추정된다. 종양괴사인자-α (tumor necrosis factor-α, TNF-α)도 자궁내막에서 발현하며, TNF-α 활성은 증식기 동안 증가하고, 분비기 초기에는 감소하였다가 분비기 중간에 다시 증가한다.

일부 자궁내막조절분자성장인자(Endometrial Regulating Molecules Growth factors)는 특정 세포막 수용체에 결합하여 세포내 신호전달 경로를 개시하는 펩티드(peptides)이다. 이러한 성장인자들은 강력한 유사분열원(mitogen)이기 때문에 자궁내막의 증식기에 뚜렷한 역동적 변화를 동반한다. 에스트로겐은 상피세포성장인자(epidermal growth factor, EGF) 및 그 수용체와 IGF 생산을 위한 유전자 발현을 자극한다. EGF는 에스트로겐 수용체 기전과 상호작용하여 에스트로겐 유사 작용을 유도한다. EGF는 강력한 유사분열원으로 증식기 동안에는 자궁내막 기질 및 상피 세포에 존재하고, 분비기 동안에는 기질세포에만 존

표 3-1. 자궁내막 산출물(endometrial products)

지질(lipids)	사이토카인(cytokines)	펩티드(peptides)
프로스타글란딘(prostaglandins)	인터루킨-1α (IL-1α)	프로락틴(prolactin)
트롬복산(thromboxanes)	인터루킨-1β (IL-1β)	리랙신(relaxin)
류코드리엔(leukotriens)	인터루킨-6 (IL-6)	프로레닌&레닌(prorenin & renin)
	인터페론-γ (Interferon-γ)	엔돌핀(endorphin)
	집락자극인자-1 (CSF-1)	엔도텔린(endothelin-1)
	종양괴사인자-α (TNF-α)	부신피질자극호르몬방출호르몬(CRH)
	백혈병억제인자(LIF)	피브로넥틴(fibronectin)
		리포코틴-1 (lipocortin-1)
		부갑상선호르몬연관단백(parathyroid hormone-like protein)
		인테그린(integrins)
		에스트로겐 상피세포성장인자계(EGF family)
		인슐린유사성장인자계(IGF family)
		종양성장인자-β계(TGF-β family)
		TGF-α
		혈소판유래성장인자
		섬유아세포인자(FGF)
		혈관내피세포성장인자(VEGF)
		생식샘자극호르몬방출호르몬(GnRH)

재한다. 종양성장인자-α (tumor growth factor, TGF-α)와 EGF는 동일한 수용체를 통해 작용하며, 에스트로겐에 의한 자궁내막 성장의 중요한 매개체이다. 비교적 안정적이고, 주기성을 보이지 않는 EGF와는 대조적으로, TGF-α 농도는 월경주기 중반(midcycle)에 최고치에 도달한다. 혈소판유래성장인자(platelet-derived growth facto)는 기질세포에 국한된 매우 강력한 유사분열원이다.

IGF는 세포의 유사분열과 분화에 관여하며, 에스트로겐과 프로게스테론에 의해 조절된다. IGF-1은 증식기 및 분비기 초기의 자궁내막에서 우세한 반면, IGF-2는 분비기 중기 및 후기에 나타나며, 임신 초기 탈락막에 지속적으로 존재한다. 자궁내막 IGF-1 발현은 월경 주기 동안 순환 에스트로겐 농도와 상관관계를 보이는데, 이는 IGF-1 합성이 에스트로겐에 의해 조절되고, 에스트로겐에 의한 자궁내막 성장을 매개하는 반면, IGF-2는 프로게스테론 영향 아래 자궁내막 분화에 관여함을 시사한다. 인체내 다른 부위에서와 마찬가지로 자궁근육층 IGF 활성은 IGFBP에 의해 조절되며, IGFBP는 성호르몬에 따라 다르게 반응한다. IGFBP-2는 IGF-1 반응과 유사하지만, IGFBP-3은 자궁근에서는 감소하지만, 혈관 내피에서는 에스트로겐에 의해 증가한다. IGFBP-4 및 IGFBP-5는 에스트로겐에 반응하지만 프로게스테론에 의한 영향을 받지는 않는다. IGFBP-1은 탈락막 자궁내막의 주요 산물이다.

생식샘자극호르몬방출호르몬(gonadotropin releasing hormone, GnRH)은 자궁내막에 존재하며, 분비기 자궁내막 및 탈락막에서 증가한다. 사람 탈락막 세포에서 GnRH는 기질금속단백분해효소(matrix metalloproteinase, MMP)의 발현을 증가시키는데, 이는 착상과 관련된 효소의 조절에 GnRH가 관여함을 시사한다. GnRH는 인테그린(integrin)과 같은 부착 인자(adhesion factors), 효소, 혈관신생 물질과 상호작용하여 세포의 증식과 소멸의 신호 전달계에 관여한다.

사람의 자궁근육층 평활근세포와 자궁내막 기질세포에서 부갑상선호르몬유사단백(parathyroid hormone-like protein)의 mRNA 발현이 나타나는데, 이것의 기능에 대해서는 아직 알려진 바가 없다. TGF-β는 부갑상선호르몬유사단백의 생성을 촉진한다. TGF-β 생성은 분비기에 최고에 달하며, IGFBP-3 합성을 증가시켜 세포증식을 억제할 수 있다.

프로스타글란딘은 상피세포와 기질세포 모두에서 생산되며, 자궁내막의 프로스타글란딘 함량은 분비기 말에 최고에 도달한다. 자궁내막에서 생산되는 주된 프로스타글란딘은 프로스타글란딘 F2α (PGF2α)로, 이는 자궁근육의 강력한 수축제 작용을 한다. 자궁내막의 프로스타글란딘 생산은 착상 후 급격히 감소하며, 이는 강한 억제 작용 기전의 존재를 암시한다. 프로스타글란딘 생산은 에스트로겐의 지원을 필요로 하며, 분비기에 프로스타글란딘의 생산이 더 증가되는 것은 프로게스테론의 증강을 나타낸다. 프로게스테론의 급성 쇠퇴는 프로스타글란딘의 생산을 촉진한다. 자궁내막 기질세포는 에스트로겐에 반응하여 프로스타사이클린(prostacyclin)과 트롬복산(thromboxane)을 생산하며, 이 반응은 프로게스테론에 의해 억제된다. 자궁근육층은 주로 자궁내막에서 유래한 전구물질을 이용해서 프로스타사이클린을 생산한다. 모든 프로스타글란딘 계열의 수용체가 사람의 자궁근육세포에 존재하지만, 단, 자궁근육의 수축은 PGF2α 작용의 주된 결과이다.

트롬복산(thromboxane)은 자궁조직에서 합성된다. 트롬복산 합성효소와 트롬복산 수용체에 대한 유전자 발현은 자궁내막 분비샘, 기질세포, 자궁근육층 평활근 및 자궁혈관에서 나타난다. 트롬복산 A2는 강력한 혈관 수축제이자 평활근 세포 자극제이지만, 빠른 신진대사때문에 그 역할은 자가분비 및 주변분비 활동으로만 제한된다.

과도한 월경 출혈이 있는 여성은 프로스타글란딘 생산에 이상을 동반한다. 이런 이유로 비스테로이드성소염제(nonsteroidal antiinflammatory drug, NSAID)를 이용해서 프로스타글란딘 생산을 감소시켜 월경량의 감소를 기대할 수 있으며, 또한 NSAID는 프로스타글라딘에 의해 매개되는 월경통에도 유용한 치료제가 될 수 있다.

피브로넥틴(fibronectin)과 라미닌(laminin)은 세포 외 기질물질로 프로게스테론에 의해 자궁내막의 기질세포에서 분비된다. 이런 단백질들은 착상 시 부착에 관여한다. 인테그린(integrin)은 자궁내막에서 높게 발현하는 당단백질로 콜라겐, 피브로넥틴 및 라미닌의 수용체 역할을 하며, 또한 세포 대 세포(cell-to-cell) 및 세포 대 기질(cell-to-matrix) 간의 상호작용에 중요한 역할을 한다. 인테르린의 발현은 에스트로겐이나 프로게스테론이 아니라 사이토카인이나 성장인자에 의해 조절된다.

엔도텔린(endothelin)은 혈관 내피세포에서 생성되는 강력한 혈관 수축제이다. 자궁내막에 존재하는 엔도텔린-1의 혈관수축작용은 혈관확장제인 산화질소(nitric oxide) 및 프로스타사이클린 합성 촉진 작용에 의해 조절된다. 엔도텔린-1은 자궁내막 기질세포와 샘상피세포에서 합성되며, TGFβ 및 IL-1β에 의해 촉진된다. 엔도텔린-1은 월경출혈을 멈추게 하는 혈관 수축제 중 하나이며, 자궁근육 수축을 강력하게 자극하므로 월경통을 유발할 수 있다. 마지막으로, 엔도텔린-1은 유사분열원(mitogen)으로 자궁내막의 치유 및 재상피화를 촉진할 수 있다. 사람 탈락막세포 또한 엔도텔린-1을 합성하고 분비하며, 이렇게 생성된 엔도텔린-1이 양수내로 운반될 수 있다.

새로운 혈관의 형성, 즉 혈관신생(angiogenesis)은 조직의 성장과 발달에 필수적인 과정이다. 혈관신생은 종양성장에 필수적이나, 정상 조직에서는 일반적으로 조절인자에 의해 억제된다. 그러나 여성의 생식조직, 특히 난포, 영양막, 자궁내막은 주기적으로 급속한 성장과 퇴행을 겪어야 하는 조직이므로, 여성 생식조직에서 혈관신생은 정상적인 현상의 일부로 간주된다. 자궁내막은 월경 주기와 임신 중 혈관신생인자의 주요 공급원이다. 혈관내피세포에 특이성을 가진 유사분열원인 혈관내피성장인자(vascular endothelial growth factor, VEGF)는 사람 자궁내막에 풍부하게 존재하며, VEGF는 자궁내막 분비기의 최대 혈관신생시기에 최고치에 도달한다. VEGF 군은 6개의 성장 인자를 포함하고, 3개의 다른 수용체를 활용한다. 에스트로겐과 프로게스테론은 자궁 혈관신생의 주요 조절 인자로, 증식기 동안 에스트로겐은 VEGF 합성을 촉진한다. VEGF

발현은 또한 저산소증, 특히 자궁내막 파괴와 관련된 저산소증에 의해 자극되며, 새로 시작하는 증식기의 새로운 혈관 성장 및 자궁내막의 재상피화는 에스트로겐에 대한 반응으로 이러한 성장 인자에 의존하게 된다.

혈관신생은 또한 많은 다른 성장 인자나 피브로넥틴 및 프로스타글란딘과 같은 물질의 영향을 받는다. 특히, 섬유아모세포성장인자(fibroblast growth factor)군은 내피 세포 및 자궁내막 기질 세포에 대해 강력한 유사분열원으로 작용한다. 안지오포이에틴(angiopoietins)은 혈관의 세포자멸사를 방지하고, 혈관을 안정화시켜 자궁내막을 유지한다. 자궁내막은 또한 혈관생성 억제단백질을 생산하여 최종적으로 혈관 성장의 균형을 이루도록 한다.

모든 유형의 자궁내막 및 자궁근육층 세포에서 에스트로겐 수용체(estrogen receptor, ER) 발현은 증식기 후반에 최대치에 도달하며, 수용체 농도는 선상피에서 가장 높다. 분비기 초기에는 에스트로겐 수용체 발현이 감소하지만, 분비기 중기 및 후기에는 발현이 증가한다. 이러한 변화는 ER 발현을 증가시키는 에스트라디올과, ER 발현을 감소시키는 프로게스테론의 주기적인 변화를 반영한다. ER-β도 사람의 자궁내막에 존재하지만 ER-α보다는 덜 현저하며, ER-β는 분비기 후기에 자궁내막 혈관에서 우세한 수용체 역할을 하는 경우를 제외하면 월경 주기내 변화도 적다. 에스트로겐에 의한 자궁내막 증식작용은 대체로 ER-α에 의해 매개된다.

자궁내막의 샘상피내 프로게스테론 수용체(progesterone receptor, PR)의 발현은 증식기 후기와, 에스트로겐에 의한 프로게스테론 수용체 유도를 반영하여 분비기 초기에 최대치에 도달하며, 이후 분비기의 중반에 이르러서는 거의 발견되지 않는다. 자궁내막의 기질세포에서 PR은 월경주기 내내 약간의 변동만 보인다. 탈락막 기질세포는 강한 PR 발현을 나타내지만, 탈락막 상피세포에는 PR이 존재하지 않는다. 자궁의 평활근세포는 월경 주기 전반에 걸쳐 강한 PR 발현을 보인다. 자궁 성장과 기능에 있어서 많은 부분이 에스트로겐과 프로게스테론 사이의 상호작용에 의해 조절된다. 일반적으로 프로게스테론은 에스트로겐의 증식 및 대사 작용을 억제한다. 이러한 억제작용은 프로게스테론의 에스트로겐 수용체 감소 효과 외에도, 세포내 에스트로겐 배출에 관여하는 효소 또는 에스트로겐에 의해 유도되는 종양유전자 전사를 억제하는 효과를 통해서도 이루어진다.

안드로겐 수용체(androgen receptor, AR)는 월경주기 모든 단계의 자궁내막에 존재하며, 폐경 후 여성의 자궁내막 및 임신 탈락막에도 존재한다. AR 농도는 월경 주기 내내 일정하다. 안드로겐은 에스트로겐의 자궁내막 증식 효과를 억제한다. 또한 항프로게스테론 제제에 의한 자궁내막 억제 작용이 결국 AR에 의해 매개된다는 연구결과도 보고된 바 있다.

자궁내막의 복잡성은 상호 보완적인 DNA 미세배열분석(DNA microarray analysis) 연구 결과를 통하여 알 수 있다. 월경 시 자궁내막 조직을 통한 연구 결과 갑상선호르몬 합성과 대사를 포함한 131개의 생화학적 경로와 관련된 571개의 전사물(transcript)이 확인되었다.

2. 탈락막(Decidua)

탈락막은 임신을 위해 특화된(specialized) 자궁내막이다. 탈락막화(decidualization)는 자궁내막 기질세포가 배아착상과 임신을 유지하기 위하여 필수적인 탈락막세포로 전환되는 과정이다. 태아태반단위(fetoplacental unit)와 모체 사이의 생화학적 소통이 탈락막을 통해 서로 상호 주고받는 형태로 전달된다. 고전적인 관점에서는 탈락막이 작은 비활동성 구조물로만 여겨졌으나, 최근에는 매우 강한 활동성을 갖는 조직으로 여겨지고 있다.

탈락막 세포는 프로게스테론의 자극을 받은 자궁내막의 기질세포에서 유래된다. 탈락막화 과정에서 에스트로겐 수용체 활성 억제인자(repressor of estrogen receptor activity, REA) 및 스테로이드 수용체 보조활성인자-2 (steroid receptor coactivator-2, Src-2)와 같은 전사 조절인자(coregulators)가 중요한 역할을 한다고 알려졌다. 일단 탈락막화 과정이 시작되면 분화하는 기질 세포가 이 과정의 전파에 관여하는 다수의 사이토카인, 성장인자 및 모르포겐(morphogens)을 분비한다. 이 변환은 액티빈 A (activin A)를 포함한 TGF-β 계열 구성원에 의해 조절된다. 또한, 성장호르몬 수용체를 통해 작용하는 그렐린(ghrelin)도 이 과정에 관여한다. 또한, 이러한 탈락막화 과정에서 IL-1β 및 백혈병 억제인자(LIF)와 같은 인터루킨, HOX 유전자와 Notch 신호 전달 경로의 구성원 역시 중요한 역할을 한다.

증식기에 자궁내막 기질세포는 가늘고 긴 들쭉날쭉한 핵이 있는 작은 세포질을 가진 섬유아모세포와 유사한 형태를 가지지만, 탈락막 변환(decidual transformation)을 거쳐 핵의 둥글림(rounding), 핵소체(nucleoli)의 수 증가, 팽창하는 세포질에서 글리코겐 및 지질 방울의 축적과 같은 변화와 연관된다. 탈락막 세포는 분비기에 나타나며, 임신 초기에 계속 증식하여 최종적으로는 착상 부위를 포함한 자궁 전체를 덮게 된다. 탈락막 세포에서는 특징적으로 프로락틴, 릴랙신, 레닌, IGF 및 IGFBP를 포함한 여러 물질이 새롭게 발현한다. 이런 단백질들이 전신 순환된다는 근거는 없으며, 따라서 이들은 자가분비 및 주변분비 작용제 역할을 한다고 여겨진다.

황체기 말기 탈락막의 자궁내막에서 프로락틴이 발견되었다. 탈락막 프로락틴은 뇌하수체 프로락틴과 아미노산 배열 및 화학적, 생물학적 특징이 동일하다. 탈락막 프로락틴 합성과 분비는 태반, 태아막 및 탈락막 인자에 의해 조절된다. 도파민, 브로모크립틴(bromocriptine) 및 갑상선자극호르몬방출호르몬(thyrotropin-releasing hormone, TRH)은 뇌하수체에서와는 달리 탈락막에서는 프로락틴의 합성과 분비에 아무런 영향을 미치지 않는다. 탈락막 프로락틴 분비인자(decidual prolactin-releasing factor)는 태반에서 추출되었으며, 방출 인자의 자극 활성을 억제하는 억제단백질은 탈락막에서 추출되었다. IGF-I, 릴랙신 및 인슐린은 모두 각각의 고유한 수용체를 통해서 탈락막 프로락틴의 합성과 분비를 촉진한다. 탈락막 세포는 프로락틴과 릴랙신을 모두 생산한다. 프로락틴은 탈락막화 범위를 제한하는 자가분비 기전을 통하여 탈락막화 과정에 전반적인 억제작용을 하는 것으로 여겨진다.

리포코르틴-1 (lipocortin-1)은 태반과 탈락막에 존재하는 칼슘- 및 인지질-결합 단백질로 포스포리파제 A2를 억제하고, 글루코코르티코이드에 반응한다. 리포코르틴-1은 탈락막 프로락틴 분비를 억제하지만, 이는 포스포리파제 작용이나 글루코코르티코이드와는 별개의 기전을 통해 이루어진다. 프로스타글란딘계는 탈락막 프로락틴 생성에 관여하지 않으며, 부신피질호르몬도 탈락막 프로락틴 분비에는 영향을 미치지 않는다.

1978년에 양수내 프로락틴의 유래가 뇌하수체가 아니라 탈락막이라는 사실이 밝혀졌다. 체외실험 결과 프로락틴이 태아막을 통과할 때 양막강 방향으로 통과함이 밝혀졌다. 양수내 프로락틴의 농도는 산모의 혈중 농도보다는 탈락막 함량과 상관관계를 보인다. 탈락막에서 프로락틴 발현 세포의 비율은 임신 기간 동안 증가하며, 프로락틴 발현 수준은 탈락막 세포 크기와 양의 상관관계가 있다. 모체 혈중 순환 프로락틴은 만삭 가까이에 최대 농도에 도달하지만, 양수내 프로락틴은 임신 전반기에 최고 농도(약 4,000 ng/mL)에 도달하는데, 이 때 모체 혈장 농도는 약 50 ng/mL, 태아 농도는 약 10 ng/mL 정도이다. 브로모크립틴은 태아 및 산모의 혈중 순환 프로락틴 농도를 감소시키는 약제이지만, 양수 프로락틴은 브로모크립틴 치료의 영향을 받지 않는다.

탈락막 프로락틴은 양수량과 전해질 농도를 조절하는 것으로 여겨진다. 프로락틴은 하등동물에서는 양막에 결합하여 수분과 이온의 이동을 조절한다. 이 기전을 통하여 사람의 임신에서 양수량의 이상을 동반한 장애를 설명이 가능한데, 예를 들어 특발 양수과다증(idiopathic polyhydramnios)의 경우 양막에 프로락틴 수용체가 감소되어 있다. 프로락틴은 태아의 표면활성제 합성과 자궁근육 수축의 억제 작용에도 관여한다. 프로락틴은 면역반응을 억제하므로 태아의 면역학적 거부 반응을 예방하는 데 도움이 된다. 자궁태반단위(uteroplacental unit)의 프로락틴은 영양막의 성장 및 침윤을 자극하고, 혈관신생을 촉진하며, 자궁자연살해세포(uNK cell)의 생존을 조절한다고 알려져 있다.

섬유아모세포성장인자는 탈락막에서 유래하며, 임신 초기의 혈관성장을 촉진한다. 또 다른 인자인 내피세포자극혈관신생인자(endothelial-cell-stimulating angiogenesis factor)은 비단백질 유사분열원(mitogen)으로, 임신 제1

삼분기에 탈락막의 혈관화(vascularization)에 기여한다. 부신피질자극호르몬방출호르몬(corticotropin-releasing hormone, CRH)도 사람 탈락막에서 발견되는데, 탈락막 CRH는 프로스타글란딘 활성화, 자궁근육 수축의 자극, 임신과 분만 중 산모와 태아 스트레스 반응에 대한 기여와 같은 다양한 작용을 보일 수 있다.

레닌의 비활성 전구체인 프로레닌(prorenin)은 IGF-I, 인슐린, 엔도텔린, 및 릴랙신에 반응하여 탈락막에서 생산된다. 레닌(renin)의 자궁에서의 역할은 아직 밝혀지지 않았다.

IGFBP (IGFBP-1, -2, -3, -4)는 자궁내막의 기질세포에서 생산된다. 다량의 IGFBP-1이 양수내에 존재한다. IGFBP는 인슐린, IGF 및 릴랙신에 의해 조절된다. 릴랙신은 구조적으로 인슐린과 IGF와 연관성이 있으며, 자궁내막 기질세포에서 IGFBP-1 생성을 촉진한다. IGFBP-1은 탈락막화 (decidualization)의 표지자로 여겨진다. IGFBP-1은 성장 증진 IGF와 결합하므로, IGFBP-1의 출현은 자궁내막 기질세포의 증식보다는 분화에 기여한다.

IGFBP-1은 처음 발견되었을 당시에는 태반단백질 12 (placental protein 12)로, 그 후에는 임신관련 α-글로불린 (pregnancy-associated αglobin)으로 알려져 왔던 단백질이다. IGFBP-1은 분비기 중반에 자궁내막에서 나타나기 시작하여 임신 제1 삼분기 후반에 주요 생산 수준에 도달한다. IGFBP-1 농도는 임신 16주경에 최고조에 달하며, 프로락틴보다 먼저 나타난다. 임신 제2 삼분기에는 양수와 순환계에 고농도의 IGFBP-1이 존재하다가, 임신 제3삼분기에 현저히 감소한다. 탈락막에서 IGFBP-1의 생성은 프로게스테론에 유도된 형태학적, 조직학적 변화와 연관성이 있으며, 프로게스테론, 릴랙신, 인슐린, IGF-I 및 IGF-II에 의해 조절된다. 사실, IGFBP-1은 프로게스테론으로 유도된 자궁내막 기질세포의 탈락막화의 매개체이다. IGF가 IGFBP에 결합함으로써 분비기 및 임신 중 자궁내막에서 일어날 수 있는 추가적인 유사분열 활성을 제한할 수 있다. 또한, 탈락막 IGFBP-1은 영양막 침윤을 제한하는 데도 기여한다.

난포자극호르몬(FSH), 황체형성호르몬(LH), 갑상선자극호르몬(TSH) 및 사람 융모막생식샘자극호르몬(hCG)에 공통인 당단백 α-subunit는 뇌하수체 및 태반에서 순환계로 분비된다. α-subunit의 특정 역할은 명확하지는 않으나, 생식샘자극호르몬 수용체는 자궁내막에 존재하며, α-subunit은 프로게스테론과 상승작용을 하여 체외 실험에서 자궁내막 세포의 탈락막화를 유도한다. 또한, α-subunit은 부가적으로 탈락막 프로락틴 분비를 촉진한다.

평활융모막(chorion leave), 융모영양막(villous trophoblast) 및 탈락막은 모두 TGF-β 생성 부위이다. TGF-β는 자체 생성 신호를 보낼 수 있으므로, 따라서 TGF-β는 태아 조직에서 탈락막으로 전달되는 메신저가 될 수 있다. TGF-β는 또한 영양막 침윤을 제한하는 작용을 하는 것으로 여겨지며, 이는 PAI의 생성과 기질금속단백분해효소(MMP) 조직억제인자의 생성을 촉진함으로써 가능하다.

III. 결론

자궁이 내분비 기관이라는 데에는 의심의 여지가 없다. 그러나 복잡한 이름과 광범위한 배열의 활동성 물질은 본장의 내용을 이해하는데 있어 어려움을 초래한다. 따라서 이 내용을 이해하기 위해서는 기본적이며, 상대적으로 단순한 설명을 기억하는 것이 도움이 된다. 자궁내막은 생식, 수태에 필수 요소이고, 자궁내막을 이루는 다양한 요소들이 월경주기에 따라 동기화되는 것은 에스트로겐과 프로게스테론의 유도에 의존하며, 국소 생산된 많은 생화학 물질에 의해 조절되고 매개된다. 각각의 모든 신호물질은 형태학적, 생화학적 일련의 동적인 과정을 통하여 반복적으로 초기 배아의 영양공급과 유지에 관여하게 된다.

** 참고문헌 목록은 대한산부인과내분비학회 홈페이지 http://www.kosge.or.kr 또는 QR코드를 통해 보실 수 있습니다.*

CHAPTER 4

수정 및 착상

나용진(부산의대)

난자와 정자가 서로 만나 수정하여 배아로 발달하는 과정은 사람의 생식에서 필수적인 첫 번째 단계이다. 1677년 영국의 Leeuwenhoek가 정자를 발견한 이래로 분자생물학의 눈부신 발달로 수정과 착상의 기전이 알려짐에 따라 불임에 대한 이해의 증진과 치료를 위한 체외수정이 가능하게 되었다. 그러나 불임 치료의 성적은 여전히 일정한 한계를 넘지 못하고 있으며, 수정된 배아가 착상하는 과정에 대한 이해는 아직 많이 부족한 실정이다.

이 장에서는 정자 및 난자의 이동과 수정 및 착상 과정에 대해 알아보고자 한다.

Ⅰ. 정자의 이동(Sperm transport)

1. 정자의 구조

정자의 성숙 과정은 부고환(epididymis)의 초기 분절인 머리(caput)에서 시작되어 몸통(corpus)에서 지속되며, 꼬리(cauda)에서는 최종 성숙과 저장이 이루어진다. 정자발생(spermatogenesis)이 시작된 후 부고환의 꼬리에 저장되기까지는 약 72일이 소요된다. 정자가 부고환꼬리에 도달하면 정자의 머리에 위치한 핵에 거대한 단백분해효소인 첨단체(acrosome)가 씌워진다. 정자의 편모는 미세관과 섬유로 구성된 복합적인 구조물로 근위부는 미토콘드리아에 의해 둘러싸여 있다(그림 4-1). 정자는 부고환으로 이동하

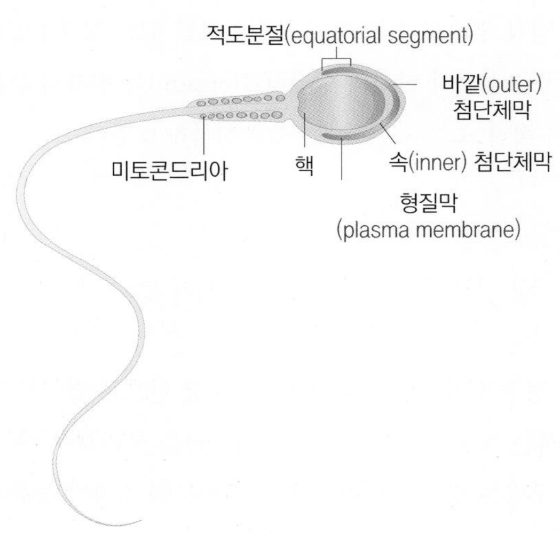

• 그림 4-1. **정자의 미세구조**

면서 점차 운동성과 수정 능력을 획득하게 된다.

2. 정액의 침착(Deposition)

정액은 성교 직후 자궁경부 근처의 질 전벽에 침착되고, 정자는 몇 분 이내에 정액에서 벗어나 자궁경관(cervical canal)으로 헤엄쳐 들어가게 된다.

정액은 사정 직후 겔(gel)을 형성하였다가 전립선에서 나온 효소들에 의해 20-30분 후에 액화(liquefaction)된다. 정액의 수소이온농도지수(pH)는 알칼리성으로 산성 pH 상태인 여성의 질 안에서 정자를 보호해주는 역할을 하지만 이러한 효과는 일시적이어서 2시간 이내에 대부분의 정자들은 운동성을 상실하게 된다. 사정된 정자들 중 일부는 자궁경부 점액(cervical mucus)을 통과하여 자궁 안으로 들어가게 되는데, 이러한 자궁내 유입은 급속히 이루어져서 사정 후 90초 이내에 자궁경부 점액에서 정자를 발견할 수 있다. 사정된 정자의 1% 미만은 여성의 생식계(reproductive system)에 남아 있게 되고, 사정 후 5분 이내에 질 안의 모든 정자는 파괴된다.

정자가 자궁경부 점액을 통과하여 자궁 안으로 성공적으로 진입하기 위해서는 편모운동(flagellar movement)뿐만 아니라 성교 때 발생하는 여성 생식기관의 적절한 수축이 함께 필요하다. 그러나 불임치료를 위한 정액주입술의 성공은 성교와 여성의 성극치감(orgasm)이 정자의 수송에 필수적인 요소는 아니라는 것을 시사하고 있다.

3. 자궁경부를 통한 정자의 수송

정자가 자궁경부를 통과하여 자궁 안으로 진입하기 위해서는 자궁목 점액 속의 구멍(pore)을 통과해야 하는데, 이 구멍은 정자의 머리보다 작기 때문에 정자가 능동적으로 밀고 들어가야만 한다. 정자가 자궁경관의 점액을 통과하지 못하는 것은 불임의 원인이 된다. 예를 들면 항정자항체증후군에서는 정자의 머리에 항체가 부착되어 정상적인 점액내 활동에 장애가 발생할 수 있다. 또한 정자 머리의 형태적 이상으로 점액을 통과하지 못하는 경우도 있다. 최근 발표된 연구에 의하면 정자는 부고환의 꼬리에서 beta-defensin 126 (DEFB 126)이라는 단백질이 코팅되는데, 이 단백은 강한 음전하(negative charge)를 갖고 있기 때문에 정자의 자궁목 점액 통과에 중요한 역할을 한다. 이상과 같이 자궁경부 점액은 여과 작용을 하기 때문에 비정상 정자와 상대적으로 기능이 떨어지는 정자는 점액을 통과하기 어렵게 된다.

4. 정자의 자궁 및 난관 통과

자궁경부를 통과한 정자는 자궁의 수축과 정자 자체의 운동성에 의해 난관으로 이동하게 되는데, 정액이 주입되고 5분 후에 난관에서 정자를 발견할 수 있다. 사람의 경우 사정된 정자는 80시간까지 난관 내에 생존하며 투명대(zona pellucida)가 제거된 햄스터 난자를 투과할 능력이 있지만, 동물에서는 정자가 수정능력을 가지는 기간은 운동성이 있는 기간의 약 절반 정도이다.

정자의 수는 질에서 난관으로 이동하면서 상당히 감소하는 양상을 보이는데 사정 직후 질 내에는 약 2-3억 개의 정자가 침착되지만 난자까지 근접할 수 있는 정자는 수백 개가 채 되지 않는다(그림 4-2). 정자는 질내에 침착된 직후 체외로 흘러 많은 수가 감소되고, 질내 각종 효소나 자궁내막 세포에 의해 소화 흡수되어 감소되기도 하며, 난관에서도 다수의 정자가 복강 내로 유출된다. 그러나 자궁경부는 정자를 저장할 수 있으며, 사정 후 72시간까지 정자가 존재할 수 있다.

난관에서 수정능획득(capacitation) 전의 정자는 상피세포에 부착되어 있다. 정자가 상피세포에서 유리되고 수정능을 획득하게 되면 과활성운동(hyperactivated motility)이라 불리는 새로운 형태의 운동성을 보이게 된다. 정자의 이러한 운동은 난관 상피세포와의 상호작용으로 보다 빠른 속도와 유리한 방향성을 가지게 되어 부착과 포획을 피할 수 있게 한다.

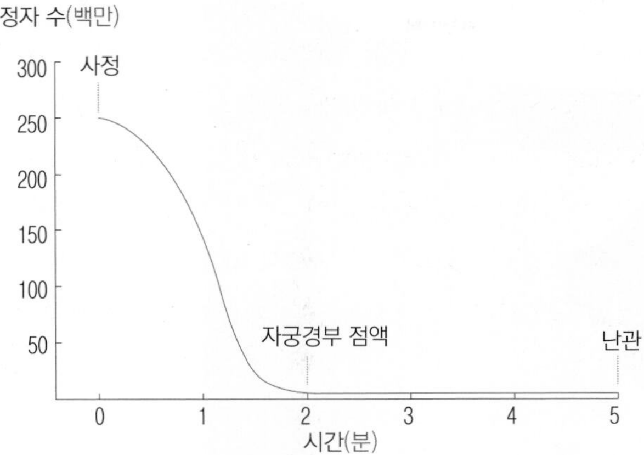

• 그림 4-2. **여성 생식기관에서 정자 수의 감소 현상**

5. 자궁경부 점액의 구조

자궁경부 점액은 자궁경관의 통로에서 과립형으로 분비되어 네트워크 구조를 형성하여 정자의 투과가 일정하게 유지되지 못하게 한다. 월경주기 중기에 에스트로겐의 혈중 농도가 최고치에 도달할 때, 즉 배란 직전에, 자궁경부 점액의 생성과 수분 함유 정도 및 큰 당단백들 사이를 차지하는 공간이 극대화된다. 자궁이 수축하여 점액이 압력을 받으면 정자의 이동 방향과 평행한 가닥이 선형으로 배열(linear alignment)되어 정자의 이동을 돕는 역할을 할 것으로 생각되고 있다. 자궁경부를 통과하는 동안 정자의 수정능획득 과정이 시작되지만 완성되는 것은 아니다.

6. 정자의 수정능획득(Capacitation)

정자가 수정할 수 있는 능력을 갖기 위해 변형되는 과정을 수정능획득이라 한다. 수정능획득은 정자가 난관에 있을 때 일어나며, 다음과 같은 3단계로 나눌 수 있다.

1. 첨단체반응(acrosomal reaction)
2. 난자의 투명대에 부착하는 능력
3. 과운동성의 획득

수정능획득은 정자의 표면 특성을 변화시키는데 표면을 덮고 있는 정액의 혈장 요소를 제거하고, 표면의 전하를 수정하며, 수용체의 운동성을 제한하는 과정이다. 부고환으로부터 배출된 중요한 코팅 단백질인 beta-defensin 126 (DEFB 126)은 정자가 자궁경부 점액을 통과할 수 있게 하며, 정자가 난관 상피세포에 부착되게 함으로써 난관에 머무를 수 있게 한다. 또한 정자가 난자의 투명대에 부착하기 위해서는 DEFB 126이 반드시 정자의 머리로부터 유리되어야 한다.

첨단체반응이란 정자의 바깥첨단체막과 형질막이 파괴되어 첨단체에 포함되어 있는 효소들이 분비되어 정자가 난자를 통과할 수 있게 하는 반응이다. 첨단체반응으로 정자의 속첨단체막이 난자의 형질막과 결합하게 된다(그림 4-1). 이러한 첨단체반응은 체외에서도 난자의 투명대 단백과 난포액에 의해 유발될 수 있다. 수정능획득의 마지막 단계로 정자는 과운동성을 갖게 되는데 이 과정은 정자의 난자 투명대 통과에 매우 중요한 역할을 한다.

II. 난자의 이동(Egg transport)

배란되었을 때 난자는 과립막세포(granulosa cell)에 의해 둘러싸인 상태로 난포의 벽에 부착되어 있다. 투명대는 당단백질로 이루어진 무세포층으로 난자와 과립막세포를 분리시킨다. 과립막세포는 난자의 형질막과 간극연결(gap junction)을 통해 원활한 대사소통에 관여한다. 월경주기 중기에 황체형성호르몬(LH)의 급격한 상승이 일어나면 난자가 성숙하게 되어 감수분열이 재개되고 2차 감수분열에 들어가 중기(metaphase) 상태에서 정지하게 된다. 배란 직전에 난자와 난포세포의 접촉이 소실되며 간극 연결이 파괴되어 난자의 성숙을 유도하고, 피질과립(cortical granule)이 난자의 바깥피질로 이동하게 되며, 난자는 난포벽으로부터 분리를 준비하게 된다.

배란된 난자는 2-3분 후에 난관의 팽대부(ampulla)에 도달하게 된다. 배란된 난자는 난포세포와 함께 난소의 표면에 부착되어 있다가 난관술(fimbria)이 난소 표면을 쓸어

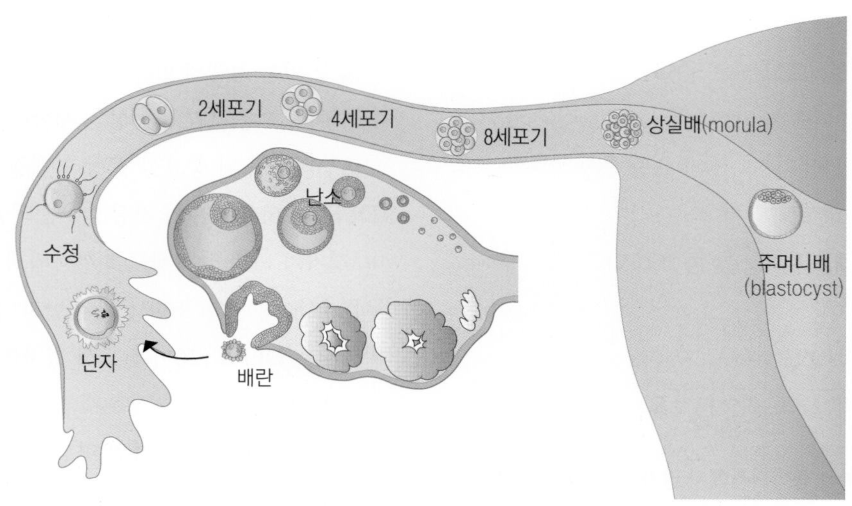

● 그림 4-3. **난자와 수정란의 이동**

낼 때 난관으로 유입된다. 난관으로의 유입은 난관술이 난소 표면과 접하게 되는 근육 작용을 통해 촉진되며, 이러한 근육 작용을 통해 한쪽 난소와 반대쪽 난관만 남아 있는 경우에도 임신이 가능하게 된다. 근육의 수축작용으로 인해 미세한 음압이 형성될 수 있으나 난자의 흡입에 필수적인 것은 아니며, 난관술의 근접 근위부를 결찰하여도 난자가 난관으로 유입되는 것에는 문제가 없다(그림 4-3).

난관은 상피에 의해 둘러싸여 있으며 월경주기의 호르몬 변화에 반응하여 자궁내막처럼 주기적인 변화를 겪는다. 상피는 섬모(ciliated)세포와 비섬모(non-ciliated)세포로 구성되어 있는데 비섬모세포는 월경주기의 난포기(follicular phase) 동안에 분비 기능을 가져서 난자의 수송과 착상에 중요한 대사적 요인을 제공하게 된다. 난관술의 표면에 있는 다수의 섬모는 난자가 난관으로 유입되는 최초 단계에서 중요한 역할을 한다.

난관내 난자의 이동은 주로 난관의 근육 수축에 의해 이루어지며, 난관의 섬모 운동에 의한 분비액의 흐름도 난자의 이동에 관여한다. 난관 근육의 수축력은 프로스타글란딘 E2와 F2α에 의해 촉진되고 프로게스틴(progestin), 사람 융모생식샘자극호르몬(human chorionic gonadotropin, hCG)과 옥시토신(oxytocin)에 의해 감소한다.

난관을 통한 난자의 수송은 대략 3일 정도가 걸리며, 이 중 90%의 시간은 수정과 난포세포(cumulus cell)의 분산(dispersion)이 일어나는 난관 팽대부에서 소요된다. 난관은 난자를 이동시킬 뿐만 아니라 중요한 지연기능(holding action)을 제공하여 자궁내막이 수정란 착상에 가장 적합한 시기가 되고 수정란이 착상 능력이 있는 주머니배(blastocyst)로 진행될 때까지의 시간을 허용한다. 배란 후 혈중 농도가 증가되는 에스트로겐과 프로게스테론이 이러한 기능을 조정할 것으로 생각되고 있다.

III. 난자의 성숙(Oocyte maturation)

난소의 난포에 존재하는 난자는 제1 감수분열의 겹섬유기(diplotene stage)인 배소포기(germinal vesicle, GV, stage)에 세포주기가 정지되어 있다. 그러나 배란 전 황체형성호르몬(LH)의 자극에 의해 감수분열이 재개되면서 배소포붕괴(germinal vesicle breakdown, GVBD)가 유발된다. 배소포붕괴 이후 난자의 염색질(chromatin)은 염색체로 응축되고, 미세관(microtubule)들이 감수분열방추(meiotic spindle)를 형성하여 응축된 염색체를 둘로 나누고 한쪽이 제1 극체(polar body)로 방출되면서 제1 감수분열이 완료된다. 그리고 난자 세포질에 남아 있는 나머지 염색체에 방추(spindle)가 형성되어 제2 감수분열 중기(metaphase II, MII)에 도달하게 되면 수정되기 전까지 감수분열이 다시 중지된다. 이와 같이 배소포기에 정지되어 있던 난자의 감수분열이 재개되어 제2 감수분열 중기에 도달하는 과정을 난자의 성숙(oocyte maturation)이라고 한다. 본 장에서는 난자 성숙 과정의 이해를 돕기 위해 감수분열의 정지와 재개를 조절하는 기전들을 살펴보도록 하겠다.

1. 감수분열 정지의 기전(Mechanism of meiotic arrest)

난자 감수분열의 정지와 재개는 cyclin-dependent kinase 1 (CDK1)과 cyclin B의 복합체인 maturation promoting factor (MPF)에 의해 조절되는데, CDK1의 인산화로 MPF가 비활성화(inactivation)되면 감수분열이 정지되고 반대로 CDK1이 탈인산화되어 MPF가 활성화(activation)되면 감수분열이 재개된다.

MPF의 활성화를 조절하는 가장 중요한 인자는 고리 AMP (cyclic adenosine 3', 5'-monophosphate, cAMP)로 알려져 있다. 고리 AMP는 protein kinase A (PKA)의 활성도(activity) 조절을 통해 CDK1을 탈인산화하여 MPF를 활성화시키는 CDC25 phosphatase와 CDK1을 인산화하여 MPF를 비활성화하는 Wee1/Myt1 protein kinase의 역할을 촉진하거나 억제함으로써 MPF의 활성도를 조절한다. 실제로, 제1 감수분열 겹섬유기(diplotene stage)에 감수분열이 정지되어 있는 난자의 경우 높은 농도의 cAMP가 난자 내에 존재하고 이로 인해 PKA의 활성도가 증가된다. 이렇게 활성도가 증가된 PKA에 의해 CDC25와 Wee1/Myt1이 모두 인산화되고, 그 결과 MPF의 활성화를 유도하는 CDC25의 기능은 억제되는 반면 MPF의 활성화를 억제하는 Wee1/Myt1의 기능은 촉진되어 MPF가 비활성화된다 (그림 4-4).

난자 내 cAMP는 난구세포(cumulus cell)에서 분비되어 간극연결(gap junction)을 통해 유입되고, 이에 따라 난자 내 cAMP의 농도가 조절된다는 것이 가장 오래된 가설이었다. 그러나 난자의 원형질막에 존재하는 G-protein linked receptor (GPR)의 활성화에 의해 G stimulatory (Gs)

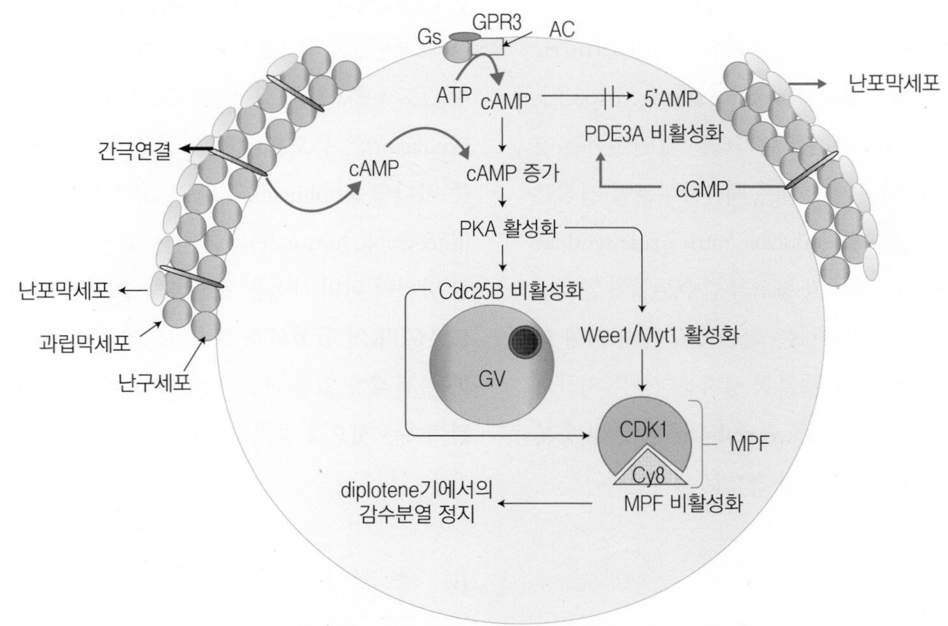

● **그림 4-4. 배소포기 난자의 감수분열 정지를 위한 조절** 과립막세포와 난구세포에서 생산된 cAMP와 cGMP가 간극연결을 통해 난자 내로 유입되고, 증가된 cGMP가 PDE3A를 비활성화하여 cAMP의 가수분해를 억제함으로써 난자 내 cAMP의 농도가 증가된다. 그리고 이렇게 증가된 cAMP가 PKA의 활성도를 증가시켜 Cdc25B phosphatase를 비활성하고 Wee1/Myt1 kinase을 활성화하여 CDK1의 탈인산화를 유도함으로써 MPF를 비활성화한다.

protein이 자극을 받으면 adenylate cyclase의 활성도가 증가되어 난자내 존재하는 ATP 중 일부가 cAMP로 전환됨으로써 감수분열을 억제하기에 충분한 cAMP를 난자 스스로가 생산할 수 있다는 것이 다양한 동물실험에 의해 규명되었다. 더욱이 사람의 난자에서도 GPR12의 발현이 확인되었을 뿐만 아니라 Gs protein의 기능을 억제하는 항체를 난자에 주입하였을 때 감수분열이 재개되는 것으로 확인되어 사람 난자의 감수분열 억제 또한 G-protein 신호체계(signaling pathway)에 의해 유지되는 것으로 생각된다.

난포를 구성하고 있는 체세포들 또한 감수분열 억제인자들을 분비한다. 특히 난자 주변의 난구세포로부터 유래되고 간극연결을 통해 난자내로 유입되는 cyclic guanosine 3', 5'-monophosphate (cGMP)가 중요한 감수분열 억제인자로 알려져 있다. cGMP는 phosphodiesterase 3A (PDE3A)에 의한 cAMP의 가수분해를 억제하여 높은 농도의 cAMP를 유지함으로써 감수분열의 진행을 억제하는 것으로 생각된다. 그리고 난포막세포(theca cell)에서도 감수분열 억제인자를 분비하는데, 실제로 난포막세포에서 분비되는 퓨린(purine)은 간극연결을 통해 난자내로 유입되어 PDE3A의 가수분해 기능을 억제하는 것으로 보고되었다.

추가적으로 최근 연구들에 의하면 산화질소(nitric oxide, NO)와 같은 활성질소종(reactive nitrogen species, RNS) 또한 감수분열 정지 상태를 유지하는 데 관여하는 것으로 생각되고 있다. 이러한 가설은 제1 감수분열 겹섬유기에 정지되어 있는 난자 내 inducible nitric oxide synthase (iNOS)의 발현량과 산화질소의 농도가 감수분열이 완료된 성숙난자에 비해 높게 나타난다는 최근 연구들에 의해 확인되었다. 그러므로 난자가 감수분열 정지상태를 유지하기 위해서는 iNOS-중개경로(mediated pathway)를 통해 충분한 양의 산화질소가 생산되어야 할 것으로 생각된다.

2. 감수분열 재개의 기전(Mechanism of meiotic resumption)

난자의 감수분열 재개는 황체형성호르몬(LH)과 같은 생식샘자극호르몬(gonadotropin)에 의해 유발된다. 그러나 난자에는 이들 호르몬에 대한 수용체가 존재하지 않기 때문에 수용체를 갖고 있는 주변의 과립막세포(granulosa cell)와 난구세포를 통해 감수분열 억제 물질을 제거하고 동시에 감수분열 촉진에 관여하는 물질을 난자에 제공함으로써 감수분열이 재개된다.

배란을 위한 LH 급증(surge)에 의해 과립막세포의 수용체가 자극을 받으면 cAMP의 발현이 증가되고, 이에 따라 과립막세포에서 혈관내피성장인자유사단백(epidermal growth factor, EGF, like protein)의 분비가 유발된다. 분비된 EGF유사단백은 과립막세포의 미토겐활성화단백질키나제(mitogen-activated protein kinase, MAPK)를 활성화시켜 간극연결 유지에 필수적인 connexin 43의 비활성화를 유도하여 난구세포와 난자 사이의 간극연결을 붕괴시킨다. 이러한 간극연결의 붕괴는 과립막세포로부터 유래되는 cAMP의 난자 내 유입을 방지함과 동시에 cGMP의 유입 또한 방지하여 PDE3A에 의한 cAMP의 가수분해 기능을 활성화하여 난자 내 cAMP의 농도를 감소시킨다. 그리고 이렇게 감소된 cAMP에 의해 PKA의 활성도가 소실되면 CDC25의 기능은 활성화되는 반면 Wee1/Myt1의 기능은 억제됨으로써 MPF가 활성화되어 감수분열이 재개된다(그림 4-5). 최근 사람의 난포액 내 EGF유사인자(EGF-like factor)의 농도를 측정한 연구에 따르면 EGF유사인자 중 하나인 amphiregulin (AREG) 농도가 황체자극호르몬(luteotropic hormone)의 자극 이후 급격히 증가되는 것으로 밝혀져 위의 가설을 뒷받침해 주고 있다. 한편 난자에서도 MAPK의 활성화가 유발되는데, 이는 감수분열의 재개와는 관계가 없고 배소포붕괴 이후 감수분열방추 형성에 관여하는 것으로 알려져 있다.

Ⅳ. 수정(Fertilization)

1. 수정 과정(Fertilization process)

수정이란 정자와 난자의 상호작용을 통해 접합체(zy-

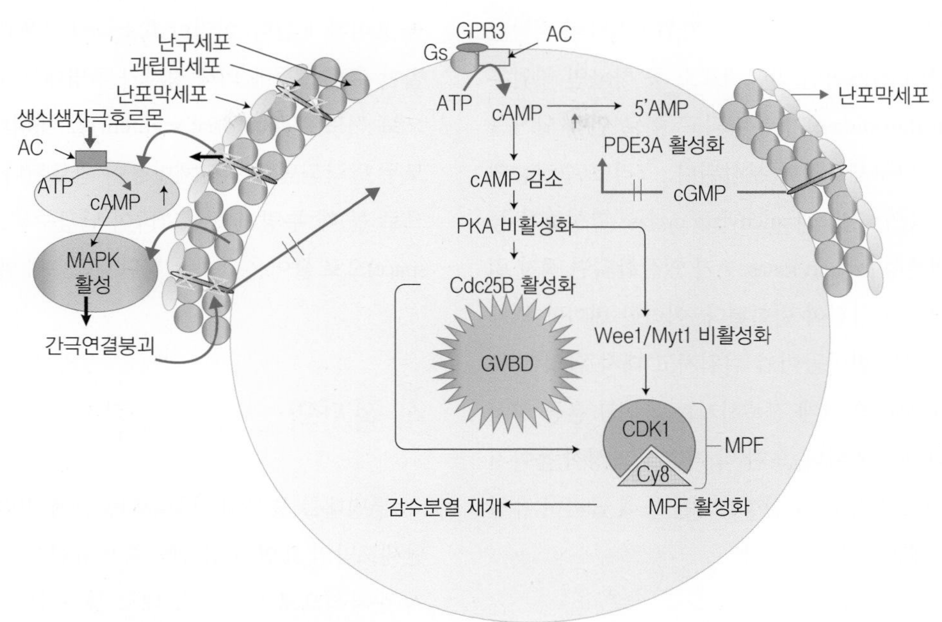

• 그림 4-5. **LH 자극에 의한 감수분열 재개를 위한 조절기전** LH가 과립막세포의 수용체에 결합하면 adenylate cycles (AC)가 활성화되어 cAMP가 생산되고 증가된 cAMP는 과립막과 난구세포에서 EGF-양단백의 분비를 자극한다. 분비된 EGF-양단백은 과립막과 난구세포와 난자 사이의 간극연결을 붕괴하여 cAMP와 cGMP의 난자 내 유입을 차단한다. 그리고 cGMP의 농도의 감소는 PDE3A를 활성화하여 가수분해를 통한 난자 내 cAMP 농도를 감소를 유도하고 그 결과 PKA의 활성도가 감소되어 Cdc25B phosphatase를 활성화시키고 Wee1/Myt1 kinase는 비활성화되어 CDK1의 인산화를 유도함으로써 MPF를 활성화시킨다.

gote)를 형성하는 전반적인 과정을 지칭한다. 수정을 위해 배란된 성숙난자의 바깥층은 난구세포(cumulus cell)와 기질(matrix)로 구성된 난포세포더미(난구, cumulus oophorus)로 둘러싸여 있고, 안쪽에는 정자에 대한 리간드(ligand)를 갖고 있는 비세포성 균질층인 투명대(zona pellucida, ZP)가 존재하여 난세포질을 보호한다. 사출된 정자는 이러한 막들을 통과하기 위해 수정능획득(capacitation)과 첨단체반응(acrosomal reaction) 같은 형태적, 기능적 변화가 수반되어야 한다. 투명대를 통과해 난세포질에 도달한 정자는 난세포막과의 융합 과정을 통해 머리와 꼬리가 순차적으로 난세포질내로 들어가게 되며, 이때 난자가 활성화되면서 감수분열이 재개된다. 이후 정자와 난자로부터 유래된 염색체들이 풋핵(pronucleus)을 형성하고 양쪽의 풋핵이 합쳐져 접합체를 형성함으로써 수정이 완료된다.

2. 수정능획득(Capacitation)

정자가 난자의 투명대와 난세포막을 통과, 난자의 세포질내로 진입하여 수정을 완성하기 위해서는 여성의 생식기관내에서 일정 시간 머물면서 생리적 및 기능적으로 변화되어야 하는데, 이러한 변화를 수정능획득이라고 한다. 수정능획득 과정에서 정자의 표면에 부착되어 있으며 수정능력 제거인자(decapacitation factor)를 함유하고 있는 정액장액(seminal plasma) 및 당단백질(glycoprotein)이 제거되고 정자원형질막의 성상 변화가 일어난다. 그러나 정액장액의 제거는 다만 수정능획득과정의 준비 단계에 불과하며, 진정한 수정능획득은 정자 원형질막의 성상 변화에 의하여 이루어지는데 이는 정자의 수정능획득, 과운동(hyperactivation)과 첨단체반응의 개시를 위한 중요한 과정이다.

수정능획득은 여성의 생식기관내에서 이루어지며 생식기관 분비액 내의 알부민(albumin)이 중요한 인자로 알려져 있다. 실제로, 알부민에 의해 정자원형질막의 지방산과 콜레스테롤이 제거되면 첨단체효소 중 하나인 히알루로니다아제(hyaluronidase)가 분비되고, 이로 인해 난자를 둘러싸고 있는 난구세포층이 분산된다. 그리고 수정능획득이 일어나는 동안 정자의 adenylate cyclase 활성도가 높아져 cAMP 의존성 protein kinase A가 인산화되면 정자 원형질막의 생리적인 성질이 변화된다. 이러한 변화에 의해 정자는 에너지원을 받아들이기 쉬워지고 대사 활성이 높아짐과 동시에 꼬리를 크게 진폭시키는 독특한 운동 양식인 과운동을 나타내게 된다. 또한 막 이온 투과성이 높아져 칼슘이온(Ca^{2+})이 정자 머리 원형질막을 통해 급격히 유입됨으로써 첨단체반응이 유도된다.

3. 첨단체반응(Acrosomal reaction)

수정능획득이 일어난 정자가 난자를 둘러싼 난구세포층을 통과하면서 정자의 첨단체(acrosome)에 형태적인 변화가 생기고, 원형질막과 첨단체외막이 부분적으로 융합하여 잔물집이 형성(vesiculation)됨으로써 투명대를 통과하기 위한 첨단체효소를 방출하게 되는데 이를 첨단체반응이라 한다. 첨단체반응은 수정능획득이 완료된 정자의 수용체가 투명대에 존재하는 리간드에 결합되면서 시작되는 것으로 생각된다. 실제로, 정자 머리 표면에는 투명대의 리간드와 결합하는 다양한 수용체와 결합단백질들이 존재한다. 투명대는 난자로부터 분비되는 당단백 ZP1, ZP2, ZP3로 구성되어 있는데 이들 중 가장 풍부한 ZP3가 정자 표면 수용체의 1차적인 리간드로 작용하여 정자와 투명대의 결합을 유도한다. 이렇게 정자와 투명대가 결합되면 이온채널을 조절하는 G 단백들이 활성화되고, 이로 인해 이온채널이 열리면 칼슘이온(Ca^{2+})의 농도가 상승하게 된다. 지속적인 칼슘이온 농도의 증가가 있으면 원형질막과 첨단체외막의 융합이 촉발되어 잔물집이 형성된다. 이와 동시에 증가된 칼슘이온은 프로아크로신(proacrosin)을 트립신양효소(trypsin-like enzyme)인 아크로신(acrosin)으로 활성화시킴으로써 투명대를 연화시켜 정자의 투명대 통과를 용이하게 한다. 이러한 효소들의 작용과 함께 꼬리의 활발한 추진 운동에 의해 정자가 투명대를 통과하며, 마지막으로 적도부(equatorial segment)를 제외한 첨단체외막이 모두 탈락되면서 첨단체반응이 완료된다. 실제로 형태적으로 볼 때 투명대를 통과하여 난황주위공간(perivitelline space)으로 들어온 정자는 첨단체반응이 완료된 상태이다.

4. 정자와 난자의 융합

투명대를 통과해 난황주위공간에 진입한 정자는 즉시 난세포막의 표면에 접착한 후 막융합을 통해 머리와 꼬리가 순차적으로 난세포질 내로 들어간다. 정자 머리의 적도부가 난자를 덮고 있는 미세융모(microvilli)와 1차적으로 접촉하게 되고, 이후 미세융모들에 의해 둘러싸인 정자 머리부위를 난세포막 쪽으로 유입시킨 후에 첨단체반응을 통해 노출된 정자의 첨단체외막과 난세포막이 융합하게 된다(그림 4-6). 이러한 과정은 난세포막과 정자의 머리에서 유래되는 특이단백질들에 의해 조절되는 것으로 알려져 있다. 난세포막에서 유래되는 단백질들 중 CD9과 glycosylphosphatidylinositol (GPI)-anchored protein들이 중요한 역할을 하는 것으로 보고되었는데, 실제로 CD9와 GPI-anchored protein의 기능을 억제하면 정자와 난세포막의 결합 및 융합이 차단된다. 또한 사람 정자의 머리에서 유래하는 막단백질 중 부고환정자단백(epididymal sperm protein) ARP에 대한 다클론성 항체를 정자에 처리하였을 때 난세포막과의 결합 및 융합이 억제되는 것으로 밝혀지면서 ARP도 난세포막과 정자 머리의 융합에 관여하는 중요한 단백질로 인식되고 있다.

정자와 난자의 막융합 이후, 다정자진입(polyspermia)을 방지하기 위해 투명대반응(zona reaction)이 일어나고 감수분열의 재개를 유발하는 난자의 대사 활성화가 나타나는데, 이러한 과정은 모두 난자 세포질내 칼슘농도의 주기적인 증가(oscillations)에 의해 유발된다. 칼슘농도의 증가는 정자의 세포액인자(cytosolic factor)에 의해 촉발되는데 최근 연구에 따르면 정자 특이 phospholipase C zeta

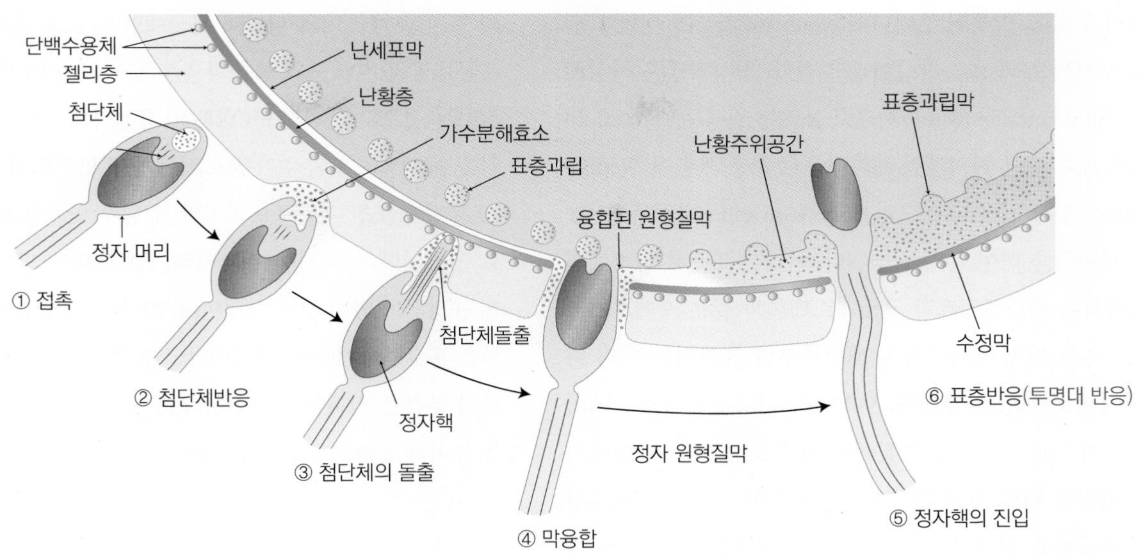

• 그림 4-6. **정자의 투명대 통과와 난세포질과의 융합과정** 수정능획득이 일어난 정자의 머리가 투명대의 리간드와 결합하면 첨단체 반응이 유발되어 첨단체효소들이 방출됨으로써 정자의 투명대 통과를 용이하게 한다. 투명대를 통과해 난황주위공간 내로 들어온 정자의 머리가 난세포막의 표면에 접착하면 막융합이 일어나 정자 머리와 꼬리가 순차적으로 난세포질 내로 유입된다.

(PLCζ)가 대표적인 인자로 인식되고 있다. 생쥐를 이용한 동물실험에서 재조합된 PLCζ 단백질을 난자에 주입하면 칼슘농도가 증가되는 것이 확인되었고, 세포질내정자주입술(ICSI) 이후 반복적으로 수정에 실패하는 불임 남성의 정자에서 PLCζ의 발현 이상이 확인됨으로써 정자에서 유래되는 PLCζ가 난세포질내 칼슘농도의 증가를 촉발하는 중요한 인자로 여겨지고 있다.

참고로, 투명대를 통과한 정자가 난세포막과 접촉하면 난세포질 내의 피질과립(cortical granule)이 붕괴되고, 여기에서 방출되는 가수분해효소의 작용에 의해 투명대의 물리적 및 화학적인 성질이 변화되는데 이것을 투명대 반응이라고 한다. 이러한 과정을 통해 투명대가 경화되고 정자의 수용체 역할을 하는 리간드들의 비활성화가 이루어져 다정자진입을 차단할 수 있게 된다(그림 4-6).

5. 풋핵(pronucleus)의 형성

성숙된 난자의 세포주기는 제2 감수분열 중기(metaphase II, MII)에 정지되어 있는데, 수정 후 난자 세포질내 칼슘농도의 주기적인 상승에 의해 제2 감수분열이 재개되어 염색체(chromosome, 2n)의 분리가 일어나 한쪽은 제2 극체가 되어 난황주위공간으로 방출되고, 다른 한쪽은 핵막이 형성되면서 여성풋핵이 된다. 그리고 난자의 세포질내로 유입된 정자핵의 핵막은 급속히 붕괴되어 염색체가 직접 세포질에 노출되는데 난자의 세포질내에 존재하는 단백질분해효소의 작용으로 팽창된다. 이렇게 팽창된 염색체는 주변에 집적되어 있는 활면세포질그물(smooth surfaced endoplasmic reticulum)이 서로 융합하여 핵막을 재구성함으로써 구형의 남성풋핵을 형성한다. 이와 같이 형성된 여성과 남성풋핵은 난자의 중앙으로 이동하여 접착된 다음 핵막이 소실되고, 이어서 각각의 반수(n) 염색체가 합체되어 접합체를 형성함으로써 수정이 완료된다.

V. 착상(Implantation)

태아의 발생 및 발달에 필요한 영양 성분, 노폐물 그리고 산소 등이 탯줄을 통하여 산모와 태아에게 전달될 수 있도록 매개체 역할을 하는 태반을 형성하기 위해 정자와 난자의 수정 후 발생된 주머니배(blastocyst)가 자궁내막 표면에 부착되는 과정을 착상이라고 한다. 착상과정은 착상시간대(implantation window)라고 불리는 월경주기 제 20-24일의 매우 짧은 시기에만 제한적으로 허용되며 접촉(apposition), 부착(adhesion) 그리고 침습(invasion)이라는 3단계의 과정을 통하여 순차 진행된다. 이러한 과정은 난소에서 분비되는 에스트로겐과 프로게스테론과 같은 스테로이드 호르몬과 함께 자궁내막과 배아로부터 유래되는 여러 가지 사이토카인, 성장인자, 부착인자(adhesion molecule)와 같은 다수의 신호전달 물질들에 의해 조절된다. 본 장에서는 착상을 위한 자궁내막의 형태 변화와 필수적인 신호전달 물질들을 살펴봄으로써 착상과정의 이해를 돕고자 한다.

1. 자궁내막의 형태변화

자궁이 주머니배의 착상을 위한 최적의 수용성을 갖는 짧은 시간을 착상시간대(implantation window)라고 부르며 자궁내막 상피의 형태 변화가 수반된다. 이러한 변화는 자궁내막 상피의 첨단면(apical surface)에서 표면 돌출(protrusion)의 형태로 나타나는 피노포드(pinopod)의 발현으로 특징지을 수 있다. 피노포드의 발현은 착상기와 일치하는 월경주기 제 20-21일에 제한적으로 나타나며 오직 전자현미경으로만 식별이 가능하다. 그리고 주머니배가 자궁내막 피노포드 위에 부착되는 것이 확인되었고, 부착에 필요한 수용체들이 피노포드의 표면에 존재하는 것으로 생각되고 있어서 피노포드는 배아와 자궁내막 사이의 상호작용이 일어나는 장소로 여겨지고 있다. 그러나 일부 연구자들은 피노포드가 중기에서 후기 분비기까지 존재하며 월경주기에 따라 모양이 변화되어 나타나므로 피노포드의 존재유무보다는 형태가 착상을 위해 더 중요한 인자라고 보고하고 있다.

피노포드의 발현은 호르몬 의존성으로 주로 프로게스테론의 영향 하에 있는 것으로 생각되는데, 실제로 중기 황체기에 프로게스테론의 분비가 증가되면 피노포드가 형성되기 시작한다. 이와 더불어 자궁내막 수용성 증가를 위해 자궁내막 간질세포의 증식과 상피세포의 형태 변화를 조절하는 것으로 알려진 HOXA-10 유전자의 발현이 억제되었을 때 피노포드의 수가 감소되는 것이 확인되어, HOXA-10 유전자 또한 피노포드의 발현에 필수 역할을 하는 것으로 생각된다. 그러나 현재까지 피노포드의 역할은 명확하게 규명되어 있지 않은 상태이며, 착상 시 자궁강내 분비액들을 흡수하여 배아와 자궁내막의 접촉면을 증가시키고 배아의 부착을 억제하는 뮤신(mucin)을 제거해 배아의 부착을 용이하게 하는 역할을 할 것으로 알려져 있다.

2. 착상에 관여하는 사이토카인과 성장인자

사이토카인과 성장인자는 세포표면 수용체에 결합하여 자궁내막 세포의 기능을 조절하는 세포 내인성 신호로 작용한다. 그리고 이들은 자가분비(autocrine), 주변분비(paracrine) 그리고 내분비 (endocrine) 조절기전에 의해 주머니배와 자궁내막 사이의 상호작용에 관여한다. 사이토카인은 자궁점막(uterine mucosa)과 배아에서 분비되고 부착(adhesion) 및 항부착(anti-adhesion) 단백질의 발현을 조절함으로써 자궁내막의 수용성을 증가시킨다. 자궁의 수용성을 증가시켜 착상을 용이하게 하는 대표적인 사이토카인과 성장인자들로는 백혈병억제인자(leukemia inhibitory factor, LIF), 인터루킨-1 (interleukin-1, IL-1), 헤파린결합-표피성장인자(heparin binding-epidermal growth factor, HB-EGF), 표피성장인자(epidermal growth factor, EGF), 인슐린유사성장인자(insulin-like growth factor, IGF) 그리고 케라틴세포성장인자(keratinocyte growth factor, KGF) 등이 있다.

1) 백혈병억제인자(Leukemia inhibitory factor, LIF)

LIF는 자궁내막의 내강과 샘상피에서 주로 분비되며 증식기와 초기 분비기 동안은 매우 낮은 수준으로 유지되나 중기와 후기 분비기 동안 발현이 급증하는 것으로 확인되었다. LIF의 발현은 다른 사이토카인들에 의해 조절되는데, 실제로 IL-1α, TNF, PDGF, TGF와 EGF는 LIF 발현을 유발하는 반면 IFN-α는 LIF의 발현을 억제하는 것으로 생각된다. 최근에는 배아로부터 유래되는 hCG, IGF-I, IGF-II에 의해서도 LIF의 발현이 촉진되는 것이 보고되어 초기 배아유래 신호들 또한 LIF의 발현을 조절하는 것으로 생각되고 있다. 배아의 착상에서 LIF는 주머니배의 착상에 중요한 역할을 하는 것으로 생각되는데, 실제로 반복적으로 착상에 실패하는 불임 환자들에서 LIF의 비정상적인 발현 양상이 확인되었고, rLIF를 투여할 경우 자궁내막의 수용성이 증가되었다. 추가적으로 최근 연구들은 LIF가 첨가된 배양액에서 영양막을 체외배양 하였을 때 분화가 촉진되었고, 피노포드가 존재하는 자궁내막 샘상피에서 LIF와 LIF 수용체의 발현이 증가한다고 보고하였다. 따라서 LIF는 영양막의 분화와 피노포드의 형성에도 중요한 역할을 하는 것으로 여겨진다.

2) 인터루킨-1 (Interleukin-1, IL-1)

IL-1계는 IL-1α와 β 그리고 억제인자인 IL-1 수용체 길항제(interleukin-1 receptor antagonist, IL-1ra)로 구성되어 있고 IL-1 receptor type 1 (IL-1rt-1)과 2 (IL-1rt-2)라는 두 개의 수용체를 갖는다. 그러나 사람의 자궁내막 상피세포는 주로 IL-1β와 IL-1ra를 분비하고 오직 IL-1rt-1만이 수용체로 존재한다. 그리고 IL-1β와 IL-1ra의 발현은 모든 월경주기에서 확인되나 IL-1rt-1의 발현은 분비기 동안 최고치에 도달하는 것으로 알려져 있다. 최근 생쥐를 이용한 연구에 따르면 IL-1 수용체의 길항제를 투여한 결과 착상이 일어나지 않는 것으로 확인되었고, 이러한 현상은 주머니배의 부착에 중요한 역할을 하는 자궁내막상피유래 인테그린(integrin)의 분비가 감소되기 때문인 것으로 생각된다. 사람 자궁내막상피세포의 체외배양에서는 IL-1에 의해 인테그린 β3의 발현이 증가되어 주머니배의 착상이 증진되었다. 추가적으로 IL-1 수용체 길항제의 발현은 착상기 동안 감소되어 IL-1의 기능을 증진시킴으로써 착상을 용이하게 하는 것으로 보인다.

3) 표피성장인자(Epidermal growth factor, EGF)

EGF는 자궁내막 상피세포와 간질에서 모두 발현되며, 에스트라디올 작용에 대한 polypeptide 매개체로 생각된다. EGF는 강력한 유사분열물질(mitogen)로 사람에서의 농도는 월경주기에 관계없이 거의 일정하게 발현되나 EGF수용체의 발현량은 배란 직전에 최고치에 이르고 이후 급격히 감소된다. EGF는 에스트라디올과 프로게스테론의 상호작용에 의해 자궁내막 상피세포와 간질의 증식 및 분화를 촉진시킨다. 따라서 EGF는 탈락막화와 착상을 위해 중요한 요소로 작용할 것으로 여겨진다.

4) 헤파린결합-표피성장인자(Heparin binding-epidermal growth factor, HB-EGF)

헤파린결합-표피성장인자는 표피성장인자들 중 하나로 EGF수용체와 반응하며 착상이 일어나는 시기의 자궁내막에서 발현이 확인되었다. 실제로 HB-EGF는 증식기 동안 낮은 수준으로 발현되고, 분비기 동안 증가되어 착상기 직전에 최고치에 도달하는 것으로 알려져 있어 주머니배의 착상을 위한 직접적인 중개자로 생각되고 있다. 그리고 최근 연구에 따르면 자궁내막의 내강과 샘상피세포에서 HB-EGF의 발현은 피노포드가 존재할 때 최고조에 도달하는 것이 확인되어 HB-EGF가 배아의 착상을 위한 부착(adhesion)과 침습(invasion) 과정에 중요한 역할을 할 것으로 여겨진다.

5) 인슐린유사성장인자(Insulin-like growth factor, IGF)

IGF-I, IGF-II 그리고 이들의 특이 결합단백질들은 자궁내막의 성장, 분화, 혈관형성과 세포자멸사(apoptosis)에 관여한다. 사람에서 IGF-I의 유전자발현은 후기 증식기와 초기 분비기의 자궁내막에서 1차적으로 나타나며, 이러한 변화는 혈중 에스트라디올 농도와 상관관계를 보인다. 반면 IGF-II의 유전자는 중기와 후기 분비기의 자궁내막과 임신초기의 탈락막에서 다량 발현된다. 이러한 점은 IGF-II가 월경기 또는 초기 임신 동안 자궁내막 조직을 재형성하는 역할을 수행한다는 것을 시사한다. 인슐린유사성장인자 결합단백(IGFBP-1)은 분비기 말과 임신 초기 탈락막에서 분비되는 주요 결합단백질로 인슐린유사성장인자가 자궁내막과 영양막세포에 존재하는 수용체에 결합하는 것을 방해함으로써 착상과정에서 인슐린유사성장인자의 기능을 조절하게 된다. 또한 IGFBP-1은 자궁내막의 탈락막화를 위한 세포 증식과 분화, 그리고 초기 임신 유지에도 중요한 역할을 하는 것으로 보고되었다.

6) 케라틴세포성장인자(Keratinocyte growth factor, KGF)

KGF는 중기 분비기의 자궁내막 간질에서 분비되며, 프로게스테론의 자극에 의해 발현이 증가되고 나선동맥의 성장과 자궁내막 샘세포 세포자멸사의 억제에 중요한 역할을 한다. 나선동맥은 특히 착상과 임신의 수립을 위해 필수적인 요소이므로 착상기 동안 자궁내막에서 KGF 발현의 증가는 착상과 임신 유지에 중요할 것으로 여겨진다.

3. 착상에 관여하는 세포부착 인자(Cell adhesion Molecule, CAM)

착상기 동안 사람의 자궁내막과 배아로부터 발현되는 부착인자들은 주머니배가 자궁내막에 착상되는 과정에서 중요한 역할을 하며 대표적인 예로 뮤신(mucin), 인테그린(integrin) 그리고 셀렉틴(selectin) 등이 있다.

1) 뮤신(Mucin)

뮤신은 당화된 분자(glycosylated molecule)로 자궁내막 상피세포 표면에 존재하며 뮤신 덮개를 형성하여 세포 표면에 작용하는 효소들의 기능을 억제함으로써 세포-세포 또는 세포-세포외기질(extracellular matrix)의 부착을 억제한다. 실제로 사람의 자궁내막 상피에서 주로 발현되는 뮤신-1은 증식기부터 중기 분비기 사이에 발현량이 7배 정도 증가하여 자궁내막과 주머니배의 상호작용을 방해하는 장벽과 같은 역할을 한다. 그러므로 배아의 착상을 위해서는"sheddase"라고 불리는 단백질 가수분해 효소에 의해 뮤신-1이 자궁내막 상피로부터 제거되어야만 하는데, 이러한 sheddase계 효소의 발현은 자궁내막과 주머니배에서 발현되는 TNFα에 의해 촉진된다.

2) 인테그린(Integrin)

인테그린(integrin)은 막당단백(transmembrane glycoprotein)의 일종으로 배아의 착상, 상처 치유, 면역 및 비면역 방어 체계와 같은 중요한 생리작용에서 세포-기질 또는 세포-세포 부착에 관여한다. 자궁내막상피에서 매우 다양한 인테그린들이 발견되고 전체 월경주기 동안 연속 발현이 확인되고 있지만 α1β1, α4β1 그리고 αVβ3 인테그린은 월경주기 제 20-24일에 발현이 증가되기 때문에 착상기의 표지인자로 추정되고 있다. 특히 αVβ3 인테그린과 그 리간드 발현이 자궁내막 내강상피 표면에서 확인됨으로써 αVβ3은 배아 부착의 수용체로 작용하는 것으로 생각되고 있다. 추가로 자궁내막 αVβ3 인테그린의 발현은 월경주기에 따라 변화되는데, 이는 호르몬에 의해 발현이 조절되고 있다는 것을 의미한다. 실제로 자궁내막의 증식기 동안 고농도의 에스트로겐은 αVβ3 인테그린의 발현을 억제한다. 반면에 프로게스테론은 이러한 에스트로겐의 기능을 감소시킴으로써 αVβ3 인테그린의 발현을 증가시키는 동시에 배아의 영양막에서 인테그린의 리간드인 오스테오폰틴(osteopontin)의 발현을 증가시키기도 한다. 그리고 배아 스스로도 β3 인테그린의 발현 조절에 관여하는 것으로 보고되었는데, 사람의 주머니배를 자궁내막 상피세포와 함께 배양하였을 때 β3 인테그린의 발현이 촉진되었다. 이러한 효과는 배아 인터루킨(IL-1) system에 의해서 중재되는 것으로 보인다. 이상의 내용들은 자궁내막이 배아에 대한 수용성을 획득하기 위해서는 배아의 역할 또한 중요하다는 것을 보여주고 있다.

3) 셀렉틴(Selectin)

셀렉틴은 P-셀렉틴, L-셀렉틴, E-셀렉틴으로 구성된 당단백으로 사람에서 L-셀렉틴은 착상 때 배아의 부착에 매우 중요한 역할을 한다. 실제로 셀렉틴 부착 시스템은 모체와 태아의 경계면에서 잘 성립되어 있는데, L-셀렉틴은 포배의 영양막에서 강하게 발현되고 리간드인 MECA-79 또는 HECA-452는 착상기 동안 자궁내막 상피에서 발현이 증가되는 것이 확인된다. 또한 특정 셀렉틴의 리간드로 코팅된 구슬들이 태반융모조직(placental villous tissue)에 있는 영양막 세포에 강하게 결합되는 것이 실험적으로 확인되어 영양막 세포에서 발현되는 L-셀렉틴과 자궁내막 상피에서 발현되는 리간드 사이의 상호작용이 착상 과정의 첫 번째 단계일 수 있음을 시사하고 있다.

** 참고문헌 목록은 대한산부인과내분비학회 홈페이지 http://www.kosge.or.kr 또는 QR코드를 통해 보실 수 있습니다.*

부 인 과 내 분 비 학

임신 내분비학

CHAPTER

5 임신 내분비학

박중신(서울의대), 이승미(서울의대)

임신 전 여성은 월경주기에 따른 호르몬의 변화를 반복적으로 경험하다가 정자와 난자가 만나 수정이 되는 순간부터 이전과는 다른 호르몬의 변화와 이로 인한 지속적인 생리적 변화를 겪게 된다. 기능 단위로서의 태아, 태반, 그리고 임신부의 개념은 1950년대부터 시작되었다. 태반은 지금까지 알려진 거의 모든 호르몬, 성장인자(growth factors), 사이토카인(cytokine)을 합성할 수 있는 효율적인 기관이다. 태반은 태아-태반-임신부 단위를 통합하는 기관으로서의 모든 내분비 기관 중에서도 가장 놀라운 내분비기관이라 할 수 있다. 이러한 태아-태반-임신부 사이의 상호작용을 통해 여러 스테로이드(steroid) 호르몬과 단백(protein) 호르몬, 그리고 여러 물질들을 생산한다. 여기에서는 임신 중 내분비 기관으로서의 태반과 태반에서 생산하는 호르몬, 그리고 임신부의 내분비계 변화를 살펴보고자 한다(표 5-1).

표 5-1. 만삭임신과 비임신 시의 스테로이드호르몬 생성의 차이

스테로이드	농도(concentrate), ng/mL	
	비임신 시	만삭 임신 시
에스트론	0.1–0.3	2–30
17-β-에스트라디올	0.1–0.4	6–30
에스트리올	<0.01	10–30
프로게스테론	<1	100–300

Ⅰ. 임신 중 내분비계 변화

1. 내분비기관으로서의 태아-태반 단위 (feto-placental unit)

태아와 태반은 성장과 발달부터 분만진통의 과정을 조절하기 위하여 통합된 형태로 함께 기능하게 된다. 변화된 모체의 내분비 환경 또한 태아와 태반의 활동에 영향을 미치게 된다. 에스트로겐(estrogen), 안드로겐(androgen) 및 프로게스테론(progesterone)은 착상 전부터 시작하여 분만진통에 이르기까지 영향을 미친다. 이 호르몬들은 태아와 태반 및 모체의 내분비 체계가 관여하는 복잡한 경로를 거쳐 합성되고 대사된다. 태아-태반 단위는 단백 및 스테로이드호르몬을 생성하고 분비하는 주요한 장소이다. 여기에서 유래하는 호르몬 신호는 태아와 모체 경계 부위에서 내분비 및 대사의 변화를 유발한다.

태아의 난소는 사춘기 전까지 비활성 상태로 있고 에스트로겐을 분비하지 않는다. 반면, 태아 고환의 라이디히세포(Leydig cell)는 매우 많은 양의 테스토스테론(testosterone)을 분비할 능력을 갖추고 있어 임신 제1삼분기 혈중 테스토스테론 농도가 성인과 비슷할 정도이다. 고환에 대한 초기자극은 사람 융모생식샘자극호르몬(human chorionic gonadotropin, hCG)에 의한 것이다. 태아 테스토스테론은 남성의 외부 및 내부 생식기 분화를 조직하고 남성화하는데 필수적이다. 여기에 테스토스테론의 5α-환원효소(5α-reductase)에 의한 디히드로테스토스테론(dihydrotestosterone)으로의 국소 변환은 외부 생식기의 최종 성숙을 이루어지게 한다. 이때 모체는 테스토스테론을 에스트라디올(estradiol)로 바꿀 수 있는 태반 방향효소(aromatase)에 의해 남성 태아에 의해 생성되는 테스토스테론으로부터 보호받게 된다.

2. 착상시기에 따른 변화

1) 착상전기(pre-implantation phase)

전착상기에는 에스트로겐과 프로게스테론 및 다양한 성장인자와 사이토카인이 관여한다. 수태물(conceptus)에서 분비되는 프로게스테론은 카테콜아민(catecholamine)과 프로스타글란딘(prostaglandin)을 통해 자궁-난관 근육을 이완시킨다. 이를 통해 수정된 배아가 난관으로부터 자궁 내강까지 이동을 용이하게 이동하게 한다. 또한 에스트로겐에 의해 강화된 자궁 혈류를 길항하는 작용을 하기도 한다. 뿐만 아니라 프로게스테론은 착상에 필수적인 탈락막화(decidualization)와 표면 상피 세포에서 미세융모(microvilli)가 감소하고 돌기가 돌출되는 피노포드(pinopode)의 형성과 같은 자궁 내막의 착상 준비 과정에서 주요한 역할을 한다. 이에 반해 에스트라디올(estradiol)은 프로게스토겐 효과에 대해 균형을 유지하는 작용을 하게 되는데 난관의 운동성과 긴장도를 적당한 수준으로 유지하도록 돕고 프로게스테론과 달리 자궁 혈류를 증가시키는 역할을 한다.

2) 착상기(implantation phase)

(1) 정상 착상의 과정

수정 후 6-7일 후에 포배(blastocyst)는 다음과 같은 세 단계의 과정을 거쳐 착상을 하게 된다

① 접촉(apposition): 포배가 처음으로 자궁 벽과 접촉을 함

② 부착(adhesion): 포배와 탈락막(decidua) 간의 물리적 접촉의 증가

③ 침투(invasion): 세포영양막(cytotrophoblasts)과 융합영양막(syncytiotrophoblast)이 탈락막으로 침투

배란 후 10일째, 포배는 완전히 자궁 간질조직(stromal tissue)에 둘러싸이게 된다(그림 5-1). 최종적으로 세포영양막(cytotrophoblasts) 세포가 자궁혈관에 침입(endovascular invasion)할 뿐만 아니라 자궁내막 전체와 자궁근층 안쪽 1/3까지 침입을 하게 되는데 이러한 과정을 간질침입(interstitial invasion)이라고 한다. 이후 자궁태반순환(uteroplacental circulation)을 확립하는 과정이 일어나는데 이 때에는 영양막(trophoblast)이 모체 혈액과 직접적으로 접촉하게 된다.

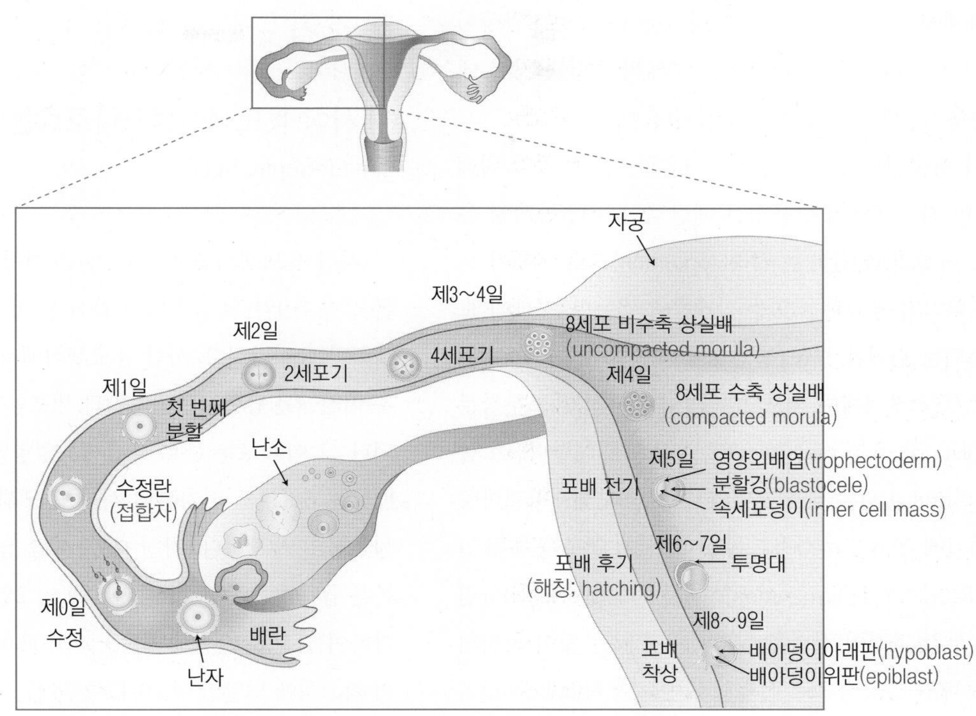

● 그림 5-1. **배란(ovulation)부터 포배(blastocyst) 단계의 착상까지 사람 배아 발달 순서 모식도**

(2) 자궁내막 수용성(endometrial receptivity)과 전착상기 포배의 역할

자궁내막 수용성은 자궁 내막에 포배가 착상하고, 자궁내막의 탈락막화 과정을 시작하는 상태이다. 성공적인 착상을 위해서는 적절한 포배의 발달과 함께 자궁내막의 수용성이 적절히 이루어지는 것이 필수적이다.

자궁내막 수용성의 시작이라고 할 수 있는 피노포드의 형성에는 프로게스테론이 관여한다. 피노포드는 부드러운 돌기를 자궁 내막에 형성하고, 자궁 내강의 체액을 흡수하여 배포가 자궁 내막에 부착하는 것을 용이하게 하며, 포배의 부착을 방해하는 뮤신(mucin)을 제거하는 역할을 함으로써 착상을 돕는다. 피노포드는 착상이 일어나는 짧은 기간 동안에만 존재하며, 프로게스테론 농도가 증가함에 따라 형성이 증가되었다가 자궁 내막의 프로게스테론 수용체-B (Progesterone receptor-B)가 감소함에 따라 함께 감소한다. 프로게스테론 외에도 자궁 내막에서 생성되는 성장인자, 사이토카인, 전사 요소들 역시 자궁의 수용성 변화에 기여한다.

포배 또한 착상 과정에 능동적으로 관여한다. 세포 증식 및 성장뿐 아니라 면역 억제의 기능도 하는 것으로 알려져 있는 초기임신인자(Early pregnancy factor, EPF)는 착상 전에는 난소에서 분비되지만 착상 후에는 배아로부터 형성된다. 뿐만 아니라, 배아는 수정 후 7-8일째부터 사람 융모생식샘자극호르몬(Human chorionic gonadotropin, hCG)을 생성하는데, 사람 융모생식샘자극호르몬은 자궁내막수용성을 포함한 임신 유지에 중요한 역할을 하는 것으로 알려져 있다. 이러한 이유로 자궁내막의 수용성을 형성하는 데에 포배 역시 중요한 역할을 하고 있음을 알 수 있다.

자궁의 수용성이 제대로 형성되지 않는 것은 착상 및 임신 실패의 주요한 원인이 되며, 자궁의 수용성이 제대로 갖춰진 시기에 착상이 될 경우 그렇지 않은 때보다 임신 유지의 성공률이 더 높은 것으로 알려져 있다.

(3) 착상(Implantation)

착상은 포배가 자궁 내벽에 부착된 뒤 상피세포와 모체

의 순환계에 침투하여 태반을 형성하는 과정으로, 착상이 성공적으로 이루어지기 위해서는 포배의 발달과 자궁 내막의 수용적 변화의 조화가 필수적이다.

앞서 서술했듯이 착상이 성공적으로 이루어지기 위해 필수적인 자궁내막의 수용성은 배란 후 6-10일째까지 유지된다. 착상의 첫 단계는 접촉(apposition)으로 포배가 느슨하게 탈락막에 접촉해 있는 상태를 일컫는다. 포배가 보통 접촉되는 위치는 보통 자궁의 후벽(posterior wall)이다. 포배의 부착 과정에는 세포 표면의 수용체인 세포부착분자(cellular adhesion molecules, CAMs)가 관여한다. 이 중 인테그린(integrin)은 세포 포면의 수용체로, 세포바깥바탕질 단백질에 세포가 부착하도록 한다. 선행 연구를 통해 인테그린의 인지부위(recognition site)를 차단(blockade)하면 포배의 부착 과정이 적절히 이루어지지 않는 것이 확인되었다. 포배가 성공적으로 접촉한 뒤에는 부착(adhesion)이 일어난다. 포배의 접촉-부착 과정은 보통 포배가 100-250 세포로 구성된 시기에 진행되며, 영양외배엽(trophectoderm)과 탈락막 간의 긴밀한 상호작용을 통해 이루어진다. 일단 착상이 이루어지면 짧은 기간 동안의 부착기간에 이어 영양막의 자궁으로의 침입(invasion)이 보다 긴 기간에 걸쳐 이루어진다. 수정 10일째 포배는 내막에 완전히 둘러싸인 상태가 된다. 또한, 자궁 내막에 침입한 영양막은 2개의 층으로 분화되는데, 안쪽 층은 세포영양막이며, 바깥층은 융합영양막이다. 세포영양막은 융모막 융모의 핵심적인 세포로, 증식, 침입뿐 아니라 분화능까지 있다. 융합영양막은 태반 호르몬의 형성의 주요한 부위로 그 표면적이 넓으며 융모사이공간(intervillous space)을 따라 형성되어 있다. 융모사이공간은 모체의 혈액에 직접적으로 노출되는 공간이므로 융합영양막에서 생성되는 태반 호르몬은 태아보다 모체의 혈류에 상대적으로 높은 농도로 존재하게 된다.

영양막의 분화와 침입을 조절하는 분자 기전에 대해서는 아직 완벽히 이해되지는 않은 상태이다. 그러나 일반적으로 착상과 관계된 거의 모든 조직에서 사이토카인, 성장인자와 그 수용체가 확인되는 것으로 보아 이러한 인자들이 착상에 생화학적인 역할을 담당하는 것으로 생각된다.

3. 초기 임신의 유지

1) 사람 융모생식샘자극호르몬(human chorionic gonadotropin, hCG)

사람 융모생식샘자극호르몬은 혈장에서 황체형성호르몬 상승 7-9일 후 검출되는 임신 중 가장 초기에 발견되는 생화학 표지자이다. 사람 융모생식샘자극호르몬은 임신 5주 이전에는 융합세포영양막과 세포영양막 모두에서 생성되나 그 이후로는 주로 융합세포영양막에서만 생성된다. 배아는 6-8세포 시기부터 사람 융모생식샘자극호르몬을 생산하기 시작한다. 착상 이후 사람 융모생식샘자극호르몬은 급격히 그 농도가 증가하여 약 2일마다 두 배가량 증가하여 임신 8-10주 경에는 거의 100,000 mU/mL에 이르러 최고치에 도달한 뒤 10-12주부터는 감소하기 시작한다.

2) 사람 융모생식샘자극호르몬과 황체(human chorionic gonadotropin and corpus luteum)

임신 초기 기간 동안 사람 융모생식샘자극호르몬의 중요한 역할 중 하나는 황체가 조기에 퇴화되지 않도록 보존하는 것이다. 프로게스테론 생합성의 황체-태반 이동(luteal-placental shift)이 일어나기 전까지는 황체는 프로게스테론 생성 및 임신 유지에 필수적이다. 사람 융모생식샘자극호르몬에 대한 항체를 투여하였을 때 임신 초기에 유산이 일어나게 되는 것을 관찰한 연구는 이러한 개념을 뒷받침한다. 그러나 임신 초기 사람 융모생식샘자극호르몬 농도는 10-12주까지 지속적으로 상승하는 반면 황체에서 생성되는 프로게스테론의 양은 6주 이후부터 감소하므로, 융모생식샘자극호르몬의 역할은 이외에도 다양할 것으로 추정된다. 그 외에도 황체형성호르몬(luteinizing hormone, LH)-hCG 수용체를 통해, 사람 융모생식샘자극호르몬은 황체로부터 릴랙신(relaxin)을 자극하고, 이로 인해 자궁 내 혈관 및 평활근의 이완을 촉진시키는 것으로 추정된다.

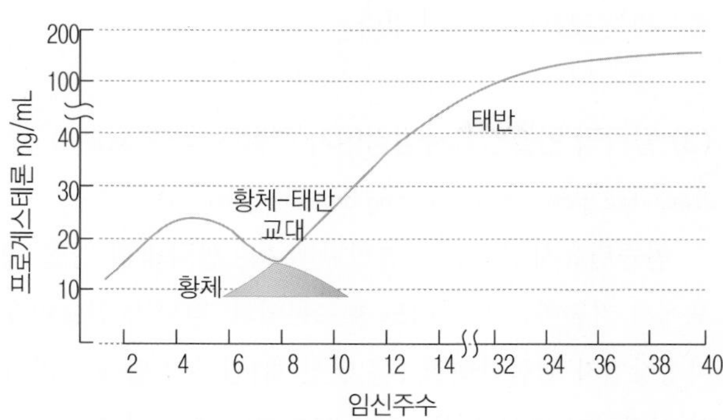

● 그림 5-2. **프로게스테론 생산의 이동(임신 7주에서 9주 사이에 황체에서 태반으로 프로게스테론 생산 장소가 이동하는 것을 보여주는 모식도)**

3) 황체-태반 이동 시기(Timing of the luteal-placental shift)

난소의 프로게스테론 생산은 초기 임신의 유지에 필수적이다. 임신 중 프로게스테론은 임신 6-7주 전까지는 황체에서 주로 생성되고, 8주 이후부터는 태반의 프로게스테론 생성량이 점차 증가한다. 이러한 프로게스테론 생성의 황체-태반 이동 현상을 밝히기 위해서 1973년 Csapo 등은 황체 제거 실험을 수행하였다. 이 실험을 통해 임신 7주 이전에 황체를 제거하게 되면 유산이 된다는 사실을 증명하였다. 임신 9주 이후에 황체를 제거하는 것은 임신에 미치는 영향이 거의 없는 것으로 알려져 있다(그림 5-2).

4. 탈락막과 탈락막호르몬(Decidua and decidual hormones)

1) 탈락막화된 자궁내막

착상 준비 과정에서 가장 중요한 조직학적 변화인 탈락막화(decidualization)는 분비기 자궁내막의 섬유모세포(fibroblast)가 탈락막세포(decidual cell)로 변화하는 과정으로, 이 과정에서 프로게스테론이 다양한 생화학적 요인들을 총괄 조절하는 역할을 한다. 탈락막은 혈액융모태반형성(hemochorial placentation)의 기능적 단위일 뿐 아니라, 임신 중 모체의 스테로이드 및 단백호르몬을 합성하는 역할도 한다. 또한 탈락막화된 자궁내막에서는 모체와 배아 간의 물질교환이 이루어 지는 장소이며 모체의 면역체계로부터 임신을 유지하고 보호하는 기능도 한다. 특히 탈락막에서 분비되는 코티솔은 모체의 면역반응을 억제하여 착상 중인 수태물이 필요로 하는 면역특권(immunologic privilege)을 제공한다. 또한 탈락막화 된 자궁내막에서는 레닌(renin)을 분비하여 양수 내 전해질 조절에도 관여하며 프로스타글란딘의 생성에도 영향을 미친다.

2) 탈락막 프로락틴

양수 내에 엄청난 양의 프로락틴이 존재하며, 탈락막에서 프로락틴이 생성된다고 알려져 있다. 탈락막 프로락틴은 펩타이드(peptide) 호르몬으로 뇌하수체 프로락틴과 화학적 및 생물학적 특성이 일치하는 것으로 알려져 있다. 수용체는 탈락막, 융모막 세포영양막, 양막 상피세포와 융합영양막에서 발현되는데, 수용체가 발현되는 정도는 융모막 세포영양막-탈락막-양막-융합영양막 순으로 많은 것으로 알려져 있다.

탈락막 프로락틴은 주로 양수 내에 존재하며 모체 혈중에는 거의 존재하지 않는다. 임신 20-24주경 양수 내 프로락틴은 10,000 ng/mL까지 상승하는 반면 모체 혈중 농도는 150-200 ng/mL, 태아 혈중 농도는 350ng/mL이다. 양수 내 프로락틴의 농도는 임신 20주 경까지 급격히 상승하였다가 그 이후에 분만 시까지는 농도가 감소한다.

(1) 탈락막 프로락틴의 역할

탈락막 프로락틴은 대부분 양수 내에 존재하며 양수의 전해질 조절, 수분 이동 및 양수 용적의 유지 등에 있어서 중요한 역할을 한다. 또한 탈락막 프로락틴은 자가분비(autocrine)와 주변분비(paracrine) 방식으로 T세포를 자극해 임신 중 면역 기능을 조절하는 데 역할을 하는 것으로 생각된다. 뿐만 아니라 탈락막 프로락틴은 임신 중 혈관신생 조절에도 관여하는데, 완전한 형태의 프로락틴은 혈관

신생을 촉진하지만, 분절 형태의 프로락틴은 새로운 혈관 성장을 억제할 수 있다. 마지막으로 쥐에서 관찰한 바에 의하면 탈락막 프로락틴은 임신 유지에 유해한 유전자의 발현을 억제함으로써 보호기능을 하고 있음도 밝혀져 있다.

(2) 탈락막 프로락틴의 생성조절

탈락막 프로락틴은 임신 10주까지 모체의 혈청 프로락틴의 점진적인 증가와 함께 증가하기 시작하여 20주까지 급격히 상승한 뒤 그 이후로는 만삭 시까지 감소하는 양상을 보인다. 탈락막 프로락틴 생성을 조절하는 인자는 아직 확실히 규명된 것이 없다. Daly 등은 탈락막화가 형성이 되면, 프로게스테론이나 에스트로겐이 없더라도 프로락틴은 지속 생성된다고 주장하였다. 반면, 1992년 Handwerger 등은 탈락막 프로락틴의 생성에는 프로게스테론과 에스트로겐뿐만 아니라 리랙신(relaxin), 인슐린유사성장인자-1(IGF-1)과 같은 태반 및 탈락막 인자들이 필요하다고 보고하였다. 1999년 Brosens 등도 프로게스테론이 탈락막 프로락틴 분비 유도에 관여한다는 사실을 보고하였는데 이러한 사실은 프로게스테론 수용체 발현 정도에 따라 탈락막화 과정이 결정될 수 있다는 점을 시사한다. 또한 1981년 Handwerger 등은 프로스타글란딘 F2α 또는 프로스타글란딘 E2가 아닌 아라키돈산이 탈락막 프로락틴의 분비를 약화시킨다고 보고하기도 하였다. 그 외 많은 사이토카인 및 성장인자들이 탈락막 프로락틴의 분비를 감소시킨다고 알려져 있다.

탈락막 이외의 장소에서 분비되는 프로락틴은 모체 브로모크립틴(bromocriptine) 투입에 의해 억제가 되는 반면, 탈락막 프로락틴은 뇌하수체 프로락틴 분비를 억제 또는 자극하는 것으로 알려진 도파민, 도파민작용제, 갑상선자극호르몬방출호르몬(thyrotropin-releasing hormone) 등의 영향을 받는다. 태아순환에서 발견되는 프로락틴은 그 기원이 태아 뇌하수체에서 분비된 것이며 모체 순환 내에서 확인되는 거의 대부분의 프로락틴은 에스트로겐의 영향을 받은 모체 뇌하수체에서 분비된 것으로 탈락막 프로락틴과는 분비 장소도 다르다. 또한 탈락막 프로락틴은 뇌하수체와 비교하였을 때, 추가적인 엑손이 있는 유전자에 의해 전사되는 것으로 알려져 있다.

(3) 탈락막 인슐린유사성장인자 결합단백-1(decidual insulin-like growth factor binding protein-1, IGFBP-1)

인슐린유사성장인자 결합단백-1은 탈락막의 간질 세포에서 기원하는 펩타이드 호르몬이다. 탈락막 인슐린유사성장인자 결합단백질-1은 임신 제1삼분기 말에 증가하기 시작하여 만삭에 최고치에 도달한다. 탈락막 인슐린유사성장인자 결합단백-1은 인슐린유사성장인자(insulin-like growth factor, IGF)가 그 수용체에 결합하는 것을 억제하여, 태아 성장을 억제하는 역할을 한다. 임신 시에는 인슐린유사성장인자 결합단백-2와 인슐린유사성장인자 결합단백-3의 농도는 감소하고, 혈장 내 인슐린유사성장인자 결합단백-1는 크게 증가한다. 이러한 변화는 인슐린유사성장인자의 모체 내 생체이용률을 향상시키기 위한 것으로 볼 수 있으며 영양분을 모체에서 태반으로 이동시키는데 있어 중요하다.

(4) 프로게스테론 연관 자궁내막단백(progesterone-Associated Endometrial Protein, PAEP)

프로게스테론 연관 자궁 내막 단백은 탈락막에서 생성되는 당단백 호르몬이다. 과거에는 임신 단백-14 (Pregnancy protein-14)로도 불리었다. 임신 시 프로게스테론 연관 자궁 내막 단백의 혈장 농도는 사람 융모생식샘자극호르몬과 함께 증가하며, 자궁 외 임신과 같이 탈락막화 조직이 충분히 생성되지 않는 경우 그 농도는 낮게 유지된다. 프로게스테론 연관 자궁 내막 단백은 임신 중 모체의 면역기능을 억제하는 기능을 하는 것으로 알려져 있다.

5. 태반호르몬(placental hormone)

사람의 태반은 단일 내분비 기관 내에서 호르몬을 생산하는 기전을 따르지 않고 모체-태반-태아가 상호 의존 체계를 통해 호르몬을 생산한다. 예를 들어 태반은 태아 부신 피질에서 생성되는 C19 스테로이드를 전구물질로 사용하여 에스트로겐을 합성함으로써 임신 기간 동안 모체에서 고에스트로겐 상태를 유지한다. 또한 임신부 혈액에 있는 저밀도지단백 콜레스테롤을 이용하여 프로게스테론을 생성한다. 따라서 호르몬 체계를 태아구획(fetal compartment), 태반구획(placental compartment), 그리고 모체구획(maternal compartment)으로 나누어서 이해하는 것이 도움이 된다. 태아구획 및 태반 구획 단독으로는 스테로이드호르몬을 생산하는 능력이 없지만 상호 보완적으로 작용하면서 모체구획을 이용하여 하나의 완벽한 단위를 구성하게 된다.

1) 태반 스테로이드호르몬(그림 5-3)

(1) 프로게스테론

태반은 모체와 태아 사이의 중간 위치에 있어서 스스로 효소 활성이 결핍되어 있는 상황에서도 모체나 태아로부터 전구체를 가져와 이용할 수 있다. 태반은 아세트산염(acetate)을 콜레스테롤(cholesterol) 또는 그 전구체로 거의

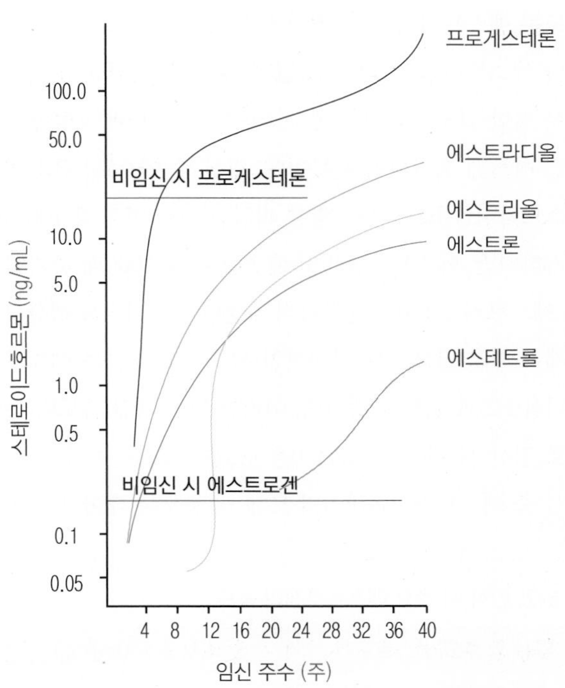

그림 5-3. **임신 중 혈장 호르몬 농도** 에스트론(E1), 에스트라디올(E2), 에스트리올(E3), 에스테트롤(E4) 및 프로게스테론의 혈장 농도변화

변환시키지 못한다. 대신 프로게스테론 합성을 위한 콜레스테롤이나 프레그네놀론(pregnenolone)을 모체 혈류로부터 받으므로 임신 중 엄청난 양의 프로게스테론 생성은 태반-모체 협력에 의존한다. 반면, 프로게스테론 생산에 있어서 태아가 기여하는 부분은 거의 없으며, 이는 태아가 사망하였을 때에도 프로게스테론은 높은 농도를 유지하는 것을 통해서 알 수 있다.

① 태반에서 프로게스테론의 합성

앞서 황체-태반 이동 시기에서 서술한 바와 같이 프로게스테론은 대략 임신 7주까지는 주로 황체에서 생산되고 임신 7-10주 사이에 주된 프로게스테론 생산 장소가 난소에서 태반으로 변하게 된다. 태반이 프로게스테론의 주 합성 기관이 되면 모체 혈중 프로게스테론 농도는 지속적으로 증가한다. 만삭 시에는 프로게스테론의 농도는 100-200 ng/mL가 되며 하루 생산량은 단태 임신의 경우 약 250 mg, 다태 임신의 경우 600 mg 정도가 되는 것으로 알려져 있다. 에스트로겐과는 달리, 태반에서 프로게스테론의 생산은 자궁-태반 관류, 태아안녕 및 태아 사망 유무에 무관하게 독립적으로 이루어진다. 그 이유는 프로게스테론의 생산에 태아가 기여하는 전구체가 거의 없기 때문이다. 태반 프로게스테론은 대부분 모체 혈중 저밀도지단백 콜레스테롤(low-density lipoprotein cholesterol, LDL cholesterol)에서부터 합성된다. 프로게스테론 생산을 위한 저밀도지단백 콜레스테롤은 저밀도지단백 세포막 수용체가 관여하는 세포내섭취(endocytosis)에 의해 모체 혈중에서 영양막으로 들어간다. 이 과정은 에스트로겐에 의해 촉진되는 것으로 알려져 있다. 태반에 유입된 콜레스테롤은 두 단계를 거쳐 프로게스테론으로 합성된다. 먼저 미토콘드리아에서 시토크롬(cytochrome) P-450 콜레스테롤 측쇄분할효소에 의해 프레그네놀론(pregnenolone)으로 전환되며 그 이후 프로그네놀론은 다시 세포질그물(endoplasmic reticulum)에서 프로게스테론으로 전환된다.

한편, 탈락막과 태아막(fetal membrane)에서도 프로게스테론을 합성 및 대사하지만, 이 경우에는 콜레스테롤이나 저밀도지단백(LDL) 콜레스테롤을 이용하지 않고 프레

그네놀론 설페이트(pregnenolone sulfate)가 가장 중요한 전구체로 여겨진다. 이러한 국소 스테로이드생산은 분만진통을 조절하는 역할을 할 것으로 보인다.

양수 내 프로게스테론의 농도는 임신 10-20주 사이에 최고치에 도달했다가 이후 서서히 감소한다. 자궁근육에서는 임신 초기에는 모체 혈중 농도에 비해 약 3배가량 높은 농도를 보이다가 만삭에는 거의 모체 혈중 농도와 비슷하게 되는 것으로 알려져 있다.

② 프로게스테론의 대사

임신 중 모체 혈중 농도가 증가하는 프로게스테론 활성 대사물로는 5α-환원 대사물인 5α-pregnane-3, 20-dione과 디옥시코르티코스테론(deoxycorticosterone, DOC)이 있다. 5α-pregnane-3,20-dione은 임신 중 모체 혈중 농도가 약 10배가량 증가하는데, 이 대사물은 임신 중 나타나는 안지오텐신-II에 의한 혈관 수축에 대한 길항 작용에 기여한다. 디옥시코르티코스테론은 임신 중 모체에서 혈중 농도가 비 임신 기간에 비해 1000배 이상 현저하게 증가하는데 이는 임신 중 코티솔 결합 글로불린이 증가하고 신장에서 프로게스테론을 21-수산화(21-hydroxylation)하기 때문이다. 현재까지 디옥시코르티코스테론이 임신 기간 동안 어떤 생리적 기능을 담당하는 지는 알려진 것이 거의 없다.

③ 프로게스테론의 기능

성공적인 착상과 임신 유지를 위해서는 에스트라디올이 아니라 프로게스테론이 필수적이다. 프로게스테론은 태아에 대한 모체 면역 반응을 억제함으로써 영양막에 대한 모체의 거부 반응을 억제하는데 이를 위해 사람 융모생식샘자극호르몬과 탈락막 코티솔 등과 함께 작용하여 T림프구에 의한 조직거부 반응을 억제하고 착상된 수태물과 발달 중인 태반에 면역특권을 제공하는 역할을 한다. 프로게스테론은 또한 탈락막화 과정에도 관여하는 것으로 알려져 있다. 동물 실험 모델에서 자궁의 수용성을 촉진시켜 자궁내막에 착상이 잘 이루어 지도록 준비하고 임신을 유지하는 기능을 하는 것으로 밝혀졌다. 성공적인 착상 후 프로게스테론은 임신 유지에도 중요한 역할을 한다. 프로게스테론은 자궁 수축력을 약화시켜 임신 기간 동안 자궁의 무활동성(quiescence)을 유지시킨다. 프로게스테론은 분만진통의 과정뿐 아니라 수유의 기전에도 관여하는 것으로 알려져 있다.

(2) 태반 에스트로겐

태반 에스트로겐은 4 종류가 있는데, 각각 에스트론(estrone, E1), 에스트라디올(estradiol, E2), 에스트리올(estriol, E3), 에스테트롤(estetrol, E4)이다. 임신 5-6주 동안에는 황체에서 에스트로겐을 생산하고 임신 7주 이후에는 태반에서 주로 생산한다. 만삭 임산부는 비임신 여성 1000명이 생산하는 양의 에스트로겐을 생산한다. 태반은 임신부와 태아의 부신으로부터 혈액으로 분비된 전구물질을 이용하여 이러한 엄청난 양의 에스트로겐을 생산한다. 만삭 시까지 고에스트로겐 상태가 유지되며, 태반이 만출된 뒤 이러한 고에스트로겐 상태는 종결된다.

임신 중 가장 많이 만들어지는 에스트로겐은 에스트리올(E3)이며 만삭 시 농도는 10-30 ng/mL 정도에 이른다(표 5-2). 그럼에도 불구하고 일반적으로 혈중 에스트라디올의 농도는 에스트리올 보다 훨씬 높은데, 이는 에스트론(E1)이나 에스트라디올(E2)과는 달리 에스트리올(E3)은 성호르몬 결합 글로불린에 대한 친화력이 낮아 혈중으로부터 훨씬 빠르게 제거되기 때문이다. 임신 중 에스트론(E1)과 에스트라디올(E2)의 배설량은 비임신 시에 비해 약 100배 증가하지만, 에스트리올(E3) 배설량은 약 1000배 증가한다. 에스트리올(E3)의 생물학적 활성이 약하더라도 생산량 자체가 매우 많으므로 전체적인 생물학적 효과는 에스트라디올(E2)과 거의 비슷하며, 이러한 높은 생산 속도와 농도로 임신 시 에스트리올(E3)은 중요한 호르몬이다. 또한 임신 중 에스트라디올(E2)의 모체 내 농도는 태아보다 훨

표 5-2. 만삭 시 주요 에스트로겐의 농도

임신 중 주요 에스트로겐	만삭 시 농도 (ng/mL)
에스트론 (Estrone, E1)	2 – 30
에스트라디올 (Estradiol, E2)	6 – 40
에스트리올 (Estriol, E3)	10 – 30

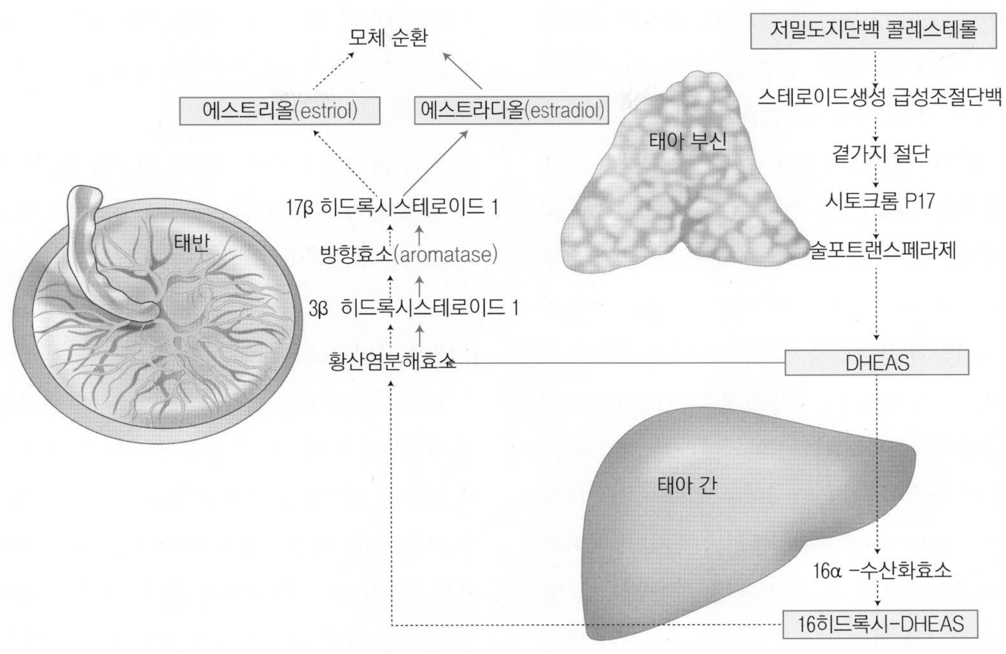

● 그림 5-4. 사람 태반에서 에스트로겐 생합성 과정을 보여주는 모식도

씬 높은 데 반해 에스트리올(E3)의 농도는 태아에서 더 높다고 알려져 있다.

① 태반 에스트로겐의 생합성 및 대사(그림 5-4)

임신 시 에스트로겐의 생합성의 가장 큰 특징 중 하나는 에스트로겐 합성에 결정적인 효소인 17α-수산화효소(17α-hydroxylase)와 17, 20-데스몰라제(17,20-desmolase, CYP17)가 태반에서는 발현되지 않는다는 것이다. 따라서 태반은 에스트로겐 생합성의 전구 물질로 콜레스테롤이나 프로게스테론을 이용할 수 없다. 결과적으로 C21 스테로이드가 C19 스테로이드로 전환될 수 없고, 태아 부신 피질에서 생성되는 황산디하이드로에피안드로스테론황산염(dehydroepiandrosterone sulfate, DHEAS)이 전구물질로써 태반에서 에스트로겐 합성에 사용된다. 이러한 과정에는 다음과 같은 효소 체계가 필요하다. 첫 번째로는 DHEAS가 DHEA로 전환하는 데 필요한 황산염분해효소(sulfatase), 다음으로 DHEA가 안드로스텐디온(androstenedione)으로 전환하는 데 필요한 3β-히드록시스테로이드 디히드로게나제(3β-hydroxysteroid dehydrogenase, 3βHSD), 마지막으로 안드로스텐디온이 에스트론(E1)으로 전환하는 데 필요한 시토크롬 P450 아로마타제(Cytochrome P450 aromatase, CYP19), 마지막으로 에스트론이 에스트라디올로 전환하는 데 필요한 17β-히드록시스테로이드 디히드로게나제1형 등이다. 이 효소들은 융합세포영양막에 모두 존재한다.

태반에서 에스트로겐의 합성은 태아, 태반 및 모체 구획 사이에 상호 의존성이 있다는 사실이 확인되었다. 활동적인 방향화(aromatization) 능력을 가진 태반은 에스트로겐을 형성하기 위해서 전구체 기질로서 안드로겐을 이용한다고 알려져 있다. 여기에 이용되는 주요한 안드로겐 전구체 물질은 황산디하이드로에피안드로스테론(dehydroepiandrosterone sulfate, DHEAS)이며 이 안드로겐은 태아 부신 피질에서 만들어진다. DHEAS는 태반으로 운반되어 태반에 풍부하게 존재하는 황산염분해효소(sulfatase)에 의해 분할되어 비접합형 DHEA (free unconjugated DHEA)가 되고 이는 다시 태반 방향효소(aromatase)에 의해 방향화되어 에스트론과 에스트라디올이 된다. 아주 소량의 에스트론 및 에스트라디올만이 태반에서 에스트리올로 전환이 된다. 만삭에 가까워지면 17β-에스트라디올과 에스트론의 약 60%가 태아 안드로겐 전구체로부터 만들어지고 약 40%는 모체의 DHEAS로부터 만들어지게 된다.

다음으로 에스트리올의 생합성 과정을 보면, 우선 태아 DHEAS의 주요 부위가 16α-수산화(16α-hydroxylation) 과정을 거치게 되는데 이 과정은 주로 태아의 간에서 이루어 지며 태아 부신에서도 일부 이루어진다. 혈중 태아 부신 DHEAS는 태반의 융합영양막 세포에 의해 포획된 후 스테로이드 황산염분해효소, 미세소체효소(microsomal enzyme)에 의해 다시 DHEA로 전환되었다가 방향화 과정을 거쳐 에스트리올이 된다. 만삭에는 태반 에스트리올과 에스테트롤의 90%가 태아에서 분비된다. 이러한 이유로 과거에는 에스트리올과 에스테트롤을 태아 안녕을 평가하는 지표로 삼고자 하였으나 민감도와 특이도가 낮아 더 이상 사용되지 않고 있다. 생성된 에스트리올은 모체 혈류로 들어가 모체의 간에서 결합과정을 거쳐 에스트리올 황산염(estriol sulfate), 에스트리올 glucosiduronate, 혼합 접합체(mixed conjugates) 등을 형성한 후 모체 소변으로 배출된다. 모체 혈액 내 에스트리올의 약 8-10%만이 비결합(unconjugated) 상태로 소변으로 배출된다.

태반의 방향화(aromatization)는 매우 효율적으로 이루어져 태아 구획에서 넘어오는 에스트로겐 생성 전구 물질인 많은 양의 안드로겐이 모체 혈중으로 거의 빠져나가지 못하게 한다. 이 때문에 산모의의 비정상적인 남성화가 이루어지지 않으며 심지어 안드로겐 분비성 종양이 있을 때에도 태아에게 이러한 영향이 거의 미치지 않는 것으로 보고되고 있다.

② 에스트로겐의 기능

에스트로겐은 임신 후 모체의 심혈관계의 변화에 중요한 역할을 한다. 에스트로겐은 모체 및 영양막의 레닌-안지오텐신(renin-angiotensin)시스템을 자극하여 혈액양을 증가시킨다. 뿐만 아니라 에스트로겐은 혈관을 이완시키는 작용을 함으로써 자궁혈류를 증가시키고 태아의 부신 기능에 영향을 줌으로써 태아에게도 큰 영향을 미친다. 또한 에스트로겐은 자궁근육의 옥시토신에 대한 반응 및 프로스타글란딘의 합성, 아드레날린성작용을 증가시킴으로써 자궁 수축을 증가시켜 진통개시에도 관여한다.

③ 임신 중 에스트로겐 생산에 영향을 미치는 태아 상태

몇몇 태아 질환에서는 태반 스테로이드 합성에 필요한 기질 이용에 차질이 생길 수 있다.

i. 태아 사망(fetal demise)

태아가 사망했을 때 소변 중 에스트로겐의 양이 현저하게 줄어든다는 사실은 수십 년 전부터 알려진 사실이다. 또한 탯줄을 결찰했을 때에도 급격하게 태반 에스트로겐의 생산이 줄어든다는 사실도 밝혀졌다. 태아 사망 혹은 탯줄 결찰 후 에스트로겐 생산이 줄어드는 것은 태반 에스트로겐 전구 물질의 공급이 태아 사망 및 탯줄 결찰과 함께 없어지기 때문이라고 여겨진다.

ii. 태아 무뇌증(fetal anencephaly)

무뇌증에서 태반 에스트로겐, 그 중에서도 특히 에스트리올의 생성률은 C19 스테로이드 전구 물질 이용률이 낮아져 심각하게 감소한다. 따라서 무뇌증 태아에서 대부분의 에스트로겐은 태반에서 모체의 DHEAS를 사용하여 생성된다. 이러한 경우 임신부에 부신피질자극호르몬(ACTH)을 주입할 경우 모체 부신에 의한 DHEAS 분비를 촉진할 수 있겠지만, 부신피질자극호르몬은 태반을 통과하지 않으므로 태아 부신은 자극받지 않는다. 무뇌증 태아를 임신한 여성에서 글루코코르티코이드(glucocorticoid)를 투여하면 태반 에스트로겐 생성이 감소하는데, 투여된 글루코코르티코이드에 의해 부신피질자극호르몬 분비가 억제되고 따라서 모체 부신 피질로부터의 DHEAS의 분비율이 감소하기 때문이다.

iii. 태아 부신 형성저하증(fetal adrenal hypoplasia)

선천부신 피질 형성저하증은 12,500 출생당 약 1명꼴로 발생한다. 이 질환의 경우 태아 부신으로부터 C19 전구 물질의 공급이 제한되기 때문에 태반 에스트로겐 생성이 저하된다.

iv. 태아-태반 황산염분해효소 결핍(fetal-placental sulfatase deficiency)

태반의 에스트로겐 생성은 C19-스테로이드 전구물질을 얼마나 이용 가능한지에 따라 조절된다고 할 수 있다. C19 스테로이드에서 에스트로겐 생합성이 일어나는 과정에서 태반 황산염분해효소의 역할이 매우 중요한데, 이로 인해 황산염분해효소가 결핍되면 에스트로겐 농도는 매우 낮아지며, C19-스테로이드 황산염의 가수분해(hydrolysis)를 억제한다. 이 효소의 결핍은 X연관 열성 유전질환으로 알려져 있다. 주로 남아에게 이환되며, 드물게 여아에서도 발생한다. 발생빈도는 10,000명 출생당 약 3명이며, 남아 출생 2,000-3,000명당 1명 정도이고, 분만 진통 시 자궁경부의 숙화와 개대가 잘 이루어지지 않아 흔히 제왕절개로 분만한다.

v. 태반 방향효소 결핍(placental aromatase deficiency)

태반 방향효소 결핍은 매우 드문 상염색체 열성 유전질환이다. 태아의 부신에서 생성되는 많은 양의 DHEAS는 태반에서 안드로스텐디온(androstenedione)으로 전환이 되는데 태반 방향효소 결핍 시에는 안드로스텐디온이 에스트라디올로 전환되지 못한다. 오히려 이 경우에 DHEA의 안드로겐 대사 산물인 안드로스텐디온과 몇몇 테스토스테론이 모체 또는 태아 순환으로 분비되어 임신부 및 여성인 태아의 남성화를 일으키게 된다. 비록 남성인 태아를 임신한 경우 특별한 문제가 없어 보일 수 있지만, 에스트로겐 결핍 상태인 남성은 성인기 동안에도 지속적으로 성장하여 골무기질화가 결핍된 채로 매우 큰 키를 보이는 것이 특징이다.

vi. 다운증후군(Down syndrome)

다운 증후군 태아를 임신한 경우에 모체 혈청선별검사를 통해 모체 혈청 비결합 에스트리올의 농도가 낮다는 사실이 알려지게 되었다. 설명 가능한 원인으로는 태아의 부신에서 C19-스테로이드의 형성이 부족하기 때문인데 2000년 Newby 등은 양수 및 모체 혈액 내에서 DHEAS 농도가 다운증후군 임신에서 감소되어 있음을 보여줌으로써 이러한 주장을 뒷받침하였다.

vii. 태아 적혈모구증(fetal erythroblastosis)

심한 태아 D-항원 동종면역이 있는 몇몇 증례에서 모체 혈중 에스트로겐 농도가 정상보다 증가해 있다는 사실이 알려지게 되었다. 이러한 현상은 태반의 비후로 인한 태반 질량의 증가 때문일 것으로 생각된다.

④ 임신 중 에스트로겐 생산에 영향을 미치는 임산부 상태

i. 글루코코르티코이드 투여

글루코코르티코이드는 모체 및 태아의 뇌하수체에 의한 부신피질자극호르몬의 분비를 억제하여 부신에서 분비되는 태반 에스트로겐 전구 물질인 DHEAS의 생성을 감소시킨다. 따라서 임산부에게 중등도 또는 고용량의 글루코코르티코이드 투여 시 태반 에스트로겐 생성이 현저하게 감소될 수 있다.

ii. 임신부 부신 기능이상

임신부에게 애디슨 병이 있을 때 모체 소변 내 에스트로겐 농도는 감소하는 것으로 알려져 있다. 이 경우 주로 에스트론과 에스트라디올이 영향을 받는데 이는 태아 부신의 에스트리올에 대한 기여도가 양적으로 훨씬 중요하기 때문이다.

iii. 임신부의 난소 안드로겐 분비 종양

태반의 C19-스테로이드 방향화 기능으로 인해 모체 안드로겐 분비 종양이 있을 시에도 여성인 태아가 남성화되는 일이 거의 없다. 그러나 드물게 난소 안드로겐 분비 종양이 있는 임신부의 태아가 여아일 때, 태아의 남성화가 일어나기도 하는데, 이 경우는 태반에서 방향화할 수 없는 C19 스테로이드, 예를 들어 5α-디히드로테스토스테론(5α-dihydrotestosterone)을 생성하는 종양일 가능성이 크다.

iv. 임신영양막병(gestational trophoblastic disease)

완전포상기태(complete hydatidiform mole) 또는 임신

성 융모성 종양(gestational trophoblastic neoplasia)은 정상 임신과 달리 영양막 에스트로겐 생합성을 위해 태아 부신에서 생성되는 C19-스테로이드 전구물질이 없다. 따라서 태반 에스트로겐 생성은 모체 혈중의 C19-스테로이드 사용으로 제한될 수밖에 없으며, 포상기태임신에서 에스트라디올과 프로게스테론 생성률에는 큰 차이를 보인다.

2) 태반 단백호르몬(placental protein hormone)

태반의 융모는 영양막, 중간엽세포(mesenchymal cells), 태아혈관으로 구성되어 있다. 영양막층은 세포영양막층과 융합영양막층으로 구성된다. 세포영양막은 기본적인 태반 줄기세포이며 그곳에서 융합영양막세포가 분화하여 발생하게 된다. 그러므로 융합영양막은 호르몬과 단백질 생산의 중요한 장소이자 태반의 핵심적 기능 세포이다. 이러한 중요한 세포의 분화 과정이 어떻게 조절되는 지에 대해서는 아직 정확히 밝혀진 바가 없다. 그러나 의심의 여지없이 이 과정에서 사람 융모생식샘자극호르몬과 여러 성장인자들이 영향을 미칠 것으로 사료된다.

단백호르몬 체계는 매우 복잡한데 그 이유는 각각의 펩타이드가 여러 기능을 가지고 있기 때문이다. 융합영양막의 표면은 융모막사이공간에서 모체 혈액과 직접 접촉하고 있어 태반 단백질이 모체 안으로 우선적으로 분비된다. 표 5-3은 태반에서 발견된 성장인자 및 단백호르몬에 대해 요약 정리한 내용이다.

(1) 시상하부유사호르몬(hypothalamic-like hormones)

태반에서는 여러 호르몬을 생성한다. 생성하는 호르몬의 예로는 성장호르몬 분비 호르몬, 부신피질자극호르몬 방출호르몬, 갑상선자극호르몬방출호르몬 등으로 시상하부와 유사한 호르몬들을 분비한다.

① 태반 생식샘자극호르몬방출호르몬(placental gonadotropin-releasing hormone, GnRH)

태반에 많은 양이 존재하는 GnRH는 세포영양막에서만 합성되고 융합영양막에서는 합성되지 않는다. 기존의 연구에 의하면 태반의 생식샘자극호르몬방출호르몬은 사람 융모생식샘자극호르몬뿐만 아니라 태반의 스테로이드 생성과 프로스타글란딘 분비를 조절한다. 연구에 의하면 이 호르몬은 세포영양막의 수와 사람 융모생식샘자극호르몬 분비가 최고조에 이르는 임신 초기에 가장 많은 양이 존재하는 것으로 보고되었으나 상이한 연구 결과도 보고된

표 5-3. 태반조직에서 발견된 성장인자, 신경펩타이드 및 단백질

단백질/ 펩타이드호르몬	사람 융모생식샘자극호르몬 사람 태반락토겐 성장호르몬변이체 부신피질자극호르몬
신경호르몬/ 신경펩타이드	생식샘자극호르몬방출호르몬 갑상선자극호르몬방출호르몬 성장호르몬분비호르몬 소마토스타인 부신피질자극호르몬방출호르몬 옥시토신 신경펩타이드-Y β-엔돌핀 메트엔케팔린 다이놀핀
성장인자	액티빈 폴리스타틴 인히빈 전환성장인자 β와 α 상피세포성장인자 인슐린유사성장인자-I 인슐린유사성장인자-II 섬유아세포성장인자 혈소판유래성장인자
결합단백	부신피질자극호르몬방출호르몬 결합단백 인슐린유사성장인자 결합단백 1 인슐린유사성장인자 결합단백 2 인슐린유사성장인자 결합단백 3 인슐린유사성장인자 결합단백 4 인슐린유사성장인자 결합단백 5 인슐린유사성장인자 결합단백 6
사이토카인	인터루킨-1 인터루킨-2 인터루킨-6 인터루킨-8 인터페론-α 인터페론-β 인터페론-γ 종양괴사인자-α

바 있어 이는 아직 확립되어 있지 않다.

GnRH에 대한 태반의 수용체는 뇌하수체, 난소(표 5-3) 및 고환에 있는 수용체에 비하여 그 친화도가 더 낮다. 태반 내 이용 가능한 GnRH이 매우 풍부하기 때문에 수용체가 높은 친화력을 가질 필요가 없으며, 상대적으로 수용체의 낮은 친화도로 인해 혈중에 존재하는 소량의 GnRH에 대한 반응을 회피할 수 있게 된다. GnRH에 대한 수용체는 세포영양막과 융합영양막 두 곳 모두에서 존재하는데, 수용체가 생성되는 양이 사람 융모생식샘자극호르몬의 분비 그래프와 동일한 형태를 보인다. 이러한 사실은 태반에 존재하는 GnRH과 그 수용체가 사람 융모생식샘자극호르몬의 분비를 조절한다는 또 다른 증거라 할 수 있다. 이 호르몬의 분비는 에스트로겐, 액티빈A, 인슐린 및 프로스타글란딘에 의해 증가하고, 프로게스테론, 내인성 아편제제, 인히빈 및 폴리스타틴에 의해 억제되는 것으로 알려져 있다.

② 태반 부신피질자극호르몬방출호르몬(corticotropinreleasing hormone, CRH)

태반의 CRH는 시상하부에서 분비되는 호르몬과 동일한 구조를 지니며, 영양막, 태아막 및 탈락막에서 생성된다. 태반의 CRH의 생성은 프로게스테론에 의해 감소되며 시상하부에서의 음성 피드백 작용과는 반대로 글루코코르티코이드에 의해서는 증가하는 것으로 알려져 있다. 이러한 상호작용은 임신 후반부 및 분만진통 시 부신피질자극호르몬과 코티솔의 증가와 일치한다. 또한 태반의 CRH의 생성은 바소프레신(vasopressin), 노르에피네프린(norepinephrine), 안지오텐신 II, 프로스타글란딘, 신경펩타이드Y 및 옥시토신 등 일련의 물질들에 의해서도 조절되는데, 특히 액티빈과 인터루킨에 의해 분비가 촉진되고 인히빈과 산화질소(nitric oxide)에 의해서는 억제된다. 임신 기간 중 모체 내 CRH의 점진적인 증가는 바로 자궁 내에서 이 호르몬이 모체 혈중으로 분비되기 때문이다.

부신피질자극호르몬의 결합단백질은 태반, 양막, 그리고 탈락막에서 생성된다. 임신 35주 이후가 되면 모체 혈액 내 결합단백질의 농도가 줄어들면서 결합하지 않은 호르몬이 많아지고 CRH의 생물학적 활성도가 높아진다. 부신피질자극호르몬은 태아 부신 자극, 분만 진통의 시작, 혈액 흐름의 조절 등 여러 역할을 하며, 임신 말기에 생물학적 활성도가 높아지는 한편 호르몬의 농도가 증가하면서 자궁근육의 수축을 일으켜 분만개시에도 관여한다.

③ 태반 갑상선자극호르몬방출호르몬(placental thrytropin-releasing Hormone)

태반에서 생성되는 갑상선자극호르몬방출호르몬은 시상하부에서 만들어지는 호르몬과 그 구조가 다르다. 임신 이른 주수에서부터 만삭까지 태반에서 생성되며 주로 태아의 융합영양막 세포에서 국소적으로 존재하고 모체의 혈류로도 분비가 된다. 태반 갑상선자극호르몬방출호르몬은 태아에서의 농도가 모체에서의 농도보다 높으며 태아 체내에서 순환하면서 갑상선 기능에 영향을 줄 것으로 예측된다. 그러나 이를 뒷받침할 증거는 아직 불충분하다.

④ 태반 성장호르몬분비호르몬(placental growth hormone-releasing hormone, GHRH)

태반에서 분비되는 성장호르몬분비호르몬은 시상하부에서 분비되는 호르몬과 같은 구조를 지닌다. 그러나 태반 성장호르몬분비호르몬이 태반 내 성장호르몬의 분비에 관여하는지 등 정확한 역할에 대해서는 확실히 밝혀진 바가 없다.

(2) 뇌하수체유사호르몬(pituitary-like hormones)

① 사람 융모생식샘자극호르몬(human chorionic gonadotropin, hCG)

사람 융모생식샘자극호르몬은 그 생물학적 활성이 황체형성호르몬(luteinizing hormone, LH)과 유사한 당단백 호르몬이다. 앞서 서술한 바와 같이 사람 융모생식샘자극호르몬은 임신 초기부터 검출되며 임신호르몬이라고 불리기도 한다. 사람 융모생식샘자극호르몬은 거의 전적으로 태반에서 생산되나 그 외 태아조직 및 정상 남성 또는 비임신 여성의 뇌하수체에서도 미량 생성되고 여러 가지 악성 종양에서도 생산되는데 특히 융모종양에서 많은 양이 생산된다.

i. 화학적 특징

사람 융모생식샘자극호르몬은 분자량 36-40 kDa의 당단백으로 92개의 아미노산으로 구성된 α 아단위(α subunit)와 145개의 아미노산으로 구성된 β 아단위(β subunit)로 구성된 이질이합체(heterodimer)의 형태를 가진 당단백 호르몬이다. 당단백질에 탄수화물기가 어떤 것이 붙어있는지에 따라 그 물질의 생물학적 기능이 달라진다. 이로 인해서 사람 융모생식샘자극호르몬(hCG)과 황체형성호르몬(LH)은 비슷하지만 붙어있는 탄수화물기의 차이에 의해 황체형성호르몬은 혈중 반감기가 2시간인데 반해 사람 융모생식샘자극호르몬의 반감기는 분석에 따라 24시간에서 36시간으로 훨씬 길다. 이렇게 두 개의 아단위로 이루어진 호르몬으로는 난포자극호르몬(FSH), 황체형성호르몬(LH), 갑상선호르몬자극호르몬(TSH) 등이 있다. α 아단위는 앞서 말한 호르몬들에서 공통적인 구조이나 β 아단위가 다르게 구성됨에 따라 각 호르몬의 고유한 생물학적 성질 및 기능을 나타내게 된다.

ii. 생합성

α 아단위와 β 아단위 당단백질은 각각 다른 유전자에 의해 조절된다. α 아단위는 6p21.1-23 염색체에 위치하는 단일 유전자에 의하여 여러 다른 타입의 세포에서 생성되는 반면, β 아단위는 19번 염색체에 위치하는 서로 다른 유전자에 의해 생성되며 이 유전자는 호르몬의 종류에 따라 각각의 세포에 국한되어 생성된다. 19p13.3.에 군집을 이루고 있는 β 아단위 유전자들 중 6개의 유전자에서 사람 융모생식샘자극호르몬의 아단위를 만든다. 사람 융모생식샘자극호르몬의 생성 및 분비에 다양한 물질들이 영향을 미치는데, 태반 생식샘자극호르몬방출호르몬(placental gonadotropin releasing hormone)은 태반 세포에서 생성된 후 태반 세포에 존재하는 수용체에 결합하여 태반에서의 사람 융모생식샘자극호르몬의 분비를 촉진한다. 인터루킨-1β와 같은 단백질 또한 비슷한 작용을 하는 것으로 밝혀졌다. 그 외 사람 융모생식샘자극호르몬의 생성 및 분비를 촉진시키는 데에 관여하는 물질로 액티빈(activin), 에스트로겐 등이 있으며 억제하는 물질로 엔도르핀(endorphin), 인히빈, 프로게스테론, 그리고 폴리스타틴(follistatin) 등이 있다. 폴리스타틴은 액티빈과 결합하면서 액티빈의 작용을 억제하여 엑티빈의 생식샘자극호르몬방출호르몬-사람 융모생식샘자극호르몬 시스템 활성화 작용을 억제한다. 그 외에도 IGF-I, IGF-II, TGF-α, 그리고 EGF 등 또한 사람 융모생식샘자극호르몬의 분비에 영향을 미친다.

iii. 생합성 장소

임신 5주 이전까지 사람 융모생식샘자극호르몬은 융합영양막 및 세포영양막에 모두 발현되어 있다. 그 후에 모체 혈청 내 농도가 최고치에 도달하면, 이후 이 호르몬은 주로 융합영양막 세포에서만 생성된다.

iv. 혈액 및 소변에서 분자형태

사람 융모생식샘자극호르몬은 혈액 및 소변에서 여러 가지 형태로 존재한다. 이는 효소의 분해작용의 결과이거나 합성과정 중 변형된 분자가 발생하기 때문인데, 그 외 생물활성도 및 면역반응의 정도가 다양하다. 유리 α 아단위의 혈중 농도는 임신 36주까지 지속적으로 증가하며 그 양은 태반의 크기에 비례한다. 혈중 유리 α 아단위의 농도는 임신 10주경에는 완전한 사람 융모생식샘자극호르몬의 양에 비해 소량이나, 임신 제3분기 말에는 30-50%를 차지하게 된다. 소변 내에서도 다양한 형태의 사람 융모생식샘자극호르몬 호르몬 분해 산물을 가지고 있는데, 주요한 소변 내 형태는 말단분해 형태로, β 핵심분절(β-core fragment)라고 한다. 이것의 농도 또한 모체 혈중과 같은 일반적인 패턴을 보이는데 임신 약 10주경 최고치에 이른다.

v. 혈중 농도

사람 융모생식샘자극호르몬은 여성의 월경 주기 중 황체형성 호르몬의 혈장 내 농도가 급증하고 배란이 유도된 후 7-9일 이후 검출이 되기 시작한다. 즉 사람 융모생식샘자극호르몬은 포배가 착상할 때 전후로 혈액에서 검출이 가능하며, 혈중 호르몬의 농도는 1삼분기 동안 이틀마다 약 두배로 빠르게 증가하고, 임신 8-10주경 약 100,000 IU로 최고 농도에 도달한다. 임신 10-12주가 지나면 점차 사람 융모생식샘자극호르몬의 농도는 감소하기 시작하는데 문헌에 따라 다르지만 16주 혹은 18-20주가 되면 약 10,000 IU-20,000 IU 정도까지 농도가 감소하고 그 이후로 분만까지 유지된다. 주수가 진행하면 α 아단위와 β 아단위가 합쳐져 있는 분자 구조의 사람 융모생식샘자극호르몬은 농도가 줄어든 채로 유지되지만 "깨진(nicked)" 호르몬의 농도는 점차 상승한다. 즉 아단위 사이에 있던 연결이 끊어지면서 각각의 아단위로 나뉘어 모체의 혈액 속에서 순환하는 것이다. 그러므로 어느 한 시점의 모체 혈액을 검사하면 혈액 속에 아단위가 합쳐진 완전한 사람 융모생식샘자극호르몬뿐만 아니라 α 아단위와 β 아단위 등 호르몬의 조각들이 다양하게 포함되어 있다.

태아 혈액 내 사람 융모생식샘자극호르몬의 증감 패턴은 모체와 비슷하지만 그 농도는 3% 정도에 지나지 않는다. 임신 초기 양수 내 융모생식샘자극호르몬의 농도는 모체 혈액 내 호르몬 농도와 비슷하다. 임신 주수가 진행하면서 양수 내 호르몬의 농도는 점차 줄어들고 만삭에 가까워지면 모체 혈액 내 호르몬의 농도와 비교하여 약 20% 정도에 해당하게 된다. 모체의 소변에 포함된 사람 융모생식샘자극호르몬의 농도는 모체 혈액 내 농도와 비슷한 패턴을 보인다. 소변 내 이러한 물질들의 농도는 임신 약 10주경 가장 높다.

vi. 대사

사람 융모생식샘자극호르몬의 30%는 신장대사로 제거되고 나머지 70%는 간에서 담당한다. β 아단위와 α 아단위의 제거율은 완전한 형태보다 각각 10배, 30배 더 높다. 그러나 이러한 아단위 형태의 신장 제거율은 이합체 형태보다 상당히 낮다고 알려져 있다.

vii. 생물학적 작용

가장 잘 알려진 사람 융모생식샘자극호르몬의 생물학적 기능은 초기 임신의 유지 과정에서 황체의 퇴행을 방지하여 프로게스테론 생성을 유지하는 것이다. 또한 사람 융모생식샘자극호르몬은 자궁 근육층의 이완을 유발한다. 자궁 근육층에는 사람 융모생식샘자극호르몬-황체형성호르몬 수용체가 발현되어 있고, 사람 융모생식샘자극호르몬은 커넥신(connexin)-43의 발현을 감소시키는데, 커넥신-43은 간극 결합을 이루는 단백체로 세포 사이의 신호전달을 가능하게 하여 세포 괴사, 분열, 그리고 분화 등이 이루어지도록 하는 물질이다. 사람 융모생식샘자극호르몬은 이 물질의 발현을 감소시킴으로써 자궁 근육층 세포 사이의 결합을 감소시켜 임신 기간 중 자궁 근육층의 휴지기의 유지에 기여한다.

또한 사람 융모생식샘자극호르몬은 태아의 고환의 테스토스테론 분비를 촉진시킨다. 태아의 외부생식기가 남성화되는 중요한 시기에 사람 융모생식샘자극호르몬은 융합세포영양막에서 태아 혈장으로 유입된다. 태아의 뇌하수체로부터 LH 호르몬이 분비되기 전 시기까지, 사람 융모생식샘자극호르몬은 LH 호르몬을 대신하여 태아의 라이디히 세포의 황체형성호르몬 수용체에 작용하여 테스토스테론을 분비시키는 역할을 하여, 태아의 성분화를 촉진시키는 것으로 생각된다. 그 외 거론되는 기능으로는 임신부 갑상선 자극, 황체에서의 릴랙신(relaxin) 분비 촉진 등이 있다.

② 사람 태반락토겐(human placental lactogen, hPL)

i. 구조 및 화학적 특성

태반락토겐은 유전자 염기 배열이 성장호르몬 및 프로락틴과 상당히 유사하여 태반 성장호르몬으로도 불린다. 단일 폴리펩타이드 사슬 구조를 가지며 분자량은 22,279Da이다. 191개의 아미노산으로 구성되어 있으며 사람 융모생식샘자극호르몬과 96%의 상동성(homology)을 지녔고 프로락틴과도 67% 정도의 아미노산 배열의 유사성이 있다. 17번 염색체에 위치한 성장호르몬-태반락토겐과 연관된 유전자는 5개가 있고 그 중 hPL2와 hPL3가 태반락토겐을 발현하는 데 관여한다.

ii. 태반락토겐의 생합성

사람 융모생식샘자극호르몬과 마찬가지로 임신 6주 이

전에는 세포영양막에서도 확인되지만, 이후에는 융합영양막에서 주로 확인된다. 태반락토겐은 임신 3주경에 모체 혈액 내에서 검출되기 시작하여 임신 34-36주까지 점진적으로 증가한다. mRNA의 농도는 임신 기간 내내 융합영양막 내에서 일정량이 발현되므로, 혈중 농도는 태반의 크기에 비례한다. 태반락토겐의 반감기는 약 15분 정도로 짧아 태반의 상태를 나타내는 지표로서 사용되기도 한다.

태반락토겐은 태아의 혈액이나 모체 혹은 신생아의 소변에서 매우 적게 검출되며, 이 때문에 양수 내의 농도는 모체 혈액 농도보다 낮다. 태반락토겐은 일차적으로 모체의 혈액순환 속으로 분비가 되고 매우 적은 양만이 태아의 제대혈액으로 분비된다. 그러므로 임신 기간 동안 태반락토겐은 태아보다는 모체 쪽에서 기능을 할 것으로 예상할 수 있으나 그럼에도 불구하고 자궁 내 태아 성장제한에서 선택적으로 태반락토겐이 영향을 미칠 가능성이 있을 수 있어 주목받고 있다.

iii. 생물학적 기능

이 호르몬은 주요 대사작용에 관여하는 것으로 알려져 있는데, 첫째, 지방분해작용이 있어 혈중 유리지방산의 농도를 증가시켜 임신부와 태아 영양의 에너지원을 공급한다. 둘째, 모체 인슐린의 작용을 방해하며 임신을 당뇨상태와 비슷하게 만든다. 이로 인해 모체에서 인슐린의 생성을 증가시켜 혈중 인슐린 농도가 높아지고 말초조직에서는 세포단위의 호르몬에 대한 반응이 무디어진다. 항인슐린 작용으로 모체 중 인슐린 농도를 증가시켜 단백질합성을 촉진하고 태아로 가는 아미노산 공급의 유용한 원천을 제공한다. 셋째, 강력한 혈관형성호르몬으로 태아 혈관구조 형성에 중요한 역할을 할 것으로 보고 있다.

임신 전반기에 임신부가 기아 상태를 경험하였다면 모체 혈중 태반락토겐의 농도는 증가하게 된다. 하지만 단기간의 포도당과 인슐린의 변화는 혈중 태반락토겐 농도에 별로 영향을 미치지 않는 것으로 알려져 있다.

③ 융모부신피질자극호르몬(chorionic adrenocorticotropin, ACTH)

임신 중 코티솔(cortisol)의 농도는 외부에서 덱사메타손을 투여해도 억제되지 않는데, 이는 임신 중 융모부신피질자극호르몬(ACTH)과 부신피질자극호르몬방출호르몬(CRH)이 시상하부-뇌하수체 기원이 아닌 다른 곳에서도 기인한다는 것을 의미한다. 태반의 융모부신피질자극호르몬(ACTH)은 융합영양막에서 생성되고 이는 태반 기원 부신피질자극호르몬방출호르몬(CRH)에 의해 촉진되는 것으로 생각된다. 임신 후반부 및 분만 진통 시기에 부신피질자극호르몬방출호르몬(CRH)의 생물학적 활성도가 증가하고 그로 인해 코티솔의 농도가 증가된다.

(3) 기타 단백 및 펩타이드호르몬

① 부갑상선호르몬연관단백(parathyroid hormone-related protein, PTH-rH)

부갑상선호르몬연관단백은 임신부의 혈액에서는 혈중 농도가 상승해 있으나 태아에서는 그렇지 않다. 부갑상선호르몬연관단백은 정상 성인의 자궁근육, 자궁내막, 황체, 수유중인 유방조직 등에서 발견되지만 부갑상선에서는 생산되지 않는다. 또한 부갑상선호르몬연관단백은 태아-모체 단위에서 중요한 자가분비 및 주변분비 역할을 하는 것으로 보이며, 영양막에 있는 수용체를 활성화시켜 태아의 골성장 및 골화에 필요한 칼슘이온의 수송을 촉진하는 역할을 하는 것으로 생각된다.

② 성장호르몬변이(growth hormone variant, hGH-V)

태반은 뇌하수체에서는 발현되지 않는 성장호르몬 변이를 발현한다. 이 호르몬을 코딩하는 유전자는 17번 염색체의 성장호르몬-태반락토겐 유전자에 위치해 있다. 태반성장호르몬으로 불리기도 하는 이 호르몬은 191개의 아미노산으로 구성되어 있고 15개의 아미노산 위치가 성장호르몬과 차이가 있는 특징이 있다. 그러나 임신 중에 이 호르몬의 합성과 분비에 대해서는 알려진 것이 많지 않다. 성장호르몬 변이는 임신 21-26주경 모체 혈중에 나타나기 시작하고 36주까지 농도가 증가하다가 이후 일정하게 유지되는 패턴을 보여준다. 또한 모체 혈중 농도가 인슐린유사성장인자-1과 밀접하게 연관되어 있다. 생체 외 실험(in vitro)에서 영양막에 의한 성장호르몬변이의 분비는 용량-의존 방식으로 포도당에 의해 억제되는 것으로 보고되었으며 생쥐 실험에서 이 호르몬의 과발현은 인슐린저항성을 매개하는 후보 인자로 보고되었다.

③ 릴랙신(relaxin)

릴랙신은 임신 기간 동안 황체에서 생산되며 임신하지 않은 여성 및 남성에서는 검출되지 않는다. 황체에서 생산되지만 태반, 황체, 탈락막에서도 검출되며 구조적으로는 인슐린과 인슐린유사성장인자와 유사하다. 모체의 혈액에서 리랙신의 농도는 임신 제1삼분기 황체가 쇠퇴하기 전까지 높아지다가 임신 제2삼분기에 접어들면서 줄어든다. 이런 소견으로 초기 임신의 유지에 리랙신이 기여할지도 모른다는 가설을 제시되었지만 명확히 밝혀진 것은 없다. 또한 자궁근육에 작용하여 자궁근육의 이완과 임신초기에 관찰할 수 있는 휴지기에 관여하는 것으로 여겨진다. 추가적으로 태반과 태아막 내에서 릴랙신과 릴랙신유사인자들이 분만 후 세포 외 기질분해의 조절에 있어 자가분비-주변분비의 역할을 할 것으로 여겨진다.

④ 렙틴(leptin)

렙틴은 지방세포에서 처음으로 확인된 신호전달 기능을 지닌 단백호르몬이다. 렙틴은 주로 지방세포에서 분비되어 순환하게 되고, 체중, 식욕, 에너지 대사에 중요한 역할을 하며, 렙틴의 혈중 농도는 체지방과 비례한다. 렙틴은 지방세포뿐만 아니라 다양한 장기에서 생성되며 혈관 신생, 면역 기능, 뼈대사, 생식 현상을 포함한 다양한 기능을 수행한다. 임신 중에는 태반에서 많은 양의 렙틴이 생성되는데, 생성된 렙틴은 산모, 태아 및 양수 모두에서 검출된다. 렙틴은 주로 융합영양막에서 생성되며, 임신부에서 비임신부보다 혈중 수치가 높게 측정되는데 임신이 진행할수록 그 수치가 증가하여 임신 2삼분기 혹은 이른 3삼분기 때 정점을 이루고 그 이후 분만까지는 일정하게 유지되는 패턴을 보인다. 태반에서 분비되는 렙틴은 융합영양막에 작용하여 여러 내분비 작용을 조절하는데 기여한다. 그 예로 사람 융모생식샘자극호르몬의 분비를 증가시키고, 프로게스테론, 에스트라디올 및 사람태반성장호르몬의 생성을 억제한다. 더불어 생체 내 실험에서 렙틴은 세포융모막의 분열을 촉진하고 세포자멸사(apoptosis)를 억제하며 금속단백질분해효소(metalloproteinase)의 발현을 증가시켜 초기 사람 배아의 착상에 도움을 주는 것으로 알려졌다. 그 외에도 항염증작용, 혈관신생 촉진 기능을 하는 것으로도 알려져 있다.

임신 제2삼분기 이후, 임신부의 신체는 생리적으로 높아진 렙틴에 저항이 생긴 상태이다. 이를 통해 높은 렙틴 수치에도 불구하고 포만감이 떨어지고 과식증, 체중 증가 그리고 고인슐린혈증 등의 소견을 보인다. 렙틴에 대한 저항은 태아에게 충분한 영양분을 공급하고 모유 수유에 따른 대사적 소모를 대비하기 위한 것으로 보인다.

태반의 렙틴은 태반 내 아미노산의 전달 및 태아 성장에 중요한 역할을 하는 것으로 생각된다. 태아의 렙틴 농도는 태아의 몸무게와 관련되어 있고, 렙틴의 감소는 성장지연을 보이는 태아에서 대사 프로그래밍(metabolic programming)에 역할을 하는 것으로 알려져 있다.

⑤ 신경펩타이드Y(neuropeptide Y)

신경펩타이드Y는 36개의 아미노산으로 이루어져 있으며 뇌조직, 심혈관계, 호흡기계, 위장관계 및 생식요로계 신경을 지배하는 교감신경세포에도 존재한다. 신경펩타이드Y는 태반의 세포영양막에 국한되어 검출된다. 영양막에 신경펩타이드Y에 대한 수용체가 존재하며, 태반에서 신경펩타이드 Y는 부신피질자극호르몬방출호르몬(CRH)을 분비시키는 역할을 하는 것으로 보고되었다.

⑥ 인히빈과 액티빈(inhibin and activin)

인히빈은 당단백호르몬으로 뇌하수체의 난포자극호르몬의 분비를 억제하는 작용을 한다. 사람의 고환과 난소의 과립층세포(granulosa cell)에서 만들어지는 것으로 알려져 있는 인히빈은 α 아단위와 β 아단위로 구성된 이질 이합체

(heterodimer)이다. 태반에서 인히빈을 생성하기 때문에 임신 기간 동안 모체 혈중 인히빈의 농도는 상승한다. 인히빈은 임신 8주경 급증했다가 점차 줄어들고, 만삭에 도달하면 모체혈중 농도가 최고치에 이른다. 주된 기능으로는 다른 많은 스테로이드호르몬과 함께 작용하여 난포자극호르몬의 분비를 억제하여 임신 중 배란을 억제하며 태반에 작용하여 태반의 사람 융모생식샘자극호르몬과 스테로이드 생산을 억제하는 역할을 한다.

액티빈은 두 개의 β 아단위로 구성되어 있으며, 태반에서 사람 융모생식샘자극호르몬, 사람 태반 락토겐, 프로게스테론, 그리고 에스트로겐 등과 같은 태반의 호르몬 생성을 촉진시키는 역할을 한다.

모체 혈액 내의 인히빈 혹은 액티빈의 농도가 비정상인 경우 태반으로부터 기인한 문제가 있음을 시사한다. 예를 들어, 인히빈-A의 혈중 농도가 임신 2삼분기 때 높을 경우 다운증후군을 의심할 수 있고, 반대로 인히빈의 농도가 낮을 때는 유산의 가능성을 생각해야 한다. 전자간증이 있는 여성에서 인히빈과 액티빈의 농도가 둘 다 상승한다는 보고도 있다.

6. 프로스타글란딘(prostaglandins)

생식과 관련하여 중요한 프로스타글란딘은 PGE2, PGF2α와 PGD2가 있다. 임신 초기 사람 탈락막 내 프로스타글란딘의 농도는 비임신 시 월경주기 어느 때와 비교해도 수치가 더 낮은데, 이는 프로스타글란딘 합성의 감소 때문이다. 임신 전 기간에 걸쳐 자궁 프로스타글란딘의 합성을 억제하는 기전이 작용하여 임신을 유지한다는 여러 증거들이 있으며 프로스타글란딘을 외부에서 주입하였을 때 거의 모든 종에서 임신의 어느 단계에 있든지 임신 종결이 된다. 이러한 사실은 임신 전 기간에 걸쳐 자궁 프로스타글란딘의 합성을 억제하는 기전이 작용함을 시사한다. 또한 이러한 억제 기전의 결함이 임신 초기 유산과 관련이 있을 것으로 생각된다. 양에서는 수태물에 의해 자궁내막 프로스타글란딘의 합성 억제가 인터페론-γ (interferon-γ)의 생성과 연관된 기전을 통해 이루어진다는 사실이 확인되었다. 그러나 사람에서는 이와 동일한 기전이 발견되지 않았다. 프로스타글란딘은 분만진통의 개시와도 밀접한 관련이 있는데 이것과 관련된 내용은 뒷부분에서 자세히 다루어질 예정이다.

1) 프로스타글란딘의 생합성

프로스타글란딘은 체내 거의 모든 세포에서 생산하는 자가분비 및 주변분비 인자이다. 가장 강력한 생물학적 활성을 가진 프로스타글란딘 군은 아라키돈산(arachidonic acid)에서 유래하는 두 개의 이중결합 구조를 가진 프로스타글란딘이다. 아라키돈산은 음식을 통해 직접적으로 섭취할 수도 있고 아니면 그 전구물질인 리놀레산으로부터 합성할 수도 있다. 혈장 내에서 전체 유리 지방산 함량의 약 1-2%가 유리 아라키돈산이다. 대부분의 아라키돈산은 인지질과 에스테르화된 콜레스테롤에서 상당한 분량의 지방산을 가진 에스테르화된 형태로 공유결합을 하고 있다.

프로스타글란딘 합성의 속도결정 단계는 유리아라키돈산의 분비라고 할 수 있는데 여기에는 많은 가수분해효소(hydrolase)들이 관여한다. 그 중에서도 포스포리파제 A2 (phospholipase A2)의 활성화는 중요한 프로스타글란딘 합성의 개시인자인데, 이는 인지질의 2번 위치에 아라키돈산이 풍부하게 존재하기 때문이다. 포스포리파제 A2 외에도 포스포리파제 C의 활성에 의해 아라키돈산이 공급될 수도 있다. 이러한 아라키돈산의 공급에 중요한 리파아제를 활성화시키는 요소로는 고장액 또는 저장액의 주입, 혈전, 내독소(endotoxin), 기계적 확장, 카테콜아민(catecholamine), 브라디키닌(bradykinin), 안지오텐신 및 성 스테로이드호르몬 등이 있다. 아라키돈산이 분비된 후 합성되는 과정에는 크게 두 가지 경로가 있다. 첫 번째는 리포옥시게나제(lipoxygenase) 경로이고 두 번째는 사이클로옥시게나제(cyclooxygenase) 경로인데, 이 중 프로스타사이클린은 사이클로옥시게나제 경로를 통해 생성된다. 아라키돈산 외에 다른 두 가지 전구물질 지방산은 리놀레산과 펜타노산(pentanoic acid)이 있으며 각각 PG1과 PG3의 전구물질이 된다. 그러나 이 두 물질은 아라키돈산에 비해 그 생리학적 중요성이 떨어진다.

2) 프로스타글란딘의 대사

프로스타글란딘은 15-hydroxyprostaglandin dehydrogenase에 의해 대사가 시작되는데 주로 폐, 신장, 그리고 간에서 이루어진다. 폐는 특히 프로스타글란딘 E 와 F의 대사에 중요한 장기로, 거의 대부분의 프로스타글란딘은 체내 순환을 통해 폐를 거치면서 대사가 이루어진다. 이로 인해서 프로스타글란딘 계열은 보통 짧은 반감기를 가지고, 이들의 기능은 주로 자가분비, 주변분비로 분비된 곳에서 가까운 장소에서 역할을 하게 된다.

3) 프로스타글란딘과 태아 순환(prostaglandins and the fetal circulation)

프로스타글란딘의 태아 및 모체 순환에서 주된 작용 중의 하나는 동맥관(ductus arteriosus), 신장, 장간막, 자궁 및 태반의 혈관을 이완 및 확장 상태로 유지하는 것이다. 태아 심박출량의 59%는 동맥관을 통해 흘려보내기 때문에 동맥관의 유지는 태아순환에서 매우 중요하다. 동맥관이 열리고 닫히는 것을 조절하는 것은 프로스타글란딘에 의해 매개되며, 동맥혈 내 산소 농도는 동맥관의 구경을 결정하는 핵심요소이다. PGI2 (prostacyclin)가 양적으로는 더 풍부하지만 PGE2는 강력한 혈관확장제로 기능적인 관점에 있어서 동맥관 확장을 유지시키는 면에서는 PGE2가 더 중요하다.

자궁 내에서 태아의 동맥관은 최대한으로 확장된 상태로 있다가 혈관수축제의 영향으로 혈관 수축 과정을 통해 동맥관이 닫히게 된다. 이러한 혈관수축제의 원천은 태아의 폐인데, 태아가 성장하고 폐가 성숙함에 따라 폐는 트롬복산A2 (thromboxane A2, TXA2)를 형성하기 시작하고 태아가 출생하고 폐 환기를 시작하게 되면 트롬복산A2가 혈관수축 자극을 제공하게 된다.

만약 출생 후에 혈관을 확장시키는 프로스타글란딘을 투여하게 되면 폐고혈압을 유발하는 선천적인 기형이 있는 경우 수술 등 치료를 받을 때까지 동맥관이 열린 채로 유지할 수 있게 된다. 반대로 프로글란딘 합성을 억제하는 인도메타신, 이부프로펜과 같은 약물을 투여하게 되면 동맥관의 폐쇄를 유도할 수 있다. 인도메타신 및 이부프로펜 등을 통한 치료는 조기에 시작하는 것이 중요한데 이는 출생 후 연령이 증가할수록 동맥관의 프로스타글란딘 억제제에 대한 민감도가 떨어지기 때문이다. 이러한 현상은 약물 제거 효율이 증가하기 때문일 것으로 생각된다. 따라서 재태 연령 30주 이후부터 출생 후 연령 10일까지가 인도메타신의 치료 효과가 가장 좋은 시기로 알려져 있다.

이처럼 프로스타글란딘은 동맥관을 유지시키는 작용을 하기 때문에 조기 진통을 억제하는 목적으로 프로스타글란딘 억제제를 사용할 때는 주의가 요구된다. 자궁 내에서 동맥관이 조기에 막히게 되면 태아에서 폐동맥 고혈압과 울혈성 심부전을 유발할수 있기 때문이다. 하지만 동맥관이 조기에 막히는 부작용은 임신 27주 이전에는 거의 발생하지 않는다. 동맥관은 27-30주경에 이러한 약물에 반응하기 시작하기 때문에 장기간 프로스타글란딘 억제제의 사용을 피한다면 이런 부작용을 최소화할 수 있을 것이다.

4) 프로스타글란딘과 태아 호흡(prostaglandins and fetal breathing)

분만 진통 이전 태아의 호흡 운동은 출생 후와 비교해서 매우 약하다. 이는 태반의 PGE2가 태아 뇌에 작용하여 태아 호흡을 억제하기 때문이며 탯줄 동맥이 폐쇄되면 이러한 PGE2에 의한 영향이 소실되어 인해 태아 호흡이 활성화되어 폐를 통한 공기 흡입이 개시된다.

5) 태아 폐성숙

폐포는 폐표면활성제라 불리는 표면 활성이 있는 인지질-단백 복합체이다. 이 물질은 성숙한 폐의 제2형 폐포 세포에서 합성되는 물질로, 표면 장력을 감소시키는 기능이 있어 폐를 확장시키고 무기폐를 방지한다. 이 인지질-단백

복합체는 태아가 출생 후 원활한 폐 확장과 정상 호흡을 가능하게 하며, 만삭으로 태어난 태아의 경우 보통 이 물질은 충분히 존재한다. 하지만 조산아의 경우 이 물질이 상대적으로 부족하여 출생 후 폐확장 및 환기 장애로 무기폐, 호흡곤란증후군이 유발될 수 있다.

포스파티딜콜린(phosphatidylcholine 또는 lecithin)이 폐표면활성제 복합체 중에서 가장 활성도가 높고 가장 풍부한 지질이고 그 다음으로 많은 것이 포스파티딜글리세롤(phosphatidylglycerol, PG)이다. 둘 다 임신 마지막 5주까지는 매우 적은 농도로 존재한다. 임신 20-22주가 되면 계면활성제의 종류인 팔미토일-미리스토일 레시틴(Palmitoyl-myristoyl lecithin)이 생성된다. 하지만 이 물질은 포스파티딜콜린, 포스파티딜글리세롤에 비교하여 불안정하며 계면 활성 효과가 적다. 포스파티딜콜린, 포스파티딜글리세롤에 비해서 효과는 적지만 계면활성제가 분비되긴 하므로 조산으로 태어난 태아는 만삭아에 비해서 호흡곤란이 더 흔히 발생할 수 있으나 모든 조산아에게 호흡곤란증후군이 발생하는 것은 아니다. 임신이 진행하여 약 35주가 되면 디팔미토일 포스파티딜콜린(dipalmitoyl phosphatidylcholine)이 급격히 증가하는데 이것은 주요한 표면활성제 레시틴(lecithin)으로 안정적이고 매우 활성도가 높다. 태아의 폐에 의한 분비물은 양수의 형성에 기여하고, 스핑고 미엘린(sphingomyelin)의 양수 내 농도는 임신 전 기간에 걸쳐 거의 변하지 않기 때문에 양수 내 레시틴/스핑고미엘린 비(L/S ratio)를 평가하여 디팔미토일포스파티딜콜린의 양을 결정하는 데 이용하여 태아 폐성숙도를 예측하는데 이용할 수 있게 되었다.

태아가 정상 자궁 내 발달을 하면 스핑고마이엘린(sphingomyelin)의 농도는 임신 재태 주수 약 26주까지는 레시틴의 농도보다 높게 측정된다. 임신 34주 이전에는 L/S 비율이 약 1:1에 근접한다. 임신 34-36주가 되면 레시틴의 농도가 갑작스럽게 높아지면서 L/S 비율 또한 상승한다. 일반적으로 비율이 2.0이거나 그 이상이 되면 태아의 폐가 성숙해 출생 후 호흡곤란 증후군이 발생할 확률이 낮음을 예상할 수 있다. 하지만 상황에 따라 양수가 태변, 혈액, 혹은 질 분비물에 의해서 오염이 되는 경우 있다. 이럴 때는 포스파티딜글리세롤(phosphatidylglycerol, PG)을 측정하는 것이 도움이 된다. 이 검사는 양수가 오염되었는지 여부가 결과에 영향을 미치지 않기 때문이다. 임신 34-36주가 되면 포스파티딜글리세롤(phosphatidylglycerol, PG)의 농도가 급격히 증가하는데, 만약 L/S 비율이 2.0보다 크면서 포스파티딜글리세롤이 검출되면 신생아의 호흡곤란 증후군은 발생할 확률이 거의 없다고 여겨진다.

최근에는 태아 폐성숙도를 예측하기 위해 형광분석 방법으로 기존의 L/S 비율 구하는 방법을 대체하고 있다(Fluorescence polarization test). 이 형광분석방법은 간단하고, 자동화되어 있으며, 더 신속하게 결과를 볼 수 있고 비용 또한 저렴하다는 장점이 있다. 라멜라 수치(Lamellar body count) 또한 간단하면서 정확하게 태아의 폐성숙도를 예측하는 방법으로 사용되고 있다.

7. 임신부의 내분비계 변화

1) 뇌하수체

정상 임신 동안에 뇌하수체는 약 1.35배가량 커진다. 이는 주로 뇌하수체 전엽의 프로락틴 생성 세포의 증식으로 인한 것이다. 이론적으로는 시신경교차(optic chiasm)를 압박하여 시야 장애를 일으킬 가능성이 있으나 실제로 정상 임신에서 이러한 문제는 거의 발생하지 않는다. 그러나 뇌하수체가 커짐에 따라 혈액공급의 변화에 대해 더 민감하고 Sheehan 증후군의 위험이 증가하게 된다. 임신부의 뇌하수체 크기는 한 연구에 따르면 분만 다음날 12 mm에 이르며 가장 크고 그 후 6개월에 걸쳐 서서히 줄어든다.

임신에 의해서 뇌하수체 샘종의 발생 자체가 증가하진 않으나, 임신하기 전 이미 큰 크기의 뇌하수체 샘종(≥10 mm)이 있을 경우 임신 기간 동안 크기가 커질 가능성이 있다. 이를 뒷받침하는 예로 뇌하수체 샘종(≥10 mm)이 있는 238명의 환자에서 임신 기간 동안 21%에서 증상을 동반한 크기 증가가 있었고, 다른 연구에서도 15-35%에서 뇌하수체 샘종의 크기가 증가하면서 증상이 함께 동반되었다고 보고했다. 따라서 뇌하수체 샘종이 있는 산모의 경우 주기적으로 두통 혹은 시야장애 등의 증상이 있는지 확인해야 하고, 뇌하수체 샘종의 크기가 큰(≥10 mm) 경우 더 주의를 기울여야 한다. 만약 증상이 새로 발생하게 된다면 CT 혹은 MRI 도 고려하는 것이 추천된다.

임신부의 뇌하수체가 임신 유지에 필수적인 것은 아니다. 시상하부 제거 수술을 받은 많은 여성에서 갑상선호르몬과 바소프레신과 함께 글루코코르티코이드를 투여해 임신을 성공적으로 유지한 증례가 있다.

(1) 성장호르몬

성장호르몬은 임신 제1삼분기 동안 주로 모체 뇌하수체에서 분비된다. 이때 혈액 및 양수 내 농도는 비임신 시와 비슷하다. 성장호르몬이 태반에서 분비되기 시작하는 시점은 임신 8주경이며, 이후 임신 17주경까지 성장호르몬 분비의 주된 장소가 된다. 태반 성장호르몬은 뇌하수체 성장호르몬과 13개 아미노산 잔기가 다르며, 융합영양막에서 분비되며 비박동성형태로 분비된다. 태반 성장호르몬이 점차적으로 모체 순환 내 성장호르몬으로 대체되는데, 태반 성장호르몬의 모체혈중 농도는 임신 10주부터 28주까지 서서히 증가한 후 이후 그대로 유지되는 것으로 알려져 있으며 양수 내 농도는 임신 14-15주경 최고치에 도달하였다가 이후 서서히 감소하였다가 36주 이후부터는 기저치에 이르게 된다. 하지만 태반 성장호르몬은 태아의 혈액 내에서 발견되지 않는다.

모체의 인슐린유사성장인자(IGF)와 인슐린유사성장인자-결합단백질(IGF-BP)의 농도 변화는 태반 성장호르몬에 의해 조절되고 있으며, 임신 기간 중 인슐린유사성장인자의 증가가 이를 반영한다. 특이한 점은 태반 성장호르몬은 태반 성장호르몬-분비호르몬에 의해 조절되지 않고, 태아의 혈당 가용력을 유지하면서, 모체 혈당 및 인슐린 농도에 역으로 반응하며, 임신 중기 이후 모체의 인슐린저항성의 주원인이 된다. 또한 태반 성장호르몬은 모체의 기관들에서 포도당 신합성과 지방분해를 촉진시키는데, 이는 모체 물질대사에 영향을 주면서 태아 성장에 영향을 주게 된다.

태반 성장호르몬의 모체 혈액 내 수치는 태아의 출생체중과 양의 상관관계에 있으나, 태아발육제한과 자궁동맥의 저항성과는 음의 상관관계가 있다. 또한 여자 태아를 임신했거나 임신 중반기에 다운증후군 태아를 임신한 모체에서 양의 상관관계를 보인다. 성장 호르몬이 완전히 없어도 태아의 성장은 일어나지만 성장호르몬은 태반락토겐과 함께 태아의 성장을 조절하는 것으로 생각되고 있다.

(2) 프로락틴

프로락틴의 모체 혈중 농도는 정상 임신 중 현저하게 증가하는데 임신 5주에서 8주 사이에 증가하기 시작하여 임신 말기에는 150 ng/mL로 비임신 시에 비해 10배 이상 증가한다. 그러나 분만 후에는 수유를 하는 중에도 모체 혈중 농도가 감소하나, 초기 수유 동안 젖먹이에 반응하여 프로락틴이 박동성으로 분비된다.

프로락틴의 주 기능은 수유를 가능하게 하는 것이다. 임신 초기 유방의 꽈리 세포와 유선상피세포의 DNA합성 증가 및 세포분열을 증가시키며, 이 세포들에서 에스트로겐과 프로락틴 수용체의 숫자를 증가시킨다. 이러한 자극으로 인해 꽈리세포의 RNA 합성, 유즙 생산, 카세인(casein), 락토알부민, 락토오즈, 지방의 생산을 증진시킨다. 프로락틴이 임신 유지에 필수적인 호르몬은 아니나 결핍 시 수유를 할 수 없다.

프로락틴은 모체 및 태아 뇌하수체, 자궁에서 제한적으로 만들어진다. 자궁내막에서는 프로게스테론에 의해 프로락틴 합성이 촉진되나, 자궁근육층에서는 프로게스테론에 의해 프로락틴 합성이 억제된다. 특히 양수 내 프로락틴은 자궁의 탈락막에서 합성되어 고농도로 존재하는데, 임신 20-26주에 거의 10,000 ng/mL에 도달한다. 이후 농도는 감소하여 34주 이후에는 최저치에 다다른다. 모체와 태아의 프로락틴 혈중 농도는 뇌하수체로부터 유래되며, 프로락틴을 만드는 뇌하수체의 도파민 작용을 억제하게 되면, 모체와 태아의 농도는 감소한다. 그래도 정상 태아 성장과 발달을 보이며, 양수 내 농도는 변하지 않는다. 탈락막에서 생성하는 프로락틴은 도파민 길항제 치료에 영향을 받지 않으며, 양수의 전해질 조절에 중요하다는 것을 확인할 수 있다.

2) 갑상선

임신 중 임신부 및 태아의 요구량을 충족시키기 위해 임신 중 갑상선 호르몬의 생성은 40-100%까지 증가하게 된다. 따라서 임신 중 갑상선은 형태학적, 조직학적으로 그리고 관련 검사 지표들에 많은 변화를 보인다. 해부학적으로, 임신 중 갑상선은 약간 크기가 커지는데 이는 분비샘 증식과 혈관분포도의 증가로 인한 것이다. 평균 갑상선 용적은 임신 제1삼분기에 12 mL에서 분만 시 15 mL로 약 18% 증가하나 진성 갑상선종은 거의 없다. 전체 용적은 갑상선자극호르몬(TSH)의 혈청 농도와 반비례하는 것으로 알려져 있다.

또한 임신 중에는 갑상선의 생리 및 기능에 변화를 보이는데, 에스트로겐에 반응하여 임신 초기부터 티록신결합글로불린(thyroxine-binding globulin, TBG)이 증가하고 약 20주 경에는 정점에 도달하여 이후 남은 임신 기간 동안 비임신 시에 비해 두 배 정도 높은 농도를 유지한다. 티록신결합글로불린 증가로 유리 혈청티록신(thyroxine, T4)과 유리 삼요오드티로닌(triiodothyronine, T3)의 혈중 농도가 감소하며, 이에 대한 반응으로 갑상선자극호르몬이 증가하여 갑상선을 자극하여 총 혈청티록신과 총 삼요오드티로닌생성을 증가시킨다. 이들은 임신 제1삼분기에 증가하기 시작하여 임신 중반에 최고치에 이른다. 티록신결합글로불린과 결합하지 않은 총 혈청티록신의 0.04%인 유리 혈청티록신과 총 삼요오드티로닌의 0.5%인 유리 삼요오드티로닌은 임신 중 갑상선 기능에 중요한 역할을 한다.

앞서 언급한 바와 같이 사람 융모생식샘자극호르몬은 갑상선자극호르몬과 α 아단위의 구조가 동일해 임신 중 증가하는 사람 융모생식샘자극호르몬은 갑상선을 자극하게 된다. 이로 인해 임신 전 정상수치를 보인 여성들 중 약 80% 이상이 임신 중 갑상선자극호르몬의 감소가 나타난다. 갑상선자극호르몬은 임신 제1삼분기에서 일시적으로 감소하다가 임신 제1삼분기 말 이후부터는 임신 전과 같아진다. 유리 혈청티록신은 사람 융모생식샘자극호르몬의 농도 증가에 따라 약간 증가하면서 최고치에 도달하고 이후 정상화되어 정상 농도를 유지한다. 임신 18주까지는 삼요오드티로닌의 농도 증가가 현저하고 이후에는 농도를 유지한다. 사람 융모생식샘자극호르몬의 과도한 증가는 갑상선항진증을 일으킬 수 있으며, 입덧의 중증도와 갑상선항진증의 정도는 상관관계가 있는데, 이는 사람 융모생식샘자극호르몬의 갑상선 자극 및 스테로이드를 생산하는 작용에 의한 것으로 보고 있다.

갑상선자극방출호르몬(thyroid-releasing hormone, TRH)은 태반을 통과하지만 갑상선자극호르몬은 태반을 통과하지 못하는 것으로 알려져 있다. 갑상선자극방출호르몬은 정상임신에서 증가하지 않으나 태반을 통과하면서 태아의 뇌하수체를 자극하여 갑상선자극호르몬을 분비하도록 한다. 하지만 혈청티록신과 삼요오드티로닌의 농도가 높거나, 태아 혈청 농도가 모체 혈청 농도에 비해 많이 낮은 경우 태반을 통과할 수 있으며, 태아 갑상선이 발달하기 전까지 태아의 뇌는 이렇게 넘어오는 모체의 혈청 티록신에 의존한다. 하지만 태반의 탈요오드효소작용에 의해 대부분의 티록신은 태아로 이동하기 전에 파괴된다. 한편, 태반은 요오드가 태아에게 이동하는 것을 조절하는 역할을 담당하는데, 모체와 태아 모두 갑상선에서 티록신 합성을 위한 요오드 요구의 증가 및 소변으로 요오드의 배출이 증가되어, 하루에 200-300 ㎍ 정도 요오드를 섭취하도록 권장하고 있다. 임신 중 요오드 부족은 모체와 태아의 갑상선종(goiter), 유산, 자궁내 태아사망, 태아성장지연, 신생아 갑상선기능저하, 성인기 생식력 저하와 관련이 있을 수 있으며, 인지기능의 저하에서부터 진성 크레틴병이 생길 수 있다.

3) 부갑상선(parathyroid gland)

칼슘 농도의 조절은 마그네슘, 인, 부갑상선호르몬, 비타민 D 및 칼시토닌 생리와 밀접한 관련이 있다. 뼈 회전율과 관련된 모든 표지자들이 정상 임신 중에 증가하고 분만 후 1년까지 원래의 수준을 회복하지 못한다는 연구 결과가 있었다. 이는 태아의 성장과 수유를 위해서 필요로 하는 칼슘이 모체의 골격으로부터 공급되기 때문이다.

(1) 부갑상선호르몬과 칼슘

칼슘의 급성 또는 만성적인 감소와 마그네슘의 급격한 감소는 부갑상선호르몬의 분비를 자극한다. 이는 뼈흡수, 장관흡수, 신장재흡수를 통해 세포외액의 칼슘을 증가시키고 인을 감소시키기 위함이다. 반대로 칼슘 또는 마그네슘이 증가하면 부갑상선호르몬을 억제하게 된다

부갑상선호르몬의 혈장 내 농도는 임신 제1삼분기 동안에는 감소하고 그 이후에는 점진적으로 임신 기간 내내 증가하는 양상을 보인다. 장에서 칼슘 흡수량은 임신 제3삼분기에는 하루에 400 mg/dL에 이른다. 임신 초기에는 부갑상선호르몬이 감소하지만 신장에서 활성형 비타민 D 생산이 증가하면서 칼슘의 장 흡수량이 증가한다. 이후 임신 중 부갑상선호르몬이 증가하는 이유는 칼슘농도가 낮기 때문인데 그 이유에 대해서는 임신 중 혈장량의 증가, 사구체여과율의 증가, 모체에서 태아로의 칼슘 이동 등을 들 수 있다. 에스트로겐은 뼈흡수에 대한 부갑상선호르몬의 작용을 차단하는 역할을 하는 것으로 보이는데 이는 임신 중 부갑상선호르몬이 증가하는 하나의 이유가 되는 것으로 보인다. 이러한 모든 결과들로 인해 결국 임신 중 생리적 부갑상선기능항진증 상태가 되는데 이런 상태가 태아에 적절한 칼슘을 공급할 수 있는 환경이 되는 것으로 여겨진다.

(2) 칼시토닌과 칼슘

칼시토닌분비 C세포는 발생학적으로 신경능선(neural crest)에서 기원하고 갑상선소포주위에 존재한다. 칼슘과 마그네슘은 칼시토닌의 합성을 증가시키며, 많은 위 호르몬, 즉 가스트린(gastrin), 펜타가스트린(pentagastrin), 글루카곤(glucagon), 판크레오지민(pancreozymin) 등과 음식물 섭취 자극은 칼시토닌의 혈중 농도를 높인다. 태아 뼈의 무기질 침착(mineralization)으로 인해 임신 제3삼분기에 약 30 g의 칼슘이 필요하다. 이는 모체의 뼈 내에 존재하는 총 칼슘 양의 약 3%이지만, 모체로서는 부담이 될 수 있는 양이다. 하지만 칼슘 흡수로 인한 스트레스로부터 모체의 골격을 보호하고자, 칼시토닌은 부갑상선호르몬과 비타민 D와 반대되는 작용을 한다. 임신과 수유는 중대한 칼슘 스트레스에 해당되는데 이 기간 동안에 칼시토닌의 농도는 증가된 상태를 유지한다.

(3) 비타민 D와 칼슘

임신 동안 비타민 D는 간에서 전환이 되고 이는 다시 신장, 탈락막 및 태반에서 생물학적 활성을 가진 형태로 전환된다. 이렇게 활성을 가진 비타민 D의 형태는 뼈로부터 칼슘 재흡수를 자극하고 장관으로부터 칼슘 흡수를 촉진한다. 임신 제3삼분기에는 하루 약 400 mg의 칼슘을 장에서 흡수한다. 활성형 비타민 D는 태반에서 부갑상선호르몬 또는 부갑상선호르몬 관련 단백질의 생성이 증가함에 따라 증가하며, 또는 칼슘과 인의 혈중 농도가 낮을 때 활성형 비타민 D로의 전환이 촉진되고, 칼시토닌을 억제시키게 된다.

4) 부신(adrenal gland)

임신 기간 동안 부신 피질 기능의 변화가 있으며, 부신의 무게는 별로 증가하지 않지만, 일차적으로 글루코코르티코이드를 생산하는 다발대(zona fasciculata)의 팽창이 관찰된다.

(1) 코티솔(cortisol)

임신 중 혈중 코티솔 농도는 증가하지만, 대부분은 코티솔결합글로불린인 트란스코르틴(transcortin)에 결합되어 있다. 부신에서 분비되는 코티솔의 속도는 변화가 없지만, 대사되어 제거되는 속도는 감소하여 반감기가 임신 전에 비하여 약 2배에 이른다. 혈중 코티솔의 하루 중 변이(diurnal variation)는 비임신 시와 마찬가지로 유지되어 아침에 가장 높은 수치를 보인다. 경구피임약를 포함하여 에스트로겐 제제를 투여하였을 때 트란스코르틴이 증가하면서 혈중 코티솔이 증가하여, 그 변화가 임신 시기와 비슷하게 된다. 임신 초기에는 혈중 부신피질자극호르몬의 농도가 현저히 감소한다. 그러나 임신이 진행함에 따라 부신피

질자극호르몬과 유리코티솔은 증가한다. 총 코티솔 농도는 임신 제1삼분기 이후에 증가하며, 임신 말까지는 비임신기에 비해 거의 3배가량 증가한다. 이는 증가된 프로게스테론 농도가 임신 동안 증가된 것에 반응하는 것이며, 증가된 유리 코티솔은 항상성을 유지하는 데 필요하며, 또한 임신, 분만, 모유 수유의 스트레스에 대한 준비 과정으로 추론하기도 한다. 이러한 패턴은 아마도 양육 행동과 분만 후 행동에 영향을 줄 가능성이 있다.

(2) 알도스테론(aldosterone)

임신 15주부터 모체의 알도스테론의 분비는 증가하며, 임신 제 3삼분기에는 거의 하루에 1 mg을 분비한다. 염분 섭취를 제한하였을 때, 알도스테론은 훨씬 더 증가한다. 동시에 레닌과 안지오텐신II의 수치가 임신 중반 이후 특히 증가하는데, 이렇게 증가된 알도스테론 분비는 프로게스테론과 심방 이뇨인자의 이뇨효과에 대한 보호작용을 한다. 한 연구에 의하면, 임신영양막세포의 성장과 태반성장을 조절하는 역할이 있다고 발표된 바 있다.

(3) 디옥시코티코스테론(deoxycorticosterone)

디옥시코티코스테론은 미네랄로코티코스테로이드이며 임신 기간 동안 점진적으로 증가한다. 만삭이 되었을 때 혈중 농도는 거의 1,500 pg/mL에 이르며 15배 이상 증가하는 것이다. 이러한 임신 중 현저한 증가는 부신에서 분비가 증가하는 것이 아니고, 에스트로겐의 자극에 의해, 신장에서 생산이 증가한다. 태아에서 이 호르몬의 농도가 임신부보다 상당히 높은 것으로 알려져 있으며 이는 태아 구획에서 모체 구획으로 이 호르몬이 전달된다는 것을 시사한다.

(4) 안드로스텐디온(androstenedione)과 테스토스테론(testosterone)

임신 중에는 안드로겐 활성도가 증가하며, 임신 기간 동안 모체 혈중 농도는 두 호르몬 모두 증가해 있다. 안드로스텐디온의 합성 자체가 약간 증가하고, 테스토스테론은 성호르몬결합단백이 증가하면서 혈중 농도가 증가하게 된다. 또한 모체의 안드로스텐디온과 테스토스테론 모두 태반에서 에스트라디올로 변환되고, 이 호르몬들의 제거율이 증가하면, 결국 모체에서 생산율이 증가한다. 이렇게 증가된 C19-스테로이드 생산은 확실하진 않으나, 난소에서 기원하는 것으로 보인다. 그러나 테스토스테론 그 자체로는 모체에서 태아로 넘어가지 않는데 이는 거의 대부분의 테스토스테론은 영양막세포에서 17β-에스트라디올로 변환되기 때문이다.

(5) 디히드로에피안드로스테론황산염(dehydroepiandrosterone sulfate, DHEAS)

임신 중에는 모체 혈액 및 소변 내 DHEAS 농도는 감소한다. 이것은 임신 중 광범위한 모체 간에서의 16α-수산화(16α-hydroxylation)와 태반에서의 에스트로겐으로의 전환을 통해 대사 제거율이 증가하기 때문이다.

II. 태아내분비학

1. 뇌하수체

태아 내분비계는 중추신경계가 성숙해지기 전부터 기능하기 시작한다. 뇌하수체 전엽은 구강외배엽(oral ectoderm)으로부터 발달하고, 뇌하수체 후엽은 신경외배엽(neuroectoderm)으로부터 발달한다.

1) 뇌하수체전엽

태아의 뇌하수체 전엽은 5개의 세포형태로 분화하여 6종의 단백호르몬을 분비한다(표 5-4).

부신피질자극호르몬은 임신 7주에 태아 뇌하수체 샘에서 처음 발견되며, 성장호르몬과 황체형성호르몬은 13주에 관찰된다. 임신 17주까지 태아 뇌하수체는 모든 뇌하수체호르몬을 합성하고 저장한다. 또한 임신 초기에 자극호르몬에 반응하고, 분비할 수 있다.

표 5-4. 태아 뇌하수체전엽에서 분비하는 호르몬

뇌하수체전엽 세포형태	분비하는 단백호르몬 종류
락토트로프세포(lactotropes)	프로락틴(prolactin, PRL)
성장자극세포(somatotropes)	성장호르몬(growth hormone, GH)
부신피질자극세포(corticotropes)	부신피질자극호르몬(corticotropin, ACTH)
갑상선자극호르몬(thyrotropes)	갑상선자극호르몬(thyroid stimulating hormone, TSH)
생식샘자극세포(gonadotropes)	황체형성호르몬(luteinizing hormone, LH) 난포자극호르몬(follicle stimulating hormone, FSH)

2) 뇌하수체중엽

뇌하수체중엽은 태아에서는 잘 발달되어 있으나, 만삭이전에 사라지기 시작하여 성인에서는 나타나지 않는다. 뇌하수체중엽에서 α-멜라닌세포자극호르몬(alpha-melanocyte-stimulating hormone, alpha-MSH)과 β-엔도르핀(beta-endorphin)을 분비한다.

3) 뇌하수체후엽(신경하수체, neurohypophysis)

뇌하수체후엽은 신경하수체라고도 하며, 임신 10주에서 12주경 잘 발달되고, 옥시토신과 아르기닌 바소프레신을 분비한다. 태아에서 이 두 호르몬 기능은 폐와 태반에서 직접적으로 작용하면서 수분을 보전하는 기능을 한다. 제대혈 내에서 바소프레신 농도는 모체 농도에 비해 두드러지게 증가되어 있다.

2. 갑상선

갑상선은 제2 인두 주머니의 내배엽으로부터 기원한다. 뇌하수체-갑상선 체계는 임신 제1삼분기 끝 무렵에 기능적으로 완료되며, 갑상선은 임신 10-12주에 호르몬을 합성할 수 있으며, 갑상선자극호르몬, 티록신, 갑상선호르몬결합글로불린(thyroid-binding globulin, TBG)은 임신 11주경 태아 혈청으로 분비된다. 갑상선자극호르몬과 갑상선호르몬의 분비는 임신 중반까지는 낮은 상태이며, 그 이후 서서히 증가한다. 태반은 요오드의 농도를 태아 측에 축적하며, 임신 12주부터 임신 기간 동안 태아 갑상선은 모체의 갑상선보다 요오드를 좀더 친화적으로 축적하게 된다. 성인의 농도와 비교했을 때 임신 36주까지는 갑상선자극호르몬의 혈청 농도는 태아에서 더 높은 편이고, 총 또는 유리 삼요오드티로닌은 낮은 편이며, 티록신은 비슷한 농도로 관찰된다. 이는 임신 후기까지 태아 뇌하수체가 피드백 기전에 민감하지 않음을 보여준다.

태아 갑상선호르몬은 태아의 모든 조직의 정상 발달, 특히 뇌 발달에 중요한 역할을 한다. 선천성 갑상선항진증은 모체의 갑상선자극항체가 태반을 건너가, 태아의 갑상선에 티록신을 분비하도록 자극하면서 생긴다. 이러한 태아들에게는 큰 갑상선결절이 발달한다. 다른 특징은 빈맥, 간-비장비대, 혈액학적 이상소견들, 성장지연, 두개골유합 등이 관찰된다.

태반은 모체 갑상선 호르몬의 이동을 제한하여 티록신의 탈요오드화를 통해 불활성 상태로 변형시킨다. 하지만 태반을 넘어가는 소량의 모체 티록신이 갑상선무형성증이 있는 태아도 정상 발달이 가능하게 하고, 임신 중 크레틴병으로부터 예방한다. 분만 후에는 갑상선자극호르몬이 우선 증가하고, 분만 후 24-36시간 동안 혈중 티록신이 점차적으로 증가한다.

3. 부신

부신은 두 개의 다른 조직으로부터 발달한다. 부신 수질은 신경능선 외배엽으로부터 유래하고, 부신 피질은 중배엽으로부터 유래한다. 태아의 부신은 성인보다 태아 체중에 비해 상대적으로 큰편이다. 이는 부신피질의 태아대(fetal zone)가 지나치게 비대하기 때문인데 출생 후 빠르게 위축된다.

III. 분만 진통의 내분비학 (endocrinology of parturition)

1. 분만 진통 연속단계(parturition cascade)

분만 시기는 주산기 예후의 중요한 결정인자이다. 37주 이전 조산과 42주 이후 과숙 임신은 나쁜 임신 결과들의 위험인자가 된다. 만삭에는 자궁의 이완상태를 유지시켰던 기전이 사라지고 자궁수축을 촉진시키는 인자들이 소집되는, 일종의 분만 진통 연속단계가 있는 것으로 생각된다. 이러한 자궁 내막/탈락막에서 연속적인 신호들이 복합적으로 작용하여 분만 진통을 유발하고 촉진시키게 된다(그림 5-5)

2. 자가분비 및 주변분비매개체(autocrine and paracrine mediators)

만삭에는 복잡한 생리적 변화가 자궁조직에 영향을 주어 분만 진통이 일어나게 된다. 프로스타글란딘 생성증가 및 자궁 내 프로스타글란딘 분비, 자궁근육 틈새이음(gap junction) 증가, 자궁근육 옥시토신 수용체 상향조절(up-

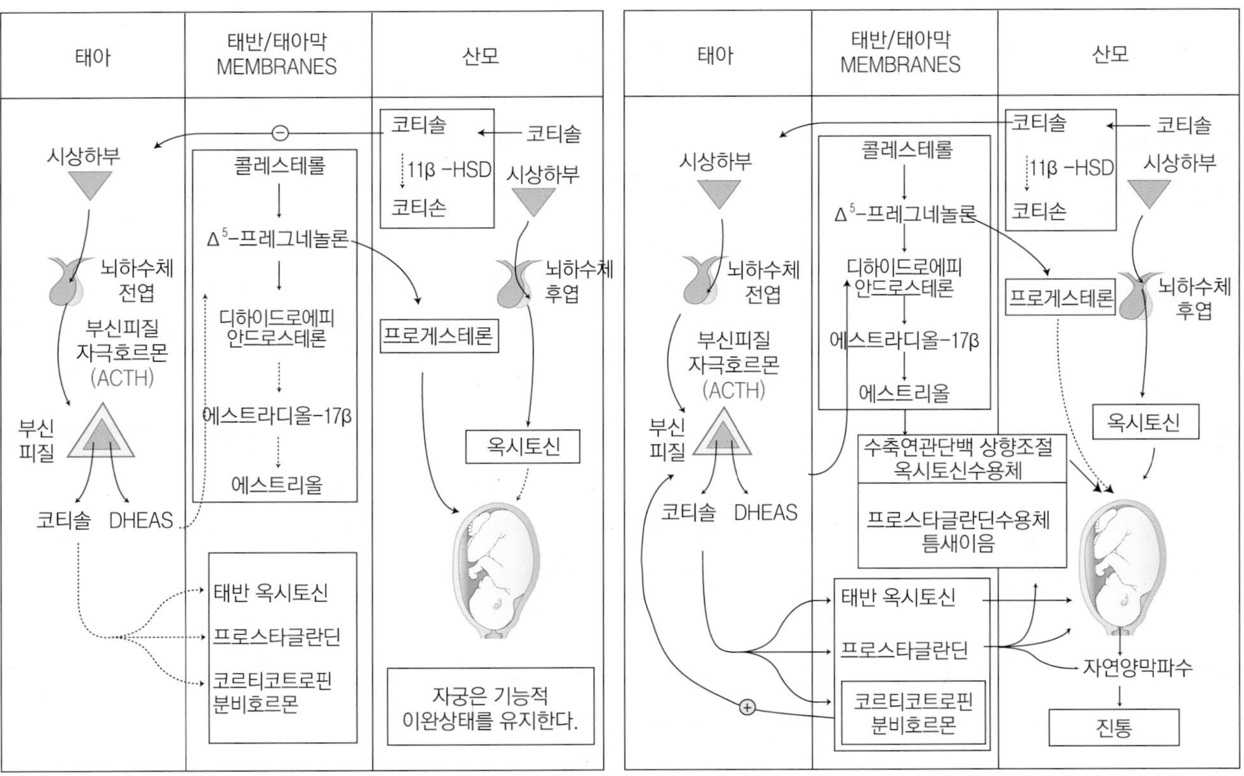

• 그림 5-5. 임신 중 자궁이완상태 유지 및 분만진통 시작에 관여하는 인자

regulation)이 이러 변화에 해당한다. 자궁근육과 자궁경부가 준비되면 내분비 또는 자가분비 및 주변분비인자들이 불규칙적 자궁수축을 규칙적 자궁수축으로 전환시킨다. 그리고 태아 부신에서 코티솔 분비가 증가되면 태아의 시상하부-뇌하수체-부신 축(hypothalamus-pituitary-adrenal axis)이 활성화되어 분만 진통이 일어난다. 산모의 부신피질자극호르몬(ACTH)이 태반을 거의 통과하지 않기 때문에 분만 진통 시작 전에 태아의 시상하부-뇌하수체-부신 축이 활성화되는 것은, 분만 진통 시작을 조절함에 있어 태아가 큰 역할을 한다는 증거가 될 수 있다.

1) 태아 시상하부-뇌하수체-부신 축(hypothalamus-pituitary-adrenal axis)

태아 부신은 형태학적, 기능적 및 생리학적으로 중요한 기관이다. 출생 당시 태아 부신은 어른의 무게와 같게 되고 인접한 태아 콩팥과 크기가 비슷하다. 태아 부신에서 생성되는 스테로이드는 만삭에 이르면 성인의 부신에서 생성되는 양인 하루 30-40 mg보다 더 많은, 하루 100-200 mg까지 이르게 된다. 특히 임신 34-36주에서 스테로이드 변화들이 일어나고, 이는 5주간 지속된다. 이 시기에 코티솔은 양수내에서 급격하게 증가하기 시작하고, 폐 성숙과 연관성을 보인다. 자연진통에 따른 질식분만 및 제왕절개로 태어난 신생아에서 제대혈의 코티솔 농도가 높게 관찰된다. 분만시기가 다가오면서, 태아 시상하부-뇌하수체-부신 축이 활성화되면 태아 뇌하수체 부신피질자극호르몬 분비가 증가되어 태아 부신에서 디하이드로에피안드로스테론 황산염(dehydroepiandrosterone sulfate, DHEAS)이 분비된다. 이것은 태아 간에서 16-하이드록시 디하이드로에피안드로스테론황산염으로 전환된 후, 태반에서 에스트라디올, 에스트론, 에스트리올로 대사되나, 거의 대부분 에스트리올로 전환된다. 태아 부신은 코티솔도 생산하는데, 코티솔은 코르티코트로핀방출호르몬(corticotropin-releasing hormone,CRH), 옥시토신, 프로스타글란딘 등의 발현을 촉진시킨다.

코티솔은 탈락막, 영양막, 태아막에서 CRH 분비를 자극하고, 이것은 산모 및 태아의 시상하부-뇌하수체-부신 축을 활성화시켜서 더 많은 DHEAS와 코티솔을 분비하도록 한다. 이러한 코티솔의 태반 CRH에 대한 양성 되먹임 기전은 산모의 CRH에 대한 코티솔의 음성 되먹임 기전과는 차이가 있다. 특히 산모 코티솔이 태반을 넘어가더라도 태아는 이를 비활성형 코티손(cortisone)으로 대사시키는데, 이는 산모 코티솔이 태아 부신을 억제하지 못하게 한다. 태아 간에서는 코티손이 활성형 코티솔로 변환시키는 능력에 제한이 있으나, 태아 폐에서는 코티손에서 코티솔로 변형할 수 있어, 폐의 계면활성성분 및 간의 글리코겐 축척을 증가시키는 등 중요한 발달을 진행시킨다.

CRH는 프로스타글란딘 생성을 증가시키고, 이 프로스타글란딘은 분만 진통을 일으킨다. 혈장 CRH 농도의 증가 속도에 따라 분만 진행 속도가 결정되며, CRH이 분만 진통 시기 결정에 있어 중요한 인자라는 것을 의미한다. 이 가설은 '태반시계(placental clock)'라고 일컬어진다. 코티솔은 CRH 이외에도 옥시토신과 프로스타글란딘의 분비를 촉진한다. 또한 태아가 스트레스를 받으면 태아의 혈장, 양수 및 산모의 혈장에서 CRH의 농도가 정상임신보다 모두 증가한다. 이때 부신피질자극호르몬방출호르몬은 주로 태반에서의 생성이 증가하며, 합병증을 동반한 임신에서 태반의 CRH의 과도한 분비는 태아 코티솔 합성을 증가시킨다. 예를 들면 자간증의 임신부는 정상 임신부보다 4배 정도 혈장 CRH가 증가된다.

2) 에스트로겐

태반에서 대부분의 에스트로겐을 분비하며, 분만 진통 시작 수일 전부터 디하이드록시프로게스테론(dihydroxy-progesterone)인 산모의 에스트로겐 전구체 농도가 증가한다(그림 5-6). 태반의 에스트론(estrone), 17β-에스트라디올(17β-estradiol)은 주로 산모의 C-19 안드로겐(테스토스테론과 안드로스텐디온)으로부터 생성되나, 에스트리올(estriol)은 거의 대부분 태아의 DHEAS로부터 만들어진다. 에스트로겐은 그 자체로 자궁 수축을 유발시키지는 않으나, 프로스타글란딘 수용체 및 옥시토신 수용체 수를 증가

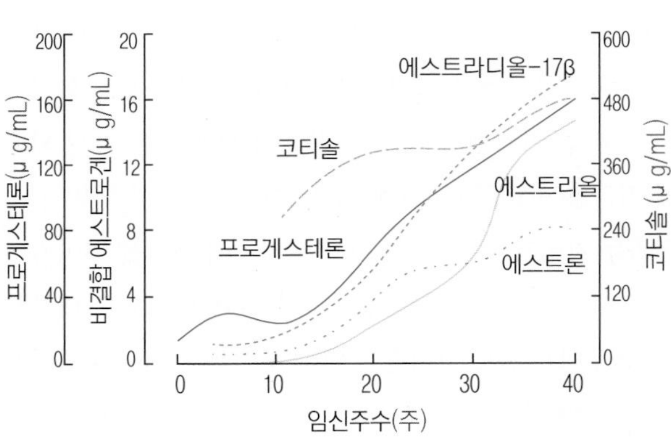

• 그림 5-6. **임신 중 호르몬의 혈중 농도**

시키고, 자궁 근육의 틈새이음(gap junction) 수를 늘리며, 근육수축에 관여하는 효소를 상향조절 함으로써 자궁수축 변화를 유도한다. 에스트로겐은 주변분비 및 자가분비를 통해 영향을 줄 것으로 생각된다.

3) 프로게스테론

임신 초기에 프로게스테론은 임신 유지에 중요하다고 알려져 있으나, 임신 후기의 프로게스테론의 역할은 불분명하다. 다른 포유동물과 달리, 사람의 분만 진통 전에 혈중 프로게스테론 퇴축(withdrawal)은 뚜렷하지 않다. 양을 대상으로 한 연구에서 혈중 프로게스테론의 합성이 감소하기보다는, 프로게스테론의 대사체가 증가하여 결과적으로 작용 가능한 프로게스테론이 감소하게 되는 것으로 확인하였다. 하지만, 혈중 프로게스테론 농도가 조직 내의 농도를 온전히 반영하지는 못하며, 사람에서는 태반만출 후에 프로게스테론의 퇴축이 나타나는 것으로 알려져 있다. 자궁 프로게스테론의 기능적 쇠퇴가 일어나는 메커니즘은 프로게스테론 수용체(progesterone receptor)에 의한 것으로 설명하고 있다. 자궁의 근층에는 두 종류의 프로게스테론 수용체가 존재하는데, 프로게스테론 수용체-A (progesterone receptor-A)와 B (progesterone receptor-B)이다. 프로게스테론 수용체-B는 존재하는 조직에서 프로게스테론의 신호를 받아 프로게스테론의 기능으로 알려진 역할을 수행하는 유전자의 발현을 유도하는 핵심 매개체이다. 하지만 프로게스테론 수용체-A는 수용체-B의 발현을 억제한다. 임신이 만삭으로 진행될수록 프로게스테론 수용체-A가 우세하게 되고, 이로 인해서 상대적으로 프로게스테론 수용체-B가 있던 자궁 근육층에서는 국소적인 프로게스테론의 기능 저하가 일어난다. 이러한 프로게스테론의 기능 저하는 자궁 근육층뿐만 아니라 태아의 양막 및 태반에서도 일어나는 것으로 생각되며, 이러한 기전을 통해 자연 분만 진통 전 프로게스테론의 퇴축이 일어나는 것으로 알려져 있다. 고위험 산모에서 프로게스테론 투여가 조산을 감소시킨다는 증거들이 있는데, 이것은 프로게스테론이 프로스타글란딘 생산을 감소시키고 자궁수축 관련 단백질의 유전자 발현을 억제함으로써 자궁 이완상태를 유지하기 때문으로 생각된다.

4) 프로스타글란딘

프로스타글란딘은 진통의 시작 및 진행에 작용하는 여러 물질들 중 하나이며 자궁 근육의 수축와 이완, 그리고 염증반응에서 핵심적인 역할을 수행한다. 프로스타글란딘은 프로스타글란딘 이성질화효소에 의해 여러가지 활성이 있는 프로스타글란딘으로 변환되는데, 그 예로 프로스타글란딘 E2 (PGE2), F2α (PGF2α), 그리고 I2 (PGI2)가 있다. PGE2는 특히 자궁경부의 숙화와 태아막의 자연적 파수를 촉진시키는 데 더 중요하며, PGF2α는 자궁근육에 직접 작용하여 옥시토신수용체와 틈새이음 수를 증가시켜 자궁수축을 촉진시키는 역할을 주로 하게 된다.

프로스타글란딘은 여덟 개의 다양한 G-단백 수용체와 결합하는데 그 중 일부는 자궁 근육층과 자궁경부에 존재한다. 아라키돈산(Arachidonic acid)은 프로스타글란딘의 전구체인데, 이 또한 진통의 시작에 영향을 주기도 한다. 분만 진통 진행 시 양수 내 아라키돈산(Arachidonic acid)의 농도가 증가하는 것이 관찰되기도 하였고, 반대로 양수 내 아라키돈산을 주입 시 분만 진통이 시작되기도 하였다. 아라키돈산과 프로스타글란딘의 증가로 인한 진통 시작에는 에스트로겐도 관여를 하고 있는 것으로 생각된다. 임신이 진행되고 만삭으로 향해갈수록 에스트라디올, 에스트론과 같은 에스트로겐은 모체의 혈액 내 농도가 점차 높아지는데, 이 에스트로겐이 지질분해 효소의 활성도에 영향을 주어 아라키돈산이 유리되는 것을 증가시킨다.

분만 진통의 시작 및 진행은 자궁 근육의 수축에 의해 일어나지만 자궁경부의 숙화와 개대가 함께 이루어져야 한다. 먼저 자궁경부가 숙화되어 부드러워지면서 자궁경부의 개대가 쉽게 진행되는데 이는 자궁경부의 조직에서 콜라겐(collagen)과 프로테오글리칸(proteoglycan)이 줄어들고 수분이 늘기 때문인데, 여기에는 프로스타글란딘에 의해 증가된 사이토카인(cytokine) 및 여러 효소들이 작용한다. 자궁 근육층뿐 아니라 양막에서도 프로스타글란딘이 생성되어 이는 양막파수를 일으키는 연쇄반응에 중요하다. 양막에서 생성되는 프로스타글란딘은 자궁근층의 수축과 이완에도 영향을 줄 수 있으나 충분한 설명은 되지 않는다. 양막에서 융모막을 통과하여 모체의 조직으로까지 전달되기엔 그 사이에 프로스타글란딘 탈수소효소(prostaglandin dehydrogenase, PGDH)가 있어 프로스타글란딘이 분해되기 때문이다.

5) 옥시토신(oxytocin)

옥시토신은 뇌하수체 후엽에서 박동성으로 분비되는 펩티드 호르몬으로, 분만 진통에 관여한다. 임신 기간 또는 분만 진통 시작 전까지 옥시토신 농도는 거의 변하지 않으나, 임신 중 자궁근육의 옥시토신 수용체 농도는 약 100-200배 증가한다. 옥시토신은 분만 진통 시작에 직접적으로 관여하지는 않는 것으로 보이나, 분만 진통 중 자궁 수축을 더 강하게 하고 태아 및 태반 분만을 더 용이하게 한다. 또한, 분만 직후 자궁 수축을 지속시켜 산후 출혈을 막아준다. 옥시토신의 자궁근육에 대한 작용은 직접적으로 수축을 일으키기도 하고, 간접적으로 탈락막에서 프로스타글란딘의 생성을 촉진시킴으로써 나타나기도 한다.

3. 조기진통(preterm labor)

조기분만은 신생아 이환율과 사망률의 주요 원인이다. 가장 흔한 원인은 조기양막파열 없이 생기는 자연 조기 진통으로 전체 조기분만의 약 45%를 차지하고, 조기양막파열로 인한 조기진통이 약 25%를 차지한다. 나머지 30%는 임신합병증으로 인한 조기분만이다. 유전, 감염, 영양상태, 환경 등의 다양한 인자들이 조기분만에 영향을 줄 수 있으나, 원인을 알 수 없는 경우가 많다.

임신 전반에 걸쳐 유지되는 자궁이완 기전에 문제가 생기면 조기진통이 발생할 수 있다. 일례로, 융모탈락막에는 활성 프로스타글란딘을 분해시키는 15-하이드록시프로스타글란딘 탈수소효소(15-hydroxy-prostaglandin dehydrogenase, 15-OH-PGDH)가 풍부한데, 이 효소는 양막에서 만들어진 프로스타글란딘의 융모막 통과를 막고 프로스타글란딘이 주로 양수 내에만 존재하게 한다. 하지만 이 효소가 결핍되거나 태아막이 파열되면, 활성 프로스타글란딘이 인접 탈락막이나 자궁근육에 영향을 주어 수축을 유발할 수 있다. 특히, PGF2α가 분만진통 시작에 중요한 역할을 하는 것으로 생각되는데, 자궁이완을 유지했던 기전이 사라지면서 태아막이 활성화되고 이것이 PGF2α를 분비하여 자연 분만 진통을 일으킨다. PGE2는 자궁경부숙화와 태아막 파열에 중요한 역할을 하는 것으로 보인다.

프로스타글란딘은 태아막과 태반에서 만들어지며, 프로스타글란딘E2 (PGE2)와 프로스타글란딘F2α (PGF2α)는 임신 전반기에 걸쳐 양수 내에서 검출된다. 태아가 자라면서 양수 내 프로스타글란딘은 서서히 증가하다가, 진통이 시작되면 양수 내 PGE2로 인해 자궁수축이 유발된다.

분만진통 연속단계(cascade)가 과도하게 일어날 때도 조기진통이 발생할 수 있다. 자궁 내 환경이 태아에게 좋지 않으면 조기진통이 유발되는데, 조기진통의 30%가 자궁 내 감염의 결과로 발생하는 것은 같은 맥락에서 이해할 수 있다. 그 외에, 트롬빈(thrombin)이 태반조기박리와 연관되어 조기진통을 일으키는 강력한 자궁수축인자라는 주장도 있다.

1) 모체 및 태아 스트레스 기전

모체의 신체 정신적 스트레스는 모체 시상하부-뇌하수체-부신 축을 조기에 활성화시켜 조기분만진통을 일으킬 수 있다. 태아 시상하부-뇌하수체-부신 축의 활성화도 조기분만과 연관되는데, 태아 스트레스의 원인으로 자궁태반 기능부전이 있다. 산모와 태아의 스트레스 둘 다 태반 부신피질자극호르몬방출호르몬(CRH)을 증가시켜 조기진통을 유발하는 것으로 생각된다.

2) 감염

다수의 자연 분만진통이 자궁내 감염(intrauterine infection)으로부터 비롯된다. 세균내독소에 의해 생성된 사이토카인들은 자궁경부에 백혈구 침착과 자궁경부 숙화를 일으키고, 사이토카인과 지속적으로 침착되는 백혈구에 의해 모체 탈락막과 자궁근육 내의 프로스타글란딘이 증가하여 자궁수축물질을 활성화하고, 조기진통을 유발한다. 자궁경부 단백분해효소가 활성화되어 자궁경부는 더욱 개대되고, 태아막은 더 약화되어 조기양막 파열이 일어난다. 또한 태아혈류로 들어간 세균과 사이토카인은 CRH와 태아 시상하부-뇌하수체-부신 축을 조기에 활성화시켜 자궁근육 수축을 유발한다.

3) 자궁확장

과도한 자궁확장으로 인해 보다 이른 시기에 자궁이완이 소실된다. 태아가 성장함에 따라 자궁근육과 양수압도 증가하게 되는데, 이는 분만 제2기의 자궁활성화에 중요한 요소로 알려져 있다. 자궁 근육의 신전은 커넥신-43, 옥시토신 수용체와 가스트린방출펩티드(gastrin-releasing peptide)의 발현을 증가시킨다. 다태 임신이나 양수과다증의 경우에 조기분만 위험이 증가되는 것을 설명할 수 있다. 자궁확장이 시상하부-뇌하수체-부신 축을 조기에 활성화시키면 산모의 CRH와 에스트로겐이 일찍 증가하여 자궁근육의 무활동기가 중단되면서, 자궁근육 수축 관련단백질(contraction-associated proteins, CAPs)을 증가시킨다.

** 참고문헌 목록은 대한산부인과내분비학회 홈페이지 http://www.kosge.or.kr 또는 QR코드를 통해 보실 수 있습니다.*

부 인 과 내 분 비 학

월경 장애

CHAPTER

6 무월경

이택후(경북의대), 최원준(경상의대)

무월경의 원인을 찾아내는 것은 너무 복잡하고 치료 방법 또한 매우 어려울 것으로 생각하기 쉽지만 대부분의 무월경은 단순한 문제에서 발생하고 있으며 일차 진료 임상의들이 해결할 수 있는 경우가 많다. 먼저 무월경의 원인이 되는 질환을 감별 진단하고 그 질환을 각각 환자의 특성에 맞게 치료하는 것이 중요하다.

무월경은 임신과 수유에 의하거나 폐경에 의한 경우를 제외하고 가임기 여성의 약 3-4%가 호소하는 비교적 흔한 증상 중 하나이다. 정상 월경이 일어나기 위해서는 시상하부-뇌하수체-난소-자궁 축을 구성하는 각각의 장기의 기능에 이상이 없어야 한다. 첫째는 자궁 또는 유출 경로상의 장애 또는 막힘이 없어야 하고, 두 번째는 난소의 기능이 정상이어야 하며, 세 번째는 뇌하수체 전엽에서 정상적인 생식샘자극호르몬 분비가 있어야 하고, 마지막으로 시상하부를 포함한 중추신경계에서 정상적인 생식샘자극호르몬방출호르몬(gonadotropin releasing hormone, GnRH)의 박동성 분비(pulsatile secretion)가 있어야 한다.

I. 무월경의 정의

초경(menarche)이 일어나는 나이는 개개인의 사춘기 발생 시점에 따라 차이를 보이게 된다. 일반적으로 초경은 사춘기 발달이 시작된 후 2-3년 내에 일어나게 된다. 대부분의 경우 사춘기의 시작은 몸이 빠르게 성장하는 단계를 지나 유방 발육이 시작되고(thelarche), 다음으로는 음모 발달(adrenarche)이 따라온다. 그러나 약 20% 정도에서는 짧은 간격을 두고, 음모의 발달이 유방 발달보다 빠르게 오기도 한다. 초경이 일어나는 나이는 가족력이나 개인적 차이가 있을 수 있다. 일단 초경이 시작되고 나면, 이후 약 25일 내지 35일 간격으로 규칙적인 월경이 지속되어야 한다.

환자가 다음의 3가지 중 하나에 해당된다면 무월경으로 진단하며 원인을 밝히기 위한 검사를 시작하여야 한다. 첫째, 이차성징이 없으면서 13세까지 초경이 없는 경우, 둘째, 이차성징을 보이면서 15세까지 초경이 없는 경우, 마지막으로 평소에 월경이 있던 여성이 적어도 이전 주기의 3배 혹은 6개월 이상 월경이 없는 경우이다.

하지만 이는 환자의 전반적인 상황을 고려해서 판단해

야 하며, 이러한 전통적인 무월경의 정의에 의지하여 지나치게 엄격한 기준을 적용하면 무월경을 유발하는 심각한 기저 질환을 감별하는 것이 늦어질 수도 있다는 것을 고려해야 한다. 다른 신체 특징이 동반되는 선천 무월경이나 생식샘 이상발생인 터너증후군(Turner syndrome) 등의 경우, 일찍부터 사춘기 발달을 도와주어야 하며, 질이 없는 14세 여성을 2년 후 추적관찰을 하기로 하고 돌려보내는 등의 진료는 문제가 될 수 있으므로 무월경 환자의 원인에 따른 개별화된 진단 및 치료를 적용해야 한다.

전통적으로 무월경은 일차과 이차로 나누어 왔다. 일차 무월경은 전혀 생리가 없었던 경우이며, 이차 무월경은 이전에는 생리가 있었지만 현재는 없는 경우이다. 일차과 이차 무월경은 각각의 원인을 감별 진단해야 한다. 일차 무월경은 여러 가지 원인으로 발생할 수 있는데, 부인과 의사는 다음의 경우를 감별해야 한다. 시상하부의 생식샘자극호르몬방출호르몬(GnRH)의 결핍(예, 칼만 증후군), 뇌하수체의 이상(예, 고프로락틴혈증, 갑상선기능저하증, 뇌하수체호르몬 분비장애), 난소의 이상(예, 생식샘발생장애, 다낭난소증후군과 같은 기능 이상), 뮐러관 발달 과정의 이상(예, 자궁의 기형, 질입구주름막힘증, 가로질중격, 질무발생) 등이다. 반면 이차 무월경은 감별해야 하는 질환의 범위가 넓지 않다. 생식샘자극호르몬방출호르몬의 결핍에 의한 원인과 질 및 자궁의 생성부전에 의한 경우는 배제할 수 있기 때문이다. 주의할 점은 조기난소부전, 다낭난소증후군, 임신의 경우에는 일차 무월경과 이차 무월경의 원인이 겹쳐서 나타나는 경우도 있을 수 있다.

II. 월경의 기본 원리

정상 시상하부-뇌하수체-난소 축(H-P-O axis)은 자궁-질의 정상적인 해부학 구조와 함께 정상적인 월경에 필수적이다. 난소에는 뇌하수체에서 분비되는 생식샘자극호르몬(난포자극호르몬, 황체형성호르몬)에 반응하여 에스트로겐 생성을 하는 난포가 있다. 뇌하수체 전엽에서 분비되는 생식샘자극호르몬은 시상하부에서 박동성으로 분비되는 생식샘자극호르몬방출호르몬에 의해 조절된다. 시상하부 생식샘자극호르몬방출호르몬 분비의 박동성 패턴은 주위 환경으로부터의 자극을 해석하고 번역하는 중추신경계 상위 센터가 난소에서 생성되는 성 스테로이드호르몬을 감지하여 그 피드백 효과에 의해 조절된다.

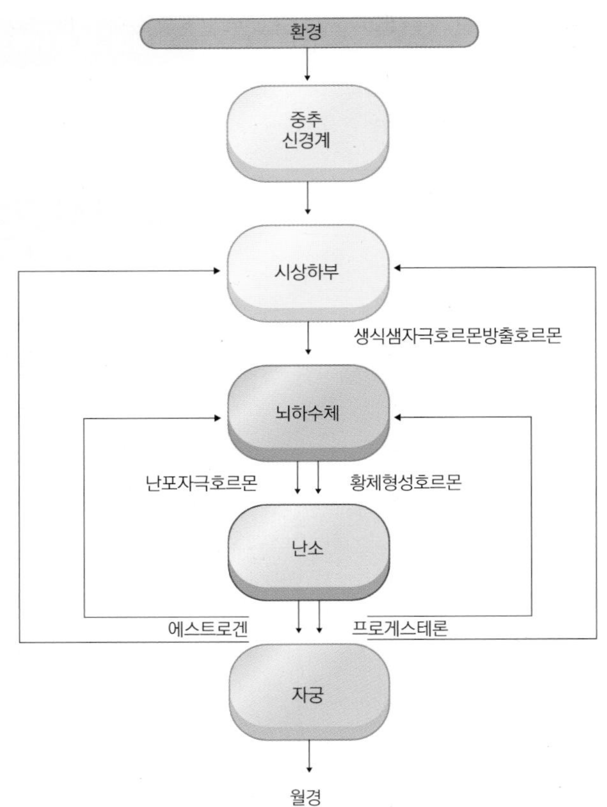

• 그림 6-1. 정상 월경주기의 조절 모식도

해부학에서 난포발달, 배란 및 황체형성으로 진행되는 난소주기에 반응하여 생성된 성 스테로이드호르몬의 작용에 정상적으로 반응할 수 있는 자궁내막이 있어야 한다. 생식기의 유출관은 각 월경주기의 시작을 표시하는 월경혈이 빠져나갈 수 있도록 질입구, 질관, 자궁경부 및 자궁강 사이에 연속적인 연결이 있어야 하며 해부학에서 막힘이 없어야 한다. 정리하면 정상적인 월경 기능을 위해서 필요한 조건은 (1) 자궁, 자궁경부, 질을 포함한 월경혈 유출관 (2) 난소 (3) 뇌하수체 (4) 시상하부(그림 6-1)이다. 그러므로 무월경의 원인으로는 첫째, 자궁을 포함한 월경혈 유출관의 이상, 둘째, 난소의 이상, 셋째, 뇌하수체의 이상, 넷째, 시상하부 혹은 중추신경계의 이상 등이 있으며, 이와 같이 여러 가지 해부학 및 기능 이상으로 발생할 수 있다.

III. 무월경의 평가

무월경에 대한 평가는 자궁을 포함한 월경혈 유출관, 난소, 뇌하수체 및 시상하부와 같은 각각의 생식 및 기능을 구분하여 진행할 것을 권고한다. 그리고 각 장기의 가능 평가는 해당 시스템의 가장 낮은 수준에서 시작하여 원인이 정확히 밝혀질 때까지 더 높은 수준으로 단계적이며 체계적으로 진행하여야 한다.

1. 병력 청취

자세한 월경력과 산과력에 대한 문진이 중요하다. 주기적인 하복부 통증이 있는지, 임신중절수술이나 자궁 수술의 과거력이 있는지 물어보는 것을 통해 월경혈 유출관의 선천 폐쇄 장애나 자궁내막의 손상으로 인한 유착 등을 의심할 수 있다. 월경주기의 변동이 있었는지, 여드름이나 체모가 증가하는지, 육체, 정신의 심한 스트레스가 있었는지, 심한 체중 변화가 있었는지 물어보아야 한다. 운동을 하고 있다면 빈도나 강도에 대해서도 알아보아야 한다. 젖분비과다(galactorrhea) 여부에 대해서도 문진하여야 한다. 그리고 질건조감(vaginal dryness)이나 안면홍조(hot flash)가 있는지 여부를 알아보아 난소 기능을 예측할 수도 있다. 과거에 빈혈, 당뇨, 갑상선질환 등이 있었는지 알아보고, 과거력이 있다면 현재에도 임상 증상이 있는지에 대하여 물어보아야 한다. 먼저 임신과 관련된 오심이나 구토 증상이 있는지 물어보고 임신을 배제하도록 한다.

두통, 경련, 구토, 행동장애, 시야장애 등의 중추신경계 이상 증상이 있는지, 점진적인 다모증이나 남성화가 진행되는지, 피임약을 복용하고 있는지 또는 중추신경전달물질에 영향을 주는 정신과 약물(페노사이아진, 벤조다이아제핀, 항우울제 등)이나 도파민억제제와 관련된 위장관 약물을 복용하고 있는지를 문진하여야 한다.

2. 신체진찰

신체진찰을 통하여 체중, 키, 체질량지수(body mass index, BMI) 및 신체 특징 등을 확인하여 선천 질환(예: 터너증후군)이나 영양 상태가 빈약하지 않는지 살펴보고, 만약 비만하다면 다낭난소증후군을 의심할 수도 있다. 맥박이 빠르고 피부가 축축하다면 갑상선기능항진증(hyperthyroidism)을, 여드름이나 체모가 증가하였다면 다낭난소증후군이나 선천부신과다형성(congenital adrenal hyperplasia)을 의심할 수 있다.

유방 발달과 자궁경관점액(cervical mucus) 상태, 그리고 질 점막 상태를 보아 난소의 기능을 추정할 수 있다. 유방의 발달이 시작되었다가 중도에 멈추고 월경도 없다면 시상하부-뇌하수체-난소 축의 장애를, 그리고 유방은 발달되었으나 월경이 뒤따르지 않는다면 생식기관의 발달장애를 의심하여야 한다. 유방 검사는 세심한 주의를 기울여야 한다. 유방 발달은 내인성 에스트로겐 생성 또는 외인성 에스트로겐에 노출되었다는 신뢰할 수 있는 지표이기 때문이다. 유방에서의 젖분비 작용은 호르몬 자극에 의해서 여러 부위의 도관(duct)에서 일어나지만, 유방질환에 의한 분비는 일반적으로 한 개의 도관에서 일어나는 경향이 있다. 유방을 약간 눌러 보아 여러 도관으로부터 젖이 분비된다면 고프로락틴혈증(hyperprolactinemia)을 의심할 수 있다.

음모 발달은 안드로겐의 생성 및 노출을 의미하는 신뢰할 수 있는 지표이다. 유방 발달과 음모의 발달이 테너기(Tanner stage)와 일치하는지를 관찰하여야 하며, 만약 유방 발달은 잘 이루어졌으나 음모의 발달이 없다면 안드로겐무감각증후군(androgen insensitivity syndrome)을 의심하여야 한다. 아직 성적으로 성숙되지 않은 질(sexually infantile girls with a small hymenal ring)을 질경(speculum)으로 검사하기에는 무리가 있으나 할 수 있다면 작은 질경을 이용하여 조심스럽게 시도하여 질과 자궁경부를 확인하는

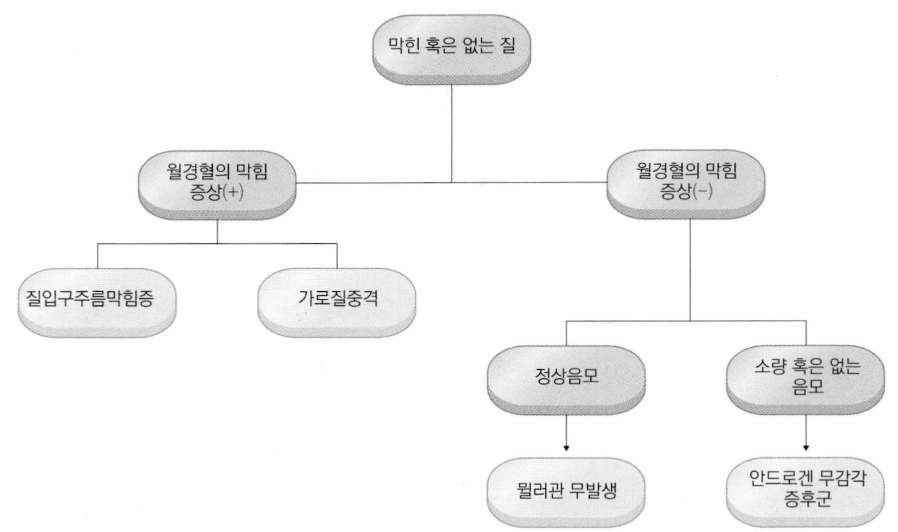

● 그림 6-2. **월경유출관 이상의 진단 흐름도**

것이 좋다. 필요하다면 항문진찰을 통하여 골반내 상태를 검진할 수 있다. 내진을 통하여 질입구주름막힘증(imperforate hymen), 가로질중격(transverse vaginal septum), 질무발생(vaginal agenesis) 및 안드로겐무감각증후군(androgen insensitivity) 등, 질의 이상을 보이는 질환들을 감별한다.

3. 자궁 및 월경 유출관의 진단적 평가

1) 비정상 생식기 해부학(Abnormal genital anatomy)

뮐러관발달 실패로 인한 유출관 이상에는 질 무형성에서 자궁경부 무형성, 가로질중격 및 질입구주름막힘증에 이르는 다양한 해부학 이상들이 포함된다(그림 6-2).

일차 무월경이 맹낭(blind vaginal pouch)의 질 소견을 보일 경우, 뮐러관무발생증(Mullerian agenesis)이나 안드로겐무감각증후군을 고려하여 감별해야 하는데, 주기적인 하복부 통증이 없고 음모(pubic hair)가 정상인 경우는 뮐러관무발생증을, 음모가 적거나 없다면 안드로겐무감각증후군을 진단할 수 있다. 주기적인 하복부 통증이 있는 경우는 은폐무월경(cryptomenorrhea)을 나타날 수 있는 뮐러관 기형을 의심할 수 있으며, 직장검사로 유동성 종괴(fluctuating mass)가 만져지면 질입구주름막힘증이나 가로질중격을 의심할 수 있다.

2) 정상 생식기 해부학

질-자궁경부가 정상이면서 일차 또는 이차 무월경인 경우는 이전에 자궁의 감염이나 수술 등의 과거력으로 발생한 자궁경부협착(cervical stenosis)이나 자궁내막유착(intrauterine adhesion) 또는 다른 원인들로 발생한 자궁내막손상 등을 의심할 수 있다.

4. 난소 기능의 평가

난소기능 이상이 전체 무월경(일차 및 이차)의 가장 많은 원인을 차지한다. 난소기능을 평가할 때, 먼저 갑상선자극호르몬(TSH), 프로락틴(prolactin), 에스트라디올과 난포자극호르몬 검사를 시행하면서 프로게스틴 부하검사(progestin challenge test)나 자궁내막두께 측정을 시행할 수 있다. TSH의 수치가 비정상적으로 높거나 낮으면 갑상선질환으로 인한 무배란을 생각할 수 있고, 프로락틴 수치가 높은 경우는 고프로락틴혈증을 진단할 수 있다. TSH나 프로락틴의 농도가 정상이고 에스트라디올 정상이면 다른 이유의 만성 무배란을 의심해야 한다.

1) 혈청 에스트라디올 농도

난소의 에스트로겐 생성 상태를 알기 위한 손쉬운 방법으로 혈청 에스트라디올 농도를 측정할 수 있다. 하지만 혈청 에스트라디올의 농도는 하루 중에도 수치가 일정하지 않고 변동이 있을 수 있어 그 해석에 주의해야 한다. 무작위로 측정한 혈청 에스트라디올의 농도가 40 pg/mL 이상이면 기능 난포(functional ovarian follicles)가 존재한다고 생각할 수 있으나 조기폐경이나 폐경전후기(perimenopause), 그리고 시상하부 무월경일 때도 간혹 이 농도를 보일 수 있다. 또한 낮은 에스트라디올 농도인 경우, 난소부전 외에 시상하부 무월경이나 심한 형태의 만성 무배란에서도 가능하며, 그리고 정상 여성에서도 이른 난포기에 낮은 에스트라디올 수치를 보일 수 있다. 따라서 한번의 혈청 에스트라디올의 농도 측정만으로는 난소 기능을 제대로 평가할 수 없고 다른 생물학적검정(bioassay) 및 뇌하수체 호르몬 검사 결과 등을 종합하여 분석하여야 한다.

2) 에스트로겐 생성의 생물학적검정

(1) 자궁경관 점액 검사

자궁경관 점액이 물같이 맑고, 양이 증가하면 에스트로겐의 농도가 상승하였다고 할 수 있으나 그렇지 않은 경우에는 신뢰성 있는 해석이 어렵다.

(2) 프로게스틴 부하검사(Progestin challenge test)

프로게스틴을 투여한 후 쇠퇴출혈(withdrawal bleeding)이 일어나는지 관찰하는 검사로서, 정상 에스트로겐의 농도가 유지되고 있는 경우에는 프로게스틴 투여 후 2-7일 이내에 질 출혈이 있게 된다. 쇠퇴출혈이 없는 경우에는 난소기능저하증(hypogonadism)으로 진단하고 양이 아주 적은 경우에는 최소한의 난소기능을 갖고 있다고 해석할 수 있다. 하지만 에스트로겐의 농도와 쇠퇴출혈과의 상관관계를 명확하게 관련 짓기가 어려워 난소의 상태를 정확히 알기는 어렵다는 보고들이 있다. 즉 에스트로겐이 존재함에도 불구하고 쇠퇴출혈을 일으키지 않는 위음성률(false negative rate)이 20% 정도 되며, 스트레스나 체중감소, 과도한 운동 또는 고프로락틴혈증 때문에 에스트로겐의 생성이 감소된 무월경의 40%와, 난소부전환자의 50%에서 쇠퇴출혈이 생기는, 이른바 높은 위양성률(false positive rate)을 보고하고 있어, 그 해석에 많은 주의를 요한다.

(3) 자궁내막 두께 측정

에스트로겐에 의한 자궁내막 증식(endometrial proliferation)을 관찰하는 것이며, 질초음파로 정중시상면(midsagittal plane)에서 두 층의 두께(2-layer thickness)를 측정한다. 내막 두께와 혈중 에스트로겐 농도, 그리고 내막 두께와 프로게스틴 부하검사(progestin challenge test)에서의 쇠퇴출혈 여부는 임상적으로 상관관계가 높으며, 내막 두께가 6 mm 이상일 때 95%의 정확도(accuracy)를 가지고 쇠퇴출혈을 일으켰다. 만성 무배란이 있는 환자에서 자궁내막증식증이나 자궁내막암 등의 위험이 낮은 환자를 가려내는데 도움이 되기도 한다. 이러한 생물학적 검사(bioassays)들은 난소의 기능을 추정하는데 유익한 검사가 되기는 하지만, 그보다는 무월경의 기간이나 다른 임상적 이력이나 특징들을 잘 살펴 에스트로겐 생성 기능을 평가하여야 한다.

3) 혈청 난포자극호르몬 농도 측정

혈청 난포자극호르몬의 농도는 난소기능을 간접적으로 예측할 수 있는 유용한 검사 방법이다. 난포자극호르몬의 혈중 농도가 증가하면 난포의 고갈이나 기능 상실로 볼 수 있다. 난포자극호르몬 농도가 증가한 경우는 임상적으로 심각한 경우이므로 한번의 검사로 끝내지 않고 한두 번 더 추가 검사를 시행하여 확진하여야 한다(표 6-1).

혈청 황체형성호르몬 농도는 난포자극호르몬의 농도와 함께 변화하기 때문에 황체형성호르몬의 농도를 꼭 측정해야 하는 것은 아니지만 만성 무배란을 감별할 때 황

표 6-1. 임상적 측면에서 혈청 생식샘자극호르몬의 농도

임상 상태	혈청 난포자극호르몬	혈청 황체형성호르몬
정상 성인 여성	5-20 IU/L (주기 중점: 배란여성의 경우 기저수준의 2배)	5-20 IU/L (주기 중점: 배란여성의 경우 기저수준의 3배)
생식샘기능저하 상태: 사춘기이전 생식샘기능저하 상태 혹은 뇌하수체 기능이상	<5 IU/L	<5 IU/L
생식샘기능자극 상태: 폐경 후, 생식샘제거 혹은 난소부전	>20 IU/L	40 IU/L

체형성호르몬의 농도가 난포자극호르몬 보다 높은 비율로 증가하면 다낭난소증후군을 의심할 수 있다. 황체형성호르몬 농도 보다 난포자극호르몬 농도가 감소된 경우("reversed"LH/FSH ratio) 시상하부 기능장애를 시사할 수 있으나 정확한 증명은 어렵다. 황체형성호르몬이 난포자극호르몬보다 약간 증가한 경우는 무월경 환자에서 특별한 의미는 없다. 혈청 난포자극호르몬 측정은 난소기능저하증과 시상하부 원인의 만성 무배란을 구별하는 기본검사로 활용할 수 있다. 혈중 에스트로겐의 농도가 30-40 pg/mL 정도로 경계 수치(marginal level)일 때, 혈중 난포자극호르몬 농도가 낮은 경우에는 뇌하수체나 시상하부 질환을 의심하여야 하며, 에스트로겐은 낮지 않으나 중등도(moderate)로 난포자극호르몬이 증가한 경우(10-15 IU/L) 난소예비능(ovarian reserve)이 감소한 상태로 보아야 하고, 임신을 원하는 경우 빠른 시일 내에 적절한 치료를 해 주어야 한다. 폐경기가 임박한 여성에서는 난포자극호르몬의 농도는 유동성이 있으므로 한번의 검사로 난소기능을 결론지을 수는 없다.

4) 혈청 항뮐러관호르몬(Serum Antimullerian Hormone, AMH) 농도 측정

항뮐러관리안호르몬은 성장인자의 TGFβ family에 속한다. AMH는 전방난포와 4 mm 이하의 성장 중에 있는 작은 크기의 난포의 의 과립막세포에서 분비되는 것으로 알려져 있다. 혈중 AMH 농도는 난포자극호르몬보다 난소예비능 측정에서 더 신뢰할 수 있는 지표로 생각되고 있다. 낮은 AHM 농도는 무월경의 원인이 난소부전임을 진단할 수 있으며, 5 ng/mL 이상의 높은 농도를 보이면 다낭난소증후군을 무월경의 원인으로 설명할 수 있다. AMH 측정은 개인의 월경주기 중 어느 시점에 측정해도 신뢰할 수 있으나, 주의해야 할 점은 호르몬 피임약과 같이 난소기능을 억제하는 약물을 장기간 복용한 경우에는 이로 인해 혈청 AMH 수치가 낮게 측정될 수 있다는 점이다.

5) 난소 기능 부전에 대한 검사

난소의 에스트로겐 생성 저하의 증거가 확실하고 혈청 난포자극호르몬의 농도가 지속적으로 높은 경우 난소부전으로 진단하며, 원인 규명을 위해 추가적인 검사가 필요하다.

(1) 염색체 검사

에스트로겐의 수치가 낮고 난포자극호르몬이 증가되어 있으면 난소부전을 염두에 두고서, 일차 무월경이나 30세 이전인 경우 염색체검사를 시행한다. Y염색체가 발견되는 경우 20-30%에서 악성 생식샘종양이 발생할 수 있으므로 적절한 시기에 생식샘제거술이 시행하여야 한다.

(2) 취약 X 증후군(Fragile X syndrome, FMR1) premutation 검사

취약 X 증후군은 정신지체와 자폐증을 동반하면서 가족력이 있는 가장 흔한 염색체 이상이다. 불안정한 삼뉴클레오티드(unstable trinucleotide; CGG)가 X염색체(Xq27.3)

의 FMR1 (Fragile X Mental Retardation) 유전자에서 비정상적 반복 배열을 확대(expansion)함으로써 생기게 된다. FMR1 premutation을 가진 여성에서는 가끔 여성호르몬 이상(AMH와 inhibin의 감소, 난포자극호르몬의 증가)을 보이며, premutation의 보인자(carriers)인 경우에는 약 1/3에서 45세 이전에 폐경이 된다고 한다. 가족력을 가진 조기난소부전 환자의 약 14%에서, 산발적인 경우에는 1-7%의 조기난소부전 환자에서 취약 X 증후군 premutation을 갖고 있다고 알려져 있다. 그러므로 난소부전조기난소부전이 있는 여성에서 FMR1 premutations 검사를 시행하는 것이 바람직하다.

(3) 자가 면역 검사

몇 가지 자가면역 질환은 조기난소부전과 관련이 있다. 아디손질환(Addison's disease, autoimmune adrenocortical insufficiency)과 같은 자가면역질환 환자의 난소에서 스테로이드 생성세포에 대한 자가항체(autoantibody)가 관찰되거나 림프구 침윤이 있을 수 있다. 이로 인해 조기난소부전(premature ovarian failure)이 생길 수 있다. 때때로 부신보다 난소가 먼저 이완될 수 있으므로, 조기난소부전(premature ovarian failure) 환자에서 21-hydroxylase enzyme, CYP21에 대한 항부신항체(anti-adrenal antibodies) 검사를 시행하여 한다. 검사에서 양성소견이면 자가면역 난소염(autoimmune oophoritis)으로 진단할 수 있고, 향후 부신기능부전이 발생하는지에 대해서도 추적검사를 시행하여야 한다. 갑상선 자가항체의 존재가 자가면역 난소부전을 일으키는지는 증명되지 않았지만, 자가면역 갑상선질환이 발생할 위험이 있는 여성을 선별하여, 이러한 여성들은 갑상선 기능 장애의 조기 발견을 위해 주기적인 검사를 받아야 한다.

5. 뇌하수체 기능 평가

정상 월경주기에서는 에스트로겐 농도가 떨어지게 되면 음성되먹임에 의해서 난포자극호르몬이 증가된다. 초기 난포기 때 낮은 농도의 에스트로겐은 난포자극호르몬을 증가시켜 난포의 성장을 자극하고 에스트로겐 분비를 증가시킨다. 에스트로겐의 혈중농도가 낮은데 난포자극호르몬의 농도도 낮은 경우(<5 IU/L)는 생식샘자극호르몬 생성이 부적절하게 이루어져서 발생한다.

에스트로겐 혈중농도가 확실히 낮으며(20 pg/mL) 난포자극호르몬의 농도가 정상 하한치(5-10 IU/L)인 경우에는 다음과 같은 해석과 임상 적용이 가능하다. 첫째로는 정상의 난포자극호르몬이 임상적으로는 모자라는 농도라고 인지되었거나, 둘째는 면역학 검사에서는 난포자극호르몬이 정상으로 측정되었지만 생물학적 활성도가 낮아서 발생할 수 있다. 생식샘자극호르몬은 실제 혈액 내 수치(immunologic activity)와 생물학적 활성도(biological activity)가 다를 수 있기 때문이다. 실제로 대부분의 저생식샘자극호르몬성 저생식샘호르몬 상태(hypogonadotripic hypogonadism)는 정상 혈중 면역 반응성(immunoreactive) 생식샘자극호르몬(gonadotropin)의 농도를 유지하고 있더라도 생물학적 활성도가 감소되어 있어 난포를 발달시키지 못하게 된다. 극히 낮거나 거의 발견되지 않는 생식샘자극호르몬 농도는 큰 뇌하수체종양이나 신경성 식욕부진(anorexia nervosa)에서 볼 수 있다.

확연한 육체, 영양, 심리 스트레스로도 설명이 되지 않는 저생식샘자극호르몬-생식샘 저하 상태가 지속되거나 고프로락틴혈증이 나타나는 경우에는 뇌하수체 및 시상하부의 영상학적 검사가 필요하다. 종양이나 다른 이상이 발견되지 않거나, 터키안장(sella turcica) 부위에 병변이 없거나, 과거력에서 다른 특별한 뇌하수체 손상을 의심할 수 없다면 추가적인 뇌하수체 기능검사를 할 필요는 없다. 영상검사에서 뇌하수체에 이상이 발견되지 않은 경우에는 문진을 통해 뇌하수체를 손상시킬 수 있는 특별한 병력이 있었는지 알아보아야 한다. 난포자극호르몬의 농도가 낮거나 정상인 경우에는 뇌 MRI 촬영을 하여 뇌하수체 종양이나 병변을 진단할 수 있고, 문제가 없는 경우 시상하부의 원인을 생각해 보아야 한다(그림 6-3).

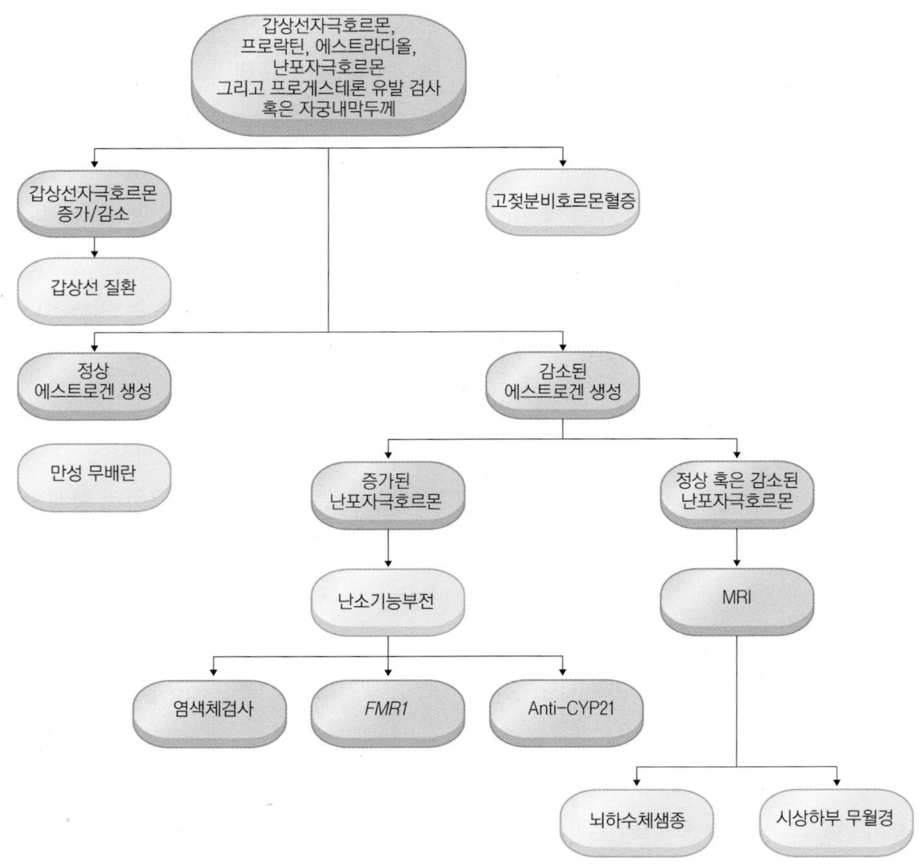

• 그림 6-3. **무월경의 진단 흐름도**

6. 시상하부 기능 평가

뇌의 영상진단으로 종양이나 다른 이상이 발견되지 않는 경우 기능적 시상하부 무월경(functional hypothalamic amenorrhea)이라고 진단할 수 있다. 생식샘자극호르몬방출호르몬(GnRH)의 박동성 분비가 억제되거나 이상이 생김으로써 난포자극호르몬과 황체형성호르몬의 분비를 감소시키고 따라서 난포 발달이 이루어지지 못하므로 낮은 혈중 에스트로겐 농도를 보인다.

시상하부의 이상을 진단하기 위하여 생식샘자극호르몬방출호르몬의 결핍을 직접 증명할 검사법은 없고, 대신 외부에서 생식샘자극호르몬방출호르몬(bolus, e.g. 100μg, subcutaneously)을 투여해서 황체형성호르몬의 반응을 확인하는 검사를 할 수 있다. 또한 프로그램된 주입펌프(infusion pump)를 이용하여 외부에서 박동성으로 생식샘자극호르몬방출호르몬을 투여하면 정상적인 생식샘자극호르몬의 농도를 회복시켜 난소의 배란도 유도하고 월경을 일으킬 수 있다. 하지만 이 방법은 높은 비용 때문에 진단을 위한 방법으로는 실용성이 거의 없다.

대부분의 시상하부 무월경의 원인은 심한 정신적 스트레스나 갑작스러운 체중 감소, 만성 영양결핍 또는 과도한 운동 등과 관계가 있다. 아주 드물게 원인불명(idiopathic), 또는 선천적으로 생식샘자극호르몬방출호르몬 신경발달이 다른 감각신경의 발달과 동반되어 실패한 칼만증후군(Kallmann syndrome)이나, 생식샘자극호르몬방출호르몬 수용체의 돌연변이(GnRH receptor gene mutation)로 인하여 일차 무월경과 성유치증(infantile sexual development)을 보이는 경우도 있다. 이때 가족력이 있는 경우를 제외하고는 임상적으로 진단을 위한 특별한 검사를 할 필요는 없다. 체질 지연(constitutional delay)에 대해서 모든 가능한 원인을 감별한 후에 뚜렷한 이유를 발견할 수 없는 경우에만 신중하게 진단을 할 수 있다.

IV. 무월경의 특정 원인들

1. 자궁 및 월경혈 유출관 질환

무월경의 원인으로 자궁과 월경혈 유출관 이상은 비교적 흔하게 나타나는 질환은 아니다. 자궁과 월경혈 유출관의 선천 기형으로는 질입구주름막힘증, 가로질중격이나 자궁경부폐쇄와 같은 뮐러관의 수직 융합장애와, 질-뮐러관 무형성증과 안드로겐무감각증후군 등과 같은 뮐러관 발달 부전이 있다. 대부분은 일차 무월경을 보인다. 해부학 구조가 정상이면서 자궁과 월경혈 유출관에 이상이 있는 경우는 자궁내유착(Asherman 증후군) 또는 외과적 손상, 감염에 의한 자궁내막손상 등의 후천적 원인에 의한 이차 무월경을 보인다.

1) 질입구주름막힘증(Imperforate Hymen)

대부분 산발로 발생하지만, 가끔은 유전성인 경우도 있다. 일반적으로 독립적인 해부학 결함으로 알려져 있지만 드물게 경미한 다발성 해부학인 결함을 보이기도 한다. 전형적인 증세로 초경이 나타날 시기에 월경은 없으면서 월경혈의 축적(은폐 무월경)으로 인하여 주기적인 회음부, 골반, 복부 압박감이나 통증이 나타난다. 월경혈이 막혀 있게 되므로 질혈종, 자궁혈종 및 혈액복막 등이 발생하며 자궁내막증이 생길 수도 있다. 그 외에 다른 이상은 없으며, 이차성징도 정상적으로 발달한다.

외음부 육안소견을 포함한 신체 진찰소견으로 진단을 내릴 수 있다. 외음부 육안검사에서 질 입구는 명확하지 않고, 얇고 종종 푸른색의 팽창되어 있는 회음부 막으로 보이며, 막의 아랫부분은 크기에 변화가 있는 덩어리(질혈종)로 만져진다. 또한 발살바수기(Valsalva maneuver) 시 질입구주름막이 팽창되는 것으로 진단할 수 있다.

치료가 지연되면 염증 변화와 자궁내막증에 의한 불임(난임)을 초래할 수 있으므로 가능한 빨리 치료하는 것이 좋다. 전통적인 치료방법은 질입구주름막에 십자형으로 절개(cruciate incision)하고 중앙부를 잘라내어 질입구를 개방시키는 것이다. 고여 있던 월경혈을 배출시켜 정상 월경이 시작되도록 한다. 다른 방법으로는, 질입구주름막의 손상을 피하기 위하여 팽창된 중앙부를 바늘로 뚫는 방법(sterile puncture)이 있다. 그 후 16F 폴리카테타를 삽입하여 생리식염수로 질 내를 관류하고 약 2주간 유치한다. 시술 후 에스트로겐 크림의 사용은 질입구주름막 고리의 재상피화에 도움이 된다.

2) 가로질중격(Transverse Vaginal Septum)/자궁경부폐쇄(Cervical Atresia)

가로질중격 또는 자궁경부폐쇄 환자도 질입구주름막힘증의 경우와 마찬가지로 초경이 나타날 시기에 월경은 없으면서 월경혈 배출이 막혀서 주기적인 골반 또는 하복부 통증을 나타낸다. 또한 질혈종, 자궁혈종 및 혈액복막 등이 발생하며 자궁내막증도 생길 수 있다. 이차성징 발달은 정상이다. 신체검사에서 질 입구는 정상이고, 질의 길이는 짧고, 자궁경부는 보이지 않으며, 막힌 부위 위로 질혈종이 만져지거나 자궁혈종과 난관혈종으로 인한 골반종괴가 만져진다. 발살바수기 때 질입구주름막이 팽창되지 않으므로 질입구주름막힘증과 구별할 수 있다. 초음파검사로 질혈종과 자궁혈종, 난관혈종 위치와 범위를 알 수 있으며, 질 상하부 사이 막힌 부분의 길이나 상세한 해부학 정보가 필요한 경우는 복부/골반 자기공명영상을 시행한다. 진단목적으로 바늘을 삽입하는 경우 질혈종이 질축농으로 전환될 위험성이 있으므로 삽입해서는 안 된다.

가로질중격과 경부폐쇄는 난관의 부분결여나 폐쇄 또는 일측 난관과 난소의 결여와 같은 상부 생식기 기형을 동반할 수 있다. 가로질중격은 대체로 46%에서 질 1/3 상부에, 40%에서 질 1/3 중간 부위에 잘 발생한다.

가로질중격의 치료는 수술로 중격을 절제하거나 폐쇄 부위를 절개하고 결손된 질관의 상하경계를 연결시켜 준다. 자궁경부폐쇄의 수술 치료는 경부를 질로 연결하여 유출관을 만들어 주는 것이다. 성공률이 낮고 심각한 수술 후 합병증이 동반되므로 수술의 시행에 대해서는 논란의 여지가 많다. 이상적인 치료목표는 기능을 하는 질을 만들어 자궁과 생식능력을 보존하는 것이다. 따라서 하부 질이 잘 발달된 수술에 적합한 대상자를 잘 선별하여 자궁내막증과 유착이 생성되기 전에 질성형술을 시행하는 것이 바람직하다.

3) 뮐러관무발생증(Mullerian Agenesis, Mayer-Rokintansky-Kuster-Hauser Syndrome)

뮐러관무발생증은 뮐러관의 무발생(agenesis) 또는 형성저하(hypoplasia)로 인하여 나타나므로 대부분은 자궁과 난관이 없고, 질도 없거나 안쪽으로 형성이 저하되어 있다. 드물게는 자궁이 존재하는 경우도 있는데 질입구로 연결되어 있지 못하거나 단지 흔적(rudimentary) 또는 쌍각끈(bicornuate cord)의 형태로 나타나게 된다.

이 증후군은 일차 무월경의 비교적 흔한 원인으로서, 생식샘이상발생 다음으로 흔하며, 안드로겐무감각증후군보다 발생 빈도가 높다. 국내에서의 빈도는 일부 보고를 제외하고는 대개 14-18%로 일차 무월경의 두세 번째 흔한 원인 질환으로 보고되어 있다.

대부분은 산발로 발생하지만 경우에 따라 가족 내에서 발생하는 경우도 있다. 뮐러관무발생증 환자와 그 어머니에서 Galactose-1-phosphate uridyl transferase (GALT) 유전자 돌연변이의 유병률이 증가하였다는 보고가 있다. 이는 갈락토스 대사의 이상으로 임신 중 모체의 자궁 내에서 갈락토오스에 대한 노출이 증가되면 태아의 뮐러관 형성에 유해한 영향을 미치는 것으로 생각된다.

일차 무월경이 청소년기 후반에 나타나는 유일한 증상이다. 외형은 정상이고 유방과 음모의 발달도 대칭적이며 정상적이나 질이 보이지 않는다. 흔적자궁이 있을 수 있으나 기능적인 자궁내막이 없으므로 은폐무월경(cryptomenorrhea) 증후도 나타나지 않는다. 따라서 정상 여성으로 보이면서 일차 무월경이 있고 외관적으로 질의 구조에 이상이 보이는 경우에는 뮐러관무발생증을 의심해야 한다. 그러나 약 10%에서 자궁내막에 기능성 조직이 있어 자궁혈종과 주기적인 통증을 초래하는 경우도 있다. 뮐러관무발생증은 두 가지 유형이 있다. A형은 대칭적인 근육질의 흔적 자궁과 정상 난관을 가지며, B형은 비대칭적인 흔적 자궁과 난관의 결여 또는 저형성을 특징적으로 한다. 대부분의 경우에서 난소는 조직학적으로 뿐만 아니라 기능적으로 정상이나, 난소의 위치가 골반 상부에 위치하는 경우와, 단측 또는 양측 난소 저형성인 경우도 있으며, 서혜부 탈장이 동반된 경우도 있다. 비뇨기계 기형이 동반된 경우가 비교적 흔하며(15-40%), 특히 B형 뮐러관무발생증에서는 일측성 신장결여, 딴곳신장, 말굽신장, 중복비뇨집합계 등이 자주 나타난다. 척추, 늑골, 골반을 포함하는 골격계 기형이 10-15%에서 동반되는데 비교적 흔한 이상으로는 척주측만증을 유발하는 반척추뼈증과 Klippel-Feil 증후군이 있다.

(1) 진단

대부분의 선천 뮐러관형성장애 환자는 병력과 육안적 소견을 포함한 신체진찰을 통해서 진단할 수 있다. 통상적인 진찰이나 신체진찰로 잘 알 수 없는 경우에는 초음파촬영술 또는 자기공명영상을 이용하여 진단한다. 또한 뮐러관무발생증 시에는 동반되는 골격계 이상이나 신장을 포함한 비뇨기계 이상 유무를 확인하기 위하여 정맥신우조영술, 신장 초음파, 척추 X-rays 등의 영상검사를 반드시 시행해야 한다.

사춘기 이후 혈청 테스토스테론 농도가 정상 여성 범위 내에 있으면 안드로겐무감각증후군을 배제할 수 있다. 뮐러관무발생증 환자는 남성 거짓남녀한몸증(male pseudohermaphroditism)의 일부 유형과 비슷하므로 반드시 염색체검사에서 핵형이 정상 여성(46, XX)임을 확인하여 감별해야 한다.

(2) 치료

뮐러관무발생증 환자의 1차 치료목표는 기능적인 질을 만들어 주는 데 있다. 질이 없거나 하부에 막힌 주머니의 모양을 형성하는 경우에는 우선적으로 기능을 할 수 있도록 Frank가 제안한 질 확장기를 사용하여 점진적으로 질을 확장시킨다.

질확장기 사용으로 질 확장에 실패하였거나 확장이 가능하지 않은 경우에는 전통적인 McIndoe방법으로 직장-질 공간에 새로운 인공 질(neovagina)을 만들어 준다. 수술 후 질의 유착 방지를 위해 질확장기를 이용하여 지속적인 질 확장 및 규칙적인 성교가 필요하다. 또 하나의 인공 질 수술로 방광-직장 공간에 새로 질을 만들어 주는 Vecchietti 수술이 있다. 최근에는 복강경을 사용하는 laparoscopic Vecchietti's modified technique으로 발전되어 인공 질 수술이 가능하다. 수술은 비교적 간단하고 안전하여 효과적이며 성적인 만족도도 좋다.

난소는 정상적으로 존재하며 기능도 정상이다. 자녀를 원하는 경우 체외수정과 대리모(surrogate mother)가 필요하다.

4) 안드로겐무감각증후군(Androgen Insensitivity Syndrome, AIS)

일차 무월경의 원인 중 약 10%를 차지하며, 생식샘이상발생과 뮐러관무발생증 다음으로 세 번째 빈도를 나타낸다. 국내 빈도는 최근의 보고들을 종합하면 일차 무월경의 약 5% 정도로 외국에 비해서는 비교적 낮으며, 일차 무월경 원인의 빈도는 외국과 비슷하다. 완전 안드로겐무감각증(complete androgen insensitivity)이 있으면 실제 생식샘은 남성의 고환이지만 외모는 여성으로 보이며, 이차성징은 나타나지만 초경은 없다. 이런 현상을 과거에는 고환여성화(testicular feminization)라고 하였으며, 남성 거짓남녀한몸증 중에서 가장 많은 유형이다. 남성 거짓남녀한몸증의 '남성'은 생식샘의 성(gonadal sex)을 의미하므로 고환을 가지고 있으며, '거짓남녀한몸증'은 외부 생식기가 생식샘의 성과는 반대인 경우를 의미하므로 외형상(phenotype)으로는 여자로 보이게 된다. 고환은 테스토스테론과 항뮐러관호르몬을을 생산한다.

유전자형은 정상 남성(46,XY)이고 안드로겐이 분비되기는 하지만 안드로겐수용체의 기능에 결함이 있기 때문에 안드로겐이 표적 세포에 작용하지 못하여(end organ insensitivity) 남성으로의 분화 및 발달에 장애가 초래되어 외부생식기가 여성으로 나타나게 된다(absent androgen action). 안드로겐수용체 유전자는 X 염색체 장완 Xq11-12 위치에 존재하며 현재까지 약 200개의 특이한 변이가 보고되어 있다. 안드로겐수용체 변이의 다양성에 의하여 AIS의 표현형도 다양하게 나타난다. 안드로겐수용체의 결함은 수용체의 발현정보를 지닌 유전자가 없거나 수용체의 안드로겐 결합부위에 이상이 있는 경우가 대부분이며, 후수용체 결함이 나타나는 경우도 있다.

혈중 테스토스테론은 정상 또는 약간 증가한 남성 수준의 농도이며 테스토스테론의 대사나 배설은 정상적으로 이루어지고 있다. 또한 고환에서 AMH가 분비되고 정상적으로 기능을 하기 때문에 자궁과 난관 및 질 상부 같은 내부생식기관은 존재하지 않는다. 질은 하부에서 맹관의 형태로 나타난다. Y 염색체에는 정상적으로 기능하는 유전자들이 있으므로 난소는 존재하지 않으며 고환이 복강 내에 또는 서혜부탈장의 형태로 존재하게 된다.

출생 시 정상적으로 태어나며 소아기 동안 성장과 발육도 정상이다. 키는 큰 편에 속하며, 팔은 길고 손발이 큰(eunuchoid) 체형을 나타낸다. 사춘기에는 고농도의 테스토스테론이 말초에서 에스트로겐으로 전환되어 유방을 발육 시킨다. 유방은 비교적 크지만 프로게스테론의 작용이 없어 샘조직이 거의 없고 유두는 작고 유륜은 색깔이 엷다. 소음순은 대개 잘 발달하지 못하고 질은 짧고 막혀 있다. 안드로겐 작용이 없어 음모와 액와모는 없거나 아주 빈약하다. 고환은 복강 내에 있거나 종종 일부 내려오는데 완전 안드로겐무감각증후군의 반수 이상에서 서혜부탈장이 있다. 고환은 서혜관 특히 안쪽샅굴구멍의 위치에서 잘 만져지며 잠복고환과 비슷하나 결절성일 수도 있다. 사춘기 이후에 고환은 미성숙 생식세포와 세르톨리세포(Sertoli cell)로 쌓인 미성숙 정세관을 포함하며 정자생성은 하지 못한다.

불완전 안드로겐무감각(incomplete androgen insensitivity)은 완전 안드로겐무감각의 1/10의 빈도로 나타나며 안드로겐에 대한 민감도는 존재하지만 불완전하다. 임상증상은 남성화가 거의 없는 경우에서부터 완전하게 나타나는 경우까지 다양하다. 중간형태로 음핵이 커지고 음순이 융합하여 외부생식기가 모호한 형태로 나타나는 경우도 있다. 음모와 액와모는 유방이 발달함에 따라서 나타난다.

드문 경우이지만 테스토스테론 합성에 관여하는 효소의 결함으로 발생하는 여성표현형 환자의 경우가 있다. 나타나는 임상양상이 불완전안드로겐무감각과 비슷하다. 이는 고환의 라이디히세포(Leydig cell)에서 안드로스테네디온이 테스토스테론으로 전환하는데 작용하는 17-hydroxysteroid dehydrogenase (type 3) 효소의 결핍으로 나타나는 남성 거짓남녀한몸증으로 안드로겐수용체의 이상이라고 하기보다는 테스토스테론 생산의 장애로 나타나는 결과이다. 유방발육이 없는 점이 임상적으로 안드로겐무감각과 감별될 수 있지만 정확한 진단을 위해서는 안드로겐수용체와 17HSDB3 효소 유전자의 분자생물학적 분석이 필요하다.

(1) 진단

사춘기에 유방이 발달된 후에도 월경이 없고 음모와 액와모가 없거나 빈약하게 나타나며(비대칭 이차 성 발달) 질이 짧고 자궁경부가 보이지 않고 다른 증상이 없는 경우, 우선적으로 안드로겐무감각증후군을 생각한다. 소아에서 서혜부 탈장이나 서혜부에서 종괴가 만져지는 경우 반드시 안드로겐무감각증후군을 감별해야 한다.

외형상으로 정상 여성으로 보이면서 자궁이 없는 경우는 뮐러관무발생증과 안드로겐무감각증후군 두가지 뿐이다. 초기에 음모의 유무, 혈중 테스토스테론의 농도로 간단하게 구별할 수 있다. 테스토스테론 농도는 정상 또는 약간 증가된 남성 치를 보여 많이 증가되어 있으며 황체형성호르몬 농도도 안드로겐무감각이 반영되므로 증가되어 있다. 안드로겐무감각증후군의 최종 확진을 진단을 위해서는 핵형분석으로 46,XY 확인이 필수적이다.

완전 안드로겐무감각증후군과 뮐러관 형성장애의 구별법은, 완전 안드로겐무감각증후군은 음모와 액와모가 없거나 빈약하므로 음모가 정상인 뮐러관무발생증과 비교적 쉽게 구별할 수 있고, 또한 완전 안드로겐무감각증후군은 자궁과 막힌 월경에 의한 증상이 없으므로 막힌 증상이 있는 질입구주름막힘증이나 가로질중격과 같은 뮐러관기형과 구별할 수 있다. 그러나 일부 불완전 안드로겐무감각증후군의 경우에서는 음모가 어느 정도 나타나므로 구별이 어려운 경우도 있다.

(2) 치료

완전 안드로겐무감각증후군의 치료는 두 가지 측면이 있다. 하나는 기능적인 질을 만들어 주는 것이고, 다른 하나는 잠복고환의 악성화 위험도에 관한 것이다. 뮐러관무발생증에서는 점진적인 질 확장 또는 질 성형술로 인공 질을 만들어 준다. 고환의 악성종양 변성을 예방하기 위하여 생식샘절제술을 시행한다. 일반적으로 Y 염색체가 있는 이상발생생식샘(dysgenetic gonad)의 경우에는 진단 후 바로 제거하는 것이 원칙이지만 완전 안드로겐무감각증후군의 경우에서는 예외적으로 사춘기 발육이 끝날 때까지 연기하는 것이 좋다. 그 이유는 종양의 발생 빈도가 5-10% 정도로 낮을 뿐 아니라 사춘기 이전에 나타나는 경우는 드물고, 수술 후 외인성 호르몬 치료의 효과가 내인성 호르몬분비에 의한 자연스런 사춘기 발달에 미치지 못하기 때문이다. 따라서 사춘기가 지나 성적 발달이 완전하게 되는 16-18세 정도에 생식샘을 제거하고 호르몬 치료(에스트로겐)를 시행한다. 복강 내에 위치하는 고환을 제거하기 위해서는 복강경에 의한 생식샘제거술이 바람직한 수술 방법이다. 불완전 안드로겐무감각증후군의 경우에서는 수술을 연기해서는 안 되며 더 이상의 남성화를 방지하기 위해 즉시 생식샘을 제거해야 한다.

5) 자궁경부협착(Cervical Stenosis)

자궁경부의 원추절제술이나 기타 수술적 치료의 합병증으로 심한 자궁경부협착과 유출관막힘 현상이 나타날 수 있다. 증상은 무월경뿐만 아니라 월경통 또는 월경 후 점상질출혈도 흔하게 나타날 수 있다. 원추절제술 때 출혈을 줄이기 위해 임의로 하는 봉합술이 다른 방법에 비해 자궁경부협착과 무월경의 발생위험이 크다. 자궁경부 수술 후 발생한 무월경 환자에서 경부협착의 진단은 단순 자궁 소식자법(uterine sounding)으로 할 수 있으며, 질초음파 검사에서 자궁혈종이 나타나는 것을 볼 수 있다. 치료는 초음파 유도하에 조심스럽게 경관을 확장하고 뇨 카테타나 풍선 카테타를 약 2주간 유치하여 재발을 방지하도록 한다.

6) 아셔만증후군(Asherman Syndrome, Intrauterine Adhesions)

자궁내막이 선천적으로 결여되어 일차 무월경이 나타나는 경우는 매우 드물며, 대부분은 후천적인 원인으로 자궁내막이 손상되거나 유착되어 나타나는 이차 무월경이 대부분이다. 아셔만증후군은 자궁내막이나 경관 부위의 손상으로 생성된 자궁내막의 유착에 의해 자궁강의 일부 또는 전부가 막히는 경우로 흔히 이차 무월경 또는 과소월경이 동반된다. 위험인자로는 자궁내막소파술(특히 임신 관련 및 산후 소파술), 자궁경부원추생검술 및 전기절제술 등의 수술, 또한 골반내감염, 자궁내 피임장치(관련 염증), 생식기관결핵 등의 감염이 있으며 이런 위험인자들이 원인이 되어 이차적으로 아셔만증후군이 발생한다.

아셔만증후군의 발생빈도는 이차 무월경의 약 2-7%이며, 국내 보고는 이차 무월경의 약 7-21%로 외국에 비해 높다. 가장 많은 원인은 임신과 관련된 소파술로 과도한 큐렛의 사용 때문이다. 산후소파술 또는 쉬한증후군과 같은 산후생식샘저하증의 경우에는 자궁내막유착이 아주 심하게 생길 수 있다. 월경과다의 치료로 자궁내막절제술 후에도 무월경이 잘 나타나며, 제왕절개술, 근종제거, 자궁성형술, 자궁동맥색전술과 같은 수술에 의해서도 흔하지는 않지만 유착이 생기기도 한다. 아셔만증후군 환자에서는 무월경 외에도 과소월경, 월경통, 유산 등이 발생할 수 있으며, 유착 정도에 따라 과소월경 또는 정상적으로 월경을 하는 경우도 있다. 또한 반복유산, 불임 또는 반복유산 등의 심각한 문제들이 발생할 수 있다.

(1) 진단

에스트로겐(conjugated equine estrogen, CEE 1.25 mg/일, 21일간)과 프로게스테론 medroxyprogesterone acetate 10 mg/일, 마지막 5-7일간의 순차적 투여 후에도 쇠퇴출혈이 희박하거나 없으면 종말기관 자궁내막부전(end organ endometrial failure)을 의미하므로 임상적으로 아셔만증후군을 강력하게 시사하는 소견이다.

진단을 위해서는 영상검사가 필수적이다. 초음파검사 또는 생리식염수주입초음파검사나 자궁난관조영술은 자궁내유착의 위치와 범위에 대한 자세한 정보를 제공해준다. 자궁경검사는 가장 확실한 방법으로 자궁난관조영술에도 나타나지 않은 경미한 유착까지 찾아낼 수 있어 보다 정확하게 진단할 수 있는 장점이 있다.

감염으로 나타나는 원인 중에 드물지만 생식기관 결핵과 주혈흡충증(schistosomiasis) 같은 경우도 있다. 자궁내막결핵은 자궁내막생검(조직병리검사, 배양검사) 또는 자궁내막흡입물의 핵산검사에 의해 진단할 수 있다.

(2) 치료

일차적인 치료방법은 자궁경을 이용한 유착박리술이다. 가위나 전기, 레이저로 자궁내유착을 박리할 때 조심스러운 시술로 손상위험을 최소화하여야 한다. 동시에 복강경이나 복부 초음파를 같이 사용하여 자궁천공의 위험을 줄이고 시술을 용이하게 할 수 있다. 유착박리 후 재유착의 위험을 줄이기 위해 자궁강내 풍선 카테타를 약 7-10일 간 유치한다. 광범위항생제와 비스테로이드소염제의 사용으로 감염과 경련통의 위험을 줄일 수 있다.

수술 후 자궁내막의 재생을 촉진하기 위하여 고농도의 에스트로겐(CEE 2.5 mg 2-3회/일 또는 그 상당량)을 약 4주간 투여한다. 마지막 1주간은 프로게스테론을 같이 투여한다. 월경이 돌아오면 기능이 회복되었다고 생각한다.

치료에도 불구하고 재발률은 비교적 높아 20%에서 60%까지 보고되고 있어, 재수술을 하는 경우가 흔히 있다. 수술 결과는 수술 후 자궁난관조영술이나 조기에 진료실 자궁경을 통해 평가한다. 이때 조기에 발생하는 유착은 아직 얇으므로 제거할 수 있는 좋은 기회가 된다.

수술 후 월경은 많은 경우(52-88%)에서 회복되며 생아출생률은 25-35%이다. 일반적으로 수술의 성적은 유착의 정도와 관계가 있다. 임신에 성공하였다 하여도 조기진통, 전치태반, 유착태반, 산후출혈 등의 합병증은 증가한다.

2. 난소 이상

난소의 이상은 무월경의 원인 중 가장 많은 부분을 차지한다. 단순하게는 만성무배란 그리고 다낭난소증후군, 비만, 갑상선 이상, 프로락틴 이상들과 관련된 무월경에서부터 심하게는 염색체 이상이나 기타 유전질환과 연관이 있는 완전 난소부전까지 다양한 질환들을 포함한다. 이때 나타나는 무월경의 양상은 일차일 수도 있고 이차일 수도 있다. 이 장에서는 난소부전을 초래하는 몇 가지 특정 질환에 대해서만 언급하기로 한다.

난소부전은 뇌하수체 전엽에서 분비되는 생식샘자극호르몬에 반응하여 에스트라디올을 생산할 수 있는 난포가 난소에 남아 있지 않거나 거의 없을 때 발생한다. 난포고갈(follicular depletion)은 배아기에 시작하여 유아기나 초기 소년기, 사춘기의 초경 전, 그 후 폐경 전 어느 시기에도 일어날 수 있다. 따라서 난포 소실의 정도에 따라 사춘기가 나타나지 않을 수도 있고, 사춘기가 시작되었지만 초경 전에 멈출 수도 있으며, 사춘기가 진행되어 월경이 시작되고 그 후 이차 무월경이 나타날 수도 있다.

유전 이상이 있는 경우 고생식샘자극호르몬-생식샘저하증(hypergonadotropic hypogonadism)이 나타나는데 이는 난포고갈이라기보다 난포발달장애 때문에 생긴 난소부전에 의한 것이다.

1) 생식샘이상발생(Gonadal Dysgenesis)

생식샘이상발생은 생식샘의 형성이 불완전하거나 결함이 있는 상태를 의미한다. 원인은 성염색체의 수적, 구조적 이상 또는 비뇨생식능선 생성과 생식샘 성 분화에 관련된 유전자의 돌연변이이며, 이에 따라 생식세포의 이동이나 기질화에 장애가 일어나 생식샘이상발생이 나타난다. 생식샘이상발생은 일차 무월경의 가장 흔한 원인으로 약 30-40%를 차지한다. 배아발생 또는 출생 후 몇 년 동안 난포가 소실되거나 급속하게 진행된 고갈로 인해 생식샘은 기질만을 포함하여 섬유성 흔적생식샘(streak gonad)으로 나타나게 된다.

생식샘이상발생 환자의 대다수는 X염색체의 이상을 나타내며, 가장 흔한 형태는 터너증후군이다. 약 25%의 환자에서 정상 46,XX 핵형을 보이는데, 이 경우 정상적으로 난소기능을 하는데 필요한 X염색체의 특정한 유전자 하나 또는 그 이상에서 아주 미세한 이상이 있을 수 있다. 또한 46,XX 생식샘이상발생 환자의 일부에서는 감각신경난청을 나타내는 경우가 있다(Perrault 증후군).

2) 터너증후군(Turner Syndrome)

터너증후군은 고전적으로 45,X 핵형과 관련되어 있고 또한 다른 구조적 X 염색체 이상(염색체결손, 윤상염색체, 등완염색체)의 조합과도 관련되어 있다. 배아발달 중 이상이 일어나는 시기에 따라 염색체섞임증(mosaicism)으로도 나타난다.

터너증후군은 난소에 난포가 없으므로 사춘기가 되어도 생식샘성호르몬을 생산하지 못하여 일차 무월경이 나타난다. 임상 증상으로는 고생식샘자극호르몬- 저에스트로겐(hypergonadotropic hypoestrogenic) 무월경과 더불어 터너증후군의 전형적인 표현형이 나타나는데 작은 키, 성징 발달 결여, 물갈퀴 목(webbed neck), 처진 귀와 후 모발선, 넓은 간격의 유두(shield chest), 짧은 제4중수골(fourth metacarpals), 바깥굽은팔꿉(cubitus valgus) 등이 있다. 터너증후군의 특이한 표현형은 일부분 부계 기원의 X 염색체와 관계가 있다. 45,X 핵형의 대부분은 모계 X를 보유하고 있다.

터너증후군 환자에 있어서 염색체섞임증(각기 다른 성염색체로 구성된 복합세포주)은 임상적으로 중요한 의미를 갖는다. 핵형 내에 Y 염색체가 존재하는 경우 생식샘에 존재하는 고환의 속질세포성분으로 인하여 남성화 현상과 종양이 발생하는 선행요인이 되기 때문에 생식샘을 제거하여야 한다. 터너증후군 환자에서 생식샘모세포종

(gonadoblasotma)의 발생위험도는 Y 염색체가 없는 경우는 5-10%인데 비하여 Y 염색체를 가지고 있는 경우는 20-30%로 증가된다. 핵형분석을 통하여 터너증후군 여성의 약 5%는 Y염색체 전체 또는 일부를 포함하는 핵형을 갖고 있으며, Y 염색체 분절 특이탐색자(Y-specific DNA probes)를 이용한 형광동소교잡법(Fluorescence in situ hybridization, FISH) 분석으로 잠재 Y염색체물질을 5% 정도 더 찾아낼 수 있다. 따라서 터너증후군 환자에서 남성화 현상이 나타나거나 핵형 분석상 Y 염색체가 없더라도 출처를 알 수 없는 염색체 조각이 나타나는 경우에는 반드시 FISH 분석을 시행하여야 한다.

Y 염색체 세포주가 없는 염색체섞임증도 임상적인 의미를 갖는다. 염색체섞임증 46,XX 세포주(45,X/46,XX)의 경우 생식샘에 기능이 있는 난소 피질조직이 있어 어느 정도의 성징 발달, 월경, 임신이 가능한 경우도 있다. 터너증후군 환자의 약 15%에서 완전하지는 않지만 사춘기발달이 나타나며, 약 5%에서 완전하게 사춘기가 나타나고 월경이 시작된다. 자연임신이 될 수는 있지만 드물며, 성염색체 비정배수(aneuploidy)와 자연유산으로 진행할 위험이 비교적 높다.

터너증후군은 생식샘저하증으로 인한 것보다 더욱 건강에 악영향을 미치는 여러 가지 의학적 문제점들을 동반한다. 약 1/3의 환자에서 심혈관 이상이 나타나는데 이 첨대동맥판막(bicuspid aortic valve), 대동맥축착(coarctation of aorta), 승모판탈출, 대동맥류 등이 있다. 신비뇨계 기형도 흔하게 나타나며, 말굽신장, 일측 신장 무발생 또는 골반신, 신장 회전기형, 중복 신집합계 등이 있다. 자가면역질환도 흔하게 나타나며 갑상선염, 제1형 당뇨, 자가면역간염과 혈소판감소증, 소아지방변증(celiac disease) 등이 있다. 청력소실도 흔하게 나타난다.

터너증후군 소녀에서 주의력결핍/과다활동장애(attention deficit/hyperactivity disorder)의 유병률은 증가하지만 평균 지능수행(intellectual performance) 능력은 정상이다.

터너증후군 환자의 암위험도는 일반 인구집단의 위험도와 비슷하지만 중추신경계종양, 방광암, 자궁내막암의 빈도는 증가할 수도 있다. 유방암의 위험도는 감소한다. 사망률은 약 3배 정도 높은데, 주로 순환계질환(고혈압), 당뇨, 간질환, 신장질환과 관계가 있다.

(1) 진단

소녀기에 터너증후군의 표현형이나 발육저하를 인지되지 못했더라도 터너증후군 환자인 경우에는 예상되는 사춘기에 초경(결과적으로 일차 무월경)과 2차 성징발달이 나타나지 않으므로 감별진단의 원인 중 하나로 의심해 볼 수 있다. 터너증후군의 임상 진단은 일반적으로 터너증후군의 표현형과 고생식샘자극호르몬성-생식샘저하증의 소견에 의거하여 쉽게 내릴 수 있다.

핵형분석이 진단에 결정적이므로, 터너증후군의 전형적인 표현형이 나타나는 경우는 물론 생식샘자극호르몬이 증가된 경우에도 반드시 핵형분석을 시행한다. 핵형분석으로 45,X 인지 섞임증(45,X/46,XX; 45X/46,XY)인지를 확인해야 한다. 남성화 현상이나 출처 미상의 염색체 조각이 나타나는 경우에는 FISH 분석을 시행한다.

(2) 치료

성장에 유해한 효과를 최소화하고 정상적인 시기에 사춘기 2차 성징이 나타나게 하기 위해서 에스트로겐 치료를 적절한 시기에 해야 한다. 키의 성장이 우선이고, 키가 다 자라지 않았다면 12-15세 사이에 시행한다.

키가 정상성장의 5 백분위수(percentile) 이하로 떨어지면 에스트로겐 치료를 하기 전에 성장호르몬 치료를 시작한다. 최종신장은 성장호르몬의 용량과 치료기간에 따라 결정되며 적절한 시기에 치료하면 대부분 150 cm 이상으로 성장할 수 있다.

에스트로겐은 저용량(일일 미세화에스트라디올 0.25-0.5 mg 또는 그 상당량)으로 시작하여, 성적성숙 완료를 목적으로 2-3년에 걸쳐 반응 정도(Tanner stage와 골연령)에 따라 3-6개월 간격으로 점차 증량한다. 에스트로겐 투여 12-24개월 이후 또는 질출혈이 처음 나타난 이후에는 프로게스틴제재를 추가 투여한다.

임신을 원하는 경우 난자기증이 필요하며 심혈관계 합병증(대동맥박리 혹은 파열) 등으로 인한 사망 위험이 100

배 이상 증가하므로 상대적인 금기사항으로 간주되며 반드시 상담을 요한다.

3) 스와이어 증후군(Swyer Syndrome. 46, XY Gonadal Dysgenesis)

스와이어증후군은 46, XY 핵형을 나타내는 드문 형태의 생식샘이상발생이다. Y염색체가 존재하지만 외모는 여성인데, 그 이유는 이상발생이 일어난 생식샘에서 항뮐러관호르몬이나 안드로겐이 전혀 생산되지 않기 때문이다. 따라서 자궁, 난관, 질이 존재하며 내외생식기에 남성화가 일어나지 않는다. 원인은 Y염색체 단완 Yp11.3에 위치하는 SRY (sex-determining region of the Y chromosome) 유전자의 돌연변이 때문이며, 약 10-15%를 차지한다. 그 외 SRY조절이나 고환분화에 관련되는 SF1, SOX9, WT1, CMRT1과 같은 유전자들의 돌연변이에 의해서도 발생한다.

일반적으로 예상되는 시기를 지나서 지연된 사춘기 성적성숙이 나타나고 일차 무월경을 보인다. 음모발달은 정상적으로 나타난다. 고생식샘자극호르몬성-저에스트로겐 상태로 나타나므로 핵형분석을 하여 진단을 내린다. 생식샘 내 잠재하는 고환조직의 악성세포 전환 위험성(20-30%)이 있으므로 진단 후 곧 생식샘제거술을 시행해야 한다. 신체 성장과 지능 발달은 정상적이고, 특이한 내과적 문제의 발생이 증가하지 않으므로 성적 성숙에 관계되는 호르몬치료 외에 특별한 치료는 요하지 않는다. 호르몬치료는 터너증후군의 경우와 같이 순차 성스테로이드 치료요법으로 하며, 임신은 기증난자에 의한 체외수정으로 가능하다.

4) 46,XX 생식샘 이상발생(46,XX Gonadal Dysgenesis)

일차 무월경과 생식샘이상발생(흔적 생식샘)이 있으면서 정상 46,XX 핵형을 나타낸다. 키는 정상이며 대부분의 경우에서 외견상 신체 이상은 없다. 사춘기 발달 전에 난소부전을 일으키는 유전자들 때문에 발생하는데, 여기에는 난자 발생과정에서 발현되는 DNA, RNA 결합단백과 전사인자에 관계되는 유전자들이 포함된다.

5) 조기난소부전(Premature Ovarian Failure or Premature Ovarian Insufficiency)

조기난소부전은 전통적으로 40세 이전에 나타나는 고생식샘자극호르몬-생식샘저하증과 무월경으로 정의하며, 원인과 표현형에 있어서 변화의 폭이 큰 이질적 장애이다. 난소의 기능저하가 연속되는 경우에 좀 더 적절하게 사용되며, 이 경우 간헐적으로 난소 기능이 나타나고 배란이 되며 약 5-10%에서 임신과 분만을 할 수 있다.

일반적으로 사춘기가 끝나고 조기난소부전이 되면 어느 정도 기간 후에 이차 무월경이 나타나는데 초경 이전에 조기난소부전이 일어나는 경우도 있다. 조기난소부전 시 난소의 형태와 조직학적 소견은 생식샘이상발생에서 나타나는 흔적생식샘과는 다르며, 폐경 후 나타나는 난소의 소견과 비슷하다. 40세 이전 여성의 약 1%에서 발생한다.

조기난소부전은 병인이 잘 밝혀지지 않는 경우가 대부분이다. 현재까지 알려진 원인들로는 염색체의 수적/구조적 이상, 취약X (FMR1)예비돌연변이, 자가면역질환, 방사선치료, 화학요법, 갈락토오스혈증, 난포발달장애로 인한 기능성 난소부전 등이 있다. 대부분의 경우 개개의 특이적인 원인은 밝혀지지 않았지만 유전 요인이 관련되는 근거가 급격하게 증가하고 있다.

(1) 염색체의 수와 구조 이상

염색체의 수와 구조 이상이 나타날 수 있다. 염색체이상의 반은 X 염색체섞임증(45,X, 46,XX, 47,XXX)이나 Y 염색체섞임증(46,XY, 47,XYY, 47,XXY)이 관계되는 수적 이상이며 나머지는 X 염색체 전위나 결손, 그리고 기타 구조적 이상들의 조합을 포함한다.

X 염색체 단완결손 환자의 반은 일차 무월경과 생식샘이상발생을 나타내며 나머지 반은 월경을 하며 종종 조기난소부전을 나타내는 것으로 봐서 X 염색체 단완에 난소

생식세포기능에 필수적인 유전자가 존재하는 것으로 추정된다. 관계되는 유전자는 확실치는 않지만 BMP (bone morphogenic protein) 15와 TGFβ (transforming growth factor) superfamily의 다른 일원들이 유력하다. X 염색체 장완은 난소기능에 필요한 XIST, DACH2, QM 등의 유전자를 포함하고 있다.

(2) 취약X예비돌연변이[Fragile X (*FMR1*) Premutations]

X 염색체 장완의 말단부(Xq27.3)에 존재하는 X연관 FMR1 유전자(X-linked FMR1 gene) 내의 삼뉴클레오티드 CGG의 반복 서열 돌연변이가 일어나면 조기난소부전을 포함하는 다양한 질환들이 발생한다. 정상 FMR1 유전자는 약 30번의 반복이 있는데 200번 이상의 반복이 나타나는 완전한 형태의 돌연변이가 발생하면 정신지체와 자폐증의 가장 흔한 유전적 원인으로 알려진 취약X증후군이 나타난다. 중간단계로 55-200번 반복이 나타나는 예비돌연변이의 경우는 취약X증후군과는 별개로 다른 2개의 질환과 관련이 있다. 하나는 X연관질환으로 예상되어 주로 남자를 침범하는 신경계 질환인 fragile X-associated tremor/ataxia syndrome (FXTAS)이고, 다른 하나는 조기난소부전이다.

여성에서 FMR1예비돌연변이를 갖고 있는 경우 FXTAS보다는 조기난소부전이 더 잘 나타나며, 정신지체나 기타 부가적인 질환은 없다. 예비돌연변이가 있는 여성의 약 15%에서 조기난소부전이 나타난다. 조기난소부전이 있는 여성은 FMR1예비돌연변이에 대한 선별검사를 하는 것이 권고된다. 더불어 난소예비능의 감소를 보이는 여성에서도 검사를 시행하는 것이 도움이 된다.

(3) 자가면역질환(Autoimmune Disorders)

자가면역질환은 조기난소부전의 원인 중 하나이며 4%를 차지한다. 부신의 자가면역 징후를 보이는 여성에서 자가면역이 조기난소부전의 원인이라는 것을 나타내는 실질적인 증거가 있다. 자가면역난소염(autoimmune oophoritis)은 다발성 내분비기관에 대한 자가항체와 관련된 제1형 또는 제2형 자가면역다분비선증후군(autoimmune polyglandular syndrome, APS)의 일부로서 발생한다. 소년기에 전형적으로 부갑상선저하증(89%)이나 점막피부칸디다증(75%)으로 나타나는 제1형 APS(자가면역다내분비병-칸디다증-외배엽이상증이라고도 함)는 종종 부신기능부전(60-80%)과 조기난소부전(60%)을 동반한다. 원인은 염색체 21번에 있는 AIRE(자가면역 조절기) 유전자의 돌연변이 때문이다. 성인에서 발병하며 특징적으로 부신기능부전(100%)과 갑상선자가면역(70%) 또는 제1형 당뇨병(50%)을 나타내는 제2형 APS는 25%에서 무월경을, 10%에서 조기난소부전을 동반한다. 또한 전신홍반루푸스(systemic lupus erythematosus)와 중증근무력증(myathenia gravis)에서도 조기난소부전이 나타난다.

난소자가면역의 발생기전은 확실하지는 않지만 아마도 어떤 바이러스나 그 외 다른 조직손상으로 항원성을 가지게 되거나 면역조절기능의 저하로 난소조직의 일부 요소를 인지하지 못하여 일어나는 것으로 생각된다. 자가면역난소염은 림프구침윤이 이차 방난포(antral follicle)를 둘러싸고 있는데 이는 난포막에 존재하는 스테로이드호르몬 분비세포가 강한 항원을 포함하고 있다는 것을 시사한다. 자가면역난소염 환자의 대부분은 21-hydroxylase, 17α-hydroxylase, 곁가지절단효소와 같은 스테로이드생성효소에 대한 혈중 항체를 갖고 있다. 따라서 스테로이드생성세포에 대한 자가항체의 출현에 따라 자가면역 난소부전의 진단이 정해진다. 부신이나 21-hydroxylase 항체검사에서 양성인 경우 자가면역 난소부전의 진단을 충분히 내릴 수 있으며 단지 자가면역 난소부전의 진단을 위한 난소생검은 필요하지 않다. 자가면역에 의한 부신기능부전과 난소부전이 밀접한 관련이 있으므로 조기난소부전 진단 시 항부신항체에 대한 선별검사는 필요하다. 항부신항체를 검출하는 검사로는 부신조직을 기질로 사용하는 간접면역형광측정법과 21-hydroxylase항체를 검사하는 면역침전측정법이 있으며 매우 민감하여 유용하다. 자가면역갑상선염이 자가면역 난소부전의 근거로 간주되지는 않지만 갑상선염이 조기난소부전 환자들 사이에서 비교적 잘 생기고(14-27%), 갑상선 자가항체의 존재는 자가면역 갑상선질환이 발생할 위험성이 올라가므로 갑상선과 산화효소(thyroid peroxidase)와 갑상선글로불린항체(thyroglobulin antibody)의 선별검사를 시행한다.

(4) 방사선치료(Radiation Therapy)

난소에 대한 방사선의 유해한 정도는 연령, 방사선 조사량, 방사선 조사부위에 따라 다르다. 젊은 여성에서 방사선치료는 단지 6-18개월 간의 일과성 무월경을 초래하지만, 나이가 많은 여성의 난소는 방사선에 좀 더 예민하다. 사람 난자의 방사선 민감성은 방사선 조사 후 보존된 난소의 약 50%가 생존하는 2 Gy (1 Gy=100rads)로 추정된다. 40세 이상의 여성에서는 6 Gy 이상의 조사량으로 거의 일정하게 난소부전을 초래하지만 젊은 여성에서는 이보다 더 많은 조사량에도 임신이 가능하다.

골반 방사선조사 시 조사부위로부터 난소를 이동시키는 난소전위술(ovarian transposition)을 시행하여 방사선 피해로부터 생식기능을 보존할 수 있다(16-90%). 그 외 방사선치료 전에 시행할 수 있는 생식능력보존 방법으로 체외수정 및 배아 동결보존과 난자 및 난소조직의 동결보존 등이 있다.

(5) 화학요법(Chemotherapy)

화학요법은 약물 종류 및 용량 의존방식으로 원시난포 pool의 고갈을 일으켜서 조기난소부전의 비교적 흔한 원인이 된다. 흔히 사용하는 화학요법제의 난소 독성은 제재에 따라 상당히 다르다. 시클로포스파미드 같은 알킬화 약물은 염기 짝을 변경시키고 DNA 교차결합 및 과 손상을 일으켜 휴지기세포와 분열기세포에 영향을 미친다. 화학요법 후 난소부전의 위험도는 환자의 나이가 많을수록 증가한다. 이는 아마도 잔존난포풀의 크기가 연령에 따라 점차적으로 감소하며 치료에 의한 손상이 이에 비례하여 커지기 때문이라고 생각된다. 예를 들면 40세가 넘은 여성에서 싸이클로포스퍼마이드로 치료하여 무월경이 나타나는 용량으로 그보다 더 젊은 여성을 치료하는 경우 약 반 수에서 무월경이 나타난다. 그러나 화학요법제로 인한 생식샘 손상에 대한 민감도나 감수성은 개인에 따라 차이가 크다.

최근 세포독성약물의 난소기능과 생식능력에 대한 유해효과를 감소시키거나 방지하기 위한 목적으로 화학요법 시행 전에 생식샘기능저하 상태로 만드는 생식샘자극호르몬방출호르몬작용제를 사용하고 있다. 동물실험과 사람의 관찰연구에 의하면 GnRH작용제 전처치에 의한 생식샘기능저하 상태는 화학요법이 유발하는 난소난포고갈에 대해서 어느 정도 방어효과가 있을 것으로 예상된다. 전체적으로, 화학요법 시행전 GnRH작용제 전처치를 한 군에서는 비가역 난소부전이 10% 이하였는 데 비하여 전처치를 하지 않은 군에서는 40-70%로 비가역 난소부전이 많이 나타났다. 적어도 화학요법환자에서 GnRH작용제 전처치를 시행하면 '생식능력창(fertility window)'이 7년 정도 또는 그 이상 연장될 것으로 생각된다. 그러나 한편 이 GnRH방출호르몬작용제 예방화학요법의 가치와 안전성에 대하여 의문을 제기하는 연구들도 있어 현재 이 분야는 논쟁이 되고 있다.

(6) 갈락토오스혈증(Galactosemia)

galactose-1-phosphate uridyl transferase의 결핍으로 발생한 갈락토오스 대사장애를 일으키는 상염색체 열성질환으로, 매우 드물지만 조기난소부전의 원인이 된다. 축적된 갈락토오스 대사물의 독성이 생식세포의 이주와 생존에 장애를 일으켜 원시난포가 고갈된다. 이와 함께 백내장과 정신지체를 동반하는 경우가 있다. 대개는 생후 며칠 지나서 수유로 발생하는 황달, 구토, 성장장애 등의 증상으로 진단이 이루어진다.

(7) 난포발달장애로 인한 기능 난소부전

조기난소부전 원인들은 난포고갈이 급격히 촉진되어 일어나는 기전을 가진 것이 대부분이지만, 난포발달에 결함을 나타내는 일부 희귀한 유전적 장애로 인하여 기능성 난소부전을 초래하는 경우도 있다. 여기에는 난소내 조절장애, 스테로이드생성효소 결함, 생식샘자극호르몬 및 수용체 이상 등이 있다.

저항난소증후군(resistant ovary syndrome) 또는 Savage 증후군은 성장과 발달은 정상이고 난소에는 난포가 많이 존재하지만, 무월경과 고생식샘자극호르몬증을 나타낸다.

난포는 고농도의 생식샘자극호르몬을 투여해도 반응하지 않는다. 원인은 난포발달에 있어 내인성 결함에 의해 발생한다고 추정된다. 정확한 진단을 위해서는 난소생검이 필요하며, 조직소견상 난포의 존재가 있어야 하고 자가면역질환에서 보이는 림프구 침윤은 없어야 한다. 그러나 진단이 되더라도 치료에 별 도움이 안 되므로 진단을 위한 난소생검은 권장하지 않는다. 배란유도를 위한 호르몬자극에 대한 반응이 거의 없어 임신 성공이 어려우므로 오히려 난자기증-체외수정을 통해 임신을 시도하는 것이 필요하다.

난소기능에 관여하는 주변분비조절자(paracrine regulator)의 이상은 생식샘자극호르몬에 대한 반응을 방해하거나 막는다. 한 예로, 난포생성과 과립막세포증식을 자극하는 난자-특이 성장인자인 BMP15 유전자의 돌연변이가 원인불명 조기난소부전 환자의 극히 일부에서 발견된다. 또 다른 예로 조기난소부전과 안검기형이 나타나는 blelpharophimosis/ptosis/picanthus inversus 증후군(BPES)이 있다. 정상적인 과립막세포기능에 필요한 FOXL2 유전자의 돌연변이에 의하여 드물게 발생되는 상염색체 우성질환이다.

스테로이드생성효소결함으로 난포발달이 차단되는 경우에는 기능적인 난소부전이 초래되어 고생식샘자극호르몬성-저에스트로겐 상태가 된다. 여기에는 STAR (steroidogenic acute regulatory enzyme), CYP17A1 (17α-hydroxylase enzyme), CYP19A1 (aromatase enzyme) 등의 유전자 돌연변이가 있다.

난포자극호르몬이나 LH β-subunit의 불활성 돌연변이는 면역반응력이 저하되거나 없는 비정상 생식샘자극호르몬 분자를 만들게 된다. 이 경우 생식샘기능저하 상태가 되며 난포자극호르몬이나 황체형성호르몬 중 하나는 고농도, 그러나 다른 하나는 기저농도 또는 극히 저농도를 나타낸다. 난포자극호르몬이나 황체형성호르몬 수용체의 불활성 돌연변이는 생식샘자극호르몬 결합 또는 신호전달 장애를 초래하여 난포발달장애로 인한 고생식샘자극호르몬성-저에스트로겐 상태가 된다.

6) 조기난소부전의 치료

조기난소부전의 효과적인 관리를 위해서는 명확한 평가를 한 후 내과적 치료와 함께 상담을 신중히 해야 하며 감정지지요법도 필요하다. 염색체이상이나 취약X예비돌연변이 같은 경우에는 유전상담이 적절히 이루어져야 하며, 자가면역질환인 경우에는 새로이 나타나는 심각한 문제들을 즉시 발견하고 치료할 수 있도록 일정기간 주의 깊게 추적관찰해야 한다.

(1) 호르몬치료

에스트로겐은 경구투여(미세화에스트라디올 1-2 mg/일 또는 CEE 0.625-1.25 mg/일) 또는 경피투여(0.1 mg/일)를 한다. 자궁내막증식증과 종양을 방지하기 위해 프로게스테론은 필수적이며 주기적 또는 연속적으로 투여한다. 임신을 원하는 경우에는 주기적 치료(미세화프로게스테론 200 mg/일 또는 초산메드록시프로게스테론 l0 mg/일, 매 월 12-14일간)를 하는 것이 바람직하다. 조기난소부전 여성에서의 호르몬치료에 대한 위험과 편익의 손익계산은 폐경기여성의 경우와 명백히 다르다. 일반적으로 조기난소부전 여성의 호르몬 치료는 정상 여성에서 내인성호르몬 생산이 지속되는 시기와 비슷하게 적어도 50세까지 계속하는 것이 바람직하다.

고생식샘자극호르몬-생식샘저하증은 이론적으로 생식샘자극호르몬에 의한 배란유도 대상으로 적절치 않다. 에스트로겐이나 GnRH작용제의 전처치 후에는 생식샘자극호르몬에 의한 배란유도로 배란율을 약간 향상시키기는 했지만 임신율과 생아 출생율은 매우 낮다. 일반적으로 어떤 원인에서 발생된 조기난소부전 여성이 임신을 원하는 경우 난자기증-체외수정을 우선적으로 고려되어야 한다. 조기난소부전 여성에서 진단 후 치료를 시도하여 임신한 성적은 약 5-10%로 보고되며, 보고된 임신의 약 80%에서 정상 생아 출생을 하였다는 결과가 있다.

(2) 심리 및 정서 지지

조기난소부전이 진단된 후 여성들에게 그들이 원하고

기대했던 아이들에 대한 깊은 슬픔과 상실감은 매우 흔하게 발생한다. 그러한 감정을 인정해 주는 것은 치료에 도움이 될 뿐 아니라 환자를 안심시키는데 도움이 된다. 조기난소부전이 조기 노화의 원인이 아니며, 조기 노화를 예측할 수 없다는 점을 설명하는 것도 중요하다.

3. 뇌하수체전엽의 이상

뇌하수체전엽(anterior pituitary)에 발생하는 다양한 질환들은 무월경을 일으킬 수 있다. 안장(sella)과 안장옆(parasella)에 생기는 종양의 약 91%는 뇌하수체샘종(pituitary adenoma)이고, 악성종양은 매우 드물다. 그 외 두개인두종(craniopharyngioma), 뇌수막종(meningioma), 신경교종(glioma), 전이성 종양 등이 생기기도 한다. 종양 외에 안장에 생길 수 있는 병변으로는 낭종, 결핵, 유육종증(sarcoidosis) 등이 있으며, 때로는 지방 침착(fat deposit)이 뇌하수체를 압박하여 증상을 나타내는 경우도 있다. 내경동맥(internal carotid artery)에 생긴 동맥류(aneurysm)도 무월경을 일으킬 수 있다. 저생식샘자극호르몬-생식샘저하증을 일으키는 다른 원인에는 수술 또는 방사선 치료로 인한 세포 손상, 경색 및 허혈(Sheehan's syndrome)과 림프구성뇌하수체염(lymphocytic hypophysitis) 및 혈색소침착증(hemochromatosis) 등의 침윤성 질환이 있다.

1) 뇌하수체샘종 (Pituitary Adenoma)

뇌하수체샘종은 거의 대부분 양성이고, 단일세포기원(monoclonal)이며 체세포 돌연변이(somatic cell mutation)에 의한 클론확장(clonal expansion)에 의해 생긴다. 그러나, 특정 유전자 변이에 의해서도 뇌하수체 종양이 발생하는데, 종양억제자인 메닌(menin)을 인코딩하는 유전자인 MEN-1 (encoding menin, a putative tumor suppressor) 유전자 변이는 상염색체 우성으로 유전되며 부갑상선, 뇌하수체, 장-췌장샘종(enteropancreatic adenoma), 인슐린종(insulinoma), 가스트린종(gastrinoma), 유암종(carcinoid tumor) 등을 일으킨다. 성장호르몬분비성뇌하수체샘종(GH-secreting somatotroph adenoma)의 약 40%에서 GNAS1 유전자 변이가 발견되며, PTTG1 유전자는 거의 모든 뇌하수체 종양을 가진 환자, 특히 안장 밖까지 침범한 경우에 과발현 된다.

뇌하수체샘종은 종양의 세포 종류, 크기, 호르몬 분비 여부에 따라 분류된다. 대부분의 뇌하수체샘종은 프로락틴(prolactin, 젖분비호르몬)을 분비하는 프로락틴샘종(lactotroph adenoma)이거나 생식샘자극세포(gonadotroph)에서 기원한 비기능샘종(nonfunctioning adenoma)이다. 갑상선자극호르몬(TSH)을 분비하여 갑상선기능항진증을 유발하는 갑상선자극세포샘종(thyrotroph adenoma), 성장호르몬(GH)을 분비하여 말단비대증을 유발하는 성장호르몬분비세포샘종(somatotroph adenoma), 부신피질자극호르몬(ACTH)을 분비하여 쿠싱병(Cushing disease)을 유발하는 부신피질자극호르몬분비세포샘종(corticotroph adenoma)은 드물며, 종양이 뇌하수체줄기(pituitary stalk)를 압박할 정도로 충분히 크다면, 비기능샘종이더라도 시상하부에서 생산된 분비호르몬이나 억제호르몬의 뇌하수체로의 전달을 방해하여 증상이 나타날 수도 있다. 종양의 크기가 10 mm 이상이면 거대샘종(macroadenoma), 10 mm 미만이면 미세샘종(microadenoma)이라고 분류하며 자기공명영상은 뇌하수체와 그 주변을 평가하는 가장 좋은 영상 진단법이다.

가장 흔한 신경학적 증상은 시야장애(visual impairment)이다. 전형적으로 양이측반맹(bitemporal hemoanopsia)이 나타나는데, 시야협착(tunnel vision)은 시각교차의 중앙이 종양에 의해 위로 압박을 받기 때문이고, 안쪽망막(nasal retina)과 측두시야(temporal visual field)와 관계되는 시신경에 영향을 주거나, 또는 한쪽이나 양쪽 눈이 다양한 정도로 영향을 받기도 한다. 복시(diplopia, 시야 흐림)는 종양이 안장 밖으로 커지거나 또는 동안신경(oculomotor nerve)을 눌러서 생길 수 있다. 시야장애는 매우 천천히 진행되어 몇 개월 또는 몇 년이 걸리기도 하며, 시야장애의 신경학적 증상으로 종양이 안장 밖으로 커질 때는 두통, 종양이 아래쪽으로 커질 때는 뇌척수액성비루(cerebrospinal fluid rhinorrhea), 종양 내의 갑작스러운 출혈이 생기면 뇌하수체졸중(pituitary apoplexy) 등이 나타난다.

호르몬분비미세샘종이거나 거대샘종은 종양의 세포 종류에 따라 많은 양의 호르몬을 분비하여, 표적 기관을 과자극 시킴으로써 일련의 임상 증상을 일으키게 한다. 거대샘종은 뇌하수체줄기나 주변 세포를 압박해서 뇌하수체 호르몬 결핍 증상을 일으키기도 한다. 생식샘자극호르몬 부족(gonadotropin deficiency)은 무월경이나 질위축 등의 생식샘저하증을 일으키며, 갑상선자극호르몬이 부족하면 피로, 기면(lethargy), 추위불내성(cold intolerance), 식욕 감소, 변비, 피부 건조, 서맥, 빈혈 등의 갑상선기능저하증의 증상이 생긴다. 성장호르몬결핍(GH deficiency)은 어린이에서는 키가 잘 자라지 않게 되며, 어른에서는 근육량의 감소와 지방량의 증가, 골밀도의 감소, 심혈관 질환의 증가와 관계 있다. 프로락틴 결핍은 분만 후 수유 실패 외에는 다른 임상적 증상은 없다. 부신피질자극호르몬이 결핍되면 부신피질호르몬이 부족하게 되어 체위성 저혈압(postural hypotension), 빈맥, 피로, 식욕감퇴, 체중감소, 저혈당증, 호산구증가증 등의 증상이 나타난다. 일차부신부전증(primary adrenal insufficiency)은 알도스테론(aldosterone)의 부족으로 인해 염분 소실(salt wasting), 체액감소, 고칼륨혈증 등의 증상과 함께 이차 부신피질자극호르몬 증가로 인한 과다 색소침착(hyperpigmentation)이 생기는 반면에 이차 부신부전증(secondary adrenal insufficiency)은 부신피질자극호르몬이 부족하기 때문에 색소침착은 생기지 않는다.

(1) 뇌하수체 기능 검사

거대샘종으로 진단받은 환자는 다른 뇌하수체 호르몬의 결핍은 없는지를 평가하기 위해 반드시 뇌하수체 기능 검사를 시행하여야 한다. 무월경을 호소하는 여성의 기본적인 내분비 검사는 혈청 갑상선자극호르몬(thyroid stimulating hormone, TSH), 프로락틴, 난포자극호르몬 측정이며, 거대샘종 환자에서는 혈청 유리티록신(free T4), 인슐린양성장인자-1 (IGF-1), 아침 코르티솔(오전 6-9시)검사를 추가해야 한다.

시상하부 또는 뇌하수체에 병변이 있는 환자는 혈청 내 갑상선자극호르몬만 측정해서는 진단에 충분치 않다. 뇌하수체에 종양이 있고, 저생식샘자극호르몬-생식샘저하증의 임상양상을 보이는 환자는 시상하부-뇌하수체-난소 축의 기능부전이 있는 것으로 갑상선호르몬의 분비에도 이상이 있을 수 있다. 갑상선자극호르몬과 유리티록신이 높게 측정되면, 드물지만 갑상선자극호르몬분비세포샘종을 생각해야 하며, 이때 갑상선기능항진증이 동반된다.

성장호르몬의 과다분비 또는 결핍에 대한 선별 검사를 시행할 때에는 반드시 혈청 내 인슐린유사성장인자-1을 같이 측정해야 하며, 인슐린부하저혈당유발검사(insulin-induced hypoglycemia test)나 arginine, GH releasing hormone 부하검사처럼 성장호르몬분비유발검사(provocation test)들은 민감도는 높지만, 진단에 반드시 필요한 것은 아니다. 혈청 내 인슐린유사성장인자-1이 높게 측정되면 성장호르몬분비종이 있음을 시사하며, 임상적으로는 말단비대증의 증상이 생긴다.

아침 코르티졸이 3-5 μg/dL 미만으로 매우 낮게 측정되면 부신기능부전이 있는 경우로 이는 부신피질자극호르몬 결핍과 관련 있다. 애매하게 코르티졸이 측정되는 경우는 부신피질자극호르몬의 잔여능에 대한 추가검사가 필요하다. 검사는 합성 부신피질자극호르몬인 cosyntropin 0.25 mg을 정맥주사 또는 근육주사 하기 전과 주사 60분 후에 혈청 코르티졸를 측정하여 시행하며, 정상치는 15-18 μg/dL 이상이다.

프로락틴결핍에 대한 검사는 임상적으로 필요하지 않은데, 그 이유는 결핍과 관계된 임상 증상은 주로 수유와 관계되며, 프로락틴결핍에 의해 수유를 할 수 없는 경우에 특별한 치료법이 없기 때문이다. 고프로락틴혈증은 프로락틴샘종에서 프로락틴을 분비하는 경우에 의해서도 생기지만, 비기능샘종에서도 때때로 프로락틴 상승을 관찰 수 있다.

(2) 생식샘자극세포 샘종(Gonadotroph Adenomas)

대부분의 생식샘자극세포샘종은 실제로 난포자극호르몬과 황체형성호르몬을 분비하지 않아 거의 임상 증상을 일으키지 않으며, 거대샘종이라도 무월경보다는 두통이나 시야 장애의 증상을 호소하는 것이 일반적이다. 물론, 난포자극호르몬분비종이 있어 무배란과 난소과자극(spontaneous ovarian hyperstimulation)을 유발시켜 무월경, 난소낭종, 혈청 난포자극호르몬 및 에스트라디올의 상승을 일으키기도 하고, 사춘기 이전의 여아에서 유방 발육이나 질출혈을 일으키기도 하지만 드물게 발생한다. 대부분의 환자에서 종양은 비기능성 종양이므로, 정상 또는 오히려 낮은 농도의 생식샘자극호르몬 수치를 보이며, 때로는 뇌하수체줄기나 그 주변 세포의 압박에 의해 이차적으로 월경 불순이 유발될 수 있다.

폐경 전 여성에서 난포자극호르몬과 에스트라디올이 증가되어 있고, 다낭난소 소견과 자궁내막증식증이 있는 경우에 기능성 난포자극호르몬분비종의 가능성을 생각해야한다. 이 경우 GnRH작용제 치료는 생식샘자극호르몬의 하향조절이 되지 않기 때문에 오히려 난소를 과자극 시킬 수 있다.

신경학적 증상이 있거나, 생식샘자극호르몬이 과다분비되는 경우에 경접형동 수술(transsphenoidal surgery)을 통해 종양을 제거하면 증상이 호전될 수 있다. 수술로써 종양이 완전히 제거되었고, 뇌하수체에 손상이 없다면, 정상적인 생식샘자극호르몬 분비와 난소 기능은 회복될 수 있다. 그러나 수술로 인해 다른 뇌하수체호르몬의 결핍 증상과 함께 범뇌하수체전엽 기능저하증(panhypopituitarism)이 초래될 수도 있다. 경접형동수술의 합병증은 그리 흔하지 않으나 약 5%에서 시야 장애, 출혈, 뇌척수액 누수로 인한 뇌수막염 등이 발생할 수 있다. 항이뇨호르몬(ADH)의 분비 장애에 의한 요붕증(DI)이나 항이뇨호르몬부적절분비증후군(syndrome of inappropriate antidiuretic hormone, SIADH) 등이 생길 수는 있으나 대개는 일시적이다. 수술 후 잔여 종양이 남아있거나, 재발 때에는 방사선 치료를 할 수 있다. 신경학적 증상이 없거나 비기능성미세샘종 또는 거대샘종은 종양의 크기가 커지는지 매년 방사선 검사를 시행해야 하며, 크기 변화가 없을 때에는 검사 간격을 늘려가며 추적 관찰을 한다.

(3) 갑상선자극세포샘종(Thyrotroph Adenomas)

갑상선자극세포샘종은 전체 호르몬을 분비하는 뇌하수체샘종의 1% 미만을 차지한다. 대부분의 환자는 전형적인 갑상선기능항진증 증상을 가지면서 광범위갑상선종(diffuse goiter), 시야 장애나 월경 불순, 또는 유류증의 증상을 호소한다. 갑상선자극세포샘종에서 분비되는 갑상선자극호르몬은 생물학적활동성(biological activity)과 면역활동성(immunoactivity)이 매우 다양하며, 혈청에서 정상 소견을 보이는 경우도 있고 매우 증가된 수치를 보이는 경우도 있다.

경접형동수술이 1차적 치료이나, 거대샘종인 경우가 많아 때때로 수술로서 완치가 어려울 수 있다. 종양이 남아 있는 경우에 성장호르몬억제인자유사물질(somatostatin analog, octreotide)이 효과적이며, 크기가 큰 종양에서는 수술 전 6-12개월간의 성장호르몬억제인자 유사물질 치료도 고려해볼 수 있다. 일반적으로 항갑상선호르몬 치료는 시행하지 않는데, 그 이유는 갑상선호르몬이 감소하면 음성되먹임에 의해 오히려 갑상선자극호르몬이 증가하고 따라서 종양의 크기가 커질 수 있기 때문이다.

(4) 성장호르몬분비세포샘종(Somatotroph Adenomas)

성장호르몬분비세포샘종은 말단비대증을 초래하는 여러 원인들 중 95% 이상을 차지한다. 성장호르몬은 간에서 인슐린양성장인자-1의 분비를 자극하여 말단비대증의 다양한 임상 증상들이 나타나게 되는데, 말단비대증의 발생과 진행은 매우 느리고, 몇 년에 걸쳐 서서히 증상이 나타나므로 종양이 커져 안장 밖까지 침범한 거대샘종이 되어서야 진단되는 경우가 대부분이다.

말단비대증을 가진 환자는 대개 혈청 성장호르몬이 높으나, 금식, 운동, 스트레스, 수면 등의 외부 자극에 의해 다양하게 변하며, 또한 조절이 안되는 당뇨, 간질환, 영양실조 등에서도 성장호르몬은 높게 측정될 수 있으므로 경구당부하검사를 통해 진단의 정확성을 높일 수 있다. 75 gm의 당을 섭취한 후 2시간이 지나서 측정한 성장호르몬 수치가 0.3 ng/mL 이상이면 비정상적으로 높다고 해석해야 한다.

경접형동수술 후 예후는 매우 좋은 편으로 미세샘종을 가진 환자에서는 약 80-90%에서 뇌하수체의 기능이 정상으로 회복되며, 거대샘종 환자는 좀 더 다양한 예후를 보인다. 임상 증상은 수술 이후 즉각적으로 좋아지며 수술 후 잔여 종양이 남아있거나, 또는 재발한 경우에는 약물 치료가 효과적이다. 성장호르몬 분비를 억제하는 성장호르몬억제인자유사물질(octreotide, lanreotide)과 인슐린유사성장인자-1수용체의 농도를 낮게 하는 성장호르몬수용체길항제(pegvisomant)가 약물 치료로 주로 이용된다.

(5) 부신피질자극호르몬분비세포샘종(Corticotroph Adenomas)

부신피질자극호르몬분비세포샘종은 쿠싱병의 주된 원인이며, 부신피질호르몬이 증가해서 생기는 쿠싱신드롬의 원인 중 하나이다. 쿠싱병은 그 기간과 정도에 따라 증상이 달라지는데, 가장 흔한 임상적 양상은 진행하는 복부비만, 달덩이얼굴(moon face), 들소형육봉(buffalo hump), 쉽게 드는 멍(easy bruising), 배와 옆구리의 자주색 선(purple striae), 과다 색소침착 등이다. 환자의 80%에서 월경불순을 보이며, 약 1/3은 무월경 상태가 된다. 남성호르몬 과다에 의해 여드름이나 다모증이 생기고, 근위부 근육의 손상 및 약화가 있을 수 있으며, 골다공증이 생길 수 있고, 인슐린저항성이나 당내성, 당뇨가 초래되기도 한다. 크기는 대부분 작아서 자기공명영상으로도 발견하기가 어렵다.

쿠싱병의 치료는 경접형동수술이며, 완치율이 70%에 달한다. 수술로 완치되지 않은 경우에 방사선치료를 시행하며 어른에서는 약 45%에서 효과적이다. 양측 부신전적출술은 마지막으로 생각할 수 있는 치료법이며 단, 평생 매일 스테로이드를 복용해야 한다는 것을 염두에 두어야 한다.

2) 빈안장증후군(Empty Sella Syndrome)

실제로 터키안장(sella) 안이 빈 상태는 아니므로 "empty sella syndrome"은 잘못된 용어이다. 터키안장이 커지면서 뇌하수체를 아래 방향으로 밀고 있고, 이 공간은 뇌 척수액으로 차여 있게 되어 사진상 텅 빈 것처럼 보이는 것이다. 이 질환은 뇌하수체 종양의 수술, 방사선 치료 또는 괴사에 의해 조직이 제거되고 파괴된 이후에 주로 생긴다. 또는, 선천적으로 안장 가로막(sella diaphragm)이 없는 일차 빈안장증후군(primary empty sella syndrome)도 있다. 앞의 두 경우에서 정상 뇌하수체 조직은 눌리게 되고 따라서 뇌하수체 공간 내 압력이 올라가게 되어 기능을 상실하게 된다. 부검 결과, 빈터키안장의 유병률은 약 5%이며, 그 중 85%는 여성이었다. 특히 무월경 여성에서는 4%, 젖흐름증을 동반하는 여성에서는 15%의 발생률을 보였다. 뇌하수체샘종과 같이 발생하는 경우도 드물게 있는데, 이 경우 뇌하수체호르몬 부족은 더욱 심했다. 그러나 대부분은 양성으로 뇌하수체 기능상실로 진행하지 않는 것이 일반적이다.

3) 시한증후군(Sheehan Syndrome)

극심한 산후 출혈 또는 저혈량성 저혈압에 의해 뇌하수체의 급성 경색과 허혈 괴사가 생긴 것을 시한증후군이라 하며, 비선진국에서 가장 흔한 뇌하수체기능부전의 원인이 된다. 분만 이후 모유가 나오지 않는 것이 첫 번째 증상이며, 뇌하수체의 손상 정도에 따라 분만 직후 기면(lethargy), 식욕부진, 체중감소, 무월경, 음모소실 등의 심한 뇌하수체기능부전에서부터 분만 후 수주 또는 수개월 후부터 생기는 경한 뇌하수체기능부전까지 임상 증상은 다양하다. 성장호르몬, 생식샘자극호르몬, 프로락틴 감소가 흔하며, 부신피질자극호르몬과 갑상선자극호르몬부전은 비교적 드물다. 약 1/3의 환자는 저나트륨혈증이 나타나지만 요붕증은 거의 없다.

시한증후군의 진단과 치료는 다른 뇌하수체기능부전과 같다. 다만 이차 부신기능부전을 평가하는 부신피질자극호르몬부하검사(ACTH stimulating test)는 분만 후 6주 뒤에 시행해야 하는데, 그 이유는 부신피질자극호르몬부하(ACTH stimulus)에도 부신피질호르몬의 생성이 증가하지 않는, 만성적인 부신피질자극호르몬의 결핍에 의한 부신위축증은 발병까지 시간이 걸리기 때문이며, 따라서 6주 이내의 검사에서는 위음성률이 높다.

4) 뇌하수체 침윤성 질환

뇌하수체 침윤성 질환은 저생식샘자극호르몬-생식샘저하증을 일으키며 종류에는 혈색소침착증(hemochromatosis)과 임파구성뇌하수체염(lymphocytic hypophysitis)이 있다.

(1) 혈색소침착증(Hemochromatosis)

유전성 혈색소침착증은 상염색체 열성 유전질환으로, 염색체 6번에 위치하는 HFE (hemochromatosis) 유전자의 변이에 의해 HFE 단백질의 크기와 모양의 변화에 의해 생긴다. HFE 단백질은 transferrin 수용체와 상호 작용하여 세포 안으로 들어가는 철의 양을 조절하게 되는데, HFE의 변화에 의해 철의 과다 흡수가 일어나게 되어 세포 기질 내 철 과부하가 생기게 되고 결과적으로 세포 조직의 파괴가 일어나게 된다. 뇌하수체에서는 생식샘자극호르몬 분비세포가 가장 영향을 많이 받게 되며 따라서 저생식샘자극호르몬-생식샘저하증이 유발된다. 후천적 혈색소침착증은 겸상적혈구빈혈, 중증성지중해빈혈, 재생불량성빈혈 등의 비교적 중한 빈혈 환자에서 잦은 수혈에 의해 생기게 된다.

유전성 혈색소침착증에서 가장 많이 사용하는 선별 검사는 공복 시 트랜스페린 포화도(transferrin saturation)이다. 조기진단과 치료(phlebotomy, chelation 치료)는 철이 간, 췌장, 뇌하수체전엽, 심장 등에 침착되어 생기는 심각한 기능 장애를 막는 데 도움을 준다. 저생식샘자극호르몬-생식샘저하증을 일으키는 원인 중 후천적 혈색소침착증은 드물지만, 뇌하수체기능부전을 가지면서, 방사선검사에서 특이 소견이 없는 모든 환자에서 혈중 철분지표를 확인하는 것이 권장된다.

(2) 림프구성뇌하수체염(Lymphocytic Hypophystis)

림프구성뇌하수체염은 드문 자가면역 질환으로 뇌하수체의 비대를 동반하여, 때때로 뇌하수체 종양처럼 보이기도 하며 대개 임신 중이나 출산 후 6개월 이내에 생긴다. 만성 염증 질환은 국소적 또는 전체적으로 샘뇌하수체(adenohypophysis) 파괴를 유발하며 섬유화가 생기게 된다. 초기의 뇌하수체염에서는 고프로락틴혈증이 비교적 흔하며, 더 진행하게 되면 뇌하수체기능부전이 생기게 된다. 임신 또는 출산 직후의 여성에서 안장가로막이 있으면서 생식샘저하증과 자가면역 질환이 동반되면 반드시 림프구성뇌하수체염을 생각해 보아야 한다. 뇌하수체 비대와 그에 동반되는 증상이 있는 환자에서는 경접형동수술이나, 도파민작용제, 면역억제제, 또는 뇌하수체방사선 치료 등을 시행한다.

4. 시상하부 기능 이상

시상하부 기능 이상은 이차 무월경의 흔한 원인 중 하나이다. 시상하부무월경의 경우에는 시상하부의 생식샘자극호르몬방출호르몬 분비가 저하되어 뇌하수체에서 생식

표 6-2. 시상하부 무월경의 원인

기능 장애(Dysfunctional disorders)
1. 스트레스 2. 심한 운동 3. 영양관련 • 체중감소, 다이어트, 영양결핍 • 식이장애: 신경성 식욕부진증(Anorexia nervosa), 신경성 폭식증(bulmia nervosa)
기타 질환(Other disorders)
1. 생식샘자극호르몬 국한 결핍증(isolated gonadotropin deficiency) • 칼만 증후군(Kallmann syndrome) • 특발 저생식샘자극호르몬-생식샘저하증(idiopathic hypogonadotropic hypogonadism) 2. 감염 • 결핵 • 매독 • 뇌염/수막염 • 유육종증(sarcoidosis) 3. 만성 쇠약 질환(chronic debilitating disease) 4. 종양 • 두개인두종(craniopharyngioma) • 배아종(germinoma) • 과오종(hamartoma) • 랑게르한스세포 조직구증(Langerhans cell histiocytosis) • 기형종(teratoma) • 내배엽 동 종양(endodermal sinus tumor) • 전이성 암(metastatic carcinoma)

샘자극호르몬의 분비가 기저치 이하로 저하되어 난포발달이 제대로 되지 않아 난소에서 에스트로겐 생산이 매우 낮은 수준에 머물게 된다. 시상하부 기능 이상의 임상적 증상은 뇌하수체의 생식샘자극호르몬 분비의 억제 정도에 따라 달리 나타난다. 시상하부 생식샘자극호르몬방출호르몬 박동성 분비의 사소한 이상이 생기면 황체형성호르몬의 황체 자극이 저하되어 프로게스테론 분비 감소로 황체기 결함이 나타나며, 이보다 더 심한 경우에는 난포발달의 이상으로 만성 무배란이 생기고 이로 인해 희발 또는 무월경이 초래된다. 무월경의 원인이 시상하부에 기인한 경우는 크게 기능 이상과 기질적 질환에 의한 것으로 나눌 수 있다 (표 6-2).

1) 시상하부 무월경(Hypothalamic Amenorrhea)

터키안장에 종양의 병변이 없고, 뇌하수체에 저생식샘자극호르몬-생식샘저하증을 일으킬 원인이 없고 에스트로겐 생성이 낮음에도 혈청 난포자극호르몬 수치가 정상 또는 낮은 경우인 경우 시상하부 무월경으로 진단을 한다. 이는 과도한 운동, 영양결핍, 심한 정신적인 스트레스와 관련이 있다. 시상하부 무월경 여성들은 저체중(하위 10% 미만 체중), 급격한 체중 감소, 심한 스트레스를 호소하는 경우가 많다. 하지만 어느 정도의 저체중과 체중 감소 또는 스트레스가 무월경을 야기하는지 정확한 문턱값(threshold)은 명확하지 않다. 이들은 정상 월경을 하는 여성에 비해 이상 식습관을 가지고 있는 경우가 많으며, 고열량을 소비하며 고섬유질 섭취 및 저체지방인 경우가 흔하지만, 그 원인을 밝힐 수 없는 경우도 많다.

원인에 관계없이 다양한 박동성 생식샘자극호르몬 분비양상(pattern)에서 추론할 수 있듯이 비정상 생식샘자극호르몬방출호르몬 분비양상을 보인다. 이러한 박동성 생식샘자극호르몬 분비양상은 전혀 박동성 분비가 없는 경우 8%, 저빈도/저진폭(frequency/amplitude) 27%, 저진폭/정상빈도 8%, 저빈도/정상진폭 43%, 정상빈도/정상진폭 14%로 다양하게 나타난다. 시상하부 무월경 사춘기 소녀의 1/2 정도에서 수면 동안 황체형성호르몬 분비가 증강되고, 황체형성호르몬에 비해 혈청 난포자극호르몬 수치가 높다.

특발성 시상하부 무월경 여성에서 코르티솔 분비의 증가는 스트레스가 시상하부-뇌하수체-부신 축을 활성화하여 간접적으로 생식기능에 장애를 초래함을 알 수 있다. 이는 동물실험에서 부신피질자극호르몬방출호르몬(CRH)이 내인성 아편 유사제(endorphin) 분비를 촉진시켜 생식샘자극호르몬 분비를 차단하는 것으로 미루어 알 수 있다. 또한 시상하부 무월경 여성에서 월경이 회복되기 수개월 전에 코르티솔 수치가 정상으로 되돌아오는 점으로 봐서 시상하부-뇌하수체-부신 축에 스트레스가 중요한 영향을 미친다는 점을 알 수 있다. 시상하부 무월경에는 생식샘자극호르몬방출호르몬 박동성 분비에 시상하부 도파민 작용성의 증가가 어느 정도 영향을 미친다는 연구 결과도 있다.

심리 스트레스, 체중감소 등으로 인한 시상하부 무월경 여성들의 월경을 관찰한 바, 70% 이상에서 월경이 자연적으로 회복되었으며, 월경이 회복된 여성에서 회복되지 않은 여성에 비해 체질량지수(BMI)가 높고, 코르티솔 수치는 낮았다.

2) 식이장애(Eating Disorders)

현대를 사는 청소년기의 여자들은 마르고 날씬한 연예인을 동경하는 사회 분위기로 인해 자신의 체중에 대해 매우 민감하다. 미국의 한 조사에 따르면 청소년기 여자 아이의 38%가 자신이 과체중이라고 생각하고, 62%가 체중을 줄이기 위해 노력을 하고, 17%가 최근에 체중을 줄이기 위해 24시간 이상 굶은 경험이 있으며, 8%가 체중감량을 위한 약물을 복용한 경험이 있으며, 6%가 체중을 줄이기 위해 인위적으로 토를 하거나 하제를 사용한 경험이 있다고 밝혀졌다. 식이장애의 유병률은 정확하지 않지만, 미국국립보건원 조사에 따르면 0.3-2% 정도 된다고 한다.

사회 문화 요소뿐만 아니라 심리, 사회, 유전 요인들이 식이장애 유발에 영향을 미친다. 형제, 자매 중에 식이 장애, 정동 장애 또는 알코올 중독 환자가 있는 젊은 여성에서 식이 장애가 생길 위험이 매우 높다. 식이 장애가 있는 여성에서 정동장애, 불안증, 강박장애, 인격장애, 그리고 약물남용이 같이 있는 경우가 흔하다. 부모의 과도한 기대감, 가족 간의 소통 부재, 결혼 생활에서 오는 부담 등이 영향을 미치기도 한다.

식이장애의 임상적 특징은 매우 다양하다. 짧은 기간동안 무월경만 보이는 경우에서부터 식욕부진으로 인한 저체중으로 체형의 변화가 초래된 경우, 폭식과 정상 식이 사이에 규칙적으로 월경을 하는 경우 등 변화의 폭이 매우 넓고 다양하다. 신경성 식욕부진증(anorexia nervosa)과 폭식증(bulimia nervosa)의 진단은 Diagnostic and Statistical Manual of Mental Disorders (DSM-V) 기준에 따른다.

(1) 신경성 식욕부진증(Anorexia Nervosa)

다음 세 가지 진단 기준을 적용한다.

① 연령, 성별, 발달적 궤도에 비추어, 신체적 건강을 위한 최소한의 정상 수준에 미치지 못하는 저체중을 유지함
② 전형적으로 체중 증가에 대한 극심한 두려움이 있음
③ 신체를 왜곡하여 지각하고, 체중과 체형이 자기 평가에 지나친 영향을 미치며, 저체중의 심각함을 지속 부정함

신경성 식욕부진에는 ① 제한성(restricting)과 ② 폭식/제거(binge/purging)의 두 가지 형태가 있다. 제한성의 경우는 음식 섭취를 제한하는 것이 체중 조절의 첫째 방법이며, 폭식/제거형에서는 인위적으로 토를 하거나, 하제 또는 이뇨제를 사용하여 체중을 조절한다. 두 가지 경우 모두에서 체중 유지 또는 감소를 위해 강박감에 사로잡혀 운동을 계속하게 된다.

제한성 신경성 식욕부진증 임상증상은 질병, 무감각한 의견, 책망과 같은 특정 사건과 같이 발생하는 체중 감소가 보이는데, 체중 감소 전에 식욕 부진이 먼저 생기는 점이 특징적이다. 환자들은 피로감, 구토, 조기 포만감, 식후 팽만감(bloating)을 흔히 호소한다. 비틀어진 체형, 혼란스러운 사고를 보이기도 하며, 체중조절을 위한 부수적인 방법으로 과도한 운동을 하기도 한다. 저혈압, 서맥, 저체온, 건조한 피부 및 배냇솜털이 나는 경우도 흔히 볼 수 있다.

신경성 식욕부진증으로 인한 대사장애로 시상하부의 식욕, 갈증, 체온, 수면, 자가면역 평형 및 호르몬 분비 조절 기능의 이상이 나타난다. 임상 예후가 매우 중증이거나 생명이 위험한 경우도 있다. 혈청 난포자극호르몬, 황체형성호르몬, 에스트라디올, 인슐린양성장인자-1, 렙틴(leptin)이 저하되고 코르티솔은 증가하는 호르몬의 이상이 나타난다. 혈청 프로락틴, 갑상선자극호르몬, 티록신(T4)은 정상이지만, 삼요오드티로닌(T3)은 낮고 역삼요오드티로닌(reverse T3)은 높다. 이러한 호르몬 및 대사 이상은 체중 증가로 모두 정상화된다. 체중 증가로 생식샘자극호르몬 분비가 정상 회복이 된다 하더라도 약 1/3에서 지속 시상하부기능장애로 무월경이 지속된다.

식이장애의 치료는 매우 복잡하지만, 일반적으로 내과, 정신과 전문의, 영양사 등으로 구성된 팀이 내과적 치료, 인지행동치료, 영양지원을 통합적으로 시행하여야 한다. 신경성 식욕부진증 환자에는 체중 증가가 가장 우수한 결과를 나타낸다. 중증 환자는 입원 치료를 요하는데, 약 50% 정도는 치료 효과가 좋아 체중이 증가하고 월경이 회복되지만, 1/4은 호전되었다가 다시 재발하고, 1/4은 치료 결과가 불량하다. 노령에 발병한 경우, 장기간 이완된 경우, 체중저점이 매우 낮은 경우, 그리고 체중 회복 후에도 체지방이 낮은 환자에서 치료 결과가 좋지 못하다.

심한 영양결핍과 에스트로겐 부족으로 인한 골결핍증과 골다공증의 발생이 신경성 식욕부진증의 가장 심각한 합병증이다. 체중을 회복하지 못하거나 월경이 돌아오지 않은 환자는 척추와 대퇴골의 골밀도가 해마다 2.5% 정도 감소하며, 회복이 된 환자에서는 거꾸로 비슷한 정도의 골밀도가 증가한다. 월경이 돌아온 환자의 척추 골밀도는 체중증가와 관계없이 독립적으로 증가하고, 체중이 증가한 환자의 대퇴골 골밀도는 월경의 회복과 무관하게 증가한다.

호르몬 요법은 그 자체로는 이점이 거의 없는 것으로 알려져 있다. 경구 피임약 치료는 극도로 심각한 질병(이상체중의 70% 미만)이 있는 여성을 제외하고는 일반적으로 신경성 식욕부진증이 있는 여성에서 진행 골손실을 예방

할 수 없다. 청소년기에 적절한 골밀도의 증가에 도달하지 못한 섭식 장애가 있는 영양실조 여성은 정상 월경을 회복하더라도 골밀도가 감소할 수 있다.

(2) 신경성 폭식증(Bulimia Nervosa)

신경성 폭식증의 진단 기준은 신경성 식욕부진증에 비해 비교적 명확한데, 여기에는 저체중과 무월경은 포함되지 않으며, 다음 진단 기준이 적용된다.

① 간반복적 폭식 삽화가 있음
  * 폭식행동 삽화 : 단위 시간에 일반인의 식사보다 많은 양을 섭취하며, 식사 중 자제가 불가능
② 폭식 후 체중 증가를 막기위한 반복적이고 부적절한 보상 행동이 있음
③ 폭식과 부적절한 보상 행동 모두 평균적으로 적어도 주 1회 이상, 3개월 동안 일어남
④ 체형과 체중이 자아 평가에 과도한 영향을 미침
⑤ 신경성 식욕부진증을 배제

신경성 폭식증은 두가지 형태로 나눌 수 있다. 자의적인 구토 또는 하제, 이뇨제를 오남용하는 제거(purging) 아형과 과도한 운동과 같은 보상 행동이 주로 나타나는 비제거(non-purging) 아형이 있다.

신경성 폭식증 환자는 자신의 행위에 대해 충동적이고, 폭식과 배출 행동을 자제하지 못하며, 종종 흡연, 음주 또는 약물복용을 한다. 무월경까지는 아니어도 월경이 불규칙한 경우가 많고, 대부분은 지나치게 저체중은 아니어도 체중의 변화가 심하다. 잦은 구토로 이하선비대와 치아 사기질의 미란이 흔하게 동반된다.

신경성 폭식증 환자의 치료는 복잡하다. 영양전문가, 내과의사 그리고 인지치료를 위한 신경정신과의사와의 협진이 필요할 수 있다. 신경성 폭식증에는 항우울제가 중요한 치료제이지만, 신경성 식욕부진증에는 별 효과가 없다.

(3) 임신 중 식이장애

열량 제한과 이에 따르는 폭식과 같은 보상 행동은 산모와 태아 모두에게 위험을 초래한다. 신경성 식욕부진증은 산모의 영양장애를 유발하고, 태아 발달장애로 인한 저체중아 출산을 초래한다. 출산 전 저체중과 임신 중 적절하지 않은 체중 증가는 조산의 빈도를 증가시킨다고 한다. 이와 함께 심한 입덧, 유산, 제왕절개술 및 산후우울증을 증가시킨다고 알려져 있다. 대부분의 신경성 폭식증은 임신 중 호전되는 경향을 보이나 출산 후 재발하거나 더 심해지는 경우도 있다.

임신 중에는 식이, 체중증가, 태아발달을 매우 신중히 평가해야 하며 식이에 대해 전문가의 평가 및 자문이 필요할 수 있다. 대부분의 신경성 식욕부진증 환자는 뼈건강에 문제가 있을 가능성이 높기 때문에 임신 중 칼슘의 공급에 유의하여야 한다. 출산 후에도 팀관리가 계속되어야 하는데 증상이 관찰되면 소아청소년과 의사와 협진이 필요하다. 그 이유는 섭식장애가 있는 여성은 아기를 적게 먹일 가능성이 높기 때문이다.

3) 운동과 무월경

오래 전부터 과도한 운동을 하는 여성에서 무월경이 나타난다는 사실은 잘 알려져 왔다. 규칙적인 운동이 건강에 매우 유익한 것은 사실이지만, 정도가 지나치면 무월경과 불임(난임)을 초래할 수 있으며, 특히 청소년기의 소녀들에게는 사춘기 발달의 지연을 초래할 수도 있다. 격렬한 운동을 하거나 상당한 육체적인 활동을 필요로 하는 여성에서 무월경이나 불규칙한 월경을 보이는 경우가 흔하다. 정상적으로 규칙적인 월경을 하던 여성도 운동을 시작하고 나서 월경이 불규칙해질 수 있고 계속해서 운동 강도가 강해지면서 체중 감소가 동반되면 무월경으로 진행되기도 한다. 초경 전 과격한 운동을 시작하면 초경이 늦어지는 경우가 흔하다. 운동이 단독으로 무월경의 원인이 되는 것은 아니며, 특히 운동의 종류가 중요하다. 육상, 무용, 피겨스케이팅과 같은 저체중과 고도의 마른 체형과 관련 있는 운동선수에서 수영과 같은 운동을 하는 경우보다 무월경이 더 흔하다. 여성 월경에 대한 운동과 저체중의 유해 효과는 서로 상승작용을 한다.

임계체중 가설에 따르면 임계체지방 수준이 초경이 있

기 위해서는 17%, 규칙적인 월경을 하기 위해서는 22% 이상이 되어야 한다. 따라서 과도한 운동이나 영양실조로 체지방이 임계 수준 이하로 떨어지면 초경이 늦어지거나 무월경이 초래된다. 체지방과 월경 사이의 관계를 받아들이기는 하지만 원인-결과 관계를 부정하는 견해도 있다. 뇌하수체에서 렙틴과 렙틴 수용체가 발견되어 체지방 함량의 중앙 조절 되먹임기전이 밝혀져 임계체중 가설에 대한 관심이 높아졌다.

월경에 대한 체중과 체지방의 영향 이외에도 스트레스와 에너지 소모도 중요한 영향을 미친다. 이는 체중 및 체지방의 변화가 없음에도 휴식을 취하는 기간 동안 월경이 회복되는 경우에서 알 수 있다. 따라서 격렬한 육체적 활동을 하는 저체중, 저체지방 여성은 무배란 또는 무월경이 나타나기 쉽다. 에너지소모가 과도하여 음성 에너지 균형이 초래되면 생식샘자극호르몬의 박동성 분비가 파괴되고 정상 생리 작용이 상실되기 쉽다.

그 외에도 내인성 아편유사제 작용, 부신 축(adrenalaxis)의 활성화, 렙틴의 작용 등이 관여한다. 생식샘자극호르몬방출호르몬의 분비를 억제하는 내인성 시상하부 아편유사제가 운동 후 증가한다는 사실로 이를 설명할 수 있다. 시상하부 무월경의 경우 코르티솔이 높아지는데, 이는 부신피질자극호르몬방출호르몬으로 매개되는 부신 축의 활동성이 증가하여 일어나는데 결국 생식샘자극호르몬방출호르몬의 분비를 억제한다. 운동으로 무월경이 초래된 여성의 렙틴 치는 저체지방만으로 인해 무월경이 초래된 여성에서보다 더 낮다. 운동으로 인한 무월경의 경우에는 렙틴의 정상 일일주기리듬이 없다. 이 경우 외인성 재조합 사람 렙틴을 투여하면, 생식샘자극호르몬의 박동성 분비, 난포발달, 배란이 회복된다. 저체지방과 음성 에너지 평형으로 초래된 렙틴 저하로 시상하부-뇌하수체-난소 그리고 갑상선 축이 억제되고 부신 축이 활성화되어 무월경 여성 운동선수에게서 관찰되는 다양한 내분비학 증상들이 나타난다.

단일화된 가설은 에너지 평형의 중요성에 초점을 둔다. 운동과 같이 에너지 요구가 증가하거나, 식이장애와 같이 에너지 공급이 부족하게 되면, 더 중요한 대사에 에너지를 사용하기 위해 생식작용은 일시 중지된다. 운동이 정상 생리작용을 교란하는 기전에 중요한 요소가 체중, 체지방 분포, 에너지 평형이든지, 또는 내인성 아편유사제, 부신피질자극호르몬방출호르몬, 또는 렙틴이 이를 매개하는지에 관계없이 운동이 시상하부 생식샘자극호르몬방출호르몬 분비양상의 변화에 직접적인 영향을 미친다는 것만은 사실이며, 이는 신체구성(체조성, body composition)에 따라 다양하게 영향을 미친다. 저체중 무월경 운동선수에서는 황체형성호르몬 박동빈도(pulse frequency)와 박동진폭(pulse amplitude)이 감소하고, 외인성 생식샘자극호르몬방출호르몬에 대한 뇌하수체의 감수성이 증가하는데, 이는 내인성 생식샘자극호르몬방출호르몬 자극의 감소로 생식샘자극호르몬이 저하되기 때문이다. 수영과 같이 체중부하운동이 아니어서 마른 체형이 문제가 되지 않는 경우에는 황체형성호르몬은 감소하기보다 약간 증가하며, 에스트라디올은 정상이며, 이는 생식샘자극호르몬방출호르몬 박동성 분비의 이상이 미미한 수준임을 의미한다. 따라서 시상하부 무월경은 육상선수나 무용가에게 더 자주 나타난다.

체조선수는 육상선수에 비해 생리양상과 체지방은 비슷한 반면 척추골의 골밀도는 더 높다. 무용수는 대퇴골 상부와 같은 체중이 실리는 곳의 겉질뼈 밀도는 정상이거나 높은 반면, 요추의 해면뼈 밀도는 저하되어 있다. 지속적 피로에 의한 골밀도의 보상적 변화는 에스트로겐 부족에 의해 손상 받기도 하고 예방될 수도 있다. 피로골절은 운동선수에게 흔히 일어나는데 식이장애가 동반된 경우 더 흔하다. 이는 음성 에너지 평형(negative energy balance)으로 인해 골교체가 저하되고 골흡수가 촉진되기 때문이다.

골소실은 과격한 운동으로 기인한 시상하부 무월경의 가장 즉각적이고 확실한 결과이다. 심각한 골결핍증과 피로골절의 위험성 증가를 알리는 기저 골밀도 검사 결과를 토대로 습관의 변화와 호르몬 치료의 필요성을 환자에게 설명하여야 하며, 지속적인 골밀도 검사를 통하여 치료 효과를 평가해야 한다. 정상 월경의 회복과 더불어 골밀도의 증가는 호르몬 치료(에스트로겐 또는 경구피임약)를 단독 시행한 경우보다 훨씬 높은데, 정상 골대사에는 적절한 영양공급(골형성에 필요)과 에스트로겐(골흡수 저하)이 필요하기 때문이다. 호르몬 치료로는 배란과 임신을 방지할 수 없기 때문에, 피임이 필요한 경우에는 저용량 경구피임약을 선택하는 것이 좋다.

운동으로 기인한 시상하부 무월경 여성의 골결핍증 예방과 치료에 칼슘과 비타민 D 보충은 필요하지만, 비스포스포네이트 투여는 바람직하지 않다. 이들 여성에서는 골형성과 골교체가 저하되어 있어 항골흡수 치료제에는 반응이 불량하기 때문이다. 또 이들 중에는 출산을 다 마치지 않은 여성이 많은데, bisphosphonate는 십 년 이상 뼛속에 남아 지속적으로 혈중으로 방출되는데 아직 이러한 bisphosphonate가 태아의 골격 발달에 미치는 영향에 대해서 정확히 밝혀져 있지 않기 때문이기도 하다. 이들 여성에게 치료를 하면 정상 배란과 수태능력을 회복할 수 있다는 점을 잘 알려주고, 배란유도제를 사용하여야 한다면, 클로미펜보다는 생식샘자극호르몬 투여가 효과적이다.

4) 선천 생식샘자극호르몬방출호르몬의 결핍

시상하부 무월경 여성 중 선천 생식샘자극호르몬방출호르몬 결핍으로 인한 경우는 흔하지 않다. 이는 배아발생 과정 중 정상 생식샘자극호르몬방출호르몬 합성 신경세포 이동을 방해하는 유전자 돌연변이 또는 뇌하수체 생식샘자극호르몬방출호르몬 수용체 돌연변이와 관련이 있다. 박동성 황체형성호르몬 분비가 완전히 없거나, 외인성 박동성 생식샘자극호르몬방출호르몬 투여에 전혀 반응하지 않아 황체형성호르몬의 분비가 되지 않는다. 남성에서 여성보다 5배 흔하다.

(1) 칼만증후군(Kallmann syndrome)

선천 생식샘자극호르몬방출호르몬 결핍이 후각상실 또는 후각저하와 동반된 경우 칼만증후군이라 한다. 전형적인 X-연관 질환이며, KAL 유전자(Xp22.3)의 돌연변이로 인해 생긴다. 이 유전자는 배아 발생 중 후각기원판(olfactory placode)에서 시상하부로 생식샘자극호르몬방출호르몬 합성신경세포와 후각신경세포의 이동을 조장하는 신경부착분자(neural adhesion molecule)인 anosmin-1 단백을 인코딩한다. 보인자 여성에게는 아무런 증상이 나타나지 않는다. 상염색체 우성 또는 열성(autosomal dominant or recessive)으로 유전되기도 한다. 상염색체 우성의 경우에는 섬유모세포성장인자-1 (fibroblast growth factor-1) 수용체(FGFR1) 단백을 인코딩하는 유전자의 불활성 돌연변이(inactivating mutation)와 관련 있다. 이 경우는 생식샘자극호르몬방출호르몬 합성신경세포 이동(GnRH neuronal migration)에만 영향을 미쳐 후각 상실은 나타나지 않고, 생식샘자극호르몬 결핍만 나타난다. 사춘기 남자와 여자에서 성장 및 성적 발달의 지연이 나타난다. 음모 발달 여부로 체질 지연(constitutional delay)과 구별을 할 수 있는데, 체질 지연인 경우에는 부신사춘기(adrenarche)가 늦어진다. 칼만증후군의 가장 특징적인 증상은 냄새를 맡지 못하는 것이며, 사춘기 지연 또는 구순열/구개열, 비뇨기계 기형, 합지증과 같은 기형의 가족력이 있을 수 있다.

(2) 생식샘자극호르몬방출호르몬수용체 돌연변이

20여종 이상의 생식샘자극호르몬방출호르몬수용체(GnRHR) 유전자의 불활성돌연변이가 보고되었다. 일부는 생식샘자극호르몬방출호르몬 결합을 방해하고, 일부는 정상 신호전달(signal transduction)을 방해하지만 최종 결과는 생식샘자극호르몬방출호르몬 자극에 대한 저항성이 생긴다는 점이다. 증상은 성적발달이 완전히 없는 경우에서부터 사춘기발달이 지연되는 경우까지 매우 다양하며, 이는 외인성 생식샘자극호르몬방출호르몬 투여에 대한 황체호르몬 분비 반응의 정도와 관계 있다. 치료는 저생식샘자극호르몬-생식샘저하증의 기본적인 치료인 호르몬 치료와 외인성 생식샘자극호르몬 투여에 의한 배란유도가 효과적이다. 특히 생식샘자극호르몬방출호르몬수용체 돌연변이를 규명하는 것은 연구 목적으로는 시행할 수 있지만, 이를 통한 임상 의미는 낮다.

** 참고문헌 목록은 대한산부인과내분비학회 홈페이지 http://www.kosge.or.kr 또는 QR코드를 통해 보실 수 있습니다.*

CHAPTER

7 다낭난소증후군

김진주(서울의대), 조연진(동아의대)

다낭난소증후군은 가임기 여성의 가장 흔한(약 10%) 내분비질환으로, 만성 무배란 및 안드로겐과다증을 주 증상으로 한다. 1935년 Stein과 Leventhal이 양측 다낭난소와 함께 무월경, 다모증, 비만 등의 증상을 보이는 질환을 'Stein-Leventhal syndrome'이라고 처음으로 정의하였다. 1980년대 이후 상당수의 다낭난소증후군 환자에서 인슐린저항성과 고인슐린혈증이 동반됨이 알려지면서 부인과 질환을 넘어 대사질환의 고위험군으로 주목받고 있다.

다낭난소증후군으로 진단받는 것은 여성의 일생에 지대한 영향을 미칠 수 있는데, 단기간 내에는 불임, 장기간으로는 2형당뇨병, 이상지혈증, 심혈관 질환, 자궁내막암 등이 증가하기 때문에 다낭난소증후군의 진단 및 치료는 잘 이루어져야 한다. 본 장에서는 현재까지 진행된 연구결과와 문헌들을 고찰하여 다낭난소증후군의 병태생리, 진단 및 치료에 대하여 종합적으로 기술하고자 한다.

I. 병태생리

다낭난소증후군의 병태생리는 다양하다. 호르몬적으로는 생식샘자극호르몬이 정상 여성에서 보이는 주기적인 변화 없이 항정상태(steady state)를 보이는 것을 특징으로 한다. 혈중 안드로겐과 에스트로겐의 일 생산량이 증가하는데, 난소 기원의 남성호르몬인 안드로스텐다이온, 테스토스테론, 17α-히드록시프로제스테론(17α-hydroxyprogesterone)뿐만 아니라 부신 기원의 남성호르몬인 디하이드로에피안드로스테론, 황산데하이드로에피안드로스테론 모두 증가하기 때문이다. 에스트론 역시 증가해 있는데, 이것은 안드로스텐다이온의 말초 전환 증가로 인한 현상이다. 그러나 혈중 에스트라디올은 난포기 초기에 관찰되는 수준으로 정상범위를 유지한다.

연구결과들을 종합하면 유전 소인이 생식샘자극호르몬 분비 체계 이상 및 인슐린저항성과 그에 따른 고인슐린혈증을 일으키고, 이에 따라 난소 기원의 남성호르몬 과다가 생긴 것이 가장 유력한 병태 생리일 것이다(그림 7-1). 최근에는 항뮐러관호르몬의 역할 및 신경내분비 기원도

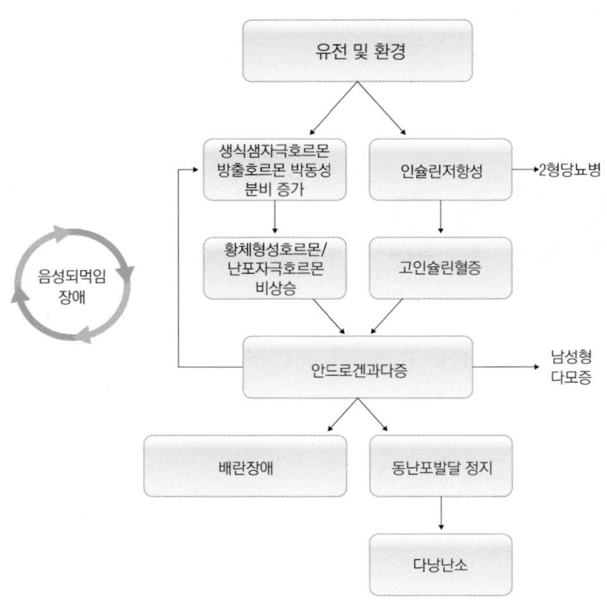

● 그림 7-1. **다낭난소증후군의 병태생리**

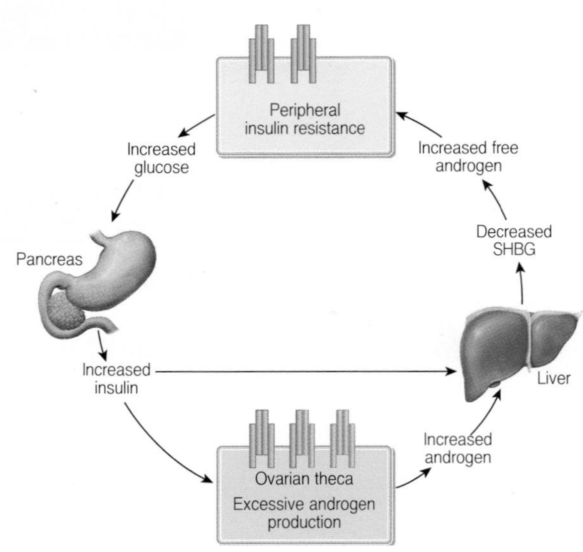

● 그림 7-2. **다낭난소증후군에서 인슐린저항성의 역할**

대두되고 있다.

1. 생식샘자극호르몬 분비 이상

다낭난소증후군 여성은 혈중 황체형성호르몬 상승을 보이며, 상대적으로 정상 혹은 낮은 수준의 난포자극호르몬 농도로 인해 결국 황체형성호르몬/난포자극호르몬 비상승을 보인다. 황체형성호르몬 상승은 황체형성호르몬 리듬 빈도 증가와 주로 연관이 있으며, 난포자극호르몬 농도의 감소는 만성적으로 상승된 에스트론에 의한 음성 되먹임 기전 및 인히빈 B 농도의 경한 상승과 연관이 있다. 다낭난소증후군 여성에서 황체형성호르몬 리듬 빈도는 정상 월경주기에서 보이는 주기 변화가 없이 시간당 1회 정도로 일정하게 증가된 소견을 보이며, 이런 현상은 비만한 다낭난소증후군 여성보다는 마른 다낭난소증후군 여성에서 심한 것으로 보고되었다. 이와 같은 황체형성호르몬 리듬 증가는 내인성 시상하부 생식샘자극호르몬방출호르몬 리듬 빈도를 반영하는 것으로 보이며, 이런 변화는 태생기에 자궁 내에서 남성호르몬에 과다하게 노출되어 생식샘자극호르몬방출호르몬 리듬 생성 프로그래밍에 변화가 왔기 때문일 것이다.

2. 인슐린 분비 및 작용

1980년대 이후 인슐린저항성과 고인슐린혈증이 다낭난소증후군의 병태생리 중 하나로 대두되었다. 즉 인슐린은 난소의 난포막 세포에서 안드로겐 생산을 증가시키고, 간에서 성호르몬결합글로불린 생산을 방해하여 유리 테스토스테론 농도를 높인다. 높은 농도의 남성호르몬은 다시 간에서 성호르몬결합글로불린 생성을 방해하여 소위 'Self-propagating positive feedback loop'가 생성된다(그림 7-2). 인슐린은 황체형성호르몬 작용을 강화하여 난소의 남성호르몬 생성 증가에 더욱 기여한다.

비만한 환자의 약 70-80%, 비만하지 않은 환자의 약 20-25%에서 인슐린저항성을 보이며, 본 저자의 국내연구에서도 비만한 군에서는 약 60%, 마른 환자군에서는 약 20% 정도의 인슐린저항성을 보이는 것으로 보고하였다.

다낭난소증후군 환자들은 정상대조군과 비슷한 수의 인슐린 수용체 수 및 친화력를 가지고 있어 이들 여성의 인슐린저항성의 원인은 수용체 자체의 결함보다는 인슐린 수용체를 매개로 한 신호전달체계(signal transduction cascade)에서의 결함으로 보고 있다. 특히 주목받고 있는 가설은 인슐린 수용체와 인슐린 수용체 기질의 과도한 세린인산화이다.

인슐린의 전형적인 작용기전은 인슐린과 인슐린 수용체가 결합해서 두 가지의 세포 내 경로를 밟는 것인데, 하나는 포스파디딜 이노시톨-3-인산화효소(phosphatidylinositol 3-kinase, PI-3K) 경로로 당원 합성이나 포도당 섭취와 같은 대사적 작용에 관여하며, 나머지 하나는 분열제활성 단백키나아제(mitogen-activated protein kinase, MAPK) 경로로 유사분열능(mitotic activity)에 관여한다. 비만한 다낭난소증후군 및 정상체중의 다낭난소증후군 여성 모두 인슐린수용체의 수나 친화력은 저하되어 있지 않은 데 비해 인슐린 수용체의 세린기 인산화는 증가되어 있고, 티로신기의 인산화도 감소되어 있다. 세린기 인산화는 인슐린 수용체와 PI-3K와의 결합을 방해해서 대사적 경로로의 인슐린 작용을 방해하는 것으로 알려져 있다. 이와 같이 PI3K 경로의 억제와 MAPK 경로의 활성화가 난소에서의 유사분열능 증가를 가져와 남성호르몬 합성이 증가한다. 이로 인해 인슐린의 2가지 작용 중 한 가지는 선택적으로 억제되고 한 가지는 선택적으로 활성화되는데, 이는 일명 '인슐린저항성 상태'인 환자들인 다낭난소증후군 여성에서 어떻게 인슐린이 남성호르몬 과다를 자극할 수 있는지에 대한 설명이 될 것이다. 이런 현상들은 후천 요인보다는 유전 요인이나 태생기의 변화에 의해 유발된 것으로 보인다.

그러나 다낭난소증후군 환자의 25-50%는 인슐린저항성을 보이지 않으며, 또한 인슐린저항성을 보이는 여성에서 다낭난소증후군의 유병률은 약 15% 정도로 낮음을 감안한다면 인슐린저항성 및 그에 따른 고인슐린혈증이 모든 다낭난소증후군의 병태생리를 설명할 수 있는 요소는 아닐 것이다. 여기에는 인슐린저항성을 정확하게 평가하는 수단이 아직 불분명한 점도 일조한다.

3. 비만, 체중 및 에너지 조절 체계 이상

다낭난소증후군 환자에서 비만은 흔히 동반되며 미국인 환자의 경우 약 60%의 유병률을 보인다. 국내 다낭난소증후군 여성에서 비만은 약 20%로 보고되어 서양 여성에 비해서는 낮다. 비만, 특히 중심비만은 인슐린저항성 및 고인슐린혈증과 연관되어 있으며, 다낭난소증후군 여성에서 피하지방 증가보다는 내장지방이 더 증가되어 있음은 이미 여러 연구에서 보고되었다. 비만하지 않은 다낭난소증후군 여성도 체질량지수로 짝 지은 정상대조군 여성과 비교 시 체지방 비율, 허리-엉덩이비, 복부 및 내장 비만이 증가되어 있음이 보고되었다.

비만이 인슐린저항성을 일으킬 수 있는 주요 요인 중 하나이지만 다낭난소증후군 여성의 인슐린저항성은 체중과 독립적인 것으로 알려져 있다. 특히 말랐거나 비만한 다낭난소증후군 환자들도 연령과 체성분으로 짝 지은, 대조군 여성과 비교하여 유의하게 인슐린저항성이 증가되어 있다. 또 비만의 유병률은 인구집단마다 다르나 다낭난소증후군의 유병률은 인구집단별로 거의 유사하다. 즉 비만을 다낭난소증후군의 근본 원인이라고 하기보다는 감수성을 가진 여성에서 다낭난소증후군의 여러 표현형, 즉 대사 또는 생식계 이상을 악화시키는 요인으로 여기는 것이 적절하다.

4. 남성호르몬 합성 및 작용의 결함

안드로겐과다증(hyperandrogenism)이야말로 다낭난소증후군의 핵심이다. 과다한 남성호르몬은 주로 난소 기원이며, 부신 기원의 남성호르몬 증가 및 과다한 지방조직에서의 증가도 일조한다.

다낭난소증후군 여성에서 난소 기원의 남성호르몬이 증가하는 일차 기전은 비정상 황체형성호르몬 분비 및 황체형성호르몬 생활성도 증가에 기인한다. 또한 인슐린저항성에 의한 황체형성호르몬 작용 증강 및 비만이 동반될 경우 더욱더 증상이 악화된다(그림 7-1). 추가로 난포막 세포 및 난소의 사이질 세포에서 황체형성호르몬 수용체의 과발현으로 인한 황체형성호르몬 자극의 민감도 증가 및 난소기질에서 난포막 세포 부피가 증가한 것도 가능한 기전일 것으로 여겨지고 있다. 다낭난소증후군 여성에서 GnRH 작용제로 황체형성호르몬 작용을 억제시킨 후 채취한 난포막 세포를 체외에서 장기간 배양 시에도 남성호르몬 생산 증가가 유지된다는 연구결과를 고려하면 난소 내에서 남성호르몬 생산에 관여하는 3δ-수산화스테로이드탈수소효소(hydroxysteroid dehydrogenase, HSD) 및 17,20-lyase와 같은 효소의 내인성 결함도 관여하는 것으로 보인다. 이와 같은 효소결함에는 결국 유전적인 요소가 관여할 것이다.

다낭난소증후군 여성에서는 부신기원의 남성호르몬이 증가되어 있는데, 다낭난소증후군 여성의 약 50%에서 혈중 DHEAS이 상승되어 있다고 보고한 연구도 있다. 부신기원의 남성호르몬은 그 자체로 남성호르몬 과다 증세를 나타내기보다는 말초에서 테스토스테론으로 전환되어 임상증상을 나타내는 것으로 보인다. 그러나 다낭난소증후군 여성에서 부신 기원의 남성호르몬이 증가된 이유는 아직도 불분명하다.

다낭난소증후군 여성의 난소에서 남성호르몬이 증가된 것은 우리가 '다낭난소'라고 부르는 특징적인 난소 모양을 만드는 기전일 것으로 여겨진다. 난소 내에서는 정상적으로 방향효소(aromatase)의 활동에 의해 남성호르몬이 여성호르몬으로 전환되나 국소적인 남성호르몬 과다 환경에서는 방향효소의 활동이 억제되고 5-α 환원 효소에 의해 더 강력한 남성호르몬이 생성된다. 5-α 환원화된 남성호르몬은 여성호르몬으로 전환될 수도 없고, 방향효소 및 과립막세포에서 난포자극호르몬이 황체형성호르몬 수용체를 유도하는 활동을 억제하여 난포 성장을 방해하게 된다. 결국 새로운 난포는 지속적으로 생성되나 최종적인 성숙이 되지 않아 다낭난소증후군에서 보이는 특징적인 난소 소견이 나타나게 된다. 성숙하지 못하고 퇴화된 난포들은 난소 기질로 변하면서 시간이 지날수록 부피가 증가하고 또 다시 남성호르몬을 생성하는 세포덩어리로 변하여 남성호르몬 과다와 만성 무배란을 일으키는 악순환이 된다. 따라서 다낭난소증후군 여성에서 증가한 난소 기질을 제거하는 쐐기절제가 치료의 한 축을 이루고 있으며, 성공률은 제거된 난소 기질이 많을수록 증가하는 것으로 알려져 있다. 복강경하 난소천공술은 전통적인 쐐기절제술과 비슷한 성적을 보인다.

5. 유전 소인

다낭난소증후군의 가족 내 발생 경향에 대해서는 오래 전부터 알려졌다. 1,332명의 일란성 및 1,873명의 이란성 쌍둥이 자매를 대상으로 한 연구에서는 다낭난소증후군 병태생리에 유전 요소가 70% 이상을 차지하는 것으로 보고하였다. 다낭난소증후군 여성의 자매에서 인슐린저항성이나 고안드로겐혈증의 빈도가 높다는 사실을 바탕으로 시행된 다른 연구들에서도 다낭난소증후군 여성의 1차 친척에서 대사성, 심혈관 질환의 위험성이 높아질 수 있다고 하였다. 뚜렷한 멘델의 법칙을 보이지 않아 유전학적 이해에 어려움이 있으나 보통염색체우성 혹은 X염색체 연관 양상을 보일 가능성이 있다.

다낭난소증후군의 후보 유전자들은 주로 스테로이드 대사 및 생합성과 관련된 유전자들, 남성호르몬 작용, 인슐린 작용 혹은 2형당뇨병 및 심혈관 질환과 관련된 유전자들, 염증성 사이토카인을 전사하는 유전자들에 관한 보고들이 주를 이루고 있다.

산발적인 환자-대조군 연구를 넘어 최근의 유전 연구에서 가장 괄목할 만한 성과는 역시 대규모 환자-대조군에서의 전장유전체연관분석연구라고 할 수 있겠다. LHCGR (luteinizing hormone/choriogonadotropin receptor), THADA (thyroid adenoma associated), DENND1A (DENN/MADD domain-containing 1A) 유전자가 유력한 후보 유전자로 발견되었다. 이들의 기능 역할을 규명하기 위한 연구들이 수행되고 있으나 아직은 임상 증상과 연결 지을 기전이나 특정 경로가 밝혀지지 않았다. 이 외에도 다낭난소증후군에서 epigenetics/altered DNA methylation의 역할을 규명하기 위한 기능유전체연구들이 이루어지고 있다.

그러나 다낭난소증후군은 2형당뇨병이나 비만과 마찬가지로 유전 요인과 환경 요인의 복합 질환이며 유전자-유전자 및 유전자-환경 상호관계도 유전학적 소인을 밝히기 위한 연구를 어렵게 하고 있다. 또 환자군 정의 및 진단기준이 연구자마다 달라 결과 해석에 어려움이 있으며, 이환된 남성을 어떻게 정의할 것인가도 불분명하다. 본 증후군에 이환된 여성의 낮은 생식능력으로 인해 큰 규모의 가계도 작성에 어려움이 있으며 이로 인해 가족 구성원 내에서 비-무작위 선택(nonrandom selection)이 될 경우 통계적인 치우침을 야기할 수 있다. 또한 다낭난소증후군의 나이에 따른 표현형 변화로 인해 한 개인의 이환 여부를 지정하는 것이 불명확해지는 측면도 있다. 이와 같이 다낭난소증후군을 가진 여성의 낮은 생식 능력, 남성형 표현형의 부재, 동물 모델의 부재, 나이에 따른 표현형 변화 및 진단 기준의 다양성 등이 유전학적 병태생리 규명에 장애로 어려움을 주고 있다.

II. 진단

1990년 4월 미국 국립보건원(National institutes of health, NIH)에서는 다낭난소증후군의 증상을 중요 순서대로 나열하였는데, (1) 안드로겐과다증 또는 안드로겐과다혈증, (2) 만성 무배란, (3) 고프로락틴혈증, 갑상선 질환, 선천부신과다형성증 등 관련 질환의 배제순으로 하였다. 초음파상 다낭난소는 진단기준에 포함시키지 않았다.

2003년 Rotterdam consensus meeting에서는 초음파 소견을 진단 기준에 포함시켰으며 (1) 희발 또는 무배란, (2) 임상적 또는 생화학적 안드로겐과다증, (3) 다낭난소, 이 3가지 중 2가지 이상인 경우 진단을 내릴 수 있도록 하였다(표 7-1, 2). 이에 따라 다낭난소 및 배란 장애만 있는 그룹과 다낭난소 및 안드로겐과다증만 있는 그룹이 기존의 NIH 기준에 추가되었다. 일반적으로 NIH 기준에 의한 다낭난소증후군 유병률은 약 6%, Rotterdam 기준에 의한 유병률은 약 10%로 보고 있다.

한편 2018년 가을, 6 대륙의 전문가들이 본 증후군의 진단 및 관리에 관한 국제근거중심지침(International Evidence-based Guideline)을 발표하였고, 현재 이 내용들은 미국 및 유럽생식의학회(American Society for Reproductive Medicine 및 European Society of Human Reproduction and Embryology) 홈페이지에 올라와 있다. Rotterdam 진단 기준은 발표 이후 여러 이견들이 있었으나 2018년 국제근거중심지침에서도 이를 지지하고 있어 이제는 거의 보편적 진단 기준이 되었다. Rotterdam 기준을 부분적으로 수정한 국제근거중심지침을 표로 제시하였다(표 7-3).

2013년 미국 내분비학회 학회에서는 다낭난소증후군 최종 진단전에 감별진단을 위해 반드시 실시해야 하는 검사들과 증상에 따라 선택적으로 실시할수 있는 검사들로 나누어 제시하고 있다(표 7-4, 5)

표 7-1. Rotterdam 진단 기준

아래 3가지 중 2가지 이상의 경우 진단 가능 • 희소 혹은 무배란증 • 임상적 혹은 생화학적 안드로겐과다증 • 다낭난소
다른 원인 배제(선천부신과다형성증, 안드로겐 분비 종양, 쿠싱 증후군)

표 7-2. 2003년 Rotterdam 기준에 따른 다낭난소의 진단

1. 다낭난소는 직경 2–9 mm 사이의 난포가 적어도 한쪽 난소에 12개 이상이거나 난소 부피가 증가된 경우(>10 cm^3)로 한다. 10 mm 이상의 우성 난포 또는 황체가 있는 경우 검사는 다음 주기에 반복한다.
2. 주관적인 모양만으로 다낭난소를 진단해서는 안 된다.
3. 한 개의 난소라도 상기 진단기준을 충족시키는 경우 다낭난소로 진단 가능하다.
4. 경구피임약을 복용하고 있는 경우 이 진단기준이 적용되지 않는다.
5. 측정 시 아래와 같은 기술적인 면을 충족시켜야 한다.
   - 가능한 질식으로 검사하며, 특히 비만한 여성의 경우 질식이 권고된다.
   - 주기적인 월경을 하는 여성의 경우 난포기 전반(월경주기 3–5일)에 측정한다.
   - 희소 또는 무월경인 여성의 경우 무작위적인 시기에 측정하거나 황체호르몬 유도 출혈 3–5일째 측정한다.

표 7-3. 국제근거중심지침에서 제시한 다낭난소증후군 세부 진단 권고(2018)

불규칙한 월경 및 배란 장애

- 불규칙한 월경 주기는 다음과 같이 정의된다.
  - 초경 첫 1년에는 어느 주기든 정상이다.
  - 초경 1-3년 사이에 〈21 혹은 〉45일인 경우
  - 초경 3년 이후부터 폐경전후기까지는 〈21 혹은 〉35일 혹은 연8회 미만
  - 초경 1년 후 한 번이라도 90일 초과 시
  - 15세까지 초경이 없거나 유방 발달 3년 넘어서도 초경이 없는 경우
- 규칙적인 월경이 있어도 배란 장애가 여전히 있을 수 있다. 무배란을 확진하기 위해서는 혈중 황체호르몬 측정을 한다.

생화학적 안드로겐과다증

- 생화학적 안드로겐과다증 평가에는 유리 테스토스테론 계산치, 유리안드로겐지수, 혹은 bioavailable 테스토스테론 계산치가 사용되어야 한다.
- 테스토스테론 측정 시에는 액체 크로마토그래피-질량분석법 그리고 추출/크로마토그래피 면역분석과 같은 고품질의 평가 방법이 사용되어야 한다.
- 안드로스텐다이온, 황산디하이드로에피안드로스테론은 총 테스토스테론 혹은 유리 테스토스테론이 상승되어 있지 않으면 측정을 고려해 볼 수 있다. 그러나 이들이 진단에 부가적인 정보를 제공하지는 못한다.
- 유리 테스토스테론을 방사선계측 혹은 효소결합면역흡착 측정법으로 직접적으로 측정해서는 안 된다.
- 호르몬 피임법을 사용하는 여성에서 믿을 만한 생화학적 남성호르몬 평가는 가능하지 않다. 만약 측정이 필요한 경우 측정 전 3개월 이상 중단을 권한다.
- 생화학적 안드로겐과다증 평가는 임상적 안드로겐과다증이 명확하지 않을 경우 진단에 도움이 된다.
- 남성호르몬 수치의 해석은 각 검사실 별 참고치를 이용한다.
- 남성호르몬 수치가 참고치를 넘어 매우 상승되어 있을 경우, 다른 원인의 안드로겐과다증을 생각해야 한다. 특히 급격한 증세 발생 병력이 종양 여부 평가에 중요하다. 그러나 어떤 남성호르몬 생산 종양은 경도-중등도의 수치 상승만을 보이는 경우도 있다.

임상적 안드로겐과다증

- 성인에서 여드름, 탈모, 남성형다모증 그리고 청소년에서의 심한 여드름과 남성형다모증과 같은 증상 및 징후 여부를 철저히 평가해야 한다.
- 진료의는 임상적 안드로겐과다증의 잠재적인 부정적인 심리사회적 영향을 인지하고 있어야 한다. 특히 남성형다모증이나 탈모가 중요하다.
- 남성형다모증의 평가에는 modified Ferriman Gallwey score와 같은 표준화된 평가법이 선호된다. 그러나 인종에 따라 결과가 다를 수 있고, 자가 치료가 흔해 평가 시 한계가 있을 수 있다.
- 탈모의 평가는 Ludwig visual score가 선호된다.
- 여드름에 두루 인정되는 시각 평가법은 없다.
- 남성형다모증의 참고치 및 심한 정도는 인종마다 다를 수 있으나 남성형다모증의 유병률은 인종별로 비슷하다.
- 솜털을 성숙털로 인지하면 과대 평가가 일어날 수 있다. 성숙털만을 남성형다모증 평가에 사용해야 하는데, 성숙털은 대개 5 mm 이상으로 자라고 모양과 질감이 다양하며 일반적으로 착색이 되어 있다.

초음파상 다낭난소

- 초경 8년이 되기 전에는 초음파를 진단에 사용해서는 안 된다. 이 시기엔 정상적으로 multi-follicular ovary가 흔하기 때문이다.
- 다낭난소의 역치는 초음파 기술 발달에 따라 주기적으로 수정해야 하며, 연령에 따른 참고치도 설정되어야 한다.
- 가능하다면 질식 방법이 선호된다.
- 8 MHz을 포함하는 초음파 사용시에는 다낭난소 진단을 위한 난포 수는 20개 이상으로 한다. 10 mL의 부피 기준은 그대로이다.
- 구 기술을 사용 시에는 부피 기준만을 사용한다.
- 환자가 불규칙한 월경과 안드로겐과다증을 보이는 경우, 진단 자체를 위해서는 초음파가 필요하지는 않다. 단, 초음파 검사를 시행하면 아형 파악에 도움이 된다.
- 복부로 평가 시에는 부피 기준을 사용한다.
- 초음파 검사 시에는 아래 항목들을 평가지에 기록하기를 권한다.
  - 마지막 월경
  - 초음파 탐침자의 주파수
  - 접근법
  - 난소당 총 난포 수
  - 각 난소의 부피
  - 자궁내막 두께와 형태
  - 난소 낭종, 황체, 10 mm 이상의 우성 난포 유무
- 주의 깊으면서도 세심한 난포 수 측정을 하도록 훈련이 필요하다.

항뮐러관호르몬

- 항뮐러관호르몬은 다낭난소 혹은 다낭난소증후군 진단을 위한 단일 검사로 사용되어서는 안 된다.
- 향후 항뮐러관호르몬이 다낭난소의 발견을 위해 더 정확해질 가능성 있다.

표 7-4. 다낭난소증후군 최종 진단 전에 모든 환자들에게 실시해야 하는 검사들(미국 내분비학회, 2013)

질환	검사
갑상선 질환	혈중 갑상선 자극호르몬
고프로락틴혈증	혈중 프로락틴
선천부신과다형성증	이른 아침(오전 8시 이전) 혈중 17-수산화프로게스테론

표 7-5. 다낭난소증후군 최종 진단 전에 증상에 따라 선택적으로 실시할 수 있는 검사들(미국 내분비학회, 2013)

질환	증상	검사법
임신	무월경과 함께 임신의 다른 징후, 증상이 있는 경우(유방 충만감, 자궁 경련)	혈청 혹은 소변 사람 융모생식샘자극호르몬
시상하부성 무월경	무월경과 함께 저체중/저체질량지수, 지나친 운동, 진찰 상 안드로겐과다증의 증거 부족할 때. 때때로 다난포 난소(multifollicular ovary)가 동반되기도 한다	혈중 황체형성호르몬, 난포자극호르몬(둘 다 낮거나, 정상 범주이나 낮은 경우), 혈중 에스트라디올(낮음)
조기난소부전	무월경과 함께 안면홍조, 비뇨생식기 위축 등 여성호르몬 결핍 증세 있는 경우	혈중 난포자극호르몬(상승) 혈중 에스트라디올(낮음)
남성호르몬 분비 종양	음성 낮아짐, 남성형탈모, 클리토리스 비대와 같은 남성화가 급격히 나타난 경우	혈중 테스토스테론 및 황산디하이드로에피안드로스테론(유의한 상승) 골반 초음파, 부신 자기공명영상
쿠싱증후군	다낭난소증후군의 많은 증상 및 징후가 쿠싱증후군과 겹칠 수 있으나(선조, 비만, 등 및 목 쪽 지방축적, 포도당불내성), 쿠싱증후군은 좀 더 많은 증상을 동반함(특히 근육병증, 다혈증, 자색선조, 쉽게 멍듦과 같은 특징적인 증상이 있으면 더 의심).	24시간 소변 유리 코티졸(상승) 야간 침 코티졸(상승) 하룻밤 덱사메타손 억제검사(억제 안됨)
말단비대증	다낭난소증후군과 희발 월경, 피부 변화(비후, 쥐젖, 남성형다모증, 다한증)의 증상이 겹칠 수 있으나 두통, 주변 시야결손, 턱비대, 전두부 돌출, 큰혀증, 신발 및 장갑 크기 증가 등은 말단비대증과 관련	혈중 유리 인슐린유사성장인자(상승) 뇌하수체 자기공명영상

이제 각 세부 진단 기준에 대해 자세히 살펴보겠다.

1. 희발 또는 무배란

다낭난소증후군 여성들은 거의 대부분 임상적으로 명확한 월경장애를 보이고 있다. 일반적으로 월경이 없거나 드문 것을 의미하나 약 2% 이내의 환자에서는 빈발 월경(21일 이내의 지나치게 짧은 주기)을 보인다. 월경장애는 초경 직후부터 시작되지만 일부 여성들은 초경 이후 잠시 주기적인 월경을 보이다가 이후 불규칙해지는 양상도 보인다. 월경장애는 나이에 따른 남성호르몬 감소로 인해 40대경에는 대개 호전된다.

월경장애라는 측면에서 또 한 가지 유의할 사항은 'subclinical ovulatory dysfunction'이다. 정상 월경은 정상 배란의 결과물이라고 할 수 있다. 그러나 놀랍게도 정상 주기 내에서 주기적인 월경이 있다 하더라도 이것이 정상 배란을 의미하지는 않는다는 보고가 상당수 있다. 이는 일반인 구집단에서는 흔하지 않고, 안드로겐과다증과 같은 특정 '상황'에서 상당수의 빈도를 보이는 것으로 알려져 있다. 남성형다모증이 있거나 혈중 남성호르몬이 상승되어 있는 여성 중 매달 정상적인 월경을 한다는 여성을 대상으로 기초체온표 및 황체기 중기 혈중 황체호르몬으로 배란 여부를 확인한 결과 약 14-40%가 실제로는 무배란 주기를 보이는 것으로 여러 연구에서 보고되었다. 또한 NIH 기준으로 진단된 316명의 다낭난소증후군 여성 중 16%가 명백한 무배란 상황임에도 27-34일 주기의 규칙적인 월경 주기를 보인다고 하였다. 따라서 다낭난소증후군 여성이 매달 주기적인 월경을 보인다고 하더라도 전형적인 월경 전 증세인 팽만감(bloating), 기분 변화(mood change), 유방 팽창감(breast fullness)를 보이지 않으면 무배란 상태일 수 있음을 염두에 두어야 한다. 실제 임상상황에서는 월경주기 20-24일 사이에 혈중 황체호르몬을 재서 그 농도가 3-4 ng/mL 이하이면 그 주기는 무배란성 주기로 평가한다. 물론 외래에서 환자가 오래 동안 주기적인 월경을 했다고 하면 사실 한 번의 혈중 황체호르몬 농도만으로 '만성' 무배란을 진단하기에는 무리가 있으므로 이 경우 다음 주기에 한 번 더 측정해서 두 번째에도 같은 소견을 보일 경우에는 '만성' 무배란으로 진단할 수 있을 것이다. 즉 월경 주기를 볼 때 중요한 점은 안드로겐과다증을 보이는 여성이 매달 주기적인 월경이 있다고 할 경우, 무배란성일 가능성을 염두에 두고 전술한 시기에 혈중 황체호르몬을 재서 배란을 확인해야 한다는 점이다.

2. 다낭난소

안드로겐과다증이 있는 여성에서 다낭난소는 약 80% 이상에서 관찰될 정도로 흔한 소견이나 이 외의 상황에서도 관찰될 수 있다. 다낭난소증후군이 없는 정상 여성의 약 1/3, 심지어 경구피임약을 복용하는 여성의 약 14%에서 관찰될 수 있고, 정상 사춘기 발달이나 시상하부성 무월경, 고프로락틴혈증 등의 상황에서도 흔히 보인다. 그러므로 다른 임상 증상 동반 없이 단독으로 보이는 다낭난소 모양은 임상적인 의미가 없을 수 있다. 2018년 국제근거중심지침에서는 초음파상 다낭난소의 진단 기준을 강화하여 8 MHz 이상의 고주파수의 경질 탐침자를 사용하는 경우 난포 수 20개를 cutoff로 제시하였다. 초음파상 다낭난소의 진단 기준이 난포 수 20개 이상으로 바뀌면 아마 한국인 여성에서 특히 그 영향이 클 것으로 여겨진다. 국내 여성을 대상으로 한 저자의 연구에서 다낭난소증후군 환자의 약 96.5%가 다낭난소 소견이 있었고 특히 세부 아형 중 배란 장애+다낭난소가 전체 환자군의 약 38.0%를 차지했다. 새로 바뀐 기준을 적용 시 전체 환자군의 25.7%가 다낭난소증후군에서 제외되었는데, 이 제외된 군들의 대사 혹은 호르몬 소견은 계속 다낭난소증후군으로 남아있는 군(배란 장애+초음파상 난포 수 20개 이상 군)과 차이가 없고, 정상 대조군과는 유의한 차이를 보였다. 향후 이 진단 기준을 한국인 여성에게서 그대로 적용할 수 있는지에 대해서는 신중하게 결정해야 할 것으로 여겨진다.

3. 임상적 안드로겐과다증

실질적으로 다낭난소증후군 여성의 진단에서 가장 어려운 점은 안드로겐과다증이 있음을 어떻게 평가하고 진단하느냐일 것이다. 다낭난소증후군의 진단에 사용되는 임상적 안드로겐과다증 지표는 남성형다모증, 여드름, 탈모가 있다.

1) 남성형다모증(제8장 참조)

사람 털주머니(hair follicle)의 주 조절인자는 남성호르몬이므로 안드로겐과다증의 우선적인 표지자는 다모증으로 여겨지고 있다. 정상 여성에서 보이는 솜털, 즉 미세하고, 색깔이 없으며, 거의 보이지 않는 약 2-5 mm가량의 미세한 솜털은 남성호르몬의 영향에서는 길고, 두껍고, 착색된 중간단계의 털 또는 성모(terminal hair)로 변하며, 얼굴, 가슴, 등, 넓적다리 등과 같은 남성호르몬 의존 부위에 위와 같은 성모 양상이 나타나는 경우를 남성형다모증으로 정의하고 있다.

남성형다모증의 평가에는 전통적으로 modified Ferriman-Gallwey 체계가 사용되어 왔는데, 이는 신체 9가지 부위의 털양상을 평가하는 것이며, 구체적인 평가 방법은 표 7-6와 같다.

Modified Ferriman-Gallwey 체계에서 진단 cutoff에는 대개 8점이 사용되어 왔는데, 이는 애초에 Ferriman and Gallwey가 18-38세 영국 여성 161명을 대상으로 다모증

표 7-6. 남성형다모증의 평가기준

점수	1	2	3	4
윗입술	윗입술과 입술 바깥 경계에 작은 수의 성모가 있음	윗입술의 50% 미만으로 성모가 있음	윗입술의 50% 이상으로 성모가 있음	윗입술 전체에 성모가 있으면서 입술 가운데를 넘어섬
구레나룻	성모의 수가 희박함	성모의 수가 희박하나 두꺼워진 부위가 작게 있음	짧은 구레나룻을 따라 가벼운 체모의 성장이 있음	구레나룻 전체에 두꺼운 체모의 성장이 있음
가슴	유륜 주위나 가슴 가운데 성모가 있음	유륜 주위나 가슴 가운데 성모가 있음	가슴의 75%	가슴 전 영역
상복부	가운데를 따라 흩어져 있음	가운데를 따라 여전히 성모가 위치하나 그 수는 늘어남	상복부의 50%	상복부 전영역
하복부	백선을 따라 성모가 소량 분포하고 있음	백선을 따라 성모가 분포하고 있음	백선을 따라 비후해진 성모가 치모너비의 1/2 이내로 퍼짐	역 V 모양이거나 백선을 따라 비후해진 성모가 치모 너비의 1/2 이상으로 퍼짐
상완	상완의 25% 미만의 성모	성모양이 늘었으나 상완 전체는 아님	상완전체에 가볍게 자란 성모	상완전체에 비후되어 자란 성모
넓적다리	넓적다리 25% 미만의 성모	성모양이 늘었으나 넓적다리전체는 아님	넓적다리전체에 가볍게 자란 성모	넓적다리전체에 비후되어 자란 성모
윗등	윗등에 흩어진 성모	성모양이 늘었으나 윗등 전체는 아님	윗등 전체에 가볍게 자란 성모	윗등 전체에 비후되어 자란 성모
아랫등	4 cm 이내의 폭으로 천골 위에 분포한 성모	천골 옆으로 퍼져나감	아랫등의 75% 정도	아랫등 전체에 비후되어자란 성모

분석 시 누적 95%가 8점이었기 때문이다. 본 저자가 건강검진을 위해 내원한 한국인 여성 1,010명을 대상으로 다모증 양상을 본 결과 한국인의 경우 modified Ferriman-Gallwey 체계 6점 이상인 경우 다모증이 있는 것으로 보고하였다(그림 7-3). 그러나 2018년 국제근거중심지침에서는 누적 85-90%나 군집분석을 통해 4-6점 정도가 적절한 cutoff라고 제시하였고, 기존의 95%는 너무 높은 기준이라 기술하였다. 본 저자의 연구에서도 85-90%를 cutoff로 하면 국제근거중심권고와 동일하게 4-6점이 cutoff였다.

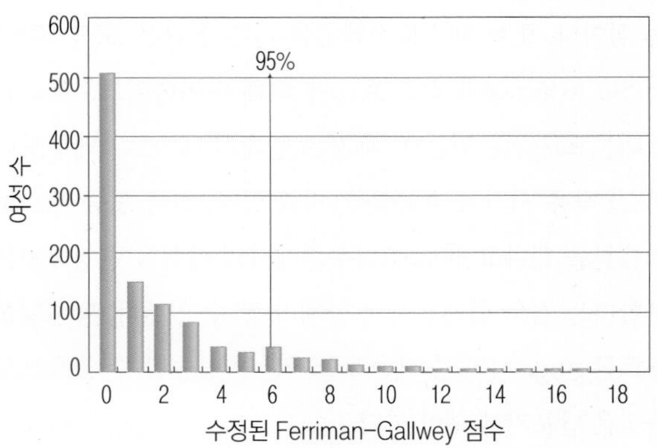

• 그림 7-3. **한국인 여성 1,010명에서 다모증 점수의 분포 및 기준치**

남성형다모증 평가에는 몇 가지 문제점이 있는데, 큰 규모의 다양한 인구 집단 내에서 아직 정상치에 관한 자료가 없고, 평가가 상대적으로 주관적이라는 점, 실제 진료 시 다모증 여부를 평가하는 의사가 거의 없다는 점 등이며, 특히 동아시아권 여성에서는 다모증이 흔하지 않다는 점도 문제로 작용하고 있다. 특히 자가 치료가 많으므로 평가 전에 제모의 방법 및 횟수에 대해 문진해야 한다.

2) 여드름

다낭난소증후군을 가진 여성에서 안드로겐과다증의 두 번째로 흔한 증세가 여드름이지만 유병률은 15%에서부터 95%로 편차가 크다. 일반 인구군에서도 약 6-55%의 성인 여성이 여드름을 경험해 과연 다낭난소증후군에서

의미 있게 여드름 유병률이 상승되어 있는지는 불확실하다. 2018년 국제근거중심 권고에서는 성인여성에서의 여드름은 다낭난소증후군의 임상적 안드로겐과다증의 한 지표로 보고 있으나 객관적으로 인정되는 시각 평가법은 없다는 한계점을 인정하고 있다.

3) 남성형탈모(Androgenic alopecia) 혹은 여성형 모발 소실(female pattern hair loss)

남성호르몬의 영향 아래 여성에서 남성화탈모가 나타날 수 있는데, 상대적으로 가장 드문 증상이다. 정상 모발 주기에서는 성장기(anagen)가 약 2-3년 정도 유지되며 전체 두피 모발의 약 90% 정도를 차지한다. 그런데 만성적인 안드로겐과다증이 있으면 성장기에 있는 모낭이 줄어들어 탈모가 오게 되며, 환자군의 약 22% 정도에서 보일 수 있는 것으로 보고되었다. 모발의 약 25% 이상 소실이 일어나야 비로소 탈모가 육안적으로 명확해지는 점을 감안하면 실제 유병률은 더 높을 것으로 추정된다.

문제는 안드로겐과다증 여성들에서 탈모의 유병률은 높으나 남성호르몬 수준 혹은 대사 이상과 탈모와의 사이에 연관관계를 찾을 수 없다는 점이다. The Androgen Excess and PCOS Society는 2019년 탈모와 안드로겐과다증의 연관관계는 불분명하므로 기존에 사용되던 탈모 혹은 남성화 탈모라는 용어 대신 여성형 모발 소실이라는 중립적인 용어를 사용하자고 제안하였다. 그러나 이들 역시 여성형 모발 소실을 보이는 경우 혹시 있을지 모르는 혈중 남성호르몬 상승에 대해서는 평가가 필요하다고 하였다. 2018년 국제근거중심권고에서는 성인 여성의 안드로겐과다증 지표 중 하나로 탈모를 제시하고 있으나 청소년에서는 근거가 부족한 관계로 진단기준에 포함시키고 있지 않다.

4. 생화학적 안드로겐과다증 (Hyperandrogenemia)

다낭난소증후군의 핵심은 난소 기원의 남성호르몬 과다이다. 난소 기원의 남성호르몬 중 가장 중요한 것은 결국 테스토스테론이다. 혈중 테스토스테론의 약 50-60%는 성호르몬결합글로불린에 특이적으로 결합하여 생화학적 활성을 나타내지 않고, 30-40%는 알부민에 비특이적으로 결합하여 조직 내에서 이중 일부가 생화학적 활성을 나타내게 된다. 혈중 테스토스테론의 약 0.5-3%만이 유리형으로 존재하는데 이 유리형이 바로 조직 내에서 활성을 나타내는 부분이다. 따라서 유리테스토스테론과 알부민에 비특이적으로 결합한 테스토스테론 수준을 반영하는 검사를 찾는 것이 생화학적 안드로겐과다증 진단의 관건이라 할 수 있겠다. 안드로스텐다이온, DHEAS 등도 상승을 보일 수 있으나 단독으로 다낭난소증후군의 진단에 가지는 의미는 미미하다.

테스토스테론 검사의 진단적 민감도 및 특이도 문제는 주로 스테로이드를 혈장이나 혈청에서 추출하고 각각의 성분을 평형투석법이나 크로마토그래피로 정확하게 분석해야 하는 점에서 발생한다. 이 방법들이 혈중 스테로이드 수준을 반영하는 정확한 검사이지만, 노동집약적이고 비용이 비싸서 실제 임상에서 광범위하게 쓰이기에는 한계가 있다. 결국 한 번에 대량으로 검사를 할 수 있고, 상대적으로 비용이 싼, 직접 측정법이 널리 사용되고 있는데 이는 스테로이드를 혈장이나 혈청에서 추출하는 단계 없이 전혈장이나 전혈청에서 바로 측정하는 방법이다. 문제는 혈중 테스토스테론 수준이 낮은, 여성과 아이들에서는 정확도가 떨어지고, 혈중 지질, 단백질, 결합단백질 등에 따라 그 결과에 영향을 받을 수 있으며, 검사실마다 변이가 크다는 점이다. 또한 테스토스테론은 피부와 같은 표적기관에서 5-α reductase와 같은 효소에 의해 다이하이드로테스토스테론으로 전환되는데, 후자는 원래의 테스토스테론보다 더 긴 작용 시간과 효능을 가지고 있다. 결국 혈중 테스토스테론을 잰다고 해도 조직수준에서의 활성을 반영하지는 못한다는 점도 혈액검사의 한계라 할 수 있겠다. 황체형성호르몬 surge 시 혈중 테스토스테론이 상승할 수 있으므로 측정은 난포기에 해야 한다.

유리 테스토스테론의 평가에는 주로 계산법이 추천된다. 2018년 국제근거중심 권고에서는 유리 테스토스테론 계산치, 유리안드로겐지수, 혹은 bioavailable 테스토스테론 계산치를 권하고 있다. 총테스토스테론, 성호르몬결합글로불린, 알부민 측정 후 자동계산이 가능하다(http://www.issam.ch/freetesto.htm). 총테스토스테론, 성호르몬결합글로불린을 얼마나 정확하게 측정하냐가 관건인데 테스토스테론 측정 시에는 액체 크로마토그래피-질량분석법 그리고 추출/크로마토그래피 면역분석과 같은 고품질의 평가방법을 권하고 있다. 유리안드로겐지수는 총테스토스테론과 성호르몬결합글로불린 비로 구해지는데, 사용하기에 간단하고, 여성에서 평형투석법에 의해 구해진 값과 비교적 좋은 상관관계를 보인다는 장점이 있다. 그러나 단위가 없이 비로만 구해지므로 실제 인체 내에서의 활성도와 연관시키기에는 한계가 있다.

사실 진료목적에서 유리 테스토스테론의 측정이나 계산, 심지어 총 테스토스테론의 측정은 대개 크게 필요하지는 않다. 대부분의 경우 남성형 다모증 등의 증상은 안드로겐과다증의 충분한 증거가 되며, 심하지 않다면(갑작스러운 발병, 급속한 진행, 다른 남성화 증상 동반) 남성호르몬 분비 종양에 대한 우려는 거의 할 필요가 없다.

안드로스텐다이온은 환자군의 약 20% 이내에서 상승을 보여 진단적인 가치는 높지 않다. 황산디하이드로에피안드로스테론의 경우 거의 대부분 부신에서 생성되며, 환자군의 약 50% 정도에서 경한 상승을 보이는 것으로 알려져 있다. 그러나 이런 남성호르몬들은 자체적 활성은 거의 없이 총 테스토스테론으로 전환되어 그 작용을 나타낸다. 2018년 국제근거중심지침에서는 총 혹은 유리 테스토스테론이 상승되어 있지 않으면 이들의 측정을 고려해 볼 수 있으나 다낭난소증후군의 진단에 부가적인 정보를 제공하지는 못한다고 하여 그 진단적 가치에 대해 회의를 표하고 있다.

결국 생화학적 안드로겐 과다의 진단에 있어서의 핵심은 유리 테스토스테론 분율을 정확하게 파악하는 것이라 하겠으며, 참고로 본 서울대병원 연구팀의 경우 생화학적 안드로겐과다증의 경우 총테스토스테론 > 0.68 ng/mL, 유리테스토스테론 > 1.72 pg/mL, 유리안드로겐지수 > 5.36으로 기준을 설정하고 있다.

5. 청소년기 여아에서 다낭난소증후군 진단 시 유의점

다낭난소증후군의 진단 시 청소년기 여아에서는 신중을 기해야 한다. 핵심은 청소년기 여아에서는 초음파가 다낭난소증후군의 진단기준으로는 사용되지 않는다는 점이다.

청소년기 여아의 다낭난소증후군 진단에서의 어려움은 청소년기 생리적 무배란증(physiological adolescent anovulation)에서 주로 기인한다. 초경 이후 약 3년간은 월경주기가 불규칙한 경우가 많으나 초경 후 3년이 지나고도 무배란이 지속되는 경우에는 향후로도 월경이 계속 불규칙한 경우가 대부분이며, 이 경우에는 상당수가 다낭난소증후군으로 진단된다. 일반적으로는 진단을 내리기 전에 초경 후 2년간은 증상을 면밀히 관찰하며 추적만 할 것을 권하고 있다. Speroff's Clinical Gynecologic Endocrinology and Infertility 9판에서는 청소년에서 다낭난소증후군의 진단은 16세 이상에서 일차성 무월경 혹은 지속적인 희발월경의 소견을 반드시 보여야 가능한 것으로 기술하고 있다.

'청소년기 생리적 무배란증'은 또한 다낭난소증후군과 다른 유사점도 많은데, 생리적 무배란증을 가진 사춘기 여아의 약 절반 정도가 다낭난소증후군과 유사한 황체형성호르몬 농도 및 리듬 빈도의 증가를 보이며, 혈중 테스토스테론 농도가 의미 있게 증가한다. '청소년기 생리적 무배란증'과 다낭난소증후군의 또 하나의 유사점은 사춘기의 일시적인 성장호르몬 증가로 인한 사춘기의 생리적인 인슐린저항성 및 보상성 고인슐린혈증이며, 이러한 사춘기의 생리적 인슐린저항성은 그 정도와 조직선택성(tissue selectivity)이라는 측면에서 다낭난소증후군과 유사하다. 사춘기의 생리적 인슐린저항성은 생식샘자극호르몬과 상보적으로 난소기원의 남성호르몬 과다 및 '청소년기 생리적 무배란증'에 기여하는 것으로 알려져 있다.

청소년기 여아에서 다낭난소증후군 진단에 어려움이 있다는 것은 다른 진단기준을 살펴보아도 쉽게 수긍이 될 것이다. 난소모양이라는 측면에서도 청소년기 여아의 약 1/4에서 난소기질의 증가 없이 다난포성 난소(multifollicular ovary)의 소견을 보여 다낭난소와 구분이 어렵다. 또한 애초 남성형 다모증 평가의 기준이 되는 modified Ferriman-Gallwey 체계 설정 시 18-38세 여성만을 대상으로 분석한 것이라, 이 결과를 청소년기 여아에 적용하는 것이 적합한가에 대한 문제가 있다.

2018년 국제근거중심지침에서는 남성형다모증의 경우 성인과 동일한 기준을 사용하고, 여드름의 경우 소위 '심한' 경우 진단이 가능한데, 심하다는 것은 얼굴에 10개 이상이거나 화농성인 경우를 말하며 청소년 여아의 약 5% 정도에서 보이는 것으로 알려져 있다. 탈모의 경우 청소년에서는 그 자료가 부족하여 진단기준으로는 사용되지 않는다. 초음파의 경우 청소년 여아의 다난포 난소와 다낭난소의 구분이 어렵고 최대 난소 성숙에 이르지 않아 초경 후 8년 이내에는 진단 기준에 사용하지 않을 것을 권하고 있다. 그러나 다른 사유로 초음파는 언제든지 사용할 수 있다.

불규칙한 월경을 보이는 청소년 여아에서 다낭난소증후군에 대한 검사를 실시하는 가치와 적절 시기에 대해서는 이 시기의 특성, 사회심리학적 요소 및 문화적 요소를 감안하여 부모와 상의한다. 다낭난소증후군의 증세는 있으나 진단 기준을 충족시키지 못하는 청소년 여아는 '고위험군'으로 분류하고 성숙이 완전해지는 시기(초경 후 8년) 전이나 후에 재평가를 고려한다. 월경 주기의 불규칙성에 대해서는 초경 3년 후까지도 지속되는지, 그리고 초음파를 진단에 사용하는 것은 초경 후 8년이 지나서 가능하다.

6. 폐경전후기 혹은 폐경기 여성에서의 진단

다낭난소증후군의 자연 경과에 대해서는 아직 자료가 부족하나 많은 임상 증상들이 호전된다. 평균 나이 약 42세 정도면 월경주기가 규칙적으로 되는 경우가 많고, 남성형 다모증과 여드름 등의 증세도 남성호르몬 수치가 40대에 대조군과 비슷해지면서 감소하게 된다. 초음파상에서의 난소 용적 및 난포수도 연령이 증가할수록 대조군과 마찬가지로 서서히 감소하게 된다. 결국 폐경전후기 및 폐경 여성에서의 별도의 진단 기준은 없으며 단지 가임기 동안 병력이 있었던 경우 진단을 유추할 수 있다. 다낭난소증후군 여성은 일반적으로 폐경이 2-3년 정도 늦는 것으로 알려져 있다. 이들 여성에서 40대에 접어들면서 주기가 규칙적으로 바뀌면 이전과는 달리 원하지 않는 임신의 가능성이 있으므로 이에 대해 교육해야 한다.

7. 결론

다낭난소증후군의 핵심 병태생리에는 여러 가지가 있으나 시상하부 기원의 황체형성호르몬 과다, 인슐린저항성 및 고인슐린혈증에 의한 안드로겐과다가 가장 유력한 기전으로 보인다. 2003년도에 발표된 Rotterdam 진단 기준이 가장 널리 사용되고 있으며 이중 특히 안드로겐과다증을 어떻게 진단하는지가 가장 어려운 부분일 것이다. 남성형다모증의 경우 modified Ferriman-Gallwey 체계 4-6점 이상이 적절할 것으로 보인다. 생화학적 안드로겐과다증 진단에서 유리 안드로겐지수 또는 유리 테스토스테론을 계산을 적극적으로 고려해야한다.

2018년 국제근거기준권고에서는 성인에서 임상적 안드로겐과다증과 희발월경을 보이는 경우 다른 원인이 배제되었다면 바로 다낭난소증후군으로 진단 가능하다고 하였다. 이 경우 초음파도 진단목적으로는 꼭 필요하지는 않으나 시행하지 않을 경우 세부 아형 파악이 어렵다는 단점은 있다. 이들은 다낭난소증후군의 Rotterdam 기준에서 약간의 변형을 가하여 step by step의 진단(그림 7-4), 초음파 사용 제한(초경 후 8년 이상), 고해상도 초음파 사용시 방난포수 기준 상승, 초경 이후 시간에 따른 희발월경 진단을 제안한 것이 가장 큰 특징이다. 청소년은 안드로겐과다증과 희발월경 두 가지를 모두 보이는 경우로만 진단이 가능하다.

1단계: 불규칙한 월경주기 + 임상적 안드로겐과다증
(다른 원인 배제)=진단

⬇

2단계: 임상적 안드로겐과다증이 없으면
생화학적 안드로겐과다증에 대한 검사(다른 원인 배제 후)=진단

⬇

3단계: 불규칙한 월경주기 혹은 안드로겐과다증만 있는 경우
• 청소년: 초음파가 진단목적으로는 해당하지 않음, '위험군'으로 분류 후 추후 재평가 • 성인: 다낭난소 모양에 대한 평가 위해 초음파 검사 실시(다른 원인 배제 후)=진단

● 그림 7-4. 다낭난소증후군의 단계적 진단(2018년 국제근거중심지침)

III. 치료

다낭난소증후군으로 진단된 여성의 치료 및 관리에 있어서 주된 관심사는 두 가지다. 첫째는 월경불순, 안드로겐과다증 완화 및 불임 치료이며, 둘째는 장기간에 걸친 합병증, 즉 자궁내막암, 2형당뇨병, 심혈관질환 등을 예방하는 것이다.

이 두 가지 치료원칙에서 가장 중요한 것은 생활습관교정이다. 현재 임신을 원하지 않는 여성의 경우 경구피임약이 월경장애교정 및 자궁내막보호에 효과적이다. 경구피임약 복용을 원하지 않는 경우 경구 황체호르몬물질의 주기적 사용도 가능하고 levonorgestrel 자궁내장치 삽입도 좋은 선택이다. 경구피임약과 항안드로겐은 안드로겐과다증 증세 개선에 도움이 된다. 2018년 국제근거중심지침에서는 다모증 치료 시 경구피임약과 미용적 방법을 6-12주기 정도 사용 후 효과가 없으면 항안드로겐 제제를 이에 추가할 것을 권하고 있다. 임신을 원하는 경우 생활습관교정과 함께 배란 유도를 한다. 포도당불내성, 2형당뇨병, 그 외 심혈관 질환 위험도가 상승되어 있음을 암시하는 대사이상을 보이는 경우 인슐린 민감제(insulin sensitizer)를 사용하거나 증가한 위험도에 특화된 약물을 고려한다.

1. 생활습관 교정: 1차 치료법

체중감량은 과체중 혹은 비만한 환자에서 1차 치료 전략이다. 비만, 안드로겐과다증, 포도당불내성, 월경장애, 불임 모두 생활습관교정으로 호전될 수 있다. 체중 감소는 혈중 성호르몬결합글로불린의 농도를 높여 유리 안드로겐 농도를 낮춰서 다모증이나 여드름을 줄여주는 데 도움이 되고, 배란 회복에 도움이 된다. 약 2-5%의 체중감량으로도 대사 및 생식 증세의 유의미한 개선이 나타난다. 복부지방의 감소가 아마 체중감량의 가장 좋은 지표일 것이다. 그러나 2013년 미국내분비학회에서는 정상 체중 환자의 경우 반드시 체중 감량을 할 필요는 없다고 하였다.

저탄수화물 혹은 저지방 식이 중 어느 것이 나은지에 대해 많은 이견이 있지만 가장 중요한 것은 섭취 열량 제한이다. 생활습관 교정에 관한 큰 원칙을 아래의 표에 나열해 보았다(표 7-7).

메트포민 역시 식욕 억제를 통해 체중감소를 일으킬 수 있으나, 그 효과는 미미하고 일정하지 않다. 따라서 이를 체중감량 목적으로 일차약으로 처방해서는 안 된다. 2018년 국제근거중심지침에서는 생활습관 교정에 더해 항비만

표 7-7. 2018 국제근거중심지침에서 제시한 생활습관교정원칙

식이
▪ 하루 섭취 열량 감소가 필요하다. 30% 혹은 500-750 kcal 감량을 고려한다. ▪ 특별히 더 선호되는 식이요법은 없다.
체중증가를 예방하고 건강을 유지하기 위한 운동
▪ 성인 여성의 경우 주당 150분가량의 중등도 강도의 운동이나 주당 75분가량의 격렬한 강도의 운동을 권한다. 두 경우 모두 주당 2회 정도의 근육강화활동을 병행한다. ▪ 청소년의 경우 매일 적어도 60분 이상의 중등도-격렬한 강도의 신체활동 및 주 3회 이상의 근육과 뼈 강화운동을 한다.
중등도의 체중감량 혹은 재 증가를 막기 위한 운동
▪ 주당 250분가량의 중등도 강도의 운동이나 주당 150분가량의 격렬한 강도의 운동을 권한다. 두 경우 모두 주당 2회 정도의 근육강화활동을 병행한다. ▪ 주로 앉아 지내는 생활습관을 지양한다. 평소에 몸을 움직이기를 권하는데 이상적으로는 일상적인 활동까지 포함해 하루 만보를 권한다.

제제도 일반인과 동일한 기준으로 사용할 수 있다고 하였다.

그러나 생활습관 교정 및 체중감량은 동기부여 및 바쁜 외래에서 실제적으로 그 효과를 측정하기가 어려우며, 특히 장기간의 성공률이 매우 낮다는 문제점이 있다. 필요하다고 생각되는 경우에는 전문 클리닉으로 의뢰도 고려한다.

2. 다낭난소증후군 여성의 증상 교정 및 치료

1) 불규칙한 월경 주기 교정 및 자궁내막암 위험도 감소

다낭난소증후군 여성의 특징적인 호르몬 환경은 무배란에 의한 지속적인 저 황체호르몬 상태로 반대가 없는 에스트로겐(unopposed estrogen)에 노출된 자궁내막은 자궁내막증식증이나 자궁내막암 발생위험이 증가하게 된다. 따라서 간헐적인 쇠퇴출혈 유도가 필수적인데, 흔히 이용되는 방법이 황체호르몬물질(progestogen) 또는 경구피임제의 복용이다. 다낭난소증후군 여성에서 자궁내막암 위험도 평가 시 젊은 나이에서도 내막암이 생길 수 있으므로 월경 횟수나 부정출혈만을 판단근거로 삼지 말고 반대가 없는 에스트로겐 노출 기간, 비만의 정도, 인슐린저항성 모두 고려해야 한다. 12 mm 이상의 내막 두께는 자궁내막증식증의 가능성을 시사하지만 내막 두께가 정상이라도 내막 병변을 배제하지는 못한다.

(1) 경구피임약

자궁내막 보호 및 규칙적인 월경을 회복하는 데 효과가 뛰어나고, 추가로 피임의 효과도 얻을 수 있기 때문에 피임을 원하는 다낭난소증후군 여성에서 가장 먼저 선택할 수 있는 약제이다. 여드름이나 다모증 등의 안드로겐과다증 개선에도 효과가 있는데, 경구피임약의 에스트로겐 성분은 황체형성호르몬 생산을 억제하여 난소의 안드로겐 생성을 억제하고 간에서의 성호르몬결합글로불린 합성을 촉진하며, 황체호르몬물질 성분의 일부가 안드로겐 수용체에 경쟁적으로 결합하는 등의 기전을 보이기 때문이다. 2018년 국제근거중심권고에서는 성인 및 청소년 다낭난소증후군 환자에서 경구피임약은 월경 불순과 안드로겐과다증 치료를 위해 사용할 것을 권고하였고 청소년 여아에서 진단이 어려워 '위험군'으로 일단 분류된 경우라도 개별 증세의 조절을 위해 경구피임약의 사용을 고려해 볼 수 있다고 하였다.

경구피임약은 지질수치 및 당대사에 미치는 부정적인 영향, 특히 중성지방 상승은 여러 연구에서 보고된 바, 이상지혈증을 보일 위험도가 높은 군에 속하는 다낭난소증후군 여성에서 경구피임약을 장기간 사용하는 것에 관해서는 아직 뚜렷한 결론은 없다. 그러나 장기 사용에 따른 위험도 증가도 명확하지는 않다. 기억해야 할 점은 일반인과 동일하게 WHO 가이드라인에 따라 약을 처방하는 점이다. 어떤 종류의 경구피임약이 가장 선호되는지에 대해서는 명확한 근거가 없으나 가급적 저용량 약제 사용을 권한다(20-30 ug 에티닐 에스트라디올 혹은 그와 같은 역가). 초산사이프로테론 2 mg과 에티닐 에스트라디올 35 μg으로 생성된 다이안느-35는 혈전색전증의 위험도로 인해 더 이상 1차 선택 경구피임약이 아니다.

(2) 황체호르몬물질(프로제스토겐)

경구피임약을 사용할 수 없거나 다모증이나 여드름 등 남성호르몬 과다 증세가 없고, 불규칙한 월경만을 보이는 환자에서 쇠퇴출혈을 유도하기 위해 주기적으로 12-14일간의 황체호르몬물질을 투여하는 것은 흔히 사용되는 방법 중 하나이다. 특히 다모증 등 남성호르몬 과다 증세가 심하지 않은 우리 나라 여성에서는 실질적으로 많은 도움이 될 수 있는 방법일 것으로 판단된다. 하루에 메드록시프로게스테론 5-10 mg, 노르에티스레론(norethisterone) 5 mg, 디드로게스테론(dydrogesterone) 10 mg, 또는 황체호르몬 200 mg를 투여하면 되고, 매달 투여하는 것이 자궁내막 보호에 가장 안전할 것으로 판단되나 2-3개월 주기로 투여하는 것도 가능하다. 레보노르게스트렐 함유 자궁내장치처럼 비경구 투여 역시 좋은 선택이다. 그러나 주기적인 황체호르몬물질 투여의 단점은 인슐린저항성이나 안드로겐과다증과 같은 호르몬-대사 이상을 교정하지 못한다는 점이다.

2) 여드름과 다모증 등의 안드로겐과다증 개선

심하지 않은 국소 다모증의 경우 미용적 치료로 효과적으로 조절할 수 있다. 그러나 약을 써야 할 경우에는 난소의 안드로겐 생성을 억제하는 경구피임약이 흔히 처방되고 있으며 항안드로겐 약제는 2차 약으로 고려한다. 스피로놀락톤(50–100 mg 하루 두 번) 혹은 피나스테라이드(5 mg)가 주로 사용되는 항안드로겐 약제이다. 2018년 국제근거중심권고에서는 다모증의 경우 6-12개월 이상 경구피임약과 미용 요법을 병행 후 만족스럽지 않으면 2차 요법으로 항안드로겐 약제를 이에 추가할 것을 권하고 있다. 경구피임약을 같이 복용해야 하는 이유는 항안드로겐 약제 복용 시 믿을 수 있는 피임법이 필요하기 때문이다. 이 둘의 병행요법은 탈모 치료에도 사용될 수 있다. 다모증의 치료 및 관리에 관해서는 '8장 다모증' 단원에 상세하게 기술되어 있다.

3) 배란유도 및 불임 치료

오랫동안 다낭난소증후군 여성에서 1차 배란유도제는 클로미펜시트르산염이었다. 그러나 무작위비교연구들에서 레트로졸이 배란율과 생아 출생률에서 클로미펜시트르산염보다 우수하다는 것이 보고되어 현재 1차 배란유도제는 레트로졸이다. 레트로졸이나 클로미펜시트르산염으로 여러 번의 성공적인 배란유도에도 불구하고 임신이 안 되는 경우 바로 체외수정 및 단일배아이식으로 넘어갈 것을 권한다.

배란유도에서 메트포민 단독으로 사용은 가능하나 다른 제제에 비해 더 우수한 실적을 내지는 못한다. 메트포민을 임신율이나 생아 출생률을 향상시키기 위해 관례적으로 다른 배란유도제에 추가하는 것도 권하지 않는다. 다만 비만하거나 클로미펜시트르산염에 저항이 있는 경우 추가를 고려해 볼 수 있다. 생식샘자극호르몬 주사는 대단히 효과적으로 배란을 유도할 수 있으나 다낭난소증후군에서는 항상 다태임신과 난소과자극증후군 위험도 증가가 문제가 된다. 이 경우 메트포민을 추가하는 것이 난소과자극증후군 위험도 감소에 도움이 된다.

최근 10년새 다양한 연구들이 나오고 있는 이노시톨 역시 인슐린민감제의 일종으로 다낭난소증후군의 임상 양상 개선에 효과가 있는지 명확한 결론을 내기는 어려우나 myoinositol과 D-chiro-inositol 2가지 아형의 40:1 비율 혼합제제가 특히 임신율 개선에 효과가 있을 수도 있음이 보고되었다.

복강경 난소천공술은 단기간이기는 하지만 다낭난소증후군 여성에서 배란을 회복하는데 도움이 된다. 그러나 유착, 난소기능저하의 부작용이 생길 수 있고 다양한 배란유도 약제들이 있으므로 가장 낮은 순위로 고려한다.

비타민 D 부족(<30 ng/mL)은 불임치료를 받는 여성에서 생아 출생률을 떨어뜨릴 수 있고 이것은 다낭난소증후군에서도 마찬가지다. 특히 혈중 비타민 D 농도가 > 45 ng/mL 이상인 경우 생아 출생률이 4배 가까이 올라가는 것으로 보고되어 배란 유도를 앞둔 다낭난소증후군 환자들에서 혈중 비타민 D 농도의 정상화를 권한다.

다낭난소증후군 여성에서의 배란유도 및 불임에 관해서는 '불임' 단원에서 상세히 기술될 예정이다.

3. 다낭난소증후군의 대사 측면 치료

다낭난소증후군 환자에서 인슐린저항성 증가 및 이에 따른 고인슐린혈증은 점진적으로 췌장 베타 세포 기능 저하를 야기해 포도당불내성과 2형당뇨병을 일으킨다. 약 10%의 다낭난소증후군 여성에서 40세 전에 2형당뇨병으로 진행된다는 보고도 있다. 여기에 비만은 인슐린저항성을 악화시키는 요인이 된다. 총체적으로 보면 다낭난소증후군 여성은 포도당불내성이나 2형당뇨병의 위험이 같은 나이 일반 여성에 비해 약 4배에서 7배까지 증가한다.

실제 다낭난소증후군 여성에서 심혈관 질환 이환 및 사

망률이 증가하는지는 불확실하다. 그러나 심혈관 질환 위험인자인 당뇨, 비만, 이상지혈증 모두 다낭난소증후군 여성에서 증가하므로 이런 위험인자를 가진 환자를 적극적으로 관리하는 것의 필요성에 대해서는 의문의 여지가 없다. 이들 여성에서 심혈관 질환과 관련된 이환과 사망에 관한 장기간의 결과에 대해서는 잘 고안되고 충분한 통계적 검증력을 가진 추적 연구가 필요하겠다.

2018년 국제근거중심지침에서는 모든 환자들에서 체질량지수, 허리둘레 측정 및 아래와 같은 평가를 권하였다. 추적은 매 외래 방문 시 혹은 6-12개월 주기로 권한다.

- 과체중 혹은 비만한 환자에서는 공복 지질수치 검사를 한다.
- 모든 환자들은 매년 혈압을 평가한다.
- 비만, 흡연, 이상지혈증, 고혈압, 포도당불내성, 신체활동저하 등이 있는 경우 심혈관 질환 고위험군으로 간주한다.

당뇨병전단계 및 당뇨병에 대한 진단기준은 아래 표 7-8에, 임신당뇨병, 포도당불내성, 2형당뇨병에 대해 국제근거중심지침에서 제시한 평가방법은 아래 표 7-9에 제시하였다.

1) 다낭난소증후군 여성에서 심혈관 질환 예방

(1) 체중감량 및 생활습관 교정

다낭난소증후군에서 심혈관 질환 예방의 근간은 바로 체중 감량 또는 생활습관 교정이다. 구제적인 의의 및 방법은 전술한 바와 같다.

(2) 메트포민

다낭난소증후군 여성에서 메트포민 사용에 대해서는 많은 연구들이 있다. 용량은 하루 1,500 혹은 2,000 mg이며 메트포민 치료는 인슐린 민감도를 증가시키고, 체중, 체질량지수, 혈압, 저밀도지단백질 콜레스테롤을 감소시키고 만성염증상황을 개선시킨다.

이 약은 일반형과 서방형이 있는데 후자는 소화기계 부작용을 개선하기 위한 것이다. 부작용을 줄이기 위해 보통 하루 250-500 mg의 소량으로 시작해서 4-6주에 걸쳐 서서

표 7-8. 2010년 미국당뇨학회 진단기준

Category		Fasting plasma glucose	2-h plasma glucose	Hemoglobin a1c
정상		<100 mg/dL	<140 mg/dL	≤5.6%
당뇨병 전단계	공복혈당장애	100–125 mg/dL	–	5.7–6.4%
	포도당불내성	–	140–199 mg/dL	5.7–6.4%
당뇨		≥126 mg/dL	≥200 mg/dL	≥6.5%

표 7-9. 국제근거중심지침에서 제시한 다낭난소증후군 여성에서 임신당뇨병, 포도당불내성, 2형당뇨병 평가법

- 다낭난소증후군 여성은 나이를 불문하고 임신당뇨병, 포도당불내성, 2형당뇨병 위험이 높으며(아시안 5배, 미국인 4배, 유럽인 3배), 이는 비만에 의해서 악화된다.
- 모든 다낭난소증후군 여성은 방문 시 혈당 상태를 평가해야 하며, 당뇨병 위험인자의 존재에 따라 매 1-3년마다 재평가를 한다.
- 혈당 상태를 평가하기 위해서는 경구당부하검사, 공복 혈장 포도당 또는 당화혈색소를 측정하며, 다낭난소증후군 여성 중 고위험군의 경우(체질량지수>25 kg/m^2, 아시아인의 경우 23 kg/m^2, 공복혈당 장애, 포도당불내성 또는 임신당뇨병의 과거력, 2형당뇨병의 가족력, 고혈압 또는 고위험 인종)에는 경구 당부하 검사를 권한다.
- 고혈당과 연관된 임신 합병증의 위험이 높다는 것을 고려해볼 때 다낭난소증후군 여성이 임신을 계획하거나 불임 치료를 받을 때 산전 검사로 모두에게 75 g 경구당부하검사를 시행하도록 한다. 산전 검사로 시행하지 않은 경우, 임신 20주 이내에 시행한다.

히 목표용량까지 증량한다. 장내 비타민 B12 흡수를 방해하므로 저리거나 무감각 등 부족 증세에 대해 미리 알려준다. 젖산산증 등의 부작용은 매우 드물지만 신기능 저하, 간질환 혹은 알코올 남용자에게는 처방하지 않는다. 따라서 치료 시작 전에 정상 신기능을 확인하는 것이 좋겠다.

메트포민은 월경주기 회복이나 안드로겐과다증, 배란유도에 효과가 있지만 그 정도는 경하기 때문에 일차약제로 고려하지는 않는다. 그럼 다낭난소증후군 여성 중 메트포민 복용으로 가장 큰 이득을 볼 수 있는 군은 누구인가? 스페로프 최신판에서 가장 합리적인 대상자는 2형당뇨병이나 심혈관 질환의 위험도가 증가한 여성들로 규정하고 있다. 즉 공복혈당장애, 포도당불내성, 당화혈색소 상승, 당뇨가 있는 경우, 흑색가시세포증처럼 인슐린저항성이 명확한 경우, 혹은 중심비만, 이상지혈증, 고혈압처럼 대사증후군의 양상이 있는 경우로 기술하고 있다. 2018년 국제근거중심지침에서는 다음 표와 같이 메트포민 사용 지침을 제시하고 있다(표 7-10).

경구피임약은 다낭난소증후군에서 치료효과가 확립된 일차약이지만 대사이상을 교정하지 못할 뿐 아니라 인슐린저항성 및 만성 염증 상태를 악화시키고 당내성 역시 악화시킬 수 있다. 따라서 장기간에 걸쳐 사용시 당뇨나 심장질환 위험도 증가 가능성에 대해 우려가 있는데 특히 다낭난소증후군은 이들 질환에 대해 이미 위험도가 증가해 있는 상황이다. 이 점에 대해 현재 대규모 연구는 없는 상황이다. 따라서 경구피임약을 복용중인 환자에서 낮은 용량(850 mg)의 메트포민을 추가하여 치료 효과를 높이는 동시에 대사 이상도 교정할 수 있다. 이 병합 요법은 널리 퍼진 것은 아니지만 향후 그 입지를 넓힐 가능성이 있다.

표 7-10. 메트포민 사용 지침(2018년 국제근거중심지침)

- 생활습관교정과 함께 성인 다낭난소증후군 여성의 체중, 호르몬, 대사이상 교정을 위해 사용할 수 있다.
- 체질량지수 25 kg/m^{2}이상인 성인 다낭난소증후군 여성의 체중, 대사이상 교정을 위해 생활습관교정과 함께 사용해야 한다.
- 생활습관교정과 함께 청소년 다낭난소증후군 여아 혹은 의심되는 경우에서 사용할 수 있다.

구체적인 처방 요령은 아래와 같다.
- 소화기계 부작용은 용량과 관련 있고, 미리 환자와 상의한다.
- 낮은 용량에서 시작하여 1-2주 간격으로 500 mg 단위로 늘리고, 서방형 사용도 고려한다.
- 장기간 사용해도 안전할 것으로 보이나 지속 사용이 필요한지 고려해야 하고, 비타민 B12 저하도 올 수 있음을 인지한다.
- 일반적으로 off-label이므로 이에 대해 미리 알리고 상담한다.

(3) 스타틴 제제

다낭난소증후군 여성에서 이상지혈증은 흔하며 이 경우 스타틴 요법을 생각해 볼 수 있다. 심바스타틴을 경구피임약과 병용 시 피임약 단독군에 비해 지질 수치가 유의하게 개선되었고, 전신 염증 지표, 내피세포 기능 향상 및 혈중 안드로겐도 유의하게 감소하였다. 아토바스타틴 12주간 사용 시 지질 수치의 호전과 함께 C 반응단백, 유리안드로겐지수, 총테스토스테론, homeostatic model assessment of insulin resistance가 유의하게 감소하고 성호르몬결합글로불린은 유의하게 증가하였다. 심바스타틴과 메트포민 비교 연구에서 둘 다 남성호르몬 감소 및 전신 염증과 내피세포 기능 지표 향상은 비슷하였으나 지질 수치와 인슐린 민감도는 심바스타틴 복용군에서만 유의하게 향상되었다. 두 약의 병행은 심바스타틴 단독에 비해 더 나은 면은 없었다.

결국 스타틴 계열은 다낭난소증후군 여성중에서 당뇨의 위험이 높거나 심혈관계 질환의 가능성이 높은 사람에게 효과적일 수 있다. 다만, 이 약제는 기형 유발 약제이기 때문에 임신을 할 경우에는 사용해서는 안 된다. 가임기 여성에서 스타틴 제제 사용 시에는 피임을 권하고 있다.

(4) 비타민 D

혈중 25-OH 비타민 D와 지질 수치, 염증 지표, 인슐린 민감성과의 관계에 대한 관찰 연구들이 많다. 다낭난소증후군 여성에서 비타민 D가 낮은 경우(<30 ng/dL) 인슐린저항성, 지질대사 이상, 산화스트레스와 염증 상태 유발 일으킬 수 있으며, 비타민 D 보충 시 인슐린 민감성이 증가하며, 혈중 지질 농도 및 TNF-α나 C 반응단백과 같은 염증

성 지표가 개선되고, 안드로겐과다 혈증도 개선된다는 연구들이 있어 참고해 볼 수 있다.

(5) 이노시톨

영양성분의 일종으로 9가지의 아형이 있으나 myo-inositol과 D-chiro-inositol만이 생체 내에서 활성을 나타낸다. D-chiro-inositol은 인슐린의 자극을 받아 myo-inositol로부터 생성된다. 둘 다 인슐린의 2차 전달자로 myo-inositol은 세포 내 포도당 uptake를, D-chiro-inositol은 당원 축적에 관여한다. 신체 조직 내 myo-inositol과 D-chiro-inositol의 존재 비율은 조직 내 필요성에 따라 다양한데, 건강한 여성에서 혈중 비율은 40:1, 난포액에서는 100:1이다. 이는 난소 내에서 myo-inositol의 역할이 중요함을 시사한다.

이 둘은 적정 비율로 존재 시 인슐린의 2차 신호 전달제이자 인슐린 민감제로 작용하지만 적정 비율을 넘어서서 존재할 경우 특히 난소에 해로운 영향을 끼칠 수 있다. D-

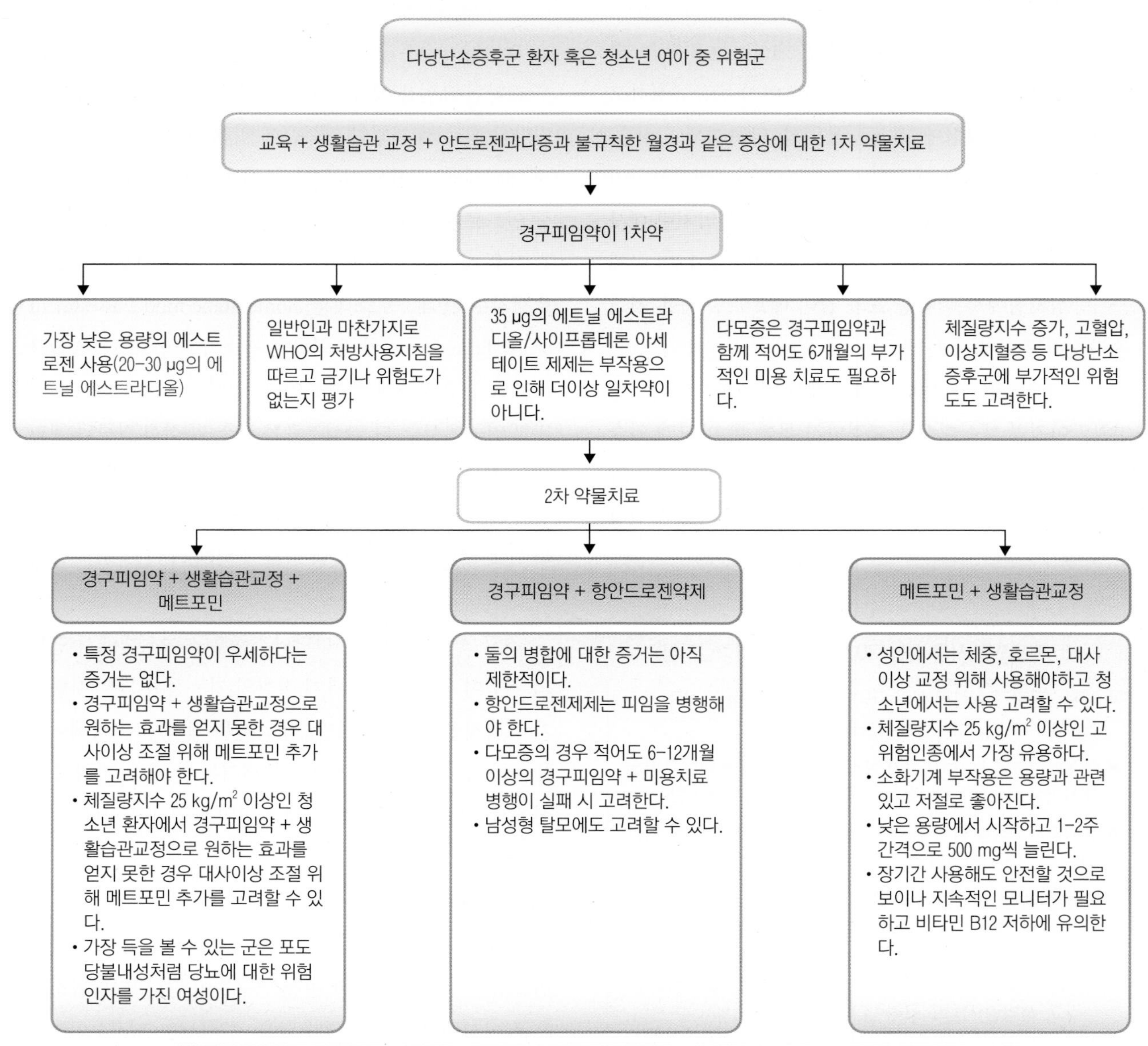

● 그림 7-5. **다낭난소증후군 환자의 약물치료**

chiro-inositol은 난소의 과립막 세포에서 방향효소 작용을 억제하고, 난포막세포에서는 인슐린을 도와 남성호르몬 생성을 자극한다. 따라서 높은 비율로 존재할 경우 남성호르몬을 증가시키고, 배아의 질을 떨어뜨릴 수 있다.

한편 다낭난소증후군은 인슐린저항성에 의한 과인슐린혈증 상태이므로 난소 내에서 인슐린 자극에 의해 myo-inositol이 D-chiro-inositol로 계속 전환하게 된다. 정상 여성의 난포액에서 둘의 비율은 100:1이지만 다낭난소증후군 환자에서는 약 0.2:1로 보고되어 있다. 따라서 난소내 환경을 개선시키고 인슐린저항성 역시 개선시키기 위해 다낭난소증후군 여성에서 이노시톨 제제의 시도가 약 10여년전부터 활발하게 보고되어 왔다.

연구결과를 종합해보면 이노시톨 제제 2-4 g을 약 3-6개월간 사용 시 homeostatic model assessment of insulin resistance 지수가 개선되었으나 메타분석결과 다른 임상지표의 개선은 명확하지 않았다. 배란 유도에 추가해서 사용 시 배란율 및 임상적 임신율을 높이고 약제 사용량이나 기간을 줄인다는 보고들이 많았으나 역시 2018년 코크란 리뷰에서는 크게 이득이 없다고 하였다. 하지만 이후 연구들에서 다낭난소증후군 임상양상 개선 및 배란 및 임신율 증가, 임신당뇨병 예방 등이 계속 보고되고 있고, 영양성분으로 큰 해가 없어 시도해보는 것도 나쁘지 않을 것 같다. 최근 연구들에서는 myo-inositol 단독보다는 40:1의 비율로 D-chiro-inositol과 혼합한 제제가 우월함이 보고되어, 이를 권하는 것이 좋겠다.

4. 결론

다낭난소증후군에서는 현재의 증상을 치료하는 것뿐 아니라 중장기적인 건강 관리가 매우 중요하다. 과체중 혹은 비만한 환자 관리의 근간은 체중감량 및 생활습관 교정이며, 안드로겐과다증에는 경구피임약을 우선으로, 불규칙한 월경 주기의 교정 및 자궁내막보호는 경구피임약 또는 주기적인 황체호르몬물질을 사용할 수 있다. 배란 유도를 위해 다양한 약제를 사용해 볼 수 있는데 레트로졸이 현재 최우선 약제이다. 본 증후군의 핵심 기전인 인슐린저항성과 연관된 장기간 합병증 예방을 위한 치료적 생활 습관 교정의 중요성은 주지의 사실이며, 메트포민을 필두로 한 대사이상 개선 약제들의 역할에 관해서는 향후로도 지속적인 관심과 연구가 필요하다. 2018년도 국제근거중심지침에서 제시한 다낭난소증후군 환자의 약물치료에 관한 내용은 아래 그림에 요약하였다(그림 7-5).

*<u>*참고문헌 목록은 대한산부인과내분비학회 홈페이지 http://www.kosge.or.kr 또는 QR코드를 통해 보실 수 있습니다.*</u>

CHAPTER

8 다모증

이다용(경북의대), 황규리(서울의대)

I. 서론

신체에는 세 가지 형태의 체모가 존재한다. 첫째, 배냇솜털(lanugo hair)인데, 이것은 분만 후 수 주 내에 소실된다. 둘째는 솜털(vellus hair)로 대개 비색소성이고, 부드럽고, 짧으며 사춘기 이전 시기에 존재한다. 셋째로 성숙털(terminal hair)인데, 색소가 있고, 솜털보다 거칠며 길다.

체모를 성장 주기에 따라 분류하면 성장기털(anagen

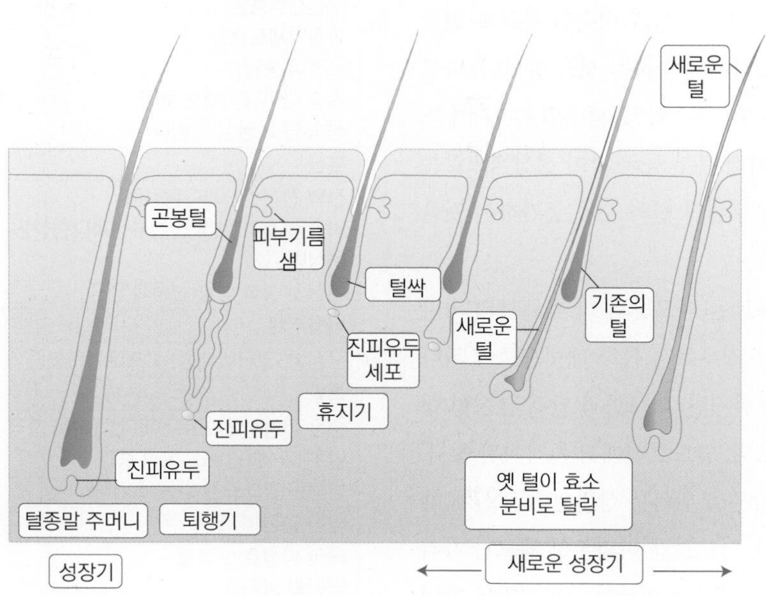

• 그림 8-1. **모낭 성장주기** 모낭은 성장기(anagen), 퇴행기(catagen), 휴지기(telogen)의 반복을 통해 모발을 대체한다.

표 8-1. 남성형다모증과 털과다증의 비교

	남성형다모증(hirsutism)	털과다증(hypertrichosis)
병인		
안드로겐과다증 관련성	대부분 있음	없음
원인 질환 또는 약물	**뇌하수체** 쿠싱증후군, 프로락틴 분비 뇌하수체종양, 정신과 약물 **부신** 선천부신과다형성증, 부신 종양 **난소** 다낭난소증후군, 일부 난소 종양 **약물** 안드로겐, 미녹시딜, 디아족사이드, 코티코스테로이드, 페니토인 등	**선천** 선천전신다모증 **후천** **약물** 미녹시딜, 디아족사이드, 코티코스테로이드, 페니토인, 사이클로스포린, 스트렙토마이신, 아세타졸아마이드, 옥사디아졸피리미딘, 페노테롤 등 **전신질환** 포르피린증, 갑상선저하증, 다발경화증, 머리 손상, 신경성식욕부진 등
임상 양상		
남성형의 털분포	있음	없음
털 증가 양상	솜털이 더 굵고 진한 성숙털로 변함	배냇솜털, 솜털, 성숙털이 다양하게 증가

hair), 퇴행기털(catagen hair), 휴지기털(telogen hair)로 나눌 수 있다(그림 8-1). 성장기는 전체 체모주기의 85-90%를 차지하고, 성숙털의 경우 수 개월동안 지속된다. 퇴행기는 체모주기의 2-3%, 휴지기는 10-15%를 차지하며 털이 짧고, 바닥에 느슨하게 부착되어 있다.

다모증(hirsutism)이란 털이라는 뜻의 라틴어인 hirsutus에서 유래한 단어로 여성에서 남성과 비슷한 분포로 얼굴 및 신체의 성숙털이 과도하게 증가하는 것을 말한다. 다모증은 임상적인 진단이며 뺨, 콧수염 및 턱수염 부위, 가슴, 등, 또는 팔, 다리, 배꼽 아래 복부 등과 같이 정상적으로는 성숙털이 존재하지 않는 부위의 털의 수가 증가하는 것을 말한다.

털과다증(hypertrichosis)은 다모증과 함께 체모의 과다한 비정상 성장을 보이는 경우로서 특히 배냇솜털이 과다하게 증가하는 경우를 뜻하지만, 다모증과 달리 남성형 형태의 분포를 보이지 않으며, 안드로겐에 의존적이지 않다. 남성에게서 체모가 더 많은 부위와는 상관없이 전신에 체모가 많은 상태를 말하며, 안드로겐 비의존성 체모가 자라는 현상이지만 안드로겐과다증에 의하여 악화되기도 하며 약물에 의하여 발생하기도 한다(표 8-1).

다모증의 유병률은 미국에서는 8% 정도로 보고되고

표 8-2. 다모증의 원인

국소
말초(모낭) 안드로겐 불감증
난소
다낭난소증후군 인슐린저항증후군 고안드로겐-인슐린 저항 흑색가시세포증증후군 털과다증 가족성 난소증식증 문세포증식증 부신잔류종양 과립막세포종양 브레너 종양 기질 라이디히세포 종양 성숙 난소 낭성 기형종
부신
전형 선천부신과다형성증 비전형(후기발병) 선천부신과다형성증 쿠싱병 부신 남성화 종양(선종과 암종)
뇌하수체
쿠싱병, 말단비대증, 고프로락틴혈증
특발
숨은 기능성 안드로겐과다증(복합 자극 검사로 검사가능) 말초 5α-환원효소 활성 증가 변형된 안드로겐 수용체 기능
임신 관련
태아 방향효소 결핍 임신의 황체종 과반응 황체종
외인성
안드로겐 약물

있으며, 서양 가임기 여성의 5-10%에서 나타나는 것으로 보고된다. 한편 다모증을 가진 여성은 외모상의 문제로 심리적인 동요를 보일 수 있으며, 일상 생활을 하지 못하거나 강박증, 우울증, 심지어는 자살 충동을 느낄 수도 있음을 고려하여야 한다.

다모증은 안드로겐 과잉의 한 증상으로 간주되고 있으며, 대개 양성 기능성 질환이 그 원인이 되는 경우가 많으나, 드물게는 생명을 위협하는 질환이 기저 질환으로 존재하는 경우도 있다(표 8-2). 따라서 다모증을 보이는 환자에서 그 동반된 증상과 검사 소견을 고려하여 기본 질환에 따라 치료 방침을 결정하여야 한다. 치료는 비정상 체모를 영구 제거하는 것과 과도한 체모 성장의 억제, 호르몬 불균형의 교정, 미용 및 외관상의 문제점의 해결을 통한 삶의 질 향상 등을 목표로 한다.

II. 남성 호르몬의 역할(Role of androgens: biology of hair growth)

안드로겐은 체모 성장에 관여하는 주된 조절 인자이다. 여성에서 40-50%의 테스토스테론은 난소와 부신에서 생성되고 나머지 50-60%가 말초에서 안드로스테네디온 같은 안드로겐 전구체로부터의 전환에 의해 생성된다. 안드로스테네디온은 난소와 부신 모두에서 기원하며, 방향효소(aromatase)에 의해 과립막 세포에서 에스트로겐으로 변환되거나 난포막 세포에서 17 beta-hydroxysteroid dehydrogenase에 의해 테스토스테론으로 변환되고, 이어서 이 물질은 디하이드로테스토스테론(dihydrotestosterone)으로 변환된다. 디하이드로테스토스테론은 또한 난소와 부신에서 분비되는 안드로겐 전구물질의 말초 전환에 의해서도 생산되며, 정상적으로 겨드랑이 털과 음모의 성장에 기여한다(그림 8-2). 이렇게 테스토스테론은 피부에서 5-α환원요소(reductase)에 의해 더욱 강력한 디하이드로테스토스테론이 되는데, 모낭과 피지샘에 직접 작용하는 물질이다. 안드로겐은 사춘기 기간 동안 솜털을 성숙털로 변환시키며 턱수염, 겨드랑이 털, 음모 등의 털섬유의 크기와 직경을 증가시키고 털의 성장 주기 중 성장기의 기간을 길게 한다.

III. 다모증의 평가(Assessment of hirsuitism: cause of hirsutism)

1. 다모증의 정의

다모증에 대한 객관적인 평가를 위해서 1961년 Ferriman-Gallwey 점수체계가 도입되었다. 원래는 신체의 11

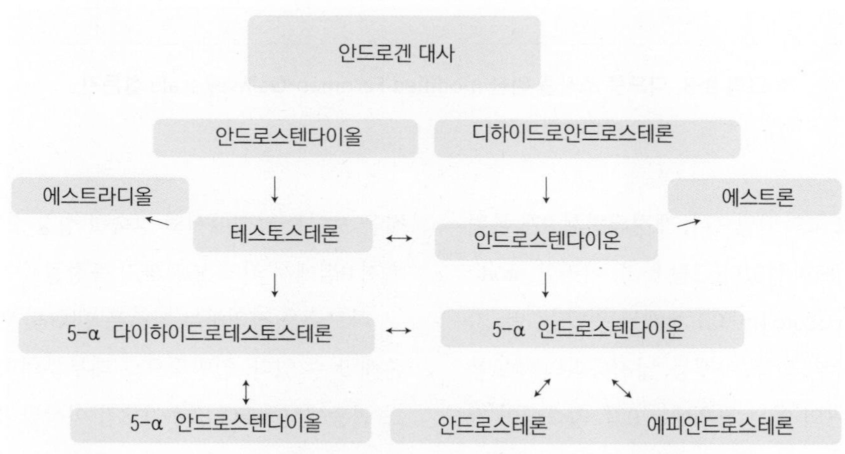

• 그림 8-2. 안드로겐 대사

	윗입술	턱	가슴	상완		
	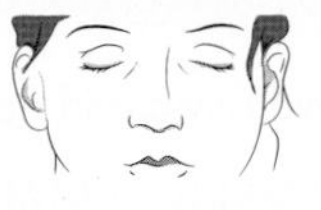	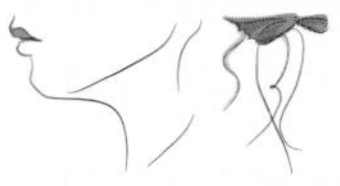	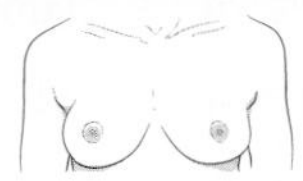	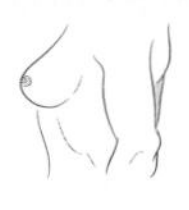		소계
1점	소수의 성숙털이 윗입술과 외부 입술 가장자리에 드문드문 남	성숙털이 드문드문 남	젖꼭지 주변 또는 중심선 성숙털	상완의 25% 이내가 산재된 성숙털로 덮임		
2점	50% 미만의 윗입술이나 바깥 가장자리를 덮는 가는 콧수염	두꺼워진 성숙털이 적은 부위에 드문드문 남	젖꼭지 주변과 중심선 성숙털	증가되었으나 불완전한 성장		
3점	입술의 바깥 경계로부터 50% 미만 또는 입술 높이의 50%를 덮는 콧수염	전체가 가는 털로 덮임	가슴 75%가 성숙털로 덮임	전체가 가는 털로 덮임		
4점	대부분의 윗입술과 중심선을 덮는 콧수염	전체가 굵은 털로 덮임	전체가 성숙털로 덮임	전체가 굵은 털로 덮임		
	상복부	하복부	윗등	아랫등	넓적다리	
	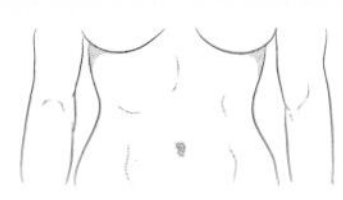	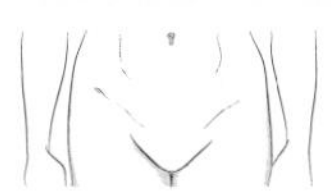	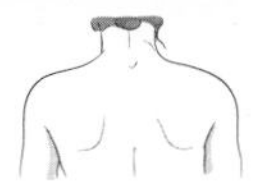	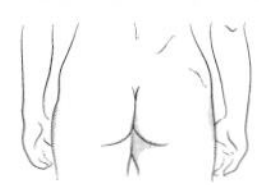	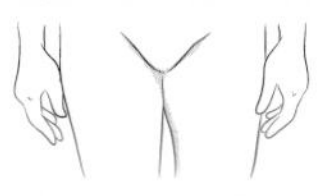	소계
1점	산재된 중심선의 성숙털	백선의 길이로 소수의 산재된 성숙털이 중심선에 집중됨	성숙털이 윗등에 드문드문 남	폭 4 cm 미만으로 전추 부위에 털이 덮임	넓적다리의 25% 이내가 산재된 성숙털로 덮임	
2점	좀 더 많은 성숙털이 아직은 중심선에 있음	백선의 길이로 성숙털이 중심선에 집중됨	퍼져있는 성숙털이 증가함	옆구리에 털로 덮인 부위 면적이 증가함	증가되었으나 불완전한 성장	
3점	50% 이상의 상복부가 덮임	ㅅ 자 모양으로 음모 1/2의 폭으로 기저부에 덮임	전체가 가는 털로 덮임	75%의 아랫등이 성숙털로 덮임	전체가 가는 털로 덮임	
4점	전체가 성숙털로 덮임	ㅅ 자 모양으로 음모 1/2의 폭으로 기저부에 덮임	전체가 굵은 털로 덮임	전체가 굵은 털로 덮임	전체가 굵은 털로 덮임	
					총점:	

● 그림 8-3. **다모증 조사를 위한 modified Ferriman-Gallwey scale 설문지**

부위의 체모를 기초로 고안되었으나, 개정되면서 9개 부위의 체모에 대한 체계로 바뀌었다(그림 8-3). 이러한 modified Ferriman-Gallwey score (mFG) 체계는 윗입술, 턱, 가슴, 상완, 상복부, 하복부, 윗등, 아랫등, 넓적다리의 체모를 평가한다. 성숙털이 거의 없는 경우에는 0점, 성숙털이 있으나 남성의 형태까지는 아닌 경우에는 2점, 일반 남성에서의 성숙털 양상을 보이는 경우에는 3점, 과도한 털의 성장을 보이는 남성에서의 성숙털 성장 정도를 4점으로 하여 최저 0점에서 최고 36점까지 측정될 수 있다.

다모증을 정의하는 기준은 인종 및 민족에 따른 차이가 존재할 수 있다. 일반적으로 대부분의 연구자들은 코카서스 인종에서 mFG 점수가 8점 이상일 경우를 다모증으로 정의하는데, 이는 흑인 또는 백인 가임기 여성의 5 % 미만에서만 7점이 넘기 때문이다. 한국 여성을 대상으로 한 연구 결과로 6점 이상을 다모증으로 정의한다고 제시된 바가 있으며, 태국 여성을 대상으로 한 연구에서는 3점 이상으로 규정하기도 한다. 따라서 아시아 여성 간에도 국가와 인종에 따른 차이가 있을 수 있다는 사실을 감안해야 하며, 각 사회와 인종에 적합한 지표의 확립이 필요한 상황이다. 단독으로 발생한 mFG 15점 이하의 비교적 경도의 다모증은 약 절반 정도는 안드로겐과다증과 관련이 없으나, 중등도 이상의 다모증이 있거나 불규칙한 월경, 불임, 복부 비만, 흑색가시세포증(acanthosis nigricans), 음핵비대 등과 같은 증상이 동반되면 안드로겐과다증을 의심할 수 있다.

Ferriman-Gallwey 점수 체계의 문제점으로는 우선 점수를 부여함에 있어 관찰자 간의 주관에 의한 차이가 발생할 수 있으므로 객관성이 떨어질 수 있다는 점이다. 또한 국소 부위에 매우 심한 다모증이 있더라도 점수가 4점보다 높아질 수는 없다는 점, 정상 인구집단에 대한 자료가 없다는 점, 그리고 이 점수가 다모증 환자의 건강 상태를 반영하지는 못한다는 점 등이 그 한계점으로 지적된다.

다모증의 정도는 안드로겐 수치와 일치하지는 않는데, 이것은 안드로겐 의존성 모발-피지샘낭이 안드로겐에 대해 매우 다양하게 반응하기 때문이다. 그러므로 다모증이 있다고 해서 반드시 안드로겐 과생산을 의미하지는 않으며 또한 경증의 다모증을 보이는 환자라 할지라도 안드로겐 과다를 나타낼 수 있다는 점에 유의하여야 한다. 발프로산(valproic acid)은 혈장 테스토스테론 수치를 올릴 수 있다고 알려진 유일한 항경련제이다.

2. 남성 호르몬과 다모증

다모증은 외인성 요인이든 내인성 요인이든 혈중 안드로겐의 농도가 증가하거나 안드로겐에 대한 감수성이 증가하여 발생한다. 안드로겐 수치는 다모증이 심한 정도와 꼭 비례하는 것은 아니어서 약간 높은 수준의 안드로겐과다증을 보이는 경우에도 어떤 사람에서는 심한 다모증을 보일 수 있는 반면, 다른 사람에서는 다모증이 나타나지 않을 수도 있다.

안드로겐, 테스토스테론, 디하이드로테스토스테론은 모두 안드로겐에 감수성이 있는 부위의 솜털을 성숙털로 전환시킨다. 그러나 안드로겐 감수성이 있는 부위의 체모에서만 이러한 작용을 할 수 있으므로 신체 각 부위에 따라 다모증 양상이 다르게 나타나게 된다. 성숙털로의 전환은 몇 번의 성장 주기를 거치며, 이러한 과정은 비가역이다. 사춘기 시기의 겨드랑이와 음모와 같은 부위의 피부는 사춘기 시기의 정상 범위의 안드로겐의 증가에 특히 더 민감한 부위이다. 이와는 대조적으로 혈장 안드로겐이 비정상으로 증가하는 경우에는 얼굴, 목, 가슴, 그리고 하복부에서 과도한 체모의 증가를 가져온다.

다모증은 인종 차이가 존재한다. 모지 단위의 숫자 및 분포는 유전 영향을 받는다. 모낭은 태아의 발달 시기에만 형성되고, 모낭의 수는 유전으로 결정되며 한 명당 대략 5천만 개 정도이다. 모낭의 밀도는 인종 차이가 있는데, 아시아인은 코카서스인보다 적게 가지고 있고, 남유럽인은 북유럽인에 비해 많이 가지고 있다. 게다가, 체모의 성장은 5α-환원요소 활성의 유전 차이에 따라 다양하며, 이 효소는 테스토스테론을 더욱 강력한 대사물인 디하이드로테스토스테론으로 전환시킨다. 디하이드로테스토스테론과 안드로겐 수용체의 결합 친화성은 개인마다 차이가 있다. 이렇게 모낭의 밀도와 효소 활성이 유전 다양성의 영향을 받는 다는 사실은, 다모증이 미국인 다낭난소증후군(polycystic ovary syndrome, PCOS) 환자의 60-80%에서 관찰되는 반면에 일본인에서는 20% 에서만 관찰된다는 차이점을 통해서도 알 수 있다.

5α-환원요소의 활성은 안드로겐과다증, 인슐린, 인슐린양성장인자(insulin-like growth factor, IGF)에 의해 상승한다. 또한 계절 요인도 있어, 여름에는 체모의 성장 속도가 겨울보다 빠르다. 5α-환원요소는 1형과 2형의 동위효소(isoenzyme) 형태가 있으며, 진피 유두에서 안드로겐 수용체와 함께 존재한다. 1형은 주로 피지샘과 음부의 피부에서, 2형은 주로 모낭, 성기의 피부, 성인의 두피 등에 분포한다(그림 7-4) 따라서 이들 동위효소의 각 피부 부위에 따른 분포의 차이에 따라 안드로겐과다증은 다양한 피부 병변의 형태로 나타날 수 있으며 개인에 따라서도 안드로겐

과다증으로 인한 피부 증상이 서로 다를 수 있다. 예를 들어 비슷한 정도의 안드로겐과다증을 가진 여성 중에도 다모증의 정도와 여드름(acne)의 정도가 서로 다를 수 있다. 또 다른 예로는 556명의 다낭난소증후군 환자의 피부 소견을 분석한 영국의 연구에서는 남성형다모증(61%), 여드름(24%), 탈모(8%), 흑색가시세포증(2%)의 순서로 흔하였다. 반면, 40명의 환자를 분석한 우리나라의 연구에서는 여드름(95%), 남성형다모증(60%), 기름흐름(47.5%), 흑색가시세포증(20%), 탈모(12.5%)의 순으로 나타나 안드로겐과다증을 특징으로 하는 질환에서도 인종 간에 다모증 비율에 차이가 있음을 시사한다. 이러한 인종에 따른 다모증의 임상 양상의 차이를 안드로겐 수용체의 민감도의 인종 차이로 설명하기도 한다. 또한 혈청 안드로겐 수치보다는 피부의 국소 안드로겐 농도와 안드로겐 수용체의 민감도가 더 중요한 역할을 하는 것으로 보인다.

IV. 실험실 평가

1. 병력 및 진찰

다모증 환자에서 증상의 시작 시점, 진행 정도, 정신사회 면을 살피는 것으로 시작하여 원인이 될 수 있는 위험요인 및 기저 질환에 대한 고려를 하여야 한다(표 8-2). 약

표 8-3. 다모증과 연관된 병력

다모증과 관련되어 초점을 맞춘 병력		
병력 현병력 발병 시작		임상 자료 발병 시작 발병 부위 진행 정신, 사회 스트레스 현재까지의 치료
관련 증상		여드름, 안드로겐성 탈모, 기름흐름
월경력	다낭난소증후군	불규칙 월경력, 무월경력, 생식력 몸무게 증가, 흑색가시세포증 당 불내성 관련 다음증/다뇨증 고혈압 또는 이상지혈증 병력
	후기발병 선천부신과다형성증	조발 사춘기, 불규칙 월경, 일차 무월경
	고프로락틴혈증	젖흐름증(자발적인 또는 짜낼 수 있는)
	뇌하수체 종양	시각 장애, 두통
	부신 또는 난소 종양	남성화의 병력:성욕 증가, 굵은 목소리, 음핵 비대
	갑상선 기능 이상	열 또는 냉 불내성, 진전, 넓게 퍼진 털소실, 몸무게 변화, 조직상 피부 변화
	쿠싱병	기분 또는 수면 장애, 선조, 쉽게 멍듦, 얇고/약한 피부, 몸무게 변화, 털 눌림이나 빗질과 동반되는 쇠약, 피로, 과도한 갈증, 감염에의 감수성 증가
가족력		다모증, 다낭난소증후군, 안드로겐 탈모증, II형 당뇨병, 심혈관 질환, 후기 발병 선천부신과다형성증, 30세 이전의 남성형 탈모
약물		남성형 프로게스틴(노게스트렐, 레보노게스트렐, 노에틴드론)을 포함하는 경구피임약 동화 스테로이드(다나졸) 글루코코티코이드
말단 비대증		안드로겐 치료(테스토스테론)
고프로락틴혈증		발프로산-혈장 테스토스테론을 증가시킨다.

표 8-4. 다모증을 유도하는 약물

안드로겐 약물
테스토스테론 다나졸 부신피질자극호르몬 메티라폰 페노티아진
동화 스테로이드
남성형 프로게스틴
레보노게스트렐 노게스트렐 노에틴드론
아세타졸아미드
발프로산
비안드로겐 약물
사이클로스포린 페니토인 다나졸 미녹시딜 미노사이클린 고용량 글루코코티코이드 헥사클로로벤젠 페니실라민 쏘랄렌

표 8-5. 다모증의 평가에서 병력과 신체검사

병력
임상 병력 발병과 진행 무배란과 생식력 가족력 젖흐름증 남성화의 증상 갑상선 기능이상의 증상 몸무게 증가 노게스트렐 노에틴드론
신체 진찰
털의 양과 분포, 그리고 심한 정도 평가 남성화의 증상 피부 변화(여드름, 기름흘림증, 탈모, 흑색가시세포증) 쿠싱증후군의 증상(달모양 얼굴, 근 위축, 몸통 비만) 유방 분비물(자발적 또는 짜낼 수 있는 젖흐름증) 키, 몸무게, 체질량 지수 계산 복부와 골반 검사

물 또한 원인이 될 수 있으므로 자세한 병력을 청취한다(표 8-3, 표 8-4).

환자의 체질량 지수, 혈압 등을 측정하여 기록하며, 앞서 설명한 바와 같이 다모증의 정도를 Ferriman-Gallway 점수 체계를 통해 판단하여 8점 이상이면 다모증으로 진단하는데, 15점까지를 경증의 다모증으로 간주한다. 피부에서는 색소 침착 정도와 여드름, 피지 분비 과다, 남성형 탈모의 동반 유무 등을 관찰한다(표 8-5).

2. 다모증의 검사

2018년 Endocrine Society 진료 지침에서는 다모증의 원인을 알기 위한 추가 검사 여부는 환자의 병력과 이학적 검사 소견을 바탕으로 판단하도록 제시된다. 혈청 총테스토스테론 수치는 젊은 여성의 경우 다낭난소증후군의 존재 유무와 상관없이 혈청 남성호르몬 생활성도와 유사하며, 서로 비례하는 경향을 보이므로 안드로겐을 측정할 수 있는 대표 지표로 간주할 수 있다. 따라서 비정상인 다모증 점수를 보이거나 국소 다모증을 보이면서 안드로겐과다증을 시사하는 증상이 동반된 여성에서는 일차로 총테스토스테론 수치를 검사하는 것을 권장한다. 총테스토스테론 수치가 정상이라 할지라도 중등도 이상의 다모증을 보이거나 안드로겐과다증을 시사하는 임상 양상[불규칙한 월경, 불임(난임), 복부 비만, 흑색가시세포증, 다모증 증상이 급속히 진행되는 경우, 음핵 비대 등]을 보이는 경우에는 유리테스토스테론 수치를 추가적으로 확인해야 한다.

다모증을 보이는 여성에서 안드로겐 과다가 의심되는 경우, 프로락틴, 성호르몬결합글로불린(sex hormone-binding globulin, SHBG), 황체형성호르몬(luteinizing hormone, LH), 난포자극호르몬(follicle stimulating hormone, FSH), 부신피질자극호르몬(adrenocorticotropic hormone, ACTH), dehydroepiandrosterone sulfate (DHEAS), 17-수산화프로게스테론, 유리 또는 총테스토스테론, 코티졸, 에스트라디올 등의 검사들을 시행할 수 있다(표 8-6).

다모증 환자가 가임기 여성일 경우 우선 임신 가능성에

표 8-6. 다모증을 가진 여성에서 안드로겐 과다를 확인하기 위한 검사

단순 선별 검사	영상 의학	기타 검사
성 호르몬-결합 글로불린 비 다이하이드로테스토스테론 수치 난포자극호르몬 수치 황체형성호르몬 수치 혈청 에스트라디올 혈청 프로락틴 24시간 요중 유리 코티졸 덱사메타손 억제 검사 혈청 부신피질자극호르몬 복합 자극 검사(피질자극호르몬과 생식샘자극호르몬방출호르몬 유사체) 혈청 β사람 융모생식샘자극호르몬	복부 또는 골반 컴퓨터 단층촬영/자기공명 영상 머리(뇌하수체) 자기 공명 영상 질 초음파	공복 혈당 경구 포도당부하 검사 지질 수치 포타슘 수치(쿠싱증후군) 갑상선자극호르몬, 티록신, 항미크로솜 항체

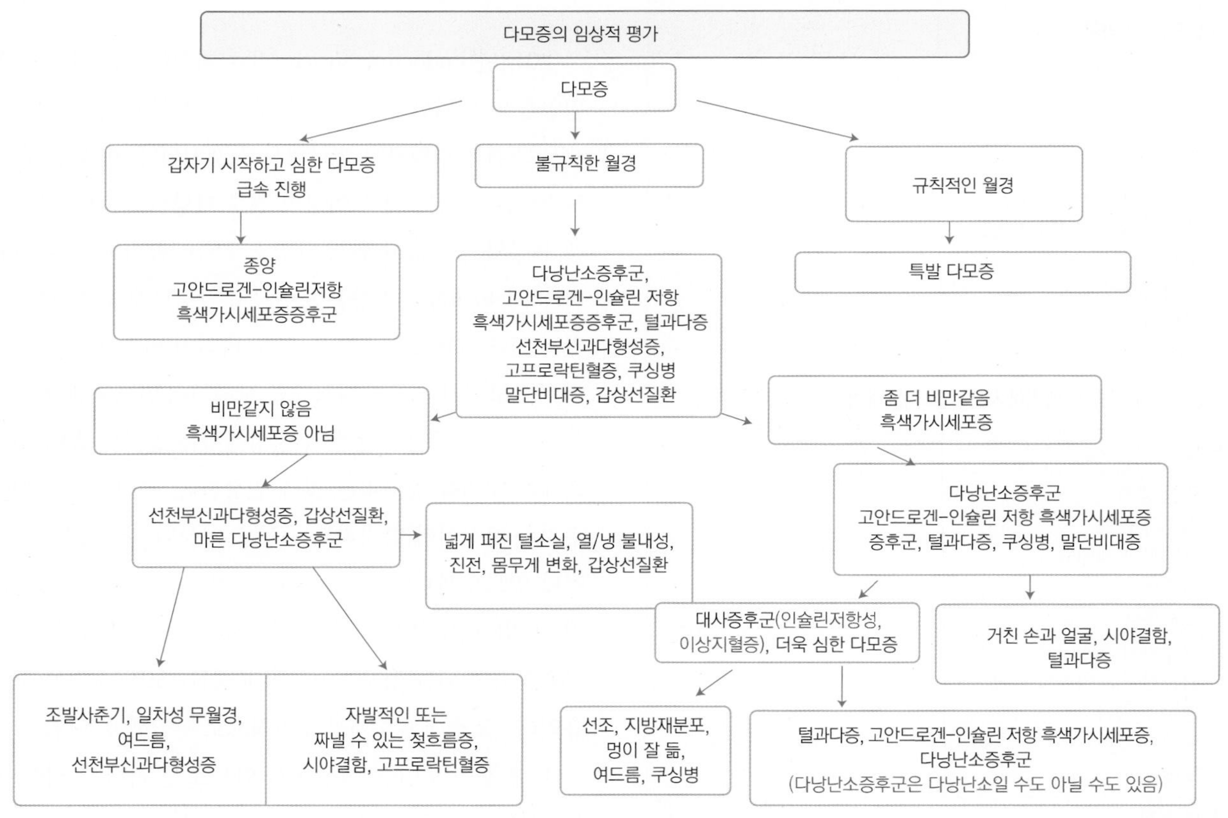

● 그림 8-5. **다모증의 임상 평가를 위한 알고리즘**

대한 검사를 시행한다. 폐경 여성에서의 다모증은 종양과 난포막과다형성(ovarian hyperthecosis) 등의 원인이 가능함을 고려해야 한다. 중등도 이상의 다모증 및 높은 수치의 테스토스테론을 보인다면 다낭난소증후군을 가장 의심할 만하지만, 기저 질환을 감별하기 위한 다음의 기본적인 검사를 시행하여야 한다(그림 8-5).

70% 정도의 환자에서 그 원인은 다낭난소증후군이지만 다른 원인도 고려하여야 한다(표 8-3). 말단비대증과 고프로락틴혈증 환자에서 다모증의 유병률이 증가한다고 보고되고 있지만, 이러한 질환의 초기 증상으로 다모증이 동

반되는 경우는 드물다. 그러나 불규칙 월경 및 비정상출혈이 동반된다면 혈청 프로락틴 검사가 필요하다.

다낭난소증후군과 관련된 다모증은 수년간에 걸쳐서 발생하는 반면에 최근 3-6개월 간의 급속한 체모 성장은 안드로겐 분비 종양을 시사한다. 가족 가운데 과도한 체모 성장을 보이는 사람이 있다면 비전형 선천부신과다형성증(nonclassical congenital adrenal hyperplasia)이나 다낭난소증후군을 의심해야 한다. 얼굴이 둥글고 버섯증후군(buffalo hump), 중심비만이 동반되고 근위부 근육의 쇠약이 관찰된다면 쿠싱증후군을 감별해야 한다. 안드로겐 분비종양은 드물어서 다모증 환자의 0.5% 미만에서 발견된다. 복부나 골반에서 종괴가 발견되었다면 즉시 초음파를 시행하여 난소의 신생물에 대해 조사를 하여야 하고, 부신의 검사를 위해서는 CT를 시행해야 한다. 영상의학적 검사에서 난포 형성이 없이 난소 크기의 증가를 보이면 난포막과다형성을 의심할 수 있다.

진단의학 검사는 (1) 기능적 종양의 가능성의 배제를 위한 혈청 테스토스테론과 DHEAS 검사, (2) 비전형 선천부신과다형성증을 진단할 수 있는 난포기의 17-수산화프로게스테론 검사, (3) TSH, (4) 24시간 요중 유리 코티졸을 통한 쿠싱증후군의 선별 검사 등을 고려할 수 있다. 비전형 선천부신과다형성증을 감별하기 위해서는 이른 아침에 17-수산화프로게스테론을 측정해야 하며, 난포기에 측정을 해야 하지만 무월경, 또는 월경이 불규칙한 여성에서는 무작위 시점에 측정할 수 있다. 특히 가족력이 의심되는 경우에는 총 또는 유리테스토스테론 수치가 정상이더라도 해당 검사를 시행한다. 혈청 총 테스토스테론 수치가 두 번의 검사에서 각각 200 ng/dL이 넘는다면 즉시 난소 또는 부신 안드로겐 분비종양에 대한 검사가 필요하다. 그러나 혈청 총 테스토스테론 수치가 250 ng/dL이 넘을 경우 안드로겐 분비 종양을 진단할 수 있는 양성 예측치는 단지 9%에 불과하다.

임상적으로 혈청 테스토스테론 수치를 알기 위한 검사법의 종류에 대한 인식과 그 오차의 범위를 결정하는 것은 중요하다. 혈청 테스토스테론 검사 결과는 검사실마다 상당한 차이를 보일 수 있다. 따라서 혈청 테스토스테론 수치가 최초의 결과와 비교하여 너무 높으면 재검을 해야 한다.

혈청 테스토스테론 수치가 정상인데도 다모증을 보이면 성호르몬결합글로불린이 이러한 불일치의 원인이 될 수 있다. 혈액 내의 안드로겐은 98% 이상이 성호르몬결합글로블린 또는 알부민에 결합한 상태로 존재한다. 그리고 결합하지 않은 상태의 안드로겐이 활성을 가지므로 성호르몬결합글로블린의 양이 증가할수록 유리테스토스테론의 양은 감소하게 된다. 성호르몬결합글로블린의 감소는 고안드로겐혈증 및 비만과 상관관계가 있고, 모두 혈청의 유리테스토스테론 수치의 증가와 관련이 있다. 유리테스토스테론을 측정하는 것은 안드로겐 상승을 측정하기 위한 유용한 지표이고, 해당 수치는 표적 조직에서 실제 영향력을 미치는 지표이다. 다모증은 유리테스토스테론이 1%에서 2%로 순수하게 증가하였을 경우에만 발생한다.

V. 다른 안드로겐 과다 질환의 배제
(Exclusion of other androgen excess disorder)

안드로겐은 난소와 부신에서 생성된다. 이들 기관에서 안드로겐이 과다하게 생성되는 원인으로는 테스토스테론으로 전환되는 전구물질이 과다하게 생산되거나 테스토스테론이 과다하게 생산되는 경우, 또는 5α-환원요소에 의한 다이하이드로테스토스테론으로의 변환 등이 있다. 다모증과 동반된 증상 및 질환에 따른 검사는 다음과 같다(**표 8-7**).

1. 특발 다모증

특발 다모증은 가장 흔한 형태의 다모증 중 하나로 배란은 규칙적이며 고안드로겐혈증은 보이지 않는다(**표 8-8**). 즉, 정상 수치의 순환 안드로겐에 모낭이 과민 반응을 보이는 상태로 다른 원인이 배제된 뒤에 진단할 수 있다. 이에 비해 비특발 다모증은 뇌하수체, 부신, 난소 등에 의해 증가된 안드로겐에 의해 발생한다. 다낭난소증후군이

표 8-7. 병력과 신체검사에 의해 추천되는 검사

병력과 진찰 소견	진단	혈액 검사
다모증, 규칙적 월경	원인불명의 다모증	검사 불필요
다모증, 무배란(불규칙 월경 등), 여드름, 기름흐름증, 일시 탈모, 불임, 비만, 인슐린저항성(흑색가시세포증 등), 대사합병증(2형 당뇨병, 대사증후군, 수면 무호흡증 등)	다낭난소증후군	총 테스토스테론, 황체형성호르몬, 난포자극호르몬
다모증, 불규칙 월경 또는 일차 무월경	후기 발병 또는 비전형 선천부신과다형성증)	17α-수산화프로게스테론, 부신피질자극호르몬 자극이 필요할 수도 있음
돌발 발병, 다모증의 급속한 진행, 남성화의 증거, 복부와 골반 검사에서 덩이 병변	안드로겐 분비 종양	총 테스토스테론, 황산디하이드로에피안드로스테론
다모증, 달모양 얼굴, 근 위축, 선조, 얇은 피부, 멍듦, 몸통 비만, 물소 혹, 쇄골상부 지방	쿠싱증후군	유리 코티졸 또는 야간 덱사메타손 억제 검사
다모증, 젖흐름증 병력, 현재 유방의(자발성 또는 짜낼 수 있는) 분비물 있음	고프로락틴 혈증	프로락틴
다모증, 얼굴 형태가 거칠어짐 또는 손의 확장	말단 비대증	인슐린유사성장인자-I 수치

표 8-8. 특발 및 비특발 다모증 사이의 차이점

특발	비특발
사춘기 때 발병 점차로 진행 다모증 가족력 규칙적인 월경 기간 남성화 없음	종양의 존재를 시사 사춘기 주변기 이외의 시기에 발병 급작스러운 발병과 급속한 진행 쿠싱증후군의 증상 심한 다모증 남성화 증상

나 선천부신과다형성증이 그 흔한 원인이 되며, 안드로겐 분비 종양에서도 다모증이 유발된다. 드물게는 프로락틴 분비종양, 쿠싱증후군, 갑상선기능저하증, 말단비대증, 비만관련 인슐린저항증, 저생식샘자극호르몬생식샘저하증, 남성화 기형종, 남성모세포종, 문세포종 등도 고려하여야 한다.

2. 부신

고안드로겐혈증의 원인 중 부신이 그 원인이 되는 가장 흔한 경우는 선천부신과다형성증이다. 그 중 21-수산화효소의 결핍이 가장 흔한 원인이며, 코티졸의 생합성에 장애를 보이며 안드로겐의 과다한 축적이 유발된다. 전형 선천부신과다형성증은 심한 염분 소실로 출생 직후에 발견되며, 이에 비하여 비전형 선천부신과다형성증은 사춘기 무렵 이후에 발병하고 고안드로겐혈증을 보인다.

진단을 위하여 먼저 난포기 동안 혈장 17-수산화프로게스테론을 측정하도록 한다. 이어 0.25 mg의 ACTH를 정주하고 1시간 후 혈장 내 17-수산화프로게스테론을 측정하여 1,000 ng/dL 이상이면 비전형 선천부신과다형성증으로 진단한다.

쿠싱증후군은 부신에서 코티졸이 과다하게 생성되는 질환으로 일차 부신 종양, 뇌하수체 ACTH의 과다한 분비, 또는 이소 ACTH 생산 등에 의한다. 갑작스러운 다모증의 경우 부신 또는 난소의 안드로겐 분비 종양을 고려해야 하나, 매우 드물다.

3. 난소

비특발 다모증의 원인 중 가장 흔한 질환이 다낭난소증후군이다. 그 증상으로는 불임, 여드름, 흑색가시세포증, 남성형 탈모증, 인슐린저항성, 제2형 당뇨병 등으로 다

표 8-9. 안드로겐을 분비하는 난소 종양

	호발연령	기타
생식샘 기질세포 종양(sex cord-stromal tumor)		
과립세포종(granulosa cell tumor)	성인 특히 폐경 후	어린이에서 조숙증을 유발하는 가장 흔한 기능성 종양
난포막종(thecoma)	노년층	11%에서 고안드로겐증 유발, 대부분 양성이며 단측 단순 난소 적출로 치료
경화 기질종양(sclerosing stromal tumor)	30세 이전	드물다. 양성 종양
Sertoli-Leidig 세포종양(Sertoli-Leidig cell tumor)	생식가능연령	생식가능연령층에서 남성화를 유발하는 종양 중 가장 흔함. 1/3에서 남성화 유발. 80%가 stage IA에서 발견되며 이 경우 단측 자궁 부속기절제로 치료
순수 Sertoli 세포종(pure Sertoli cell tumor)		단측이 많아 1기의 폐경 전 여성에서는 단측 자궁부속기 절제로 치료
음양모세포종(gynandroblastoma)		양성 종양, 단측 자궁부속기 또는 난소 절제
윤상세관을 갖는 성선 종양 (sex cord tumors with annular tubule, SCTAT)		Peutz-Jeghers syndrome과 동반되어 나타나기도 하는데, 동반시에는 양측 양성 종양이며, 비동반 시에는 대개 단측이며, 1/4은 악성이다.
스테로이드 세포종양(steroid cell tumor) : 스테로이드 호르몬 분비 세포로 이루어져 있다.		
황체종(luteoma)		12%에서 남성화와 다모증 동반
Leydig 세포종(Leydig cell tumor)		3/4에서 남성화와 다모증 동반
비특이 스테로이드 세포종양(steroid cell tumor that are not otherwise specific)		1/2에서 남성화와 다모증 동반
비스테로이드 분비성 종양 : 대개 호르몬을 분비하지 않으며 아주 드물게 호르몬을 분비한다.		
장액 혹은 점액 낭샘종(cystadenoma), Brenner 종양, Krukenberg 종양, 피부모양기형낭유미종(dermoid cyst), 미분화세포종(dysgenmi-noma), 생식샘모세포종(gonadoblastoma)		

양하다. 변이형 다낭난소증후군으로는 SAHA (Seborrhea, Acne, Hyperandrogenism, Alopecia) 증후군, HAIR-AN (HyperAndrogenism, Insulin Resistance, Acanthosis Nigricans)증후군 등이 있다. 난소 종양 중 안드로겐을 분비하는 종양은 **표 8-9**와 같다.

4. 뇌하수체

프로락틴분비샘종은 가장 흔한 뇌하수체 종양이지만, 무월경이나 유즙분비과다 같은 증상이 흔하며, 다모증은 드물게 나타난다. 말단비대증이나 쿠싱증후군 또한 그 원인이 될 수 있다.

종말털의 신체 분포는 피부색 다음으로 많은 인종 및 민족 차이를 보여서, 북유럽의 여성들은 피부색이 희고 성숙털이 소량 존재하는 데 비하여 남유럽의 여성들은 피부색이 검고 성숙털의 양이 비교적 많다. 또한 아시아 여성에 비해서 지중해, 중동, 동인도 지방의 여성들은 털의 양이 더 많다. 피부에는 털피지샘 단위(pilosebaceous unit)가 있어서 피지샘과 모낭은 항상 조합을 이룬다. 피부샘은 분포와 조성면에서 피부 각 부위마다 이질성을 보인다. 두피에서는 모낭이, 이마에서는 피지샘이, 발바닥과 손바닥에서는 에크린샘(eccrine gland)이 각각 다수를 차지한다. 두피 아닌 곳의 모낭은 사춘기와 그 이후 몇 년까지도 성숙하지 않는다. 사춘기 무렵 안드로겐의 급증(surge)이 일어나면 모낭이 우세한 모피지샘 단위가 크게 늘어나게 된다.

VI. 치료(Treatment of hirsutism)

최근 수년 사이에 도입된 다모증의 치료법들로는 광범위한 레이저 제모, 국소적인 체모성장을 억제하는 제제(eflornithine) 및 드로스피레논(drospirenone)과 같은 항안드로겐 효과를 가진 경구피임약의 도입 등이 있다.

다모증을 보이는 여성의 치료에서 우선적으로 염두에 두어야 할 점은 체모는 성장기(catagen), 퇴행기(anagen), 휴지기(telogen) 시기를 거치는 데에 수 개월이 소요된다는 점이다. 즉 다모증 치료에 쓰이는 전신적인 제제들은 안드로겐의 자극에 의한 퇴행기 성장 자극을 줄이는 원리로 작용하므로 임상적인 효과를 나타내기에 충분한 수의 모낭이 퇴행기로 접어드는 데에 시간이 걸릴 수 있다는 것이다.

어떠한 치료를 하더라도 다모증 치료는 효과가 느리고, 효과가 나타나기까지 수개월이 걸릴 수 있다는 점을 환자에게 이해시키는 것이 필요하며, 일단 다모증의 치료효과를 확인한 경우 초기 치료에 거둔 소기의 성과가 유지되는 데 필요한 최소의 효과적인 용량을 찾는 것이 중요한 목표가 된다. 그러나 다모증 여성의 치료에 관련된 논문은 대부분 6-12개월간 치료 기간을 두고 있으므로 이후의 치료에 대한 적절한 근거가 없는 실정이다.

경증의 다모증을 보이면서 다른 내분비계 이상이 없는 것으로 판단되는 경우에는 국소 제모 요법 또는 전신 약물을 선택하여 적용할 수 있다. 중등도 이상의 다모증을 보이는 경우에는 전신 약물 치료를 우선적으로 적용하고 필요한 경우 전기분해 또는 광제모요법(레이저, 펄스 광)을 사용한 영구 제모를 고려한다.

1. 국소 치료

미용 측면에서 여성의 면도, 왁싱, 제모크림 등을 이용한 국소 제모 요법 등은 이미 대중적으로 시행되고 있어 익숙한 치료 방법이며, 이러한 국소요법들이 체모성장을 더 악화시키지는 않으므로 이 점에 대해서는 환자들에게 안심하고 사용할 수 있다고 설명할 수 있다.

레이저를 이용한 제모는 멜라닌 색소를 목표로 하는 레이저를 이용하여 털생성에 관계하는 모발의 융기 부위와 털유두의 멜라닌 색소를 파괴시켜 털이 나지 않게 하는 시술 방법이다. 성장기, 퇴행기, 휴지기 털 중 성장기에 있는 털이 가장 효과적으로 제거되므로 치료는 일반적으로 1.5개월 내지 2개월마다 5번 정도 반복하여 성장기 주기에 있는 털들이 골고루 파괴되도록 해야 한다. 444명의 환자를 대상으로 한 11개의 무작위 배정 임상 연구들을 분석한 결과, 레이저 제모 후 6개월 내에 약 50%의 체모가 감소되는 것으로 보고되었다. 치료 중단 이후의 장기 예후에 관한 연구 결과는 아직 부족한 실정이나 최근에는 제모 치료 6개월 후의 결과가 2년 후의 경과와 차이 없다는 보고가 있으므로 일반적으로 6개월간 관찰해서 털이 다시 나지 않으면 영구 제모가 된 것으로 간주하고 있다. 드물기는 하지만 통증, 피부 발적, 부종, 화상, 색소침착 등의 부작용도 보고되고 있다. 또한 레이저 제모가 효과적으로 이루어지려면 피부와 체모 색소 사이에 대비가 되어야 하므로 상대적으로 어두운 피부색을 가진 여성에서는 효과가 떨어지는 면이 있으며, 시술 전후 자외선 차단이 매우 중요하여 특히 태닝(tanning)을 한 직후에는 시술을 피하는 것을 권고한다. 레이저 치료와 약물 치료를 병행하는 것이 시술 효과를 높이는 지에 대한 임상 연구 결과는 아직까지 부족한 실정이다. 털의 색이 옅은 환자에게서 레이저 제모가 용이하지 않은 경우에는 전기분해를 이용한 제모를 고려할 수 있다.

에플로르니틴 하이드로클로라이드(eflornithine hydrochloride) 13.9% 크림은 안면의 다모증에 대해 유일하게 FDA 승인을 받은 국소크림으로서 처방전이 필요한 제제이다. 에플로르니틴은 모낭의 기질 세포 증식 및 체모 성장에 결정적인 역할을 하는 폴리아민(polyamines) 생성에 관여하는 효소인 오르니틴 카르복시이탈효소(ornithine decarboxylase)의 비가역 억제제로 체모의 성장을 느리게 하는 효과가 있다. 2007년도에 eflornithine hydrochloride study group에서 제약회사의 지원 하에 실시한 대규모의 무작위 연구결과를 발표하였는데, 약 24주 사용 후 안면부위 털의 길이는 23% 짧아졌고 털의 양은 26% 감소되는 소견을 보였다. 특히, 감소 효과는 대부분에서 치료 시작

후 약 8주 뒤부터 나타나기 시작하는 것으로 보고되었다. 부작용으로는 찌르는 느낌, 따끔거림, 작열감 등이 있다. 안면의 털에 대해서 레이저 제모와 에플로르니틴 크림을 병용하였을 때 레이저 단독 치료보다 효과가 더 좋았다는 보고가 있다. 레이저 치료에 비해서 얇고 색이 진하지 않은 털에도 효과가 있을 것으로 추측되나 이에 대해서는 추가 연구가 필요하다.

2. 전신 치료

다모증에서 전신 치료의 기전은 난소에서의 남성호르몬 생성을 억제하거나, 남성호르몬 수용체 수준에서 남성호르몬 작용을 줄이는 것으로 요약될 수 있다. 1227명의 여성을 대상으로 한 28개의 무작위연구만을 계통적 리뷰한 결과를 보면, 6개월간 투여 후 위약 복용군과 비교 시에 플루타마이드(41.3%), 스피로놀락톤(38.4%), 초산사이프로테론과 에티닐 에스트라디올 복합제(36%), 싸이아졸리딘다이온(thiazolidinedione)(31.5%), 경구피임약(27%), 피나스테리드(20.3%), 메트포민(19.1%)의 순으로 다모증 치료에서 효과를 보이는 것으로 보고되었다. 2018년 32개의 무작위배정 임상연구들을 네트워크 메타분석을 통해 경구피임제, 항안드로겐 약제, 인슐린 감수성 개선제의 효과를 위약과 비교한 분석한 결과를 살펴보면 경구피임약 + 인슐린 감수성 개선제가 가장 효과가 좋은 것으로 분석되었고, 그 뒤로 항안드로겐 약제 + 인슐린 감수성 개선제, 경구피임약 + 항안드로겐 약제, 항안드로겐 제제, 경구피임약, 인슐린 감수성 개선제 순으로 효과를 보였다. 따라서 전신 치료 약제 중 병행 요법도 고려할 수 있으며, 각 약제의 효과는 다음과 같다.

1) 경구피임약

배란장애와 관련된 경증 또는 중증의 고안드로겐혈증은 경구피임약을 투여하는 것으로 많은 효과를 얻을 수 있다. 경구피임약이 안드로겐과다증에 도움이 되는 기전은 다음과 같다. 먼저 에스트로겐은 간에서의 성호르몬결합글로불린의 생성을 증가시킴으로써 혈중의 유리 테스토스테론 수치를 낮춘다. 두 번째로 프로게스틴은 황체화 호르몬 분비를 억제함으로써 난소에서의 안드로겐 생성을 낮춘다. 세 번째로 프로게스틴은 5α-환원요소 및 안드로겐 수용체와 경쟁적으로 작용하여 안드로겐 생성이나 안드로겐의 효과를 낮출 수 있다. 경구피임약의 세부 성분은 약제마다 매우 다양하나 전체적으로는 모두 안드로겐을 억제하는 효과가 있는 것으로 알려져 있으며, 이는 주로 에스트로겐이 성호르몬결합글로불린의 생성을 증가시키는 효과로 인한 것으로 알려져 있다.

경구피임약의 다모증 치료에 대한 효과의 차이는 함유된 에치닐에스트라디올의 용량과 프로제스토겐의 종류에 좌우되는데, 초산사이프로테론과 에티닐 에스트라디올 복합제의 경우 복용 약 6주기 또는 8-12주기 사이에 다모증이 유의하게 호전되는 것으로 보고되었다. 프로게스틴 중 스피로놀락톤에서 유도된 드로스피레논의 항안드로겐 효과는 프로게스틴 중 가장 강력한 항안드로겐 효과를 가진 초산사이프로테론의 약 30% 정도인 것으로 알려져 있다. 드로스피레논의 이러한 항안드로겐 효과로 인해 다모증 여성의 치료를 위해 사용이 가능하다. 다모증에 효과를 나타내는 드로스피레논의 역할을 살펴보면 난소에서 스테로이드 생성을 억제하고, 부신에서의 남성호르몬 생성을 낮추며, 말초 부위에서 진피와 털기름샘의 안드로겐 수용체를 막는 작용을 한다. 50명의 여성을 대상으로 3 mg의 드로스피레논과 30 μg의 에티닐 에스트라디올을 12 주기간 장기적으로 투여하며 전향 관찰한 연구에서 FG 점수는 6개월 뒤 67%만큼 감소하였으며, 12개월 뒤에는 78%만큼 감소한 소견으로 유의하게 호전되는 소견이 관찰되었다. 이러한 개선 효과는 주로 가슴과 복부, 윗입술과 턱 부위의 털에 나타났으며, 등과 팔의 체모에는 상대적으로 효과가 떨어졌다. 또다른 무작위 배정 연구를 살펴보면 에티닐 에스트라디올 30 μg과 드로스피레논 3 mg을 투여한 군과 에티닐 에스트라디올 30 ug과 데소게스트렐 150 μg을 투여한 군을 비교한 연구에서, 드로스피레논을 사용한 군에서는 6개월의 약제 투여 후 FG 점수가 36.5% 감소하는 소견을 보였으며 그 효과가 약제를 중단한 6개월 후까지 관찰되었지만 데소게스트렐을 사용한 군에서는 FG 점수의 유의한 변화는 관찰되지 않았다.

프로게스틴들 중에서 비교적 초기에 개발된 19-nortestosterone으로부터 합성된 프로게스틴인 레보노게스트렐, 노게스트렐 또는 노에티드론 등은 SHBG이나 유리테스토스테론에 영향을 미쳐서 안드로겐의 활성을 높임으로써 오히려 다모증을 악화시킬 수도 있으므로, 적절한 프로게스틴 제제를 선택하는 것이 중요하다. 노게스티메이트, 데소게스트렐이나 게스토덴과 같은 프로게스틴들은 상대적으로 낮은 안드로겐 활동성을 가지고, 성호르몬결합글로불린을 낮추지 않으므로 중립적인 효과가 있을 것으로 여겨지고 있다. 약제의 종류 뿐만 아니라 용량에 따라서도 안드로겐 활동성이 다를 수도 있다는 것도 염두에 두어야 한다.

하지만 현재 경구피임약들 사이의 효과를 비교한 논문은 많지 않은 실정이며, 2018년 Endocrine Society 임상 진료지침에서는 다모증을 치료하기 위해 일차로 경구피임약을 사용하는 것을 권고하고 있으나, 해당 학회의 메타 분석 결과 경구피임약 간의 효과 차이는 명확하지 않았기 때문에 특정 경구피임약을 권하고 있지는 않다. 다만 레보노게스트렐은 대사 지표(metabolic biomarker)들에 악영향을 미칠 수 있으므로 피할 것을 권유하고 있다. 또한 비만이거나 39세 초과인 여성에서는 혈전증의 발생 위험을 고려하여 최대한 저용량 약제를 사용할 것을 권유하고 있다.

2) 항안드로겐 약제(표 8-10)

6개월간의 경구피임약 치료 시에도 효과가 만족스럽지 않을 경우 항안드로겐 약제 추가를 고려해 볼 수 있다. 즉 경구피임약에 의한 난소에서의 남성호르몬 생성 억제만으로는 효과가 불충분한 경우, 남성호르몬 수용체에서 남성호르몬과 경쟁적으로 작용하여 남성호르몬의 작용을 억제하거나 테스토스테론에서 다이하이드로테스토스테론으로의 전환을 담당하는 효소인 5α-환원요소를 억제하는 항안드로겐 약제를 사용할 수 있으며, 이러한 약제들 중에서 주로 다모증 치료에 대한 연구 결과가 발표되고 있는 약물들로는 초산사이프로테론, 스피로놀락톤, 플루타마이드에 등이 있다.

17-수산화 프로게스토겐 유도체인 초산사이테론의 경우 남성호르몬 수용체에서 다이하이드로테스토스테론과 경쟁적으로 작용하며, 단독으로는 해당 약제가 포함되지 않은 경구피임약 사용 시에 첫 10일간 첨가해서 사용할 수 있다.

스피로놀락톤은 알도스테론 길항제로서 본태 또는 신혈관 고혈압 치료제로 사용되고 있으며 구조적으로는 프로게스틴과 유사하다. 남성호르몬 수용체에서 다이하이드로테스토스테론과 용량 의존성을 가지고 경쟁적으로 작용하며, 5α-환원요소를 억제하는 효과를 가지고 있다. 하루 100-200 mg 용량으로 투여 시 비슷한 효과를 보이는 것으로 보고되고 있으며 다른 약제와의 병용을 할 때에는 하루 25-50 mg의 저용량으로도 효과가 있는 것으로 보인다. 8년 이상의 장기 사용에도 심각한 부작용은 관찰되지 않았다는 연구 결과가 있으므로 장기간 안전하게 사용할 수 있는 약제로 생각된다. 매우 드문 부작용으로는 고칼륨혈증이 있으며 부신, 간, 신장 질환이 있는 환자에서 위험성이 증가할 수 있으나 젊은 여성에서는 거의 나타나지 않는 것으로 알려져 있다. 또다른 부작용으로는 에스트로겐 유사작용으로 인해 월경 주기가 불규칙해지거나, 유방압통, 두통 등을 호소할 수 있다. 그러나 스피로놀락톤 사용 시 유방암이 증가하지는 않는 것으로 보인다. 임신 중 사용하게 되면 남아에서 여성화를 유발할 수 있으므로 해당 약제를

표 8-10. 다모증 치료에 사용되는 항안드로겐 약제

	Dose
초산사이프로테론	매 월경주기 5-15일에 50-100 mg/일에 에티닐 에스트라디올(ethinyl estradiol) 20-35 μg(월경주기 5-25일 복용)과 함께 복용
스피로노락톤	100-200 mg/일을 하루에 두 번 분복
플루타마이드	2.5-5 mg/일
피나스테리드	250-500 mg/일(고용량) 62.5-250 mg(저용량)

사용할 때에는 피임을 하는 것이 중요하다.

피나스테리드 역시 5α-환원요소를 경쟁적으로 억제해 테스토스테론에서 다이하이드로테스토스테론으로 전환되는 과정을 억제하므로 항안드로겐 효과를 보이는 약제이다. 이러한 효과로 인해 남성형탈모 치료제로 사용되고 있으며, 단독 또는 경구피임약과 병행하여 사용 시 다모증 치료에도 효과가 있는 것으로 보고되었다. 2015년의 코크란 분석에 따르면 세 개의 연구를 종합하였을 때 하루 5-7.5 mg의 약제 투여는 6-9개월 후 FG score를 평균 5.7점 (95% CI -6.9, -4.6) 낮추는 것으로 보고되었다. 일반적으로 하루 5 mg를 사용하는 것이 일반적이나 2.5 mg의 저용량으로도 비슷한 효과를 보인다는 연구 결과도 있다. 흔한 부작용으로는 피부 건조, 성욕 감소, 두통 등이 있다. 해당 약제의 약전에 명시된 사용 금기 대상에는 소아 및 여성이 포함되어 있으며, 특히 임부 및 가임기 여성은 부서진 약조각조차도 만지지 말라고 주의 사항에 명기되어 있기 때문에 다모증 여성에서의 사용은 주의를 해야 한다.

플루타마이드는 비스테로이드 안드로겐 수용체 차단제로 전립선암의 치료제로 사용되는 약물이다. 초산사이프로테론이나 스피로놀락톤보다 더 강력한 제제로 하루 250 mg 사용이 일반적이나, 부작용을 고려하여 125 mg이나 62.5 mg으로 낮추어 사용할 때에도 다모증에 효과를 보일 수 있다. 하지만 해당 약제의 간독성과 비교적 고가인 점을 고려하여 다모증 치료를 위해서는 사용을 권고하지 않는다.

이렇게 언급한 모든 항안드로겐 약제들은 단독으로 사용 시에도 효과가 있지만 경구피임약, 메트포민 등과 조합하여 사용할 때 그 효과가 더욱 좋은 것으로 보고되고 있다. 하지만 이러한 약제들 모두 태아에 치명적인 독성을 야기할 수 있으므로 해당 약제들을 사용하는 경우에는 환자에게 이러한 사실들을 설명하고 반드시 적절한 피임법을 병행해야 할 것이다. 크림 형태의 경피 항안드로겐 약제는 다모증에는 효과가 없는 것으로 보인다.

3) 인슐린반응개선제

인슐린반응개선제는 말초에서 인슐린 감수성을 높이는 동시에 안드로겐 생성을 낮추기 때문에 장기적으로 사용하였을 때 다모증을 포함하여 여드름, 흑색가시세포종과 같은 안드로겐 과다 증상을 개선하는데 효과를 나타낼 수 있다. 이러한 대표적인 약제로는 메트포민이 있으며 그 외에 싸이아졸리딘다이온 계열 약물들도 존재한다.

메트포민은 인슐린 감수성을 높이기 위해 다낭난소증후군에서 종종 사용되는 약제이다. 다낭난소증후군에서 사용하였을 때 몇몇 연구에서 위약과 비교 시 FG 점수가 유의하게 감소함을 보고하였으나, 양 군 간에 유의한 차이가 없었다는 보고도 존재한다. 메트포민을 경구피임약, 초산사이프로테론, 플루타마이드 등의 다른 약제의 효과와 비교한 연구들의 결과는 아직까지 일관성이 부족하다. 일반적으로 메트포민은 플루타마이드나 스피로놀락톤에 비해서 그 효과가 떨어지는 것으로 보인다. 20년 발표된 코크란 분석으로 살펴보면, 다낭난소증후군 여성의 다모증 치료에 있어서 여성의 BMI가 25-30 kg/m^2 사이인 경우에는 메트포민 단독 사용의 효과는 경구피임약에 비해 떨어지는 것으로 분석되었으나, 그 외의 BMI 범위에서는 이러한 차이가 명확하지 않았다. 경구피임약과 메트포민을 병행하여 사용하게 되면 두 약제를 각각을 단독으로 사용한 경우보다 효과가 좋았다. 경구피임약에 비해 메트포민은 심한 위장관 부작용의 발생은 더 많았지만, 다른 심각한 부작용은 더 적은 것으로 보인다.

싸이아졸리딘다이온 계열 약제들이 다낭난소증후군 여성의 다모증에 효과가 있다는 보고가 있으나, 피오글리타존, 로시글리타존 등의 약제는 심장독성 및 간독성의 부작용을 나타내므로 주의해서 사용해야 한다. 트로글리타존은 간독성으로 현재는 사용하지 않는다.

2018년 Endocrine Society의 가이드라인에서는 메트포민 사용을 권장하지 않는다고 결론 내렸으나 코크란 분석 등을 살펴보면 병용요법에서는 메트포민 추가가 상승 효과가 있을 수 있을 것으로 보인다.

4) 생식샘자극호르몬방출호르몬 작용제(Gonadotropin releasing hormone agonist, GnRH agonist)

경구피임약과 항안드로겐 약제 치료에 반응하지 않거나 복용을 지속하기 어려운 다모증의 경우 GnRH 작용제 투여를 고려할 수 있다. 그러나 GnRH 작용제를 사용한 뇌하수체 기능의 억제는 안드로겐뿐 아니라 에스트로겐의 억제도 유발하므로 적정효과가 나타나면 에스트로겐-프로게스토겐 보충요법을 병용할 수 있다. 호르몬 보충을 위해 대개의 경우 0.3-0.625 mg의 결합 에스트로겐 또는 1.0 mg의 에스트라디올과 5-10 mg의 메드록시프로게스테론 등의 프로게스틴을 조합하거나 경구피임약을 사용한다. 이러한 병용요법은 에스트로겐에 의한 성호르몬결합글로불린 상승의 부가적인 장점을 통해 GnRH 작용제를 단독으로 투여하는 경우보다 혈중 유리테스토스테론 농도 감소 효과가 더 향상된다. 그러나 다모증의 치료에 있어서 GnRH 작용제와 경구피임약의 병용 요법은 GnRH 작용제 단독 요법보다 더 효과적이라고 할 수 없다는 연구 결과도 있다.

5) 부신피질호르몬(Glucocorticoids)

부신 효소의 결핍이 동반되어 있는 다모증 환자의 경우 다모증 치료제로서 당질코르티코이드를 사용할 수 있으나 경구피임약이나 항안드로겐 약제에 비해서 효과는 떨어진다.

6) 전신 치료약제의 선택

다모증 치료를 위해 장기 약물 복용이 필요함을 고려하면 일차로는 안드로겐 활성 효과가 낮은 프로게스틴이 포함된 경구피임약을 고려할 수 있을 것이다. 이 경우 심혈관이나 혈전증에 미칠 수 있는 환자의 특성 및 약제의 영향을 고려해야 한다. 앞서 살펴본 바와 같이 프로게스틴 중 드로스피레논이 포함된 약제는 다모증에 효과가 있다는 보고들이 있다. 전신 치료약제가 효과를 나타내는 시점은 6개월 정도가 걸리기 때문에 성급하게 약제를 변경하기보다는 적어도 6개월 이상은 약제를 사용한 다음 다른 약제로의 변경을 고려해야 할 것이다. 약제의 효과가 부족하다고 여겨질 경우에는 스피로놀락톤과 같은 항안드로겐 제제의 추가를 고려해볼 수 있으며 해당 약제의 병용 시 용량은 하루 50 mg 이하로도 효과가 있는 것으로 보고되고 있다. 환자의 증상이 심하고 이로 인한 스트레스가 심한 경우에는 초기부터 병행요법으로 시행하는 방법을 선택할 수도 있다. 경구피임약과 스피로놀락톤을 병행 투여함으로써 임신을 피할 수 있고 월경불순과 같은 스피로놀락톤의 부작용을 완화시킬 수 있다. 스피로놀락톤을 병행하거나 용량을 증가할 때에는 고칼륨혈증이나 저혈압의 부작용이 드물긴 하지만 발생할 수 있다는 것을 고려해야 한다. 혈전증 발생의 위험이 우려되는 여성(비만, 39세 초과 등)에 대해서는 드로스피레논보다 혈전증 발생 위험이 낮은 프로게스틴을 포함한 경구피임약을 저용량 제제로 사용하는 것을 고려할 수 있으며 이 경우에도 스피로놀락톤 병용을 고려할 수 있다. 경구피임약의 사용이 금기인 여성에 대해서는 항안드로겐 약제의 단독 사용을 고려할 수 있으며, 이 경우에는 적절한 피임 방법을 필히 병행해야 한다. 메트포민의 병용은 단독 사용은 그 효과가 명확하지 않다. 하지만 비교적 안전한 약제이므로 다른 약제와의 병용을 통해 다모증 치료의 효과를 높이는 것을 기대할 수 있다.

VII. 결론

다모증은 다양한 원인이 그 기저에 존재할 수 있다. 다모증은 단순한 미용 문제에 그치지 않고, 여성의 심리적인 요소에도 영향을 미칠 수 있는 요인이므로 환자를 상담하고 치료하는데 있어서 이러한 점들을 모두 고려하여 세심한 상담 및 적절한 치료를 진행해야 할 것이다. 다모증은 인종에 따른 차이가 있으며, 일반적으로 동양여성에서는 그 빈도나 정도가 심하지 않은 편인다.

다모증에 대한 평가 시 점수가 상승된 여성에서는 혈중 안드로겐 수치를 측정해보아야 한다. 또한 다모증 환자의 상당수에서는 다낭난소증후군이 원인이므로 이를 시사하는 증상이 있을 경우 다낭난소증후군과 관련된 검사들도 시행해야 한다. 중등도 이상의 다모증이 갑자기 발생하거나 빠르게 악화되는 경우에는 동반된 기저질환이 있을 수 있음을 염두에 두고 관련 검사를 시행해야 한다.

다모증 여성의 치료에 있어서 크림 제제나 레이저를 이용한 직접적인 제모를 시행하는 국소 방법과 다양한 전신 약물치료를 사용할 수 있으며 이들을 적절히 병행하는 것을 치료 효과를 높일 수 있다. 국소 제모를 원하는 여성의 경우 레이저 또는 광제모도 유용한 방법이다. 전신 치료 시에는 저용량 복합경구피임약을 우선적으로 사용하는 것을 권고한다. 치료의 효과는 단기간에 나타나지는 않으므로 적어도 6개월 이상은 꾸준히 치료를 해야 한다. 경구피임약으로 치료를 하였음에도 만족스럽지 않을 경우 항안드로겐 약제의 추가를 고려할 수 있다. 하지만 항안드로겐 약제는 태아에게 치명적일 수 있으므로 적절한 피임법을 함께 병행해야 한다. 인슐린반응개선제의 경우 다모증 치료에서의 효용은 불확실하지만 다른 약제와 함께 보조적으로 사용할 수 있다.

<u> 참고문헌 목록은 대한산부인과내분비학회 홈페이지 http://www.kosge.or.kr 또는 QR코드를 통해 보실 수 있습니다.</u>*

CHAPTER 9

고프로락틴혈증

김미란(아주의대)

고프로락틴혈증(hyperprolactinemia)은 뇌하수체 기능에 영향을 주는 가장 흔한 호르몬 이상으로 이차 무월경의 가장 흔한 원인이며 불임증과도 연관이 있다.

프로락틴은 뇌하수체 전엽에서 분비되는 호르몬으로 생리적으로 임신, 수유 시 고프로락틴혈증이 나타나기도 하며 정신, 신체 스트레스나 수면, 운동 등에 의해서도 분비가 증가될 수 있다. 뇌하수체샘종의 일종인 프로락틴분비종양과 같은 병적인 원인도 있을 수 있으며 향정신약물 등의 약제 복용에 의해서도 고프로락틴혈증이 나타날 수 있다. 또한 다낭난소증후군, 신부전, 간경변 등의 질환을 가진 환자에서 고프로락틴혈증이 동반될 수 있다.

고프로락틴혈증은 사춘기지연, 이차 무월경, 골다공증 등을 일으킬 수 있으나 무증상인 경우도 있으며, 프로락틴분비종양의 경우 훅효과(hook effect)에 의해 위음성이 나오기도 하여 진단이 늦어지거나 어려울 수 있다.

그러므로 고프로락틴혈증을 감별하기 위해서는 임상소견과 발생 원인, 병태생리, 진단 및 치료를 정확히 이해하여야 한다.

Ⅰ. 임상소견

폐경기 이전 여성에서는 높은 프로락틴수치가 생식샘자극호르몬방출호르몬의 분비를 방해하여 생식샘기능저하증을 유발하므로 희발월경 또는 무월경과 불임을 야기할 수 있다. 드물게는 유즙분비(galactorrhea)가 발생할 수 있다. 유즙분비는 프로락틴 수치가 정상일 때도 다른 원인에 의해 발생할 수 있으므로 적절한 추가 검사와 감별진단이 필요한 증상이다. 생식샘기능저하증이 지속되면 골밀도감소의 위험이 증가할 수 있다.

남자에서 고프로락틴혈증이 생길 경우는 성욕감퇴, 발기부전, 불임, 여성형유방, 드물게는 유즙분비와 같은 증상들이 발생할 수 있다.

프로락틴 수치의 정도에 따라 주 증상의 분포가 다를 수 있다. 현저한 고프로락틴혈증(>100 ng/mL)은 일반적으로 생식샘저하증, 유즙분비와 무월경과 관련된다. 중등도의 고프로락틴혈증(51-100 ng/mL)은 희발월경과 관련된다. 경도의 고프로락틴혈증(31-51 ng/mL)은 황체기단축, 성욕감소와 불임증과 관련된다.

프로락틴분비종양에서는 체중 증가가 관련될 수 있으며, 거대프로락틴분비종양이 있을 때에는 두통이나 시야 결손, 뇌신경마비 등의 증상이 생길 수도 있다.

II. 원인

고프로락틴혈증의 원인에는 생리적 원인과 병적인 원인들이 있을 수 있다(표 9-1). 임신으로 인한 에스트로겐 농도의 증가가 혈중 프로락틴을 증가시키며, 수유 기간 중의 유두 자극도 프로락틴의 분비를 증가시킨다. 이는 생리적으로 일어나는 프로락틴 증가이므로 임신이나 수유기간이 끝나면 자연적으로 정상 농도로 돌아오게 된다. 프로락틴분비종양, 갑상선저하증, 간경변증, 신부전 및 약물복용 등의 병적인 원인이 있다. 또한

표 9-1. 고프로락틴혈증의 원인

생리적 원인	수유 또는 유두자극 운동 거대프로락틴(macroprolactin) 임신 정신 스트레스 육체 스트레스 성교 수면 정맥천자	
병적 원인	시상하부-뇌하수체 줄기 손상	육아종(granuloma) 침투(inflitration) 방사능 Ranke's cyst
	뇌하수체	원인불명 프로락틴종 말단비대증 수술 사고(trauma)
	전신형 질환	다낭난소증후군 흉벽 손상, 흉부 수술
	경추 병변	대상포진(피부절이 유방을 침범했을 때) 신부전 간부전

분석 상의 고프로락틴혈증인 거대프로락틴혈증이 있는데 이는 증상이 없고 생식샘과 생식기능이 정상이면서 프로락틴 농도가 증가한 경우에 의심할 수 있다. 거대프로락틴은 면역글로블린G복합체(IgG complexes) 형태로 되어 있고 생체활성이 없거나 감소되어 있어 치료가 필요하지 않다.

병적 원인 중 프로락틴분비종양(prolactinoma)은 가장 흔한 신경내분비 종양으로 뇌하수체 종양의 약 50%를 차지하며, 프로락틴을 분비하며 대부분 양성이다. 종양크기가 10 mm 미만인 것을 미세샘종이라하며 10 mm 이상인 것을 거대샘종이라고 한다. 프로락틴분비종양의 유병률은 10,000명당 5명이며, 발병률은 해마다 10만 명당 3-5명이다. 최근 자료에 의하면 뇌하수체 종양의 발병률은 이전에 발표된 바보다 높다. 프로락틴분비종양의 빈도는 나이와 성별에 따라 다르게 나타나는데, 대부분 20-40대의 여성에서 많이 관찰된다. 여성 대 남성의 비율은 44세까지는 여성이 남성보다 5배에서 10배 많이 발생하며 폐경 이후는 비슷해진다. 소아에서 프로락틴분비종양의 발생은 드물지만 신경 증상을 동반한 거대샘종이 많기에 좀 더 침습적인 경우가 많다.

뇌하수체 줄기가 차단되거나 도파민 신경이 손상되는 종양이나 침윤 질환, 외상과 같은 경우에도 도파민의 억제작용이 감소되어 고프로락틴혈증이 발생할 수 있다. 갑상선저하증은 갑상선자극호르몬이 증가하여 프로락틴 분비를 자극하고, 프로락틴의 배설을 감소시킴으로써 고프로락틴혈증이 발생한다. 고프로락틴혈증과 다낭난소증후군은 약 30%에서 동반되는데 장기간 에스트로겐 농도가 증가하여 중등도의 프로락틴 농도 증가를 보이며 도파민작용제에 반응한다. 신부전에서는 프로락틴의 청소율이 감소하여 고프로락틴혈증을 유발할 수 있고, 그 외에 간경변증, 신장암과 폐암, 난소기형종과 자궁근종에서도 프로락틴이 증가할 수 있다.

또한 고프로락틴혈증을 보이는 환자에서 도파민 D2 수용체 길항제인 항정신병약이나 메토클로프라미이드와 같은 프로락틴 수치를 증가시킬 수 있는 약물을 복용하고 있는지 확인해야 한다(표 9-2).

표 9-2. 고프로락틴혈증을 일으키는 전형적 약물

약물 종류 구분		약물 이름
항정신병제제(antipsychotic agents)	전형적(typical)	페노티아진 제제(phenothiazine drugs), 할로페리톨(haloperidol), 프리모지드(primozide)
	비전형적(atypical)	리스페리돈(risperidone), 올란자핀(olanzapine)
항우울제(antidepressant drugs)	삼환계(tricyclic)	클로미프라민(clomipramine), 데시프라민(desipramine), 아미트리프틸린(amitriptyline), 이미프라민(iimipramine)
	선택적 세로토닌 재흡수 억제제(SSRI)	세로트랄린(serotraline), 플룩세틴(fluroxetine), 파록세틴(paroxetine)
	모노아민 옥시다아제(MAO-I)	파르길린(pargyline), 클로르질린(clorgyline)
다른 정신과 약(other psychotropics)		부스피론(buspirone), 알프라졸람(alprazolam)
항구토제(antiemetic drugs)		메토클로프라미드(metoclopromide), 돔페리돈(domperidone)
항히스타민약제(antihistaminic drugs)		씨메티딘(cimetidine), 라니티딘(ranitidine)
호르몬제제(hormones)		고용량 에스트로겐(high dose estrogens), 고용량 씨프로테로나세테이트(high dose cyproteronacetate)
고혈압약(antihypertensive drugs)		베라파밀(verapamil), 레세르핀(reserpine), α-메틸도파(alpha-methyldopa)
마약류(opiates)		코데인(codeine), 모르핀(morphine) 및 유도체(derivatives), 코케인(coccaine)
기타(others)		펜플루라민(fenfluramine), 피조스티그민(physostigmine), 항암제(chemotherapies)

III. 병태생리(Pathophysiology)

프로락틴은 뇌하수체전엽의 프로락틴분비세포(lactotroph)에 의해 생성되고 분비되며 시상하부 활꼴핵에 위치한 융기깔대기(tuberoinfundibular)의 도파민신경이 분비하는 도파민에 의한 억제에 따라 조절된다. 수유와 같이 생리적으로 고프로락틴혈증이 유발되는 상황에서는 이러한 조절 작용이 억제되는데, 이 조절 작용에 이상이 생기는 경우 병적인 고프로락틴혈증이 나타날 수 있다.

프로락틴은 염색체 6번에 존재하는 하나의 유전자에 의해 합성되는 호르몬으로, 여러 형태의 동형 단백질로써 존재할 수 있다. 그 중 23kDa의 단합체가 가장 많고 그 외에 14, 16, 22kDa의 동형체가 존재하며, 이합체를 이루는 경우도 있다. 거대프로락틴(macroprolactin)과 같이 면역글로불린 복합체를 이루는 경우도 있으며 이러한 경우 생체 활성은 없거나 감소되어 있다.

최근 뇌하수체에서 분비되는 키스펩틴(kisspeptin)이라는 생식샘자극호르몬방출호르몬 분비신경의 강력한 활성인자가 발견되면서 고프로락틴혈증의 생식샘자극호르몬방출호르몬에 대한 메커니즘이 밝혀지고 있다. 이전에는 프로락틴이 직접적으로 생식샘자극호르몬방출호르몬 분비신경에 음성되먹임 작용을 하는 것으로 생각되었으나, 생식샘자극호르몬방출호르몬 분비신경에는 프로락틴 수용체가 매우 적은 양으로 존재하는 등 설명하기 힘든 부분이 있었다. 키스펩틴 분비세포는 높은 농도의 프로락틴 수용체를 가지며 프로락틴에 의해 분비가 감소한다. 특히 임신 및 수유 시 농도가 감소하는 것을 보이며 프로락틴의 생식샘자극호르몬방출호르몬에 대한 음성되먹임 작용에서 통합 조절의 역할을 하는 것으로 생각된다.

프로락틴 혈장 농도는 정상 월경주기에는 5-27 ng/mL이다. 프로락틴의 분비 양상은 박동성을 보이는데 난포기 후기에는 90분 간격으로 하루에 13-14회, 황체기 후기에는 9회의 박동빈도를 갖는다. 그리고 아침 중간에 최저 농도를 보이는 하루변이(dilurnal variation)가 있으며, 농도는 수면시작 1시간에 증가하여 아침 5시에서 7시 사이에 최고 농도가 된다. 프로락틴의 박동 진폭은 난포기와 황체기 초기에서 후기로 갈수록 증가한다.

프로락틴 농도가 20-200 ng/mL인 경우는 어느 원인에서나 관찰되지만 200 ng/mL 이상인 경우는 대부분 뇌하수체샘종의 존재를 의미하며 일반적으로 프로락틴 농도와 프로락틴샘종의 크기와는 상관관계를 가진다.

Ⅳ. 진단

프로락틴과 갑상선자극호르몬 농도는 불임여성에서 기본적으로 검사하며 프로락틴 농도는 무월경, 유즙분비과다, 유즙분비과다를 동반한 무월경, 무월경을 동반한 다모증, 무배란출혈과 사춘기지연에서 검사해야 한다.

고프로락틴혈증과 프로락틴분비종양의 진단은 면밀한 임상 평가, 실험실 검사, 뇌하수체 영상 등을 통하여 내릴 수 있다. 먼저 혈청 프로락틴 농도를 높일 수 있는 생리적 원인이 있는지 임상 병력 청취를 시행하며 혈청 프로락틴 농도를 올리는 약제를 복용하고 있는지 확인한다.

약제유발 고프로락틴혈증이 의심되는 경우에는 3일간 중단하거나 대체 약물사용 후에 혈청 프로락틴 농도를 재측정하는 것을 추천한다. 가장 많이 고프로락틴혈증을 유발하는 약물은 신경이완제(neuroleptics) 또는 항정신병약이다. 전형적인 항정신병약, 예를 들어 페노티아진(phenothiazines) 또는 부티로페논(butyrophenones)을 복용하는 환자의 40-60%, 리스페리돈(risperidone)을 복용하는 환자의 50-100%는 고프로락틴혈증을 가지고 있다. 약제유발 고프로락틴혈증은 프로락틴 농도가 대개 25-100 μg/L이나 메토클로프로마이드(metoclopromide), 리스페리돈(risperidone), 페노티아진(phenothiazine) 등의 약물은 200 μg/L 이상 증가할 수 있다. 작용기전은 해당 약제의 도파민에 대한 길항 작용이다.

고프로락틴혈증의 진단은 여러 번의 혈액 채취를 하지 않고, 단 한번의 혈액 채취로 프로락틴 농도를 보고 충분히 진단할 수 있다. 정상 수치는 남성보다 여성에서 낮으며 일반적으로 25 μg/L 이하이다. 정상범위는 남성은 20 μg/L 이하 여성은 25 μg/L 이하이다(1 μg/L=21.2 mU/L). 그러나 대부분 실험실의 정상 범위가 다르기 때문에 폐경 전 여성에서 35 μg/L (700 mU/L) 이하까지는 정상으로 보아야 한다.

고프로락틴혈증을 진단하는 데 어려움이 있을 수 있다. 프로락틴의 자가 항체가 존재하거나 프로락틴 농도가 너무 높아서 증상 자체가 나타나지 않는 경우가 있다. 정확한 진단은 프로락틴 크로마토그래피(prolactin chromatography)와 폴리에틸렌 글리콜(polyethylene glycol)을 이용할 수 있으며, 젤 여과법(gel filteration)으로 거대프로락틴의 분포를 평가할 수 있다.

대체 방법인 프로에틸렌 글리콜 면역침강은 프로락틴 측정을 위하여 표준면역분석법(standard immunoassay)을 하기 전 혈청에서 거대프로락틴을 제거하는 것이다. 면역침강(immunoprecipitation)은 크로마토그래피보다 좀 더 비용이 들고 노력을 필요로 하는 방법이다. 거대프로락틴을 기본적으로 검사하는 것이 고프로락틴 혈증이 의심될 때 불필요한 검사를 하지 않을 수 있기에 비용 대비 경제적이라는 연구도 있다.

이와 반대로 고용량 훅효과(high dose hook effect)는 프로락틴 과다분비와 관련된 증상은 심한데 실험실 검사상 프로락틴 수치가 경하게 증가한 경우이다. 예를 들어 정상 또는 약간 증가된 프로락틴 수치를 가진 여성이 거대샘종이 의심되면 훅효과를 감별하기 위해서 연속적으로 희석해서 프로락틴 농도를 재측정해야 한다.

경도의 프로락틴과다분비(20-50 ng/mL)는 스트레스, 갑상선저하증과 다낭난소증후군과 관련된다. 중등도의 프로락틴과다분비(50-100 ng/mL)는 일반적으로 뇌하수체 미세샘종과 뇌하수체 줄기단절과 관련된다. 이러한 것들은 희발월경이나 무월경의 원인이 될 수 있다. 현저한 프로락틴과다분비(>100 ng/mL)는 일반적으로 뇌하수체 거대샘종과 관련된다. 이 경우 낮은 에스트로겐 수치가 진성 생식샘기능저하증을 초래할 수 있어 비뇨생식기의 위축 및 골감소증 등의 임상 결과를 초래할 수 있다.

뇌하수체에서의 프로락틴 분비는 수면 동안 높고 활동

할 때 낮은 하루주기리듬(circardian rhythm)을 보인다. 이것은 수면과는 무관하며 시상하부의 시각교차위핵(suprachiamatic nucleus)의 하루주기리듬에 관여하고, 뇌하수체의 송과선멜라토닌(pineal melatonin)에 직접적인 영향이 있는 것으로 생각되고 있다. 뇌하수체의 프로락틴 분비는 주로 시상하부의 억제조절을 받는다. 도파민은 주로 프로락틴의 억제작용을 받고, 갑상선자극호르몬방출호르몬(thyrotropin releasing hormone), 옥시토신(oxytocin), 바소프레신(vasopressin), 혈관작용장펩티드(vasoactive intestinal polypeptide)와 같은 뉴로펩티드(neuropeptide)에 의해 분비가 촉진된다.

뇌하수체 기능 검사는 미세샘종 환자에서 항상 필요하지는 않다. 하지만 거대샘종 환자에서는 약 45%에서 결함이 있을 수 있고 안장위종양 확장이나 신경교차를 누르는 경우 응급치료가 필요할 수 있으므로 거대샘종의 모든 환자에서 시야 검사를 시행하여야 한다. 고프로락틴혈증을 유발할 수 있는 뇌하수체와 시상하부의 다른 원인을 배제하여 뇌하수체종양이나 다른 병변들을 검사하기 위하여 영상검사를 시행한다. 가돌리늄(galdolinium)으로 조영한 자기공명영상(magnetic resonance imaging, MRI)이 전산화 단층 촬영(computed tomography, CT)보다 선호된다(그림 9-1). 전산화 단층 촬영은 작은 부위나 주위 조직과 동일한 밀도를 보이는 큰 부위를 발견하는 데 정확도가 감소하며 누적 방사선량은 백내장을 유발할 수 있다. 미세샘종과 거대샘종 환자에서 프로락틴 농도는 대개 100 ng/mL 보다 낮으므로 안장의 조사영역축소촬영(cone-down view)에서 작은 미세샘종과 다른 안장위종양 들을 발견하지 못할 수 있다. 약물이나 생리적 원인에 의한 고프로락틴혈증이 분명한 환자에서 영상 검사는 필요하지 않을 수 있다. 자기공명영상은 가장 정밀한 영상을 제공한다. 경도의 프로락틴 농도 증가도 미세샘종, 거대샘종 비젖영양세포뇌하수체종양과 다른 중추신경계이상들과 관련이 있을 수 있으므로 뇌하수체영상검사를 고려해야 한다. 자기공명영상은 임신을 원하는 환자에서 다른 가능한 안장과 안장위(suprasella) 종양들을 발견할 뿐만 아니라 뇌하수체 미세샘종과 거대샘종을 감별하는 데 필요하다. 프로락틴 농도의 증가는 종양 크기와 비례하지만 농도의 감소는 종양 크기 변화 없이도 발생할 수 있으며, 추적 검사 중에 프로락틴 농도가 유의하게 증가하거나 중추신경계 증상이 있다면 반복 영상검사가 필요하다.

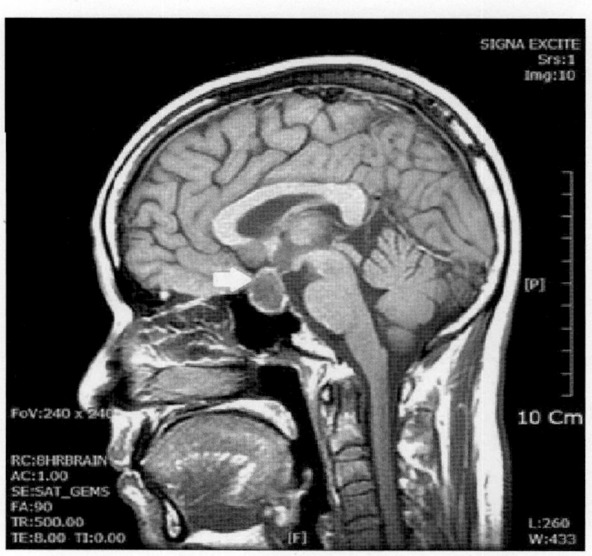

• 그림 9-1. **프로락틴분비종양의 자기공명영상** 임산부의 뇌 자기공명영상으로 1 cm 이상의 거대프로락틴분비종양(화살표)이 관찰된다.

V. 치료(Treatment)

고프로락틴혈증의 치료는 기대요법, 약물요법, 수술요법과 방사선요법이 있다. 치료의 적응증은 종양이 있는 경우 크기에 따른 신경 증상이 있거나 생길 가능성이 있을 때, 그리고 생식샘기능 저하증이나 유즙분비 등의 호르몬 과다로 인한 증상이 있을 때이다. 치료 목적은 종양이 있다면 크기를 줄이는 것, 호르몬 과다로 인한 증상들을 교정하

표 9-4. 고프로락틴혈증의 치료 목적

증상 호전
혈중 프로락틴 농도를 낮추어 배란을 정상으로 돌아오게 한다
골감소/골다공증을 예방한다.
거대샘종의 크기를 줄인다.

고 생식샘의 기능을 보충하는 것이다(표 9-4).

약제유발 고프로락틴혈증이 의심되는 경우에는 3일간 중단하거나 대체 약물사용 후에 혈청 프로란틴 수치를 재측정하는 것을 추천한다. 약제유발 고프로락틴혈증이 증상이 없다면 치료하지 않을 것을 제안하지만, 이와 연관되어 장기간의 생식샘기능저하증이 있다면 에스트로겐 또는 테스토스테론 사용을 고려해 볼 수 있다. 또한 항정신 약물이 꼭 필요한 상황에서는 다른 약물로 교체할 수 있다. 예를 들면 올란자핀(olanzapine)은 프로락틴의 분비에 영향이 적다.

1) 기대요법

샘종이 없는 고프로락틴혈증과 미세샘종에서 월경이 정상인 경우 정기 추적관찰과 기대요법을 시행할 수 있다. 장기간 고프로락틴혈증에 의한 생식샘기능저하증일 경우 에스트로겐 결핍으로 골감소증이 발생할 수 있으므로 골다공증의 위험을 검사하여 기대요법을 시행할 수 있다. 고프로락틴혈증이 있다 하더라도 월경을 규칙적으로 한다면 골다공증 위험상태가 아니므로 주기적인 관찰만으로도 충분하다. 그리고 증상이 없는 미세샘종의 성장을 평가하기 위하여 12개월마다 영상 검사를 추천한다.

2) 약물요법

증상이 있는 프로락틴분비종양의 전통적인 약물요법은 도파민 작용제(dopamine agonist)로써 프로락틴농도를 낮추고, 종양의 크기를 줄여주는 역할을 한다.

도파민 작용제는 두 가지가 있다. 하나는 브로모크립틴(bromocriptine), 퍼골리드(pergolide), 카버골린(cabergoline) 등과 같은 에르고트 유도체(ergot derivatives)이고 다른 하나는 퀴나골라이드(quinagolide) 같은 비에르고트 유도체(non-ergot derivatives)이다. 세대에 따라 구분해 보면 1세대 도파민 작용제는 브로모크립틴, 리수리드(lisuride) 퍼골리드 등이 있다. 2세대 도파민 작용제로는 카베르골린, 퀴나골라이드 등이 있다. 브로모크립틴, 카베르골린 순

표 9-5. 고프로락틴혈증에 흔히 쓰이는 도파민 작용제

	브로모크립틴(bromocriptine)	카베르골린[cabergoline (ostinex®)]	퀴나골라이드[quinagolide (norprolac®)]
	에르고트 유도체들 (ergot derivatives)		비에르고트 유도체들 (nonergot derivatives)
	1세대	2세대	
작용기간	8-12시간	7-14일	24시간
빈감기(시간)	3.3	65	22
전형적 용량	하루 2.5 mg	한 주에 0.5 mg 한번 또는 두번	하루 75 μg
용량·용법	▪ 취침전 하루 0.625-1.25 mg 복용 ▪ 점차 중위값 하루 5.0-7.5 mg까지 올리고 최대 하루 15-20 mg	한 주에 0.25-0.5 mg 2번으로 시작	▪ 하루 25μg으로 시작 ▪ 1주 이상기간 동안 하루 75 μg으로 증량 (3x25 μg + 3x50 μg)
장점	▪ 긴 사용의 역사 ▪ 태아기형이 없다 ▪ 값이 싸다	▪ 좋은 효능 ▪ 부작용이 드물다 ▪ 브로모크립틴저항성 환자에게 사용할 수 있다. ▪ 한 주 또는 한 주에 두 번 사용	▪ 좋은 효능과 내성 ▪ 하루 한번 용량, 간단, 뇌하수체 선택적, 임신 중 사용 가능
단점	내성, 재발		미국과 일본에서 미사용
부작용	오심, 두통, 어지럼증, 기립성 저혈압, 비충혈, 변비, 피곤	▪ 브로모크립틴에 비해서 부작용이 드물고 약하다. ▪ 심장 판막 이상	브로모크립틴에 비해서 부작용이 드물고 약하다.

으로 현재 많이 사용되고 있으며, 퀴나골라이드는 심장판막에 대한 부작용으로 인해 미국에서는 사용되지 않고 캐나다를 포함한 몇몇 국가에서만 사용된다. 3가지 약 모두 구강으로 복용 시 혈청 유즙호르몬 농도를 줄이고, 종양 크기를 줄이지만 D2 수용체에 대한 친화성이 다르고 혈중 반감기가 다르다. 카베르골린이 현재 가장 친화력이 높고 D2수용체에 대한 선택성이 가장 높다. 아래 표에 현재 사용되고 있는 도파민 작용제를 정리하였다(표 9-5).

1971년에 처음 소개된 브로모크립틴(bromocriptine)이 가장 오래 사용되었으며, 도파민 농도를 증가시킴으로써 프로락틴 농도를 감소시킨다. 브로모크립틴의 안정성과 효과는 여러 논문에서 입증되었다. 임상 경험을 바탕으로 브로모크립틴은 미세샘종의 80-90%에서, 거대샘종에서는 70%에서 프로락틴 농도를 정상화하고, 성선기능을 회복시키며, 종양 크기를 감소시킨다. 또한 종양으로 인한 두통이나 시야결손 등도 대부분의 환자에서 브로모크립틴 사용 후 수일 내에 회복된다. 치료 용량은 일반적으로 하루에 2.5 mg부터 15.0 mg까지 가능하며 대부분의 환자들이 7.5 mg 이하의 용량을 처방받는다. 저항성을 보인다면 치료 용량을 하루에 20-30 mg까지 증량해 볼 수 있다. 복용법은 일주간 1/2정(1.25 mg)을 매일 저녁에 복용하고 다음 일주간은 아침과 저녁으로 1/2정을 각각 복용하며 삼 주째는 아침에 1/2정, 저녁에 1정을 복용, 사 주째는 아침과 저녁으로 1정씩 복용하고 그 후에는 1정씩 아침과 저녁으로 복용한다. 브로모크립틴은 약리학적으로 반감기가 8-12시간으로 짧다. 그러므로 하루 두 번 복용하며, 프로락틴 농도는 마지막 복용 후 6-24시간에 검사한다.

브로모크립틴 복용 환자의 60%에서 부작용을 경험한다. 부작용은 약제의 빠른 장 흡수에 의하여, 오심, 구토, 두통, 기립저혈압, 어지럼증, 피로, 졸음, 비강출혈과 변비가 있으며 드물게 환청, 망상, 기분 변화가 있으나 약물의 중단으로 없어진다. 경구 투여 외에 질정의 사용도 가능하다.

카베르골린은 다른 도파민 작용제에 비하여 뇌하수체의 도파민 D2 수용체에 특이적으로 장시간 작용하므로 일주일에 한 번 또는 두 번 경구 투여한다. 카베르골린은 프로락틴 농도를 낮추며 종양 크기를 감소시키는데 브로모크립틴보다 효과적이며 실질적으로 부작용이 적다. 1 mg의 카베르골린을 1주에 2번 사용하였을 때 고프로락틴혈증의 95%에서 유의하게 수치를 감소시켰다. 또한 455명의 환자를 대상으로 한 대규모 연구에서도 환자의 85%에서, 244명의 미세샘종 또는 원인불명의 고프로락틴혈증의 92%에서, 거대프로락틴혈증을 가진 181명의 77%의 환자에서 프로락틴 수치를 정상화시켰다. 단지 13%의 환자에서 부작용을 보였고 4%에서 부작용으로 약물을 중단하였다. Di Sarno 등은 카베르골린과 브로모크립틴에 대한 후향 비교연구를 하여 카베르골린이 브로모크립틴보다 우수함을 입증하였다. 여러 연구에서 카베르골린 복용 당시 자궁 내에 있었던 아이가 12살이 되었을 때까지 관찰하였지만 발달에 영향이 없었다. 아직까지 밝혀진 카베르골린의 태아에 대한 영향은 없으나 브로모크립틴에 비하여 현재 발표된 임상 결과가 적으므로 임신 중 어떤 약을 선택할지에 대해서는 논란의 여지가 있다. 부작용을 줄이고 싶어하는 산모에게는 카베르골린을 사용하고, 혹시나 있을지도 모르는 태아에 대한 영향을 더 우려하는 산모에게는 브로모크립틴을 일차적으로 사용하는 방법을 권장한다.

도파민 작용제 치료로 환자의 약 80-90%에서 프로락틴 농도가 감소하고 종양 크기가 축소되며 대략 90%에서 수주일 내에 난소 기능이 회복된다. 치료에도 불구하고 프로락틴 농도는 미세샘종에서 약 10%, 거대샘종에서 약 20%가 감소되지 않으며, 2-5년 동안 치료 후 비종양 고프로락틴혈증에서 24%, 미세샘종에서 31%, 거대샘종에서 36%가 재발한다. 도파민 작용제에 대한 저항성은 약 5-18% 정도이며 수용체 결함과 환자의 순응도 불량이 흔한 원인이다. 도파민 작용제에 대한 반응은 다양하고 모든 환자가 도파민 작용제에 만족할 만한 결과를 보여주지는 않는다. 도파민 작용제의 저항성이란 최대한 용량의 도파민 작용제를 사용하여도 정상 프로락틴 농도에 이르는 것을 실패하였거나 종양의 크기 감소가 50% 미만일 경우이다. 도파민 작용제 정식 용량을 사용하여도 불임증이 회복되지 않았을 경우도 포함한다. 아직 도파민저항성 프로락틴분비종양(dopamine agonist resistance in prolactinomas, DRAP)에 대한 정확한 정의는 없지만, 브로모크립틴 저항성은 1.5 mg의 브로모크립틴을 3개월 이상 매일 사용하여도, 카베르골린에 저항성은 1.5-2.0 mg을 한 주 간격으로 사용하여도 프로락틴 농도가 정상화되지 않을 때이다. 도파민 작용제 저항의 정확한 기전에 대해서는 완전하게 알려진 바는 없지만 저항성 프로락틴분비종양에서 도파민 D2 수용체 발현이 감소되어 있음을 발견하였다. 미세샘종은 거대샘종보다 도파민 작용제에 덜 저항적이다. 카베르골린 치료 후 미세샘종 환자의 10%, 거대샘종 환자의 18%에서 정상 유즙호르몬 농도에 이르지 못한다. 남성이 여성보다 도파민 작용제에 덜 저항적이다.

3) 수술요법

프로락틴을 과다분비하는 종양의 수술은 신중하여야 하며 약제에 불내성 또는 저항을 가지는 경우나 최고 용량의 도파민 작용제에도 불구하고 지속적으로 종양이 있는 경우에 시행한다. 항정신성약에 의존해야 하는 사람의 경우 고려해볼 수 있다. 수술요법이 필요한 경우 아래와 같다(표 9-6).

나비굴경유접근법(transsphenoidal approach)으로 수술을 하며 장기간 추적검사와 평가를 하여야 한다. 샘종의 크기와 의사의 기술에 따라 다르지만 수술 성공률은 미세샘종은 75%, 거대샘종은 26%이다. 수술 후 고프로락틴혈증의 재발은 미세샘종은 17-50%, 거대샘종은 20-80%이며 첫 일 년 이내에 발생한다. 재발의 원인은 불완전한 종양 제거이므로 제한된 경우에 수술을 하여야 한다. 재발환자의 약 40%는 정상적인 월경을 하며 10-20년간 추적 검사에서 종양이 발견되지 않기도 하며 종양의 재성장은 드물다. 수술 후 합병증은 요붕증, 뇌척수액노출, 뇌막염, 뇌하수체저하증 등이 있다. 반면, 프로락틴 농도의 정상화나 종양크기의 감소효과는 약물치료와 수술치료가 별다른 차이가 없고 때로는 약물 치료의 결과가 더욱 좋아 1980년대 이후로 약물치료가 일차 치료가 되어왔다. 프로락틴분비종양은 대개 양성이다. 따라서 수술이 프로락틴분비종양양의 일차 치료가 되어서는 안 된다.

표 9-6. 프로락틴종의 수술 적응증

- 적절한 내과 치료에도 불구하고 종양 크기가 증가할 때
- 뇌하수체 졸중
- 도파민 작용제에 내성이 있을 때
- 도파민 작용제 내성 거대선종(dopamine agonist-resistant macroadenoma)
- 가임력을 원하는 여성에서 도파민 작용제 내성 미세선종이 있을 때
- 배란유도가 적절하지 않을 때
- 내과적 치료에도 불구하고 지속적으로 시교차 압박이 있을 때
- 내과적으로 반응하지 않는 낭종성 프로락틴 종이 있을 때
- 적절한 내과적 치료에도 불구하고 가임력을 원하는 여성이 시신경에 가까운 거대선종을 가지고 있을 때
- 도파민 작용제를 사용하는 동안 뇌척수액 누출이 있을 때
- 도파민 작용제가 금기인 정신병 환자가 거대선종을 가지고 있을 때

4) 방사선요법

방사선요법은 거의 사용되지 않으나 약물요법과 수술요법에 반응하지 않는 경우 또는 악성 프로락틴분비종양에 사용할 수 있다. 수술 치료보다 결과가 만족스럽지 못하고, 효과가 나타나기까지 시간이 오래 걸려 프로락틴 농도가 정상으로 되는데 수년이 걸린다. 합병증은 범뇌하수체저하증, 방사선시신경병증(optic neuropathy), 뇌졸중, 정상뇌손상, 다른 뇌종양 발생 등이 있을 수 있고 장기적 안정성에 대해서는 자료가 부족하다. 방사선요법은 내과 또는 수술 치료가 금기이거나 모든 다른 치료에도 반응하지 않는 거대프로락틴혈증의 경우에 고려해 볼 수 있다.

5) 경우에 따른 치료

(1) 미세샘종(Microadenoma, 1 cm 이하)

미세샘종은 거대샘종과 달리 모든 사람에게서 무조건 치료를 요하지는 않으며, 치료의 적응증은 다음과 같다(표 9-7)

미세샘종은 부검 시 사람의 약 20%에서 발견되고 고프로락틴혈증 환자의 1/3 이상에서 미세샘종과 일치하는 영상검사 이상이 발견된다. 미세샘종은 단세포군으로 유전

표 9-7. 프로락틴종을 가지고 있는 환자에서 치료의 적응증

거대샘종 불임 여성형 유방 희발월경 또는 무월경	미세샘종이 커질 때 귀찮은 젖분비증 테스토스테론 부족 여드름과 다모증

돌연변이가 일어나면, 줄기세포의 성장 억제가 해방되어 뇌하수체 전엽의 호르몬 생산과 분비 및 세포 증식이 일어난다. 샘종을 형성할 수 있는 다른 해부학 요소들은 뇌하수체 문맥계의 도파민 농도 감소와 혈관 내에 종양이 존재하는 경우로써 최근에 헤파린결합분비형질전환 유전자가 프로락틴샘종 등 다양한 악성종양들에서 보고되고 있다. 미세샘종 환자는 일반적으로 예후가 좋으나, 드물게 치료를 하지 않은 환자의 약 6%에서 거대샘종으로 진행할 수 있다. 무월경, 불임과 유즙분비과다의 증상이 있으면 치료를 하며 장기간의 두통이나 시야장애와 안구근육마비를 호소하는 경우에는 시야검사가 필요 하다. 치료는 기대요법과 약물요법을 사용한다. 브로모크립틴 치료를 한 미세샘종 환자는 프로락틴 농도와 월경의 재개가 종양의 치료에 절대적인 증거는 아니며 새로운 증상이 나오면 자기공명영상검사를 한다. 약물 복용 2-3년 후에 브로모크립틴 치료를 중단할 수 있다. 6-8년 간 추적검사에서 미세샘종의 95%가 자라지 않는다. 치료 중지 후 재발은 첫 2-3개월 내에 발생한다.

(2) 거대샘종(Macroadenoma, 1 cm 초과)

거대샘종 환자는 프로락틴 농도의 증가와 심한 두통 및 시야장애가 있으며 드물게는 경련, 인격장애와 뇌신경마비 증상 및 요붕증이 있을 수 있다. 뇌하수체장애는 흔히 줄기압박에 의한 것이며, 매우 드물게 악성 종양으로 진행하는 경우도 있다. 뇌하수체 호르몬검사와 영상검사가 필요하다.

브로모크립틴이 장기간 치료에 가장 좋으며 나비굴 경유 수술이 필요한 경우도 있다. 치료 후 프로락틴 농도가 정상이 된 후에 종양의 크기 변화를 알기 위해 자기공명 영상검사를 6개월 내에 하며, 새로운 증상이 있거나 과거의 증상이 호전되지 않는 경우에는 조기에 검사를 한다. 치료는 약물요법과 수술요법을 하는데 대부분의 거대샘종은 도파민 작용제 치료에 잘 반응한다. 치료효과를 살펴보면 브로모크립틴 치료로 약 90%에서 프로락틴 농도와 종양 크기가 감소하고, 약 1/2에서 50% 정도의 크기 감소를 보이며 나머지 1/4은 6개월 후에 33%의 감소를 보인다. 종양 크기 감소와 프로락틴 농도 감소와는 상관관계는 없으나 프로락틴 농도 감소가 샘종 위축보다 먼저 일어난다. 대부분의 환자에서 치료 후 수일 내에 시야 개선과 종양 위축이 일어나며 2주 내에 영상 검사로 확인할 수 있다. 치료 중지 후 첫 6개월 내에 발생하며 샘종의 재성장은 주위 조직의 섬유화로 인해 오랜 기간이 걸린다. 60% 이상에서 종양이 다시 자라기 때문에 장기간의 치료가 필요하다. 종양 크기가 안정화되면 6개월 후에 자기공명 검사를 하며 이후 수년 동안 매년 검사한다. 프로락틴 농도가 정상이 되어도 종양이 자랄 수 있으므로 6개월마다 증상을 재검사해야 한다. 도파민 작용제 치료에 반응하지 않거나 지속적인 시야 소실이 있는 경우에는 수술을 해야 한다. 그러나 수술 제거에도 불구하고 고프로락틴혈증의 재발과 종양성장은 흔하다. 수술의 부작용은 대뇌동맥손상, 요붕증, 수막염, 비중격천공, 뇌하수체저하증, 척수액콧물과 삼차 신경 마비가 있다. 수술 후 주기적으로 자기공명영상검사를 하도록 한다.

(3) 임신과 뇌하수체샘종

무배란을 동반한 고프로락틴혈증 여성에서 도파민 작용제를 사용하면 90%에서 배란이 회복된다. 프로락틴분비종양을 가진 여성이 임신을 하게 되면 도파민 작용제를 중단할 것을 권장한다. 그러나 예외적으로 거대샘종 환자, 이전에 수술 또는 방사선 치료에 저항을 보인 경우, 특히 종양이 침습적이거나 시각교차를 압박할 위험이 있는 경우는 도파민 작용제 치료를 유지해야 한다. 프로락틴분비종양 환자가 임신을 하면 혈청 프로락틴 수치 측정을 권장하지 않는다. 임신을 하면 정상적으로 혈청 프로락틴 수치는 기저치의 10배가 되기 때문이다. 또한 에스트로겐에 의한 프로락틴 분비 세포의 수가 증가하여 뇌하수체의 부피가 2배 이상이 된다. 임신 확인이 되었을 때, 도파민 작용제를 중단하게 되면 프로락틴 수치는 증가하나 종양의 성장이나 활동에 영향을 주지는 않는다. 프로락틴분비종양을 가지고 있는 환자 모두에서 혈청 프로락틴 농도는 임신 동안 더 이상 증가하지 않는다. 어떤 경우에서는 고프로락틴혈증이 임신 후에 완전히 완쾌되는 경우도 있다. 고프로락틴혈증 환자가 임신을 하면 프로락틴 농도가 정상화될 확률이 35%인 반면 임신하지 않은 사람이 프로락틴 농도가 정상화될 확률은 14% 정도이므로, 임신이 뇌하수체를 정상화하는 계기가 될 것으로 여겨진다. 그러므로 분만 후 어느 약이든 다시 시작하기 전 몇 달 동안 프로락틴 상태를 추적 관찰하는 것이 중요하다.

(4) 폐경(Menopause)

고프로락틴혈증을 가지고 있는 여성이 폐경이 되면 프로락틴 농도가 정상이 된다. 그러므로 폐경 후에 도파민작용제가 더 필요한 상황인지 재평가할 필요가 있다. 다만 골보호가 필요한 상황이면 호르몬 보충을 하며 프로락틴 농도와 뇌하수체에 대한 추적관찰이 필요하다.

6) 추적검사

도파민작용제 치료를 시작한 환자에게 추적검사는 다음과 같이 할 수 있다. 치료 시작 후 프로락틴 수치가 정상화될 때까지 1달 간격으로 프로락틴 수치검사를 시행한다. 그리고 1년 간격으로 자기공명영상을 측정한다. 자기공명영상검사는 거대프로락틴샘종이 있는 경우, 환자가 도파민작용제를 복용하고 있는 동안 프로락틴 수치가 증가할 경우, 또는 새로운 증상이 나타나는 경우 또는 3개월 간격으로 시행하도록 한다. 거대샘종의 경우 시각교차를 누를 위험이 있기에 시야검사를 시행하며 동반된 합병증이 있는지 확인해야 한다.

<u> 참고문헌 목록은 대한산부인과내분비학회 홈페이지 http://www.kosge.or.kr 또는 QR코드를 통해 보실 수 있습니다.</u>*

CHAPTER

10 비정상 자궁출혈

김종현(전북의대), 송재연(가톨릭의대)

비정상 자궁출혈(abnormal uterine bleeding, AUB)이란 정상 월경이 아닌 모든 상태의 자궁출혈을 일컫는데, 가임기 여성들이 산부인과에 방문하는 가장 흔한 원인 중에 하나이다. 전통적으로 사용하였던 비정상 자궁출혈의 의미는 해부/조직학적 자궁 병변이나 내과 질환이 있을 때의 자궁출혈(organic uterine bleeding)과 특별한 해부학적 이상이나 전신질환이 없는 상태에서 무배란 주기와 연관되어 나타나는 기능(부전) 자궁출혈(dysfunctional uterine bleeding, DUB)을 포함하는 용어였다. 하지만 기능(부전) 자궁출혈(dysfunctional uterine bleeding)에 대한 명명법이 나라마다 다르게 나타나면서 다양한 병인에 대한 표준 연구 및 처치의 어려움이 발생하였다. 따라서 국제 산부인과

표 10-1. 월경 양상을 설명하는 관습적인 용어

정상월경		비정상 자궁출혈	
주기	21-35일	빈발월경(polymenorrhea) 희발월경(oligomenorrhea)	불규칙 과다월경 (metromenorrhagia)
기간	2-6일	월경과다(menorrhagia)	
양	20-60 mL	월경과다(hypermenorrhea) 월경과소(hypomenorrhea)	

1) 빈발월경(polymenorrhea) : 주기가 21(-24)일보다 짧을 때
2) 희발월경(oligomenorrhea) : 주기가 35일보다 길 때
3) 월경과다(menorrhagia) : 기간이 길고, 양도 많을 때
4) 월경과다(hypermenorrhea) : 양이 80(-100) mL보다 많을 때
5) 월경과소(hypomenorrhea) : 양이 20 mL보다 적을 때
6) 불규칙월경(metrorrhagia) : 주기가 불규칙할 때
7) 불규칙과다월경(metromenorrhagia) : 주기가 불규칙하고 기간도 길고 양도 많을 때
8) 무월경(amenorrhea) : 세 번의 월경주기동안 또는 6개월 이상 월경을 안 할 때

표 10-2. 월경 양상을 기술하는 권장 용어

양상	용어	기준치
월경의 빈도(Frequency)	빈번한 (frequent)	<24일
	정상 (normal)	24-38일
	드문 (infrequent)	>38일
규칙성(Regularity)	없음	-
	규칙적	±2-20일
	불규칙적	>20일
기간(Duration)	길다	>8일
	정상	4-8일
	짧다	<4일
양(Volume)	많다	>80 mL
	정상	5-80 mL
	적다	<5 mL

연맹(International Federation of gynecology and obstetrics, FIGO)에서는 새로운 명명법을 사용하도록 권장하였다.

현재는 비정상 자궁출혈을 서술할 때, 이전에 사용되던 월경과다(menorrhagia) 또는 불규칙과다월경(metromenorrhagia) 등의 용어(표 10-1) 대신 월경 주기의 규칙성, 빈도, 기간과 월경 양을 직접 서술하도록 권장되며(표 10-2), 기능(부전) 자궁출혈이라는 용어는 더 이상 사용되지 않고 비정상 자궁출혈로 사용한다.

I. 정상 월경

정상 월경주기는 그림 10-1에서 보이듯이, 그 전 월경주기에 생긴 황체가 퇴화되면서 프로게스테론, 인히빈 A가 감소됨에 따라 뇌하수체에서 난포자극호르몬(follicle stimulating hormone, FSH)의 분비가 증가되어 난소 난포가 자라고, 난포에서 에스트로겐이 분비되어 자궁내막을 증식시키고 음성되먹임으로 난포자극호르몬을 감소시킨다. 난포기 말에 황체형성호르몬(luteinizing hormone, LH)이 현저하게 증가하여 LH 급증(basal level의 2배 이상 증가할 때)이 일어나면 과립층세포에 출현된 황체형성호르몬 수용체에 결합하여, LH 급증 24-36시간 후, LH 최고점 10-12시간 후에 배란이 된다. 배란 후 난포는 황체로 변화하고 황체에서 에스트로겐과 프로게스테론이 분비되어 증가되어 있다가 황체가 소멸되면서 호르몬의 분비가 감소되어 쇠퇴출혈이 일어나는 것이 월경이다. 따라서 정상 월경은 에스트로겐과 프로게스테론, 특히 프로게스테론의 쇠퇴출혈(withdrawal bleeding)로, 에스트로겐의 영향을 받아 증식되어 있는 자궁내막에 배란이 되어 프로게스테론이 작용하다 쇠퇴되면서 생기는 출혈이다(그림 10-1).

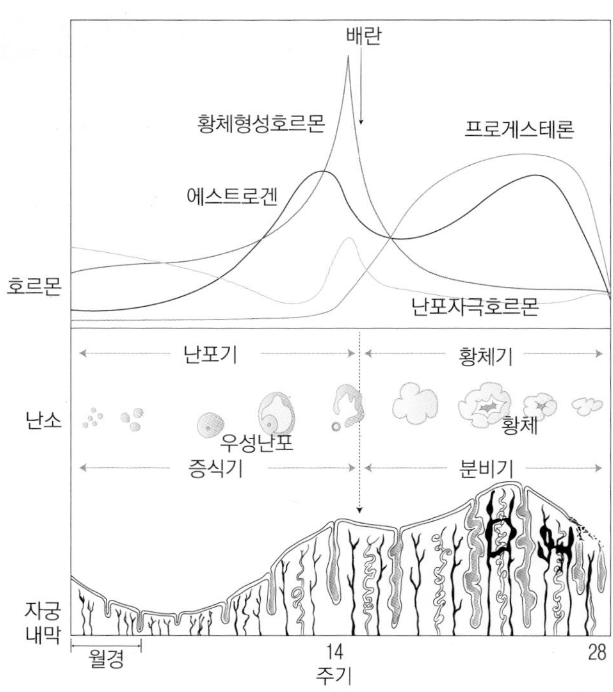

● 그림 10-1. **정상 월경주기**

월경 시 나오는 월경혈 중 1/3은 혈액, 2/3는 자궁내막 조직으로 구성된다. 초경 후 약 2년 간은 무배란출혈이 대부분이지만 2년이 지나면 정상 월경의 범위에 맞는 양상을 보이게 된다. 정상 월경의 주기는 21-35일, 기간은 2-6일(평균 4.7일), 양은 20-60 mL(평균 35 mL)를 보인다. 월경량을 알아보기 위해서는 생리대를 몇 시간마다 교환하는지(정상은 3시간 이상), 한 주기에 생리대를 몇 개 사용하는지(정상은 21개 이하), 밤에 생리대를 교환하는지(보통은 드물게 교환함), 혈전의 크기는 어떠한 지(보통은 2.5cm 이하), 빈혈이 있는지(보통은 빈혈이 발생하지 않음) 등의 질문을 할 수 있다. 하루에 사용하는 생리대 개수는 3-5개 정도를 정상으로 볼 수 있으며, 탐폰은 6-15 mL 정도, 생리대는 1-994 mL의 월경혈을 흡수한다고 보고되고 있다. 초경 후와 폐경 전엔 무배란이나 불규칙적인 주기를 보이는 경우가 많다.

II. 비정상 자궁출혈의 병태생리

1. 비정상 자궁출혈의 원인

국제 부인과 및 산부인과 연맹(International Federation of Gynecology and Obstetrics, FIGO)과 미국 산부인과 대학(American College of Obstetricians and Gynecologists, ACOG)은 비정상 자궁출혈의 원인을 체계화한 PALM-COEIN 약어를 사용하도록 권장한다(표 10-3).

표 10-3 PALM-COEIN 분류

해부학원인	PALM
AUB-P	Polyp
AUB-A	Adenomyosis
AUB-L	Leiomyoma
AUB-M	Malignancy and Hyperplasia
비해부학 원인	**COEIN**
AUB-C	Coagulopathy
AUB-O	Ovulatory dysfunction
AUB-E	Endometrial
AUB-I	Iatrogenic
AUB-N	Not yet classified

해부학원인에 의한 비정상 출혈은 다른 연령대의 여성보다 가임기 연령의 여성에서 더 자주 발생한다. 가임기 여성에서 비정상 출혈의 가장 흔한 원인은 호르몬에 의한 것이며 유산, 자궁외임신 등 임신으로 인한 출혈의 가능성도 항상 고려해야 한다.

연령에 따른 출혈의 원인은 표 10-4와 같다.

2. 여성 호르몬에 의한 자궁내막의 출혈 반응

정상 월경에서는 연쇄 변화하는 에스트로겐 및 프로게스테론에 반응하여 자궁내막조직 전 부위가 거의 동시에 변화한다. 에스트로겐 및 프로게스테론이 쇠퇴할 때 자궁내막이 얇아지며 나선혈관이 수축됨으로써 혈관 정체를 유발해 조직 허혈이 일어나고 이로 인해 점진적으로 자궁내막이 파괴되어 자궁출혈 과정이 일어난다. 또한 혈관 수축이 지속되고, 혈관응고인자들과 혈소판이 출혈 부위의 자궁내막에 축적되어 자발적으로 지혈이 일어난다.

반면에 비정상 자궁출혈 시에는 자궁내막 전체에서 동시에 출혈이 일어나지 않으며, 불규칙적인 조직의 허혈 괴사가 일어나며, 지혈작용도 자궁내막의 일부에서만 일어나는 차이점을 보인다.

1) 에스트로겐 쇠퇴출혈

양쪽 난소 절제술을 받거나 난소에 방사선치료나 항암

표 10-4. 연령 별로 흔한 비정상 자궁출혈의 원인

신생아	사춘기 전	청소년	가임기 여성	폐경 전	폐경 후
모체의 에스트로겐	생식기 외상	무배란 출혈	임신	무배란 출혈	외부 호르몬
	이물질	임신	무배란 출혈	자궁근종, 폴립	위축 질염
	외음부질염	외부 호르몬	자궁근종, 폴립	종양	자궁내막 병변
	종양	응고장애	내분비 기능이상	내분비 기능이상	종양

치료를 받은 경우, 에스트로겐을 함유한 약물을 사용하다 끊었을 경우나 배란기 출혈 등에서 에스트로겐 쇠퇴출혈을 보인다.

2) 에스트로겐 돌발출혈

에스트로겐 돌발출혈은 해부학 원인이 없는 비정상 자궁출혈의 가장 흔한 원인으로 전체의 80% 정도를 차지한다. 다낭난소증후군, 비만, 초경이나 폐경이행기에서의 미성숙한 시상하부-뇌하수체-난소 조절 체계를 보이는 경우 에스트로겐 돌발출혈을 보인다. 에스트로겐이 저용량으로 투여되었을 경우는 간헐적인 점상 출혈을 보이지만, 고용량, 장기간 에스트로겐이 사용될수록 많은 양의 출혈을 보인다.

무배란성 주기에서는 자궁내막의 증식을 제한하고 주기적 탈락을 일으키는 프로게스테론이 없기 때문에, 구조적 뒷받침 없이 자궁내막이 비정상적으로 증식하기만 하여 점점 혈관이 많아지고 내막선은 밀접해지고 간질을 지탱하는 기질은 빈약해진다. 그러므로 자궁내막조직은 연약하게 되어 상피조직, 간질조직, 백혈구와 대식세포에서 분비된 리소좀단백분해 효소에 의하여 상층조직이 저절로 파괴되고 출혈하게 된다. 어느 한 부위가 아물면 다른 부위에서 파괴가 시작되어 이런 과정이 반복된다. 일단 출혈이 시작되면 혈관 수축을 담당하는 프로스타글란딘 F2α보다는 혈관을 이완시키는 프로스타글란딘 E2가 국소적으로 더 많이 분비되어 출혈을 악화시킨다. 또한 무배란 출혈 시에는 이와 같은 취약한 구조에 비정상 혈관들이 밀집되어 혈관 수축, 허탈(collapse)의 과정이 지속적으로 일어나고, 나선동맥의 꼬임(coiling)이 없다는 점도 출혈을 지속시키는 원인으로 작용하며, 일사불란한 내막 복구가 일어나기 어렵게 한다. 수주 동안 이런 식으로 반복되거나 80 mL 이상 출혈 되면 빈혈에 빠지게 된다.

3) 프로게스테론 쇠퇴출혈

황체를 제거하거나 프로게스토겐을 함유한 약물을 사용하다 끊었을 경우 프로게스테론 쇠퇴출혈을 보인다. 이 유형은 에스트로겐에 의해 증식된 자궁내막이 전제되어야 한다.

4) 프로게스테론 돌발출혈

에스트로겐에 비해 프로게스테론의 비가 비정상적으로 높거나 프로게스토겐을 함유한 약물이나 피임약 등을 지속적으로 사용할 경우 프로게스테론 돌발출혈을 보인다. 에스트로겐과 프로게스테론이 함유된 복합경구피임약을 복용했을 때의 출혈도 이 기전을 따른다. 표준 용량의 에스트로겐과 프로게스테론이 혼합되어 있다고 하더라도, 자궁내막에 주된 역할을 하고 경구피임약의 주된 구성을 담당하는 성분은 프로게스토겐이다.

III. 비정상 자궁출혈의 감별진단
(Differential diagnosis of abnormal uterine bleeding)

비정상 자궁출혈의 원인은 국제부인과 및 산부인과연맹(International Federation of Gynecology and Obstetrics, FIGO)에서 말한 바와 같이 PALM-COIEN 분류를 이용하여 감별할 수 있다. PALM (polyps, adenomyosis, leiomyoma, and malignancy/hyperplasia)은 구조적인 원인으로 인한 출혈인 경우를 말하며 COEIN (coagulopathy, ovulatory dysfunction, endometrial factors, iatrogenic, and not yet classified)은 구조적인 원인이 아닌 경우 출혈을 나타낸다.

1. 자궁내막용종(Polyp, AUB-P)

자궁내막용종은 월경기간 사이 출혈, 과다한 월경 출혈, 불규칙한 출혈, 폐경 후 출혈의 원인이 될 수 있으나 대부분은 무증상이다. 자궁내막용종은 타목시펜 사용 및 난임과 관련이 있으며 월경통을 일으킬 수 있다.

2. 자궁샘근증(Adenomyosis, AUB-A)

자궁샘근증은 자궁내막조직이 자궁근층 안으로 침범하는 질환으로 월경과다를 유발할 수 있다. 전통적으로 자궁절제술 후 조직학적 검사를 통하여 진단하였으나 현재는 영상 진단법의 발달로 초음파, MRI로 진단 가능하다.

3. 자궁평활근종(Leiomyoma, AUB-L)

자궁 평활근종은 자궁 및 부속기에서 가장 흔한 종양으로 35세 이상의 여성의 반정도에서 발견된다. 대부분 무증상이나 증상이 있는 경우 출혈이 가장 흔하다. 점막하 근종(submucosal myoma)은 출혈을 일으킬 가능성이 높다.

4. 악성종양 및 자궁내막증식증(Malignancy and Hyperplasia, AUB-M)

프로제스토겐 없이 에스트로겐에 단독으로 노출된(unopposed estrogen) 경우 자궁내막증식증 및 자궁내막암이 발생할 수 있다. 또한 자궁출혈은 침습성 자궁경부암의 가장 흔한 증상이다.

5. 응고병증(Coagulopathy, AUB-C)

월경과다가 있는 모든 여성 중 5-20%는 진단되지 않은 출혈 장애가 있는 것으로 알려져 있다. 특히 초경 때부터 출혈양이 많은 경우 혈액학적 원인을 감별해야 한다. 알코올 중독이나 기타 만성 간질환 환자들에서는 부적절한 응고인자의 생산으로 인해 월경과다가 있을 수 있다. 산부인과 의사가 응고병증을 의심해야 하는 경우는 표 10-5와 같다.

6. 배란장애(Ovulatory dysfuction, AUB-O)

대부분의 무배란 출혈(anovulatory bleeding)은 에스트로겐 돌발성(estrogen breakthrough)으로 발생한다.

배란장애의 많은 경우 내분비장애와 관련이 있다. 갑상선기능저하증(hypothyroidism), 갑상선기능항진증(hyperthyroidism) 모두 비정상 자궁출혈과 관련이 있을 수 있다. 또한 시상하부기능장애(hypothalamic dysfunction), 고프로락틴혈증(hyperprolactinemia), 조기난소부전(premature ovarian insufficiency, POI) 및 일차 뇌하수체 질환(primary pituitary disease) 등은 무월경의 원인이면서 불규칙한 출혈의 원인이 될 수 있다.

기타 원인으로 섭식장애(거식증, 신경성 식욕부진증 및 과식증, 신경성 폭식증 등), 과도한 신체 활동, 만성질환, 알코올 및 약물남용, 스트레스, 당뇨, 다낭난소증후군(polycystic ovary syndrome, PCOS)을 포함한 안드로겐 과다증후군(androgen excess syndrome) 등이 있다.

7. 자궁내막의 장애(Endometrial, AUB-E)

염증 및 감염 등 자궁내막 자체의 이상에 의해 비정상 출혈과 월경과다가 발생할 수 있다. 자궁내막염은 월경과다와 월경통을 유발하며, 클라미디아에 의한 자궁경부염이 있는 경우 불규칙 출혈 및 성관계 후 점출혈이 있을 수 있다.

8. 의인성 외부 호르몬에 의한 출혈(Iatrogenic, AUB-I)

경구피임약 사용 시 첫 1-3개월 동안 돌발출혈(breakthrough bleeding)이 있을 수 있으나 이는 시간이 지나면서 점차 감소하며, 경구피임약의 불규칙한 복용에 의해서도 출혈이 발생할 수 있다.

9. 기타(Not yet classified, AUB-N)

달리 분류할 수 없는 원인에 의해 발생한 경우를 말한다.

Ⅳ. 비정상 자궁출혈의 진단

사춘기에서 폐경 전까지의 비정상 자궁출혈의 빈도는 9-14%이다. 비정상 자궁출혈의 진단을 위한 가장 유용한 도구는 자세한 문진과 신체 진찰이다. 문진에 포함되어야 할 내용들은 다음과 같다.

문진	특징
비정상 월경의 시작	초경 주변, 갑자기, 점진적
출혈 기간	정상 또는 비정상, 지속적 또는 불규칙
월경간격	기간, 규칙성
출혈량	과량, 소량, 불규칙
출혈시기	성교 후, 분만 후, 피임약 복용 후, 체중 증가 또는 감소
부증상	월경전 증상, 월경통, 성교통, 유즙분비, 다모증
전신질환	신장질환, 간질환, 혈액응고장애, 조혈질환, 갑상선질환
약물복용	호르몬, 항응고, 항정신병, 항우울증, 항경련 제제 등의 복용 여부

무배란 무월경에 의한 출혈은 많은 경우에서 월경력 청취만으로도 진단 및 치료계획을 세우기에 충분하기에 감별진단을 위한 실험실적, 영상학적 검사 비용과 시간을 아낄 수 있다.

신체진찰을 통해 질 또는 자궁 경부의 병변을 배제할 수 있으며, 자궁의 크기, 모양(contours), 치밀도(consistency) 등을 평가한다.

무배란 출혈의 대부분은 월경력의 청취만으로도 다른 추가적인 실험실 검사(laboratory evaluation)나 영상 검사 없이 충분한 진단을 내릴 수 있다. 특징적인 월경 전 증상이 없으면서 월경량이나 월경기간 및 특징 등이 다양하면서 또한, 잦지 않으나 불규칙하고 예측이 불가능한 월경 출혈은 무배란 출혈로 쉽게 진단할 수 있다. 반대로 기간이 길고 많은 양을 동반한 규칙적 출혈은 무배란보다는 자궁의 해부학적 병변이나 출혈 질환을 의심해본다..

실험실 검사는 도움이 될 수 있지만 꼭 필요한 검사는 아니다. 임신 반응 검사는 가장 빨리 시행할 수 있으며, 이로써 임신과 관련된 출혈을 배제할 수 있다. 일반혈액검사(complete blood count, CBC)는 과량의 월경량을 보이는 여성에서 빈혈이나 혈소판 감소증을 배제할 수 있다. 월경주기 중 황체기 기간 중 혈청 프로게스테론(progesterone) 농도의 측정은 배란 또는 무배란 여부를 평가할 수 있다. 3 ng/mL 이상일 때 최근 배란이 되었음을 알려주는 증거이지만 출혈 패턴이 자주 있거나 정확히 예측이 어려울 경우 정확한 날짜에 프로게스테론 측정이 어려울 수 있다. 무배란 여성에서 갑상선자극호르몬 농도의 측정은 갑상선 질환을 배제할 수 있다. 설명 불가능한 월경과다의 가족력이 있는 청소년기 여성에서는 혈액질환을 의심해 봐야 하며, 혈액 응고 검사가 필요하다. 폰빌레브란트인자 기능을 평가하기 위한 ristocetin cofactor assay는 폰빌레브란트병을 진단할 수 있는 유일한 선별검사이나 검사방법, 환경설정, 해석방법이 다양하므로 혈액 전문의사에게 협진을 구하도록 한다. 위 질환이 의심되는 경우 간기능검사나 신기능검사를 시행할 수 있다.

자궁내막 조직검사로 자궁내막증식증 또는 자궁내막암을 배제할 수 있다. 주로 35에서 40세 여성이 자궁내막 조직검사가 의뢰되며, 자궁내막증식증이나 자궁내막암은 젊은 여성보다 나이 든 여성에서 더 많이 나타나지만, 단독 에스트로겐에 노출되는 기간이 자궁내막질환의 더욱 중요한 위험인자이다. 40세 이상 자체가 자궁내막 병변의 위험인자로서 비정상 출혈을 보이는 경우 생검의 적응증이 된다. 단독 에스트로겐에 오랜 시간의 노출은 고령여성에서 더 흔하나 30세 이하 또는 10대 여성에서도 발병할 수 있다. 폐경 전 여성에서도 불규칙적인 월경을 보이는 경우 비정상 자궁내막 소견을 보일 확률은 14%로 비교적 높으나 규칙적인 월경을 보이는 경우는 1% 미만으로 매우 낮다. 흡입 생검 방법에는 Vabra aspirator, Pipelle device, Zsampler 등이 있으며, Pipelle device가 가장 유용한 도구이다. 작은 신축성 있는(flexible) 흡입 캐뉼라가 고식적인 생검 기구에 비해 동등한 효과를 보이고 보다 불편함을 덜 느끼므로 최근에 널리 사용되고 있다. 비정상 출혈이 있으면서 최근에 외부의 프로게스테론 제제에 노출된 과거력이 없는 경우 생검상 분비기 자궁내막은 최근의 배란에 대한 증거를 제시하며, 이는 해부학 원인에 대한 규명이 필요하다는 신호이다.

자궁의 영상학적 검사는 출혈의 해부학적인 원인, 근종, 자궁내막 폴립 등을 감별할 수 있다. 표준적인 질초음파는 자궁 근종의 크기 및 위치에 대한 정확한 정보를 제공할 수 있다.

초음파 검사로 자궁내막에 대한 정확한 평가가 가능하다. 5 mm 미만의 매우 얇은 자궁내막 소견은 생검 시 자궁내막 탈락을 의미하는 조직이 거의 없거나 존재하지 않는 소견과 유사하며 프로게스틴 또는 에스트로겐-프로게스틴 복합제제 보다는 에스트로겐 치료를 우선적으로 고려해야 한다. 폐경이행기 및 폐경 후 여성에서 자궁내막이 4 mm 미만인 경우 자궁내막증식증이나 암의 가능성은 매우 낮으므로 자궁내막생검은 불필요하다. 비정상 자궁출혈을 보이는 폐경전 여성에서도 같은 기준이 적용된다. 자궁내막이 정상이라면 생검 실행에 대한 결정은 임상적 의심이나 위험인자에 따라 결정되어야 하며, 자궁내막이 12 mm 이상인 경우 자궁내막 병변의 임상적인 가능성이 낮을지라도 자궁내막 생검이 필요하다. 결론적으로 정리하면, 4 mm 미만의 자궁내막은 생검이 불필요하며, 자궁내막 두께가 정상(5-12 mm)이라도 단독 에스트로겐에 장기간 노출이 의심되는 경우 생검이 필요하며, 12 mm 이상인 경우 임상적으로 자궁내막 질환의 가능성이 낮아도 자궁내막 생검의 적응증이 될 수 있다. 카테터를 통하여 생리식염수를 자궁내막에 주입한 뒤 시행하는 질초음파자궁조영술(sonohysterography 또는 hydrosonography, saline infusion sonography)은 자궁내막의 정확한 모양을 보여주며, 매우 작은 자궁 내 병변을 진단할 수 있다. 질초음파 자궁조영술의 민감도와 특이도는 표준의 질초음파보다 높으며, 자궁경과 비슷하다. 질초음파 자궁조영술과 자궁내막생검을 병행하는 경우 비정상 출혈이 있는 여성에서 자궁내막 병변의 진단에 높은 음성 예측도를 보인다.

골반자기공명영상(magnetic resonance imaging, MRI)는 자궁근종이나, 자궁샘근증, 자궁기형 등의 진단에 유용하지만 비용이 비싸므로, 초음파 검사만으로 정확한 진단이 어렵거나, 수술계획을 세우는 데 필요한 경우 사용해 볼 수 있다.

자궁경은 자궁내 병변의 진단과 치료에 확정적 방법이나 매우 침습적이다. 그러나 최근의 자궁경은 외직경이 2-3 mm로 외래에서 시행할 수 있는 최소 시술 방법이다. 그러나 주요 자궁 내 병변의 진단을 위해서는 더 큰 직경의 자궁경이 필요하다. 그러나 폐경이행기 및 폐경기 여성에서는 질초음파나 자궁경 모두 자궁내막 병변에 단일 진단 도구로 사용되어서는 안 된다. 최근 연구에서 발표한 결과에 따르면 폐경 후 질출혈이 있을 때 시행될 수 있는 진단도구는 질초음파, 자궁내막 흡인생검(endometrial sampling), 자궁경, 질초음파 자궁 조영술 등이 있으며, 자궁내막암을 배제하는데 각각 독립적인 정확성을 보이고 있다. 출혈이 있는 여성에서의 자궁내막 두께의 기준치는 4 mm 미만이며, 비용-효율적인 검사는 아직 명확히 연구되어 있지 않았다.

일반적으로 비정상 자궁출혈의 영상학 진단이 필요한 경우는 다음과 같다.

- 규칙적인 월경주기이면서 출혈의 기간과 양이 점차 증가하는 경우
- 규칙적인 월경주기이지만 질 또는 자궁 경부 병변이 없으면서 월경간 출혈을 보일 때
- 혈청 프로게스테론(3 ng/mL 이상) 또는 자궁내막생검(분비기 내막)으로부터 배란의 징후가 명확함에도 비정상 출혈이 있을 때
- 경험적인 약물 치료(empirical medical management)에 실패하였을 때

치료의 성공을 위해선 정확한 진단이 필요하며, 응고질환이나 자궁내막 병변이 의심되는 경우 진단적 실험실 검사 및 자궁내막 생검, 자궁내막 영상검사가 경험적 약물치료 전 시행되어야 한다. 무배란 출혈은 경험적 약물치료에

의해 증상의 호전을 기대할 수 있다. 그러나 약물치료에도 비정상 출혈이 지속되는 경우 고용량 또는 다른 약제로의 변경보다는 더 정확한 진단법이 요구된다.

V. 비정상 자궁출혈의 치료

1. 치료원칙

1) 치료의 목적

(1) 급성 출혈 조절
(2) 재발 방지
(3) 원인인자 해결

2) 내과, 산부인과 과거력을 확인하고 임신, 종양과의 관련성 여부를 살펴보고, 원인 질환에 대한 치료가 필요한지를 확인하는 것이 우선이며, 그 후 증상으로 나타나는 출혈을 치료한다. 대부분의 경우 수술 치료 전에 약물 치료가 우선시된다.

3) 활력징후에 따라 치료의 지침을 정한다. 불안정한 혈류역학적 상태에서는 기도를 확보하고, 14 게이지(gauge) 이상 정맥내 카테터를 2개 이상 확보하고 수액과 혈액을 투여해야 한다. 그 외에 자궁내막 생검, 자궁내 탐폰법, 자궁동맥색전술, 고용량 정맥 에스트로겐 투여, 자궁절제술을 고려해볼 수 있다. 반면에 시간당 패드나 탐폰을 1개 이하로 사용하고 혈류역학적으로 안정된 상태에서는 비스테로이드성 소염제, 항프로스타글란딘 제재, 항섬유소용해 제재, 에스트로겐, 프로게스테론, 경구피임약, 다나졸, GnRH 작용제, 자궁내막절제술 등의 방법 중에 환자에게 가장 적합한 치료방법을 선택하여 출혈을 억제시킨다. 환자의 나이, 출혈 정도, 과거력 등을 고려하여야 하며, 여러 가지 방법을 병합하여 사용할 수 있다.

2. 약물적 치료방법

1) 비스테로이드성 소염제(Nonsteroidal anti inflammatory drug, NSAID), 항프로스타글란딘 제제(Anti-prostaglandin inhibitor, anti-PG inhibitor)

프로스타글란딘은 자궁내막혈관의 수축과 응고인자에 영향을 준다. 비스테로이드성 소염제는 항프로스타글란딘의 기전으로 자궁출혈을 감소시키므로, 자궁에 프로스타글란딘이 증가하는 배란 자궁출혈에서만 효과가 있다. 또한 비스테로이드성 소염제는 혈관수축과 혈소판 응집에 관여하는 트롬복산 A2와 그 반대작용을 하는 프로스타사이클린(PGI2)의 균형을 바꿔 출혈을 감소시키기도 한다. 월경과다 경우 자궁출혈이 일어나면 동시에 mefenamic acid 1500 mg을 3번에 나누어 분복하여 3-5일 간 사용 시 출혈량을 20-50% 감소시킬 수 있다. 특히 월경통이나 월경 전 증후군이 병합된 환자에서 도움이 된다.

2) 항섬유소용해 제재(Antifibrinolytic agent)

Tranexamic acid 사용 시 월경을 효과적으로 줄일 수 있다. 비스테로드성 소염제보다 효과는 뛰어나지만 비교적 고용량이고 위장관 부작용이나 월경 사이 출혈 등의 부작용이 더 많다고 보고되고 있다. 1-1.5 g을 3-4번 분복하며, 투여 후 2-3시간 내에 효과를 볼 수 있다.

3) 과다출혈에는 고용량 에스트로겐 치료 (표 10-6)

에스트로겐은 프로게스테론 쇠퇴출혈이 있는 경우 유용하게 사용될 수 있다. 수일 동안 출혈이 심해서 자궁내막 안에 기저층(basal layer) 밖에 없는 경우, 자궁내막을 소파했는데 소량의 조직밖에는 나오지 않을 때, 환자가 프로게스테론 제제를 복용하고 있으며, 자궁내막이 얇고 위축되어 있을 때나 추적검사를 할 수 없는 경우 에스트로겐 치료 방법은 모든 종류의 부정기 자궁출혈을 멈추게 할 수 있다.

표 10-6. 에스트로겐의 선량당량(dose equivalent)

에스트로겐	
결합에스트로겐(conjugated estrogen)	0.625 mg
에스트라디올(estradiol)	1.0 mg
경피에스트라디올(transdermal estradiol)	0.05 mg (50 μg)
에스트로피페이트(estropipate)	1.25 mg
에스터화에스트로겐(esterified estrogen)	0.625 mg
트리에스트/바이에스트(tri-est/bi-est)	2.5 mg
에티닐 에스트라디올(ethinyl estradiol, EE)	0.01-0.015 mg (10-15 μg)

에스트로겐은 혈액응고인자가 모세혈관에서 섬유소응고 형성을 도우며, 출혈로 인해 박리된 자궁내막을 증식시켜 지혈작용을 하게 된다.

환자의 상태와 출혈 정도에 따라 고농도, 중간농도, 저농도 에스트로겐을 처방한다. 에스트로겐 사용 시 자궁내막을 보호하기 위해 프로게스테론을 같이 복용해야 한다. 또한 충분한 양의 에스트로겐을 사용해도 출혈이 멈추지 않는 환자나 치료 초기부터 활력징후가 안정되어 있지 않은 환자에선 자궁내막생검을 실시한다. 필요시 자궁경 검사를 통해 자궁내막을 검사하는 것도 도움이 된다. 에스트로겐은 급성 자궁출혈을 감소시키지만 원인인자를 치료해 주지 않기 때문에 원인에 대한 평가가 꼭 필요하다. 또한 에스트로겐은 응고 작용이 있기 때문에 고용량으로 간주되는, 하루에 경구피임약 한 알 이상이나 경구 또는 정맥내 에스트로겐을 한번 이상 처방하는 경우는 더욱 주의해야 하며, 특히 혈전, 정맥혈전색전증의 과거력, 고용량 에스트로겐을 복용한 경우는 더욱 조심하여 사용여부를 결정해야 한다.

(1) 출혈량이 많고 급성 출혈인 경우에는 25 mg 결합에스트로겐(CEE) + 식염수 5 mL를 4시간마다 정맥주사(24시간 이내) 후 경구 CEE 2.5 mg, 6시간 간격으로 연결하여 투여한다. 보통 70%에서 효과가 있으며, 4-8시간 내에 지혈이 일어난다. 이후 출혈이 조절되면 하루 한 번 용량으로 감소 투여한다. 이때 초산메드록시프로게스테론(medroxyprogesterone acetate, MPA) 5-10 mg을 같이 투여한다.

(2) 중등도 출혈이 있는 경우는 1.25 mg CEE나 2 mg 에스트라디올을 4시간 간격으로 24시간 동안 복용하거나, 21-25일 간 CEE 2.5 mg 하루 4회 분복 후 마지막 10일 동안 MPA 10 mg을 투여하면 10시간 내 지혈이 일어난다. 이후 하루 1회씩 에스트로겐, 프로게스테론 병합요법으로 7-10일 정도 더 투여한다.

(3) 출혈량이 적은 경우에는 매일 CEE 1.25 mg이나 에스트라디올 2 mg을 7-10일 정도 사용한다.

4) 무배란 자궁출혈에는 프로게스테론 또는 에스트로겐-프로게스테론(복합경구피임약) 치료 (표 10-7)

프로게스테론은 무배란 자궁출혈에만 효과를 보이며, 월경과다나 희발월경의 치료로 사용되기도 한다. 프로게스테론은 강한 항에스트로겐의 성격을 가지고 있으며 자궁내막에서 에스트로겐을 황화에스트론(estrone sulfate)으로 만들어 에스트로겐의 효과를 약화시키고, 에스트로겐 수용체가 강화되는 것을 막아 에스트로겐으로 인해 종양유전자가 전사되는 것을 방해하여 자궁내막에서의 유사분열, 성장을 억제시키는 작용을 한다. 용량은 MPA 5-20 mg #2, 초산메게스테롤 20-60 mg #2, 노에틴드론 5 mg을 5-10일간 투여하며, 반복해서 지속적으로 사용하는 경우에는 월경주기 5-26일에 사용할 수 있으며, 월경 시작 첫

표 10-7. 프로게스테론의 선량당량

프로게스테론	
초산메드록시프로게스테론 (medroxyprogesterone acetate, MPA)	5 mg
미세화프로게스테론(micronized progesterone)	200 mg
초산노에틴드론(norethindrone acetate)	5 mg
디드로게스테론(dydrogesterone)	20 mg
노에틴드론(norethindrone)	0.7 mg
프로게스테론 겔(progesterone gel)	12일 동안 격일 사용 (한번에 45 mg)

10일째부터 사용하는 경우가 보편적이다. 프로게스테론 복용 후 3일 내에 효과가 나타난다. 고용량 프로게스테론인 Depo-MPA 150 mg을 3개월마다 투여하는 방법도 사용할 수 있으나 급성기 치료는 되지 않는다.

사춘기 여성에서 나타나는 시상하부-뇌하수체-난소 축 미성숙에 의한 비정상 자궁출혈의 치료 시, 프로게스테론은 생식기관의 정상 성숙과정을 방해하지 않지만, 경구피임약은 시상하부-뇌하수체를 억제하여 정상성숙을 지연시킬 가능성이 있기 때문에, 경구피임약보다는 프로게스틴이 적합하다. 또한 프로게스테론 복용만으로는 피임이 되지 않기 때문에 임신을 원하지 않는 경우에는 경구피임약의 복용이 추천된다.

5) 레보노게스트렐 분비 자궁내장치(Levonorgestrel intrauterine system, LNG- IUS)

자궁내장치에서 프로게스틴 일종인 레보노게스트렐(levonorgestrel)을 서서히 분비하여 자궁내막을 위축시키는 작용을 한다. 신부전과 같은 만성질환으로 인한 자궁출혈이나 월경과다 시, 경구피임약을 사용하기 어려운 환자에서 사용하며, 사용 후 12개월에 75-95%에서 월경량과 월경통의 감소를 보고하고 있다. 20%는 무월경 상태에 다다르며, 50%에서는 월경량이 크게 감소하여 자궁출혈 환자의 삶의 질을 향상시킨다.

6) 경구피임약(Oral contraceptives)

에스트로겐과 프로게스테론이 함유되어 있어 경구피임약을 복용하면 비정상적인 자궁내막의 성장을 막고 순차적으로 쇠퇴시켜 출혈을 감소시키므로 월경불순이나 월경과다의 치료로 사용된다. 특히 피임을 원하는 경우 경구피임약가 선택적 치료제이다. 하지만 프로게스테론에 의하여 에스트로겐 수용체가 감소되고 에스트로겐 탈수소효소를 증가시켜 자궁내막 증식이 에스트로겐만큼 빠르지 못하기 때문에 출혈양이 많은 경우에는 경구피임약보다는 에스트로겐 대량요법이 더 효과적이다.

35 μg 에티닐 에스트라디올이 함유된 경구피임약일 경우 첫날 3-5알부터 시작하여 매일 한 알씩 줄여서 분복하는데 한 알씩 먹게 되면 1주일 간은 지속하여 복용한다. 이 경우 48시간 내에 출혈이 감소하게 된다. 또는 단상 에스트로겐/프로게스테론 피임약을 일주일 사용 후 5일 동안 약을 중단하여 쇠퇴출혈을 만든 후, 경구피임약을 3주 복용 후 휴약기 1주를 두는 방법으로 3달 더 사용 시 자궁내막 두께가 정상상태로 돌아오게 되며 출혈양도 40-60% 정도 감소된다. 피임을 원하면 복용을 지속하고, 임신을 원하면 3개월 사용 후 복용을 중단한다. 복용 중단 후 무배란이 다시 일어나면 한달에 열흘씩 MPA 10 mg을 복용한다. 만약 만성 소모성 질환이나 항암치료 등으로 장기간 무월경이 필요한 경우는 단상 경구피임약을 휴약기 없이 지속 복용하여 무월경을 유지할 수 있다.

7) 배란유도제

환자가 임신을 원하면 클로미펜시트르산염(clomiphene citrate)으로 배란 유도를 하는 것이 더 바람직하다. 그러나 클로미펜시트르산염이 비용이 더 들고, 합병증이 많기 때문에 단순히 출혈문제를 해결하기 위하여 임신을 원하지 않음에도 불구하고 클로미펜시트르산염을 사용하는 것은 바람직하지 않다.

8) 다나졸(Danazol)

매일 다나졸 200 mg을 복용하는 경우 다른 치료방법보다 효과적으로 월경과다를 치료하고 무월경을 유도한다. 하지만 체중증가, 다모증, 탈모, 비가역적 음성 변화 등의 부작용 때문에 장기간 사용은 추천되지 않는다.

9) 생식샘자극호르몬방출호르몬 작용제, 길항제(Gonadotropin releasing hormone agonist, GnRH agonist or antagonist)

신부전 등의 만성 내과질환, 혈액질환, 장기 이식 후면역억제제 사용, 항암치료 등 지속적인 무월경 상태가 필요한 환자에서 단기간 사용할 수 있으며, 수술 전 혈색소 수치를 교정하기 위한 목적으로도 사용된다. 결합 초기에는 생식샘자극호르몬방출호르몬(GnRH)과 같은 효과를 나타내어 FSH, LH의 분비를 증가시키는 폭발(flare up) 효과가 있으나, GnRH에 비해 반감기가 늦어 천천히 분해되기 때문에 결국 뇌하수체의 GnRH 수용체의 하향 조절, 탈민감화(desensitization)를 유발하여 1-3주 후에는 저 생식샘호르몬 상태를 만든다. 사용 시작 2-4주가 지나야 생식샘 억제가 일어나기 때문에 급성 치료에는 적절하지 않으며, 골다공증이나 안면홍조 등의 폐경기 증상이 유발되면 에스트로겐 + 프로게스테론 또는 티볼론을 이용하여 증상을 완화시킬 수 있다.

GnRH 길항제인 엘라골릭스(elagolix)는 최근에 미국 FDA에서 자궁내막증 관련 월경통 치료제로 인증되었으며, 경구투여제이다.

10) 데스모프레신(Desmopressin)

아르지닌 바소프레신(arginine vasopressin)의 합성제제로 혈액응고장애가 있는 환자에서 사용된다. 1.5 mg/mL로 농축된 코분무(nasal spray) 또는 정맥내로 0.3 μg/kg을 50 mL 식염수에 희석하여 15-30분 동안 주입하며, 정맥주사가 더 효과적이다.

3. 수술 치료방법

1) 자궁내 탐폰삽입법(Intrauterine tamponade)

풍선이나 거즈를 자궁내강에 넣어 압박하는 방법으로 30-50 mL 16Fr. 도뇨관이나 300 mL 바크리풍선을 사용한다(그림 10-2). 진통제와 항생제를 투여하여야 하며, 풍선은 시간당 20 mL씩, 거즈는 시간당 5 cm씩 자궁내에서 제거하여 24시간 내에 제거한다.

자궁출혈을 줄이기 위해 Bakri 풍선을 그림 10-2 (A)와 같이 자궁내막에 넣어 확장시킨 후 고정하였으며, 그림 10-2 (B)의 좌측이 바르게 삽입된 모습이다.

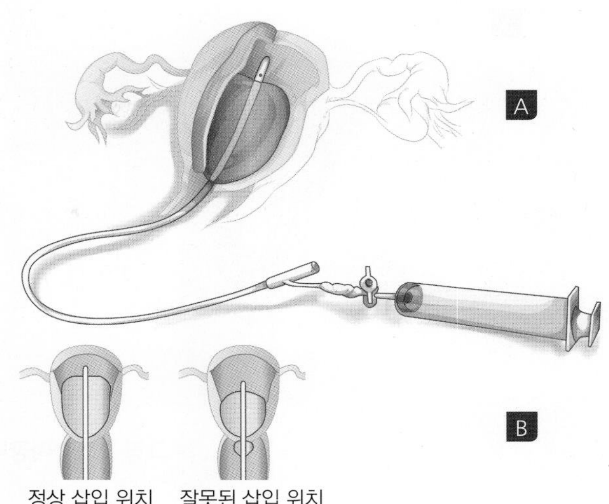

• 그림 10-2. **자궁내 탐폰법**

2) 자궁내막 생검(Endometrial biopsy)

자궁내막용종, 점막하근종, 자궁내막증식증이나 자궁내막암이 의심되는 경우, 약물치료에도 재발할 경우, 35세 이상의 여성에서의 자궁출혈, 에스트로겐을 단독으로 장기간 사용한 경우, 출혈양이 많고 활력징후가 불안정한 경우에 자궁내막생검을 시행한다. 자궁출혈 환자 중 폐경 전 여성의 4%, 폐경 후 여성의 11%에서 자궁내막증식증이나 자궁내막암의 병변이 나타난다. 자궁내막의 두께가 4-5 mm 보다 얇을 경우 자궁내막암의 가능성이 떨어진다는 보고도 있다. 흡입생검(aspiration biopsy)이나 큐렛(curette)을 이용하여 자궁내막의 병변 여부를 알아낼 수 있고, 배란이나 감염 등의 정보도 얻을 수 있다. 또한 활력징후가 비정상적인 경우 출혈을 일시적으로 줄여 치료를 용이하게 해 준다. 자궁내막생검 자체로는 효과가 일시적이기 때문에 조직검사 결과를 참고하여 적절한 치료를 추가해야 한다.

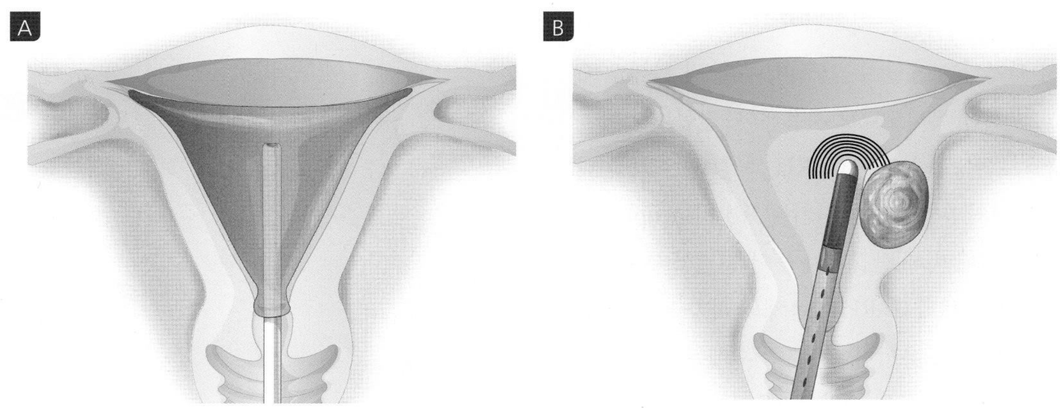

● 그림 10-3. **자궁내막절제, 자궁내막소작술**

3) 자궁내막절제, 자궁내막소작술(Endometrial ablation)

약물치료에 반응하지 않는 지속적인 출혈이나 자궁적출술을 할 수 없는 질환이 있거나 환자가 원하지 않는 경우 자궁내막소작술을 시행할 수 있다. 하지만 추후 임신을 원하는 사람에서는 시행되어서는 안 되고, 미리 자궁내막생검을 통해 악성병변이 배제되어야 하며, 소작술을 시행한 여성에서도 추후 자궁내막암이 발생할 수도 있기 때문에 추적검사가 필요하다. 자궁경을 통하여 소작술을 시행하거나 기성화된 풍선 등의 소작술 기구를 사용할 수 있다(그림 10-3).

월경과다를 보이는 여성의 80-90%에서 효과가 나타나며, 20-50% 정도의 여성은 무월경이 된다. 70-80%는 월경양이 줄었고, 75-90% 정도에도 치료에 만족하였다고 한다. 80%에서는 5년내 재발하지 않았다. 자궁내막소작술을 하고도 15-24%는 자궁제거술을 받았다. 4-6주 정도 고용량 프로게스테론, GnRH 작용제, 다나졸치료를 하여 자궁내막을 억제시킨 후 자궁내막절제를 한 경우 가장 좋은 효과를 나타낸다. 자궁내막절제술 후 추가적으로 자궁절제술이 필요한 경우는 22% 정도 보고된다. 자궁출혈을 줄이기 위해 그림 9-3 (A)와 같은 기성화된 풍선 소작술 기구를 사용할 수 있으며, 자궁경을 통하여 소작술을 시행할 수도 있다.

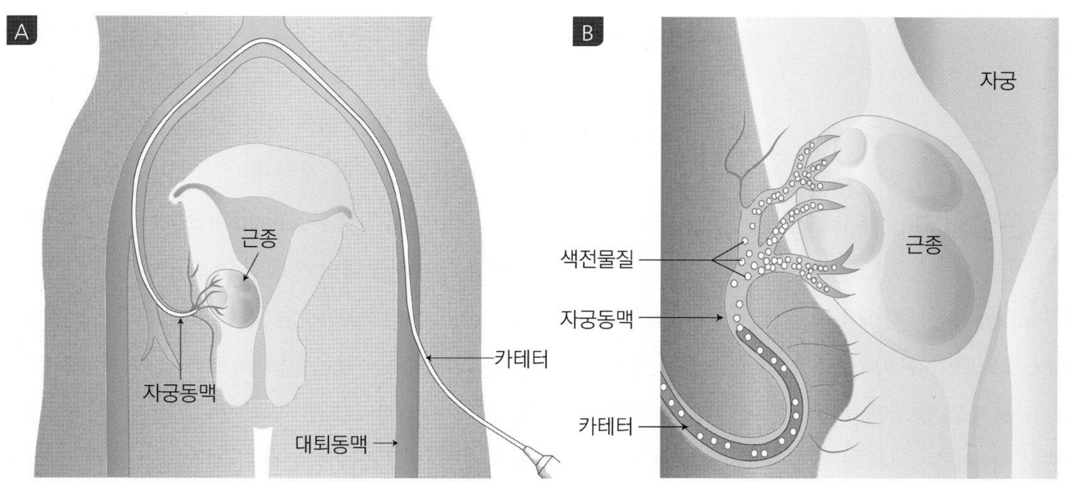

● 그림 10-4. **자궁동맥색전술** 자궁출혈을 줄이기 위해 그림 A와 같이 대퇴동맥으로 접근하여 대동맥조영상으로 혈관의 모양, 변이, 근종으로의 혈관분지를 확인하고, 그림 B와 같이 투시기를 통해서 카테터를 전진시킨 후 색전술을 시행한다.

4) 자궁동맥색전술(Uterine artery embolization)

폐경 전 여성에서 자궁근종으로 인한 증상과 출혈을 보이고 추후 임신을 원하지 않을 경우 자궁동맥색전술이 추천되며, 폐경 후 여성이나 점막하 근종, 목이 있는(pedunculated) 근종, 큰 근종, 심한 자궁샘근증, 활동성 비뇨생식기감염, 암, 심한 면역저하 상태, 심한 혈관질환, 조영제에 부작용이 있는 여성에서는 시행하지 않는다.

또한 색전술 후 임신에 대한 안정성이 확립되지 않았기 때문에 임신을 원하는 여성도 금기이다.

자궁동맥색전술은 자궁동맥의 혈류를 줄여 근종의 경색증을 일으켜 근종과 관련된 증상을 줄이는데, 한쪽만 시행한 경우 실패율이 높아지기 때문에 양쪽 자궁동맥에 시술해야 한다(그림 10-4). 수술전 자기공명영상은 치료방침 결정에 도움이 된다. 통증, 열, 알러지반응, 자궁근종의 질내 탈출 등의 부작용이 있을 수 있으며, 가장 문제되는 점은 악성종양인 평활근육종(leiomyosarcoma)을 놓치거나 시술 후에 난소기능이 저하되는 경우이다. 자궁동맥색전술을 시행하고 5년 후에는 75%에서 증상의 효과적인 감소를 보였고, 20%에서는 미진하여 다른 시술을 추가해야 했다.

5) 자궁절제술(Hysterectomy)

자궁출혈의 완치방법으로 자궁절제술을 선택할 수 있지만, 전신 마취와 수술 부작용에 대한 부담이 있다.

4. 자궁출혈 치료의 선택

1) 비정상 자궁출혈에서는 해부학적 병변이나 내과 질환 등의 원인이 있는지를 살핀다. 초음파로 측정한 자궁내막이 4 mm 미만으로 얇을 때는 자궁내막 병변을 배제할 수 있다.
2) 35세 이상, 자궁내막 병변이 의심될 때, 폐경 후 여성에서 자궁내막이 4-5 mm 이상일 때, 활력 징후가 불안정할 때: 자궁내막생검
3) 출혈이 급성이고 양이 많을 때: 고용량 에스트로겐 후 주기적 에스트로겐/프로게스테론 복용
4) 빈혈이 없고 출혈이 소량일 때: 추적관찰
5) 피임이 필요하지 않을 때, 성적 성숙이 완성되지 않은 사춘기 여성: 한 달에 10-14일 동안 MPA 5-10 mg 복용
7) 피임을 원할 때: 3개월 이상 복합경구피임약
8) 임신을 원할 때: 배란유도

** 참고문헌 목록은 대한산부인과내분비학회 홈페이지 http://www.kosge.or.kr 또는 QR코드를 통해 보실 수 있습니다.*

CHAPTER 11

월경통 및 만성 골반통

김수아(조선의대), 박은주(을지의대)

Ⅰ. 월경통

1. 정의

월경통은 월경에 동반되어 주기적으로 발생하는 하복부의 통증으로, 발생 원인에 따라 일차 월경통과 이차 월경통으로 구분할 수 있다. 일차 월경통은 부인과 이상이 동반되지 않는 주기적인 통증으로, 배란 월경과 밀접한 연관성이 있다. 초경 이후의 일시적인 무배란 월경이 나타나는 시기에는 월경통의 빈도가 드문 것으로 알려져 있다. 이차 월경통은 부인과 질환 및 병리상태로 인해 나타나는 월경통을 말하며, 배란이 일어나지 않은 월경주기에도 나타날 수 있다.

2. 역학

청소년을 대상으로 한 국내 보고에 따르면 월경통의 빈도는 약 80% 정도이며, 미국과 스웨덴의 경우 약 60%에서 72% 정도 발생한다고 보고되었다.

체질량지수(body mass index: BMI) 20 이하, 이른 초경(12세 이전), 월경주기 사이 기간이 긴 경우, 월경의 기간이 길거나 월경주기가 불규칙할 때, 월경 과다, 이전에 피임 시술을 시행한 과거력, 성폭력 피해 병력 그리고 흡연자인 경우 고위험군에 속한다.

복합경구피임약 복용, 운동, 기혼자, 안정적인 관계유지, 다임신력 등은 월경통 발생을 줄여주는 요인들로 알려져있다.

3. 병인

자궁혈관이 빈번하게 수축되고 지속되면 자궁근육이 허혈 상태가 되어 일차 월경통이 발생한다는 많은 연구가 있다. 자궁혈관 혈류(blood flow)를 도플러초음파를 이용하여 확인한 연구들의 결과를 보면, 일차 월경통을 가진 여성에게서 월경 시작 첫날에 자궁 동맥과 궁상동맥(arcuate artery)의 저항성(resistance)이 월경통이 없는 여성에 비해

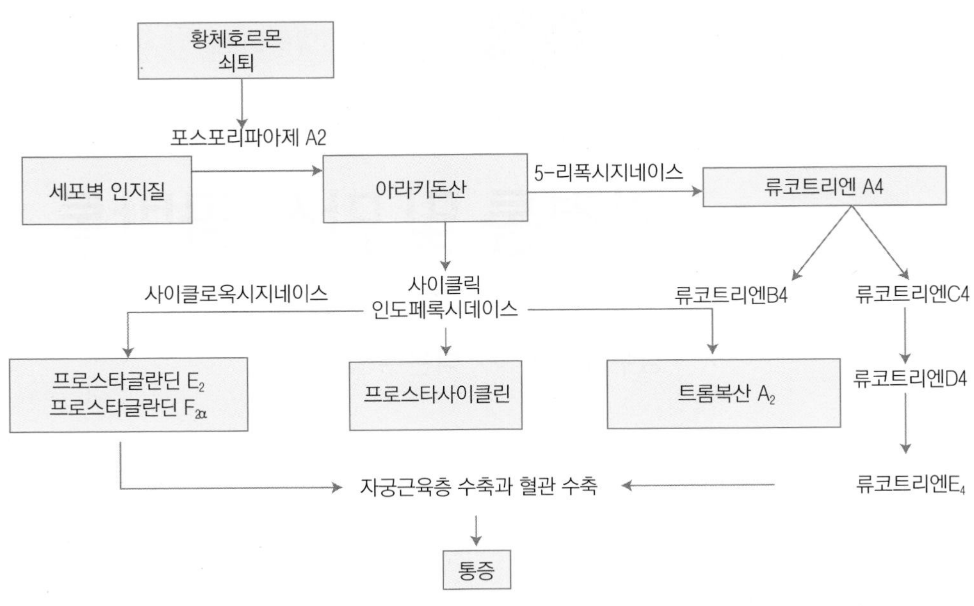

● 그림 11-1. **월경통의 기전**

현저히 높다는 것이 확인되면서, 자궁 혈관의 수축이 통증 유발의 원인이라고 제안하였다.

일차 월경통에 관련된 물질로 자궁내막에서 분비되는 프로스타글란딘(prostaglandin, PG)이 비정상으로 증가되어 자궁근육의 주기적인 수축 및 허혈성 통증을 일으킨다. 프로스타글란딘 계열에서 PGF2α는 월경통을 일으키는 주된 인자로, 난포기에 비해 분비기의 자궁내막 내에서 높은 농도를 보이고, 월경 전 황체호르몬의 생리적인 쇠퇴가 일어나면 세포막의 인지질로부터 아라키돈산(arachidonic acid)이 생성되어, 자궁내막 및 혈중농도가 더욱 높아진다(그림 11-1). 또한 정상 여성과 월경통을 호소하는 환자 사이에 PGF2α 농도 차이가 보고되었다.

이차 월경통은 여러 가지 원인으로 골반내 해부학적 변화가 일어나서 나타나는 월경통으로, 자궁내막증, 자궁근종, 자궁내용종, 골반염, 자궁내 장치, 자궁기형 등이 원인이 된다.

4. 임상양상 및 평가

일차 월경통은 초경 이후 3년 이내, 배란 주기가 형성된 이후부터 발생하며, 시기적으로 20세 이전에 발견되는 경우가 많다. 따라서 20세 이후에 발견되는 월경통은 이차 월경통을 의심해 볼 필요가 있다.

일차 월경통의 양상은 주로 자궁근육의 경련 양상으로 나타나며, 월경기간 동안 자궁 수축 강도는 기초 강도(>10 mmHg)에서부터 150-180 mmHg까지 올라갈 수 있고, 그리고 최대 400 mmHg까지 넘어설 수도 있다(>4-5/10 minutes). 프로스타글란딘의 대사산물인 PGF2α와 PGE2는 기관지나 장관, 혈관 평활근의 수축을 일으켜 두통, 발한, 빈맥, 오심, 구토, 설사 등과 같은 증상이 동반된다. 월경이 시작된 후 프로스타글란딘의 농도는 2-3일간 높은 상태로 유지되며 이는 임상 양상이 나타나는 기간과 일치하는 경향을 보인다.

이차 월경통은 배란통과도 관련이 있으며, 월경이 시작되기 전부터 통증이 시작되어 월경이 끝난 이후에도 통증이 지속될 수 있다. 특히 자궁근종에 의한 이차 월경통은 월경과다로 인해 일어나며, 통증의 강도는 월경량과 연관이 있다.

일차 월경통과 이차 월경통의 진단은 무엇보다도 자세한 병력청취가 우선되어야 하며, 신체검사를 통한 자궁내막증과 자궁근종, 골반염 유무를 감별하고, 골반초음파 및 방사선 장비를 이용하여 자궁기형 유무와 같은 부인과 질환 및 이상을 감별해야 한다. 부인과적 원인이 없는 경우 일차 월경통으로 진단 내릴 수 있다.

5. 치료

비스테로이드항염증제(NSAIDs)와 경구피임약과 같은 전통적인 치료제뿐만 아니라 여러 가지 호르몬요법과 온열찜질, 식이요법, 그리고 비타민이나 한약, 허브, 운동, 행동치료 등과 같은 다양한 치료법이 제안되고 있다.

1) 비스테로이드항염증소염제

일차 월경통의 청소년에게 우선적인 치료제로 프로스타글란딘의 생성 및 대사 산물을 감소시키는 효과를 가지고 있다. 프로피온산(propionic acid), 페남산(fenamic acid), 아세트산(acetic acid) 계열의 약물이 주로 사용된다(표 11-1).

많은 임상실험에서 NSAIDs가 월경통을 호소하는 환자들 중 70-90%에서 통증이 완화됨을 확인하였다. 이 약은 자궁내막에서 프로스타글란딘 생성을 감소시키고 월경량을 줄여 통증을 완화한다. 시클로옥시게나아제-2 억제제(cycloxygenase-2 inhibitor)는 가격이 비싸고 잠재적인 위험요인이 있어 심한 위장관 장애가 있는 여성을 대상으로 제한해서 사용해야 하며, 18세 이상의 여성에게 사용 가능하다.

정해진 용량과 용법으로 사용해야 효과가 있으며 3주기 이상 투여하여 치료의 성패를 평가한다. 일반적으로 월경의 시작과 함께 복용하고 통증이 지속되는 동안 유지한다. 극심한 월경통을 호소하는 여자들은 월경 시작하기 1-2일 전에 복용을 시작한다. 아세트아미노펜을 제외한 NSAIDs는 위장관 부작용을 줄이기 위해 음식 복용 후에 섭취해야 한다.

보통 정해진 용량으로 같은 약제를 4-6주기 사용하여 치료에 반응하는지 평가하고 성공하지 못하면 약물을 증량하거나 약물의 종류를 바꾸어야 한다. 부작용은 오심, 소화장애, 설사, 피로 등이다.

프로스타글란딘이 배란에 중요한 역할을 하므로 NSAIDs는 배란을 연기하거나 억제하는 잠재력이 있다. 그러나 치료 시기는 배란과 거리가 멀기 때문에 임신을 원하는 환자에게 부작용이 없다는 것을 재확인시켜줘야 한다.

2) 복합경구피임약

자궁내막의 증식과 배란을 억제하여 프로스타글란딘의 생성을 최소화한다. 자궁내막증 병변의 억제 및 피임을 원하는 경우와 NSAIDs 치료로 통증 완화를 얻지 못한 환자에게 대체법으로 사용할 수도 있다. NSAIDs와 효과가 유사하며, 함께 사용할 수 있다. 둘 다 사용하면 단독요법보다는 효과가 더 좋은 것으로 알려져 있다.

표 11-1. 월경통을 위한 비스테로이드항염증소염제 치료요법

Drug	Initial Dose (mg)	Maintenance Dose (mg)
Proprionic acid derivatives		
Ibuprofen	400	400 q6h
Naproxen	500	250 q6-8h
Naproxen sodium	550	275 q6-8h
Ketoprofen	75	75 q8h
Fenamates		
Mefenamic acid	500	250 q4h
Meclofenamate	100	50-100 q6h

복합경구피임약은 21-24일 활성약물(active pill)을 복용하고 4-7일간 위약을 복용하는 표준 주기 복용법(standard cyclic fashion)이 주로 사용된다. 확장된 주기복용법(extended cyclic manner)으로 12주간 활성약물을 복용하고 7일 동안 위약 혹은 저용량 에스트로겐을 함유하는 약을 복용하는 방법이 있다. 확장된 주기 복용법은 매 3개월마다 쇠퇴출혈을 유발하여 생리 횟수를 줄여주는 이점이 있지만 돌발출혈의 가능성이 높아지는 문제점이 있어 이에 대한 설명이 필요하다.

3개월 정도 위에 설명한 두 약제를 복합 사용 후에도 반응이 없으면 히드로코돈이나 코데인과 같은 마약 진통제를 월경주기당 2-3일 정도 추가하여 사용해볼 수 있다. 마약 약물을 사용하기 전 정신과 요인과 병리 원인을 먼저 배제해야 한다.

3) 기타 호르몬 치료법

레보노르제스테렐 함유 자궁내 장치(LNG-IUS), 호르몬 함유 피하 이식 피임기구(Implanon), 호르몬 함유 질내 삽입 링 등이 월경통에 효과적이다.

레보노르제스테렐 함유 자궁내 장치는 효과적이고 잘 유지할 수 있는 방법으로 최근 일차 그리고 이차 월경통의 치료법으로 떠오르고 있다. 피하이식제(Implanon, single-rod implantable hormonal contraceptive containing etonogestrel) 또한 이점이 있음이 증명되었다.

호르몬 함유 질내 삽입 링은 월경통에 복합경구피임약만큼 효과적이다. 피임약과 마찬가지로 링 또한 확장된 요법(extended regimen)으로 3개월 동안 링 사용 후에 1주일간 휴약 기간을 두는 방법을 쓸 수 있다.

장기 지속형 호르몬제제인 데포 초산 메드록시프로게스테론(depot medroxyprogesterone acetate)을 월경통에 사용해 볼 수 있다. 프로게스테론 단독 피임제 중에 데포 초산 메드록시프로게스테론은 3개월에 한번 맞는 주사제로 월경통에 치료 효과는 연구된 바 없지만, 청소년들에게 사용시 배란을 억제하여 월경통을 감소했다는 결과를 보고한 작은 연구가 있다. 에스트라디올 패치는 월경통에 대한 효과는 명백하지 않다.

4) 생식샘자극호르몬방출분비호르몬 작용제 (GnRH agonist)

생식샘자극호르몬방출분비호르몬 작용제는 배란을 억제하는 기전의 또 다른 월경통 치료제이다. NSAIDs와 복합경구피임약에 반응하지 않는 중증의 지속되는 월경통에는 이 약물의 사용을 추천할 수 있다. 이러한 경우에 진단복강경이 필요하다고 하며, 복강경에서 많은 경우에 자궁내막증을 발견했다는 보고가 있다. 임상적으로 자궁내막증이 의심스러우나 수술하기는 어려운 경우에 이 약물을 사용해 볼 것을 제안하고 있다. 그러나 무월경, 안면홍조, 질건조증, 골다공증 등의 부작용이 발생할 수 있으므로 6개월 이상 투여가 필요한 경우나 부작용이 발생하면 저용량의 에스트로겐을 추가 복용하는 병합 요법을 고려해볼 수 있다.

5) 기타 치료법

경피신경전기자극치료(TENS: transcutaneous electrical nerve stimulation), 침술요법, 온열찜질 등이 효과적이고, 채식요법, 허브제제, 비타민 E, B1, B6 복합제 등도 효과적이라는 연구가 있다.

2개의 임상실험에서 확인된 데이터로 8-12시간 동안 온열 패치를 적용하는 것이 위약군에서보다 더 효과적이며 심지어 NSAIDs로 치료했을 때만큼의 효과를 볼 수 있다고 확인되었다. 몇몇의 임상 실험에서 채식 식단, 비타민 E, 복합비타민제(B1, B6, E) 그리고 한약재가 위약군보다 더 효과적임을 확인하였다. 하지만 2개의 체계적 문헌고찰(systematic review)에서는 월경통을 치료하는데 식이요법과 한약재로 치료하는 것에 대해 충분한 검증(evidence)이 부족하다고 결론이 도출된 바 있다.

월경통 치료에 있어 운동과 관련해서는 복합적인 결과가 도출되었다. 몇몇의 연구에서는 향상을 보인다고 하지만 오히려 규칙적인 운동이 증상을 악화시킨다는 연구들도 발표되었다.

6) 이차 월경통의 치료

비스테로이드소염제와 복합경구피임약에 대한 효과는 적으며, 먼저 자궁내막증, 자궁샘근증, 자궁근종 등 각각의 원인에 대한 치료가 필요하다.

비스테로이드소염제 및 복합경구피임약 치료에 반응을 보이지 않는 여성 중에 재발하거나 통증의 양상이 심해지는 여성은 자궁내막증과 같은 이차 월경통을 배제하기 위해 재평가되어야 한다.

극심한 월경통을 가진 여성이나 NSAIDs 비스테로이드소염제나 복합경구피임약 치료에 실패한 경우 진단적 복강경의적응증이 되며 진단 복강경을 시행하였을 때 대부분 자궁내막증이 확인되었다는 보고도 있다. 그리고 자궁내막증의 수술 시 병변을 가능한 최대로 제거를 해야 하고 재발 방지를 위한 약제를 추천하는 기간 동안 사용하여 월경통의 발생을 줄여주어야 한다.

표 11-2. 만성 골반통의 원인

자궁 외 생식기 장애
자궁내막증, 골반내 유착, 자궁부속기 낭종, 만성 자궁외임신, 내관난종, 잔유난소증후군, 골반울혈증후군
자궁 내 생식기 장애
자궁샘근증, 자궁근종, 만성 골반염증질환, 자궁경부유착, 자궁내 폴립, 자궁내 장치
방광, 요로계 장애
사이질방광염, 요도곁주머니, 방광종양, 만성 비뇨기계 감염, 방사선방광염, 재발성 방광염, 요석증, 비억제성 방광수축, 만성요도증후군, 요도언덕
근골격계 장애
근막통증증후군, 조롱박근증후군, 항문올림근증후군, 탈장, 요추피로골절, 부정확한 자세, 섬유근통, 기계적 요통, 만성 꼬리뼈통증, 근과도긴장, 골반근육통, 복직근긴장
위장관 장애
과민 대장증후군, 곁주머니병, 염증창자병, 대장종양, 만성 간헐창자막힘, 대장염, 만성변비
신경 장애
포착신경병, 대상포진감염, 퇴행관절염, 추간판탈출, 복부편두통, 척수종양
심리 장애
신체화, 우울증, 성학대, 신체학대, 인격장애, 수면 장애

II. 만성골반통

1. 정의 및 역학

만성 골반통은 기능장애를 일으키거나 의학 치료가 필요할 정도의 비주기성(non-cyclic) 통증이 해부학적 골반, 배꼽 이하의 하복부, 요천추 배부(lumbosacral back) 또는 둔부에 3-6개월 이상 지속되는 경우를 말한다. 통계에 따르면 만성 골반통의 유병률은 4-25%이고, 이 중 1/3만이 치료를 받는다. 이러한 만성 골반통은 산부인과를 찾는 환자의 10-20% 정도를 차지하고 있는데, 양성 질환을 원인으로 시행한 자궁절제술의 20%, 부인과 복강경 시술의 40% 이상이 만성 골반통에 기인하는 것으로 보고하고 있다.

2. 원인

만성 골반통의 원인은 다양하며(표 11-2), 산부인과와 관련된 질환은 약 20% 정도로 위장관계 질환이나 비뇨기계 질환보다 더 적은 비중을 차지하고 있다. 또한 만성 골반통의 원인은 한 가지가 아니라 여러 가지가 혼재할 수 있고, 이런 경우 통증이 더 심한 경향이 있다.

3. 진단

만성 골반통을 호소하는 환자를 진단하기 위한 과정은 (1) 병력청취 (2) 신체 진찰 (3) 실험실검사 및 영상의학검사(laboratory & imaging evaluation) (4) 복강경(laparoscopy) 검사를 들 수 있다.

1) 병력청취

만성 골반통을 진단하기 위해서는 환자가 처음 병원을 방문하였을 때 통증의 병력을 알아보는 것이 매우 중요하다. 통증의 성상(nature), 위치, 방사양상(radiation pattern), 심도(severity), 악화요인, 완화요인, 월경주기에 의한 영향 유무, 스트레스, 노동, 성교, 오르가즘에 의한 통증의 변화 유무, 통증으로 인해 발생하는 사회적 또는 직업적인 희생에 대하여 전반적이고 구체적인 병력청취가 이루어져야 한다. 병력청취는 부인과, 내과 그리고 외과 요인, 약물복용, 골반통에 대한 과거 평가, 과거의 수술 또는 병리 소견 등을 두루 포함하는 것이 되어야 하며, 특히 비뇨기계 질환, 장 질환, 생식기 질환, 근골격계 질환, 신경계 질환 등에 관해 주의 깊게 청취하여야 한다.

(1) 골반통 평가 양식(Pelvic pain assessment form)

만성 골반통 환자의 병력 청취와 이학적 검사를 위한 골반통 평가 양식을 이용하여 체계적으로 환자상태를 확인할 수도 있다.

(2) 감별 진단

① 순환성 통증(Cyclic pelvic pain): 자궁내막증, 자궁샘근증

② 임신 중 또는 직후 발생한 통증: 근골격 원인

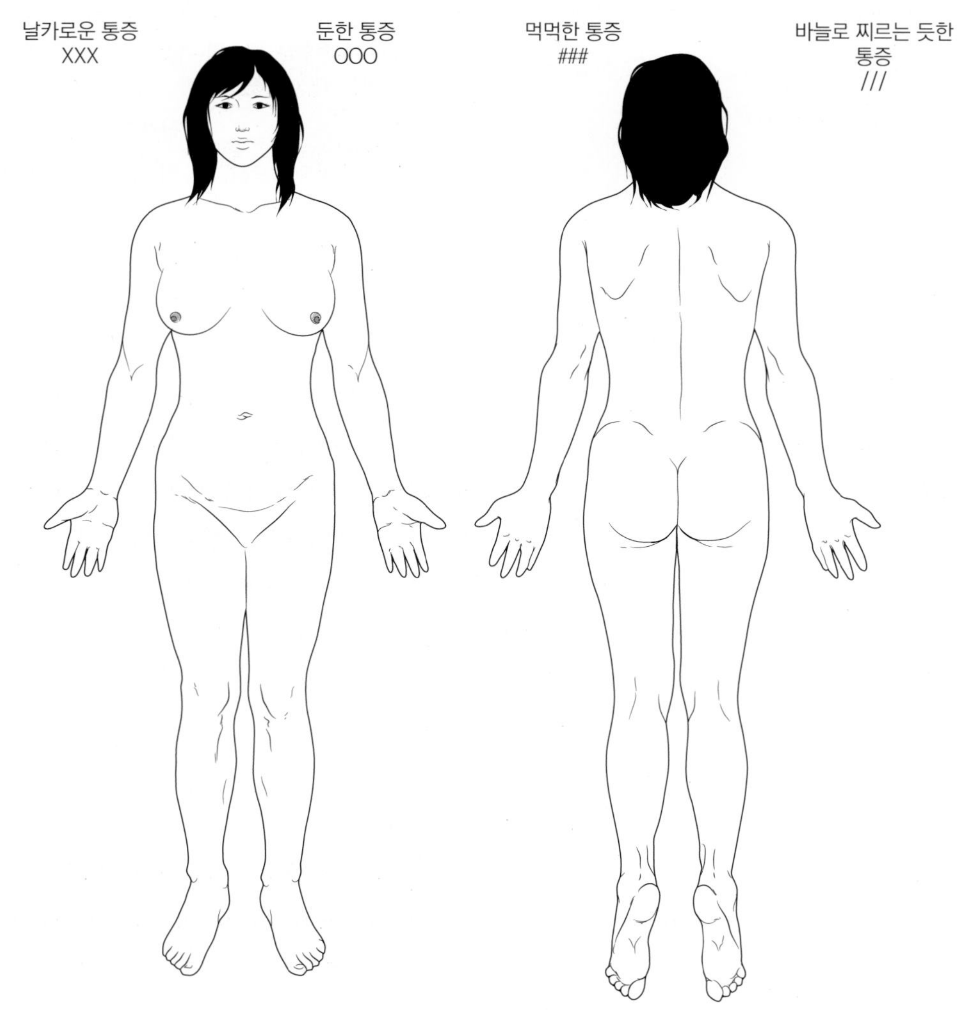

• 그림 11-2. **통증지도**

③ 초경 전 발생한 통증: 부인과 원인 이외 질환
④ 뜨겁거나 전기 느낌의 통증, 감각이상: 포착성 신경병증(entrapment neuropathy)
⑤ 배뇨통증: 사이질방광염(interstitial cystitis)
⑥ 배변 습관의 변화: 장관계 질환

(3) 통증지도(Pain map)

통증지도를 작성하는 것도 진단을 내리는 데 도움이 될 수 있다(그림 11-2).

2) 신체 진찰

완전한 신체검사를 실시해야 하는데 시진과 촉진을 통한 복부검진과 두 손 진찰법(bimanual examination), 직장질 진찰법(rectovaginal examination) 등의 골반내진(pelvic examination)이 기본적인 검사가 된다. 한 손가락을 직접 복부 및 골반근육을 촉진하여 압통, 근긴장도, 방사통, 신경학적 증상 등을 확인할 수 있다. 특히, 각각의 근육들이 이완 및 수축되었을 때 모두 확인해야 한다.

카넷 검사(Carnett's test)는 복벽을 기원으로 하는 통증을 확인할 때 유용하다. 바로 누운 자세에서 양다리를 똑바로 들어 올리거나 머리 또는 어깨를 들어 올리면 복근이 수축을 한다. 이때 통증이 있으면 카넷 양성이라고 하며 통증의 원인을 내장이 아닌 복벽으로 한정할 수 있다. 또한 골반과 척추에 대한 시진과 촉진을 통해서 정형외과 문제를 확인할 수 있다.

(1) 심리 평가

간단한 질문을 통해서 우울증이나 성학대에 대해 확인할 수 있다.

(2) 특정 질환을 의심하게 하는 소견

① 비정상 자궁천골인대, 자궁경부의 위치 이상: 자궁내막증
② 불규칙 또는 팽대 자궁: 자궁샘근증
③ 자궁 및 자궁부속기 및 자궁경부운동압통: 골반염증질환, 유착, 골반울혈증후군
④ 자궁부속기 종괴: 난소종양
⑤ 탈출: 골반장기탈출
⑥ 이상감각: 포착신경병증
⑦ 광범위 압통: 사이질방광염
⑧ 요도하 통증: 요도곁주머니(urethral diverticulum)
⑨ 치골상 통증: 만성 요도염, 사이질방광염
⑩ 복통: 과민 대장증후군, 급성 간헐포르피린증(acute intermittent porphyria), 곁주머니병(diverticular disease), 젖당 불내성(lactose intolerance)
⑪ 골반근육압통: 이상근(piriformis) /항문올림근(levator ani muscle)증후군

3) 실험실검사 및 영상의학검사

(1) 실험실검사

만성 골반통에 대한 특이적인 검사는 없다. 기본적으로 시행하는 검사로는, 일반혈액검사, 요검사, 요배양검사, 적혈구침강속도검사(ESR), 임신테스트가 있다.

(2) 영상의학검사

복부초음파 또는 질초음파는 자궁을 비롯한 골반내 종양, 탈장 등의 감별에 도움이 된다. 자기공명영상은 초음파로 감별할 수 없는 질환의 감별에 도움이 된다.

단순 X선 촬영은 척추 및 골반의 골절, 감염, 종양 및 다른 구조 이상을 감별하는데 도움이 된다. 단순복부 X선 촬영은 장마비 및 폐쇄, 결핵성 골반염증질환 등의 감별에 도움이 된다.

4) 복강경

만성 골반통증의 통증의 원인이 복벽이 아닌 내장 쪽이 의심될 때 진단 검사로 복강경을 이용할 수 있다.

복강경은 진단과 동시에 치료도 가능하다는 장점이 있다. 만성 골반통으로 복강경을 시행하였을 때 어떠한 이상 소견도 발견하지 못한 경우가 35%, 자궁내막증이 33%,

표 11-3. 복강경의 적응증

경구피임약과 비스테로이드소염제에 반응하지 않는 만성 골반통
진단적 딜레마
확인된 골반 종괴
통증을 동반하는 불규칙 질출혈
진행성 월경통

유착이 24%, 만성 골반염증질환이 5%, 난소낭종이 3%로 발견되었다고 보고되고 있다. 진단복강경의 적응증은 정해져 있는 원칙이 없으나 표 11-3에서 보는 상황일 때는 복강경을 시행해 볼 수 있다. 정신과 원인이나 복벽 등의 원인이 배제되었을 때 복강경을 고려해 볼 수 있다. 특히 골반진찰이나 초음파상 골반내 종괴가 발견된 경우, 지속적으로 진행되는 월경통, 경구피임약이나 비스테로이드소염제에 반응이 없는 만성 골반통증의 경우, 통증을 동반한 비정상자궁출혈, 만성 골반염증질환 또는 만성 충수돌기염이 의심되는 경우 시행해 볼 수 있다.

(1) 복강경 통증지도(Laparoscopic pain mapping)

복강경을 이용한 통증지도는 만성 골반통의 원인을 아는데 유용하다. 환자의 의식이 있는 상태에서 복강경을 시행하여 탐색자(probe)를 이용하여 골반내 장기를 차례로 건드리면서 환자에게 통증 유무 및 통증 정도를 확인한다. 이 시술은 전신마취 하에 복강경을 시행했을 때 시각으로 의심되지 않은 원인에 대해서도 진단이 가능하다는 장점이 있다.

5) 추가검사

(1) 골반울혈증후군에는 경자궁정맥조영술(transuterine venography)을 시행해 볼 수 있다.

(2) 사이질방광염이 의심될 때는 방광경검사, 방광내 칼륨민감도검사(intravesical potassium sensitivity test)를 시행해 볼 수 있다.

4. 치료

만성 골반통의 치료 방법은 원인을 파악하여 그 원인을 제거해 주는 것이다. 하지만 원인이 불분명하거나 진단이 내려지기 전까지 환자들의 증상 완화를 위해서 약물, 수술 등의 내/외과 치료, 또는 대증적 치료가 필요하다.

1) 원인질환을 알 때

(1) 자궁내막증

병력청취와 신체검사에서 자궁내막증이 의심된다면 경험적인 치료를 고려해 볼 수 있다. 우선적으로 비스테로이드소염제, 복합경구피임약을 사용해본다. 2-3개월간의 투약에도 효과가 없으면 황체호르몬인 초산 메드록시프로게스테론(MPA), 초산 노르에틴드론(norethindrone acetate, NETA), 디에노게스트를 경구로 투약해 볼 수 있으며, 데포 초산메드록시프로게스테론(depo-MPA)이나 생식샘자극호르몬분비방출호르몬 작용제 (GnRH agonist, 예; leuprolide acetate), 다나졸(danazol) 등의 약제를 고려해 본다. 특히 6개월 이상 GnRH 작용제를 사용할 때는 저에스트로겐으로 인한 부작용을 줄이기 위해 보조치료(add-back therapy)가 필요하다. 약물치료에도 반응을 보이지 않으면 진단 및 치료를 위한 복강경을 통한 자궁내막증 조직의 제거 및 파괴를 시도한다.

(2) 자궁샘근증

① 비스테로이드소염제, 경구피임약
② 레보노르게스트렐 함유 자궁내장치(LNG-IUS)
③ GnRH 작용제
④ 자궁절제술

(3) 자궁근종

① 근종제거술
② 자궁절제술

(4) 유착(Adhesion)

유착이 있을 때 유착박리술을 많이 시행해오고 있으나, 장유착을 제외한 다른 종류의 유착은 유착박리술을 통해 통증을 줄이는 데는 효과가 없다.

(5) 만성 골반염증질환

경험 항생제 치료가 만성 골반통을 줄인다는 보고는 없다.

(6) 골반울혈증후군

① GnRH 작용제 또는 합성 프로게스테론

② 자궁절제술

③ 난소동맥(ovarian vein) 및 내장골동맥(internal iliac vein)의 색전술

(7) 일차 월경통(Primary dysmenorrhea)

① 경구피임약

② 비스테로이드소염제

③ 비타민B1, 마그네슘

④ 침술

(8) 근막동통증후군(Myofascial pain syndrome)

① 마사지를 포함한 물리치료

② 통증 부위 주사(trigger point injections): 1% 리도케인(lidocaine)과 0.25% 부피바케인(bupivacaine)을 50:50으로 섞어서 3 mL를 통증 부위(trigger point)에 주사하면 효과적이다.

③ 국소 마취제 패치(local anesthetic patches)

④ 침술

(9) 잔류난소증후군(Ovarian remnant syndrome)

① 경구피임약

② 고용량 프로게스테론

③ 다나졸

④ 난소절제술

(10) 과민 대장 증후군(Irritable bowel syndrome)

식이조절, 스트레스 감소, 교육, 저용량 삼환계항우울제(tricyclic antidepressant), 심리요법

(11) 사이질방광염

식이조절, 스트레스 감소, 교육, 저용량 삼환계항우울제, 심리요법

(12) 요도곁주머니

① 국소 에스트로겐

② 독시사이클린(doxycycline) 또는 에리스로마이신(erythromycin)

(13) 정신 질환

우울증이 만성 골반통과의 관련성은 있으나, 항우울제의 사용이 우울증이 원인인 만성 골반통을 줄이지는 않는다.

2) 원인질환을 모를 때

(1) 내과 치료

원인이 정확히 규명되지 않은 만성 골반통은 여러 분야의 전문가들이 다양한 치료방법으로 접근해 볼 수 있다. 약물 또는 수술적 치료와 동시에 정신치료, 물리치료가 필요하다. 약물치료로는 비스테로이드소염제, 아편유사제 opioid), 항우울증약물[아미트리프틸(amitriptyline), 노트리프틸린(nortriptyline), 플루옥세틴(fluoxetine), 파록세틴(paroxetine), 서트랄린(sertraline)], 항경련제 등을 사용해 볼 수 있다. 냉, 온찜질, 근육이완체조, 마사지 요법, 경피신경전기자극(transcutaneous electrical nerve stimulation, TENS) 등의 물리치료도 통증을 완화하는 데 도움이 된다. 정신치료로는 안심시키기, 정신상담, 정신 이완치료, 스트레스조절 프로그램과 생물학 되먹임치료 등이 있으며 약물치료의 효과를 높일 수 있다.

(2) 외과 치료

자궁절제술은 생식기계를 원인으로 하는 만성 골반통

의 75-95%에서 효과적인 치료법이나 그 외의 원인일 때는 효과가 제한적이다. 또한 자궁절제술을 시행하기 전 최소한 6개월간의 치료실패기간이 있어야 하며, 가능한 복식 자궁절제술보다는 복강경이나 질식 자궁절제술을 권한다. 천골전신경절제술(presacral neurectomy)은 천골갑각(sacral promontory) 부위에서 상하복부신경총(superior hypogastric plexus)의 교감신경(sympathetic nerve)을 잘라주는 수술로 만성 골반통 중 월경통이 심한 경우에 어느 정도 효과가 있다. 자궁천골인대소작술(laparoscopic uterosacral nerve ablation, LUNA)은 천골전신경절제술보다 쉽게 시행할 수 있는 장점이 있지만 효과는 입증되지 않았다.

** 참고문헌 목록은 대한산부인과내분비학회 홈페이지 http://www.kosge.or.kr 또는 QR코드를 통해 보실 수 있습니다.*

4

부 인 과 내 분 비 학

미성년

CHAPTER

12 사춘기내분비학

이미화(차의과학대)

사춘기(puberty)는 소아가 성인으로 성장하기 위해 거치는 성장발달의 과도기로 이 시기를 거쳐 사람은 신체의 성숙과 함께 생식능력을 처음으로 획득하게 된다. 사춘기는 호르몬 분비의 극적인 변화로부터 시작되는데 이에 따라 특징적인 신체변화가 순차적으로 진행된다. 외형적으로는 이차성징(secondary sex characteristics)이 나타나 체형이 여성화 또는 남성화하고 키의 성장이 가속화되며, 내부적으로는 생식기가 성장하고 생식샘의 기능이 성숙하여 성호르몬 분비와 함께 성숙한 생식세포를 만든다. 이러한 과정을 통해 남녀 모두 생식능력을 갖추게 되며 여성의 경우 사춘기 후반기에 초경을 경험하게 된다.

사람에서의 사춘기는 생식샘기능개시(gonadarche)와 성증발현(adrenarche)이 복합되어 나타나는 현상이다. 생식샘기능개시는 시상하부-뇌하수체-생식샘 축의 활성화로 인해 생식샘의 성호르몬 분비가 증가하여 나타난다. 여성에서는 난소의 에스트로겐 증가로 유방발육개시(thelarche)와 초경(menarche) 등의 사춘기 변화가 나타나고 남성에서는 고환의 남성호르몬 증가로 남성생식기의 성장과 함께 이차성징이 발현된다. 사춘기에 키 성장이 급속하게 빨라지는 것도 생식샘기능개시에 의한 결과이다. 성증발현은 생식샘기능개시와는 다른 독립적인 발달과정으로 부신피질 남성호르몬 분비 증가에 의해 진행된다. 성증발현에 의해 음모 및 액모가 발현되며 이를 음모발현(pubarche)이라고 한다.

사춘기는 사람의 성장 발달에서 필수적인 과정으로 병적인 원인에 의한 소수를 제외하고는 모든 개체가 경험하는데 정상적인 사춘기의 발현시기는 시대적인 변화를 보여왔다. 사춘기시기를 결정하는데 가장 많은 역할을 담당하는 것은 유전적인 요인이지만 19세기 중반부터 20세기 중반까지 초경연령이 16-17세에서 12-13세로 약 4년 정도 앞당겨진 것은 환경요인의 개선에 의한 결과이다. 경제사회적 발달로 적절한 영양 상태에 도달한 20세기 중반 이후에는 초경연령의 감소추세가 매우 둔화되었는데 이차성징 연령의 감소추세는 최근까지 유지되고 있는 것으로 알려졌다.

정상적인 사춘기를 시작하게 하는 원인에 대해서는 아직 정확한 기전이 밝혀지지 않은 상태이다. 사춘기 개시의 단초가 되는 생식샘자극호르몬방출호르몬(gonadotropin-releasing hormone, GnRH) 박동생성기의 사춘기 직전 재활성화에 영향을 미치는 여러 가지 유전적, 신경내분비적 인자들에 대한 연구가 진행되고 있으며, 특히 최근에 GnRH의 분비에 중요한 역할을 하는 것으로 보고된 키스펩틴(kisspeptin) 및 키스펩틴/뉴로키닌/다이노핀 신경세포(kisspeptin/neurokinin B/dynorphin, KNDy neuron) 체계의 사춘기 및 생식내분비 관련 역할에 대해서 활발한 연구가 이루어지고 있다.

정상적인 사춘기과정에 대한 올바른 이해는 다양한 사춘기 및 생식내분비 질환의 진단과 치료에 필수적이다. 본 단원에서는 사춘기의 근간이 되는 호르몬변화를 고찰하고 사춘기의 정상적인 발달과정에 대해 살펴보고자 한다.

I.사춘기의 호르몬변화

1. 시상하부-뇌하수체-난소 축 (Hypothalamic-pituitary-ovarian axis)

1) 시상하부 GnRH 박동생성기(Hypothalamic GnRH pulse generator)

시상하부는 시상(thalamus)의 하부, 뇌간(brain stem)의 상부에 위치하며 전방의 시각교차(optic chiasm)와 후방의 정중융기(median eminence) 사이에 있는 구조물로 다수의 작은 신경세포핵으로 구성되어 있다. 시상하부는 여러 신경세포핵들의 기능을 통해 신체의 대사과정과 자율신경기능 조절에 관여하며 신경호르몬인 시상하부 분비호르몬을 통해 뇌하수체호르몬 분비를 조절함으로써 신경계와 내분비계의 중간 연결고리 역할을 한다. 사람의 GnRH 신경세포는 주로 시상하부 내측바닥핵(mediobasal hypothalamus)의 시각교차 앞구역(preoptic area)에 분포하며 신경세포의 축삭(axon)이 정중융기로 뻗어 나와 GnRH를 뇌하수체 문맥순환 내로 분비한다.

GnRH 신경세포는 자율적인 주기생성능력에 따라 GnRH를 박동성으로 분비하므로 GnRH 박동생성기라고 한다. 적절한 진폭과 진동수로 박동성으로 분비된 GnRH는 뇌하수체의 성선자극호르몬 분비세포 세포막 GnRH 수용체와 결합하여 황체형성호르몬(luteinizing hormone, LH)과 난포자극호르몬(follicle stimulating hormone, FSH)을 박동성으로 분비하게 하고 분비된 LH와 FSH에 의해 난소 및 고환의 성호르몬 생성이 이루어진다. 증가된 성호르몬은 이차성징과 사춘기 키 성장가속 등의 사춘기 변화를 주도하므로 이를 생식샘기능개시라고 한다.

2) 태아기, 유아기 및 소아기

태생기 6주경에 코원기(olfactory pit)에 처음으로 나타나는 GnRH 신경세포는 전뇌(forebrain)를 따라 이동하여 태생기 9주경에 시상하부에 도달한다. 시상하부에 도달한 GnRH 신경세포에서 박동성으로 분비된 GnRH는 뇌하수체 생식샘자극호르몬 분비세포 수용체에 결합하여 LH, FSH의 분비를 촉진한다. 뇌하수체의 LH, FSH 분비는 임신전기에 지속적으로 증가하여 임신중기에 최고치에 도달했다가 이후부터는 다량의 태반호르몬에 의한 음성되먹이기 효과로 점차 감소하여 출생 무렵에는 극도로 감소한다.

출생과 함께 모체의 태반호르몬 영향에서 벗어나게 되면 음성되먹이기 효과가 소실되어 신생아 시상하부의 GnRH 박동성분비가 다시 시작되고 그 결과 시상하부-뇌하수체-생식샘 축의 기능이 일시적으로 활성화된다. 이러한 활성화 상태는 생후 수개월간 유지되는데 이를 작은 사춘기(mini-puberty)라고 한다. 건강한 신생아의 경우 생후 1주경부터 혈중 LH와 FSH 농도가 증가하기 시작하고 생후 1개월에서 3개월 사이에 최고치에 도달했다가 이후 점차 감소하여 생후 6개월부터는 다시 억제상태에 돌입한다. 작은 사춘기의 호르몬분비는 남아와 여아에서 다른 양상을 보이는데, 남아에서는 LH 분비가 두드러지고 생후 6개월 이후에는 LH, FSH 모두 억제되나 여아의 경우 FSH가 더 높은 양상을 보이고 생후 6개월 이후 감소하는 LH와 달리 FSH는 3-4세까지 증가된 상태를 유지한다.

여아에서도 만 2세경부터 만 8세 전까지는 GnRH 및

LH, FSH의 박동의 진폭이 검출이 어려울 정도로 매우 감소하는데 특히 LH의 억제가 더 두드러져서 FSH/LH 비율이 증가한다. 감소된 생식샘자극호르몬분비는 난소의 에스트로겐 생성에 불충분하므로 혈중 에스트로겐 역시 일반적인 혈액검사에서 잘 검출되지 않을 정도로 적게 분비된다.

소아기에 시상하부 GnRH 박동생성기의 분비기능이 억제되는 기전은 아직 명확하게 밝혀져 있지 않으나 중추신경계 억제인자 가설과 생식기능중추(gonadostat) 가설이 비교적 많이 알려져 있다. 중추신경계 억제인자 가설은 GnRH 분비를 억제하는 중추신경계 억제인자의 활동성이 소아기에 증가하여 GnRH의 분비가 감소한다는 가설이며, 생식기능중추 가설은 성호르몬의 음성되먹이기에 대한 뇌하수체의 민감도가 소아기에 매우 증가하여 극미량의 성호르몬에 의해서도 뇌하수체 생식샘자극호르몬 분비가 강하게 억제된다는 가설이다. 생식기능중추가설에 의하면 소아기에 증가했던 음성되먹이기에 대한 뇌하수체의 민감도가 사춘기에 감소하는 것이 사춘기 시작과 관련된다고 하였으나 이러한 이론으로는 생식샘 발생장애로 난소호르몬의 분비가 전혀 없는 여아에서도 생식샘자극호르몬의 농도가 유아기, 소아기 및 사춘기에 정상 소아와 유사하게 변화를 보이는 결과가 설명되지 않아 근래에는 생식기능중추 가설보다는 중추신경계의 억제인자 이론에 더 무게가 실리고 있다.

3) 생식샘기능개시

생식샘기능개시는 억제되었던 시상하부 GnRH 박동생성기가 재활성화되면서 시작된다. 외형적으로는 아직 사춘기가 시작되지 않은 만 8세경부터 GnRH 세포의 GnRH 분비가 야간에 박동성으로 증가하기 시작하며 이러한 결과로 뇌하수체 LH 및 FSH의 박동성 분비가 처음에는 수면 중에 나타나다가 점차 낮 시간으로 확대된다. 이 시기에는 특히 LH의 증가가 두드러져서 이전에 비해 FSH/LH의 비율이 감소한다. 사춘기의 GnRH는 뇌하수체 생식샘자극호르몬 분비세포에서 호르몬의 분비를 촉진할 뿐만 아니라 GnRH 수용체 수를 증가시키는 시동효과(priming effect)를 유발하여 동일한 GnRH 자극에 대한 분비세포의 반응성을 향상시킨다. 이러한 효과로 사춘기가 진행될수록 LH의 박동진폭은 더욱 증가하게 된다. 사춘기에 증가된 LH는 난소의 난포막세포(theca cell)에서 안드로스텐다이온(androstenedione)을 생성하는데 FSH에 의해 과립막세포(granulosa cell)에서 발현된 방향효소를 통해 안드로스텐다이온이 에스트라디올로 전환된다.

사춘기의 LH 및 FSH 분비증가는 초기에는 주로 야간에 나타나는 일중변동(diurnal variation) 양상을 보이고 사춘기가 진행될수록 주간에도 증가하여 유방발달 Tanner 4단계에 접어들면 에스트로겐의 혈중농도가 주간에도 지속적으로 증가된 상태를 유지한다. 에스트로겐은 신체의 여러 표적장기에 작용하여 사춘기의 주요 신체변화를 유도한다. 유선조직을 증식시켜 유방이 자라게 하고 뼈의 길이성장을 주도하여 사춘기 키 성장가속을 촉발하며 동시에 골단판의 성장을 촉진하여 최종 성인 키에 도달하게 한다. 또한 자궁의 성장과 함께 자궁내막을 증식시키고 질과 외음부 등의 외부생식기도 성인의 형태로 성숙하게 한다. 에스트로겐과 인히빈은 음성되먹이기를 통해 시상하부와 뇌하수체의 호르몬 분비를 억제하는데 이로 인한 호르몬의 변동성에 의해 자궁내막이 탈락되어 초경을 하게 된다. 초경 무렵에는 시상하부-뇌하수체-난소 축의 기능이 완전히 성숙한 단계가 아니므로 배란에 의한 월경보다는 무배란 출혈이 더 흔하다. 초경 이후 수년간 난소 에스트로겐의 생성이 지속적으로 증가하여 혈중 농도가 일정 수준 이상이 되면 시상하부-뇌하수체에 대한 양성되먹이기 기능이 확립되면서 비로소 배란을 유발하여 시상하부-뇌하수체-난소 축의 기능이 완성된다.

4) 생식샘기능개시 기전

생식샘기능개시가 시작되는 기점으로 여겨지는 GnRH 박동생성기의 재활성화가 어떠한 기전으로 이루어지는지에 대해 아직 명확하게 밝혀지지 않았으나 GnRH 신경세포의 시냅스를 통한 흥분자극유입(excitatory input)

의 증가와 억제자극유입(inhibitory input)의 감소가 복합적으로 작용할 것으로 추정된다.

(1) 키스펩틴 및 키스펩틴/뉴로키닌/다이노핀 신경세포 체계

2003년도에 저생식샘자극호르몬-생식샘저하증 환자 가계연구에서 키스펩틴 수용체 유전자인 *GPR54*의 기능상실형 돌연변이(loss of function mutation)가 발견되면서 키스펩틴이 GnRH 분비조절에 필수적인 요소라는 사실이 밝혀졌다. 이후 키스펩틴이 사춘기의 개시에 관련되는 것으로 추정할 만한 몇 가지 연구 결과들이 보고되었는데 동물에서 사춘기가 시작될 무렵에 시상하부의 키스펩틴 유전자 *KISS1*의 발현이 증가하였으며 어린 동물에 키스펩틴을 주입할 경우 성적성숙(sexual maturation)이 유발된다는 사실이 확인되었다. 또한 성조숙증 환자에서 *GPR54* 유전자의 기능획득형 돌연변이(gain of function mutation)가 확인되어 키스펩틴의 활성화와 사춘기 개시의 연관성을 뒷받침하였다.

2010년도에 키스펩틴 신경세포 중 새로운 유형의 세포가 보고되었다. 키스펩틴 신경세포 중 GnRH 박동성분비 조절과 밀접하게 관련되는 신경세포들은 주로 동물 시상하부의 활꼴핵(arcuate nucleus)과 사람 시상하부의 깔때기핵(infundibular nucleus)에 위치하는데 이 부위의 키스펩틴 분비 신경세포에서 키스펩틴 외에도 뉴로키닌(neurokinin B)과 다이노핀(dynorphin A) 분비가 같이 관찰되어 이들 세포군을 키스펩틴/뉴로키닌/다이노핀(KNDy) 신경세포로 명명하였다. 뉴로키닌은 저생식샘자극호르몬-생식샘저하증 환자 가계연구에서 뉴로키닌 유전자(*TAC3*)와 뉴로키닌 수용체 유전자(*TACR3*)의 기능상실형 돌연변이가 발견됨으로써 GnRH 분비조절에 중요한 요소라는 사실이 확인된 바 있는데, KNDy 신경세포에서 분비된 뉴로키닌이 키스펩틴의 분비를 촉진하므로써 이차적으로 GnRH 분비를 촉진하는 역할을 한다. 다이노핀은 내인성 아편유사 펩타이드로 KNDy 신경세포의 다이노핀 수용체(κ opioid receptor, KOR)에 결합하여 키스펩틴 분비를 억제한다.

KNDy 신경세포의 존재가 확인됨으로써 GnRH 박동생성기의 재활성화에 의해 시작되는 사춘기 개시 기전에 대해 중요한 단초가 제시되었다. 일부 연구자들은 GnRH 박동생성기가 억제되는 소아기는 KNDy 신경세포에서 다이노핀의 기능이 우세하여 키스펩틴 및 GnRH 분비를 억제하다가 사춘기 전에 점차 키스펩틴과 뉴로키닌의 흥분자극유입이 증가하면서 다이노핀의 억제효과를 상쇄하게 되어 GnRH 박동생성기가 재활성화되는 것으로 추정하였다.

(2) 다른 중추신경 전달물질의 역할

글루탐산염(glutamate)은 시상하부 GnRH 신경세포막의 N-메틸-D-아스파트산(N-methyl-D-aspartic acid, NMDA) 수용체에 결합하여 GnRH 분비를 촉진한다. 동물연구에서 암컷의 사춘기에 시상하부의 글루탐산염 분비가 증가하는 사실이 확인되었으며 동물에 NMDA 수용체 차단제를 투여할 경우 사춘기가 지연되는 효과가 나타났다. 글루탐산염 자극에 대한 GnRH 신경세포의 민감도는 소아기에 비해 사춘기 무렵에 증가하는데 동물실험에서 다량의 NMDA를 투여할 경우 사춘기 이전이나 사춘기에 모두 GnRH 분비를 촉진하나 소량의 NMDA를 투여할 경우는 사춘기에만 GnRH 분비를 촉진하고 사춘기 이전에는 GnRH 분비에 영향을 미치지 못하였다. 이러한 결과들은 사춘기에 GnRH 박동생성기의 재활성화 과정에 글루탐산염이 어느 정도 관여할 가능성을 시사한다.

감마아미노부티르산(gamma-aminobutyric acid, GABA)은 시상하부에서 분비되며 영장류 연구에서 사춘기의 GnRH 박동성분비 증가하는 시기에 정중융기로 분비되는 GABA의 농도가 감소한다는 사실이 확인되었고, 또 다른 연구에서는 GABA 길항제(bicuculline)를 장기간 정중융기에 주입할 경우 GnRH 분비가 증가하는 것이 확인되었다. 이러한 결과들로 소아기에 긴장성으로 유지되는 GABA의 GnRH 분비억제 효과가 사춘기 직전에 감소하는 것이 사춘기의 개시에 일정 부분 역할을 할 것으로 추정되었다.

신경펩타이드 Y (neuropeptide Y, NPY)는 시상하부 신경세포에서 분비되어 섭식행위와 생식기능의 조절에 관여하는 펩타이드이다. 시상하부의 NPY 신경세포는 GnRH 신경세포와 상당히 인접하여 위치하며 NPY 유전자 발현은 각 발달단계별 GnRH 분비 변화와 반비례하는 양상을 나타내어 GnRH 억제에 관여하는 억제신경 전달물질로 추정되었다. 하지만 현재까지의 NPY 관련연구가 소수인데다 연구에 따라 GnRH 분비에 미치는 효과가 다르게 보고되어 NPY의 명확한 역할을 알기 위해서는 추가적인 연구가 필요한 상태이다.

(3) 말초에서의 조절기전

① 렙틴(leptin)

1978년에 심한 비만과 약간의 당뇨병증을 보이는 돌연변이 생쥐군(ob stock)과 경증의 비만과 심한 당뇨병증을 보이는 생쥐군(db stock) 연구에서 ob 군은 식욕을 억제하는 물질이 결핍되어 비만을 유발하고, db 군은 이 물질의 수용체가 결핍된 결과로 추정하였는데 당시에는 이 물질이 무엇인지는 밝히지 못하였다. 이후 1994년도에 Zhang 등이 ob 유전자(*lep* gene)를 복제하는 데 성공하고 이 유전자에 의해 합성된 호르몬을 렙틴으로 명명하였다.

렙틴은 주로 백색지방조직(white adipose tissue, WAT)의 지방세포에서 분비되는 펩타이드 호르몬으로 중추신경계에서는 뇌간과 시상하부에서 수용체가 확인되었다. 렙틴의 주요기능은 에너지대사와 관련되는데 체지방량 증가로 혈중 렙틴 농도가 증가하면 시상하부의 식욕감퇴 펩타이드 분비를 증가시켜서 식욕을 억제하고 TSH와 ACTH 분비를 촉진하여 갑상선호르몬 및 코티솔의 작용으로 세포대사율과 에너지 소비를 증가시킨다. 반대로 혈중 렙틴 농도가 감소하면 시상하부에서 식욕증진 펩타이드 분비를 증가시키고 TSH와 ACTH의 분비는 감소시켜서 결과적으로는 일정량의 체지방량을 유지하는 방향으로 작용한다.

여러 연구에서 렙틴이 에너지대사뿐만 아니라 생식기능의 조절과 사춘기의 개시에도 관여한다는 결과들이 발표되었다. 렙틴유전자를 인위적으로 결손시킨 동물(*ob/ob*)과 선천성 렙틴결핍증 환자에서 모두 과다체중과 함께 생식능력이 상실되고 사춘기가 지연되었는데 재조합 렙틴을 주입한 후 생식능력이 회복되고 사춘기가 개시되었다. 체지방증가 시 초경연령이 낮아지는 현상에 렙틴이 관여하는지를 확인하기 위해 유방발달 2단계 여아에 대한 종적연구가 이루어졌는데 그 결과 혈중 렙틴치가 일정 수준(12.2 ng/mL) 이상이 되면 렙틴의 증가에 따라 초경연령이 반비례하여 감소한다는 사실이 확인되었다. 렙틴유전자가 결핍된 환자에서의 렙틴 치료는 시상하부 호르몬분비를 촉진하여 사춘기를 유발하지만 어린 연령에 주입할 경우 성조숙증이 유발되지 않는 점은 렙틴이 사춘기 개시에 주체적인 역할을 하기보다는 다른 요인들에 의해 진행되는 변화를 허용하는 역할(permissive role)을 하는 것으로 추정하게 하였다.

렙틴이 시상하부-뇌하수체에 작용하여 사춘기 개시에 관여하는 정확한 기전은 아직 밝혀지지 않았다. 렙틴이 GnRH 신경세포의 박동성분비를 촉진하는 것과 관련되는 사실은 여러 연구에서 확인되었으나 GnRH 신경세포에 렙틴수용체가 확인되지 않았기 때문에 렙틴이 GnRH 신경세포에 직접 작용하기보다는 중간인자를 통해 GnRH 분비에 영향을 줄 것으로 추정되고 있다. 최근 일련의 연구에서 렙틴이 시상하부의 KNDy 신경세포에 작용해서 키스펩틴의 분비를 촉진하는 결과가 확인되었다.

② 성장호르몬

성장호르몬은 소아기의 신체성장에 관여하는 호르몬이며 특히 사춘기에 분비가 증가하여 키 성장가속을 주도한다. 뇌하수체 전엽에서 박동성으로 분비되는 성장호르몬은 시상하부의 두 가지 조절인자에 의해 분비가 조절되는데, 성장호르몬방출호르몬(GH-releasing hormone, GHRH)은 성장호르몬의 분비를 촉진하며 소마토스타틴(somatostatin)은 성장호르몬 분비를 억제한다. 이들 조절인자 외에도 그렐린(ghrelin)과 IGF-1에 의해서도 성장호르몬의 분비가 조절되는데 그렐린은 성장호르몬 분비를 증가시키고 IGF-1은 성장호르몬 분비를 감소시킨다.

성장호르몬은 표적조직의 GH 수용체에 직접 작용하거나 IGF-1의 매개에 의해 기능을 나타내는데, 주로 사춘기에 긴 뼈의 길이 성장과 골단판의 성장을 유도한다. 사춘기에 증가하는 에스트로겐은 뇌하수체의 성장호르몬 분비를 자극하므로 사춘기 중에 성장호르몬 분비는 지속적으로 증가하여 최고치에 도달하며 이후에는 나이에 비례하여 꾸준히 분비가 감소한다. 박동성으로 분비되는 성장호르몬의 적절한 박동진폭과 박동주기가 사춘기 키 성장 가속의 정도를 결정하는 주요 결정인자이다.

IGF-1은 성장호르몬의 영향으로 간에서 생성되어 성장호르몬의 생체 작용을 매개하는데 뼈의 성장 외에도 생식샘자극호르몬과 ACTH의 난소 및 부신피질에서의 작용에 관여한다. IGF-1은 혈중에서 대부분 IGF 결합단백(IGF binding protein, IGFBP)에 결합한 형태로 존재하는데, 여섯 종의 IGF 결합단백 중 IGFBP-3가 가장 많은 양을 차지하여 IGF-1 및 IGFBP-3는 성장호르몬 작용의 지표로 활용된다.

사춘기의 성장호르몬 및 IGF-1의 증가는 특징적으로 사춘기에 인슐린 저항성과 고인슐린혈증을 유발하는데, 증가된 인슐린이 시상하부의 렙틴 분비를 억제하는 역할을 하는 것으로 추정되고 있다. 이러한 결과로 렙틴의 저항성이 증가하면 사춘기의 체중증가가 더욱 가속화되며, 증가된 지방세포에서 방향효소를 통한 남성호르몬의 여성호르몬으로의 전환이 증가하여 혈중 여성호르몬의 증가로 사춘기시기를 앞당길 것으로 추정된다. 비만과 동반되어 나타나는 성호르몬결합글로불린(sex-hormone binding globulin, SHBG)의 감소는 SHBG에 결합되지 않은 유리 호르몬 양을 증가시켜서 혈중 유효 여성호르몬 치를 더욱 증가시키는 결과를 낳는다.

사춘기의 인슐린 저항성은 유방발달 2-3단계에 가장 두드러지게 나타나며 체질량지수, 성별 및 인종에 따라 인슐린저항성의 정도가 다르게 나타난다. 인슐린, 성장호르몬 및 IGF-1이 사춘기의 개시에 미치는 영향이 아직 확실하게 알려져 있지 않으나 조기에 성증발현이 나타난 소아에서 인슐린 개선제를 투여하면 사춘기가 지연되는 효과 등은 인슐린 민감도의 감소가 생식샘기능개시의 개시에 어느 정도의 역할을 할 것으로 추정하게 한다.

③ 그렐린(ghrelin)

그렐린은 위장에서 분비되는 펩타이드호르몬으로 성장호르몬의 분비를 자극한다. 주로 공복상태에 분비가 증가하여 식욕과 당대사에 관여하는데 일부 동물실험에서 GnRH의 박동성 분비를 촉진하는 것으로 보고되었다.

2. 성증발현

성증발현은 소아기에 부신피질의 부피가 증가하면서 부신피질의 그물층(zona reticularis)에서 DHEA 및 DHEA-S와 같은 부신남성호르몬의 분비가 증가하는 것을 말한다. 평균 6-8세경부터 이러한 호르몬의 분비 증가가 시작되는데 수년 후에 부신남성호르몬이 일정수준 이상이 되면 액모와 음모가 발달하기 시작한다. 성증발현은 사람과 침팬지 등 일부 고등영장류에서만 나타나는 현상이다.

1) 부신피질 호르몬분비의 연령별 변화

성인의 부신피질은 사구층(zona glomerulosa), 다발층(zona fasciculata) 및 그물층 등 세 개의 층으로 구성되어 있으나 태아의 부신피질은 태아구역(fetal zone)과 신피질(neocortex) 등 두개의 층으로 이루어져 있다. 태아부신피질의 대부분을 차지하는 태아구역에서 다량의 DHEA와 DHEA-S를 생성하고 임신말기에는 성인과 유사한 수준까지 증가하며 태아의 에스트리올(estriol) 합성의 기질로 사용된다. 출생 후에는 태아구역이 빠르게 퇴화되고 신피질이 주로 사구층과 다발층으로 이루어진 완성형부신피질로 발전한다. 출생 후 몇 달 동안 DHEA와 DHEA-S가 높은 수준을 유지하다가 이후부터 감소하여 성증발현이 시작되는 6세까지 낮은 수준을 유지한다.

그물층은 3세경에 국소적인 섬 형태로 나타나고 6세경에는 얇은 띠 모양의 연속적인 형태를 갖춘다. 그물층은 계속 성장하여 성인이 되면 그물층의 두께가 사구층과 다발층을 합한 것과 같아진다. 소아에서 그물층의 두께는 DHEA 및 DHEA-S 분비량과 비례하므로 이들 분비가 6

세경부터 현저하게 증가하여 성증발현이 시작된다. 성증발현 이후 꾸준히 증가하던 혈중 DHEA 및 DHEA-S는 20-25세경에 최고치에 도달한 후 서서히 감소한다. 일반적으로 DHEA-S의 혈중 농도가 40-50 μg/dL 이상으로 상승하는 시점을 성증발현의 시작으로 간주한다.

2) 성증발현의 발생기전

성증발현은 시상하부-뇌하수체-생식샘 축과는 다른 조절작용에 의해 관장될 것으로 여겨지고 있다. 이러한 추정의 근거는 (1) 성증발현이 시작되는 시기에 GnRH나 생식샘자극호르몬의 뚜렷한 증가가 관찰되지 않고 (2) 생식샘발생장애나 저생식샘자극호르몬-생식샘저하증과 같이 생식샘기능개시가 나타나지 않는 소아도 성증발현을 경험하며 (3) 애디슨병(Addison's disease)과 같은 원발부신기능부전 환자에서 생식샘기능개시가 나타난다는 사실이다.

ACTH 수용체 유전자의 결손이 있는 여아에서 성증발현이 일어나지 않고, ACTH가 결핍되면 DHEA-S의 분비가 억제되는 결과는 ACTH가 성증발현에서 일정한 역할을 할 가능성을 시사한다. 하지만 부신피질의 코티솔 분비가 DHEA 및 DHEA-S와는 다르게 신생아기 이후 성인까지 일정한 농도로 유지되며 성증발현에 ACTH와 코티솔의 분비는 증가하지 않는 사실은 성증발현에 미치는 ACTH의 역할이 시상하부-뇌하수체-부신 축의 활성화와는 다른 기전으로 작용할 가능성을 나타낸다. 현재까지의 여러 연구를 종합해 볼 때 ACTH는 성증발현을 직접 유발하기 보다는 성증발현을 허용하는 역할을 할 것으로 추정된다.

다낭난소증후군 환자에서 고인슐린혈증과 인슐린 저항성을 보이는 경우 부신피질의 남성호르몬 분비 증가가 동반하여 나타나는 결과는 인슐린 및 IGF-1이 부신피질 호르몬분비에 관여할 가능성을 나타낸다. 일부 연구에서 여성의 소아기에서 사춘기로 이행하는 과정에 혈중 DHEA-S와 IGF-I가 비례하여 지속적으로 증가하며 혈당/인슐린 비는 점차적으로 감소하는 결과를 바탕으로 이들이 성증발현 개시기전에 관계가 있을 것으로 보고하였다.

성증발현 개시와 관련한 또 다른 요인으로 연구되고 있는 물질은 렙틴이다. 정상소아에서 사춘기의 렙틴의 증가시기가 만 8-10세경으로 성증발현과 일치하는 점 때문에 렙틴과 성증발현의 관련성에 대해서도 연구가 진행되었다. 부신피질 종양세포주에 렙틴을 처리하는 경우 17,20-리아제의 활성도가 지속적으로 증가하는 결과가 관찰되어 렙틴의 성증발현 관련 가능성이 확인되었다.

II. 사춘기의 발달 과정

1. 사춘기의 신체변화

외형적인 사춘기 신체변화 중 가장 먼저 나타나는 것은 키 성장속도가 빨라지는 것이지만 대부분 인지하지 못하고 지나가며, 유방 또는 음모의 발달이 외견상 확인되는 사춘기의 첫 번째 신체변화가 된다(그림 12-1). 유방발달 및 음모발현 다음으로 나타나는 사춘기 신체변화는 키 성장

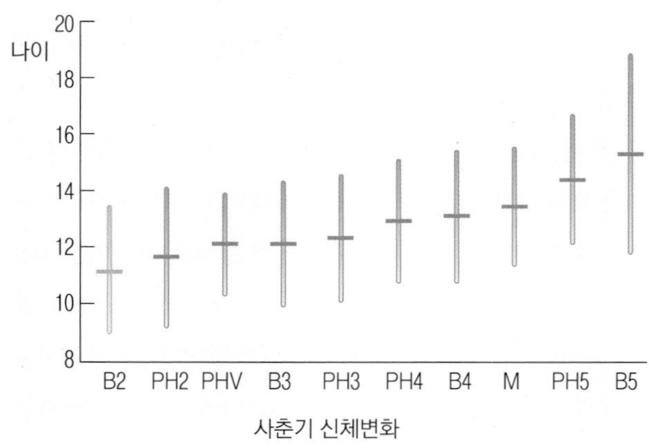

• 그림 12-1. **정상 사춘기의 발달 과정(Marshall과 Tanner, 1969)** 1960년대에 이루어진 사춘기연구에서 192명의 여아를 대상으로 3개월마다 이차성징의 발달상황을 관찰하여 사춘기의 신체변화가 일정한 순서로 진행된다는 사실을 확인하였다. 이 연구에서 확인된 사춘기 발달의 순서는 유방발달 2단계-음모발달 2단계-신장의 최고성장속도 도달-유방발달 3단계-음모발달 3단계 및 4단계-유방발달 4단계-초경-음모발달 5단계-유방발달 5단계의 순이었다. 막대의 중심은 각 발달 단계의 평균 연령을, 막대의 양 끝단은 평균 연령의 2 표준편차를 의미한다. B, breast; PH, pubic hair; PHV, peak height velocity; M, menarche.

표 12-1. 유방과 음모의 Tanner 발달 단계.

Tanner	유방 발달	음모 발현
1단계	사춘기 이전 상태	사춘기 이전 상태
2단계	작은 유방융기 출현과 유륜의 크기 증가	대음순에 소수의 음모 출현
3단계	유방융기와 유륜의 추가적인 성장 단계	음모의 밀도가 높아지고 불두덩까지 분포한 상태
4단계	유방융기 위로 유륜의 이차융기 형성	성인형 음모에 가까우나 대퇴부에는 없는 상태
5단계	이차융기가 소실된 성인형 유방	대퇴부 내측까지 분포한 성인형 음모

이 최고속도에 도달하는 것인데, 일반적으로 여성에서는 음모발현 2단계와 유방발달 3단계 사이에서 키 성장속도가 최고치에 도달한다. 초경은 유방발달이 4단계에 도달한 후에 시작되며, 사춘기의 마지막 신체변화는 유방발달이 5단계에 도달하는 것이다.

대부분의 여아에서 유방의 발육이 음모의 출현보다 앞서서 나타나므로 유방발달이 첫 번째 사춘기 징후가 되며 음모의 발생은 유방발달보다 대략 6개월 정도 늦게 시작되나 한국인에서는 음모의 발생이 좀 더 늦게 시작하는 것으로 보고되었다. 여아의 66-92%에서 유방의 발육이 사춘기의 첫 징후로 나타나지만 흑인에서는 음모의 발현이 좀 더 빨리 나타나 음모발현(9.43세)이 유방발달(9.48세)보다 약간 앞서는 것으로 보고되었다.

초기 사춘기연구에서 유방발달 2단계에서 초경까지 걸리는 평균기간은 약 2.3년으로 보고되었다. 이 연구에서 유방발달 2단계부터 4단계까지는 단계별 소요 기간이 약 0.9년 정도이고 4단계에서 5단계까지는 2년 정도 소요되었다. 하지만 이후의 다른 연구에서는 유방발달 2단계에서 4단계까지 단계별 기간이 약 1.4-1.5년이었다. 1988-1994년도 미국 건강실태조사자료 연구에서는 유방발달의 단계별 평균연령이 2단계 10.25-11.05세, 3단계 11.94-12.8세, 4단계 13.61-15.16세 및 5단계 15.78-16.25세로 유방발달 2단계에서 5단계까지 5.5년이 소요되었다.

1) 유방발달

Marshall과 Tanner는 유방과 음모의 발달상황을 5단계로 분류하였는데 이 방법이 현재까지 이차성징의 발달상태를 구분하는데 보편적으로 사용되고 있다(표 12-1).

유방발달 Tanner 1단계는 여성호르몬의 영향을 받지 않은 사춘기 전의 유방상태를 말하며 작은 크기의 유두(papilla) 돌출만 있고 유륜(areola) 및 유방융기(breast mound)의 발달은 아직 시작되지 않은 상태이다. Tanner 2단계는 유방조직이 자라기 시작해서 유륜 하부에 작은 유방싹(breast bud)을 형성한 상태이다. 이 시기에 유륜의 직경도 약간 증가한다. Tanner 3단계는 유방융기가 더 성장하여 유륜보다 커지게 되며 유륜과 유두의 착색이 진행된다. Tanner 4단계는 유륜과 유두의 추가성장으로 유방융기 위로 유륜과 유두가 이차융기(secondary mound)를 형성한 상태이다. Tanner 5단계는 완전히 성숙한 상태의 성인형 유방으로 유방융기의 성장이 더 진행되어 유륜의 이차융기가 유방융기 안에 포함되어 없어진다.

2) 음모발현

음모와 액모의 발현은 성증발현에 의해 증가된 부신피질 남성호르몬의 효과로 나타난다. 음모발달의 Tanner 1단계는 음모가 아직 나타나지 않은 사춘기 이전 상태를 말한다. Tanner 2단계는 양측 대음순에 음모가 드문드문하게 보이는 상태로 이때의 음모는 착색이 덜 된 가늘고 긴 직모 또는 약간의 곱슬모의 형태를 띤다. Tanner 3단계는 2단계에 비해 좀 더 많은 수의 굵고 진한 곱슬모가 대음순을 포함하여 불두덩(mons pubis)까지 분포하는 상태이다. Tanner 4단계는 음모의 밀도와 범위가 더 넓어져서 대음순과 불두덩 등에 걸쳐서 거의 성인형의 역삼각형 분포를 보이나 아직 성인보다는 그 범위가 작은 단계로 음모가 넓적다리 안쪽까지는 분포되지 않은 상태이다. Tanner 5단계는 음모가 대음순과 불두덩에 밀집하여 역삼각형의 분포를 보이면서 넓적다리 내측 상부까지 분포하는 상태이다. 아시아인 등 특정 인종에서는 음모의 발달이 대부분 Tanner 4단계에서 멈추며 Tanner 5단계까지 진행되는 경우는 많지 않다. 대부분의 여성에서는 Tanner 5단계에서도 역삼각형 상단 위쪽의 복부에는 모발이 관찰되지 않는다.

3) 생식샘 및 생식기의 성장

사춘기에 증가하는 에스트로겐은 유방뿐만 아니라 자궁과 질의 크기와 모양을 변화시킨다. 사춘기의 질 상피는 여성호르몬의 영향으로 두께가 증가하여 옅은 분홍색을 띤다. 신생아기에 4 ㎝ 정도이던 질의 길이는 유아기에는 서서히 성장하다가 사춘기에 빠른 성장을 이루어 약 7.0-8.5 ㎝ 정도의 성인 길이로 성장한다. 신생아의 자궁은 모체와 태반의 여성호르몬의 영향에 의해서 소아기에 비해 그 크기가 크고 자궁 내막이 발달되어 있다가 유아기에 모체 여성호르몬 효과가 소실되면 자궁 크기가 작아져서 길이 2.6-3.0 ㎝ 정도의 가느다란 관 모양을 보이는데, 9세경부터 난소의 에스트로겐 분비가 증가하면 크기가 다시 커져서 빠른 성장을 통해 성인 자궁의 크기와 형태를 갖춘다.

난소의 용적은 연령 증가와 신체성장에 비례하여 서서히 증가하고 여성호르몬에 의해서는 많은 영향을 받지 않는 것으로 알려졌다. 소아기에 0.75-2.3 ㎤ 정도였던 난소의 용적은 소아기와 사춘기에 지속적으로 성장하여 성인이 되면 약 6-7.8 ㎤ 정도까지 자라게 된다.

4) 키의 성장

키의 빠른 성장은 이차성징과 함께 사춘기 신체발달의 주요 특성이다. 사춘기에 키 성장이 빨라지는 시기는 남녀간에 차이를 보이는데 남성에서는 평균 11세경에 성장 속도가 빨라지기 시작해서 평균 17세에 성인신장에 도달하며, 여성에서는 평균 9세경에 키 성장가속이 시작된 후 평균 14세경에 성인신장에 도달한다. 키 성장속도가 최고점에 도달하는 연령은 남성은 평균 13.5세로 고환발달 3단계와 4단계 사이이며, 여성은 평균 12.5세로 유방발달 2단계와 3단계 사이이다. 키 성장속도가 최고치를 보이는 시기에 남성에서는 9.5 ㎝/년, 여성에서는 8.3 ㎝/년의 속도로 성장하는데, 이를 통해 전체 사춘기에 남성에서는 31 ㎝, 여성에서는 29 ㎝의 성장이 이루어져서 총 신장의 약 17% 정도가 사춘기에 성장한다.

여성에서 키 성장의 대부분은 초경 전에 이루어지며 초경을 하게 되면 성장의 속도가 유의하게 감소하여 약 2년에 걸쳐 평균 5-7 ㎝ 정도 더 성장한 후 성장이 멈추게 된다. 어린 나이에 사춘기가 시작되는 청소년에서의 키 성장 최고속도(남성 10.3 ㎝/년, 여성 9.0 ㎝/년)는 사춘기가 늦게 시작되는 청소년의 최고속도(남성 8.5 ㎝/년, 여성 7.6 ㎝/년)보다 빠른 경향을 보인다.

사춘기의 골격의 성장은 상체와 하체 길이의 비율에 일시적인 변화를 초래한다. 사춘기 전 소아기에는 상체와 하체의 길이가 비슷한데 사춘기에는 하지의 피질골(cortical bone)이 빠르게 성장하여 일시적으로 하체의 길이가 상체의 길이보다 길어지게 된다. 사춘기가 더 진행되어 골단판 유합이 완성된 후에는 다리뼈의 성장은 멈추고 척추뼈는 추가적인 길이 성장을 하기 때문에 사춘기가 종료될 무렵에는 상체의 길이와 하체의 길이가 다시 같아지게 된다.

5) 월경의 개시

유방발달이 시작된 후 약 2-3년이 지난 후에 초경이 시작된다. 초경 직후의 월경주기는 상당수가 무배란성으로 불규칙하며 대개 21-45일의 월경 주기를 보인다. 초경 후 2년까지는 약 50-80%의 월경 주기가 무배란성이며 2년이 경과하면 어느 정도 규칙적인 배란 주기를 갖게 된다.

6) 기타 사춘기 신체 변화

(1) 골량의 변화

사춘기는 일생 중 골밀도가 가장 많이 증가하는 시기로 최대 골량의 약 60% 이상이 십대에 획득된다. 사춘기 골밀도 증가에 관여하는 주요인자는 성장호르몬과 에스트로겐 그리고 부신피질의 DHEA 등이며 그 외에도 충분한 칼슘과 비타민 D의 섭취도 칼슘이 최대한 뼈에 침착하게 하는 데 작용한다. 최대 골량의 획득은 유전적 요인에 크게 좌우되나 사춘기에 적절한 체중부하 운동을 하면 최대 골밀도를 얻는 데 도움이 된다.

골량이 가장 빠른 속도로 증가하는 시기는 초경 무렵으로 일반적으로 키 성장이 최고속도를 보이는 시기보다 약 1년 정도 늦게 나타난다. 사춘기 골밀도의 종적연구에서 여자청소년에서의 사춘기 골밀도증가는 대개 만 11-14세 사이에 이루어지는 것으로 확인되었으며 초경 후 2-4년까지 지속되다가 만 16세경이 되면 골밀도 증가속도가 현저히 감소하였다. 사춘기의 골량의 증가 정도는 인종 간에 차이를 보이는데 사춘기 전에는 비슷하던 척추의 골밀도가 사춘기 후에는 흑인에서 더 뚜렷한 증가를 보여 사춘기 전에 비해 흑인에서는 34%, 백인에서는 11% 정도 골밀도가 증가하였다.

(2) 신체조성의 변화

양성 모두 사춘기 무렵에 체질량지수가 지속적으로 증가하나 신체조성에는 차이를 보인다. 8세부터 18세까지의 종적연구에서 여성은 체지방량(fat mass)과 제지방량(free fat mass)이 모두 지속적으로 증가하여 결과적으로 체질량지수가 증가한 반면, 남성에서는 체질량지수의 증가가 주로 제지방에 의한 결과이며 12-17세 사이의 체지방은 오히려 매년 감소하는 양상을 보인다. 여아에서 체질량지수와 피부주름 두께가 가장 빠르게 증가하는 시기는 유방발달 2단계부터 초경까지로 이후에는 증가 속도가 정체되었다가 18세 이후 다시 증가한다.

(3) 남성호르몬 관련 신체변화

부신피질의 DHEA 및 DHEA-S는 말초에서 테스토스테론과 다이하이드로테스토스테론으로 전환되어 사타구니, 액와, 얼굴 및 가슴에 분포한 모낭, 피지선(sebaceous gland) 및 아포크린샘(apocrine gland)에 작용하므로 사춘기의 특징인 여드름과 지성피부 및 체취(body odor)의 원인이 된다.

2. 정상 사춘기의 시기

사춘기의 시기는 유전 요인과 환경 요인에 의해 복합적으로 결정되는데 이 중 인종, 종족, 성별, 가계 등 유전 요인이 차지하는 부분이 전체의 약 50-80%로 사춘기의 주요 결정인자이며, 나머지는 영양상태, 생활환경, 지리적 특성 및 환경호르몬 등 다양한 환경인자들에 의해 조절된다.

1) 정상 사춘기의 시기

사춘기의 시작을 알리는 이차성징의 첫 발현 시기는 개인 별로 상당한 차이를 보이는데 외국의 경우 약 98.8%의 여아에서 만 8세에서 13세 사이에 사춘기의 신체변화가 시작되었으며, 우리나라에서도 전체 여아의 95%에서 만 8.9-13.1세 사이에 이차성징의 발현이 시작되었다. 1988-1994년까지의 미국 건강실태조사자료를 이용한 사춘기연구에서 조사 대상자의 25%, 50% 및 75%에서 유방발달이 시작되는 연령을 각각 조사한 결과, 백인의 경우 9.5세, 10.4세 및 11.2세로 나타났고 흑인의 경우 각각 8.5세, 9.5세 및 10.5세로 나타났다.

2) 사춘기시기의 시대적 변화

19세기 이후의 사회경제발달로 사람의 전반적인 건강상태가 호전되어 사춘기시기를 앞당기는 데 기여하였다. 19세기 중반부터 20세기 중반까지 100여 년간의 영양과 환경의 개선으로 대부분의 서구국가들의 초경연령이 16-17세에서 12-13세까지 약 4세 정도 낮아졌으며 이 기간 중에 매 십년마다 3-4개월씩 초경연령이 감소한 것으로 추산되고 있다. 이러한 초경연령의 감소추세는 20세기 중반 이후에는 거의 멈추었는데 감소추세가 완전히 멈추었는지에 대해서는 아직 논란이 있다.

(1) 20세기 중반의 사춘기시기

초창기의 사춘기연구는 대부분 소규모였는데 많은 수의 대상자를 분석한 연구가 나오기 시작한 것은 20세기 중반부터다. 1950년대 미국의 종적연구에서 초경평균연령을 12.8세, 그리고 이차성징 평균연령을 10.6세로 보고하였다. 반면에 영국에서 1969년도에 시행한 연구에서는 초경평균연령이 13.5세, 이차성징 평균연령이 11.2세로 다소 늦은 사춘기시기를 나타냈다.

(2) 초경 연령의 변화

미국에서 1966-1970년 건강실태조사자료의 분석결과 초경 평균연령은 백인 12.8세, 흑인 12.5세로, 1950년대에 발표되었던 미국의 초경연구 결과와 별 다른 차이를 보이지 않았다. 비교적 최근에 발표된 2014년 미국청소년 단면조사에서는 초경 평균연령이 백인 12.8세, 흑인 12.2세로 특히 백인에서의 초경연령에 추가적인 변화를 보이지 않았다.

20세기 중반 이후에 미국 백인 대상 연구에서 초경연령의 감소추세가 나타나지 않고 있지만, 이러한 추세에 국가 및 지역 간에 차이를 보이고 있다. 1991-1993년과 2006-2008년을 비교한 유럽의 코펜하겐 코호트 연구에서는 초경 평균연령이 15년간 13.42세에서 13.13세로 소폭 감소하였고, 일부 국가에서는 1960년대 이후 초경연령이 오히려 소폭 증가하였다. 또한 아프리카 일부지역과 같이 아직 문명의 혜택을 받지 못한 지역의 초경연령은 여전히 16세 정도로 높게 나타난다.

초경연령의 시대적 변화는 인종 간에도 차이를 보이고 있다. 미국 건강영양실태조사 1988-1994년 자료에서는 초경 평균연령이 백인 12.57세, 흑인 12.09세, 멕시코계 12.24세로 20년간 백인은 0.23세, 흑인은 0.41세 감소한 결과를 보여주었다. 1999-2002년 조사에서는 멕시코계(12.09세)의 초경연령만 추가적으로 감소하였다. 지역 간 차이를 배제하기 위해 미국의 한 지역에서 1970년대와 1990년대에 각각 조사한 결과에서는 흑인의 경우 초경연령이 9.5개월 감소한 반면 백인은 2개월 정도 감소하였다. 흑인이 초경을 더 빨리하고 근래에도 감소추세가 지속된 이유는 명확하지 않으나 초경 무렵의 체질량지수, 체격, 피부주름두께 등이 백인보다 더 높게 나타나는 것도 관련이 있을 것으로 추정되었다. 또한, 이러한 요인들을 보정한 후에도 여전히 흑인의 초경연령이 백인보다 빠른 점은 인종 간의 유전적 차이의 가능성을 보여준다.

(3) 이차성징 발현연령의 변화

초경 연령이 최근 40여 년간 주요 선진국에서 정체 상태를 보이는데 반하여 이차성징 발현연령은 비록 소폭이지만 지속적으로 감소하는 양상을 보이고 있다. 1997년에 17,000여 명의 미국소아에서 사춘기발달상태를 조사한 PROS 연구가 발표되었는데 이 연구에서 유방발달의 평균연령이 흑인 8.87세, 백인 9.96세로 기존에 알려졌던 이차성징 발현연령(11세 전후)보다 낮은 결과를 보였다. 이 연구는 많은 주목을 받았으나 대상자의 무작위 선정이 이루어지지 못하였고 유방 촉진검사가 일부에서만 시행되어 비만아에서의 진단의 정확도가 감소했을 가능성이 지적되었다. 비슷한 시기에 조사된 미국의 3차 건강영양실태조사 연구에서는 이차성징의 발현연령이 흑인 9.5세, 백인 10.3세로 PROS 결과보다는 높지만 기존에 알려진 발현연령보다는 낮은 결과가 나왔다.

이후 이차성징 발현연령에 대한 후속연구들이 발표되었는데 2013년에 미국소아의 종적연구에서 유방발달 평균연령이 흑인 8.8세, 백인 9.7세로 PROS 결과를 뒷받침하였다. 이차성징 연령의 감소추세는 유럽에서도 확인되었는데 1991-1993년과 2006-2008년을 비교한 코펜하겐 코호트 연구에서 유방발달 평균연령이 15년간 10.88세에서 9.86세로 감소하였다. 2020년에 발표된 체계적문헌연구에서 전 세계의 30개 연구를 분석해서 유방발달 평균연령이 1977년부터 2013년까지 매 10년간 0.24년씩 감소하였다고 보고하였다(그림 12-2).

3) 한국 여성 사춘기 현황

(1) 한국인의 초경 연령

우리나라에서 발표된 1970-2000년대 출생자의 초경연

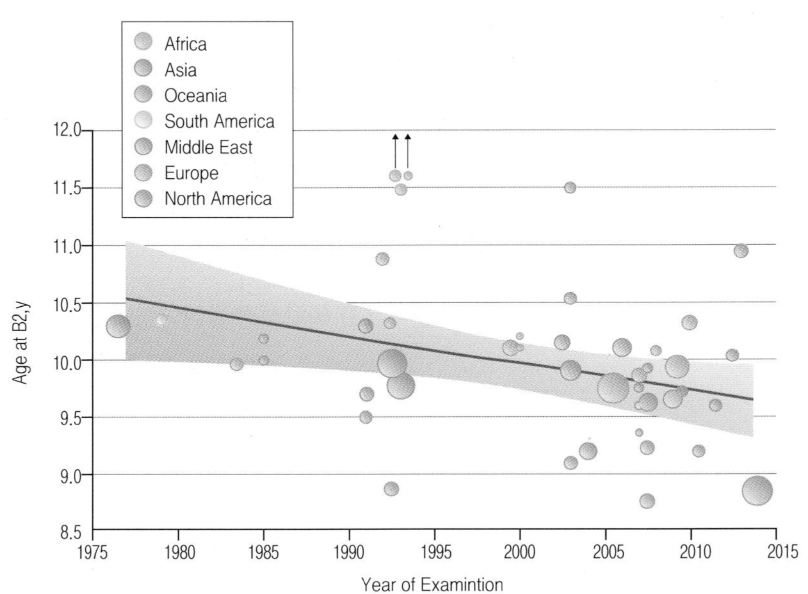

• 그림 12-2. **유방발육개시 2단계 연령의 시대적 변화(Eckert-Lind 등, 2020)** 1977년부터 2013년까지 유방발육개시 2단계 연령에 매 10년간 0.24년씩 통계적으로 유의한 감소가 확인되었다(P=0.02).

령은 12.4-13.8세로 다양하게 보고되었으나 현재 한국인의 초경연령은 12.5-12.8세 정도로 추정된다. 1999년 보고된 4천여 명의 안산지역 학생을 대상으로 한 단면연구에서 초경 평균연령은 12.5세였고, 2016년 보고된 1983-2001년 출생자의 연구에서는 초경 평균연령이 12.7세였다.

(2) 한국인 초경연령의 감소

1977년 연구에서 한국인의 초경 평균연령은 1910년대 출생자 16.1세, 1950년대 출생자 14.8세로 40년 간 1.3세 정도 감소하였다. 1920-1986년 출생자의 코호트 연구에서도 초경 평균연령이 16.8세에서 12.7세로 감소하였고, 1920-1980년 출생자 연구에서는 초경연령이 매 10년마다 0.68년 정도 감소하였다고 보고하였다(그림 12-3).

최근 수십 년간 한국의 사회경제적 발전으로 초경연령의 감소추세가 거의 멈추었거나 매우 완만한 변동을 보였는데 최근 청소년건강행태조사 자료를 이용한 대규모 단면연구에서 초경 평균연령이 1988년 출생자 13.0세에서 2003년 출생자 12.6세로 15년간 0.4세 정도 감소하였다고 보고되었다. 하지만 관련 연구의 수가 작아서 한국인에서 초경연령 감소추세가 현재도 진행되고 있는지에 대해서 아직 명확한 결론이 도출되지 않았으며 정확한 추세를 알기 위해서는 추가적인 연구가 필요하다.

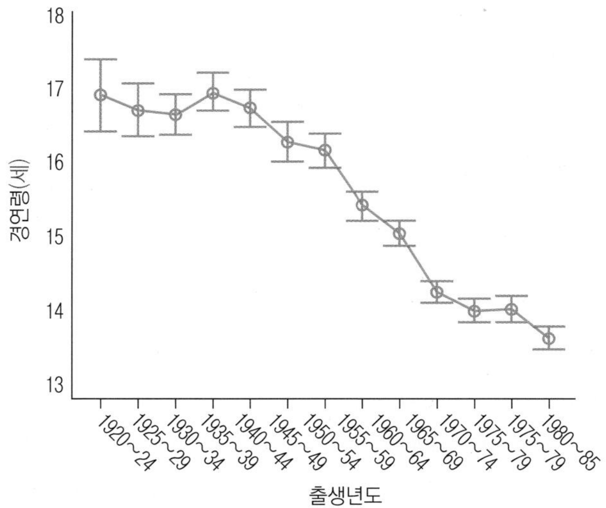

• 그림 12-3. **1920년부터 1985년까지 출생한 한국여성 초경연령의 변화(Cho 등, 2009).** 1920-1925년 사이에 출생한 한국여성의 초경 평균연령은 16.90 ± 1.25세였으며 1980-1985년 사이에 출생한 여성의 초경 평균연령은 13.79 ± 1.37세로 기간 중에 매 10년마다 약 0.68년 정도씩 감소하여 총 3.1세가 감소하였다.

(3) 한국 청소년의 이차성징 발현

1994년 이학적검사를 이용한 단면연구에서 한국 청소년의 유방 및 음모발달 평균연령은 각각 11.0세와 12.9세였다. 2006년에 그림을 이용한 사춘기조사에서도 비슷한 이차성징 발현연령(유방 11.3세, 음모 12.3세)이 보고되었다.

한국청소년의 유방-음모 발현연령은 흑인(9.5-9.5세), 백인(10.3-10.5세) 및 아시아인(9.2-11.2세)과 비교해서 높은 편이며, 특히 음모의 발현시기는 다른 아시아국가보다 6개월-1년 이상 늦는 결과이다. 현재까지 발표된 이차성징 연구가 소수이기 때문에 이러한 결과가 고유한 유전적, 환경적 특성인지 단언하기는 어려우며, 명확한 추세를 확인하기 위해서 추가적인 종적연구나 대규모 단면조사연구가 필요하다.

3. 사춘기시기에 영향을 미치는 요인

1) 유전 요인

초경연령을 포함한 사춘기시기는 가계, 종족, 인종 간에 고유한 특성을 보인다. 일란성쌍생아의 경우 사춘기시기에 높은 일치도를 보이며, 모녀나 자매 사이에도 초경 나이에 상당한 유사성이 나타난다. 흑인의 초경 시기가 비만도와 체격의 차이를 모두 교정한 후에도 백인에 비해 빠른 것도 인종간 유전적 배경에 기인한 것으로 추정하게 하였다.

(1) 사춘기시기에 미치는 유전 요인의 기여도

사춘기시기에 미치는 유전 요인의 영향 정도를 확인하기 위해 쌍생아연구가 주로 이용되었다. 이란성쌍생아에서 사춘기 일치도가 0.18 정도인데 일란성쌍생아는 0.65로 확인되어 유전 요인의 기여도가 추정되었다. 또한, 초경연령의 개체 간 차이가 일반인에서는 평균 18.6개월인데 일란성쌍생아에서는 2.2개월, 자매 및 모녀간에서는 12개월로 일반인보다 작게 나타났다. 다른 쌍생아연구에서는 초경 연령뿐만 아니라 키 성장과 최종 성인 키 등에서도 높은(0.91-0.97) 유전율(heritability)이 확인되었다. 여러 연구들을 통해 추산되는 유전 요인의 사춘기시기 기여도는 대략 50-80% 정도이다.

(2) 정상 사춘기 발달의 유전학

초경연령이나 사춘기시기를 결정하는 데 있어서 유전 요인의 중요성은 잘 알려져 있으나 구체적인 관련 유전자와 이들이 영향을 미치는 과정에 대해서는 아직 정확하게 밝혀져 있지 않다. 사춘기시기에 관여하는 유전 요인이 GnRH 박동생성기의 재활성화 과정에 직접 영향을 미치는지 아니면 주변 요인들을 조절하는지는 확실치 않으나 사춘기시기는 단일 유전자에 의해 결정되는 것이 아니고 효과 크기가 매우 작은 수백 또는 수천 개의 유전적 변이가 복합적으로 작용한 결과일 것으로 추정하고 있다.

근래에 유전체전장연관성분석(genome wide association study, GWAS) 연구들이 사춘기시기 변이와 관련되는 유전적 요인에 대해 유의미한 결과들을 도출하였다. GWAS는 복잡한 기전에 의해서 발생하는 흔한 질병이나 신체표현형의 미지의 관련 유전자를 발견하기 위해 최근 많이 이용되고 있는 유전연구기법으로, 많은 수의 대상자에서 채취한 검체를 이용한 연관성분석을 통해 표현형과 관련성이 높은 유전자 부위를 찾는 방법이다. 2009년에 17,000여 명을 대상으로 한 GWAS 연구에서 두 부위(6q21 및 9q31.2)의 유전자의 단일뉴클레오타이드다형성(single nucleotide polymorphism, SNP)이 초경연령과 관련이 있다는 사실이 확인되었다. 이 중 *LIN28B* 유전자(6q21) SNP는 초경 외에도 이차성징 및 키 성장가속과도 연관성을 보였는데, 이 변이가 사춘기시기에 관여하는 기여도는 약 0.6% 정도로 추산되었다. 이후 *FSHR, MKRN3, LEPR-LEPROT, TACR3, GNRH1* 등의 유전자가 초경연령과 연관되는 것으로 일부 연구에서 추정되었으나 명확한 관련성 확인을 위해서는 추가 연구가 필요한 상황이다. FSH 수용체유전자(*FSHR*)의 변이는 유발발육과 관련되는 것으로 보고되었으나 다른 연구에서는 연관성이 확인되지 않았다. 2017년에 37만 명의 여성을 대상으로 한 대규모 GWAS 연구에서 389개의 SNP가 초경연령과 관련되는 것으로 확인되었는데 이들 다형성의 초경연령 기여도는 약 7.4% 정도였다. 이 연구에서 *MKRN3, DLK1* 유전자 변이가 부계 유전 시 초경 연령을 앞당기는 것으로 보고되었다.

2) 환경 요인

사춘기시기 결정에서 환경 요인이 차지하는 비중은 최소 20% 이상으로 환경의 개선이 20세기에 초경연령을 감소하게 한 주요 요인이다. 환경 요인 중 가장 많은 부분을 차지하는 것은 개인의 영양상태로 체중, 체지방량 및 체격이 이에 속한다. 그 밖에도 일조량, 신체 및 정신 스트레스, 환경호르몬 등이 GnRH 분비에 영향을 미쳐서 사춘기시기에 영향을 주는 주요 환경요인이다.

(1) 체지방과 영양상태

1970년대에 초경을 위해 최소한의 임계체중(47-48 kg)이 필요하다는 '임계체중가설'이 발표되었다. 이후 추가연구를 통해 체중보다는 체지방량의 중요성을 확인하고 초경을 위해서는 최소 17%, 정상 배란주기의 월경을 위해서는 최소 22%의 체지방이 필요하다고 발표하였다. 발레리나, 육상선수, 만성질환자 등에서 사춘기가 지연되는 결과는 과도한 신체활동, 저체중 및 낮은 체지방량이 시상하부-뇌하수체-난소 축의 억제요인으로 작용하는 것을 시사하였다. 일부에서는 사춘기가 실제로 시작되는 시점은 초경이 아닌 GnRH 박동생성기가 재활성화되는 8세경이라는 사실로 이 가설을 비판하였는데, 이들은 사춘기발달의 결과로 체중 및 체지방량이 증가하였을 가능성을 제시하였다.

그러나 소아기의 체지방량과 사춘기시기와 관련해서 이후의 여러 연구에서 상관관계가 확인되었다. 체질량지수가 높은 소아일수록 유방발달이 더 어린 나이에 시작되며, 같은 연령의 소아에서 유방발달이 시작된 소아의 체질량지수가 유방발달이 아직 시작되지 않은 소아에 비해 높았다. 2009년 발표된 연구에서는 체질량지수가 높은 경우 유발발육, 음모발현 등 이차성징뿐만 아니라 초경연령도 더 빠른 결과가 보고되었다.

소아기의 과다체중뿐만 아니라 태아기의 발육부전 및 저체중, 출생 후의 추격성장 등도 초경을 앞당기는 것과 관련되는 것으로 보고되었다. 다수의 연구에서 출생 시 저체중이었던 여아의 초경연령이 정상군에 비해 5-10개월 정도 더 빠른 것으로 보고되었으며 특히 출생 직후 급격하게 체중이 증가한 경우 유의하게 초경연령이 빨라진다는 결과가 확인되었다. 개발도상국에서 선진국으로 입양되는 여아의 경우 초경연령이 감소하는데, 정확한 원인은 아직 밝혀지지 않았으나 입양 후의 영양개선과 관련한 추격성장이 원인으로 추정되었다.

(2) 다른 환경 요인

① 내분비교란 화학물질

내분비교란 화학물질(endocrine-disrupting chemicals, EDC)은 생체내에 주입될 경우 호르몬기능에 영향을 주는 화학물질 또는 화학물질복합체를 말한다. 주로 공업용제나 윤활제, 플라스틱 가소제, 농약, 의약품 등에 포함되어 있으며 대부분 에스트로겐 및 안드로겐 등의 성호르몬과 유사한 구조를 갖고 있어서 생체 내에서 호르몬수용체에 길항제 또는 작용제로 작용하여 호르몬 효과를 변화시키기 때문에 다량의 환경호르몬에 장기간 노출될 경우 사춘기시기에 영향을 미칠 것으로 추정되었다. 현재까지 EDC에 의한 사춘기이상은 유방조기발생증(premature thelarche), 성조숙증, 사춘기지연 등으로 다양하게 보고되었다.

1979년에 푸에르토리코에서 여아의 유방조기발생증이 급격하게 증가했는데 역학결과 플라스틱의 프탈레이트(phthalates)에 오염된 우유 및 육류의 섭취가 원인으로 확인되었다. 현재까지 프탈레이트, BPA (bisphenol A), 다이옥신(dioxin), PBDE (polybrominated diphenyl ethers), PBB (polybrominated biphenyl), PCB (polychlorinated biphenyl), DDT 등이 사람에서 사춘기를 교란하는 것으로 보고되었다. 현대생활에서 생활환경을 통한 EDC 접촉을 완전하게 차단하기 어렵고 EDC의 생체내 교란효과가 비교적 명확하기 때문에 사춘기에 미치는 영향에 대한 우려가 있으나, EDC가 인구집단의 사춘기시기에 어느 정도로 영향을 미쳤는지에 대해서는 아직 명확하게 밝혀지지 않은 상태이다.

② 지리적 영향 및 일조량

고도가 높거나 적도와 먼 지역의 여성이 사춘기를 더 늦게 경험한다고 알려졌으며 일조량과 일광일몰주기(light-darkness cycle)도 사춘기시기에 영향을 미칠 것으로 추정되었다. 소수의 연구에서 시력장애가 초경시기를 앞당긴다는 보고를 하였으며 초경이 여름보다는 겨울에 더 많이 나타나는 결과도 알려져 빛의 자극에 의한 호르몬 분비 억제효과를 시사하였다. 일조량은 솔방울샘(pineal gland)의 멜라토닌 분비를 변화시키는데 주로 빛의 양이 적은 야간에 멜라토닌 분비가 증가한다. 멜라토닌이 시상하부와 뇌하수체의 기능에 어떻게 관여하는지에 대해서는 아직 확실하게 밝혀져 있지 않다.

③ 생활환경

도시지역의 청소년이 농촌지역의 청소년에 비해 초경을 일찍 경험하며, 가정의 경제력이나 부모의 교육 수준이 높은 경우 초경연령이 빠르다는 결과도 보고된 바 있다. 또한 편부모와 같은 불안정한 가정환경과 이로 인한 만성 스트레스가 사춘기시기를 앞당긴다는 보고도 있었다.

** 참고문헌 목록은 대한산부인과내분비학회 홈페이지 http://www.kosge.or.kr 또는 QR코드를 통해 보실 수 있습니다.*

CHAPTER

13 선천 기형 및 성발달 장애

이지선(경북의대), 전균호(인제의대)

I. 정상 성발달

성의 결정과 분화는 여러 단계를 거쳐 이루어진다. 첫째, 수정 후 유전적 성(genetic sex; XX, XY)이 결정되고 둘째, 유전적인 성에 의해 생식샘의 성(gonadal sex; 고환, 난소)이 결정되며 셋째, 생식샘의 성에 의해 신체적인 표현형의 성(phenotypic sex; 내, 외성기, 사춘기 이차성징)이 결정된다. 이들과 함께 태생 전 중추신경계에서의 성분화, 태생 후 주변 환경의 영향, 사회에서 자라며 부여받은 성역할 등이 성 결정(gender identity)에 영향을 미치게 된다(그림 13-1).

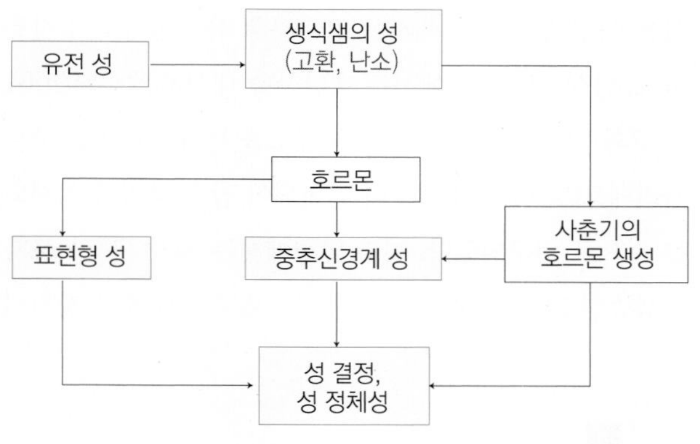

● 그림 13-1. 성의 결정

1. 유전 성(Genetic sex)

유전 성은 Y 염색체의 유무로 결정되고, Y 염색체 단완 끝에는 고환 분화에 가장 중요한 역할을 하는 유전자인 SRY (Sex-determining Region on Y)가 존재한다. SRY 발현 조절 기전에 대해서는 아직 명확히 알려져 있지 않지만, SF1, Wt1, GATA4 등의 인자들이 SRY를 활성화시키는 것으로 알려졌다. SRY 발현은 특히 고환 분화에 전사인자(transcription factors)로서 중요한 역할을 하는 SOX9의 발현으로 이어지고, 이들은 고환 분화에 중요한 Fgf9 유전자를 활성화시키며, 난소 발달을 유도하는 Wnt4, Rspo1, Dax1, Foxl2 등의 유전자를 억제함으로써 고환이 발달된다 한편 SRY가 결여된 XX 생식샘에서는 Dax1을 비롯, Wnt4, Rspo1, Foxl2 등의 활성으로 SOX9이 억제되며 난소 발달이 촉진되는데, 이는 성분화에 있어 난소의 발달이 고환결정인자(testis determining factor)의 부재의 결과로 자동적으로 진행된다는 이전의 개념(default pathway)과는 달리 고환, 난소 분화에 있어 모두 활성화된 유전자가 필요하다는 새로운 개념으로 등장하였다.

2. 생식샘 성(Gonadal sex)

사람의 배아에서 생식샘의 발달은 태생 5주경에 생식능선(genital ridge)에서 시작된다. 이 시기에 원시생식세포(primordial germ cells)들이 이동하여 남성에서는 원시정조세포(prospermatogonia)로, 여성에서는 난원세포(oogonia)로 분화, 증식하게 되는데(그림 13-2), 이는 생식세포 자체의 염색체 성보다는 생식샘 체세포의 성과 주변 환경의 신호에 따르는 것으로 알려졌다. 특히 중신(mesonephros)에서 생성된 레틴산(retinoic acid)의 농도가 생식샘에서의 생식세포 분화를 조절하는데 중요한 역할을 하는데, 즉 레틴산은 여성 생식 세포에서는 감수분열 유도인자로서 작용하고, 남성 생식세포에서는 레틴산을 대사하는 CYP26B1이 고환끈(testis cord)에서 생식 세포를 둘러싸고 있는 세르톨리세포(Sertoli cell)로부터 발현되어 감수 분열이 억제되는 것으로 연구되었다. 이후 남성에서는 원시 생식세포가 발생중인 고환끈 내에서 원시 정조세포 상태에서 정지되어 있다가 생후에 증식을 재개하는 반면, 여성에서는 난원세포가 태생 20주까지 유사분열하여 500-700만 개까지 최고조에 이른 후, 이들 중 일부만이 유사분열로 들어가 제1감수분열 전기에서 정지된 일차난모세포(primary oocyte) 상태로 전과립층세포(pregranulosa cell)에 둘러싸인 원시난포(primordial follicles)를 형성하여 출생시에는 총 100-200만 개의 생식세포만이 남게 된다.

남성의 태생기 고환 발생은 원시 생식세포들의 생식융기로 이동시기에 체강상피세포(coelomic epithelium)의 증식과 함께 일부 상피세포에서 SRY를 발현하여 세르톨리세포 전구물질로서 처음 출현하여 이후 Sox9을 발현하기 시작함으로써 세르톨리세포 발생이 본격적으로 이루어진다. 또한 Sox9-양성 세르톨리세포로부터 발현된 Fgf9, PGD2는 Sox9의 농도를 다시 강화함으로써 충분한 수의 세르톨리세포를 분화시켜 고환을 형성하게 된다. 이후 세르톨리세포에서 중신으로부터 내피세포 및 라이디히세포(Leydig cell)로 분화될 세포들의 이동을 유도하는 인자가 분비되어 고환 끈의 구조-생식세포를 둘러싸는 세르톨리세포, 기저판(basal lamina), 세정관근양세포(peritubular myoid cells, PTM) 간질내 라이디히세포와 혈관망이 완성된다.

한편, Y 염색체와 SRY가 없는 여성의 태생기 난소 발생

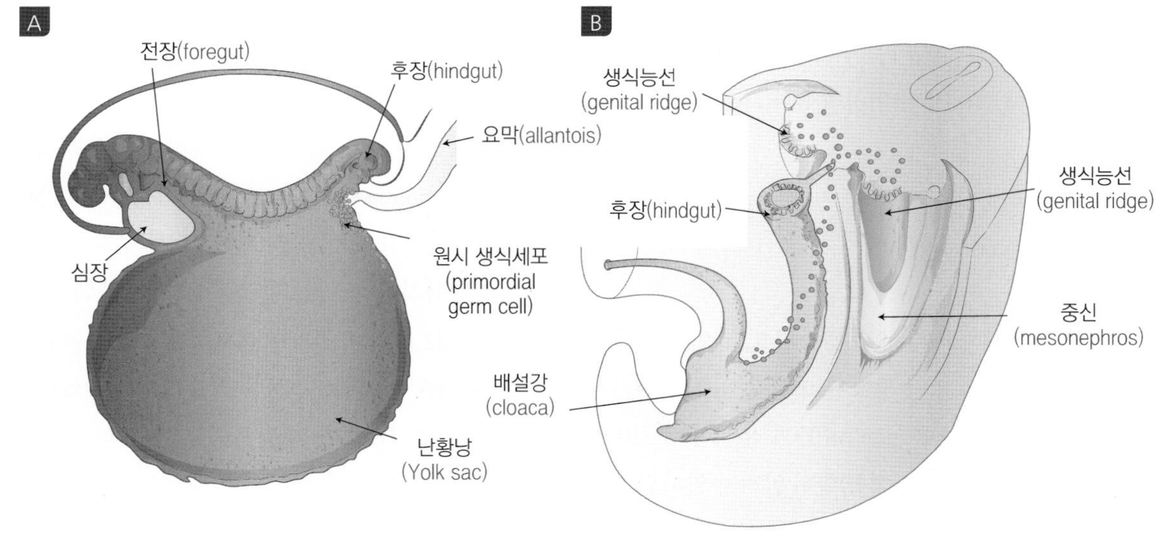

• 그림 13-2. **원시생식세포의 이동**

은 남성의 고환 발달 시작 시기보다 2주 정도 후부터 시작된다. 정상 난소의 분화는 고환과는 달리 생식 세포의 존재가 필요한데 생식샘의 Rspo1, Wnt4 등이 생식세포의 감수분열 유도와 중신 세포의 이동의 억제, Sox9 발현을 억제하는 데 중요한 역할을 하기 때문으로 알려졌다. 태생 20주경 난소는 원시난포 및 이들의 성숙과 퇴화가 이루어지고 있는 피질(cortex) 및 기질로 구획화되고, 일부 원시난포는 전과립층세포 증식과 함께 난모세포가 커지며 주변에 난포막세포(theca cell)층이 발달한다.

3. 표현형 성(Phenotypic sex)

1) 생식관(Genital duct) 분화와 발달

태생 8주까지는 중신관(mesonephric duct, Wolffian duct)과 중신옆관(paramesonephric duct, Müllerian duct)이 분리된 원시 기관으로 함께 존재하나 이후 생식샘에서 생성된 호르몬의 영향에 따라 한쪽 관이 지속되어 특성화된 관, 선 등을 형성하게 되고 나머지 한 관은 퇴화하여 기능하지 않는 흔적으로 남게 된다. 즉 남성 고환의 라이디히세포에서는 테스토스테론을 분비하여 중신관을 분화시켜 부고환, 정관, 정낭을 형성하고 세르톨리세포에서는 항뮐러관호르몬(anti-Müllerian hormone, AMH)을 분비시켜 중신옆관을 퇴화시키는 반면, 여성에서는 테스토스테론 작용의 부재로 중신관이 퇴화되면서 항뮐러관호르몬 작용 또한 없으므로 중신옆관을 발달되어 난관, 자궁, 질의 상부가 형성된다(그림 13-3, 그림13-4).

(1) 중신관의 발달

태생 8주 이후 태아 고환에서 라이디히세포 형성 후에는 테스토스테론이 분비되기 시작하여, 중신관의 안드로겐 수용체에 결합, 작용하여 중신관으로부터 부고환, 정관, 정낭이 형성된다. 테스토스테론의 중신관 발달에 대한 작용은 고농도의 국소적인 라이디히세포 주변분비(paracrine)의 역할이 태아 전신순환보다 더욱 중요한 것으로 밝혀져 생식관 분화는 주변의 생식샘의 본질에 따르는 것으로 보인다. 따라서 정상 여성에서 생성되는 테스토스테론이나 선천부신과다형성증 등의 안드로겐 농도에서는 중신관의 발달이 이루어지지 않는다. 중신관의 발달은 중신관 형성의 축을 따라 발달된 작은 세관들이 수출관(efferent ducts)으로 형성되어 이후 고환과 부고환이 연결되고, 이후 중신관은 점차 길어지고 코일처럼 휘어진 구조로 부고환을 이루고 마지막은 곧은 모양으로 정관을 형성하게 된

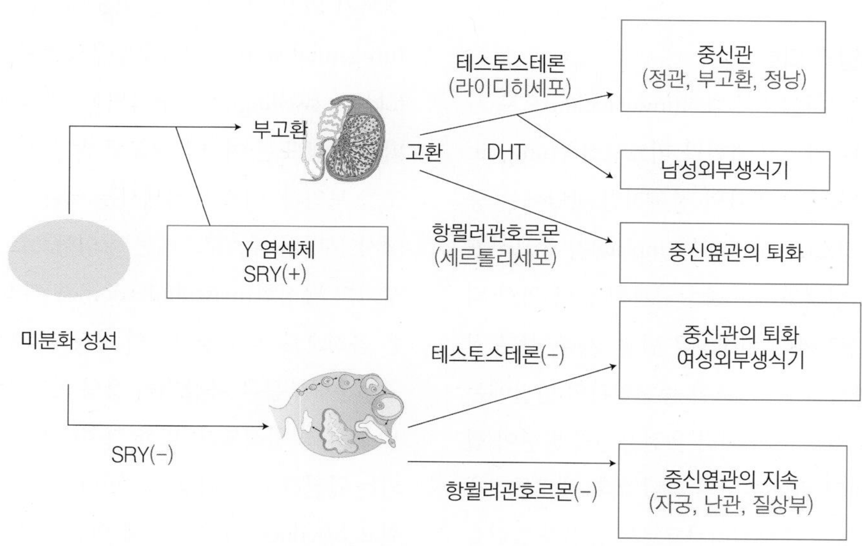

• 그림 13-3. 성선, 생식관의 분화와 발달

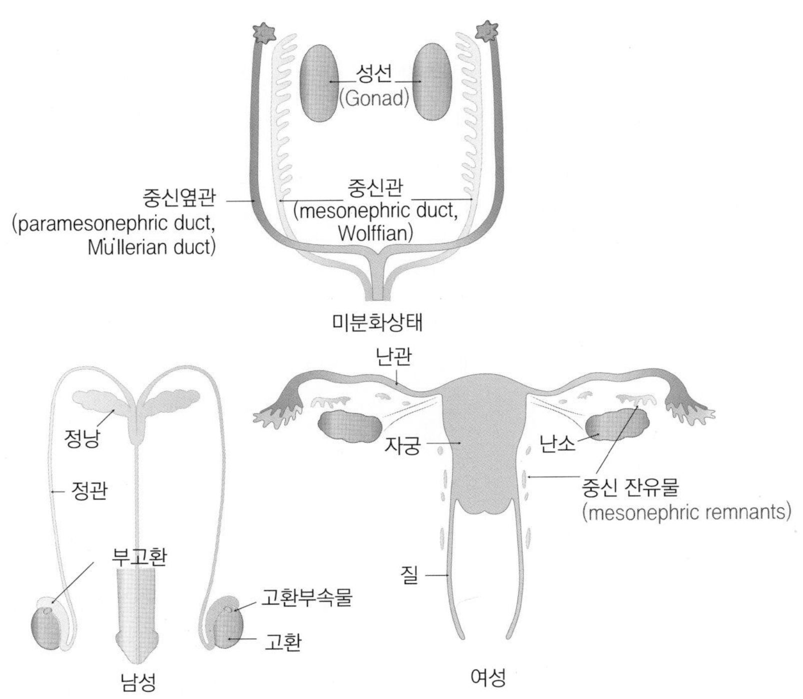

● 그림 13-4. **생식관의 분화와 발달**

다. 이러한 중신관의 형태적, 기능적으로 구분된 부분들로의 분화에는 HOX 유전자(Hoxa10, Hoxa11)의 위치 특이적인 발현이 관여되어 있음이 보고되었고, 일부 HOX 유전자는 정낭의 분화를 직접적으로 유도하는 것으로 알려졌다.

(2) 중신옆관의 발달과 퇴화

중신옆관은 체강상피세포의 함입(invagination)으로 시작되어 중신관에 이르기까지 자라나 비뇨생식동(urogenital sinus)에 융합된다. 중신옆관의 정상적인 발달에는 중신관의 안내, 이동 경로(migrational template)가 중요하게 작용하여 중신관의 형성없이는 중신옆관의 발달 역시 되지 않는다. 따라서 신장계의 비정상은 난관, 자궁, 상부 질의 발달이상과 연관성이 높다. 또한 중신옆관의 발달에는 Lim1, Wnt4, Pax2, Pax8 등의 여러 유전자들의 발현이 필요한 반면. 중신옆관의 퇴화는 고환 발달 이후 세르톨리세포의 SOX9에 의해 유도된 항뮐러관호르몬 유전자 발현을 비롯하여 Wt1, Wnt7a, β-catenin, MMP2 등의 발현에 의해 이루어진다.

2) 외성기의 발달

생식관의 양성 발달(bipotential)의 상태인 태생 8-9주경까지 외성기는 생식 결절(genital tubercle), 비뇨생식동(urogenital sinus), 외측구순음낭주름(lateral labioscrotal folds or swelling)으로 구성되어, 생식샘 호르몬의 신호에 따라 남성 또는 여성의 구조로 발달할 수 있는 중성 원시구조를 보인다. 이후 남성에서는 태아 고환의 라이디히세포에서 분비된 테스토스테론의 영향으로 태생 10주경에 외성기의 남성화(masculinization)가 시작되어 생식기 결절은 음경으로, 비뇨생식동의 가장자리는 융합되어 요도로, 구순음낭주름은 융합되어 음낭으로 발달되며 이는 태생 12-14주경 완성된다. 또한 그 이후의 음경의 길이가 성장되는 완전한 남성 외성기의 발달과 전립선의 분화는 5α-환원요소(reductase)의 작용에 의한 테스토스테론의 다이하이드로테스토스테론(dihydrotestosterone, DHT)으로의 전

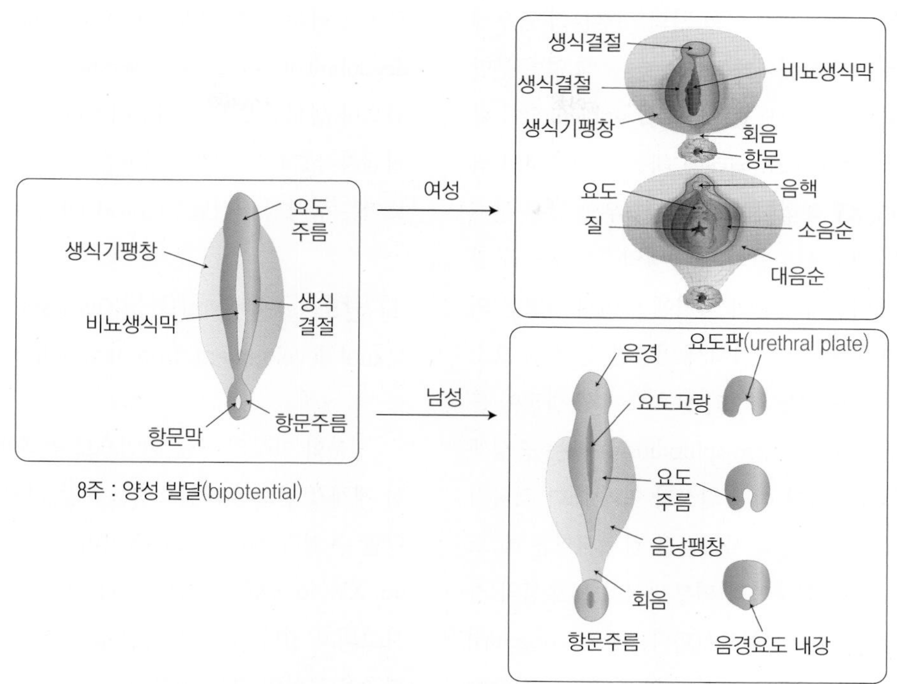

• 그림 13-5. 외성기의 발달

환이 필요하다. 여성에서는 생식기 결절은 작은 상태로 남아 음핵(clitoris)으로, 비뇨생식동의 가장자리는 분리되어 소음순으로, 구순음낭주름은 대음순으로 발달하고, 비뇨생식동이 발달하여 질하부와 요도를 형성한다(그림 13-5). 이와 같이 외성기는 남녀 모두 공통된 기관에서 기원하므로 태생 9-14주 사이의 외성기발달기간 중 비정상적인 안드로겐 작용-여성에서 과도한 안드로겐 노출 또는 남성에서 부족한 안드로겐은 생식기 모호증을 야기하게 된다.

4. 중추신경계에서의 성분화

동물실험에서 태아의 호르몬 환경은 생식계뿐만 아니라 중추신경계의 성분화를 유도하는 것으로 나타났고, 특히 테스토스테론과 그 대사물이 뇌발달과 신경조직의 발달에 영향을 미치는 것으로 알려졌다. 사람에서는 선천부신과다형성증 여자의 연구에서 태생기간동안 안드로겐 노출의 증가는 남성적인 행동 및 놀이, 공격성, 공간지각능력을 증가시키고, 양성 또는 동성애의 빈도가 높으며 이는 선천부신과다형성증 질환의 정도에 따라 상관관계가 있는 것으로 보고되었다. 따라서 사람에서도 태생기 호르몬 환경이 뇌, 신경 발달과 함께 일련의 정신성적(psychosexual) 행동 양상에 영향을 미치는 것으로 생각되고 있다.

Ⅱ. 성발달 이상

Merriam Webster 의학 사전에서는 성에 대하여 “여러 종에서 한 개체를 결정지을 수 있는 두 가지 주요 유형의 하나; 상대적으로 남과 여로 분류됨”으로 정의하고 있다. 한 개체의 정체성(identity)을 결정하는 데 있어서 성(性)이 차지하는 부분이 크다고 할 수 있다. 적절한 성의 결정은 해부학, 유전학, 발생학의 충분한 지식이 선행되어야 하며 각 개인의 잠재적인 성적 기능이 평가되어야 한다. 성의 결정을 위해서는 성염색체, 생식샘(gonad), 외부 및 내부 생식기 구조, 호르몬 양상 등 기질적 요소뿐만 아니라 성역할(gender role), 양육성(sex of rearing) 같은 정신사회 요소(psychosocial factor)까지 반드시 고려되어야 한다. 실제적으로 한 개인의 성 정체성을 규정함에 있어서 거의 대부분의 경우에 큰 어려움이 없는 것이 사실이지만, 특별한 문제 없이 분만한 신생아에서 외부생식기 모호성(genital ambiguity)이 확인되거나 원발성 무월경으로 외래에 내원한 여고생의 염색체 검사에서 46, XY 핵형이 발견되는 경우와 같은 문제는 비록 드물기는 해도 산부인과 진료 영역에서 누구나 경험할 수 있는 문제이면서 진단과 처치에 있어서 담당한 의사를 당황하게 만들 수 있다. 위에서 언급한 성 결정 요소 중에 어느 한 가지라도 불명확하고 모호하여 성 결정이 불가능한 경우를 남녀한몸증(hermaphroditism) 또는 중성체(intersex)라고 한다. 정확한 성의 결정과 이에 대한 적극적인 치료는 신생아의 이환율과 사망률을 감소시키는 데 도움을 줄 수 있다. 특히 신생아의 외부생식기 모호성의 경우, 생명을 위협할 수 있는 선천부신과다형성증 (congenital adrenal hyperplasia, CAH)의 가능성이 있기 때문에 신속한 진단과 처치가 더욱 중요한 부분이 될 수 있을 것이다.

본 절에서는 비정상적인 성적 분화를 초래할 수 있는 여러 질환들-참남녀한몸증(true hermaphroditism); 여성 거짓남녀한몸증(female pseudohermaphroditism); 남성 거짓남녀한몸증(male pseudohermaphroditism)에 대하여 고찰해 보도록 한다. 성염색체 이상에 대한 내용은 다른 장에서 다뤄지는 관계로 이 장에서는 생략한다.

1. 비정상 성분화

반음양을 포함한 비정상 성분화에서의 표준 분류는 생식샘의 형태에 의해 이루어진다. 참남녀한몸증은 난소와 고환을 모두 가진 개체에서만 정의할 수 있다. 여성 거짓남녀한몸증은 난소를 가지고 있으나 생식기의 분화가 남성 표현형에 가깝게 이루어진 경우로 정의할 수 있으며, 반대로 남성 거짓남녀한몸증은 고환을 가지고 있으나 외부생식기가 여성의 표현형을 가진 경우로 정의할 수 있다. 그 외에도 남성의 감수분열동안 Y염색체의 SRY 유전자가 X 염색체로 이동하여 염색체 성은 46 XX이나 생식샘은 고환으로 발달하거나 SRY 유전자가 없는데도 생식샘이 고환으로 발달하는 고환 성발달 이상(testicular disorder of sexual development, 46 XX sex reversal), 46 XX 염색체를 가지고 있으나 생식샘 발생이 이루어지지 않아 일차 무월경, 저생식샘자극호르몬-생식샘저하증, 끈생식샘(streak gonad)을 보이는 생식샘 이상발생(gonadal dysgenesis)이 있다.

1) 난소-고환 발달이상(Ovotesticular disorder of sexual development, True hermaphroditism)

성분화 이상의 드문 원인으로 염색체 핵형과 관계없이 한 개체가 난소와 고환조직을 모두 가지고 있는 경우에 진단할 수 있다. 60%는 46 XX이며, 그 외에도 46 XX/46, XY, 46, XY, 46 XX/47 XXY와 다른 모자이시즘(mosaicism)이 보고되고 있다. 좌우 생식샘 중의 어느 한쪽이 난소, 다른 한쪽은 고환인 경우, 양쪽 또는 한 쪽이 난소고환(ovotestis) 또는 끈생식샘인 경우 등 여러 조합이 가능하며 생식샘 조직의 위치에 따라 편측, 외측, 또는 양측으로 분류되는 것이 가장 일반적이다. 편측성이 가장 흔하고 참남녀한몸증의 절반 정도를 차지한다. 생식샘은 난소고환으로 존재하는 경우가 가장 흔하다. 고환조직을 포함한 생식샘 조직은 일반적으로 오른쪽에 흔하며 정상 난소 조직은 왼쪽에 흔한 것으로 알려져 있다.

임상 표현형이 다양한데 모호한 외부생식기가 가장 흔한 특징으로 거의 모든 예에서 관찰된다. 뮐러관(Müllerian duct)과 볼프관(Wolffian duct) 구조물이 모두 존재할 수 있으며 대부분 환자들이 질을 가지고 있는 반면, 자궁의 경우 정상 자궁부터 자궁이 존재하지 않는 환자까지 다양한 스펙트럼을 보일 수 있다. 대부분의 환자에서 사춘기에 비정상적인 유방의 발육도 관찰된다. XX 염색체의 경우 월경을 흔하게 경험할 수 있다. 철저한 신체 진찰이 필요하며, 한쪽의 음순음낭주름(labioscrotal fold)에서 생식샘이 만져지는 경우 중요한 감별점이 될 수 있으나, 간혹 잠복고환, 자궁내막증이나 서혜관 탈장으로 인한 하복부 통증으로 진단될 수도 있으므로 주의하도록 한다.

모호한 외부 생식기로 어릴 때 진단이 가능하며, 또 진단이 빠르면 빠를수록 더 일찍 치료를 시도해 볼 수 있다.

참남녀한몸증의 확진은 생식샘의 조직학적 검사를 통해서만 가능하기 때문에 의심될 경우에는 복강경 검사가 필요하다. 성 결정은 참남녀한몸증 환자에서 치료의 핵심 부분으로서 환자가 정상적인 생식 능력과 성기능을 가질 수 있는 쪽으로 성 결정이 이루어지는 것이 원칙이다. 여성으로 결정된 경우 수술 시 고환과 흔적 생식샘 조직 및 볼프관 구조들을 모두 제거해야 하고 남성으로 결정된 경우에는 난소 조직과 뮐러관 구조들을 모두 제거한 후 필요할 경우 고환고정술(orchiopexy)을 시행해야 한다. 이러한 수술은 생후 3-6개월에 시행하는 것이 좋다. 외부 생식기의 수술 교정은 여성으로 키워질 환자들에게 필요할 수도 있다. 대부분의 환자들은 다른 기형을 가지고 있지 않으며 평균 지능과 수명을 가진다. 46 XX 환자들은 자궁과 질을 가지고 있는 경우가 많고 따라서 임신이 가능하며, 실제로 성공적인 분만도 보고되고 있다.

2) 46 XX 성발달 이상

46 XX 염색체를 가지며 난소를 가지고 있고, 뮐러관이 정상적으로 발생되어 있으며, 외부 생식기에 국한되어 남성화가 나타난다. 고환이 없으므로 뮐러관의 퇴화가 일어나지 않으며, 태생기 여자가 남성호르몬에 노출되어 남성화 현상이 나타나는데, 남성호르몬 과다는 태아의 부신, 태아 부신-태반, 모체로부터 기인할 수 있다. 남성화 정도는 남성호르몬에 노출된 시기에 따라 달라지는데, 태생기 12주 이전에 고농도의 남성호르몬에 노출될 경우 외부 생식기의 형태는 잠복고환을 제외한 정상 외형의 남자와 구별하기 어렵다. 여성 거짓남녀한몸증의 40-45%는 선천부신과다형성증에 기인한 것으로 알려져 있고 드물게 약물 복용, 종양으로 인한 모체 순환혈액내의 남성호르몬 과다와 방향화효소(aromatase) 결핍 등이 원인이 될 수 있다.

(1) 선천부신과다형성증(Congenital adrenal hyperplasia, CAH)

부신 피질에서 남성호르몬이 과다하게 생성되는 질환으로 이환된 여자는 외부 생식기가 남성화될 수 있는데 발병 시기와 노출된 남성호르몬의 양, 노출의 기간에 따라 음순음낭주름 융합(fusion of labioscrotal folds), 음핵확장(clitoral enlargement), 요도와 질의 해부학적 이상(anatomical changes of the urethra and vagina) 등 다양한 정도의 남성화를 나타낼 수 있다. 반면에 내부 생식기의 형성과 분화는 이상이 없는데, 이는 항뮐러관호르몬의 비정상적인 생성이 없어 난관, 자궁, 질 상부의 정상 발생이 가능하며 고환으로부터 고농도의 국소적인 남성호르몬에 의한 주변분비효과(paracrine effect)도 없어 볼프관 구조 역시 지속될 수 없기 때문이다. 그리고 임신 10주경에 내부 생식기의 형성이 완료되는 반면, 부신 피질은 임신 10-12주가 되어야 기능을 나타낼 수 있다는 사실도 중요한 요인으로 작용할 수 있다.

외부 생식기의 형성 과정은 태생 20주까지 진행된다. 앞서 언급된 것처럼 태생기 12주를 기준으로 남성화 정도의 차이를 보이게 되는데, 임신 10-12주에 남성호르몬이 과다 생성될 경우 남성화의 정도가 극심하게 나타날 수 있는 반면에 임신 18-20주에 남성호르몬이 과다 생성될 경우에는 외부생식기 모호성이 극히 경미하게 나타날 수도 있으며, 이때 음핵의 크기는 남성호르몬 과다의 시간보다는 양을 반영하는 것으로 알려져 있다. 치료하지 않으면 이환된 여자는 출생 후 지속적인 남성화를 나타내게 된다. 2-4세경에 음모가 나타나고 골 연령이 2세 앞서 진행되어 유아기에는 상대적으로 신장이 클 수 있으나 골단 폐쇄(epiphyseal closure)가 조기에 이루어지므로 성인기 신장은 단축된다.

이 질환의 핵심 병태생리는 글루코코티코이드의 생성 부전이라고 할 수 있다. 시상하부-뇌하수체 축은 코티솔 농도가 저하됨에 따라 정상적인 코티솔 농도를 복원하기 위하여 부신피질자극호르몬(adrenocorticotropic hormone, ACTH)을 과다 분비하게 되고 이로 인하여 부신 피질이 과자극되어 코티솔의 전구체와 함께 남성호르몬이 과다하게 생성될 수 있다. 중요한 점은 이환된 환자에서 염분소모증(salt-wasting), 고혈압, 저혈당 등의 대사적 이상이 발생할 수 있다는 점이다. 남성화를 보이는 선천부신과다형성증 환자의 약 2/3에서 염분소모(salt-wasting)에 따른 전해질 불균형이 초래될 수 있는데, 생후 5-15일 사이에 극심

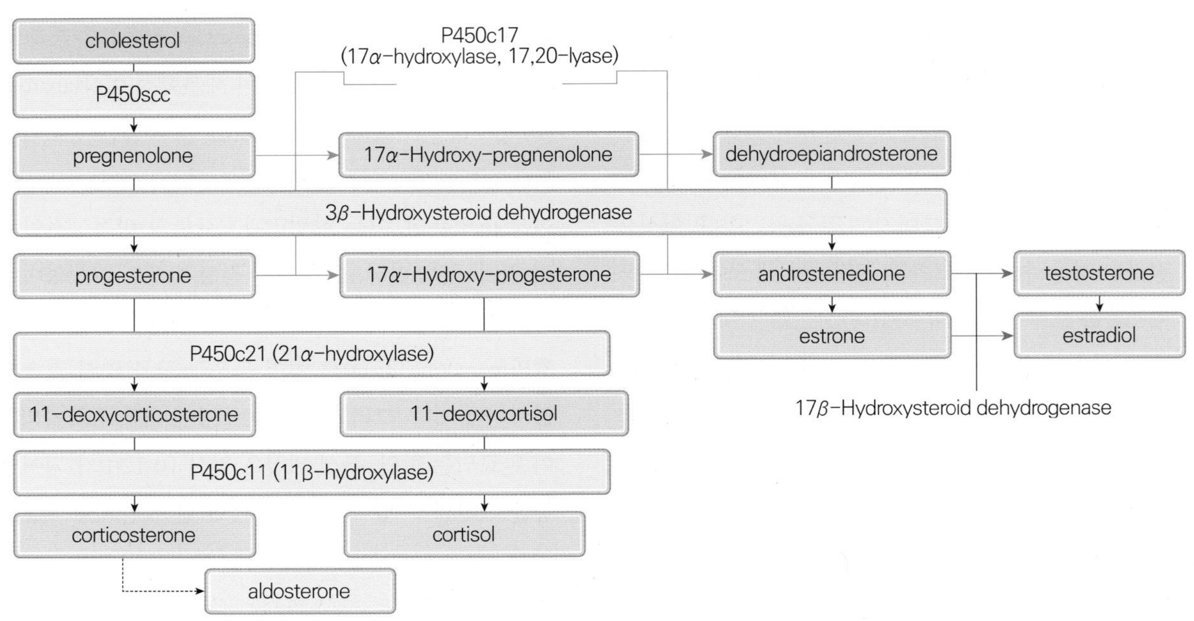

● 그림 13-6. **스테로이드 생합성 경로**

하게 나타날 수 있다. 따라서 외부 생식기의 남성화와 함께 잘 먹지 않고, 성장 장애, 반응 저하, 구토, 저나트륨혈증, 고칼륨혈증, 산증을 보이는 신생아에서는 신속한 진단과 처치가 필수적이라고 할 수 있다. 상대적으로 드물지만 선천부신과다형성증 환자의 약 5%에서는 고혈압이 발생할 수 있다. 임상적인 양상에 차이가 발생하는 이유는 결핍되어 있는 효소의 차이에 기인한 것인데, 외부 생식기의 남성화를 초래할 수 있는 효소의 결핍으로는 21-수산화효소(hydroxylase) 결핍, 11β-수산화효소 결핍, 3β-수산화스테로이드 탈수소효소(hydroxysteroid dehydrogenase)결핍이 있다(그림 13-6). 또한 이들의 임상 양상은 유전자 돌연변이에 의한 기능 소실의 정도에 따라 달라진다.

① 21-수산화효소(P450c21) 결핍증

선천부신과다형성증의 가장 흔한 유형으로(95%), 성모호성(sexual ambiguity)과 신생아기의 사망을 야기하는 내분비 질환 중 가장 흔한 원인으로 알려져 있다. 염분소모(salt-wasting), 단순남성화(simple virilizing), 늦은 발생형(late-onset or nonclassical)의 3가지 임상적 유형이 존재하는데, 가장 심각한 염분소모증 유형은 코티솔과 알도스테론의 심한 결핍으로 염분 소모, 탈수와 함께 남성화가 초래되고, 덜 심한 형태인 단순남성화 유형은 상승된 부신피질자극호르몬 농도로 글루코코티코이드와 미네랄코티코이드(mineralocorticoid) 생성은 충분하지만 안드로겐 과생성으로 자궁내 태아 외성기의 남성화를 초래한다. 가장 덜 심한 형태인 늦은 발생형은 정상 외성기 형태로 태어나지만, 유년기 성조숙증, 청소년기나 이른 성인기에 고안드로겐혈증으로 다모증이나 불규칙 월경 등의 증상으로 나타난

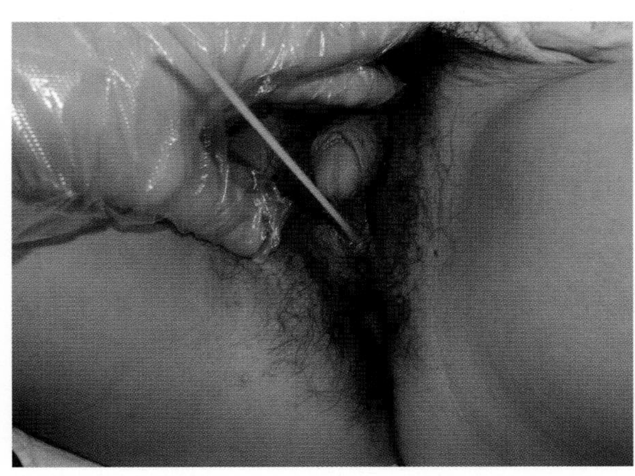

● 그림 13-7. **선천부신과형성증(Congenital adrenal hyperasia, 32세)**

다. 21-수산화효소 결핍증은 상염색체 열성 방식으로 유전된다. 21-수산화효소는 미토콘드리아에 존재하는 P450 효소로, 유전자인 CYP21은 6번 염색체 단완에 존재하며, 21-수산화효소 결핍을 초래하는 CYP21 돌연변이의 90% 이상은 유전자결손(deletion), 전환(conversion), 점돌연변이(point mutation)에 의한 것으로 보고되고 있다(그림 13-7).

② 11β-수산화효소(P450c11) 결핍증

코티솔 형성의 마지막 단계에서 생긴 장애이며 선천부신과다형성증의 5-8%를 차지한다. 21-수산화효소 결핍증과 유사하게 심한 염분소모증, 단순남성화, 늦은 발생형이 존재할 수 있지만, 약 2/3 에서는 강력한 염분저류호르몬인 데옥시코티솔(deoxycortisol)과 데옥시코티코스테론(deoxycorticosterone)이 축적됨에 따라 과다혈량, 고혈압을 초래하고 저칼륨혈증, 레닌 감소를 동반할 수 있다. 유전자는 8번 염색체 장완에 존재하며 상염색체 열성으로 유전된다.

③ 3β-수산화스테로이드 탈수소효소 결핍증

필수적인 과정의 장애로 인하여 난소와 부신 피질에서 생성되는 여러 스테로이드의 합성에 장애가 초래되는데, 글루코코티코이드, 미네랄코티코이드, 남성호르몬, 에스트로겐 등의 생성이 모두 감소한다. 신생아는 출생 시 전신 상태가 극히 불량하며 여자의 경우에는 DHEA의 심한 증가로 인하여 외부 생식기의 경미한 남성화를 보일 수 있고, 남자의 경우에는 남성호르몬의 감소로 인하여 불완전한 남성화와 요도하열(hypospadias)을 보일 수 있다. 유전자는 1번 염색체에 위치하며 상염색체 열성 유전으로 외부 생식기의 남성화 정도로 효소 결핍의 정도를 추정할 수는 없다.

④ 감별진단

의심되는 경우 일단 17-수산화프로게스테론(17- hydroxyprogesterone, 17-OHP)을 측정한다. 21-수산화효소와 11β-수산화효소 결핍증에서는 정상 수치의 50-400배로 증가된 수치를 보여 3,000-40,000 ng/dL의 농도를 확인할 수 있다. 일반적으로 정상 신생아의 17-OHP는100 ng/dL 이하인 반면 21-수산화효소 결핍증의 염분소모증형과 단순남성화형의 경우 3,500 ng/dL 이상을 보이게 된다. 21-수산화효소 결핍증과 11β-수산화효소 결핍증을 감별하기 위해서는 11-데옥시코티솔, 11-데옥시코티코스테론, 레닌의 활성도를 측정하여 데옥시코티솔과 데옥시코티코스테론이 감소되어 있고 레닌이 증가되어 있는 경우 21-수산화효소 결핍증으로, 데옥시코티솔과 데옥시코티코스테론이 증가되어 있고 레닌이 감소되어 있는 경우 11β-수산화효소 결핍증으로 진단할 수 있다. 3β-수산화스테로이드 탈수소효소 결핍증의 경우에는 17-OHP가 증가되어 있지 않고 혈중 DHEA, DHEAS가 현저하게 증가되어 있으며, ACTH 자극검사 후 17α-수산화프레그네놀론(17α-hydroxypregnenolone) 농도 상승이 진단에 가장 정확하다. 21-수산화효소 결핍증의 늦은 발생형(비고전 형태)에서는 17-OHP농도가 경미하게 상승하고, DHEAS 농도는 대부분 정상이다. 성인여성에서 난포기 오전에 측정한 17-OHP 농도가 200 ng/dL 이하면 진단을 배제할 수 있고, 800 ng/dL 이상 시 진단할 수 있다. 그 사이 농도일 때는 ACTH 자극검사가 필요한데 대부분의 늦은 발생형 21-수산화효소 결핍증에서 1,500 ng/dL를 초과한다.

⑤ 치료

선천부신과다형성증 치료의 근간은 결핍되어 있는 호르몬인 코티솔을 공급하는 것으로, 코티솔과 미네랄코티코이드 투여를 병행한다. 코티솔 투여는 ACTH의 감소를 통해 남성호르몬의 전구체 생성을 낮출 뿐 아니라 11β-수산화효소 결핍의 경우에 데옥시코티코스테론 농도를 저하시켜서 혈장 용적을 정상화시켜 줄 수 있다. 이환된 태아 임신의 위험성이 있는 산모의 경우 임신 4-5주경부터, 늦어도 9주 이전부터 덱사메타손 하루 1.5 mg 분복으로 여태아의 생식기 남성화를 감소시키거나 방지할 수 있는데 산모, 생후 아이의 부작용을 고려하여 융모막 생검으로 태아의 성별과 유전자 검사로써 이환된 여아임을 확인 후 치료를 지속하거나 시작을 고려한다. 단기간의 치료라도 태아에 미칠 수 있는 부작용에 관해 치료 전 상담, 모니터링 및 추적 관찰이 필요하다. 신생아의 경우 염분소모형 선천부신과다형성증에서 생후 수일에서 수주 사이에 저혈압, 저나트륨혈증, 고칼륨혈증, 저혈당, 구토 및 설사, 체중감소, 식욕 감소 등의 부신 위기(adrenal crisis)가 온다면 적절한 수액과 저혈당 및 고칼륨혈증의 교정, 하이드로코티손(hydrocortisone) 50-100 mg/m^2 (보통 25 mg) 4시간 간격 정맥주사 등의 긴급한 처치가 필요하다. 소아의 경우 글루코코티코이드 치료로 부신 성호르몬 생성을 최소화하여 정상적인 성장과 발달을 촉진하는 것을 목표로 한다. 하이드로코티손 12-18 mg/m^{2}을 1일 2-3회 분복하는 것이 추천되고 있는데, 하이드로코티손은 반감기가 짧아서 프레드니솔론, 덱사메타손 등 다른 제제들에 비해 성장 저해를 포함한 다른 부작용이 보다 적은 장점이 있다. 하이드로코티손 단독요법으로 조절이 잘 안 되는 경우에는 아침에 하이드로코티손을 복용하고 취침 전에 프레드니솔론을 복용하면 도움이 될 수 있고 사춘기 후나 성인에 있어서는 장기 작용 글루코코티코이드(프레드니솔론 1일 5-7.5 mg, 또는 덱사메타손 1일 0.25-5 mg)의 투여가 선호된다. 고전 선천부신과다형성증을 진단받은 소아나 성인은 미네랄코티코이드(플루드로코르티손, 0.05-0.2 mg/day)를 병용하여 정상적인 나트륨, 칼륨, 레닌 농도를 유지한다. 치료 효능성은 17-OHP, 혈장 내 레닌활성도(plasma renin activity) 및 안드로스텐다이온(androstenedione) 수치로 추적 관찰하며 17-수산화프로게스테론 수치는 과잉 치료, 또는 치료 부족을 막기 위해 400-1,200 ng/dL를 목표로 하고 혈장 내 레닌활성도는 정상의 상한선 수치 근처로 유지하는 것이 바람직하다. 또한 주기적인 골밀도, DHEA-S, 테스토스테론 농도를 측정과 함께 쿠싱증후군의 증후나 증상 발생에 주의하고, 고전 선천부신과다형성증 소아의 경우 높은 농도의 성호르몬과 관련한 성조숙증, 조기 골단 폐쇄로 인한 저신장의 위험성이 크므로 매년 골 연령을 측정하여 적절한 성장이 이루어지는지를 관찰하여야 한다. 고전 선천부신과다형성증 여성의 가임력은 일반적으로 감소되어 있으나, 임신한 경우 장기 작용 글루코코티코이드는 태반을 통과하여 태아 시상하부-뇌하수체-부신 축을 억제할 수 있으므로 하이드로코티손이 선호되며 농도를 증량하여 임신 중 정상 17-OHP, 안드로스텐다이온, 테스토스테론 농도를 유지하고, 진통과 분만 시 스트레스 용량으로 조절이 필요하다.

외부 생식기의 뚜렷한 남성화가 있는 여자의 경우 대부분에서 수술적 성기성형술이 필요하다. 수술 시기에 대해서 논란이 있는데, 전통적으로 음핵절제술 등 해부학 교정을 위한 수술은 수술에 대한 기억이 없고 심리적인 충격이 최소화될 수 있도록 출생 후 몇 년 안에 조기에 시행하는 것이 추천되고 있었으나 최근에는 성장 후 결정에 참여할 수 있을 때까지 연기하자는 의견도 제시되고 있다. 단, 질재건술은 사춘기 후 성숙한 순응이 가능할 때 시행하는 것이 좋다. 음핵절제술을 시행할 경우에는 음핵귀두부와 그 신경지배부에 손상을 주지 않도록 하는 것이 바람직하며, 일반적으로 음핵절제술을 시행하더라도 성기능이나 오르가슴에는 장애가 없는 것으로 알려져 있다.

(2) 태아 부신-태반내 남성호르몬 상승

태아 부신-태반내 남성호르몬 과다와 관련하여 드문 질환인 aromatase (P450arom) 결핍증은 상염색체 열성 유전으로 태아 안드로겐이 태반에서 에스트로겐으로 변환이 되지 않고 안드로겐이 축적되어 여태아의 남성화, 모체 혈청 에스트로겐 저하, 모체 다모증을 야기한다. P450 oxydoreductase (POR) 결핍증은 스테로이드호르몬 생성에 관련된 모든 P450 효소(21-hydroxylase, 17α-hydroxylase, 17,20-lyase activities, P450arom)들의 활성에 영향을 주어 17-OHP는 증가, DHEA/DHEAS, androstenedione 감소, 태아 부신의 안드로겐 생성은 감소되나 증가된 17-OHP가 백도어 통로(backdoor pathway)로 5α-reduction을 거쳐 dehydrotestosterone (DHT)으로 전환되어 여태아에서는 외부 생식기 남성화, 생식기 모호증을, 남태아에서는 불완전한 남성화를 초래하는 등 다양한 표현형으로 나타나는 가장 복잡한 형태의 선천부신과다형성증이다.

(3) 태중 모체 내 외인성 또는 내인성 남성호르몬 상승

임신 중 산모에 남성호르몬 생성 종양이 존재하거나 산모가 프로게스틴이나 다나졸과 같은 남성화를 야기할 수 있는 약물을 복용할 경우에도 신생아가 외부 생식기의 남성화를 보일 수 있다. 모체내 남성호르몬 노출 시기에 따라 음순음낭융합(labioscrotal fusion) 혹은 음핵비대(clito-

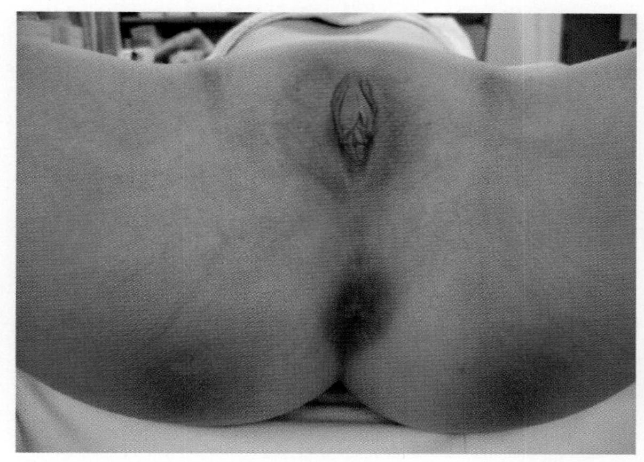

• 그림 13-8. **모체의 남성호르몬 섭취(Maternal ingestion of androgens, 23세)**

megaly) 형태로 남성화가 나타난다. 임신 황체종(luteoma)이나 theca-lutein cyst는 분만 후에 소실되므로 대부분 수술은 필요하지 않다. 생후에는 남성호르몬의 영향이 소실되므로 사춘기 정상 발육, 배란 등 생식 생리 자체에 근본적인 이상은 생기지 않고, 다른 스테로이드 대사에 문제가 없으므로 외부 생식기의 수술적 복원만이 필요하고 호르몬 치료는 필요하지 않다(그림 13-8).

3) 46, XY 성발달 이상

46, XY 성발달 이상은 유전적으로 XY 염색체를 가지고 있으나, 생식샘 발달 이상, 태아 남성호르몬 합성 감소, 남성호르몬 수용체 결손, 항뮐러관호르몬 및 수용체 변이 등에 의해 성발달 이상이 일어나는 질환이다.

(1) 생식샘(고환) 발달 이상

정상 생식샘(고환) 발달은 정상 종자세포와 체세포가 필요하다. 고환 발달 이상 질환으로는 완전 생식샘발달이상(스와이어증후군), 부분생식샘발달이상, 그리고 태아기에 정상적으로 발달된 고환이 소실되는 고환퇴행증후군 등이 있다.

① 완전생식샘발달이상(스와이어증후군, Swyer Syndrome)

스와이어증후군은 46, XY를 염색체 가지고 있으나, 어떤 원인에 의해 생식샘이 고환으로 분화하지 못하면서 테스토스테론과 항뮐러관호르몬의 생성이 이루어지지 않기 때문에 내부와 외부 생식기가 여성형으로 발생하게 된다. 10-15%에서는 SRY 유전자 변이가 그 원인으로 제시되고 있으나, 대부분에서는 확실한 원인을 알 수 없다. 이런 환자들은 일차성 무월경과 이차 성징 결여로 병원을 찾는 것이 일반적이며, 난소 기능 부전이 동반된 저생식샘자극호르몬생색샘저하증(hypogonadotropic hypogonadism)을 보이고 유전적적으로 46, XY가 있는 경우 진단할 수 있다. 진단 즉시 퇴화된 생식샘(gonad) 조직을 제거해야 되는데 이는 고환 세포에서 생식세포종양(germ cell tumor)으로 발생할 수 있는 위험이 있기 때문이다. 외부 생식기 및 내부 생식기가 여성형으로 분화되어 있으나 유방 발육이 없고 난소 기능 부전이 동반되어 있어 여성호르몬 대체 요법이 필요하다. 공여 난자를 이용한 체외수정을 통해 임신을 시도해 볼 수 있다(그림 13-9).

② 불완전생식샘발달장애(Partial Gonadal Dysgenesis)

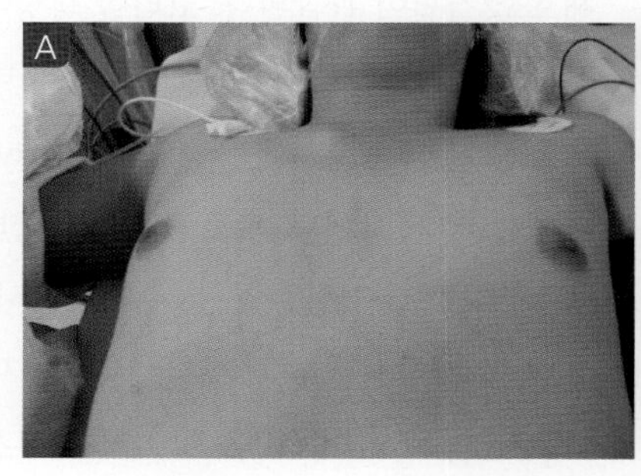

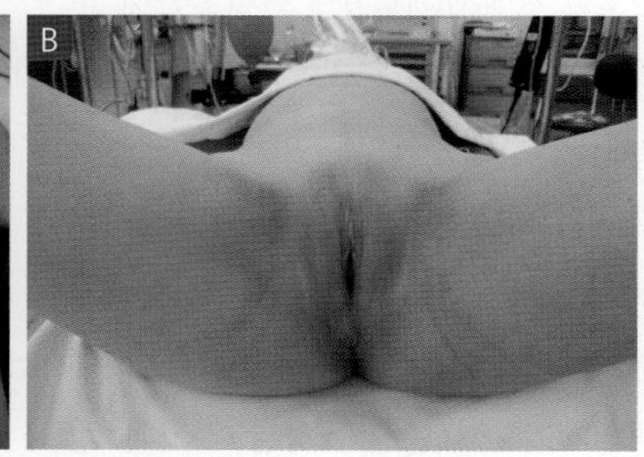

• 그림 13-9. **스와이어증후군(18세, A:유방발달 없음, B: 음모발달 없음)**

불완전생식샘발달장애는 여러 유전자 변이로 인하여 나타나게 되는 다양한 생식샘발달이상을 말한다. 예를 들면 뮐러관 발달이 정상이거나, 이상 소견이 있을 수 있고, 외부 생식기가 여성형, 남성형, 또는 모호하게 나타날 수도 있다. 이렇게 다양한 발달 이상이 나타나는 원인으로는 SRY 유전자 발현 및 뮐러관 형성, 고환 발달, 등 생식샘 발달의 여러 과정에서 WT1, SF1, SRY, SOX9, DHH 등과 같은 유전자 이상 소견으로 인하여 나타난다.

③ 고환퇴행증후군(Testicular Regression Syndrome)

고환퇴행증후군은 태아기 때는 정상 고환 발달을 보이나 점차적으로 퇴행이 일어나는 질환이다. 단측 또는 양측 고환에서 모두 일어날 수 있고, 정상적인 남성형 외부 생식기가 있음에도 고환조직의 일부 혹은 전체가 소실될 수 있다. 현재까지 어떠한 과정으로 통해 이 질환이 일어나는지에 대해 자세하게 알려진 바는 없다.

(2) 안드로겐 합성 장애

안드로겐 합성에는 다양한 스테로이드 효소와 단백질이 관여한다. 이 중 어느 한개라도 이상이 있으면, 태아기 안드로겐 합성에 이상이 나타나는데 전체 46, XY 성발달장애의 약 5% 정도를 차지하는 드문 질환이다.

① 5α-환원효소 결핍증(5α-Reductase Deficiency)

46, XY 염색체이면서, 심한 요도하열이 있는, 보통염색체열성(autosomal recessive)으로 유전되는 진환이다. 5α-환원효소는 제1형과 제1형으로 나뉘며, 제1형 5α-환원효소 유전자(RD5A1)는 5번 염색체(5p15), 제2형 5α-환원효소 유전자(RD5A2)는 2번 염색체(2p23)에 위치하는데 5α-환원효소 결핍증은 주로 제2형 효소와 관련이 있다. 생식샘 기능은 정상으로 테스토스테론 수치는 정상으로 유지되나, 5α-환원효소 결핍으로 테스토스테론이 다이하이드로테스토스테론(dihydrotestosterone, DHT)으로 전환되지 않아 배아발생 시 정상적인 남성화가 일어나지 않는다. 테스토스테론에 의해 발달하는 볼프관은 사정관, 부고환, 정관, 및 정낭으로 정상 남성형으로 분화하나, 다이하이드로테스토스테론 결핍으로 비뇨생식동(urogenital sinus)과 생식결절(genital tubercle)은 여성형태로 지속되어 외부 생식기는 정상적인 남성화가 일어나지 않는다. 심한 요도하열과 질의 미성숙이 특징적으로 불완전 안드로겐무감각증후군과 유사한 양상을 보인다. 출생 시 모호한 외부 생식기를 보이며, 사춘기가 되면 정상적인 고환의 기능이 나타나서 남성화가 진행되므로, 불완전 안드로겐무감각증후군과 감별되고, 유방도 발육되지 않는다. 진단은 외인성 사람 융모생식샘자극호르몬(human chorionic gonadotropin, hCG) 15,000 IU/m^2을 투여하고(1일, 3일), 자극 전(기초, 1일), 후(1일, 3일, 6일)에 테스토스테론과 다이하이드로테스토스테론 수치를 측정하고 테스토스테론/다이하이드로테스토스테론 비의 현저한 증가를 보이는 것으로 확인할 수 있다. 음경의 발달이 적절하지 않은 경우에는 여성으로 지정한 후 남성화가 진행되지 않도록 조기에 생식샘 절제술을 시행한다. 음경이 어느 정도 형성된 경우에는 조기에 잠복고환(cryptorchidism)과 요도하열을 교정하여 수정 능력을 보존하고 남성으로의 생활이 가능하도록 한다. 여성으로 성장하던 환자가 사춘기에 진단이 이루어져서 남성으로 성지정이 역전되는 경우가 있을 수 있는데, 이 경우에는 반대의 경우와는 달리 심리학적으로 큰 문제가 야기되지 않는 것으로 보고되고 있다.

② 17α-수산화효소 결핍증(17β-Hydroxylase Deficiency)

17α-수산화효소 와 17, 20-분해효소(17,20-lyase)는 코티솔, 안드로겐, 에스트로겐 형성에 필수적이며 CYP17A1 유전자에 의해 발현된다. 17α-수산화효소 결핍증은 보통염색체열성으로 유전되며, 17α -수산화효소 또는 17,20-분해효소 결핍이 관찰된다. 코티솔 생성이 감소되면, 부신피질자극호르몬 분비가 증가되고, 이는 미네랄코티코이드를 포함한 11-데옥시스테로이드(11-deoxysteroid)를 증가시킨다. 안드로겐 및 에스트로겐 형성 또한 감소되어 있다. 17α-수산화효소 결핍증이 있는 여성에서 사춘기 지연, 일차무월경, 저생식샘자극호르몬-생식샘저하증(hypogonadotropic hypogonadism)을 보이고 대부분 고혈압이 관찰된다. 17α-수산화효소 결핍증이 있는 남성의 경우 여성형 외

부 생식기를 가지면 막힌 질(blind vagina), 복강내 고환이 있다. 치료는 충분한 글루코코티코이드를 투여하여 과도한 부신피질자극호르몬 및 미네랄코티코이드 분비를 조절하는 것이 필요하다. 대부분의 남성환자의 경우 여성으로 자라, 사춘기 시점부터 적절한 에스트로겐 보충이 필요할 수 있다.

③ 3β-수산화스테로이드 탈수소효소 결핍증

선천부신과다형성증(Congenital adrenal hyperplasia, CAH) 파트 참고

④ 17β-수산화스테로이드 탈수소효소 결핍증(17β-Hydroxysteroid Dehydrogenase Deficiency)

17β-수산화스테로이드 탈수소효소(17β-Hydroxysteroid dehydrogenase)는 안드로스텐다이온 (androstenedione)을 생물학적으로 활성화된 안드로겐 및 테스토스테론으로 전환시키는 효소이다. HSD17B3 유전자에 의해 발현되며, 17β-수산화스테로이드 탈수소효소 결핍증에서는 유전자 돌연변이로 인하여 고환에서의 테스토스테론 형성에 결핍이 일어난다. 17β-수산화스테로이드 탈수소효소 결핍증이 있는 남성의 경우 외부 생식기는 여성형으로 짧거나, 막힌 질이 있으며, 복부 또는 서혜부에서 고환이 만져진다. 사춘기가 되어 남성호르몬이 증가하면서 남성화를 보이게 된다. 이는 고환에서 테스토스테론 형성 이상이 있으나, 사춘기로 인하여 혈중 안드로스텐다이온이 급격하게 증가하면 간, 피부, 지방세포 등에 있는 다른 17β-수산화스테로이드 탈수소효소 동종효소(isozyme)가 있어 안드로스텐다이온이 테스토스테론으로 전환되기 때문이다. 여성으로 성지정이 이루어진 경우 사춘기의 남성화와 고환 종양의 발생을 방지하기 위하여 조기에 생식샘절제술을 시행하도록 한다.

⑤ P450 산화환원효소 결핍증

46, XX 성발달 이상부분 참조

⑥ 스테로이드 급성 조절 단백질 결핍증[Steroid Acute Regulatory (stAR) Protein Deficiency]

가장 드문 선천부신과다형성증(congenital adrenal hyperplasia) 중 하나가 선천지질부신과다형성증(congenital lipoid adrenal hyperplasia)이다. 이 질환은 부신 및 생식기에서 분비되는 모든 스테로이드 호르몬의 결핍이 있는 질환이다. 부신피질자극호르몬 분비는 증가되어 있고 부신의 증식이 있으면서, 콜레스테롤 에스터 축척이 동반되는 질환이다. 선천지질부신과다형성증은 상염색체 열성질환으로 스테로이드 급성 조절 단백질 유전자 및 CYP11A1 유전자 결핍에 의해 일어난다. 스테로이드 급성 조절 단백질 결핍증 환자의 경우 출생 직후 또는 태생 초기에 심한 부신부전(adrenal insufficiency) 증상이 나타나게 되는데. 구토, 설사, 저나트륨혈증, 저칼륨혈증 등이 나타날 수 있다. 남성 환자의 경우 안드로겐 결핍으로 여성형 외부 생식기를 가지며, 여성 환자의 경우 정상적인 여성 외부 생식기 발달이 일어나고, 일부에서는 정상적인 사춘기 발달이 일어날 수 있다. 이 질환으로 진단받은 환자의 2/3은 사망에 이르게 되며, 일부 환자는 글루코코티코이드 및 미네랄코티코이드를 보충해주는 치료를 받으면서 사춘기까지 생존하는 경우도 있다.

(3) 안드로겐 작용 장애(Disorders of Androgen Action)

안드로겐 작용에는 안드로겐 수용체의 역할이 중요하다. 이러한 안드로겐 수용체 유전자의 돌연변이로 인하여 안드로겐 작용이 안 되는 경우를 안드로겐무감각증후군(androgen insensitivity syndrome)이라고 한다. 약 400개 이상의 안드로겐 수용체 유전자 돌연변이가 있다고 알려져 있으며, 그 정도에 따라 다양한 표현형(phenotype)으로 나타난다.

① 완전 안드로겐무감각증후군(Complete Androgen Insensitivity Syndrome)

무월경 파트 참조

② **불완전 안드로겐무감각증후군**(Incomplete Androgen Insensitivity Syndrome)

무월경 파트 참조

(4) 황체형성호르몬 수용체 결손(Luteinizing Hormone Receptor Defect)

황체형성호르몬 수용체 결손은 황체형성호르몬 및 사람 융모생식샘자극호르몬 수용체 유전자 변이로 인하여 고환에서 성숙한 라이디히세포(Leydig cell)가 발달하지 못하여 라이디히세포 저하가 나타난다. 고환 라이디히세포에서 테스토스테론의 분비는 태아기 때는 황체형성호르몬에 의해, 출생 이후에는 황체형성호르몬에 의해 자극되어 생성된다. 황체형성호르몬 수용체 결손이 있으면 라이디히세포 수가 감소되어 태아의 테스토스테론 농도가 감소되어 정상 남성화에 영향을 준다. 또한 뮐러관 형성에 이상을 일으켜 볼프관 형성에 이상 소견을 보이고 고환이 내려오지 않는다. 라이디히세포 저하의 표현형은 남아 있는 수용체의 활성도에 따라 다르게 나타난다. 황체형성호르몬 수용체 결손으로 테스토스테론 형성이 없는 남성의 경우 출생 시 여성형으로 관찰되며, 음모 및 유방 발달이 관찰되지 않는다.

(5) 항뮐러관호르몬 수용체 장애(Disorders of Anti-Müllerian Hormone and its Receptor)

탈장자궁서혜증후군(hernia uteri inguinale syndrome)은 항뮐러관호르몬 또는 항뮐러관호르몬 수용체 변이로 인해 뮐러관의 퇴화가 일어나지 않는 드물게 나타나는 상염색체열성질환이다. 이 질환이 있는 남성의 경우 서혜탈장이 있으면서 자궁과 나팔관 등의 뮐러관 구조가 같이 관찰된다. 약 45%의 환자에게서 항뮐러관호르몬 유전자의 변이가 관찰되며 39%의 환자에서서는 항뮐러관호르몬 수용체 유전자의 변이가 관찰된다.

2. 성염색체 이상 질환

1) 45, X 터너 증후군

무월경 파트 참고

2) 47, XXY 클라인펠터 증후군(Klinefelter Syndrome)

클라인펠터 증후군은 남성에서 보이는 생식샘저하증의 가장 흔한 원인으로 약 1,000명 중 1명 빈도로 발생한다. 가장 흔한 핵형이 47, XXY이나 48, XXXY 또는, 46, XY/47, XXY 등도 관찰될 수 있다. 부모의 생식세포 감수분열시 성염색체의 비분리현상으로 의해 발생한다. 임상증상은 보유한 X 염색체의 수에 따라 다르게 나타난다. 고환이 작고, 정자의 생성이 감소되어 있으며 테스토스테론 농도가 감소되어 있어 체모도 거의 없고 대부분이 불임의 문제를 보인다. 대부분의 남성에 비해 팔 다리가 길며, 상체에 비해 하체가 길다. 클라인펠터 증후군에서 세로칸(mediastinal) 및 유방의 암 발생이 증가되고 당뇨의 발생도 증가되어 있다. 근본적인 치료는 없으나, 생색샘저하증, 정신사회적 측면에 맞춰 관리를 해야 하며 향후 생식 기능과 관련하여 유전 상담도 중요한 부분을 차지한다.

3) 45, X/46, XY 혼합생식샘발생장애(Mixed Gonadal Dysgenesis)

혼합생식샘발생장애는 비대칭적 생식샘발생장애로 하나의 생식샘이 고환이거나 흔적만 있는 경우이다. 표현형은 존재하는 45, X 및 46, XY 세포의 비율에 따라 다양하게 나타날 수 있다. 대부분 모호한 생식기를 가지나, 여성형 또는 남성형으로도 표현될 수 있다. 사춘기 전에는 테스토스테론 및 생식샘자극호르몬 농도는 정상으로 유지되며, 사춘기 이후에는 테스토스테론 농도에 따라 남성화가 다양하게 일어나며, 생식샘자극호르몬은 높게 유지된다. 생식샘종양의 빈도는 약 25%로 높은 빈도로 발생된다.

4) 45, XX/46, XY 키메라증(Chimerism)

키메라증은 생물학적으로 동일대체 내에 유전자형이 다른 세포와 조직이 같이 존재하는 상태를 말하며, 이란성 쌍둥이의 세포가 결합되어 형성된 신체를 뜻한다. 모든 키레라는 모자이크(mosaics)이며, 하나의 접합자(zygote)에서가 아닌 두 개의 다른 접합자(zygote)에서 발생된다. 발생학적 이상 소견이 있기 전까지는 키메라증으로 진단하기 어려운데, 정상적인 표현형을 가진 사람에게서 우연하게 유전자 검사를 통해 발견되는 경우도 있다. 또 다른 경우는 이상 성발달 소견이 관찰되는 경우 의심해 볼 수 있다.

III. 모호생식기(Ambiguous Genitalia)의 진단 및 치료

외부생식기 이상과 그와 연관된 내부생식기의 이상은 매우 드물다. 따라서 진단이 어려우며 치료방법도 정립되지 못한 경우가 대부분이다. 특히 많은 경우에 환자가 미성년이나 청소년이어서 진찰과 수술치료에 어려움을 겪는다. 아직까지 근본적인 완치 방법이 없는 경우도 있으며 질환에 따라 최선의 답을 찾아야 한다.

1. 진단 검사

선천 기형을 가지고 태어난 경우 병력청취, 신체 진찰, 골반 초음파, 유전자 검사, 및 호르몬 검사 등을 시행해야 한다.

1) 병력청취 및 신체 진찰

병력청취 시 태아 때 안드로겐 또는 특정 약물에 노출이 된 적이 있는지 등의 여부가 매우 중요하다. 진단을 위해서는 생식기의 광범위한 검사가 중요하며 아래 나열된 질문을 확인해야 된다.

(1) 생식샘 촉진

신체 진찰에서 가장 중요한 것은 외부 생식기 및 서혜부위의 신체 진찰이다. 서혜 부위에서 만져지는 생식샘이 있다면 대부분 고환일 가능성이 높다. 이러한 생식샘이 비대칭적일 경우 생식샘발생장애 또는 고환과 난소가 같이 존재할 가능성이 있다. 만약 생식샘이 만져지지 않는다면, 복강 내 존재할 수 있는 가능성을 염두해야 한다.

(2) 음경(phallus)의 길이와 넓이

음경의 신체 진찰을 통해 음경(penis)과 클리토리스(clitoris)를 감별할 수 있다. 음경(penis)의 경우 복측 주름띠(ventral frenulum)가 있고 클리토리스의 경우 소음순까지 양측으로 주름이 형성되어 있어 감별할 수 있다. 만삭으로 태어난 신생아인 경우, 정상 음경의 길이는 약 2.5 cm 이상으로 넓이는(diameter)는 0.9 cm 이상이다. 신생아의 경우 클리토리스는 2-6 mm 사이로 9 mm 이상의 크기는 비정상적이라고 판단할 수 있다. 만약 클리토리스가 비대해진 경우, 선천부신과다형성증 등을 의심해 볼 수 있다.

(3) 요도구멍(urethral meatus)의 위치

회음부 배쪽으로 요도구멍이 관찰된다. 요도하열은 대부분 음경굽음(chordee)과 동반되어 관찰된다. 회음부 부위에 구멍이 하나만 관찰될 경우 불완전한 요도하열이거나 비뇨생식굴의 남성화를 시사한다. 따라서, 이러한 소견이 관찰될 경우 영상학적 검사 또는 방광내시경술(cystoscopy)/질내시경술(vaginoscopy) 등을 통해 구조적 결합을 확인할 수 있다.

(4) 음순음낭 주름(labioscrotal fold)의 결합유무

음순음낭 주름의 이상은 다양하게 나타날 수 있는데, 대음순 사이의 결합이 완전 또는 불완전 결합소견으로 나타날 수 있다. 항문에서부터 질의 음순소대(fourchette)까지의 길이를 항문에서 클리토리스까지 길이로 나눈 것을 항문생식기(anogenital) 비율이라고 한다. 항문생식기 비율이 0.5 이상인 경우 남성화 또는 음순음낭 결합(labioscrotal fusion)을 의심해 볼 수 있다.

2) 영상검사

복부 및 골반 초음파를 통해 생식샘(gonad)의 위치 및 자궁의 유무를 판단할 수 있다. 하지만 영아의 경우 자기공명영상(magnetic resonance imaging, MRI)을 포함한 영상학 검사를 시행하기가 쉽지 않고, 드물게는 복강경을 통해 생식샘 및 생식기 구조를 확인할 수도 있다.

3) 혈액검사

선천 기형이 관찰되면 유전자 검사, 형광동소혼성화(fluorescence in situ hybridization, FISH), 17-수산화프로게스테론, 전해질, 코디솔, 부신피질자극호르몬, 데하이드로에피안드로스테론(dehydroepiandrosterone, DHEA), 17-α 수산화프레그네롤론, 11-데옥시코티돌 등의 검사를 시행해야 된다.

2. 감별진단

선천 생식기 이상 소견이 있는 경우 보일 수 있는 타입은, 핵형은 XX이면서 남성화가 되어 있거나, 핵형은 XY이지만 정상 남성화가 일어나지 않았거나, 또는 두가지 타입이 복합적으로 나타날 수 있다.

1) XX 남성화

유전자 핵형은 XX이면서 남성화를 보이는 질환으로는 생식샘(난소) 발달 장애 및 태아, 태반, 모체에서 기원한 안드로겐 과다 장애를 포함한다. 형광동소혼성화를 통해 SRY 유전자의 존재 유무를 알 수 있으며, SRY 유전자 결핍이 있는 경우, 남성화를 보이는 XX 태아에서는 대부분은 부신과다형성증으로 진단된다. 17-수산화프로게스테론 또는 17-α 수산화프레그네롤론이 증가된 경우에도 부신과다형성증으로 진단할 수 있다. 부신과다형성증이 배제되었다면 영상검사를 통해 자궁의 유무를 확인하고, 병력청취를 통해 태아기 모체를 통한 안드로겐 과다 노출 여부 및 임신 중 남성화 진행 여부 등이 확인될 경우 난포막황체낭(theca lutein cyst) 등과 같은 모체임신안드로겐과다증(maternal gestational hyperandrogenism) 또는 P450 방향화효소 결핍(P450 aromatase deficiency)을 의심해 볼 수 있다. 또 다른 XX 남성화의 원인은 고환발달 이상으로 인하여 나타날 수 있는데, 이때 항뮐러관호르몬 농도를 측정하거나 외인성 사람 융모생식샘자극호르몬으로 자극하여 테스토스테론 농도를 측정해 볼 수 있다. 만약 남성 수치의 항뮐러관호르몬이 측정되고, 외인성 사람 융모생식샘자극호르몬 자극 시 정상 테스토스테론 농도를 보이면 정상 고환 조직이 존재한다는 뜻으로, 난정소(ovotesticular) 성발달장애 또는 SOX9 중복을 시사한다.

2) XY 남성화저하

유전자 핵형이 XY이면서 정상 남성화가 일어나지 않는 경우 생식샘(고환) 발달 이상, 안드로겐 형성 및 기능 이상, 황체형성호르몬 수용체 이상, 항뮐러관 및 수용체 이상 등으로 인하여 발생할 수 있다. XY 남성화저하를 보일 경우 위에 언급된 혈청학적 검사 이외 황체형성호르몬, 난포자극호르몬, 항뮐러관호르몬, 테스토스테론, 안드로스텐다이온, 다이하이드로테스토스테론을 측정해야 한다. 출생 후 24시간 이내 또는 2개월에서 6개월 사이에 생식샘자극호르몬을 측정해 볼 수 있고, 부신피질자극호르몬 또는 사람 융모생식샘자극호르몬 검사를 통해 감별 진단에 도움이 될 수 있다. 특히 17-수산화프로게스테론 또는 17-α 수산화프레그네롤론의 농도에 따라 진단이 달라질 수 있고, 낮은 농도로 관찰되면 17-α수산화효소 결핍, 스테로이드 급성 조절 단백질 결핍증, 불완전생식샘발달장애를 시사한다. 반대로 17-수산화프로게스테론 또는 17-α 수산화프레그네롤론이 높게 측정되면, 3β-수산화스테로이드 탈수소효소 결핍증 또는 P450 산화환원효소 결핍증 등을 시사한다. 항뮐러관호르몬은 세르톨리세포 덩이 또는 고환조직의 기능을 평가하는 지표로 사용될 수 있다. 낮은 항뮐러관호르몬 농도는 불완전생식샘발달장애, 고환퇴행증후군, 항뮐러관 변이, 난소-고환(ovotesticular) 성발달장애 등을 시사할 수 있다. 만일 항뮐러관호르몬 농도가 정상이거나 영상학 검사상 고환이 관찰될 경우 안드로겐 형성 이상, 황체형성호르몬 수용체 결핍, 불완전 안드로겐무감각증후군, 항뮐러관호르몬 수용체 결핍 등을 고려해 봐야 한다. 5α-환원효소 결핍증인 경우 테스토스테론/다이하이드로테스토스테론 비율이 10 이상이다. 17β-수산화스테로이드 탈수소효소 결핍증인 경우 혈중 테스토스테론 농도는 정상이나, 안드로스텐다이온은 약 7배 정도 증가되어 있고 테스토스테론/안드로스텐다이온 비율이 0.8보다 작다. 황체형성호르몬 결핍인 경우 황체형성호르몬 농도가 증가되어 있는 반면, 테스토스테론 농도는 감소되어 있고 안드로스텐다이온 농도는 증가되어 있지 않다. 진단 검사로 외인성 사람 융모생식샘자극호르몬 검사를 시행할 수 있는데, 외인성 사람 융모생식샘자극호르몬 1,500 IU/m^2을 투여하고(1일, 3일), 자극 전(기초, 1일), 후(1일, 3일, 6일)에 사람 융모생식샘자극호르몬, 황체형성호르몬, 난포자극호르몬, 테스토스테론, 안드로스텐다이온, 다이하이드로테스토스테론 농도를 측정하여 감별진단을 할 수 있다. 정상적으로는, 호르몬 자극 후 테스토스테론 농도가 3일째는 2배, 6일째는 4배 정도 증가하고, 테스토스테론/다이하이드로테스토스테론 비율이 0.8으로 측정된다. 하지만, 이러한 내분비적 검사만으로는 17β-수산화스테로이드 탈수소효소 결핍증과 황체형성호르몬 수용체 결핍 등을 배제할 수 없어 정확한 진단을 위해 유전자 검사가 필수적이다. 만약 호르몬 자극검사에서 이상 소견이 없을 경우, 불완전 안드로겐무감각증후군, 항뮐러관호르몬 수용체 결핍 등을 고려해 볼 수 있다.

3. 모호생식기 환아의 임상 처치

모호생식기가 관찰되는 영아에서 선천부신과다형성증 등과 같이 염분이 고갈되는 증상이 나타나는 경우 즉시 응급 조치가 필요하기 때문에 즉각적인 조치가 필요하다. 그 외에는, 외부생식기에 따라 성을 정하게 되고 그에 따른 적절한 호르몬 보충 요법이 필요하겠다. 또한 본인 및 가족 상담을 통해 진단된 질환에 따른 신체적 및 심리적 안정을 취하고, 장기간 호르몬 보충 요법에 따른 신체적, 정신적 변화에 도움을 받을 수 있겠다.

IV. 뮐러관의 기형과 해부학 이상

뮐러관 기형은 여성의 약 7-10%에서 발견되는 흔한 선천 질환이며, 불임, 반복유산 등 합병증을 동반한다. 특히 반복유산을 경험하는 여성에서 기형의 발생빈도가 높다고 알려져 있다. 선천 뮐러관 기형이 있는 경우 임신 합병증

표 13-1. 뮐러관 기형의 미국 불임학회 분류표

- Class I : 뮐러관 이상발생(dysgenesis of the Müllerian ducts)

자궁과 질의 무형성을 포함하는 질환으로 대리모를 이용한 체외수정로만 임신이 가능하다.

- Class II : 뮐러관 수직융합 결함(disorders of vertical fusion of the Müllerian ducts)

수직융합 결함은 뮐러관의 하방과 비뇨생식동의 상방의 융합이 불완전하여 발생하며 가로질중격(transverse vaginal septum)과 질입구주름막힘증(imperforated hymen)이 폐쇄형과 비폐쇄형으로 있고, 이와 함께 자궁경부 무형성(cervical agenesis)이 대표적인 질환이다.

- Class III : 뮐러관 측방융합 결함(disorders of lateral fusion of the Müllerian ducts)

두 뮐러관의 측방융합 이상으로 형성되며 대칭적 비폐쇄형으로 발생하면 중복 질(double vagina), 비대칭적 폐쇄형으로 발생하면 일측 질폐쇄를 가져온다. 비대칭적이며 일측성 폐쇄가 있는 경우 대부분 동측의 신장결손(renal agensis)이 동반된다. 양측성 폐쇄가 있는 경우 양측의 신장결손이 발생할 꺼라 예상되지만 이 경우 태아 생존의 가능성이 없으므로 의미가 없다.

- Class IV : 뮐러관 수직-측방융합 결함(unusual configuration of vertical-Lateral fusion defects)

수직-측방 융합의 결손과 함께 하부 요로계의 이상이 동반되어 나타나며 자궁기형이 폐쇄형일 경우에는 월경혈의 배출이 막혀 이로 인한 종괴나 통증을 유발할 수 있어 즉각 조치가 필요할 수 있으며 비폐쇄인 경우에는 즉각 조치는 아니더라도 향후 생식능력과 성기능 때문에라도 적절한 조치가 취해져야 한다.

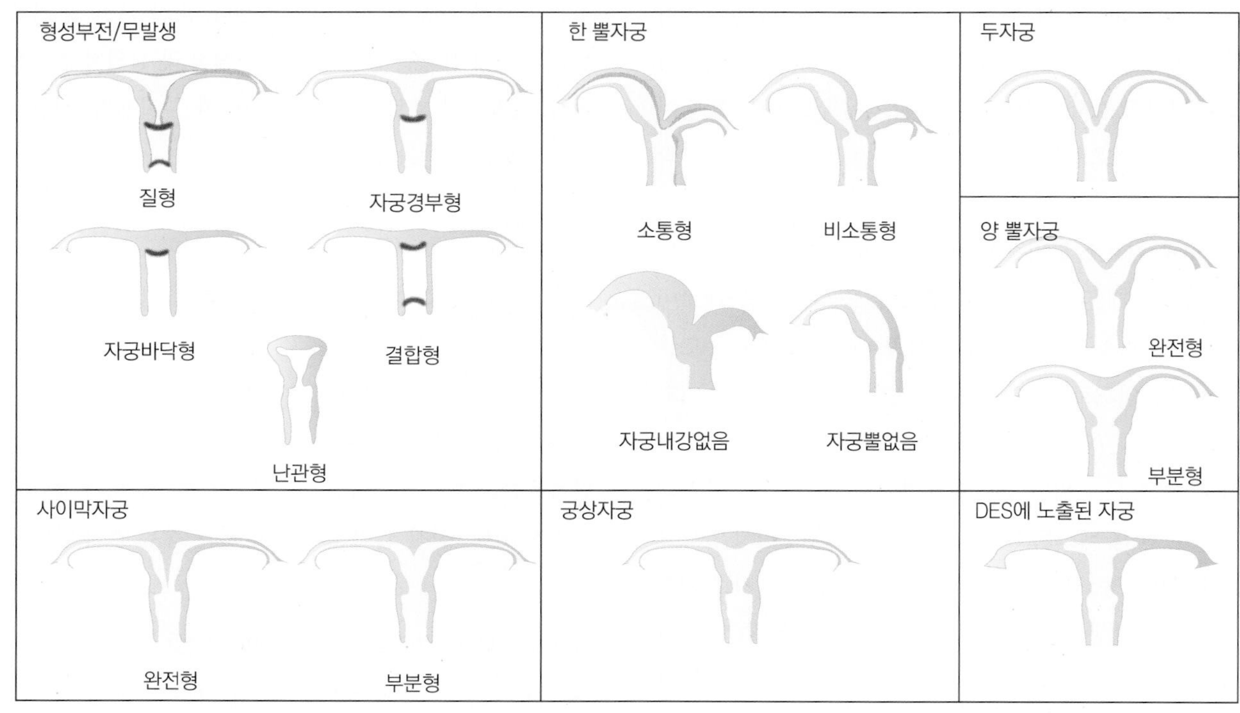

● 그림 13-10. **뮐러관 기형의 분류(미국불임학회 분류, 1988)**

이 동반될 수 있는데, 조산, 둔위(breech presentation), 자궁내성장제한과 같은 임신 합병증뿐만 아니라 주산기 합병증이 증가된다. 일부 기형에서는 조산방지를 위해 자궁경부결찰등의 수술적 치료가 고려된다. 뮐러관 형성은 정중앙에서 서로 융합하여 자궁질관(uterovaginal canal)을 형성하고 꼬리쪽으로는 비뇨생식동(urogenital sinus)과 연결되는데 이때 융합된 꼬리부분이 중격의 흡수와 적절한 공간형성(lumen)으로 자궁과 자궁경부, 상부 질(upper vagina) 2/3을 형성하고, 융합되지 않은 머리 부분은 난관을 형성한다. 하부 질 1/3은 비뇨생식동으로부터 발달한다. 자궁과 질은 발생과정에서 융합(fusion), 흡수(resorption), 관형성(canalization)이 정상적으로 이루어져야 하는데, 발생과정에 이상이 생기면 선천 자궁기형을 초래한다. 난소의 발생학 기원은 뮐러관의 발생과는 분리되어 있으므로 뮐러관 기형이 있는 여성에서 정상 난소와 정상 난소기능을 가질 수 있다.

뮐러관 기형은 측방 융합의 장애에 중점을 둔 미국불임학회(American Fertility Society, AFS)의 분류법(표 13-1, 그림 13-10)과 자궁 질 기형을 포함시킨 TeLinde 식의 분류법(표 14-2)이 있다.

1. 뮐러관 선천 결여

뮐러관 선천 결여는 자궁과 자궁경부 그리고, 질의 무형성증을 포함한다. 종종 질 무형성증이라고 보고되기도 하지만 비뇨생식동으로부터 발생되는 질 하부는 막힌 주머니(blind pouch) 양상으로 존재하고 있고 뮐러관으로부터 발생되는 질 상부 2/3가 형성되지 않은 것이므로 사실 정확히는 뮐러관 무발생증이라고 해야 한다. Mayer-Rokitansky-Kuster-Hauser (MRKH) syndrome이라고도 불리는 이 질환은 유전, 내분비, 대사 이상 등 복합인자를 가진 기형이라고 할 수 있다. 뮐러관이 선천으로 결여된 경우, 자궁과 질의 무형성으로 작은 흔적자궁(rudimentary uterine primordia)이 대개 흔적 난관과 함께 남아 있을 수 있으며 정상 배란 기능을 가진 난소가 존재하여 유방 발달,

표 13-2. 자궁 질 기형의 미국불임학회 분류법을 응용한 TeLinde식 분류법

Class I. 뮐러관무발생증(dysgenesis of the Müllerian ducts)

Cass II. 뮐러관수직융합결함(disorders of vertical fusion of the Müllerian ducts)

A. 가로질중격(transverse vaginal septum)
  1. 폐쇄성(obstructed)
  2. 비폐쇄성(unobstructed)

B. 자궁경관 무형성증 또는 무발생증(cervical agenesis or dysgenesis)

Cass III. 뮐러관측방융합결함(disorders of lateral fusion of the Müllerian ducts)

A. 동측 신장 결손을 동반한 비대칭 폐쇄성 자궁-질 기형(asymmetric-obstructed disorder of uterus or vagina usually associated with ipsilateral renal agenesis)
  1. 비교통성흔적자궁각을가진한쪽뿔자궁(unicornuate uterus with a noncommunicating rudimentary anlage or horn)
  2. 두자궁강의일측폐쇄(unilateral obstruction of a cavity of a double uterus)
  3. 두자궁강과연관된일측질폐쇄(unilateral vaginal obstruction associated with double uterus)

B. 대칭적비폐쇄성(symmetric-unobstructed_
  1. 두자궁(didelphic uterus)
    a. 완전세로질중격(complete longitudinal vaginal septum)
    b. 부분세로질중격(partial longitudinal vaginal septum)
    c. 세로질중격없음(no longitudinal vaginal septum)
  2. 사이막자궁(septate uterus)
    a. 완전(complete)
      1) 완전세로질중격(complete longitudinal vaginal septum)
      2) 부분세로질중격(partial longitudinal vaginal septum)
      3) 세로질중격없음(no longitudinal vaginal septum)
    b. 부분(partial)
      1) 완전세로질중격(complete longitudinal vaginal septum)
      2) 부분세로질중격(partial longitudinal vaginal septum)
      3) 세로질중격없음(no longitudinal vaginal septum)
  3. 양쪽뿔자궁(bicornuate uterus)
    a. 완전(complete)
      1) 완전세로질중격(complete longitudinal vaginal septum)
      2) 부분세로질중격(partial longitudinal vaginal septum)
      3) 세로질중격없음(no longitudinal vaginal septum)
    b. 부분(partial)
      1) 완전세로질중격(complete longitudinal vaginal septum)
      2) 부분세로질중격(partial longitudinal vaginal septum)
      3) 세로질중격없음(no longitudinal vaginal septum)
  4. T자형자궁강(DES 노출)(T-shaped uterine cavity(diethylstilbestrol related))
  5. 한쪽뿔자궁(unicornuate uterus)
    a. 흔적자궁각있음(with a rudimentary horn)
      1) 자궁내막있음(with endometrial cavity)
        a) 교통성(communicating)
        b) 비교통성(noncommunicating)
      2) 자궁내막없음(without endometrial cavity)
    b. 흔적자궁각없음(without a rudimentary horn)

Class IV. 뮐러관수직-측방융합결함의희귀형태(unusual configuration of vertical-lateral fusion defects)

몸비율, 털의 분포 등 정상적인 이차성징을 보이고, 다른 외부생식기 발달도 정상이며, 정상 염색체 핵형 46, XX를 가진다. 규칙적인 배란은 있을 수 있으나 자궁이 없으므로 14-15세가 되어서야 일차 무월경으로 병원을 내원하게 된다.

1) 관련 기형

직장수지검사를 통하여 자궁이 없는 것을 확인하는데 드물게 흔적자궁(rudimentary uterine bulb)이 기능성 자궁내막을 포함하게 되면 주기적인 복통과 커다란 자궁혈종(hematometra)을 형성하기도 한다. 15-40%에서 동측의 신장 무형성증, 골반신장(pelvic kidney), 말굽신장(horseshoe kidney), 수신증(hydronephrosis), 수뇨관(hydroureter), 그리고 다양한 중복요관(ureteral duplication)과 같은 비뇨생식기계의 동반 기형이 발생하고 10-15%에서 골격계의 기형을 유발하는데 대부분 척추와 연관된 기형이며, 그 외에 합지증(syndactyly), 손가락 무발생증(absence of digit), 선천 심장질환, 심장기형 등이 동반된다.

2) 치료

대부분은 14-16세의 환자가 일차 무월경을 주증상으로 병원을 내원하여 진단받게 된다. 이전에 더 일찍 병원을 내원하였다 하더라도 너무 어리다는 이유로 신체 진찰을 받지 못하고 호르몬 검사 후 초경을 기다리라는 대답만 들었다가 사춘기 이후가 되어서야 진단이 내려지는 경우가 많았다. 부정확한 검사는 질입구주름막힘증(imperforate hymen)과 같은 잘못된 진단을 내리는 경우도 발생한다. 성적으로 활발한 나이의 전형적인 MRKH 증후군 환자에서 성관계가 어렵거나 통증을 호소할 때 대개 수술 치료를 필요로 하고 이때 수술의 만족도가 좋아 예전에는 결혼 즈음에서 교정수술을 받는 것이 추천되었으나, 합병증이라도 발생하게 되면 그만큼 결혼 시기가 늦어지는 등의 문제가 발생할 수 있으므로 요즘엔 정신적으로 성숙되어 이 질환을 이해할 수 있고 질 확장기구(dilator)와 같은 수술 후 교정기를 이용할 수 있는 나이인 17-20세가 이 수술을 시행받을 수 있는 적절한 나이로 추천된다. 이때 수술의사는 이런 환자에게 자궁이 없다는 것이 심각한 질병으로 자궁절제술을 시행 받은 많은 수천 명의 젊은 여성과 견주어 더 나쁜 상황이 아니라는 사실을 인식시키고 나중에 입양이나 대리모를 통하여 엄마가 될 수 있음을 조언해준다. 뮐러관 무발생증에 적합한 치료 방법이 일치된 바는 없으나 신생질을 만들어 성기능을 회복시키는 데 그 목적이 있고 비수술 치료방법과 수술 치료방법이 있다.

비수술 치료의 근거는 뮐러관 무발생증 환자의 골반저부 자체가 발생학적으로 부족하기 때문에 주기적인 성관계나 일정한 압력을 가하는 행위만으로도 질 공간을 만들 수 있다는 이론적 배경에서 시작되었다. 물론 골반저부가 약하고 내골반 근막이 없어 탈장(enterocele)의 발생위험도 또한 크다고 할 수 있다. 비수술 질확장술을 이용한 대표적인 방법으로 Frank's technique과 Ingram technique이 있다. Frank's technique은 질 입구에 확장기를 대고 환자가 직접 반복적인 압력을 가하여 확장을 시켜 질강을 만드는 방법이다. Ingram technique은 환자가 직접 손으로 압력을 가해야 하는 어려움을 보완하기 위해 고안한 방법으로 가장 작은 크기의 확장기를 질 입구에 삽입하고 그 위에 보조적 속옷을 착용한 후 자전거 안장에 앉아서 매일 15-30분 간격으로 적어도 2시간 앉아있는 것을 반복하고 익숙해지면 다음 크기로 교체하는 방법이다. 지속적인 훈련을 통해 만족할만한 질 깊이와 성기능(coital function)을 얻을 수 있다고 하였다. 성관계는 1-2달 지나서 가장 큰 크기의 확장기를 사용한 후에 가능하게 되며 기능적 성공의 기준은 성관계가 가능하거나 불편감 호소 없이 가장 큰 확장기를 사용할 수 있으면 되는데 Ingram technique을 이용해 신생질(neovagina)을 만드는 데 가장 큰 치료성적을 보고한 Rock와 Roberts에 의하면 연구에 참여한 모든 환자가 2년 동안 치료를 받았으며 평균 9.25년간 치료를 받았는데 기능적 성공을 이룬 환자는 91.9%에 달하였다고 하였다. 따라서, 비수술 질 확장술은 뮐러관 무발생증 환자에게 신생질을 만들기 위해 우선적으로 시행해야 할 치료법으로 추천될 수 있으나, 환자에게 지속적인 고통과 인내를 필요로 하는 한계가 있다.

지난 30년간 McIndoe 수술법이 다른 어떤 수술법에 비해 비교적 간단하고 합병증이 적어 뮐러관 무발생증의 대표적인 수술치료법으로 알려져 왔다.

2. 수직융합의 결함(Disorder of vertical fusion)

1) 가로질중격(Transverse septum)

가로질중격은 질의 발생 시 종적(vertical) 융합과 관형성에 이상이 생겨 발생하게 된다. 46%는 질 상부에, 40%는 중간에, 14%는 하부에서 발생한다. 원칙적으로 중격의 두께가 1 cm 이하인 경우를 말하고 그 이상이면 질 저부 무형성으로 진단된다. 자궁과 질에 피가 고여 팽창이 일어나지만 외음부는 외관상 이상이 없어 보인다. 질의 깊이는 가로질중격의 발생 위치에 따라 달라진다(그림 13-11 A). 자기공명영상 소견에서 외부로 배출되지 못해 자궁 내에 고인 월경 혈액 때문에 팽창된 질과 자궁을 관찰할 수 있다(그림 13-11 B). 질혈종(hematocolpos)은 사춘기 이후에나 발생하고 무월경과 주기적인 하복부 통증, 그리고 점차 커져오는 하복부 종괴가 주 증상이다. 가로질중격의 크기가 클 경우 출산 시 난산의 원인이 되기도 하고 중격이 질 상부쪽에 위치하면, 역류된 월경혈로 자궁내막증을 일으켜 불임의 원인이 되기도 하므로, 조기 진단을 통해 축적된 혈종을 제거하여 이로 인한 자궁내막증의 발생을 예방하는 것이 중요하다. 가로질중격이 질 상부에 높이 위치하고 두꺼우면 방광과 직장사이에 광범위한 박리술이 필요할 수 있고 개복술이 필요한 경우도 있다.

2) 자궁경부 무발생증

자궁경부 무발생증은 뮐러관 기형 중에 드문 기형이며 질과 자궁경부가 없고 기능적 자궁체부만 남아있고, 대개 질 무발생증과 동반된다. 증상은 무월경과 동반된 주기적인 하복부 통증이다. 진단이 어려워 대개 수술 후 진단이 내려지는 경우가 많고 자기공명영상과 초음파가 진단에 도움이 된다. 역류월경으로 인한 자궁내막증이 흔히 발생한다.

3. 측방융합의 결함(Disorder of lateral fusion)

두 개의 뮐러관의 융합 실패로 형성되는 기형이며 폐쇄성과 비폐쇄성 두가지로 나뉘어진다.

1) 비폐쇄성 측방융합의 결함(Uunobstructed double uterus: bicornuate, septate, or didelphic uterus)

두 개의 뮐러관의 정중앙 융합이 완전히 실패하면 질, 자궁경부, 자궁이 중복되고, 불완전 융합 실패시엔 한 개의 질과 한 개 또는 두 개 자궁, 한 개 또는 두 개 자궁경부가 형성되고, 두 뮐러관의 융합 시 형성된 중격의 흡수가 실패하면 자궁강 내에 다양한 길이의 중격이 남아있게 된다.

(1) 중복자궁(Uterus didelphys)

중복자궁은 양측 자궁과 질의 비폐쇄성으로 측방융합이 실패한 경우로, 진찰시에 두 개의 자궁과 자궁경부, 두 개의 질을 확인함으로써 비교적 진단이 쉽다. 성관계가 양측 질을 통해 모두 가능하며 양측 자궁에 동시에 임신된 경

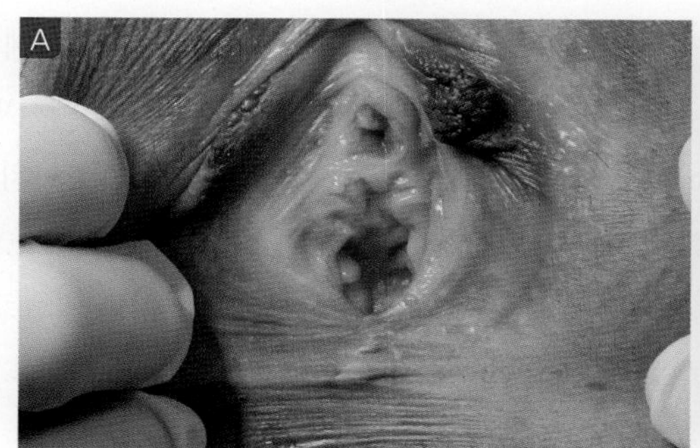

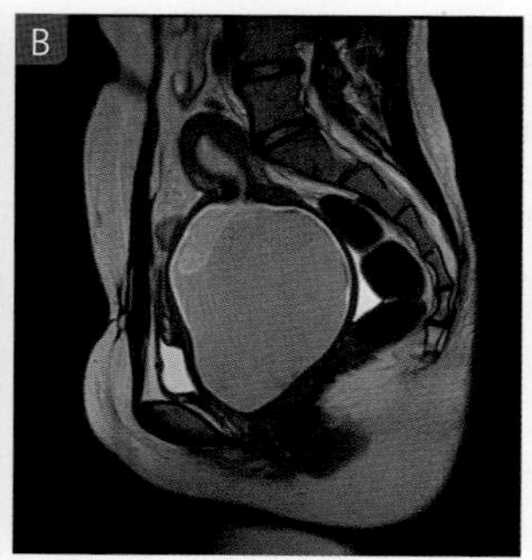

• 그림 13-11. 가로질중격(Transverse vaginal septum, 15세, A: 질 중간의 횡중격, B: 고인 월경 혈액 때문에 팽창된 질과 자궁)

우도 보고되고 있다. 중복자궁은 성공적 임신의 가능성이 가장 높긴 하지만 주산기 사망률(perinatal mortality), 조산(premature birth), 둔위 그리고 제왕절개의 빈도가 높다. 자궁 단일화수술(unification operation)을 하지 않고도 임신 성공률(57%)은 높고, 생존아 출산율(64%)도 높으므로 수술을 추천하지 않는다.

(2) 중격자궁(Septate uterus) 및 쌍각자궁(bicornuate uterus)

반복 유산이 계속되는 환자에게는 중격자궁이나 쌍각자궁을 의심할 만하다. 중격자궁을 수술적으로 교정하는 것이 다른 어떤 자궁 기형 수술보다 생존아 출산율의 성적이 좋아 자궁경 자궁중격절제술을 시행하는 것이 추천되고 이 수술은 89%의 임신율과 75%의 출산율을 보고하고 있다. 자궁경부 가까이에 위치한 중격(cervical septum)의 절제가 좀 더 수술 시간, 수술 합병증 등이 증가한다고 알려져 있다. 중복자궁에서 흔히 나타나는 월경곤란증과 월경과다증은 자궁단일화 수술로 증상의 호전이 있는 것으로 알려졌으나 월경곤란증과 월경과다증이 중복자궁 환자에게 자궁단일화 수술의 적당한 적응증은 아니며 불임도 두 자궁 환자에게 자궁단일화 수술의 적당한 이유는 될 수 없다.

(3) 단각자궁(Unicornuate uterus)

단각자궁은 비뇨기계 기형과 종종 관련이 있다. 단각자궁이 위치하고 있는 곳의 반대편으로 말굽신장 골반신장 또는 신장 무형성증, 발육부전신장(hypoplastic kidney) 등이 형성될 수 있다. 한쪽뿔자궁은 비정상적인 형태, 불충분한 자궁 근육의 양, 감소된 자궁 크기 등으로 모든 기형 중 가장 나쁜 태아 생존율(40%)을 보이지만 자궁성형술(uterine reconstruction)을 권유하지 않는다. 한쪽뿔자궁의 반대편에 폐쇄적(noncomunicating) 흔적자궁(rudimentary uterine horn)에 임신을 하게 되면 자궁파열에 의한 복강 내 출혈로 위험할 수 있으나 진단 기술의 발달로 현재 사망률은 5%로 감소하였다. 흔적자궁의 제거가 임신성공률을 높일 수 있다고 주장하기도 하나 설득력이 있기엔 그 증례의 수가 너무 적다.

2) 폐쇄 측방융합의 결함(Obstructed double Uterus)

양측 뮐러관의 측방융합이 실패하면서 양쪽 관이 서로 소통되지 않을 때 발생하며 막힌 곳과 동측의 신장이 없는 것이 특징이고, 막힌 부위에 따라 다양한 증상이 발생한다.

(1) 일측 질폐쇄와 동측 신장 무발생을 동반한 중복자궁(Double uterus with obstructed hemivaginal and ipsilateral renal agensis)

한쪽의 질폐쇄로 월경혈이 배출되지 않으므로 질혈종 또는 자궁혈종을 만들고 결국 질이나 자궁에 고여 있던 피가 복강내로 역류되어 자궁내막증을 일으키거나 난관 혈종 등을 만드는 질환이다. 초경 이후 점점 심해지는 월경통, 주기적인 하복부 통증, 복부 또는 골반 내 종괴가 주 증상이고, 종괴로 인해 불필요한 개복수술을 시행받는 경우가 있어 진단 자체를 의심하는 것이 중요하며 이때 자기공명영상이 도움이 될 수 있다. 일단 진단이 내려지면 폐쇄되어 있는 부분인 질중격의 절제나 질 절개와 같은 비침습 소수술로 고여 있는 월경혈을 배출함으로써 좋은 치료 효과를 보일 수 있다.

V. 외부 생식기 이상의 진단 및 관리

1. 음순유착(Labial adhesion)

음순유착은 사춘기 이전 여자에게 흔한 질환으로, 주로 생후 3개월에서 6세 사이에 발생하며 13-23개월 사이에 빈번하다. 음순유착은 대음순 사이의 섬유성 유착(fibrous adhesion)으로(그림 13-12) 낮은 여성호르몬과 피부자극물이 원인이다. 시간이 경과하면 저절로 좋아지지만 필요하면 여성호르몬 크림을 국소 도포한다.

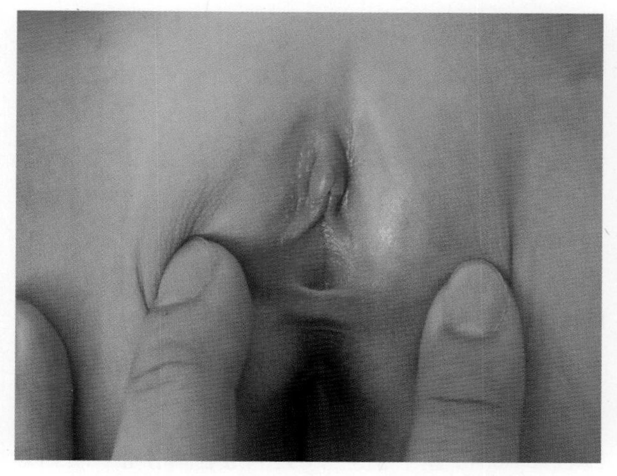

• 그림 13-12. **음순유착(Labial adhesion)**

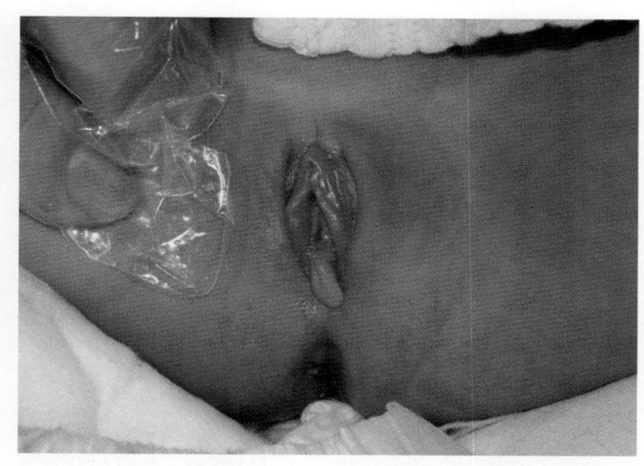

• 그림 13-13. **질 쥐젖(생후 2일)**

2. 질 또는 질입구주름 쥐젖(Vaginal skin tag or hymenal tag)

신생아의 3-13%에서 흔하게 나타나는 질입구주름 구진(hymenal papule)이다(그림 13-13). 주로 질입구주름의 상부와 하부에 발생한다. 보통 별다른 치료 없이 2달 안에 저절로 없어지지만 염증 소견이나 출혈이 있으면 절제할 수도 있다.

3. 가르트너관낭(Gartner duct cyst)

수정 후 배아 발달 시 여성 요로생식기의 생성과정에서 나타날 수 있는 잔류 조직이다. 낭포는 주로 질의 상부 측면에 생기며, 외관상 매끈한 모양의 얇은 막으로 둘러싸여 있고, 내부에는 맑은 액체가 들어 있다(그림 13-14). 특별한 임상증상은 없으나 간혹 크게 자라서 요도의 입구를 막을 수가 있다. 드물게 이소성 요관(ectopic ureter)의 종착지인 경우도 있다. 보통은 치료가 필요 없으나 수개월 경과 후에도 없어지지 않으면 절제해준다.

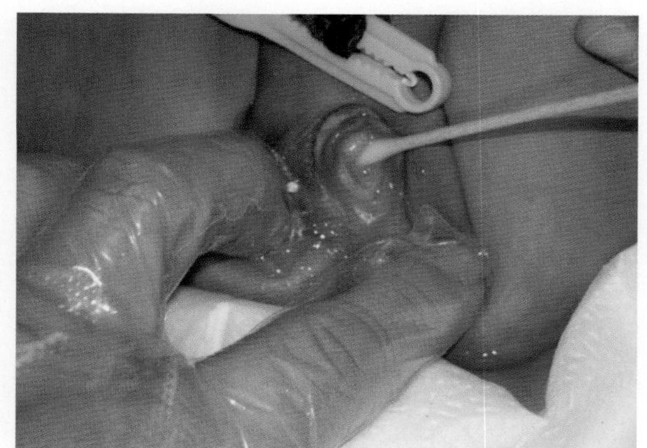

• 그림 13-14. **가르트너 관낭(생후 4일)**

4. 선천 요도주위낭(peri(para) urethral cyst)

여성에서 요도주위낭(periurethral cyst)은 매우 드물다. 선천적으로 발생하는 선천 요도주위낭은 요도주위선(periurethral glands)에서 기인하는 스킨관(Skene's ducts)의 폐쇄로 인해 발생한다. 요도주위낭(periurethralcyst)은 대개 증상이 없고, 압통도 없으며, 말랑말랑하고 낭성이고 둥글다. 크기는 6-10 mm 정도로 노란색을 띤다(그림 13-15). 이러한 병변은 요도 입구 한쪽에서 발견되고 특별한 치료 없이 대부분 저절로 없어진다. 소변을 보기 어려운 경우에는 주사바늘로 흡입하고 그래도 없어지지 않으면 절제한다.

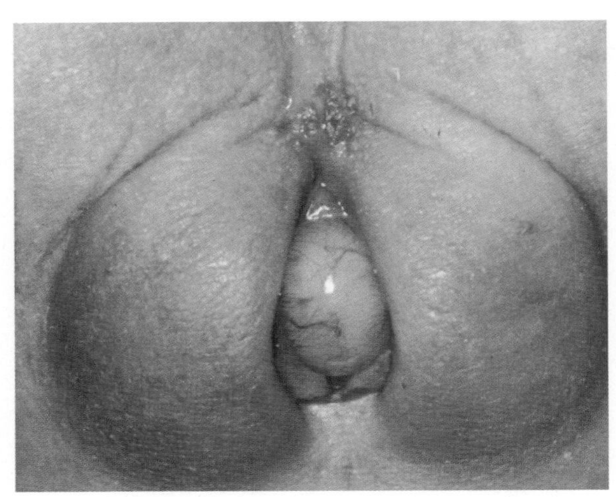

• 그림 13-15. **요도주위낭(생후 3일)**

5. 중복자궁(uterus didelphys) 및 질폐쇄(vaginal obstruction)

발생과정에서 융합 등의 복합 이상에 의해 나타난다. 편측질폐쇄는 왼쪽과 오른쪽 모두 나타날 수 있으며 동측의 신장 무형성이 동반된다. 질폐쇄가 일어난 쪽의 자궁과 질에 피가 고여 팽창이 일어나지만 외음부는 외관상 이상이 없어 보인다(그림 13-16).

6. 질 무형성증

외음부 소견에서 질은 2 cm 이하의 좁은 맹낭(blind pouch)이거나 없다(그림 13-17A, 13-18 A, 13-19 A). 요도는 항문 쪽으로 약간 내려와 있으면서 밖으로 튀어나와 있고 요도 입구가 매우 넓어져 있어 상대적으로 커 보인다(그림 13-18 A). 질 무형성 기형은 다양한 자궁경부 및 자궁의 기형을 동반하는데, 자궁경부 및 자궁 무형성증(cervical and uterine agenesis)을 모두 동반한 경우가 가장 흔하다. 복강경 소견에서는 자궁이 없고 흔적만 있으며 난소와 난관은 정상이다(그림 13-17 B). 드물게 자궁체부는 정상이면서 자궁경부 무형성만 동반한 질 무형성증(vaginal agenesis with cervical agenesis and normal uterine body)이 있는데, 자기공명영상 소견에서 외부로 배출되지 못해 자궁 내에 고인 월경 혈액 때문에 팽창된 자궁을 관찰할 수 있다(그림 13-18 B). 그리고 자궁경부 무형성과 흔적자궁뿔을 동반한 질 무형성증(vaginal agenesis with cervical agenesis and

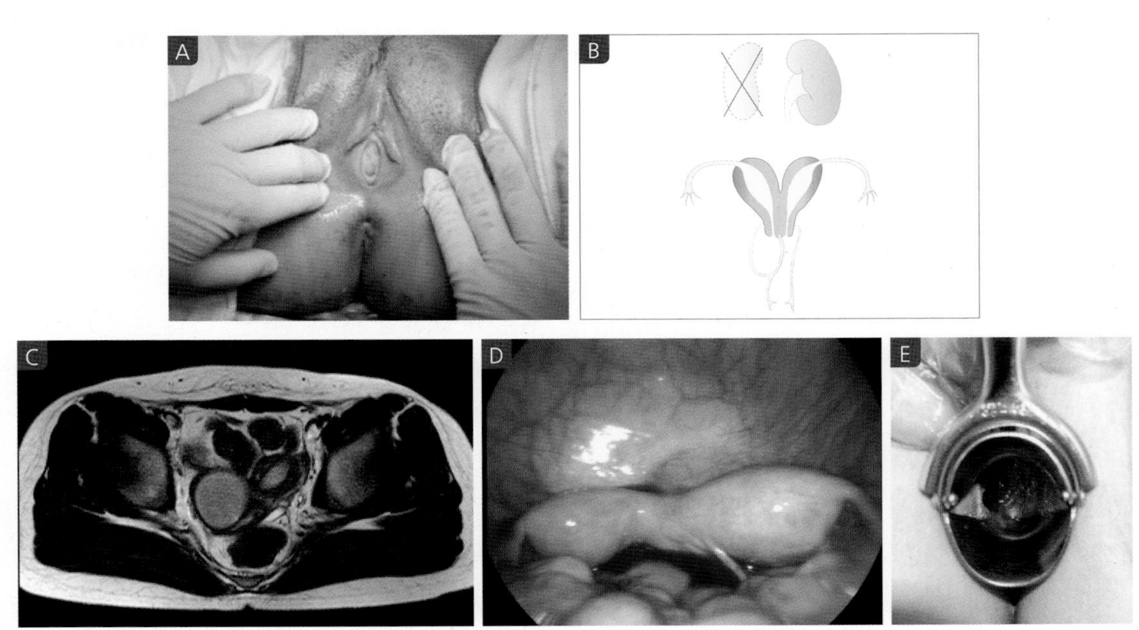

• 그림 13-16. **두자궁과 우측 질폐쇄(Uterus didelphys and vaginal obstruction, 14세, A: 외음부 소견, B: 동측신장 무형성 모식도, C: 자기공명영상 소견, D: 복강경 소견, E: 우측 질폐쇄 부위 수술 후 중격 흔적)**

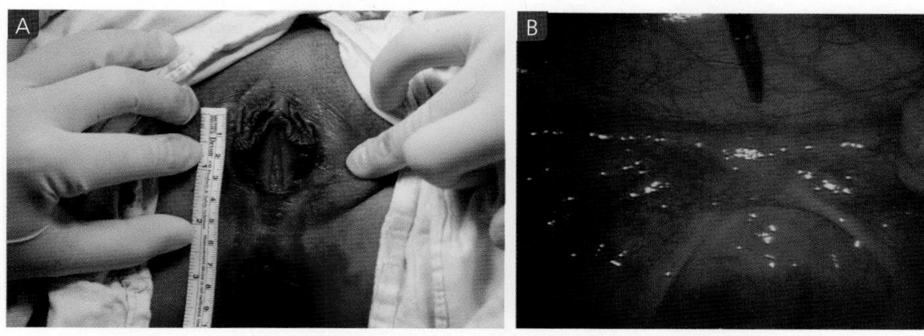

• 그림 13-17. 질 무형성증과 동반한 자궁경부와 자궁 무형성(24세, A: 질 맹낭, B: 자궁이 없고 흔적만 있으며 난소와 난관은 정상인 복강경 소견)

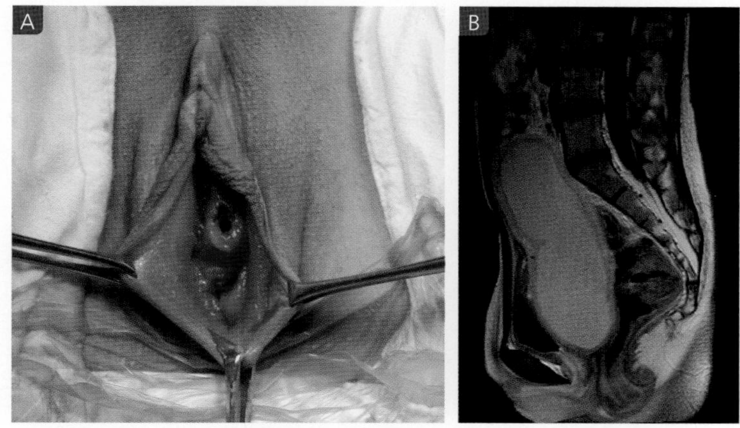

• 그림 13-18. 질 무형성증과 동반한 자궁경부 무형성(정상 자궁 체부, 17세, A: 질 맹낭, B: 외부로 배출되지 못해 자궁 내에 고인 월경 혈액 때문에 팽창된 자궁의 자기공명영상 소견)

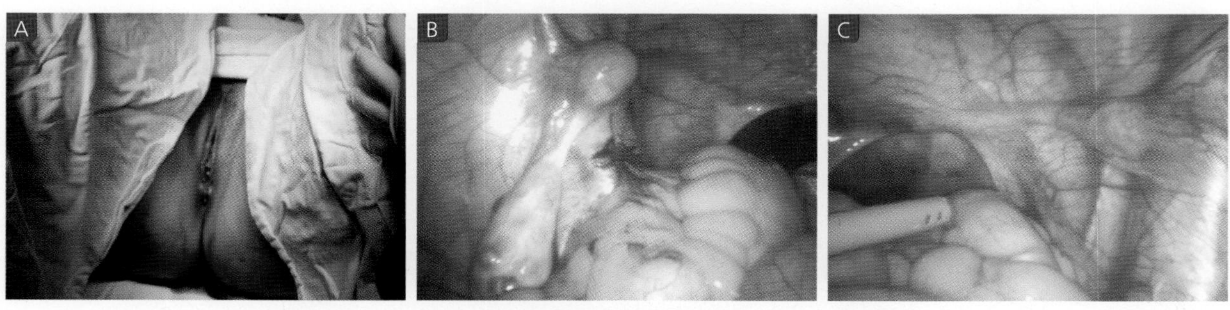

• 그림 13-19. 질 무형성증과 동반한 자궁경부 무형성과 흔적자궁뿔(16세, A: 질 맹낭, B, C: 흔적자궁뿔과 난소의 복강경 소견)

rudimentary uterine horn)도 매우 드문 질환으로 복강경상 흔적자궁뿔과 난소가 관찰된다(그림 13-19 B, C). 치료는 매우 복잡하여 자궁절제를 하는 것이 원칙이나 최근에는 자궁과 외음부 입구의 문합술을 시도하기도 한다.

** 참고문헌 목록은 대한산부인과내분비학회 홈페이지 http://www.kosge.or.kr 또는 QR코드를 통해 보실 수 있습니다.*

CHAPTER 14 소아 및 미성년 양성 질환

윤보현(연세의대), 전승주(가천의대), 조현희(가톨릭의대)

Ⅰ. 소아 청소년 질과 외음부 질환

1. 음순유착

음순유착은 유아기와 사춘기 이전 어린이에서 발생되는 질환으로, 음순 조직이 서로 달라붙으면서 질입구를 덮는 질환을 말한다.

사춘기 이전에는 혈중 에스트로겐 수치가 낮은데, 이로 인해 소음순의 점막에 염증반응과 표피박탈(denudation)이 쉽게 발생할 수 있다. 이후 조직이 치료되는 과정에서 소음순이 서로 달라붙는 현상이 발생한다. 염증이나 외상, 자극 등이 이러한 현상을 촉발시키는 인자로 작용한다. 영유아기의 원인으로는 위생 문제로 인한 비특이적 무증상 염증이 가장 흔한 원인으로 생각된다.

음순유착은 3개월-6세 소아에게서 발생율이 높은데, 사춘기 이전에는 항상 발생의 위험성을 가지고 있다. 50%

표 14-1. 음순유착의 정도와 치료방법

정도	치료	예후
요로감염이 없고 요로 및 질폐쇄 소견이 없는 경우	경과관찰	자연호전 가능성 높음
배뇨나 질 분비물이 나오는데 문제가 없는 폐쇄	바세린 크림이나 기저귀 크림 등을 매일 바르고 면봉을 이용하여 부드럽게 박리를 시도 6개월-12개월 정도 바셀린을 도포	8주 이내에 박리가 되는데 박리가 되지 않는 경우 에스트로겐 크림을 사용
배뇨장애 혹은 질 분비물이 나오지 못할 정도의 폐쇄	에스트로겐 크림을 하루 두 번 3주 이상 사용해주고 면봉을 이용하여 박리를 시도 박리가 된 후에는 바셀린 크림을 12개월 정도 도포	50%는 2-3주 이내에 박리가 되며, 만약 박리가 되지 않는 경우 3주 정도 더 사용 유착이 지속되는 경우 리도케인 크림 등으로 국소마취를 하고 박리를 시도할 수 있으며 지나치게 힘을 주는 행위는 피함

는 6개월 안에 자연 소실되며 90%는 12개월 안에 좋아진다. 18개월 안에 거의 100%가 호전되는 것으로 조사된다.

대부분 특별한 증상은 없이 소아 검진이나 기저귀를 갈면서 발견되는 경우가 흔하며, 배뇨장애, 배뇨통, 국소부위 불편감 등으로 내원하기도 한다. 음순소대부터 얇은 막 같은 조직이 양쪽 소음순 사이로 관찰되며, 소음순이 편평하게 변하여 구별이 안되기도 한다. 요도 입구를 덮는 경우에는 배뇨장애가 발생되며 빈번한 방광염의 원인이 되기도 한다. 감별진단으로는 성분화발달이상, 질입구주름막힘증(imperforate hymen), 외상 후 흉터 등을 감별한다.

치료는 무증상인 경우 추적검사 하며 관찰한다. 통증이나 요로감염, 행동장애 등이 나타나는 경우 치료를 시행한다. 치료로 흔히 사용되는 에스트로겐 크림의 경우, 유방의 통증이나 압통, 유방비대, 외음부 색소침착, 외음부 발적 등의 부작용이 있으며, 크림 중단 후 수일 안에 부작용은 없어진다.

2. 외음부 질염

외음부 질염은 감염이나 자극으로 인해 분비물이 증가하는 염증 질환이다. 외음부염은 음순주변에 국한되어 발생되는 염증이지만, 질염의 경우 질 안쪽에서 발생된 염증으로 인해 분비물이 증가하면서 이로 인해 이차적으로 외음부염이 발생되고, 가려움증이나 따가움 등의 증상이 같이 나타나는 경우가 흔하다.

사춘기 이전의 소녀들은 에스트로겐이 부족하기 대문에 외음부와 질 점막이 얇고 위축되어 있으며, 질 분비물이 없고 질의 산도가 산성으로 유지되지 못한다. 음모가 없고 음순에 지방조직이 없는 해부학적인 상황으로 인해 질 입구와 항문을 가로막는 구조물이 없어 좀 더 원인균에 쉽게 노출된다. 대소변 처리의 미숙한 상황들과 손 위생관념의 부족, 여러 자극원들(비누로 문지르는 행위나 모래 위에서 노는 것, 꼭 끼는 속옷의 착용, 버블 목욕 등)에 대한 노출이 많다는 것도 염증을 유발하는 원인으로 작용한다.

75%의 사춘기 이전 외음부질염의 원인은 비특이적이며 나머지 25%는 이물질, 세균염증, 기생충 등으로 인한다. 비특이 외음부 질염(nonspecific vulvovaginitis)은 특이한 원인균이 증명되지 않는 외음부 질염을 말한다. 세균성 염증의 경우 대변이나 호흡기의 병원균으로 인해 발생되는데, 배양검사에서 대부분 Escherichia coli, Streptococcus pyogenes, Staphylococcus aureus, Haemophilus influenza, Enterobius vermicularis 등이 나타난다. 전염경로는 부적절한 위생처리로 인한 감염이나 호흡기 쪽의 세균이 손을 통해 외음부로 옮겨가는 경우가 많다.

1) 과거력 청취 시 특징

기간이 한 달 이상된 염증인 경우에는 이물질이나 기생충, 세균 감염을 감별해야 한다. 특징 소견으로는 외음부의 가려움증, 통증, 염증 소견과 함께 질 분비물이 증가하며 밤에 항문 주변의 가려움증을 호소한다. 세균 감염의 경우 항문 주변이 붉게 변하면서 화끈거리면서 노란색에서 약간 녹색이 띄는 분비물이 증가한다. 감염이 심해지면 외음부를 움켜쥐거나 속옷을 잡아당기고 긁거나 질 내에 손가락을 넣으려는 현상을 보인다. 최근 다른 문제로 항생제를 복용한 경우나 항진균제를 복용한 경우, 다른 질환이 있는 경우, 특히 streptococcus 감염증이나 당뇨, 면역면역저하 등이 을 때 발생율이 높아진다. 유아의 경우 흡수력이 높은 기저귀를 착용할 경우에 발생율이 증가한다. 외음부 질염이 외상이나 기생충, 이물질, 혹은 성학대로 인해 발생할 수도 있으므로 이 가능성을 항상 염두에 두어야 한다.

2) 진찰 및 검사

확대경을 사용하고 조명을 잘 확보한 상태에서 진찰을 시행하며 질 이경검사(vaginal otoscopy) 등을 사용하기도 한다. 질의 산도검사와 젖은펴바른표본(wet smear), 배양검사를 시행하고 성학대 의심 시 성매개병(sexually transmitted disease, STD) 검사를 시행한다. 아토피 피부염, 건선, 편평태선 등의 피부질환을 감별해야 한다. 영유아의 빈번한 외음부질염이 있을 경우, 가와사키 질환이나 크론질환

표 14-2. 질염의 종류별 특징과 치료

종류	증상	원인	치료
비특이 질염	가려움증, 작열감, 배뇨장애	위생불량, 여러 물질로 인한 자극	국소 에스트로겐 크림과 항생제
이물질	지속적이고 악취가 심한 분비물, 출혈성 분비물	이물질 삽입	이물질 제거
세균 질염	녹색 분비물, 악취, 출혈성 분비물 동반	Streptococcus (mc), E-coli, enterococcus, shigella	균 배양 후 항생제 사용
칸디다 감염	가려움증, 작열감, 하얀색 치즈 같은 분비물, 외음부 발적	Candida albicans, 항생제 혹은 스테로이드 사용, 당뇨, 면역결핍	Azole cream, fluconazole 150mg p.o single dose
선충 감염	항문 가려움증, 야간 가려움증, 항문 주변 발적	선충	Albendazole 400mg p.o. → 2주 후 재복용 가족 모두 약 복용
세균질증 (Bacterial vaginosis)	우유 같은 분비물이 질벽과 외음부 겉에 붙음, 악취, 출혈성 분비물 동반가능	Gardnerella vaginalis, mycoplasma	Metronidazole 500 mg p.o. bid * 7 days Metronidazole gel 0.75% 5g intravaginally at bedtime * 5 days

표 14-3. 비특이 질염의 관리

위생관리 손을 자주 닦는다. 배변 후 앞에서 뒤로 닦는다. 매일 속옷을 갈아입는다. 외음부를 바람을 이용하여 건조시킨다.
의복 흡수가 잘되는 면 속옷을 입고 하루 1-2회 정도 갈아입는다. 밤에는 속옷을 입지 않는다. 바람이 잘 통하는 옷을 입는다. 꽉 끼는 옷을 입지 않는다. 스판덱스로 된 옷이나 파자마는 피하는 것이 좋다. 수영을 한 후에는 반드시 수영복을 탈의하고 샤워를 한다.
기대요법 좌욕을 시행하고 건조시켜준다. 바람를 이용하여 하루에 1-2회 외음부를 건조시켜준다(10분에서 15분 정도). 가려움증이 심한 경우 hydrocortisone 연고를 사용하고 항히스타민제를 복용한다.
피해야 할 것 버블 목욕이나 향이 들어있는 로션, 파우더를 사용하지 않는다. 약산성의 비누를 사용한다. 욕조에 샴푸가 섞이지 않도록 주의한다. 바세린이나 기저귀크림을 하루 두 번 바른다. 옷에 섬유 린스, 섬유유연제, 섬유표백제 등이 남아있지 않도록 주의한다. 소변볼 때 소변이 외음부에 묻지 않도록 주의한다.

등의 전신질환과의 연관성도 의심해 보아야 한다.

세균 질염은 원인균에 대한 항생제를 사용하면 되나, 비특이 질염의 경우 배양검사에서 특이 원인균이 검출되지 않는다. 이 경우 항생제가 들어있는 연고를 2주 정도 사용하고 개인 위생관리와 속옷 착용 등을 관리한다(표 14-3 참조).

II. 양성 낭종과 종괴

1. 사춘기 전

1) 골반 종괴의 발현

사춘기 전 아이들에게서 신체 진찰 혹은 영상 검사들을 통하여 발견되는 골반 종괴의 원인들은 사춘기 이후나 폐경 여성에서 나타나는 원인들과는 상당히 다르다(표 14-4).

자궁, 부속기, 혹은 난소에만 생긴 종괴일 수도 있지만 요로나 장에서 기원한 종괴는 아닌 것인지 함께 감별을 해야 한다. 사춘기 전 아이들은 골반이 작기 때문에 골반 종괴가 생기며 크기가 증가하는 경우에는 종괴가 복강 내에 위치할 수도 있으며, 복부 이학적 검사 시 만져질 수도 있다. 이 나이대에 생기는 난소 종괴들은 대부분 무증상이며 장기적으로 주변 다른 장기들을 누름으로써 장이나 방광에 증상을 야기할 수도 있고, 종괴가 꼬이거나 파열됨으로써 급성 통증을 야기할 수도 있다. 대개 처음 발생하는 증상들은 복부 혹은 골반 통증이다. 사춘기 전 여아들에서 난소 종괴는 잘 발현되지 않기 때문에 이를 잘 의심하지 않게 되고, 때문에 이를 진단하는 것은 쉽지 않다. 대개의 증상들은 비특이적이며, 급성 증상으로는 맹장염과 같은 경우에 발현되는 흔한 증상들이라고 볼 수 있겠다. 비특이적인 복통이나 골반통을 호소하는 사춘기 전 아이들의 경우에는 복부 촉진과 양손직장복부 검진이 중요하다. 난소 종괴가 복강 내에 위치하게 되는 경우에는 빌름스종양(Wilms tumor)이나 신경모세포종(neuroblastoma)과 같이 어린이에게 발생할 수 있는 복부 종괴들과도 감별이 필요하다. 급성 통증은 대개 부속기 꼬임과 연관이 있다. 복강 내 위치하고 있는 난소 종괴에 의하여 난소고유인대가 늘어나고, 그렇기 때문에 꼬임이 더 잘 생기게 되는 것이다. 부속기 꼬임은 정상 크기의 난소보다는 난소 종괴가 있는 경우 더 잘 생기며 청소년과 어른에서 정상 난소가 꼬임 될 확률은 거의 없는 반면에, 사춘기 이전의 여자아이들에게는 더 잘 생길 수 있다. 꼬임이 되면 오심, 구토와 함께 갑자기 극심한 복통이 발생하게 된다. 간헐적인 극심한 통증을 호소하면 꼬임의 재발 가능성이 있다.

2) 사춘기 전 골반 종괴의 진단

난소 종괴 진단에는 초음파가 가장 유용한 검사이며, 이 검사를 통하여 종괴의 특징을 확인할 수 있다. 난소 종괴가 단방형 혹은 다방형의 낭종을 형성하는 경우에는 대개 없어지기 때문에 경과관찰을 해도 되지만, 고형의 물질이 섞여 있는 경우에는 배아세포종(germ cell tumor)일 가능성이 높기 때문에 수술을 통한 조직검사가 필요하다. CT, MRI, Doppler flow와 같은 추가적인 영상 검사들은 진단을 하는 데 도움이 될 수도 있다.

3) 감별 진단

난소에서 발현되는 악성 종괴의 2% 미만은 어린이와 청소년에서 발생한다. 이 나이 그룹에서 확인되는 악성 종괴의 약 1%는 난소에서 기원한 종양이며, 20세 이하의 여

표 14-4. 나이대에 따라 발병하는 골반 종괴의 원인들

신생아기	사춘기 전	사춘기	가임기	폐경 이행기	폐경 후
기능 낭종	기능 낭종	기능 낭종	기능 낭종	자궁근종	난소종양(악성, 양성)
배아세포종	배아세포종	임신	임신	상피 난소종양	기능 낭종
		양성낭성기형종/다른 배아세포종	자궁근종	기능 낭종	장, 악성종양, 염증 종괴
		폐쇄성 질/자궁 기형	상피 난소종양		전이종괴
		상피 난소종양			

아에서 발생하는 난소 종양의 1/2에서 2/3은 배아세포종이다. 한 종설에서는 1940년부터 1975년까지 소아기와 청소년기에 발생하는 모든 난소종양의 35%가 악성 종양이었음을 보고한 바 있다. 9세 이하의 여아들에게서 확인되는 난소 종괴의 약 80 %는 악성이었다. 배아세포종은 성인에서 난소 종양의 20%만을 차지하는 반면에 어린이와 청소년에서는 약 60%를 차지한다고 알려져 있으며 사춘기 이전의 여아들에서는 상피 종양의 발현은 드물다. 한 연구에서는, 어린이와 청소들에게서 발견된 난소 종괴들을 조직학적으로 확인한 결과, 난소가 커져 있었던 환아 중 약 6 %만이 악성 종양이었음을, 그리고 종양의 10%만이 악성이었음을 알 수 있었다. 시간이 지나면 저절로 없어질 생리적인 종괴들을 수술로 제거하는 것은 양성 종괴의 비율을 증가시키는 데 한몫을 한다. 한 연구에 따르면, 20세 이하의 젊은 여성과 여아들에게서 발견되는 난소의 양성 종괴들은 전체의 약 2/3을 차지한다고 밝힌 바 있다. 10세 이하의 여아들에게서 발견되는 종괴의 약 60%는 종양이 아니었으며, 종양의 2/3은 양성이었다. 이전 연구자들은 초음파에서 우연히 발견된 양성 종괴나 기능 낭종에 대하여 주의 깊게 관찰하지 않아 양성 종괴의 발병율을 더 높게 여긴 경향이 있다. 난포와 같은 기능 낭종들은 태아나 신생아, 사춘기 전의 아이들에게 나타날 수 있으며, 이러한 낭종은 성조숙증과 연관이 있을 가능성은 매우 적다.

4) 처치

사춘기 이전의 여아에게서 골반 종괴가 발견되었을 때의 처치 계획은 다음과 같다(그림 14-1). 이 연령대에 단방 난소 낭종이 생기는 경우는 거의 양성이라고 볼 수 있으며, 3-6개월 내에 대개 소실될 것이기 때문에 난소절제술이나

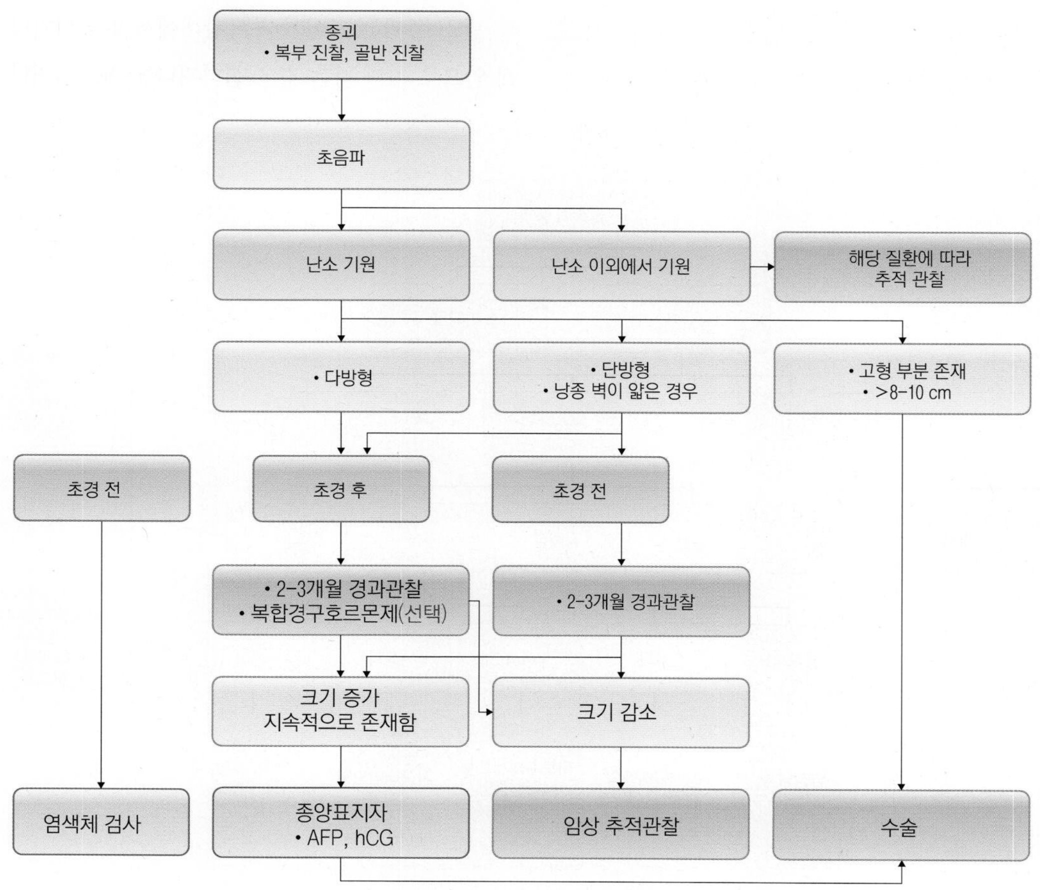

● 그림 14-1. **초경 전과 사춘기 여아들에서 발견되는 골반 종괴의 진료 알고리즘**

난소낭종절제술과 같은 수술적인 처치를 필요로 하지 않는다. 하지만 난소꼬임의 위험은 갖고 있기 때문에 지속적인 추적관찰은 필요하며, 이에 대하여 아이의 보호자와 함께 난소 종괴로 인하여 발생할 수 있는 사항들에 대하여 이야기하는 것은 필요하다. 초음파 혹은 복강경으로 난소낭종흡인술을 시행하는 경우, 약 50%에서까지 낭종이 재발할 수 있으며 이러한 경우 내분비학적으로 미치는 영향이나 가임력에 대하여 인지하고 신경 쓰는 것이 필요하다. 또한 양성 종양이 있는 환자들의 경우에는 난소조직을 동결보존하는 것에 대해서도 고려해 보아야 하며, 양성 종양이 의심되는 경우에 난소절제술은 최대한 피해야 한다. 기능성 난소 종괴를 너무 일찍 수술해버리는 경우에는 난소와 난관의 유착을 야기하여 향후 임신에도 좋지 않은 영향을 줄 수 있다. 8-10 cm가 넘거나 고형 종괴를 포함하고 있는 경우에는 조직학적인 확인이 필요하므로 수술 치료가 필요하다.

2. 청소년

1) 골반 종괴의 발현

청소년기의 골반 종괴들은 대개 증상이 없거나 만성 혹은 급성 증상을 야기할 수 있다. 난소 종괴들은 비뇨기계통 혹은 골반통을 평가하기 위해 초음파를 보다가 우연히 발견되는 경우가 많다. 영상학적인 검사에서 종괴가 관찰되었다고 해서 종괴가 항상 골반통의 원인이 되는 것은 아니다. 청소년기 여아가 골반통을 주소로 내원하는 경우 초음파에서는 통증을 일으킬 가능성이 낮은 단순 난포나 생리적으로 있을 수 있는 골반내 체액 저류만 관찰되더라도 "파열된 난소 낭종"으로 진단되는 경우가 많다. 부속기 종괴는 항상 난소에서 기원하지는 않는다. 청소년 여아에서 부속기 종괴가 관찰되는 경우, 난소 종괴의 분류를 위한 알고리즘은 다음과 같다(그림 14-2).

난소 종괴는 꼬이거나 복강내에서 파열되거나 난소조직 안으로 피가 나는 경우 심하거나 급작스럽거나 간헐적

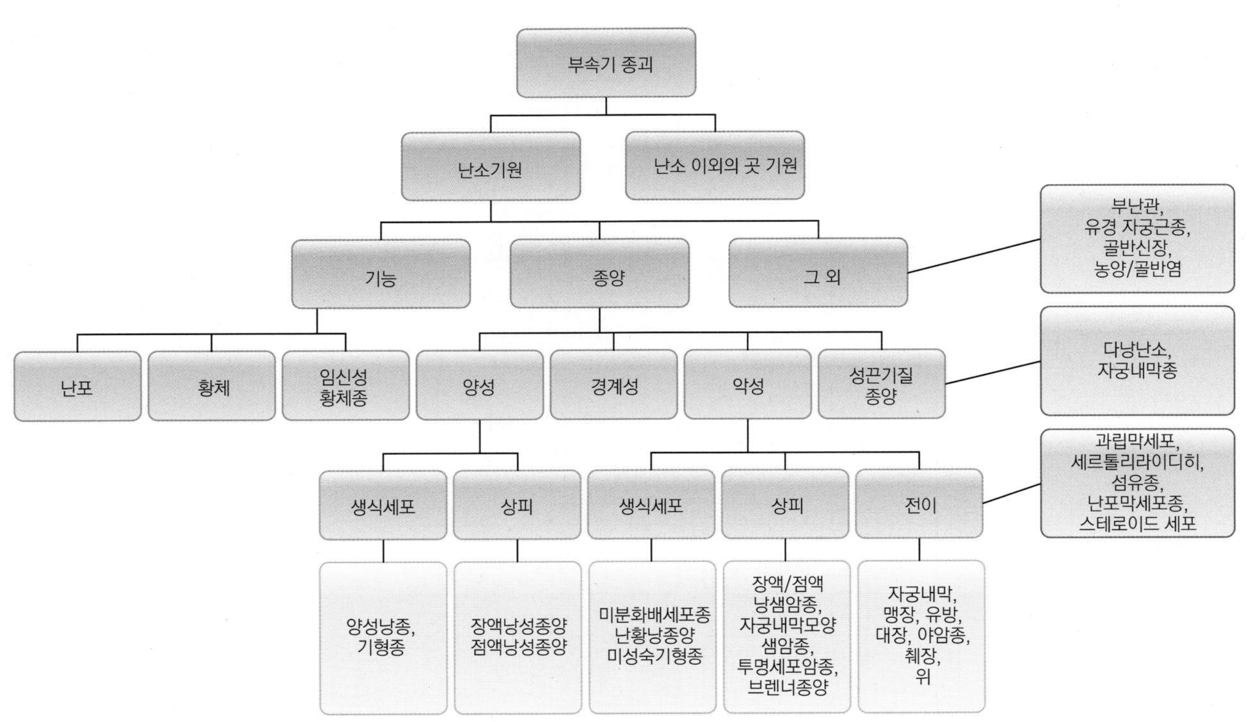

● 그림 14-2. 사춘기 여아에게서 부속기 종괴가 발견될 시 진료 알고리즘

인 증상들을 야기할 수 있다. 이러한 상황들은 응급 수술을 해야 하는 상황들이며, 이러한 진단을 내리는 것은 신중을 요한다. 커져 있는 난소 종괴가 장을 누르는 경우에는 변비가 생길 수도 있으며, 어딘가 불편감을 느끼고 복부 팽만이 발생하거나, 빈뇨, 요도나 방광목을 누름으로써 기능 저하를 일으킬 수가 있다.

2) 진단

병력청취와 골반 진찰은 골반 종괴를 진단하는 데 매우 중요하다. 청소년기 아이들이 이 과정을 통해 성관계 여부에 대하여 이야기를 하게 되므로 생소함과 불안감이 발생할 수 있음을 고려해야 한다

성관계 유무를 떠나 혈액검사로 무조건 임신반응검사는 진행해야 하며, 염증 종괴가 아닌지를 감별하기 위하여 전체혈구계산(complete blood count, CBC)을 확인하는 것은 도움이 된다. 알파태아단백질과 사람 융모성생식샘호르몬과 같은 종양표지자 검사는 배아세포종에서 특이적이므로 수술 전 진단하고 추적관찰을 하는 데 유용하게 사용할 수 있다.

다른 나이대의 환자들과 같이, 청소년기의 골반 종괴를 평가하기 위한 일차적인 진단 검사는 초음파이다. 초음파는 대개 난소 종괴를 평가하는 데 가장 유용하게 사용하는 영상학적인 검사이다. 비록 질초음파가 복부초음파보다 염증성 종괴와 같은 질환을 평가하는데 더 많은 정보를 제공할 수 있겠지만, 청소년기 아이들에게는 질초음파 검사가 수월하지 않을 수 있다. 만약 맹장염이나 부인과 이외의 다른 질환이 의심되는 경우나, 초음파를 보았으나 진단이 모호한 경우에는 CT나 MRI가 도움이 될 수도 있다. 만약 자궁 및 질의 선천 기형이 동반되는 경우라면 수술 전 정확한 해부학적인 평가가 매우 중요하며 이러한 경우 MRI가 매우 유용하게 사용될 수 있다.

3) 감별 진단

(1) 난소 종괴

많은 연구들에서 소아기와 청소년기에 발생하는 난소 종양을 사춘기 전과 후, 혹은 초경 전과 후로 나누지 않는다. 골반이나 복강내 종괴를 평가할 때 초경 이후 생리적인 종괴가 형성될 확률이 증가하므로 임상의는 환자의 사춘기 발달을 고려해야 한다. 청소년기 아이들에서 악성 낭종의 발병은 어린아이들보다 더 낮은 것으로 알려져 있다. 10세 이하에서 가장 흔하게 발생하는 종괴는 배아세포종이라고 알려져 있으나 이는 청소년기보다 덜 발병한다고 알려져 있다. 성숙 기형종은 어린이와 청소년시기에 가장 많이 발병하는 신생물 종양으로써 20세 이하의 여성에서 발생하는 난소 종양의 반 이상을 차지한다. 상피성 종양은 사춘기 이후에 발병이 증가한다고 알려져 있다.

신생물은 이형성 생식선에서 기원하는 것으로 잘 알려져 있다. Y 염색체를 갖는 이형성 생식선 환자들에서 악성 종양의 위험은 Y 염색체에 생식샘모세포종(gonadoblastoma)이 위치하고 있는 성발달이상의 속성에 달려있으며 아직까지 밝혀지지 않은 요인들이 많다. 다양한 유전자들이 생식샘의 분화와 연관이 있다고 알려져 있다. 최근 일부 연구자들은 난소 종괴에 대한 악성 위험도는 개별적으로 평가되어져야 하며, 그것을 통하여 생식샘을 언제 제거할지에 대해 고려해 보아야한다고 언급하고 있다. 성발달의 이상은 생물학적, 유전학적, 정신건강의학적인 요인 등 다양한 측면에서 접근하여 진단이 이루어져야 한다. 사춘기 여아들에게 기능성 난소 낭종은 흔하게 일어난다. 검진에서 우연히 발견되거나 꼬임, 누수, 혹은 파열로 인하여 통증이 동반되어 발견되는 경우도 있다. 부난관 낭종은 발생학적으로 남은 부분으로써 난소 종괴와 헷갈릴 수 있으며 대개 증상은 없으나 부속기 꼬임을 야기할 수도 있다. 부속기 혹은 난소 꼬임은 사춘기 전이나 청소년기 여아들에서 진단하기 쉽지 않으며 대개 정상 부속기보다는 종괴를 갖고 있는 부속기에서 꼬임이 일어난다. 꼬임의 진단에 도플러 초음파는 도움이 안 될 수 있지만 난소 부피의 차이와 꼬인 부속기의 부피 증가는 진단에 도움이 될 수도 있다. 치료는

아무리 꼬인 부속기에 혈류가 흐르지 않는 것처럼 보이더라도 난소기능이 회복될 가능성이 높으므로 난소절제술보다는 꼬인 부속기를 풀어주어야 한다.

사춘기 시기에 자궁내막종이 물론 발병할 수는 있지만, 어른에서 발병하는 것보다는 흔하지 않다. 약물치료에도 반응이 없는 골반통이나 월경통이 있는 사춘기 여아의 경우 진단적 복강경 수술을 하게 되는 경우 약 70%에서는 자궁내막증이 발견될 수도 있다고 보고된 바 있다. 자궁내막증은 생식기 유출로의 막힘 기형이 있는 젊은 여성들에게서 역행하는 월경의 결과로 발생할 수 있긴 하지만 자궁내막증을 갖고 있는 대부분의 청소년들은 생식기 유출로 막힘 기형과는 관련이 없다. 젊은 여성에서 자궁내막증은 비색소성 혹은 수포성 병변, 복막창, 주름 증 비특이적인 양상을 보일 수도 있다.

(2) 자궁 종괴

자궁기형과 같이 골반 종괴의 다른 원인들은 사춘기 시기에 흔하지 않다. 이 나이대에 자궁근종은 대개 관찰되지 않는다. 사춘기 여아들에게 폐쇄성 자궁질기형이 있는 경우에 초경을 하게 되면, 얼마 있지 않아 증상이 나타날 수 있으며, 대개 해당 질환이 의심되더라도 정확한 진단은 바로 내려지지는 않는다. 발생 가능한 기형들로는 질입구주름막힘증부터 가로질격막, 자궁 및 자궁내막은 정상이면서 질무형성인 경우부터 질세로중격폐쇄 및 자궁체부폐쇄를 동반한 질중복까지 다양한 기형들이 있을 수 있다(그림 14-3). 환자들은 주기적인 통증, 무월경, 질분비물, 복강내, 골반, 혹은 질강 내 종괴를 치료하기 위하여 내원할 수도 있다. 질혈종, 자궁혈종 혹은 두 경우가 동반된 경우는 자주 있을 수 있으며 상당히 큰 종괴를 형성할 수 있다.

(3) 염증 종괴

미국에서는 골반염으로 진단되는 경우의 20%가 청소년기에서 발생한다. 골반통을 갖고 있는 청소년은 난관난소 농양, 난관 수종과 같은 염증 종괴를 갖고 있을 가능성이 있다. 골반염의 진단은 아랫배나 골반, 부속기 압통이 있으면서 경부에 운동성 압통이 있고, 화농성 분비물, 높은 체온, 백혈구 수치 혹은 침강속도의 증가를 보이는 경우 임상적으로 진단하게 된다. 미국 질병예방통제센터는 진단을 놓치지 않도록 임상의가 적극적으로 진단을 하도록 권고하고 있다. 골반염은 성매개병과 명확한 연관성을 갖고 있으며 남성 콘돔 사용으로 위험을 줄일 수도 있고, 자궁내피임장치 삽입은 위험성을 증가시킬 수도 있다.

(4) 임신

청소년들의 경우, 골반 종괴가 있을 시 임신은 항상 확

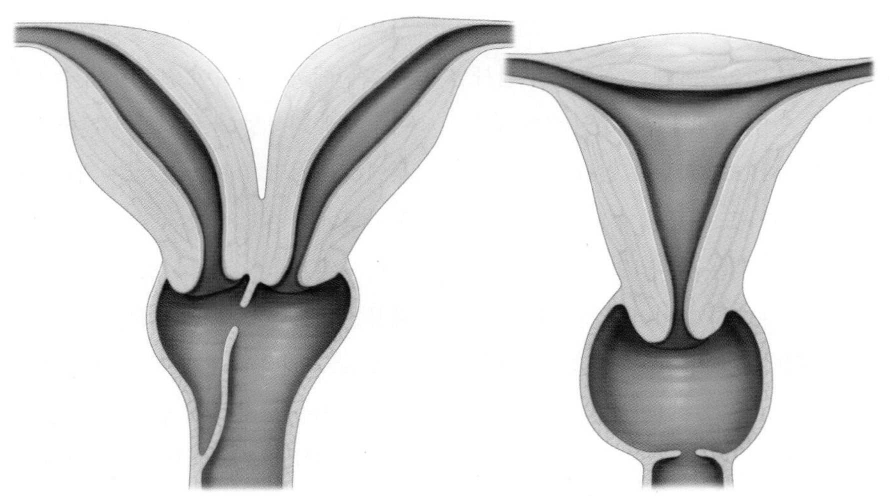

• 그림 14-3. **사춘기 여아에서 발생할 수 있는 폐쇄성 혹은 부분 폐쇄성 생식기 기형**

인해야 하는 부분이다. 미국에서는 40% 이상의 청소년들이 성관계의 경험이 있다고 조사된 바 있다. 사춘기 시기의 대부분의 임신은 원하지 않는 임신이며 어릴수록 더 원하지 않는 임신일 가능성이 높다. 청소년들은 원하는 대로 생각하는 경향이 있고, 부모나 친구들로부터 발견될까봐 두려워하는 경향이 있으며 월경주기를 챙기는 것에 익숙하지 않고 가임기라는 것에 크게 인지하지 못하고 있기 때문에 어른들보다 임신 가능성에 대해 부정할 확률이 더 높다. 자궁외임신 또한 부속기 종괴와 골반통을 함께 야기할 가능성이 있다. 요즘에는 혈중 베타 사람 융모생식샘자극호르몬을 측정할 수 있기 때문에 자궁외임신이 파열되기 전에 진단이 되고 있으며, 때문에 복강경으로 보존 수술이 가능하거나 약물치료가 가능하게 되었다. 피임 방법에 따라 자궁외임신의 위험 또한 다양해지고 있는데 피임을 아예 안 하는 경우 자궁외임신의 위험이 가장 높으며, 경구호르몬제를 복용하는 경우 위험이 가장 낮은 것으로 보고되고 있다.

4) 치료

사춘기 여아들에게서 골반 종괴의 처치는 의심되는 진단과 첫 증상에 따라 결정된다. 무증상의 단방 낭종은 악성의 가능성이 매우 낮기 때문에 경과관찰만 해도 될 가능성이 높다. 만약 증상이나 진단이 확실하지 않게 내려짐에 따라 수술적인 처치를 해야 하는 경우에는, 향후 수술 후 유착으로 인한 불임이 발생하지 않도록 주의를 기울여야 하며 난소조직을 최대한 보존할 수 있도록 노력해야 한다. 한측 난소에 악성 종괴가 있는 경우에는 전이가 있다고 하더라도 근치적 수술 보다는 일측 난소절제술만 하는 것을 고려해 볼 수 있겠으며, 이때 동결절편을 분석하는 것은 믿을 만하지는 않다. 대개는 보존 수술이 적절하며, 필요한 경우에는 난소 종양을 병리학적으로 제대로 평가한 후 수술을 추가적으로 할 수도 있다.

만약 임상으로 골반염이나 난관난소농양으로 진단된 환자가 증상이 지속된다면, 진단을 확인하기 위하여 복강경수술을 고려해보아야 할 것이다. 환자의 1/3에서는 임상 진단이 틀릴 수도 있다. 청소년들에게서 염증 종괴를 수술로 치료하는 것은 거의 필요하지 않지만, 난관난소농양이 터졌거나 광범위항생제를 투약하였음에도 실패한 경우에는 고려해 볼 수 있다. 일부 의사는 골반을 세척, 유착 박리, 농 배액, 적출을 하기 위해 복강경 수술을 선호하기도 한다. 만약 약물치료 실패로 인하여 수술적인 처치가 필요한 경우에는, 골반내 장기들을 모두 적출하는 것 보다는 가임력을 보존할 수 있도록 병변 부위만 제거하는 일측 부속기 절제술을 시행할 수 있다. 경피적 배액술, 질초음파 배액술, 복강경하 난관난소농양 관리 등은 근거는 부족하지만 임상에서 자주 시행하고 있다. 난소 종괴를 복강경으로 수술하는 것은 임상의의 실력과 경험이 매우 중요하며, 효과에 대한 전향 연구들은 아직까지도 부족한 실정이다. 복강경 수술치료는 장폐색과 장 혹은 혈관 손상과 같은 주요 합병증의 발병 위험 증가와 연관이 있는 것으로 알려져 있다.

Ⅲ. 소아청소년의 급성, 만성 골반통증

1. 급성 골반통증

소아 및 청소년에서의 급성 골반통증은 적극적인 검사와 처치가 필수적이다. 급성 골반통증은 부인과 원인일 수도 있고, 비부인과 원인일 수도 있다(표 14-5). 이 단원에서는 부인과 원인에 의한 급성 골반통증의 원인, 증상, 진단과 치료에 대해 알아보도록 한다.

부인과 원인을 감별하기 전 비부인과적 원인에 대한 배제가 필수적이며, 이를 위해서는 면밀한 과거력과 병력 조사가 필요하다. 통증에 대한 문진 시 통증의 위치, 성격, 강도, 방사통의 여부, 악화시키거나 완화시키는 요인-움직임, 운동, 식사, 배변, 자세-과 마지막 월경주기, 피임 및 성 생활 여부를 확인해야 한다. 이외에도 통증과 동반된 열, 오한, 설사, 구토, 배뇨장애나 이전 골반통증 여부, 수술력을 물어봐야 한다. 신체화 장애나 이전 성폭력으로 인한 골반통증이 생기는 경우도 있으므로 문진 시 최근의 스트레스 여부, 폭행 및 약물 오남용 기왕력에 대한 확인도 필요하다.

표 14-5. 소아 청소년에서의 급성 골반통증의 원인

비부인과 원인			
소화기계	급성 충수돌기염 장폐색, 장 협착 과민 대장증후군 염증 장질환 장간막 임파선염 장염 게실염	천공 위염 및 위궤양 담낭염 및 담도염 췌장염 간염	기능 복통 대사 질환 변비 심리적 원인(불안증)
비뇨기계	신우신염, 농양 방광 및 요관염 간질성 방광염	신장, 요로 결석 요관 폐쇄 요관 게실 및 용종	방광 자궁내막증
근골격계 및 신경계	선천 근골격계 기형 골/관절 염증 및 감염(척추, 골반, 대퇴두부) 외상, 골종양	신경 포착성 질환(nerve entrapment) 신경종양(neuroma) 통증 증폭 증후군(pain amplification syndrome)	
정신	신체적/성폭력 피해 기왕력 외상의 기왕력 신체화 장애		
전신질환	전신 홍반성 루푸스, 신경섬유종증, 임파선 종양(lymphoma)		
부인과적 원인			
소아 및 청소년	난관 수종(Hydrosalpinx) 부속기 꼬임(난소, 난관, 부속기 낭종 및 종괴) 부속기 낭종 및 낭종파열	골반 농양 골반 혈전증 골반 결핵 골반 내 감염 및 염증 폐쇄성 뮐러관 기형	외음부질염 접촉 피부염 편평태선 바르톨린 낭종/농양 피부 괴사 질환
임신관련	자궁외임신	절박유산	자연유산

급성 통증의 부인과적 원인 중 일부는 만성 통증을 일으킨다. 폐쇄성 뮐러관 기형으로 인한 통증은 초경 즈음 급성 통증뿐 아니라, 주기적인 만성 통증을 유발한다(그림 14-4). 골반 감염으로 인한 통증은 수일 간 통증이 지속되는 것이 특징이고, 특히 성 경험이 있는 청소년에서 유의해야 할 원인이다. 반복적인 골반염을 앓거나 골반염으로 인한 골반 유착, Fitz-Hugh-Curtis 증후군으로 인한 간 주변 유착이 발생할 경우 만성 통증을 일으키기도 한다. 부속기 꼬임이나 골반 낭종/파열, 자궁외임신 파열로 인한 혈복강은 극심한 날카로운 통증을 갑자기 호소하며, 부속기 꼬임의 경우 구역/구토를 동반하는 경우가 많다. 그러나 살짝 꼬인 부분적인 부속기 꼬임이나 파열되지 않은 자궁외 임신의 경우 수일 또는 수 주간 중등도의 둔한 통증을 일으키다 완전히 꼬이거나, 자궁외임신 산물이 파열되기도 한다.

사춘기 전 연령대에서는 이소성 요관이 질내 삽입될 때 수질증(hydrocolpos)이 발생해 드물게 통증을 일으킬 수 있다. 초경 이후 연령대에서는 월경혈이 질 중격으로 인해 혈질증(hematocolpos), 자궁혈증(hematometra), 난관혈종(hematosalpinx)을 유발하면서 급성 골반 통증을 일으킨다. 월경혈 역류가 반복되기 때문에, 폐쇄성 기형의 해소가 적정한 시기에 이루어 지지 않는 경우 자궁내막증 발생의 고위험군이 되며, 이로 인한 만성 골반 통증의 원인이 되기도 한다.

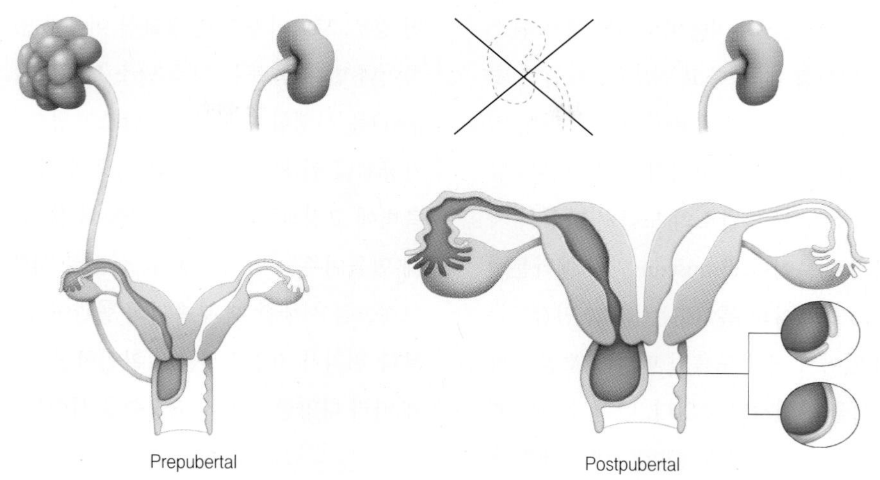

• 그림 14-4. **폐쇄성 뮐러관 기형 중 하나인 OHVIRA 증후군(Kim Y 외. 2021)**

1) 난소 또는 난관의 꼬임

갑작스러운 골반 통증을 보이며 꼬임이 부분적으로 있거나 풀릴 경우 통증의 완화와 악화가 반복된다면, 구역/구토의 동반여부와 상관없이 부속기의 꼬임을 의심해야 한다. 정상 난소도 난소나 난관의 종괴와 함께 꼬일 수 있다. 소아청소년에서는 성인여성에 비해 정상 난소의 꼬임 비율이 높은데, 이 연령대 전체 꼬임의 30-40%에서 종괴 없는 꼬임이 보고되었다(그림 14-5). 난소 꼬임은 우측 난소에서 더 자주 발생하며, 소아의 경우 7-11세의 연령대에서 호발하는 경향이 있다. 이는 소아기에 특징적인 긴 난소 인대(ovarian ligament)와 느슨한 골반강 내 인대들 때문에 난소간막(mesovarium)이나 부속기가 성인에 비해 더 잘 움직이기 때문이라고 생각되며, 이러한 특징은 내부 생식기관의 성장에 따라 성인기에는 사라진다. 우측 부속기에서 호발하는 이유는 좌측의 경우 결장이 위치하고 있어 꼬임의 발생을 방지하기 때문이라는 의견도 있다.

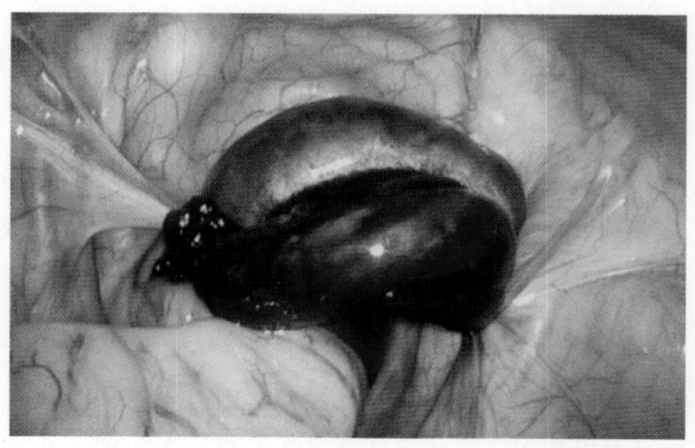

• 그림 14-5. **4세 여아에서 발생한 우측 부속기 꼬임** 부속기 종괴는 관찰되지 않았고, 이전 좌측 부속기 꼬임 기왕력으로 좌측 난소 난관 절제술 후 상태였다.

골반초음파는 일차 진단 방법으로 널리 사용되나, 초음파 소견은 꼬임의 확진에 충분하지 않다. 난소 꼬임의 골반초음파는 난소에 echogenic 부분이 보이거나 명확한 종괴는 없지만 난소가 커져 있으면서 난소 표면에 가까운 위치에 'string of pearls' 모양의 난포들이 줄지어 있는 모양, 꼬인 쪽 난소 주변의 소량의 삼출액이 고여 있거나, 꼬인 부속기 혈관이 소용돌이 모양으로 보이는 whirlpool sign, 정상 난소의 구분이 명확하지 않으면서 부속기 종괴만 보이는 경우 등의 소견이 특징적이다. 꼬임으로 인한 혈류의 감소로 생기는 난소 부종은 종괴가 없어도 난소를 크게 만드는데, 2007년 Servaes 외의 연구에 따르면 난소 종괴 없이 꼬인 난소 꼬임에서 꼬인 쪽의 난소 부피는 반대편 정상 난소에 비해 12배 큰 결과를 보였다. 이를 이용하여 동 연구진은 부속기 꼬임 예측 지표를 제안하였는데, 꼬임된 부속기의 부피/정상 부속기의 부피비율(volume ratio)이 >20이면 난소 종괴가 있을 것으로, 부피비율이 <20인 경우 난소 종괴가 없을 것으로 예상할 수 있다고 하였다. 도플러 초음파를 이용한 난소꼬임 진단은 그 효용에 대한 논란이 있는 상태로, 부분적이거나 불완전한 꼬임의 경우 혈류는 유지될 수 있고, 정상 난소와 꼬인 난소의 도플러 파형의 차이를 구분하기 어렵기 때문이다. Bronstein 외의 메타분석 연구에 따르면 도플러 초음파의 특이도는 87%, 민감도는 55%로 꼬임 진단에 있어서 정상 도플러 파형이 꼬임을 배제하기 어려움을 다시금 확인시켜 주었다. 다만 소아의 경우, 복부 초음파 상 일측 난소의 비대, 골반강 내 액체저류, 부속기 주변으로 혈류가 없거나 꼬인 혈관다발이 보이는 경우 도플러 초음파를 추가했을 때 음성진단율이 99.5%로 나타나, 유용하게 사용될 수 있는 가능성을 보였다.

부속기 꼬임의 수술 전 진단은 확진이 어려우며, 급성 복증의 감별진단 과정을 거치면서 지연되기 쉽다. 부속기 꼬임이 의심될 때 수술 치료는 확진의 유일한 방법이자 "treatment of choice"라고 할 수 있다. 수술하지 않고 기대요법을 선택할 수도 있지만, 진단 지연이나 진단을 놓치게 되는 경우 환자의 가임력을 손상시킬 수 있다는 점을 기억해야 한다. 부속기 꼬임의 수술 처치는 점점 더 난소를 보존하는 추세이다. 전통적으로 꼬임된 난소의 꼬인 부위를 풀고 정상적인 해부학 구조를 복원하는 경우 꼬인 기간 형성된 혈전이나 괴사된 조직이 혈관을 통해 이동할 수 있는 가능성을 우려해 난소 절제를 하곤 했으나, 부속기 꼬임으로 수술한 경우에서 폐동맥 색전증은 0.2%로 낮게 보고되었고, 꼬임의 수복이 그 위험을 높이지 않는 것으로 알려졌다. 때로는 악성 종양의 가능성 때문에 난소 절제를 주장하기도 하였으나, 난소 꼬임에서 종괴가 악성 종양으로 드러나는 경우는 1-1.5% 정도로 매우 드물다고 볼 수 있다. 따라서 꼬임된 난소는 수복하는 보존 수술만으로도 충분하다고 생각되며, 이미 괴사된 것처럼 보이는 난소도 수복 후 난소 기능을 잘 회복하는 것으로 생각되고 있다. 꼬임된 난소의 수복 시 혈류 개선 및 신속한 부종 해소를 위해 난소 피질에 배액(bivalve) 목적의 절개(incision)를 가하기도 한다. 부속기 종괴 없이 꼬임된 경우에서 꼬임의 재발이 더 잦으며, 특히 재발된 경우나 난소 인대가 과도하게 늘어진 경우, 꼬임이 될만한 명확한 이유가 없을 때에는 꼬임된 쪽이나 반대쪽, 또는 양측 난소 모두 난소고정술(oophoropexy)을 시행할 수도 있다. 난소고정술은 난소를 같은 쪽 자궁천골 인대(그림 14-6)나 자궁 후벽(그림 14-7), 골반 외측벽에 고정하는 방식이나(그림 14-8) 자궁-난소 인대를 짧게 만들어주는 방식(그림 14-9)으로 시행할 수 있다. 난소고정술을 시행할 때 부속기의 혈관이 당겨지지 않는지, 해부학 위치가 자연스러운지 확인하면서 시행하게 되며, 이에 따라 다양한 위치에 고정술을 시행할 수 있다.

2) 혈복강

혈복강은 가임기 여성에서는 비교적 흔한 급성 복증의 원인이다. 대개 배란된 황체낭종이 자연적으로, 또는 물리적 충격에 의해 파열되어 발생하고, 70-80%의 경우에서 기대요법으로 경과가 호전된다. 그러나 소아 및 초경을 시작한지 얼마되지 않은 청소년에서는 드물게 관찰된다. 초경 이후 2년 이상 경과한, 규칙적인 월경 주기를 갖는 청소년에서는 감별진단 해야 하는 원인이며, 진단은 골반 초음파나 복부-골반부위 전산화 단층 촬영이 유용하게 사용된다. 과거력이 없는 건강인에서 수술적 치료를 해야 하는 경우가 10% 내외인 것에 반해, 출혈 경향을 갖는 환자군에서는 대량 출혈을 유발할 수 있으며, 반복적인 황체낭종 파열에 의한 혈복강이 발생하는 경우에서는 배란을 억제하는 약제를 고려할 수 있다.

3) 배란통(Mittelschmerz)

Mittelschmerz는 중간통 혹은 배란통이라고도 불리며, 보통 배란 즈음 일측 하복부의 둔한 통증이 수 분에서 6-8시간 지속되는 증세를 보인다. 통증의 원인은 명확하지 않지만 배란되는 난포가 난소의 피질을 뚫고 터져 나오면서 통증이 생기거나, 난포 내의 정상 난포액이 골반강 내 고이면서 복막을 자극하기 때문일 것으로 생각한다. 배란기 통증은 정상인뿐 아니라, 와파린(warfarin)을 복용하거나 본빌레브란드병(von Willebrand disease)을 앓아 출혈 성향을

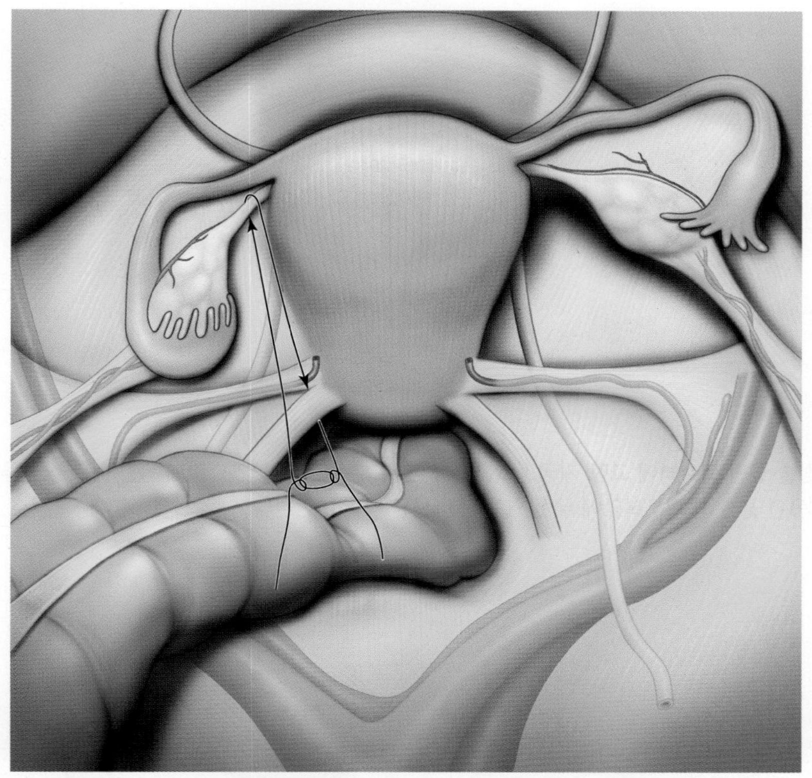

• 그림 14-6. **난소 고정술-자궁 천골 인대에 고정** 자궁 난소 인대의 원위부 1/3 지점에서 봉합(suture)을 시작해서 자궁난소 인대 하방의 복막을 통과, 자궁 천골 인대 상, 하방을 통과시킨 후 매듭을 지어 고정한다.

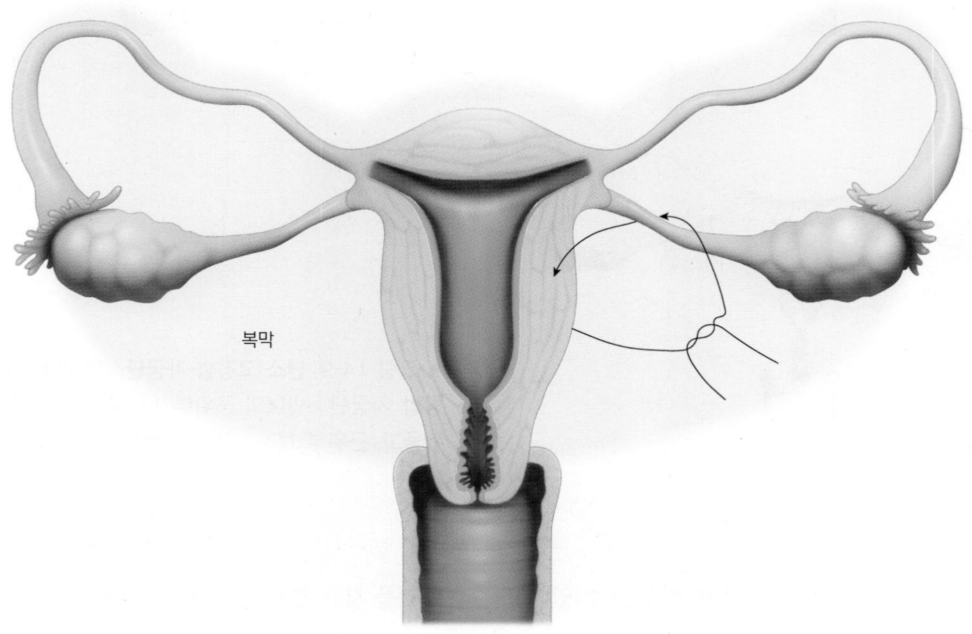

• 그림 14-7. **난소 고정술-자궁 후벽에고정** 자궁 난소 인대 하방의 복막 또는 자궁난소 인대를 자궁 후벽에 고정한다. 이때 봉합을 자궁 난소인대의 원위부 ½ 또는 1/3 지점에 위치시키되, 자궁난소인대의 길이에 따라 조정할 수 있다.

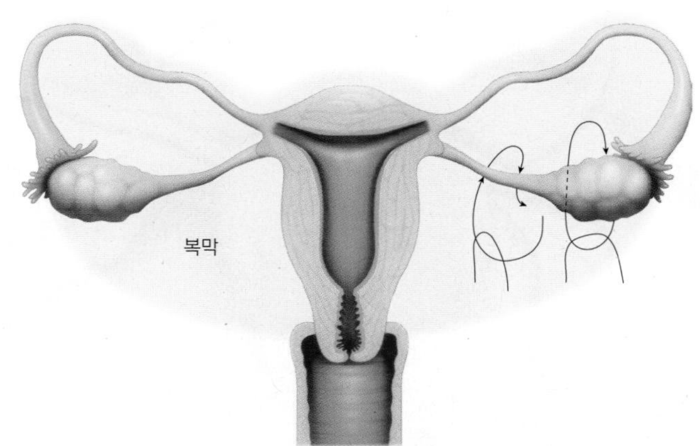

• 그림 14-8. **난소 고정술-골반 외측벽에 고정** 자궁 난소 인대의 원위부 1/3 지점에 첫 번째 봉합 매듭을 만들고, 난소 후방의 난관간막(mesosalpinx)과 그 뒷편 골반 외측벽 복막에 두 번째 봉합 매듭을 지어 고정한다.

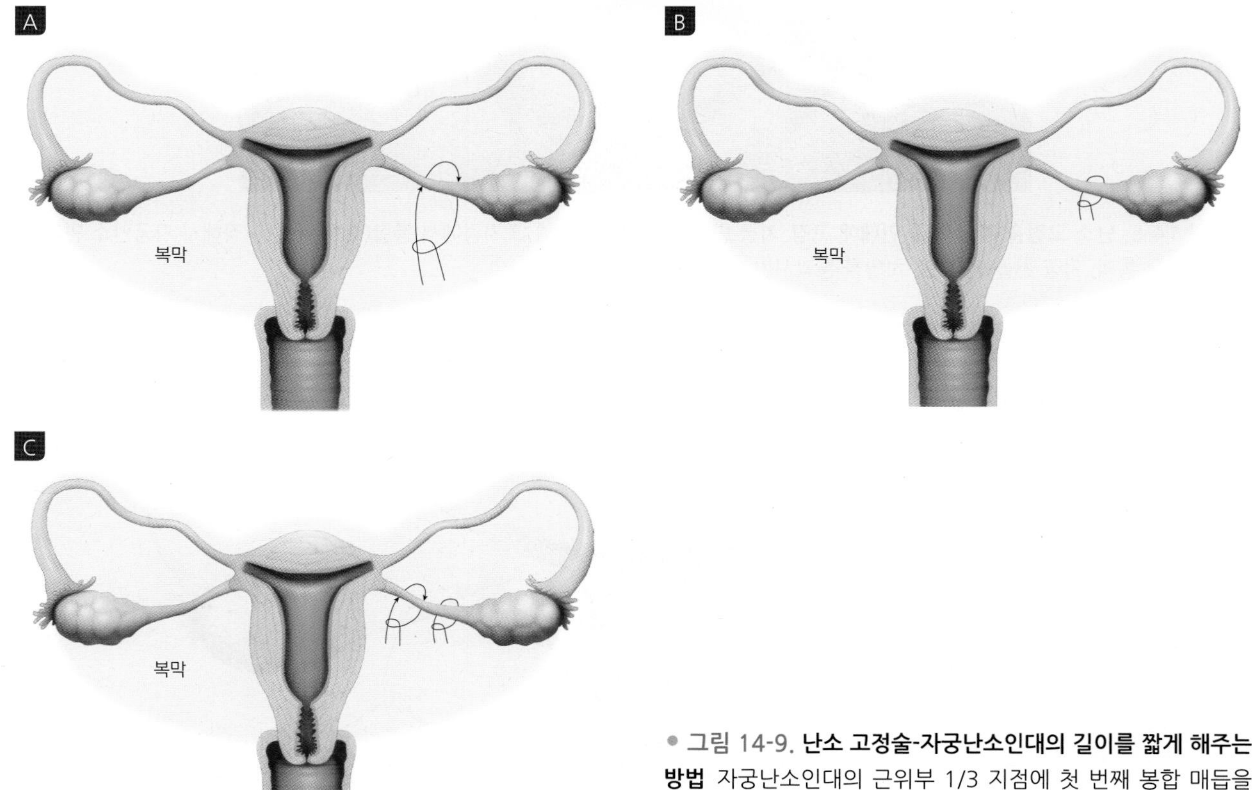

• 그림 14-9. **난소 고정술-자궁난소인대의 길이를 짧게 해주는 방법** 자궁난소인대의 근위부 1/3 지점에 첫 번째 봉합 매듭을 만들고, 근위부 1/2 지점에 두 번째 봉합 매듭을 만든다.

띠는 환자에서 배란기 출혈과 관련하여 발생할 수 있다고 알려져 있다.

배란기 통증은 보통 반복적인 경한 하복부 불편감이 월경 주기 중간에 있을 때 진단할 수 있는데, 규칙적인 월경 주기를 갖는 청소년이라면 이를 구분하는 것이 어렵지 않지만 아직 월경 주기가 정립되지 않거나 불규칙한 월경 주기를 갖는 경우 진단이 어렵다. 처음으로 배란기 통증을 경험하는 경우나, 매우 극심한 통증인 경우 충수돌기염, 부속기 꼬임, 난소 낭종 파열, 자궁내막증 등의 급성 복증의 원인을 감별진단해야 한다.

배란기 통증의 처치는 먼저 이 통증이 '자연스러운', '정상적인' 과정에서 발생하는 것임을 환자와 보호자에게 이해시키고, 보존 치료가 주 치료가 된다. 하복부에 온열패드를 대거나, 프로스타글란딘 억제제인 비스테로이드소염제(nonsteroidal antiinflammatory drug, NSAID)로 ibuprofen, naproxen sodium를 사용하는 것이 효과적이다. 만일 통증의 양상이 반복적으로 예상 가능하거나, 진통제로 조절이 잘 안되는 경우 배란을 억제하는 목적으로 복합 경구피임제를 사용할 수 있다.

2. 만성 골반통

만성 골반통은 골반 부위에 국한된 6개월 이상 지속되는 비주기(non-cyclic) 통증으로 이로 인해 기능적 저하가 있거나 병원을 방문하게 하는 경우로, 이때 골반 부위는 해부학 골반 부위, 배꼽 이하의 전복벽, 요추와 천추 부위나 둔부를 포함한다. 그러나 국제 통증 학회(The International Association for the Study of Pain, IASP)에 따르면 현재까지 명확한 정의는 없으며, 부인과 원인으로 인한 통증이나 명확한 병변이나 원인이 밝혀지지 않은 통증으로 기술되고 있다. Davis 외의 미국 연구에서는 18세 이상의 여성에서 골반통의 빈도는 15%였는데, Latte 외 연구에 따르면 소아청소년 연령군에서는 90%의 통증이 월경통이나 월경과 함께 발생하는 주기적인 통증이었고 만성 골반 통증보다 더 흔하게 보고되었다. Proctor 외에 따르면 소아청소년 군의 골반통증은 월경통(유병률 16.8-81%), 성교통(유병률 8-21.8%), 비주기 통증(유병률 2.1-24%)으로 광범위한 유병률의 범위를 보였다. 만성 골반 통증의 정의가 연구자들마다 다르고 이로 인한 이질성은 통계나 결과 확보의 어려움으로 이어져, 일관된 정의를 사용하는 전향적 연구가 필요하다.

1) 진단

통증의 양상을 제대로 파악해야 하는데, 월경 주기에 따른 변화가 있는지 반드시 확인해야 한다. 청소년에서는 직관적으로 통증을 표현할 수 있는 그림이나 숫자를 이용한 통증 강도 파악도 좋은 방법이다. Solnik 외의 종설에 따르면, 구조적인 원인이 있는 통증(organic pain)은 일관된 통증의 위치가 있고, 환자가 통증 때문에 잠에서 깨기도 하고, 갑자기 최근에 발생하고, 섭식에 의해 통증이 악화되고, 이유 없이 체중이 늘고, 지연사춘기가 동반되거나 전신증상이 동반되는 특징이 있을 수 있는 반면, 구조적 원인과 관련이 없는 기능적 통증(functional pain)은 통증 부위가 배꼽 주변이거나 산발적이고, 스트레스에 의해 악화되고, 통증 때문에 의료진을 찾기 전 수개월 간 통증이 지속되었고, 생활의 기능 저하가 있으며, 다른 전신 증상은 동반되지 않는 경우가 많다고 하였다. 과거력에 대한 조사를 할 때에는 반드시 이전 임신 과거력이나 성매개 감염(sexually transmitted infection, STI), 뮐러관 기형에 대한 확인이 필요하다. 가족력을 조사할 때에는 자궁내막증, 염증장질환, 섬유근통, 우울증 및 기타 통증이나 자가면역질환을 체크한다. 정신의학적 과거력이나 사회적 관계에 대한 문진도 필요하며, 흡연이나 음주, 약물 오남용에 대한 상태도 반드시 기록해야 한다.

신체 진찰을 할 때에는 비부인과 원인에 의한 통증일 가능성이 있는지 확인한다. 복벽을 진찰할 때에는 가장 아픈 부위나 통증을 악화시키는 부위가 있는지 확인하고, 이전 수술력이 있는 경우 수술 부위 탈장이나 신경 폐색의 가능성을 감별한다. 또는 신경통이나 근골격계 원인에 대한 가능성을 검사한다. 골반 내진을 할 때에는 외음부와 질입구주름, 전정, 요도 등을 관찰하는 것을 시작으로, 구조적 이상이 없는지 확인한다. 골반 내진은 꼭 bimanual pelvic exam일 필요는 없으며, 손가락 한 개만을 이용한 내진으로도 골반 근육의 긴장도나 통증 여부를 확인할 수 있다. 특히 성관계를 한 적이 없거나 섬유근통, 전정부위의 통증을 호소하는 경우는 면봉으로 눌러보는 식으로 진찰할 수도 있다. 심부침윤 자궁내막증이 의심되는 경우는 항문-질을 통한 골반내진을 시행하라고 하지만, 관계한 적이 없는 환자에서는 직장 진찰(rectal exam)만으로도 충분한 정보를 얻을 수 있다. 골반지지 근육의 이상은 성교통이나 비뇨기계 증상, 또는 소화기계 증상으로 나타날 수 있다. 통증을 유발하는 통점을 찾기 위해 T10-L1에 이르는 dermatome을 부드럽게 꼬집으면서 진찰을 하되, 양측을 모두 시행해 비교해보아야 한다. 근육 경직(muscle spasm)으로 인한 골반 통증을 감별할 때에는, levator 근육의 경직은 주로 골반 장기탈출증 환자들처럼 밑이 빠질 것 같다고 표현하는 경우가 잦으며, 통증이 허리 뒤쪽으로 방사된다. 천추 부위로 통증 부위가 구별되기도 하며, 촉진 시 통증을 호소하고 근육의 수축 시 악화된다. Piriformis 근육의 경직은 자고 일어날 때, 계단 오를 때, 운전할 때 심해지는 통증이 특징인데 진찰 시 허벅지를 외전시킬 때 통증이 유발된다. 골반 내진을 하거나 근육을 직접 눌렀을 때 통증이 발생하기도 한다.

골반 통증을 호소하는 청소년에서 검사의 기본은 구조적 병인을 감별하는 것이다. Proctor 외의 연구에 따르면 만성 골반 통증을 호소하는 청소년에서 시행한 복강경 검사 결과 정상이 25-40%, 자궁내막증이 35-45%, 난소 낭종이 2-5%, 자궁 기형이 5-8%, 수술 후 유착 4-13%, 골반염 5-15%로 나타났다. Solnik 등이 골반 통증을 호소하는 여성에서 감별진단을 위해 시행할 검사들을 다음과 같이 정리하였다(표 14-6).

2) 처치

만성 골반통증의 치료에서 배란을 억제하는 호르몬 요법은 가장 많이 사용하는 기본 치료이다. 원인에서 볼 수 있듯이 자궁내막증 및 자궁샘근증 등 호르몬 연관 원인의 비율이 높아 통증의 처치에 있어 불가피한 인과관계를 지닌다. 이 외에도 골반 근육의 물리치료(physiotherapy)가 도움이 될 수 있는데, 통증 개선 효과를 65%까지 보고하기도 하고, 골반저근육의 통점이 명확한 경우 더욱 효과적인 것으로 알려져 있다. 만성 골반통증 환자에서 수술적 치료는 선택할 수 있는 옵션의 하나이지만, 특히 약물 치료에 반응이 없거나 약물 순응도가 떨어질 때 고려해볼 수 있다. Song 외의 연구에 따르면 골반 통증을 호소하는 환자군에서 시행한 복강경 검사 상 이상 소견을 보인 비율이 60-75%로 매우 높게 나타나, 이들 환자군에서 진단 복강경의

표 14-6. 만성 골반통증을 호소하는 여성에서 시행할 검사와 감별진단(Solnik 외)

증상 및 감별진단	검사
자궁내막증	골반초음파, 자기공명영상, 진단적 복강경
샘근증	골반초음파, 자기공명영상
골반 근육 긴장성 통증	자세 및 신체 검진, 통점 확인
변비	대장 통과 시간 검사
우울감	갑상선기능검사, complete blood count, 신기능 검사, 간기능 검사, 전해질 검사
설사	대변검사, stool guaiac testing, barium enema radiography, 대장내시경, upper gastrointestinal series with follow through, 전산화단층촬영
성교통	요도 및 자궁경부 임질, 클라미디아 균 검사, 질 세균배양 검사, 소변 세균배양 검사, vaginal wet smear & PH 검사, 골반근육 검사
방광염/간질성 방광염	방광-요도 내시경, potassium-chloride challenge test, 소변 세균배양, urine cytology, 요역동학검사, 방광 생검
탈장	복벽 초음파, 전산화단층촬영, herniography
골반 울혈성 증후군	골반 venography, 골반 초음파(도플러 초음파)
과민성 대장 증후군	Rome 진단기준
뮐러관 기형	자기공명영상

타당성이 제안되기도 하였다.

3. 자궁내막증

1) 청소년의 자궁내막증 특징

위에서 언급했듯이, 자궁내막증은 만성 골반 통증을 호소하는 청소년에서 가장 흔한 병리 질환이다. 자궁내막증이 대표적인 월경통 및 주기적인 월경 관련 증상을 보이는 질환이지만, Laufer 외의 연구에 따르면 자궁내막증을 진단받은 청소년의 64%는 주기적인 통증을, 36%는 비주기적인 통증을 호소하였다. Goldstein 외의 연구에서 NSAID나 복합 경구피임약에 반응하지 않는 만성 골반 통증 청소년에서 거의 90%가 비주기 통증을 보고하기도 하였다. 성인과 달리, 대부분의 청소년에서 자궁내막증은 통증에 기반을 두고 진단하게 된다. 진행된 자궁내막증(3기 또는 4기)이 흔한 성인 여성에서는 골반 내진을 했을 때 전형적으로 posterior vaginal fornix나 자궁천골 인대를 따라 통증을 동반한 결절이 만져지거나, 유착과 섬유화로 인한 불편감과 통증을 볼 수 있다. 그러나 청소년기의 자궁내막증은 대부분 이른 병기(1기 또는 2기)이며, 가장 흔히 발견되는 수술 소견은 복막의 자궁내막증 implant인 clear lesion이나 red lesion이다(그림 14-10). Demco 외의 연구 결과는 자궁내막증의 복막 병변 중 clear와 red lesion이 가장 통증이 심한 것으로 나타났는데, 이는 이런 병변이 활발하게 프로스타글란딘을 분비하고, 복막의 부종과 implant의 반복되는 출혈로 복막을 자극하기 때문이라고 의견을 밝히기도 하였다. 이렇듯, 청소년기의 자궁내막증은 통증 증상 외 특이적인 소견이 없을 때가 많다. 진찰이나 영상 검사에서도 이상을 발견할 가능성이 매우 낮고, 수술장 소견 또한 이른 병기의 자궁내막증-예전에는 비전형 병변이라고 불렸던-이라 숙련된 청소년 자궁내막증을 보는 의사가 아니면 진단을 놓치기 쉽다. Benagiano 외의 연구에서는 청소년기의 자궁내막증 특징을 성인과 비교하여 다음과 같이 제시하였다(표 14-7).

청소년기 자궁내막증의 특징 중 하나는 폐쇄성 뮐러관 기형과 동반되는 빈도가 높다는 것인데, 이런 환자들에서는 매우 이른 청소년기임에도 진행된 자궁내막증(3기 또는 4기)으로 발견될 때가 많다. 이러한 폐쇄성 선천 기형으로는 질입구주름막힘증, 하부 질의 무형성증, 부분 질 무형성증, 질의 횡중격, 질혈증, 자궁혈증, 자궁기형, 오비라 증후군 등이 있다.

2)진단

확진을 위해서는 수술 진단이 필수적인 자궁내막증의 태생적인 문제는 자궁내막증의 진단을 평균 10년가량 지연시킨다. 만성 골반 통증을 호소하는 성인 여성에서는 경험적으로 생식샘자극호르몬방출호르몬 작용제를 3개월

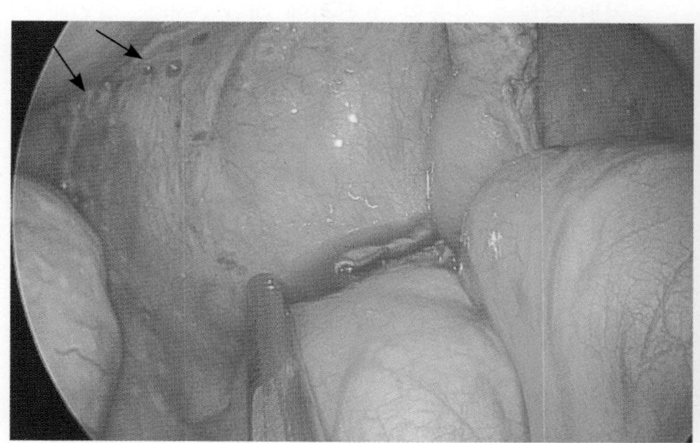
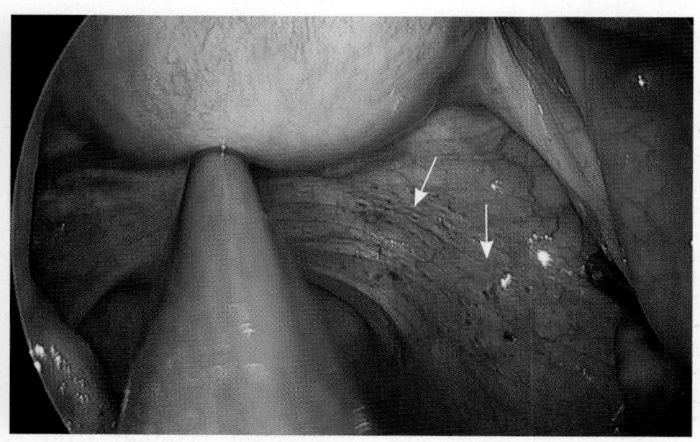

• 그림 14-10. **청소년 자궁내막증의 복막 병변** * 검은색 화살표- clear lesion/흰색 화살표-red lesion

표 14-7. 청소년과 성인의 자궁내막증 양상

	청소년의 자궁내막증	성인의 자궁내막증
증상	원발성 월경통, 통증이 매우 심하고 1차 약물치료에 반응하지 않는 경우가 많음.	이차성 월경통, 중등도-심한 통증 양상, 비주기적 만성 골반 통증과 동반될 때가 잦음.
수술장 소견	Red, clear ± vesicular peritoneal implants; minimal fibrosis; 난소의 자궁내막종은 더 작고 유착과 덜 동반됨.	Black peritoneal implants, white or nodular fibrosis, 직장 또는 결장과 유착이 심함, 난소의 자궁내막종이 흔하고 난소 피질에 단단히 유착됨.
심부침윤 자궁내막증	드물다.	다양하지만 청소년보다는 흔함(숙련된 의사가 아니면 구분하기 어려울 수 있음).
기타 특징	폐쇄성 뮐러관 기형과 동반됨.	직장-질, 또는 방광 자궁내막증과 동반됨. 샘근증과 동반됨.

사용했을 때 통증이 사라진다면, 수술 없이 자궁내막증을 진단할 수 있다는 의견도 있다. 그러나 청소년에서는 최대 골량(peak bone mass) 축적의 시기에 에스트로겐 저하상태를 유발하는 GnRH 작용제의 사용이 적합하지 않다는 의견에 따라 대부분의 권고안들은 18세 미만의 청소년에서 사용을 권하지 않는다. 따라서 청소년에서 자궁내막증의 진단은 수술로 이루어질 수밖에 없고, 대개는 시진(visualization)만으로도 진단에 충분하다. 그러나 위에서 언급했듯이 성인과 달리 초기 상태의 복막 병변만 있는 경우가 많아 청소년 자궁내막증의 경험이 적거나 익숙하지 않은 경우 생검이 도움될 수 있다.

3) 치료

성인과 마찬가지로 청소년에서도 자궁내막증의 이상적인 치료는 정해진 것이 없다. 수술 치료는 병변의 종류와 위치, 깊이를 확인하고 수술 제거 및 눈에 보이는 모든 유착과 병변을 없애는 것을 목적으로 한다. 하지만 청소년기의 자궁내막증은 성인과 달리 초기 병기인 경우가 많고, 심부침윤 자궁내막증은 드물다. 전향 연구는 없지만, 권고안들은 청소년기의 초기 자궁내막증에서 "peritoneal stripping"은 권하지 않는데, 그 이유는 추후 유착으로 인한 장폐색이나 불임, 통증의 발생을 우려하기 때문이다. 청소년기의 자궁내막증이 아무리 초기 병기라고 해도, 수술적으로 완전한 제거를 했으니 추후 약물 치료를 하지 않아도 된다고 이야기하기는 이르다. Gambone 등의 연구는 청소년 자궁내막증 환자의 종적 추적 연구 결과를 발표했는데, 이들은 수술 후 약물치료를 하지 않고 추적만 하였고, 대상자의 50%가 1년 이내 통증이 재발하였다. Unger 등은 종적 추적한 청소년 자궁내막증 환자에서 수술 후 약물치료를 중단한 경우, 자궁내막증이 진행하였음을 보고하였다. 따라서 성인에서와 마찬가지로, 수술 치료 이후 약물 치료가 필요하며, 약물 치료의 추가는 자궁내막증의 진행을 억제할 수 있을 것으로 보인다.

어떤 약물을 사용할 것인지에 대한 논란도 성인과 비슷하다. 다만, 청소년기 peak bone mass 축적에 있어서 에스트로겐이 미치는 영향이 막대하여, 청소년기 자궁내막증의 약물치료는 저에스트로겐혈증을 유발하는 치료는 권하지 않는 것이 특징이다. 미국산부인과학회(American Committee of Obsetrics and Gynecology, ACOG)의 권고안은 NSAIDs와 복합 경구피임약(combided oral contraceptives, COC)을 1차 약제로 제안하고 있다. COC를 사용할 때에는 쇠퇴출혈(withdrawal bleeding)이 일어나지 않게 연속 사용하는 것을 권하는데, 유지하는 도중에 돌발출혈(breakthrough bleeding)로 인한 비정상 자궁출혈이 일어나지 않게 3개월에 한번 쇠퇴출혈 주기를 갖도록 한다. 그러나 COC도 자궁내막증의 치료에 있어서 치료 효과를 검증받았다기보다는 오랫동안 사용하면서 경험이 쌓이고, 그로 인한 후향연구 결과들이 많아지면서 인정받은 약제라고 볼 수 있다. 약제의 발생 가능한 부작용과 사용 금기인 대상에 대해서는 해당 단원에서 확인할 수 있다. 프로게스틴은 직접 자궁내막 이식(implant)의 탈락막화를 유도해 내막세포의 위축을 일으킴으로써 치료 효과를 내는데, 사용할 수 있는 제형으로는 주사제제와 경구제, 자궁내장치가 있다. Depot medroxyprogesterone acetate (DMPA)는 3개월마다 근주 또는 피하 주사로 투여해 체내 일정 농도의 프로게스틴을 유지하게 하여 배란을 억제하여 피임제로도 사용하는 약이다. 그러나 배란을 억제하면서 혈중 에스트로겐을 낮추게 되어 골량 축적을 방해할 수 있어 청소년기에 사용할 때에는 주의가 필요하다. 경구제인 디에노게스트는 성인에서만 연구가 있다가, 2017년 Ebert 등이 VISanne Study to Assess Safety in ADOlescents (VISADO study)라는 전향 관찰 연구를 진행하였다. 연구 결과 52주의 연구 기간 동안 자궁내막증으로 인한 통증은 매우 유의하게 감소하였고 대상자들의 순응도도 우수하였으나, 일부 환자에서 요추 골밀도의 감소를 유발했고, 이는 약물의 복용 중단 6개월 후에도 부분적인 회복만 있어 사용 시 이에 대한 면밀한 상담과 주의가 필요하다. 레보놀게스트렐 분비 자궁내장치(levonorgestrel intrauterine system, LNG-IUS)는 청소년기 피임 목적으로도 사용 가능한 제형으로, 성인에서 자궁내막증의 치료효과를 여러 연구에서 보였지만 청소년을 대상으로 한 전향적 연구는 아직 없는 실정이다. 그러나 14-22세 연령의 청소년 18명을 대상으로 자궁내막증 수술 후 LNG-IUS를 삽입한 종적 추적 연구에서 수술 후 통증을 유의하게 감소하는 데 효과적임을 보였다.

IV. 소아 청소년의 임신, 피임, 성폭력

1. 십대 임신(Teenage pregnancy)

십대 임신의 정의는, 임신의 종료 시점에서 산모의 나이가 20번째 생일을 지나지 않은 경우를 의미한다. 십대 임신의 발생율은 나라마다 차이가 많으며, 문화, 인종, 관습, 교육, 사회적 분위기 등의 영향을 받을 수 있다. 유니세프의 2020년 데이터에 의하면 전 세계적으로 15% 정도의 18세 이전의 청소년이 분만을 하는데, 이 중 84%는 미혼 상태에서 출산을 한다. 청소년 시기의 임신과 분만은 성인 여성으로의 건강한 성장에 저해가 되며 학업에도 큰 지장을 주는 요소로 작용할 수 있다. 청소년 시기에 임신하는 경우 대부분이 학업을 중단하게 되며, 이로 인해 본인의 교육적 성장이 저해되고 향후 직업선택의 기회도 없어지며 가족내 폭력이나 사회적 고립, 거주불안정, 이혼 등의 발생율을 높이는 원인으로 작용할 수 있다. 십대 여성들의 신체는 임신과 출산을 견뎌낼 수 있을 정도로 성숙한 상태가 아니기 때문에 이로 인한 산과 합병증 발생율이 높다.

1) 산과 합병증

청소년 산모들은 비슷한 사회경제적 배경을 갖는 성인 산모에 비해 산전진찰을 받는 빈도가 낮아 주산기 문제 발생 가능성이 높다. 성인 산모들에 비하여 사회, 경제 환경이 취약한 것도 산전 관리가 되지 않는 원인으로 작용한다. 십대 임신의 경우, 유산 및 사산율이 15-20% 정도로 조사되며, 저체중아분만, 조산, 주산기사망률, 분만 시 태변 착색률, 출생 1년내 영아 사망률이 모두 20-39세 사이의 산모가 분만한 경우보다 유의하게 높다. 십대 산모의 경우 임신 중 빈혈이나 임신고혈압, 전자간증이 높고 임신 중 정상적인 체중증가가 이루어지지 않는 경우도 흔하며 이로 인해 저체중아를 출산하는 경우가 많아 10대 임신의 경우 저체중 신생아 출산 가능성이 성인보다 2배 정도 높아진다. 골반과 자궁의 미성숙으로 인한 난산 위험성도 높아진다. 조산과 저체중으로 태어난 아기들은 영유아기에 질병발생율 및 사망률이 높아지는데, 성인 산모에게서 태어난 아기들보다 출산 후 28일 이내 사망률이 3배이며 신생아기 이후 사망률도 2배 이상 높아진다. 임신 중 성매개병 감염률 역시 20대 이상의 산모들에 비해 유의하게 높다.

임신한 십대들의 경우 사망률도 높아지는데, 자살을 하거나 심각한 폭력으로 사망하는 경우도 증가한다. 한 연구에서는 25세 이상의 산모보다는 10대의 산모들이 살해당할 가능성이 9-10배 정도 높다고 하였으며, 가해자는 아버지나 양부, 남자친구, 엄마 등의 가족이었다.

분만 후 우울증상은 십대 산모의 50% 정도에서 나타나 분만 후 사회로 돌아가고 친구를 사귀며, 교육을 지속적으로 받을 수 있게 관리하고 지원하여 사회적으로 낙오되지 않도록 도와주는 것이 중요하다. 분만 후 6개월 안에 학교로 돌아가지 못한 경우, 또 다시 임신을 하게 될 가능성이 높아지는 것으로 나타난다.

십대 산모에게서 태어난 아이들 역시 행동학적인 문제가 발생할 가능성이 증가한다. 아기들이 커서 조기에 학업을 중단하거나(33%), 10대에 부모가 되는(25%) 가능성이 높아지는데, 이의 가장 큰 이유는 경제적 어려움이나 학업 능력 감소, 부모의 미성숙으로 인한 가정 내 교육부재와 집안의 롤모델 부족, 사회적 스트레스와 가정 내 폭력, 조부와의 갈등 등이 원인으로 지적된다.

십대 청소년의 임신은 이와 같이 여러가지 의학적, 사회적 문제를 야기할 수 있기 때문에 이에 대한 예방과 대책이 사회적으로 꼭 필요하다. 피임과 생식에 대한 지속적인 교육이 기본적으로 전제되어야 하며, 가정과 지역사회를 기반으로 한 십대 임신 예방책이 지속적으로 요구된다.

[십대 여성의 임신실태와 예방대책]에 대한 국내 연구에서는, 십대 여학생들이 임신예방을 위한 피임법 교육과 함께 원치 않는 성교를 예방하도록 돕는 대책으로는 자기주장 능력을 훈련시켜야 하며, 건전한 이성교제를 위한 구체적인 방법을 부모와 교사가 관심을 갖고 사실적으로 감각적인 방법으로 실시해야 할 필요성을 제기하였다.

국내에서의 십대 청소년을 대상으로 하는 설문조사들을 보면 우리 나라 청소년들의 성 경험이 매우 광범위한 반면, 올바른 성 지식이 부족한 경우가 많으며, 성 관계 과정에서 자신의 신체적 접촉에 뒤따르는 성교 가능성과 후속 임신 가능성, 성매개병 등을 예측하고 능동적으로 대처하는 자기신변관리가 이루어지지 못하고 있음을 알 수 있다. 인공유산에 대한 국내 연구조사 결과나 미혼모 보호시설 입주 연령대 조사, 혹은 입양을 의뢰하는 미혼모들의 나이를 보면 우리나라 십대의 임신율은 점차 증가추세를 보이고 있음을 짐작할 수 있다. 미국 및 캐나다에서는 1990년대 이후, 10대 임신의 심각성을 깨닫고, 이를 예방하기 위한 구체적인 노력을 꾸준히 경주한 결과, 10대 여성의 임신율, 인공임신중절비율, 출산율이 크게 감소되었다는 결과를 보고하고 있어(NVSS reports,1999), 국내에서도 십대 임신에 관한 실태 조사와 예방대책 마련을 위한 노력을 꾸준하게 진행하여 십대 임신이 미치는 여러가지 사회적, 개인적 피해를 줄이도록 노력해야 한다.

2. 피임

경구피임약의 투약이 성 활동이 활발한 사춘기 여아들에게서 이루어질 때 생식계통의 성장과 발달을 저해한다고 보고된 바는 없다. 또한 제대로 피임을 하지 않으면 원하지 않는 임신을 할 수도 있다. 대부분의 십대에서는 28일 주기로 복용하는 경구피임약의 투약이 가장 순응도가 좋기는 하지만, 지속적인 피임을 위해서는 자궁내장치, 피하이식제가 더 좋은 방법이 될 수 있다.

3. 성폭력

1) 정의

성학대(sexual abuse)와 성폭력(sexual assault)은 엄밀히 다르게 정의하지만, 우리나라에서는 정의를 혼용해서 사용할 때가 많다. 성학대라는 정의는 대개 소아청소년의 보호자(부모, 주양육자)가 가해자가 되어 아이들이 이해하지 못하는 성적 행동들에 노출시킬 때, 의사표시를 할 수 없거나 발달단계에 이르지 않았는데 성적 행동에 관여시킬 때 이루어진다. 성학대는 매우 넓은 범위의 신체 접촉과 다양한 종류를 포함한다. 성폭력은 신체적인 힘이나 심리적 강압, 의사표시를 못하거나 장애가 있는 상태에서 합의되지 않은 성적 행위를 의미하며, 피해자가 연령이나 발달 제한으로 인해 의사 표시를 할 수 없거나 자신의 행동을 이해할 수 없는 상황에서 발생한다. 성폭력은 넓은 의미의 성학대에 포함된다고 할 수 있지만, 주로 성폭력이라는 단어는 가해자가 피해자를 돌보는 역할이 아닌 제3자일 때 사용되기도 한다.

2) 임상 양상

미국 질병통제예방센터(centers for disease control and prevention, CDC)에서 발표한 폭력에 노출되기 쉬운 사회, 환경 모델에 따르면, 다음과 같은 위험인자들을 성학대의 위험인자로 제시하였다(표 14-8).

성학대가 의심되는 아동을 문진할 때에는 반드시 보호자와 아동을 각각 진행해야 한다. 질문은 개방형 질문을 하는 것이 좋은데, 예를 들면 "원하지 않는데 누가 너를 만진 적이 있니?" 와 같이 묻되 자연스럽게 이야기를 진행할 수 있도록 해야 한다. 병력 청취를 할 때에는 성적 접촉의 성격, 마지막으로 사건이 발생한 시기, 성매개감염의 징후나 증상, 초경 날짜, 월경력, 복통에 대한 질문 등을 포함해야 한다. 배뇨곤란이나 야뇨 증세, 비뇨생식계의 출혈, 분비물 여부에 대해서도 확인할 필요가 있다. 증상의 일부로 행동의 변화가 있는 경우도 있는데, 불안해하거나, 잠을 잘 못 자거나, 자해, 고립, 식욕 변화 등은 스트레스가 반영되는 행동들이다. 발달상 비정형적 성적 행동들이 있을 수도 있다. 발달 과정상 정상적으로 생식기 주변을 만지는 행동은 보통 호기심에서 기인하는데, 생식기를 가지고 노는 형태인 경우가 많고 이는 정상적인 행동 발달이다. 그러나 부적절한 접촉에 의해 발생하는 비정형 행동은 삽입을 묘사하는 듯한 모습일 때가 많다. 자기 몸이나, 인형, 친구들과 삽입을 흉내내는 행위를 하거나, 성교 행위를 흉내내는 듯한 행동을 하기도 한다.

표 14-8. CDC social ecological model에 따른 소아청소년 성학대의 위험인자

단계	위험인자
개인	여성 비이성애(nonheterosexual) 성향 위탁보육 저소득층, 낮은 사회경제적 상태
관계	아버지로부터 거절당함 편부모 가정 계부/계모로부터 학대
공동체	비도시 지역 거주 사회적 관계망의 부재 공동체로부터의 폭력
사회	속해 있는 사회가 성폭력이나 성 불평등을 조장하거나 인정하는 분위기 범죄 및 폭력성향이 높은 사회

성학대가 의심되는 정황이 있을 때에는 여성가족부 산하 해바라기센터(상담전화 1366, 1366center@stop.or.kr)에서 의료, 수사, 법률 지원을 받을 수 있다.

3) 신체 진찰 및 검사

신체 진찰 후 기록을 남길 때에는 가능하면 객관적으로 관찰한 사실만 써야 한다. '정상 생식기'라든지 '처녀 상태', '기혼 상태의 질입구주름', '질 입구가 넓어져 있음' 등과 같이 불분명한 용어는 사용하지 않도록 권하고 있다.

신체 진찰의 자세는 소아청소년의 진찰과 동일하다. 학령기 아동인 경우 쇄석위 자세가 가능하고, 진찰에도 효과적이나 만일 쇄석위 자세를 불편해하거나 그보다 어린 연령의 아동인 경우 개구리 자세(frog leg)나 'prone knee chest' 자세를 취하고 음순을 약간 당겨서 진찰할 수 있다. 만일 혼자 진찰대에 눕는 것을 무서워한다면, 보호자가 진찰대에 먼저 눕고, 보호자 위에 아동이 동일하게 눕는 방식으로 진찰에 대한 불안감을 덜어줄 수 있다. 대부분의 학대 아동이 학대 사건 시점에 바로 병원에 오기 보다는 이미 상당 시간이 경과한 후 오기 때문에 비뇨생식계 및 항문 주변의 검사 결과는 정상일 때가 많다. 따라서 눈에 보이는 이상이 없다고 해서 학대를 배제할 수 없다는 점을 이해해야

표 14-9. 소아청소년의 성학대를 의심할 수 있는 신체 진찰/검사 소견

<table>
<tr><th colspan="2">I. 신체 진찰 소견</th></tr>
<tr><td colspan="2">정상(신생아나 학대기왕력이 없는 아동에서 흔히 볼 수 있음)</td></tr>
<tr><td>■ Normal variations of hymen</td><td>– Annular: Hymenal tissue present all around the vaginal opening including at the 12 o'clock location.
– Crescentic hymen: Hymenal tissue is absent at some point above the 3–9 o'clock locations.
– Imperforate hymen: Hymen with no opening.
– Microperforate hymen: Hymen with one or more small openings.
– Septate hymen: Hymen with one or more septae across the opening.
– Redundant hymen: Hymen with multiple flaps, folding over each other.
– Hymen with tag of tissue on the rim.
– Hymen with mounds or bumps on the rim at any location.
– Any notch or cleft of the hymen (regardless of depth) above the 3 and 9 o'clock locations.
– A notch or cleft in the hymen, at or below the 3 o'clock or 9 o'clock location, that does not extend nearly to the base of the hymen.
– Smooth posterior rim of hymen that appears to be relatively narrow along the entire rim; may give the appearance of an "enlarged" vaginal opening</td></tr>
<tr><td colspan="2">■ Periurethral or vestibular band(s).
■ Intravaginal ridge(s) or column(s).
■ External ridge on the hymen.
■ Diastasis ani (smooth area).
■ Perianal skin tag(s).
■ Hyperpigmentation of the skin of labia minora or perianal tissues in children of color.
■ Dilation of the urethral opening.</td></tr>
<tr><td>■ Normal midline anatomic features</td><td>– Groove in the fossa, seen in early adolescence.
– Failure of midline fusion (also called perineal groove).
– Median raphe (has been mistaken for a scar).
– Linea vestibularis (midline avascular area).</td></tr>
<tr><td>■ 정상 항문 진찰 소견</td><td>– 항문피부와 직장 점막 사이의 경계 선이 보이는 것(항문이 완전히 이완되어 있을 때)
– 외측 항문괄약근이 일부 이완되어있을 때(내측 항문괄약근은 닫혀있음) 항문 점막의 일부가 바깥으로 보일 때 항문 열상으로 오인하기 쉬움.</td></tr>
<tr><td colspan="2">다른 의학적 원인을 의심해야 하는 소견(성폭력이나 성학대에 의한 소견일 가능성은 떨어짐)</td></tr>
<tr><td colspan="2">■ Erythema of the anal or genital tissues.
■ Increased vascularity of vestibule and hymen.
■ Labial adhesion.
■ Friability of the posterior fourchette.
■ Vaginal discharge that is not associated with a sexually transmitted infection.
■ Anal fissures.
■ Venous congestion or venous pooling in the perianal area.
■ Anal dilatation in children with predisposing conditions, such as current symptoms or history of constipation and/or encopresis, or children who are sedated, under anesthesia, or with impaired neuromuscular tone for other reasons, such as postmortem.</td></tr>
<tr><td colspan="2">성학대로 오인하기 쉽지만 다른 원인에 의한 소견</td></tr>
<tr><td colspan="2">■ Urethral prolapse.
■ Lichen sclerosus et atrophicus.
■ Vulvar ulcer(s), such as aphthous ulcers or those seen in Behcet disease.
■ Erythema, inflammation, and fissuring of the perianal or vulvar tissues due to infection with bacteria, fungus, viruses, parasites, or other infections that are not sexually transmitted.
■ Rectal prolapse.
■ Red/purple discoloration of the genital structures (including the hymen) from lividity postmortem, if confirmed by histological analysis.</td></tr>
</table>

몇몇 연구에서 성학대 기왕력과 연관이 있다고 보고한 소견들(현재까지는 논란이 있는 상태이므로 의견으로 이해하는 편이 낫다)
▪ Complete anal dilatation with relaxation of both the internal and external anal sphincters, in the absence of other predisposing factors, such as constipation, encopresis, sedation, anesthesia, and neuromuscular conditions. ▪ Notch or cleft in the hymen rim, at or below the 3 o'clock or 9 o'clock location, which extends nearly to the base of the hymen but is not a complete transection. (This is a very rare finding that should be interpreted with caution unless an acute injury was documented at the same location.) ** 반드시 정상 변이와의 구분이 필요하다. ▪ Complete cleft to the base of the hymen at the 3 or 9 o'clock location. ** 반드시 정상 변이와의 구분이 필요하다.
외상으로 인한 소견(아동이 학대 정황에 대해 언급하지 않더라도, 명확한 손상 정황이 없다면 성학대 여부를 의심할 수 있는 소견)
Acute laceration(s) or bruising of labia, penis, scrotum, or perineum. ▪ Acute laceration of the posterior fourchette or vestibule, not involving the hymen. ▪ Bruising, petechiae, or abrasions on the hymen. ▪ Acute laceration of the hymen, of any depth, partial or complete. ▪ Vaginal laceration. ▪ Perianal laceration with exposure of tissues below the dermis. Residual (healing) injuries to genital/anal tissues: ▪ Perianal scar (a very rare finding that is difficult to diagnose unless an acute injury was previously documented at the same location). ▪ Scar of posterior fourchette or fossa (a very rare finding that is difficult to diagnose unless an acute injury was previously documented at the same location). ▪ Healed hymenal transection/complete hymen cleft—a defect in the hymen below the 3–9 o'clock location that extends to or through the base of the hymen, with no hymenal tissue discernible at that location. ▪ Signs of female genital mutilation (FGM) or cutting, such as loss of part or all of the prepuce (clitoral hood), clitoris, labia minora or labia majora, or vertical linear scar adjacent to the clitoris (type 4 FGM).
II. 감염
성적 접촉에 의한 감염이 아닌 경우
▪ Vaginitis caused by fungal infections such as Candida albicans or bacterial infections transmitted by nonsexual means, such as Streptococcus sp., Staphylococcus sp., E. coli, Shigella, or other gram-negative organisms. ▪ Genital ulcers caused by viral infections such as Epstein–Barr virus or other respiratory viruses.
성적 접촉 또는 비성적 접촉 모두에 의해 감염될 수 있는 경우
▪ Molluscum contagiosum in the genital or anal area. In young children, transmission is most likely nonsexual. Transmission from intimate skin-to-skin contact in the adolescent population has been described(***아동의 신체 다른 부위에 병변이 없는지 확인해야 함). ▪ Condyloma acuminatum (HPV) in the genital or anal area. Warts appearing for the first time after age 5 years may be more likely to have been transmitted by sexual contact(***아동의 모친의 부인과력 및 HPV 여부를 확인해야 함). ▪ Herpes simplex type 1 or 2 infections in the oral, genital, or anal area(***아동의 입 주변의 HSV 병변 여부를 확인해야 함).
성적 접촉에 의해 감염되는 경우(*** 양성이 나오는 경우, 주산기 수직 감염 여부를 배제해야함)
▪ Genital, rectal, or pharyngeal Neisseria gonorrhea infection. ▪ Syphilis. ▪ Genital or rectal Chlamydia trachomatis infection. ▪ Trichomonas vaginalis infection. ▪ HIV, if transmission by blood or contaminated needles has been ruled out.
III. 성적 접촉이 확실한 소견
▪ 임신 ▪ 아동의 신체에서 직접 채취한 검체에서 발견된 정액

표 14-10. 성매개감염의 검사와 처치

감염종류	검사방법	해석
Neisseria gonorrheae	소변, 질분비물, 비인두, 직장 등 가해자의 신체와 접촉이 있었던 부위의 검체를 채취해서 Nucleic acid amplification test (NAAT) 시행	양성=성 접촉에 의한 감염으로 생각할 수 있다(**주산기 수직감염을 배제해야 함).
Chlamydia trachomatis	소변, 질분비물, 비인두, 직장 등 가해자의 신체와 접촉이 있었던 부위의 검체를 채취해서 NAAT 시	양성=성 접촉에 의한 감염으로 생각할 수 있다(**주산기 수직감염을 배제해야 함).
Trichomonas vaginalis	질에서 면봉으로 검체 채취해서 NAAT를 권함. 그러나 사춘기 전 아동에서는 NAAT를 권하지 않음.	양성=성 접촉에 의한 감염으로 생각할 수 있다(**주산기 수직감염을 배제해야 함).
Syphilis	혈청학 검사: RPR, VDRL 시행 후 FTA-ABS 또는 TP-PA 검사, 또는 EIA 검사를 시행함.	양성=성 접촉에 의한 감염으로 생각할 수 있다(**주산기 수직감염을 배제해야 함).
Human papillomavirus	시진만으로 충분함.	명확한 정황이 없는 경우, 양성이 성 접촉에 의한 감염이라고 보기엔 불충분하다(중등도의 근거). 인유두종 바이러스는 환경에서의 접촉이나 수직감염에 의해 감염될 수 있다. 그러나 성학대 여부에 대한 조사가 필요하므로 관련 기관에 보고한다.
Human herpesvirus-1,2	수포 (+): 내부의 체액을 채취해 바이러스 배양검사를 시행 혈청 항체(IgM, IgG) 검사는 대개 도움이 되지 않음.	명확한 정황이 없는 경우, 양성이 성 접촉에 의한 감염이라고 보기엔 불충분하다(중등도의 근거). 그러나 성학대 여부에 대한 조사가 필요하므로 관련 기관에 보고한다.

한다. 진찰 시 반드시 기록해야 하는 것들은 아동의 2차 성징 및 생식기의 발달 정도, 질입구주름의 모양, 질입구주름 및 외음부의 에스트로겐화 정도, 전정부위나 질입구주름, 질입구주름 주변부위, 질의 손상은 없는지 등에 대한 정보이다. 생식기 외상이 있는 경우, 면봉에 생리식염수를 적셔서 질 점막이나 질입구주름을 확인해볼 수 있고, 또는 생리식염수를 질입구주름에 몇 방울 떨어뜨려서 질입구주름의 경계가 찢어진 곳이 있는지 볼 수 있다. 항문 검사는 생식기 진찰 시 함께 할 수도 있고, 좌측 옆으로 누운 자세로 진찰할 수도 있다. 다만 knee-chest 자세는 항문 부위 폭행을 당한 아동에서는 적합한 자세가 아닐 수 있다. 명확한 항문 손상-열상, 타박상, 상처-는 잘 사라지지 않지만 흔히 발견되지는 않는다. 성학대가 의심되는 진찰 소견과 정상 소견에 대해 Adams 외 종설에서 비교한 바 있는데, 표 14-9에서 확인할 수 있다.

4) 증거 수집

성학대 또는 성폭행으로부터 72시간 이내인 경우 증거 수집 키트를 이용해 검체를 수집해야 한다. 성매개감염에 대한 검사는 직접적으로 가해자의 신체나 분비물에 노출되었을 때 시행하게 되는데, 성매개감염의 유무가 부적절한 접촉이 발생했다는 유일한 '증거'가 되기 때문에 검체 수집이 중요하다. 신생아기가 아닌 소아청소년 환자의 검체에서 성매개감염이 발견되면 부적절한 접촉을 암시한다. 성폭력 피해자들에서 성매개감염의 선별검사는 잠재감염을 발견할 뿐 아니라 피해자들의 경과를 추적하는 데 효과적이므로 시행이 권장된다. 그러나 검사 결과가 음성이라고 해서 성폭력을 완전히 배제할 수 없다는 점을 기억해야 한다(표 14-10).

5) 예방과 처치

성매개감염의 처치와 예방 조치는 표 14-11과 같다. 이 외에 가해자가 human immunoinsufficiency virus (HIV) 양성이라면 감염 예방을 위해 28일 간 노출 후 예방 약제 처방을 할 수 있으며, 가해자의 감염상태가 명확하지 않으면 감염병 전문가와 상의해 예방 조치를 취할지 결정해야 한

표 14-11. 예방 및 처치

감염종류	처치	예방적 조치
Neisseria gonorrheoeae	Ceftriaxone 250 mg 근주+ doxycyclin 100 mg 1일 2회 경구	성매개감염 세균검사를 추적해야 한다.
Chlamydia trachomatis	Doxycyclin 100 mg 1일 2회 경구	
Trichomonas vaginalis	Metronidazole or Tinidazole 2 g 경구	
Syphilis	syphilis 감염 단계에 따라benzathine penicillin G 사용	
Human papillomavirus	HPV vaccination (9세 이상의 아동)	
Human herpesvirus-1,2	급성기 증상이 있는 경우Acyclovir, valacyclovir, or famciclovir. 1년 이내 반복적인 재발 시 억제요법 고려	

다. 임신에 대한 예방을 위해 성폭력 노출 후 5-7일 이내 응급 피임법이 시행되어야 한다.

6) 의료진의 역할

임상의사는 형사 기소된 성학대나 성폭력 사건에서 증인으로 참여할 수 있다. 많은 사건에서 성폭력 키트나 검체 검사에서 명백한 결과가 나오는 경우가 없기 때문에, 초기 진찰에 참여한 의료진의 전문적인 의견과 관점이 매우 큰 영향을 미칠 수 있다. 전문가 증인의 역할은 의료 기록의 정확한 해석과 피해자의 의학적 상태에 대한 정보 제공이며, 사건에 대한 개인적/정서적 애착을 가능한 배제하고 사실을 전달하는 데 집중해야 한다.

** 참고문헌 목록은 대한산부인과내분비학회 홈페이지 http://www.kosge.or.kr 또는 QR코드를 통해 보실 수 있습니다.*

부 인 과 내 분 비 학

불임

CHAPTER

15 여성 불임

이경욱(고려의대), 이정호(계명의대)

불임은 피임을 하지 않은 상태에서 정상적인 성관계에도 불구하고 임신이 되지 않는 상태로 다양한 원인과 역학적 특성을 보인다. 과거에 비해 가임 인구의 사회 활동 증가와 결혼 및 임신 연령이 증가하는 현상은 현대사회에서 불임의 중요한 요인이 되고 있다. 또한, 다양한 정신, 신체적 스트레스, 식습관 및 생활 습관의 변화, 여러 환경호르몬에 대한 지속적인 노출 등도 불임 증가의 원인으로 제시된다.

1985년 국내에서 첫 체외수정이 성공한 후 25 년간 보조생식술은 많은 발전을 이루어 왔으며 중요한 치료 수단이 되었다. 실제 불임을 겪고 있는 부부 중 상당수는 불임 치료를 통해 임신이 이루어지므로 환자들이 불임에 대한 올바른 인식과 치료에 대한 개념을 갖도록 사회적, 의학적 홍보와 지원이 중요하다. 과거에는 높은 치료비용으로 인해 상당수의 불임 환자들이 치료를 받기가 어려웠으나 경제적 발전, 삶의 질 개선, 그리고 언론매체의 관심과 정부의 지원정책 등에 힘입어 쉽게 치료를 받게 된 점은 바람직한 현상이라 할 수 있다.

I. 역학

1. 국내 불임부부 현황

불임의 정의는 정상적인 임신 시도에도 불구하고 12개월 동안 임신이 되지 않는 경우로, 빈도는 연구에 따라 다양하게 보고되나 약 10-15% 정도로 알려져 있다. 미국 질병통제예방센터(CDC, 2019) 조사에서 연령별 불임 여성 인구는 지속적으로 증가하는 추세이며, 2011년부터 2015년까지 30-34세는 14%, 35-36세는 15.2%, 40-44세는 16.2%로 보고되었다. 최근 국내 통계 자료에서는 배우자가 있는 여성의 12.1%에서 불임을 보이며, 결혼 나이가 늦어질수록 불임 진단율이 높아졌다.

2000년대 초, 중반부터의 출산율 감소 및 그의 가속화는 사회적인 문제가 되고있다. 저출산 문제 해소와 출산장려정책의 일환으로 불임 부부 지원 사업을 도입하고 진료비를 의료보험 급여화함으로써 환자들이 쉽게 진료를 받게 된 것은 큰 의의가 있다.

2. 여성에서 생식기능의 노화과정

여성에서 난자의 수는 태아시기부터 줄어들기 시작한다. 임신 16-20주의 태아는 6-7백만 개의 난조세포(oogonia)를 가지고 있다. 1차 감수분열을 통해 만들어진 난자 (oocyte)는 출생 시 1-2백만 개, 사춘기에는 3-5십만 개로 감소하며, 실제 가임기 동안에 배란되는 난자는 400-500개 정도이다. 폐경 10-15년 전 또는 약 37-38세 경부터는 난포의 고갈이 가속화되는 시기로 생각되며(잔여난자 25,000개), 폐경 시점에 이르면 1,000개 미만의 난포만 남는다. 이러한 관점에서 여성의 수태능력은 20-30세때 가장 높으며 그 후 감소하다가 30대 후반부터는 급격히 감소하는 경향을 보인다(그림 15-1).

폐경은 난소의 기능이 불가역적으로 감소하는 생리적 과정으로 평균 폐경 연령은 약 51세 전후이지만 폐경 시기는 환자에 따라 차이가 있다. 폐경이 결정되는 시기는 유전 요인이 관여할 것으로 생각되는데, 가계도(pedigree) 분석연구에 의하면 이른 폐경(40-45세)이나 조기난소부전의 유전학 특성은 유사하며, 모계 및 부계의 가족도를 관찰하였을 때 상염색체 또는 X-연관 우성경향(dominant pattern)일 것으로 생각된다.

II. 원인

남녀 성별에 따른 불임의 원인으로는 여성이 약 55%, 남성이 35% 정도를 차지하며, 원인을 찾을 수 없는 불임도 10-15%를 차지한다. 불임의 여성요인으로는 난소(배란)요인, 자궁요인, 자궁경부요인, 난관-복막요인 등이 있다.

1. 난소 요인

정상적인 월경은 난소에서 주기적인 난포의 성장, 성숙난자의 배란, 황체기의 유지 및 황체 퇴화에 따른 자궁내막 탈락에 의해 유지된다. 이러한 과정이 잘 이루어지지 않는 경우가 배란장애이다. 배란장애는 여성불임 원인의 약 15% 정도를 차지하며 젊은 여성에서 더 흔하게 관찰된다. 난소요인은 평소 월경주기에 대한 자세한 문진과 진찰, 혈청 호르몬 수치 측정을 통해 진단된다. 비만을 동반한 만성무배란증의 경우 식생활습관 개선과 체중조절만으로도 어느 정도의 효과가 있으며, 배란유도약물이나 보조적 약물(경구혈당강하제, 인슐린반응개선제 등) 치료에 비교적 잘 반응하여 불임의 원인 중 예후가 좋은 편이다.

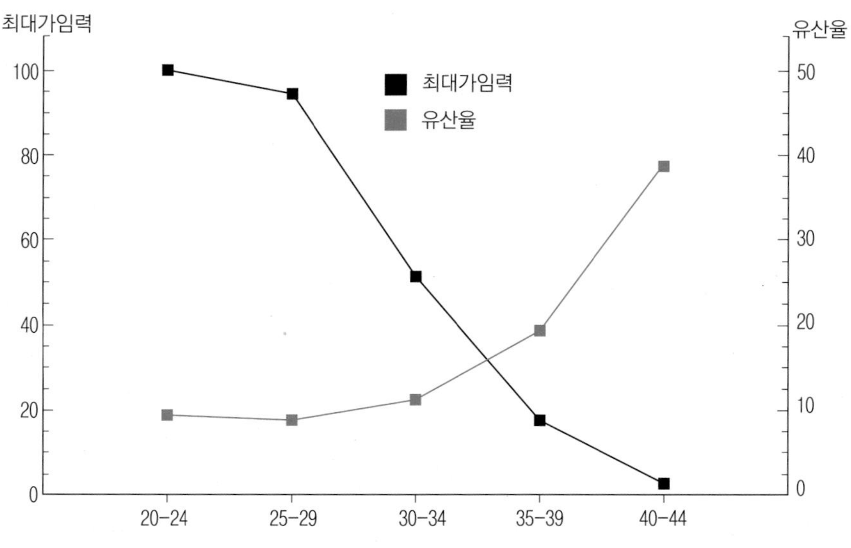

● 그림 15-1. **여성의 나이와 수태능력, 유산율의 관계**

2. 자궁요인

1) 종양

가임기 여성에서 높은 빈도로 발생하는 자궁근종이나 자궁샘근증, 자궁내막용종 같은 질환들은 골반 장기의 구조적 뒤틀림을 유발하여 수정 또는 착상 과정을 방해함으로써 불임의 원인이 될 수 있다. 병변의 크기나 위치는 환자에 따라 매우 다양하고 또 서로 다른 임상 양상을 보이므로 이들 질환이 불임의 직접 원인인지 확인하는 것은 어렵다. 불임 여성에서 골반 장기의 종양이 관찰되는 경우 수술치료를 우선적으로 결정하기보다는 환자별로 이득과 실을 고려하여 결정하는 것이 중요하다.

2) 자궁내막유착(Uterine synechiae)

자궁내막유착은 자궁내막의 손상 또는 염증 등에 의해 자궁내막이 서로 붙고 섬유화가 일어나는 상태로, 자궁내막 기능이 손상되어 배아의 착상이 이루어지기 어렵다. 자궁내막유착은 정도에 따라 월경량이 감소하거나 무월경을 보일 수 있다. 주요 원인으로는 자궁내막의 물리적 손상, 특히 자궁내막소파술(67%)이나 출산 후 소파술(22%) 등이 중요한 원인으로 알려져 있으며, 그 밖에 자궁내막염이나 골반의 결핵 감염도 자궁내막유착의 원인이 된다. 치료는 자궁경을 통해 유착된 내막을 분리시켜주는 유착박리술(adhesiolysis)이 유용하고 효과적이다. 질환의 심각도에 따라 다르지만 약 70-90%의 환자에서 유착박리술 후 주기적 월경이 회복된다고 보고되며 임신과 출산율의 향상도 기대할 수 있다.

3) 선천 자궁기형

선천 자궁기형은 자연유산이나 조산과 연관이 있다고 알려져 있다. 여러 자궁기형 중에서 중격자궁(septate uterus)이 가장 높은 빈도를 보이며 조산과의 연관성이 높다(47%). 불임 환자에서 자궁기형이 발견된 경우에 불임의 원인으로 간주하여 즉각적인 수술 교정을 시행하는 것보다는 환자의 이전 산과력이나 현재 시도할 수 있는 치료방법 등을 고려하여 수술을 결정하는 것이 바람직하다. 반복 유산이나 조산을 경험한 환자에서는 수술적 교정이 필요하다. 중격자궁의 경우 중격절제술로 비교적 좋은 예후를 보이는데 자궁경은 통증이 적고 간편한 방법으로 가장 많이 이용된다. 불임이 있는 여성을 대상으로 자궁경을 통한 수술 후 임신율은 약 48% 정도로 보고된다.

4) 황체기 결함(Luteal phase defect)

배란 후 난소의 프로게스테론 분비로 자궁내막은 분비기형태로 변화하는데 난소 주기와 자궁내막의 조직학적 소견이 일치하지 않는 경우를 황체기 결함이라고 한다. 임상적 의미는 착상실패 및 조기유산의 원인이 될 수 있다는 것이다. 유병률은 다양하게 보고되는데, 불임 또는 반복유산을 경험한 여성에서 약 5-10%정도로 보고된다. 황체기 결함은 월경주기에서 여러 생식연관호르몬 분비이상에 의해 발생한다고 추정된다. 난포기에 생식샘자극호르몬방출호르몬(gonadotropin-releasing hormone, GnRH)의 박동성 분비가 적절하지 않거나 황체형성호르몬(luteinizing hormone, LH) 급증 시 황체형성호르몬 농도가 적거나 활성도가 떨어져 있는 경우 황체기에 적절한 황체호르몬 분비가 일어나지 않을 수 있다. 이러한 호르몬 분비 이상에 관련된 요인으로는 심한 육체적 운동이나 체중 변화, 정신적 스트레스, 난소의 기질 병변(종양, 염증 등) 등이 있을 수 있다. 갑상선질환이나 고프로락틴혈증과 같은 내분비 질환이 동반된 경우에도 황체기 결함이 발생할 수 있다. 황체기 결함의 존재는 1949년에 처음으로 보고되었으나 이후 진단이나 치료방법에 대한 기준이 모호하고 임신율과의 연관성에 대한 의문이 꾸준히 제시되어 왔다. 황체기 결함의 진단을 위한 생물학적 지표는 아직 없으며 일반적으로 황체기에 시행한 연속되는 두 번의 자궁내막 조직검사에서 실제 월경주기일과 조직검사결과가 2일 이상 차이가 날 때 진단된다. 하지만, 자궁내막조직검사는 침습적 검사이며 진단을 위해 반복하여 시행해야 한다는 점, 결과의 정확성에 대한 의문점, 검사결과가 임신율 예측이나 향상에 있어 연관성이 명확하지 않다는 점 등의 이유로 현재는 불임 원인 진단을 위한 기본검사로는 시행되지 않는다.

3. 자궁경부요인

자궁경부는 정자에 대한 장벽 역할을 하는 구조물이다. 따라서 자궁경부의 점액 상태 및 구조 이상은 정자의 이동에 있어 물리적인 방해 요소가 된다. 자궁경부 점액은 월경주기에 따라 양과 성상이 변하는데 배란 전에는 맑고, 양이 많고 점도가 낮은 상태로, 기능적으로는 비정상적인 정자를 걸러주고 정자의 생존을 연장시키는 역할을 한다.

4. 난관-복막요인

난관은 정자와 난자가 수정이 되는 위치로 여러 원인(감염, 수술, 종양)에 의해 손상되거나 막힌 경우에는 자연적인 성관계에 의한 임신이 어려울 수 있다. 과거 골반장기의 수술을 받았거나 자궁외임신 또는 골반염 병력 등은 난관의 구조 또는 기능 이상을 유발하는 중요한 원인으로, 난관 요인의 불임 원인 중 약 30-35%를 차지한다. 난관 요인을 확인하기 위한 검사로는 자궁난관조영술(hysterosalpingography)이 가장 많이 사용되며 난관 개통 상태를 평가하는 데 유용하다. 반면, 난관 주위 유착이나 난소-난관 부위의 구조적 상태, 기타 골반강 내 질환의 동반 유무는 관찰하기 어려우므로 임상 판단에 따라 복강경을 이용한 추가적인 확인이 필요할 수 있다.

III. 진단

불임의 원인을 진단하고 치료방향을 결정하기 위해서는 부부가 같이 병원에 내원하여 상담과 검사를 받는 것이 중요하다. 병력청취와 진찰, 혈액검사, 영상검사는 불임의 원인을 평가하기 위한 기본항목이다. 일반적으로 불임의 정의에 따라 임신 시도 12 개월 이후까지 임신에 실패한 경우 불임에 대한 평가와 검사가 이루어지고 있으나 불임 기간이 절대적인 검사의 기준은 아니다. 부부의 나이와 이전 임신 및 출산력, 기타 동반질환의 유무 등을 고려하여 임상적 판단에 의해 바로 평가를 시작할 수 있다.

1. 병력청취 및 진찰

불임 여성에서는 자세한 병력청취를 통해 불임 원인을 추정하는 데 유용한 정보를 얻을 수 있다. 다음과 같은 사항은 환자와의 상담 시 포함되어야 한다.

■ 병력청취

- 월경력(주기, 기간, 월경통)
- 체중, 체질량지수
- 불임 기간 및 이전의 임신 또는 출산력
- 생활습관 및 성생활의 빈도
- 기타 내과적 질환의 유무
- 골반 장기 수술의 기왕력
- 흡연, 음주 습관

■ 진찰

- 골반장기의 해부학적 정상성, 압통, 이동성
- 종괴의 유무와 크기, 성상
- 더글라스와의 압통, 결절의 유무

2. 혈청호르몬검사

병력청취와 진찰을 통해 난소요인이 의심되는 경우나 호르몬상태의 평가가 필요한 경우에 혈청호르몬검사를 시행한다. 보통 난포기 초기(월경주기 제2-3일)에 난포자극호르몬(follicle stimulating hormone, FSH), 황체형성호르몬, 에스트라디올의 농도를 측정하며, 이들 호르몬은 시상하부-뇌하수체-난소 호르몬 축(H-P-O axis)의 상태를 반영하므로 중추 및 난소요인에 의한 불임 원인 감별진단에 유용하다. 월경주기가 불규칙하거나 희발월경이 있는 여성에서는 혈중 갑상선기능검사(TSH, T4)와 프로락틴 검사를 시행하여 기타 내분비질환의 동반 여부를 배제하는 것이 필요하다.

3. 질초음파

질초음파는 골반장기 구조물에 대한 정보를 얻는 데 간편하고 유용한 검사이다. 자궁이나 부속기의 신생물의 유무, 자궁기형을 관찰하는데도 유용하다. 자궁강 내 이상을 발견하는데도 높은 진단율을 보이는데, 점막하 자궁근종의 경우 질초음파로 관찰 시 정확도는 93.8%, 민감도 및 양성 예측도는 75% 정도로 보고되고 있으며 자궁 이상에 대한 진단율도 약 96.5% 정도로 보고된다. 자궁강 내 질환이 의심되는 경우에는 자궁강 내에 식염수를 주입하여 자궁강을 확장시키면서 초음파로 관찰하는 생리식염수주입 초음파(sonohysterography: saline infused sonography, SIS)를 시행하면 질환의 감별에 도움이 될 수 있다. 질초음파를 통한 난소의 부피나 동난포수의 측정은 난소기능을 평가하는 방법으로도 사용된다.

4. 배란 검사

1) 기초체온 검사

기초체온은 쉬고 있을 때의 체온을 말하며, 여성에서는 월경주기에 따라 기초체온의 변화를 보이므로 이를 이용하여 배란여부를 추정할 수 있다. 체온을 상승시키는 황체호르몬의 특성(thermogenic effect)에 원리를 두고 있는데 정상적으로 배란이 되는 여성에서는 황체기에 분비되는 황체호르몬으로 인해 기초체온이 증가하므로 난포기보다 황체기의 기초체온이 높게 관찰되는 이분성 양상을 보인다. 임신이 이루어지지 않은 황체기 후기에는 황체호르몬이 감소하게 되어 체온이 낮아지며 임신이 된 경우에는 지속적인 분비로 인해 체온상승상태를 유지한다(그림 15-2).

검사는 아침에 잠에서 깨어 일어나기 전에 시행하는데 발열성 질환이 있는 경우에는 정확한 판단이 어려워진다. 기초체온 검사는 간편하고 비침습적이며 환자가 집에서 검사할 수 있는 장점이 있는 반면, 매일 검사가 필요하고 개인에 따라 뚜렷한 이분성 양상으로 관찰되지 않을 수 있다. 또한, 후향적으로 배란여부를 관찰하는 방법이므로 전체적인 월경주기의 양상을 관찰하는 데는 도움이 될 수 있

기초체온 기록표

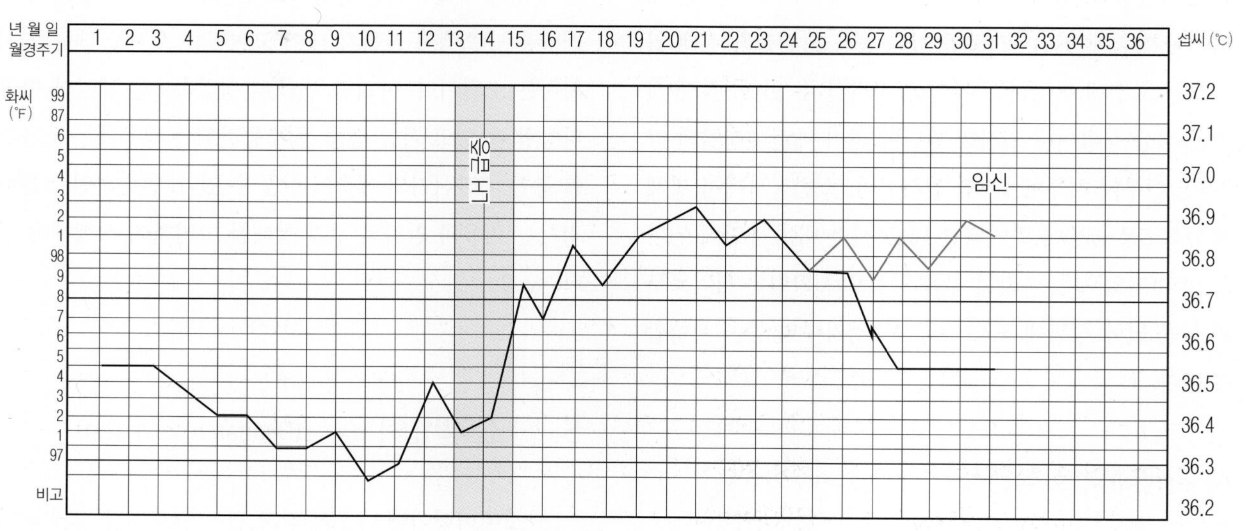

• 그림 15-2. **기초체온 기록의 예**

지만 주기감시(cycle monitoring) 중 배란시기를 예측하는 목적으로는 사용하기 어렵다.

2) 혈청 황체호르몬(progesterone) 측정

배란 후 황체에서 생성되는 황체호르몬을 혈액에서 측정하여 배란을 추정할 수 있다. 황체호르몬은 황체기중기(배란 후 7-8일경)에 최대치에 도달하게 되는데 이 시기에 혈액 내 수치가 3 ng/mL (10 nmol/L) 이상으로 검출되는 경우 배란이 된 것으로 판단할 수 있다. 다만 월경이 불규칙한 여성의 경우 검사시기의 결정이 어려울 수 있어 판단에 오류가 생길 수 있다. 황체기 중기의 혈청 황체호르몬검사는 판단기준이 모호하며 채혈이 필요한 비교적 침습적 방법으로 반복 측정은 권장되지 않으며 임상적인 의미도 제한적이다.

3) 소변 황체형성호르몬(LH) 측정

황체형성호르몬 급증으로 인해 소변 내에서 증가하는 황체형성호르몬을 측정하여 배란을 예측하는 검사이다. 상용화된 키트(kit)를 이용하여 환자가 간편하게 검사할 수 있고 수 분 이내에 결과를 확인할 수 있다. 또한 배란 전에 검사하여 배란시기를 예측함으로써 주기감시 중에도 유용하게 사용할 수 있다. 황체형성호르몬 급증은 보통 이른 새벽이나 아침에 일어나므로 증가된 농도를 검출하는 데 있어서는 오후에 측정하는 것이 합리적일 수 있다. 검사 시기는 임상 상황이나 의사의 판단에 따라 배란예정일의 약 2-3일 전부터 하루에 1-2회 검사한다. 소변검사에서 황체형성호르몬 급증이 확인되면 14-26시간 내에 배란이 된다고 알려져 있으며, 따라서 처음 양성으로 확인된 시기로부터 다음 날에 성관계 또는 자궁강내정자주입 등을 시행할 수 있다.

4) 자궁내막 조직검사

월경주기에서 자궁내막은 난소에서 생성되는 호르몬의 변화에 따라 증식기와 분비기의 변화과정을 보인다. 배란 후에는 황체호르몬의 증가에 따라 자궁내막은 분비기로 변하는데 이것을 조직학적 소견으로 확인할 수 있다. 따라서 자궁내막 조직검사는 분비기의 특징적 조직소견을 관찰하여 배란여부를 판단할 수 있다.

최근 의료기구의 발달로 자궁내막 조직검사는 마취없이 외래에서 간편하게 시행할 수 있지만, 환자가 통증을 호소하는 경우에는 국소마취가 필요한 경우도 있다. 배란을 확인하기 위한 검사로서 자궁내막 조직검사는 비교적 침습적이고 통증을 유발할 수 있으며, 앞서 언급한 다른 검사에 비해 추가적인 정보를 제공하지는 않는 것으로 알려져 있다. 황체기 결함의 진단목적으로도 사용되지만 2회 이상의 반복적인 자궁내막 조직검사가 필요한 반면, 임상적인 유용성은 크지 않다. 따라서, 자궁내막 조직검사는 배란여부를 확인하기 위한 목적보다는 만성 무배란 환자나 비정상자궁출혈을 보이는 환자들에서 자궁내막의 이상을 확인하는 검사로 더 많이 사용되고 있다.

5) 질초음파

연속적인 질초음파검사를 통해 난포의 성장과 모양의 변화를 관찰함으로써 배란을 확인할 수 있다. 난포는 하루에 1-3 mm씩 성장하며 배란된 후에는 난포의 크기가 줄어들고 경계가 불규칙한 양상으로 관찰된다. 또한 배란 시 흘러나온 난포액이 골반강 내에 고여있는 소견도 배란을 시사하는 소견이다. 하지만, 난포의 성장속도는 환자에 따라 다양할 수 있고 기능 낭종 등이 동반되는 경우에는 초음파를 통한 배란시기의 예측이 힘들 수 있다. 연속적인 초음파검사는 비용과 환자의 주기 상태를 고려하여 시행해야 한다.

5. 난소예비력 검사(Ovarian reserve test)

난소예비력이란 난소가 갖고 있는 난포저장 상태와 난자의 질을 의미한다. 난소예비력검사는 난소기능을 평가하는 것으로, 난소자극 이전에 난소반응 정도를 예측하여 개별화된 난소자극방법을 선택함으로써 보다 안전하고 효과적인 치료를 결정하는 데 도움이 된다. 난소예비력검사는 정적(static) 또는 역동적(dynamic) 검사로 분류할 수 있는데, 정적 검사에는 혈청호르몬표지자 검사(난포자극호르몬, 에스트라디올, 인히빈-B, 항뮐러관호르몬), 초음파검사를 통한 동난포수(antral follicle count) 및 난소부피측정 등이 있으며, 역동적 검사에는 클로미펜 투여검사(clomiphene citrate challenge test, CCCT), 생식샘자극호르몬방출호르몬 작용제 자극시험(GnRH agonist stimulation test, GAST), exogenous FSH ovarian reserve test (EFORT) 등이 있다.

모든 불임 여성에서 난소예비력검사를 시행해야 하는지는 논란이 있으나 일반적으로 다음과 같은 경우에 있어서는 검사가 권장된다.

- 35세 이상의 여성
- 나이에 상관없는 원인불명의 불임
- 조기난소부전의 가족력
- 이전 난소수술을 받은 병력(난소종양절제술, 난소천공술, 일측 난소절제술 등)
- 흡연
- 외인성 생식샘자극호르몬 자극 시 반응성이 좋지 않았던 경우

1) 혈청 난포자극호르몬, 에스트라디올, 인히빈-B

혈중 난포자극호르몬은 여성의 나이 증가와 밀접한 연관성을 보이며 난소기능의 평가지표로 가장 많이 사용되어 왔다. 나이 증가에 따른 난소기능의 저하는 에스트로겐 생성을 감소시키므로 난포자극호르몬의 분비는 지속적으로 높게 유지된다. 월경주기 3일째 시행한 혈중 난포자극호르몬이 10-15 IU/L 이상의 수치를 보이는 경우 난소기능의 감소를 시사한다. 혈청 에스트라디올 측정도 난포기 초기에 시행하며 주기 3일째 혈청수치가 75 pg/mL 이상 증가한 경우 수태능의 감소와 과배란유도에 대한 반응이 떨어진다고 보고된다. 하지만, 여러 대규모 연구결과에서는 혈중 난포자극호르몬 및 에스트라디올 농도 측정은 실제적인 임신율과 보조생식술 결과에 있어서 낮은 예측률(low predictive value)을 보인다고 지적하고 있다. 또한, 이들 호르몬의 수치는 월경주기에서 변동성(fluctuation)을 보이므로 결과의 판단에 잠재적 오류가 있을 수 있다.

인히빈-B는 이합체 펩티드 인히빈(dimeric peptide inhibin)의 하나로 난소의 과립막세포(granulosa cell)에서 생산된다. 월경주기에서 황체기와 난포기 사이 (luteal-follicular phase)에 인히빈-B의 분비가 증가하며 난포기 초·중기에 가장 높은 수치(peak)를 보이고 배란기에 두 번째 peak를 보인다. 인히빈-B는 난포자극호르몬을 억제하며 난포 동원에 관여할 것으로 생각되어 난소예비력 평가의 지표로 연구되어 왔다. 월경주기 제3일째 혈중수치가 낮은 경우(<45 pg/mL) 불량한 반응을 예측할 수 있다고 보고된다. 하지만, 실제 임신율에 대한 예측도는 높지 않으며, 난소부전이나 폐경의 예측에 있어서도 항뮐러관호르몬에 비해 예측도가 떨어진다. 일부 연구자들은 인히빈-B가 난소예비력(ovarian reserve)보다는 난소활동성(ovarian activity)과 더 연관이 있는 지표라고 언급하였다.

2) 동난포(Antral follicle) 개수 및 난소부피 측정

동난포수와 난소부피는 질초음파로 측정할 수 있는 난소예비력 검사이다. 동난포는 난포기 초기에 관찰되는 2-10 mm 크기의 난포를 말하며 이러한 동난포의 숫자는 여성의 난소기능을 예측할 수 있는 임상 지표로 사용되고 있다. 난소부피 측정보다는 동난포수가 임상적으로 많이 사용되는데, 보조생식술 후 성공을 예측하는 데 있어 기저(basal) FSH 수치보다 동난포수가 더 유용하다는 결과도 있다. 난포기 초기에 관찰되는 동난포수가 6개 미만이면 약물에 대한 저-반응군으로 제시되기도 하는데, 반응군에 따른 동난포 개수에 대한 명확한 기준은 아직 없다.

3) 항뮐러관호르몬(Anti-Müllerian hormone, AMH)

AMH(또는 Müllerian inhibiting substance)는 전환 성장인자 베타 패밀리(transforming growth factor beta family) 중 하나로 난소의 과립막세포에서 분비된다. 난소예비력을 평가하는 검사로 최근 가장 주목받고 있으며 높은 예

측도를 보인다. AMH는 난포자극호르몬-의존성 난포 성장에 작용 할 것으로 생각되는데, 원시난포(primordial follicle) 성장을 억제하고 원시난포 저장고의 고갈을 방지할 것으로 추정된다. 또한, 난포의 성장과 발달단계에서 난포의 동원(recruitment)과 선택(selection)의 조절 기전에 관여하는 것으로 알려져 있다. 혈청 AMH 수치는 연령이 증가함에 따라 감소하며 폐경 이후에는 거의 검출되지 않는다 (그림 15-3).

혈청 AMH 검사의 장점으로는 월경주기에 따른 수치의 변동이 적다는 것이다. 혈중 AMH 농도와 다른 난소예비력 지표인 동난포수, 혈청 난포자극호르몬, 나이 등과의 연관성을 분석한 연구에서는 동난포수가 가장 높은 연관성을 보였다.

4) 역동적 검사(Dynamic test)

역동적 난소예비력검사는 외부에서 약물로 자극을 준 후 난소의 반응을 관찰하는 것으로 CCCT, GAST, EFORT 등의 방법들이 사용된다. CCCT는 클로미펜을 난포기 초기에 투여 하여 에스트라디올 상승으로 인한 난포자극호르몬의 감소 정도를 확인하는 방법으로, 월경주기 3일째 기저 난포자극호르몬과 에스트라디올을 측정하고 클로미펜을 주기 제5일부터 9일까지 투여 후, 10일째에 혈청 난포자극호르몬 수치를 측정하는 것이다. 10일째 난포자극호르몬 수치가 두 측정값의 평균치보다 2 표준편차(standard deviation) 이상 증가한 경우에 난소기능 저하를 의심할 수 있다. 하지만, 젊은 여성에서는 기저 혈중 난포자극호르몬 검사에 비해 큰 이점은 없다고 보고되기도 하며, 다른 연구에서도 40세 이상의 여성에서 임신율 예측에 있어 기저 혈중 난포자극호르몬 측정보다 우월한 점이 없다는 회의적인 연구 결과가 보고되었다.

GAST는 월경주기 제2일째에 GnRH 작용제를 피하 주사한 후 에스트라디올의 상승 정도를 관찰하여 난소기능을 평가하는 방법으로 GnRH 작용제 투여 후 24시간 후에 혈중 에스트라디올 농도를 측정한다. 주기 3일째 에스트라디올 수치에서 주기 2일째 수치를 뺀 값이 105 이상인 경우에는 고반응군, 15 미만인 경우 저반응군으로 평가한다. EFORT는 외인성 난포자극호르몬을 투여한 후 에스트라디올의 증가 정도를 관찰하는 방법으로, 주기 3일째 FSH 300 IU를 투여 후 24시간 후에 혈중 에스트라디올을 측정한다. GAST와 EFORT는 난소반응 및 임신율 예측에 있어 그 유용성에 대한 다양한 이견이 있으며 실제 치료 주기와 상관없이 외인성 약물 자극이 필요한 검사로 제한적으로 사용되고 있다.

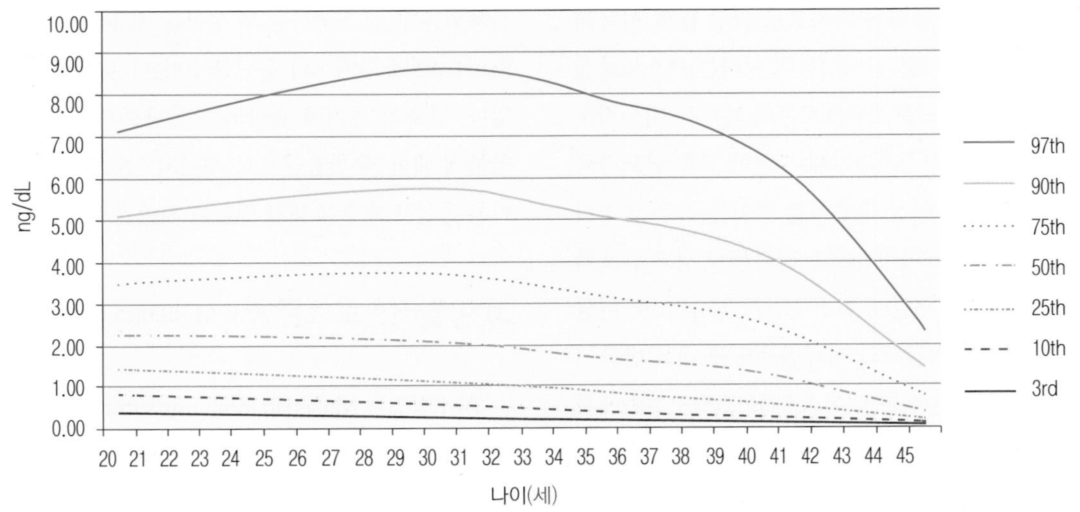

• 그림 15-3. 혈청 AMH 수치와 연령과의 상관성

6. 성교후검사(Postcoital test, PCT)

성교후검사는 자궁경부요인을 평가하기 위한 검사로, 성관계 후 2-12시간에 자궁경부 점액을 채취하여 관찰한다. 검사로부터 48시간 전부터는 금욕을 하며 검사당일 오전이나 전날 저녁에 성관계를 가지도록 한다. 검사항목은 자궁경부점액의 양과 투명도, pH, 세포수, 신장성(spinnbarkeit), 염도(ferning pattern), 점액 내의 존재하는 정자의 생존성과 형태와 수를 현미경으로 관찰한다. 성교후검사는 자궁경부 요인의 감별을 위해 사용되어왔으나 표준화된 검사 방법과 단일화된 진단기준이 없고, 성교후검사 결과가 임신율 예측에 있어 신뢰성이 떨어진다는 연구결과들이 있어 최근에는 불임 원인의 진단에는 거의 이용되지 않는다.

7. 자궁난관조영술(Hysterosalpingography)

자궁난관조영술은 자궁경부를 통해 조영제를 투여하면서 자궁강 및 난관을 관찰하는 영상검사이다. 여러 형태의 자궁기형이나 자궁강 내 질환(용종, 자궁근종, 자궁내막유착 등)을 확인하는 데 유용하며 난관개통상태를 알 수 있다. 자궁난관조영술은 감염위험을 줄이고 임신이 가능한 배란시기를 피하기 위해 월경이 끝난 직후 2-5일 사이에 시행하는 것이 바람직하다.

자궁난관조영술에서 정상적인 자궁강의 모습은 좌우대칭의 역삼각형 모양으로 관찰되며 양쪽 난관을 통해 골반강 내로 흘러나오는 조영제의 영상을 관찰함으로써 난관의 개통 상태를 확인할 수 있다. 자궁강 내에 종양이나 협착 있는 경우에는 병변의 위치나 모양에 따라 조영제의 충전결함(filling defect)이 생긴다. 자궁난관조영술의 진단 정확성은 다양하게 보고되는데, 336명을 대상으로 자궁이상에 대해 자궁경과 비교한 연구에서는 민감도 98%, 특이도 34.9%로 관찰되었다. 반면, 다른 연구에서는 81.2%의 높은 민감도를 보였지만 위음성률(false negative rate)도 90%로 높게 관찰되었다. 따라서 자궁강내 질환이 의심되는 경우에는 자궁경이나 생리식염수주입초음파 등의 추가적 검사를 통한 확인이 도움이 될 수 있다. 난관 병변의 진단에 있어서는 메타분석연구 결과에서 민감도 65%, 특이도 83%를 보였으며 위험 인자가 있는 여성에서 더 높은 민감도를 보였다.

8. 자궁경(Hysteroscopy)

자궁경은 자궁경부를 통해 광학카메라를 삽입하여 자궁강을 관찰하는 것으로 다양한 자궁강내 질환과 자궁내막질환을 진단하고 치료할 수 있는 유용한 검사이다. 자궁경에 사용되는 광학카메라는 크기와 성질에 따라 여러 종류가 있는데, 직경이 작고 유동성이 있는 카메라는 마취나 입원 없이 외래에서 진단적 목적으로 간편히 사용할 수 있다. 또한 자궁경과 절제경(resectoscope)으로 이루어진 수술적 자궁경의 경우 자궁강내질환(자궁내막용종, 점막하근종, 자궁내막협착, 자궁기형)을 관찰하면서 동시에 치료할 수 있으며, 국소 또는 전신마취 하에 시행한다.

9. 복강경 검사

복강경은 불임 여성에서 난관 및 복막요인을 평가하는 데 효과적이다. 수술 시 염색시약(indigocarmine 또는 methylene blue)을 자궁강 내로 천천히 주입하면서 난관을 통해 흘러나오는 시약을 확인(chromopertubation)함으로써 난관개통 상태를 평가할 수 있다. 난관의 원위부 폐쇄나 난관수종 등도 육안적으로 확인이 가능하다. 진찰이나 영상검사에서 진단이 어려운 골반 내 여러 기질적 원인(자궁내막증, 골반장기 유착)을 확진하는 데 유용하며 발견 시 치료를 같이 할 수 있다는 장점이 있다.

IV. 치료

불임 부부의 치료는 불임 기간, 원인, 그리고 임신을 하고자 하는 부부의 의지 정도를 면밀히 조사하고 상담하여 이루어져야 한다.

1. 난소요인

배란장애(ovulatory disorder)는 세계보건기구(World Health Organization, WHO)에서 다음과 같이 분류하고 있다.

- **1군(Group I)**
  - 시상하부-뇌하수체 기능부전(hypothalamic-pituitary failure)
    예) 스트레스, 체중변화, 운동, 섭식장애 등에 의한 시상하부 무월경, 칼만증후군(Kallmann syndrome)
  - 혈중 난포자극호르몬 및 에스트라디올 감소(hypogonadotropic hypogonadism)
- **2군(Group II)**
  - 시상하부-뇌하수체 기능이상(hypothalamic-pituitary dysfunction)
    예) 다낭난소증후군, 만성 무배란증
  - 혈중 난포자극호르몬 및 에스트라디올 정상 범위
- **3군(Group III)**
  - 난소부전(ovarian insufficiency)
  - 혈중 난포자극호르몬 증가

배란장애가 있는 여성에서 배란을 유도하는 것과 여러 임상적 상황에서 많은 난자를 회수하기 위한 과배란유도는 다른 의미이지만 실제 사용되는 약물은 유사하며, 여기서는 배란유도 또는 과배란유도에 사용되는 약물(제6장 참조) 및 치료방법들에 대해 다루고자 한다.

1) 클로미펜(Clomiphene)

1960년대부터 사용되어 온 배란 유도 약물로 zuclomiphene (trans-clomiphene)과 enclomiphene (cisclomiphene)으로 구성된 복합체이다. 에스트로겐, 항에스트로겐 기능을 모두 갖고 있으며, 시상하부의 에스트로겐수용체에 에스트로겐과 경쟁적으로 결합하는 약리적 특성을 보인다. 따라서 시상하부에서 에스트로겐수용체가 감소함으로써 에스트로겐 혈중 수치를 실제보다 낮게 인지하게 된다. 결과적으로 낮은 에스트로겐 혈중치에 의한 음성 되먹이기전(negative feedback)을 통해 파동성 GnRH 및 난포자극호르몬의 분비를 증가시키는 작용을 한다. 투여방법은 월경주기(또는 프로게스틴 소퇴성 출혈) 제2일에서 5일 사이에 시작하여 5일 동안 경구 복용한다. 투여 시작 시기에 따른 배란율이나 임신율의 차이는 없다. 초기용량은 50 mg (1 tablet)/day에서 시작하며 최대용량은 250 mg/day까지 투여할 수 있다. 하지만 대부분의 경우 100 mg/day 용량에서 배란이 된다. 배란장애 이외에 원인불명의 불임에서도 클로미펜을 이용한 난소자극은 경험적으로 널리 사용된다.

클로미펜은 낮은 비용과 부작용이 적은 장점이 있지만 항-에스트로겐 효과로 일부 환자에서 자궁내막두께가 잘 자라지 않을 수 있으며 자궁경부점액에도 부정적 영향이 있을 수 있다. 약물부작용으로 구역, 구토 증상은 비교적 흔하며, 시야혼탁(blurred vision)이나 암점(scotomata) 등의 증상이 드물게 있을 수 있는데(<2%) 이때는 복용을 중단해야 한다. 클로미펜 유도주기에서도 다난포성장(multifollicular development)은 흔히 관찰되며 다태임신율은 8% 정도로 알려져 있다.

2) 방향효소억제제(Aromatase inhibitor)

방향효소(aromatase)는 체내에서 안드로겐(안드로스테네디온, 테스토스테론)을 에스트로겐으로 전환시키는 효소로, 난소 이외의 조직(지방세포, 태반 등)에서 에스트로겐을 생성하게 하는 작용을 한다. 특히, 폐경 후에는 난소에서의 에스트로겐 생성이 감소하고 말초조직에서 방향효소에 의한 에스트로겐 생산이 상대적으로 증가하게 된다. 따라서, 방향효소억제제(aromatase inhibitor)는 폐경 후 여성에서 유방암의 치료제로 오랫동안 사용되어 왔다. 현재는 3세대 약물인 레트로졸(letrozole)과 아나스트로졸(anastrozole)이 임상적으로 많이 사용되고 있다.

배란유도의 목적으로는 2001년 처음 보고되었으며 이후 많은 연구들을 통해 클로미펜과 유사한 정도의 배란유도효과가 관찰되었다. 일부 연구에서는 레트로졸이 클로미펜에 비해 높은 배란율과, 특히 자궁내막두께 성장에 대한 유해 영향이 관찰되지 않아 방향효소억제제는 클로미펜을 대체하여 일차적으로 사용될 수 있는 배란유도약물이라고 언급하였다.

레트로졸은 월경주기 제3-5일에 2.5 mg-7.5 mg 용량으로 시작하여 5일 동안 복용하는 방법과 월경주기 제3일에 20 mg을 1회 투여하는 방법이 있는데, 5일 투여방법이 많이 사용되고 있다. 여러 유지용량(2.5 mg, 5 mg, 7.5 mg)에 대한 비교연구에서는 임신율이나 유산율에 있어 용량에 따른 차이가 없었으며 7.5 mg 사용 시 성숙난포 수는 유의하게 많았다.

방향효소억제제는 주로 간을 통해 대사되며 복용 시 구역, 구토, 두통 및 안면홍조 등의 증상을 유발할 수 있다. 하지만 배란유도목적으로 단기간 사용 시에는 이러한 부작용의 빈도는 높지 않다. 2005년도에는 레트로졸이 선천성 태아기형과 연관성이 있다는 우려가 제기되었으나 이후 추가적 연구에서는 그러한 연관성이 입증되지 않았다. 실제 방향효소억제제의 약물반감기(half-life)는 약 30-60시간으로 클로미펜보다도 짧으므로 기형유발 가능성은 높지 않을 것으로 추측된다. 클로미펜 또는 방향효소억제제를 복용한 산모에서 태어난 911명의 신생아를 대상으로 선천기형의 빈도를 조사한 연구에서도 염색체이상과 심장기형의 빈도(overall rate)는 레트로졸군에서 클로미펜 군보다 낮은 것으로 관찰되었다.

3) 인슐린반응개선제

메트포민(metformin)은 제2형 당뇨환자에서 사용되는 경구혈당강하제로 간에서 당-신생합성(gluconeogenesis)을 억제하고 말초조직에서 당 흡수(glucose uptake)를 증가시키고, 조직에서의 인슐린 반응을 증가시킨다 메트포민은 인슐린저항성을 보이는 다낭난소증후군에서 주로 사용되는데, 내분비기능 및 난소기능을 개선시켜 배란을 유도하는 효과가 있다. 메트포민 단독 복용만으로도 무배란증 여성의 배란율을 약 30-55% 정도로 향상시킨다. 투여방법은 하루에 500 mg부터 시작하여 1,500 mg까지 점차적으로 증량하며 식사 후에 복용해야 한다. 투여 전 간기능과 신기능 검사를 시행해야 하며 심혈관질환이 있는 경우에는 사용하지 않는 것이 좋다. 메트포민의 부작용으로는 설사, 오심, 구토 등의 위장관계 증상이 흔하며 일정기간 사용 후에는 대부분 호전된다. 드물게 유산산증(lactic acidosis)을 보이는 경우가 있는데 진행된 당뇨환자나 신장기능 이상 등 심각한 내과 질환을 동반한 경우에 주로 나타난다.

배란장애가 있는 환자에서 메트포민의 배란유도 효과와 임신율 등에 대해서는 많은 연구들이 있는데, 불임증 치료의 관점으로 볼 때 메트포민의 단독사용보다는 기타 배란유도약물(클로미펜, 레트로졸 등)과 병합투여 하는 것이 배란율과 임신율 향상에 더 이점이 있을 것으로 생각된다. 불임 다낭난소증후군 환자 626명을 대상으로 클로미펜과 메트포민, 그리고 두 약물의 병합투여 시에 배란율과 임신율 등을 비교한 연구에서는, 클로미펜과 메트포민의 단독투여에서는 클로미펜이 배란율과 임신율, 생존출생율(live birth rate)에 있어 유의하게 높은 효과가 있었다. 반면, 클로미펜과 메트포민을 병합하여 사용한 경우에는 클로미펜 단독투여보다 배란율에 있어서만 유의한 증가를 보였다.

4) 생식샘자극호르몬(Gonadotropin)

생식샘자극호르몬(FSH, LH)은 뇌하수체 전엽에서 분비되며 난소의 과립막세포와 난포막세포의 난포자극호르몬, 황체형성호르몬 수용체에 결합하여 에스트로겐과 황체호르몬의 분비를 조절한다. 외인성 생식샘자극호르몬은 일차 배란유도약물에 반응이 없는 배란장애(난소요인) 여성이나 원인불명의 불임, 시상하부-뇌하수체의 기능이 저하된 환자 등 다양한 환경에서 난소자극을 위해 사용된다.

사람 폐경생식샘자극호르몬(human menopausal gonadotropin, hMG)은 폐경 여성의 소변에서 추출한 생식샘자극호르몬을 정제한 것으로 FSH와 LH가 각각 75 IU가 함유되어 있다. 소변 내 존재하는 단백질 불순물이 함유되어 있어 순도 및 약효 안정성에 있어 약제마다 차이를 보일 수 있다. 재조합 난포자극호르몬(recombinant FSH, rFSH)

은 불순물이 없고 배치 간의 변동(batch-to-batch variation)이 없으므로 약효 안정성이 높고 약물반응 예측이 용이하다. 난소자극 시 난자의 질(quality) 유지 측면에서도 이점이 있는 것으로 생각된다. rFSH는 제조사에 따라 용량과 용법이 다른데, 일정 용량이 주사기에 채워진 형태나 주사기에 함유되어 있는 전체 용량을 환자가 조절하면서 나누어 투여할 수 있는 제제가 있다. 다낭난소증후군 여성의 경우 내인성 황체형성호르몬 수치가 상대적으로 증가되어 있으므로 rFSH 단독제제를 사용해야 한다는 주장이 있었으나 hMG와 rFSH 제제 간의 비교연구들에서는 배란율, 임신율에 있어 두 약제 간의 차이는 없어 사용의 적응증을 명확히 구분하기는 어렵다. 시상하부-뇌하수체기능부전(WHO group I) 환자의 치료에서는 난소자극 시 FSH, LH를 함유한 약물을 사용한다.

5) 생식샘자극호르몬방출호르몬 작용제[Gonadotropin releasing hormone (GnRH) agonist]

GnRH 작용제는 투여 초기에 생식샘자극호르몬 분비를 증가시키지만 지속적으로 투여 시 뇌하수체 탈감작(pituitary desensitization)을 유도하여 생식샘자극호르몬 분비를 감소시킨다. 보조생식술에서 GnRH 작용제와 생식샘자극호르몬을 이용한 과배란유도는 다양한 방법이 있다. 약물의 투여시기와 스케쥴에 따라 장기투여법(long protocol), 단기투여법, 초단기투여법(ultra-short protocol) 등이 있는데, 황체기 중기(월경주기 제21일)부터 GnRH 작용제의 투여를 시작하여 월경주기 제2일째부터 생식샘자극호르몬을 같이 투여하는 장기요법이 가장 널리 사용되고 있다. 배란유도 및 과배란유도에서의 투여 방법은 다음 단원에 자세히 기술되어 있다.

6) 생식샘자극호르몬방출호르몬 길항제(GnRH antagonist)

GnRH 길항제는 GnRH의 1, 2, 3, 6, 10번의 아미노기를 치환한 약물로서 뇌하수체 생식샘자극호르몬 분비 세포의 세포막에 존재하는 GnRH 수용체에 GnRH와 경쟁적으로 결합한다. 투여 후 4-8시간에 생식샘자극호르몬 분비 억제 효과가 최고치에 도달한다. 따라서, GnRH 길항제는 GnRH 작용제에서 보이는 'flare-up' 효과 없이 즉각적으로 GnRH를 억제하는 기능을 가진다. 과배란유도에서 GnRH 길항제의 투여는 생식샘자극호르몬 유도주기에서 황체형성호르몬 급증의 위험이 증가하는 시기에 투여를 시작하는데, 초음파에서 우성난포의 크기가 13-14 mm에 도달하거나 혈중 에스트라디올 수치가 150-200 pg/mL일 때 시작한다. 투여방법은 낮은 용량을 매일 지속적으로 투여하는 multiple-dose protocol(cetrorelix 또는 ganirelix 0.25 mg/day)과 1회만 투여(cetrorelix 3 mg)하는 single-dose protocol이 있다.

GnRH 길항제를 이용한 난소자극은 저에스트로겐증(hypoestrogenism)으로 인한 부작용이 적고 주기 전체적으로 약물투여 기간이 단축되어 환자의 순응도를 높일 수 있다는 장점이 있다. 또한, 난소낭종의 발생 빈도도 낮은 것으로 보고되고 있다. 조기 황체형성호르몬 급증의 위험도는 2% 미만으로 알려져 있다.

7) 복강경 난소천공술(Ovarian drilling)

다낭난소증후군이 있는 만성 무배란 환자에서 배란유도를 위한 수술 치료이다. 만성 무배란 환자에서 난소 표면에 전기소작으로 구멍을 뚫어주는 방법으로, 난소 기질의 체적을 줄여 배란 회복 및 유도효과를 기대하는 방법이다. 복강경을 통해 전극성 기구(unipolar, bipolar)를 사용하여 한쪽 난소에 각각 15 부위 정도를 천공한다. 난소천공술의 효과에 대해서는 다양한 결과를 보이는데 클로미펜-저항성을 보이는 환자들에서 난소천공술과 생식샘자극호르몬을 이용한 배란유도효과를 비교한 메타분석에서는 두 군 간에 생존 출산율(live birth rate)이나 유산율에 있어 유의한 차이는 없었다. 난소천공술은 천공 시 깊이나 범위에 있어 시술자에 따른 기술적인 편차가 있을 수 있으며, 수술 후 골반장기유착이나 난소소작으로 인한 난소기능감소 등의 잠재적 유해 영향이 제기되고 있다.

2. 자궁요인

선천 자궁기형은 자연유산이나 산과 합병증과 연관성이 있지만 불임의 원인은 아니다. 중격자궁은 불임 환자에서 가장 흔히 동반되는 자궁기형으로 자연유산, 조산, 태아 발육부전, 태아 위치 이상, 불임 등과 가장 밀접한 연관성을 가진다. 이러한 합병증이 발생하는 기전은 분명하지는 않지만 격막의 불충분한 혈류로 인해 착상과 배아성장에 장애가 발생하고 흔히 동반되는 자궁경관무력증에 의해 산과적 문제나 임신율 저하 현상이 일어날 것으로 추정된다. 치료는 자궁경을 이용하여 중격제거술을 시행한다. 수술의 높은 성공률과 낮은 합병증 발생율을 고려할 때 중격자궁에서는, 특히 35세 이상이나 불임 기간이 긴 경우, 보조생식술과 같이 다태임신의 위험성이 있는 치료를 계획하고 있는 경우에는 선제적으로 수술을 하는 것이 바람직하다. 그 외 궁상자궁, 쌍각자궁, 단각자궁, 중복자궁 등은 불임 치료를 위해 우선적으로 교정 수술을 결정하지는 않는다.

자궁근종은 불임 환자의 5-10%에서 발견된다. 자궁근종이 불임의 직접적인 원인이 되는 경우는 드물지만 근종의 존재가 자궁경부의 위치를 변동시켜 정자와의 접촉을 어렵게 하는 경우나 자궁강의 형태 왜곡으로 정자 이동을 어렵게 하는 경우, 난관협부의 폐쇄를 일으키는 경우, 자궁 혈류장애에 의해 착상에 부적절한 환경이 조성되는 경우 등은 불임을 유발하는 기전으로 작용할 수 있다. 불임 여성에서 자궁근종의 치료는 근종의 형태가 가장 중요하다. 점막하근종은 임신율 저하와 분명한 연관성이 있으므로 수술을 하는 것이 바람직하다. 자궁강 왜곡이 없는 근층내근종인 경우에는 수술 결정이 더 어려워지는데 점막하근종보다는 불임과의 연관성이나 임신에 미치는 효과가 약하지만 임신율 저하와 관련이 있는 것으로 보고되고 있다. 그러므로 근층내근종의 경우에는 근종의 수, 위치, 크기, 나이, 불임 기간, 난소예비력 및 다른 불임 인자들을 고려한 신중한 수술 결정이 이루어져야 한다. 장막하근종은 임신율 저하와는 관련성이 없으므로 불임 치료를 위해 수술을 하는 경우는 거의 없지만 어떤 치료적 처치에 방해가 되거나 임신 유지에 어려움이 있을 정도로 큰 경우에는 수술을 결정할 수도 있다.

자궁내막유착은 자궁내막 손상에 따른 염증 및 섬유화에 의해 발생한다. 유발요인으로는 약 90% 환자에서는 기존의 자궁내막소파술과 연관이 있다. 그 외의 원인으로는 자궁근종절제술, 자궁중격절제술, 자궁성형술과 같은 부인과 수술 후에도 발생할 수 있고 드물지만 결핵 감염 후에도 발생할 수 있다. 치료는 자궁경을 통해 유착을 박리하고 박리된 자궁내막이 재생될 때까지 격리되도록 폴리 도뇨관이나 자궁내장치 등의 물리적 차단 장치를 자궁강 내에 거치한다. 일반적으로 자궁내막 재생을 촉진, 강화하기 위하여 고용량 에스트로겐(에스트라디올, 2-6 mg)을 한달간 투여하며 마지막 1주간은 황체호르몬 제제(메드록시프로게스테론 아세테이트, 10 mg)를 병합 투여한다. 수술의 결과는 소퇴성 출혈이 있은 후 자궁난관조영술로 확인한다.

자궁내막용종은 자궁내막의 비후성 증식으로 착상을 방해할 가능성이 있으며 국소 염증 반응을 유발하거나 자궁강을 왜곡시켜 착상에 좋지 않은 영향을 미칠 수 있다. 치료는 자궁경을 통해 용종을 확인하고 자궁경 수술기구를 이용하여 제거한다. 여러 연구결과에서 불임 환자에서 용종 제거는 임신율을 호전시키므로 수술 치료를 결정하는 것이 바람직하다.

3. 자궁경부요인

자궁경부 점액은 정자를 수용 및 보관하고 정자의 자궁경관 통과를 조절하여 임신 가능 기간을 결정하거나 연장하는 역할을 한다. 자궁경부인자의 불임은 여러 가지 원인에 의해 자궁경부 점액의 상태가 정자를 보관하거나 이동시키는 데 적절하지 못한 환경이 조성되어 임신이 잘 되지 않는 상태를 말하며 자궁경부인자를 진단하기 위한 대표 검사는 성교후검사이다.

자궁경부 요인으로 진단된 환자의 치료는 자궁경관 점액의 양을 늘이고 물리-화학적 성상을 호전시키키 위하여 주로 에스트로겐을 투여한다. 보조적인 방법으로는 점액용해제를 사용하거나 성교 전 중탄산나트륨 질 세척 등을 시행하기도 하였으며, 이론적으로 가장 적합한 치료 방법인 자궁강내정자주입(intrauterine insemination)이 시행되고 있다. 그러나 자궁경부인자가 실제로 불임의 원인인지에 대한 의문이 제기되고, 진단 방법인 성교후검사의 유용성이나 신뢰성에 대한 부정적 견해로 인해 불임 원인 검사에서 자궁경부인자에 대한 검사가 실질적으로 배제됨으로 단순히 자궁경부인자를 교정하기 위해 치료를 선택하는 경우는 거의 없다.

4. 난관 및 복막요인

난관 주위의 유착 또는 난관폐쇄가 있으면 배란된 난자가 난관체부로 유입되지 않거나 정자 또는 난자의 이동이 불가능해진다. 그 결과로 난관에서 수정이 이루어지지 못해 임신이 되지 않는 경우가 난관-복막요인이다. 임상에서 흔히 경험하는 난관-복막 인자들로는 골반내유착증, 원위부난관폐쇄, 근위부난관폐쇄와 난관결찰 상태 등이 있다.

난관 및 복막요인의 전통적 치료는 수술적 교정이다. 진단 복강경에서 골반 내 유착이 있으면 유착박리술을 시행하고 원위부난관폐쇄에서는 유착박리와 난관체부성형술, 난관개구술 등을 시행한다. 근위부난관폐쇄에서는 자궁경을 보면서 도관을 이용하여 근위부 폐쇄 부분을 개통시켜 난관성형을 하거나 근위부 폐쇄 부분을 절제하고 절제 양단을 재문합하는 미세수술을 시행할 수 있다.

난관-복막요인은 체외수정을 대표로 하는 보조생식술이 도입되기 전에는 수술적 교정이 유일한 치료였다. 체외수정 기술이 발전하고 일반화됨에 따라 난관-복막요인의 주 치료는 수술에서 보조생식술로 바뀌고 있다. 그러나 수술을 통해서도 좋은 결과를 얻을 수 있을 것으로 예상되는 경우에는 수술 치료를 선택할 수도 있다. 난관복원술은 미세수술 후 임신율이 매우 높아(45-82%) 수술을 선택하는 경우가 많으며 난관 손상의 정도가 심하지 않거나 젊은 여성, 난소예비력이 좋은 경우, 출산 경험이 있는 경우, 앞으로 다자녀를 원하는 경우 등은 수술 치료의 적절한 적응이 될 수 있다.

난관수종이 있는 경우에는 난관 내 저류된 체액의 물리적 영향과 배아에 대한 독성으로 체외수정을 통한 배아이식을 시행하는 경우 임신율 저하의 결정적 원인이 된다. 연구 결과에 의하면 체외수정에서 난관수종의 존재는 약 50% 정도의 임신율 저하를 야기하는 것으로 보고되고 있다. 그러므로 난관수종을 동반한 불임 환자가 체외수정을 계획하고 있는 경우에는 임신율을 향상시키기 위해 복강경하에서 난관절제나 근위부 결찰을 고려하여야 한다.

5. 원인불명의 불임

원인불명의 불임은 원인에 대한 평가 및 검사에서 그 원인이 발견되지 않는 경우로 정상 정액검사 소견, 정상 배란의 증거, 정상 자궁강과 최소 한쪽 난관의 정상 통기성을 보인다. 그러나 원인불명 불임을 진단하기 위하여 자궁경부인자를 배제하기 위한 성교후검사나 황체기 결함을 진단하기 위한 자궁내막검사, 복막인자를 진단하기 위한 복강경검사 등은 시행하지 않으므로 원인불명 불임은 잠재적으로 자궁경부인자나 복막인자들이 포함될 수 있는 이질적인 불임 환자군으로 불임 환자의 10-30% 정도를 차지한다. 원인불명 불임 환자군에서의 주기당 생존아 출생율은 2-4% 정도로 정상 부부군에 비해 80-90% 정도 낮다. 원인불명 불임 환자의 치료는 주로 경험적 측면에서 이루어지며 자연주기에서 자궁강내정자주입, 또는 클로미펜이나 생식샘자극호르몬을 이용한 난소자극 후 자궁강내정자주입을 시행하거나 체외수정 등이 선택된다. 치료 효과에 대한 연구결과를 살펴보면, 자연주기 자궁강내정자주입은 의미 있는 임상적 효과를 나타내지 못하며 클로미펜을 사용해도 의미있는 추가 효과는 나타나지 않는다. 생식샘자극호르몬을 이용한 난소자극 후 자궁강내정자주입은 임신율을 다소 증가시킬 수 있지만 다태임신이나 난소과자극증후군 발생 위험성이 있으므로 신중히 결정해야 한다. 원인불명 불임 치료에서 가장 효과적인 치료는 체외수정이다. 체외수정은 환자의 나이, 불임 기간, 비용적 측면, 시술 관련 합병증 등을 고려하여 결정해야 한다.

6. 자궁강내정자주입(Intrauterine insemination, IUI)

자궁강내정자주입은 1962년 Cohen 등에 의해 처음으로 소개되었으며, 배우자의 정액을 처리하여 정상 정자를 여성의 자궁강 내로 주입하는 시술이다. 정자와 난자의 수정이 이루어지는 난관부에 가까운 위치에 좋은 상태(운동성, 형태)의 정자를 높은 농도로 유지시켜주는 것이다. 자궁강내정자주입은 시술이 비교적 간편하고, 체외수정과 비교하여 비용이 적게 드는 이점이 있다. 자궁강내정자주입의 흔한 적응증은 경증 남성 불임, 자궁경부 요인, 원인불명의 불임 및 경증의 자궁내막증 등이다. 또한 기존의 자연 성관계에서 임신에 실패한 경우 다음 단계의 치료로 고려할 수 있다. 자궁경부협착 및 폐쇄, 자궁경부염, 자궁내막염, 양쪽 난관폐쇄, 중증의 정자감소증이 있을 때는 자궁강내정자주입은 시행할 수 없다.

1) 자궁강내정자주입 시술 과정

(1) 정액처리(Sperm preparation)

자궁강내정자주입은 배우자의 정액 세척(washing)과 처리과정이 필요한데, 이는 정액(seminal fluid)에 함유되어 있는 프로스타글란딘(자궁내 주입 시 수축유발)이나 감염성 물질, 항원성 단백 등을 제거하고 정상 형태의 활동성이 좋은 정자를 선별하기 위함이다. 정액처리방법으로는 swim-up이나 selective washing-density gradient method 등이 주로 사용되는데, 정액 처리 방법에 따른 치료 결과의 차이는 없는 것으로 보고되고 있다.

(2) 정액검사의 지표

경증의 남성 불임에서 자궁강내정자주입을 시도할 수 있는 정액검사 기준은 연구들마다 차이를 보이지만, 운동성 정자수(motile sperm count)가 10×10^6 이상일 때 좋은 예후를 보이며 1×10^6 미만인 경우에는 성공률이 매우 낮다. 자궁강내정자주입 시 strict sperm morphology의 기준은 별도로 제시되어 있지는 않으나 14% 이상인 경우에 높은 임신성공률을 보인다. 클로미펜-자극주기에서 자궁강내정자주입 시 strict morphology와 임신율을 분석한 연구에서는 4% 미만인 경우 11.1%, 4-14%인 경우 36.1%, 14% 이상일 때 50%의 임신율을 보였다.

(3) 자궁강내 주입

정액처리 후 얻어진 0.2-0.5 mL의 현탁액을 주사기에 담은 후 도관(catheter)을 통해 자궁강 내로 주입한다. 자궁강내정자주입 시기는 초음파감시에서 우성난포 크기가 18-20 mm에 도달한 경우 배란을 예측할 수 있는데 자연주기에서는 소변 황체형성호르몬을 검사하여 첫 양성 반응이 나온 후, 그리고 난소자극주기에서는 사람 융모생식샘자극호르몬을 주사한 후 약 34-40시간 뒤에 시행한다. 정자 주입 시에는 도관이 자궁경부를 통해 자궁강 내에 위치하기까지 조직 손상과 출혈을 최소화하면서 부드럽게 삽입하며, 약 10-30초에 걸쳐 천천히 주입한다. 자궁강내정자주입에 사용되는 도관은 재질이나 유동성(flexibility)에 따라 여러 종류가 있지만 도관에 따른 임신 성공률의 차이는 없는 것으로 보고된다. 한 주기에서 2회의 정자주입(hCG 주사 후 12시간, 34시간)을 시행하면 임신율을 높일 수 있다는 보고도 있으나 대규모 연구결과에서 명확한 이점은 관찰되지 않았다.

2) 자궁강내정자주입의 효과

자궁강내정자주입술의 임신율은 매우 다양하게 보고되며 불임의 원인이나 질환에 따라서도 성공률의 차이를 보인다. 일반적으로 환자 당 10-20%의 성공률을 보인다고 알려져 있으나, 5-70%까지 넓은 범위로 보고된다. 자궁강내정자주입은 자연주기와 클로미펜 또는 생식샘자극호르몬을 이용한 난소자극주기에서 시행된다. 클로미펜 자극주기의 경우, 주기 당 임신율은 약 10% 정도로 알려져 있으며, 생식샘자극호르몬을 이용한 자극주기에서는 보다 높은 임신 성공률(14-24%)을 보인다. 하지만, 생식샘자극호르몬을 이용한 난소자극 시에는 다난포 성장으로 인한 다태임신과 난소과자극증후군의 위험이 증가할 수 있고 약제 비용도 증가하므로, 불임의 원인과 여성의 난소 반응 정도 등을 고려하여 적절한 주기자극법을 선택하는 것이 중요하다.

원인에 따른 임신성공률을 비교한 연구에서는 생식샘자극호르몬을 이용한 과배란유도 후 자궁강내정자주입 시 원인에 따른 누적성공률(6주기 동안)을 관찰하였는데, 난소요인에서 높은 임신성공률을 보인 반면, 원인불명 불임이나 한쪽 난관폐쇄가 있는 경우 비교적 낮은 성공률을 보였다(그림 15-4).

남성요인 불임에서 자궁강내정자주입 시 난소자극에 대해서는 논란이 있다. 메타분석 연구에서는 분석 자료의 질적, 양적 측면에서 제한은 있었으나 남성요인에서 자궁강내정자주입 시 난소자극의 이점은 관찰되지 않았다.

자궁내막증이 있는 여성에서는 클로미펜 또는 생식샘자극호르몬을 이용한 난소자극이 치료를 하지 않는 군보다 임신율이 향상될 수 있다. 유럽생식의학회에서는 경증(minimal-mild) 자궁내막증 여성에서 자궁강내정자주입 시 난소자극은 임신율을 개선시킬 수 있다고 언급하고 있으나, 중증 자궁내막증에서 난소자극의 이점은 명확하지 않다.

7. 보조생식술

시험관아기시술로 알려져 있는 체외수정 및 배아이식은 난관요인 불임을 극복하기 위한 기술로 개발되어 40여 년 동안 중요한 불임 치료로 발전하여 왔다. 미세조작술의 개발과 도입은 남성요인의 불임을 해결하는 데 획기적인 계기를 제공하였고 동결보존 기술의 발전은 생식세포와 배아이용 효율을 극대화하여 시술당 임신율 향상에 지대한 영향을 미쳤다.

보조생식술과 관련된 기술이 보편화되고 시술 관련 의료비의 보험 급여화로 인해 불임 환자들이나 의료진이 쉽게 치료를 결정할 수 있게 됨에 따라 보조생식술은 모든 불임 요인 치료의 보편화된 마지막 치료 방법으로 자리잡고 있다.

** 참고문헌 목록은 대한산부인과내분비학회 홈페이지 http://www.kosge.or.kr 또는 QR코드를 통해 보실 수 있습니다.*

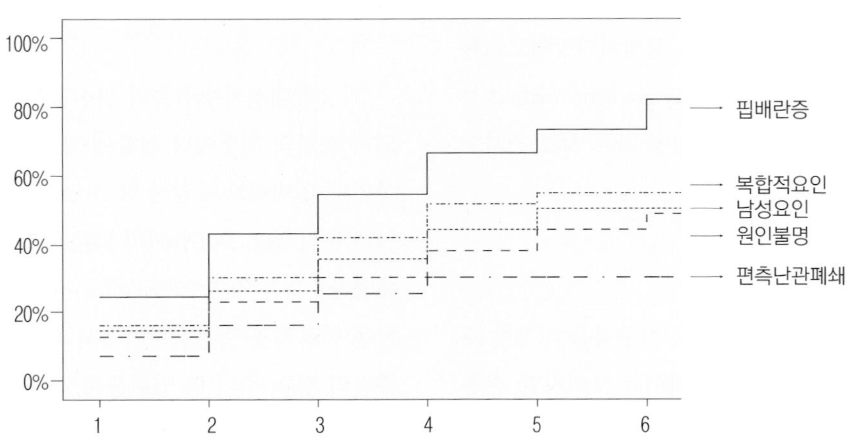

• 그림 15-4. 불임 원인에 따른 누적임신율(cumulative clinical pregnancy rate according to cause of infertility)

CHAPTER 16

남성 불임

김수웅(서울의대-비뇨의학과), 서주태(JTS비뇨의학과의원)

불임의 원인 중 순수한 남성 요인이 20%를 차지하고 남녀 모두에 문제가 있는 경우가 30-40%이므로 불임의 원인 중 남성 요인이 절반 이상을 차지하는 것으로 알려져 있다. 남성에서 불임검사를 시행하는 주된 목적은 수술 또는 내과 치료를 통하여 정상 가임력 회복이 가능한 질환을 진단하는 것이다. 그렇지만 근본적인 해결이 불가능한 상태를 진단하고 본인의 정자를 이용한 보조생식술(assisted reproductive technology)이 가능한지를 결정해 주는 것도 매우 중요하다.

Ⅰ. 남성생식의 생리(Male reproductive physiology)

1. 시상하부-뇌하수체-생식샘 축 (Hypothalamic-pituitary-gonadal axis)

발생기 때는 남성표현형 발달에, 사춘기 때는 성발달에 중요한 역할을 담당하며 이후로는 고환의 테스토스테론과 정자의 생산을 조절한다. 시상하부에서 분비되는 생식샘자극호르몬방출호르몬(gonadotropin releasing hormone, GnRH)은 뇌하수체 전엽에서 황체형성호르몬(luteinizing hormone, LH)과 난포자극호르몬(follicle stimulating hormone, FSH) 분비를 자극한다. GnRH는 혈장 반감기가 5-7분이며 맥동성(pulsatile)으로 분비된다. LH의 표적기관은 고환의 라이디히세포(Leydig cell)이며 세포 표면에 존재하는 특이 수용체를 통하여 테스토스테론의 합성을 촉진한다. FSH는 고환의 정세관(seminiferous tubule) 내 세르톨리세포(Sertoli cell)와 정조세포막(spermatogonial membrane)에 결합하여 정자 발생(spermatogenesis)을 자극한다.

시상하부-뇌하수체-생식샘 축에서 분비되는 호르몬은 음성 되먹임기전(negative feedback mechanism)에 의하여 항상성(homeostasis)을 유지한다(그림 16-1). 테스토스테론은 시상하부에 작용하여 GnRH 분비를 억제함으로써 결국 LH의 분비주기를 늦추는 작용을 한다. 테스토스테론은 뇌하수체에서도 LH 분비를 직접 억제한다는 사실이 밝혀졌다. GnRH 분비에 대한 테스토스테론의 음성 되먹임기전으로 LH와 더불어 FSH의 분비도 억제된다. 하지만

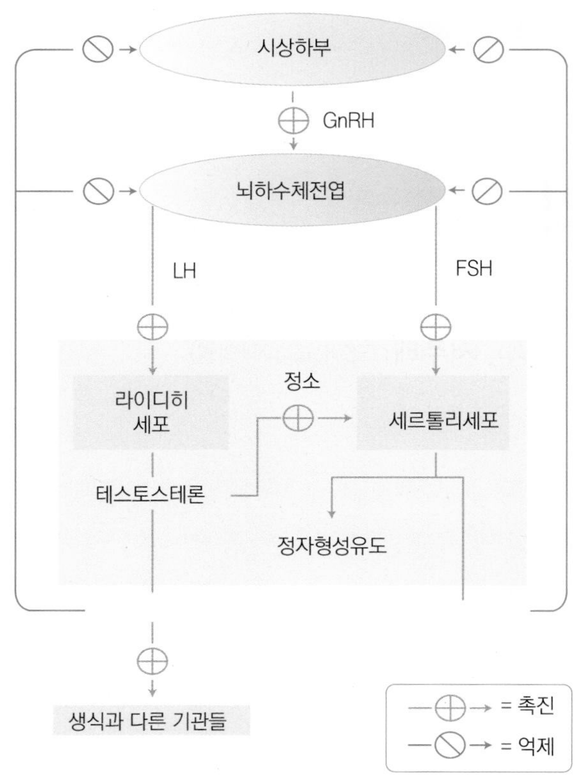

• 그림 16-1. **남성생식을 조절하는 호르몬** 남성생식은 시상하부, 뇌하수체 및 고환에서 분비되는 호르몬에 의하여 정교하게 조절된다.

LH의 경우와는 달리 테스토스테론을 비롯한 성스테로이드는 뇌하수체에서 FSH의 분비를 직접 억제하지는 않는다. FSH 분비를 억제하는 물질의 존재를 난소난포액에서 최초로 확인하였고, 곧이어 이러한 억제물질의 정체가 인히빈(inhibin)이라는 전환성장인자-β (transforming growth factor-β, TGF-β) 계열의 단백질임이 밝혀졌다. 남성의 경우 인히빈은 세르톨리세포에서 합성 분비되어 뇌하수체에서 FSH의 분비를 억제한다. 하지만 인히빈이 시상하부에 영향을 주어서 GnRH 분비를 직접 조절하는지는 아직 확실치 않다. 즉, 남성생식에 있어서 FSH의 농도는 두 가지의 서로 다른 기전에 의해 조절받는데, 먼저 테스토스테론은 GnRH 분비를 억제함으로써 간접적으로 억제하고, 또 하나는 세르톨리세포에서 합성된 인히빈이 뇌하수체에서 FSH의 분비를 직접 억제한다.

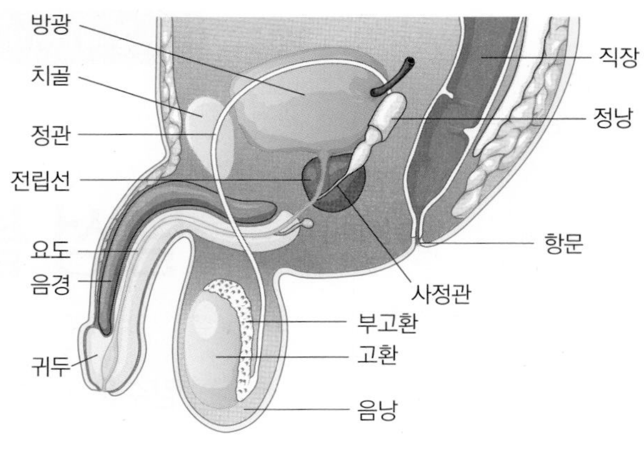

• 그림 16-2. **남성생식기의 구조**

2. 남성생식기의 구조와 기능

남성생식기관은 정자의 생산과 테스토스테론의 합성 분비를 담당하는 고환과 정자의 배출로에 해당하는 부고환, 정관, 사정관, 외부생식기인 음낭과 음경, 부속 생식샘인 전립선과 정낭으로 이루어져 있다(그림 16-2).

1) 고환

성숙한 고환은 대략 900개(600-1,200)의 정세관으로 구성되며 각 정세관은 발달과정에 있는 생식세포와 간질조직(interstitial tissue)으로 이루어져 있다. 간질세포에는 라이디히세포, 혈관, 림프관, 신경 등이 포함되어 있으며 사람의 경우 고환 용적의 20-30%를 차지한다. 고환이 정상 정자발생기능을 유지하기 위해서는 체온(직장온도)보다 그 온도가 2-4℃ 낮아야 한다. 이를 위하여 고환은 태아기 때 복강 내에서 내려와 음낭에 위치한다. 음낭은 고환의 온도를 일정하게 유지시키기 위해 표면에 주름이 많고 늘어남과 줄어듦이 매우 원활한 피부로 이루어져 있다. 이 같은 음낭피부와 함께 고환을 끌어올리고 내릴 수 있는 거고근(cremateric muscle)이라는 근육과 음낭피부 아래에 있는 근육의 수축·이완으로 바깥 기온에 관계없이 음낭 안에서는 일정한 온도를 유지할 수 있다. 또한 고환에 분포하는 혈관들의 순환에 의해 고환을 상대적으로 저온 상태로 유지한다. 따라서 고환의 하강기전에 문제가 발생한 잠복고환(cryptorchidism)뿐 아니라 정삭(spermatic cord) 내 정맥들이 확장된 정계정맥류(varicocele)는 고환의 온도 차이를 유지할 수 없으므로 고환의 정자발생기능에 장애를 초래할 수 있다.

2) 부고환(Epididymis)

부고환은 고환의 후외측부에 붙어 있는데 외피에 둘러싸인 겉모습은 직경 약 4 mm, 길이 약 5 cm의 원주모양이나 실제 그 내부는 고환과 연결되어 있는 매우 가늘고 꾸불꾸불한 한 개의 굴곡관이 촘촘히 밀집되어 있어 일직선으로 펼치면 그 길이가 약 3-4 m나 된다. 정자는 고환 내에서는 거의 운동성을 지니지 못하나 부고환을 통과하는 동안에 형태학적 특성, 화학적 성분, 운동성, 수정능력, 대사, 투과력, 항원성, 표면막 등에 변화를 일으켜 정자가 성숙되며 운동성을 획득하고 수정이 가능하게 된다. 정자가 부고환을 통과하는 데는 2-12일이 소요된다. 부고환은 정자가 일시적으로 머무를 수 있는 저장소의 역할도 담당하는데 그 중 반은 미부에 존재한다. 또한 오래 전에 생산된 정자를 용해, 흡수하는 작용도 한다.

3) 정관(Vas deferens)

정관은 부고환 미부와 연결되는 부위가 굴곡되고 약간 납작하나 나머지 대부분에서는 곧고 둥근 원주 모양이고, 정낭에 합류하는 부위에서는 다시 굴곡되고 확장된다. 정관의 길이는 30-35 cm이고, 전체 굵기는 1.5-2.7 mm이나 내강은 0.2-0.7 mm에 불과하다. 정관의 주요 기능은 정자를 수송하는 데에 있다. 정관은 그 내강에 비하여 상대적으로 잘 발달된 근육층을 지니고 있어 강한 율동적 수축운동으로 부고환에서 올라온 정자를 정관팽대(ampulla of ductus deferens)까지 밀어 보낸다. 사정된 정자의 대부분은 정관팽대에 저장되어 있던 정자이다.

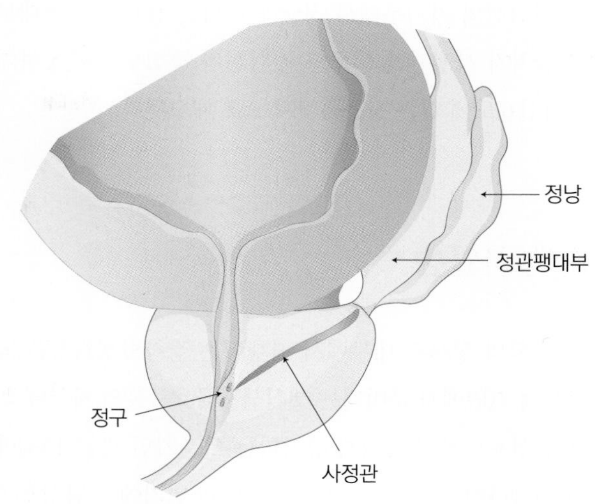

• 그림 16-3. **사정관의 해부학**

4) 정낭과 사정관(Seminal vesicle and ejaculatory duct)

정낭은 방광의 후측, 전립선의 상후측에 위치하며 좌우에 두 엽이 있다(그림 16-3). 방추형으로 길이는 5-7 mm, 너비는 1.5 cm이며 각 정낭은 길이가 15 cm의 굴곡형 관으로 이루어져 있다. 정낭액은 전체 사정액의 약 80%를 차지한다. 아직까지 정낭의 생리학적 역할에 대해서는 정확히 밝혀지지는 않았다. 사정 전의 정액은 액체이나 정낭액이 합쳐지면 응괴(coagulum)를 이루게 되는데 semenogelin I 라는 단백이 중요한 역할을 담당한다. 정액이 응괴되는 과정을 통하여 정낭액은 정자의 운동성 향상, 정자의 염색질(chromatin) 안정, 여성생식기관에서의 면역활동 억제에 관여할 것으로 추정된다. 정낭액에는 다양한 항산화 효소들이 포함되어 있으며, 그 외 과당(fructose), 프로스타글랜딘(prostaglandin) 등이 포함되어 있다. 과당은 정자 운동의 1차적인 에너지원이 된다. 정낭액은 알칼리성으로 산성인 전립선액과 합쳐진 정액은 약한 알칼리성 pH를 나타낸다. 정낭으로부터 나온 관은 전립선의 기저부에서 정관팽대와 합쳐져 약 1 cm 길이의 사정관을 통해 전립선의 중심부를 관통하여 정구(verumontanum)의 외측으로 개구되어 전립선요도와 연결된다(그림 16-3).

전립선의 기저부에서 정낭에서 나온 관과 정관팽대부가 합쳐져 사정관을 이루고 전립선의 중심부를 관통하여 전립선요도에 있는 정구의 외측으로 개구된다.

3. 정자발생

고환의 정세관 내부에서 진행되는 정자발생과정은 뇌하수체 전엽에서 분비되는 생식샘자극호르몬의 자극에 의해 남성호르몬이 급격히 증가하는 사춘기인 평균 13세에서 시작하여 일생 동안 계속되지만, 노년기에는 남성호르몬의 감소와 함께 정자발생도 현저히 감소한다. 사정 정자를 생산하기까지의 정자발생과정에 소요되는 기간은 과거 평균 64일로 추정되었으나 최근의 연구결과에 따르면 42-76일이 소요되어 개인차가 큰 것으로 알려져 있다. 정세관은 생식상피로 구성되며 그 가장자리에는 정조세포(spermatogonia)가 위치하며, 다양한 정자발생 단계에 있는 생식세포들이 구심성으로 위치한다. 사람의 정조세포는 체세포분열과 유사한 방식으로 자가 증식하는 줄기세포의 특성을 지니고 있어 지속적인 정자발생을 가능하게 한다. 정자발생과정은 증식기(proliferative phase), 감수분열기(meiotic phase), 정자형성기(spermiogenesis phase)로 구분된다. 사람의 경우 평균 16일 동안 정세관 외곽에서 유사분열(mitosis)을 통하여 증식과정을 거친 정조세포는 마지막 DNA 복제과정을 거친 후 제1정모세포(primary spermatocyte)를 형성하여 세르톨리세포 층으로 이동한다. 첫 번째 감수분열(meiosis)을 통하여 46개의 상동염색체가 분열되어 23개의 염색체를 지닌 제2정모세포가 되며 사람의 경우 약 24일이 소요된다. 이후 DNA 복제 없이 수 시간만에 2차 감수분열을 통해 정자세포(spermatid)가 생성된다. 그러므로 각각의 정자세포는 홑배수(haploid)의 염색체를 지니고 있다. 원형의 정자세포는 이후 정자형성과정을 거치면서 정자의 머리와 꼬리가 형성되는 구조적, 기능적 분화과정을 갖게 된다. 핵이 응축되어 정자의 머리를 형성하고, 정자세포 내 효소들과 단백들은 핵 주변의 골지기관(golgi apparatus)에 밀집하여 첨단체(acrosome)를 형성하며, 사립체(mitochondria)는 정자의 중간부로 재배열되고, 편모성 운동기구인 꼬리를 형성한다.

II. 진단

1. 남성불임의 원인

여러 가지 분류법이 있지만 정자를 생산하는 고환을 중심으로 고환전(pre-testicular), 고환, 고환후(post-testicular), 기타 원인으로 구분하는 것이 일반적이다. 고환전 원인은 고환의 기능을 조절하는 시상하부나 뇌하수체의 질환이 원인이 되므로 내분비 원인이라 할 수 있다. 시상하부에서 분비되는 GnRH의 단독 결핍으로 유발되는 칼만증후군(Kallmann syndrome)이나 뇌하수체의 종양, 수술, 염증, 경색증(infarction) 등에 의한 생식샘자극호르몬의 부족 상태가 대표적 질환이다. 호르몬검사에서 저생심샘자극호르생심샘저하증(hypogonadotropic hypogonadism)을 나타낸다. 고환원인은 정자를 생산하는 고환 자체의 질환을 의미하여 정계정맥류, 생식세포무형성(germ cell aplasia)라고도 부르는 세르톨리세포단독증후군(Sertoli-cell-only syndrome), 잠복고환, 클라인펠터증후군(Klinefelter syndrome) 등이 대표적 질환이다. 고환후 원인은 시상하부-뇌하수체-생식샘 축이 정상적으로 가동하여 고환에서는 정자가 생산되지만 이후 수송과정에 문제가 발생한 것이다. 부고환, 정관, 사정관의 폐쇄, 선천 정관 무발생(congenital agenesis of vas deferens), 사정기능의 장애 등이 이에 해당된다.

2. 남성불임의 기본 진단검사

남성불임의 기본 진단검사는 병력청취, 신체검사, 검사실검사(정액검사와 호르몬검사)로 이루어지며 그 결과에 따라 추가 검사의 시행 여부가 결정된다.

1) 병력청취

(1) 생식력(Reproductive history)

다른 질환에서도 마찬가지이겠지만 상세한 병력청취는 불임의 진단에 있어서 매우 중요한 부분을 담당하며 특히 생식력에 대한 문진이 우선되어야 한다. 피임을 하지 않은 상태에서의 불임기간, 과거 피임의 방법, 현재 또는 과거 배우자와의 유산을 포함한 임신 유무를 조사해야 한다. 성관계의 시기와 빈도도 중요하다. 배란된 난자의 생존 기간은 24시간 정도에 불과하고 사정 정자는 여성의 생식기관에서 2-3일(길게는 5일) 정도 생존하기 때문에 성관계의 시기를 맞지 않으면 임신이 될 수 없다. 일반적으로 임신의 확률을 증가시키기 위하여 배란일을 중심으로 하여 이틀 간격으로 성관계를 맺도록 교육하는 것도 이러한 사실에 근거를 두고 있다.

(2) 과거력

고환기능에 장애를 초래할 수 있는 잠복고환, 볼거리고환염(mumps orchitis), 고환꼬임(testicular torsion), 고환손상 등에 대한 과거력을 알아보아야 한다. 볼거리고환염은 사춘기 전에 발병한 경우에는 별다른 후유증을 남기지 않으나 사춘기 이후에 발병한 경우 불임의 원인이 될 수 있다. 사춘기 지연은 내분비질환의 가능성을 시사한다. 결핵, 부고환염, 성병 등의 과거력도 조사해야 한다. 음낭, 서혜부(inguinal), 후복막강 수술은 정로의 폐쇄나 사정기능에 장애를 초래할 수 있다. 탈장봉합(herniorrhaphy) 중 정관 손상이 발생할 수 있다.

(3) 기타

환자의 환경이나 독성물질, 약물복용에 대한 노출도 확인하는 것이 좋다. 방사선이나 고열에 노출되는 직업이 있는지에 대한 조사도 필요하다. 흡연의 부정적 영향에 대해서는 아직까지 정립된 바는 없으나 일반적으로 금연을 권유한다. 코카인이나 마리화나 같은 마약은 생식기능을 저하시키므로 확인이 필요하다. 또한 운동이나 보디빌딩을 하는 사람에서 근육량을 증가시키는 스테로이드 제제도 정자생성에 나쁜 영향을 줄 수 있다. 항암치료에 쓰이는 화학요법제와 방사선치료는 고환의 정자형 성기능에 나쁜 영향을 준다. 화학요법제 중 특히 알킬화(alkylating) 제제가 정자형성에 좋지 않은 영향을 준다. 화학요법과 방사선치료는 정자발생기능에 비가역적 손상을 초래할 수 있으므로 치료 전 정자의 동결보존을 고려할 수 있다. Nitrofurantoin, tetracycline, erythromycin, gentamycin 등의 항생제는 고환기능의 손상을 야기할 수 있다. Ketoconazole, spironolactone, cimetidine 등은 남성호르몬 생산을 억제한다. 이러한 약물들은 정자발달 과정에 일시적인 영향을 미치므로 사용을 중단하게 되면 대개 회복이 가능하다.

2) 신체검사

키, 골격, 근육 발달 상태, 남성화의 정도 등을 전체적으로 살펴보아야 한다. 다음으로 만곡이나 요도하열과 같은 음경의 이상을 관찰한다. 음낭에 대한 신체검사가 가장 중요하다. 특히 고환용적 측정, 정관의 촉진, 정계정맥류 유무 관찰이 필수적인 사항이다. 고환용적의 약 85%는 정자생산에 관여하므로 비정상적으로 적은 고환용적은 정상생산기능의 문제를 시사한다. 초음파를 이용하면 좀 더 정확한 고환용적의 측정이 가능하지만 외래에서는 다양한 용적을 지닌 고환모형으로 제작된 고환측정기(orchidometer)를 이용한다. 정상 고환의 평균 용적은 20 mL이다. 정관의 촉진도 매우 중요한 항목이다. 드물지만 선천 정관 무형성증이 양측으로 있는 경우 신체검사만으로 진단이 가능하며 더 이상의 검사 없이 보조생식술을 적용한다. 정계정맥류는 전체 남성인구의 약 15%에서 발견되지만 일차불임 남성의 19-41%에서 확인이 가능하고, 이차불임 남성에서 높게는 81%까지 유병률이 보고된다. 정계정맥류는 교정 가능한 가장 흔한 남성불임의 원인 질환으로 인정되고 있으므로 신체검사에 이를 확인하는 일은 매우 중요한다. 이를 위해 따뜻한 방에서 환자가서 있는 상태에서 긴장을 풀게 하고 신체검사를 시행한다. 심한 정도에 따라 발살바 조작(valsalva maneuver) 시에만 만져지는 경우를 grade 1, Valsalva 조작을 하지 않은 상태에서 만져지는 경우를 grade

2, 가만히 서 있을 때 만져질 뿐 아니라 육안으로 늘어난 정맥들이 관찰되는 경우를 grade 3로 구분한다. 간혹 양측으로 나타나기도 하지만 해부학적 구조로 인하여 주로 좌측 음낭에서 발생한다. 그 외 부고환의 촉진도 중요 항목이다. 부고환이 크거나 결절이 만져지면 염증이나 원위부 정로의 폐쇄를 생각해 볼 수 있다.

3) 정액검사(Semen analysis)

정액검사는 남성불임 환자의 가임능력을 평가하는 데 가장 기본적이면서도 중요한 검사이다. 그러나 정액검사의 결과가 무정자증(azoospermia)이 아닌 한 가임과 불임 상태를 명확하게 구분할 수는 없다. 정액검사의 결과가 좋지 않으면 임신을 할 확률이 낮아지는 것은 사실이지만 완전한 불임 상태를 의미하는 것은 아니므로 생식능력저하(subfertile)가 올바른 표현이다. 정액검사 결과 또한 금욕기간, 정액채취 방법, 몸 상태 등 여러 가지요인들에 따라 영향을 받을 수 있다. 그럼에도 불구하고 정액검사는 남성 생식계통에 대한 일차 정보를 제공해주며, 이를 바탕으로 남성불임 환자들을 분류하여 이차검사 및 치료에 대한 계획을 수립하는데 필수적인 역할을 하고 있다.

(1) 정액채취

2-7일(일반적으로 3-4일, 최소 48시간)의 금욕기간을 두고 정액을 채취하며 적어도 1주 이상 간격으로 2회 반복 검사를 시행해야 한다. 가능한 일정한 금욕 기간 후 검사를 시행해야 한다. 금욕 기간이 길어지면 정자의 밀도는 증가하는데 7일까지는 하루에 25% 정도 증가한다. 입구가 넓고 소독된 용기에 환자 스스로 수음을 통해 받되 가능하면 병원이나 검사실에서 받도록 한다. 이를 위하여 가능하면 독립되고 조용한 공간을 확보해 주며 적절한 성자극을 줄 수 있는 여건을 마련해 주는 것이 필요하다. 검사실에서의 사정을 어려워하는 환자들은 집에서 정액을 받은 후 30분-1시간 안에 체온으로 검체의 온도를 유지하면서 검사실로 가져오도록 한다. 콘돔을 사용해야 할 경우에는 살정제가 포함되지 않는 콘돔을 사용해야 한다. 하반신마비로 인해 정상적인 사정이 불가능한 경우에는 필요에 따라 진동자극이나 전기자극사정술의 도움을 받는다. 채취한 정액의 액화와 혼합을 위하여 37℃에 온도를 맞추어 놓은 진탕 배양기(shaking incubator)에 30분 동안 검체를 두며 채취 후 1시간 이내에 검사를 시행한다. 정액지표(semen parameter) 중 정자운동성은 검사가 2시간 이상 지연되면 유의하게 저하된다. 배양기가 없는 경우에는 실온에서 액화를 기다리되 온도가 너무 떨어지지 않도록 주의한다.

(2) 육안검사

정액은 밝은 유백색 빛을 띠며 밤꽃 냄새가 나고, 균질하며 실온에서 30분 이내에 액화되어야 한다. 정액의 액화는 전립선에서 분비되는 여러 효소에 의해 일어나며, 액화가 일어나지 않는 경우 사정관폐쇄(ejaculatory duct obstruction)나 전립선 분비기능의 문제가 의심된다. 정액의 양은 정확히 측정되어야 하며, 그 양이 적은 경우에는 금욕기간과 정액채취 과정이 적절하였는지를 확인한 이후 역행사정이나 사정관폐쇄 등의 문제를 확인해 보아야 한다. 점도는 21 게이지 바늘에 담긴 정액이 늘어지는 길이를 측정함으로써 알아본다. 정상적으로는 정액이 작은 방울로 떨어지지만 점도가 높아 2 cm 이상 늘어지면서 떨어지는 경우에는 비정상으로 간주한다. 또는 정액샘플에 유리막대를 넣어 들어 올렸을 때 늘어지는 길이가 역시 2 cm 이상일 때 비정상으로 간주한다. 점도가 높은 경우에는 액화에 문제를 초래하며, 전립선의 기능부전과 연관성을 가진다. 정액의 pH는 정액 한 방울을 pH 종이에 균일하게 펼친 다음 30초 후에 pH 종이의 색깔 변화를 비교함으로써 측정한다. 정액의 pH는 산성의 전립선액과 알칼리성의 정낭액에 의해 결정되며, 정상적으로 7.2-7.8 정도이다. 사정액이 대부분을 구성하는 정낭액의 pH 가 알칼리성이므로 산성의 pH는 특히 무정자증과 연관해서 정낭형성저하증과 동반된 선천 정관 무형성증이나 사정관폐쇄를 시사하는 소견이다.

(3) 현미경검사

① 정자밀도

정액이 액화된 뒤 정자의 밀도와 수를 측정한다. 미리 정해진 격자(grid)가 있어 계수가 용이한 혈구계산판(counting chamber)이나 Makler chamber를 사용한다. 널리 이용되는 Makler chamber의 경우 액화 후 잘 혼합된 정액 한 방울을 희석치 않고 chamber 중앙에 떨어뜨린 후 1 mm^2 안에 100개의 정사각형이 그려진 덮개유리를 덮은 후 200배 시야에서 정자의 수와 운동성을 검사하게 된다(그림 16-4). 100개의 정사각형 중 10개의 정사각형에 포함된 정자수에 ×106/mL를 붙이면 정자 밀도가 된다. 정자 밀도가 너무 높은 경우에는 정액을 희석해야 하며, 정자 밀도가 너무 낮은 경우에는 100개의 정사각형에 포함된 정자수에 ×105/mL를 붙이면 정자 밀도가 된다. 다르게는 9개 또는 16개의 정사각형 안에서 움직이지 않는 정자의 수(A)를 센 후 같은 범위에서 움직이는 정자의 수(B)를 세어 둔다. 두 정자군의 합(A+B)에 1×106을 곱한 값이 정자의 수가 되며, 두 정자군의 비율(B/A+B)이 정자의 운동성이 된다. 정자가 관찰되지 않는 경우 무정자증의 확인을 위하여 정액을 원심분리하고 침전물을 관찰한다.

② 정자운동성

정자운동성은 4군으로 분류하는데, 빠르게 전진하는 정자를 a군, 전진하지만 느린 정자는 b군, 꼬리는 움직이나 전진하지 못하는 정자는 c군, 움직이지 않는 정자는 d군으로 분류한다. 최소한 4곳이나 6곳을 찾아보면서 100개의 정자를 각각의 그룹으로 분류한다. 모든 정자가 운동성을 상실하였거나 운동성을 지닌 정자가 5% 또는 10% 미만인 경우 정자의 미세구조 이상을 의심해야 한다.

③ 정자모양

정액지표들 중 가장 주관적인 평가가 이루어지는 지표로 그만큼 표준화가 힘들다. 정상 모양을 가진 정자의 기준은 머리가 2.5-3.5 μm × 4-5.5 μm 크기의 타원형을 이루며 매끄럽고, 첨체가 머리의 40-70%를 차지하고, 목부위, 중간부위, 꼬리부위에 이상이 없는 것을 말한다. 정자의 머리가 삐죽하게 길어졌거나 첨체가 없는 경우, 이중머리, 무정형의 머리, 바늘 크기의 머리 크기 등은 모두 비정상으로 분류된다. 목부위도 머리와 종축으로 중앙에 연결되어 있으면서 굵기가 머리의 1/3 이내여야 하며 7-8 μm 정도 길어야 한다. 꼬리부위는 매끈하면서 꼬이지 않아야 되고 규칙적인 외형과 최소한 45 μm 이상의 길이를 가져야 한다. 기존에 사용되던 세계보건기구(world health organization, WHO)의 일반기준은 경계선상에 있는 정자들을 정상으로 간주하여 평가한다. Kruger의 엄격기준(strict criteria)을 적용하면 이러한 경계선상의 정자를 대부분 비정상으로 분류하게 된다. 엄격기준의 정자모양 검사는 검사실마다 결과가 일정치 않으며 위음성률이 높다는 문제점을 안고 있다. 또한 불임전문 검사실을 제외하고는 대부분의 검사

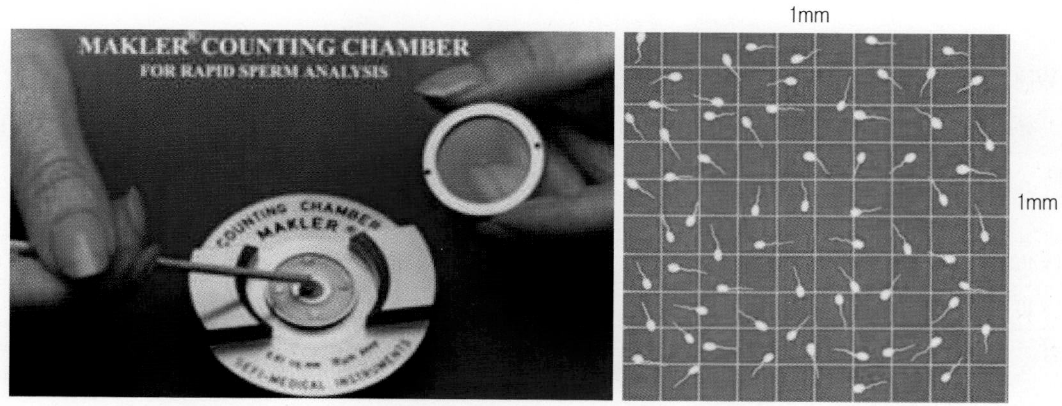

• 그림 16-4. **Makler chamber를 이용한 정자밀도 계수** A: Makler chamber에 잘 혼합된 정액 한 방울을 희석치 않고 떨어뜨린다. B: 1 mm^2 안에 100개의 정사각형이 그려진 덮개유리를 덮은 후 200배 시야에서 정자의 수를 계측한다.

실에서 검사가 가능하지 못하다는 현실적 제약도 가지고 있다. 그러나 현재 추세는 엄격기준의 검사가 통상적인 정액검사로 수용되고 있으며, 이를 반영하여 1999년에 발표된 WHO 매뉴얼도 엄격기준을 채택하고 있다.

④ 정자생존력

정자운동성이 5% 또는 10% 미만인 경우 생존력검사의 시행이 권장된다. 일반적으로 Eosin Y 염색과 Nigrosin의 대조염색을 시행하여 붉은 오렌지색으로 염색된 정자는 죽은 정자로 판단한다.

(4) 컴퓨터정액검사(Computer-assisted semen analysis, CASA)

일반적인 정액검사에서는 얻을 수 없는 정자운동성과 관련된 여러 지표들(곡선속도, 직선속도, 선형도 등)을 제공해 주지만 정자밀도나 시료준비 등에 따라 결과가 달라져 표준화가 쉽지 않다. 실제 임상에서 일반 정액검사에 비해 확실한 이득을 보여주지 못하고 있는 것도 CASA의 근본적인 한계점이다.

(5) 정액검사의 평가

2010년에 WHO 정상 기준치 5판이 제시되었고 2021년에 새로운 6판 기준치가 제시되었다(표 16-1). 정자의 밀도, 운동성, 모양 등 모든 정액지표의 정상 기준치가 과거에 비하여 하향 조정되었는데 특히 엄격기준에 따른 정자모양의 기준치는 2010년 WHO 5판에서부터 매우 낮아졌다. WHO 5판의 기준치는 최근 1년 이내에 가임력이 입증된 1,953명의 남성에서 얻은 정액검사를 근거로 하고 있으며 WHO 권장수기에 따라 검사와 분석이 시행되어 이전에 비하여 증거 중심적(evidence-based) 기준치로 평가할 수 있다. WHO 6판의 기준치는 5판에서 분석된 남성의 데이터에 아시아나 아프리카의 1,789명의 남성의 데이터가 추가 분석된 결과이다. 5판에서 하위 5%를 기준치로 정하였는데 이 기준으로만 난임과 가임을 나누기는 어려웠고 따라서 6판에서는 결정기준(Decision limit)이라는 용어로 변경되었다. 또한, WHO 6판에서는 5판에서 운동성을 3군(빠르게 전진하는 군, 전진하지 않고 움직이는 군, 움직이지 않는 군)으로 분류한 것과 달리 다시 4판과 마찬가지로 네 군(빠르게 전진하는 군, 느리게 전진하는 군, 전진하지 않는 군, 움직이지 않는 군)으로 분류하고 있다.

WHO 5판과 6판의 기준치는 일종의 cut-off value로 남성의 가임력 평가에 임상적으로 더 유용한지에 대해 앞으로 더 많은 연구가 필요하다. 여러 연구들을 통하여 정상 가임력을 지닌 남성과 생식능력저하 남성 사이에 정액검사의 결과가 겹치는 부분이 크다는 것이 잘 알려져 있다. 그러므로 정액검사는 남성불임 환자의 가임능력을 평가하는 데 가장 기본적이면서도 중요한 검사이지만 매우 신중한 해석이 필요하다.

4) 호르몬 검사

표 16-1. WHO가 제시한 정액지표의 정상 기준치

정액지표	WHO 4판(1999)	WHO 5판(2010)	WHO 6판(2021)
정액량(Ml)	≥ 2.0	≥ 1.5	≥ 1.4
pH	≥ 7.2	≥ 7.2	≥ 7.2
정자밀도(x 10^6정자/mL)	≥ 20	≥ 15	≥ 16
총정자수(x 10^6정자/사정액)	≥ 40	≥ 39	≥ 39
정자운동성	≥ 50% with grade "a+b"or ≥ 25% with grade "a"	≥ 32% with grade "a+b" or ≥ 40% with grade "a+b+c"	≥ 30% with grade "a+b" or ≥ 42% with grade "a+b+c"
정자모양(정상 %): 엄격기준	≥ 15%	≥ 4%	≥ 4%
생존력(생존%)	≥ 75	≥ 58	≥ 54

내분비이상에 의한 남성불임은 3% 미만으로 드문 것으로 알려져 있다. 정액검사에서 무정자증을 포함하여 정자밀도가 10×10^6/mL 이하인 경우, 발기부전, 성욕감퇴 등과 같은 성기능이상이 있을 때, 고환용적의 유의한 감소나 여성유방증(gynecomastia)과 같이 내분비장애가 의심되는 경우에는 호르몬검사를 필수적으로 시행한다. 일반적으로 혈청 테스토스테론과 FSH를 측정하며 테스토스테론의 일중변동을 고려하여 아침 채혈을 권장한다.

FSH의 비정상적인 증가는 대부분 고환에서 정자를 생산하는 기능에 장애가 있음을 의미한다. 그러나 정상 FSH 치가 고환의 정자생산기능이 정상임을 의미하는 것은 아니다. 테스토스테론이 낮은 경우에는 테스토스테론 수치를 다시 측정해야 하며 LH의 측정도 추가한다. LH와 FSH 수치가 모두 낮으면 칼만증후군과 같은 저생식샘자극호르몬-생식샘저하증을 시사하며 뇌하수체에서 분비되는 갑상선자극호르몬, 부신피질자극호르몬, 성장호르몬 등에 대한 평가가 이루어져야 한다. 남성호르몬과 정자를 생산하는 고환의 두 기능이 모두 손상을 입은 일차고환부전(primary testicular failure)의 경우에는 LH와 FSH 수치가 모두 상승한 고생식샘자극호르몬-생식샘저하증소견을 나타낸다. 그러나 고환의 라이디히세포는 생식세포에 비하여 손상에 대한 저항력이 높기 때문으로 정자를 생산하는 기능이 거의 소실되더라도 정상적인 LH와 테스토스테론 수치를 보이는 경우를 흔히 볼 수 있다.

3. 진단 알고리즘

남성불임의 원인별 분포를 보면 정계정맥류가 약 42%, 원인불명이 약 23%, 정로의 폐쇄가 약 15%를 차지한다. 정액검사의 이상별로 분류를 하면 무정자증이 10-15%를 차지한다. 무정자증의 원인 중 수술 교정을 통하여 정상 가임력 회복이 가능한 질환을 진단하는 일은 남성불임의 진단에 있어 가장 중요한 부분을 차지한다.

정액검사에서 정자가 관찰되지 않는 경우 정액을 원심 분리 후 다시 검사를 시행하여 심한 정자부족(oligospermia) 상태와 먼저 감별해 주어야 한다. 무정자증이 확실하다고 판단되면 정액의 양에 따라 크게 두 가지 진단 알고리즘으로 나누어 평가해야 한다.

1) 정액량이 정상인 경우

신체검사에서 양측 정관이 촉진되지 않으면 선천 정관무형성증으로 진단하고 더 이상의 검사 없이 보조생식술을 적용해야 한다. 양측 고환이 모두 위축된 경우에는 혈청 FSH의 수준에 따라 저생식샘자극호르몬-생식샘저하증 또는 고생식샘자극호르몬-생식샘저하증(고환부전)을 진단한다. 적어도 하나의 고환이 정상용적을 보이며 FSH 수준이 정상인 경우에는 고환생검을 시행한다. 고환생검에서 정상적인 정자발생기능이 확인되면 부고환 또는 정관의 폐쇄에 의한 폐쇄무정자증(obstructive azoospermia)로 진단하고 정관부고환연결술(vasoepididymostomy)과 같은 수술적 치료를 고려한다. FSH가 비정상적으로 증가되어 있거나 정상이라도 고환생검에서 이상 소견을 보이면 보조생식술의 적용을 고려해야 한다.

2) 정액량이 적은 경우

정액채취 과정이나 금욕기간이 적절하였는지를 먼저 알아보고 필요하면 다시 검사를 시행한다. 다음으로 당뇨가 있는지 다시 확인 후 사정 후 요검사를 시행하여 역행사정을 감별해 준다. 신체검사에서 고환의 용적과 정관의 촉진 유무를 확인해야 한다. 정액의 양이 적고, 정관은 촉진되는 무정자의 경우 우선 사정관폐쇄를 의심해야 한다. 사정관폐쇄 진단의 표준검사는 직장경유초음파검사(transrectal ultrasonography)로 확장된 정낭의 너비가 1.5 cm를 초과하면 사정관폐쇄의 진단이 내려진다.

III. 치료

남성불임의 치료는 1970년대에 수술현미경을 이용한

미세수술법의 도입으로 크게 발전하였고, 1990년대 세포질내 정자주입(intracytoplasmic sperm injection, ICSI)의 개발로 큰 돌파구가 마련되었다.

1. 수술 치료

남성불임의 수술 치료는 정계정맥류절제술과 같이 정액지표를 향상시키기 위한 수술, 부고환정관연결술과 같이 정자수송을 호전시키기 위한 수술, 보조생식술을 위한 정자채취술 세 가지 범주로 분류될 수 있다. 정자채취술은 이 장의 마지막에 따로 기술하고자 한다.

1) 정액지표를 향상시키기 위한 수술

(1) 정계정맥류절제술(Varicocelectomy)

정계정맥류는 전체 남성 인구의 약 10-15%에서 발견되고 불임남성에서는 일차불임의 경우 30-35%, 이차불임의 경우 70-80%에서 발견되는 흔한 질환이다. 또한 정계정맥류는 수술로 치료될 수 있는 가장 흔한 남성불임의 원인으로 알려져 있다. 정계정맥류는 정계의 정맥총이 확장된 상태를 칭하며 좌측 정계정맥이 신정맥, 부신정맥과 합쳐져 대정맥으로 유입되므로 90% 이상 좌측에서 발생한다. 1955년 Tulloch가 무정자증을 보인 양측 정계정맥류 환자에서 정계정맥류절제술을 시행한 결과 술 후 정액에서 정자가 관찰되고 임신에 이르렀음을 보고한 이래로 여러 술식이 시도되어 왔다. 불임부부의 남성에서 정계정맥류가 신체검사에서 확인되고, 정액지표에 이상이 있으며, 여성 측에 문제가 없거나 교정 가능한 문제를 가지고 있는 경우에는 치료 적응증이 된다.

정계정맥류에 대한 치료 방법은 크게 경정맥색전술, 복강경수술, 절개수술로 구분할 수 있다. 경정맥색전술은 내정계정맥(internal spermatic vein)에 대해 풍선 또는 코일 등을 주입하여 정계정맥류를 제거하는 방법인데, 초기에는 재발률이 11-15%였으나, 4%로 보고된 연구도 있다. 드물게 풍선이나 코일의 이탈에 따른 신장손실, 폐색전 등이 발생할 수 있으며, 고환이 상당량의 방사선에 노출될 위험이 있다. 남성불임의 치료를 전문적으로 하는 비뇨의학과 의사의 입장에서는 현재 정계정맥류의 치료에 있어서 경정맥색전술은 다른 수술적 방법이 실패하였을 때 시도하는 방법으로 인식하고 있다.

절개수술법 중 초기에 시도되었던 음낭접근법은 고환동맥의 손상 위험성이 높고 처리해야 할 정맥의 수가 너무 많아 현재는 시행되고 있지 않다. 후복막접근법(retroperitoneal approach)을 이용한 고위결찰술(high ligation)은 내서혜륜(internal inguinal ring) 상부에서 정삭을 박리하여 내정계정맥을 처리하는 술식이다. 결찰해야 할 정맥이 비교적 크고 숫자가 적기 때문에 수술이 쉬운 장점이 있으나 수술 후 정계정맥류가 소실되지 않거나 재발할 확률이 11-15%로 보고된다. 서혜 혹은 서혜하(subinguinal)접근법이 일반적으로 이용되는 술식이다. 서혜하접근법은 외서혜륜 직하부에서 절개를 가하여 외복사근건막(external oblique aponeurosis)을 열지 않고 정삭으로 접근하므로 술 후 통증을 줄여줄 수 있다. 두 접근법 모두 정삭을 우회함으로써 재발의 원인이 될 수 있는 외정계정맥과 고환도대정맥(gubernacular vein)을 처리해 줄 수 있다.

복강경수술의 원리는 절개수술법의 후복막강 접근법과 같으나 복강경을 이용하므로 고환동맥을 구분하기가 용이하고 아울러 림프관의 발견도 가능하기 때문에 술 후 발생할 수 있는 음낭수종의 발생빈도를 줄일 수 있다는 장점이 있다. 그러나 후복막강 접근법과 유사한 개념이므로 술 후 재발률을 낮출 수 없으며, 장손상, 공기색전증 등 복강경에 수반되는 합병증이 발생할 수 있다는 단점이 있다. 정계정맥류에서 복강경수술이 도움이 되는 경우는 양측 정계정맥류인데 이는 하나의 접근로로 양측에 대한 수술이 가능하기 때문이다.

Goldstein 등은 기존의 정계정맥류제거술이 지닌 문제점을 해결하기 위하여 서혜접근법에 수술현미경을 이용한 미세수술을 도입한 방법을, Marmar 등은 Goldstein의 방법을 변형하여 서혜하접근법을 소개하였는데 이러한 미세수술방법의 장점은 다음과 같다. 첫째, 수술현미경을 이용하여 정관정맥을 제외한 모든 정맥을 처리함으로써 재발이 거의 없다. 둘째, 동맥박동을 현미경으로 확인함으로써 동맥손상을 방지할 수 있다. 셋째, 림프관을 정확하게 보존할 수 있어 술 후 음낭수종의 발생을 최소화할 수 있다. 앞서 설명한 바와 같이 서혜하접근법이 서혜접근법에 비하여 술 후 통증이 덜 하나 보존해야 할 고환동맥의 수가 상대적으로 많고 직경이 가늘며, 처리해야 할 정맥의 수가 많아 수술 술기 면에서는 더 어려운 수술이다.

정자의 수나 운동성과 같은 정액지표에 이상이 확인된 환자들에서 성공적인 정계정맥류절제술로 술 후 60-80%의 환자들에서 의미 있는 정액지표의 호전을 기대할 수 있다. 여러 연구들에서 정계정맥류절제술이 정자의 수나 운동성을 향상시키는 효과는 입증되었지만 임신율을 향상시키는지에 대해서는 다소 논란이 있어왔다. 무작위대조시험의 수가 제한적이고 연구간 대상군의 이질성도 커 결론을 내리기가 쉽지 않다. 그러나 정액지표는 남성의 생식능력을 예측하는 가장 중요한 요소이므로 정계정맥류절제술로 정액지표가 향상되면 임신율도 따라 증가할 것으로 기대된다. 정계정맥류를 지닌 불임남성이 정계정맥류절제술을 시행 받았을 때 기대되는 임신율은 여성 측 요인을 제외하였을 때 1년째 35-45%, 2년째는 약 70%에 이르는 것으로 받아들여지고 있다. 비폐쇄무정자증을 보이는 정계정맥류 환자들의 20-55%에서 정계정맥류절제술 후 사정액에서 정자가 출현했다는 보고들이 있으나 대부분 자연임신에는 성공하지 못하였다.

2) 정자수송을 호전시키기 위한 수술

(1) 정관정관연결술(Vasovasostomy)

정관정관연결술은 피임을 목적으로 정관절제술을 시행했던 환자가 정로의 복원을 원하여 시행하는 경우가 대부분이지만 드물게 탈장수술 중 발생한 정관 손상이 원인이 될 수도 있다. 수술현미경을 사용하면서 평균 개통률(patency rate)이 90%를 상회하게 되었다. 수술현미경을 사용하는 경우 이층연결술(점막층과 근육층을 따로 연결)과 변형 단층연결술은 수술 성적에 있어 유의한 차이는 없다. 그렇지만 이층연결술은 정교한 연결이 가능하므로 정관내강의 차이가 크거나 근육층이 상대적으로 적은 굴곡정관(convoluted vas)에서 연결이 이루어지는 경우보다 적합한 술식이다. 남성불임을 전문으로 담당하는 의사들은 고난이의 술기가 요구되는 부고환정관연결술을 시행하기 위하여 미세술기를 개발하고 유지할 목적으로 예외 없이 이층연결술을 시행한다.

수술 성적에 영향을 미칠 수 있는 인자들 중 가장 중요한 인자는 정관절제술로부터 정관복원술을 받기까지 소요된 시간이다. 정관정관연결술의 수술 기법과 수술 성적 등에 관한 제반 사항을 심도 있게 연구한 Vasovasostomy Study Group의 연구결과에 따르면 3년 이내, 3-8년, 9-14년, 15년 이상과 같은 폐쇄기간의 구분에 따라 개통률 뿐만 아니라 임신율에 있어서도 유의한 차이가 난다. 해부학적 개통률은 평균 90% 이상이나 임신율은 50-60%이다. 임신율에 있어서는 여성 측 인자가 중요한 영향을 미친다.

일차 정관정관연결술이 실패한 경우에서도 정관복원술을 재시도하는 것이 수술 성적 및 비용 면에서 유리한 것으로 알려져 있다. Paick 등은 일차 정관정관문합술에 실패한 환자에서 술 중 고환 측 정관의 정자 검출 유무와 상관없이 이층 정관정관연결술을 시행하였을 때 개통률과 임신율이 각각 91.9%, 57.1%로 일차 수술 때와 거의 유사한 성적을 보고하였다.

(2) 부고환정관연결술(Epididymovasostomy)

부고환정관연결술은 폐쇄무정자증의 치료법이다. 신체검사에서 고환과 정관이 정상적으로 만져지고 혈중 FSH치는 정상이며 정액검사에서 정액의 양은 정상이지만 무정자증을 보인다. 정상 고환용적과 FSH치가 고환의 정상 정자발생기능을 보장하지는 못하므로 반드시 고환생검을 시행해야 한다. 고환의 정자발생기능이 정상임이 확인되면 임상적으로 폐쇄무정자증으로 진단이 내려지고 대부분의 폐쇄는 부고환에서 발생하므로 부고환정관연결술을 염두에 두고 수술을 시행한다. 부고환은 매우 가늘고 긴 단일관으로 이루어져 있어 염증 등에 의하여 쉽게 막힐 수 있다. 신체검사에서 부고환에 딱딱한 결절이 만져지는 경우가 있지만, 이러한 소견이 반드시 부고환폐쇄를 의미하지는 않는다.

굴곡정관과 직선정관의 연결부위를 찾아 정관을 부분 절개하고 정관조영술(vasography)을 촬영하여 원위부 정관과 사정관에 폐쇄가 없는지를 우선 확인한다. 이후 수술현미경을 이용해 부고환관에서 정자 탐색을 시작한다. 부고환관의 확장이 뚜렷한 부분이 확인되지 않으면 부고환의 꼬리부터 탐색을 시작한다. 부고환관은 하나의 관으로 이루어져 있고 매우 섬세한 조직이므로 연결에 적합한 부고환관을 손상 없이 박리하고 절개하여 정자를 탐색하는 과정이 이 수술에서 시간이 많이 소요되고 어려운 부분이다. 부고환액에서 운동성과 관계없이 꼬리를 갖춘 온전한 모양의 정자가 관찰되면 하나의 부고환관과 정관을 연결해 준다.

수술현미경의 발달과 미세 단일관 부고환정관연결술의 도입으로 수술 성적이 크게 향상되어 사정액에서 정자가 검출되는 개통률은 65-80%, 임신율은 35-55% 정도로 보고된다. 수술 성적에 영향을 미칠 수 있는 인자들 중 가장 중요한 것은 수술자의 미세수술 수행 능력이다. 그러므로 미세술기에 익숙한 술자만이 부고환정관연결술을 시행해야 한다. 수술 실패를 대비하여 수술 중 얻어진 정자는 동결 보존한다. 국내에서도 Paick 등이 61례의 폐쇄무정자증 환자에서 부고환정관연결술을 시행하고 24개월 이상의 추적기간 동안 개통률 68.9%, 임신율 31.1%의 성적을 보고한 바 있다.

(3) 경요도사정관절제술(Transurethral resection of ejaculatory duct)

사정관폐쇄는 불임남성의 1-5%에서 발견되는 드문 질환이지만 수술적 교정이 가능하다는 점에서 중요한 남성 불임의 원인 중 하나이다. 양측 사정관의 완전폐쇄인 경우에는 사정액의 대부분을 구성하는 정낭액과 정관을 통해 배출되는 정자가 막혀 사정액에 전립선액만 포함된다. 그 결과 1 mL 미만의 소량, 산성, 수액성상, 무정자증의 특징적인 정액소견을 나타낸다. 신체검사에서 정상적인 고환과 정관이 확인되어야 한다. 사정 후 요검사로 역행사정을 배제한 이후 경직장초음파로 정낭의 전후 직경이 1.5 cm를 넘으면 사정관폐쇄의 잠정진단이 내려진다. 확진을 위해서는 정낭액을 흡인하여 운동성 정자를 관찰해야 한다. 정상적으로 정낭 내에서는 정자가 거의 발견되지 않는다. 경요도절제술이 계획된 환자들에서는 확장된 정낭이나 중앙낭종(사정관폐쇄의 가장 흔한 원인)을 흡인 후 수용성 조영제와 염색제인 10% 메틸렌블루 등을 혼합하여 정낭조영술(seminal vesiculography)을 시행하기도 한다. 정낭조영술은 향후 수술에 필요한 해부학 정보를 제공해 주며 같이 주입된 염색제는 경요도절제술이 성공적으로 시행된 경우 요도로 유출되어 적절한 수술의 지침을 제공한다.

현 시점에서 사정관폐쇄의 표준 치료법은 사정관의 경요도절제술이다. 중앙낭종을 단순 절개하는 간단한 술식으로부터 술 전 주입된 염색제가 요도로 출현할 때까지 전립선을 깊이 절제하는 방법까지 그 범위가 다양하다. 대부분 환자들의 연령이 젊어 전립선이 크지 않으므로 절제의 방향이나 깊이가 적절하지 못한 경우 인접한 직장, 요도조임근, 방광경부에 중한 손상을 야기할 수 있으므로 주의가 필요하다.

사정관폐쇄가 드문 질환이다 보니 그 치료성적에 대한 보고들도 소수의 환자들을 대상으로 한 연구들이 대부분이다. 어느 정도의 기준을 만족시키는 보고들의 결과를 종합해 보면 양측 사정관의 완전 폐쇄 환자들에서 경요도사정관절제술 후 약 절반의 환자들에서 정액에서 정자가 출현하며 이들 중 반, 즉 수술 환자의 1/4 정도가 임신에 성공한다고 한다. 이러한 결과는 사정관폐쇄의 수술 성공률이 그 이론적 합리성에도 불구하고 그리 높지 않음을 알려준다. 낮은 수술 성공률을 감안하여 정낭액 흡인 때 얻어진 운동성을 지닌 정자는 필히 동결 보존하여 나중의 보조생식술 시행을 대비한다. 사정관폐쇄와 부고환폐쇄가 동시에 존재하는 환자에서는 경요도절제술로 사정관폐쇄를 먼저 해결해 주고 수술 후 정액의 양이 정상으로 증가하는 것을 확인한 이후 나중에 부고환폐쇄를 교정해 주는 것이 일반적인 원칙이다.

국내에서 Paick 등은 불임으로 병원을 방문하여 사정관폐쇄가 진단된 환자에서 경요도사정관절제술을 시행하여 61%의 정액지표 호전과 26%의 임신율을 보고하였다. 이 연구에 의하면 폐결핵의 과거력이 있으며 경직장초음파촬영에서 정낭의 위축 소견이 확인되면 교정이 불가능하므로 보조생식술을 위한 정자채취술의 시행이 권장된다. 중앙낭종이 확인된 환자에서 경요도절제술이 성공적으로 시행되었을 때 수술 성적이 가장 좋았다.

2. 약물 치료

남성불임은 정자형성에 필수적인 생식샘자극호르몬 결핍 등 원인이 명백한 경우도 있지만, 약 30%에서는 그 원인이 불분명하다. 따라서, 남성불임의 내과적 치료에는 확인된 원인에 대한 약물요법과 불임의 원인이 밝혀지지 않은 경우 시행할 수 있는 경험적 약물요법의 두 가지 범주가 있다. 내과 치료에 앞서 시행될 수 있는 일반 치료로서 이미 알려져 있는 고환독성물질의 접촉을 차단하는 것이 우선이다. 알코올, 흡연, 고환에 독성이 있는 각종 약물, 습관적인 사우나는 피하도록 한다. 불임이 간질환, 당뇨, 다른 내분비질환 등 전신 질환과 관련이 있다면 이에 대한 치료를 우선 고려해야 한다. 최근 연구들에서 비만과 남성불임 또는 정액지표 감소 사이의 연관성이 보고된 바 있지만, 체중조절이 남성불임의 회복 및 임신율에 미치는 효과에 대한 연구는 없다.

1) 원인별 약물요법

(1) 내분비장애

① 저생식샘자극호르몬-생식샘저하증(Hypogonadotropic hypogonadism)

시상하부나 뇌하수체 질환으로 발생한 저생식샘자극호르몬-생식샘저하증은 남성불임 원인의 1% 미만을 차지하는 드문 질환이지만 치료결과가 비교적 양호하다는 면에서 중요하다. 외부에서 투여한 테스토스테론은 뇌하수체에서 생식샘자극호르몬의 분비를 억제하여 고환에서 테스토스테론 합성과 정자발생을 억제하므로 테스토스테론 치료를 받고 있는 경우는 이를 즉시 중단해야 한다. 시상하부 질환인 경우 GnRH 펌프 등을 이용할 수 있지만 비용-효과 측면에서 생식샘자극호르몬치료가 권장된다.

LH 작용을 가진 human chorionic gonadotropin (hCG)을 대개 먼저 사용한다. 1,500-2,500 IU를 주 3회 근육주사한다. 사춘기 이후에 발병한 경우 hCG 단독요법으로 정자발생을 유도할 수 있지만 대부분 FSH 추가가 필요하다. LH와 FSH 두 작용을 지닌 human menopausal gonadotropin (hMG)을 사용할 수 있으나 최근에는 재조합(recombinant) FSH를 흔히 사용하며 75 또는 150 IU를 주 3회 피하주사 한다. 정자발생이 유도될 가능성은 60-70%로 알려져 있으며 대개 10개월 이상의 치료기간을 필요로 한다. 생식샘자극호르몬으로 정자발생이 성공적으로 유도되더라도 정자밀도가 정상치보다 낮으며 그럼에도 불구하고 자연임신이 대부분 가능하다는 사실을 유념해야 한다. 치료 시작 전 고환의 용적인 4 cc 미만으로 적으면 치료에 대한 반응이 불량하다. 잠복고환(특히 양측)의 병력도 좋지 못한 예후인자이다. 이전에 테스토스테론을 투여받은 경우 예후가 좋지 않다는 주장도 있으나 이에 반하는 의견도 있다.

② 고프로락틴혈증(Hyperprolactinemia)

항정신병약물, 삼환계 항우울제, 아편제 등 중추신경계에 작용하는 항도파민성 약물 투여가 고프로락틴혈증의 가장 흔한 원인이다. 그 밖에 다른 원인으로는 뇌하수체 샘종, 시상하부 질환, 갑상선기능저하증 등을 들 수 있다. 남성에서 고프로락틴혈증은 생식샘저하증, 성욕감퇴, 발기부전 등을 유발한다. 고프로락틴혈증이 약물 복용에 의한 것이 아니라면 뇌하수체 종양을 배제하기 위하여 뇌하수체 MRI 촬영이 필요하다. 뇌하수체 종양이 확인되어도 수술을 필요로 하는 거대샘종이 아닌 미세샘종인 경우에는 약물치료가 권장된다.

도파민 작용제가 일차 치료법이며, 대표 약제인 bromocriptine은 최초 투여 용량이 일일 0.625-1.25 mg이며, 유지 용량은 2.5-10.0 mg이다. 최근에는 부작용이 적고 작용시간이 길어진 새로운 약제인 cabergoline이 개발되어 주로 이용된다. 주당 0.25-0.5 mg이 최초 투여 용량이며, 유지 용량은 주당 0.25-0.30 mg이다. 치료 후 80% 이상에서 혈중 프로락틴치가 정상화되고 정액지표의 개선도 관찰된다.

(2) 생식기 감염(Genital tract infection)

남성의 부생식샘감염에는 요도염, 전립선염, 고환염 및 부고환염 등이 있으며 남성불임 환자들 중 부생식샘감염의 유병률은 8-10%로 보고된 바 있다. 농정액증(leukocytospermia)은 WHO 기준에 의하면 정액 1 mL 당 1.0×106개 이상의 백혈구가 관찰되는 경우 진단된다. 원인균으로는 Chlamydia trachomatis, Gardnerella vaginalis 및 Ureaplasma urealyticum 등이 있다. 3개월 간격으로 시행된 정액검사에서 농정액증이 지속되면 배양검사 등의 미생물학 검사를 시행한 뒤 항생제를 투여할 수 있다. 부생식샘감염 환자에서 항생제를 투여하면 정액검사 지표가 향상될 수 있지만, 임신율에 대한 효과에 대해서는 좀 더 연구가 필요한 실정이다.

(3) 사정 장애(Ejaculatory dysfunction)

역행사정의 원인으로는 척수손상, 당뇨병신경병증, 결장직장 수술, 후복막림프절절제술 등에 의한 교감신경 손상, 경요도전립선절제술 등이 있다. 치료는 우선 교감신경작용제 경구투여를 시도해 볼 수 있다. Ephedrine 25-50 mg 1일 2-4회, pseudoephedrine 120 mg 1일 2회, imipramine 25 mg 1일 2-3회를 단독 혹은 병합으로 투여한다. 경요도절제술 등에 의한 해부학적 원인이나 신경손상에 의한 경우 치료 결과가 좋지 않다. 당뇨병에 의한 경우 치료에 반응하기도 한다. 약물요법에 실패한 경우에는 사정 후 채취한 소변에서 정자를 얻어 세척 후 보조생식술을 시행한다. 이때 소변을 알칼리화 하는 것이 도움이 된다.

무사정의 원인도 역행사정의 원인과 유사하다. 그러나 역행사정에 사용하는 약제들로 효과를 기대하기 어렵다. 척수손상 환자에서 알파차단제 및 부교감신경흥분제인 physostigmine, neostigmine 등이 사용된 바 있으나 임신 성공률이 낮았다. 직장을 통한 진동자극으로 사정을 유도할 수 있으며, 실패한 경우 전기사정이 고려될 수 있다.

2) 경험적 약물요법

(1) 생식샘자극호르몬

특발성 남성불임 환자를 대상으로 생식샘자극호르몬 치료가 임신율에 미치는 영향을 조사한 6개의 무작위대조연구를 대상으로 한 메타분석 결과 임신율 향상 효과가 관찰되었으나 대상군의 수가 많지 않아 아직까지 치료제로 인정받기에는 근거가 약하다.

(2) 선택에스트로겐수용체조절인자(Selective estrogen receptor modulator, SERM)

Clomiphene 또는 enclomiphene citrate와 같은 SERM 제제는 주로 시상하부와 뇌하수체의 에스트로겐 수용체에 작용하여 생식샘자극호르몬 분비를 자극하여 고환에서의 테스토스테론 생산과 정자발생을 촉진한다. Tamoxifen도 넓게는 SERM에 속한다. 가장 많이 사용되는 clomiphene citrate는 25 또는 50 mg을 1일 1회 투여한다. 11개의 무작위대조연구를 대상으로 한 메타분석 결과 SERM 제제는 혈중 FSH와 테스토스테론 수치, 정자의 밀도와 운동성, 임신율을 의미 있게 증가시켰다.

(3) 방향효소억제제(Aromatase inhibitor)

남성호르몬이 에스트로겐으로 전환되는 것을 억제하여 에스트로겐이 생식샘자극호르몬에 음성 되먹임으로 작용하는 것을 억제한다. 그동안 발표된 임상자료를 종합해 보면 정액지표 향상 효과는 보고되었으나 임신율에 대한 자료는 부족하다.

(4) 항산화제(Anti-oxidants)

비타민 C, E, 아연, 셀레니움, 엽산, 카르니틴 등 다양한 항산화제의 효과를 평가한 61개의 무작위대조연구들에 대한 메타분석에서 임신율 증가를 보고한 일부 연구들이 있기는 하지만 연구간의 이질성이 너무 크고 연구의 질적 수준이 낮아 아직 결론을 내리는 데 어려움이 있다.

3. 보조생식술을 위한 정자추출법(Sperm retrieval techniques)

정로가 막힌 폐쇄무정자증은 수술 치료로 근본적인 교정이 가능하지만 수술에 실패하였거나 폐쇄의 부위가 너무 길거나 여러 군데여서 수술 교정이 불가능 하거나 양측 선천정관무형성증인 경우에는 부고환이나 고환에서 정자를 추출해 보조생식술을 시행해야 한다. 비폐쇄무정자증의 경우에는 정자추출 후 보조생식술을 시행하는 것이 유일한 해결책이다. 경피적 또는 수술을 통해 부고환이나 고환에서 정자를 흡입하는 여러 방법들이 소개되었다. 폐쇄무정자증의 경우에는 어떤 방법을 사용하더라도 쉽게 정자를 얻을 수 있으므로 본 장에서는 폐쇄무정자증 환자에서의 정자추출법을 설명하고자 한다.

고환의 정자발생 장애로 인한 비폐쇄무정자증 환자의 경우 정액에서는 정자가 확인되지 않더라도 정자발생이 되고 있는 고환의 일부에서 정자를 발견할 수 있다. 부고환에서의 정자 추출은 거의 가능성이 없으므로 고환조직정자채취술(testicular sperm extraction, TESE)을 시행해야 한다. 비폐쇄무정자증 환자에서 TESE의 정자채취 가능성을 올리기 위해 여러 시도들이 있어왔다.

1) 다중 고환조직정자채취술(Multiple TESE)

전통적인 방법으로 고환을 완전히 노출시킨 후 백막 표면의 혈관을 피하여 3-5 mm 정도의 백막 절개를 무작위로 여러 부위(5-8군데씩)에 시행하여 밀려나온 고환조직을 떼어내어 기계적 방법과 효소처리를 통하여 정자를 추출한다. 난자 채취일 당일 TESE를 시행하여 정자를 찾지 못하는 경우 ICSI가 취소된다. 이러한 일을 예방하기 위하여 미리 양측 고환에 정해진 mapping을 하고 세침으로 고환조직을 흡인하여 정자가 관찰되는 부위를 알아 두었다가 ICSI를 진행하며 정자가 확인된 부위를 중심으로 TESE를 시행하는 방법도 시도되었다. 세침으로 고환조직을 흡인하여 얻어지는 정자 추출률이 통상적인 TESE에 비하여 낮다는 문제가 있다.

2) 미세해부 고환조직정자채취술(Microdissection TESE)

1999년 Schlegel 등이 도입한 방법으로 다중 TESE와 기본 시술 원칙은 동일하지만 수술현미경을 이용하여 정자형성이 일어나는 세정관을 선택적으로 채취할 수 있는 술식이다. 정자발생이 되고 있는 세정관은 그렇지 않은 세정관에 비하여 뿌옇고 확장되어 있어 수술현미경으로 구분이 가능하다. 고환백막 절개 시 혈관손상을 피할 수 있고, 상대적으로 적은 양의 고환조직을 떼어내므로 고환 손상을 최소화할 수 있다. 비폐쇄무정자증 환자에서 통상적인 TESE로 정자추출 성공률이 30% 내외인 것에 비하여 미세해부 TESE의 정자추출 성공률은 40-60%에 이른다. 특히 정자추출 성공률이 가장 낮은 생식세포무형증 환자에서는 필히 고려되어야 되는 술식이다.

** 참고문헌 목록은 대한산부인과내분비학회 홈페이지 http://www.kosge.or.kr 또는 QR코드를 통해 보실 수 있습니다.*

CHAPTER 17

자궁내막증

김성훈(울산의대), 김슬기(서울의대)

자궁내막증은 자궁내막조직이 자궁의 바깥에 존재하는 양성 질환으로 정의되며 월경통, 골반통, 성교통, 배변통 및 불임 등을 야기할 수 있다. 병변은 주로 복강 내에 존재하지만 신체의 다른 어떤 부위에서도 발생할 수 있다. 자궁내막증은 작은 점상의 병소로 존재하기도 하지만 난소에 큰 낭종을 형성하여 난관-난소의 해부학 변화를 일으키기도 하고 때로는 대장, 방광, 그리고 요관 등에 심각한 유착을 일으키는 등 다양한 임상적인 징후와 증상을 초래할 수 있다. 제대로 치료가 이루어지지 않을 경우 진행하기도 하고 수술 이후에도 재발이 흔하여 조기 진단과 장기적인 관리가 필요한 질환이다.

자궁내막증의 발병 기전에는 여러 인자들이 관련될 것으로 생각되며 유전 요인, 환경 요인, 면역학 및 내분비 기능의 변화 등이 중요한 역할을 하는 것으로 알려져 있다. 그러나 현재까지 자궁내막증의 병인 및 병태생리는 확실히 정립되어 있지 않으며, 이에 최근에는 새로운 분자생리학 방법을 이용한 연구가 활발히 이루어지고 있고 이는 새로운 진단법과, 더욱 효과적인 치료법 개발로 이어질 것으로 기대된다. 자궁내막증은 예방이 어렵기 때문에 조기진단과 치료가 중요한 질병이다. 환자의 연령, 통증을 비롯한 증상의 정도, 질병의 임상 양상, 불임 여부와 임신의 필요성, 치료가 삶에 미치는 영향, 등 여러 요인에 따라 개개인에 맞는 내·외과 치료가 병행되어야 한다.

Ⅰ. 자궁내막증의 역학

자궁내막증의 발생 빈도는 명확하게 평가하기 어려운데, 이는 전통적으로 자궁내막증의 확진이 수술 또는 병리조직학적으로 병변이 확인되어야만 가능하기 때문이다. 경증 자궁내막증을 가지고 있거나 중증 자궁내막증을 가지고 있더라도 만성화되어 통증을 비롯한 자궁내막증의 대표 증상이 없을 경우 수술이 시행되지 않아 진단이 불가능할 수 있다. 따라서 자궁내막증의 유병률은 수술적 치료의 적응증에 따라서 다양하게 보고되어 왔다. 증상이 없는 여성에서 난관결찰술 시행 당시 자궁내막증의 발생빈도는 1-7%에서, 골반통이 있는 가임기 여성에서는 12-32%에서, 불임여성에서는 9-50%에서, 그리고 만성골반통을 가진 10대에서는 약 50%에서 발견된 것으로 조사되었는데, 가임기 여성에서의 대략적인 유병률은 5-10%로 보고되고 있다. 평균적으로 25-35세에서 처음 진단되는 것으로 보고되고 있는데, 인종과 사회 계층을 막론하고 발병 가능하다. 명확한 원인은 모르나 흑인보다는 아시아인에게 더 흔히 발생하는 것으로 알려져 있으며 체질량 지수가 낮은 환자에서 호발하는 것으로 보고되었다. 국내에서는 자궁근종, 자궁외임신, 난소 종양 등으로 개복 수술을 시행한 환자 중 4.2%가 자궁내막증으로 진단되었고, 양성 난소종양, 자궁외임신 등으로 복강경 수술을 한 경우 24.3%가 자궁내막증으로 진단되었다. 불임을 주소로 진단적 복강경을 시행한 경우 자궁내막증의 유병률은 45.4%였고, 골반통으로 인해 복강경을 시행한 경우 자궁내막증의 유병률은 8.5%였다.

자궁내막증은 가임기에서 흔히 발병되는 질환이지만 사춘기와 호르몬 치료를 받는 폐경 여성에서도 발생하는 것으로 보고되었다. 자궁내막증의 발생 위험도는 여성호르몬에의 노출 정도와 관련이 있는데 빠른 초경과 짧은 월경주기와는 비례하고 임신, 출산력 및 수유 기간과는 반비례하는 것으로 알려져 있다. 유전 원인으로 일촌 관계에 자궁내막증 병력이 있을 때 위험도는 7배 이상 증가한 것으로 나타났다. 관련된 역학 연구에 의하면 알코올과 카페인의 과다 섭취는 자궁내막증발병 위험도를 증가시켰고, 적절한 운동과 흡연은 위험도를 감소시켰다.

Ⅱ. 병인(Pathogenesis)

1. 전통적 병인학

1800년 처음 자궁내막증의 징후와 증상이 소개된 이후, 그 병인에 대해서 여러 가지 가설이 제시되고 있으나 아직 명확한 기전은 밝혀지지 않은 상태이다. 자궁내막증을 조직기원학적 연구로 살펴보았을 때 다음과 같은 전통적인 가설들이 있다.

- 월경혈의 역류와 착상(retrograde menstruation and implantation)
- 체강 변성(coelomic metaplasia)
- 유도 이론 (induction theory)
- 혈행성, 임파성 파종(vascular, lymphatic dissemination)
- 직접 전파(direct transplantation)

하지만 어떤 한 가설만으로는 자궁내막증 발생 기전을 설명할 수 없고 각각의 기전이 따로 또는 함께 관여하여 자궁내막증을 일으키는 것으로 설명할 수 있다.

자궁에서 난관을 통한 월경혈 즉 자궁내막세포의 역류와 복강 내 착상 이론은 1920년대 중반 Sampson에 의해 처음 보고된 병태 생리기전으로 이후 많은 연구와 실험의 결과들이 이를 뒷받침하고 있다. 이러한 근거로는

1) 월경 기간에 정상적인 난관을 가진 여성의 75-90%에서 월경혈이 복강 내에서 존재하고,
2) 복강액에서 자궁내막 세포를 배양할 수 있었으며 복막의 중피세포(mesothelial cell)를 침투하여 이식될 수 있었고,
3) 월경이 정상적으로 나올 수 있는 여성에서보다 자궁 기형이 있는 여성에서 많이 발생하였으며,
4) 초경이 빠른 경우, 월경 주기가 짧은 경우, 또는 월경과다가 있는 경우 등 월경혈의 노출이 많은 경우 흔하며,
5) 골반의 가장 아래쪽 부위, 난소, 방광자궁맹낭(anterior cul-de-sac), 직장자궁맹낭(posterior culde-sac), 자궁천골인대, 자궁 뒷벽, 그리고 광활인대의 뒤쪽표면에 잘 생기는 양상을 보이고,
6) 복강 내 월경혈 또는 복막의 자궁내막조직에서 분리된 세포를 타 동물에 이식하여 자궁내막증을 발생시킬 수 있었다는 증거들이 제시되고 있다.

이러한 연구 결과들은 월경혈의 역류와 착상 이론의 근거를 잘 설명하고 있지만, 자궁내막증이 있는 환자 중 월경혈의 역류가 없었던 사람도 있고, 복강 외 신체 부위에서 자궁내막증이 발생되는 경우 등을 설명할 수 없는 단점이 있다.

이에 반해 체강 변성 이론은 복막이나 흉막에 존재하고 있는 체강상피에서 유래한 중피세포가 자연발생적 화생에 의해 자궁내막조직으로 변성되어 자궁내막증을 일으킨

다는 가설로서 월경혈의 역류와 착상 이론이 설명할 수 없는 발생기전을 설명하고 있다. 유사한 이론으로 유도 이론(induction theory)은 역류된 월경혈에 의해 유리된 내분비 인자들이 난소의 상피와 복막 중피세포의 화생을 유도하여 자궁내막증 조직으로 변이된다는 가설이다. 체강 변성 이론은 자궁내막증이 초경이 시작되기 전 여아에서도 발견되었고, 초경이 시작된 지 얼마 지나지 않은 사춘기 여성에서도 발견되었으며, 손가락, 허벅지, 무릎 등의 사지에서도 아주 드물게 발생하며, 난소 표면의 상피와 기질 세포를 에스트라디올과 함께 배양하여 자궁내막조직을 형성할 수 있었다는 연구들에 의해 뒷받침되고 있다. 체강 변성 이론은 복강이 아닌 다른 부위에서 자궁내막증이 발생할 수 있다는 근거를 제시하나, 문제점으로는 복막세포의 변이가 가능하다면 남성에게도 나타나야 하고, 체강상피는 복강뿐 아니라 흉강도 구성하고 있지만 자궁내막증은 대부분 복막강 내에서 발생하며, 변이는 연령의 증가와 관련된 과정이지만 자궁내막증은 젊은 가임기 여성에서 주로 발생한다는 점 등이 있다.

일부 연구에서는 월경 중 자궁내막 조직이 정맥이나 임파선을 통해서 골반 이외의 장기로 파종되어 자궁내막증을 발생시킬 수 있음을 보고하였다. 제왕절개, 골반 수술, 또는 분만 후 회음부 봉합 이후에 의인성(iatrogenic)으로 자궁내막조직이 직접 전파되어 자궁내막증이 발생한 경우는 직접 전파의 가설을 뒷받침한다.

2. 면역학 요인(Immunologic factors)

월경혈의 역류가 자궁내막증의 발생에 가장 주요한 요인이나, 실제로 대부분의 정상 여성에서도 월경혈의 역류가 일어난다. 대부분의 역류된 자궁내막조직은 면역작용에 의해 비활성화되고 파괴되어 자궁내막증이 발생하지 않지만 면역계에 이상이 생길 경우 자궁내막조직이 파괴되지 못하고 자궁내막증이 발생한다는 보고들이 있다. 또한 자궁내막증은 두통, 관절통과 근육통, 알레르기, 습진, 갑상선기능저하증, 섬유근육통, 만성 피로증후군, 류마티스 관절염, 루프스, 쇼그렌 증후군, 다발경화증, 칸디다증과 연관이 있는데 이것은 자궁내막증이 자가면역질환과 관련이 있음을 시사한다. 실제로 자궁내막증은 세포 면역 및 체액성 면역 둘 다에 연관되어 있고, 손상된 면역 기능으로 인해 질환이 새로 발생하기도 하고 심화되기도 한다. 이러한 면역 반응에는 복강액에 포함된 많은 면역세포, 면역인자들이 관여하게 되는데, 대표적으로 자연세포독성세포(natural killer cell, NK cell), 대식세포, 림프구, 종양괴사인자-α (tumor necrosis factor-α, TNF-α), 인터루킨(interlukin, IL) 등이 있다.

NK 세포는 중요한 면역 체계 중 하나로서 면역글로불린 G (immunoglobulin G, IgG)에 대한 수용체를 가지고 있고 항체와 연관된 세포성 독성을 가져 IgG와 결합한 항원을 제거한다. 자궁내막증은 NK 세포와 대식세포의 활성이 감소하여 복강 내 자궁내막 세포의 제거가 감소하여 발생할 수 있다. 실제로 중증 자궁내막증 환자에서 NK 세포의 세포독성력이 저하되어 있고, 자궁내막증 환자에서 말초와 복막세포에서 자궁내막 세포의 제거를 방해하는 수용체가 과발현 되어 있어 자궁내막증의 발생을 야기할 수 있다. 그러나 NK 세포의 역할에 대해서는 그 활동성이 외부 인자인 흡연, 약물 복용, 그리고 운동 등에 따라 변화되기 때문에 명확한 병인 기전은 추후 연구가 더 필요하다는 의견도 있다.

대식세포도 선천 면역반응의 주요한 요소인데, 항원-특이적이거나 면역학 기억에 의존하는 면역 체계가 아니라 체내 침입하는 미생물을 인지, 식균하고 파괴하여 신체를 지키고 청소 역할을 담당하는 기능을 가진다. 또한 여러 가지 다양한 사이토카인, 성장인자, 효소, 그리고 프로스타글랜딘(prostaglandin, PG)을 분비하고 다른 면역세포의 분화와 성장을 촉진한다. 그러나 자궁내막증 환자의 복강액에서는 대식세포의 수와 활동성이 많이 증가되어 있음에도 불구하고 이소성 자궁내막세포를 제거하지 못하고 동반 증가된 단핵구와 함께 이소성 자궁내막조직의 분화를 촉진하는 성장인자와 사이토카인을 분비함으로써 그들의 원래 기능에 반하는 역할을 할 수 있다. 또한 활성화된 호중구는 염증매개물질과 케모카인을 분비할 수 있는데, 중성구가 자궁내막증 환자에서 신생혈관형성, 세포자멸사와 사이토카인의 생산에 중요한 역할을 담당하는 것으로 보고되었다.

림프구는 후천성 면역반응을 주재하는데, B 림프구는 외부 미생물에 특징적인 항체인 면역글로불린을 분비하여 체액성 면역을 담당하고 T 림프구는 세포독성 및 면역에 도움을 주는 사이토카인들을 분비하여 대식세포를 활성화시켜 바이러스나 병원체를 제거하게 하는 세포성 면역역할을 한다. 이러한 B, T 림프구들이 자궁내막증 환자의 복강액과 이소성 자궁내막조직의 기질에 많이 존재하여 면역 반응에 영향을 주는 것으로 밝혀졌다.

사이토카인과 성장인자는 수용성 단백질과 당단백질로 구성되어 있는데 백혈구와 타 세포에서 분비되어 자가분비(autocrine) 또는 주변분비(paracrine) 활동을 하고 주화성(chemotaxis), 유사분열(mitosis), 혈관신생(angiogenesis), 분화(differentiation) 등을 통해 면역 활동을 담당한다. 면역체계가 손상 받았을 때 역류된 월경혈에 의한 자궁내막세포의 제거가 제대로 이루어지지 못하고, 사이토카인과 성장인자가 오히려 이소성 자궁내막조직의 분화와 신생혈관형성 등의 과정을 통해 복막으로 성장, 착상될 수 있게 촉진한다.

주요한 사이토카인으로는 종양괴사인자(tumor necrosis factor, TNF)-α와 인터루킨(interleukin, IL)이 있다. TNF-α는 염증성 사이토카인으로 림프구, 대식세포, 그리고 NK 세포 등에서 생산되고 IL-1에 의해 활성화되는데 골반 염증과 이소성 자궁내막 이식을 촉진한다. TNF-α는 생리적 용량을 중피세포에 처치하였을 때 기질세포가 중피세포에 부착되는 것을 활성화시키는 역할을 하였고 이는 자궁내막증 환자에서 이소성 자궁내막조직을 복막에 착상시키는데 도움을 줄 것이라고 생각된다.

IL-1은 염증과 면역 반응에 관련된 사이토카인으로 혈관생성인자인 혈관내피성장인자(vascular endothelial growth factor, VEGF), IL-6, 그리고 IL-8 등의 분비를 촉진하여 자궁내막증을 발달시키고 NK 세포나 다른 면역세포의 반응인식 위치에 경쟁적으로 붙는 수용성 세포간유착분자(intercellular adhesion molecule-1, ICAM-1)의 분비를 촉진한다. 또한 IL-1과 TNF-α는 복막의 중피세포에서 IL-8의 분비를 촉진하여 자궁내막증 증식을 돕는다.

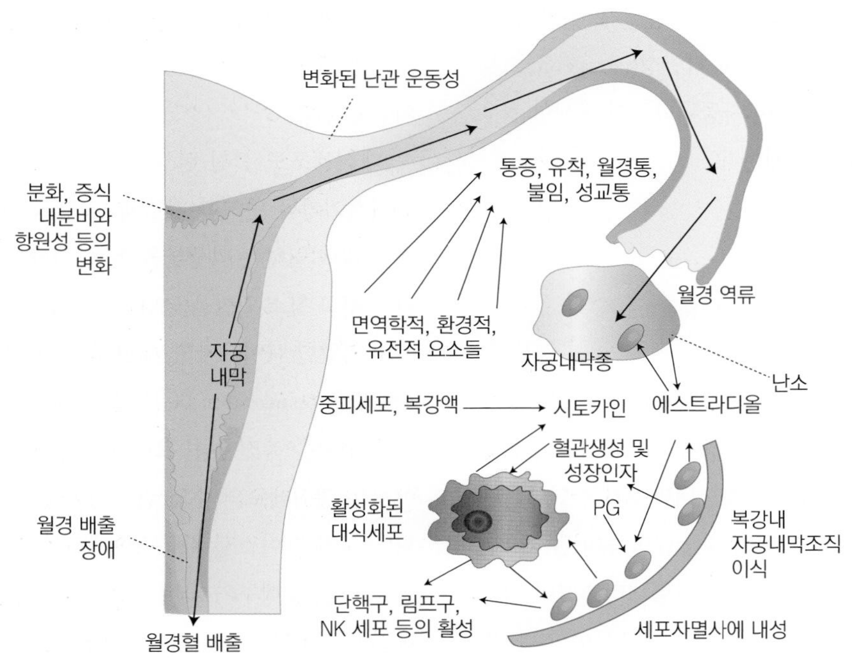

• 그림 17-1. **자궁내막증 병태생리의 모식도** 월경혈의 역류로 인해 복강내로 유입된 자궁내막세포의 변이와 면역 요인이 동반되어 자궁내막세포의 복강 내 착상이 야기된다.

이렇게 자궁내막증에서 관찰되는 세포매개성 및 체액성 면역의 변화들은 면역반응의 결함이 역류된 월경혈에 포함된 조직 부스러기들(debris)의 효율적인 제거를 방해하여 자궁내막증의 발병에 관여할 수 있음을 시사하고 있다(그림 17-1).

3. 유전 요인(Genetic factors)

자궁내막증이 유전적인 소인을 가질 수 있음이 여러 연구에서 밝혀지고 있는데, 사람 또는 붉은털원숭이에서 가족 내 집단 발병, 아이슬란드 인구에서 자매가 자궁내막증 환자일 경우 보통 여성보다 5배 이상 자궁내막증 이환의 위험도를 보였다는 연구, 일란성 태아에서 일치성, 자매에서 비슷한 연령대에 자궁내막증의 발생, 일촌에서 자궁내막증이 있을 경우 6-9배 발병률이 높은 점, 그리고 자궁내막증 3-4기가 있던 환자의 가족을 MRI 촬영을 하였을 경우 15% 정도 자궁내막증을 진단하였던 연구 등에서 관련성을 찾을 수 있다. 이러한 점은 자궁내막증의 발병이 유전학적으로 중요하고 환경 요인과 알레르기에 민감도가 높은 유전자와의 상호연관 관계를 반영한다고 할 수 있다.

발표된 유전학 연구를 살펴보면 에스트로겐 수용체 유전자의 다형성(polymorphism)으로 인해 에스트로겐 수용체 발현의 변화와 자궁내막증 발생과의 관련성에 대한 보고, 자궁내막증에서 이질적으로 증가된 염색체 이수성(gene aneuploidy), 이형접합성(heterozygosity)의 상실로 인한 자궁내막증의 악성 변화 등 관련된 여러 유전학 연구가 보고되어 있다. 최근 전장유전체연관분석(genome-wide association study, GWAS)을 통해서 자궁내막증의 위험과 연관된 몇 개의 유전자 부위가 확인된 바 있으나 정확한 유전자 변이와 자궁내막증 발병에 있어서의 역할을 확실히 규명하지는 못한 상태여서 극히 일부분의 자궁내막증 환자에서만 GWAS 결과로 병인을 설명하는 것이 가능한 상태이다.

4. 자궁내막 자체의 분자생물학적 이상

월경 시 월경혈 역류가 거의 모든 여성에서 발견되는 현상이나 일부분의 환자에서만 자궁내막증이 발생하기 때문에 역류를 통해 복강 내에 유입된 자궁내막 조직 자체의 분자생물학 이상으로 자궁내막증이 발생할 수 있다는 연구 결과들이 지속적으로 보고되고 있다. 이러한 자궁내막의 이상은 정상적으로 나타나는 자궁내막의 세포자멸사 과정에 저항성을 유도하여 복강 내에 유입된 후 면역 반응에 의해 효율적으로 제거되지 못하고 생존, 증식, 침습하여 자궁내막증을 야기할 수 있다.

자궁내막증 환자의 자궁내막 조직에는 방향효소(aromatase)의 발현이 증가되어 있어 국소적으로 에스트로겐 생성이 증가하게 되어 이를 통해 자궁내막 조직이 복강 내에서 생존, 증식할 수 있다. 또한 자궁내막에서 17β-수산화스테로이드 탈수효소(17β-hydroxysteroid dehydrogenase, 17β-HSD) 활성도 감소되어 있어서 에스트라디올을 상대적으로 활성이 약한 에스트론으로 전환시키지 못함으로 인해서 에스트로겐 활성을 상승시켜서 자궁내막증 발생을 유도할 수 있다. 고리산소화효소-2 (cyclooxygenase-2, COX-2) 활성 역시 비정상적으로 증가되어 있는데 이로 인하여 프로스타글랜딘 E2의 농도가 증가하여 염증반응을 유도해 사이토카인, 금속단백질효소(metalloproteinase), 그리고 케모카인 등을 활성화하여 여러가지 과립구, NK 세포, 그리고 대식세포 등을 증가시키고 자가 양성되먹임반응에 의해 자궁내막증을 더욱 진행하게 만든다. 정상적으로 프로게스테론은 에스트로겐에 의한 자궁 내막 증식 작용을 억제할 뿐 아니라 17β-HSD의 활성을 증가시키고 항염증 작용을 통해서 자궁내막증의 발생을 억제시킬 수 있다. 하지만 자궁내막증 환자의 이소성 자궁 내막 조직에는 프로게스테론의 수용체 발현이 감소되어 있음이 밝혀졌고 이로 인한 프로게스테론에 대한 저항성이 자궁내막증 발병의 중요 기전이 될 수 있음이 제시되고 있다. 자궁 내막에서 정상군과 자궁내막증 군의 유전자 발현을 비교 분석한 한 연구결과에서도 자궁내막증 환자의 자궁 내막에서 프로게스테론의 작용과 연관된 일련의 유전자들 발현이 감소되어 있음이 확인되어 이러한 자궁 내막 자체의 프로게스테론에 대한 저항성이 자궁내막증 발병을 야기할 수 있는 것으로 보고되었다.

최근에는 DNA메칠화, 히스톤 단백 메칠화, miRNA의 변화와 같은 후생적 요인(epigenetic factor)의 이상에 의한 자궁내막증 발병 가능성도 제시되고 있다. 자궁내막증 환자의 자궁 내막에서 Homeobox A10 (HOXA10)이 과메틸화되어 있으며 자궁내막증 조직에서 프로게스테론 수용체 B의 촉진자 부위의 과메틸화와 SF-1 촉진자 부위와 에스트로겐 수용체-β 유전자 촉진자 부위의 저메틸화가 보고된 바 있다. miRNA는 mRNA의 전사 과정을 방해하거나 mRNA를 분해하여 특정 단백의 발현을 억제하는 소형 RNA 분자인데, 일부 miRNA의 이상 발현이 자궁내막증 환자의 자궁내막과 자궁내막증 조직에서 보고되고 있다.

5. 환경 요인(Environmental factor)

여러 가지 질병들에서 환경적 요인의 중요성이 제기되고 있는 가운데, 자궁내막증 발생에도 환경 요인이 많이 작용하고 있음이 밝혀지고 있다. 대표적으로 연구된 환경인자로는 다이옥신, 다염화이중페닐(polychlorinated biphenyl, PCB), 프탈산 에스터(phthalate ester)가 있는데 다이옥신은 자궁내막증의 발병기전으로 잠재적인 역할을 할 것으로 언급되고 있으나, 아직 논란이 있는 상태이다. 동물연구 실험 결과 영장류에서는 고농도의 다이옥신이 자궁내막증과 관련된 것으로 보고되었고, 설치류에서도 다이옥신이 자궁내막증을 일으키는 데 잠재적인 역할을 할 것이라는 보고들이 있었다. 유전 기전에 따르면 사람에서 다이옥신의 노출은 자궁내막증을 발달시키는데, CYP1A1 유전자는 다이옥신을 유도하는 유전자로 정상 자궁내막에 비하여 이소성 자궁내막조직에서 9배 높게 나타났다. 최근의 연구에 의하면 복강액에 다이옥신 농도와 자궁내막증이 밀접한 상관관계가 있다고 보고하였고, 추후 대규모의 역학적인 연구가 필요할 것이다(그림 17-2).

유기화합물인 PCB는 절연성을 가지고 있어 과거에 쓰

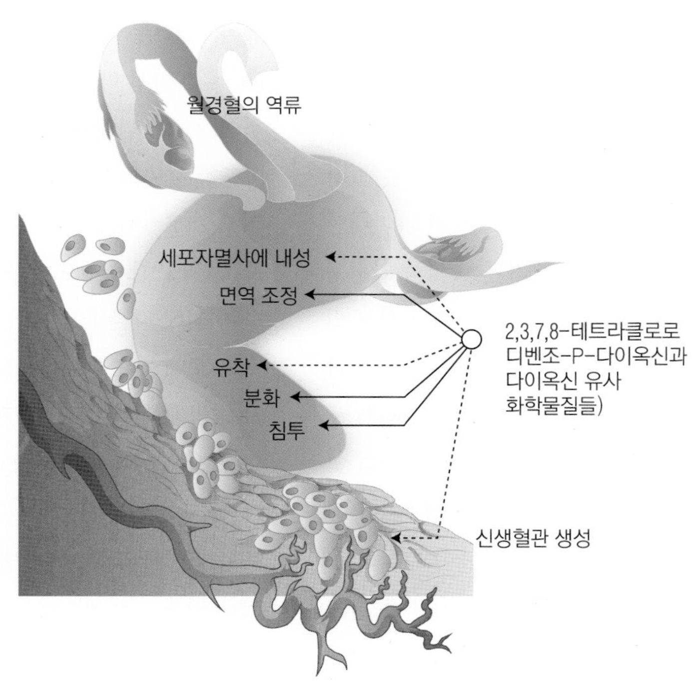

• 그림 17-2. **환경인자(다이옥신)와 자궁내막증의 발생** 자궁내막증은 복강 내 월경혈의 역류 이후 부착, 침입, 분화, 그리고 신생혈관에서의 혈류 공급에 의해 발생한다. 이때 TCDD와 다이옥신-유사 화학물질이 면역 반응, 분화, 침투 등을 활성화시키고, 세포자멸사에 내성, 부착, 신생혈관 생성 등에도 역할을 할 것이라 추측되고 있다.

였던 절연체 중 하나로 노출되었을 경우 면역, 신경화학, 내분비 문제와 발암성을 일으키는 물질로 알려져 있다. 이와 자궁내막증에 대한 연구로 북미에서 다차원적 PCB 농도와 자궁내막증 위험요인에 대한 분석을 하였는데 관련이 없음을 보고하였고, 타 연구에서도 자궁내막증과 PCB, 염화 살충제와 관련성이 없다고 하였다.

프탈산 에스터는 비닐수지로 주위에서 많이 사용되는 화합물로, 몇몇 연구에서 혈중 프탈산 에스터 농도가 높은 여성에서 자궁내막증의 빈도가 높은 것을 보고하였다. 국내에서도 프탈산 에스터와 자궁내막증에 대한 연구가 시행되었는데 혈장과 소변에서 프탈산 에스터 농도는 자궁내막증 환자에서 대조군에 비해 유의하게 높은 수준을 보였고, 프탈산 에스터에 노출이 많이 되었을 경우 혈중 프탈산 에스터의 에스트로겐 유사 작용으로 인하여 복강 내로 역류된 자궁 내막 세포의 생존을 증가시켜 자궁내막증을 유발할 수 있음이 보고되었다. 하지만 환경 요인은 단독으로 작용하기보다는 유전적, 후생적 소인과 관련되어 개인별로 다른 영향을 미칠 수 있기 때문에 이에 대한 통합 연구가 이루어져야 환경 요인에 대한 정확한 평가가 가능할 것이다.

III. 진단

전통적으로 자궁내막증 진단은 복강경이나 수술을 통해서 병변을 확인하거나 조직학적으로 확진함으로써 가능하였다. 따라서 진단이 침습적인 시술을 통해서 이루어지다보니 증상 발현부터 진단까지 약 6, 7년의 긴 시간이 소요된다는 연구 결과도 보고되었다. 하지만 아직 복강경을 대체할 수 있는 효율적인 비침습적 진단법이 개발되지 못한 상태로, 자궁내막증의 효율적인 생표지자를 발굴하기 위한 연구들이 활발히 진행되고 있는 상태이다.

1. 자궁내막증의 임상 진단

1) 증상

자궁내막증의 흔한 임상증상은 월경통, 만성 골반통, 성교통, 배변통, 주기적인 장 또는 방광 불편 증상, 불임, 만성 피로감 등인데, 월경통과 골반통이 가장 흔한 것으로 보고되었다. 한 대규모 환자-대조군 연구의 결과를 살펴보면 자궁내막증 환자의 경우 대조군에 비해 복통/골반통이 5.2배, 월경통이 8.1배, 월경과다가 4배, 불임이 8.2배, 성교통/성교 후 출혈이 6.8배, 난소 낭종이 7.3배, 과민성 대장증후군이 1.6배, 골반염이 3배 더 흔하게 나타남을 보여준다. 이러한 자료를 볼 때, 특정 증상들이 자궁내막증과 높은 연관성을 가지지만 자궁내막증이 없는 여성들에서도 종종 관찰되는 증상들이기 때문에 자궁내막증이 과민대장증후군이나 골반염과 같은 다른 질환으로 오진되어 적절한 치료가 지연될 수 있다.

이전에 없던 월경통이나 골반통이 점점 더 악화되고 정도가 심할 경우 자궁내막증의 가능성을 의심해보아야 한다. 특히 월경 전에 통증이 시작되거나 월경 이후까지 통증이 지속되는 경우가 흔하고, 통증은 범위가 넓고 골반 깊은 곳에서 발생하는데 종종 등과 넓적다리 쪽으로 뻗치는 양상을 보인다. 특히 직장자궁맹낭(posterior cul-de-sac, PCDS)이나 직장질중격을 포함하는 심부자궁내막증의 경우에는 통증의 정도가 더 심하며 자주 발생하고 배변통이나 성교통이 심한 특징이 있다. 자궁내막증 환자의 1/2-2/3에서 월경과 관계없는 골반통을 호소한다. 이러한 자궁내막증의 증상의 정도는 자궁내막증의 병기와는 일치하지 않는 것으로 알려져 있는데, 일부 중증 자궁내막증 환자에서는 증상이 없는 반면에 최소 또는 경미한 자궁내막증 병변을 가진 환자에서도 극심한 통증을 호소할 수 있다. 하지만 심부자궁내막증 환자의 경우에는 통증의 정도가 병변의 깊이와 부피와 밀접한 연관성을 가지는 것으로 보고되었다. 드물지만 골반외 자궁내막증의 경우에는 침범 부위(이전 수술부위, 소화기, 비뇨기, 흉강, 말초 신경 등)에 따라 다양한 증상을 나타낼 수 있다.

2) 진찰 소견

자궁내막증 환자의 진찰 소견은 병변의 위치와 범위에 따라 다양하다. 간혹 질경 검사를 통해서 자궁 경부 아래쪽의 질 후원개 부위에 특징적인 청색이나 적색의 출혈성 병변이 관찰되기도 한다. 직장자궁맹낭(posterior cul-de-sac, PCDS)이나 직장질중격을 포함하는 심부자궁내막증의 경우 촉진을 통해서 만져지는 경우도 많은데, 대부분 보이지는 않으며 만져지지 않는 경우도 있다. 중등도 이상의 자궁내막증의 경우에는 자궁이 후굴된 상태로 촉진에서 운동성이 심하게 제한되어 있는 경우가 많은데 직장자궁맹낭 유착을 의심할 수 있는 소견이다. 난소 자궁내막종이 있는 경우에는 압통이 있고 고정되어 있는 자궁부속기 덩이로 촉진된다. 자궁 경부 아래쪽 4시와 8시 방향의 자궁천골인대 부위에 국소적인 압통을 보이는 딱딱한 결절이나 비후가 가장 흔하게 관찰되는 진찰 소견이다. 이러한 진찰 소견은 월경 중에 시행하는 것이 가장 효율적이나 전반적으로 진찰만으로는 진단의 효용성이 떨어지기 때문에 진찰만으로 자궁내막증을 배제할 수는 없다.

3) 혈중 암항원(cancer antigen, CA)-125

CA-125는 체강막 상피세포(coelomic membrane epithelium) 당단백질로 상피성 난소암의 표지자로 잘 알려져 있다. CA-125는 중증 자궁내막증에서 상승되어 있는 경우가 많지만 임신 초기, 월경, 급성 골반염, 자궁근종에서도 증가된 수치를 보인다. 월경주기에 따라서 CA-125 수치가 변동하여 월경 시기에 최고치를 보이고 배란 주변기 또는 중기 난포기에 최저치를 보이지만 어느 특정 월경 주기에 측정하는 것이 바람직한 지 일관된 경향을 보이지는 못했다.

한 메타분석 결과를 보면 자궁내막증 진단에 있어서 혈중 CA-125의 효용성은 그리 양호하지 않음을 보여주는데, 90%의 특이도를 보이는 농도에서 진단의 민감도는 52%에 불과하였기 때문에 자궁내막증 환자의 선별 검사로서 추천하기는 어렵다. 약물치료에 대한 반응을 평가함에 있어서도 혈중 CA-125의 효용성은 높지 않은 것으로 보고되는데, 수술 치료 이후 지속적으로 높은 수치의 CA-125를 보이는 경우 불량 예후를 시사하는 소견으로 여겨질 수 있다.

4) 영상 진단

질초음파 검사가 중증 자궁내막증 환자의 진단에 유용할 수 있는데, 특히 난소 자궁내막종 진단에서의 효용성이 높다. 자궁내막종은 다양한 형태로 관찰이 가능하지만 대부분에서 전형적인 저에코 균질 낭종이 뚜렷한 에코를 가진 캡슐에 싸인 모습으로 관찰된다. 일부 자궁내막종에서는 낭종 안에 격막이나 비후된 결절이 보이기도 한다. 전형적인 초음파 소견을 가진 난소 자궁내막종 환자의 경우, 질초음파 검사의 민감도는 90%를 상회하며 특이도도 100%에 육박하는 것으로 보고되고 있다. 심부 자궁내막증으로 방광, 자궁천골인대, 직장질중격에 결절을 동반하는 경우와 직장과 자궁의 유착의 진단에도 질초음파 검사나 경직장 초음파 검사가 유용하게 사용될 수 있다. 하지만 골반내 유착이나 복막에 존재하는 초기 병변을 초음파 검사만으로 진단하는 것은 어렵다.

자기공명영상이 자궁내막증의 영상 진단에 가장 정확한 방법이다. 난소 자궁내막종과 다른 난소종양의 감별에 효율적이며 복막에 존재하는 초기 병변의 진단에도 초음파 검사보다 우월하다. 하지만 작은 복막 병변에 있어서의 진단율은 30-40% 정도에 불과하기 때문에 초기 병변의 진단에서의 신빙성은 높지 않다. 따라서 초음파와 마찬가지로 자기공명영상 소견만으로 자궁내막증을 배제할 수는 없다. 자기공명영상 소견에서 대부분의 자궁내막종은 전형적으로 T-1-강조 영상에서 높은 신호 강도를 보이며 T-2-강조 영상에서는 낮은 강도를 보인다. 특히 자기공명영상은 직장과 질을 침범하는 심부 자궁내막증의 진단에 높은 민감도를 보인다.

5) 자궁내막증의 임상적 진단의 중요성

전통적인 수술 진단의 필요성을 강조하던 과거와 달리 최근에는 자궁내막증을 임상적으로 진단하여 치료를 시작하자는 견해들이 많아지고 있다. 수술 진단을 위한 침습적 복강경 시술이 전신 마취를 필요로 하고 드물지만 장이나 대형 혈관 천공의 위험이 있기 때문에 광범위한 적용이 어려워 결국 확실한 진단 없이 필요한 치료가 지연되는 문제점이 제시되고 있다. 상당수의 국제 학회 임상지침에 따르면 수술 진단의 효용성은 초기, 복막 자궁내막증에만 국한되며 심부 자궁내막증과 난소 자궁내막종의 진단에 있어서는 영상 진단의 효용성이 더 높을 수 있음을 제시하고 있다(표 17-1). 따라서 확진 및 병변의 제거를 위해서 수술이 궁극적으로 필요할 수도 있지만 임상적으로 자궁내막증이 강하게 의심되는 경우 수술적 진단 없이 약물 치료를 적용하는 것도 바람직한 선택이 될 수 있다.

2. 자궁내막증의 수술 진단

복강경을 통하여 병변을 확인하고 조직학적으로 확정하는 것이 자궁내막증의 전통적인 표준 진단법이다.

1) 자궁내막증의 복강경 양상

(1) 복막 자궁내막증

전형적인 병변은 청-흑색의 화약-화상 병변이 주변 조직의 섬유화와 함께 관찰된다. 이는 고인 혈액으로 인해 헤모시데린 색소가 침착해서 발생하는데, 주로 다양한 골반 복막과 난소 표면에서 관찰된다. 하지만 전형적인 병변 이외에도 다양한 형태의 병변을 흔히 관찰할 수 있다. 백색이나 혼탁 병변, 적색 또는 불꽃 형태, 낭포 형태의 병변이 있으며 드물지만 유착 부위, 복막 결손 부위, 충수돌기에도 병변이 있을 수 있다. 적색 병변은 혈관 생성이 좋고 증식 성향을 가지는 초기 병변인 경우가 많고 색소 병변의 경우 병변이 발생한 후 시간이 경과한, 진행된 상태임을 시사하는데, 두 가지 모두 활동성이 강하여 증상을 야기할 가능성이 높다. 백색 병변은 상대적으로 혈관 생성이 적고 활성도 적어서 증상을 야기할 가능성도 적다.

엄격한 병리조직학 기준을 적용할 때 수술로 제거한 복막 자궁내막증 조직에서 자궁내막증이 확진되는 경우는 50-65%로 보고되어 왔다. 따라서 진단에 의문이 있을 경우에는 조직검사를 통해 확진하는 것이 필요하다. 복강경 소견으로 자궁내막증 병변이 없는 경우에는 대부분의 경우 병이 없다고 판단할 수 있지만 이 경우에도 복강경으로 관찰되지 않는 미세 병변의 존재를 완벽히 배제하기는 어렵다.

(2) 난소 자궁내막종(endometrioma)

부드러운 짙은 색깔의 낭종이 유착을 동반하여 관찰되

표 17-1. 자궁내막증의 진단: 국제 학회 임상지침

	초기/복막 병변			심부자궁내막증			난소자궁내막종		
	영상진단	생표지자	수술진단	영상진단	생표지자	수술진단	영상진단	생표지자	수술진단
학회									
ACOG		*	*	*			*		
CNGOF	*	*	*	*			*		
ESHRE		*	*	*		*	*		*
NGG	*	*	*	*			*	*	*
SOCG	*	*	*	*	*		*	*	*

*: 추천하는 진단법
ACOG, The American Congress of Obstetricians and Gynecologists (2010); CNGOF, Collège National des Gynécologues et Obstétriciens Français (2006); ESHRE, European Society of Human Reproduction and Embryology (2014); NGG, National German Guideline: Guideline for the Diagnosis and Treatment of Endometriosis (2014); SOGC, The Society of Obstetricians and Gynaecologists of Canada (2010).

는 경우가 대부분이다. 주로 초콜릿 색깔의 점도가 높은 액체를 함유하고 있는데 난소 또는 자궁내막증 조직의 출혈에서 기원한 헤모시데린 색소 때문이다. 거대 자궁내막종의 경우에는 여러 개의 낭종으로 존재하는 경우도 흔하다. 상당수의 경우에 복막 자궁내막증 병변이 같이 관찰된다.

(3) 심부 자궁내막증(Deep infiltrating endometriosis, DIE)

병변이 복막 표면 밑으로 5 mm 이상 침윤되었을 때 심부 자궁내막증으로 정의된다. 자궁내막증으로 인한 수술 소견이 별다른 소견이 없음에도 환자의 자각 증상이 심한 경우에는 자궁내막증 병변이 심부에 있을 가능성을 생각하여야 하며 가능한 상황으로는 아래와 같은 경우가 있을 수 있다.

- 자궁 천골 인대의 심부 병변
- 자궁경관 주변 조직(paracolpium or parametrium)의 심부 병변
- 직장자궁맹낭(posterior cul-de-sac)에 섬유성결절(fibrotic nodule)이 있거나 자궁내막선근증에 의한 병변이 있는 경우
- 자궁내막증 병변이 복막 하에 위치하면서 심부로 침윤되어 있는 경우
- 난소 하부의 유착 또는 자궁내막증 병변(subovarian adhesion or lesions)
- 직장 장막에 존재하는 적색 병변
- 자궁내막증 병변으로 인한 장관 유착 시에 장관이 견인되는 유착이 있는 경우
- 자궁내막증 병변으로 인한 광인대 부위의 울혈

3. 자궁내막증의 분류 및 병기 체계

자궁내막증 병변의 분포와 중증도를 반영하는 하나의 분류 및 병기 체계가 있다면 그에 따른 예후와 치료방침을 결정하기에 유용한 도구가 될 것이다. 가장 흔하게 사용되는 병기 체계는 1996년 개정판으로 제시된 미국생식의학회 병기 체계이다. 하지만 이 체계로는 병기와 임상 증상 또는 임신율과의 상관 관계가 너무 낮다는 한계점이 제시되고 있어 이를 보완하는 다른 병기 체계도 제시되고 있는 상황이다.

1) 미국생식의학회 병기 체계

: 수술 소견에서 병변의 범위와 중증도를 각각 점수화하여 4 병기로 구분하였다.

- 병기 1> 최소 병변: 복막에만 독립적으로 존재하는 병변으로 심한 유착 없는 경우(1-5점)
- 병기 2> 경미 병변: 복막, 난소 표면에 존재하는 병변으로 퍼져 있으나 심한 유착 없으며 총 5 cm 미만인 경우(6-15점)
- 병기 3> 중등도 병변: 여러 부위에 존재하는 표면 및 심부 병변, 유착을 동반할 수 있음(16-40점)
- 병기 4> 중증 병면: 여러 부위에 존재하는 표면 및 심부 병변, 흔히 유착을 동반함(40점 초과)

2) Enzian 병기 체계

: 심부자궁내막증의 병기를 상세히 구분하여 부위와 중증도를 병기만으로 파악할 수 있다는 장점이 있다.

3) 자궁내막증 가임력 지표(Endometriosis fertility index, EFI)

향후 임신 가능성을 가장 잘 예측할 수 있는 지표들 만을 결합해서 만든 분류 체계이다. EFI 점수를 통해 정량적으로 임신 가능성을 추정할 수 있는데, 0점은 최저, 10점은 최고 예후를 의미한다. 실제로 수술 후 3년의 누적 임신율 예측에도 높은 일치성을 보여서 EFI 1-3점의 경우 10%에 불과하지만 9-10점의 경우 75%로 매우 양호함을 확인할 수 있었다.

Ⅳ. 치료

자궁내막증의 치료는 골반 통증, 불임 등의 임상 양상 및 환자 개개인에 따라 달라질 수 있다. 또한, 한가지 또는 조합된 약물 치료, 보존 수술 또는 근치 수술 또는 약물 및

수술 치료의 조합 등 다양하게 적용이 가능하다. 기대요법은 일반적으로 심각한 증상이 없는 환자 또는 폐경이 다가오는 환자에서 적용할 수 있다. 그러나 증상이 거의 없는 사람이라 할지라도 질병의 진행을 막기 위한 치료를 하는 것은 이점이 있다. 자궁내막증은 일반적으로 폐경 후 호전되는데 이는 난소의 여성호르몬 생산이 현저하게 감소하기 때문이다. 따라서 경미한 증상이 있는 폐경 이행기 여성은 기대요법 또는 비마약성 진통제로 제한적 치료를 할 수 있다. 심각한 증상이 있는 젊은 여성은 일반적으로 더 적극적인 약물 또는 수술 치료가 필요하다.

1. 약물치료

골반통증이 있는 여성에서 자궁내막증이 의심되면서 수술 치료의 다른 적응증이 없는 여성은 수술적인 진단 없이 경험적인 약물 치료가 효과적일 수 있다. 초기 경험적 약물치료는 일반적으로 비스테로이드성 소염제(nonsteroidal anti-inflammatory drugs, NSAIDs), 복합경구피임약(COC, combined oral contraceptives), 프로게스틴 제제, 생식샘자극호르몬방출호르몬작용제 등이 포함된다.

자궁내막증에 대한 전통적인 약물치료는 자궁내막증이 월경혈 역류로 발생한다는 Sampson의 이론을 바탕으로, 이소성 자궁내막은 정상 자궁내막과 같은 방식으로 약물에 반응할 수 있다는 것을 전제로 하고 있다. 치료의 목표는 주기적인 월경을 제거 또는 감소시킴으로써 자궁내막조직의 복강 내 이식을 줄이고 이미 이식된 조직의 성장 및 활동을 억제하는 것이다. 난소의 여성호르몬 생성을 감소시키는 치료는 자궁내막 병변의 위축을 유발하는 가장 믿을 만한 방법이며 통증에 대해서도 가장 효과적인 치료이다. 이러한 개념을 바탕으로 지난 수십 년간 약물치료 방법이 형성되어왔지만, 최근 들어 분자생물학 수준에서 자궁내막증의 병인론에 대한 이해가 넓어지면서 새로운 약제들이 연구되고 있다.

1) 비스테로이드소염제 (NSAIDs)

비스테로이드소염제는 자궁내막증 병변 치료 목적으로 사용되지는 않으며, 자궁내막증으로 인한 통증 치료를 위하여 사용되는 일차 약물이다. 프로스타글랜딘 분비 증가 및 염증성 반응들이 자궁내막증 통증의 원인이 되므로, 항염증 약물인 비스테로이드소염제가 통증 치료에 효과적일 수 있다. 그러나 자궁내막증은 프로스타글랜딘 과다 생성뿐만 아니라 국소적 복막의 염증, 심부침윤및 조직손상, 유착 형성, 섬유성 비후 등이 모두 통증 유발인자가 될 수 있으므로 비스테로이드 소염제로 완전히 증상이 호전되지는 않는다. 따라서, 일반적으로 비스테로이드소염제는 프로게스틴 제제, 경구피임약과 같은 호르몬 요법과 함께 보조치료로 사용된다.

2) 에스트로겐-프로게스틴 복합경구피임약

(1) 작용기전

복합경구피임약은 증상이 있는 자궁내막증 여성에서 가장 많이 처방되는 치료 방법 중 하나이다. 피임약으로 지속적으로 치료를 하게 되면 월경이 중단될 수 있고 월경통이 있는 사람들에게 선호되는 방법이다. 에스트로겐-프로게스틴 피임약의 지속 치료는 "가성 임신"이라고도 하는데 임신에서의 높은 프로게스테론 환경과 유사하기 때문이다. 에스트로겐-프로게스틴 병용 요법이 무월경과 자궁내막 탈락을 유도하고 자궁내막증을 개선하거나 억제하는 것으로 알려져 있다. 에스트로겐은 자궁내막증의 성장을 자극하지만 최근의 경구피임약은 프로게스틴이 우세하며 에스트로겐의 양은 더 적다. 일부에서는 에스트로겐-프로게스틴 피임약이 자궁내막증이 있는 여성의 자궁내막조직의 세포 사멸을 향상시킬 수 있다는 결과를 보이기도 하지만 약물을 중단하면 자궁외 병변이 주기적 성장과 염증 활동을 재개할 가능성이 높다.

(2) 투여방법

에스트로겐-프로게스틴 피임약은 피임이 필요한 증상

이 있는 자궁내막증 여성에게 좋은 초기 선택이다. 특히 꾸준히 복용할 경우 자궁내막증이 있는 여성의 최대 2/3에서 자궁내막증과 관련된 통증을 효과적으로 완화할 수 있을 것으로 기대할 수 있다. 어떠한 제형이 더 우수하다는 증거는 없다. 에스트로겐-프로게스틴 피임약이 다른 약물 요법에 비교하여 가진 한 가지 장점은 장기간 복용이 가능하다는 것이다. 경구피임약은 월경과 관련된 통증 증상을 최소화하는 데 도움이 되도록 지속적으로 또는 장기적 주기요법으로 사용하는 것이 가장 좋다. 장기적 주기요법에서는 돌발출혈 및 관련 통증을 예방하기 위해 최소한 90일 동안의 지속적인 복용 후에 7일 동안의 휴약기를 갖게 된다.

(3) 부작용

에스트로겐-프로게스테론 복합제의 부작용으로는 간헐적인 돌발출혈이 가장 흔하며, 이외에도 체중 증가, 여드름, 난소 낭종, 편두통 등이 발생할 수 있다. 간헐적인 돌발출혈은 주로 지속적 요법에서 프로게스테론의 상대적 과다에 기인되는 것으로서, 결합에스트로겐(conjugated estrogen) 1.25 mg 또는 에스트라디올 발러레이트 2.0 mg을 하루에 1회씩 1주일 동안 추가 투여하여 조절할 수 있다.

3) 프로게스틴(Progestins)

(1) 작용기전

프로게스틴은 탈락막화를 유도한 후 위축을 유도하여 자궁내막 성장을 억제하기 때문에 증상이 있는 자궁내막증을 치료하는 데 사용되어왔다. 고용량에서는 뇌하수체 생식샘자극호르몬 분비 및 배란을 억제하여 무월경을 유도할 수도 있다. 자궁내막증의 발병에 기여하는 것으로 알려진 자궁내막기질 금속단백분해 효소의 억제는 또 다른 유용한 작용이 될 수 있다. 자궁내막증이 있는 여성의 동위성 자궁내막의 기질 금속단백분해 효소 활성이 프로게스테론 억제에 대해 비정상적으로 내성이 있지만 자궁내막증 치료에는 더 많은 용량이 사용되고 이 같은 효과를 극복하기에 충분하다. 자궁내막증과 관련된 통증(월경통, 성교통, 월경 사이 통증)의 치료에 여러 가지 다른 프로게스틴이 효과적으로 사용되었다. 프로게스테론과 유사한 디에노게스트, 초산메드록시프로게스테론 및 19-노르테스토스테론에서 유래된 다른 프로게스테론(노르에틴드론 등)을 포함하여 매우 다양한 프로게스틴을 사용할 수 있다.

4세대 프로게스틴인 디에노게스트(dienogest)는 자궁내막증에 대한 약물 치료를 위해 연구되었다. 여러 실험에서 디에노게스트가 자궁내막증과 관련된 통증을 개선하는데 효과적이며 프로게스테론 수용체의 수를 늘림으로써 프로게스테론 내성을 극복하는 데 도움이 될 수 있다는 것이 입증되었다. 디에노게스트 함유 약물 치료 시 난소 자궁내막종 크기의 감소 및 자궁내막증과 연관된 통증의 완화를 기대할 수 있다.

레보노게스트렐방출 자궁내장치(LNG-IUS)는 깊은 침윤성 직장 자궁내막증 여성에서 통증을 줄이고 수술 후 월경통 재발 방지에 있어 이점이 있는 것으로 보고되어 하나의 치료 선택이 될 수 있다. 제한적이기는 하지만 에토노게스트렐 피하삽입형 이식제 또한 자궁내막증과 관련된 통증을 줄이는데 효과가 있을 수 있다.

(2) 투여방법

디에노게스트 2 mg을 매일 경구 투여한다. 아시아 6개국 36개 기관의 환자 887명을 대상으로 24개월 동안 디에노게스트의 장기 효능과 안전성을 평가한 연구에 따르면 디에노게스트는 자궁내막증 여성의 자궁내막증 관련 골반통증을 효과적으로 개선하고 삶의 질을 향상시키는 것으로 나타났다.

초산메드록시프로게스테론(medroxyprogesterone acetate)을 30-100 mg을 매일 경구 투여하거나 150 mg을 3개월마다 1회씩 근육 주사한다. 단일 무작위 대조 시험에서 6개월 동안 매일 경구 100 mg의 고용량의 초산메드록시프로게스테론을 투여하였을 때 위약을 투여받은 군에서의 12%와 비교하여 눈에 보이는 자궁내막증의 50%가 완전히 완화되었고, 불완전 관해는 위약 투여 군에서 6%와 비교하여 13%가 되는 것으로 나타났다.

(3) 부작용

프로게스틴의 부작용으로는 메스꺼움, 체중증가, 체액 저류, 유방 압통, 불규칙한 출혈, 우울증, 돌발출혈, 불규칙 출혈, 우울증 등이 포함된다. 돌발출혈은 35-50%로 흔하지만 일반적으로 잘 견딜 수 있으며 짧은 코스의 에스트로겐 보충(매일 결합에스트로겐 1.25 mg 또는 에스트라디올 발러레이트 2.0 mg 7-10일 동안)을 통해 해결할 수 있다. 우울증은 약 5% 정도로 드물지 않으며 치료 중단이 필요할 만큼 심각할 수 있다.

아시아 여성을 대상으로 한 최근의 대규모 연구에서 디에노게스트 복용 시 자궁출혈, 무월경, 자궁 출혈 증상이 가장 흔하게 나타났지만 대부분의 환자는 회복을 하였고, 11.5%만이 치료를 중단했다. 전반적으로 디에노게스트의 안전성 프로파일은 기존 증거와 일관되며, 새로운 안전성 관련 문제는 관찰되지 않았다.

프로게스틴은 혈청 지단백 수치에 악영향을 미칠 수 있다. 19-노르테스토스테론 유래 프로게스틴은 HDL을 상당히 감소시킨다. 초산메드록시프로게스테론의 경우는 이러한 효과가 덜 심각한 것으로 알려져 있다. 고용량에서 시상하부-뇌하수체-난소 축에 대한 프로게스틴의 억제 효과는 생식샘 기능 저하 상태를 유도하기에 충분할 수 있고 결과적으로 6-12개월 간격에 걸쳐 2-5% 정도의 척추뼈 무기질 고갈을 초래한다. 장기 치료는 더 큰 손실을 초래할 수 있지만 일반적으로 치료 중단 후 회복이 빠르며 골절 위험에 대한 영향은 거의 없다.

4) 생식샘자극호르몬방출호르몬 유사체(Gonadotropin-Releasing Hormone Analogues)

(1) 생식샘자극호르몬방출호르몬작용제(GnRH agonist)

① 작용기전

GnRH 작용제는 데카펩티드(decapeptide)인 GnRH 유도체로 반감기와 수용체 점유 시간을 증가시킨다. 뇌하수체의 생식샘자극호르몬이 분비되기 위해서는 시상하부에서 파동형태의 GnRH의 분비가 필요하며 이러한 파동성 분비 사이에 뇌하수체의 GnRH 수용체의 재보충이 이루어진다. GnRH의 연속적인 자극 시 초기에는 생식샘자극호르몬의 분비가 증가하지만(flare effect), 이후에는 뇌하수체 수용체의 하강 조절(down-regulation)로 인하여 생식샘자극호르몬 분비가 둔감해지게 되며 결국 가성폐경(pseudomenopause) 또는 내과적 난소적출(medical oophorectomy) 효과를 나타내게 된다. GnRH 작용제로 치료받은 자궁내막증 환자는 생식샘자극호르몬과 여성호르몬 수치가 매우 낮아지면서 자궁내막증 병변의 억제 및 위축을 일으킬 수 있으며, 무월경을 유발하여 새로운 자궁내막 조직의 복막 파종 가능성을 줄일 수 있다. 여러 임상 시험에서 GnRH 작용제로 치료받은 자궁내막증 및 골반통 여성의 약 85%가 통증 완화를 경험하는 것으로 나타났다.

② 투여방법

GnRH 작용제는 근육내, 피하, 또는 비강 내로 투여될 수 있고 특정 약물에 따라 경로가 다르다. 월경 1주 전에 GnRH 작용제를 투여하면 flare effect를 최소화하는 데 도움이 된다. 약 75%의 여성이 치료 4주 이내에 생식샘기능저하증이 되며 거의 모든 여성이 8주까지 지속된다.

③ 부작용

GnRH 작용제의 부작용은 생식샘기능저하증의 부작용으로 안면홍조, 진행성 질 건조, 성욕감소(에스트로겐 생성과 안드로겐 생성이 모두 억제됨), 우울증, 과민성, 피로, 두통, 피부 질감의 변화 및 추가 치료 없이 사용 시 6개월 후 13% 정도의 뼈 무기질 고갈을 포함한다. 80% 이상에서 혈관 운동 증상이, 30%에서 질 증상과 두통이 보고된다. GnRH 작용제 요법은 다나졸 또는 고용량 프로게스틴 치료와 관련된 것 같은 혈청 지질 및 지단백 농도에 대한 심각한 부작용은 없다. GnRH 작용제 치료에 수반되는 뼈 무기질 고갈을 방지하기 위한 노력으로 여러 가지 "보충요법(add-back)" 전략이 개발되었다. "에스트로겐 역치가설(estrogen threshold hypothesis)"은 혈청 에스트라디올 농도가 폐경 전 범위(30-300 pg/mL)에 있을 때 자궁내막증 병변이 성장하고 폐경기 범위(<20 pg/mL)에 있을 때 퇴

행한다고 한다. 20-30 pg/mL 범위의 에스트라디올 수치를 유지하는 치료는 무월경과 자궁내막증 병변의 퇴행과 동시에 낮은 수치의 에스트로겐으로 인한 부작용의 감소와 관련이 있다. 보충 요법은 자궁내막증을 유발하는 데 필요한 에스트로겐의 농도가 혈관 운동 증상이나 뼈 무기질 고갈을 예방하는 데 필요한 것보다 높다는 개념에 기반한다. 초산노레틴드론은 에스트로겐 대사 산물이 독특하고 다른 프로게스틴과는 다르게 골밀도에 대한 잘 입증된 효과가 있기 때문에 추가적인 에스트로겐 없이 단독으로 사용할 수 있다. 5 mg의 초산노레틴드론은 FDA에서 승인한 유일한 보충요법이지만 안면 홍조 및 골 손실을 최소화하기 위해 여러 다른 에스트로겐과 프로게스틴 조합을 유사한 방식으로 사용할 수 있다[저용량 복합 에스트로겐-프로게스틴 추가요법(매일 conjugated estrogen 0.625 mg 및 medroxyprogesterone acetate 2.5 mg 또는 매일 노르에틴드론 5.0 mg)]. 에스트로겐 단독 보충요법은 에스트라디올이 병변의 성장을 촉진하므로 권장하지 않는다.

무작위 시험의 증거에 따르면 호르몬 추가 요법은 자궁내막증과 관련된 통증을 조절에 영향을 미치지 않고도 뼈를 보호하고 에스트로겐 결핍 증상을 감소시킨다. 덜하거나 비슷한 정도의 통증은 치료 중단 후 곧 재발할 수 있으며 재발률은 연간 최소 10-20%이다. GnRH 작용제 치료 후 5년 동안의 전체 누적 재발률은 약 55%로 진행성 질환이 있는 여성에서는 74%이고 최소 및 경증 자궁 내막증이 있는 여성에서는 이보다 더 낮아 약 37%이다. 대규모 비대조 시험에서 leuprolide 치료는 거의 90%의 여성에서 자궁내막증의 부피를 감소시켰다. GnRH 작용제와 다나졸을 비교한 수많은 다른 연구에서 GnRH 작용제를 비교했을 때 동일한 효과가 있는 것으로 나타났다. GnRH 작용제(leuprolide)와 린네스트레놀이라는 프로게스틴의 비교에서는 GnRH 작용제를 사용한 여성에서 질병이 더 많이 감소하는 것으로 관찰되었다. GnRH 작용제를 사용한 치료는 자궁내막종의 크기를 잠재적으로 감소시킬 수 있지만 제거하지는 않는다. GnRH 작용제는 자궁내막증이 있는 여성에서 통증을 완화하는 데 효과적인 것으로 입증되었고 모든 작용제는 똑같이 효과가 있는 것으로 보인다.

(2) 생식샘자극호르몬방출호르몬 길항제(GnRH antagonist)

① 작용기전 및 투여방법

엘라골릭스(elagolix)는 자궁내막증과 관련된 통증 치료에 사용할 수 있는 최초의 경구 비펩타이드 GnRH 길항제이다. GnRH 작용제와는 달리 길항제는 수용체를 자극하지 않으므로 플레어 효과가 없다. 또한 GnRH 수용체를 직접 차단하므로 빠른 시간 내에 기능할 수 있으며 생식샘자극호르몬의 부분 용량 의존적 감소가 쉽게 이뤄진다. 에스트라디올 수치의 부분 감소는 특히 저용량의 GnRH 길항제에서 추가치료 없이 자궁내막증을 치료하는데 사용할 수 있다. 완료된 2개의 임상 3상 시험에서 하루 150 mg의 저용량 및 하루 2번의 200 mg의 고용량 치료는 위약에 비해 자궁내막증 관련 통증이 현저하게 개선되었다. 두 용량 모두 효과가 있었지만 고용량의 경우 특히 성교통에서 가장 큰 개선을 보였다. 마지막으로, 두 용량 모두에서 월경통의 감소는 non-menstrual pelvic pain (NMPP)에 대해 언급된 감소보다 더 컸는데 이는 월경통이 일반적으로 난소호르몬의 변화에 기인하는 반면 NMPP의 원인은 더 복잡하기 때문일 수 있다. 엘라골릭스는 치료 시작 후 생물학적으로 빠르게 이용 가능하며 에스트라디올 수치의 억제는 용량에 따라 다르지만 24시간 이내에 발생한다.

② 부작용

GnRH 길항제의 부작용으로는 에스트라디올 수치의 감소를 감안할 때 일부 피험자에서 안면 홍조 및 기타 혈관 운동 증상이 나타났다. 그러나 일반적으로 이 증상은 경미하고 GnRH 작용제에서 일반적으로 볼 수 있는 것만큼 심각하지 않았다. 위약에 비해서는 안면홍조가 더 많았지만 안면홍조로 인한 중단은 저용량을 사용하는 여성에서는 1% 미만, 고용량을 사용한 여성의 3% 미만에서 발생했다. GnRH 작용제와 마찬가지로 고용량 요법에서는 6개월만의 치료로 제한이 필요하거나 추가요법의 고려가 필요한 골밀도의 저하가 나타났다. 또한 위약에 비해 엘라골릭스를 복용하는 여성에서 자궁 내막 두께의 감소와 무월경 비율이 더 높았다. 추가적인 6개월 치료를 위해 고용량 및 저용량 치료군을 추적한 2개월 6개월 연장 연구에서 혈관운동증상 및 골밀도의 변화는 GnRH 작용제에서와 비슷하거나 그 이하였다. 또한 엘라골릭스 치료 중단 후에, 골밀도는 기준선 수준으로 돌아갔다. 조기 발병, 경구 투여, 플레어 효과의 부재, 개별 맞춤 치료를 위한 두 가지 용량의 가용성을 고려할 때 엘라골릭스는 경구피임약에 반응하지 않는 환자 또는 프로게스틴에 부작용이 있는 환자를 위한 첫번째 선택이 될 수 있다. 어떠한 용량이든 엘라골릭스가 배란을 완전히 억제하지는 않는다는 점에 주의하는 것이 중요하다. 따라서 임신의 가능성이 있는 여성에서는 피임이 필요하다.

5) 다나졸(Danazol)

다나졸은 1970년대 미국에서 자궁내막증 치료용으로 승인된 최초의 약물이다. 다나졸은 17알파-에티닐테스토스테론(17α-ethinyltestosterone)의 유도체로 과거에 흔히 사용되었으나 강한 안드로겐 부작용으로 인하여 최근에는 많이 사용하지 않는 약물이다.

(1) 작용기전 및 투여방법

다나졸은 안드로겐 수용체와 강하게 결합하여 안드로겐 작용제의 작용을 나타내고, 프로게스테론 수용체와는 높은 친화력으로 결합하는 관계로 병변의 성장에 관여하는 에스트로겐에 길항 효과를 가지고 있다. 시상하부-뇌하수체-난소 축에서 생식샘자극호르몬의 기본 농도는 변화시키지 않으면서 황체형성호르몬의 분비 급증(LH surge)을 억제시켜 무배란 및 무월경을 일으켜 자궁내막조직의 복강 내 파종을 감소시킨다. 난소와 부신에서는 스테로이드 생합성을 억제시키고 혈중 유리 테스토스테론 농도를 증가시키는데, 이로 인한 고안드로겐 및 저에스트로겐 환경이 자궁내막증 조직의 성장을 억제시킨다. 다나졸은 치료받은 여성의 최대 90%에서 월경통, 심부 성교통, 성교통 등 자궁내막증 관련 통증을 줄이는 데 효과적인 것으로 입증되었다. 치료 중단 후 재발까지의 중앙값은 약 6개월이다. 치료 6개월 후 평가되는 자궁 내막 파종에 대한 다나졸의 효과를 조사한 연구는 40-90% 사이의 질병의 부피 감소를 지속적으로 관찰하였다. 한 무작위 대조 시험에서는 다나졸 치료를 받은 여성의 60%와 위약 치료를 받은 사람의 8%에서 질병의 관해를 관찰하였다.

다나졸은 매일 600-800 mg을 6개월 간 경구 투여하며, 무월경과 에스트라디올 농도로 치료효과를 모니터링할 수 있다. 개별화된 용량을 조절하기 위해 에스트라디올 농도(20-50 pg/mL)를 유용한 지표로 사용할 수 있다.

(2) 부작용

다나졸이 자궁 내막증과 관련된 통증 치료에는 효과적이지만 매일 400-800 mg의 권장용량을 사용하면 상당한 정도의 안드로겐성 및 저에스트로겐성 부작용이 있다. 가장 흔한 것은 체중증가, 체액 저류, 피로, 유방 크기 감소, 여드름, 지성 피부, 다모증, 위축성 질염, 안면 홍조, 근육경련 및 정서적 불안정이다. 일부의 부작용은 다나졸을 복용하는 여성의 최대 80%에서 발생할 것으로 예상되는 흔한 부작용이지만 10% 미만은 치료 중단을 하게 하는 부작용이다.

다나졸은 태반을 통과하며 이미 알려진 기형 발생 물질이다. 자궁내 여성 태아의 남성화와 관련이 있다. 따라서 다나졸을 복용하는 환자는 피임을 제대로 해야 하며 특히 치료 도중 임신이 되면 여아에서 거짓반음양(pseudohermaphroditism)이 발생할 수 있으므로 투여 전에는 반드시 임신 유무를 확인하고 치료 동안에는 콘돔을 이용한 피임이 바람직하다. 다나졸의 안드로겐 작용은 목소리를 돌이킬 수 없게 깊게 만들 수 있다. 지질 수치에 대한 부작용은 약물의 안드로겐 효과를 반영한다. 총콜레스테롤과 저밀도 지단백(LDL) 수치가 증가하고 고밀도 지단백(HDL) 농도가 낮아지지만 상대적으로 치료기간이 짧다면 큰 위험을 초래하지는 않는다. 드물게 다나졸 치료는 간손상이나 동맥혈전증을 초래할 수 있다. 다나졸 용량을 줄이게 되면 더 잘 견딜 수 있지만 효과적이지는 않을 수 있다. 다나졸은 질로 투여할 수 있으며 전신 부작용이 적고 통증 증상은 최대 80%가 개선된다.

6) 방향효소억제제(Aromatase Inhibitors)

자궁내막의 파종은 안드로겐을 에스트로겐으로 전환하는 데 필요한 효소인 방향효소를 생산하기 때문에 방향효소억제제는 자궁내막증 관리에 대한 또다른 약물 치료법이 된다. 사용 가능한 3세대 방향효소억제제는 아나스트로졸과 레트로졸이 있다. 사용에 관한 대부분의 근거 문헌은 유방암환자에게서 나오지만 방향효소억제제는 난소 및 자궁내막 병변에서 에스트로겐 생성을 차단할 수 있다. 여러 소규모 연구에서 하루 1 mg의 아나스트로졸 또는 하루 2.5 mg의 레트로졸을 사용하여 자궁내막증 관련 통증을 효과적으로 관리하였다. 에스트라디올의 감소가 FSH 생산의 증가와 그에 따른 난포 발달을 유발한다는 점을 감안하면 방향효소억제제는 절대적인 치료가 아니고 폐경기 전 여성에서는 난소를 하향 조절하는 약제와 함께 투여해야 한다.

자궁내막증에 대한 외과 치료를 받은 여성의 수술 후 관리에서 GnRH 작용제 단독 치료와 GnRH 작용제 및 아나스트로졸 병용 치료를 비교한 무작위 시험에서 두 치료군 모두 효과적인 것으로 나타났다. 그러나 아나스트로졸의 추가는 증상 재발까지의 기간을 상당히 연장시켰다. 24개월 추적관찰을 하는 동안 GnRH 작용제 단독 치료군에서는 40명 중 14명의 35%의 환자에서 재발을 한 반면 아나스트로졸과 GnRH 작용제를 병용치료한 군에서는 40명중 3명인 7.5%만이 재발하였다. 한가지 주목할 점은 GnRH 작용제와 아나스트로졸로 치료한 뒤 6개월 뒤의 골손실은 치료가 완료된 뒤에도 유의하고 지속되었다. 그러나 골감소증이나 골다공증에 걸린 여성은 없었다.

방향효소억제제와 초산노르에틴드론(또는 초산노르에티스테론)의 투여는 장과 관련된 자궁내막증을 포함하여 자궁내막증 관련 통증을 효과적으로 관리하는 것으로 밝혀졌다. 복합경구피임약과 함께 방향효소억제제를 사용하는 경우에도 혈액학적, 간, 신장, 지질, 골밀도에 대한 부작용 없이 통증 완화에 효과적이다. 방향효소억제제는 폐경 후 자궁내막증 치료에도 성공적으로 사용되었지만 몇 가지 사례 보고서만으로 제한된다. 3세대 방향효소억제제와 관련된 부작용에는 두통, 관절 강직, 안면홍조(GnRH 작용제에 비해 적음) 및 다리 경련이 포함되지만 전반적으로 방향효소억제제에 잘 견디는 것으로 보인다.

비록 연구들에서 자궁내막증 관련 통증 치료에 방향효소억제제의 효과가 입증되었음에도 불구하고 이러한 약제로서 치료하는 것은 아직까지는 실험적이라는 점과 안전성과 효능을 보다 정확하게 결정하기 위해서는 대규모 다기관 무작위 시험이 필요하다는 점에 유의해야 한다.

7) 미래의 치료

(1) 호르몬치료

최근 연구는 자궁내막증 관련 통증 관리에서 선택프로게스테론수용체조절제(SPRM)의 잠재적 유용성에 초점을 맞추고 있다. SPRM은 이름에서 알 수 있듯이 조직 표적에 따라 프로게스테론 수용체에 작용제 또는 길항제 효과를 줄 수 있다. 미페프리스톤은 통증 증상을 감소시키고 자궁내막증에서 무월경을 유발하는 것으로 밝혀졌다. 추가 SPRM이 현재 자궁내막증 관련 통증 치료를 위해 연구 중이다.

유사하게 선택에스트로겐수용체조절제(SERM)은 에스트로겐 유발 질환의 치료에 역할을 할 수 있다. 자궁내막증 쥐 모델에서 SERM인 바제독시펜(bazedoxifene, BZA) 단독 또는 결합에스트로겐(CEE)과 함께 사용하였을 때 자궁내막 병변의 퇴행을 유도할 뿐 아니라 에스트로겐 수용체의 분해를 유발하였다. 바제독시펜이 자궁내막에서 항에스트로겐으로 작용한다는 점을 감안할 때 이 결과는 예상치 못한 것은 아니다. 자궁내막증 관련 통증 관리를 위한 사례 보고에서는 바제독시펜-결합에스트로겐의 사용이 생식기관에 악영향을 주지 않고 골반 통증을 완전히 해결하였다. 효능과 안정성을 입증하기 위해 무작위 임상 시험이 필요하지만 바제독시펜-결합에스트로겐은 기존 치료법의 원치 않는 부작용 없이 자궁내막증 관련 골반통증에 대한 새로운 치료제가 될 수 있다. 마지막으로, 자궁내막증은 이질적인 질환이기 때문에 최근 연구는 자궁내막증 관련 통증 관리에 대한 개별화된 호르몬 접근법에 초점을 맞추고 있다. 자궁내막증 관련 통증에 대한 외과 치료를 받은 여성을 대상으로 한 후향적 연구에서 수술로 얻은 자궁내막증 병변의 면역 조직 화학에 의해 결정된 프로게스테론 수용체 상태가 프로게스틴 기반 요법에 대한 반응과 밀접한 관련이 있음이 밝혀졌다. 프로게스테론 수용체 발현 수준에 따라 여성은 높음, 중간 또는 낮음의 세 군으로 분류되었다. 프로게스테론 수용체 발현이 높은 여성은 프로게스틴 기반 요법에 반응을 한 반면, 프로게스테론 수용체 발현이 중간이거나 낮은 군의 여성에서는 각각 21%와 6%만이 프로게스틴 기반 요법에 반응하였다. 이 연구 결과는 더 큰 규모의 전향 연구에서 확인이 필요하지만 자궁내막증의 수용체 상태는 호르몬 기반 요법을 조정하기 위해 유방암에서 에스트로겐 수용체, 프로게스테론 수용체 상태를 사용하는 것과 유사한 방식으로 사용될 수 있을 것이다. 자궁내막증 관리에 대한 이러한 개별화된 접근 방식은 프로게스테론 내성을 예측하여 프로게스틴 기반 치료를 효과적으로 할 것이다.

(2) 비호르몬과 시험적인 치료

앞에서 설명한 모든 치료법은 호르몬을 조절하여 자궁내막 성장을 억제하고 월경 주기를 변경한다. 향후 치료는 생식 호르몬 생산이나 생식력을 변경하지 않으면서 질병에 특화된 것으로 자궁내막증을 표적으로 삼아야 한다. 면역접합체(ICON, Immun conjugate)는 생쥐 자궁 내막 병변에서 비정상적으로 발현되는 조직인자를 표적으로 하며 이는 아마도 탈락막화를 통해 질병의 관해를 유발한다. 스타틴, COX-2 억제제, 도파민 작용제 및 퍼옥시좀 증식 활성화 수용제와 작용제와 같은 항혈관형성제 동물 모델 및 시험관에서 평가를 받고 있다. 그러나 임상적 증거는 아직 확인되지 않았다. 또한 비정상 miRNA 발현 및 비정상적인 메틸화 패턴과 같은 자궁내막증 환자에서 변경된 분자 경로를 표적화하고 수정하기 위한 연구도 진행중이다. 마지막으로 이소성 내막에서 중간엽 줄기세포 모집을 차단하는 치료 또한 연구 중이다.

2. 자궁내막증의 수술 치료

자궁내막증의 수술 치료의 목적은 정상적인 해부학적 관계를 회복하고 모든 보이고 깊은 질병을 가능한 제거하고 유착은 예방하는 것이다. 복강경 검사는 표준 수술 방법으로 간주된다. 개복술과 비교하여 복강경 검사는 더 나은 시각화, 조직 손상 감소, 더 작은 절개, 수술 후 빠른 회복이라는 장점을 제공한다. 수술 후 유착 및 합병증도 개복술보다 적을 수 있다. 가장 중요한 것은 복강경 검사로 얻은 결과가 개복술과 동등하거나 더 좋다. 그러나 광범위한 유착이 있는 심각한 자궁내막증의 경우 수술 접근은 의사에 따라 다르다.

복강경이 자궁내막증의 진단에 중요한 방법이나 수술에 수반되는 위험성이 존재하므로 증상의 유무, 임신 계획 등을 고려하여 신중하게 선택해야 한다. 임상 및 영상 검사로 자궁내막증이 의심되는 경우 진단만을 위한 복강경은 더 이상 추천되지 않는다.

1) 보존 수술

자궁내막증의 복막 파종은 양극 전기 수술기구로 절제하거나 날카로운 절개로 절제할 수 있다. 7개의 무작위 대조 시험을 포함한 코크란 리뷰에서 진단 복강경 검사와 절개와 절제를 포함한 다양한 복강경 수술방법을 후향적으로 비교한 결과 진단 복강경만을 시행한 것과 비교하여 수술적 복강경으로 중등도, 경도, 최소 자궁내막증을 가진 여성의 100%, 70%, 40%에서 통증이 개선되었다는 것을 발견하였다. 자궁내막증의 수술 관리를 위해 절제술(excision)과 소작술(ablation)을 비교하였을 때 한 방법의 명확한 우월성은 없었다. 절제술을 선호하는 사람들은 소작술은 질병과 절제의 깊이를 결정할 수 없기 때문에 치료가 부적절할 위험이 더 크다는 점을 강조한다. 또한 절제의 경우 조직학적 진단이 가능하다. 현대 복강경수술 기술이 출현하기 전에 골반재건 수술의 미세 수술 원리를 엄격하게 준수하면 확대, 최소의 조직 외생 및 노출된 봉합, 세심한 지혈 등의 사용은 수술 결과를 향상시킨다. 심부침윤 자궁내막증(DIE, deep infiltrating endometriosis)을 관리하기 위한 최적의 수술적 접근 방식은 수술 전 신중한 계획과 환자와의 논의가 필요하다. 복막 표면 아래 5 mm 이상을 침범하는 자궁내막증으로 정의되는 심부침윤 자궁내막증은 장(3-37%), 요로(52%), 자궁천골인대(60-90%) 등과 같은 직장질 병변과 관련된 병변이 포함된다. 이러한 침윤 병변은 골반 통증의 중요한 원인이다. 이러한 위치의 병변을 수술하려면 신중한 수술 기술이 필요하므로 심부침윤 자궁내막증 환자는 수술 중 합병증을 최소화할 뿐 아니라 불완전한 수술과 재수술의 필요성을 방지하기 위해 3차 진료 센터에 의뢰해야 하며 일부에서 여러 전문분야의 수술팀이 필요하기도 하다. 숙련된 수술자에 의한 자궁내막증의 수술적 제거술은 일반적으로 우수한 결과를 나타낸다. 3년 동안의 수술 후 월경통, 심부 성교통, 골반통증의 재발률은 15-30%의 범위이며 침범된 질 또는 직장의 병변이 제거되었을 때 가장 낮았다.

자궁내막종이 통증을 유발하거나 점점 커지거나 꼬일 위험이 있다면 제거해야만 한다. 또한 자궁내막종이 있는 불임환자에서도 또한 제거가 선택지가 된다. 2개의 무작위 임상시험에서 배액 또는 소작술에 비해 절제술이 전반적으로 더 큰 통증 완화, 자궁내막증 관련 통증의 낮은 재발, 자궁내막종 형성의 낮은 재발을 가져온다는 것이 밝혀졌다. 2008년 체계적 검토에 따르면 낭종벽의 복강경적 제거가 더 낮은 자궁내막종 재발(OR=0.41, CI=0.18-0.93), 월경통 재발(OR=0.15, CI=0.06-0.38), 성교통(OR=0.08, CI=0.01-0.51), 그리고 NMPP (OR=0.10, CI=0.02-0.56)의 감소와 이전에 불임이었던 여성에서 임신율의 증가(OR=5.21, CI=2.04-13.29)와 관련이 있는 것으로 결론났다. 수술 후 AMH 수치로 확인된 것과 같이 과도한 조직 절제 또는 문부 혈관 손상으로 인해 난소기능이 저하될 수 있으므로 신중한 수술 기법이 중요하다. 완전 제거나 제거와 소작술 혼합 등 수술 방법에 관계없이 AMH 수치는 부정적인 영향을 받을 수 있으나 난소 반응이나 가임력을 손상시키지는 않는 것으로 보인다. 양측 난소 자궁내막종의 제거 후 난소부전의 위험은 약 2.5%이다. 4 cm 이상의 무증상 자궁내막종이라고 할지라도 자궁내막종과 난소의 자궁내막양암 및 투명세포암과의 관련성으로 인해 제거가 권장되기도 한다.

자궁내막증에 대한 약물 또는 이전의 수술 치료에 반응하지 않는 월경통 및 심한 중추 골반 통증의 관리를 위해 보조 천골전신경절제술(presacral neurectomy, PSN)과 복강경 자궁천골신경절제술(LUNA, laparoscopic uterosacral nerve alation)이 주장되기도 하였다. PSN은 상부 하복신경총 수준에서 자궁의 교감신경 전달을 중단하게 되고 LUNA는 자궁천골인대의 중간 부분을 절단하는 것이다. PSN은 보존적 수술을 원하는 중추 골반통증을 가진 여성에서 고려될 수 있지만 LUNA는 통증 개선의 확실한 증거가 없기 때문에 더 이상 추천되지 않는다. 수술 합병증과 수술 후 장 또는 방광의 기능장애는 흔하지 않지만 발생할 수 있다. PSN은 선별된 개인에서만 적용되어야 하고 매우 신중한 상담이 필요하다.

불행히도 약물 치료와 마찬가지로 자궁내막증의 국소 제거 또는 절제 후에 질병과 통증의 재발은 흔하다. 재발의 누적 확률은 5년간의 추적관찰에서 40-45% 정도인 반면 재수술이 필요한 확률은 2년 내 15-25%, 5-7년에는 45-55%이다. 최소 또는 경증의 자궁내막증의 수술 치료 후 두 번째 복강경 검사 결과와 관련된 연구에서는 재발이 골반의 동일하거나 인접한 부위에서 가장 자주 발생하는 것으로 나타났으며 이는 초기 수술 중의 불완전한 절제 또는 특정 위치에 파종되는 것을 선호한다는 것을 시사한다. 재발성 질환의 발생률은 수술에서 다음 월경까지의 간격이 짧을 때 역류된 자궁내막 세포가 치유되지 않은 복막의 외상 부위에 이식될 가능성이 더 높기 때문에 난포기보다 황체기에 수술을 한 후에 더 높다. 또한 세심한 수술 기술에도 불구하고 수술 자체가 골반 유착을 유발할 수 있으며 이는 지속적인 골반 통증의 주요 원인이 될 수 있다.

2) 완치 수술(Definitive surgery)

출산을 완료한 진행성의 증상이 있는 자궁내막증이 있는 여성과 약물 및 보존적 수술 치료가 실패한 여성의 경우 확실한 수술 치료를 고려해야 한다. 난소에서 생성된 에스트로겐이 자궁내막병변의 성장을 자극하기 때문에 난소절제술을 하지 않을 때 추가 치료가 필요한 재발성 질환의 위험이 약 6배 더 높지만 심각한 난소 질환이 없는 선별된 여성의 경우 자궁절제술만을 고려할 수도 있다. 자궁절제술과 양측난소난관절제술을 받은 여성의 90%에서 장기적인 완화를 경험한다. 지속적인 또는 재발성 자궁내막증과 통증의 위험 인자는 광범위하거나 잔여 질환이 있는 여성에서 질병을 불완전하게 절제하는 것이다. 자궁내막증이 에스트로겐 의존성 질환이라는 점을 감안한다 하더라도 에스트로겐 요법만으로 질병의 재발을 유발한다는 전향적 연구는 없었다. 자궁내막증은 자궁절제술 후에도 폐경 호르몬 요법을 하기 위해서는 에스트로겐과 프로게스틴을 함께 사용해야 한다. 마지막으로 자궁절제술과 양측난소난관절제술을 한 뒤에도 지속되는 통증은 난소잔재증후군(ovarian remnant syndrome)의 가능성이 있다. 난소잔재증후군은 기능을 하는 잔재 난소 조직과 관련하여 지속적 또는 재발성 질환 및 통증을 동반한다. 이 증후군은 드물지 않으며 난소가 커지거나 골반 옆쪽 벽에 밀착되어 박리가 기술적으로 어려울 때 가장 자주 발생한다. FHS의 혈청 수치가 30 IU/dL 미만이고 에스트라디올 수치가 20 pg/mL 이상일 때 난소잔재증후군이 의심된다. 폐경기 여성에서는 혈청의 측정이 덜 도움이 되며 폐경기 전 여성의 경우에도 값은 변동될 수 있다 따라서 추가적인 검사에는 골반 종괴의 시각화를 위한 질초음파 또는 MRI가 포함된다. 궁극적으로 확인 및 치료를 위해서는 수술 평가와 조직 생검이 필요하다.

3) 수술 후 약물치료

암에서와 마찬가지로 자궁내막증의 재발은 잔류 또는 미세한 자궁내막병변의 재성장으로 인한 것일 수 있다. 또한 재발은 새로운 병변의 형성으로 인한 것일 수 있다. 원인에 관계없이 자궁내막증에 대한 보존 수술 후 재발의 위험이 알려진 것을 고려할 때 수술 후 약물치료의 잠재적인 이점이 있다. 초기 연구는 수술 후 호르몬 억제 치료의 효과를 입증하지 못했다 그러나 이 연구들은 3-6개월 후에 약물 치료를 중단했다. 앞서 언급하였듯이 기존의 치료는 단순히 자궁내막증을 억제하였고 세포를 줄이는 것이 아니었다. 따라서 치료가 중단되면 병변이 다시 자랄 수 있다. 최근 연구는 3차 예방에 초점을 맞추고 있다. 수술 후 장기적인 호르몬 치료에 대한 15개의 연구를 메타분석한 결과 월경통과 자궁내막종의 재발이 더 낮았다. 특정 환자에 대한 가장 효과적인 수술 후 호르몬요법을 결정하기 위해서는 추가 연구가 필요하다. 수술 후 호르몬 요법의 예외는 수술 직후에 임신을 시도하는 여성이다. 그러나 임신을 늦추고자 하는 여성의 경우에서는 호르몬 억제요법이 권장된다.

4) 다양한 접근

일부 여성의 경우 약물치료와 수술만으로는 자궁내막증과 관련된 증상을 효과적으로 제거할 수 없다. 복잡한 골반통 증후군이 있는 사람들에게는 심리상담, 골반저 물리치료, 침술, 경피적 전기 신경 자극기, 이식형 신경자극기 및 마취제를 사용한 트리거 포인트 주사를 포함한 다학제적 접근이 도움이 될 수 있다. 마지막으로 크지는 않지만 임상 시험에서 자궁내막증 관련 골반 통증을 치료하기 위한 보완대체요법의 사용을 평가하였으며 자궁내막증이 있는 여성에서 영양 및 운동 프로그램이 통증을 완화하는 데 도움이 된다고 보고하였다. 붉은 육류, 불포화 지방 및 포화지방을 피하는 것과 같은 영양 개입은 구조화된 운동 프로그램과 마찬가지로 통증을 줄이는 것으로 보고되었다. 한약재도 임상시험에서 효과가 있었다.

V. 자궁내막증과 관련된 불임 치료

가임력을 원하는 자궁내막증 여성이 이용할 수 있는 몇 가지 치료가 있다. 일상적으로 권장되지는 않지만, 난소자극을 동반하거나 인공수정 또는 체외수정을 주저하는 여성에게는 기대요법이 가능하다. 앞서 언급하였듯이 자궁내막증이 있는 여성의 수태율은 불임이 아닌 인구에서보다 낮다. 그러나 자궁내막증이 있는 여성 또한 치료 없이 임신이 가능하다. 기대 요법에 대한 전반적인 성공 가능성이 적기 때문에 진행 단계의 질환이 없고 35세 미만인 여성에서만 고려해야 한다.

자궁내막증과 관련한 통증 치료에 사용되는 약물은 주로 호르몬이며 배란을 억제한다. 복합경구피임약, 프로게스틴, 다나졸, GnRH 작용제 등의 배란억제제를 사용하여 자궁내막증이 있는 여성에서 생식력을 개선하기 위한 25건의 시험이 포함된 코크란 리뷰에서는 배란억제제 사용으로 인한 이점이 없었다. 배란억제제 사용은 임신까지의 시간을 증가시켰다. 체외수정 전 3-6개월 동안 GnRH 작용제를 사용한 3개의 무작위 대조 시험에 대한 코크란 리뷰에 따르면 임상임신과 출생률이 GnRH 작용제를 사용한 군에서 대조군에 비해 유의하게 높았다. 파일럿 시험 평가에서 자궁내막증이 있는 여성에서 체외수정 이전 복합경구피임약을 6-8주 동안 사용하는 것의 효과를 평가하였을 때 복합경구피임약의 사용이 임신 확률을 상당히 증가시키는 것으로 나타났다. 복합경구피임약의 사용이 GnRH 작용제만큼 효과적일 수 있겠지만 이를 확인하기 위해서는 더 큰 규모의 무작위 시험이 필요하다.

1. 수술 치료

최소 및 경미한 자궁내막증이 있는 여성의 생식력에 대한 수술의 효과는 두 가지 무작위 대조 시험에서 조사되었다. 캐나다 다기관 시험에서 원인불명의 불임 여성이 진단 복강경 검사를 받았고 자궁내막증이 미미하거나 경미한 여성은 질환의 제거 및 절제 치료 또는 기대요법을 위해 무작위로 배정되었고 36주 또는 임신이 된 경우 임신 20주까지 추적 관찰하였다. 치료받은 여성의 임신 가능성은 치료받지 않은 여성의 두 배였다(OR=2.03, CI=1.28-3.24). 전반적으로 치료에 무작위 배정된 172명 중 50명(0.29%)의 여성이 기대요법을 하였던 169명의 여성 중 29명(0.17%)에 비해 임신이 진행되었고 0.12%의 치료효과 상승을 달성하기 위해 치료효과의 역으로 치료에 필요한 수를 산출하였다. 결과는 최소 또는 경미한 자궁내막증을 가진 약 9명의 불임 여성이 추가적으로 임신을 달성하기 위해서는 수술적 치료를 받아야 한다는 것을 시사한다. 그러나 대상자가 99명인 유사한 디자인의 두번째 소규모 이탈리아 시험에서는 치료군과 비치료군 사이에 차이가 관찰되지 않았다. 두 연구의 데이터를 결합한 메타분석에서는 최소 및 경증 자궁내막증의 수술적 치료가 생식능력을 향상시킬 수 있다고 결론지었고(OR=1.64, CI=1.5-2.57), 치료에 필요한 수는 12명이었다. 경증에서 중등도 질환이 있는 여성의 경우 자궁내막증 임플란트를 제거하는 수술 치료는 염증을 감소시켜 생식능력을 향상시킬 수 있는 잠재적인 이점이 있다. 자궁내막종이 있는 여성의 경우 수술 치료 후 1-3년의 누적임신율은 약 50%이며 생식샘자극호르몬에 대한 반응도 개선된다.

중증질환에서 수술의 잠재적 이점은 유착의 해결 및 정상 골반해부학의 이상적인 복구가 포함된다. 두 건의 무작위 대조 시험에서 복강경 검사가 진행 단계의 자궁내막증에 유익하다는 것이 입증되었다. 또한 통증이 있으면서 임신을 시도하는 여성의 경우 통증을 악화시킬 수 있는 난소자극이 동반된 인공수정이나 체외수정을 진행하기 전에 수술적인 치료 여부가 선택 가능해야 한다. 심부침윤 자궁내막증 증상이 있는 38세 미만의 불임 여성 169명을 대상으로 한 전향적 코호트 연구에서 체외수정으로 달성한 임신율은 일차 수술 치료를 선택한 여성보다 훨씬 더 높았다. 중증 자궁내막증이 있는 불임 여성에서 수술 치료의 장점은 명백해 보이지만 잠재적인 이점을 평가한 무작위 대조 시험은 거의 없으며 더 많은 연구가 필요하다. 유착 방지제를 사용하면 불임 여성의 수술 치료 후 유착 형성이 감소하지만 유착 방지제나 기타 유착 방지 전략이 수술 치료 후 임신율을 향상시킨다는 설득력 있는 증거는 없다.

2. 난소자극과 보조생식술

불임이 동반된 3 cm 이상 자궁내막종의 경우 보조생식술 전 낭종절제술이 임신율을 증가시킨다는 증거는 없다.

오히려 난소 자극에 대한 반응이 감소한다는 보고들도 있다. 나팔관이 개통되어 있는 최소 내지 경증의 자궁내막증 환자의 경우 자궁내 수정을 포함하거나 포함하지 않은 클로미펜, 레트로졸, 생식샘자극호르몬을 사용한 난소과자극이 가임력을 증가시킬 수 있기 때문에 이를 시도해볼 수 있다. 이 방법은 환자가 해부학적인 변형을 가지고 있지 않은 경우에 더 선호된다. 그러나 자궁내막병변을 자극할 수 있기 때문에 네 주기 이하가 권장된다. 앞서 언급하였듯이 자궁내막증이 있는 여성의 체외수정 성공률은 난관 및 남성 요인, 원인불명의 요인이 있는 여성과 유사하다. 다른 원인의 불임과 비교하였을 때 자궁내막증이 임신율에 얼마나 영향을 미치는지에 대해서는 여전히 불분명하다. 그러나 체외수정은 현재 자궁내막증과 관련된 불임의 가장 효과적인 치료법이며 특히 진행된 자궁내막증이 있는 여성에서 더욱 중요하다.

VI. 전신질환으로서의 자궁내막증

부인과 및 골반의 질환으로서 자궁내막증에 중점을 두지만 자궁내막증은 뇌, 대사 및 염증, 성건강에 영향을 미치는 전신 질환이라는 사실을 인식하는 것이 중요하다. 게다가 자궁내막증을 가진 여성은 통증 민감도가 변화하여 불안과 우울증의 유병이 증가한다. 이는 자궁내막증이 정서 및 행동 변화를 제어하는 뇌 영역에서 유전자 발현 조절을 바꾸는 것과 관련이 있을 것이다. 유사하게 앞에서도 언급하였듯이 자궁내막증이 있는 여성은 자궁내막증이 없는 여성보다 BMI가 낮다. 이 발견은 간의 유전자 발현에서 자궁내막증의 효과와 관련이 있을 수 있다. 자궁내막증의 쥐 모델에서 낮은 BMI는 대사 경로를 조절하는 간의 유전자 발현을 변화시키기 때문이라는 것이 밝혀졌다. 자궁내막증은 또한 전염증 상태로 간주된다. 이 장의 앞부분에서 논의한 것과 같이 miRNA의 차등적인 발현은 대식세포의 사이토카인 발현에 영향을 주어 염증 증가를 더욱 촉진할 수 있다. miRNA는 안정적이기 때문에 혈류에서 순환할 수 있으므로 자궁내막증이 골반의 이소성 내막에서 멀리 떨어진 전신적 효과를 가질 수 있다는 근거를 제공한다. 또한 염증 반응의 증가는 심혈관 질환 및 암의 위험을 증가시킬 수 있다. 마지막으로 치료 중재 후 통증을 평가하는 연구는 있지만 성기능에 미치는 영향을 평가한 것은 거의 없다. 자궁내막증의 영향은 골반의 병변에만 국한되지 않는다. 현재의 내과 및 수술 치료 방법이 국소질환은 효과적으로 치료하겠지만 이 만성 질환으로부터 고통받는 여성의 전반적인 건강과 웰빙을 개선하기 위해 이 질환의 전신적 측면을 표적으로 삼을 수 있는 적절한 치료법을 확인하는 것이 필수이다.

** 참고문헌 목록은 대한산부인과내분비학회 홈페이지 http://www.kosge.or.kr 또는 QR코드를 통해 보실 수 있습니다.*

CHAPTER

18 반복유산

박준철(계명의대), 이성기(건양의대)

I.서론

자연유산은 태아가 생존 가능성에 도달하기 전인 임신 20주 또는 24주 이전에 자연적인 임신 종결이라고 정의할 수 있다.

반복유산은 전통적으로 3번 이상의 자연유산을 경험한 경우로 정의하여 왔으나 최근에는 2번 이상의 반복되는 자연유산으로 정의가 바뀌었다. 그러나 임신의 정의에 대한 합의는 아직 없다. 미국생식학회(American Society of Reproductive Medicine, ASRM)는 임신이 초음파 또는 조직병리학 검사로 기록된 임상 임신을 의미한다고 주장하였다. 그럼에도 불구하고 유럽생식의학회(European Society of Human Reproduction and Embryology, ESHRE)는 최근 임상 임신과 소변 및 혈청 베타-사람 융모생식샘자극호르몬(human chorionic gonadotropin, hCG) 검사에 의해 결정된 생화학 임신이 포함된다고 발표하였다. 유럽 학회의 임신 정의를 인용하면 생화학 임신도 자연유산에 포함되며 반복유산의 새로운 범위도 상당히 확대된다. 따라서 임신과 반복유산의 새로운 정의는 의료진과 환자들 간에 다소 혼란이 야기되는 측면도 있다(표 18-1).

표 18-1. 유관 학회별 반복유산의 정의

	ESRHE 2017	French 2016	ASRM 2013	RCOG 2011
유산 진단	Serum/urine hCG +	Clinical pregnancy loss by USG	Clinical pregnancy loss by USG or biopsy	All pregnancy loss
임신 주수	<24주	<14주	<10주	<24주
유산 횟수	2	3	2	3
유산 연속성	연속/비연속	연속	연속	연속

ESHRE guideline for RPL (2017), French clinical practice guidelines (2016), ASRM Committee Opinion (2013), RCOG guideline (2011).

반복유산의 정확한 유병률을 추정하기는 어렵다. 임신 20주 이전에 임상적 임신이 3번 이상 연속으로 유산되는 경우는 부부의 약 1-2%에서 발생한다. 생화학 임신을 포함하면 반복유산의 유병률이 여성의 2-3%로 증가한다. 최근 한 역학 연구에서 18-42세의 모든 스웨덴 여성 중 임신 22주 이전에 3회 이상의 연속적인 유산으로 정의된 반복유산의 유병률이 2003년과 2012년 사이에 74% 증가한 것으로 나타났다. 반복유산이 빠르게 증가한 이유를 설명하기 위한 추가 연구가 필요하지만, 면역/염증 및 환경 요인이 원인으로 제시되었다.

반복유산은 기존의 자연유산을 경험한 횟수가 많을수록, 임부의 나이가 많을수록 증가하는 추세를 보인다. 예를 들어 과거 3번의 자연유산을 경험한 여성이 다음 임신에서 다시 유산할 위험은 20세 10%, 25세 14%, 30세 20%, 35세 27%, 40세 36%, 45세 46%로 증가한다. 반복유산의 경우도 태아염색체 이상이 중요한 원인이다. 하지만 유산의 횟수가 증가할수록 태아의 염색체 이상의 빈도는 상대적으로 감소하고 정상핵형의 태아 유산이 현저히 증가한다.

II. 원인

반복유산의 처치에 있어 가장 중요한 것은 정확한 원인을 찾는 것이다. 원인이 파악되면 유산의 치료는 임신 전 또는 임신 중에 적절히 치료할 수 있다. 즉 원인불명으로 남겨지는 경우를 줄일 수 있다면 치료 성적도 향상될 것이다. 미국과 유럽의 생식 관련 학회에서는 3회 이상 유산을 경험한 여성을 대상으로 원인 검사를 추천하고 있다. 그러나 최근에는 고령임신이 증가하고 불임 부부의 증가 등으로 인해 환자에 따라 유연성을 가지고 원인 검사를 진행할 것을 권고하고 있다. 원인 검사를 진행할지 결정할 때 여성의 나이, 과거 유산의 시기와 상황, 개인의 병력과 가족력, 부부의 불안감 등을 고려할 수 있다.

1. 태아 요인

가장 흔한 태아 요인은 태아 염색체 이상이다. 약 50-75% 정도의 유산된 태아는 염색체 이상을 동반하고 있다. 유산된 태아의 90% 이상은 염색체 수의 이상이고 나머지가 전위, 역위와 같은 염색체 구조이상이다. Microarray 기법으로 유산 산물을 연구한 보고에서는 염색체의 수 및 구조 이상이 약 50%, 유전자 복사 횟수(copy number) 변화가 7% 정도로 알려져 있다. 그러나 더 정확한 검사기법을 동원하면 초기 유산의 경우, 염색체 이상의 빈도는 75%에 이른다. 또한 정상염색체를 보이면서 태아기형이 있는 경우도 18% 정도이며, 염색체와 형태 모두 정상인 유산은 7%에 불과하다는 보고도 있다. 즉, 유전자 수준의 이상까지 고려한다면 유전 요인(염색체 이상+유전자 이상)을 동반한 초기 유산은 90%를 상회할 것으로 추정된다. 다만 주의할 점은 태아에게 유전적 변이(variant) 또는 다형성(polymorphism)이 있는 경우 유산의 위험이 더 증가하기는 하지만, 태아가 건강하게 태어날 가능성도 상당히 높다는 것이다.

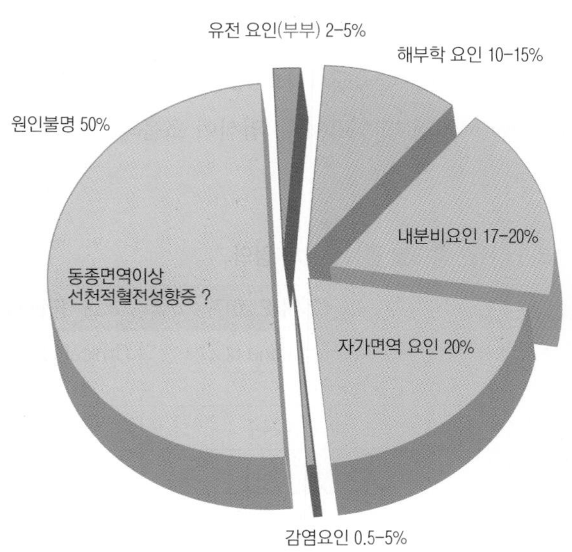

• 그림 18-1. **반복유산의 모성 요인**

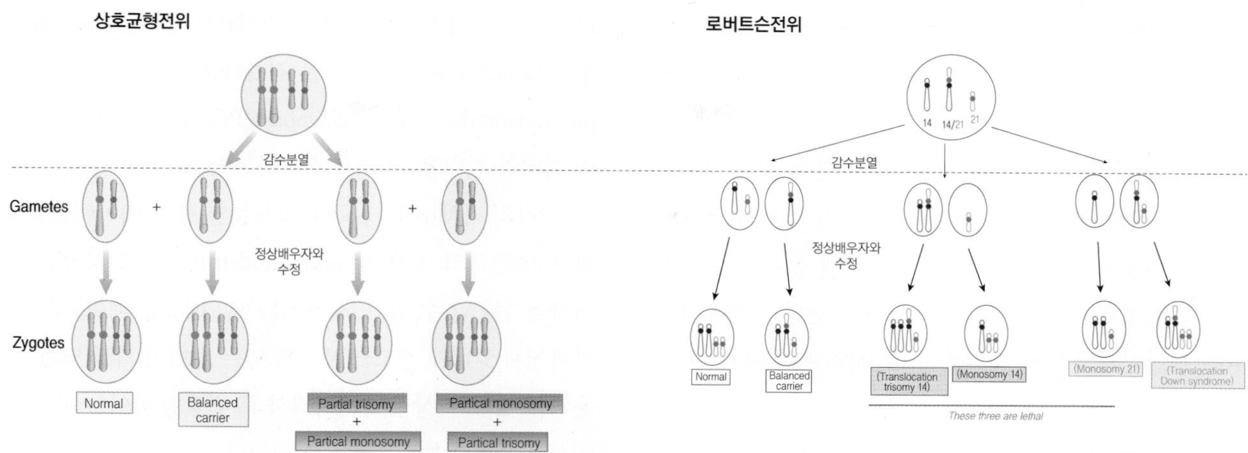

• 그림 18-2. 균형전위 유형과 예상되는 태아핵형

2. 부부 요인

부부의 요인은 부인에게 문제가 있는 경우와 남편에게 문제가 있는 경우로 나눌 수 있다. 남편의 염색체 이상이 반복유산의 원인이 될 수 있다. 그러나 유전 요인 외의 해부학 요인, 내분비 요인, 자가면역 요인 등은 모체의 요인으로 볼 수 있다(그림 18-1).

1) 부부의 염색체 이상과 나이

반복유산 부부의 약 2-5% 정도에서 염색체 이상이 발견된다. 반복유산과 관련된 가장 흔한 염색체 이상은 균형전위(balanced translocation)이지만 그 외 성염색체섞임증(sex chromosome mosaicism), 염색체역위(chromosome inversion) 등도 유산의 원인이 된다. 부부 중 한쪽 이상에서 염색체의 구조적 이상이 있으면 접합자의 세포분열 과정 중 분리 유형에 따라 불균형염색체(unbalanced chromosome)을 가진 태아가 생기며, 이 경우 대부분의 태아는 유산이 된다.

(1) 균형전위

균형전위는 균형상호전위(balanced reciprocal translocation)와 로버트슨전위(Robertsonian translocation) 두 가지가 있다(그림 18-2).

① 균형상호전위: 서로 다른 2개의 염색체의 일부분이 떨어져 나와 교환되는 경우이다. 전체 염색체 내 유전물질의 양에 이상이 없어 표현형은 정상이다. 상호균형전위의 보인자가 정상 핵형의 배우자와의 결합에서는 정상 핵형과 균형전위가 각각 25%, 불균형전위가 50% 발생할 확률이 있고 불균형전위의 태아는 유산이 된다.

② 로버트슨전위: 끝결매듭염색체(13, 14, 15, 21, 22번 염색체)에서 관찰되며 동원체(centromere)를 중심으로 한 염색체의 장완(long arm)과 다른 염색체의 장완이 융합하여 하나의 염색체를 형성하는 전위이다. 이때 양측 염색체의 단완(대개 중요 유전물질은 없거나 매우 소량을 포함)은 소실된다. 그러나 다행이도 로버트슨전위가 있는 보인자는 유전적으로 균형 상태이며 정상적인 표현형을 보인다. 로버트슨전위의 보인자와 정상 핵형의 배우자 간에 임신이 된 경우, 6가지 유형의 조합이 발생한다. 태아는 정상 핵형 1/6, 균형 핵형 1/6, 불균형 단일염색체 2/6, 불균형 삼염색체 2/6의 확률을 갖는다(그림 18-2).

(2) 역위(Inversion)

동원체(centromere)를 포함하고 있지 않은 역위(paracentric inversion)는 유산 또는 기형의 위험이 약간 상승하는 것으로 알려져 있다. 그러나 동원체를 포함하는 역위는 유산의 위험이 증가하지 않는다.

(3) 나이

부부의 나이가 많을수록 유산은 증가한다. 그 원인으로 여성의 나이가 많아질수록 감수분열 동안 염색체 분리의 오류로 인해 급격히 비정상핵형의 난자가 증가한다. 비정상핵형을 보이는 난자의 비율은 35세 미만의 여성에서는 10% 미만이지만 45세 이후엔 거의 100%에 이른다.

(4) 난소 예비력(ovarian reserve)

① 난소의 예비력이 감소하면 유산의 위험이 증가하는 것으로 알려져 있다.

② 과거 삼염색체 태아의 유산 경험이 있는 경우 폐경이 약 1년 앞당겨진다는 연구 결과도 있다.

③ 나이나 난소예비력이 감소한 원인(자연적이든 외인적이든)과 무관하게 혈중 난포자극호르몬(FSH)이 증가하면 다운증후군의 발생이 증가한다는 일련의 보고가 있다.

(5) 정자의 질

① 반복유산 부부의 경우, 남편의 정액검사에서 비정상 결과를 보이는 경우가 많다.

② 정자의 모양이상, 운동성, 염색체이상, DNA 분절증가 등과 같은 비정상 정액검사 결과는 여성의 난소예비력 감소처럼, 불임과 유산에 관련이 있다.

③ 다만 정자의 비정상핵형은 빈도는 1-2% 정도로 난자의 비정상핵형의 빈도에 비하면 매우 낮은 편이다.

(6) 착상전 유전자검사(Preconceptional genetic test)

반복유산에서 부부 또는 태아의 유전적 요인을 치료하기 위해 착상전 유전자검사(preimplantation genetic test, PGT)를 고려할 수 있다. 착상전 유전자검사는 체외수정을 통한 배아의 임신 전 유전 평가를 하는 여러 기술을 지칭한다. 3가지 착상전 유전자검사가 있는데 염색체 수적 이상(이배수성, aneuploidy)을 가려내는 PGT-A[이전에는 착상전 유전자스크리닝(preimplantation genetic screening, PGS)이라고 함], 단일 유전자 장애(예: 낭포섬유증, 혈우병, Duchenne 근이영양증)를 검사하는 PGT-M[이전에는 preimplantation genetic diagnosis (PGD)라고 함] 및 구조적 재배열(전위 및 역위)을 검사하는 PGT-SR가 있다.

난자의 극체(polar body), 세포분열 중인 배아의 1-2개 할구, 배반포의 영양피(trophoectoderm) 등으로 착상전 유전자검사를 할 수 있다. 최근에는 5일 배양된 배반포의 영양피에서 5-10개 정도의 세포를 얻는 방법이 가장 널리 사용되고 있다. 착상전 유전자검사 후 건강한 배아는 자궁내 이식을 하거나 동결보관 후 이식한다.

보다 최근에 소개된 comparative genomic hybridization (CGH)라는 새로운 기법이 기존의 FISH보다 정확한 유전 정보를 제공해 주고 있다. 생검된 배아 세포와 남성의 림프구의 DNA를 비교하여 24개의 염색체(X, Y, 22개 상염색체)의 수를 알려준다. 이 방법은 세포배양 실패, 모체 염색체 혼입 등과 같은 문제를 해결하여 기존의 염색체검사법보다 신뢰할 만하다.

차세대염기서열(next-generation sequencing, NGS)은 획기적인 착상전 유전자검사법으로 대두되었다. NGS는 불균형전위, 분절 이수성 및 일부 삼배체를 식별할 때 높은 민감도를 보인다. Microarray CGH (aCGH)에서 정배수체(euploidy)로 진단되고 유산된 배아를 NGS로 재검사한 연구에서 이들 유산의 31.6%는 모자이크 핵형을, 5.2%는 삼배체성을 보였다. 또 다른 연구에서는 NGS를 사용하는 PGT-A가 냉동 배아 이식에서 aCGH를 사용한 PGT-A 대비 임신 결과가 크게 향상되는 것으로 나타났다.

PGT에서 모자이크 핵형을 보이는 배아는 정배수체에 비해 낮은 출생률을 보인다(15.2% 대 42.2%). 여성의 나이가 많아져도 모자이크 염색체의 빈도는 증가하지 않지만 감수분열의 오류로 인해 정배수체는 감소한다. 그 결과 정배수체 배반포의 빈도는 35세 미만 여성에서 약 30%에 이르지만, 42세를 넘어서면 10%로 크게 떨어진다.

2) 해부학 요인

자궁의 해부학 이상은 반복유산의 여러 원인 중 하나이

며 선천 자궁기형과 자궁근종, 자궁샘근증 그리고 자궁내 유착 등의 후전적인 해부학 이상이 원인이 된다.

(1) 선천 자궁기형

자궁기형은 전체 여성의 약 2%에서 발견되지만 반복유산의 과거력이 있는 여성에서는 그 이환율이 약 3배 정도(6-7%) 증가하는 것으로 알려져 있어 자궁기형과 반복유산의 밀접한 관계가 있음을 알 수 있다.

외뿔자궁(unicornuate uterus)을 가진 여성이 임신 시 자연유산의 확률이 약 50% 정도로 높고 현재까지 특별한 치료 방법이 없어 여러 자궁기형 중 예후가 가장 좋지 않은 자궁기형의 하나이다. 자궁형성이 없는 쪽에 신장 무형성이 동반되기도 한다. 외뿔자궁은 별도의 치료없이 관찰하는 것이 일반적 치료이지만, 중기 유산이 있었거나 자궁경부 길이가 짧아지는 경우 자궁경부원형결찰술을 고려한다.

중복자궁(uterine didelphys)을 가진 여성이 임신 시 유산의 가능성은 약 40% 정도로 알려져 있지만 외뿔자궁에 비해 예후는 매우 양호한 것으로 보고되고 있다. 두뿔자궁(bicornuate uterus)을 가진 환자의 유산 확률은 30-40%로 특별한 수술 치료 없이 그 예후가 양호한 자궁기형으로 인식되고 있다. 자궁중격(uterine septum)은 유산율이 약 65%로 여러 가지 자궁기형 중 임신의 예후가 가장 불량한 자궁기형으로 알려져 있으며 혈관의 분포가 적어 혈액공급이 원활하지 않은 자궁중격에 배아가 착상된 경우 임신 초기 유산이 일어나지만 배아의 착상 부위가 중격 이외의 다른 자궁부분에 착상되었다고 해도 임신의 정상 유지를 위해 필수적인 자궁 및 자궁강의 확대에 장애를 초래하여 임신 중기 유산의 원인이 된다(그림 18-1).

다이에틸스틸베스트롤(diethylstilbestrol, DES)과 관련된 자궁기형은 정상자궁에 비해 자연유산이 약 2배 증가된 24% 정도를 보인다고 보고되고 있으며, 자궁외임신의 발생을 9배 이상 증가시키는 것으로 알려져 있다.

(2) 자궁근종

자궁근종이 반복유산의 원인이 되는지에 대해 많은 논란이 있지만 여전히 결론은 없는 상태이다. 자궁강 내로 돌출된 점막하 자궁근종이 임신의 예후에 악영향을 미친다는 보고가 있으나 이를 뒷받침할 수 있는 후속 연구결과는 여전히 부족한 상황이다. 자궁강의 모양을 변화시키지 않는 자궁근종의 경우 다른 증상이 없는 단계에서 반복유산의 예방을 위한 수술 치료는 추천되지 않는다.

(3) 자궁내유착(아셔만 증후군)

자궁내유착의 발생은 대부분 자궁내막소파술 등 수술 치료에 의하며 반복유산의 원인이라기보다는 합병증으로 여겨진다. 하지만 자궁내유착 그 자체가 자궁내 기능층의 감소와 자궁내막의 섬유증 및 염증을 초래하며 그 결과 태반형성에 심각한 장애를 초래하여 유산의 중요한 원인이 되기도 한다. 자궁내유착이 있을 때 자연유산의 위험성은 약 40-80%, 조산의 위험은 25%로 알려져 있다. 자궁경을 이용한 유착박리술의 치료 후 예후는 좋은 편으로 만삭분만이 50-90%에 이른다.

3) 면역요인

자가면역 및 동종면역 모두 반복유산과 관련이 있다고 알려져 있다.

(1) 자가면역질환

자가면역질환은 숙주 자신의 신체 조직을 항체가 스스로 공격하는 결과로 생기는 질환이다. 반복유산과 관련된 자가면역질환에는 대표적으로 전신홍반성낭창(systemic lupus erythematosus, SLE)과 항인지질증후군(antiphospholipid syndrome, APS) 등이 있다. 이들 질환은 항카디올리핀항체(anticardiolipin antibody), 홍반성 항응고제(lupus anticoagulant), 항β2 당단백 1 (anti-β2 glycoprotein 1) 등의 자가항체가 양성을 보인다. 반복유산과 연관성이 보고된 다른 종류의 자가 항체에는 항갑상선항체(antithyroid antibody), 항정자항체(antisperm antibody) 그리고 항영양막항체(antitrophoblast antibody) 등이 있다.

전신홍반성낭창에 이환 시 자연유산의 가능성은 약

20% 정도로 보고되며 유산의 시기는 임신 초기보다는 2, 3분기에 집중되는 것으로 알려져 있다. 이 질환 환자의 자연유산은 대부분의 경우 항인지질항체와 관련된 것으로 보고되고 있으며 임신 중 질환의 활성이 증가하거나 신장질환의 동반 등의 경우 유산의 위험성은 더욱 증가한다. 일반적으로 주의 깊은 관찰 및 적절한 치료를 통해 임신의 예후를 좋게 할 수 있지만 심한 신장질환 동반 등 질환의 활성이 높은 경우 그 증상이 경감될 때까지 임신을 피하도록 조언해야 한다.

항인지질증후군은 혈전을 유발하는 대표적인 자가항체 질환으로 임상 및 검사 기준을 각각 하나 이상 충족할 경우 진단이 가능하다(표 18-2). 여기에 제시된 항인지질항체 이외의 항인지질항체와 반복유산과의 관련성은 아직 근거가 부족하다.

항인지질증후군은 반복유산 환자의 약 3-5%에서 진단되며 치료 시 예후가 좋으므로 원인진단을 위한 필수적인 검사로 추천되고 있다.

항인지질증후군은 유산 외에도 10주 이후의 태아사망과 관련이 높아서 태아사망 원인의 1/3-3/4를 차지한다. 항인지질항체가 유산을 일으키는 원인기전으로 임신 10주 이후에 유산된 경우는 태반 미세 혈관의 혈전형성에 의해 설명되고 있는 반면 10주 미만의 초기 유산의 경우 항인지질항체가 자궁으로의 영양막세포의 증식과 침범, hCG 생산을 방해하거나 혹은 영양막세포의 자멸사(apoptosis)를 유발하는 것으로 보고되고 있다. 항인지질항체가 endovascular trophoblast invasion을 억제하면 spiral artey의 혈관재형성이 불충분하게되고 영양막세포가 혈액과 이른 접촉에 의한 산화 스트레스를 받는다. 또한 탈락막에서는 항인지질항체가 VEGF와 MMP 생성을 감소시킨다. 태반에 대한 항인지질 항체의 작용들은 추후 자궁과 태반 사이의 혈행 장애에 의한 임신전자간증, 자궁내성장제한 등의 산과적 합병증을 유발하기도 한다.

표 18-2. 항인지질증후군의 진단기준

임상 진단기준
1. 동맥 혹은 정맥 혈전 2. 자연유산 10주 미만 최소 3회 이상 또는 1회 이상의 10주 이상 태아의 사망 또는 심한 전자간증 또는 태반기능의 결핍과 관련된 34주 이전 조산의 기왕력
검사 진단기준
최소 12주 이상 간격으로 2회 이상 양성이 보여야 함 1. 홍반성 항응고제(lupus anticoagulant) 양성 2. 항카디올리핀항체(anticardiolipin antibody) IgM or IgG 양성 3. 항β2 당단백 1 (anti-β2 glycoprotein 1) IgM or IgG 양성

(2) 동종면역질환

임신 중 모체는 외부의 미생물 침입에는 면역활성을 통해 대항하면서 태아는 받아들이는 면역조절이 필요하다. 즉 임신기간 동안 면역은 단순히 억제되는 것이 아니고 태아조직에 대해서만 특이적으로 면역활성을 보이지 않는다. 모체는 임신 전부터 성교를 통해 인지한 배우자의 항원과 임신 중에 인지한 배아 또는 태아의 항원에 대해 면역인지를 하고 이를 통해 항원특이적 면역관용을 발달시킨다. 이와 같은 모체의 면역관용은 정상임신에서 태아를 보호하는 필수적인 요소이며 이에 문제가 생기면 착상실패, 유산, 태아성장제한, 전자간증과 같은 임신합병증이 발생한다.

1950년대 Medawar 등은 태아가 모체 내에서 면역계의 공격을 견뎌내고 안전하게 성장할 수 있는 기전으로 다음과 같은 3가지 가설을 제시하였다. 첫째, 태반이 모체와 태아 간의 해부학 장벽으로 작용한다. 둘째, 태아세포는 항원성이 없어 모체의 면역반응을 유발하지 않는다. 셋째, 모체 면역 세포는 태아항원에 대해 무반응(anergy)을 보인다.

이 가설들은 임신 면역에 대해 눈을 뜨게 하는 새로운 개념이 되었지만 태아항원과 모체 면역계 사이에 이루어지는 면역관용 현상을 설명하는 데는 부족함이 많았다. 이후, 자연살해세포(natural killer, NK cell), 자연살해T 세포(natural killer T, NKT cell), T 세포, 단핵세포(monocyte), 수지상세포(dendritic cell), 대식세포(macrophage) 등 다양한 종류의 모체 면역 세포들이 면역관용에 관여한다는 연구들이 보고되었다. 이들 면역 세포들은 착상 및 임신 유지에 수반되는 혈관생성 및 영양막의 발달에 필수적인 무균 염증반응(sterile inflammation)을 유발하는 것으로 알려졌다. 모체-태아 접면에서는 모체의 면역 세포들과 여러 전달물질들이 복잡하고 다양한 연결망을 통해 적절한 염증반응을 유발하여 배아의 착상 및 임신의 유지에 필수적인 혈관생성 및 영양막의 발달을 돕는다. 반면 적절하지 않거나 과도하게 오랜 기간 지속되는 염증반응은 급성 혹은 만성 이식거부반응과 유사한 작용을 일으켜 태반의 성장, 태아의 성장 및 발달에 심각한 장애를 초래하며 여러 임신합병증을 일으킨다.

① 자연살해세포(Natural killer cell, NK cell)

자연살해세포는 암세포나 바이러스에 감염된 세포를 죽임으로써 우리 몸을 지키는 중요한 선천면역세포이다. 자연살해세포는 MHC class I이 없는 주변세포를 인지하면 활성이 되고 MHC class I을 인지하면 불활성화 된다. 말초혈액 내 자연살해세포의 대부분은 CD56, CD16 표지자를 동시에 발현하고(CD56+CD16+) 강한 세포독성(cytotoxicity)을 가진다. 월경주기 동안에는 난포기에 비해 황체기에 림프구 내 자연살해세포 비율이 증가한다. 자궁 내 자연살해세포는 CD56 표지자를 강하게 발현하고 CD16 표지자를 발현하지 않으며(CD56brightCD16-), 세포독성은 약하지만 다양한 종류의 성장인자와 사이토카인을 분비한다. 자궁 자연살해세포는 분비기 후반에 자궁 내에서 증가하며 임신 초기에는 탈락막 전체 림프구의 약 70%를 차지한다. 임신 20주 이후에는 감소하기 시작하여 임신 말기에는 낮은 비율을 보인다.

자궁내 자연살해세포의 기원에 관해서는 여러 설이 있다. 첫째, 말초혈액 자연살해세포가 자궁내막이 분비하는 케모카인(chemokine) 및 세포접착물질(cell adhesion molecule)의 작용에 의해 자궁 내로 이동한다는 주장이다. 둘째, 혈액 내의 전구세포가 자궁으로 이동하여 자연살해세포로 분화한다는 주장이다. 셋째, 자궁 내 존재하던 자연살해세포가 증식하다는 주장이다. 이들 주장은 각각 설득력 있는 증거를 제시하고 있으므로 자궁내 자연살해세포는 다양한 기원으로 유래된 세포들의 혼합체로 생각된다. 최근에서는 자궁 자연살해세포도 3가지 아형이 있어 서로 다른 역할을 한다는 근거도 있다.

자궁 자연살해세포는 말초혈액 자연살해세포에 비해 세포독성이 약하지만 임신에는 결정적인 도움을 준다. Vascular endothelial growth factor (VEGF), placenta growth factor (PlGF), interferon-gamma (IFN-γ)와 같은 사이토카인을 분비하여 혈관발생(angiogenesis)을 촉진한다. IL-8, IP-10, ICAM, MMP-2, MMP-9 u-plasminogen activator (uPA) 등을 분비하여 태반의 침윤을 돕는다. FAS-L를 표현하여 나선동맥의 근육세포의 자멸사를 유도한다. 또한 자연살해세포의 killer immunoglobulin-like receptor (KIR)은 영양막세포의 HLA와의 결합을 통하여 면역관용을 일으킨다.

최근에 새로이 소개되는 선천면역세포로 선천적 림프구세포(innate lymphoid cell, ILC)가 있다. ILC는 T 세포와는 다르게 항원 특이성을 가지고 있지 않아 선천적 면역 세포에 가깝지만, T helper 세포에 상응하는 역할을 담당하는 또 다른 면역 세포라는 특징을 가지고 있다. 즉 ILC1은 Th1 세포처럼 IFN-γ를 분비하고 ILC2는 IL-4, IL-5, IL-9, IL-13을 분비하여 Th2와 닮았다. ILC3는 IL-17, IL-22와 같은 염증성 사이토카인을 생산하다. ILC는 주로 선천적 사이토카인(IL-1, IL-33, IL-25)에 빠르게 반응하며, 조직의 항상성 유지, 손상조직의 복구 및 병원체로부터의 방어반응 등을 담당하고 있다. 임신 초기에는 탈락막 내에 ILC1, ILC3가 많고 임신 제3분기에는 ILC2가 증가한다. 그러나 자궁근육층에서는 ILC1이 임신 제1삼분기부터 제3분기까지 꾸준히 증가한다.

② 자연살해세포와 반복유산과의 관련성

반복유산과 자연살해세포와 관련은 여러 연구자에 의해 보고되었다. 혈액 내 자연살해세포의 독성이 비임신 반복유산 환자에서 증가되어 있다는 보고가 Aoki 등(1995)에 의해 처음 보고되었다. Beer 연구팀은 반복유산, 착상실패 여성은 말초혈액 내 자연살해세포(CD3-CD56+) 분포가 높다고 하였으며 림프구 대비 12% 이상일 때 임신 결과가 나쁘다고 하였다. 또한 임신 중 자연살해세포가 18% 이상일 때 유산의 위험이 높다고 하였다. 그러나 국내의 연구에서는 16.1%를 기준값으로 제시하기도 하였고, 호주의 보고는 18%를 보고하여 말초혈액 자연살해세포의 임상적 기준은 아직 논란이 되고 있다. 또한 자궁 내 자연살해세포가 지나치게 많거나 현저히 감소하는 경우 반복유산의 위험이 증가하는 것으로 소개되고 있다. 이처럼 자연살해세포의 수나 기능의 변화와 임상적 의의에 대해서는 아직 논란이 있으나 수년 전 발표된 한 메타분석에서 말초혈액 자연살해세포 분포도(%)와 세포수 검사는 통계적인 의의가 있으나 자궁내 자연살해세포의 분포도는 유의미함을 보이지 못했다.

③ T 세포

T 세포는 착상 및 태아에 대한 모체의 거부반응과 면역관용에 모두 관여한다. T 세포는 CD 3 (cluster differentiation 3) 항원을 세포표면에 공통적으로 발현하며 CD3+CD4+ T세포와 CD3+CD8+ T 세포로 구분할 수 있다. 과거에는 CD4+ T세포를 도움 T 세포(helper T, Th)로, CD8+ T세포는 세포독성 T 세포(cytotoxic T, Tc)로 불렸다.

CD4+ T 세포는 항원전달세포에 의해 항원의 자극을 받으면 활성화된다. 활성단계에서 어떤 주변환경에 노출되는가에 따라 Th1, Th2, Th9, Th17, Th22, Tfh, 조절 T 세포(regulatory T cell, Treg cell)로 분화한다. 이들 세포는 면역반응을 보인 후 많은 세포가 사망하지만, 일부 세포는 각각의 기억 T 세포로 살아남는다. 이후 같은 항원을 감지하면 매우 빠르게 면역반응을 하고 증식도 한다. 흥미롭게도 자궁내에는 CD8+ T 세포가 CD4+ T 세포보다 더 많이 존재하는 것으로 알려져 있으며 대부분의 CD8+ T 세포는 공격성을 가진 세포로 활동한다.

(a) Th 세포 아형

CD4+ T 세포는 사이토카인을 생산하는 주된 면역세포로 분비하는 사이토카인의 종류에 따라 Th1, Th2, Th3, Th9, Th17, Th22 림프구로 분류된다(그림 18-3). Th1 세포는 TNF α 및 β, INF-γ, IL-2를 생산하며 대식세포 매개에 의한 숙주방어에 주된 역할을 한다. Th2 세포는 IL-4, IL-5, IL-6, IL-10, IL-13을 생산하며, IL-4는 B 림프구에서 IgE, IgG1 항체의 생산을 자극하고, IL-5는 호산구세포

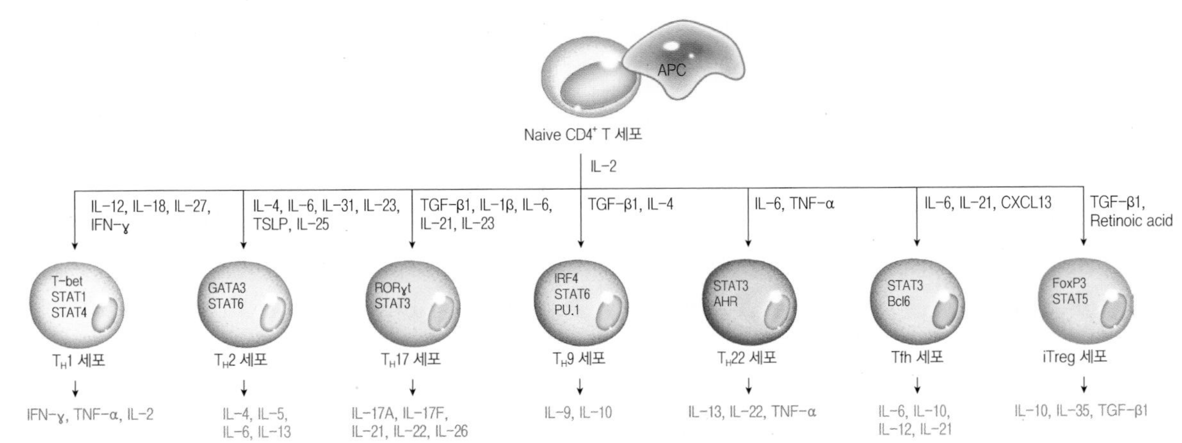

	TH1 세포	TH2 세포	TH17 세포	TH9 세포	TH22 세포	Tfh 세포	iTreg 세포
일반적 기능	• 바이러스와 세균에 대한 면역	• 기생충 감염에 대한 면역	• 세포 외 세균 및 진균에 대한 보호 • 만성염증	• 기생충 감염에 대한 방어	• 상처 회복 • 미생물 병원체에 대한 면역	• B세포 활성화 • 체액 면역	• 모든 주효세포 (effector cells)의 조절
임신 중 기능	• 조직 재구성 (Tissue remodeling) • 혈관생성 (Angiogenesis) • 배아 착상 (Embryo implantation)	• 동종이식 관용 (Allograft tolerance)	• 세포영양막 침습 (Trophoblast invasion)	• 알려지지 않음	• 세포영양막 생존 (Trophoblast survival) • 임신 유지	• 알려지지 않음 • 임신에 도움이 될 수 있음	• 동종이식 관용 (Allograft tolerance)

● 그림 18-3. **T 세포 분류**

의 성장과 분화를 촉진하며, IL-13, IL-10 등은 IL-4와 함께 대식세포의 기능을 억제한다. Th9 세포는 IL-9, IL-10을 분비하는 세포로 기생충 감염에 대항한다. Th17 세포는 세균과 곰팡이에 대한 면역과 만성염증에 관여하는 세포이고 Th22 세포는 상처 치유와 미생물 방어에 관여한다. Tfh 세포는 IL-6, IL-10, IL-12, IL-21을 분비하는 세포이다. CD4+ T 세포 중에 IL-10과 TGF-β과 같은 면역조절 사이토카인을 분비하는 세포도 있다. 이들은 T 세포의 증식과 기능을 억제하며 항원-특이적 T 세포 관용(antigen-specific T-cell tolerance)에 관여한다. IL-10을 분비하는 제1형 조절성 T 림프구(type 1 regulatory T-cells, Tr 1), TGF-β를 생산하는 T helper 3 (Th3), 그리고 Foxp3라는 전사인자를 표현하는 조절 T 세포(regulatory T cell, Treg cell) 등으로 구분된다. 조절 T 세포는 흔히 CD4+CD25+Foxp3+ 또는 CD4+CD25+CD127low 세포로 표기되며 가장 중요한 면역조절세포로 대부분 면역세포의 면역반응을 억제한다. 생식 과정에 필수적인 태아에 대한 모체의 면역관용에도 적극 관여한다는 것이 잘 밝혀져 있다.

최근의 연구에서 CD4+ 및 CD8+ T 세포 모두 활성형(effector cell)과 기억형(memory cell)이 존재한다. 기억 T 세포는 다시 central memory T 세포, effector memory T 세포, effector memory CD45RA revertant T 세포, tissue-resident memory T 세포, memory regulatory T 세포, follicular helper memory T 세포, stem cell memory T 세포로 세분화되며 아직 생식에 대한 연구는 별로 없다.

면역세포의 기능을 조절하는 기구로 면역관문분자가 관심을 끌고 있다. 항원전달세포와 T 세포간에 수용체와 리간드 결합을 통해 T 세포는 활성 또는 억제된다. 지금까지 면역을 억제하는 면역관문 신호전달이 더 연구가 많이 되었으며 특히 종양분야, 자가면역분야에서 활발하다. 최근에는 생식분야에서도 CTLA-4, Tim-3, PD-1 등과 같은 immune checkpoint를 매개한 면역연구가 주목을 받고 있다(그림 18-4).

④ T 세포와 반복유산

임신한 자궁은 착상을 전후한 시기에는 Th1 면역이, 나머지 대부분의 임신기간은 Th2 면역이, 그리고 분만에 임박해서는 다시 Th1 면역이 두드러진다. Th1형 면역반응과 Th2형 면역반응은 각자의 사이토카인을 통해 임신 시 태아와 태반의 성장에 필요한 Th2형 면역반응이 우세한 환경을 유지하며, 반면 Th1형 면역반응의 우세현상은 태아와 태반의 성장을 저해하며 태아의 생존을 위해서는 Th1형 면역

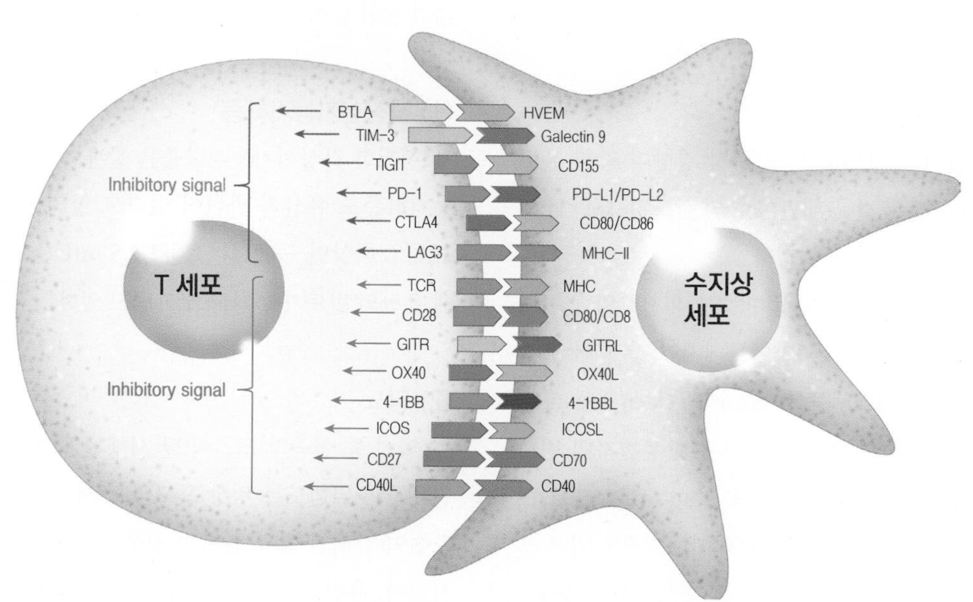

• 그림 18-4. **면역관문분자와 T 세포 기능 조절**

반응과 Th2형 면역반응의 균형이 중요하다. 결국 Th1/Th2 면역반응의 균형에는 사이토카인이 관여하고 사이토카인과 T 림프구들 간의 긴밀하고 복잡한 네트워크가 형성되어 배아의 착상 및 성장과 발달에 필수적인 역할을 한다.

원인불명의 반복유산 환자에서 말초혈액과 탈락막 T 세포의 사이토카인 분비에 대한 많은 연구가 시행되었다. Raghupathy 등은 태반세포와 말초혈액 단핵세포를 공배양하면 반복유산 과거력 환자는 INF-γ 등의 Th1형 사이토카인의 생산이 대조군에 비해 유의하게 높은 반면, IL-6, IL-10 등의 사이토카인은 대조군에 비해 유의하게 낮음을 보고하였다. 반복유산 환자의 말초혈액에서 Th1 사이토카인(TNF-α)을 분비하는 CD4+ T 세포가 Th2 사이토카인(IL-10)을 분비하는 CD4+ T 세포에 비해 유의하게 높으며 혈청 내 TNF-α, TNF-β, IL-2 등의 농도도 유의하게 높다는 보고들도 있다. 원인불명 반복유산환자는 Th17세포가 말초혈액과 탈락막에서 증가하고, 조절 T 세포는 혈액과 탈락막에서 모두 감소함이 관찰되었다. 최근에는 면역관문억제제인 CTLA-4와 Tim-3가 동시 발현되는 탈락막 CD4+ T 세포가 반복유산 시 줄어 있다는 보고와 PD-1+CD4+ T 세포와 PD-1+Th17 세포가 감소되었다는 보고도 있다.

4) 혈전성향증

(1) 선천 혈전성향증

반복유산 환자의 일부는 혈전 형성 경향이 강한 유전성향을 가지며 혈전은 자궁-태반 혈류의 감소 및 태반의 경색을 일으켜 유산을 일으킬 수 있다.

선천 혈전성향증의 원인에는 다양한 유전자의 변이가 관련이 있다고 보고되는데, 서양인들에게 가장 흔한 유전원인은 응고인자 V Leiden 변이(Factor V Leiden mutation) (G→ A at nucleotide 1691)와 프로트롬빈 유전자의 변이 (prothrombin gene mutation) (G→ A at nucleotide 20210)로 알려져 있다. 그러나 이 두 유전자변이는 우리나라를 포함한 일본, 대만 등에서는 혈전환자 및 반복유산환자에서 보고된 바가 거의 없어 인종간 차이가 있는 것으로 판단된다. 항트로빈결핍(antithrombin deficiency)은 반복유산과 관련이 깊다고 알려져 있다. 메틸렌테트라하이드로엽산환원효소(methylene tetrahydrofolate reductase, MTHFR) 유전자 변이(C→ T at nucleotide 677)는 고호모시스틴혈증을 유발하여 혈전의 위험을 증가시킨다. 그러나 MTHFR C677T 검사에서 TT 형은 반복유산과 관련이 적다는 보고가 많다. 최근 보고에서는 protein C 또는 protein S 결핍은 반복유산과의 상관성이 관찰되지 않았다. 그러나 위의 혈전성향증 인자는 불임, 임신후기 합병증과의 관련성이 보고되고 있다. 예를 들어 MTHFR C677T의 TT 변이는 전자간증과 상관성을 보였고 protein S 결핍은 자궁내태아사망과 관련이 높다.

(2) 후천 혈전성향증

대표적인 후천 혈전성향증 질환은 자가면역질환인 항지질증후군이다. 그 외에 심각한 엽산, 비타민B 결핍도 반복유산의 원인이 될 수 있다.

5) 내분비 질환

체내에서 발생할 수 있는 여러 호르몬 분비 이상 중 갑상선 호르몬 분비이상, 당뇨병, 다낭난소증후군 그리고 황체기 결함 등이 반복유산과 연관된 것으로 알려져 있다.

(1) 갑상선기능저하증

현저한 갑상선기능저하증은 물론이고 무증상갑상선기능저하증도 유산과 관련이 있다고 알려졌다. TSH가 2.5 mIU/L 이상인 군에서는 TSH 2.5 mIU/L 미만인 군에 비해 유산의 빈도가 높다고 보고되고 있다.

(2) 당뇨

임신 중 혈당의 조절이 잘 시행된 당뇨 환자의 경우 자연유산의 위험도는 정상 산모와 크게 다르지 않지만 혈당 조절이 실패한 당뇨 환자의 경우 자연유산의 위험도는 증가한다. 유산의 위험 증가는 혈중당화 헤모글로빈(glycosylated hemoglobin) A1C 증가 정도와 관련이 있는 것으로 조사되었다.

(3) 다낭난소증후군

다낭난소증후군(polycystic ovarian syndrome, PCOS)과 반복유산의 연관성에 대해서는 혈중 황체화호르몬(luteinizing hormone, LH)의 증가 및 그에 수반된 남성호르몬의 증가와 관련되어 설명되었다. 하지만 최근에는 고인슐린혈증 및 증가된 플라스미노겐활성화인 자억제제(plasminogen activator inhibitor-1, PAI-1) 등이 반복자연유산의 원인기전으로서 자연유산의 위험성을 30-50%로 증가시키는 것으로 보고되었다. 인슐린반응개선제(insulin-sensitizing drug)인 메트포민(metformin)은 유산의 위험을 줄여준다는 보고도 있었으나 일련의 연구와 메타분석에서는 메트포민이 유산을 감소시키지 못한다는 결과를 보여주었다.

(4) 황체기 결함

황체기 결함이 유산의 원인이 되는 경우는 드물며 10%보다 낮을 것으로 추정된다. 황체기 결함과 반복유산과의 연관성에 관한 이론은 임신 중 혈중 프로게스테론 농도의 저하 및 외인성 프로게스테론의 보충이 유산방지에 도움이 된다는 것에 근거하였으나 이러한 가설은 외인성 프로게스테론의 효과가 없음이 밝혀진 후 크게 관심 받지 못하고 있다. 오히려 최근 연구 결과에 의하면 황체형성호르몬 급증 후 13일 이전 월경이 시작되는 것을 통해 진단된 황체기 결함 환자에서 혈중 프로락틴의 측정 및 유즙분비호르몬의 교정이 반복유산의 방지에 도움이 되는 것으로 인식되고 있다.

6) 감염질환

감염과 반복유산과의 연관성에 대해서는 많은 연구가 진행되지 못하였으며 아직 논란의 여지가 많다. 여러 가지 감염원 중 마이코플라스마(Mycoplasma), 유레아플라스마(Ureaplasma), 클라미디아(Chlamidia), 톡소플라즈마(Toxplasma), 리스테리아(Listeria), 캄필로박터(Campylobacter), 헤르페스(herpes virus), 거대세포바이러스(cytomegalovirus) 등이 자연유산과 관련 있다는 보고가 있다. 그러나 유산과의 연관성 및 그 기전에 대한 명확한 결론은 좀 더 연구가 필요한 상황이다. 가성비를 고려할 때 반복적인 균배양검사보다 2주간의 항생제치료(아지스로마이신, 에리트로마이신, 독시사이클린)가 더 적절하다는 주장도 있다.

3. 환경요인

다른 위험인자로는 흡연, 음주, 비만, 중금속이나 살충제 노출, 미세먼지 등도 제시되고 있다. 흡연, 알코올 섭취 그리고 다량의 카페인 복용 등은 자연유산의 원인으로 추정되고 있다. 흡연은 자연유산의 위험을 증가시키며 그 위험도는 흡연량의 증가에 따라 비례하여 증가하는 것으로 보고되고 있으며 특히 하루 10개비 이상의 흡연은 유산의 가능성을 현저히 증가시키는 것으로 알려져 있다. 흡연이 유산을 일으키는 원인기전에 대해서 명확한 설명은 없지만 담배 속에 함유된 니코틴(nicotine), 이산화탄소(carbon dioxide), 시안화물(cyanide) 등의 성분이 혈관수축 및 항대사작용을 유발하는 것에 기인하는 것으로 추측된다.

알코올은 태아의 기형 가능성을 증가시키는 기형유발물질(teratogen)로 알려져 있다. 또한 하루 두 잔 이상의 알코올 섭취 시 유산의 위험성을 2배 이상 증가시키는 것으로 보고되었지만 섭취량과 유산의 위험성과의 관계에 대해서는 명확한 기준이 없는 상태이다.

카페인 섭취와 유산의 위험성에 관한 연구들의 보고에 의하면 하루 세 잔 이상 또는 300 mg/일 이상의 카페인 섭취는 자연유산의 위험성을 증가시키지만 그 위험도는 두 배 미만임을 보고하고 있다.

반복유산을 경험한 환자들은 유해환경, 생활습관 등이 유산의 원인이 되는지 여부에 대해 알고자 한다. 하지만 정신 스트레스, 컴퓨터의 사용, 과도하지 않은 운동 등 일상생활에서 볼 수 있는 생활습관 및 환경 요인이 유산의 원인으로 본격 거론되기에는 아직 증거가 불충분한 실정이다.

4. 원인불명 반복유산

위에 열거한 원인이 발견되지 않을 경우, 원인불명이라고 하며 약 50% 정도라고 추정하지만 혈전성향증, 동종면역검사, 환경인자들이 원인불명 반복유산으로 분류되는 경우가 많다. 자세한 원인검사를 하면 원인불명은 많이 줄어들 것으로 예상된다.

III. 진단

반복유산의 재발방지 및 적절한 치료를 위한 진단 검사는 임신 전 시행하는 것이 바람직하며 환자의 병력청취 및 진찰 그리고 영상검사 및 혈액검사 등이 순차적으로 진행되어야 한다. 진단검사에 대해 생식과 관련된 국내외 학회의 일치된 견해는 아직 없다. 따라서 환자의 상황과 국내의 의료환경을 고려하여 다음과 같은 검사를 시행할 수 있다(표 18-3).

1. 병력청취에 포함되어야 할 내용

1) 과거 유산의 시기, 양상
2) 불임의 과거력
3) 월경주기, 양, 통증
4) 과거 및 현재 부인과 질환과 산과 감염
5) 원인이 될만한 질환의 과거력 및 관련 증상
6) 약물복용
7) 환경 유해인자 노출 여부(카페인, 담배, 알코올, 다이옥신)
8) 배우자와의 유전적인 특성 및 생활사
9) 반복유산의 가족력
10) 이전 검사의 결과, 특히 이전 유산된 태아의 염색체 검사 결과

2. 진찰에 포함될 사항

1) 비만정도
2) 다모증 또는 극세포증(acanthosis) 여부 확인
3) 갑상선 진찰
4) 유방 진찰 및 유즙분비 여부 확인
5) 골반진찰

3. 영상검사

1) 골반초음파(질초음파)
2) 자궁난관조영술
3) 3D초음파
4) 자궁경검사
5) 필요시 MRI, 진단적 복강경검사
6) 뮐러관기형 동반 시 정맥신우조영술

4. 혈액검사 및 기타 검사

1) 부부 염색체검사, 유산된 태아의 염색체검사(가능하면 array comparative genomic hydridization 기법을 더 추천)
2) 갑상선자극호르몬, 프로락틴, 유리테스토스테론 또는 테스토스테론지수, 항뮐러관호르몬
3) 항인지질항체: 루프스항응고인자, 항카디오리핀항체 IgG 및 IgM, 항베타2-글리코프로테인1항체(anti-β2 glycoprotein 1antibody) IgG 및 IgM
4) 항갑상선항체: anti-microsomal antibody, 항핵항체
5) 동종면역 검사
   (1) 자연살해세포 비율
   (2) 자연살해세포 활성도
   (3) Th1/Th2 균형
6) 대사장애 검사
   (1) 공복 시 혈당, plasminogen activator inhibitor-1,

공복 인슐린, 혈중 호모시스테인 농도

7) 선천혈전성향증검사
   (1) MTHFR 유전자 변이
   (2) Protein C 및 S 활성도
   (3) Factor V Leiden 변이(서양인 대상)
   (4) Factor II 변이(서양인 대상)
8) 정자DNA분절검사
9) 질 내 또는 자궁 내 미생물검사

위 검사법 중에서 논란이 있거나 일부 학회에서 권고하지 않는 검사는 다음과 같다.

① 선천 혈전성향증 검사
② 말초혈액 동종면역검사(자연살해세포 비율 및 독성, Th1/Th2 세포 비율)
③ 다낭난소증후군검사
④ 당뇨병검사
⑤ 프로락틴, 안드로겐, 황체화호르몬
⑥ 황체기 결함 검사
⑦ 항핵항체
⑧ 질 내 또는 자궁 내 미생물검사
⑨ 자궁기형을 진단하기 위한 MRI

IV. 치료

반복유산의 치료는 경험적 접근이 아닌 근거 중심의 치료가 되어야 성공적인 결과를 얻을 수 있다. 이를 위해서는 철저한 원인 검사가 선행되어야 한다. 착상과 임신이 성립

표 18-3. 진단과 치료

원인	빈도	검사	치료
유전 요인	2–5%	부부 염색체 검사 난소예비능검사 유산 산물에서 비교유전자교잡법(comparative genomic hybridization)	유전 상담(균형전좌의 경우, 착상전 유전진단 고려할 수도 있음. 일반적인 착상전 유전선별검사는 권고하지 않음) 난자공여 고려할 수도 있음
해부학 요인	10–15%	골반초음파, 입체초음파, 초음파자궁조영술(Sonohysterography), 자궁난관조용술, 또는 진단자궁경(선천자궁기형 진단을 위해 자기공명촬영을 고려할 수도 있음)	문제 교정
내분비학 요인	17–20%	TSH, TPO, 프로락틴, 공복 혈당 또는 HbA1c, 황제기중기 프로게스테론	문제 교정
감염 요인	0.5–5%	자궁내막 생검 또는 균검사(질내균검사는 권고 않음)	항생제
항인지질증후군	20%	Lupus anticoagulant (LAC), anticardiolipin anti-β2 glycoprotein-1 antibody (aCL) IgG/IgM, anti β2 glycoprotein-Ⅰ antibody (anti-B2GP1) IgG/IgM	헤파린+저용량아스피린
선천 혈전성향증		protein C, protein S or Antithrombin deficiency, homocysteine level(외국인은 Factor V Leiden or Prothrombin mutation)	헤파린+저용량아스피린
남성 요인		정자 DNA fragmention	생활 습관 교정, 비타민, 정자 기증 등 고려
동종면역 요인		자연살해세포 분포도 및 활성도, Th1/Th2 ratio	면역 조절 치료
심리 요인			심리 지지
환경 요인		흡연, 음주, 약물남용, 카페인 섭취 여부 확인	요인 제거
원인 불명	50%		정서 지지

되고 유지되는 기전에 관한 많은 연구 성과가 있었으나 대부분이 세포 또는 실험동물 수준에서 연구가 이루어진 것으로 사람을 대상으로 한 연구는 그 수가 많지 않으며, 특히 무작위 대조 연구가 부족한 실정이다. 이런 이유로 지금까지 임상에 활용되고 있는 치료법은 근거가 충분한 치료법도 있지만, 일부 원인에 대해서는 아직도 연구가 진행 중이며 치료법이 확립되지 않은 분야도 있다.

1. 부부의 유전 이상

염색체 또는 유전 이상을 가진 부부의 경우 현재로는 유산을 방지할 수 있는 쉬운 치료법은 없다. PGT-A로 선택한 배아의 이식 방법은 유산 위험이 높은 여성의 착상률을 개선하고 낙태율을 낮추는 전략으로 제안되었다. 원인불명 반복유산환자를 대상으로 한 비용 효율성 분석에 따르면 PGT-A를 사용한 체외수정 후 출산율은 53%, 유산이 7%를 나타냈다. 반면 PGT-A를 받지 않은 기대 관찰군에서는 출산율이 67%이고 유산율이 24%였다. 따라서 고령과 반복유산환자에서 IVF/PGT-A 방법이 출산율을 높이는지 효과를 뒷받침할 근거는 아직 부족하다.

반복유산 부부 중 어느 한 쪽 또는 모두에게 균형전위와 같은 염색체 문제가 있는 경우 착상전 유전검사가 효과적일 수 있다. 균형전위가 있는 반복유산 부부에게 PGT-SR은 유산율을 감소시키고 출생률을 높여준다는 보고가 있다. 또 다른 전위 유형인 로버트슨전위도 착상전 유전진단이 도움이 될 수 있다. 서로 다른 염색체(비상동염색체) 간의 로버트슨전위는 정상적인 염색체 또는 균형전위를 가진 배아가 생길 가능성이 있으므로 적응이 된다. 남성의 균형전위의 경우 정자 FISH 분석이 임신을 예측하는 데 도움이 될 수도 있다. 불균형전위 비율이 낮은 경우 착상전 유전자검사로 양호한 임신결과를 보인다는 보고가 있다. 이와 달리 상동염색체(동일 번호의 염색체) 로버트슨전위의 경우, 배아는 항상 염색체 이상이 나타나므로 치료를 위해 부부 중 누구에게 문제가 있는가에 따라 난자공여(부인에게 문제 있는 경우) 또는 정자공여(남편에게 문제가 있는 경우)가 필요하다. 또한 위에서 열거한 방법이 효과적이지 않은 반복유산 여성에게는 난자공여를 통한 체외수정도 대안이 될 수 있을 것이다.

부모에게 염색체 이상이 있을 때 착상전 유전자검사를 통하여 유산율을 유의하게 감소시킬 수 있으나, 누적임신율은 기대 요법과 크게 차이가 나지 않으며, 정상아 출산까지 기간 역시 비슷하다. 이를 바탕으로 유럽생식의학회와 미국생식의학회는 착상전 유전진단을 권고하고 있지 않다. 그러나 반복유산 부부가 겪는 정신적 고통을 감안할 때 유산율의 감소를 위하여 착상전 유전자검사를 시행하여야 한다는 주장도 있다. 따라서 염색체 이상이 발견된 경우 착상전 유전자검사와 자연 선택의 장단점을 감안하여 상담하여야 한다.

2. 해부학 이상

선천 자궁기형 중 자궁중격은 자궁경수술의 치료 효과에 대한 메타분석에서 자궁경하 자궁중격제거술 이후 유산율이 유의하게 감소한다고 알려져 있다(RR 0.37; 95% CI 0.25-0.55). 이를 바탕으로 미국생식의학회와 독일 학회 가이드라인에서는 자궁경수술을 권고하고 있다. 그러나 무작위연구가 없다는 한계가 있다. 자궁경수술은 비교적 수술 후 합병증이 적은 장점이 있으며, 자궁경수술 이후에는 유착 방지를 위하여 작은 도뇨관을 7일 정도 자궁 내에 삽입하거나, 유착방지제를 도포하거나, 자궁내막의 재생을 촉진시키기 위하여 고용량 에스트로겐을 투여하기도 한다. 두자궁 또는 양쪽뿔자궁의 경우 복강경 또는 개복을 통해 자궁성형술을 고려할 수 있지만, 수술적 교정 후 임신율의 향상이 명확하지 않아 수술 치료가 권고되지 않는다. 또한 선천 자궁기형의 경우 자궁경관무력증에 의한 임신 중기 유산 위험도 증가하므로 자궁경부 길이 측정 등의 세심한 주의가 필요하며 자궁경부원형결찰술이 필요할 수 있다.

점막하자궁근종, 자궁용종, 자궁내유착과 같은 자궁의 후천적 해부학 이상에 대해 유럽생식의학회나 미국생식의학회의 권고안에서는 무작위비교연구가 부족한다는 이유로 적극적 치료를 권고하고 있지 않으나, 독일 및 오스트리아 학회 권고안에서는 자궁강의 이상을 초래하는 경우 자궁경을 이용한 치료를 권고하고 있다. 특히 벽내 자궁근종이나 장막하근종과 같이 자궁내막을 침범하지 않는 경우 특별히 증상 있지 않는 한 수술을 고려하지는 않는다.

3. 내분비 이상

반복유산과 관련한 대표적인 내분비질환으로서, 갑상선질환, 고프로락틴혈증, 다낭난소증후군, 당뇨병, 황체기 결함 등이 있으며, 진단 시 이에 대한 교정 치료가 필요하다.

갑상선질환은 모두 임신에 악영향을 미치지만 갑상선항진증보다 갑상선기능저하증을 임상에서 더 자주 접하게 된다. 갑상선기능저하증이 있는 환자에게는 갑상선호르몬이 매우 효과적이다. 특히 무증상의 갑상선기능저하증에도 증상이 있는 갑상선기능저하증과 같은 치료방법으로 처치하는 것을 권고하고 있다. TSH가 상승한 환자의 경우 임신 중에 한 달에 한 번씩 TSH, free T4를 측정하면서 갑상선호르몬 용량을 조절한다. 따라서 제1삼분기에는 TSH <2.5 mIU/L로, 이후에는 TSH <3 mIU/L으로 유지하는 것이 권고되고 있다. 산후갑상선염의 위험을 고려하여 적어도 분만 후 6개월에 TSH를 측정할 필요가 있다. 또한 항갑상선항체가 있는 자가면역 갑상선질환 환자 중 TSH가 정상인 경우, 갑상선호르몬을 보충하자는 견해와 TSH, free T4를 추적 검사하다가 TSH가 2.5 mIU/L 이상으로 증가할 때 갑상선호르몬을 보충하자는 견해가 있다. 최근 항갑상선항체 양성이면서 TSH가 2.5 mIU/L 이상이거나, 항갑상선항체 음성이면서 TSH가 4mIU/L 이상인 경우 갑상선호르몬 보충 요법을 고려하도록 권고하고 있다. 무증상 갑상선기능저하증의 경우 출산 이후 투여를 중지할 수 있으며 분만 6주 후에 갑상선 검사를 통해 추적관찰할 수 있다.

갑상선항진증은 메티마졸(methimazole), 프로필싸이오유라실(propylthiouracil, PTU)과 같은 갑상선억제제를 사용하여 TSH가 정상수준을 유지하도록 치료한다. 메티마졸을 사용하던 환자의 경우 임신 전에 태아기형 위험이 적은 PTU 제제로 변경하는 것을 고려할 수 있다.

고프로락틴혈증이 있다면 도파민 길항제인 브로모크립틴(bromocriptine) 또는 카버골린(cabergoline) 사용이 유산 방지에 도움이 되는 것으로 생각되고 있다. 다낭난소증후군에서 메트포민 같은 인슐린반응개선제를 복용 시 유산을 줄여주는 것으로 보고되기도 하였으나 반복유산 환자에서 메트포민이 유산을 줄여주는가에 대해서는 논란이 많다. 메트포민은 임신 중에 사용이 가능한 B등급으로 분류되어 있으며 임신 초기 투여 시에도 태아 기형 발생이 증가하지 않았다는 보고가 있다.

또한 당뇨병 환자의 경우, 임신 전과 임신 중 혈당조절이 임신 예후에 중요하게 영향을 미친다. 따라서 당뇨병에 이환되어 있거나 혹은 당뇨병을 의심할 만한 소견이 있는 환자는 혈당 및 혈중 HbA1C 수치에 대한 적극적인 검사가 유산의 재발 방지에 중요하며 그 수치가 증가된 환자에서는 치료 후 정상범위가 될 때까지 임신 시도를 연기하도록 권고해야 한다.

황체기 결함은 진단기준에 다소 논란이 있으나 의심이 되는 경우 배란유도를 하거나 배란일 이후에 황체호르몬을 투여할 수 있다. 그러나 황체호르몬이나, 사람 융모생식샘자극호르몬 투여가 유산을 예방하는가에 대해서는 더 많은 연구가 필요하다.

4. 감염

반복유산의 원인으로 의심되는 원인균이 발견된 경우는 항생제로 치료를 하고 임신 전에 완치 여부를 확인하는 것이 바람직하다. 그러나 검사에 드는 비용 그리고 약물치료의 부작용이 적은 점을 고려하면 균 검사 없이 아지스로마이신(azithromycin) 계열 또는 독시사이클린(doxycyclin)으로 경험 약물 치료를 권하기도 한다.

5. 면역 이상

적절한 진단과 치료법에 대해 아직 논란이 많음에도 면역 이상으로 인한 반복유산이 다른 어떤 요인보다도 주목을 받고 있다. 태아가 모체의 면역세포로부터 면역관용성을 획득하는 것이 중요하며, 모체의 과도한 면역반응을 조절하기 위한 면역글로불린, 스테로이드, 사이클로스포린, 항TNF-α 약물 그리고 백혈구면역치료(leukocyte immunization therapy)까지 다양한 치료가 시도되고 있다. 특히 부적절한 세포면역에 의한 유산에 이러한 면역 치료의 효과가 보고되고 있다. 그러나 연구 규모가 작은 점, 대상 환자의 나이, 유산 횟수, 연구 방법과 통계 등의 다양함으로 인해 유효성을 검증하기가 힘들 뿐만 아니라, 무작위 비교연구가 부족하다는 점이 치료의 제한점이다.

1) 정맥 내 면역글로불린 투여

면역글로불린 주사제는 면역 결핍환자에서 면역 증강 목적으로 개발되었으나, 다양한 자가면역 질환이나 염증 질환에서 면역 조절기능이 보고되고, 반복유산 환자에서의 동종 면역 이상이 알려지면서 반복유산 치료에 활용되기 시작하였으며, 다양한 치료 효과가 보고되고 있다. 면역글로불린이 면역 기능을 조절하는 기전은 여러 가지가 제시되고 있으나 아직도 모르는 부분이 많다. 작용기전은 자가항체 생성 억제 및 제거 속도 향상, T 세포 수용체와 Fc 수용체의 조절, 보체의 불활성화, 면역억제 T 세포의 기능 촉진, 세포외기질에 T 세포의 부착 감소, Th1 사이토카인 생성의 감소, Th17 세포 억제, 면역조절 T 세포의 증가, 자연살해세포의 감소와 불활성화 등이 제시되고 있다.

면역글로불린의 효과에 대해서 많은 연구가 있었으나, 연구마다 다소 상반된 결과를 보이고 있다. Daya 등이 시행한 메타분석에서 일차 반복유산에 효과가 있다고 하였으나, 이후 Hutton 등이 시행한 메타분석에서는 오히려 이차 반복유산 환자에서 효과를 보였고, Atta 등이 분석한 연구에서는 효과가 없다고 보고되었다. 그러나 이러한 메타분석은 원인불명의 반복유산 환자를 대상으로 시행한 연구라는 문제점이 있으며, 한국생식면역학회 권고안에서도 원인불명의 반복유산 환자에게 면역글로불린 치료는 권하고 있지 않다. 최근 자연살해세포 수적 증가나 세포독성의 증가가 확인된 환자를 대상으로 시행한 연구로만 시행한 메타분석에서는 유의한 임신율의 향상이 보고되었다. 또한 면역글로불린은 Th1/Th2 이상을 보인 환자들과 Th17/Treg 이상을 보인 환자에서 임신율의 향상을 보고하였다. 따라서 한국생식면역학회 권고안에서는 자연살해세포 수적 증가 또는 세포독성의 증가, T 세포 면역 이상이 확인된 경우 면역글로불린을 사용하도록 권고하고 있다.

면역글로불린치료법은 체외수정 시에는 과배란 유도 시작부터 사용하지만, 자연임신 시 임신을 확인 후 시작하는 경우가 더 흔하다. 환자의 몸무게 kg당 면역글로불린 400 mg을 정맥 주사하며, 반감기가 3주인 점을 고려하여 3-4주 간격으로 투여한다. 면역글로불린의 부작용으로는 메스꺼움, 두통, 근육통, 미열 등이 있으며, 심각한 부작용으로 신부전이나, IgA 결핍 환자에서 아나필락시스의 발생이 있을 수 있다. 따라서 치료 전에 반드시 혈중 크레아티닌 농도와 혈중 IgA 농도를 확인해야 한다. 현재까지 태아의 자가면역이나 알려지 질환 같은 부작용이 보고된 바는 없다.

2) 스테로이드호르몬

프레드니손(prednisone) 같은 부신피질호르몬은 만성 융모간염(chronic intervillositis), 항인지질증후군, 루푸스 등이 동반된 반복유산 환자에게 임신 동안 사용될 수 있다. 스테로이드호르몬의 작용 기전으로는 자연살해세포나 T 세포 면역 이상(Th1/Th2, Treg/Th17)에서 조절효과를 기대하고 있다. 반복유산 환자에서 스테로이드 투여는 자궁 또는 말초혈액의 자연살해세포를 감소시켜주는 것으로 보고되었으며, 임신율 및 생존아 출생률의 증가를 보고되고 있다. 그러나 임신 중기 이후의 스테로이드 사용은 태아발육지연이나, 조산, 융모막염, 임신 중독증의 증가 등의 위험성이 있다. 이러한 위험은 스테로이드 용량과 관련이 있으며, 고용량의 스테로이드(≥10 mg/kg daily)를 사용하는 경우 증가하나, 저용량의 스테로이드 사용은 조산 위험을 증가시키지 않는다고 알려져 있다. 따라서 임신 초기 하루 20 mg 이하의 프레드니손 투여는 태반에서 대부분 대사되어 태아에 대한 영향이 적고 모체에 대한 부작용도 많지 않으므로 자가면역 또는 세포면역 이상이 있는 환자에서 사용을 고려할 수 있다.

3) 프로게스테론

프로게스테론 역시 면역 세포의 활성을 억제하는 효과가 알려져 있다. 자궁 내 모체-태아 접면과 말초혈액에서 항원전달세포와 각종 림프구에 프로게스테론이 작용하여 Th1 면역은 억제하고 Th2 면역은 증가시키는 것으로 보고되고 있다. 프로게스테론은 근육주사 또는 질 내 투여 방식으로 사용되고 있다. 일반적으로 전신적 부작용 없이 국소적 면역억제 효과를 올릴 수 있는 질 내 투여 방식이 선호되고 있다.

4) 기타 억제제

타클로니무스(tacrolimus), 사이클로스포린(cyclosporine) 등은 장기이식 후 거부 반응 억제를 위해 사용되는 약제로서 T 세포 이상(Th1/Th2 증가) 시 시도될 수 있다. 반복유산 환자에서 임신율의 향상이 보고되었으나 향후 더 많은 추가 연구가 필요하다. 또한 항TNF 억제제 역시 Th1의 염증성 사이토카인이 증가된 환자에서 시도될 수 있다.

6. 혈전성향증

항인지질증후군이 있는 반복유산 환자의 치료는 현재 항응고치료가 더 효과적이다. 대표적인 항응고약제인 헤파린은 항인지질항체와 결합하여 면역조절기능을 발휘하고, 염증세포가 모이는 것을 막아주는 역할도 하는 것으로 추정된다. 경구 저용량 아스피린(75-80 mg/일)과 피하주사 헤파린 병행요법은 항인지질증후군 환자에게 많이 연구되었고 효과도 입증되었다. 항응고치료는 일반적으로 임신을 시도하는 동안 저용량 아스피린을 복용하기 시작하고, 임신이 확인된 후에는 헤파린을 매일 피하주사로 투여한다. 저용량 아스피린은 임신 34주경에 중단하였다가 분만 후 재투여를 시작한다. 헤파린은 임신 전 기간 동안 사용하다가 분만시기에 중단하며, 이후 분만 6주까지 사용하는 것을 추천한다. 과거 헤파린은 aPTT를 매주 확인하여 항응고효과를 유지할 수 있는 적정 용량을 찾아야 하였으나, 최근 활용이 증가하고 있는 저분자량헤파린은 이러한 모니터링이 필요치 않을 뿐만 아니라, 항혈전작용에 있어 헤파린에 비해 더 우수하고, 출혈 부작용의 빈도가 적으며, 혈소판감소증이나 골다공증의 위험도 더 적다. 또한 헤파린에 비해 반감기가 길어 약물의 투여 횟수를 줄일 수 있어, 환자의 수용성을 증가시켜 준다. 일반적으로 헤파린은 임신 제1삼분기에 5,000 단위를 하루 두 번, 임신 제2삼분기에 7,500 단위로 하루 두 번, 임신 제3삼분기에 10,000 단위씩 하루 두 번 투여한다. 저분자량헤파린을 사용할 경우는 에녹사파린 40 mg(또는 달테파린 5,000 단위)을 하루 한 번씩 피하주사한다. 분만 시에는 과다 출혈을 막기 위하여 약물 투여를 일시 중지하는데, 약물의 반감기를 고려할 때 분만 1일 전에 약물을 중단하면 분만 중 출혈의 위험은 높지 않다. 특히 출산 직후는 혈전의 위험이 가장 높은 시기이므로 분만 다음날에는 약물치료를 재개하여야 한다.

저분자량헤파린은 선천 혈전성향증, 예를 들어 응고인자 V Leiden, 프로트롬빈 유전자의 프로모터 돌연변이, 그리고 protein C와 protein S 활성 감소로 인한 반복유산의 치료에 효과가 보고되었다. protein C 나 protein S 단백 결핍, 또는 항트롬빈 결핍의 경우, 저용량 아스피린과 헤파린 병합 치료의 효과는 논란의 여지가 있으며, 향후 더 많은 연구가 필요할 것이다.

헤파린 치료를 받는 환자는 조기진통, 조기양막파수, 자궁내성장제한, 자궁내태아사망, 전자간증, 태반조기박리 등의 산과 합병증 위험이 높고, 혈소판감소증, 위출혈, 골밀도감소와 같은 부작용이 나타날 수도 있다. 따라서 입덧이 소실된 후에는 비타민 D와 칼슘을 섭취하도록 권고한다.

7. 환경요인

흡연과 음주는 유산의 위험을 증가시키므로 금해야 한다. 또한 과도한 비만은 유산의 원인이 되므로 체중 조절이 바람직하다. 특히 너무 왜소한 체형이거나 과체중, 비만 역시 유산 위험이 증가하므로 적절한 체중 관리가 요구된다.

8. 심리 지지

반복유산뿐만이 아니라 한 번의 유산도 심각한 정서적 충격을 줄 수 있다. 자연유산을 경험 후 주요 우울증(major depression)의 위험이 2배 증가한다는 보고도 있다. 의료진의 공감하는 태도가 치유의 바탕이 된다.

V. 예후

임신의 성공은 유산의 원인과 유산의 횟수에 의해 크게 좌우된다. 역학 조사에 의하면 2번 유산 후에 치료 없이 임신에 성공할 확률은 약 75%, 3번 유산 후는 약 70%이지만, 4번 유산 후에는 약 60%로 감소한다. 연구마다 다르지만 치료 후 생존아를 출산할 확률은 유전학 요인이 있는 경우, 20-80%이다. 해부학 요인의 경우, 60-90% 정도에 달한다. 내분비 이상이 교정되면 임신성공률이 90%를 상회하고 항인지질증후군이나 세포성면역 이상을 치료하면 70-90% 정도가 임신에 성공한다. 원인불명의 경우 치료로 40-90% 정도가 생존아를 출산한다.

VI. 결론

반복유산 부부는 불안, 우울, 스트레스 등 심각한 심리 장애를 겪게 된다. 환자의 나이나 유산 횟수 등 위험인자에 따른 상담을 통하여 임신 예후를 설명하고, 반복유산의 원인에 기반한 적절한 치료를 통하여 성공적인 임신을 기대할 수 있을 것이다. 임신 성공율은 반복유산의 원인에 따라 차이가 있으나, 유전 요인이 있는 경우 20-80%, 해부학 요인의 경우 60-90%, 내분비 이상은 90%를 상회하고, 항인지질증후군이나 세포성면역 이상 역시 70-90% 정도가 치료 이후 임신에 성공한다. 반복유산의 원인이 다양하고, 여러 원인을 복합적으로 가진 경우가 많고, 무작위 비교연구가 어렵다는 한계가 있으나, 향후 더 많은 연구를 통하여 증거 기반 치료를 통하여 반복유산 환자에게 희망을 줄 수 있을 것이다.

** 참고문헌 목록은 대한산부인과내분비학회 홈페이지 http://www.kosge.or.kr 또는 QR코드를 통해 보실 수 있습니다.*

CHAPTER

19 배란유도

박찬우(차의과학대), 박현태(고려의대), 채희동(울산의대)

배란유도는 불임 환자에 가장 흔히 사용되는 치료법의 하나로 무배란 및 배란장애를 지닌 환자에서 일차로 사용되며, 원인불명 불임 환자에서 자라는 난포수를 증가시킬 목적으로 사용된다. 배란유도를 위해서는 무배란 및 배란장애의 진단이 선행되어야 한다. 배란은 예정월경일 2주 전에 선행하므로 월경주기를 파악함으로써 배란장애 유무를 추정할 수 있다.

정상 월경의 주기가 25-35일 주기임을 고려해 볼 때 배란장애가 의심되는 경우 기초체온(basal body temperature, BBT) 및 혈중 프로게스테론 농도를 측정함으로써 진단할 수 있다. 배란이 있는 경우 기초체온의 상승을 동반하여 이상성(biphasic)을 보이며, 체온 상승은 약 2주간 지속되므로 체온상승일부터 월경까지의 기간이 12일 미만인 경우에는 황체기 결함을 의심해볼 수 있다. 혈중 프로게스테론은 배란을 확인할 수 있는 가장 신뢰할 수 있는 방법으로 월경주기가 규칙적인 경우 월경 21일째 또는 예정 월경 1주일 전에 측정한 혈중 프로게스테론 농도는 10 ng/mL 이상으로, 3 ng/mL 미만인 경우에는 무배란을 의심할 수 있다. 배란장애는 여러 질환에 의해 나타날 수 있으므로 동반하는 질환이 있는지 잘 살펴보아야 하며, 최소한 갑상선기능저하증 및 고프로락틴혈증 유무에 대해서 평가를 해보아야 하며, 이는 갑상선기능저하증 및 고프로락틴혈증에서 동반되는 배란장애는 갑상선기능저하증 및 고프로락틴혈증을 치료하는 것이 배란 회복에 효과적이기 때문이다.

배란장애는 세계보건기구(world health organization, WHO)체계에 의해 다음과 같이 분류할 수 있으며, 고프로락틴혈증에 의한 무배란은 네번째 그룹으로 따로 분류한다.

- **Group Ⅰ** : 시상하부-뇌하수체 부전(hypothalamic-pituitary failure)
  : 스트레스, 체중 감소, 운동, 신경성 식욕부진(anorexia nervosa), Kallmann 증후군에 의한 무월경을 포함하며, 전형적으로 혈중 난포자극호르몬(follicle stimulating hormone, FSH) 수치는 저하되고 혈중 에스트로겐과 프로락틴 수치는 정상 범위를 보인다.
- **Group Ⅱ** : 시상하부-뇌하수체 기능부전(hypothalamic-pituitary dysfunction): 대표적으로 다낭난소증후군이 있다.
- **Group Ⅲ** : 난소부전(ovarian failure) : 혈중 FSH의 상승을 동반하는 무월경을 환자를 포함한다.
- **고프로락틴혈증** : 무월경의 약 5-10%의 원인이 되며 난포자극호르몬 수치가 정상이거나 감소하게 된다.

배란장애에 의한 불임이 의심되는 경우 배란유도의 치료에 앞서 동반하는 다른 불임 원인이 없는지 살펴보아야 한다. 특히 환자의 나이가 35세 이상인 경우에는 난관 및 자궁에 기인하는 불임 유무를 알아보기 위해 자궁난관조영술 및 질초음파 검사를 시행하며, 전체 불임의 20-40%가 남성 불임임을 고려해 볼 때 남편의 정액검사를 시행하도록 한다.

I. 클로미펜

클로미펜은 1956년에 합성되어 1960년 임상에 사용된 약제로 무배란 여성의 60-80%에서 배란에 성공하며 이들의 50%가 임신에 성공하는 것으로 알려져 있다.

1. 약리학

클로미펜은 nonsteroidal triphenyllethylene 유도체로 에스트로겐 작용제(agonist) 및 길항제(antagonist)의 특성을 모두 갖고 있으나 대부분 길항제(antagonist)로 작용하며 에스트로겐 농도가 낮은 경우에는 작용제(agonist)로서 작용한다. 간에서 대사되어 85% 이상이 일주일 내에 대변으로 배설된다. 클로미펜은 enclomiphene과 zuclomiphene의 입체이성체(stereoisomer) 화합물로서 enclomiphene 이성체(isomer)가 더 강력한 배란 유도의 작용을 나타내며 enclomiphene 이성체의 경우 반감기가 매우 짧은 반면 zuclomiphene 이성체는 서서히 대사되므로 투여 후 수주일 후에도 측정 가능하다.

2. 작용 기전

클로미펜은 시상하부, 뇌하수체, 난소 내분비 축의 음성되먹임기전이 정상으로 작동하는 경우에 효과를 나타내므로 WHO 분류에 의하면 Group Ⅰ(hypothalamic-pituitary failure), Group Ⅲ(ovarian failure) 환자에서는 효과를 나타낼 수 없다. 클로미펜은 에스트로겐 수용체에 장기간 결합하여 에스트로겐 수용체를 고갈시키므로 시상하부에서 에스트로겐에 의한 음성 되먹임기전이 감소하여 혈중 에스트로겐 농도를 정확하게 감지하지 못하고 혈중 농도보다 낮게 감지한다. 이를 보상하기 위해 시상하부에서 생식샘자극호르몬방출호르몬(gonadotropinreleasing hormone, GnRH)의 분비가 증가하여 뇌하수체에서 생식샘자극호르몬(gonadotropin) 분비가 증가하게 되고 증가된 생식샘자극호르몬에 의해 난포가 발달하게 된다.

클로미펜에 의한 시상하부에서 GnRH의 증가는 호르몬이 분비되는 빈도와 양에 의해 조절될 수 있으며, 다낭난소증후군과 같은 무배란 환자의 경우 GnRH가 분비되는 빈도보다 분비되는 호르몬의 양이 증가하게 되며, 배란이 있는 환자의 경우에는 분비되는 GnRH의 양보다 빈도가 증가하게 된다.

3. 적응증

1) 시상하부-뇌하수체 기능부전(Hypothalamic-pituitary dysfunction)

클로미펜은 갑상선 기능 및 혈중 프로락틴 농도가 정상이고 에스트로겐이 분비되는 WHO group Ⅱ 환자에서 배란유도 목적으로 일차적으로 사용할 수 있다. 혈중 에스트로겐 농도가 40 pg/mL 이상이거나 프로게스테론 쇠퇴출혈 양성인 경우 에스트로겐이 분비됨을 알 수 있다.

2) 황체기 결함(Luteal phase defect)

난포가 배란되고 황체를 형성하므로 황체 기능은 배란 전 난포의 발달과 관련이 있어 황체기 결함은 배란 장애의 한 형태로 간주되고 있다. 실제로 황체기 단축을 동반하는 황체기 결함의 경우 난포기에 혈중 FSH 농도가 저하됨을 보고하고 있으며, 클로미펜으로 유도된 배란 주기에서 보다 높은 황체기 프로게스테론 농도를 보고하고 있다. 따라서 황체기 결함 환자에서 클로미펜을 사용할 수 있다.

3) 원인불명 불임(Unexplained infertility)

클로미펜은 배란이 규칙적인 원인 미상의 불임환자에서 사용할 수 있다. 클로미펜 투여로 인지하지 못하던 황체기 결함이 교정되거나 두 개 이상의 난포가 성장하는 과배란유도(superovulation) 효과에 기인하는 것으로 원인미상의 불임환자에서 클로미펜의 경험 투여는 인공수정과 병행 시 효과를 높일 수 있다.

4) 치료방법

클로미펜은 월경 시작 또는 프로게스테론 쇠퇴출혈 후 2-5일째부터 5일간 투여하며, 투여 시작일 2일째와 5일째에 따른 배란율과 임신율에는 차이가 없다. 투여 용량은 환자의 체중을 고려하여 체중이 많을수록 투여 용량을 증가하며, 일반적으로 일일 용량 50 mg부터 시작하여 배란이 없을 경우 배란이 일어날 때까지 매 주기당 50 mg씩 증량한다. 클로미펜에 과민한 반응을 보이는 환자나 투여 후 난소 낭종을 형성한 경우 저용량(1.25-25 mg)의 클로미펜을 사용할 수 있으며, 고용량(150-250 mg)의 클로미펜에 반응을 보이는 경우도 있으나 대부분 50 mg과 100 mg에서 반응을 보이며 150 mg까지 사용할 수 있다.

(1) 치료결과

클로미펜 투여 시 80%에서 배란을 보이며 환자의 나이, 체중이 증가하고 고안드로겐혈증을 동반하는 경우 반응이 감소한다. 무배란 환자에서 클로미펜 투여 시 배란이 있을 경우 주기당 임신율은 약 15%이며, 동반된 다른 불임 원인이 없는 경우에는 주기당 임신율이 약 22%로 정상 가임 부부에서와 유사한 주기당 임신율을 보고하고 있다.

클로미펜으로 배란유도 시 6-9주기간 누적 임신율은 약 70-75%로 보고하고 있으나 일반적으로 3-6주기에 걸친 배란유도 시 임신에 성공하지 못하는 경우에는 다른 불임 원인에 대해 검사를 시행해 보아야 하며, 검사상 이상이 없는 경우에는 클로미펜을 사용한 배란유도 이외에 다른 방법을 고려해 본다.

배란장애가 없는 원인미상의 불임환자에서 경험적으로 클로미펜을 사용할 수 있으며, 주기당 임신율은 약 5%로 큰 도움이 되지 못하나 클로미펜 사용한 후 인공수정을 병행할 경우 주기당 임신율은 8-10%로 증가함을 보고하고 있다.

(2) 부작용

클로미펜 사용시 약 10%에서 일시적인 안면 홍조(hot flush)가 나타날 수 있으며, 경증의 유방통, 골반 압통 및 오심과 2% 미만에서 시야 장애(blurred or double vision, scotomata, light sensitivity)를 호소하는 경우가 있으나 가역적인 것으로 클로미펜에 부작용이 있는 경우에는 다른 방법을 모색해 보아야 한다.

(3) 항에스트로겐효과

높은 배란율에 비해 상대적으로 낮은 임신율은 자궁경부, 자궁내막에 대한 클로미펜의 항에스트로겐 효과에 기인한다. 자궁경부 점액의 양과 질이 클로미펜 용량에 비례하여 저하될 수 있으나 여러 개의 난포 성장에 따른 혈중 에스트로겐 농도의 상승으로 자궁경부에 대한 효과는 미비하다. 클로미펜은 자궁내막의 에스트로겐에 의한 증식을 억제할 수 있으며 자궁내막 두께가 6 mm 이하인 경우에는 타목시펜, 방향효소억제제(aromatase inhibitor)의 사용을 고려해 보아야 한다.

5) 합병증

(1) 다태임신

여러 개의 난포 성장에 따른 다태임신 가능성은 7-10%로 대부분 쌍태아 임신이다. 삼태아 이상 임신은 드물다.

(2) 난소과자극증후군

클로미펜을 사용한 배란유도주기에서 경증의 난소과

자극증후군(transient abdominal discomfort, mild nausea, vomiting, diarrhea and abdominal distension)은 흔히 동반될 수 있으며 특별한 치료없이 기대요법으로 호전될 수 있다.

(3) 유방암 및 난소암

클로미펜을 포함한 불임치료제 사용으로 인한 부인암 발생에 대해 Ness 등은 8개의 대조군 연구를 분석한 결과 불임 치료제로 인해 경계성 난소종양의 빈도가 증가하는 (OR=2.43, CI=1.01-5.88) 반면 침윤성 암의 빈도는 차이가 없음(OR=1.60, CI=0.90-2.87)을 보고하였다. 대부분의 연구에서 불임 치료제로 유방암의 빈도는 증가하지 않음을 보고하고 있으나 2003년 대조군 연구에서 6주기 이상 장기간 외인성 생식샘자극호르몬제의 사용으로 유방암의 빈도가 증가할 수 있음을 보고한 바 있다. 따라서 클로미펜 사용으로 유방암 또는 난소암 발생 빈도가 증가하지 않으나, 클로미펜을 사용한 장기간의 배란유도로 임신율이 증가하지 않으므로 장기간 사용은 피하도록 한다.

II. 방향효소억제제(Aromatase inhibitor)

1. 약리학

방향효소는 사이토크롬 P450 (cytochrome P450) 효소군에 속하며 에스트로겐 합성에 있어 속도제한단계인 안드로스텐다이온(androstenedione)을 에스트로겐으로, 테스토스테론을 에스트라디올로 변환하는데 관여하는 hydroxylation 과정을 촉매하는 효소로 난소조직 이외에 지방조직, 태반, 뇌, 근육, 간 및 유방에도 존재한다.

방향효소억제제는 유방암 환자에서 치료제로 사용되고 있으며, 1세대 방향효소억제제인 aminoglutethimide, 2세대 방향효소억제제인 formestane이 지닌 부작용으로 인해 현재는 3세대 방향효소억제제인 아나스트로졸(anastrozole), 레트로졸(letrozole) 및 엑세메스테인(exemestane)을 사용하고 있다.

아나스트로졸과 레트로졸은 선택적인 방향효소억제제로서 가역적이고 효능(potency)이 커서 1-5 mg의 용량으로 에스트로겐의 분비를 97-99% 저하시킬 수 있다. 경구투여 후 반감기는 평균 45시간(30-60시간)으로 간에서 주로 대사되어 완전히 흡수된다. 부작용은 주로 위장관계 합병증이며 홍조, 두통, 무기력증 및 요통을 호소할 수 있다.

2. 작용기전

클로미펜은 시상하부에서 에스트로겐 수용체 길항제로 작용하여 에스트로겐에 의한 음성 되먹임기전을 감소시켜 혈중 에스트로겐 농도를 낮게 인지하여 시상하부에서 GnRH의 분비가 증가하고 뇌하수체에서 FSH의 분비를 증가시키는 반면, 방향효소억제제는 말초조직에서 에스트로겐 합성을 감소시킴으로서 음성 되먹임기전에 의해 뇌하수체에서 FSH의 분비를 증가시켜 난소에서 난포 성장을 유도한다(그림 19-1).

Mitwally와 Casper가 처음으로 방향화억제에 의해 FSH가 상승하여 난포가 성장함을 보고하였으며 방향효소억제제에 의한 이러한 효과는 다낭난소증후군 환자에서 현저하게 나타난다.

방향효소억제제는 에스트로겐 수용체를 결핍시키지 않고 에스트로겐에 의한 음성 되먹임기전이 정상으로 작동하므로 FSH의 분비 증가로 우성난포가 성장하고 이에 따른 혈중 에스트로겐 농도의 증가는 음성 되먹임기전에에 의해 FSH의 분비를 저하시킴으로서 작은 난포들은 쇠퇴하여 하나의 우성난포가 자라게 되는 장점이 있다. 아울러 방향효소억제제는 난소 내 과립막세포에서 안드로겐이 에스트로겐으로 전환되는 것을 차단하여 난포 내 안드로겐 농도가 상승하여 FSH 수용체의 발현을 증가시켜 FSH에 대한 반응을 증가시킨다.

3. 배란유도

Mitwally와 Casper는 클로미펜에 배란되지 않거나 자

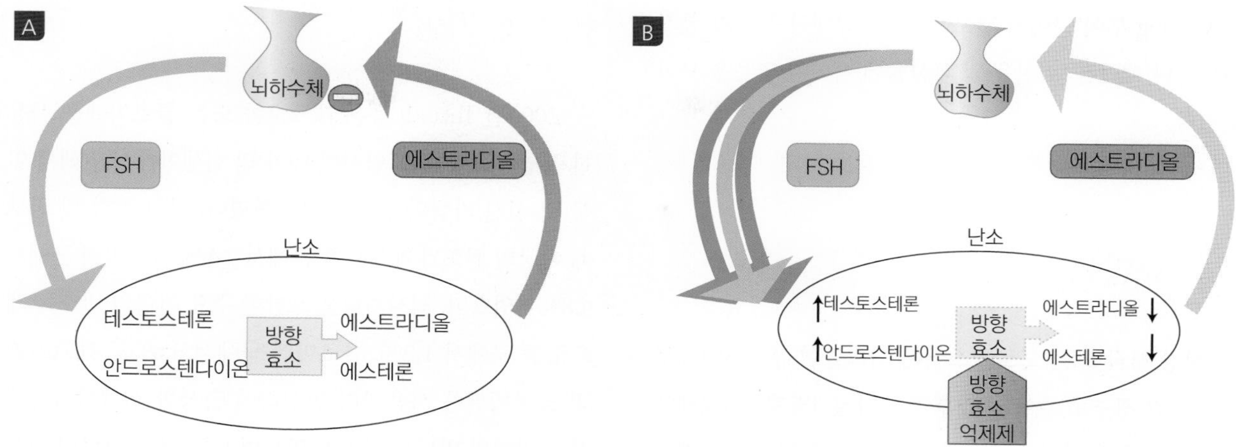

• 그림 19-1. **방향효소억제제의 작용기전**

A. 난포기 뇌하수체-난소 축. 난소의 과립막세포에서 에스트로겐이 분비하며 에스트로겐은 뇌하수체에서 FSH 분비에 대해 음성 되먹임기전을 나타냄

B. 방향효소억제제의 작용. 난소에서 안드로겐의 에스트로겐으로 방향화를 저해하여 에스트로겐 합성 저하. 혈중 에스트로겐 농도가 저하되어 시상하부-뇌하수체 축에 음성 되먹임기전에 의해 FSH 분비가 증가함. 난포내 안드로겐의 증가는 FSH에 대한 감수성을 증가시킴

궁내막 두께가 5 mm 미만인 다낭난소증후군 환자 10명을 대상으로 방향효소억제제 레트로졸을 사용하여 7명에서 배란이 되고 평균 2개의 난포가 성장함을 처음으로 보고하였다. 이 가운데 한 명이 임신에 성공하고 한 명은 생화학임신이었으며, 자궁내막 두께는 7-9 mm로 증가함을 보고하였다.

2009년 다낭난소증후군 환자에서 배란유도 시 하루 레트로졸 5 mg과 클로미펜 100 mg을 사용한 전향 무작위 연구에서 배란율과 임신율에 차이가 없어 배란유도의 1차 약제로서 레트로졸이 클로미펜에 비해 장점이 없음을 보고한 바 있다. Begum 등은 클로미펜 100 mg으로 배란에 실패한 다낭난소증후군 환자를 대상으로 하루 레트로졸 7.5 mg과 클로미펜 150 mg을 사용한 배란유도의 결과를 보고하여 레트로졸 투여군에서 높은 배란율과 임신율을 보고한 바 있다.

레트로졸의 적정 용량은 아직 정해져 있지 않으나 대부분 유방암 환자에서 사용되는 일일 2.5 mg을 사용하고 있다. Al-Fadhi 등은 인공수정을 위한 배란유도 시 레트로졸 하루 용량으로 2.5 mg과 5 mg을 비교하여 5 mg을 투여한 군에서 난포수가 유의하게 증가하고 주기당 임신율이 유의하게 증가하여 일일 용량으로 5 mg이 적절하다고 보고하였다.

지금까지의 연구결과를 보면 클로미펜에 배란되지 않거나 자궁내막 두께가 5 mm미만으로 클로미펜에 저항성을 보인 다낭난소증후군 환자에서 레트로졸을 사용하여 70-88%의 배란율과 7-9 mm의 자궁내막 두께를 보이며, 주기당 20-27%의 임신율을 보고하고 있다.

4. 레트로졸과 아나스트로졸

배란유도에 방향효소억제제로 레트로졸을 많이 사용하고 있으며, 아나스트로졸에 대한 연구결과는 드문 실정이며, 배란유도의 효과에 있어 두 약제간의 차이가 있는지 명확하게 알지 못하는 실정이다.

Al-Omari 등은 클로미펜에 배란되지 않은 다낭난소증후군 환자를 대상으로 하루 레트로졸 2.5 mg과 아나스트로졸 1 mg을 사용한 전향 연구에서 레트로졸 2.5 mg 투여군에서 높은 배란율과 유의하게 높은 임신율을 보고하였다. Badawy 등은 보다 많은 수의 클로미펜에 저항성을 보인 환자를 대상으로 하루 레트로졸 2.5 mg 과 아나스트로졸1 mg의 효과를 비교한 전향 무작위연구에서 아나스트로졸 1 mg 투여 군에서 난포 수 및 자궁내막 두께가 증가하였으나 배란율, 임신율 및 유산율에 차이가 없음을 보고하였다.

5. 치료방법

월경 시작 또는 프로게스테론 쇠퇴출혈 후 3-5일째부터 5일 간 경구로 투여하며, 투여 시작일 3일째와 5일째에 따른 배란율과 임신율에는 차이가 없다. 무월경 여성에서 임신이 아님을 확인 후 월경을 유발하지 않고 즉시 치료를 시작할 수 있다.

투여 용량은 하루 2.5 mg으로 5일간 투여하며, 2.5 mg/일 사용 시 배란이 일어나지 않는다면 용량을 2.5 mg씩 증량하여 최대 7.5 mg/일까지 늘릴 수 있다.

1) 치료결과

배란유도를 받은 적이 없는 다낭난소증후군 여성 100명을 대상으로 한 무작위 시험에서 레트로졸(5 mg/일)을 사용한 군에서 클로미펜(100 mg/일)을 사용한 군보다 배란율(60% vs 32%)과 임신율(26% vs 14%)이 유의미하게 높았다.

클로미펜내성 무배란 여성을 대상으로 한 시험에서 12명 중 9명(75%)의 환자가 레트로졸(2.5 mg/일)과 hCG(우성 난포 >20 mm) 치료 후 배란되었으며, 그 중 3명은 임신에 성공하였다.

방향효소억제제는 클로미펜 치료에 실패한 여성에서도 효과적일 수 있다.

2) 부작용

가장 흔한 부작용은 두통과 경련이다. 레트로졸을 복용한 여성은 클로미펜 복용 여성보다 피로(20%) 와 현기증(12%)이 더 많다고 보고된다. 그러나 홍조는 레트로졸에서 더 적다(20.3% vs 33.0%).

6. 선천 기형

2006년 Tulandi 등은 레트로졸 또는 클로미펜을 사용한 불임치료를 통해 임신한 태아 및 신생아에서 염색체 이상 및 선천 기형의 빈도를 보고하였다. 선천 기형 및 염색체 이상의 빈도가 레트로졸 군에서 2.4%, 클로미펜 군에서 4.8%이었으며, 심장기형을 포함한 주요 기형의 빈도는 레트로졸 군에서 1.2%, 클로미펜 군에서 3.0%로 레트로졸 및 클로미펜을 사용하여 임신하여 출생한 신생아들에서 선천 기형의 빈도는 차이가 없으며, 선천 심장기형의 경우 레트로졸 군에서 오히려 낮은 발생률을 보고하였다. 레트로졸을 사용한 배란유도 시 기형이 증가하는 근거는 없는 실정이다.

III. 생식샘자극호르몬

외인성 생식샘자극호르몬은 최근에는 배란유도를 위하여 쉽게 사용되는 제제이다. 매우 효과적이나 고가이며, 다태임신률과 난소과자극증후군(ovarian hyperstimulation syndrome, OHSS)과 같은 합병증이 증가되므로 사용에 앞서 충분한 이해와 함께 임상 경험이 필요하다. 생식샘자극호르몬의 이용은 1960년대 초기까지 동물의 뇌하수체에서 추출된 생식샘자극호르몬을 사용하였다. 하지만 이 제제는 장기간 사용하였을 때 혈액 내에 이들의 효과를 약화시키는 항호르몬제가 생성됨이 제시되었고 그 사용이 감소하였다. 1950년대 처음으로 폐경기 여성의 소변에서 채취된 추출물인 사람 폐경기생심샘자극호르몬(human menopausal gonadotropins, menotropins, hMG)으로 뇌하수체가 절제된 설치류의 과배란유도(controlled ovarian hyperstimulation, COH)에 성공하였으며, 사람에게도 이를 적용하기 위한 다양한 임상연구들이 진행되었다. 이 제제는 한 앰플 당 FSH와 황체형성호르몬(luteinizing hormone, LH)이 동일 용량이 포함되어 있고, 항원성을 갖는 소변 내 단백질을 함께 함유하고 있었다. 이후 점차 면역방법을 이용하여 더욱 정제된 FSH 제제가 개발되었으며, 이에 따라 LH의 성분과 소변 내 단백성분의 포함 비중 또한 줄일 수 있게 되었다. 그리고 1980년대 후반, 현재 많이 사용되고 있는 유전자 재조합 기술에 의한 재조합 사람 난포자극호르몬(recombinant human FSH, rhFSH)의 생산이 성공적으로 이루어지게 되면서 그 공급은 더욱 안정화되었으며 이는 약산성 제제이고 인체에서 추출된 FSH 제제에 비하여 반감기가 더 짧은 장점이 있으며 소변 단백성분이 포함되지 않고 더욱 정제되어 있어 사용에 안전하다는 장점을 갖는다.

생식샘자극호르몬을 투여한 후에 난소의 반응은 혈중 에스트라디올(estradiol, E2)의 농도 측정과 초음파 검사를 통해 감시할 수 있는데, 많은 경험을 가진 능숙한 의사의 경우에는 초음파 검사만으로도 난소 반응을 효과적으로 감시할 수 있으며 따라서 혈중 E2의 측정은 거의 필요 없게 되었다. 생식샘자극호르몬의 투여는 대개 월경주기 제 2-3일에 시작하게 되는데, 3-5일 간격의 적절한 초음파 감시를 통하여 난포의 성장을 감시하며 이에 따라서 난포가 적절한 성장을 이룰 수 있도록 생식샘자극호르몬의 용량을 증감하도록 한다. 그리고 대개 가장 큰 난포의 평균 직경이 18-20 mm에 이르게 되면, 사람 융모생식샘자극호르몬(human chorionic gonadotropin, hCG)을 5,000-10,000 IU 근주하여 난자의 성숙과 배란을 유도하게 된다. 최근에는 사람 융모생식샘자극호르몬 제제 또한 유전자 재조합 기술에 의해 생산된 제품이 출시되고 있으며, 이 약제는 피하주사가 가능하여 환자들이 용이하게 사용할 수 있다는 장점을 가지고 있다. 대상 환자의 약 80-90%는 6번의 치료 주기에서 임신이 가능하며, 10-20%에서 다태임신이 발생한다.

1. 투여방법

1) 단계적 용량감소법(Step down regimen)

난포의 집단을 동원(recruitment)하기 위한 초기 용량을 고용량으로 투여한 후 난소의 반응을 투여 시작일로부터 4-7일 후에 초음파를 시행하여 확인하여 점차 용량을 감소시켜 나가는 방법이다. 정상 월경주기를 가진 환자의 과배란유도에 가장 널리 사용되고 있는 방법이지만, 다낭난소증후군 환자에서는 이 방법을 적용하기 어렵다. 대개 초기 투여 용량을 생식샘자극호르몬의 종류에 관계없이 대개 하루 150-225 IU의 범위 내에서 결정하게 되는데 다낭난소증후군 환자의 경우에는 성공적인 배란 유도를 위한 치료 용량과 난소과자극증후군을 유발하는 용량 사이의 폭이 매우 좁으며 약에 대한 반응 정도가 개인에 따라 다양하여 난소 반응의 감시에 매우 깊은 주의가 필요하고, 투여 용량을 조절하는데 상당한 어려움이 따를 수 있다.

2) 단계적 용량증가법(Step up regimen)

단계적 용량감소법과는 반대로 생식샘자극호르몬을 저용량으로 투여하기 시작한 후 난소의 반응도에 따라 점차 용량을 증가시키는 방법이다. 초기 용량은 대개 하루 75-150 IU의 범위 내에서 시작하게 되는데, 이 방법은 단계적 용량감소법에 비하여 난소과자극증후군의 발생빈도와 초기 유산율이 낮다는 보고가 있으나, 난포 성장의 불일치가 심하다는 단점이 있을 수 있다. 생식샘자극호르몬을 단독으로 투여하는 방법은 조기 LH급증(LH surge)이 흔히 유발되어 약 20%의 환자에서는 이에 따른 시술 주기의 취소라는 문제점을 유발한다. 그러므로 다른 약제와의 혼합요법에 따른 배란유도 방법을 통상적으로 사용하고 있다.

2. 생식샘자극호르몬방출호르몬 작용제: Flare up protocol

GnRH는 활꼴핵(arcuate nucleus)에서 간헐 분비되는 호르몬으로 뇌하수체에서 분비되는 FSH와 LH의 분비를 자극하는 역할을 한다. GnRH 작용제는 GnRH 수용체를 오래 점거하여 이에 대한 반응성을 감소시키게 되고 장기간 노출되는 경우 내인성 생식샘자극호르몬의 분비를 차단시키는 탈감작(desensitization)을 유발하게 된다. 그러나 GnRH 작용제 투여 초기에는 내인성 생식샘자극호르몬을 다량으로 분비하도록 자극하여 난포의 동원을 유도할 수 있다. 이러한 원리를 이용한 GnRH 작용제 flare up protocol은 투여 초기에 내인성 생식샘자극호르몬의 급격한 상승을 이용한 배란유도 방법으로 GnRH 작용제 투여 다음 날부터는 생식샘자극호르몬을 투여하여 난포 성장이 유도될 수 있도록 해야 한다. 투여방법에 따라서 단기투여법(short protocol)과 초단기투여법(ultrashort protocol)으로 구분할 수 있다(그림 21-1참조). 이 중 단기투여법은 월경주기 제2-3일부터 GnRH 작용제를 투여하기 시작하여 사람 융모생식샘자극호르몬을 투여하는 날까지 지속적으로 투여하는 방법이며, 초단기투여법은 GnRH 작용제를 월경주기 제2, 3, 4일에만 투여하는 방법이다. GnRH 작용제 flare up protocol은 배란유도 기간이 짧으며 배란유도제의 용량을 줄일 수 있다는 장점으로 1980년대 말에서 1990년대 초에 잠시 주목을 받았으나, 난포의 동원이 이루어지는 난포기 초기에 혈중 LH가 급격히 증가하는 비생리적인 방법이다. 그리고 과도하게 생성된 LH는 난소에서 안드로겐의 생성을 촉진시키게 되어 난포들의 성장 불일치를 가져오고 결과적으로 난자의 질을 떨어뜨릴 수 있다. 따라서 최근에는 이 투여법의 사용이 그리 많지 않은 실정이다.

3. 생식샘자극호르몬방출호르몬 작용제: 장기투여법(Long protocol)

GnRH 작용제 장기투여법은 GnRH 작용제를 장기간 투여하여 뇌하수체의 탈감작을 유발한 후 생식샘자극호르몬을 투여하여 난포 성장을 유도하는 방법이다. GnRH 작용제를 투여하여 완전한 뇌하수체의 탈감작을 일으키는데 소요되는 시간은 개인마다 차이가 있으나 대개 8일에서 20일이 소요되는 것으로 알려져 있는데 현재까지의 연구를 종합해보면 평균 15일 정도 소요되는 것으로 알려져 있다. GnRH 작용제의 투여시작 시점에 따라서 난포기 장기투여법(follicular long protocol)과 황체기 장기투여법(luteal long protocol)으로 구분할 수 있으며 이중난포기 장기투여법은 난포기인 월경주기 제2-3일째부터 투여하기 시작하고, 황체기 장기투여법은 황체기 중기인 월경주기 20-22일부터 투여하기 시작한다. 완전한 뇌하수체의 탈감작이 이루어졌는지는 질초음파 검사와 혈중 호르몬검사를 시행하여 확인할 수 있다. 혈중 호르몬검사에서 E2 50 pg/mL 미만, progesterone 1 ng/mL 미만, LH 5 mIU/mL 미만인 경우 판정할 수 있으며, 질초음파 검사를 통하여 난소 및 자궁내막의 상태로도 확인할 수 있다. 하지만 난포 성장의 감시와 마찬가지로 숙련된 의사라면 특별한 경우가 아닌 경우에 호르몬검사를 시행하지 않고서도 질초음파 소견만으로도 뇌하수체의 탈감작을 판정할 수 있다. 만일 15일 이상 투여하였음에도 뇌하수체의 탈감작이 되지 못했다고 판단되는 경우에는 난소 낭종의 발생 유무와 임신 여부를 반드시 감별해야 한다. 황체기 장기투여법에서는 생식샘자극호르몬을 투여하기 전에 월경 여부를 확인하여야 하며, 월경을 유도한 후 생식샘자극호르몬을 투여하기 시작하는 것이 바람직한 방법이다. 초기투여용량은 환자의 나이, 이전의 과배란유도 주기에서의 난소반응도, 난소과자극증후군의 병력 유무 등을 평가하여 이를 고려하여 결정하게 되며 마찬가지로 생식샘자극호르몬 투여 제5일째부터 질초음파를 이용하여 난포 성장을 감시하게 된다. GnRH 작용제 장기투여법은 과배란유도 과정에서 발생가능한 조기 LH 급증을 효과적으로 예방할 수 있고 난자 회수를 위한 일정 조절에도 도움이 되며 과배란유도 결과 및 체외수정 성적이 좋아 최근까지도 흔하게 사용되는 과배란유도 방법 중 하나이다.

4. 생식샘자극호르몬방출호르몬 작용제: 초장기투여법(Ultralong protocol)

GnRH 작용제를 1-6개월에 걸쳐 장기간 투여한 후 생식샘자극호르몬을 투여하는 방법으로 이 방법은 자궁내막증과 같은 질환이 있는 환자에서 유용한 방법이다. 자궁내막증 환자에서 배란유도제를 투여하기 전에 GnRH 작용제를 충분히 투여하는 것은 자궁내막증으로 인한 임신을 저해하는 요인을 억제할 수 있는 방법이 될 수 있다. 하지만 GnRH 작용제의 장기간 투여는 약제에 대한 경제적 부담과 함께 체외수정의 횟수의 제한 등이 문제가 될 수 있으므로 적절한 환자의 적응증에 따라서 시도해야 할 것이다.

5. 생식샘자극호르몬방출호르몬 길항제 투여법(GnRH antagonist protocol)

GnRH 작용제 장기요법은 투여 기간이 길고 생식샘자극호르몬의 투여량이 높다는 단점과 함께 비용의 증가, 환자의 정신적 부담의 증가라는 문제점을 안고 있었다. 이에 따라 GnRH 길항제 투여법이 개발, 도입되었으며, 이는 뇌하수체의 GnRH 수용체에 즉각적이며 경쟁적으로 결합하여 초기에 발생할 수 있는 생식샘자극호르몬의 폭발적 분비인 "flare up" 현상 없이 즉각적인 호르몬 분비의 차단을 초래한다. 그리고 GnRH 길항제 투여법은 투여량 증가에 따라 억제 기능이 증가하는 투여용량에 비례한 억제 양상을 보이게 된다. 또한 약제 투여를 중단하게 되면 즉시 뇌하수체 기능이 회복된다는 장점을 가지고 있다. GnRH 길항제를 투여하는 방법에는 다회 투여법과 고용량을 일회 투여하게 되는 일회 투여법이 있다. 또한, 이를 변형시킨 초기 및 후기 난포기 GnRH 길항제 다회 투여법도 있다. 대개 생식샘자극호르몬을 투여하며 난포성장을 감시하다가 난포의 직경이 조기배란의 가능성이 의심되는 시기에 GnRH 길항제를 투여하게 된다. GnRH 작용제 장기투여법과 비교하였을 때 임신성공률에서 차이를 보이지 않으면서도 생식샘자극호르몬의 사용 총량과 투여 기간이 감소하는 장점이 있으며 난소과자극증후군의 발생 비율이 감소하는 것으로 알려져 있다.

6. 합병증

1) 다태임신

생식샘자극호르몬을 이용한 과배란유도를 하게 되는 경우 다수의 난포가 성장하기 때문에 다태임신의 비율은 증가하게 된다. 다태임신은 조산, 조기진통, 저체중아, 임신 당뇨, 임신 고혈압 등의 합병증과 관련이 높으며 높은 태아 사망 이환율을 보이므로 산모의 나이에 관계없이 고위험임신군에 해당된다. 체외수정에 있어서 다태임신의 위험도는 이식되는 배아의 수와 직접적인 관련이 있다. 그러나 이식하는 배아들 중에서 착상률이 얼마나 되는가를 예측하기 어려운 문제이다. 다태임신의 위험도는 혈중 E2 농도가 상승된 경우, 발달된 난포의 수, 산모의 나이가 젊은 경우에 관련이 많다고 알려져 있다.

2) 난소과자극증후군

난소과자극증후군은 과배란유도를 위하여 외부에서 주입된 생식샘자극호르몬에 의해 발생되는 의인성 합병증이다. 난소과자극증후군의 병태생리학적 기전에 따라 경증에서 중증의 증상까지 다양하게 나타날 수 있다. 대개 수일 후에 자가적으로 회복되는 경향을 보이지만 수 주까지 지속되며 증상이 중증으로 지속되는 경우가 있으므로 이에 대한 적절한 위험도의 평가와 처치가 필요하다. 난소과자극증후군의 증상은 모세혈관의 투과성이 증가하여 혈관 내의 수액이 혈관 외로 과다하게 유입되면서 혈관 외 공간에 축적되는 수액으로 발생하게 된다. 이것은 난소에서 분비되는 혈관내피성장인자(vascular endothelial growth factor, VEGF), 레닌-앤지오텐신 계통(renin-angiotensin system)의 물질과 사이토카인(cytokine)의 증가에 의해서 매개된다. 난소과자극증후군의 고위험군은 젊은 연령, 저체중, 다낭난소증후군, 생식샘자극호르몬의 과다용량, 이전의 난소과자극증후군의 경력 등이며, 최근에는 기저 항뮐러관호르몬(anti-Müllerian hormone, AMH)의 수치가 높거나 동난포수(antral follicle count)가 높은 경우에도 이에 대한 위험도가 증가하는 것으로 알려져 있다. 그리고 생식샘자극호르몬에 대한 난소의 반응으로 11 mm 이상의 난포가 14개 초과되거나 10 mm 이상의 난포가 11개 초과되는 경우 난소과자극증후군의 위험이 높아지며, 혈중의 E2의 수치가 상승되는 경우 그 위험도가 증가된다는 의견 또한 있다. 난소과자극증후군은 완전한 예방은 불가능하지만 잠재적인 가능성이 있는 환자를 조기에 선별하고 주의 깊게 환자를 관리하는 것이 치료보다 중요하다고 할 수 있다. 먼저, 생식샘자극호르몬의 적절한 용량의 사용이 필요하다. 둘째, 위험도가 높은 환자군에서는 GnRH 길항제를 사용하는 것이 난소과자극증후군의 발생이 감소된다고 알려져 있다. 셋째, 배란 전 시기에 투여하는 hCG의 투여가 직접적으로 관련되어 있으므로 필요하다면 투여 시기를 늦추거나 투여 용량을 줄이거나 또는 GnRH 작용제나 LH를 hCG 대신에 사용하는 것이 필요하다. 그 외에 체외수정을 하기 위한 과배란유도로 난소과자극증후군이 발생했을 때는 모든 배아를 냉동 보관하여 다음 주기에 배아 이식을 시행하는 방법을 선택하거나 주기를 조기에 취소(E2 >2,500 pg/mL일 경우)하는 방법을 선택해야 한다.

중증 난소과자극증후군의 발생률은 매우 드물며, 그 발생 비율은 1%이다. 그러나 발생하면 생명을 위협할 정도로 위험할 수 있다. 심각한 복부 통증 및 복막 자극 증상, 오심 및 구토, 다량의 복수와 핍뇨를 동반하거나 호흡곤란, 현기증, 혈역학적 불안정(저혈압)과 혈액검사 소견에서 저나트륨혈증(hyponatremia)(Na+ <135 mEq/L), 고칼륨혈증(hyperkalemia)(K+ >5 mEq/L), 혈액 농축소견(Hct >55%), 간기능 이상 소견 및 신장기능 이상 소견이 관찰되는 경우 입원과 함께 집중 관찰 및 적절한 치료법이 요구된다. 복수천자를 시행하거나 카버골린을 투여하여 혈관내피성장인자(vascular endothelial growth factor, VEGF)를 통해서 혈관투과(vascular permeability)를 감소시켜 볼 수 있다.

3) 유방암과 난소암의 발생

대부분의 연구에서 이러한 생식샘자극호르몬의 사용이 유방암의 발생과 관련이 없다는 결과를 발표했으나, 한 개의 대조군 연구에서 장기간의 6회 이상의 생식샘자극호르몬의 사용이 악성질환의 발병률을 증가시켰다고 발표된 바 있다. 현재까지는 생식샘자극호르몬의 사용과 유방 및 난소암의 발생의 인과관계에 대하여 확립된 이론은 없다.

IV. 생식샘자극호르몬방출호르몬 (Gonadotropin-releasing hormone, GnRH)

외인성 GnRH는 생식샘자극호르몬에 비하여 그 사용이 많이 감소하였으나 아직까지도 일부 사용되고 있는 약제이다. 생리적으로 GnRH는 체내에서 시상하부에서 박동성(pulsatile) 분비를 하는 것으로 알려져 있으며, 외인성 GnRH 또한 그 반감기가 정맥 주입 후 10-40분에 불과하기 때문에 효과적인 과배란유도를 위하여 박동성 주입이 필요하다. 효과적인 GnRH 주입을 위해서는 시간에 맞춰 정확한 용량이 일정하게 주입되는 이동 가능한 미니 펌프가 필요하며, 이것은 정맥 또는 피하 경로를 통하여 주입하게 되고, 생리적인 분비와 유사한 박동성으로 유입되게 된다. 정맥주입은 비교적 명확한 박동성 스파이크를 그리며 주입되는 반면, 피하 경로를 통하는 경우는 확실한 박동성 스파이크가 그려지지 않으나 저농도의 안정적인 GnRH 수치가 유지되는 형태를 이루게 된다. 대개 수용액 내에서 GnRH는 실내 온도에서 약 3주간은 안정상태를 이룬다고 알려져 있다.

GnRH에 의한 난포자극은 생식샘자극호르몬에 비하여 단순한 방법이며, 긴밀한 모니터를 요하지 않고 약제의 경제적 이점을 가지고 있으며 다태임신의 가능성이 낮다는 장점을 가지고 있지만 환자들은 2-3주간의 기간 동안 체내에 주입 카테터와 펌프를 유지해야 한다는 점이 불편하여 꺼려하는 경향이 있는 방법이기도 하다. 그러나 다른 방법보다는 생체 내의 생식샘자극호르몬의 자연적인 생리적 분비를 증가시키고 난소에서 생성되는 스테로이드에 따른 자연적인 음성 피드백 작용이 이루어지며 난포의 선택, 성장 및 발달이 최대한 자연적인 월경주기와 유사하게 이루어지게 된다. 이러한 외인성 GnRH 펌프 사용의 가장 좋은 적응증은 저생식샘자극호르몬-생식샘저하증(hypogonadotropic hypogonadism)이 있는 무배란 여성이다. 물론 다른 배란 장애를 가진 여성의 과배란유도에도 사용할 수 있으나 다낭난소증후군 여성의 배란유도에서 사용하는 경우 그 효과가 다소 적을 수 있다. 특히, 체질량지수가 높거나(BMI >24), 혈중 LH가 증가되어 있거나(>15 IU/L), 혈중 테스토스테론이 높거나(>100 ng/dL), 공복 혈중 인슐린 수치가 증가된 경우(>15 U/mL) 외인성 GnRH에 대한 반응이 감소되어 배란율과 임상적 임신율이 모두 저하되는 것으로 알려져 있다.

외인성 GnRH는 60-90분 간격을 유지하며 정맥 내로 2.5-5.0 μg/pulse씩 소량 주기적으로 주입되도록 한다. 이 용량으로 난소의 배란이 실패한 경우 10-20 μg/pulse로 그 용량을 증량하게 된다. 하지만, 저생색샘자극호르몬-생식샘저하증 환자의 난포기 LH의 농도가 정상인에 비하여 여전히 낮으며 황체기의 프로게스테론의 농도 또한 감소되어 있는데, 이렇게 내인성 GnRH의 분비가 감소되었던 여성의 뇌하수체는 이용 가능한 생식샘자극호르몬의 저장능이 현저히 감소되어 있기 때문에 배란에 이르는 데까지 걸리는 시간이 보통 긴 편이다. 그리고 배란이 이루어졌다 하더라도 GnRH의 치료는 약간 간격을 늘릴 수 있으나 동일한 치료를 지속시켜야 한다. 정상적인 황체의 기능을 유지하기 위하여 호르몬 분비 유지가 필요하다. 외인성 GnRH에 의한 배란율은 다양하나 50-80%에 이르며, 배란된 주기당 가임력은 10-30%에 이른다. 자연유산율은 대략 30%로 보고되고 있으나, 저생색샘자극호르몬-생식샘저하증 환자에서 자연유산은 20% 미만으로 높지 않은 것으로 알려져 있다.

V. 도파민 작용제(Dopamine agonist)

도파민 작용제는 뇌하수체에서 프로락틴의 분비를 직접 저하하여 고프로락틴혈증으로 시상하부에서 GnRH가 저하되어 이로 인한 배란장애를 교정할 수 있다.

1. 약리학

대표적인 도파민 작용제로 브로모크립틴(bromocriptine)과 카버골린(cabergoline)이 있으며, ergot alkaloids로서 도파민 수용체에 결합하여 작용을 나타낸다. 브로모크립틴은 lysergic acid 유도체로 methane-sulfonate 2.5 mg으로 경구 투여가 가능하고 도파민 수용체에 결합하여 도파민 분비를 저하시켜 뇌하수체에서 프로락틴 분비를 감소시킨다. 혈중 농도는 투여 후 1-3시간에 최고조에 이르고 14시간 후에 대사되며, 2.5 mg 경구투여 시 혈중 프로락틴의 저하는 12시간 지속된다. 브로모크립틴은 질 내 투여할 수 있으며 삽입 후 10-12시간 후에 최고 농도에 이르며 12시간 지속된다. 카버골린은 도파민 수용체에 결합력이 강하여 혈중 프로락틴의 저하가 7일 이상 지속되며, 매주 2회, 0.25 mg으로 시작하여 유효용량까지 4주마다 점진적으로 증량한다. 대부분 0.5-1.0 mg에서 정상적인 프로락틴 농도를 달성하고, 매주 2.0 mg 이상 필요한 경우는 드물다.

2. 적응증

도파민 작용제는 고프로락틴혈증에 의한 배란장애의 일차 치료제로서 고프로락틴혈증 환자 가운데 일부는 클로미펜에 의한 배란유도에 반응을 보이나 고프로락틴혈증은 클로미펜의 작용 효과를 저해하므로 고프로락틴혈증 환자에서 도파민 작용제는 일차적인 배란유도제로 선택된다. 유즙분비는 과다한 프로락틴 분비의 지표로 혈중 프로락틴 수치가 정상이나 유즙분비를 동반한 경우에도 도파민 작용제를 효과적으로 사용할 수 있다.

다낭난소증후군 환자의 30%에서 고프로락틴혈증을 동반하며, 외인성 생식샘자극호르몬을 사용한 배란유도 시 도파민 작용제를 병용함으로서 외인성 생식샘자극호르몬에 대한 반응을 완화시켜 다태임신 및 과도한 난소과자극 등과 같은 합병증을 감소시킬 수 있다.

3. 투여방법

고프로틴혈증 환자의 대부분이 저용량의 도파민 작용제에 반응을 나타내므로 저용량에서 시작하여 혈중 프로락틴 농도가 정상이 될 때까지 증량하며 혈중 프로락틴 농도를 정상 범위에서 유지하는 데에 초기 용량보다 적은 용량을 필요로 한다.

** 참고문헌 목록은 대한산부인과내분비학회 홈페이지 http://www.kosge.or.kr 또는 QR코드를 통해 보실 수 있습니다.*

CHAPTER

20 불임의 수술 처치

김용진(고려의대), 한명석(동아의대)

본 장에서는 불임을 야기하거나 연관된 부인과 질환에 대해 수술 시도에 대해 기술하고자 한다. 일반 부인과 영역에서의 최소침습 수술의 시작은 불임 관련 수술에서 출발한 것으로 보는 견해가 많다. 최소침습 수술의 원칙인 조직의 최소 손상, 조직의 건조 문제 해결, 확실한 지혈 등은 수술 후 유착 및 임신율의 최적화를 위한 불임수술의 초석이 되었다. 확대경(loupe) 대신 이차원/삼차원의 5 또는 10 mm 복강경을 사용해 4-10배까지도 확대해서 볼 수 있으며, 조직 건조를 방지하기 위해 수술 중 헤파린 첨가 식염수를 사용할 필요도 없으며, 미세 양극소작기(micro-bipolar device), 레이저와 초음파 에너지를 이용해 조직의 손상을 최소화하였다. 지난 20년간 최소침습 불임수술의 임상 결과는 표준 개복술과 비교하여도 큰 차이가 없으며, 실혈, 수술 후 유착의 감소 및 일상생활로의 빠른 복귀가 가능하다는 면에서는 표준개복술을 능가한다고 할 수 있다. 그러나 최근 보조생식술의 발달로 불임 영역에서의 수술 처치는 새로운 국면을 맞이하게 되었고, 그 효과에 대한 재조명이 필요한 상태이다.

현재 보조생식술은 내과 치료에 효과가 없는 불임 환자에서 첫 번째 치료로 수술 치료를 대체하는 경향을 보인다. 평균적으로 보조생식술의 주기당 생아 출생률은 약 35%로, 수술 치료 단독과 비교하여 좋은 결과를 보이고 있다. 수술 후 임신까지의 기간이 2년까지도 걸리는 데 반해, 보조생식술의 경우 치료를 시작한 그 달에 임신할 수도 있으며, 평균적으로 임신하기까지 걸리는 시간이 수술 치료에 비해 짧다는 장점이 있다. 또한 수술은 여러 수술 방법에 따른 합병증 및 마취와 연관된 위험성을 배제할 수 없다. 특히, 수술로 인한 난관의 손상이나 유착 또는 난소예비력(ovarian reserve) 감소 등은 큰 문제점으로 지적되고 있다. 이런 여러 이유로 불임 영역에 있어서의 수술 처치는 오랫동안 논쟁이 되어왔다.

그러나 불임수술은 보조생식술과는 또 다른 이점을 갖고 있다. 보조생식술은 골반 병리를 간과할 수밖에 없는 데 비해 수술적 접근은 이를 교정하고, 통증이나 불규칙 월경과 같은 동반 증상까지도 호전시킴으로써 생식력을 증진시킬 수 있으며, 보조생식술의 문제점으로 지적되고 있는 다태임신, 난소과자극증후군, 시술로 인한 스트레스 및 고가의 비용 없이 자연적으로 임신을 시도할 수 있다는 장점이 있다.

보조생식술은 불임수술의 대체가 아니며, 불임수술 역시 체외수정(IVF)을 대신할 수 없다. 이들은 환자에게 최상의 결과를 제공하기 위한 상호보완 기법인 것이다. 자궁내막용종이나 점막하근종의 제거, 자궁강내유착 및 선천기형 등의 교정을 통해 자궁강을 최적화함으로써 체외수정의 성공률을 증진시킬 수 있으며, 난관수종, 자궁내막증과 자궁강을 변형시키는 자궁벽내 근종 등의 수술 치료 역시 임신율을 증가시킬 수 있다. 불임수술은 쇠퇴기에 접어든 것이 아니다. 최신 수술 기법은 많은 환자의 진단, 치료 및 생식력 보존에 널리 확대되어 효과적으로 사용되고 있으며, 생식내분비학 교육 프로그램에도 보조생식술의 교육과 함께 수술 훈련도 반드시 포함시켜야 한다. 이번 장에서는 불임의 평가, 치료 및 생식력 보존 등의 불임 전반에 걸친 수술 처치에 대해 자세히 살펴보고자 한다.

I. 복강경 난소천공술(Laparoscopic ovarian drilling)

다낭난소증후군은 가임기 여성의 약 10-15%를 차지하는 가장 흔한 내분비대사 장애 질환으로, 배란장애가 중요 문제로 여겨지고 있다. 다낭난소증후군 환자가 불임을 호소하는 경우, 배란유도를 위한 클로미펜(clomiphene)이나 방향효소억제제가 일차 치료다. 클로미펜은 6개월간 사용한 경우 약 73%에서 배란이 유도되고 약 36%의 임신율, 약 29%의 생존출산율을 보인다. 최근 연구에 따르면 방향효소억제제는 클로미펜보다 약 68%의 생존출산율 증가를 보이고 있어 비만한 다낭난소증후군 여성에서는 일차치료제로 권고되고 있다. 그러나, 클로미펜의 경우 약 15-30%의 여성에서 클로미펜 저항성을 보이며, 생식샘자극호르몬으로 치료할 경우 배란유도에는 효과적이나, 난소과자극증후군 및 다태아 등의 합병증이 있을 수 있으며, 고가의 비용 및 집중적 감시(intensive monitoring)가 필요해 시간적 소모가 크고, 불편하다는 단점이 있다.

내과적인 배란유도를 대체할 수 있는 방법으로는 복강경 난소천공술(laparoscopic ovarian drilling)을 이용한 수술 치료가 있다. 복강경 난소천공술은 1984년에 Gjönnaess에 의해 처음 소개되었다. 이는 복강경을 통해 이산화탄소(CO_2), 아르곤(argon)이나 엔디야그 레이저(Nd:YAG crystal laser) 등을 이용해 난소의 표면 및 간질(stroma)에 다수의 구멍을 내는 방법으로, 그 기전은 난소쐐기절제술(ovarian wedge resection)과 비슷하다. 이는 난소조직을 일부 파괴하여, 안드로겐(androgen) 생성을 줄이고, 안드로겐에서 에스트로겐으로의 말초전환(peripheral conversion)을 감소시키는 것으로 생각된다. 실제로 난소천공술 후, 혈청 내 안드로겐 및 황체형성호르몬이 감소하고 난포자극호르몬이 증가하는 것이 증명된 바 있다. 또한 수술 후 내분비 변화가 안드로겐 우성의 난포내 환경을 에스트로겐화시키고, 난소-뇌하수체 되먹임기전 장애가 교정됨으로써, 배란을 정상화시키는 것으로 여겨진다.

복강경 난소천공술 지지자들은 이 방법을 다낭난소증후군 환자의 결과를 향상시킬 수 있는, 편리하고 효과적이며 비교적 저렴한 대체법으로 추천하고 있으며, 특히 클로미펜 저항성을 보이는 환자에서 치료의 한 방법으로 제시되고 있다. 2018년에 발표된 다낭난소증후군 평가 및 치료를 위한 근거 기반 국제 가이드라인에는 다른 불임 인자가 없는 경우 클로미펜-저항성 무배란/희소배란 다낭난소증후군 환자의 이차치료(second line therapy)로 복강경을 이용한 난소수술을 권고하고 있다.

1. 복강경 난소천공술 방법

단극 전기소작 바늘을 이용하여 8 mm 깊이까지 직각으로 난소 천자를 하게 된다. 각 천자마다 난소 피질에는 손상을 주지 않도록 해야 하며, 천자의 위치는 난소 주변으로 하고, 난소 문(hilum)을 피하고, 출혈 및 난소의 혈액 공급에 영향을 미치지 않도록 주의해야 한다. 전류는 바늘이 난소간질 안에 위치한 후 한 번 흐르도록 하며, 각각의 치료 직후에 세척수(irrigation fluid)를 이용해 난소를 냉각시키도록 한다. 다른 에너지원으로는 양극 전류, 이산화탄소,

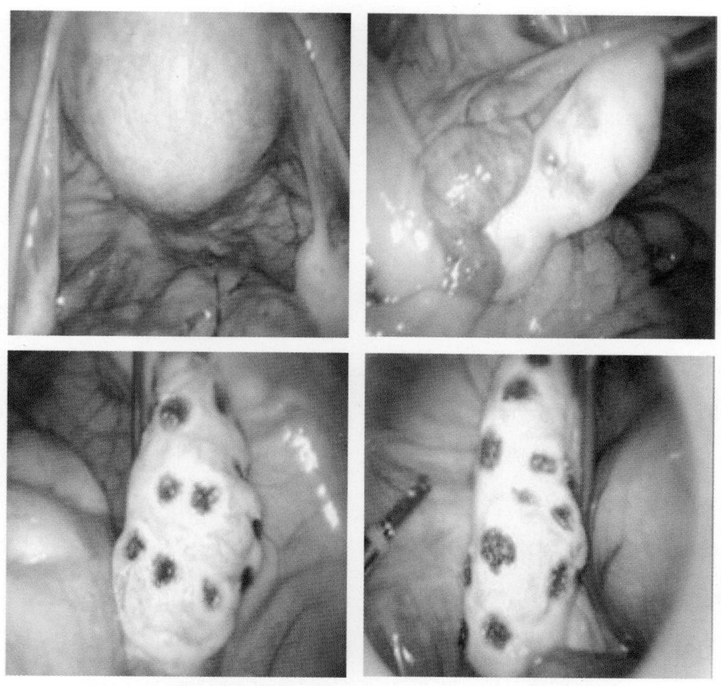

● 그림 20-1. **복강경 난소천공술 수술 전후 소견**

인산티타닐칼륨(potassium titanyl phosphage, KTP), 아르곤, 엔디야그 레이저 등이 있다. 에너지원의 종류, 천자 개수 및 깊이, 전원의 세기 및 기간, 단측/양측 난소 시술 등에 따라 그 결과는 차이가 크다. 현재까지 표준화된 방법은 없는 상태이지만, 일반적으로 난소당 5-6회의 천자가 적당하며, 전류는 40 W로 각각 천자당 약 2-3초 정도 지속한다. 그러나 각 시술은 개별화되어야 하며, 난소의 크기에 맞추어 최소한의 천자를 하는 것이 수술 후 유착 형성이나 난소예비력의 손상을 피할 수 있는 방법이다. 만약 인산티타닐칼륨이나 이산화탄소 레이저를 이용할 경우에는 레이저 에너지의 초점이 집중되어 있고, 열의 확산이 낮기 때문에, 천자 수를 30회까지도 증가시키는 것을 고려해야 한다.

2. 복강경 난소천공술의 효과

1) 여드름 및 다모증

다낭난소증후군 환자에서 고안드로겐혈증을 정상화시킴으로써 여드름 및 다모증과 같은 임상 증상을 완화시킬 수 있다. Amer 등은 수술 후 4-9년 사이에 여드름 환자의 40%, 다모증 환자의 23%가 개선을 보였다고 보고한 바 있으며, Naether 등에 의하면, 수술 전 62.2%의 환자가 중등도 이상의 여드름이나 경증 이상의 다모증을 호소했으나, 수술 후 3-5년 추적 관찰을 했을 때, 그 비율이 반으로 줄었다고 보고하였다. 그러나 50명의 환자를 대상으로 수술과 생식샘자극호르몬을 비교한 무작위실험 결과, 두 군간 큰 차이는 보이지 않았으며, 수술 후 테스토스테론(testosterone) 농도에 큰 차이를 보이지 않았다는 보고도 있다.

2) 배란

배란에 대한 효능은 매우 다양하게 보고되고 있으며, 최근에 발표된 연구에 따르면 복강경 난소천공술 후 약 30-90%에서 자연배란을 보이는 것으로 보고하고 있다. 저자들은 이 연구에서 다낭난소증후군이 확실히 진단되지 않은 환자들의 경우 미미한 효과만을 나타내기 때문에 다낭난소증후군이 아닌 만성 무배란 환자의 경우에는 적응증이 되지 않는다고 말한 바 있다. 배란율은 천공술을 시행한 방법에 따라서도 차이가 있기는 하지만 전기소작술과 레이저에 따른 결과는 비슷한 것으로 보고되고 있는데, Campo에 의하면 전기소작술을 한 경우 79.9%, 레이저를 이용한 경우 71.5%였으며, Saleh 등에 의하면 각각 82.7%와 77.5%로 보고한 바 있다.

3) 임신 결과

수술 후 1년 내 임신율은 약 50-80%로 보고되고 있으며, Gjönnaess는 다른 불임 인자가 없는 경우에는 84%, 다른 인자를 복합적으로 가지고 있는 경우, 36%로 보고하였다. 다낭난소증후군 환자의 경우 자연유산율이 높은데 복강경 난소천공술을 시행받은 환자의 경우, 그 비율이 8-21%로 보고되고 있으며, 이는 일반인과 비슷한 수준이다. 난소천공술을 시행할 경우, 높은 황체형성호르몬 농도가 정상화되고, 안드로겐 수치와 인슐린저항성을 감소시켜, 난자의 질이나 자궁내막의 감수성을 향상시켜 유산율을 낮추는 것으로 여겨진다. 그러나 모든 연구가 동일한 결과를 보이는 것은 아니므로, 좀 더 많은 연구가 필요하다.

4) 일측 또는 양측 난소천공

클로미펜 저항성을 보인 10명의 다낭난소증후군 환자를 대상으로 한 예비 연구결과, 일측 난소를 40 W로 4회 천자를 시행하였을 때, 양측 난소를 시행한 경우와 비교하여 천자를 시행한 난소와 시행하지 않은 난소 모두에서 효과적으로 배란되었으며, 이후 시행된 무작위시험에서도 비슷한 결과를 발표한 바 있다. 그러나 정확한 효과를 비교하기 위한 대규모의 연구가 필요할 것이다.

5) 다른 치료법과의 결과비교

2012년 발표된 Cochrane database에 따르면 자연임신을 통한 생존출산율은 약 34%로 다른 배란유도제를 이용한 경우의 40%에 유의한 차이가 없었다(95% CI, 0.59-1.01). 각각의 사용 약제와의 생존출산율 비교를 살펴보면 클로미펜, 방향효소억제제, 생식샘자극호르몬 등과는 차이가 없었고, 클로미펜과 메트포민의 병용사용군과의 비교에서는 낮은 것으로 보였다(OR 0.44; 95% CI 0.24-0.82). 다태임신율은 클로미펜, 방향효소억제제 사용군들과는 차이가 없었고, 생식샘자극호르몬 사용군에 비해 낮았다(OR 0.13; 95% CI 0.03-0.52).

6) 난소천공술의 장기 효능

장기간의 추적 관찰 결과, 수술 후 2년까지의 임신율은 약 68-82%이다. Gjonnaess는 165명의 불임 다낭난소증후군 환자를 대상으로 난소천공술 장기간의 추적 관찰을 하였다. 26.6%인 44명만이 6개월 이후에도 추적이 가능하였고, 이들 중 31명은 10년 이상 추적 검사를 하였다. 그 결과 74%의 환자가 여전히 배란이 되고 있었으며, 18-20년까지도 추적 검사를 한 15명의 환자 중 67%가 배란되고 있음을 보고한 바 있다.

3. 합병증

1) 수술중 합병증

수술 중 합병증은 매우 드물고, 대부분 복강경이나 전신마취에 의한 합병증이지만, 이 외에도 전기로 인한 문제가 발생할 수 있다. 이를 예방하기 위해, 단극 전기소작 시 난소를 최대한 다른 장기와 멀리 위치하도록 하는 것이 좋다. 단극 및 양극 전류 사용시 수술중 합병증에 대한 동물실험 결과, 양극 전류를 사용하여 난소천공을 하였을 경우에 더 광범위한 조직의 손상을 보였으나, 사람을 대상으로 한 연구는 아직 없는 상태이다.

2) 수술 후 합병증

(1) 부속기주변 유착(periadnexal adhesion)

수술 후 부속기주변 유착은 끊임없이 논쟁거리가 되고 있다. 유착과 불임에 대한 확실한 개연성을 증명한 연구는 없으나, 이론적으로 유착은 물리적인 불임과 골반통의 원인이 될 수 있다. Balen에 의하면, 난소쐐기절제술을 시행한 경우 거의 100%에서 골반 유착이 생겼으나, 이들은 불임과는 관계가 없었고, 이들 환자의 58.8%는 수술 전에 이미 불임의 기왕력이 있는 사람이었다고 보고한 바 있다. 복강경 난소천공술 후 이차 추시수술을 하는 경우는 드물기 때문에 수술 후 유착을 평가하는 것은 쉽지 않다. 제왕 절개 등과 같은 다른 이유로 수술을 한 사례들이 보고된 바 있으나, 정확한 유착의 빈도를 결정하는 것은 아직은 불가능한 상태이다. 이러한 유착을 방지하기 위해서는 유착방지 물질을 이용하거나 유착박리술을 하는 것을 고려할 수 있으나, 이러한 방법이 임신율을 향상시킬 수 있을지 여부는 미지수이다.

(2) 난소예비력의 손상

난소표면 일부를 파괴하면서 안드로겐을 생산하는 과도한 조직과 함께 난포들도 일부 제거될 수 있어, 이러한 난포의 손실은 난소예비력을 감소시키고, 생식력에 영향을 미칠 수 있다.

4. 자궁내막증 수술

자궁내막증은 이소성 자궁내막조직에 의해 발생하며 가임기여성에서 만성 염증을 유발하는 가장 흔한 질환에 속하여 통증과 불임을 유발한다. 통계에 의하면 발생율은 0.8-6%로 다양하나, 불임 여성의 경우 20-50%로 보고되고있다. 진단은 초음파 검사 및 CT, MRI와 같은 영상 진단법을 통해서 확인할 수 있으나 수술 방법을 통한 조직검사로 확진한다.

수술 치료는 자궁내막증, 특히 자궁내막증에 의해 발생한 난소종괴인 자궁내막종(endometrioma) 치료에 있어서 중요하다. 해부학적 변형이 심하지 않은 minimal/mild 정도의 경증 자궁내막증에서 병변의 제거 및 소작술을 통해 임신율을 약 0.5-2배 증가시킨다고 보고하였다. 2020년 Cochrane review의 보고를 살펴보면, 난소의 자궁내막종에 대한 치료 복강경수술이 진단 복강경수술에 비해 임상적 임신율을 증가시켰다(OR 1.89; 95% CI 1.25-2.86). 해부학적 변형이 동반되는 moderate/severe 정도의 중증 자궁내막증에서의 수술 치료는 통증 치료에 있어서는 효과적으로 보고되나, 임신율 향상 효과에 대해서는 아직 명확한 결론이 없다. 특히, 불임 치료의 관점에 있어서 난소의 자궁내막종에 대한 수술의 경우 난소의 예비력 감소의 위험성을 고려하여야 한다. 따라서 낭종흡입술(cyst aspiration)이나 체외수정을 포함한 치료전략도 고려할 수 있다.

II. 자궁경을 이용한 유착제거술

자궁내유착은 1894년 처음 Fritsch 등에 의해 보고되었으며 이후 1948년 Asherman에 의해 보다 상세히 보고되면서 임상 증상과 더불어 자궁내유착이 확인된 경우에 한해 아셔만증후군(Asherman syndrome) 불리게 되었다. 자궁내유착이 있는 경우 월경 이상, 반복유산, 자궁내성장제한, 착상 및 태반부착의 장애 그리고 이 외의 임신과 관련된 질환이 발생한다고 알려져 있으며 발생 빈도는 발생 원인에 따라 상이한데 일반 인구에서 약 0.2%의 유병률을 보이고 불임 인구에서 약 6.9%의 빈도를 보이는 것으로 보고된 바 있다. 자궁내유착의 제거는 과거에 자궁내막소파술 등의 치료로 이루어지기도 하였으나 현재 자궁경을 이용한 유착제거술이 가장 좋은 치료법으로 받아들여지고 있고, 자궁내병변에 대한 정확한 진단과 치료가 동시에 가능하다는 점에서 최근 불임 영역에서 가장 흔히 사용되는 수술법 중 하나이다.

1. 자궁내유착(Intrauterine synechiae)

1) 원인

Schenker 등은 자궁내유착의 선행요인으로 90% 이상의 경우에서 임신 자체를 원인으로 제시하였다. 특히 임신

중의 자궁에 상처가 가해지는 경우 즉, 주로는 불완전 또는 계류유산 이후나 산후출혈 시 자궁소파술을 시행한 경우 이후 남아있는 임신조직의 섬유화가 진행되어 자궁내막의 재생 이전에 자궁내유착을 일으키게 된다. 수술 이후에 에스트로겐과 사람 융모생식샘자극호르몬(β-hCG)의 급격한 감소와 자궁의 생리적 변화가 자궁내유착의 발생을 높이는 것으로 생각되고 있다. 진단적 자궁소파술이나 근종제거술 및 용종제거술 등 임신이 선행하지 않는 경우에도 발생할 수 있으나 그 빈도는 2% 미만으로 알려졌다. 이 외에도 골반결핵의 경우 중증 자궁내유착의 원인이 되며 뮐러관 기형의 경우 자궁내유착과의 상관성이 높은 것으로 보고되었다.

2) 분류

자궁내유착의 분류는 여러가지가 존재하며 그 중 가장 흔히 사용되어지는 분류는 표 20-1과 같다. 최근에는 자궁난관조영술과 자궁경 소견이나 분류에 따른 예후를 예측하기 위해 월경력이나 임신력 등이 포함된 분류법이 제시되고 있다(표 20-1).

3) 임상 증상

자궁내유착이 존재하는 경우 가장 흔한 임상증상은 월경의 변화로 약 68%에서 동반되는 것으로 알려졌다. 유착으로 인하여 자궁경부가 패쇄되거나 자궁내막의 기저층이 모두 파괴된 경우 무월경으로 나타날 수 있으며 유착이 광범위하지 않더라도 유착으로 인해 자궁내 혈행의 장애가 발생하여 월경량의 변화가 나타날 수 있다. 이차로 월경통 등이 생기기도 한다. 약 43%의 환자에서는 불임이 발생하며 산과적으로 반복유산, 자궁내성장제한, 자궁외임신, 자궁경부임신 등이 발생하며 일부의 경우 태아의 기형 발생의 원인이 되기도 한다.

표 20-1. 유착범위에 따른 분류

분류	유착범위
경증	자궁강의 25% 미만을 포함, 얇은막 형태의 유착, 난관 입구나 자궁저고가 깨끗하거나 최소로 이환된 경우
중등도	자궁강의 25-75%를 포함, 자궁벽의 응집이 없고 유착만 있는 경우, 난관입구나 자궁저고가 일부만 이환된 경우
중증	자궁강의 75% 이상이 포함, 자궁벽의 응집이 있거나 유착이 두꺼운 섬유를 이루는 경우, 난관 입구나 자궁강의 상부가 폐쇄된 경우

4) 진단

가장 처음 시행하는 검사는 자궁난관조영술이다. 자궁난관조영술의 경우 자궁내 유착부위를 보여줄 뿐만 아니라 자궁각이나 난관의 개구에 대한 정보도 얻을 수 있어 유용하다(그림 20-2). 자궁난관조영술의 자궁내유착 진단에 대한 민감도는 75%로 알려졌다. 초음파의 경우 민감도에 있어 자궁난관조영술보다 진단적 유용성은 떨어지는 것으로 보고되었으나 자궁경부가 막힌 경우 상위의 자궁내막을 검사하는데 유용하다. 초음파자궁조영술(Sonohysterography)의 경우도 자궁난관조영술과 비슷한 민감도로 자궁내유착을 진단할 수 있다. 자궁내유착은 자궁경을 통해 확진할 수 있으며 동시에 치료를 병행할 수 있다. 경도의 유착은 얇은 필름과 같은 막으로 나타나며 유착의 부위가 심

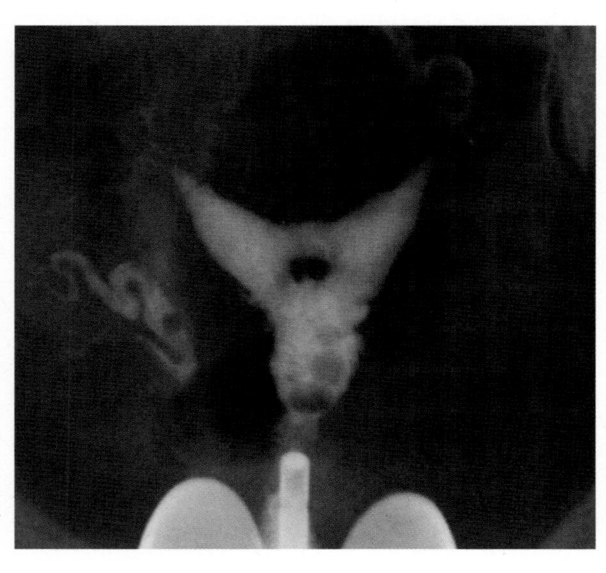

• 그림 20-2. 자궁난관조영술상 자궁내 유착소견

하고 근층을 포함하는 경우 주변 조직에 비해 희고 경화된 섬유조직으로 나타난다. 또한 결핵으로 유착이 발생된 경우 작은 벌집모양의 병변이 관찰된다.

2. 자궁내유착의 수술 치료

자궁내유착의 치료는 자궁 내 공간의 확보와 정상 모양으로의 재건, 유착 재발의 방지, 파괴된 자궁내막의 재생과 이를 통한 생식력의 회복을 목적으로 하고 있다.

1) 자궁내막소파술

자궁내시경의 개발 이전에 사용하던 방법으로 자궁의 천공, 낮은 성공률이나 유착의 재발 등의 문제로 현재 거의 사용되고 있지 않다.

2) 자궁경 유착제거술

현재 자궁내유착의 치료의 가장 좋은 방법으로 제시되고 있다. 자궁경의 경우 최소침습적이며 직접 병변을 확인하고 치료할 수 있다는 점에서 각광을 받고 있다. 자궁경 시행 시 확장매체의 사용이 필요하며 이에는 생리식염수, 5% 포도당액, 링거액, 저점도용액(솔비톨/만니톨, 1.5% 글라이신 등)이 있다. 매체에 따라 굴절률이 달라지며 수용성 용액의 경우 혈액과 잘 혼합되어 시야가 흐려질 수 있다. 수술시간이 길어져 확장매체가 과량으로 사용된 경우 체내로 흡수되어 전해질 불균형등의 부작용을 야기할 수 있어 수술시간을 최소화하고 수술 전후로 매체의 투입량과 배출량을 측정하는 것이 필요하다.

자궁경하 유착이 확인되는 경우 가위를 이용하여 아래에서 위쪽 방향으로 유착을 박리하고 정상 자궁내 모양을 재건한다(그림 20-3). 자궁내시경상 표층에 점막 유착만 있는 경우 유착조직은 주변의 자궁내막과 유사하게 관찰되며 자궁강 확장 과정에 유입되는 수압에 의해 쉽게 분리되기도 한다. 유착 박리를 위해 사용되는 도구로 마이크로 가위 또는 레이저나 투과열요법(diathermy)과 같은 다른 절제 도구들이 사용되는데 에너지를 사용하는 경우 효과적이고 정확한 절제 또한 출혈 부위의 지혈이 된다는 점에서 이점이 있으나 이론적으로 사용부위 주변의 추가적인 자궁내막의 손상이 야기될 수 있으므로 상용을 피하고 불가피하게 사용이 필요한 경우 사용되는 에너지의 양을 줄이고 절제 루프(cutting loop)보다는 전기 침(electrode needle)을 사용하여 전류에의 노출을 최소화하는 것이 중요하다. Nd-YAG laser나 KTP laser 등도 사용이 보고되었으나 이 역시 주위 반경 1-2 mm의 괴사가 있다는 점에서 사용에

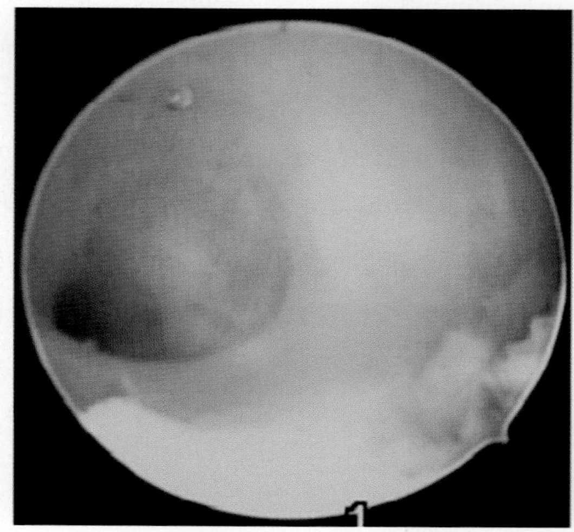

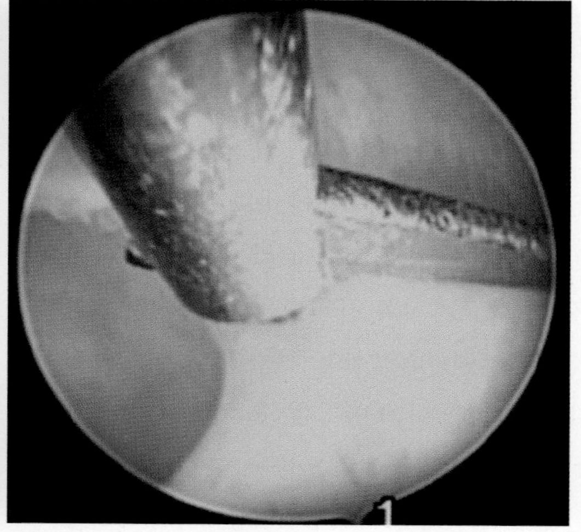

• 그림 20-3. **자궁경을 이용한 유착제거술**

유의하여야 한다.

유착이 심한 경우 자궁경하 유착박리술이 기술적으로 어려울 수 있으며 이런 경우 자궁경부 확장과 자궁경의 자궁 내 통과 시 자궁천공의 위험성이 발생하게 된다. 따라서 자궁내유착이 심한 환자의 경우 헤가확장기나 자궁내시경의 도입 시 복강경이나 초음파 등의 유도를 받는 것이 도움이 될 수 있다. 복강경으로 감시하는 경우 자궁벽이 얇아지고 천공의 위험성이 있는 것을 확인하여 자궁경 치료의 범위를 결정할 수 있고 천공이 되더라도 발생 즉시 추가적인 골반장기의 손상을 막고 천공부위를 봉합할 수 있다는 장점이 있다. 또 골반장기를 확인함으로써 자궁내막증이나 복강내 유착 등 다른 병변을 동시에 확인하고 치료할 수 있다는 이점이 있다. 복부 초음파도 복강경 대신 사용할 수 있는 방법인데 이는 비침습적이며 간단하다는 이점이 있다.

예방 항생제의 사용은 진단 또는 치료 자궁내시경 시행 시에 권장되는 사항은 아니나 대부분의 경우 수술 1시간 전과 수술 후 자궁내장치를 삽입한 경우 사용한다.

3) 수술 치료 후 재발 방지

유착박리술 이후에도 재발률이 3.1-3.5%에 달하고 특히 중증 유착환자에 있어서는 20-62.5%까지 재발이 보고되어 수술 이후에 유착의 재발을 방지하는 것이 성공적인 수술 치료와 더불어 매우 중요하다.

(1) 자궁내장치(Intrauterine device)

이전 많은 연구들에 의해 자궁내장치의 사용의 효용성은 잘 알려져 있다. 수술 이후에 자궁내장치를 상용하는 경우 분리된 상처부위가 치유과정에서 다시 재부착되는 것을 방지할 수 있다. 루프형 자궁내장치(loop IUD: Lippes loop)가 자궁내유착 제거 후 사용 가능한 가장 좋은 도구이나 이는 현재 미국에서의 생산이 중단되었다. 이 외에도 구리 자궁내장치(copper IUD), T-형, 프로게스테론 방출형 자궁내장치가 존재하지만 각각 염증을 야기하거나 유착방지를 위한 면적이 상대적으로 작고 자궁내막의 재생을 억제한다는 점에서 사용이 권장되지 않는다. 비록 자궁경하 유착박리술 이후에 재유착 방지를 위한 가장 좋은 예방법이지만 이 역시 장치 삽입 시에 자궁벽의 천공을 야기할 수 있다는 부작용이 있다.

(2) 도뇨관(Foley catheter)

일부 연구에서는 도뇨관 팽창을 통해 자궁 내 재유착을 방지하는 방법을 제시한 바 있다. 10 F 도뇨관을 이용하여 3.5 mL의 생리식염수로 팽창시킨 후 수술 후 약 1주일가량 유지한 후에 제거하는 경우 재발률을 50%에서 21.9%로 낮추는 결과를 얻었다고 보고하였는 데, 도뇨관 팽창은 자궁벽을 분리시키고 재유착을 방지하는데 효과적으로 이용되지만 일부 과팽창된 도뇨관이 자궁벽의 압력을 높이고 자궁벽의 혈류를 줄일 수 있다는 점에서 자궁내막의 재생을 방해하거나 자궁경부로 노출되어있는 도뇨관이 염증을 일으킬 위험성도 있다.

(3) 유착방지제(Anti-adhesive agent)

최근 수술 이후 복강내 또는 자궁내유착을 방지시키는 유착방지제가 개발되어 이용되고 있다. 주로 하이알유론산의 변형으로 만들어지는 것으로 수술 후 사용하는 경우 일정기간 동안 상처부위의 분리를 유도하고 이후 생체 내로 흡수되어 유착 재발을 억제하다고 알려져 있다.

(4) 호르몬 치료

일부는 에스트로겐을 이용하여 자궁내막의 재생을 도울 수 있다고 제시하였다. 무작위 대조 임상실험에서 60명의 환자를 대상으로 자궁내막소파술을 시행했을 때 에스트로겐-프로게스테론을 사용한 군에서 유의하게 자궁내막의 두께나 자궁내막의 부피가 증가한다고 보고하였다. 그러나 현재까지 호르몬치료 후 유착의 재발률이나 임신율에 관한 보고가 없고 호르몬 용량이나 사용법에 대한 연구도 미흡한 실정이다.

4) 예후

자궁경의 사용 이전에 자궁내유착의 치료 후 임신율은

51%로 보고된 바 있으며, 자궁경을 이용한 치료 후 임신율은 75%로 보고되었다. 그러나 자궁내유착이 치료된 이후에도 치료받은 환자에 있어 일부 자연유산, 조산, 태반 이상, 자궁내성장제한, 분만 시 자궁파열 등의 위험이 발생할 수 있어 자궁경 치료 이후에 정상 회복을 자궁난관조영술, 진단 자궁경 또는 초음파로 추적 관찰할 필요가 있다.

III. 난관수술

난관요인에 의한 불임은 여성 불임 환자의 20-30%를 차지하는 주요 요인으로 난관주위유착과 같은 경증의 난관 손상에서부터 난관폐쇄, 난관수종을 동반하는 중증의 난관 손상까지 다양하게 나타난다. 난관 손상의 원인으로는 자궁내막증, 골반염, 패혈증성 유산, 파열된 맹장, 자궁외임신의 과거력 및 골반수술의 과거력 등이 원인이 된다. 특히 난관의 말단폐쇄는 골반염에 의해 이차적으로 발생하는 경우가 흔하며, 만성적인 난관폐쇄는 난관의 말단이 난관액으로 팽대되면서, 점막층의 손상이 동반되는 난관수종을 동반하게 되는데, 심한 경우 난관수종액이 생식기를 통해 배출되는 누수증(hydrorrhea)이 발생하기도 한다.

1. 진단

난관 손상의 진단은 자궁난관조영술이나 복강경검사로 가능한데, 자궁난관조영술은 난관과 자궁강 내를 조영하여 자궁내막 병변과 자궁기형을 함께 확인할 수 있고, 난관의 내부구조를 나타내주어 폐쇄된 위치와 수종의 발생여부를 확인할 수 있으며, 복강경은 난관색소관류법(chromopertubation)을 통하여 난관의 개통 여부를 확인할 수 있고, 자궁내막증이나 복강내유착과 같은 동반 질환을 함께 확인하여 확인과 동시에 치료할 수 있는 장점이 있다. 난관폐쇄를 진단하는 데 있어 자궁난관조영술의 민감도와 특이도는 각각 54%, 83%로 알려져 있다. 질초음파 역시 난관수종을 진단하는데 사용할 수 있으나 1994년 Atri 등에 의하면 자궁난관조영술로 난관수종을 진단받은 환자의 34%만을 질초음파를 이용해 진단할 수 있었다고 보고한 바 있다. 초음파 조영제를 자궁강 내 주입하여 난관 개통을 확인하는 검사인 자궁난관조영초음파(hysterosalpingo-contrast-sonography, HyCoSy)는 89%, 93%의 민감도와 특이도가 보고되고 있어 최근 많이 사용되고 있다.

2. 치료

난관 요인에 의한 불임증은 체외수정의 고전적인 적응증의 하나로 임상적인 체외수정의 약 50% 이상을 차지하는데, 난관 폐쇄에 의한 불임 환자의 치료는 폐쇄된 위치와 손상 정도를 적절히 평가하여 체외수정 또는 수술 중 적절한 방법을 선택하여 치료하는 것이 필요하다. 2008년 Pandian 등이 난관요인 불임 여성에서 체외수정과 수술의 효과를 비교해보기 위해 두 군의 출생률을 비교한 무작위 통제 시험에 대한 검토를 시행한 결과, 적절한 무작위 대조 연구가 시행되지 못하였음을 보고한 바 있으나, 중증의 심한 난관 손상 시, 수술 후 임신율이 15% 미만으로 낮게 보고되는 반면에, 경도 또는 중등도의 난관 손상만이 있을 때 수술 후의 임신율은 난관 개구술 후 65%, 유착박리 후 70%, 난관복원술 후 80%까지 알려져 있으므로 환자의 연령, 복합된 불임 요인, 합병증의 위험도 등을 고려하여 적절한 치료를 선택해야 한다. 난관 병변에 대한 수술 치료의 방법은 개복술과 복강경이 있는데, 무엇보다 적절한 수술 기법을 이용하고, 주의 깊게 지혈을 시행하여 수술 후 발생하는 유착을 최소화하기 위한 노력을 기울여야 한다. 난관 손상의 적절한 치료는 병변의 위치에 따라 다르게 적용되어야 하는데, 난관 근위부 폐쇄의 경우 난관이식술, 난관-자궁각 문합술, 도관삽입술 등이 고려될 수 있고, 원위부난관 폐쇄의 경우 보존 수술로 난관 및 난관채유착박리술, 난관채성형술, 난관개구술 등이 적용될 수 있으며, 난관결찰의 기왕력 등으로 인한 난관 중위부 폐쇄의 경우, 단단문합에 의한 난관복원술을 통한 치료가 가능하고, 난관수종에 대해 체외수정을 시행하기 위한 전단계의 비보존적 수술

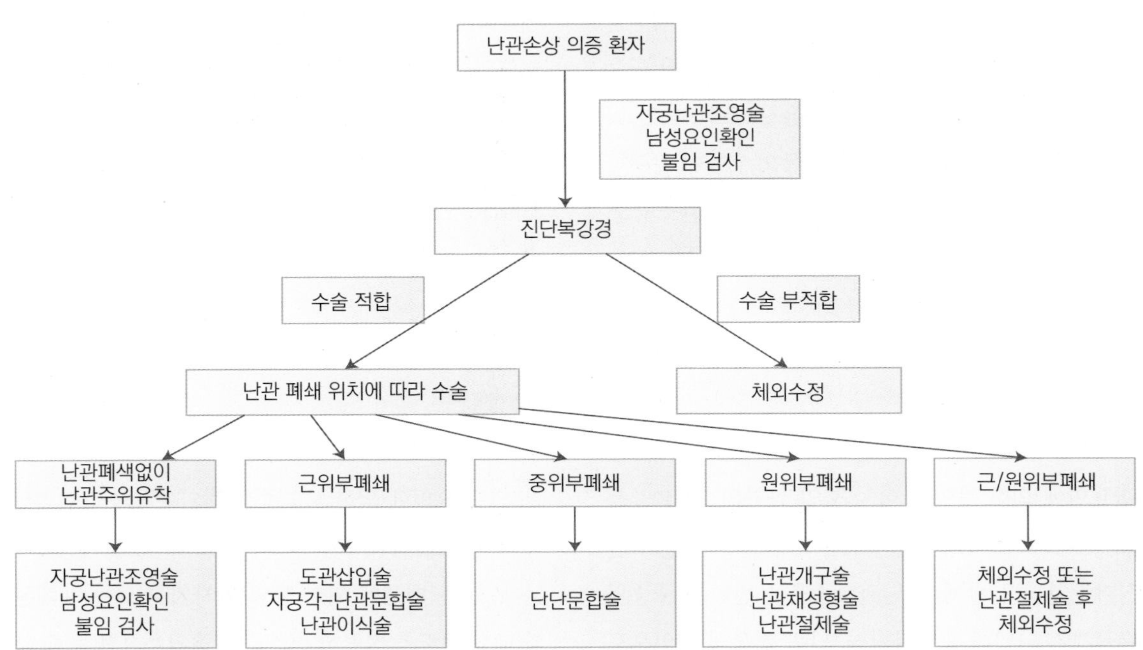

• 그림 20-4. **난관 병변의 진단 및 치료**

로써 영구불임술과 난관절제술 등을 적용할 수 있다(그림 20-4). 난관수종과 같이 난관절제가 적응이 될 때 부분난관 절제술 또는 난관전절제술을 시행할 수 있다. 그러나 체외 수정을 통한 임신 시도가 보편화됨에 따라 불임증 치료를 위한 난관수술의 중요성은 감소하는 추세이다.

1) 난관개구술(Salpingostomy)

난관개구술은 난관채 부위를 외번시켜 새로운 난관구를 만드는 것으로 복강경수술이 발달하기 전에는 대부분 미세 현미경을 이용하여 수술부위를 확대하여 시행하는 미세수술로 시행되어 왔으나 최근에는 복강경수술로 대치되고 있다. 현미경하 개복수술과 복강경수술의 수술 후 임신율에 대한 Ahmad 등에 의한 메타분석 결과 자궁내 임신율은 두 군 간에 유의한 차이를 보이지 않았고, 정도가 중증일 경우 현미경하 개복수술에서 임신율이 향상됨을 보고하였으나 복강경수술로 시행 시의 경제적 측면과 수술 후 통증 감소 및 회복 기간의 단축, 수술 후 유착 발생의 감소를 고려하여 볼 때, 난관수술에 있어서는 복강경수술이 추천되고 있다. 복강경을 이용한 난관개구술 시행 시, 우선되어야 할 것은 세밀한 유착박리를 통해 난관의 구조를 회복시켜 폐쇄된 난관의 말단부를 정확히 확인하는 것이다. 난관의 말단부위가 확인되면, 난관의 팽대부 하방을 고정하여 잡고, 폐쇄된 난관말단부위를 절개한다. 절개를 통해 난관강이 열리면, 난관색소관류를 시행하여 methylene blue가 절개구를 통하여 나오는 것을 확인한 후, 난관채를 외번시킨다. 난관말단의 절개 후 수술적 처리 방법은 절개법, 절개 후 외번법 및 외번 후 외번 부위 고정법 등이 있는데, 난관채 부위를 외번 시켜주는 수술법이 가장 보편화된 수술법으로 외번 후 외번 상태를 유지하기 위해 양극 전기소자를 이용하여 외번부위 난관 장막을 응고, 수축시키는 방법이 이용되는데, 중첩법을 이용하여 외번시킨 후 난관개구부 말단을 난관 장막에 봉합하여 고정시키면 외번 상태 유지가 잘 되는 것으로 보고된 바 있다.

2) 난관채성형술(Fimbrioplasty)

난관채성형술은 난관채 사이의 유착을 박리하여 정상 기능을 회복시키는 것으로 난관이 부분적으로 막혀있고 난관채가 보존된 경우에 난관채성형술이라는 명칭을 사용

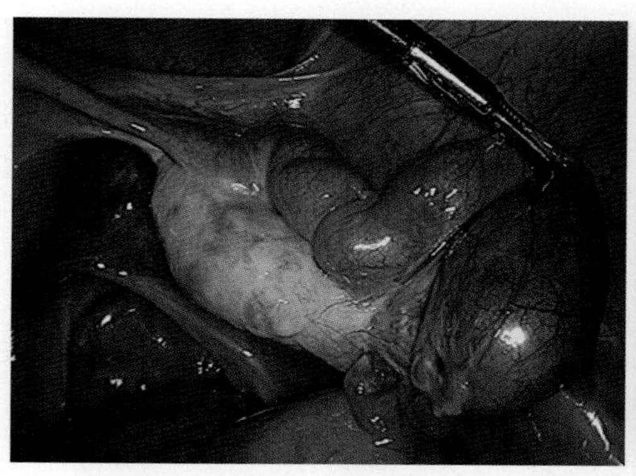
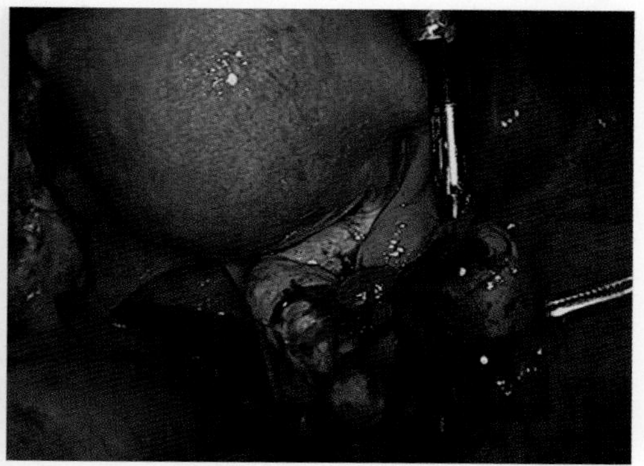

• 그림 20-5. **난관수종의 수술 치료: 수술전 난관수종(좌)/난관개구술(우)**

한다. 난관이 완전히 폐쇄된 경우에 시행하는 난관개구술에 비해 부분적으로 막혀있는 난관에 시행되는 난관채성형술은 난관이 비교적 잘 보존되게 되어 더 나은 수술 후 임신율을 보인다.

3) 난관수종의 치료

난관 손상의 만성적인 형태로 중증도의 심한 손상인 경우 난관수종이 동반되는데, 난관채의 유착과 함께 난관 말단이 막히고 난관액으로 팽대되며, 손상이 진행될수록 난관 팽대부의 점막층 손상이 심화되어 정상적인 주름막이 관찰되지 않게 된다. 난관수종이 있는 불임 여성의 수태능은 난관수종의 크기가 2 cm 이상으로 증가하거나, 부인의 나이가 증가할수록 감소하므로, 난관 손상의 정도와 동반된 골반 유착 여부와 난관벽의 두께, 난관 점막의 육안소견 등의 요인을 고려하여 난관개구술 여부를 결정하도록 한다(그림 20-5). Camus 등의 메타분석에 따르면, 난관요인 불임 환자에서 체외수정을 시행할 때 난관수종이 있는 여성은 착상률, 임신율, 출산율이 떨어지는 것으로 확인되었으나 그 기전은 명확하지 않다. 추측할 수 있는 기전으로는 난관수종액의 조성 변화로 인한 염증세포의 증가가 자궁내막에 직접적인 독성을 일으키는 것뿐만 아니라, 배아에 대한 독성 효과 및 자궁내강으로 역류된 난관수종액의 물리적인 착상방해가 있다. 2010년 Cochrane review에서 체외수정 시의 난관수종에 대한 치료로 난관절제술, 난관근위부 소작 결찰, 또는 질초음파 시행하에 배액을 시행한 군과 치료를 시행하지 않은 군의 치료 결과에 대해 5개의 무작위 통제 시험을 분석한 결과, 체외수정 전 난관절제술 또는 난관근위부 소작을 통한 결찰군의 임신율, 착상률, 출생률이 유의미하게 증가함이 확인되었고, 질초음파하에 배액군에서는 치료하지 않은 군과 임신율의 차이를 보이지 않았다. 이러한 결과들은 난관수종이 있는 환자에서 체외수정을 결정한 경우, 시술 전 난관절제술 또는 근위부 결찰을 먼저 시행해야 함을 의미한다.

4) 복강경 미세난관복원수술

여러 피임 방법들 중에서 난관불임술은 효과적으로 흔하게 사용되는 방법으로 18% 이상의 피임법을 차지한다. 매년 이 시술을 시행받은 여성의 1%는 재혼과 같은 결혼 상태의 변화와 재정 상태의 변화, 아이의 사망이나 사고 등 여러 이유로 생식력의 회복을 원한다. 난관불임술을 받은 여성이 임신을 원할 때 체외수정 또는 수술을 통한 미세난관복원술을 시행할 수 있다. 수술 전에는 먼저 불임의 다른 원인이 있는지 철저한 불임검사를 시행해야 하고, 가능하면 전 수술에 대한 기록을 확인하며, 특히 자궁난관조영술을 시행하여 자궁내막과 난관 폐쇄부위까지의 난관구조를 확인하여 복원수술의 성공 가능성을 예측해본다. 과거로부터 난관복원수술은 개복하여 미세 현미경수술이 많이 이용되어 왔으나 복강경수술 기술의 발달에 따라 복강경하 미세난관복원술의 치료 성공률이 미세 현미경수술의 성공률에 근접되었을 뿐 아니라, 복강경수술의 여러 가

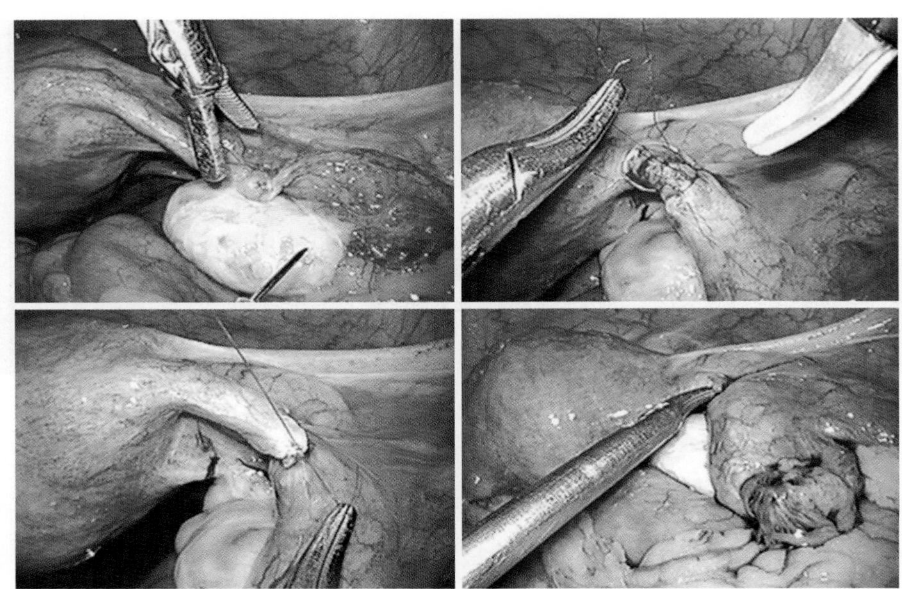

• 그림 20-6. **복강경하 미세난관복원술**

지 장점을 고려하여 최근에는 복강경을 이용한 복원수술이 늘고 있는 추세이다. Yoon 등이 202명의 환자들을 대상으로 복강경하 미세난관복원술을 시행한 결과를 2년간 추적 관찰한 결과, 임신율은 84.9%, 출생률 52.3%, 유산율은 15.8%로 확인되었으며, 자궁외임신율은 3.2%, 수술 후 임신까지의 기간은 4.5개월로 성공적인 치료 결과를 보였다. 복강경하 미세난관복원술은 ① 진단 복강경, ② 난관결찰 부위의 절제 및 반흔 제거, ③ 난관간막의 접합, ④ 근육층의 문합, ⑤ 장막층 문합의 다섯 단계로 이루어지는데, 진단 복강경을 통하여 수술 가능 여부를 먼저 판단한 후, 희석된 바소프레신을 장막과 근육층 사이에 주입하여 박리와 지혈을 동시에 유도한다. 난관 근위부의 섬유화된 조직을 미세가위로 충분히 절제하고, 자궁조작기를 통해 methylene blue를 주입하여 근위부 난관의 개통성을 확인한다. 난관의 원위부는 단단문합술 시 발생하는 난관 내강 직경의 차이를 최소한으로 줄이기 위해 가능한 한 근위부에 가까운 부위를 미세가위로 절제하여 난관 내강의 노출을 육안으로 확인한다. 최소한의 지혈 후, 우선 난관간막을 미세한 봉합사를 이용하여 접합하고, 근육층을 6시, 12시, 3시, 9시 방향의 순서로 접합한 후, 장막의 12시, 3시, 9시 방향을 완전히 접합한다(그림 20-6). 미세난관복원술은 1980년대 중반까지도 난관불임술을 시행 받거나 일차성 난관폐색에 의한 불임 여성에서 시행할 수 있는 유일한 치료 방법이었으나, 1990년 이후 체외수정이 활성화되고, 여기에 사용되는 약물, 시술 및 기술의 비약적인 발전으로 현재는 체외수정이 또 다른 치료방법으로 제시되고 있다. 여성의 연령이 두 방법 모두에서 치료 결과에 영향을 주는 가장 중요한 요소이며, 체외수정은 단일아의 비율이 65.8%이고, 쌍태아가 31%, 세쌍둥이 이상이 3.2%로, 체외수정 시 다태아 발생이 증가하며, 이는 여러 임신 합병증을 동반할 수 있다. 이에 반해 미세난관복원술의 임신 및 출생률은 55%를 넘는 것으로 알려져 있으며 다태임신의 위험성도 증가하지 않고, 다른 불임 원인이 없는 경우 한 번의 수술로 여러 번 자연임신의 기회를 제공해 줄 수 있다. 따라서 적적한 치료방법의 선택은 환자의 상태, 시행한 불임검사의 소견뿐만 아니라 경제적인 면까지도 고려하여 이루어져야 한다.

IV. 자궁 기형의 수술 치료

선천 자궁 기형은 배아 발달 과정 중 뮐러관이 정상 발달을 하지 못함으로써 발생한다. 대부분의 기형은 임상적 문제를 야기하지 않으나, 어떤 경우는 불임 등 생식 기능에 영향을 준다. 최근 메타분석에 따르면 일반 인구 집단에서 5.5% 정도 발생하고, 불임 여성에서 8.5% 정도 발생이 보고됨으로서 불임과 자궁기형간의 연관성이 있음을 보여주고 있다.

자궁기형의 분류는 지난 30년 이상 사용해온 미국생식의학회(American Society of Reproductive Medicine, ASRM) 분류를 따르는 경우가 많은데, 불임 등 생식 기능과 관련된 임상적 현상과 관련이 높고, 분류의 주관적 요소가 적어 동일한 보고가 가능하기 때문이다. 반면에 이 분류는 질분류는 포함하지 못한 단점이 있는데, 이는 뮐러관무형성(Rokitansky-Kuster-Hauser Syndrome), 수직융합결손(폐쇄성 또는 비폐쇄성), 외측융합결손(폐쇄성 또는 비폐쇄성) 등이 있다.

1. 뮐러관무형성(Agenesis of Uterus and Vagina, Rokitansky-Kuster-Hauser Syndrome)

여성 생식 기관의 가장 심각한 발달 기형은 뮐러관무형성이다. 이는 신생아 여아에서 1/4,000-10,000의 발병률을 보인다.

1) 임상 양상

뮐러관무형성을 가진 여성은 정상 외성기 모습을 가지며, 따라서 태아 때는 거의 진단되지 않는다. 이들은 사춘기 때 일차 무월경의 양상으로 나타나며, 정상 핵형(46, XX)과 정상 이차성징의 모습을 보인다. 난소는 뮐러관 구조물이 아니기 때문에 난소는 존재하면서 정상 기능을 보여 정상적인 유방 발육, 정상 여성 체형, 정상 여성의 모습을 보인다. 그러나 질은 완전히 없거나 또는 작게 움푹 패인 모습으로 보인다. 뮐러관 기형은 척추 및 골격계 기형, 상부요로계 기형과 연관된다.

2) 치료

뮐러관 무형성 여성의 치료의 목표는 새로운 질을 만들어줌으로써 정상 성생활을 가질 수 있도록 하는 것이다. 정상 성기능이 불임을 해결할 수 없으나, 향후 대리모 등의 방법으로 임신 시도를 할 경우 난자 채취를 위한 질 구조 형성이 필요하기에 적절한 질 구조를 만드는 것이 필요할 것이다.

1930년대 이전에는 질 무형성 수술 치료가 성공하기 어려웠다. 질을 만들 공간의 점막 유지를 위해 소장과 대장을 이용하는 방법은 치사율이 높았으며, 피부 이식 방법은 흉터가 많이 남고, 수술도 여러 번 해야 하며, 기능적으로도 좋지 않아 최근에는 사용되지 않는다.

1930년대 후반 Frank는 비수술적으로 새로운 질을 성공적으로 형성하는 방법을 개발하였다. Frank는 15 cm 길이, 1.5 cm 두께의 확장기로 질이 있는 위치에 매일 20분씩 압력을 가하면 6-8주 안에 질의 길이가 7.5 cm으로 길어지는 것을 발견할 수 있었다. 하지만 적절한 시간에 적절한 방법으로 회음부에 압력을 가하기가 쉽지 않기에 Frank 기법을 사용한 환자의 10-25%만이 새로운 질을 성공적으로 만들 수 있었다. 이러한 문제점을 극복하기 위하여 Ingram은 자전거 안장 모양의 기구를 개발하여 환자가 거들을 착용하듯 착용하면 환자의 몸무게를 이용하여 질이 있는 부위에 압력이 가해지도록 개발하였으며, 4-6주 동안 1.5 cm 넓이에 6 cm 길이가 되는 새로운 질 형성을 목표로 하였다. 4-6개월 동안 확실히 모든 과정이 이루어졌을 때 Ingram은 71%의 성공률을 보고했다. Frank 방법, Ingram 방법 모두 성공하려면 환자의 성숙도와 자진해서 하려는 의지가 중요하다. 새로운 질을 만들어주는 수술로는 McIndoe 수술, 직장질성형술(sigmoid vaginoplasty), Vecchietti 수술 등이 있으며, McIndoe 수술이 가장 흔하게 사용된다(그림 20-7). McIndoe는 이 수술의 성공을 위한 3가지 원칙을 강조하였다. 직장과 방광 사이의 정확한 공간을 박리할 것, 부분층 피부 절편을 잘 위치시킬 것, 회복 과정에서 지속적으로 새로운 질의 내강을 유지하는 것이다. 수술은 이식절편을 얻은 후 새로운 질을 형성하는 것이다. Split thickness 피부절

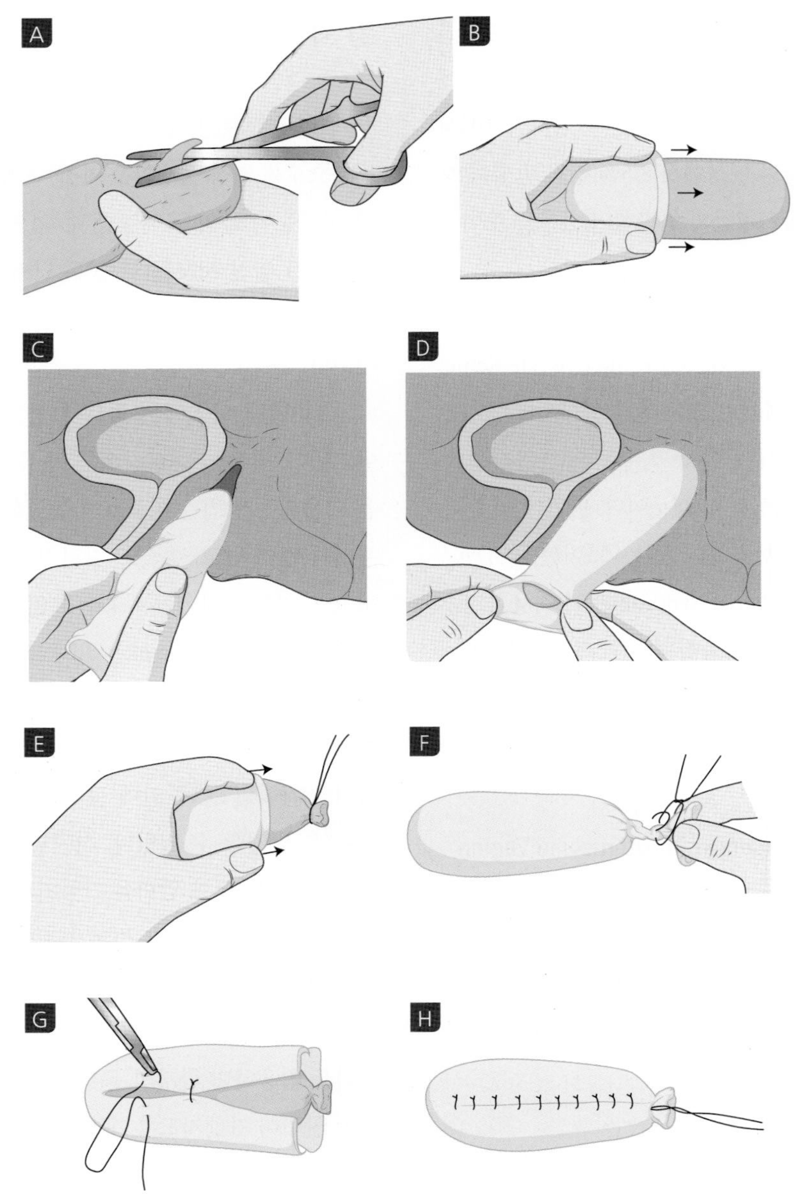

● 그림 20-7. 질을 만들어주는 McIndoe 수술의 몰드 제작 및 피부이식을 이용한 질 성형술(A-H)

편을 채취할 때 미용적인 이유로 허벅지보다는 엉덩이가 선호된다. 절편은 0.018 인치의 두께와 8-9 cm 정도의 폭, 20-25 cm의 길이를 요한다. 한 쪽 엉덩이에서 절편을 모두 얻을 수 없다면 다른 쪽 엉덩이에서 얻어 꿰맨 후 이용한다. 절편을 떼어낸 엉덩이 부위는 에피네프린 희석용액을 적신 거즈로 압박드레싱한다. 피부절편은 4-0 실을 이용하여 질모형주위로 꿰맨다. 질모형은 스폰지, 고무, 플라스틱 튜브 주위에 콘돔을 씌워 형성한다. 새로운 질의 형성은 요도밑의 질이 형성되었을 위치에 있는 약간의 패인 곳에 가로로 절개를 넣고 방광과 직장사이를 무디게 박리함으로써 형성한다. 박리는 복막까지 진행한다. 완벽하게 지혈한 후 피부절편을 입힌 질모형을 새롭게 형성한 질강 내로 삽입하고 피부절편의 바깥쪽 끝은 회음부에 꿰맨다. 질모형은 소음순을 봉합함으로써 질강 내에서 유지되도록 한다. 수술 직후 환자는 도뇨관을 삽입한 상태에서 절대 안정을 취한다. 변비가 생기지 않도록 저잔류식이(low residue diet)와 완하제를 이용할 수 있다. 질모형이 제거될 때까지 예방 항생제를 투여한다. 수술 일주일 후, 질모형을 제거하고 새로운 질을 반복하여 세척한다. 환자는 이후 매일 질모형을 빼서 소독하고 다시 집어넣는 교육을 받는다. 수술 후 초기 합병증으로는 출혈, 이식 실패, 주변 장기 손상이 있다. 수술 후 직장-질, 요도-질, 방광-질 누공이 가능하다. 육아조직이 발생하면 질산은 소작술이나 절제술을 시행할 수 있다. 수술 후 조직의 수축이 발생할 수 있으며 이는 재수술의 원인이 될 수 있다. 환자의 McIndoe 수술에 대한 만족도는 78-100% 정도이다. McIndoe 수술은 수동적인 확장 기술에 비해 선호되는 일차 치료인 것으로 보인다.

피부절편 대신 흡수 유착방지제인 Interceed를 이용한 McIndoe 수술의 변형도 소개된 바 있다. 이는 신생질강과 질모형 사이에 하나의 막을 형성하여 상피세포의 증식을 원활하게 할 수 있고, 피부이식의 필요성과 그로 인한 반흔의 형성을 막을 수 있다. S자 결장을 이용한 새로운 질 형성도 가능하다. S자 결장은 회음부와 가깝고 그 혈관줄기를 이용할 수 있다는 장점이 있다. 시술은 일단 S자 결장을 분리하여 확보된 질강 내로 끌어내린 다음 회음부에 봉합하는 순서이다. 28명을 대상으로 6.2년 간 추적관찰한 연구에서 S자 결장을 이용한 결과, 4명이 4주 뒤 협착증이 발생하였고 이들은 질확장기구로 치료가 되었다. 한 명의 여성은 새로운 질의 탈출증이 발생하여 골반저에 질을 고정하는 수술을 시행받았다. 성교통을 호소하는 여성은 없었다. Vecchietti 수술은 확장법과 수술법을 복합적으로 이용하는 것으로 개복 또는 복강경을 이용하여 수술할 수 있다. 견인기구, 봉합사 전달기구, 아크릴 올리브(2.2 cm × 1.9 cm)가 수술에 이용된다. 복강 내에서 방광과 직장의 결합부위에 있는 복막을 자르고 무딘 박리술로 방광과 직장을 분리한다. 올리브를 새로운 질이 형성될 부위의 회음부에 위치시킨 후 복강내에서 복부로 실을 당겨 견인되게 하고 이를 고정한다. 치골상부의 견인기구를 이용할 때 하루에 약 1-1.5 cm 길이의 질이 형성된다. 따라서 7-9일 후에 10-12 cm가 된다. 환자는 수술 후 이른 보행을 권장받는데 복부 근육의 수축이 견인력을 증가시켜 질형성을 촉진할 수 있기 때문이다. Vecchietti 수술의 가능한 합병증은 방광과 직장의 손상이다. 이는 봉합사를 전달하는 침을 조심스럽게 통과시킴으로써 막을 수 있다. Vecchietti 수술은 피부절편이 필요 없는 장점이 있다.

2. 수직 융합의 이상

수직 융합의 이상은 아래로 자라는 뮐러관과 위로 형성되는 비뇨생식동에 의해 형성되는 질판의 불완전한 내강 형성 때문에 발생한다. 이는 질입구주름막힘증(imperforate hymen)과 가로질중격(transverse vaginal septum)으로 나누어지며 각각 폐쇄성과 비폐쇄성으로 나뉜다.

1) 임상 양상

폐쇄성 질환인 경우 초경 이후 곧 발견된다. 이 시기에 질혈종 또는 자궁혈종으로 인한 주기적인 골반통이 발생한다. 질검사에서 질입구주름막힘증이나 질내 막성조직을 관찰할 수 있다. 직장검사를 통해 질혈종을 나타내는 질종괴를 만질 수도 있다. 영유아시기에 점액이 많이 차 있는 경우도 보고된다. 그 발생빈도는 1/2,100-1/72,000으로 보고되고 있다. 가로질중격은 위치에 따라 원위부, 중간부, 근위부가 각각 19%, 35%, 46%를 차지한다.

2) 치료

질입구주름막힘증의 경우 폐쇄막을 십자가 모양의 절개를 넣어 질입구주름을 절제하고 지연성 흡수 봉합사를 이용하여 질 점막을 꿰매는 수술적 치료를 한다. 가로질중격의 경우 치료의 첫단계는 주사바늘을 이용하여 막 뒤에 있는 액을 뽑아내는 것이다. 이는 확장된 막 뒤 공간의 위치에 대한 정보와 함께 막의 두께를 가늠하게 한다. 질막에 가로로 절개를 넣은 후 자궁경부를 찾아 박리해 나간다. 가로질중격 뒤에 있는 자궁경부는 질점막의 특성을 가지기보다 내자궁경관의 샘종성 특성을 지닌다. 막 위쪽의 질점막 역시 비슷한 소견을 보이지만 폐쇄가 해결되면 편평상피화를 겪게 된다. 자궁경부를 확인한 후 막을 제거한 질점막을 봉합한다. 때로 막이 두꺼워 봉합이 힘든 경우 관을 거치시켜 놓을 수 있다. 관은 4-6개월간 거치시켜 놓으며 관을 뺀 이후에는 2-4개월간 질확장을 시킨다. 막의 위와 아래쪽이 완전히 막혀있지 않은 경우 수술이 더 어려울 수 있다. 질의 통로를 확인하는 것이 중요하다. 이러한 어려움은 기존 수술의 실패로 인한 유착이 생긴 경우에도 발생한다. 월경혈의 역류로 인해 자궁내막증이 발생할 수 있으며 이를 위해 복강경을 시행할 수 있다. 대부분 정상적인 성관계를 가질 수 있으나 두꺼운 막이 절제된 경우나 수술 후 질확장이 잘 안 된 경우에는 어려움을 겪을 수 있다. 질입구주름막힘증 및 가로질중격 수술 후 임신 성공률에 대한 보고에서 질입구주름막힘증의 86%가 임신되었고 66%가 출산에 성공하였다. 가로질중격의 경우 47%가 임신되었고 36%가 출산에 성공하였다. 가로질중격의 위치에 따른 차이를 보면 막이 질의 중간부, 원위부에 위치한 경우 임신 성공률이 높았다. 이러한 임신 성공률은 증상의 발현부터 치료까지의 기간에 의존하는 것으로 보인다. 조기 발견은 질혈종, 자궁혈종의 가능성과 함께 혈액의 역류로 인한 자궁내막증의 발생 가능성을 낮추어 임신 성공률에 영향을 줄 수 있다. 질입구주름막힘증의 경우 질혈종은 발생하나 혈액의 역류는 상대적으로 적고 근위부 가로질중격의 경우 이른 시기에 혈액의 역류가 발생하고 자궁내막증의 원인이 될 수 있다. 드물게 자궁경부 무발생이나 자궁경부폐쇄가 함께 진단되기도 한다. 치료의 목적은 주기적인 복통을 제거하고 자궁내막증의 형성을 막는 것이다. 자궁과 질 사이에 관을 형성하려는 노력은 감염의 위험성을 높이면서 임신율 감소로 이어진다. 따라서 많은 경우 자궁경부 무발생에서 자궁절제를 선택한다. 그러나 최근에는 보존 수술로도 성공적인 임신과 출산 가능성이 높다는 보고도 많다.

3. 측방 융합의 이상

폐쇄성과 비폐쇄성으로 나뉜다.

1) 폐쇄성 측방 융합의 이상

두 개의 뮐러관의 측방 융합이 실패하거나 한 쪽과 다른 쪽 관이 서로 소통하는 것이 실패하였을 때 발생한다(그림 14-7 참조). 일측 폐쇄에 비해 임상적으로는 양측 폐쇄는 보기 힘들다. 일측 폐쇄인 경우 거의 항상 같은 쪽의 신장 무형성과 동반되므로 양측 폐쇄인 경우 양측 신장 무형성으로 인해 생존하기 힘들기 때문이다. 폐쇄성 측방 융합이상의 경우 폐쇄의 위치에 따라 분류한다. 전형적인 경우는 두 자궁, 두 개의 자궁경부, 두 개의 질을 가진다.

(1) 임상 양상

폐쇄의 위치 및 양쪽 관의 소통 여부에 따라 다양한 정도의 월경통, 복통, 질종괴를 호소한다. 규칙적인 월경은 발생하지만 초경 이후로 점차 심해지는 월경통이 생길 수 있다. 정맥신우조영술을 통해 폐쇄된 쪽의 신장이 없음을 확인할 수 있다. 부분적인 질과의 소통이 있다면 복통과 함께 냄새나는 간헐적인 질분비물이 있다.

(2) 치료

질막을 절제한다. 질원위부의 완전한 폐쇄를 가진 환자의 막을 절제하면 폐쇄되지 않은 쪽은 편평상피세포, 폐쇄된 쪽은 가로질중격과 마찬가지로 원주세포로 이루어져있다. 월경혈액의 역류로 인해 난관혈종, 자궁내막증이 발생하지 않는 한 생식능력은 보존된다. 격리된 자궁뿔이 폐쇄되지 않은 쪽과 소통이 약간 있다면 향후 자궁내막증이나 자궁뿔에서의 임신을 방지하기 위해 폐쇄된 자궁뿔의 절제가 필요하다.

2) 비폐쇄성 측방 융합의 이상

중복자궁, 단각자궁, 쌍각자궁, 중격자궁이 있다.

(1) 중복자궁(Uterus didelphys)

자궁과 질을 포함하는 비폐쇄성 가측 융합의 이상으로 자궁, 자궁경부, 질이 두 개씩이다. 임신능력은 정상이나 불임, 유산, 조산과 연관된다. 많은 경우 성관계는 가능하다. 두 개의 자궁뿔에 동시에 임신이 된 보고도 있다. 때로 질막이 수직으로 있는 경우 질내강이 협소해져서 성교통이 유발된다. 이는 질막이 제거되어야 하는 유일한 상황이다. 다른 치료는 일반적으로 필요하지 않다.

(2) 단각자궁(Unicornuate uterus)

임신능력은 정상이며 질막이 존재하지 않으므로 수술이 필요한 상황은 대개 발생하지 않는다.

(3) 쌍각자궁(Bicornuate uterus)과 중격자궁(septate uterus)

쌍각자궁과 중격자궁의 근본적인 차이는 자궁바닥(uterine fundus)의 모양 차이이다. 쌍각자궁은 두 개의 자궁바닥을 가지지만 중격자궁은 자궁바닥의 겉 모양이 정상이다. 따라서 자궁난관조영술로는 이 둘의 차이를 감별할 수 없다. 그러나 이 둘을 구별하는 것은 임상적으로 중요한데, 쌍각자궁은 임신능력의 저하가 미미하지만, 중격자궁의 경우 반복유산과 같은 임신의 합병증이 증가하기 때문이다. 쌍각자궁 환자는 대개 임신 관련 증상이 없으므로 진단이 안 된 상태로 지내는 경우가 많다. 때로 제왕절개나 불임의 검사를 위한 자궁난관조영술에서 발견된다. 중격자궁은 임신중기의 유산이나 조산의 경우 의심할 수 있다. 그러나 중격자궁이 유산의 원인으로 지목되기 이전에 다른 반복유산의 원인을 배제해야 한다. 쌍각자궁과 중격자궁의 구분은 복강경으로 가장 잘 이루어진다. 쌍각자궁에 있어 자궁바닥의 가운데가 움푹 들어간 모양을 확인할 수 있다. 중격자궁은 수술 치료로 회복이 가능한 반복적 유산 및 조산의 원인이므로 그 원인을 규명하는 것은 중요하다. 중격자궁의 경우 중격을 제거하는 것이 치료이다. 전통적으로 개복하여 Jones 또는 Tompkins 법이 쓰였으나 최근에는 자궁경을 이용한 중격절제가 일차적인 치료이다. 자궁경하 중격절제술 후 36개월을 추적관찰한 연구에서 누적임신율은 63-89%였다. 또한 수술 후 유산의 확률이 줄었다. 임신율과 출산율은 중격을 어떠한 수술기구를 이용하여 제거하였는지와 무관하다.

V. 불임 환자에서의 자궁근종절제술

자궁근종은 여성 생식기에서 생기는 가장 흔한 양성 종양으로 자궁의 여러 부위에서 다양하게 발생하며 가임기 여성에서 약 20%에서 발생하는 것으로 알려져 있다(그림 20-8). 자궁근종과 불임과의 연관성은 명확하게 밝혀지진 않았지만, 다른 원인이 밝혀지지 않은 불임 환자의 경우 근종절제술 후 임신 여부로 간접적으로 평가되고 있다. 불임과 자궁근종의 인과관계는 명확히 밝혀져 있지 않아 자궁근종이 불임의 원인이라고 단정짓기는 어렵다. 따라서 이러한 경우에는 자궁근종 이외의 다른 불임 인자를 면밀히 파악해야 하며 그럼에도 불구하고 원인을 찾을 수 없는 경우에 자궁근종절제술을 고려하여야 한다. 대체로 자궁근종을 가진 여성의 5-10%에서 불임과 연관이 있으며, 그 중 2%에서는 자궁근종 자체가 불임을 초래하는 것으로 알려져 있다.

자궁근종이 보이는 다양한 임상 특징들로 인해 불임과의 인과관계를 결론짓기에 어려운 경우들이 많지만, 현재까지 자궁근종이 불임을 유발하는 기전으로 다음과 같은 몇가지 이론들로 정리할 수 있다. 첫째, 자궁근종의 크기와 위치의 관점에서, 자궁내막하 근종이 자궁내강을 막고 있는 경우는 생식 세포와 배아의 원활한 이동을 방해하여 불임이 될 수 있다는 주장인데, 쉽게 추론이 가능할 것으로 사료된다. 그러나, 미세한 크기의 배아나 생식세포가 자궁근종의 기계적 장애를 많이 받을 것으로 보이지는 않으며, 더구나 난소와 난관이 양측에 존재하고 탄력적인 생식기관의 특성을 고려하면 불임 원인으로 기계적 요인만으로 설명이 어려운 문제가 있다. 둘째로, 자궁근육은 정상적으로 자궁저부 쪽으로 연동운동을 보이는데, 자궁근종이 있으면 이 운동이 생리 주기에 따라 더욱 현저해지기도 하고 감소하기도 한다. 자궁근종은 이런 연동운동에 변화를 줌으로서 체외수정 결과에 영향을 미치는 요인으로 생각되기도 한다. 셋째로, 자궁내막의 사이토카인은 착상과 초기 배아 발달에 영향을 주는 것으로 알려져 있는데, IL10이나 glycodelin 은 점막하근종이 있으면 황체기 중반에 그 농도가 감소하는 것으로 알려져 있다. 따라서, 자궁근종으

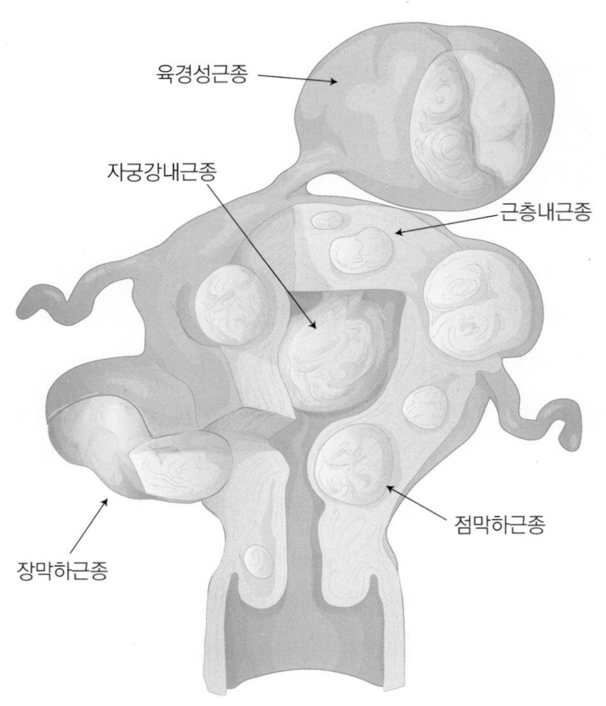

● 그림 20-8. **자궁근종의 위치 및 종류**

로 인한 사이토카인 농도 변화는 불임 기전 중 하나로 여겨진다. 넷째로, 자궁근육층의 저궁내막쪽 1/3 부분을 자궁내막과의 경계부위에 자궁근종은 착상에 필요한 대식세포(macrophage)나 자연살해세포(natural killer cell) 등을 감소시켜 착상을 방해하는 것이 자궁근종과 관련된 불임 유발의 하나의 기전으로 생각된다. 여러 연구를 통해 자궁근종과 불임 간의 관계 규명이 시도되었으나, 잘 구성된 연구가 없으며 모순된 결론을 보이는 경우도 있어 현재 뚜렷한 결론이 없는 상태이다.

자궁근종절제술은 임신을 원하는 여성에서 자궁근종이 유산, 조산, 불임 등의 원인이 되는 경우에 시행할 수 있지만, 수술 중 출혈, 감염, 재발의 위험이 있으며 수술 후 유착의 형성으로 오히려 가임력 저하를 초래할 수도 있음을 시술자는 주의해야 한다. 특히 최근 복강경수술의 확산으로 인하여 복강경 자궁근종절제술 또는 로봇을 이용한 자궁근종절제술을 시행하기도 하지만 적응증이 제한되어 있으며 수술 후 임신율에 대한 명확한 결론이 나와 있지 않은 상태이므로 현재 많은 연구가 진행 중이다(그림 20-9).

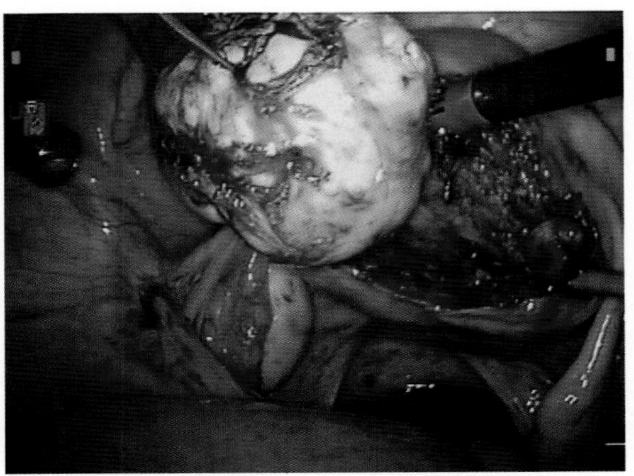

● 그림 20-9. **로봇을 이용한 자궁근종절제술**

자궁근종절제술 후 임신성공률은 보통 40-50%를 나타내지만, 보고에 따라 10-75%로 매우 다양한 연구결과를 보여주고 있다. 또한 Li 등은 자궁근종절제술 후 다른 불임 요인이 동반된 경우는 임신성공률이 38%, 설명할 수 없는 다른 불임 요인이 있는 경우에는 61%라고 하였으며, Rossetti 등은 다른 불임 요인을 동반한 경우 임신성공률은 33.3%, 다른 불임 요인을 동반하지 않은 경우는 70%라고 하였다. 수술 후 임신이 된 경우에 분만 방법에 대해서는 아직 확립되지 않았다. 일반적으로 근종절제술 시행 시 자궁내강이 손상되었거나 크기가 큰 자궁근종을 절제했을 경우, 5개 이상의 자궁근종을 제거하였을 경우 등에서는 제왕절개가 타당하다는 보고가 있으나 대부분의 경우 자궁의 치유가 만족스럽게 이루어지므로 대개는 질식분만을 시도해 볼 수 있다는 의견도 있다. 현재 국내의 대다수의 보고에서도 1-2예를 제외하고는 모두 제왕절개술을 시행하여 분만이 이루어지고 있다. 개복술 후 자궁파열은 수술 중 자궁내강의 개통 유무가 중요한 위험인자로 알려져 있다. Campo 등은 개복술의 경우 근종을 제거하고 나서 여러 층으로 봉합을 하지만, 복강경수술에서 사용되는 일층 팔자형 봉합은 근층 내 자궁근종을 제거한 후 자궁벽이 깊이 파인 경우에는 적합하지 않다고 하였으며, 복강경 시 주로 전기소작으로 지혈을 시키는데 열에 의한 조직 손상의 경우 자궁파열의 위험성이 더 심각하다고 하였다. Dubuisson 등은 복강경 자궁근종절제술을 시행한 후 임신

34주에 자궁이 파열된 예를 보고하면서 근종의 크기가 작은 경우에만 복강경으로 근종절제술을 시행하는 것이 바람직하다고 하였다.

근종절제술 후 재발률은 10-45%까지 다양하게 보고되고 있으나 보통 25%에서 재발한다고 알려져 있으며, 이 중에서 약 8.3%에서 재수술이 필요하다고 보고되고 있고, Vercellini 등은 불임 환자를 대상으로 시행한 복식 자궁근종절제술 후 21%에서 재발하였다고 보고하였다. 따라서 이러한 재발률을 고려할 때 임신을 원하는 환자에서 수술 후 가능하다면 빠른 시일 내에 임신을 서두르는 것이 좋은 결과를 기대할 수 있을 것이다. Sudik 등은 자궁근종 제거 부위의 절개 반흔이 안정이 된 3-4개월 이후부터 환자들에게 적극적으로 임신을 권유해야 하며, 근종절제술 시행 6개월 이후부터 재발이 잘 일어날 수 있으므로 임신까지의 기간은 짧을수록 좋다는 의견을 제시하였다.

자궁근종절제술 후 임신이 되기까지의 기간은 대부분 수술 후 1년 이내로 보고되고 있으며, 수술 후 2년이 지난 후에도 임신이 되지 않는다면, 다른 수태능력을 저하시키는 요인을 찾기 위한 재평가 작업이 필요하며, 특기할만한 이상이 발견되지 않는다면 불임클리닉에서 보다 적극적인 임신방법을 시도해야 할 것으로 사료된다. 환자의 나이에 따른 임신 결과를 살펴보면 Babaknia 등이 35세 이상의 여성에서 임신된 경우가 없었다고 하였으나 Donald 등은 35세 이상의 환자에서 39명 중 8명이 임신되었고, Rosenfeld도 35세 이상의 환자 8명 중 5명에서 임신되었으며 40세 이상 환자 4명 중 2명이 임신되었다고 보고하였다. 하지만, 불임 기간에 따른 수술 후 임신율을 살펴보면 불임 기간이 5년 이내인 경우 수술 후 임신율이 84.6%로 불임 기간이 5년 이상인 경우의 40%에 비해 유의하게 높다는 보고가 있다. 자궁근종의 수, 크기, 위치 등이 임신율에 영향을 주는지는 아직까지 확실하지 않다. 자궁근종의 특성이 임신율에 영향을 주지 않는다는 보고들에서는 자궁근종으로 인해 변형된 자궁내강이 자궁근종을 제거한 후에는 정상 상태를 회복하기 때문에 수술 전의 크기나 위치가 수술 후 임신 성적에 영향을 주지 않는다고 설명하고 있다. 하지만, 자궁의 크기가 10-12주 미만인 경우 임신이 더 잘 되며, 자궁근종이 5개 이상인 경우 임신율이 유의하게 감소한다는 보고에서는 자궁근종의 특성이 임신율에 영향을 줄 것으로 설명하고 있다. 특히 자궁근종의 용적이 클수록 오히려 근종절제술 후 임신율이 증가하는 것은 자궁근종의 크기가 클수록 근종이 불임을 유발하기 때문이라는 설명이다. 자궁내막증 유무와 자궁내강의 개통 여부와 임신율과의 관계를 살펴보면, Mauro는 자궁내막증이 없는 경우가 임신율이 높았지만 통계적 유의성은 없다고 하였으며, 자궁내강의 개통 여부 또한 관련이 없다고 보고하였으며, 본 연구에서도 역시 임신율과 상관관계가 없는 것으로 나타났다. 불임을 주소로 내원한 자궁근종 환자에서 자궁근종절제술을 시행하는 것은 임신 능력을 향상시키는 데 효과가 있으며, 근종과 동반된 심각한 불임 요인이 있지 않다면 근종절제술을 시행하는 것이 성공적인 임신을 기대할 수 있는 방법으로 고려할 만하다. 환자의 나이와 자궁근종의 위치, 불임 기간은 수술 후 임신율에 영향을 미칠 수 있으므로 이를 고려하여 자궁근종절제술을 시행하여야 할 것이다.

** 참고문헌 목록은 대한산부인과내분비학회 홈페이지 http://www.kosge.or.kr 또는 QR코드를 통해 보실 수 있습니다.*

GYNECOLOGIC ENDOCRINOLOGY

부 인 과 내 분 비 학

보조생식술

CHAPTER

21 과배란유도

김성우(서울의대), 서창석(서울의대)

Ⅰ. 서론

Steptoe와 Edward에 의해 시도된 최초의 자연배란주기에서 성숙난자를 취득하여 체외수정을 시행하였다. 이후 난소내 난포의 성장과 배란에 대한 생리학적 이해가 높아짐에 따라 배란유도제를 이용한 과배란유도 방법이 체외수정 시행시 난자 획득을 위한 표준으로 등장하게 되었다. 난소는 난자의 주기적인 배출과 에스트라디올(estradiol, E2), 프로게스테론(progesterone) 등의 스테로이드 호르몬 생산이라는 두 가지 주요한 생리적 역할을 한다. 이런 활동은 난포의 성장과 성숙, 배란 그리고 황체형성과 퇴화라는 일련의 반복적인 과정을 포함하고 있고 이를 난소주기라고 한다. 이 주기는 난포자극호르몬(follicle stimulating hormone, FSH)과 황체형성호르몬(luteinizing hormone, LH)이라는 뇌하수체 생식샘자극호르몬(gonadotropin)에 의해 조절이 되고 이로써 난소 주기의 통제가 가능하게 된다.

사람 난소에서는 일차난포(primary follicle)가 "성장 풀(growing pool)"로 이행하면서 원시난포(primordial follicle)에서 초기 난포 동원(initial recruitment)이 시작된다. 일차난포에서 이차난포(secondary follicle)로 이행하는데 120일 정도 소요되며, 이차난포가 초기동난포기(early antral stage)로 이행하는데는 85일 정도가 추가로 소요된다. 초기동난포에 도달하기 전 까지는 과립막세포(granulosa cell)의 분화 능력이 적고, 스테로이드 효소 발현이 적으며, FSH 수용체의 하향조절(downregulation)로 인해 생식샘자극호르몬 농도와 무관하게 성장한다(gonadotropin independent growth). 동난포의 직경이 2 mm 정도에 도달하게 되면, 초음파검사에서 측정 가능하고, 이때는 생식샘자극호르몬 농도에 민감하게 반응하여 성장한다(gonadotropin dependent growth). 젊은 여성의 정상 월경주기에서는 최초 성장풀에 들어온 400개 정도의 일차난포가 모두 세포고사(apoptosis or atresia)에 빠지고 약 20개 미만의 초기동난포만 관찰할 수 있다. 동난포(2-5 mm) 코호트 중 FSH에 가장 민감하게 반응하여 우성난포(dominant)에 도달하는 난포외에는 역시 세포고사에 이르게 된다. 그러므로 정상 월경주기에서는 단 한개의 우성난포가 생성되어 한개의 난자가 배란되는 정도의 FSH 분비가 이루어지지만, 체외수정을 위한 배란유도시에는 정상 월경주기에서 분비되는 농도보다 많은 양의 생식샘자극호르몬을 체외 주사하여 세포고사에 이르는 난포를 구제(rescue)함으로써 다수의 난포를 자라게 하는 방법이다. 따라서 체외수정을 위한 배란유도시 소위 우성난포가 선택(dominant follicle selection)되는 시기인 월경주기 제 7-9일 이전의 초기 난포기 시기에 생식샘자극호르몬을 주사해야 한다고 생각한 이유는 이 시기에 생식샘자극호르몬이 투여되어야 세포고사되는 난포를 구제하여 다수의 난포를 얻을 수 있다고 믿었기 때문이다. 또한 체외 투여 생식샘자극호르몬의 시작 날짜가 우성난포 선택 이후의 후기 난포기 또는 배란시기에 가까이 갈수록 LH surge에 의한 난자 조기 황체화(early luteinization)로 난자의 질 저하를 초래하여 임신율에 영향을 준다고 인식하고 있었기 때문이다. 한편 체외수정의 발달과 함께 FSH dependent 난포 성장 관련 연구와 달리 FSH independent 난포 성장 관련 연구 실적은 저조한 편이었다. 2000년대 들어서면서 발표된 괄목할 만한 성과는 FSH independent 시기의 동난포이전(preantral follicle) 시기의 난소내 난자 인자(intraovarian factor)에 의한 동난포(antral follicle)로의 이행 조절 관련 연구이다. 원시난포는 AKT, mTOR 시그날링에 의해 일차난포로 발달되도록 자극되어 초기 난포동원(initial recruitment)이 시작되고, dormancy factor에 의하여 억제된다. 일단 난포의 성장이 시작되면 액체가 차 있는 방을 가진 동난포로 진행하기 위해 FSH, 측분비인자(paracrine factor), 과립막세포 유래 측분비 인자(granulosa cell derived paracrine factor: for example granulosa cell derived C-type natriuretic factor: CNP)의 작용으로 동난포로 성장하게 된다. 즉 동물실험에서 동난포 또는 전동난포(preantral follicle)는 CNP를 분비하여 난자의 germinal vesicle breakdown(핵성숙: nuclear maturation)을 억제한다. 특히 월경주기 중반 LH 급증(midcycle LH surge)에 노출된 동난포의 과립막세포는 CNP의 분비가 줄어들어 난자의 감수분열 재개 및 핵성숙이 시작된다.

과배란유도의 역사는 생식샘자극호르몬 개발의 역사라 해도 과언이 아니다. 그러므로 이 장에서는 과배란유도제의 종류 및 특성에 대하여 간단히 알아보고 이를 통한 과배란유도 방법에 대하여 기술하고자 한다. 최초의 생식샘자극호르몬은 이미 1930년도에 돼지 뇌하수체에서 추출하였으며, 이후 양 뇌하수체, 임신양혈청 생식샘자극호르몬(PMSG, pregnant mare serum gonadotropin)이 사용되어 사용되다가 혈중 항체형성(anti-hormone; antibody)으로 효과가 없어지는 현상이 발견되어 1960년대부터는 임상에 사용되지 않는다. 또한 1960년대에 개발된 사람 뇌하수체 추출 생식샘자극호르몬은 사람의 뇌하수체 공급 부족과 의인성(iatrogenic) Creutzfeldt-Jakob 병의 발병 가능성으로 20년 정도 사용 후 생산 중단되었다. 초기 형태의 과배란유도제는 폐경 여성이 혈중 FSH 농도가 높아 배출된 소변에서 다량의 FSH를 추출하기 용이하므로 주로 폐경 후 여성 소변에서 추출한 제제(hMG, human menopausal gonadotropin)들이 주로 사용되었다. 초기 상용화된 hMG 제제는 Pergonal (Serono Pharmaceutical)이라는 상품명으로 시판되었으며, 75 IU FSH+75 IU LH를 1:1로 포함하고 있다. 그러나 이 제제는 효과의 우수성에도 불구하고, 제조 공정상 약효에 대한 batch to batch 변동이 있고, 원하지 않는 소변 단백질이 포함되어 주사시 알러지 등의 부작용을 유발하고, 1 앰플(ampule)의 hMG 제제를 생산하는 필요한 소변의 양이 3.5 L 정도인데 1980년대부터 유행하던 폐경후 호르몬치료로 인해 선진국에서 수거된 소변에서는 원하는 양만큼 충분한 FSH를 얻을 수 없는 문제점에 노출되었다. 이러한 문제점 중 8 단계의 정제 작업을 통해 소변 단백 불순문을 제거한 고순도요추출 hMG (highly purified hMG, HP-HMG, menopur, Ferring Pharmaceutical, highly purified metrodin, metrodin HP, Serono)를 개발하였다. 그러나 이 제제도 hMG에 비해 4% 정도의 요단백을 포함하고 있었다. 또한 이 제제의 특성상 LH가 포함되어 있지 않아 시상하부 무월경(hypothalamic amenorrhea) 환자에서는 단독으로 사용할 수 없는 단점이 있다. 결국 약리학적으로 순수한 형태인 재조합(recombinant) 제제들(재조합 FSH, 재조합 LH, 재조합 hCG)이 개발되어 현재 임상적으로 사용 가능하게 되었다. 이런 난포자극호르몬(FSH)과 황체형성호르몬(LH) 제제의 역할을 이해하고 단독 또는 조합하여 사용함으로써 과배란유도 시 좀 더 전략적인 임상적 사용을 할 수 있게 되었으며 원하는 치료 결과에 맞는 맞춤형 치료가 가능하게 된 것이다.

과배란유도 시 반응 정도는 혈청 에스트라디올(E2) 농도 측정과 질초음파를 통해서 관찰한다. 이러한 반응 관찰은 생식샘자극호르몬을 투약한 지 3-5일 후에 처음 이루어지고 그 반응 정도에 따라 향후 용량을 조정하게 된다. 이후 반응 정도에 따라 1-3일 간격으로 유동적으로 관찰한다. 일반적으로 생식샘자극호르몬 사용은 적어도 2개 이상의 난포가 17-18 mm 크기에 다다르고 다른 난포들이 14-16 mm 정도 되며 혈청 에스트라디올(E2) 수치가 전반적인 크기와 성숙도를 반영할 때까지 지속한다. 대부분 여성들은 7-12일 간 배란유도제를 사용하게 된다.

과배란유도를 통해 난포성숙이 충분히 이루어진 후 마지막 단계로 난포발달을 자극하기 위해 요 사람 융모생식샘자극호르몬(urinary hCG, u-hCG) 5,000-10,000 IU 또는 재조합 사람 융모생식샘자극호르몬(recombinant hCG, rhCG) 250 μg을 주게 된다. 두 제제를 비교한 7개의 연구를 검토한 결과 임상적인 차이가 없다는 결론을 얻었다. 사람 융모생식샘자극호르몬(hCG)을 투약하는 날 혈청 프로게스테론(progesterone) 수치가 올라간 경우 임신율이 저조한 것으로 밝혀져 이런 경우에는 배아동결을 시행하고 이후 동결배아이식을 진행하는 것을 고려해야 한다. 만명 이상의 여성을 대상으로 한 대규모 연구에 따르면 4개 이하의 난자가 채취된 경우 혈청 프로게스테론 수치가 1.5 ng/mL 초과인 경우, 20개 이상 채취된 고반응군에서는 2.25 ng/mL 초과인 경우, 그 사이 정상반응군에서는 1.75 ng/mL 초과인 경우 혈청 프로게스테론 수치 상승이 임상적 임신율의 저하와 연관이 있다고 밝히고 있다.

과배란유도 시 생식샘자극호르몬방출호르몬(GnRH) 길항제 사용한 경우 난포성숙을 위해 사람 융모생식샘자극호르몬(hCG) 대신 내인성 황체형성호르몬 급증(LH surge)을 유도할 수 있는 생식샘자극호르몬방출호르몬(GnRH) 작용제를 사용할 수 있다. GnRH로 난포성숙을 유도하는 것은 사람 융모생식샘자극호르몬(hCG) 투약하는 것에 비해 반감기가 짧아서 난소과자극증후군을 예방할 수 있는 장점이 있으나 사람 융모생식샘자극호르몬(hCG)에 비해 황체기 동안 프로게스테론 생성이 적어 임신율이 저하된다는 연구도 있어 난자채취 이후 바로 이식을 고려하는 경우 적절한 황체기 보강이 필요하다.

난자채취는 일반적으로 사람 융모생식샘자극호르몬(hCG) 투약 후 34-36시간 만에 행해진다. 투약 후 채취까지의 시간 간격이 조금 늦어진다고 해서 조기 배란의 위험이나 난자 질, 수정률 등에 부정적인 영향을 끼치지는 않는다. 하지만 조기에 채취할 경우 성숙난자의 수가 줄어들게 된다. 간혹 공난포증후군(empty follicle syndrome)이라고 해서 정상적인 다발 난포발달을 보이는 데도 불구하고 난자채취에 실패하는 경우가 있다. 이는 주기당 0.5-1% 정도로 보고되고 있으며 주로 사람 융모생식샘자극호르몬(hCG)가 늦게 투약되었거나 투약을 잊은 경우가 대부분이다.

과배란유도 시 GnRH 작용제 혹은 길항제를 함께 사용하는 경우 투약 중단 후에도 일정 기간 동안 내인성 황체형성호르몬(LH) 분비가 억제되기 때문에 황체기능을 유지할 정도가 되지 않아 착상과 조기 임신의 유지를 위해 프로게스테론 보충이 필요한 경우가 많다. 대부분 난자채취일에 시작하여 임신 첫 삼분기가 끝나기 전, 즉 임신 제 8-12주까지 투약을 하게 되며 투약 경로는 근주, 경구, 질정형태 등이 있다.

1. 난포자극호르몬(FSH)

전동단계(pre-antral stage)의 난포는 생식샘자극호르몬과 상관없이 독립적으로 성장하게 된다. 그러나 동(antrum)의 생성부터는 난포자극호르몬(FSH)의 자극이 필요하게 된다. 황체기-난포기 이행기(luteal-follicular transition) 동안 증가하는 난포자극호르몬(FSH) 수치가 난포동원의 강력한 자극원이 된다. 우성난포의 선택은 발달 상태에 따른 난포자극호르몬(FSH)과 황체형성호르몬(LH)에 대한 반응 차이로 설명될 수 있다. 난포자극호르몬(FSH)에 가장 잘 반응하는 난포가 과립막 세포에서 제일 먼저 에스트로겐을 분비하게 되고 이는 시상하부-뇌하수체 축에 음성 되먹임 작용을 하여 뇌하수체에서 난포자극호르몬(FSH) 분비를 억제하게 한다. 따라서 보다 높은 난포자극호르몬(FSH) 역치를 가진 나머지 다른 난포들은 난포자극호르몬(FSH) 결핍으로 퇴화되고 결국 배란되지 못하게 된다. 반면 우성난포는 계속 성장하게 되고 지속적으로 에스트로겐을 분비하게 된다.

난포자극호르몬(FSH) 수용체는 G-단백 수용체의 일종으로서 광범위한 세포막외 리간드결합 부위(extracellular ligand-binding domain)를 가지고 있다. 이 수용체 유전자에 돌연변이가 생기면 그 역할에 영향을 주어 난포자극호르몬(FSH)에 대한 저항성이 발생할 수 있다. 최근 연구에서는 난포자극호르몬(FSH) 수용체의 유전자 다형성(polymorphism)에 따라 난소 반응을 설명하고 있는데 유전자형에 따라 혈중 기저 난포자극호르몬(FSH) 수치에 차이가 있으며 Ser/Ser 동형접합(homozygous) 군에서는 Asn/Asn 및 Asn/Ser 군에 비하여 난포발달에 더 많은 양의 생식샘자극호르몬이 필요하고 채취된 난자수가 더 적었다고 하였다. 이를 통해 난포자극호르몬(FSH) 수용체의 유전자 다형성이 난포자극호르몬(FSH) 자극에 대한 생리적인 반응 정도를 결정하는 인자 중 하나라는 것을 유추할 수 있겠다.

2. 황체형성호르몬(LH)

황체형성호르몬(LH)은 난포막세포를 자극하여 안드로겐(Androgen)을 생산하고 배란을 유도하며 황체를 유지하는 기능을 한다. 난포기 후기에는 과립막세포가 황체형성호르몬 자극에 반응을 하게 되어 황체형성호르몬이 난포막세포와 과립막세포 모두에 작용하게 된다. 난포기 중기에 우성난포가 10 mm 이상의 크기에 도달하게 되는데 황체형성호르몬이 난포막세포로부터 안드로겐 전구체를 생산하면 이것이 과립막세포로 들어오게 되고 난포자극호르몬 작용으로 활성화된 방향효소(aromatase)에 의하여 에스트라디올(E2) 합성이 증가되게 된다. 이를 2-세포, 2-생식샘자극호르몬 모형(two-cell, two-gonadotropin model)이라고 한다.

난포발달 단계에 따라 적당한 정도의 황체형성호르몬이 요구되는데 정상적인 난포와 난자 발달에 실제로 필요한 황체형성호르몬의 양은 매우 적다. 저생식샘자극호르몬-생식샘저하증(hypogonadotropic hypogonadism) 환자에 있어서 정상적인 난포기능을 위해 필요한 황체형성호르몬 요구량은 에스트라디올의 측정을 통해 유추하였을 때 재조합 황체형성호르몬으로써 하루 75 IU이었다. 이처럼 황체형성호르몬은 에스트로겐합성과 우성난포 형성에 필수적이지만 오히려 지나치게 많이 주었을 때는 난자퇴화나 조기 황체화를 유발하고 난자 발달에 좋지 않은 영향을 끼치게 된다. 이를 황체형성호르몬 천장효과(LH 'ceiling' effect)라 하며 이는 임상적으로 잘 알려진 두 가지 결과에 의해 입증된다.

우선 다낭난소증후군처럼 무배란 여성에게 클로미펜을 사용하는 경우 클로미펜이 난포자극호르몬(FSH)을 증강시키는 역할도 하지만 황체형성호르몬도 상승시켜 이미 황체형성호르몬이 높은 다낭난소증후군 환자의 임신율을 떨어뜨리기도 하며 GnRH 작용제 단기 투여법(flare protocol)에서도 마찬가지로 부적절하게 높은 황체형성호르몬이 임신율 하락과 조기 유산율을 상승시킬 수 있다는 점이다. 이처럼 성공적인 난포발달과 임신을 위해 필요로 하는 적정 황체형성호르몬의 수치 범위를 '황체형성호르몬 범위(LH window)라고 일컫는데 이는 배란유도 시 황체형성호르몬 용량이 너무 높거나 낮아도 좋지 않음을 뜻한다.

II. 분류

2007년 International Society for Mild Approaches in Assisted Reproduction (ISMAAR)에서는 4가지 과배란유도법에 대한 용어와 그 방법을 통일하여 제안하였으며 2009년 International Committee for Monitoring Assisted Reproductive Technology (ICMART)에서는 WHO와 공동으로 이 안을 채택하였다(표 21-1). 이 안에서는 기존에 개념이 애매하던 연자극법(soft stimulation)과 최소자극법(minimal stimulation)을 모두 경자극법(mild stimulation)으로 통일하고 자연주기를 아무 약도 쓰지 않은 경우로 한정한 것이 특징이다.

표 21-1. ISMAAR에서 제안한 과배란유도법에 대한 통일된 용어

통일된 용어	기존 용어	예상난자수	방법
자연주기 (natural cycle IVF)	unstimulated, spontaneous cycle IVF	1	• 투여약제 없음
변형 자연주기 (modified natural cycle IVF)	semi-natural, controlled natural cycle IVF	1	• 융모생식샘자극호르몬 사용 • 난포기 후기에 생식샘자극호르몬 병합 • 생식샘자극호르몬방출호르몬 길항제 사용
경자극법 (mild IVF)	soft, minimal stimulation, 'friendly'IVF	2–7	• 저용량 생식샘자극호르몬 • 클로미펜 또는 레트로졸과 생식샘자극호르몬의 병합 • 생식샘자극호르몬방출호르몬 길항제 사용
표준자극법 (conventional IVF)	standard, routine IVF	≥8	• 표준 용량 생식샘자극호르몬 • 생식샘자극호르몬방출호르몬 작용제 또는 길항제 사용

1. 생식샘자극호르몬의 선택

1) 사람 폐경생식샘자극호르몬(human menopausal gonadotropin, hMG)

사람 폐경생식샘자극호르몬(hMG)는 75 IU의 난포자극호르몬(FSH)과 75 IU의 황체형성호르몬(LH)을 함유한다. 다년 간 사람 폐경생식샘자극호르몬(hMG)이 임상적으로 유용한 유일한 요 생식샘자극호르몬(urinary gonadotropin)이었다. 비록 이론적으로는 동일한 양의 난포자극호르몬(FSH)와 황체형성호르몬 비율을 가지지만 batch에 따라 비율이 달라질 수 있고 이들의 조합 차이는 환자들에게 다른 반응을 야기할 수 있다. 사람 폐경생식샘자극호르몬 내에는 다양한 종류의 단백질이 포함되어 있는데 이들 중에는 종양괴사인자결합단백(tumor necrosis factor binding protein) I, transferrin, urokinase, Tamm-Horsfall 당단백(glycoprotein), 상피세포성장인자(epidermal growth factor), 면역글로불린관계단백(immunoglobulin-related protein) 등이 있다. 비록 사람 폐경생식샘자극호르몬(hMG)이 안전하고 효율적이기는 하지만 이러한 단백질은 면역 작용과 관련된 국소 통증과 알레르기 반응을 일으킬 수 있다.

2) 순수 난포자극호르몬(pure FSH)

사람 폐경생식샘자극호르몬의 정제 요법이 발달함으로써 황체형성호르몬 활성도를 감소시킨 순수 난포자극호르몬(pure FSH)의 제조가 가능하게 되었다. 1980년대 황체형성호르몬 성분을 면역적인 방법으로 제거한 Metrodin®이 도입되었는데 이는 1% 미만의 황체형성호르몬을 함유하며 5% 미만의 단백질을 가진다. 순수 난포자극호르몬(pure FSH) 제제를 개발하려는 이유는 좀 더 순수한 제품을 획득하는 것 외에도 내인성 황체형성호르몬 수치가 상승된 환자에게 외인성 황체형성호르몬 투여없이 난포자극호르몬 단독 사용으로도 난포발달을 일으킬 수 있다는 이론에 바탕을 두고 있다. 그리고 사람 폐경생식샘자극호르몬에 함유된 황체형성호르몬이 내인성 황체형성호르몬이 증가되어 있는 환자에게 있어서 높은 빈도의 합병증을 일으킬 수 있다는 점도 개발 이유 중의 하나라 들 수 있겠다. 그러나 다른 연구에서는 비록 순수 난포자극호르몬 투여 시 사람 폐경생식샘자극호르몬을 사용한 경우보다 낮은 황체형성호르몬 수치를 보여주지만 난소과자극증후군의 발생을 포함한 임상적 결과가 두 생식샘자극호르몬의 비에 좌우되지는 않는다고 하였다. 보다 순수한 난포자극호르몬 제제를 얻고자 하는 노력이 순도 95% 이상의 면역여과를 거친 Metrodin®의 생산을 이루게 하였고 마침내 1993년도에 개발된 고순수 난포자극호르몬(highly purified FSH, Metrodin-HP®)은 0.1% 미만의 황체형성호르몬과 4% 정도의 단백질을 가지게 되어 피하주사가 가능하게 되었다.

3) 재조합(recombinant) 제품

고도로 정제된 요 난포자극호르몬(urinary FSH, uFSH)의 생산 이후 재조합 기술을 통한 난포자극호르몬 생산에 많은 발전이 있었다. 초기 기술은 대장균과 같은 세균에서 생물학적인 분자를 생산해 내는데 초점을 맞추었다. 그러나 난포자극호르몬과 같은 사람 생식샘자극호르몬의 복잡한 구조-단백질접힘(protein folding)과 당화(glycosylation)을 통한 전사 후 변형(post-translational modification)-때문에 원핵세포에서 기능적인 단백의 생산이 어려웠다. 이후 중국 햄스터 난소에서 생산된 기능적 분자를 가지고 포유류의 세포 배양 시스템이 사용되었다. 재조합 난포자극호르몬(recombinant FSH, rFSH)는 황체형성호르몬과 소변에서 유래된 단백질이 완전히 배제된 것으로 세계 최초의 재조합 난포자극호르몬(rFSH)인 follitropin-α는 1988년 Serono사에서 개발하였으며 1995년도에 Gonal-F®라는 상품명으로 유럽 연합에서 판매 승인을 받게 되었다. 또 다른 재조합 난포자극호르몬인 follitropin-β (Puregon®) 역시 1996년도에 Organon사에 의해 판매되기 시작하였다. 이 밖에도 재조합 황체형성호르몬(rLH, Luveris®)과 재조합 사람 융모생식샘자극호르몬(rhCG, Ovidrel®, Ovitrelle®)이 Serono사에서 개발되어 임상적으로 유용하게 사용되고 있다. 재조합 난포자극호르몬과 재조합 황체형성호르몬 복합체인 Pergoveris® 역시 현재 개발되어 이용 가능하게 되었다. 이는 재조합 난포자극호르몬과 재조합 황체형성호르몬이 2:1 비율로 들어간 제제로 저생식샘자극호르몬-생식샘저하증 환자의 치료를 위하여 개발된 제제이다. 최근에는 Ferring사에서 포유류가 아닌 사람세포주에서 유래한 재조합 난포자극호르몬인 follitropin-δ (Rekovelle®)를 개발하였고 임상시험을 거쳐 대한민국에서 시판 중에 있다.

여러 재조합 생식샘자극호르몬이 재조합 DNA 기술로 생산 가능하게 되었고 요유래 제제에 비해 다음과 같은 장점을 가진다.

- 소변 유래 생식샘자극호르몬 제제에서의 광우병 유발인자 단백의 전염성에 대한 우려
- 제조 시작부터 최종 상품까지 추적 가능
- 고순도와 명확한 활성도
- 무제한 공급 가능성과 일관적인 농도
- 다른 생식샘자극호르몬이 섞이지 않은 완벽한 순수성

최근에는 recombinant hFSH에 대한 2개의 바이오시밀러 제품이 개발되어 일부 국가에서 시판되고 있으나 한국에는 아직 소개되고 있지 않다. 바이오시밀러 제품중 Ova-leap (Teva B.B., Haarlem, Netherlands)은 유럽에서 2013년 시판 허가를 받았으며, Bemfola (Afolia, Finox Biotech AG, Balzers, Liechtenstein)은 2015년 유럽에서 시판 허가를 받았다. 바이오시밀러는 소위 복제약과는 다르며, 복제약은 약물의 화학적 성분이 같아 효능-효과가 같다고 판단되어 생물학적 동등성 검사만 입증되면 식약처의 허가가 가능하나, 바이오시밀러는 배양 조건에 따라 오리지널 약품과 똑같은 복제약을 제조하는 것은 불가능하여 단지 유사한(biosimilar) 복제약을 개발할 수 있다. 따라서 바이오시밀러의 경우에는 비임상-임상 시험에 통과해야 한다. 고가의 오리지널 바이오 의약품에 비해 상대적으로 저렴한 장점이 있다.

4) 사람 융모생식샘자극호르몬(human chorionic gonadotropin, hCG)

과배란유도 시 최종적인 배란 촉발을 위해 사람 융모생식샘자극호르몬(hCG)을 사용하게 되는데 이것은 자연적인 황체형성호르몬 급증(LH surge)을 대신하는 것이다. 성숙난포가 존재할 때 사람 융모생식샘자극호르몬(hCG)을 주게 되면 과립막세포의 황체화가 일어나게 되고 프로게스테론(progesterone)의 합성이 시작되며 감수분열의 재개와 난자성숙이 유도된다. 그리고 곧 36-40시간 후 난포파열(follicular rupture)이 일어나게 된다. 이러한 일련의 과정들은 성숙난포의 크기가 적당하고 과립막세포와 난포

막세포의 반응성이 적당할 때 황체형성호르몬 수용체를 통하여 일어난다. 사람 융모생식샘자극호르몬은 황체형성호르몬과의 상동성으로 인해 황체형성호르몬 급증(LH surge)의 대안으로 사용되어 왔다. 두 호르몬 모두 분자량이 30 kDa 정도이며 거의 동일한 α아단위와 고농도의 시스테인기를 가진다. 가장 중요한 점은 둘 다 황체화를 유도하고 황체세포(lutein cell)의 성장을 유지한다는 점이다. 둘의 가장 큰 차이점은 β 아단위이며 이로 인해 분해 및 배설 등의 약동학에 차이가 나게 된다. 사람 융모생식샘자극호르몬은 황체형성호르몬에 비해 혈장 내 배설 속도가 느리다. 즉, 근주로 줄 경우 첫 5-9시간 이내 급격히 사라지게 되지만 이후 1-1.3일 동안 서서히 배설된다. 정주로 주입한 경우 재조합 사람 융모생식샘자극호르몬(rhCG)은 최초의 반감기와 최종 반감기가 각각 5.5±1.3시간과 3.1±3.0시간인데 재조합 황체형성호르몬은 각각 1.2±0.2시간과 10.5±7.9시간이다. 사람 융모생식샘자극호르몬 투여 10일 후에도 10% 정도의 사람 융모생식샘자극호르몬이 검출된다. 일부에서는 사람 융모생식샘자극호르몬에 대항하는 혈청인자의 존재를 언급하기도 하는데 그것은 반복 투여를 받은 여성에서 사람 융모생식샘자극호르몬의 반감기를 유의하게 증가시키는 작용을 한다고 한다.

사람 융모생식샘자극호르몬은 긴 반감기로 인해 간혹 임신으로 인해 합성되는 사람 융모생식샘자극호르몬과 혼돈을 일으킬 수 있다. 사람 융모생식샘자극호르몬으로 인해 생기는 추가적인 영향으로 지속적인 황체유지 효과(luteotrophic effect), 다발 황체 형성(multiple corpora lutea), 에스트로겐(estrogen)과 프로게스테론의 과도한 생성 등을 들 수 있는데 황체의 지속적인 자극은 난소과자극증후군을 일으키게 할 수도 있다. 사람 융모생식샘자극호르몬 투여는 황체형성호르몬 투여와 유사한 효과를 보이기는 하지만 배란기에 관찰되는 난포자극호르몬 급증을 유도하지는 않는다. 내인성 황체형성호르몬과 비교했을 때 차이점은 사람 융모생식샘자극호르몬은 황체기에 과도한 에스트로겐과 프로게스테론을 유도한다는 점인데 이는 상대적으로 높은 착상 실패와 조기 유산과 관련성이 있다고 볼 수 있다. 또한 지속적인 사람 융모생식샘자극호르몬의 작용으로 작은 난포가 후속적으로 배란되어 다태아 발생의 원인이 될 수 있다는 점이다.

난자성숙과 배란을 위해 필요로 하는 최소한의 사람 융모생식샘자극호르몬 용량을 알아보기 위하여 요 사람 융모생식샘자극호르몬(uhCG) 2,000 IU, 5,000 IU, 10,000 IU을 각각 투여해본 연구에 의하면 5,000 IU와 10,000 IU를 준 두 군 간 난자 회수율은 유사하였다. 그러나 2,000 IU를 사용한 군에서는 유의하게 적은 수의 난자가 채취되었다. 재조합 사람 융모생식샘자극호르몬 250 μg은 요 사람 융모생식샘자극호르몬 5,000 IU와 동등한 효과를 가지는 것으로 보고되었으며 500 μg을 투여한 경우에는 더 많은 난자를 채취하였지만 난소과자극증후군의 발생이 3배 높았다.

5) 지속성 생식샘자극호르몬(long-acting recombinant gonadotropin)

재조합 DNA 기술력으로 지속성 재조합 난포자극호르몬(long-acting recombinant FSH)이 새로이 개발되었다. Corifollitropin-α (Elonva®)는 황체형성호르몬에 사람 융모생식샘자극호르몬의 β 아단위의 C-말단단백질을 접합시킨 일종의 키메라 단백질로서 재조합 황체형성호르몬과 약리적으로 동일한 효과를 가지면서도 재조합 황체형성호르몬보다 3배 이상 긴 반감기를 가지고 있어(95시간 대 32시간) 한번 투여로 1주일 간 지속적으로 다수의 난포성장을 유도할 수 있어 편리하다. 60 kg 이하의 여성에게는 100 μg을 한번 투여하며 60 kg 초과 여성에게는 150μg을 한번 투여한다. 1주 후 난소반응을 관찰하여 성숙난포에 도달하지 못하였을 때는 재조합 황체형성호르몬을 추가적으로 매일 투여한다. 이 방법과 재조합 황체형성호르몬 매일 투여법을 비교 시 난자수는 13.7 대 12.5, 임신율은 38.9% 대 38.1%, 난소과자극증후군의 빈도는 4.1% 대 2.7%로 비슷하였다.

6) 재조합 황체형성호르몬(recombinant LH, rLH)

재조합 황체형성호르몬은 최종 난자성숙을 위하여 사람 융모생식샘자극호르몬 대신 사용할 수 있다. 사람 융모생식샘자극호르몬만큼 효과적이며 반감기가 사람 융모생식샘자극호르몬보다 더 짧기 때문에 난소과자극증후군 고위험군 환자에게 적합하다. 그러나 임상 적응증은 아직 정립되지 않은 상태이다. 과배란유도제로서 사람 융모생식샘자극호르몬은 저생식샘자극호르몬-생식샘저하증 환자에서는 황체형성호르몬과 더불어 사용한다는 것은 잘 알려져 있지만 최근에는 저반응군이나 고연령 등의 난소예비능이 감소된 환자에서 황체형성호르몬을 이용하여 과배란시킬 경우 난포기후기에 재조합 황체형성호르몬을 추가적으로 투여하면 임신율을 증가시킬 수 있다는 보고가 있다.

Ⅲ. 뇌하수체 억제법에 따른 분류

GnRH 작용제 장기 투여법은 1980년대 후반에 도입되었으며 이는 내인성 뇌하수체 생식샘자극호르몬의 분비를 억제함으로써 외인성 생식샘자극호르몬 투여시 황체형성호르몬의 조기 급증(premature LH surge)을 막을 수 있게 하였다. 도입 이후 조기 황체화를 확인하기 위해 자주 혈청 생식샘자극호르몬을 측정할 필요가 없게 되었다. 도입 이전 난자채취 이전 주기 취소율은 약 20%에 달하였으나 GnRH 작용제 장기투여법을 적용한 경우 황체형성호르몬의 조기 급증 발생률은 한 주기 당 2% 이하이기 때문에 난포가 좀 더 크고 성숙해질 때까지 과배란유도를 할 수 있게 되었다. 많은 임상 시험에서 생식샘자극호르몬 단독으로 사용한 경우보다 주기 당 채취 난자수 및 임신율이 유의하게 높았음을 보여주었다. GnRH 작용제 투여가 스케줄의 가변성으로 인해 더욱 각광받아 선호되는 과배란유도법이

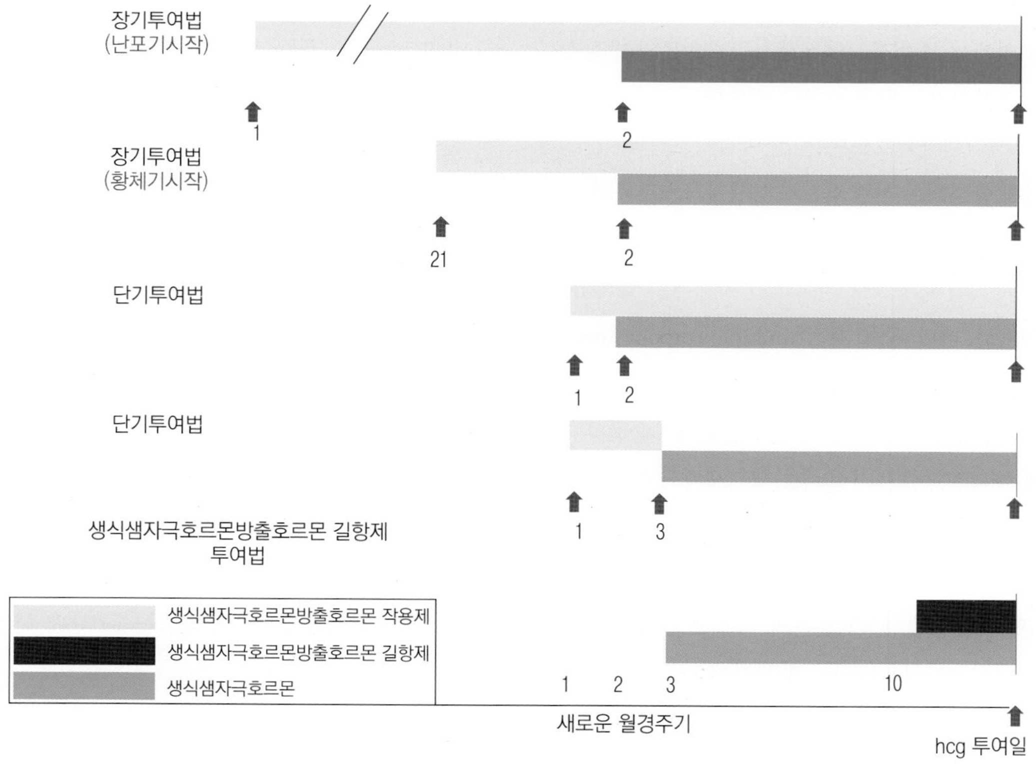

● 그림 21-1. **과배란유도법**

된 것은 놀라운 일이 아니다. GnRH 작용제 장기투여법의 유일한 단점은 생식샘자극호르몬에 대한 반응을 약화시켜서 생식샘자극호르몬의 사용량과 기간을 증가시켜 보조생식술 치료 비용의 증가를 가져오게 된다는 점이다. 그럼에도 불구하고 GnRH 작용제는 장점이 많아 현재도 난소과자극시 사용되고 있는 뇌하수체 억제법이다.

1. 생식샘자극호르몬방출호르몬 작용제 장기 투여법(GnRH agonist long protocol)

GnRH 작용제 투여 시 대개 배란 1주일 후인 황체기 중기(월경주기가 28일임을 가정했을 때 21일째부터)에 투약을 시작하게 된다(그림 21-1). 투여 전 혈청 프로게스테론(progesterone)을 측정하여 배란이 일어났는지 확인을 하기도 한다. GnRH 작용제 투여 시 저장된 뇌하수체 생식샘자극호르몬이 즉시 분비되는 flare 효과가 발생할 수 있다. 월경주기가 불규칙적인 여성에는 월경 시작일을 조절하기 위해 경구피임약이 사용될 수 있으며 피임제 중단 1주 전에 GnRH 작용제를 시작한다. 미국에서는 피하로 투약하는 leuprorelin이 가장 널리 사용되며 유럽에서는 비강흡입형 buserelin, 피하 주사제인 triptorelin이 널리 사용된다. Leuprorelin과 triptorelin은 대개 1 mg을 황체기 중기부터 시작해서 10일 간 또는 월경시작일까지 사용하고 이후에는 hCG 투여일까지 0.5 mg으로 감량해서 사용하게 된다. Leuprorelin과 goserelin 등의 장기형 데포 제제는 편리하기는 하지만 비싸고 생식샘자극호르몬의 총 사용량과 기간이 증가된다는 단점이 있다. 장기 데포제제는 자궁내막증 환자의 체외수정시 사용하면 임신율에 이롭다는 보고가 있다.

생식샘자극호르몬은 뇌하수체 억제가 되어 있음을 확인한 후 시작하게 되는데 이는 혈청 에스트라디올(E2) <30-40 pg/mL 정도이고 10 mm 이상의 난포가 없다는 것으로 가늠한다. 일부 여성들에서는 뇌하수체 억제를 위해 좀 더 장기간의 투약이 필요하거나 난소낭종이 생기는 경우도 있다. 이 난소낭종의 중요도에 대해서는 아직 정해진 바가 없다. 일부에서는 난소낭종이 존재하면 생식샘자극호르몬에 대한 반응이 감소한다고 보기도 하는데 이는 채취 난자수의 감소 및 임신율 감소로 이어질 수 있다. 일반적으로 난소낭종이 있는 경우와 생식샘자극호르몬방출호르몬 작용제 사용 기간이 긴 여성에게 있어서 생식샘자극호르몬에 대한 반응이 낮았고 임신율도 낮은 것으로 알려져 있다. 과배란유도 직전에 난소낭종 흡인술을 시행하는 것이 채취되는 난자수 및 임신율에 긍정적인 영향을 끼치지 않는다고 알려져 있어 다른 적응증이 있지 않는 한 추가적인 마취가 필요한 난소낭종 흡인술을 시행하지 않는 것이 좋다.

생식샘자극호르몬의 초기 용량은 개개인의 상태에 따라 맞춰져야 한다. 통상적인 시작 용량은 하루 150-300 IU 사이로 연령, 난소예비능, 이전 주기 반응에 따라 달라 진다. 단계적 증량(step-up) 또는 단계적 감량(step-down) 방법이 모두 사용되지만 후자가 더 선호되는 편이다.

많은 임상 시험과 메타분석에서 GnRH 작용제 사용 유무와 관계없이 사람 폐경생식샘자극호르몬(hMG), 순수 난포자극호르몬(purified FSH), 재조합 난포자극호르몬(rFSH) 중 어느 하나가 다른 제제보다 우수하다는 결과를 발표하지 못하였다. 그러나 사람 폐경생식샘자극호르몬(hMG)과 재조합 난포자극호르몬(rFSH)의 사용을 비교한 7개 임상시험의 메타분석에서는 사람 폐경생식샘자극호르몬 사용 시 유의하게 높은 생존아 출산율을 도출하였다. 출산율 차이는 4%였지만 통계적으로 유의미하였다(상대위험도=1.18, 95% 신뢰구간=1.02-1.38).

GnRH 작용제를 투약한 뒤에는 황체형성호르몬이 낮게 유지되는데 황체형성호르몬 수용체의 약 1%만 채워져도 정상적인 성호르몬 생성이 유지되므로 요난포자극호르몬(uFSH) 또는 재조합 난포자극호르몬 단독으로만 사용하여도 대부분 여성에게서 정상적인 난포성장을 기대할 수 있다. 그러나 황체형성호르몬(LH)이 1.0 IU/L 미만으로 억제되었을 때 난포자극호르몬(FSH) 단독으로 사용하는 경우 생식샘자극호르몬의 사용량과 기간이 증가하고 최고 에스트라디올(E2) 수치가 낮아지며 채취난자수와 수정률도 감소하게 된다. 극단적으로 낮은 황체형성호르몬

(LH) 수치 역시 수정과 착상 그리고 임신율에 부정적인 영향을 줄 수 있으며 화학적 임신율과 조기 유산의 빈도도 증가할 수 있다. 재조합 난포자극호르몬(rFSH)을 단독 사용한 경우와 재조합 난포자극호르몬과 재조합 황체형성호르몬(rLH)을 병합하여 사용한 경우를 비교한 11개 임상 시험의 메타분석에서는 임상적 임신율과 임신 지속률 사이에는 큰 차이가 없었다. 그러나 저반응군을 포함한 3개의 임상시험에서는 병합 사용한 군에서 임신율이 더 높았는데(상대위험도=1.85, 95% 신뢰구간=1.10-3.11) 이는 일부 특정군에서 병합 사용이 더 좋은 결과를 낼 수 있다는 근거가 되는 것이다.

2. 생식샘자극호르몬방출호르몬 작용제 단기투여법(GnRH agonist short protocol, flare protocol)

단기투여법 또는 flare 방법은 GnRH 작용제 1 mg을 월경주기 2-4일에 시작하고 이후 0.5 mg으로 감량하며 월경주기 3일에 생식샘자극호르몬을 시작하는 것이다. GnRH 작용제 투여 초기의 내인성 생식샘자극호르몬 상승을 과배란유도에 이용하는 방법이며 GnRH 작용제를 비교적 단기간 사용한다는 장점이 있다.

장기투여법과 단기투여법을 비교한 7개의 임상시험을 포함한 초기 메타분석에서는 두 방법 간에 주기취소율과 임신율은 유사하였다. 그러나 22개의 임상시험을 포함한 이후 보고에서는 장기투여법이 임신율이 더 우수하다고 발표하였다(상대위험도=1.27, 95% 신뢰구간=1.04-1.56). 그러나 이 결과는 진단 및 다른 예후인자에 대한 보정이 이루어지지 않아서 모든 여성, 특히 저반응군 여성에서는 만족하지 못할 수 있다. 반면 일부에서 단기투여법을 시행했을 때 저반응군에서 난포반응의 개선과 낮은 주기 취소율을 보였다고 발표하였다. 그리고 단기투여법의 분명한 단점은 경구피임약을 전처치하여 조정하지 않으면 스케쥴의 가변성이 떨어진다는 점이다. 또한 단기투여법에서는 황체의 지속성으로 인해 프로게스테론과 안드로겐(androgen)이 증가하여 이로 인해 난자질과 수정률 및 임신율에 좋지 않은 영향을 끼치게 된다.

경구피임약 전처치 후 극저용량 GnRH 작용제 투여는 표준 단기투여법의 변형으로서 난소 억제를 위해 14-21일간 경구피임약을 복용하게 하고 중단 3일 후 극저용량의 GnRH 작용제(leuprorelin, 40 μg 하루 2회)를 투약한다. 그리고 GnRH 작용제 투약 3일째부터 고용량의 생식샘자극호르몬(300-450 IU)을 주게 된다. 표준 단기투여법에 비해 이 방법의 장점은 프로게스테론과 안드로겐 농도가 올라가지 않는다는 점이다. 이는 GnRH 작용제의 용량이 훨씬 적기 때문이기도 하고 경구피임약을 사전에 먹기 때문에 황체의 작용도 억제하는 효과가 있기 때문이다. 이 방법은 저반응군에게 있어 유용하고 내인성 난포자극호르몬을 증가시킬 수 있으며 취소율을 낮추고 에스트라디올 수치 및 임신율을 상승시키는 효과가 있다.

3. 생식샘자극호르몬방출호르몬 길항제(GnRH antagonist) 투여법

GnRH 길항제(GnRH antagonist)는 보조생식술에서 임상적으로 사용되는 과배란유도의 또다른 선택 약제이다. GnRH 작용제가 사용 초기에는 생식샘자극호르몬 분비를 촉진시키지만 나중에는 GnRH 수용체를 낮추어(down-regulation) 생식샘자극호르몬 분비를 억제시키는 것과 달리 GnRH 길항제는 용량에 비례하여 GnRH 수용체를 즉시 차단한다. 따라서 flare 효과가 없고 즉시 생식샘자극호르몬 분비를 억제한다.

GnRH 길항제는 여러 가지 잠재적인 이점을 제공한다. 우선 GnRH 작용제에 비해 치료 기간이 짧다. 이는 내인성 황체형성호르몬의 조기 분비를 막는 효과가 즉각적이기 때문이다. 또한 에스트라디올이 이미 상승한 상태인 난포기 후기에 투여되므로 GnRH 작용제를 쓸 때의 에스트로겐 결핍 증상이 없다는 장점이 있다.

또한 GnRH 작용제의 투여가 생식샘자극호르몬에 대한 난소 반응을 억제하는데 비해 GnRH 길항제는 이런 효과가 적기 때문에 상대적으로 생식샘자극호르몬 사용 기간과 용량이 적다. 같은 이유로 GnRH 길항제는 저반응군에게 유리하다. 또한 flare 효과가 없으므로 난소낭종 형성의 위험이 적고 난소과자극증후군의 발생 위험이 감소한다. 또한 GnRH 길항제를 써서 난소자극을 하는 경우에는 사람 융모생식샘자극호르몬(hCG) 대신 GnRH 작용제를 사용하여 난포성숙을 유도할 수 있다. 이 경우 난소과자극증후군 위험도는 더욱 감소할 수 있다.

GnRH 길항제에도 몇 가지 단점이 있는데 우선 소량으로 매일 주어야 하기 때문에 엄격한 환자 순응도가 필요하다. 또한 GnRH 길항제는 내인성 생식샘자극호르몬의 분비를 GnRH 작용제보다 더 완벽하게 억제시킨다. GnRH 작용제(GnRH agonist)를 사용하는 동안 황체형성호르몬가 낮게 유지되지만 난포자극호르몬을 사용하면 정상적인 난포성장을 하는 데는 충분하다. 그러나 GnRH 길항제를 사용하는 경우에는 그렇지 않아서 에스트라디올 수치가 감소하거나 평형을 이루게 된다. 이것이 비록 난포성장에 큰 영향을 주지 않는 것으로 생각되나 대부분 저용량의 사람 폐경생식샘자극호르몬(hMG 75 IU)를 첨가하는 것을 선호한다. 초기 연구에서는 GnRH 길항제를 사용하였을 때 GnRH 작용제를 사용한 장기투여법과 비교했을 때 임신율이 감소한다고 알려졌으나, 최근 연구에서는 비슷한 임신율과 출산율을 보인 바 있다. GnRH 길항제는 작용제에 비해 과배란 유도 기간이 짧고 주사 투약 일수가 적다는 장점이 있으며, 비슷한 임신율과 출산율을 보이고 있어 최근 들어 흔히 사용되고 있다.

임상적으로 GnRH 길항제로 ganirelix와 cetrorelix가 사용되는데 둘 다 강력하고 효과적이다. 두 제품 다 조기 황체형성호르몬 급증(premature LH surge)을 막기 위한 최소 용법은 하루 0.25 mg 피하 주사인데 생식샘자극호르몬 시작 5일째(fixed protocol) 또는 우성 난포 직경이 13-14 mm가 되었을 때(flexible protocol) 시작하며 사람 융모생식샘자극호르몬(hCG) 투약일까지 주게 된다. 단일 고용량 제제로 cetrorelix 3 mg을 사용하게 되면 96시간 동안 황체형성호르몬 급증(LH surge)을 막을 수 있다.

GnRH 길항제 투여법 시에도 월경 시작 시기를 조절할 수 있는 경구피임약 전처치를 병용할 수 있다. 생식샘자극호르몬 투약 시작 5일 전까지 경구피임약을 복용하게 되면 난포들의 크기를 좀 더 균일하게 할 수 있다(synchronization). 또 다른 변형으로 저반응군에 대해 월경주기 21일째인 황체기 중기부터 생식샘자극호르몬 사용 3일째까지 에스트라디올 발러레이트 2 mg을 하루 2회 복용하면 난포자극호르몬을 충분히 억제하게 되어 GnRH 작용제 장기투여법에서와 유사한 정도로 개선된 난포 동원력을 얻을 수 있다. 에스트라디올 중단 이후에 발생하는 내인성 난포자극호르몬의 반발 증가 현상은 외인성 난포자극호르몬과 상승 작용을 하여 다발 난포형성을 촉진시킬 수 있다.

GnRH 길항제가 도입되고 초기에는 GnRH 작용제 장기투여법과 GnRH 길항제 투여법을 비교한 메타연구에서 GnRH 길항제 투여법이 임신율(상대위험도=0.84, 95% 신뢰구간=0.72-0.97) 및 생존아출생율(상대위험도=0.82, 95% 신뢰구간=0.69-0.98)이 유의하게 낮다고 하였다. 또한 GnRH 길항제 투여법에서 생식샘자극호르몬 총사용량과 기간, 에스트라디올 최고치, 난포수 및 난자수가 더 적은 것으로 나타났다. 그러나 최근의 연구에서는 GnRH 길항제와 GnRH 작용제 장기투여법 사이 임신율의 차이는 없으며 오히려 GnRH 길항제 사용이 난소과자극증후군의 발생은 더 낮출 수 있는 것으로 보고 있다. GnRH 길항제 도입 초기의 연구 결과는 경험 미숙을 반영한 것이라 여겨지며 앞으로 GnRH 길항제 투여법이 그 간편성 때문에 많은 부분에서 GnRH 작용제 투여법을 대체할 것으로 보인다.

다낭난소증후군 환자는 특징적으로 황체형성호르몬 분비를 많이 하고 과배란유도 시 조기 황체호르몬 급증을 자주 일으키는 성향이 있다. 또한 생식샘자극호르몬을 주었을 때 난소과자극증후군 발생 위험이 높다. GnRH 작용제와 GnRH 길항제 모두 상승되어 있는 황체형성호르몬을 억제하는 작용이 있으므로 다낭난소증후군 환자에 이로울 수 있으나 GnRH 길항제를 사용할 경우 좀 더 작은 크기의 난포군이 만들어지므로 난소과자극증후군 발생 위험이 감소한다. 또한 GnRH 길항제를 사용하게 될 경우 최종 난포성숙을 유도하는 사람 융모생식샘자극호르몬 대신

GnRH 작용제를 사용할 수 있어 난소과자극증후군 발생 위험이 더욱 감소할 수 있다. GnRH 작용제를 투여할 경우 24시간 이내 생리적인 황체형성호르몬 급증을 유도하는 반면 사람 융모생식샘자극호르몬을 사용할 경우 투약 이후에도 수일 간 상승되어 있기 때문에 난소과자극증후군 위험이 증가한다.

다낭성난소증후군 환자에서 난포기 초기에 황체형성호르몬 수치가 높은 것은 난포기 초기 난포 성장을 저해하고 임신율을 낮추는 요인이 되기 때문에 GnRH 길항제를 다낭난소증후군 환자에게 사용하는 경우에는 경구피임약을 전처치하여 스케줄의 편의성을 도모하고 난포기 초기 황체형성호르몬과 안드로겐 수치를 낮출 수 있다. 그러나 이러한 경구피임약 전처치는 난자채취 이후 바로 이식을 시도하는 경우 임신율의 저하와 연관되어 있다고 밝히고 있다.

4. 프로게스틴 투여법(Progestin protocol)

LH 급증을 방지하기 위해 경구 프로게스틴을 투약하는 것이 새로운 프로토콜로 제시되고 있다.

경구 프로게스틴의 투약은 기존 GnRH 작용제, GnRH 길항제와 같은 주사제에 비하여 투약이 간편하고 약값이 저렴하며 환자 친화적이다.

최근 연구결과에 따르면 난소과자극 기간동안 경구 프로게스틴을 지속적으로 투약함으로써 뇌하수체를 억제하고 효과적으로 LH를 예방할 수 있는 것으로 보고된 바 있다.

그럼에도 불구하고 프로게스틴의 효과로 인하여 신선주기에서는 자궁내막의 수용성이 저하되므로 수정된 배아를 모두 동결하고 다음 주기에 자궁내막을 준비하여 이식을 진행해야 한다.

따라서 가임력 보존, 난자공여와 같이 배아이식을 진행하지 않거나 만들어진 배아를 모두 동결하는 주기에 한하여 적용가능한 프로토콜이며, 아직까지 의학적 근거가 제한적이라는 문제점이 있어 통상적인 난소과자극 주기에서는 흔히 사용되고 있지는 않는 실정이다.

Ⅳ. 저반응군과 고반응군의 처치

1. 저반응군의 과배란유도

여성 생식능의 감소는 연령 증가와 밀접한 관련이 있다. 연령과 관련하여 생길 수 있는 질환들 중 자궁내막증 또는 자궁근종, 배란장애, 자궁내 혈류 공급 장애 등이 임신율의 감소와 관련이 있다. 45세 이상의 여성에서 자연 임신은 매우 드물기 때문에 40세 이상의 여성에게서 체외수정이 합리적인 선택이라 할 수 있겠다. 그러나 연령이 증가할수록 생식샘자극호르몬에 대한반응도가 떨어지므로 고용량의 약제가 필요하며 주기취소율이 높고 유산율도 증가한다.

고령의 여성들은 생식샘자극호르몬 자극에 대한 저항이 증가되기도 하지만 채취되는 난자수 또한 적다. 이런 생식샘자극호르몬에 대한 반응 정도는 연령을 포함해서 불임의 원인, 체중, 동난포수, 난소용적, 난소혈류분석 등으로 예측할 수 있다. 이외에도 난포기에 측정하는 난포자극호르몬, 에스트라디올, 항뮐러관호르몬(anti-müllerian hormone, AMH) 등이 난소 반응 정도 예측에 도움을 줄 수 있다. 이를 통해 측정된 난소예비력이 낮은 환자들의 임신율을 높이기 위해 다양한 방법들이 연구되고 있다.

저반응군은 고용량의 생식샘자극호르몬 사용에도 불구하고 적은 수의 난포가 자라고 에스트라디올(E2) 수치가 500-1,000 pg/mL 이하로 낮은 사람을 뜻한다. 최근 유럽에서 저반응군에 대한 정의가 이루어졌다(표 21-2, Bologna criteria). 이와 같이 저반응군에 대하여 다양한 과배란 유도 방법이 시도되고는 있지만 아직까지 해결하지 못한 과제이며 여러 과배란유도법을 비교한 두개의 메타분석에 따르면 어느 하나가 다른 것에 비해 우월하다는 증거는 아직 부족하다.

1) 고용량의 생식샘자극호르몬

고용량의 생식샘자극호르몬 투여는 다소 높은 정도의 난포반응을 일으킬 수 있다. 그러나 저반응군에서 450

표 21-2. 과배란유도 시 저반응군(poor response)에 대한 합의안

1. 다음 세 가지 중 최소 두 가지 기준을 만족할 때
① 고연령(40세 이상) 또는 저반응(poor ovarian response)에 대한 고위험인자가 있는 경우
② 이전에 저반응 경력(통상적인 과배란유도로 3개 이하의 난자가 나온 경우)
③ 비정상적인 난소예비력 검사(전동난포수 < 5-7개 또는 AMH < 0.5-1.1 ng/mL)
2. ①, ③이 아니라 하더라도 이전에 저반응을 2회 이상 경험한 경우

IU 이상의 용량에서 추가적인 이득은 없는 것으로 알려져 있어 450 IU까지만 시도하며 대개 난포자극호르몬(FSH) 300 IU 와 사람 폐경생식샘자극호르몬(hMG) 150 IU를 같이 투여한다.

2) 뇌하수체 억제법

장기투여법은 난소 반응 억제 효과가 강하므로 저반응군에서는 뇌하수체를 덜 억제하는 방법이 선호된다. 이에는 생식샘자극호르몬 시작 시 GnRH 작용제를 감량 또는 중단하거나 단기 또는 초단기 투여법이 있다. 단기 투여법의 변형인 극저용량 투여법(microdose flare GnRH agonist protocol)도 이롭다고 알려져 있다. 또한 저반응군에서는 GnRH 작용제 대신 GnRH 길항제를 쓰는 것도 좋은 방법인데 장기투여법보다는 유리하고 극저용량 투여법과 비슷한 효과를 보인다고 한다. 저반응군에서 경구피임약 전처치를 하는 것은 GnRH 작용제나 GnRH 길항제 사용법 모두 이로운 점은 없다고 보고되고 있다.

3) 자연주기 또는 경자극법

저반응군에서는 고용량의 생식샘자극호르몬으로도 만족할 만한 난자수를 얻지 못하므로 차라리 자연 배란주기를 시도해보는 것이 비용 면에서 좋은 방법이다. 임신율은 주기당 6-10% 정도로 다양하게 보고된다. 약제를 사용하지 않는 자연 주기는 주기취소율이 높은데 이는 대부분 조기 황체형성호르몬 급증(premature LH surge)으로 인한 조기 배란 때문이다. 따라서 난포기 후기에 GnRH 길항제로 이를 막고 사람 융모생식샘자극호르몬으로 배란을 유도하는 변형 자연주기법이 유리할 수 있다. 임신율은 주기당 10-14% 정도로 알려져 있다. 경자극법(mild stiumulation)은 최근 정상반응군에서 표준 방법으로 많이 시도되고 있는데 저반응군에서의 효용성은 아직 불분명하다. 그러나 자연배란주기와 더불어 저반응군에서 시도해 볼 수 있는 방법으로 임신율은 16-23% 정도로 보고되고 있다.

4) 황체형성호르몬(LH) 병합

저반응군에서 난포기 후기에 황체형성호르몬을 추가적으로 투여하면 임신율을 증가시킬 수 있다는 보고가 있으므로 고려해볼만 하다. 일반적으로 황체형성호르몬 추가 투여가 유리한 경우는 저반응군, 35세 이상의 고연령, 장기투여법에서 혈중 LH이 과배란유도 시작시 <1.0 IU/L, 과배란유도 8일째 <2.0 IU/L인 경우이다. 황체형성호르몬 외에 사람 폐경생식샘자극호르몬 또는 저용량의 사람 융모생식샘자극호르몬(hCG)도 사용 가능하다.

5) 안드로겐(androgen) 증진 방안

과배란유도시 테스토스테론(testosterone), 디하이드로에피안드로스테론(dehydroepiandrosterone, DHEA), 방향효소억제제(aromatase inhibitor)를 사용하는 것은 난소내 안드로겐을 높이려는 노력의 일환으로 볼 수 있다. 이론적 근거는 생쥐 실험의 결과에 의한 것으로 과립막세포 특이 안드로겐 수용체를 삭제(deletion)하면 방(antral)세포 및 황체 형성이 되지 않고 전방세포(preantral) 및 고사된 난포(atretic follicle)의 비율이 높아지는 것을 관찰하여 난소내 안드로겐의 중요성을 인지하게 되었다. 그러나 유전 변이에 의하여 난포막세포(theca cell)의 LH 수용체가 매우 활성화되고 안드로겐 생산이 많은 여성의 난포생성은 정상 여성과 큰 차이가 없어 안드로겐의 농도가 무작정 높다고

난포생성에 도움이 되지 않는 다는 것을 간접적으로 시사하고 있다. 일부 연구자는 난소내 안드로겐 증가는 난소에 대한 난포자극호르몬(FSH)의 작용을 보다 강화시킬 수 있다고 알려져 있으나 저반응군에서 안드로겐 투여 및 방향효소억제제 투여의 임상효과는 아직 불분명하다. 즉, 저반응군(n=200)에 대한 메타분석 보고에 의하면 과배란유도제에 의한 난소 반응, 체외수정 결과의 향상은 없었다.

6) 성장호르몬

1990년대부터 여성 및 남성 불임 치료에 대해 성장호르몬의 역할에 대한 연구 보고가 있어왔다. 난포액내 성장호르몬이 저농도일 경우 배아 상태가 좋지 않았다고 하고 성장호르몬을 배양액에 첨가하였을 때 미성숙난자의 체외성숙률을 개선시키고 에스트라디올 생산을 자극하며 핵과 세포질 성숙을 촉진시킨다는 연구 결과가 있었다. 성장호르몬 투여에 관한 10개의 임상 논문을 분석한 메타분석에 따르면 성장호르몬 투여가 임신율과 생존아 출생률을 유의하게 증가시킬 수 있다고 하였으나 고가인 점과 투여량과 투여 기간 등이 연구마다 제각각인 까닭에 임상 적용에 회의적인 시각이 많다.

2. 고반응군의 과배란유도

1) 다낭난소증후군의 난소 반응

다낭난소증후군은 가장 흔한 부인과내분비 질환으로서 고안드로겐혈증(hyperandrogenism), 월경 장애, 무배란과 비만 등을 특징으로 하며 인슐린저항성과 그로 인한 고인슐린혈증(hyperinsulinemia)이 존재한다. 다낭난소증후군의 첫 번째 치료적 접근 방법은 생활습관 조절을 통한 체중 감량이고, 임신을 원할 경우 클로미펜을 이용한 배란유도와 이에 무반응일 경우 생식샘자극호르몬을 고려한다.

과배란유도 시 정상적인 난소 기능을 가진 불임환자에 비하여 다낭난소증후군 환자에서는 그 반응 정도가 느리나 한번 난포가 성장하기 시작하면 과도하게 반응하는 경향이 있다. 훨씬 적은 용량의 사람 폐경생식샘자극호르몬을 필요로 하지만 유의하게 많은 난자가 채취되고 에스트라디올 수치는 더 높은 경향을 보인다. 수정율은 낮은 경향을 보이며 난할율은 비슷하나 난소과자극증후군 위험으로 인한 배아이식취소율이 높다. 그 밖에도 다낭난소증후군 환자에서는 유산율이 더 높게 관찰되었는데 이것은 높은 체질량지수 또는 허리-엉덩이 비의 증가와 인슐린저항성과 관련이 있는 것으로 생각된다. 비만한 다낭난소증후군 환자의 경우 더 많은 양의 난포자극호르몬이 필요하며 이로 인한 난소과자극증후군 위험도가 증가한다. 다낭난소증후군 환자에서 수정률이 낮은 것은 고안드로겐혈증과 고인슐린혈증이 난포액 내에도 존재하여 난자 질에 영향을 주었기 때문으로 해석한다.

과배란유도 시 다낭난소증후군 환자의 과도한 반응은 생식샘자극호르몬에 민감하게 반응하는 많은 수의 동난포와 이를 반영하는 AMH의 증가를 통해 예상할 수 있다. 증가한 인슐린, 인슐린유사성장인자(insulin-like growth factor-1, IGF-1) 등도 생식샘자극호르몬에 대한 반응을 증가시킨다. 난소과자극증후군은 가장 심각한 보조생식술의 합병증으로서 저혈량증, 혈전색전증, 혈액농축, 소변량 감소, 전해질장애, 복수 및 흉수, 성인형 호흡곤란증후군(adult respiratory distress syndrome) 등의 심각한 상태를 야기할 수 있다.

2) 고반응군의 과배란유도 전략

다낭난소증후군을 포함한 고반응군에서는 좀 더 저용량의 생식샘자극호르몬(gonadotropin)으로 시작할 것을 권한다. 대개 35세 이하의 여성에게는 75-150 IU, 35세 이상인 경우 150 IU로 시작하는 것이 좋다. 150 IU와 75 IU를 번갈아가면서 투여하는 방법도 소개되어 있다. 사람 융모생식샘자극호르몬 투여 시기는 조금 일찍 즉 우성난포가 14-15 mm 정도일 때 하는 것이 좋고 혈중 에스트라디올 수치를 자주 측정하여 1,500-2,000 pg/mL 이하일 때 사람 융모생식샘자극호르몬을 투여하는 것이 좋다. 사람 융모생식샘자극호르몬 용량을 낮추어 투여하는 것도 한 가지 방법이다.

뇌하수체 억제 방법은 GnRH 작용제 장기투여법이나 GnRH 길항제 모두 좋은 방법이다. GnRH 작용제를 통해 내인성 황체형성호르몬을 억제하는 것은 비정상적인 호르몬 환경을 개선시킬 수 있어 이롭다. 또한 21일 간 경구피임약 복용과 더불어 GnRH 작용제를 경구피임약 복용 중단 1주 전부터 투약하는 이중억제법(dual suppression)은 흔히 이용되는 방법이다. 메트포민(metformin)의 병용은 난소과자극증후군의 위험도를 유의하게 낮출 수 있다고 보고되었지만 그 투여 기간에 대해서는 의견이 분분하다. 대개 하루 1,500 mg을 3-6개월 전부터 시작하여 난자채취일까지 유지한다.

GnRH 길항제 사용 시 장기투여법에 비하여 임신율은 비슷하나 난소과자극증후군을 낮추는 효과가 있다. 그러나 난포가 빨리 자랄 경우 GnRH 길항제 투여 시기를 놓칠 수 있으므로 주의를 요한다. GnRH 길항제 투여법에서는 사람 융모생식샘자극호르몬 대신 GnRH 작용제로 최종 배란유도를 할 수 있는데 그 작용이 좀 더 생리적이고 사람 융모생식샘자극호르몬에 비해 반감기가 짧기 때문에 난소과자극증후군 위험도를 줄일 수 있는 좋은 방법으로 최근 대두되고 있다. 그러나 일반적인 환자를 대상으로 한 연구에서는 GnRH 작용제로 최종 배란유도를 할 경우 다소 임신율이 떨어졌다는 것을 알고 있어야 한다. 재조합 황체형성호르몬 또한 최종 배란유도제로 사용 가능한데 비록 난소과자극증후군 위험도가 낮다고는 하지만 임상적으로 아직 널리 이용되고 있지는 않은 상태이다.

3) 난소과자극증후군의 예방

고반응군은 생식샘자극호르몬 투여를 중단하고 해당 주기를 취소하면 원칙적으로 난소과자극증후군이 예방된다. 자극중단법(coasting)은 1-3일 정도 생식샘자극호르몬을 사용하지 않고 GnRH 작용제를 지속 사용하며 에스트라디올 수치가 정상화된 뒤 사람 융모생식샘자극호르몬을 투여하는 방법인데 생식샘자극호르몬을 중단하면 큰 난포는 계속 성장하지만 작거나 중간 크기의 난포가 성장하는 것을 막아서 난소과자극증후군의 위험을 낮춘다. 비록 이 방법을 적용한 주기의 20-30%가 취소되기는 하지만 그것으로 인해 난소과자극증후군의 위험을 줄일 수 있고 주기 취소를 예방할 수 있다. 난자채취 및 체외수정 후 배아를 바로 이식하지 않고 전부 동결을 함으로써 임신으로 인해 이어지는 심각한 난소과자극증후군의 지속을 피할 수 있다. 또한 난자채취 후 난소과자극증후군의 임상적 증상과 징후를 관찰하면서 증상이 호전될 때까지 이식을 지연시키고 만약 지속 시 배아를 냉동시키는 것도 또 다른 해결책이다. 난소과자극증후군의 고위험군에 대하여 난자채취일에 알부민을 투여하는 것은 최근에는 권장되지 않고 있다. 도파민 작용제 사용이 난소과자극증후군을 예방할 수 있다는 보고도 있으나 연구가 더 필요하다.

V. 비전형 과배란유도법

1. 가임력 보존 치료

가임력 보존 관련 과배란유도법은 다른 장에서 다루고 있으므로 간단히 설명하고자 한다.

전형적인 과배란유도법은 월경주기에 맞추어 호르몬제를 투여하여 균질한 크기의 난포들을 많이 얻고자 하였고, 난포주기에 맞추어 자궁내막을 준비하여 이식을 진행하고자 하였다. 그러나 배아이식을 하지 않고 난자나 배아만을 동결하는 경우에는 이러한 월경주기에 맞춘 호르몬제 투여가 반드시 필요하지는 않다. 특히나 항암이나 수술을 앞두고 있어 시간적 제한이 있는 경우에는 더욱 월경주기와 상관없이 시작하는 과배란유도가 필요하다.

월경주기에 상관없이 시작하는 과배란유도가 가능하게 된 이론적 배경에는 난포동원이 난포기에 한번 일어나는 것이 아니라 여성의 월경주기동안 여러 번의 파동이 존재한다는 파동설이 있기 때문이다. 우성난포가 선택되어 배란이 되고 나서 보통은 난포자극호르몬(FSH) 수치가 충분치 못해서 다른 파동으로 만들어진 난포들은 무배란 주기를 가게 되지만, 외부에서 난포자극호르몬이 충분히 공급된다면 이 난포들도 배란이 될 수 있다.

비전형 과배란유도는 처음에는 암환자를 대상으로 고안되었지만 저반응군에서도 사용되고 있다. 한번의 월경주기 동안 난포기에는 GnRH 길항제를 사용하여 전형적인 과배란유도법으로 난자채취를 하고, 황체기에 비전형 과배란유도법으로 다시 한번 난자채취를 할 수 있다. 이렇게 두번의 난자채취를 통하여 저반응군에서 여러 개의 배아를 단기간에 확보할 수 있다. 황체기동안 상승된 황체호르몬 수치로 인해 내인성 황체호르몬급증(LH surge)이 방지되기 때문에 황체기에 과자극을 할 때는 뇌하수체 억제가 필요 없는 경우가 많다. 2016년 연구에 따르면 황체기에 과자극을 하는 것은 난포기에 과자극을 하는 것보다 과자극 기간이 1.5일 정도 길고, 더 많은 양의 생식샘자극호르몬이 필요하나 더 많은 수의 성숙난자를 얻을 수 있다. 배아로 발달하는 비율도 두 가지 방법에서 비슷하며 염색체 이상 배아의 비율도 비슷하였고, 임신율도 비슷하였다.

<u> 참고문헌 목록은 대한산부인과내분비학회 홈페이지 http://www.kosge.or.kr 또는 QR코드를 통해 보실 수 있습니다.</u>*

CHAPTER 22

체외수정

김자연(차의과학대), 지병철(서울의대)

영국에서 복강경을 이용하여 채취된 난자로 1978년 최초의 체외수정 아기가 탄생한 이후, 국내에서는 1985년 서울대학교병원에서 장윤석, 문신용 교수팀에 의하여 첫 체외수정 아기가 출생하였다. 이후 현재까지 다양한 과배란유도방법과 약제의 개발, 세포질내정자주입술(intracytoplasmic sperm injection, ICSI), 착상전 유전진단(preimplantation genetic testing, PGT) 등과 같은 보조생식술의 발전은 보다 많은 불임 부부들이 체외수정을 통해 임신할 수 있는 길을 열었다.

체외수정 초기에는 난관 요인이 체외수정의 주요 적응증이었지만 점차 그 적응증이 남성 인자, 배란 장애, 착상능 저하, 원인 불명의 불임 및 유전적 요인에 의한 불임으로 확대되었다. 이로 인해 체외수정 건수가 전세계적으로 증가하는 추세이다. 국내 건강보험공단의 자료에 따르면 국내 체외수정 건수는 최근 5년간 두 배로 증가했으며 2020년 자료에 따르면 신생아 11명당 한 명은 체외수정을 통해 태어난 아기였다.

체외수정 과정은 과배란유도, 난자채취, 체외수정, 배아이식 및 황체기보강으로 이루어지는데 과배란유도는 이전 장에 있으므로 여기서는 난자채취, 체외수정, 배아이식 및 황체기 보강에 대해서 기술하고자 한다.

1. 난자채취(oocyte retrieval)

난자채취는 난자의 최종 성숙을 위한 유발(triggering) 제제(hCG, GnRH agonist) 투여 후 35-38시간 후에 시행한다. Triggering은 일반적으로 두 개 이상의 우성난포의 직경이 17-18 mm일 때 시행하며 적절한 혈중 에스트라디올 농도를 보조 기준으로 삼는다(14 mm 이상 난포 당 150-300 pg/mL).

난자채취는 일반적으로 진정 마취 하에서 17-게이지 흡인침으로 질초음파 유도 하에 시행한다. 질초음파가 난자채취에 도입된 이후 마취 방법도 많이 다양해지고 일부 불임/난임센터에서는 마취 없이 채취를 하기도 하지만 현재까지는 진정 마취를 시행하는 것이 가장 흔한 방법이다. 질초음파 하에 난자를 채취하는 시술은 흡인침이 질을 통해 복강 안으로 들어가는 것이므로 감염을 우려하여 초기에는 질을 포비돈으로 소독하였다. 그러나 van Os 등(1992)은 소독제 사용이 임신율이 저하시킨다고 보고하였으며 Hannoun 등(2008)은 생리식염수만으로 세척한 경우에도 감염 위험이 증가하지 않는다고 보고하였다. 현재까지 질식 난자채취술에 가장 적합한 질 소독법에 대한 통일된 권고안은 없으나 대부분의 경우 소독제가 아닌 생리식염수만으로 질세척을 한다.

난자를 채취하기 위해서는 질초음파 유도 하에 흡인침을 난포 안에 찔러 넣고 음압을 가해야 하는데 질식 난자채취 도입 초반부에는 주사기를 이용한 수기 흡입(manual suction)을 통해 난포액을 채취하였으나 이후 흡인 펌프가 개발되어 보조 인력 없이도 시술이 가능하게 되었다. 최근에는 발판을 밟는 세기에 따라 흡인압을 조절할 수 있는 기종도 사용 가능하다. 적절한 흡인 압력에 대한 연구는 많지 않으나 보통 120 mmHg 이하의 압력을 사용한다. 흡인침 직경이 작을수록 흡인 압력을 줄여야 한다. 흡인침부터 연결 튜브 및 흡인 펌프까지 연결된 시스템 내에서도 압력의 차이가 존재하는데 보통 흡인침 끝의 압력은 흡인 펌프압의 5% 정도이다. 따라서 난자가 흡인침을 따라 튜브로 이동하는 동안 난자에 노출되는 압력은 점차 커지게 된다. 너무 센 압력은 난자를 깨지게 할 수 있다.

흡인침은 관류(flushing)를 할 수 없는 single lumen 타입과 관류를 할 수 있게 고안된 double lumen 타입이 있는데 시술자의 편의성에 따라 선택하면 된다. Haydardedeoglu 등(2011)은 정상난소반응군에서는 single lumen 타입과 double lumen 타입 간에 채취난자수, 임신율, 생아출생률은 비슷하다고 보고하였다.

난자채취를 시작할 때 흡인침과 연결튜브 사이에 빈 공간이 존재하는데 이곳으로 난포액이 처음 흘러 들어올 경우 와류가 생겨 난자 손상의 원인이 될 수 있어 흡인 전에 배양액으로 이 공간을 미리 채우기도 한다. 흡인침이 난포 안에 들어간 후 압력이 감소하면 흡인침 안에 있던 난포액이 다시 난포 안으로 흘러 들어갈 수 있다. 이는 난자 회수율이 낮아지는 원인이 된다.

흡인침이 난소 내로 일단 진입한 이후에는 가능한 한 곳에서 여러 난포를 찔러 난자를 채취하는 것이 좋다. 난소를 여러 번 찌르게 되면 감염 및 출혈 위험이 증가한다. 흡인침을 난소 밖으로 꺼낸 이후에는 배양액으로 관류시켜 흡인침 내 혈액을 제거한다.

난자채취의 흔한 합병증은 출혈, 골반내 손상, 감염이며 이외 드문 합병증으로 난소 염전, 자궁내막종 파열, 충수염, 요관 막힘 및 마취 관련 합병증 등이 있다.

Maxwell 등(2008)은 난자공여자에서 난자채취 시 심각한 합병증(난소과자극증후군, 난소꼬임, 감염 및 난소 낭종 파열 등)은 0.7% 정도라고 보고하였으며, Tureck 등(1993)은 난자채취 후 합병증으로 입원하는 경우는 1.5% 정도라고 보고하였다.

Bennett 등(1993)은 난소 출혈로 인한 혈액복막(hemoperitoneum) 빈도는 3-8%로 보고하였다. 장골혈관(iliac vessel)을 찔러 혈액복막이 발생한 증례에서는 특별한 중재 없이 경과 관찰만으로 회복되었다고 하였다. 시술 후 수술 치료를 요하는 혈액복막이 생긴 경우 중 1/3은 채취 후 한 시간 이내에 명확한 출혈 증상이 나타났다.

난소에 자궁내막종이 있는 경우는 골반내감염 위험도가 유의하게 증가한다. 드물게 골반 농양이 형성되기도 한다. 난자채취 후 임상적으로 치료를 요하는 골반내감염이 생길 확률은 1/200에서 1/500 정도로 낮으므로 예방 항생제 투여는 권고되지 않는다. 그러나 난소 자궁내막종을 천자한 경우나 골반염의 기왕력이 있는 경우 예방 항생제 투여가 권장된다.

2. 체외수정

채취한 난자는 즉시 현미경으로 관찰하여 난구세포의 형태, 난자의 외관이나 세포질, 제1극체 유무를 살피고 성숙도를 판단한다. 제1극체가 없으면 미성숙난자로 판단하고 제1극체가 있으면 성숙난자로 판단한다. 성숙도가 애매할 때는 hyaluronidase를 이용하여 난구세포를 제거해 본다.

정액은 난자채취 전후로 채취하여 운동성과 형태가 좋은 정자를 얻기 위한 처리 과정을 거친다. 일반적으로

swim-up 방법과 밀도구배원심분리법(density gradient centrifugation)이 가장 많이 사용된다. 두 방법 모두 활동성이 좋은 정자를 얻는 데 적합하며, 밀도구배원심분리법은 정상모양을 가진 정자만 추출하는 데 유리하므로 정액 소견이 좋지 않을 때 주로 사용한다. 처리된 정자는 수정능 획득(capacitation)을 위해 30분에서 4시간 동안 고농도의 단백질이 첨가된 배양액에 둔다.

난자채취 4-6시간 후에 성숙난자를 대상으로 고식적 체외수정(conventional insemination) 또는 ICSI로 수정을 시도한다. 고식적 체외수정을 시도할 때는 난자 한 개당 50,000개 정도의 정자를 배양액 안으로 넣는다. 수정 유무는 16-18시간 후에 판단하며 두 개의 전핵(pronucleus)과 제2극체가 있으면 수정되었다고 판단한다. 수정된 난자는 이후 추가 배양을 시도하고 매일 배아 발달 상황을 체크한다.

3. 배아이식

배아이식은 체외수정의 마지막 관문으로 임신율에 막대한 영향을 끼친다. Karande 등(1999)은 동일 불임센터 내 여러 시술자 간 체외수정 성공률이 유의하게 다르다고 보고하여 시술자의 기술 요소가 임신율에 지대한 영향을 줌을 알 수 있다. 따라서 배아이식 기술의 표준화가 중요하다.

자궁 수축은 배아 배출(expulsion)의 원인이 될 수 있어 배아이식 시 최소화 해야 한다. Fanchin 등(1998)은 배아이식 시 자궁 수축 정도와 임신율 간의 유의한 상관성이 있다고 보고하였다. 자궁 수축을 최소화하기 위한 방안은 다음과 같다.

- 이식관이 자궁 바닥(fundus)에 닿지 않게 한다. 이를 위해 자궁 바닥에서 1.5-2 cm 정도 떨어진 곳에 이식관 끝을 위치한 후 배아를 주입하는 것이 좋다. Frankfurter 등(2004), Oliveira 등(2004)은 자궁강의 중간 정도에 배아를 이식하는 것이 임신율을 향상시킨다고 보고하였다.
- 부드러운(soft) 이식관을 사용한다. Abou-Setta 등(2005)의 메타분석 보고에 의하면 견고한(rigid) 이식관과 비교하여 부드러운 이식관을 사용할 경우 유의미한 임신율 상승 효과가 있었다.
- 자궁에 손상이 없이 최대한 수월하게 그리고 통증 없이 시행되어야 한다. 질경 삽입부터 최대한 환자를 불편하지 않게 하고 가능한 tenaculum이나 sound 같은 불편감을 유발할 수 있는 기구 사용은 자제하는 것이 좋다. Dorn 등(1999)은 tenaculum 사용은 혈중 옥시토신 농도를 높여 자궁 수축을 유발한다고 보고하였다.

배아이식관은 이식외관, 이식내관 및 1 cc syringe 구성된다. 먼저 이식외관을 자궁경부의 내공(internal os)에 위치하게 하고 1 cc syringe가 연결되고 배아가 들어있는 이식내관을 이식외관에 삽입하여 자궁내로 진입시켜 배아를 방출한다.

자궁의 굴곡이 심할 때나 또는 자궁경부 협착이 있는 경우 이식외관 진입이 어려울 수 있다. 이식일 전에 미리 연습을 해보기도 하며 초음파로 자궁 모양을 확인한 후 거기에 맞추어 이식외관의 굴곡을 조정하고 삽입하는 것이 도움이 된다. 굴곡이 너무 심할 경우 속심(stylet)을 이용해 본다. 또한 자궁이 심한 전굴인 경우 방광을 채워 자궁을 일직선 모양으로 펴지게 하면 이식외관 진입이 쉬워질 수 있다. Tenaculum으로 경부를 잡아당겨 자궁을 펴 주는 것이 필요할 경우도 있지만 이는 통증을 유발하기 때문에 가능하면 삼가하는 것이 좋다.

배아이식 시 실시간으로 초음파를 보면서 진행하는 것은 이식외관이나 이식내관의 위치를 파악할 수 있고 배아가 포함된 배양액이 자궁 안으로 들어가는 것도 직접 볼 수 있어 매우 유리하다. Brown 등(2010)의 메타분석 보고에 의하면 초음파 하에서의 배아이식이 초음파 없이 진행하는 소위 'clinical touch' 방식보다 임신율이 상승한다고 하였다.

배아연구실에서 배아를 이식내관에 넣을 때는 배양액 양을 최소화하여야 배아가 난관이나 자궁경부로 흘러가는 가능성을 줄일 수 있다. 또한 배아를 이식내관에 넣을 때부터 자궁내로 배아를 방출하기까지 걸리는 시간을 최소화해야 한다. 이는 배아가 실내 온도, 빛 등 외부 요인에 의해 손상되는 것을 막기 위해서이다. 보통 시술자가 이식외관이 자궁경부의 내공에 위치하였음을 배아연구실에 알려주면 이 때 배아를 이식내관에 넣는다.

자궁내로 배아를 방출한 후 syringe plunger를 계속 같은 힘으로 누르면서 이식관을 천천히 제거하여 음압 형성을 피하고 동시에 자궁내 배아가 따라 나오는 것을 방지한다.

이식 후에는 반드시 이식내관을 검사하여 안에 배아가 남아있는지 확인해야 한다. 이것은 이식이 어려웠을 경우에 특히 중요하다. 만일 배아가 이식내관 안에 남아 있다면 즉시 다시 이식을 시행한다.

배아이식 후 침상 안정은 배아의 물리적인 배출에 대한 두려움 때문에 많은 클리닉에서 시행되고 있다. 그러나 Purcell 등(2007)은 배아이식 후 침상 안정은 임신율과는 무관하다고 보고하였다.

4. 황체기 보강

체외수정에서는 뇌하수체 억제제의 사용으로 인한 황체 기능 감소, 난자채취로 인한 과립막세포 소실 등의 이유로 황체기 보강을 시행한다. 보통 난자채취일부터 황체기 보강을 시작하나 난자채취 전날이나 또는 다음 날부터 시작하는 수도 있다. 프로게스테론제 투여가 기본적인 황체기 보강 방법이며 근주형, 피하형, 질삽입형, 경구형이 있다. 근주형은 주사부위 발적 및 통증을 유발할 수 있고 의료인에 의하여 주사가 이루어져야 하는 불편함이 있어 자가 주사가 가능한 피하형이나 질삽입형을 선호하는 임상의도 있다.

Mohammed 등(2019)의 메타분석 보고에 따르면 신선배아 이식 주기에서 황체기 보강은 상기한 네 가지 제형 모두에서 하지 않는 것에 비하여 임신율은 상승한다고 하였으며 다양한 시작 시점을 모두 포함하면 근주형은 질삽입형에 비하여 임신율이 더 높지만 생아출생율은 차이가 없다고 하였다.

프로게스테론제에 경구 에스트로겐이나 저용량 hCG를 추가하는 방법도 있으나 정상반응군에서는 효용성은 없는 듯하다. 그러나 GnRH 작용제로 triggering을 하는 경우에는 강화된 또는 변형된 황체기 보강(intensified or modified luteal support)을 할 목적으로 프로게스테론제에 경구 에스트로겐이나 저용량 hCG를 추가하기도 한다.

황체기보강의 기간에 대해서는 의견이 분분하다. 과거에는 임신 12주까지 사용하기도 하였으나 요즘에는 임신 8주까지 사용하는 것이 보통이다.

** 참고문헌 목록은 대한산부인과내분비학회 홈페이지 http://www.kosge.or.kr 또는 QR코드를 통해 보실 수 있습니다.*

CHAPTER

23 난자기증과 대리모

윤상호(동국의대), 심유진(동국의대)

세계 최초의 체외수정 성공 이후 보조생식술은 지난 30여 년간 눈부시게 발달해 왔으며, 시술의 폭넓은 보급과 더불어 이미 국내에서도 인공수정이나 체외수정 등의 보조생식술이 특별한 시술이 아니라 불임부부의 임신을 위한 보편적인 시술로 인식되고 있다. 아울러 정자나 난자, 배아 등의 공여나 대리모를 통한 임신 또한, 불가피한 경우 이러한 시술이 필요한 불임부부들의 자녀 출산에 커다란 희망으로 자리잡고 있다.

난자기증이나 대리모임신은 난자를 채취하는 여성과 수정된 배아를 이식받는 여성이 서로 다른 체외수정으로, 이들 중 누가 임신을 원하는 불임여성인지에 따라서 난자기증과 대리모임신으로 구별될 뿐 생식의학 기술이나 시술방법에서는 크게 다르지 않다.

이러한 시술은 의학적인 기술 외에도 시술에 따른 불편이나 위험, 음성적인 거래계약, 모호한 가족관계 등의 문제를 야기하면서, 많은 국가들이 법률적으로 시술 범위를 제한하거나 윤리적인 시술지침 등을 제시하고 있다.

우리나라에서도 일찍이 대한산부인과학회에서는 체외수정과 더불어 정자나 난자의 공여시술, 대리모임신 등에 관한 '보조생식술 윤리지침'을 제정한 바 있으며, 2008년에는 '생명윤리 및 안전에 관한 법률'에 난자기증에 대한 항목을 신설하여, 난자기증자의 건강을 보장하고 음성적 금전거래가 아닌 기본적인 실비보상을 할 수 있도록 기본적인 요건을 마련하였다. 그러나 대리모시술의 경우, 법령이나 구속력 있는 지침을 마련하지 못하고 있어 여전히 뜨거운 논란의 대상이 되고 있다.

I. 난자기증(Oocyte donation)

난자기증은 자신의 난자를 이용한 임신이 불가능한 불임여성들이 부득이하게 선택하게 되는 시술이다. 제3의 여성인 공여자의 난자와 불임여성의 배우자 정자로 수정시킨 배아를 수혜자인 불임여성의 자궁에 이식시켜 잉태를 하는 시술로, 첫 시술의 성공은 1983년과 1984년에 Trounson 등과 Lutjen 등에 의해 연이어 이루어졌으며, 이후 세계적으로 널리 확산되며 시술되고 있다. 현재 미국의 경우, 난자기증을 이용한 체외수정은 전체 체외수정의 10%를 차지하며 난자기증을 이용한 체외수정 당 생존아 출생률은 50%에 달한다.

난자기증의 임신성공을 위한 선행조건으로는 우선 공여자와 수혜자 간의 월경주기 동기화(synchronization)에 따라 배아의 착상에 적합하도록 준비된 수혜자의 자궁내막 상태와, 비교적 젊은 여성의 공여자로부터 얻은 양질의 난자를 들 수 있다. 임신율은 수혜자의 나이보다도 공여자의 나이에 따라 더 크게 좌우하기 때문이다.

1. 난자기증시술의 적응증(indications for use of donor oocytes)

대표적인 적응증은 조기난소부전(premature ovarian failure) 여성이다. 그 밖에 유전학 결함(genetic abnormalities), 유전질환의 보인자(carriers of genetic disorders), 난소의 이상발생(ovarian dysgenesis), 체외수정의 수차례 반복 실패, 심히 저하된 난소예비력(diminished ovarian reserve), 양측난소절제수술(surgical castration), 방사선치료나 항암치료로 인한 난소기능부전 등을 들 수 있다.

난자기증을 이용해야 할 불임여성에 대한 미국생식의학회(american society for reproductive medicine, ASRM)의 지침은 다음과 같다.

표 23-1. 난자기증 이용의 적응증

- 고생식샘자극호르몬-생식샘저하증 여성
- 고령의 여성
- 난소예비력이 심하게 저하된 여성
- 심각한 유전적 결함이 있거나 그 보인자, 또는 미확인된 보인자 가족력이 있는 여성
- 난자나 배아의 질이 불량하거나 보조생식술로 수차례 임신에 실패한 여성

세계적으로는, 50-60세 이상의 수혜자도 공여 난자를 이용해 임신한 사례가 있어 자궁이 있는 여성이라면 누구나 임신 성공 가능성이 있다. 그러나 산모의 나이에 따라 임신 합병증이 증가한다는 것은 잘 알려져 있고 수혜자의 나이가 50세 이상이면 유산, 임신당뇨, 제왕절개, 임신성 고혈압이 증가한다는 것이 여러 연구에서 밝혀졌다. 고령의 수혜자에서 출산한 아이들에 대한 영향도 잘 정립되어 있지 않으며 아이들이 성인이 될 때까지 수혜자가 잘 양육할 수 있을지에 대한 염려도 있다. 이에 2016년, 미국생식의학회 권고안에서는 45세 이상의 수혜자는 심장혈관에 대한 평가를 포함한 의학적 평가를 미리 받고 고위험에 대한 산과 상담을 받도록 권고하고 55세 이상 여성을 수혜자로 하는 난자 공여는 막을 것을 권고한다.

2. 난자기증자의 선택(donor selection)

가장 손쉬운 난자기증은 불임치료를 위한 체외수정과정에서 채취된 난자 중 사용하고 남는 일부 잔여난자를 제공하는 것이다. 그러나 기증자는 임신에 실패하고 수혜자가 임신되어 출산하는 경우 법적, 윤리적인 분쟁이 발생될 수 있고, 임신 실패 시 다시 시도할 목적으로 잔여난자나 잔여배아를 동결보존해 두는 경우가 늘어 잔여난자의 공여가 쉽게 이루어지지는 못하고 있다. 부인과 질환으로 난소를 절제할 때 절제되어 버려질 난소의 난포에서 채취해 낸 미성숙난자를 체외에서 성숙시켜 공여난자로 이용한 임신성공 사례가 보고되면서 절제되는 난소에 포함된 미성숙난자도 기증난자로 이용할 수 있게 되었다.

일반적으로는 처음부터 기증을 목적으로 배란유도를 하게 되는 경우가 많으며, 난자기증자는 임신성공률이나 염색체 이상 발생의 가능성을 고려해서 비교적 젊고 신체적으로나 정신적으로 건강하며 이전의 임신경험 등으로 임신가능성이 확인된 여성이 바람직하다. 또한 가족관계 등의 혼란과 법적인 다툼을 피하기 위해서 익명의 공여자가 가족이나 지인보다 더 권장되고 있다.

기증자의 적정 나이에 대해서는 논란이 있으나 일반적으로 자기 판단과 결정에 책임을 질 수 있는 성인으로 21-35세 미만을 추천하고 있다. 과배란유도에 따른 난자채취의 횟수가 많을 경우 장기간 후 합병증이나 건강에 유해할 수 있다는 우려와 한 여성의 유전학적 자녀출생수가 과

다하지 않도록 많은 국가에서는 공여 목적의 난자채취나 공여 횟수를 제한하고 있다. 미국생식의학회의 지침은 최대 채취 횟수를 6회까지로 권장하고 있으며 우리나라의 경우 법령에 의해 공여 목적의 난자채취를 6개월 이상의 기간을 두고 평생 3회까지로 제한하고 있다. 난자채취로 부작용이 발생한 경우에는 그 부작용이 완치된 후 6개월이 지나야 난자를 다시 채취할 수 있다.

난자기증시술을 시행하기 전에는 기증자나 수혜자의 안전을 위해 유전적인 질환이나 그 보인자는 반드시 배제되어야 하고 기본적인 선별검사가 선행되어야 한다.

3. 난자기증자의 선별검사(screening of donor)

난자기증자에게는 철저한 문진과 이학적 검사에 이어 기본적인 선별검사를 시행해야 한다. 나라마다 법률이나 지침에 따라 기증자에게 시행해야 할 기본 선별검사 항목은 다소 차이가 있으며, 우리나라의 경우 법률에 근거한 시행규칙에 아래와 같이 규정되어 있다(생명윤리 및 안전에 관한 법률 시행규칙 제27조 제1항, 별표2 <시행 2020.12.31>).

표 23-2. 난자기증자에 대한 건강검진 항목

- 혈액형 검사(ABO/Rh Typing)
- 일반혈액검사(CBC)
- 일반 소변검사(urinalysis)
- 혈당검사(glucose)
- 혈액 크레아티닌(creatinine)
- 혈액 요소질소(BUN)
- 혈액 간효소검사(SGOT/SGPT)
- 혈액 총 빌리루빈(total bilirubin)
- 간염바이러스 검사(HBsAg, HBsAb, Anti-HCV)
- 매독검사(VDRL or RPR)
- 인체면역결핍바이러스 항체검사(anti-HIV)
- 골반초음파검사
- 자궁경부 세포진 검사(Pap smear)

배아생성의료기관은 상기 건강검진 결과 매독, 간염, 후천성면역결핍증 등의 질환이 발견되거나 이상 소견으로 난자를 채취하기에 부적절하다고 판단되는 사람으로부터 난자를 채취하여서는 안 된다.

4. 난자기증자의 보상

생명윤리 및 안전에 관한 법률 제27조(난자 기증자의 보호 등)에 따르면 배아생성의료기관은 난자기증에 필요한 시술 및 회복에 걸리는 시간에 따른 보상금 및 교통비 등 보건복지부령으로 정하는 항목에 관하여 보건복지부령으로 정하는 금액을 난자기증자에게 지급할 수 있다. 2020년 시행규칙 제24조(난자기증자에 대한 실비보상)에 따르면 실비는 다음과 같으며 배아생성의료기관의 장은 실비보상액을 지급한 후 기관위원회에 보고하여야 한다.

표 23-3. 난자기증자의 보상

1. 교통비	철도운임-실비(일반실), 선박운임-실비(2등급), 항공운임-실비, 자동차운임-실비
2. 식비	(1일당) 20,000원
3. 숙박비	(1박당) 실비(상한액: 서울특별시 70,000원, 광역시 60,000원, 그 밖의 지역은 50,000원)
4. 시술 및 회복에 걸리는 시간에 따른 보상금	배아생성의료기관의 장이 기관위원회 심의를 거쳐 산정한 금액

5. 난자기증자의 보호

정자공여와 다르게 난자기증의 경우, 공여자가 많은 시간과 약물 투여, 침습적인 난자채취 시술을 겪게 되므로 난자기증자의 안전은 전체 난자기증 시술에서 1순위로 고려되어야 한다. 젊고 난소예비력이 좋은 여성이 난자기증자가 되므로, 난자기증자는 난소과자극증후군의 위험도가 높은 편이므로 이러한 위험을 줄이기 위한 전략이 필요하며 생식샘자극호르몬방출호르몬 길항제 주기(GnRH antagonist cycle)를 이용해 시술을 시행하는 것, 배란유도주사를 사람 융모생식샘자극호르몬(hCG) 대신 생식샘자극호르몬방출호르몬 작용제(GnRH agonist)를 사용하는 것이 선택할 수 있는 방법 중 하나라고 할 수 있다. 한편으로 난자채취 시술이 성공적으로 이루어져야 공여자와 수혜자 간의 월경주기 동기화(synchronization)를 통해 준비된 배아이식이 성공적으로 이루어질 수 있으므로, 임상의사는 공여자, 수혜자의 의학적 상태를 고려하여, 난자기증 시술주기를 성공적으로 이끌면서도 난자기증자의 안전을 보호할 수 있는 의학적인 판단을 해야 한다.

6. 수혜자의 조건 및 검사

수혜자에게는 충분한 병력청취와 이학적 검사를 통하여 생식의학적으로 공여난자가 불가피한지를 확인하고, 자궁난관조영술, 골반초음파검사 등으로 자궁체부나 자궁내막의 이상 여부를 확인하여 자궁의 임신 가능성을 가늠한다.

법률적 혼인관계에 있는 불임부부만을 대상으로 하고, 수혜자 및 그 배우자에게 윤리지침, 법률상의 절차, 시술의 과정과 합병증을 충분히 설명한 후 시술 대상 부부 모두가 이를 수락하고 동의한 경우 시술이 시행되어야 한다.

수혜자나 그 배우자에게 시행해야 할 선별검사에 대한 특별한 규정이나 원칙은 없으나 일반적인 체외수정 시의 검사와 난자기증자에게 필요한 선별검사에 준해서 시행함이 바람직하다.

7. 수혜자의 자궁내막 준비(endometrial preparation)

난자기증자가 배란유도를 하는 동안 수혜자는 이식된 배아가 착상될 조건에 맞도록 자궁내막을 증식시키는 준비가 필요하다. 즉 수혜자의 자궁이 난자기증자와 월경 주기가 맞도록 동기화하여야 하는데, 동결되었던 배아를 이식하는 경우에는 주기에 맞게 해동할 수 있어서 수혜자의 자연 월경주기를 따르기도 하지만 배란유도주기에서는 대부분 호르몬투여로 공여자와 동기화되도록 유도한다. GnRH 작용제의 사용으로 비교적 쉽게 수혜자의 주기를 기증자와 맞출 수 있다.

우선, GnRH 작용제의 투여로 뇌하수체를 억제시키다가 기증자에게 배란유도주사를 투여하기 수 일 전부터 매일 에스트라디올 발러레이트 2 mg씩 하루 3차례 투여한다. 공여자의 난자채취가 예상되면 기증자에게 hCG를 투여하는 날부터 수혜자에게 추가로 매일 프로게스테론(progesterone in oil) 100 mg을 근육주사하거나 미분화프로게스테론(micronized progesterone, utrogestan) 질정 200 mg을 하루 2-3차례 질 내에 삽입하도록 한다. 프로게스테론 투여는 주사제나 질정제 모두 임신율이나 착상률에 큰 차이가 없다.

에스트로겐 투여 방법으로 수혜자의 주기 첫날부터 6일째까지는 하루 2 mg씩, 7일째부터 사람 융모생식샘자극호르몬(human chorionic gonadotropin, hCG) 투여 전일까지는 하루 4 mg씩, hCG 투여일부터는 하루 6 mg씩 증량하는 방법으로 투여하기도 하며, GnRH 작용제는 주기가 맞고 뇌하수체 억제가 불필요하다고 판단되면 투여하지 않을 수 있다.

자궁내막의 착상수용성(endometrial receptivity)은 비교적 폭넓은 기간 동안 유지가 되어서, 이식할 때까지의 에스트로겐 투여기간이 11-40일까지 기간별 임신율에 큰 차이가 없음이 보고된 바 있으며, 한편 최소 14일 이상은 유지하기를 권장하기도 한다.

임신이 확인된 경우에는 필요에 따라서 약제 투여를 적절히 조절하면서 임신 8-10주까지 지속한다.

II. 대리모(Surrogate mother)

1. 정의

1) 대리모(surrogate mother)

일반적으로 다른 부부를 대신해서 임신, 분만하게 되는

여성을 일컫는다.

2) 임신대리출산(gestational surrogacy or full surrogacy)

의뢰한 부부의 정자와 난자가 체외수정로 사용되어 수정란만 이식시키는 것, 즉 자궁만을 빌리는 것을 말하고 출생한 아이와 대리모는 유전적 연관성은 없다.

3) 유전대리출산(genetic surrogacy or partial surrogacy)

의뢰한 부부의 남편 정자만 사용되어 대리모에게 인공수정되거나 또는 체외수정을 거쳐 대리출산되는 것을 말하고, 출생한 아이와 대리모와 유전적인 연관성이 남는다.

2. 적용 기준

2017년, 미국생식의학회는 대리모를 이용해 임신할 수 있는 적응증을 아래와 같이 제시한다.

1) 자궁이 없는 경우

선천적으로 또는 수술로 인해 자궁이 없는 경우

2) 심한 자궁 기형

회복 불가능한 아셔만 증후군, 반복 자연 유산과 연관된 단각 자궁 등

3) 특정 의학적 상황(Severe medical condition)

임신유지가 절대금기이거나 건강에 큰 위해가 되는 중증 심신질환자(폐고혈압 등)

4) 아이를 수태하거나 임신할 수 없는 생물학적 불능

독신 남자 또는 동성애자 남성 부부 등

5) 좋은 배아를 이식함에도 불구하고 지속적으로 체외수정에 실패하는 경우

3. 잠재적 대리모와 잠재적 부모의 선별과 상담

모든 잠재적 대리모와 아이의 부모가 되고자 하는 잠재적 부모에 대한 정신의학적인 평가와 상담은 반드시 필요하다. 대리모는 이상적으로, 21-45세이며 적어도 1번 이상의 만삭 출산 경험이 있는 여성이 선호되고 이전 분만력이 자연분만의 경우 5번 미만, 제왕절개의 경우 3번 미만인 여성이 바람직하다. 대리모가 임신의 스트레스를 견딜 수 있게끔 안정적인 가족환경을 가지고 있는 것이 이상적이다. 잠재적 대리모는 임신과 출산 과정을 거쳐야 하므로 대리모의 안전과 아이의 건강을 위해 성매개병 검사, 약물 중독 등의 검사, 정신건강의학적 평가, 식이장애 등의 평가 및 부인과 검진을 포함하여 전반적인 의학상태의 체크가 필요하다.

잠재적 부모는 대리모와의 존중에 기반한 관계를 유지할 수 있을지, 정신의학적인 문제가 있는지, 약물 중독의 문제가 있는지, 아동학대의 전력이 있는지, 우울증, 식이장애가 있는지 등을 반드시 평가하여 선별해야 한다. 선별된 잠재적 대리모와 잠재적 부모는 모든 과정을 시작하기에 앞서 모든 과정을 이해해야 하며, 몇 개의 배아를 이식할지에 의견이 같아야 하며 임신 중 발생할 수 있는 여러가지 문제 및 위험성, 합병증에 대해 미리 충분히 설명을 듣고 사전동의를 해야 한다.

4. 시술방법

대리모 시술은 본인의 자궁을 이용한 임신이 불가능한 불임여성에서 본인의 난자를 채취한 후 수정된 배아를 다른 여성에게 이식하여 임신, 출산을 유도하는 체외수정으로, 난자기증 시술과 생식의학적 기술이나 시술 방법에서는 크게 다르지 않다. 따라서 대리모 선별 검사 포함, 구체적인 보조생식술에 대한 내용은 앞서 기술된 난자기증부분과 일치한다.

5. 국내외 법률 현황 및 윤리적 문제

1) 국외 법률 현황

영국의 경우 영리적 목적의 대리출산은 금지하고 비상업적인 대리출산 계약을 허용하고 있다. 대리모에 대한 제한규정으로 38세 이하의 건강한 여성으로 최소 하나 이상의 자녀를 두고 있는 여성으로 제한하고 있다. 미국이나 캐나다, 네덜란드, 뉴질랜드, 이스라엘 등은 대리모에 의한 출산을 허용하고 있으며 관행적으로 시술되고 있는 반면, 프랑스, 독일, 오스트리아, 덴마크, 이태리, 스웨덴, 스위스, 스페인 등의 대부분 유럽 국가들은 허용하지 않고 있다. 독일의 경우, 대리모 계약은 원칙적으로 사회상규에 반하는 행위로서 무효라는 전제에서 출발하여, 대리모를 중개하거나 인공수정을 시행하는 자에 대한 처벌 규정을 두고 있으며 프랑스의 경우에도 민법 16조에 '타인을 위한 출산 또는 임신에 관한 약정은 무효'라고 규정하고 있다.

2) 국내 법률 현황

우리나라는 오래 전부터 윤리적으로 논란이 있는 가운데에서도 불가피하게 대리모에 의해서만 임신이 가능한 일부 불임부부들의 절실한 요구에 의해서 관행적으로 시술되어 왔으며, 임신율도 일반 불임부부의 부부간 체외수정에 비해 비교적 높은 편이다. 그러나 상업적 대리모에 의한 시술이 알려지면서 한때 사회적으로 매우 큰 논쟁이 있었고, 종교계나 윤리단체 등의 거센 저항이 있게 되면서 최근에는 시술이 주춤한 편이다. '생명윤리 및 안전에 관한 법률' 제23조 제3항에 "누구든지 금전 또는 재산상의 이익 또는 그 밖의 반대급부를 조건으로 배아나 난자 또는 정자를 제공 또는 이용하거나 이를 유인하거나 알선하여서는 아니된다"는 조항이 있고 이후 2008년에 난자기증시술에 대한 항목이 신설되어 난자기증자의 건강을 보장하고 음성적 금전거래가 아닌 기본적인 실비보상을 할 수 있도록 기본적인 요건이 마련되었다.

그러나 대리모 시술에 대한 내용은 가족관계, 대리모 조건 및 제한, 비용에 대한 원칙이나 법령, 그리고 구속력 있는 지침을 마련하지 못하고 있어 여전히 뜨거운 논란의 대상이 되고 있다. 가족관계등록법 제44조 제4항은 출생신고서에는 의사나 조산사가 작성한 출생증명서를 제출하거나, 분만에 직접 관여한 자가 모의 출산사실을 증명할 수 있는 자료 등을 첨부하여 작성한 출생사실을 증명하는 서면, 국내 또는 외국의 권한 있는 기관에서 발행한 출생사실을 증명하는 서면을 첨부하도록 규정하고 있다. 즉 출생증명서에 출산자로 기재된 자를 출생신고서에도 모로 기재하도록 규정하고 있어 현재로서는 난자제공자를 출생신고서에 기재할 방법이 없다. 2018년에는 대리모를 통해 국내 한 대학병원에서 임신한 후, 미국에서 출산하고 다시 귀국하여 출생한 아이의 출생신고서를 접수하는 과정에서 법적인 문제가 발생하였고, 민법 재판 결과 임신한 모를 친모로 보는 2심 결정이 있었다. 해당 판례에서는 '자궁(출산)대리모'를 통한 출산을 내용으로 하는 계약은 선량한 풍속 기타 사회질서에 위반하는 것이므로 민법 제 103조에 의하여 무효라고 규정하였다.

현재 나날이 발전되는 기술에 따라 점점 관심이 증가할 것으로 예상되는 대리모 시술에 대해서는 합법화 여부, 수반되는 가족관계, 대리모 조건 및 제한, 비용 등에 대한 원칙과 입법이 필요한 실정이다.

3) 윤리적 문제

배우자간의 체외수정 후 또는 비 배우자간의 체외수정 후에 대리모 계약에 의하여 자궁을 빌려줄 수 있다. 양자 모두에 있어서 대리모 계약의 유효성과 태어난 자식의 법적 지위가 문제된다. 대리모 계약을 무효로 규정하여도, 그로 인하여 태어난 아이의 법적 지위 문제는 여전히 남게 된다.

대리모가 출산한 자녀의 부모를 누구로 할 것인지에 대해서는 각 나라마다 다르게 규정하고 있다. 대리모를 인정하지 않는 독일은 1998년 친자관계법에서 조항을 신설하여 출산한 여성이 모가 되는 것으로 확정하였고, 일본 또한 최고재판소 판결을 통해 출산한 자녀의 법적 모는 대리모로 하되, 위탁모가 입양하도록 하였다.

우리나라의 정서나 사회적 분위기와 대리모 시술이 필요한 불임부부들의 입장을 충분히 고려해서 많은 의견 수렴이 이루어져 우리나라에서 대리모 임신을 허용할 지의 여부, 허용한다면 어떠한 지침 안에서 시술되어야 할지를 보다 구체적으로 결정하기 위한 사회적 준비가 필요하다.

** 참고문헌 목록은 대한산부인과내분비학회 홈페이지 http://www.kosge.or.kr 또는 QR코드를 통해 보실 수 있습니다.*

CHAPTER

24 미세조작술

장혜진(아주의대), 황경주(아주의대)

체외수정에 의한 인류 최초의 시험관아기인 "루이스 브라운(Louise Brown)"이 1978년 태어난 이래 지난 40여 년간 보조생식술(assisted reproductive technologies, ART)은 눈부신 발달을 하였다. 일반적인 체외수정의 경우 심각한 정자운동저하증, 기형정자증 또는 무정자증 등과 같은 중증 남성인자 불임증 환자에서는 성적이 매우 좋지 않았으나, 1990년대 미세조작술(micromanipulation)의 도입으로 이들 환자 부부에서의 난자수정률과 임신율이 획기적으로 향상될 수 있었다. 미세조작술은 미세피펫(micropipette)을 이용하여 현미경 하에서 난자 및 배아를 조작하는 모든 시술 방법을 의미하며, 수정능력이 극도로 저하된 정자의 난자 수정률을 향상시키기 위한 미세보조수정술(micro-assisted fertilization, MAF), 배아의 부화(hatching)를 용이하게 하여 배아 착상률을 증가시키기 위한 보조부화술(assisted hatching), 수정란의 극체 생검(polar body biopsy) 및 배아의 할구생검(blastomere biopsy)을 통한 착상전 유전진단(preimplantation genetic diagnosis, PGD)뿐만 아니라 줄기세포 연구를 위한 체세포핵이식(nuclear transplantation) 등 광범위하게 적용되고 있다. 미세조작술 중 미세보조수정술은 체외수정 시 수정의 여러 단계 중 정자가 난자의 당단백(glycoprotein) 장벽인 투명대(zona pellucida)를 통과해야 하는 단계를 생략할 수 있게 하여 정자와 난자의 세포질(cytoplasm)이 보다 쉽게 만날 수 있게 함으로써 수정률을 높이는 방법이다. 그 방법은 ① 난자의 투명대를 부분적으로 절개하여 정자와 난자세포질이 쉽게 접촉할 수 있도록 투명대에 통로를 만들어 주는 "부분투명대절개법(partial zona dissection, PZD)" ② 3-20개의 운동성 있는 정자를 투명대 아래의 난황주위강(perivitelline space)으로 주입하는 "투명대하 정자주입술(subzonal insemination, SUZI)" ③ 한 개의 정자를 투명대 내부의 난자세포질 안으로 직접 넣어주는 "난자세포질내정자주입술(intracytoplasmic sperm injection, ICSI)"로 크게 분류할 수 있다. 그러나 부분투명대절개법이나 투명대하정자주입술은 다수정(polyspermy)이나 난자의 손상을 가져올 확률이 높고, 현재 널리 이용중인 세포질내정자주입술에 비해 임신율이 떨어져 현재 임상에서는 거의 시행되지 않는다.

난자세포질내정자주입술은 도입 초기 정액 내 정자의 수가 적거나 운동성이 저조해 일반적인 체외수정 방법에 의한 수정이 불가능한 남성요인 불임환자들만을 대상으로 실시되었으나, 미세수술적 부고환정자흡인술(microepididymal sperm aspiration, MESA) 또는 고환조직내정자채취술(testicular sperm extraction, TESE) 등을 이용한 정자 채취가 가능해짐에 따라 그 적용 범위가 점차 확대되어 폐쇄성무정자증(obstructive azoospermia) 환자나 비폐쇄성무정자증(non-obstructive azoospermia) 환자에서도 시행되며 또한 일부 여성요인 불임환자에도 적용되는 실정으로 2004년 호주, 뉴질랜드, 유럽, 미국에서 시행된 보조생식술의 약 60%에 해당된다고 보고된 바 있다. "2015년도 불임부부 지원사업 평가 및 불임원인 분석"에 따르면 우리나라에서도 난자세포질내정자주입술이 모든 보조생식술의 45.2%를 차지하고 있다고 보고되었다.

Ⅰ. 난자세포질내정자주입술 (Intracytoplasmic sperm injection, ICSI)

1. 적응증

정액내 총 정자 농도가 5×10^6/mL 미만일 경우 일반적인 체외수정(conventional IVF)에 의한 수정률이 유의하게 감소하므로 난자세포질내정자주입술을 시행한다. 현재 난자세포질내정자주입술 시행에 대한 보편적인 기준은 규정되어 있지 않지만, 일반적으로 희소무력기형정자증(oligoasthenoteratozoospermia) 등의 중증 남성인자 불임증을 가지거나, 통상적인 체외수정 방법으로 수정에 실패하거나 항정자항체가 고농도로 존재하는 등의 이유로 수정률이 매우 낮은 경우 난자세포질내정자주입술을 시행한다. 정자와 난자의 상태가 정상인 경우에도 최고 30%에서 수정 실패가 일어나는 것으로 보고되고 있고, 이러한 경우에도 난자세포질내정자주입술을 시행할 수 있다. 최근에는 남성인자 불임치료 외에도 적용범위가 확대되어 착상전 유전진단을 위해서도 난자세포질내정자주입술을 시행하는데, 이는 투명대에 결합되어 있는 정자에 의한 DNA 오염을 방지하기 위함이다. 사람 면역결핍바이러스(human immunodeficiency virus, HIV) 또는 C형 간염 바이러스에 감염된 부부들은 통상적인 체외수정을 시행하는 경우 난자가 정액에 노출됨으로 인한 바이러스 감염의 위험성을 감소시키기 위해 난자세포질내정자주입술을 시행할 수 있다. 그 외에도 회수된 난자의 수가 극히 적은 경우 수정 실패로 배아이식이 불가능해지는 것을 방지하기 위해 난자세포질내정자주입술을 안전장치로 사용하기도 한다. 난자세포질내정자주입술을 위해서는 사정된 정자 또는 부고환이나 고환에서 추출된 정자가 이용될 수 있다. 사정된 정자를 이용하는 난자세포질내정자주입술의 절대적 적응증은 총 전진운동성 정자가 0.5×10^6/mL 미만이면서 정자형태 정밀평가(sperm morphology evaluation using strict criteria)에서 정상형태 정자가 3% 미만인 경우이다. 이외에도 선천성 양측성 정관 무형성증(congenital absence of bilateral vas deference, CABVD), Young 증후군, 정관부고환문합술 실패, 정관재문합술 실패, 양측사정관폐색 등으로 인한 폐쇄성 무정자증의 경우에는 부고환에서 미세수술적부고환정자흡인술 또는 경피적부고환정자흡인술(percutaneous epididymal sperm aspiration, PESA)을 이용한 정자 채취 후 세포질내정자주입술을 시행할 수 있다. 부고환에 반흔조직이 너무 많아 채취가 힘들거나 정자생성(spermatogenesis)장애가 있는 고환기능부전증(testicular failure), 부분적 생식세포 무형성증(partial germ cell aplasia), 관상경화증(tubular sclerosis), 사정자증(necrozoospermia) 등의 경우에는 고환조직에서 세침흡인(fine needle aspiration, FNA)이나 고환조직내정자채취술(TESE)로 정자를 직접 얻은 후 세포질내정자주입술을 시행할 수 있다. 또한 정자생성이 일어나지 않거나 극히 저조한 비폐쇄성 무정자증 환자에서도 부고환정자흡인술 또는 고환조직내정자채취술 후 세포질내정자주입술로 임신한 사례가 있다. 고환조직내정자채취술로 얻은 정자 중 운동성이 있는 정충(spermatozoa)은 물론 운동성이 없는 정충일지라도 세포질내정자주입술을 통해 정상적인 수정이 일어날 수 있을 뿐만 아니라 난할, 착상 모두 가능하며, 정자생성이 정상적인 경우와 결함이 있는 경우 간에 배아착상률은 유의한 차이가 없는 것으로 보고된 바 있다(그림 24-1).

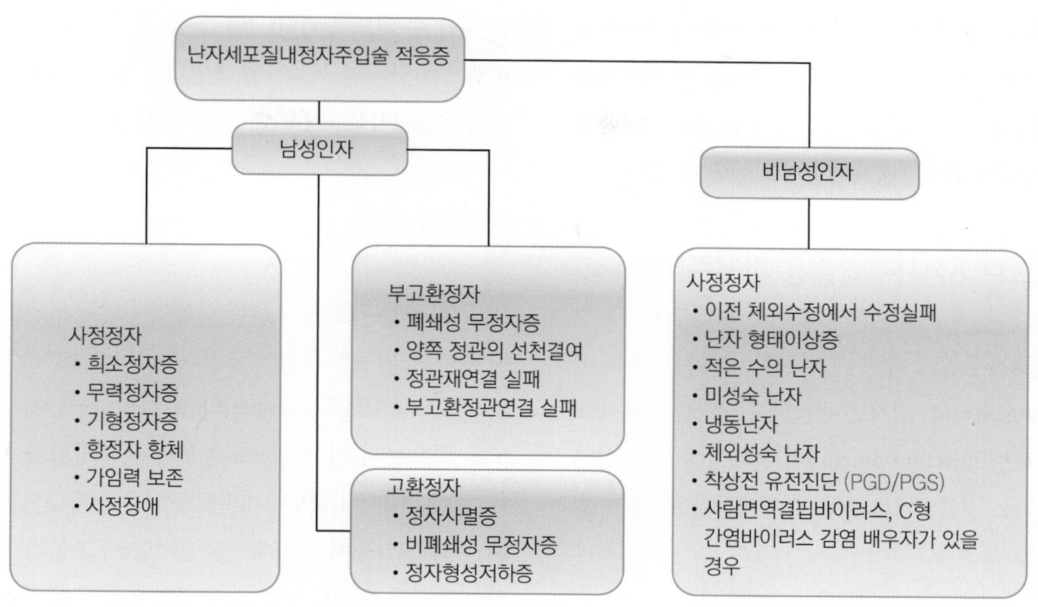

● 그림 24-1. **난자세포질내정자주입술 적응증(ICSI indication)**

2. 시술방법

1) 과배란유도 및 난자채취

통상적 체외수정법과 동일한 방법으로 이루어진다.

2) 난구세포 제거와 난자의 핵성숙 판별

채취된 난자는 난자-난구세포 복합체(cumulus oophorus complexes, COC)의 형태이며 난구세포(cumulus cell)를 제거하기 위해 0.1% 이하의 hyaluronidase 등과 같은 효소와 미세 유리 피펫을 이용하여 화학적, 기계적 방법으로 제거한다. 난구세포가 제거된 난자는 핵 성숙의 상태에 따라 다음과 같이 구분한다.

(1) 성숙난자(metaphase II, MII): 제1극체(1st polar body)가 방출된 난자로 제2감수분열 중기에 도달한 세포질내정자주입술이 가능한 상태

(2) 중간성숙 난자(metaphase I, MI): 배소포가 소실되고(germinal vesicle break down, GVBD) 제1극체가 관찰되지 않는 난자

(3) 미성숙난자(immature, GV): 세포질 내에 배소포(germinal vesicle, GV)가 존재하는 난자

(4) 비정상적인 난자

3) 정자의 회수

운동성을 보이는 정자가 거의 없는 중증의 무력정자증(asthenozoospermia) 환자에서는 사정된 정자나 고환조직내정자채취술에 의해 얻어진 정자를 모두 이용할 수 있다. 정자의 노화, 부고환에서 정자성숙 지연이 정자 운동성을 더욱 저하시킬 수 있으므로, 부고환에 이르기 전 단계인 고환정자를 고환조직내정자채취술로 얻은 후 난자세포질내정자주입술을 시행함으로써 좀 더 좋은 결과를 얻을 것으로 예측할 수 있지만, 실제로는 사정된 정자나 고환조직내정자채취술에 의해 얻어진 정자 간에 난자수정률, 임신율 등에 있어 차이를 보이지 않는 것으로 알려져 있다. 또한 수음, 전기사정술(electroejaculation) 및 방광도관법(bladder catheterization) 등과 같은 정자 회수 방법도 세포질내정자주입술의 난자수정률, 임신율 등의 성적에 영향을 미치지 않는 것으로 알려져 있다. 사정된 정자나 고환조직내정자를 회수한 후 바로 사용하는 경우와 동결 후 사용하는 경우에도 난자세포질내정자주입술의 성적에는 차이를 보이지

않는다. 비폐쇄성 무정자증의 경우 고환조직내정자채취술이 주로 사용되며, 폐쇄성 무정자증의 경우엔 폐쇄된 위치에 따라 미세수술적부고환정자흡인술 또는 경피부고환정자흡인술 및 고환조직내정자채취술이 시행될 수 있다.

4) 난자세포질내정자주입술용 피펫준비

세포질내정자주입술 시행 시 난자를 고정시켜주는 고정피펫(holding pipette), 정자를 선택하고 난자세포질 내로 주입해주는 피펫(injection pipette)이 필요하며 이는 상업용으로 판매되는 것을 구입하거나 자체제작한 후 세척, 멸균하여 사용할 수 있다.

5) 난자세포질내정자주입술에 의한 수정

수정은 고배율의 도립현미경에 장착된 미세조작기(micromanipulator)를 이용하여 이루어지며, 정상적인 형태의 운동성 있는 정자를 선택하여 polyvinyl lpyrolidone (PVP)와 같은 점성 물질을 이용하여 운동성을 감소시키고 주입피펫(injection pipette)으로 정자의 중편부(midpiece)에 물리적 힘을 가해 비활동화(immobilization)시킨 후 난자세포질 안으로 주입한다. 이때 제 1극체가 6시 또는 12시 방향에 위치하도록 고정하고, 정자는 3시에서 9시 방향으로 주입하여 제 1극체 바로 아래쪽에 위치한 난자염색체의 방추사 손상을 피할 수 있도록 한다(그림 24-2). 정자 주입 시에는 주입피펫으로 난자의 세포질을 흡입하여 난막(oolemma)을 확실히 뚫었는지를 확인하는 단계가 필요하다.

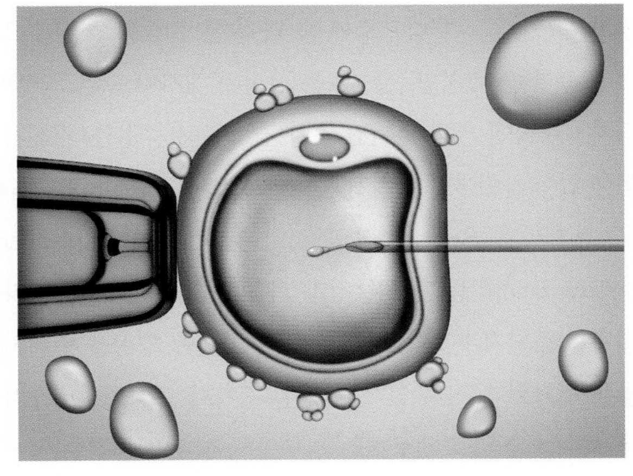

• 그림 24-2. **난자세포질내정자주입술**

6) 주의사항

위의 모든 과정은 소음과 진동이 차단된 공간에서 수행해야 하며, 외부의 환경에 노출되는 시간을 줄이기 위해 체외수정조작기(IVF chamber)와 같은 작업공간에서 작업하도록 함으로써 이산화탄소 농도와 온도변화를 최소화한다. 또한 내경 5 μm의 미세피펫을 이용한 작업이므로 세심한 주의를 기울여 난자세포질 내 미세구조물과 세포소기관이 손상되지 않도록 한다. 난자와 정자가 동일한 환자부부의 시료인지를 이중으로 점검하는 것도 중요하다.

3. 결과

사정된 정자를 이용한 난자세포질내정자주입술 결과 60% 이상에서 정상적인 수정이 이루어지고, 비폐쇄성무정자증 환자에게서 고환조직내정자채취술등과 같은 수술적 방법으로 얻어진 정자를 이용한 난자세포질내정자주입술에서도 50% 이상에서 정상적인 수정이 이루어진다. 수정 후의 배아도 약 80% 이상에서 자궁강내 이식이 가능할 정도로 발달하여 통상적 체외수정에서와 유사한 임신율을 보임으로써 난자세포질내정자주입술은 불임 극복에 크게 기여하고 있다.

4. 정자선택방법에 따른 방법

Bartoove 등이 처음으로 고배율 현미경에서 움직이는 정자의 기관 형태를 검사할 수 있는 방법을 소개한 이후, 실시간으로 움직이는 정자의 핵 모양을 평가하여 주입할 정자를 선택하는 방법이 제시되었다. 기존의 난자세포질내정자주입술시 시행하는 배율(x400)보다 고배율

(x6000) 현미경으로 정자의 형태를 관찰하여 머리부분 핵 모양 및 vacuoles 유무를 관찰하여 선택하는 방법인 난자세포질내 형태학적 선택 정자 주입법(intracytoplasmic morphologically selected sperm injection: IMSI)이 사용되고 있다. Vacuoles이 관찰되는 정자의 경우 미성숙 DNA (DNA immaturity)와의 상관성이 밝혀져 있고, 기존의 방법으로 정자를 선택할 때보다 고배율에서 정상 형태의 정자를 선택하여 주입할 경우 임신율이 증가하는 연구들이 보고되었다. 그러나 임상 적용에 있어서 고가의 현미경이 필요하고, vacuoles이 관찰되지 않는다는 것이 모든 염색체 이상을 선별할 수 있는 방법이 아니므로 체외수정에서 기본적으로 사용하기는 어려운 실정이다. 심한 기형정자증(teratozoospermia)이거나 난자세포질내정자주입술로도 수정이 반복적으로 실패할 경우 고려해볼 수 있고, 정자의 형태학적 이상을 진단하는 기준의 다양성과 vacuoles의 임상적 의미에 대해서는 이견이 많다.

성숙한 정자의 머리부분에 난자-난구세포(cumulus oophorous)의 주성분인 히알루론산(hyaluronic acid)에 결합할 수 있는 특이 수용체가 발현한다는 사실을 기반으로 제시된 방법은 생리적 난자세포질내정자주입술(physiological intracytoplasmic sperm injection: PICSI) 이다. 미성숙 정자의 경우 히알루론산에 결합하는 능력이 떨어진다는 연구결과들을 바탕으로 히알루론산 결합 검사가 정상 성숙정자를 선택할 수 있는 가능성을 높일 수 있다. 그러나 실제 임상에서 무작위 대조연구를 시행한 결과, 기존의 난자세포질내정자주입술과 출산율에서는 큰 차이가 없었고, 유산율은 낮추는 결과를 보여주었다.

5. 유전학적 위험성

정자의 유전학적 결함으로 수정이 일어나지 않는 경우 난자세포질내정자주입술을 통하여 인위적으로 난자를 수정시킴에 따라 자연적인 정자 선택 과정이 생략됨으로써 염색체 이상 등의 유전질환을 가진 신생아 출산의 위험성 증가와 같은 문제점이 제기된 바 있으나, 이와 관련된 대다수의 연구들은 난자세포질내정자주입술이 주요 선천 기형의 발생빈도를 유의하게 증가시키지는 않는 것으로 보고하고 있다. 그러나 일부 연구에서는 심장기형(예; 팔로 사증후군, 심실중격결손)이 단태아 남아에서 통상적인 체외수정으로 태어난 아이에 비해 유의하게 증가했다는 보고도 있고, 심한 정자부족증을 가진 남성으로부터 난자세포질내정자주입술로 태어난 아이에서 요도하열증(hypospadias) 발생 위험이 유의하게 높게 관찰된다는 보고도 있어 주의가 필요하다. 그러나 이와 관련된 여러 연구들을 메타분석한 연구에서는 요로생식기 기형의 발생빈도가 차이가 없다는 보고도 있어서 난자세포질내정자주입술이 신생아 기형에 미치는 영향을 정확히 확인하기 위해서는 대규모 코호트 연구가 필요하다.

난자세포질내정자주입술이 시행된 이래 성장발달과정에 대한 체계적인 연구는 아직 부족한 실정으로, 몇몇 대규모의 연구에서 난자세포질내정자주입술 방법으로 태어난 아기가 정신, 지적 발달에 있어 정신지체나 자폐증의 발생 위험이 증가한다는 연구들이 있다. 그러나 증가한 위험이 난자세포질내정자주입술 자체에 기인하는지, 남성 불임인 아버지로부터의 영향인지에 대한 명확한 구분은 어려운 실정이다. 일부 연구자들은 난자세포질내정자주입술로 태어난 아이, 특히 여아에서 비만이 증가하는 경향을 보인다고 하였고, 남아의 경우 성인으로 성장한 이후 정자형성장애가 발생하여 남성불임이 될 수도 있다고 보고하였다. 이는 유전적인 원인일 수도 있고, 난자세포질내정자주입술의 영향일 수도 있기 때문에 추후 대규모 연구를 통해 확인해야 한다. 후생유전학(epigenetics)적인 영향을 비롯하여 현재 우리가 인지하지 못하고 있는 문제점들에 대해서도 그 가능성을 열어 두어야 할 것이며, 최근 들어 남성불임 이외의 적응증으로 난자세포질내정자주입술을 시행하는 경우가 많이 늘어나고 있으므로 다른 두 가지 적응증으로 난자세포질내정자주입술을 시행하여 태어난 아이들에 대해 성장과 건강에 대한 잠재적인 위험성을 비교하는 장기간의 전향 코호트 연구가 필요하다. 이를 통해 향후 난자세포질내정자주입술의 적용 기준에 대한 재정립이 필요할 수도 있다.

Ⅱ. 난자세포질내정세포주입술
(Intracytoplasmic spermatid injection)

1. 적응증

고환 내에서 정자생성(spermatogenesis)에 장애가 있는 비폐쇄성무정자증 환자들 중 고환조직내정자채취술을 시행했음에도 불구하고 정충(spermatozoa)은 회수되지 않고, 정충 생성 전 단계인 정세포(spermatid)까지만 존재하는 환자들에게 적용하는 방법이다. 사람의 정자생성 과정에서 원형정세포(round spermatid)는 제2정모세포(secondary spermatocyte)가 두 번째 감수분열을 종결한 이 후 형성된 정자이기 때문에, 성숙한 정충처럼 머리와 편모(flagellum)가 형성된 것은 아니지만 염색체는 성숙한 정충과 동일하여 유전자를 정상적으로 전달할 수 있다는 점에 착안하여 개발된 방법이다. 세르톨리세포단독증후군(Sertoli cell only syndrome)이나 정자성숙정체(sperm maturation arrest)로 진단받은 남성 불임환자들 중 약 40%에서 다발성 고환조직내정자채취술 방법으로 정세포를 관찰할 수 있었으며, 채취된 정세포는 난자세포질내정자주입술과 동일한 방법으로 미세조작기를 이용하여 난자의 수정에 이용된다. 이러한 미성숙 정자에 의한 수정은 정자생성 장애로 성숙한 정충이 만들어지지 않는 남성 불임환자를 위한 치료 방법으로 이용될 수 있다.

2. 난자세포질내정세포주입술의 종류와 시술방법

1) 원형정세포주입술(Round spermatid injection, ROSI)

고환조직 내에 원형정세포가 존재하는 비폐쇄성무정자증 환자의 경우 대부분 정액 내에도 원형정세포가 존재하며, 비연속(discontinuous) Percoll 방법을 이용하여 정액에서 원형정세포를 분리할 수 있다. 반면, 생검된 고환조직에 존재하는 원형정세포는 정세관(seminiferous tubule)을 가위로 잘게 자르거나 겸자(forcep)를 이용하여 짜낸 후 정자발생단계에 있는 미성숙 정자들을 얻고 이들을 현미경하에서 관찰하여 원형정세포를 골라낸다. 화학적 방법으로 효소를 이용하여 정세관을 녹인 후 원형정세포를 분리하는 방법도 사용할 수 있다.

고환은 다양한 발달단계에 있는 생식세포, 세르톨리세포, 라이디히세포(leydig cell) 등으로 구성되는데, 원형정세포는 발달단계에 있는 남성생식세포들 중 하나로 직경이 7-8 μm 정도로 적혈구 보다는 약간 크고 세르톨리세포의 핵보다는 작다. 작은 림프구와 유사한 크기지만 상대적으로 핵이 크고 구형으로 중앙에 위치하며, 정자형태의 발달 즉 정자형성(spermiogenesis) 과정에서 관찰되는 골지체(golgi body)와 cap phase에 세포의 윗부분에 존재하는 첨체소낭(acrosome vesicle)을 확인함으로써 구분할 수 있다. 그러나 광학현미경하에서 세포의 크기를 가늠하고, 세포질내 골지체, 원형의 핵, 첨체의 존재를 확인하는 것은 쉽지 않아 많은 숙련이 필요하다. 건강한 원형정세포의 분리를 위해서는 핵의 윤곽이 명확히 보이고 원형정세포보다 약간 작은 내경을 가진 주입피펫으로 흡입하였을 때 탄력을 보이며 쉽게 터지지 않는 세포를 선택하도록 해야 한다. 그러나 원형정세포주입술은 정충의 난자세포질내정자주입술에 비해 기술적인 어려움이 있을 뿐 아니라 난자 수정률도 낮은데, 그 원인 중 하나로 세포질인자(cytosolic factor)의 결핍을 들 수 있다. 정자의 세포질인자는 원형정세포가 난자세포질 내로 주입된 후 수정을 위해 난자의 활성화를 유도하는 요소인데, 심한 정자생성부전증(spermatogenic failure)을 가진 환자의 원형정세포에는 이러한 세포질인자가 존재하지 않거나 극히 미량 존재하기 때문에 수정률이 저하될 수 있다는 것이다. 또한 원형정세포의 핵은 성숙한 정충과 달리 histone/protamine의 치환이 불완전하다. 즉 protamine의 mRNA는 원형정세포에서 합성되지만 protamine 단백질의 합성은 원형정세포의 형태발달 다음 단계인 생장정세포(elongating spermatid)에서 만들어진다는 것이다. 따라서 수정을 위한 난자의 활성화가 완전히 유도되지 않은 상태에서 난자세포질 내로 주입된 원형정세포의 DNA는 난자 내에 존재하는 성숙촉진인자(maturation promoting factor, MPF)에 의해 조기염색체응축(premature chromosome condensation, PCC)을 일으키게 됨으로써, 합성단계(S phase)를 거치지 못하고 바로 분열단계(M phase)로 넘어가기 때문에 수정란의 염색체 이상이 유발될 수 있다. 이러한 문제점들을 극복하기 위해 원형정세포 주입 전에 난자를 전기적으로 자극하거나 칼슘이온투과담체(Ca++ iomophore)의 처리 등으로 난자를 인공적으로 활성화시키기도 하나 이러한 처리과정이 배아 및 태아의 발생에 미치는 영향에 대해서는 아직 확실하지 않으며, 추가적 연구가 필요하다.

2) 생장정세포주입술(Elongated spermatid injection, ELSI)

정자생성분화의 최종 단계인 정충으로 분화 직전 상태인 생장정세포(elongated spermatid)를 난자세포질 내 주입하여 난자의 수정을 유도하는 방법으로, 이 방법에 의한 난자 수정과 이 수정란을 이용한 정상태아의 임신과 출산이 보고된 바 있다. 원형정세포는 분화하여 핵이 나선형으로 응축되어 세포의 한쪽으로 이동하고 동시에 편모가 형성되기 시작하면서 생장정세포가 된다. 대부분 남성 생식세포의 폐쇄 및 퇴화는 일차정모세포로부터 원형정세포에 이르는 시기에 일어난다. 생장정세포는 원형정세포에 비해 좀 더 분화된 상태로 세포폐쇄율도 원형정세포에 비해 뚜렷이 낮은 보다 건강한 상태이므로 생장정세포주입술의 결과는 원형정세포주입술보다 우수하여, 성숙한 정충을 주입하는 난자세포질내정자주입술 결과와 유사하다.

Aslam과 Fishel은 원형정세포를 체외 환경에서 배양하여 편모 형성에 성공하였을 뿐 아니라, 현재는 줄기세포 연구 발달에 힘입어 비폐쇄성무정자증 환자로부터 정자 줄기세포를 분리한 후 이를 증식, 배양하여 정세포 단계까지 발달시켰다. 향후 이를 정충 단계까지 분화시키는 연구가 진행되고 있다. 이같이 정자생성장애를 포함한 중증의 남성인자 불임을 위한 치료법은 급속히 발달하고 있는 실정이나, 이러한 치료법들에 내재된 문제점들의 가능성에 대해서도 언제나 함께 고려하고 연구해 나가야 할 것이다.

Ⅲ. 보조부화술(Assisted hatching)

보조부화술의 정의는 보조생식술(ART)에서 배아의 착상률을 높이기 위해 인위적으로 투명대(zona pellucida)를 조작하여 얇게 하거나 파열시키는 시술을 칭한다. 보조생식술에서 배아의 착상률(implantation rate)은 20% 정도에 불과하여 매 시술 주기당 임상적 임신율은 35%, 생아 출생률(live birth rate)은 25% 정도에 그친다. 따라서 착상률을 높이는 것은 보조생식술의 성적 향상을 위한 가장 중요한 목표라 할 수 있다. 착상률의 증가를 위해서 가장 먼저 사용되었던 방법은 다수의 난자를 채취하여 다수의 배아를 이식하고 잉여 배아는 다음 번 이식을 위해 동결 보관하는 방법이다. 그러나 이는 난소과자극증후군의 발생 위험 증가 및 다태임신의 확률을 높이는 심각한 합병증을 유발한 소지가 있다.

사람에서 착상을 방해하는 주요인은 배아의 질이 떨어지는 경우와 자궁내막의 수용력(receptivity)이 낮은 경우로 크게 구분되지만, 포배기 배아 단계에서 부화(hatching)의 장애가 발생하는 경우에도 착상 과정에 방해가 될 수 있다는 보고가 있다.

난자 및 배아는 투명대(zona pellucida)라는 당단백(glycoprotein) 층으로 둘러싸여 있어 첨체(acrosome)의 작용이 완벽한 정자만이 침투할 수 있다. 투명대는 다수의 정자가 난세포질 내로 들어가는 것을 막고, 수정 이후에는 세포 분열하는 배아를 적절히 압박하여 구 모양을 유지하게 해 줌으로써 난관을 뚫고 자궁강 내로의 이동을 용이하게 하며, 미생물(microorganism)이나 면역세포에 노출되는 것을 막아주는 역할을 한다. 포배 단계가 되면 배아는 투명대에서 빠져나와 자궁내막에 착상하게 되는데 이 부화단계에서 장애가 발생하면 착상 실패로 이어지게 된다. 이것이 배아 자체에 기인하는 문제이든, 투명대의 문제이든 간에 부화단계의 실패는 사람 생식력의 효율성을 떨어뜨리는 여러 요인들 중 주요 인자이다. 여기에서 도입된 개념이 보조부화술이다.

보조부화술은 보통 수정 후 3일째 배아에 시행하며 다양한 방법들이 적용될 수 있는데, 산성화타이로드(acidified Tyrode's) 용액을 이용한 천공(drilling), 유리 미세 바늘을 이용한 투명대 부분절제술(partial zona dissection, PZD), 레이저 광소작술(laser photoablation), 및 피에조미세조작기(piezomicromanipulator) 등을 이용한 통로 형성법이 있고, 단백용해효소(proteolytic enzyme), acidified Tyrode's 용액이나 레이저를 이용하여 구멍을 내지 않고 단지 그 두께만 얇게 해 주는 방법도 있다.

보조부화술이 배아 착상률을 증대시킬 수 있는 데에는 세 가지 가능한 가설이 있는데, 첫 번째는 체외수정(IVF) 중의 배아배양(cell culture) 및 냉동보관으로 인한 투명대의 경화(hardening)가 발생하므로 이를 보조부화술을 통해 쉽게 열릴 수 있게 한다는 점, 둘째, 자연 주기에 비해 보조생식 주기에는 착상의 최적기(implantation window)가 약 1-2일 정도 빨라지는 것으로 보이므로 이에 대해 배아도 보조를 맞출 수 있게 한다는 점, 마지막으로, 인위적으로 만들어 준 통로(opening)를 통해 자궁내막과 배아 사이에서 대사산물, 성장인자 및 착상에 필요한 메시지를 상호 교환하게 함으로써 착상률 증대를 유도할 수 있을 것으로 생각된다.

실제로 초기 보고에 따르면 이전에 2회 이상 실패한 경험이 있는 40세 이상의 고령 여성을 대상으로 보조부화술을 시행했을 때 유의한 생존 출산율의 증가가 관찰되었다. 그러나 최근까지 보조생식술을 시행 받는 여성에서 보조부화술의 적용에 대한 통일된 권고안은 없는 실정이고, 가장 최근 시행된 메타분석에 의하면 보조부화술은 이전의 반복적 보조생식술에서 실패한 경우나 동결배아이식 주기에서 임상적 임신 및 다태임신율을 증가시키는 것으로 나타났다. 그렇지만 다른 나쁜 예후인자 없이 신선 배아를 이식하는 일반 여성의 경우, 고령의 여성에서도 임상적 임신율을 증가시킨다는 근거는 부족하고, 유산이나 생아 출산율(live birth rate)에 관해서도 어떠한 결론이 내려지지 않은 상태이다. 또한 보조부화술의 추가적 시행에는 보조생식술 자체의 가능한 합병증에 더하여 배아나 할구세포(blastomere)에 손상을 주게 되면 배아의 생존력(viability) 자체를 떨어뜨릴 가능성이 있고, 인위 배아 조작으로 인한 일란성 쌍생아 발생의 가능성을 높일 수 있다는 문제점도 있다. 따라서 보조부화술은 배아의 질이 낮거나 투명대가 더 두꺼운 경우(thick zona)와 같이 보조생식술의 나쁜 예후인자를 갖는 고령의(38세 이상), 두 번 이상 반복된 보조생식술 실패 환자군에서 선택적으로 시행하는 것이 바람직할 것으로 보인다.

** 참고문헌 목록은 대한산부인과내분비학회 홈페이지 http://www.kosge.or.kr 또는 QR코드를 통해 보실 수 있습니다.*

CHAPTER

25 동결보존술

구화선(차의과학대), 류상우(차의과학대)

동결보존(cryopreservation)은 세포나 조직, 개체 등과 같은 생물학적 재료를 형태와 기능적인 변화가 일어나지 않은 상태로 저온에서 장기간 보관하고, 원래 상태의 기능을 회복하도록 해동하는 전 과정을 의미한다. 1700년대 후반 포유동물의 정자동결에 관한 연구에서부터 시작되었고, 실제 적용은 제2차 세계대전이 한창이던 1930-40년대에 혈액을 동결하여 보존 이송하기 위한 방법으로 사용하면서부터라고 할 수 있다. 동결보존의 상업적인 사용은 1940년대 좋은 종자를 확보하기 위해 포유동물의 정자, 난자 및 배아를 낮은 온도에서 유지하기 위한 노력으로부터 시작되었으며, 그 후 약 20년간 여러 동물의 배아에 관한 연구가 이루어졌으나 동결보호제(cryoprotectant)를 사용하지 않고 대부분 약 5일 동안의 짧은 기간 동안 보관되어 있었다.

동결대상이 되는 세포나 조직의 대부분은 수분이 차지하고 있다. 수분 제거 없이 동결하게 되면 세포 내의 수분이 날카로운 얼음결정(ice crystal)을 형성하고 팽창하여 세포막과 내부 소기관에 상해를 일으키게 되고, 결국 해동이나 융해 이후 세포나 조직의 생존성을 해치게 된다. 따라서 동결보존의 기본원리는 삼투압 원리를 이용하여 세포 내부의 수분을 동결보호제로 점진적으로 치환함으로써 세포의 생리 및 생화학적 반응의 속도를 느리게 하고, 차단함으로써 얼음결정을 최소화하여 세포를 보호하는 것이다. 동결 시 발생하는 얼음결정을 방지하기 위해 사용되는 동결보호제에 대한 연구는 1940년부터 시작되었고, 1940년대 후반에 글리세롤(glycerol)을 동결보호제로 사용할 수 있다는 것이 알려졌으며, 1948년 Polge 등은 글리세롤을 이용한 정자의 동결보존에 성공하였다. 1972년 새로운 동결보호제인 디메틸 설폭사이드(Dimethyl sulfoxide, DMSO)를 사용한 생쥐 배아의 장기보존이 보고되었다. 동결보호제는 세포막을 통과하는 능력에 따라 투과성 또는 비투과성으로 분류된다. 투과성 화합물에는 DMSO, 글리세롤, 1,2 프로판디올(PrOH)) 등이 있고 비투과성 화합물에는 수크로오즈(sucrose), 포도당, 과당, 트레할로스(trehalose) 등을 사용할 수 있다.

동결보존의 방법에는 완만동결법(slow freezing)과 유리화동결법(vitrification)이 있다. 완만동결법은 동결하는 동안 세포는 낮은 농도의 동결보호제에 노출되고, 느린 속도로 냉각된다. 최근에는 초고속 냉각이 가능한 유리화동결법이 사용되면서 완만동결법을 대체해 가고 있다. 유리화동결법은 1985년 Fahy에 의해 처음 보고되었으며, 고농도의 동결보호제를 사용하여 급속 냉동을 함으로써 세포 내 얼음결정이 형성되지 않게 하는 동결방법으로 난자나 배아의 융해 후 높은 생존율과 임신율을 보고하고 있다.

배아나 난자의 동결보존은 많은 장점을 가진 보조생식술(Assisted reproductive technology, ART)이다. 신선 체외수정(In vitro fertilization, IVF)주기에서 남는 배아를 보관해 놓음으로써, 다태임신의 위험을 감소시킬 수 있고, 난소과자극증후군을 줄일 수 있으며, 누적 임신율을 증가시킬 수 있다. 그러나, 배아 동결보존은 개인의 종교적 혹은 도덕적 이유, 또는 특정 국가의 법률 때문에 제한될 수 있다. 보존된 배아의 향후 계획을 결정하는 과정에 있어 부부간의 의견 불일치가 있을 수 있고, 특히 이혼 또는 별거의 경우 법적 분쟁으로까지 이어질 수 있다. 이러한 경우, 배아 보다는 난자 동결보존이 가능한 대안이 될 수 있다. 난자의 동결보존이 도덕적 민감성에서 보다 자유로운 경향이 있고, 한 개인에서 유래하기 때문에 소유권을 둘러싼 문제가 적다.

I. 동결보존술의 개요

1. 동결보존의 필요성

지난 40년간 보조생식술의 발전을 통해 양질의 난자와 배아의 생산이 늘어나게 되었고, 더불어 생식세포와 잉여 배아의 동결보존 필요성은 점점 커지고 있다. 많은 연구자들에 의해 다양한 생식세포와 배아의 동결기술이 발전되어 왔고, 이를 통해 체외수정(IVF)의 누적 임신율을 증가시켰으며 시술의 융통성을 부여하게 되어 동결보존은 보조생식술의 필수적인 요소로 자리매김하고 있다. 특히 최근 다태 임신의 유병률을 줄이기 위한 단일 배아이식(single embryo transfer)의 증가와 신선 체외수정 주기에서 생성된 배아를 모두 동결하는 경우(freeze all policy)가 늘어나고 있어 배아 동결보존의 필요성은 더욱 증가하고 있다.

아울러 가임력 보존의 측면에서도 최근 증가하고 있는 미혼 여성의 난자냉동과 성선 독성치료를 시행 받게 되는 악성종양이나 혈액질환, 자가면역질환뿐만 아니라 수술적 치료가 필요한 양성난소종양을 가진 환자들의 가임력 보존을 위해 난자, 배아, 혹은 난소조직의 동결보존은 여성의 생식능력 보존의 기회를 넓혀줄 수 있다.

2. 동결보존 방법

동결보존 방법으로는 낮은 동결보호제의 농도와 완만한 냉각속도(cooling speed)를 이용하여 세포 내의 수분을 서서히 탈수시키면서 동결하는 완만동결법(slow freezing)과 고농도의 동결보호제와 초급속 냉각속도를 사용하는 유리화동결법(vitrification)이 널리 사용되고 있다. 하지만 두 방법 모두에서 사용되는 동결보호제의 농도는 세포에게 매우 해로운 독성을 가지고 있기 때문에 동결과정에서는 세심한 처리과정이 필요하다. 유리화동결법은 완만동결법에 비하여 13년 늦게 도입되었으나, 높은 생존율과 임신 성공률로 완만동결법을 대체해 가고 있다.

완만동결법은 1972년 생쥐 배아의 동결에 성공한 후, 1983년에 Trounson등이 동결보존된 사람 배아를 이용하여 최초로 성공적인 임신을 보고 하였으며, 1986년에는 사람 난자의 동결이 가능했다. 유리화동결법은 보다 큰 세포를 효율적으로 동결보존하려는 관점에서 1985년에 생쥐 배아에서 처음 도입되었고, 이후 1990년 사람 배아를 성공하였다. 또한 1999년에 사람 난자에서도 최초로 임신에 성공하였다. 2004년에는 완만동결법을 이용한 사람 난소조직의 동결에 성공하였으며, 최근에는 세포 단위가 아닌 조직 단위에서도 연구가 활발하게 진행되고 있다(그림 25-1).

1) 완만동결법(slow freezing method)

완만동결법은 동결보호제로의 치환과 냉각을 통해 배아 및 난자세포 내 수분의 탈수를 유도한 다음, 세포질 내에 얼음결정을 최소한으로 형성시켜 보존하는 방법이다.

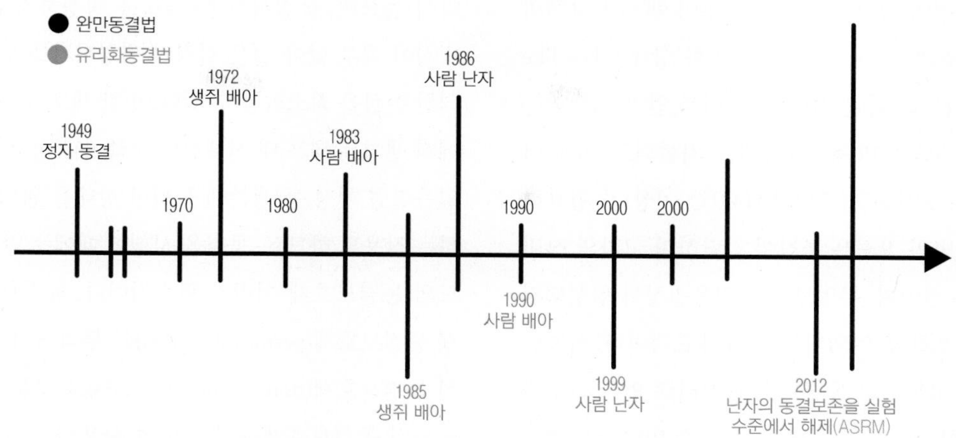

● 그림 25-1. **보조생식술에서의 동결보존 연대표**

유리화동결법보다 상대적으로 낮은 농도의 동결보호제가 첨가된 동결보호액을 사용하기 때문에 삼투압과 동결보호제의 독성에 의한 영향이 적다. 하지만 유리화동결법에 비해 장시간이 소요되며 동결과 해동 과정 중에 배아 및 난자가 손상될 가능성이 상대적으로 높다. 또한 얼음결정이 생성되므로 동결상해(cryoinjury)가 있으며, 상대적으로 고가의 장비와 많은 액체질소(liquid nitrogen, LN2)의 사용량, 긴 처리 시간이 필요하다는 단점을 가지고 있다.

2) 유리화동결법(vitrification method)

난자 및 배아는 일반 세포에 비해 부피가 크고 더불어 수분 함유량이 매우 많아 이를 효과적으로 동결보존하기 위해서는 특히 얼음결정을 최소화하는 동결보존 기술이 필요하다. 이런 관점에서 도입된 방법이 유리화동결법이다. 유리화동결은 세포를 -196℃의 액체질소에 직접 노출시켜 동결보존을 유도하지만, 실제로는 동결과정에서 세

표 25-1. **완만동결법과 유리화동결법의 비교**

특성	완만동결법 (Slow freezing method)	유리화동결법 (Vitrification method)
액체 질소 직접 노출	없음(폐쇄형 시스템)	있음(개방형 도구) 없음 (폐쇄형 도구)
냉각 속도(℃/분)	0.15-0.30(℃/분)	15,000-30,000(℃/분)
얼음 결정 형성	있음(최소)	없음(유리화 상태)
샘플 용량	100-200 μL	1-2 μL
소요 시간	느림(수시간)	빠름(수분)
특수 장비	있음(냉각 장비)	없음(장비 필요 없음)
해동 후 생존력	높음	높음
동결보호제 농도	낮음(-1.4 M)	높음(-4.78 M)
동결보호제의 독성 위험도	낮음	높음
시스템 방식	폐쇄형	개방형/폐쇄형
잠재적 오염 가능성	매우 낮음	있음(개방형 도구) 매우 낮음(폐쇄형 도구)
기술 난이도	쉬움	어려움

포 내에 얼음결정이 형성되지 않고 수분이 액체와 고체의 중간인 비결정질과 같은 상태, 즉 유리화 상태(Glass like status)를 유지하도록 하는 기술이다. 이를 얻기 위해서는 세포 내 수분이 고농도의 동결보호제로 치환되고, 이와 더불어 매우 높은 냉각속도(분당 30,000℃ 이상)가 필요하다. 유리화동결법의 장점은 조작이 간단하며 고가의 장비가 필요 없다는 점이며, 무엇보다도 얼음결정이 형성되지 않아 상해를 최소화할 수 있다는 것이 대표적이다. 하지만 방법의 특성상 고농도의 동결보호제 처리로 인한 독성과 삼투압으로 인한 세포의 손상을 초래할 수 있다는 단점도 있다(표 25-1).

3. 동결보호제(cryoprotectants; CPAs)

동결보존 후 세포의 고유한 형태를 유지하고 높은 생존율을 얻기 위해서, 많은 연구자들은 세포 내부의 수분을 고농도의 동결보호제의 삼투압 원리를 이용하여 점진적으로 제거하고, 이를 통해 얼음결정을 최소화시키는 방법을 사용하고 있다. 동결보호제는 일반적으로 막 투과성과 삼투압이 높으며, 동결시킬 때 결정을 형성하지 않는다. 특히 빙점이 매우 낮아 얼음 결정의 생성시기를 늦추어 동결에 의한 손상을 최소화할 수 있다. 또한 세포가 동결하는 과정에서 생기는 세포 내 전해질의 농축이나 상승, 세포 내외의 얼음결정 형성 등 생존에 불리한 상태를 완화하거나 조절하는 작용도 하므로, 동결을 시행할 때에는 반드시 일정 농도의 동결보호제 처리가 필수적이다. 동결보호제는 투과성 동결보호제(permeable CPAs)와 투과성이 없는 비 투과성 동결보호제(non-permeable CPAs)로 구분되며, 이들 두 종류의 동결보호제를 혼합하여 사용하는 것이 일반적이다. 서로 다른 종류의 동결보호제를 혼합하여 사용함으로써 상호 보완적으로 세포 독성을 낮추고 효율성을 높여주는 결과를 나타내는 것으로 알려져 있다. 효율적인 동결보호제는 세포에 미치는 독성이 낮아야 하고 세포 내에 쉽게 투과되어야 하는 특성을 가져야 하므로 일반적으로 저 분자 물질이 사용된다. 그 종류에는 에틸렌 글라이콜(ethylene glycol), propylene glycol (PROH), DMSO, glycerol) 등이 있다. 각각의 동결보호제는 세포 내부로의 침투 속도가 다르다. 그러므로 동결보존하고자 하는 대상의 발달 단계에 따라 동결보호제 선택은 매우 중요하다. 따라서 동결보

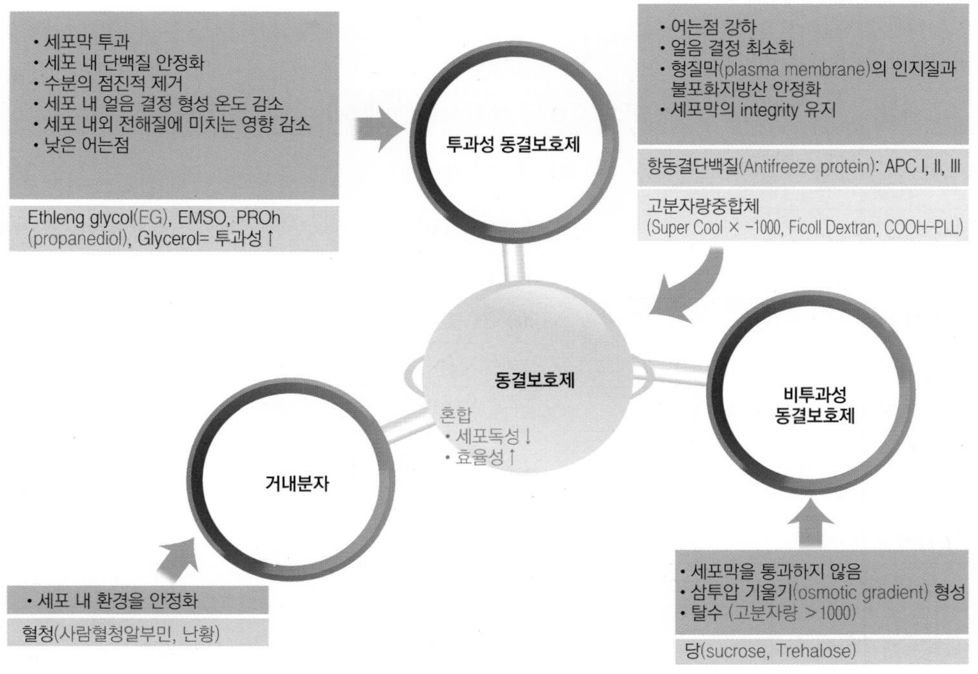

● 그림 25-2. 투과성에 따른 동결보호제의 분류

호제는 세포 내에서 얼음결정의 형성을 방지해서 늦춰야 하며, 빠른 투과성을 이용해 노출시간을 줄일 수 있어야 하고, 또한 동결보호제에 의한 손상도 최소화할 수 있어야 한다. 실제로 빠른 확산은 동결보호제의 제거 동안 삼투압의 팽창을 최소화할 수 있다. 동결보호제의 투과성은 또한 온도에 크게 영향을 받는다. 실제로 높은 온도 일수록 더 빠르게 투과한다. 이 외에도 동결보존을 시행할 때에 이러한 저분자 물질의 동결보호제 뿐만 아니라 당(sugars) (예; sucrose, trehalose) 또는 거대 분자물질(macromolecules) (예; 혈청알부민[Serum albumin)], 혈청[seru]) 등과 같은 거대 분자물질을 첨가하여 사용하기도 한다. 당은 세포막을 통과하지 않고 삼투압만으로 세포 내 탈수를 강하게 유도하는 비 침투성 물질이다. 거대분자는 급격한 삼투압의 변화에 따른 세포 내 환경을 안정화시켜주는 물질로 첨가되며 세포질의 팽윤을 막아주는 역할을 수행한다(그림 25-2).

4. 유리화동결법에 사용되는 보관 기구

1) 개방형(비폐쇄성) 도구

동결보존 하려는 샘플을 담아 유리화동결을 시행할 때, 액체질소(LN2)에 직접 접촉하는 도구는 개방형(비폐쇄성) 도구라고 일컬어진다. 이와 같은 도구에는 Open pulled straw (OPS), Electron microscopy grid, Cryo-loop, Cryo-top, icro-drop 등이 있다. 개방형 도구는 냉각속도(cooling rate)가 -20,000℃/min 정도로 상대적으로 높아 우수한 유리화 효율을 얻을 수 있는 장점이 있다. 하지만 대부분 액체질소에 직접 침지되기 때문에 액체질소 자체 또는 다른 샘플에 의한 미생물이나 바이러스 오염의 위험이 있을 수 있다(그림 25-3).

2) 폐쇄형 도구

개방형 도구의 단점을 극복하기 위해 액체질소에 직접 침지되지 않는 폐쇄성 도구의 개발에 연구의 관심이 집중되고 있다. Cryo-tip (Irvine Scientific, CA, USA), High security vitrification (HSV) straw (CryoBioSystem, Paris, France), Cryopette (Origio, Denmark), Rapid ITM (Vitrolife, Sweden AB), VitriSafe (VitriMed, Austria) 등과 같이 다양한 폐쇄성 도구들이 있다(그림 25-3).

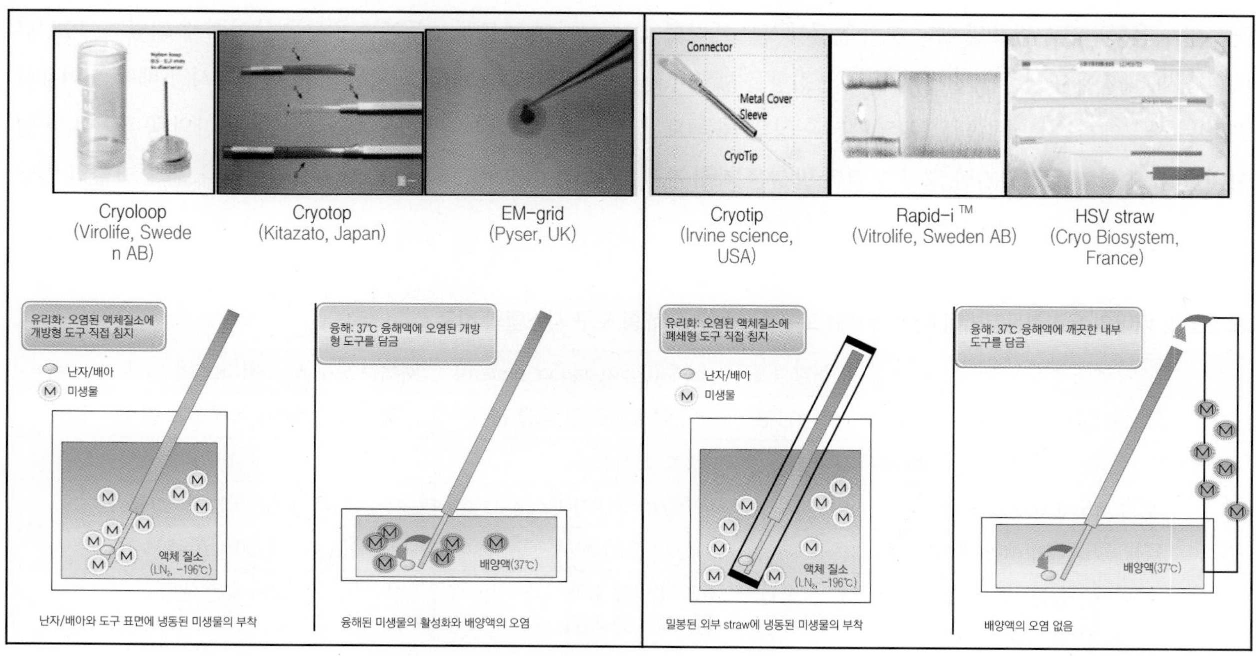

• 그림 25-3. **유리화동결법에 사용되는 device 종류** open carrier system(왼쪽), closed carrier system(오른쪽)

5. 최근 연구 경향

유리화동결법은 개방형 도구 또는 폐쇄형 도구를 사용하여 수행 할 수 있다. 개방형 도구의 장점은 액체질소(LN2)와 직접 접촉할 때 빠른 냉각 속도로 인해 유리화 효율이 우수하다는 것이다. 하지만 액체질소와의 직접적인 접촉은 미생물 및 바이러스와 같은 다른 환자의 물질 간의 교차 오염 가능성이 있다. 폐쇄형 도구는 LN2와 직접 접촉하지 않기 때문에 상대적으로 냉각 속도가 낮고 교차 오염을 방지할 수 있다(표 25-2).

선행 연구 보고에서 이론적 가능성으로 교차 오염의 위험을 무시할 수 있다고 제안하지만, ESHRE (European Society of Human Reproduction and Embryology) 및 ASRM (American Society of Reproductive Medicine) 학회에서는 폐쇄형 도구 또는 증기상(vapor) 저장 탱크를 사용한 가임력보존이 가장 안전한 절차라고 강조한다. 두 시스템의 안전성 및 효율성에 대한 결과는 여전히 논쟁 중이지만, 일반적으로 개방형이 유리화동결보존에 더 효율적인 것으로 알려져 있으며, 많은 국가에서는 액체질소에서 냉각 및 저장을 위해 개방형 장치를 사용하는 것을 선호한다(예외; 프랑스, 체코, 벨기에, 아이슬란드는 국가 정책으로 폐쇄형 도구만 사용함). 최근 발표된 메타 분석 논문에서는 개방형에 비해 폐쇄형에서 생존율, 출생률이 낮은 경향을 보였다. 2020년 보고에서는 전세계적으로 50만건 이상의 해동 배아의 이식이 시행되고 있지만 교차 오염의 발생은 거의 제로에 가깝다고 발표되었다. 현재까지도 안전성과 효율성의 사이에서 많은 논의가 진행 중이지만 아직 폐쇄형 도구가 개방형 도구를 대체하여 사용 가능함에 대한 결론은 불가능하다고 알려졌다. 하지만 최근 COVID-19 팬데믹으로 인하여 관련 학회 차원에서 다시 폐쇄형 도구의 사용을 권장하고 있어 폐쇄형 시스템의 보다 폭넓은 이용을 위해서는 효율성과 안전성의 균형을 맞추기 위한 많은 체계적 연구가 필요하다.

II. 발달 단계에 따른 동결보존

1. 배아의 동결보존 및 임상적 적용

과배란유도 방법의 개선과 배양기술의 발달은 난자의 질, 수정률과 배아 질의 향상을 이루었다. 또한 양질의 난자 및 배아의 배양에 대한 연구가 꾸준히 이루어지고 있다. 체외수정의 발달로 많은 수의 난자 채취 및 배아를 생산하게 되었고 이로 인하여 임신의 가능성도 높아지게 되었다. 따라서 이식 후 남는 잉여 배아에 대한 문제 해결방안으로 배아 동결보존이 제시되었고, 배아 동결보존의 발달로 인하여 보조생식술의 효용성이 높아지게 되었다. 1983년 Trounson 등이 동결보존된 8세포기의 사람 배아를 이용하여 최초로 임신에 성공하였고, 이후 배아의 동결보존 및 임상적 이용에 관한 연구가 지속되어왔다. 배양기술의 발달

표 25-2. 배아의 유리화동결법에 따른 개방형 도구 시스템과 폐쇄형 도구 시스템의 비교

	개방형 도구 시스템(Open carrier system)	폐쇄형 도구 시스템(Closed carrier system)
도구 타입(Type of carrier)	개방형 –배아와 액체 질소 간 직접 접촉	폐쇄형 – 배아와 액체 질소 간 접촉 없음
배아 로딩 용량(Embryo loading volume)	< 1–2 μl	< 1–2 μl
냉각 속도 (Cooling rate)	15,000 ℃/분–30,000 ℃/	1,627 ℃/분 또는 1, 220 ℃/분
융해 속도 (Warming rate)	45,000 ℃/min	7,700 ℃/min
장점	효과적 임상 결과 (생존율과 출생률)	교차 오염 예방
단점	액체 질소 직접 접촉 교차 오염의 잠재적 위험성	임상 효과 개선 필요 (생존율과 출생률)

로 체외수정 후 생성된 배아의 포배기까지의 배양이 가능하게 되었다. 포배기배아 이식은 난할기배아 이식에 비하여 높은 착상률 및 임신율을 보고하고 있다. 이에 따라 포배기 배아이식과 동결에 대한 연구도 활발히 진행되었다. 포배기배아의 동결은 초기 배아시기 동결보다 생존력이 높고 상대적으로 양질의 배아를 선별할 수 있으며, 배아와 자궁내막 사이의 일치화를 통하여 임신 성공률을 향상시킬 수 있으며 이식 배아의 수를 줄임으로써 다태 임신을 감소시키는 장점이 있다.

동결보존 배아이식의 성공여부를 결정짓는 요인에는 배아의 질뿐만 아니라 동결 및 해동/융해의 방법, 자궁의 수용성 등이 있으며 이들 요인에 관한 연구들이 활발히 진행 중이다. 지금까지의 연구 결과들은 동결보존 후 배아의 생존율, 착상률 그리고 임신율 등의 임상 예후에서 완만동결법보다 유리화동결법이 더 좋은 결과들을 보고하고 있다. 이러한 결과들을 바탕으로 보다 간편하며 비용이 적게 들고 생산적인 유리화동결법이 배아의 동결보존에 있어 선호되고 있다.

1) 배아 동결보존의 적용

배아 동결보존은 다음과 같은 경우에 이용할 수 있다.

(1) 배아이식 후 남은 배아

최근 과배란유도 방법의 발전은 많은 수의 난자를 얻을 수 있게 했으며 다태 임신을 방지하기 위해 이식 수를 제한함으로써 더 많은 배아가 남게 되었고 남은 배아를 동결보존한 후 다시 해동/융해하여 배아이식을 시도함으로써 임신율 향상에 기여할 수 있다.

(2) 환자의 상태가 배아이식에 부적합할 경우

과배란유도에 의한 심한 난소과자극증후군으로 생명의 위험이 우려될 경우, 초음파상 자궁내막이 얇은 경우, 자궁경부의 심한 협착 등의 해부학적 이유로 배아이식에 실패한 경우, 발열 등 환자의 건강이 나쁜 경우에 사용할 수 있다.

(3) 동결배아이식 주기에서 더 높은 임신율이 기대될 경우

과배란자극 주기에서는 자궁내막불일치(endometrial asynchrony)가 흔하게 발생한다. 이 경우 배아의 동결보존을 사용하면 자궁내막불일치를 방지할 수 있다.

(4) 난자공여자와 수혜자간의 불일치(asynchronization)또는 난자공여자의 질병(특히 AIDS)이 확인이 필요한 경우

(5) 유전자 검진(genetic screening)이 필요한 경우

발생초기 배아생검(embryo biopsy)을 시행한 후 유전질환이 규명될 때까지 동결보존이 필요할 수 있다.

2) 동결보존 배아의 이식

동결 후 해동/융해된 배아는 자연주기 또는 인공주기 중에 이식할 수 있다. 두 방법 간의 임신율 차이는 없는 것으로 알려져 있다.

(1) 자연주기 또는 변형된(modified) 자연주기 배아이식

규칙적인 월경을 하는 여성에서는 자연주기 또는 변형된 자연주기 배아이식을 시행할 수 있다.자연주기 배아이식이란 환자의 배란일에 맞추어 이식날짜를 결정하는 방법이고, 변형된 자연주기는 사람 융모생식샘자극호르몬(Human chorionic gonadotropin, hCG)을 투여하여 배란을 유도하는 방법이다. 자연주기 배아이식 시에는 프로게스테론을 투여하지 않아도 된다. 하지만 프로게스테론 보충의 의학적 적응증이 되거나 프로게스테론을 보충하지 않은 이전 자연주기 배아이식에서 임신에 실패한 경우에는 프로게스테론 보충이 필요하다. 프로게스테론의 투여방법은 일반적인 체외수정 후의 투여 방법과 동일하며, 이식 후 9-11일째 임신반응검사에서 음성이면 투여를 중단하고 초음파로 확인된 임신의 경우에는 대개 7-8주까지 투여를 지속한다.

배아는 동결상태에 따라서 해동/융해시기를 결정한다. 예를 들어 포배기 배아가 동결되어 있을 경우에는 황체형성호르몬 최고점(LH peak) 4일 후 융해하여 다음날 이식하거나 황체형성호르몬 최고점 5일째 융해하여 같은 날 이식한다.

자연주기 배아이식은 배란시기를 정확하게 알기 위해 많은 검사가 필요하며, 이식일을 미리 계획할 수 없는 단점이 있다. 또한 배란이 되지 않거나, 자궁내막이 충분히 발달되지 못하여 이식을 취소해야 되는 경우가 흔히 발생되고, 월경주기가 불규칙하거나 배란이 되지 않는 경우, 황체기 결함이 있는 경우 시행하기 어려운 단점이 있다.

(2) 인공주기 배아이식

인공주기 배아이식은 에스트로겐과 프로게스테론으로 자궁내막을 이식에 적합하게 만드는 방법으로 난자공여 프로그램에서 널리 사용되고 있다. 인공주기는 GnRH 작용제를 먼저 피하 주사하여 저생식샘자극호르몬-생식샘저하증(hypogonadotropic hypogonadism)을 유도한 후 에스트로겐과 프로게스테론을 투여하는 방법과 GnRH 작용제를 사용하지 않고 에스트로겐과 프로게스테론만 사용하는 방법이 있다.

인공주기 배아이식은 자연주기에 비해 취소율이 낮고 시술 과정이 단순한 장점이 있고, 자연주기와 유사한 성적을 보고하고 있어 많이 사용되고 있다. 인공주기에 사용되는 에스트로겐과 프로게스테론의 종류와 용량은 매우 다양하다. GnRH 작용제와 에스트로겐, 프로게스테론을 이용한 인공주기의 보편적인 사용 방법은 다음과 같다. GnRH 작용제(예: triptoreline 0.1 mg)를 피하로 황체기 중기(월경 21일째)부터 투여한 후 다음 월경이 시작되면 용량을 반으로 줄여서 15일째까지 투여한다. 에스트로겐은 에스트라디올 발러레이트를 하루 2 mg씩 4일 간(월경 3-6일째까지), 하루 4 mg씩 4일 간(월경 7-10일째까지), 하루 6 mg씩 4일 간(월경 11-14일째까지), 이후 동일 용량으로 임신 7-8주까지 투여한다. 난할단계 배아(cleavage stage embryo)는 프로게스테론 주사 시작일을 배란일로 생각하여 프로게스테론 투여 4일째에 이식하며 포배기 배아는 프로게스테론투여 6일째에 이식한다. 에스트로겐과 프로게스테론만을 이용하는 방법은 월경시작일 또는 월경시작 3일째부터 에스트로겐을 약 14일 투여하고 자궁내막이 충분히 발달하였을 때 프로게스테론 투여를 시작하는 방법이다. 에스트로겐의 시작용량은 4-8 mg까지 다양하며 프로게스테론의 투여 용량 및 방법도 매우 다양하다. 대표적인 프로게스테론의 투여 경로는 근육(intramuscular) 및 경질(transvaginal)인데 두 방법에서의 임신율의 차이는 없는 것으로 알려져 있다.

3) 배아 동결보존술의 임상결과 및 안정성

(1) 임상결과

동결보존된 배아 해동 시 배아의 생존율이 증가함에 따라서 냉동배아이식의 성공률 또한 상승했다. 총 4712명을 대상으로 시행한 메타분석에 의하면 신선배아이식과 냉동배아이식 간의 누적임신율의 차이는 없으며(odds ratio [OR] 1.08, 95% CI 0.95 to 1.22; I 2 = 0%; 8 RCTs, 4712 women; moderate-quality evidence), 난소과자극증후군의 발생률은 1%로 신선배아이식에 비하여 매우 낮았다(OR 0.26, 95% CI 0.17 to 0.39; I 2 = 0%; 6 RCTs, 4478 women; low-quality evidence). 특히 다낭난소증후군 환자의 경우 동결보존된 배아를 이식하는 방법은 신선배아이식에 비하여 높은 출생률(live birth rate)을 보고하고 있다.

(2) 주산기 결과(perinatal outcomes)

① 과체중아 및 저체중아

대규모 메타분석에서 동결배아 이식 후 출생한 신생아에서 과체중(신생아체중 90퍼센타일 이상)의 빈도가 높은 것을 보고하였다. 또한 동결배아 이식 후 출생한 신생아의 출생 체중도 신선배아 이식으로 출생한 신생아에 비하여 127 g 높은 것으로 보고하였다. 저체중아의 경우, 동결배아 이식 후 출생한 신생아에서 낮은 경향성을 보였으나 통계학적으로 유의하지는 않았다(odds ratio [OR] 0.82, 95% CI 0.65 to 1.05; I 2 = 64%; 3RCTs, 3840 women; low-quality evidence). 또 다른 연구 및 메타 분석에서도 동결배아 이식 후 출산한 신생아에서 과체중 빈도가 증가함을 보고하였다. Shih W 등이 참여한 대규모 역학 연구에서는 과체중(출생 체중>4,000 g) 및 극 과체중(출산 체중> 4,500 g) 위험이 신선배아 이식과 비교했을 때 동결배아 이식에서 더 높게 나타났으며, Maheshwari 등의 메타 분석에서도 과체중(RR 1.85; 95 %CI 1.46–2.33) 및 극과체중(RR 1.86, 95 % CI 1.58–2.19) 신생아 비율이 동결배아 이식에서 더 높은 것을 확인하였다.

과체중아의 비율이 높은 원인이 동결, 해동/융해 절차 자체 또는 다른 요인과 관련이 있는지는 아직 알려지지 않았다. Pinborg 등은 동결배아와 신선배아 이식에서 태어난 과체중아를 조사한 연구 결과에서 한 부모에서 태어난 신생아 중에서도 동결배아 이식으로 태어난 신생아가 과체중의 위험이 높다는 것을 보고했다. 따라서 과체중은 모성의 원인만은 아니며, 동결이나 해동/융해의 과정도 원인이 될 수 있음을 설명했다.

Makinen 등은 배아의 배양 기간이 신생아 출생 체중에 영향을 준다고 발표하였다. 그러나 Wikland 등은 유리화를 거친 배반포 단계의 배아 이식과, 완만동결한 난할단계 배아이식을 비교하였을 때 출생체중에 큰 영향이 없다고 밝혔다. 유리화 배반포의 동결 기간도 임신 및 주산기 결과에 영향을 미치지 않는 것으로 보고하였다.

체외수정과 과체중이 어느 정도의 연관성을 갖는지는 아직 명확하지 않다. 동결배아 이식 후 관찰되는 신생아 과체중과 관련된 기전은 앞으로 더 자세히 설명될 필요가 있다. 지금까지 발표된 가능한 원인으로는 동결보존 자체가 후성유전적 변이(Epigenetic regulation)을 일으킨다는 것이다. 예를 들어, Hiura 등은 게놈(genome) 전반에 걸친 분석 결과 냉동배아 이식 후 태반의 마이크로 RNA (miRNA) 표현형이 달라져 출생 체중이나 주산기 합병증에 영향을 미칠 수 있다고 하였다.

② 조산 및 기타 합병증

Maheshwari 등은 메타 분석에서 동결배아 이식 후에 태어난 신생아의 미숙아 위험이 낮다고 보고하였다(RR 0.90;95 % CI 0.84–0.97). 또한 일부 주산기 결과와 관련하여, 신생아 중환자실 입원율, 선천성 이상 발생 빈도율, 주산기 사망률은 냉동배아 이식과 신선배아 이식 간에 차이가 없었다.

(3) 산과적 결과(obstetric outcomes)

대규모 메타분석에 의하면 동결배아 이식 후 임신한 경우 신선배아 이식에 비하여 임신고혈압의 위험도가 2.15배 증가하는 것으로 밝혀졌다. 스웨덴과 일본의 연구에서도 동결보존 후 배아이식으로 단태 임신을 한 경우에 신선배아 이식이나 자연임신과 비교하여 임신고혈압 및 전자간증 위험률이 증가됨을 보고하였다. 북유럽 인구를 대상으로 한 대규모 연구에서는 한 부모에서도 동결보존 배아 이식 후에 고혈압 장애의 위험이 지속적으로 더 높은 것으로 나타났다. 따라서 임신고혈압의 이유가 모성 원인이라고 단정지을 수는 없다. 그러나 Shi Y 등은 자연 주기로 동결배아 이식을 진행하였을 때에는 고혈압이나 전자간증의 위험성이 높아지지 않았다고 보고하였다. 이것은 인공주기 배아이식이 산과적 결과에 영향을 미칠 수 있음을 의미한다.

(4) 배아동결 단계에 따른 임상결과 및 안정성

배양기술의 발달로 포배기배아 형성률이 증가하고, 해동/융해 시 배아의 생존율이 증가하였지만 포배기배아 동결을 위해서는 많은 수의 난자 및 수정란을 확보해야 하는 단점이 있다. Holen 등의 연구에 따르면 포배기배아의 동결이식은 난할단계배아 동결이식에 비하여 49% 높은 출생률(OR=1.49; 95% CI, 1.44,.54), 7% 낮은 유산율을 확인하였다(OR=0.93; 95% CI, 0.88,0.92). 과체중 및 저체중 출생아의 비율은 배아동결 단계에 따른 차이는 없었으나, 37주 이전의 조산의 비율은 포배기배아 동결이식에서 16% 증가하는 것을 확인할 수 있었다(OR=1.16;.95% CI,1.06,1.27). 하지만 2500 g 미만의 저체중 출생아의 비율에는 차이가 없기 때문에 포배기배아 동결 이식에서의 조산비율 증가는 임상적으로 큰 의미를 갖지는 않는 것으로 해석할 수 있다.

2. 난자의 동결보존 및 임상적 적용

난자 동결보존(oocyte cryopreservation)은 1986년 이 방

법으로 첫 출산이 보고되었지만 배아 동결보존과 비교하여 결과가 좋지 못했기 때문에 한동안 별다른 관심을 받지 못했다. 1990년대 말까지 동결보존 된 난자로부터 만들어진 배아를 이식하여 얻어진 임신율은 1-2% 정도로 낮았다. 하지만 최근 보조생식술이 발달함에 따라 난자 동결보존이 새롭게 조명되고 있다.

난자는 자연계에서 존재하는 가장 크기가 큰 세포이며, 세포 내에 수분의 함유량이 매우 높아 동결보존 시 생존에 가장 해로운 역할을 하는 얼음결정의 형성을 피하기 어렵기 때문에 다른 어떤 세포에 비해서도 동결보존이 어렵다. 특히 성숙난자의 경우 그들의 염색체나 방추체(Meiotic spindle)가 세포질 내에 직접 노출되어 동결이나 해동/융해 과정 중에 손상의 위험성이 높다. 이러한 문제점으로 인해 난자 동결은 최근까지 임상에 적용하기 어려운 기술로 여겨지고 있었다. 최근과 같이 여성의 사회활동 증가로 인한 만혼과 출산연령의 증가는 임신의 기회를 줄어들게 하고 있다. 이러한 경우 생식적으로 젊은 시기에 실시하는 난자의 동결보존은 여성들에게 임신과 출산의 기회를 연장할 수 있다. 더불어 난자 동결보존은 배아보다 윤리적 또는 법적인 제약을 덜 받을 수 있다. 이외에도 난자 동결은 난자 공여프로그램에서 난자 공여자와 수혜자간 생식주기의 불일치를 맞출 수 있는 장점을 가지고 있을 뿐만 아니라, 공여과정에서 일어날 수 있는 유전 또는 감염에 의한 질병의 전달을 피할 수 있는 시간적인 여유를 가질 수 있게 한다. 이에 더하여 난자동결은 항암치료나 난소절제술을 받는 환자에게 생식력을 보존할 수 있는 기회를 제공할 수 있는 장점이 있다.

보조생식술이 일반화되기 전까지 생식샘(gonadotoxic) 치료를 시행 받을 여성의 생식력을 보존하기 위한 유일한 방법은 난소 동결보존 후 이식뿐이었다. 난소 동결보존은 생식샘독성 치료가 필요한 초경 전 여성의 생식력 보존에 있어 아직까지 유일한 방법이지만, 난자 동결보존은 수술이 필요 없고, 잘 정립된 과배란유도 방법이 있으며, 암세포 오염의 걱정이 없고, 체외 성숙으로 효과를 극대화할 수 있다는 점에서 보다 매력적인 방법이라고 할 수 있다. 난자 동결보존은 그 어떤 세포에 비해서도 기술적인 어려움을 가지고 있으나, 반면 여성의 생식력을 보존하는 데에 있어서 아주 유용한 방법이라 할 수 있다.

1) 성숙난자

난자 동결보존 시 주로 사용되는 것은 성숙난자이고, 미성숙난자는 보통 체외성숙 후 동결보존 된다. 배란 직전의 성숙난자는 감수분열 중기 II기(metaphase II)에 멈춰 있는 상태로 특히 저온에 매우 민감하며, 난자세포의 크기가 매우 커서 함유된 수분 양도 많아 동결 시 얼음결정이 상대적으로 많이 생기게 된다. 또한 성숙난자에서는 중기 염색체가 방추체에 의해 적도판에 배열하게 되는데, 동결과 해동/융해 시 세포 내 결빙으로 인해 방추체가 쉽게 손상되어 그로 인한 염색체 수적 이상(aneuploidy) 발생이 증가한다. 또한 동결 시 조기 피질과립 세포 외 유출을 유발하고 이것은 투명대 경화(zona hardening)를 일으켜 정자의 투명대 통과를 방해한다(그림 25-4). 이 과정에서 난자의 생존율은 크게 떨어질 수 있고 손상의 위험이 배아 보다 상대적으로 높아 이를 극복하기 위한 많은 연구가 진행되었다. 특히 유리화동결법은 동결 시 얼음결정 생성의 위험을 낮춰 난자 내부 구조의 손상을 줄임으로써 좋은 결과들을 보여주고 있으며, 유리화된 난자를 체외수정 시 세포질내정자주입술(ICSI)과 같은 미세조작술을 시행하여 투명대 경화로 인한 문제를 해결할 수 있다.

지금까지의 연구결과는 완만동결법에 비해 유리화동결법의 우월성을 증명하였다. 2006년 메타연구는 동결보존된 난자는 유리화를 사용하면 임신율이 개선될 수 있다고 밝혔다. 그 후, 난자의 완만동결과 유리화동결법의 체외수정 결과를 비교하였을 때, 유리화동결법이 더 높은 생존율, 수정 및 임신율을 보였다(18.2 vs. 7.6%). 유리화된 난자를 이용한 체외수정은 신선 난자를 사용한 것과 유사한 난자 생존율을 보였고 84% 이상 이였다. 1999년에는 한 번의 임신을 위해서는 100개에 가까운 동결된 난자가 필요했지만, 현재는 난자의 나이에 크게 의존적이기는 하지만, 20개 정도의 난자만으로 충분하다고 보고하였다. 또한, 2008년 무작위 대조 연구에서는 이식 수당 임상적 임

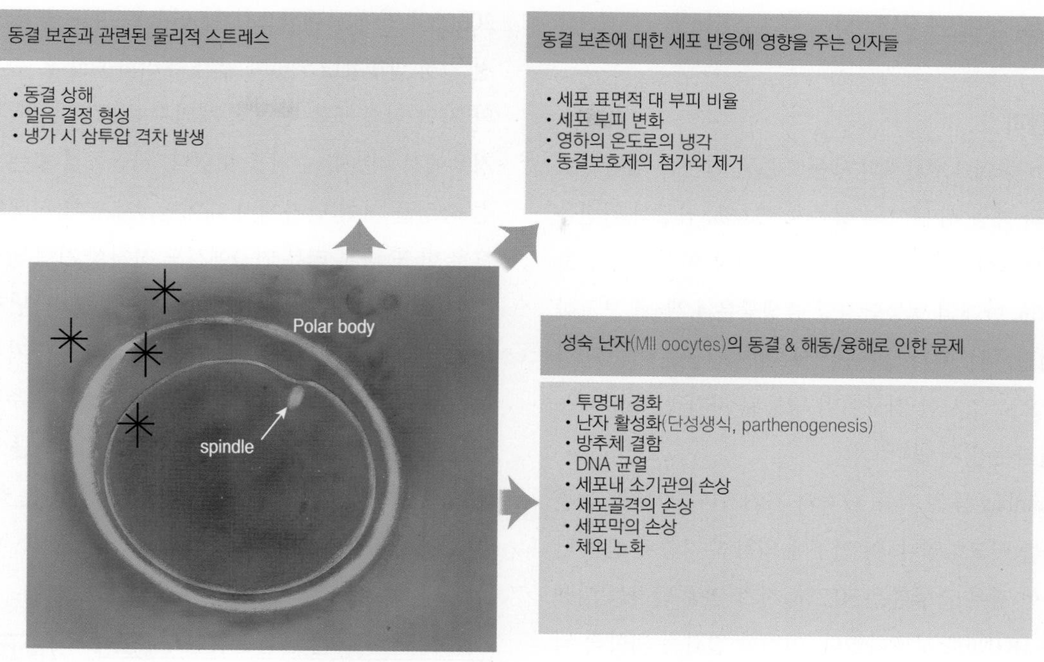

● 그림 25-4. **난자동결보존과 관련된 중요점**

신율(clinical pregnancy rate)이 35.5-65.2%라고 보고하였으며, 5개의 연구의 메타 분석 결과, 배아 수정률, 배아 발달, 고등급 배아 및 임신 지속율(ongoing pregnancy rate)이 유리화된 난자와 신선 난자 그룹 사이에서 큰 차이가 없었다. 이러한 결과를 바탕으로 2013년 미국 생식의학회(American Society for Reproductive Medicine)에서는 난자의 동결보존을 실험 수준에서 해제하였다. 현재 많은 체외수정(IVF) 프로그램은 난자 동결보존 기술로 유리화동결법을 선호하며, 2013년 National Institute for Health and Care Excellence (NICE) 지침에도 난자 및 배아의 동결 보존이 필요한 경우, 장비와 전문가가 있다면, 완만동결 대신 유리화동결법 사용을 권장한다.

2) 미성숙난자

배소포(Germinal vesicle, GV) 단계의 미성숙난자의 경우, 중기 II기의 성숙난자보다 동결보존 과정에서 손상을 덜 받는다. 투명대 경화나 세포구조 손상의 위험성을 완전히 피할 수는 없지만 방추체가 없고, 핵막이 존재하여 염색질을 보호할 수 있어 유전학적 손상을 받지 않기 때문이다. 또한 과배란과정이 필요치 않다는 장점이 있으나, 현재까지 해동 후의 임신율은 매우 낮게 보고되고 있다.

미성숙 난자의 동결보존에서 가장 중요한 것은 해동 후 난자의 체외성숙인데, GV 단계에서 제1 감수분열의 재개 및 완성을 통하여 제2 감수분열 II기까지 발달해야 하고, 이와 더불어 난자 핵 성숙 및 세포질 성숙의 조화 또한 수정 및 성공적인 임신의 중요 요인으로 작용할 수 있다. 그러나 이러한 과정은 아직까지 정확한 기전이 밝혀져 있지 않고, 체외배양을 위해 확립된 최적의 배지도 없는 상태이다. 현재까지 신선 GV 단계 난자를 이용한 체외성숙으로 몇몇의 임신이 보고되었지만, GV 단계 난자를 동결보존 후 해동하여 체외 성숙시킨 후의 성공적인 출산은 단 1명 보고되었다. 따라서 체외성숙 과정이 확실히 정립되기까지 미성숙난자의 동결보존을 임상에서 사용하기는 어려운 상태이다.

지금까지의 연구 결과들을 볼 때 미성숙 난자의 체외성숙 후 동결보존이 동결보존 후 체외성숙 보다 효과적인 것으로 보이며, 미성숙 난자의 활용은 가임력 보존의 한 가지 방법으로 사용될 수 있어 앞으로 더 많은 연구가 필요하다.

3) 난자 동결법의 안정성

(1) 임상결과

Seshadri 등이 1,490개의 냉동보존된 난자를 대상으로 조사한 결과 해동 시 난자의 생존율 73.6%, 임상적 임신율 51.8%를 보고하였다. 또한 냉동보존 난자 이식주기당 출생률은 46%, 한개의 냉동난자당 출생률은 4.2%로 보고하였다. 하지만, 대부분의 냉동난자에 대한 연구는 기증된 난자를 대상으로 조사한 연구이며 냉동된 자가 난자를 이용한 연구 결과는 많지 않다.

Mascarenhas 등은 기증 난자와 자가 난자의 냉동 동결법의 결과를 비교하였다. 이 연구에 의하면 기증된 냉동 난자를 이용한 경우 출생률은 30.7%, 자가 냉동 난자를 이용한 경우는 18.0%로 보고하였다. 이러한 결과는 의학적 적응증에 의한 난자동결을 시행한 여성의 건강상태가 좋지 않은 것이 원인일 수 있기 때문에 해석에 주의를 요한다.

(2) 주산기 및 산과적 합병증

많은 연구들이 난자 유리화동결과 장기적 산과 및 주산기 결과와의 연관성을 보여주었다. 165건의 임신 경우와 200명의 영아를 대상으로 한 연구는 평균 출생 체중과 선천 기형 발병률(2.5%)이 난자 유리화동결 후 출생한 경우와 자연 임신 또는 전형적 체외수정(IVF)을 한 후 출생한 경우에서 비슷한 수치를 보였다. 완만동결 또는 유리화동결 과정을 거친 난자에서 태어난 936명의 신생아를 대상으로 한 또 다른 리뷰 연구에서도 선천성 기형 발생률이 비슷한 것으로 보고하였다(1.3 %). Cobo 등도 난자의 유리화동결이 부정적인 산과 및 주산기 결과를 증가시키지 않는다고 보고하였지만, 아직 출생 이후 장기적 추적관찰 결과는 발표된 바가 없다. 지금까지의 연구 결과를 토대로 난자 동결보존의 효율성과 안전성이 인정되기는 하지만, 주의 깊은 관찰이 요구된다.

** 참고문헌 목록은 대한산부인과내분비학회 홈페이지 http://www.kosge.or.kr 또는 QR코드를 통해 보실 수 있습니다.*

CHAPTER

26 가임력 보존

김석현(서울의대), 이정렬(서울의대)

암환자의 수가 늘어남과 동시에 암환자에서 진단 및 치료의 발전으로 암환자의 기대수명이 증가하게 되었으며, 이에 따라 가임력 보존을 포함한 생존 암환자의 삶의 질이 중요한 문제가 되었다. 특히 가임기 이전, 혹은 가임기에 악성질환이 진단되고, 치료를 받은 여성의 경우 장기 생존에 못지않게 암 치료의 결과로서 동반될 수 있는 생식 능력의 상실 또한 매우 중요한 문제로 인식되고 있다.

임상적으로 가임기 여성에서 악성 종양의 발병이 드물지 않고, 젊은 여성에서 흔히 발생하는 악성 종양은 생식기관을 절제해야 하거나 생식능력을 상실시킬 수 있는 항암제를 사용해야 하는 경우가 대부분이다. 미국의 자료에 따르면 2021년 미국에서 암으로 진단된 여성이 927,910명이었고, 2011년부터 2017년까지 여성에서 암의 5년 생존율이 87.2%로 증가하는 추세이다. 1세부터 14세까지의 소아에서 암발생율은 100,000명당 18.1명으로 2000년부터 매해 1% 증가하였다. 특히 소아에서 발생되는 암의 치료는 보다 성공적이어서, 소아에서 발생한 모든 암에 대한 5년 생존율이 1975년부터 1977년까지 58%에서, 2011년부터 2017년까지 84.7%로 개선되었다.

갈수록 증가하는 젊은 암환자 유병률과 생존 암환자의 삶의 질을 고려할 때, 가임력 보존은 중요한 문제라 할 수 있다. 또한 여성의 첫 출산 연령이 점차 높아지고 있는 것도 가임력 보존의 중요성을 높이는 데 기여하고 있다. 우리나라 통계에 따르면 2000년 평균 첫 출산연령이 29.0세에서 2005년 30.2세로, 30살을 넘어선 뒤, 2020년도에는 33.1세로 증가하였다. 대부분의 악성종양의 발생이 연령에 따라 증가함을 고려하면 이러한 첫 출산 연령의 증가로 인해 결과적으로 더 많은 생존 암환자들이 가임력 보존에 관심을 가지게 된다고 할 수 있다.

고농도의 항암화학요법(특히 알킬화제)이나 이온화방사선 등의 공격적인 치료를 받는 암환자에서는 난소기능부전이 흔히 발생한다. 하지만 보조생식술이 발달하면서 암환자에서도 가임력 보존이 가능하게 되었다. 생식샘독성 항암치료를 받는 여성에서 가임력 보존을 위해 현재 사용할 수 있는 방법은 난자동결보존, 배아동결보존, 난소조직동결보존, 난소전위술, 생식샘자극호르몬방출호르몬 작용제(gonadotropin releasing hormone agonist, GnRH agonist)의 사용 등이 있다. 예전부터 배아동결보존 방법은 입증된 방법이지만, 미국생식의학회(American Society for Reproductive Medicine, ASRM)가 2019년 그리고 유럽 사람생식 및 발생학회(European Society of Human Reproduction and Embryology)가 2020년에 발표한 가이드라인에 따르면, 난자와 난소조직동결보존은 더이상 실험적인 방법이 아닌 확립된 방법으로 보고하였다. 그들은 또한 태어날 자녀에 대한 걱정 때문에 가임력 보존을 위한 치료를 시행하지 않는 것은 바람직하지 않으며, 태어날 아이에게 삶을 누릴 수 있는 기회를 주어야 한다고 주장하였다.

미국임상암학회(American Society of Clinical Oncology, ASCO)는 2018년 발표한 권고안에서 종양전문의는 환자의 가임력 보존을 고려하고 생식전문의에게 의뢰함으로써 환자가 치료받을 수 있는 기회를 주어야 한다고 강조했다. 이들은 가임력 보존을 위한 치료와 관련하여 치료 후 암의 재발이 증가하지 않는 것으로 보인다고 하였으며, 가임력 보존을 위한 치료를 받은 환자의 자녀에서 선천 기형이 증가한다는 증거는 없다고 하였다.

Ⅰ. 항암화학요법과 방사선치료가 가임력에 미치는 영향

1. 항암화학요법의 영향

악성질환의 치료 후 난소기능 저하의 정도는 질환의 종류, 치료의 방법 및 용량, 환자의 연령, 치료 전 난소의 기능에 따라 다양하다. 알킬화제(cyclophosphamide, ifosfamide, nitrosoureas, chlorambucil, melphalan, busulphan 등)는 세포 주기에 특이적이지 않으며 원시 생식세포에 막대한 영향을 주어 난소부전을 일으킬 위험성이 매우 높다. 항대사제(methotrexate, bleomycin, 5-fluorouracil, actinomycin-D, mercaptopurine, vincristine 등)는 대사적으로 활동적인 난포의 세포들인 과립막 세포와 난모세포에 영향을 주며 생식샘 기능장애를 일으킬 위험성은 낮은 것으로 여겨지지만, cisplatin은 항대사제와 알킬화제 사이의 중간 정도 위험성을 가지고 있다(표 26-1).

항암화학요법에 의한 난소 기능의 저하는 치료 당시 환자의 연령과 약의 용량에 비례한다. 40세 이상의 여성은 복합 항암화학요법을 시행받으면 90%에서 무월경이 되지만, 그보다 젊은 환자들에서 조기난소부전의 가능성은 20-90%로 다양하다. 항암화학요법에 노출된 모든 환자들은 난소예비력의 감소를 겪기 때문에 조기난소부전의 중요한 소인이 되고 잠정적으로 불임이 될 수 있다. 1세에서 39세 사이의 여성들 중 2%가 악성 종양으로 진단되고 그 중 절반은 항암화학요법을 필요로 한다. 더불어, 암 생존자에서의 임신율이 현저히 떨어지는 소견을 보였으며 동일 나이의 일반여성보다 임신율이 40% 더 적었다고 보고된 바가 있다. 항암화학요법에 노출된 환자들의 자궁기능 손상 가능성에 대해서도 제시된 바가 있으며, 조기분만율 및 저체중출생과 연관되어 있다고 보고된 바는 있으나, 자궁손상의 기전에 대해서는 현재 알려진 바가 없다.

표 26-1. 생식샘독성의 정도에 따른 항암화학요법제의 분류

고위험군	중등도 위험군	저위험군
Cyclophosphamide Busulfan Melphalan Chlorambucil Dacarbazine Procarbazine Ifosfamide Thiotepa Nitrogen mustard	Doxorubicin Cisplatin Carboplatin	Methotrexate Bleomycin 5-Flurouracil Actinomycin-D Mercaptopurine Vincristine

2. 방사선치료의 영향

난소와 자궁의 방사선 노출에 대한 내성은 환자의 나이, 방사선에 노출된 조직의 양, 총 방사선 조사량, 산란(scattering)의 정도, 분할조사(fractionated irradiation)의 계획에 따라 달라진다. 통상적인 방법으로 시행할 경우 방사선 조사량이 24 Gy이면 난소부전이 발생한다. 성인에서 골반이 방사선 조사 범위에 포함되어 있으면 조사량은 보통 이 값을 넘게 된다. 14-30 Gy의 방사선 조사량은 자궁 기능장애를 유발하고, 임신 시 산과적 합병증의 위험성을 증가시킨다.

난소는 자궁경부암, 직장암의 방사선치료와 중추신경계 종양의 뇌척수 방사선치료 시 그 기능을 손상시키기에 충분한 양의 방사선에 노출된다. 또한 호지킨병(Hodgkin's disease) 등 혈액종양의 골반 림프절 방사선치료 또는 골수이식 전의 전신 방사선조사 시에도 난소기능부전을 일으킬 수 있는 양의 방사선이 조사된다.

Ⅱ. 가임력 보존의 방법

난소기능의 손상이 예상되는 여성 환자에게 사용할 수 있는 가임력 보존의 방법은 크게 비수술 방법과 수술 방법으로 나눌 수 있다. 비수술 방법에는 생식샘자극호르몬방출호르몬 작용제(GnRH agonist) 등의 호르몬 치료, 난자동결보존, 배아동결보존 등이 있으며, 수술 방법에는 난소전위술, 난소조직동결보존 등이 있다. 이 중 난자동결보존과 배아동결보존은 앞 장에서 소개했으므로 여기서는 GnRH 작용제, 난소전위술, 난소조직 동결보존 등에 대해서 살펴보도록 하겠다.

1. 비수술 방법

1) GnRH 작용제(GnRH agonist)

GnRH 작용제가 항암화학요법으로부터 원시난포를 보호할 수 있다는 동물연구 결과들이 있지만 사람에서 난소를 보호하는 효능은 확실하게 검증되지 않았다. GnRH 작용제가 항함화학요법으로부터 원시난포를 보호하는 정확한 기전은 아직 밝혀지지 않았지만 몇 가지 가능한 기전은 아래와 같다.

(1) GnRH 작용제는 생식샘자극호르몬의 분비를 억제한다. 따라서 분화단계로 들어가는 원시난포의 수를 감소시킨다. 빠르게 증식하는 세포는 항암화학요법에 더 취약하기 때문에 분화단계의 원시난포수를 감소시킴으로써 손상을 줄일 수 있다.

(2) GnRH 작용제는 뇌하수체-생식샘 탈감작을 통해 저에스트로겐 상태를 만듦으로써 자궁난소 관류를 감소시켜 난소의 항암화학요법제에 대한 노출을 감소시킬 수 있다.

(3) GnRH 작용제의 직접적인 작용에 의한 GnRH 수용체의 활성화는 세포자멸사(apoptosis)를 감소시킬 수 있다.

(4) GnRH 작용제는 sphingosine-1-phosphate와 같은 생식샘 내 항세포자멸사 분자를 상향 조절시킨다.

생식력 보존을 위한 GnRH 작용제의 사용방법으로는 보통 항암화학요법 1-2주 전부터 시작하여 항암화학요법 시행 동안 한 달에 한번 근육주사 또는 피하주사 하는 방법을 사용하게 되지만, 사용 약제의 종류, 용량, 사용기간, 주기, 투여 경로 등은 연구자마다 다르며 정립된 방법은 아직 없는 상태이다.

기존의 동물연구에서는 GnRH 작용제를 사용하면 cyclophosphamide에 의해 유발되는 난소 기능의 손상을 막을 수 있는 것으로 보고되었다. 또한 Blumenfeld 등은 GnRH 작용제의 항암화학요법 시 난소기능 손상을 방지하는 효과에 관한 연구들을 분석하여 보고하였는데, 모든 연구에서 항암화학요법의 시작 전에 GnRH 작용제를 투여한 경우 조기난소부전의 빈도를 낮출 수 있다고 하였다. 그러나, 이와 반대되는 연구결과들도 발표되었으며 난포자극호르몬(FSH) 수용체가 원시난포에 존재하는지 여부와 사람 난소에서 GnRH 작용제의 수용체가 존재하는지 여부에 대해서도 논란이 있다. Meirow 등은 골수이식을 받는 환자에서 항암화학요법과 방사선치료를 받은 경우 GnRH 작용제가 난소기능의 보호효과를 보이지 않았다고 보고하였고, Waxman 등은 GnRH 작용제가 가임력 보존에는 효과가 없다고 하였다.

원시난포는 생식샘자극호르몬과 독립적인 기전에 의해서 성장이 시작된다고 알려져 있으며 이러한 사실은 FSH 수용체 변이에 의한 조기난소부전 환자에서 소동난포(small antral follicle) 단계까지의 난포발달이 관찰된다는 보고를 통해 확인될 수 있다. 따라서 만약 GnRH 작용제에 의한 난소기능 보존의 기전이 단지 생식샘자극호르몬의 억제에 의한 것이라면 난소예비력을 나타내는 지표인 원시 난포의 보호는 기대할 수 없다. 항암화학요법을 받은 초경 전 여아에서도 조기난소부전이 나타날 수 있고, 젊은 여성에서는 난소예비력이 많기 때문에 항암화학요법 직후 무월경이 발생하는 빈도는 적지만, 이것은 즉각적인 난소기능부전을 일으키지 않을 정도의 난소예비력을 가지고 있다는 것을 나타낼 뿐 난소가 항암화학요법의 영향을 받지 않았다는 증거가 되지는 못한다고 할 수 있다.

지금까지 사람을 대상으로 한 GnRH 작용제의 보호효과를 지지하는 몇몇의 연구들이 발표되었지만, 무작위 연구가 아니거나 표본 크기가 너무 작아 통계적인 유의성을 얻을 수 없었다. Kim 등은 이 연구들에서 보다 분명하고 의미 있는 결과를 도출해내기 위해 메타 분석을 시행했다. 3개의 무작위 연구와 8개의 비무작위 연구를 포함한 이 메타 분석에서 저자들은 항암화학요법을 시행하는 동안 난소를 보호하기 위해서는 GnRH 작용제를 투여하는 것이 유리하다고 결론 내렸다. 하지만 3개의 전향적 무작위 연구를 분리하여 분석하였을 때는 GnRH 작용제의 난소보호효과를 입증하지 못하였기 때문에 이 결과는 비무작위 연구의 영향인 것으로 보이며, 따라서 이를 증명하기 위해서는 잘 디자인된 대규모 전향적 무작위 연구가 필요하다고 하였다.

최근에 유방암 환자들에서 치료 전에 난소보호를 위한 GnRH 작용제의 효과를 보기 위한 전향적 무작위 임상연구들이 활발하게 진행되어 왔다. 세 개의 전향적 무작위 임상연구에서 유방암에 대한 치료 시 GnRH 작용제를 함께 사용하는 것이 생리기능, 배란 및 임신에 긍정적인 효과가 있다고 보고한 바가 있다. GnRH 작용제를 사용한 군에서 더 많은 여성이 출산한 소견을 보인 바가 있다. Blumenfeld의 후향적 코호트 연구에서 20년 이상의 데이터를 분석한 결과 GnRH 작용제 병합치료가 조기난소부전을 예방하는데 더해 자연 임신율을 확연하게 증가시킬 수 있다는 것을 보고하였으며, POEMS 무작위 연구에서도 GnRH 작용제 병합요법이 대조군보다 높은 임신율을 보였다. Lambertini 등이 12개의 무작위 대조군 연구들을 검토하여 1231명의 유방암 환자를 포함한 메타분석에서, GnRH 작용제의 사용은 조기폐경과 조기난소부전의 위험을 확연히 감소시킨다고 보고하였으며, 5개의 연구에서는 임신에도 성공적이라고 하였다.

미국 임상종양학회(ASCO)에서는 젊은 유방암 환자에서, 동결보존 등 증명된 다른 가임력보존 방법이 불가능할 때 국한하여 GnRH 작용제를 사용하도록 권유하였으며, 젊은 유방암 환자를 위한 국제적 협의회(BCY)에서는 임신을 원하는 환자들에게는 GnRH 작용제의 병합요법이 항암 또는 선행 항암 치료와 동시에 이루어질 수 있게 제공되어야 한다고 발표하였다. 그러나 아직 그 효능이 충분하게 밝혀져 있지 않으므로 이들 가이드라인에서는 GnRH 작용제의 사용이 다른 가임력 보존 방법의 대안으로 사용하는 것은 권고되지 않는다고 하였다. 결론적으로 GnRH 작용제의 사용은 난자, 배아 및 난소조직 동결보존을 대체할 수 있는 방법은 아니며, 이들 방법을 보완하는 방법이라고 할 수 있다. 다만 동결보존시행 후 추가하여 사용하거나, 동결보존을 하지 않은 여성에서 항암치료와 동시에 사용할 수 있는 유용한 방법이다.

2) 배아동결보존(embryo cryopreservation)

확립된 가임력보존 방법인 배아동결보존법은 모든 체외수정 기관에서 시행되고 있으며 이식 당 임신율은 20-50%로 보고되고 있다. 배아의 동결보존은 대략 10-14일 정도의 과배란유도와 난자채취 등의 시술을 위한 기간이 필요하며, 암이 진단되는 즉시 화학치료를 시작해야 할 경우, 또는 배우자가 없거나 사춘기 이전의 어린 소아의 경우에는 적응증이 되지 못한다.

유방암과 같은 호르몬 민감성 암의 경우 단기간의 과배란 유도로 증가된 호르몬이 암의 병기를 진행시킨다거나 생존율에 악영향을 미친다는 증거는 없으나, 이러한 위험성에 대한 우려가 있어 자연주기에서 체외수정을 시도하기도 하였으나 채취되는 난자수가 적기 때문에 향후 임신과 출산율이 현저히 낮아진다는 문제점이 있다. 하지만 최근에는 유방암 환자에서 배아 동결보존을 위한 과배란 유도 시 에스트로겐 노출을 최소화하기 위하여 방향효소억제제(aromatase inhibitor)인 레트로졸(letrozole)을 사용하는 방법이 보고되고 있어 안전하게 과배란유도를 할 수 있게 되었다. 또한 기존에는 월경주기에 맞추어 과배란 유도를 시작하여, 항암치료가 시급한 환자에서는 적용이 되지 못하였으나 최근에는 월경주기에 맞추지 않고, 내원 즉시 과배란유도를 시작하는 무작위 과배란유도(random start COS)법도 소개되어 환자들이 배아동결의 이득을 누릴 수 있게 되었다. 이 방법에 의하면, 과자극 기간 및 소요되는 약제 용량은 기존 월경주기에 맞춘 과배란유도법에 비해 약간 증가하는 것은 있지만, 전체 획득 난자수 및 성숙난자수에는 차이가 없는 것으로 보고하고 있다.

3) 난자동결보존(oocyte cryopreservation)

미혼 여성 또는 기혼 여성이라도 남편의 정자와 수정시켜 배아동결을 원치 않을 경우에는 이에 대한 대안으로 난자 동결보존을 고려해 볼 수 있다. 2013년 미국생식의학회(American Society for Reproductive Medicine, ASRM)에서는 난자동결이 더 이상 실험적인 방법이 아니라고 언급하였다. 하지만 이 역시 난소과자극이 필요하여 초경을 시작하지 않은 청소년에서는 사용할 수 없는 방법이다. 난자동결보존은 윤리적인 문제가 적고, 배우자가 필요하지 않다는 장점이 있으나, 난자를 얻기 위해서 과배란유도 기간이 필요하여 암치료가 급한 경우에는 배아동결과 마찬가지로 제한점이 있다. 예전에는 배아동결과 비교해서 난자는 동결 및 해동 시 생존율이 떨어지고, 해동 난자의 수정률이 감소한다고 알려져 있었으나, 현재는 난자 동결 및 해동 기술의 발전으로 젊은 암환자들에서 동결보존된 난자를 이용한 임신율의 증가 추세를 보이고 있다. 난자 동결에서 동결-해동 난자의 생존율, 수정률, 포배기 배아 발달률은 배아 동결의 결과들과 비슷하다고 보고하고 있으며, 보조생식술의 결과 역시 신선 주기(fresh IVF cycles)의 결과와 유사하다고 보고하고 있다.

2. 수술방법

1) 난소전위술(ovarian transposition)

난소전위술은 난소를 방사선 치료 범위에서 안전한 곳으로 옮겨 고정하는 수술이다. 가장 흔한 적응증은 자궁경부암, 질암, 골반육종, 호지킨병 등이다. 난소전위 시 난소에 미치는 방사선 조사량은 전위시키지 않은 난소와 비교했을 때 90-95% 정도 감소한다. 난소를 고정해 둘 곳은 계획된 방사선 치료의 범위에 따라 선택된다. 예를 들어 자궁경부암 환자에서는 난소를 골반상협부(pelvic brim) 위쪽으로 높게 그리고 외측으로 위치시킨다. 골반 림프절 방사선 치료를 시행받을 환자(호지킨병 같은 경우)에서는 난소를 자궁 뒤에 내측으로 위치시키거나 골반상협부 바깥쪽에 외측으로 위치시킬 수 있다.

난소전위술에는 여러 가지 방법이 있으며 고정하는 위치도 다양하다. 난소를 높이 그리고 외측으로 위치시킬 때는 허리근(psoas muscle) 위에 외측으로 고정시킨다. 자궁난소 인대를 잘라 자궁에서 분리하고, 난소와 난소 혈관을 주위 조직으로부터 박리시켜, 난소가 골반누두인대(infundibulopelvic ligament)에 연결된 상태로 움직일 수 있게 한다. 골반누두인대의 아래 그리고 외측에서부터 장골인대 높이까지 복막에 절개를 가한다. 그 다음 난소를 골반상협부 위쪽으로 허리근의 외측과 위쪽의 결장곁고랑(paracolic gutter)에 위치시킨다. 이때 혈관 뿌리에 장력이 가해지지 않도록 한다. 난소전위의 다른 방법들로는 난소를 측벽을 따라 외측으로 위치시키는 방법, 골반상협부 바로 위, 그리고 자궁 뒤쪽에 내측으로 위치시키는 방법 등이 있다. 자궁 난소인대를 자궁 뒤쪽에 근접시켜놓기 위해 영구 봉합사가 사용된다. 수술 후 난소의 위치를 확인하고 방사선 조사범위에서 벗어나 있는지를 확인하기 위해 수술용 클립으로 난소의 경계를 표시해 두어야 한다. 난소전위술 후 난소의 위치가 바뀔 수 있으므로 방사선 치료 바로 전에 수술을 시행하는 것이 좋다.

이들 술기들은 함께 시행하는 수술이 있는지, 어떤 수술을 하는지 그리고 환자의 상태에 따라 개복술 또는 복강경으로 시행할 수 있으며 두 방법은 난소의 기능 보존에 있어 비슷한 결과를 보이고 있다. 하지만 최근에는 복강경을 통한 시술이 주로 이루어지는데, 그것은 개복 수술에 비해 유착이 적고, 수술 후 회복시간이 짧아 방사선 치료를 바로 시작할 수 있으며, 수술 후에도 예상되는 방사선 조사량이 여전히 많을 경우 재수술이 용이하다는 장점이 있기 때문이다.

난소기능 보존 가능성은 주로 방사선 조사량과 환자의 나이에 따라 달라진다. 40세 이상에서는 난소기능 보존율이 낮기 때문에, 난소전위술은 40세 이하에서 시행되어야 한다. 난소전위술 후 난소기능 보존의 성공률은 16-90%로 다양하게 보고되고 있는데, 이는 산란되는 방사선 조사량을 계산, 방지하는 것이 불가능 하고, 총 방사선 조사량의 차이, 항암화학요법의 병행 여부 등에 차이가 있기 때문으로 생각된다. 수술 시 그리고 수술 후 바로 나타나는 합병증은 거의 없지만 난관 괴사, 난소 낭종, 만성 골반통 등이 있을 수 있다. 난소를 골반 밖에 위치시키면 자연임신은 거의 생기지 않으며 체외수정을 위한 난자채취가 어려울 수 있다.

난소전위술은 전반적으로 안전한 수술이다. 따라서 골반 방사선 치료가 예정되어 있는 40세 이하의 여성에서 난소 기능의 보존을 위해서는 난소전위술을 고려해야 한다. 다만 난소 전위술 후 난소기능 보존 성공을 장담할 수 없으므로 전위술 시행 전 난자, 배아 또는 일측의 난소조직 동결 보존 등의 확립된 가임력보존술을 시행한 후 난소전위술을 시행하는 것이 가임력 보존률을 높일 수 있는 방법이다. 또한 난소전위술을 시행함으로써 방사선치료에 의한 난소의 손상을 감소시킬 수는 있지만 항암화학요법의 유해한 영향을 막을 수는 없다. 따라서 생식샘독성 항암화학요법을 방사선치료와 함께 시행할 예정인 환자에서는 난소전위술의 위험이 얻을 수 있는 이점보다 클 수 있으므로 신중한 결정이 필요하다.

2) 난소조직 동결보존(ovarian tissue cryopreservation)

동결보존을 통하여 암환자의 가임력을 보존하는 방법으로는 배아동결, 난자동결, 난소조직 동결 등이 있다. 가임력 보존을 위한 가장 적절한 방법의 선택은 항암치료의 시기와 약제, 암의 종류, 환자의 연령과 배우자의 여부에 따라 달라진다. 배아동결이나 난자동결은 과배란유도와 체외수정의 과정에 약 10-14일의 시간이 필요하므로 치료를 미룰 수 없거나 과배란 유도를 할 수 없는 사춘기 이전 소아에서는 불가능한 방법이다. 이러한 여성들에서 사용할 수 있는 방법이 난소조직 동결보존이다(표 26-2). 난소조직 동결보존은 즉시 항암 치료가 필요한 환자에게 사용할 수 있는 방법이고 난소조직 재이식 후 임신율 관련 긍정적인 보고들이 축적되고 있다. 2019년도에 보고된 미국생식의학회의 가이드라인에 따르면, 난소동결은 더 이상 실험적이지 않은 방법이다. 난소조직 동결보존은 가임력 보존을 원하지만 다른 방법이 없는 환자들에게는 임신에 대한 가능성을 열어주는 방법이라고 할 수 있으며, 특히 초경 전 소아 암 환자들에서는 유일한 가임력 보존 방법이다.

난소조직의 동결보존은 수술을 통해 무수한 원시난포의 공급원인 난소조직을 떼어내어 동결보존해 두었다가, 질병의 치료가 끝난 후 해동 이식하여 내분비적 목적 또는 임신을 위해 다시 사용하는 방법이다. 난소조직에 포함된 원시난포는 성숙된 난자보다 동결 해동에 의한 손상을 덜 받는다. 대부분의 경우 한쪽 난소의 일부 또는 전체를 떼어내고, 가능하다면 한쪽은 남겨두어 치료 후에도 난소 기능이 유지된다면 자연 임신이 가능할 수 있도록 한다. 난소암 환자의 경우 양쪽 난소를 모두 제거하는데 이때 암조직이 없는 쪽의 난소의 일부는 동결보존이 가능하다.

표 26-2. 동결보존을 이용한 가임력 보존 방법의 비교

특성	배아동결보존	난자동결보존	난소조직동결보존
난소과자극 필요여부	필요	필요	불필요
항암화학요법 연기 필요여부	필요	필요	불필요
사춘기이전 소아환자에 적용 가능여부	불가	불가	가능
배우자 또는 정자기증 필요여부	필요	불필요	불필요
수술 필요여부	불필요	불필요	필요
내분비기능 회복 가능성	없음	없음	가능
암세포전이 가능성	없음	없음	있음

난소조직 동결방법은 채취되는 조직에 따라 피질절편, 전체난소 동결법이 있다. 이들 조직을 재이식 하는 방법은 이식되는 위치에 따라 같은자리이식(orthotopic transplantation)과 다른자리이식(heterotropic transplantation)으로 나눌 수 있다.

현재까지 전세계적으로 난소조직 재이식 후 130건 이상의 출생이 보고되었다. 그 외에도 재이식 후 약 90% 이상에서 난소 기능의 회복을 보였다고 보고된 바가 있다. 국내에서는 보존하였던 동결 난소조직 해동 후 재이식하여 과배란유도를 하였던 케이스를 2018년도에 보고하였다.

(1) 난소피질 절편(cortical fragments)

난소피질 절편은 난소조직의 동결보존에 가장 많이 사용되는 형태이다. 보통 한쪽의 난소 또는 난소의 일부를 떼어낸다. 얻어진 난소 피질을 1-2 mm 두께로 기저 실질과 분리시킨 후 3-5 mm 길이로 잘라 동결보존시킨다. 암의 전이 여부 등을 확인하기 위하여 난소조직의 일부를 떼어내 병리 검사를 시행한다. 난소피질은 질병의 치료가 끝나고 환자가 임신을 원할 때까지 동결 보존된다.

난소피질 동결보존이식의 어려운 문제 중 하나는 이식 후 초기 허혈에 의한 난포의 소실이다. 난소조직 채취와 동결 동안 소실되는 난포의 수는 적지만, 재이식 후 원시난포의 소실양은 50-60%에 이르며 90% 정도의 소실을 보고한 논문들도 있다. 난소조직은 동결보존 후 무혈관성 이식을 하게 되는데 신생혈관이 형성되어야 이식이 성공하게 된다. 난포의 대부분이 이식 후 초기의 허혈과정에서 소실되기 때문에 이식과 신생혈관형성 사이의 허혈기간을 줄이는 것이 중요하다. 이식 후 허혈은 이식된 조직의 짧은 생존 기간과 관련된다. 이식된 조직의 생존 기간은 수개월에서 7년까지 보고되고 있다.

난소조직의 동결보존시 과립막 세포와 간질뿐 아니라 난자까지 동결보호제(cryoprotectant)가 적절히 투과되는 것이 얼음결정 형성을 예방하기 위해 필요하지만, 이와 함께 고농도의 동결보호제가 가지고 있는 독성을 고려해야 한다. 얼음결정 형성은 적절한 동결 속도와 해동속도에 의해 최소화시켜야 하고, 동결보호제는 각 세포와 조직에 따라 최대 투과성과 독성 및 얼음결정 형성 정도가 다르므로 적절히 선택되어야 하며 특히, 난소에는 기질과 난포, 난자의 여러 조직이 섞여있으므로 서로 잘 절충되어야 한다. 현재는 사람 난소 동결보존시 알부민이 함유된 배지와 propanediol, DMSO (dimethyl sulfoxide) 또는 ethylene glycol을 동결보호제로 사용한 완만동결법이 표준화된 방법으로 사용되고 있다.

최근 들어 난소 피질조직의 유리화동결법에 대한 연구가 여러 연구자에 의해 보고되고 있다. 사람 난소조직을 대상으로 한 연구에서 유리화동결법이 완만동결법에 비해 우월한 이식 후 난소조직 생존율을 보인다는 것이 관찰되었고, 연구자들은 유리화동결법이 사람 난소조직의 동결보존 방법으로서 간단하면서도 효과적인 방법이라고 보고하였다. 이러한 결과들은 얼음결정에 의한 손상을 예방할 수 있는 유리화동결법으로 난소 피질 조직을 동결보존 할 수 있는 가능성을 제시하고 있다.

현재도 난소조직 동결 과정 및 허혈에 의한 손상을 줄이기 위한 노력과 관련된 연구가 활발히 이뤄지고 있다. 쥐 또는 소를 이용한 연구들에서 부동단백질(antifreeze protein)을 동결 또는 해동과정에 추가해주는 것이 난소조직에 가해지는 손상을 줄여주어 난포의 형태를 잘 유지할 수 있음을 보인바 있고, 이외에도 angiopoietin-2와 같은 혈관성장인자를 투여하였을 때에도 이식 난소 절편의 정상 난포수 및 혈관수를 증가시켰다는 보고들이 있다. 이러한 결과들을 향후 사람 난소 조직 이식 시에도 이용할 수 있다면 허혈 손상을 줄일 수 있을 것으로 기대된다.

① 같은자리 이식(orthotopic transplantation)

같은자리 이식은 해동한 난소조직을 원래 있던 자리인 골반강 내에 이식하는 것을 말하며, 남아있는 난소나 난소가 제거된 자리 또는 골반 측벽의 복막 위에 이식하게 된다. 이식 시 초기 허혈성 괴사를 최소화하기 위해서 이식 1주 전에 이식할 부위의 복막에 주머니를 만들어 놓거나, 난소에 절개를 가해서 혈관생성을 유도하는 방법이 소개되었다(그림 26-1). 이론상 골반강내로 다시 이식하면 자연 임신이 가능하지만 침습적 수술(주로 복강경수술)이 필요하다. 같은자리 이식으로 내분비 기능의 회복, 난포성장, 배아이식, 임신이 보고되었으며, 지금까지 이식 후 자연 임신과 보조생식술을 통해 130건 이상의 생존아 출생이 보고되었다.

② 다른자리 이식(heterotopic transplantation)

다른자리 이식은 해동한 난소조직을 골반강이 아닌 다른 자리에 이식하는 것을 말하며 주로 복벽이나 전완의 피하조직에 이식하게 된다. 이 시술의 장점은 복강경 등의 침습적 수술이 필요하지 않고 난포발달의 감시와 난자채취가 용이하며 이식된 조직의 제거가 쉽다는 것이다. 하지만 다른자리 이식으로는 자연 임신이 불가능하며 임신을 위해서는 보조생식술이 필요하다. 지금까지 다른자리 이식 후 내분비 기능회복, 난포발달, 난자채취, 성공적인 수정과 배아이식이 보고되었다. 2013년도에 다른자리 이식 후 보조생식술을 통한 임신 후 최초의 출생이 보고되었다. 하지만 이러한 성공적인 임신 및 출산의 사례는 아직까지 많이 보고되지 않았으며 약 3개 정도의 증례보고밖에 없다. 이것은 다른자리 이식으로 인해 난포발달과 난자의 질이 저하되기 때문으로 생각된다.

최근 동물실험을 통해 생쥐에서의 이식 장소에 따른 난소기능 회복률을 비교 분석하였고, 피하조직에 이식하는 것 보다, 신장 피질하에 이식하는 것이 더 우수한 난소기능 회복 소견을 보인 바가 있으나, 아직 사람에서의 연구는 더 활발히 이뤄져야 하는 상황이다.

(2) 전체 난소조직(whole ovary)

이식과 신생혈관형성 사이의 허혈기간을 줄이는 것이 난포를 보존하는 데 필수적이라는 점에서 봤을 때, 이론적으로 가장 이상적인 방법은 이식 즉시 혈액순환이 가능한

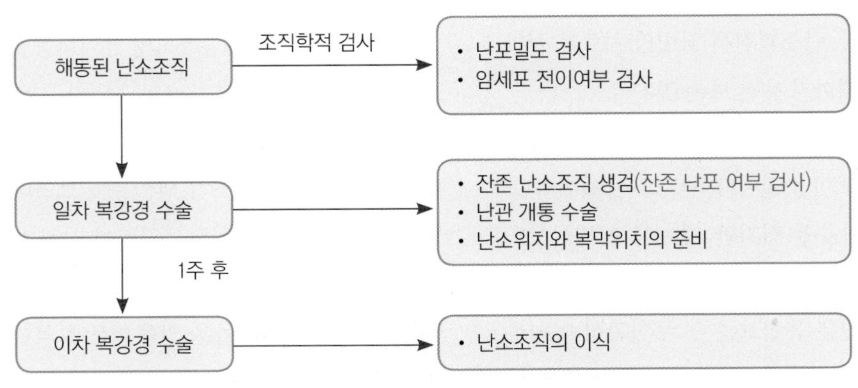

그림 26-1. **단계 이식법을 이용한 동결난소조직의 이식과정**

혈관 문합을 통한 전체 난소 이식방법이다. 그러나 전체 난소의 동결보존 시 문제는 난소의 크기가 커서 동결보호제의 적절한 확산이 어렵고, 이로 인해 혈관 내 얼음결정에 의한 혈관 손상을 초래할 수 있다는 점이다. 이를 극복하기 위해 난소동맥으로 동결보호제를 주입함으로써 미세혈관을 통해 난소의 실질 내로 확산시키는 방법이 제시되었으며, 여러 연구에서 동결보존 동안 난포의 높은 생존율이 보고되었다. 전체 난소의 이식 시 미세혈관 문합술을 통하여 혈관 연결을 즉시 회복시키는 방법으로 이식 후 허혈과 이로 인한 난포의 손상을 최소화하는 방법도 제시되었다. 그러나 난소 동/정맥의 경우, 직경이 5 mm이하로 매우 작아 혈관문합술 역시 극복해야 할 하나의 기술적인 문제이다.

전체 난소조직의 동결보존 시 기술적으로 고려해야 할 점은, 폐경 이전 여성의 난소 크기는 보통 3×3×2 cm 이상이므로 혈관을 포함한 전체 난소조직을 넣을 cryovial뿐 아니라 완만동결법을 사용할 때 freezer의 크기도 고려해야 하며, 따라서 현재 사용하는 배아동결용 freezer는 사용할 수 없으므로 별도의 동결 설비를 개발해야 하고, 난소를 적출할 때 최대한 박리하여 5 cm 이상의 골반누두인대를 확보해야만 나중에 난소 이식 시 혈관 문합이 용이하다는 것이다.

지금까지의 동결보존 연구 결과들을 통하여 사람에서 난소조직 이식에 따른 암세포 전달의 위험이 없을 때, 질병 치료 후 적절한 시기에 전체 난소이식 선택을 제안해 볼 수 있다. 하지만 전체 난소의 동결보존 후 이식은 아직까지 실험적 단계에 머물러 있으며, 임상 적용을 위해서는 잔류된 악성질환의 유무를 검사하는 방법 및 생체내로의 이식 후에 난소의 기능이 회복되는지를 확인하는 연구가 필요할 것으로 생각된다.

(3) 이식 후 문제

암환자에서 동결보존된 난소의 재이식 후 고려해야 할 문제 중 하나는 난소조직에 남아있을 수 있는 암세포에 의한 암의 재발 위험성이다. 다행히 난소는 다른 부위에 발생한 암의 전이가 많지 않은 장기이다. 하지만 백혈병은 전신적인 질환의 성향을 가지고 있어 난소에 전이될 가능성이 많다. 실제로 혈액암이 있는 마우스 난소조직 및 사람 난소조직에서 적은 양의 암세포가 발견되었다는 연구결과들이 보고된 바가 있다. 따라서, 혈액암이 있는 여성에서는 난소조직 재이식시 암의 관해 여부, 난소 조직에 있는 잔존암의 확인 등, 이식 전 다면적 평가를 포함하여 신중할 필요가 있다. 신경모세포종과 유방암 또한 난소에 전이될 위험성을 가지고 있다. 반면, Wilm's 종양, 림프종(Burkitt 림프종 제외), 골육종, Ewing's 육종, 생식기관의 횡문근육종 등의 전이는 극히 드물다. 자궁경부암 또한 상당히 진행된 단계의 경우에도 난소로의 전이는 거의 발생하지 않는다. 전이된 난소조직을 동결보존하는 위험을 최소화하기 위해 얻어진 난소조직에 대한 조직학적 검사가 반드시 시행되어야 한다. 백혈병과 림프종의 경우 면역조직화학적 또는 분자생물학적 방법을 통한 염색체와 종양 표지자 검사가 필요할 수 있다. 난소조직의 동결보존을 시행하기 전에 이런 문제에 대해서 종양전문의에게 의뢰하여 상의해야 한다.

이식된 난소조직에서 암이 발생할 가능성도 전혀 배제할 수 없는 문제이다. 특히 난소암의 발생 가능성이 높은 유전적 소인(종양억제 유전자, BRCA-1 또는 BRCA-2 등의 변이)을 가지고 있는 환자에서는 이식된 조직에서 암이 발생될 상당한 위험을 가지게 된다. 이런 환자들에서는 다른자리 이식을 했다가 임신이 되면 바로 제거하여 노출 기간을 짧게 하는 방법을 사용할 수 있으나 이런 방법의 안정성에 대해서는 연구가 필요하다.

아직까지는, 난소조직 재이식 후 이식으로 인한 암재발을 보인 증례는 없었다. 한 메타분석에 따르면 난소조직 재이식 후 9명의 여성에서 암이 진단이 되었지만 이중 직접적으로 난소 조직 재이식으로 인한 건은 없는 것으로 보고되었다.

항암화학요법제는 염색체 변이, DNA 부가화합물형성, 구조적 파괴, 산화 등에 의해 생식세포에 손상을 줄 수 있다. 쥐를 대상으로 한 동물 연구에서는 cyclophosphamide에 노출된 후 임신실패와 태아기형의 증가가 관찰되었다. 그러나 암생존자의 임신결과에 대한 연구에서는 자녀의 선천성기형이나 악성종양의 증가가 관찰되지 않았다. 하지만 이 연구들은 항암화학요법 수년 후에 임신한 환자들을 대상으로 하였다. 항암화학요법 후 난소조직의 동결보존을 시행할 경우, 아직 안전한 기간은 알려져 있지 않지만 3-6개월 동안은 임신을 피하는 것이 권장된다.

(4) 최근 연구 분야

① 인공난소

이식 후 암세포 재유입과 같은 문제를 막고자 최근에 인공난소(artificial ovary)에 관한 연구들이 이뤄지고 있다. 이는 난포를 따로 분리해서 생화학적 스캐폴드와 함께 이식하는 방법이다. 지금까지 동물 실험에서 인공난소가 내분비 기능을 회복하고 난포 발달을 보여 성공적인 임신을 보고한 바가 있다. 그러나, 임상적으로 사람에서 적용하기 위해서는 난포 회수율이 더 좋은 결과를 보여야하고, 효과적이고 안전한 생화학적 스캐폴드를 만들기 위한 기술 개발이 아직은 필요한 실정이다.

② 난포의 체외 활성화(In vitro activation)

현재 난소조직 동결 과정에서 사용되는 프로토콜은 다양하며, 이로 인한 서로 상반되는 결과를 보이고 있다. 최근 조기난소부전 환자의 유리화 동결한 난소조직을 해동 후 Akt (protein kinase B) pathway 촉진제(PTEN 억제제 및 PI3K 활성제)를 첨가하여 추가 배양 후 체내 이식하였을 때 성공적인 난포 성장 및 임신/출산을 보고하여, 난소조직 체외 활성화를 통한 휴면 원시난포세포를 이용할 수 있는 가능성을 제시하기도 하였다. 향후 완만 동결에서의 난포 체외 활성화 기법의 효율성에 대한 추가 검증, 그리고 조기 난소부전 환자들에서 난포 체외 활성화 적용의 결과를 예측할 수 있는 생체지표 개발에 대한 연구가 추가로 이루어져야 하겠다.

③ 줄기세포 적용

난소조직 이식에서 가장 큰 과제는 허혈성 손상으로 인한 난포소실이다. 중간엽 줄기세포(mesenchymal stem cell)는 혈관신생에 관여한다고 보고된 바 있다. 중간엽 줄기세포는 다양한 종류의 혈관생성인자(VEGF, FGF2, angiogenin)등을 증가시켜서 혈관신생을 유발하고, 따라서 동결보존된 난소조직의 혈류를 증가시켜준다는 보고가 발표되었다. 그 외에도 이식된 난소조직의 원시 난포의 자멸을 감소시켜준다는 것 또한 보인 바가 있다. 난소에서 얻은 줄기세포(ovarian stem cell) 관련된 연구도 보고된 바가 있는데, 생쥐에서 얻은 난소 줄기세포가 체외에서 난자로 발달하고, 동물 모델을 이용하여 수정 후 배아이식하여 발달하는 결과를 보였다. 하지만 이러한 줄기세포를 이용하는 방법은 아직 실험 단계로, 앞으로 임상 적용을 위해 이 분야에 대해 더 많은 활발한 연구가 이뤄져야 하겠다.

** 참고문헌 목록은 대한산부인과내분비학회 홈페이지 http://www.kosge.or.kr 또는 QR코드를 통해 보실 수 있습니다.*

7

부 인 과 내 분 비 학

피임

CHAPTER 27

경구피임약

안준우(울산의대), 최두석(성균관의대)

경구피임약은 여성호르몬(estrogen)과 황체호르몬(progestin) 제제가 복합적으로 함유된 복합경구피임약(combined oral contraceptive pill)과 소량의 황체호르몬 단일제제인 미니필(mini-pill)이 있다. 미니필은 아직 한국에는 도입되지 않고 있으며, 우리가 경구피임약이라고 하는 것은 주로 복합경구피임약을 의미한다.

최초의 경구피임약인 에노비드(Enovid, mestranol 150 μg+ norethynodrel 10 μg)가 1960년 피임목적으로 FDA의 승인을 받아 처음 시판되었다. 경구피임약이 사용되면서 여성이 남성의 도움 없이도 여성 스스로 피임을 할 수 있게 되어 원치 않은 임신을 예방하여 여성의 건강에 도움을 주며, 여성이 출산과 육아의 기간을 자유로이 조절할 수 있어 여성의 사회진출이 용이하게 되었다. 이런 점에서 경구피임약은 20세기의 획기적인 발명품으로 선정되었다. 에노비드 이후 호르몬 함량 및 성분의 많은 개선을 통해 1980년대 말 이후에는 호르몬 함량을 최소화시켜 과거의 고용량 경구피임약에 비하여 여성호르몬 함량이 약 1/5, 황체호르몬 함량이 약 1/10로 감소된 저용량 경구피임약이 개발되어 현재 사용되고 있다.

복합경구피임약은 제대로만 사용한다면(perfect use) 1년간 피임 실패율 0.3%의 확실한 피임효과와 더불어 여러 가지 건강상의 이점이 있어, 다양한 치료목적으로도 사용되고 있다. 경구피임약의 적응증과 금기증을 잘 숙지한 후 환자 개개인의 건강상태를 파악하고 충분한 상담 후에 사용한다면 환자의 순응도를 높일 수 있다.

Ⅰ. 종류

1. 단상(monophasic) 제제와 다상(multiphasic) 제제

경구피임약은 월경주기의 기간별로 함유된 호르몬의 용량에 따라 에스트로겐과 프로게스틴이 일정하게 함유된 단상 제제와 함량이 기간별로 다르게 조합된 다상 제제가 있는데, 우리나라에서 시판되고 있는 경구피임약은 대부분 단상 제제이다. 단상 제제의 경우 일관된 호르몬 용량으로 인해 사용이 용이하고 다상 제제는 각 주기에서 알약을 복용하는 특정 순서를 보다 신중하게 준수해야 한다.

2. 에스트로겐 용량

경구피임약에 포함된 에스트로겐의 용량에 따라서 고용량, 저용량, 초저용량 경구피임약으로 분류한다(표 27-1). 고용량 에스트로겐의 경우 메스꺼움과 구토 등의 일반적인 부작용 및 정맥혈전색전증의 위험성이 높기 때문에, 현재는 저용량 경구피임약을 사용한다. 또한 저용량 경구피임약 중에서 20 μg 포함 제제가 25-35 μg 용량이 포함된 제제와 비교하여 예상치 않은 출혈이 조금 더 빈번히 발생할 수 있지만, 20 μg제제로 시작하는 것이 부작용이 적은 안전한 선택이 될 수 있다. 국내 시판중인 약품은 없지만, 에티닐 에스트라디올 10 μg제제의 경우도 비슷한 피임효과를 보고하고 있는데, 이처럼 다양한 에스트로겐 용량에 걸쳐 유사한 효능을 보이는 것은 프로게스틴 성분의 배란 억제 효과 때문이다.

3. 프로게스틴

프로게스틴은 시장에 출시된 시기에 따라서 1-4세대 프로게스틴으로 분류한다. 비교시험데이터는 제한적이지만 프로게스틴 제제들간의 효능은 유사한 것으로 생각되며, 일반적으로 3세대 및 4세대 프로게스틴이 안드로겐 성분이 적고, 이전 세대의 프로게스틴보다 부작용이 적다고 알려져 있다.

4. 주기요법과 연속요법

대부분의 피임약은 21일 동안 호르몬 활성약을 복용한 후 7일 동안 위약을 복용하거나 휴약기를 가진다(21/7요법). 그러나 7일의 휴약/위약기간 동안 난포가 발달하여, 프로게스틴의 영향으로 인해 얇아진 자궁 내막을 복구 또는 증식시키는 데 충분한 에스트라디올을 분비할 수 있다. 만약 휴약/위약기간을 줄이거나 이 기간에 낮은 용량의 에스트로겐을 사용하게 되면(24/4요법), 난포억제를 강화시켜 지속적으로 자궁내막의 증식을 억제할 수 있고, 피임약의 효능을 증가시킬 가능성이 있을 뿐만 아니라 호르몬 금단과 관련된 증상을 줄일 수 있다.

또한 월경을 억제하는 것은 안전하고, 휴약/위약기간 동안 발생하는 쇠퇴출혈이 의학적으로는 필수적이지 않기에, 지속 또는 연속요법을 통해 여성은 쇠퇴출혈 여부와 시기를 선택할 수 있다. 연장주기 제제(84/7요법)의 경우 약 3개월마다 7일간격의 위약/휴약하는 방법으로 국내 시판되는 제품은 없으나 대신 단상 제제를 연장주기로 사용할 수 있고, 연속요법은 1년 동안 위약/휴약 없이 복용하는 방법을 지칭한다. 피임 효과, 안전성 및 환자 만족도는 주기/연장주기/연속요법에서 유사하지만, 월경 관련 증상은 일반적으로 주기/연장주기/연속요법 순으로 감소한다. 그러나 장기간 또는 연속으로 경구피임약을 사용하는 여성은 지속적인 프로게스틴 노출에 의한 얇은 위축성 자궁내막으로 인해 출혈이 발생할 수 있다.

불규칙한 출혈은 연속요법의 처음 3-6개월에 발생할 수 있는 일반적인 문제이지만 그 빈도는 시간이 지나면서 감소하여 주기요법과 비슷하게 된다. 불규칙한 출혈은 피임 효과 감소의 징후가 아니며 자궁 내막 증식 위험 증가와 관련이 없다. 하지만 이런 요법을 시작하기 전에 출혈 패턴의 잠재적인 변화에 대해 상담해야 한다. 만약 환자가 연장주기/연속요법을 시작한 첫 3주 이후 빈번한 불규칙한 출혈에 대한 치료를 원하는 경우 3-4일간 투약을 중단하여 증상 호전을 기대할 수 있다. 연장주기/연속요법은 자궁내막증, 월경전불쾌장애, 고안드로겐증, 생활양식(휴가, 운동경기), 폐경이행기의 증상관리, 월경통과 같은 경우에 도움이 되는 것으로 알려져 있다.

5. 일반의약품과 전문의약품

우리나라에서 대부분의 경구피임약은 일반의약품으로 약국에서 바로 구입할 수 있으나 드로스피레논이 함유된 '야스민'과 '야즈', 디에노게스트가 함유된 '클래라'는 전문의약품으로 의사의 처방을 받아서 사용한다. '야즈'는 피임

표 27-1. 경구피임약의 분류

분류	내용
고용량 경구피임약(high dose oral contraceptives)	ethinyl estradiol이 50 μg 이상 포함된 경구피임약
저용량 경구피임약(low dose oral contraceptives)	ethinyl estradiol이 50 μg 미만 포함된 경구피임약
초저용량 경구피임약(ultralow dose oral contraceptives)	ethinyl estradiol이 20 μg 미만 포함된 경구피임약
1세대 경구피임약(first generation oral contraceptives)	ethinyl estradiol이 50 μg 이상 포함된 경구피임약
2세대 경구피임약(second generation oral contraceptives)	ethinyl estradiol이 30–35 μg 포함되어 있고, levonorgestrel, norgestimate, noretihindrone 계통의 황체호르몬이 포함된 경구피임약
3세대 경구피임약(third generation oral contraceptives)	ethinyl estradiol 20–30 μg 포함되어 있고, desogestrel이나 gestodene 등의 황체 호르몬이 포함된 경구피임약
4세대 경구피임약(fourth generation oral contraceptives)	ethinyl estradiol 20–30 μg 포함되어 있고, drospirenone, dienogest, nomegestrel 등의 황체 호르몬이 포함된 경구피임약

표 27-2. 국내에서 시판 중인 경구피임약의 종류

상품명	분류	에스트로겐	함량	프로게스토겐	함량	세대
쎄스콘	일반	ethinyl estradiol	0.03 mg	levonorgestrel	0.15 mg	2
미뉴렛	일반	ethinyl estradiol	0.03 mg	gestodene	0.075 mg	3
에이리스	일반	ethinyl estradiol	0.02 mg	levonorgestrel	0.1 mg	2
머시론	일반	ethinyl estradiol	0.02 mg	desogestrel	0.15 mg	3
마이보라	일반	ethinyl estradiol	0.03 mg	gestodene	0.075 mg	3
미니보라30	일반	ethinyl estradiol	0.03 mg	levonorgestrel	0.15 mg	2
트리퀼라	일반	ethinyl estradiol	0.03 mg (연갈색) 0.04 mg (백색) 0.03 mg (황갈색)	levonorgestrel	0.05 mg (연갈색) 0.075 mg (백색) 0.125 mg (황갈색)	2
멜리안	일반	ethinyl estradiol	0.02 mg	gestodene	0.075 mg	3
센스리베	일반	ethinyl estradiol	0.02 mg	gestodene	0.075 mg	3
디어미	일반	ethinyl estradiol	0.02 mg	gestodene	0.075 mg	3
야스민	전문	ethinyl estradiol	0.03 mg	drospirenone	3 mg	4
야즈	전문	ethinyl estradiol	0.02 mg (연분홍) 0 mg (흰색)	drospirenone	3 mg (연분홍) 0 mg (흰색)	4
클래라	전문	estradiol valerate	3 mg (어두운 노랑) 2 mg (분홍) 2 mg (밝은 노랑) 1 mg (갈색) 0 mg (흰색)	dienogest	0 mg (어두운 노랑) 2 mg (분홍) 3 mg (밝은 노랑) 0 mg (갈색) 0 mg (흰색)	4

외에 여드름, 월경전불쾌장애, 월경곤란증 등의 추가 적응증이, '클래라'는 과다월경출혈의 추가 적응증이 있다. 비교 연구가 거의 없긴 하지만, 전문의약품이 일반의약품보다 더 효과적이거나 약품 간에 피임 실패율의 차이가 있다는 증거는 없다(표 27-2).

Ⅱ. 작용기전

복합경구피임약은 다음 4가지의 작용기전에 의해 높은 피임효과를 보인다.

1) 가장 중요한 작용기전은 시상하부와 뇌하수체에 작용하여 생식샘자극호르몬(FSH, LH)의 분비를 억제하여 배란을 방지하는 것이다. 에스트로겐의 지속적인 투여로 인한 시상하부의 생식샘자극호르몬방출호르몬(gonadotropin releasing hormone, GnRH)의 분비 저하는 뇌하수체의 생식샘자극호르몬의 분비를 저하시키고, 그 결과 난소에서 난포 형성을 억제한다. 또한 프로게스테론이 배란에 필요한 월경중기 LH의 증가를 억제하여 배란이 일어나지 않는다.
2) 자궁내막의 위축을 초래하여 포배(blastocyst)의 착상이 적합하지 않은 상태로 변화시킨다.
3) 난관의 운동성을 저하시킨다.
4) 자궁경관점액을 끈끈하게 만들어 정자의 통과를 막는다.

Ⅲ. 복용 방법

1. 경구피임약은 언제부터 복용하나?

1) 월경 첫날 시작하기

효과적인 피임을 위해서 적어도 월경 시작 후 5일까지 투약을 시작해야한다. 그래서 월경 첫날 시작하는 방법의 가장 큰 장점은 투약을 시작하는 주기부터 최대의 피임의 효과를 얻을 수 있고, 보조 피임이 필요하지 않다는 점이다. 21/7제제는 21일간 복용하고 7일간 휴약하며, 이 기간동안 쇠퇴출혈이 일어난다. 7일간 휴약한 후에는 월경이 끝났거나 계속되거나 관계없이 8일째부터 다시 복용을 시작한다. 24/4제제는 24일간의 피임약과 4일간의 위약(placebo)을 복용한다.

2) 퀵스타트법

피임약을 처방받은 바로 그날, 즉시 복용을 시작하는 방법으로 월경주기와 무관하게 복용을 시작한다. 이 방법은 대개 콘돔과 같은 보조피임을 일주일 동안 같이 사용하게 되는데, 이렇게 하면 월경 첫날을 기다리면서 생길 수 있는 원치 않는 임신을 피할 수 있다. 경우에 따라서는 복용을 시작하기전에 소변 임신반응검사를 할 수도 있다. 퀵스타트법을 사용한 여성의 경우 피임약 지속율이 향상되고, 출혈빈도가 증가하지 않는다. 환자가 임신 가능성을 염려하는 경우 투약 시작 2주 후 임신 테스트를 시행하도록 설명한다.

3) 일요일 시작하기

월경이 시작된 후 처음 일요일에 투약을 시작하는 방법으로 여성이 주말에 월경이 겹치는 것을 피하고 싶을 때 선택할 수 있는 방법이나, 복용을 시작하면서 7일간의 보조피임이 필요하다.

4) 계속 무월경일 때

확실히 임신이 아닐 때는 아무 때나 먹기 시작할 수 있으나 시작 시점부터 7일간 금욕이나 보조피임이 필요하다.

5) 출산 후 수유를 하지 않을 때

출산 후 3주간은 정맥혈전색전증의 위험이 높으므로 피임약을 권하지 않는다. 출산 후 3주가 지났을 때는 확실히 임신이 아닌 경우에는 아무 때나 시작이 가능하나, 복용 시점부터 7일간 금욕이나 다른 피임법이 필요하다. 또한 이전

정맥혈전색전증 병력, 혈전성향증, 거동불가, 분만 시 수혈, 산후 심근병증, BMI 30kg/m^2 이상, 산후 출혈, 제왕절개 분만, 자간전증 또는 흡연 등 정맥혈전색전증에 대한 다른 위험인자가 있는 산후 여성은 모유수유 여부에 관계없이 출산 후 6주까지 복합호르몬피임약을 사용하지 않는다.

6) 출산 후 수유 중일 때

출산 후 6개월이 지나고 월경이 없을 때는 무월경 여성과 동일하고, 출산 후 6개월이 지나고 월경주기가 있을 때는 월경주기가 있는 여성과 동일하다. 경구피임약은 모유의 양과 질을 변화시킬 수 있기 때문에 일반적으로 수유 중에는 권장되지 않으며, 모유 분비가 완성되는 6주 이후에는 사용할 수 있다.

7) 유산 후

임신 제1 또는 2삼분기 자연 또는 인공유산 후에는 7일 안에 즉시 경구피임약을 복용할 수 있다. 기간 안에 시작하지 못했을 경우 7일간의 다른 보조 피임법이 필요하다.

8) 자궁내장치에서 변경

월경 시작 후 5일 이내에 피임약으로 변경하고 자궁내장치를 제거한다. 임신이 아니면 아무 때나 변경이 가능하나 7일간 다른 피임법을 병행해야 한다.

2. 경구피임약 복용을 잊었을 때 어떻게 하나?

1) 하나의 알약 누락

하나의 알약이 누락된 경우, 누락된 알약을 발견하는 즉시 복용하고 처방된 대로 매일 한 알씩 계속 복용하도록 한다. 놓친 약을 언제 기억하는지에 따라 같은 날 두 알을 복용하게 될 수도 있다. 놓친 알약 하나가 난소 억제를 역전시키지 않기 때문에 추가 피임이 필요하지 않다.

2) 2개 이상의 알약 누락

2개 이상을 복용하지 못한 경우 나머지 약들을 시간에 맞추어 잘 복용하면서 콘돔과 같은 보조 피임을 사용한다. 만약 복용을 시작한 첫번째 주에 2알 이상 복용을 못하면서 보조 피임을 사용하지 않았다면, 응급피임법을 사용하여 임신 위험을 줄일 수 있다. 이때 ulipristal 응급피임약은 프로게스틴 함유 피임약과 동시에 사용하면 효능이 저하될 수 있기 때문에 다른 응급피임법을 선택해야 한다. 복용 3주차(15-21일)에 2일 이상 놓친 경우 환자는 호르몬 알약을 마지막까지 복용하고 위약/휴약 기간 없이 다음날 즉시 새로운 주기를 시작해야한다. 새 주기를 바로 시작할 수 없는 경우, 다시 투약을 시작한 뒤 7일 연속 복용할 때까지 보조 피임을 사용해야 한다.

3) 추가 복용

환자가 실수로 하루에 두 알을 복용하는 경우 다음 날 매일 한 알을 복용하는 정상적인 일정대로 복용한다. 전날 두 알을 먹었다고 다음날 복용을 건너 뛰지 말아야한다.

3. 피임약 복용 중 구토, 설사가 있을 때?

1) 복용 2시간 이내 구토

다른 1정을 추가로 복용한다.

2) 24시간 이상의 심한 구토 및 설사

불편하더라도 피임약 복용을 지속한다. 심한 구토 및 설사가 2일 이상 지속된다면, 피임약 복용을 잊은 것과 동일하게 조치한다.

표 27-3. 경구피임약의 피임 이외의 건강상 이점

월경통, 월경과다 감소	여드름 치료
빈혈 예방	골다공증 예방
자궁외임신 감소	대장암 감소
골반염(PID) 감소	류마티스 관절염 감소
난소낭종의 감소	불규칙한 출혈 치료
양성 유방종양 감소	자궁내막증 진행억제
자궁내막암 예방	폐경이행기 증상 치료
난소암 예방	월경전불쾌장애(PMDD) 증상
월경주기조절	완화

Ⅳ. 건강상의 이점 및 치료목적의 사용

복합경구피임약은 높은 피임효과 이외에 여러가지 건강상의 이점을 가지고 있어서, 임상적으로 다양한 치료목적으로 사용하고 있다(표 27-3).

1. 비정상 자궁출혈(abnormal uterine bleeding, AUB) 치료

경구피임약은 비정상 자궁출혈 치료를 위해 1차 치료법으로 사용할 수 있다. 이들의 장점은 일반적으로 출혈을 규칙적으로 변화시키고, 월경량과 월경통을 줄이고, 필요한 경우 피임을 제공하는 점이다. 불규칙한 출혈 환자를 대상으로 한 임상 시험에서 복합경구피임약은 위약보다 훨씬 많은 환자에서 출혈 패턴을 조절했다(47 vs 9%).

심각한 비정상 자궁출혈 치료에 경구피임약을 사용하는 경우, 단상 경구피임약을 1정씩 하루 2회 5-7일간 계속 투여하게 되면, 대부분 12-24시간 이내에 출혈이 멈추게 된다. 만약 출혈이 멈추더라도 5-7일간 하루 2회씩 계속 투여한다. 투여 첫 주에 치밀한 위탈락막 반응(pseudodecidual reaction)으로 자궁내막의 구조가 단단해지고 지금까지 세포가 연약해서 계속 떨어져 나와 출혈이 되던 현상이 없어지게 된다. 출혈이 감소되지 않으면 자궁내폴립, 자연유산이나 자궁내막암 등의 다른 질병이 없는지 다시 검사해보아야 한다. 일단 출혈량이 급속하게 감소하게 되면, 무배란의 원인, 출혈의 원인을 조사해보고, 필요시에는 수혈과 철분제를 투여한다.

약을 끊으면 2-4일후에 쇠퇴출혈이 일어나는데 이때 출혈양이 많을 수 있고 복통이 동반될 수 있음을 환자에게 미리 알려주어야 한다. 환자가 이 상황을 알지 못하면 환자는 비정상 자궁출혈이 다시 재발되었거나 호르몬 치료가 실패한 것으로 생각하기 때문에 효과적인 치료를 진행할 수 없다. 성공적으로 치료가 이루어지면 쇠퇴출혈이 개시된 5일째 경구피임약 주기적요법을 시작하여 3주기 정도 추가로 사용하는데, 자궁내막의 성장을 억제하고 두께를 줄여주기 위함이다.

2. 월경통(dysmenorrhea) 치료

월경통은 부인과 원인 질환없이 생기는 일차(원발) 월경통(primary dysmenorrhea)과 부인과 원인 질환 때문에 생기는 이차(속발) 월경통(secondary dysmenorrhea)으로 분류한다. 이 중 일차 월경통은 배란 주기에 발생하는 통증으로 월경시작 수시간 내에 발생하여 1-3일 간 지속되는데, 주로 하복부 중앙에 아프고, 허리나 다리까지 뻗칠 수 있으며, 불안, 요통, 두통, 메스꺼움, 구토 등을 동반할 수 있다. 분비기의 자궁내막에서 프로스타글란딘(PGF2α) 생성이 늘어나 자궁근육이 심하게 수축되어 생기는 현상이다.

일차 월경통의 치료로 프로스타글란딘 합성억제제인 비스테로이드소염제(non-steroidal anti-inflammatory drug, NSAID)를 먼저 사용하고, 이에 효과가 없거나 피임을 원하는 여성에게 복합경구피임약을 단독 또는 NSAID와 같이 사용한다. 복합경구피임약은 자궁내막의 증식을 억제하므로 위축된 탈락막으로부터 프로스타글란딘의 합성이 감소되어 월경통을 약 70-80% 감소시킨다.

저용량 제제도 통증 완화에 효과적이고, 주기요법을 포함 모든 요법이 증상완화에 효과적이나 장기간 또는 지속투여가 월경 증상을 더 잘 완화시키는 것으로 알려져 있다. 따라서 주기 선택은 궁극적으로 환자의 선호도에 따라 결정되겠으나, 21/7 요법으로 월경통이 충분히 완화되지 않는다면, 24/4요법 또는 연속요법 등으로 변경하는 것도 고려할 수 있다.

3. 과다월경출혈(heavy menstrual bleeding, HMB) 치료

과다월경출혈은 주기당 월경량이 80 mL이상인 경우로 가임여성의 약 10%에서 월경과다를 호소하며, 이들의 2/3는 철결핍 빈혈을 동반한다. 복합경구피임약은 자궁내막 증식을 억제하고 프로스타글란딘의 생성을 억제하여 월경량을 줄여주므로, 대부분의 과다월경출혈의 치료에 효과적이다.

복합경구피임약은 과다월경출혈 환자를 대상으로 광범위하게 연구되어 왔는데, 무작위 연구에서 월경혈 손실이 35-69%까지 감소하는 것으로 나타났고, 휴약/위약 기간이 짧은 제제가 쇠퇴출혈량이 적다. '클래라'의 경우 미국식품의약국(FDA)에서 과다월경출혈 치료를 위해 승인한 유일한 제제로서 위약기간이 2일로 짧고, 위약과 비교한 무작위 시험에서 월경혈 손실이 현저하게 감소한 것으로 평가되었다(64 vs 8%). 그러나 다른 제제와 직접 비교한 연구는 없다.

4. 배란통(mittelschmerz) 치료

배란이 되면서 소량의 출혈이 흘러나와 복강을 자극하고, 난포액 속에 함유되어 있는 프로스타글란딘이 골반내로 흘러나와 통증을 일으킨다. 배란통은 대개 경미하게 느끼지만 때로는 진통제를 먹어야 할 정도로 심한 환자도 있고, 대개 수 시간 정도 지속되지만 2-3일간 지속되기도 한다. 간혹 갈색 분비물이나 소량의 출혈을 동반하는 경우도 있으나 드물게 월경처럼 양이 많고 지속적일 수도 있다. 출혈황체낭종이 터지면서 복강내 출혈을 일으키는 경우도 있다.

배란통은 증세가 가벼운 경우는 치료가 필요 없거나 간단히 진통제로 해결되지만, 배란통이 심하거나, 복강내출혈이 반복적으로 생기는 경우에는 경구피임약을 복용함으로써 좋은 효과를 볼 수 있다.

5. 월경전증후군(premenstrual syndrome, PMS), 월경전불쾌장애(premenstrual dysphoric disorder, PMDD) 치료

월경전증후군(PMS)은 가임기 여성의 80-90%가 경험을 하며, 이 중 30-40%가 치료를 원한다. 월경전불쾌장애(PMDD)는 월경전증후군의 중증 타입으로 가임기 여성의 약 3-8%에서 경험하며, 정신건강과 사회생활에 지장을 줄 수 있다. 최 등의 '월경전증후군이 한국여성의 일상생활에 미치는 영향에 대한 연구'에서 한국여성에서 32%의 빈도로 일상생활에 미치는 영향이 큰데도 불구하고 대부분의 여성(91.5%)이 월경전증후군이라는 용어조차 모르며, 의사에게 상담을 하지 않는다고 한다. 그러므로 월경전증후군에 관심을 가지고 적절히 상담 및 치료를 한다면 여성 삶의 질을 향상시킬 수 있다.

호르몬 피임을 원하면서 중등도에서 중증 증상이 있는 여성의 경우 경구피임약을 치료방법으로 선택할 수 있는데, 이는 호르몬 변화를 억제하는 가장 간단한 방법이다. 연구에 의하면 에티닐 에스트라디올 20 μg/드로스피레논 3 mg 24/4제제는 위약과 비교할 때 월경전불쾌장애 증상 호전에 효과적이었고, 월경전불쾌장애 관리 적응증으로 미국FDA의 승인을 받았다. 24/4제제 복용 후 월경전불쾌장애 증상이 지속되거나 출혈부작용이 발생하는 경우 에티닐 에스트라디올 30 μg/드로스피레논 3 mg제제로 변경해 볼 수 있고, 이후에도 증상이 계속되는 경우 연속요법으로 변경해 볼 수 있다. 일부 경구피임약을 시작한 월경전불쾌장애 여성에서 기분 악화를 경험하는 경우도 있으므로 관찰이 필요하다.

6. 자궁내막증(endometriosis) 예방

경구피임약을 복용하고 있는 여성들에게 자궁내막증의 빈도가 줄어든다고 보고되어 있는데 효과적으로 자궁내막증이 생기는 것을 예방하기 위해서는 장기적인 투여가 필요하다. 그러므로 자궁내막증의 의심이 되며 피임을 원하는 여성에서는 경구피임약을 자궁내막증 진행을 억제하는 목적으로 권유하는 것을 고려해 볼 수 있다.

또한 자궁내막증은 평생 관리계획이 필요한 만성질환으로서 반복적인 수술을 피하고, 약물치료를 극대화할 필요가 있다. 미국 생식의학협회(ASRM)와 유럽생식의학회(ESHRE)도 자궁내막증 수술 후 재발방지를 위해 지속적인 약물억제요법을 권유한다.

복합경구피임약은 자궁내막증 조직을 탈막화 및 위축시켜 자궁내막증을 억제하는데, 연구에 의하면 복합경구피임약을 6개월 이상 사용하면 자궁내막종 재발 위험과 월경 곤란의 빈도 및 중증도가 감소한다. 연구에 의하면, 복합경구피임약을 복용한 여성은 복용하지 않은 여성에 비해 재발 위험이 낮았다(8 vs 34 %, OR 0.12, 95% CI 0.05-0.29). 수술 후 주기/연속요법의 영향을 평가한 메타분석에서 연속요법을 사용한 여성은 주기요법을 사용한 여성에 비해 월경통 재발 비율이 낮았다(RR 0.24, 95% CI 0.06-0.91). 따라서 수술 후 주기/연속요법 모두 가능하지만, 연속요법이 우선적으로 고려될 수 있다.

7. 기능 난소낭종(functional ovarian cyst) 감소

단상 경구피임약을 사용하였을 때 기능 난소낭종의 빈도가 48% 감소한다. 경구피임약이 난소의 난포성장을 억제하여 황체낭종(corpus luteum cyst)이 78%, 난포낭종(follicular cyst)이 49% 감소한다.

8. 여드름(acne), 다모증(hirstism) 개선

경구피임약을 복용하면 생식샘자극호르몬 분비를 억제하여 난소의 안드로겐 분비를 감소시키고, 혈청 성호르몬결합글로불린(SHBG) 농도의 증가로 안드로겐 결합이 증가하여 혈청 유리안드로겐 농도가 감소하는 한편, 부신에서 안드로겐 분비 역시 억제된다. 복합경구피임약은 여성의 안드로겐 과다로 인한 피부증상 치료, 특히 다낭난소증후군 또는 21-수산화효소 결핍으로 인한 선천부신과다형성증 여성에서 여드름과 다모증 치료에 효과가 있다.

3세대 프로게스틴인 드로스피레논 함유 24/4 제제는 여드름치료에 추가 적응증을 가지고 있다. 초산 시프로테론(cyproterone acetate) 함유 제제도 여드름치료에 효과가 있는데, 피부의 안드로겐 수용체에 안드로겐과 경쟁적으로 결합하여 피부에 대한 안드로겐의 영향을 차단함으로써 여드름, 피지가 많은 피부, 털이 많은 다모증 등의 피부증상을 개선한다. 그러나 현재 국내 시판중인 시프로테론 함유 제제는 없다.

9. 자궁내막암 예방

복합경구피임약을 지속적으로 사용하면 사용한 적 없는 것과 비교하여 자궁내막암 위험이 감소한다(발생률 0.66, 99 % CI 0.48-0.89). 이러한 예방효과는 20년 이상 지속될 수 있다.

10. 난소암 예방

경구피임약을 사용하면 사용하지 않았던 것에 비해 난소암 위험이 감소하고(발생률 0.67, 99 % CI 0.50-0.89; OR 0.72, 95 % CI 0.65-081), 이 효과는 20년 이상 지속된다. 낮은 용량의 에스트라디올과 새로운 프로게스틴 제제도 난소암 예방에 효과적이다. 경구피임약은 BRCA1 및 BRCA2 돌연변이 보유자에게 난소암 예방요법으로 사용할 수 있다.

11. 양성 유방질환(benign breast disease) 예방

첫 임신 전에 경구피임약을 1-48개월 간 사용하면 양성 유방질환이 40% 감소된다. 그러나 첫 분만 이후에 사용하였던 경우에는 현저한 감소는 없었다.

12. 자궁외임신 예방

자궁외임신은 임신 전반기 모성사망의 중요 원인이다. 경구피임약은 다른 피임방법이나 난관불임수술에 비하여 자궁외임신 예방에 효과적이다.

13. 골반염 감소

경구피임약을 12개월 이상 연속 사용할 경우 골반염의 위험도가 60% 감소된다.

14. 골다공증 예방

경구피임약은 성인에서 골밀도를 유지 또는 증가시키므로, 임상적으로 장기간 부신피질호르몬 치료(천식 등), 갑상샘치료, 에스트로겐이 저하된 상태 등의 골다공증 위험성이 높은 경우 경구피임약을 사용할 수도 있다.

15. 대장암, 류마티스 관절염 감소

경구피임약은 대장암을 37%, 직장암을 34% 줄여 주며, 경구피임약을 장기간 사용할수록 예방효과가 높아진다. 경구피임약을 8년간 사용한 경우 대장직장암의 발생을 40% 감소시킨다고 한다.

16. 폐경이행기의 경구피임약 사용

1) 폐경이행기란?

폐경이행기(menopausal transition)는 규칙적이던 월경주기가 불규칙하게 된 이후부터 마지막 월경까지의 기간을 말하며 평균 3.8년이 걸린다. 이 시기에는 여성호르몬이 서서히 감소하므로 안면홍조, 발한, 질 건조감, 긴장감, 피로감, 우울, 감정의 기복 등이 나타난다. 불규칙한 무배란 출혈로 인한 자궁절제술의 빈도가 높아지고 폐경 이행기의 후기와 폐경기 초기가 골밀도의 소실이 가장 많은 시기이다.

2) 폐경이행기에도 임신이 될까?

피임을 하지 않는 45-49세 여성의 임신 가능성은 2-3%로 추정되며 50세 이후에는 1% 미만으로 떨어진다. 여성이 폐경기에 도달할 때까지 즉, 월경이 없는 12개월 동안 불임을 확신할 수 없기 때문에 피임은 폐경이행기 동안 여전히 중요하다.

3) 경구피임약 사용의 추가적인 이점은?

폐경이행기에 발생하는 불규칙한 무배란 자궁출혈 및 월경주기를 조절하고, 안면홍조 등의 갱년기 증상을 완화시켜주며, 폐경이행기부터 급격히 발생하는 골밀도 소실 예방에 도움이 된다. 경구피임약에는 폐경기 호르몬요법보다 많은 양의 에스트로겐과 프로게스틴이 포함되어 있어서 출혈 조절에 더욱 효과적이고, 갱년기 증상완화에 충분하다. 그런데 휴약/위약기간동안 갱년기 증상이 재발할 가능성이 있기 때문에 연속요법 등은 증상재발을 방지하는 또 다른 방법이다. 나이는 심혈관 질환과 혈전색전증의 독립적인 위험 요소이기 때문에 비만, 당뇨병, 고혈압과 같은 다른 의학적 질환을 가진 폐경기 여성은 복용을 피해야 한다.

4) 언제 폐경기 호르몬 치료로 바꾸어 주어야 하는가?

폐경이행기 경구피임약을 복용하는 여성이 50세 또는 51세가 되면 약을 완전히 중단하거나 증상에 필요한 경우 폐경기 호르몬요법으로 변경하는 것에 대해 고려해야한다. 경구피임약을 21일간 복용하고 7일간 쉬는 시기(pill-free period) 중의 제6일째에 혈중 FSH를 측정하여 상승된 경우 폐경으로 간주한다. 대개 50-51세부터 매년 정기 검진 때에 FSH를 측정한다. 또는 7일간 약을 먹지 않는 쉬는 시기에 안면 홍조 등의 폐경기 증상이 생기면 폐경으로 간주하여 혈중 FSH를 측정해 보고 상승되어 있으면 호르몬 치료로 바꾸어 준다.

V. 금기증

경구피임약의 복용은 건강한 젊은 여성에서는 대개 문제가 없으나 다음과 같은 금기증이 있는 경우에는 주의를 하여야 한다.

1. 절대 금기증

1) 혈관염, 혈전색증, 뇌혈관질환, 관상동맥질환, 또는 그 기왕력
2) 간기능의 심각한 저하 또는 간암
3) 관상동맥질환 또는 심혈관질환의 병력
4) 조짐(aura)이 있는 편두통
5) 혈관질환이 있는 당뇨병
6) 유방암이 있거나 의심
7) 진단되지 않은 이상 질출혈
8) 임신 중이거나 임신이 의심되는 경우
9) 35세 이상의 흡연자
10) 중증 이상지혈증 또는 고중성지질혈증
11) 조절되지 않는 고혈압
12) 수유중이거나 산후 21일 전
13) 장기적으로 거동이 제한되는 수술을 받는 경우
14) 산후 심근병증의 과거력

2. 상대 금기증

1) 조짐(aura)이 없는 편두통
2) 조절되는 고혈압
3) 임신당뇨
4) 당뇨병
5) 간질
6) 임신중 발생한 폐쇄성 황달
7) 겸상 적혈구병
8) 담낭질환
9) 승모판탈출증
10) 전신홍반루푸스
11) 이상지혈증
12) 35세 미만의 흡연자
13) 간질환

표 27-4. 피임법 사용 카테고리의 분류

카테고리 1	피임법 사용에 제한점이 없는 상태	어떤 상황에서도 사용할 수 있는 방법
카테고리 2	일반적으로 피임법 사용의 장점이 위험성보다 큰 경우	일반적으로 사용할 수 있는 방법
카테고리 3	일반적으로 피임법 사용의 위험성이 장점보다 큰 경우	잘 권하지는 않으나 다른 적당한 방법이 없을 때 주의하여 사용하는 방법
카테고리 4	피임법 사용 시 용인할 수 없는 건강의 위험성이 나타나는 상태	사용해서는 안 되는 방법

표 27-5. WHO 피임사용 기준 요약(Fifth edition, 2015)

		복합경구피임약	구리자궁내장치	레보놀게스트렐IUD
임신		사용 불필요. 임신 중 해 없음	4	4
연령		초경~<40 =1 ≥40 =2	초경~<20 =2 ≥40 =1	초경~〈20 =2 ≥40 =1
출산력	a) 초산	1	2	2
	b) 경산	1	1	1
산욕기		수유하지않을 때 a) <12일 i) VTE 위험인자 없을때 = 3 ii) VTE 위험인자 있을때 = 4 b) ≥ 21일 – 42일 i) VTE 위험인자 없을때 = 2 ii) VTE 위험인자 있을때 = 3 c) >42일 = 1	a) <48 hr =1 b) ≥48 hr~<4 w =3 c) ≥4 w =1 d) 산욕기 패혈증 =4	a) 〈48 hr =1(수유–) 2(수유+) b) ≥48 hr~<4 w =3 c) ≥4 w =1 d) 산욕기 패혈증 =4
유산수술 후	a) 일삼분기	1	1	1
	b) 이삼분기	1	2	2
	c) 패혈성 유산 직후	1	4	4
자궁외임신 후		1	1	1
자궁 수술 후(C/S 등)		1	1	1
흡연	a) 연령 〈35	2	1	1
	b) 연령 ≥35 <15개피	3	1	1
	≥15개피	4	1	1
동맥 심혈관질환의 위험인자(고령, 흡연, 당뇨, 고혈압 등)		3/4	1	2
고혈압	수축기 140-159 또는 이완기 90-99 mmHg	3	1	1
	수축기 ≥160 또는 이완기 ≥100 mmHg	4	1	2
임신중 고혈압 경력		2	1	1
급성심부정맥혈전증/폐색전증		4	1	3
자궁내막암		1	4→2	4→2
난소암		1	3→2	3→2
자궁근종	자궁강 뒤틀림 없음	1	1	1
	자궁강 뒤틀림 있음	1	4	4
골반염의 과거력		1	1	1
현재 골반염		1	1	1
바이러스간염		2	1	1
간염보균자		1	1	1
철결핍성빈혈		1	2	1
질출혈		1	1	1
자궁내막증		1	2	1
양성난소종양		1	1	1
심한 월경통		1	2	1
자궁경부상피내종양		2	1	2
자궁경부암		2	4→2	4→2
양성유방질환		1	1	1
유방암		4	1	4
치료 5년 후		3	1	3
정맥류		1	1	1
표재성 정맥혈전증		2	1	1

VI. 세계보건기구(World Health Organization, WHO)의 피임사용 기준

WHO의 피임사용 기준은 환자의 연령 및 일반적인 건강 상태에 따라 카테고리(category) 1-4로 나누어서 1은 어떤 상황에서도 사용할 수 있는 방법, 2는 일반적으로 사용 가능한 방법, 3은 잘 권하지는 않으나 다른 적당한 방법이 없을 때 사용하는 방법, 4는 사용해서는 안 되는 방법으로 표시하였으며, 카테고리 1과 2에 해당하는 피임법만 선택하여 사용하면 된다(표 27-4).

표 27-5는 가장 많이 사용되고 있는 피임법 3가지, 즉, 복합경구피임약, 구리자궁내장치, 미레나(LNG-IUS)에 대한 WHO의 피임사용 기준(Fifth edition, 2015)을 간단히 요약한 표이다. 각 상황에서 카테고리 1, 2에 해당하는 피임법을 선택하면 되고, 카테고리 3, 4에 해당하는 피임법은 사용하지 않도록 한다.

VII. 부작용 및 건강 관련 염려들

1. 일반적인 신체 증상

경구피임약을 시작할 때 환자가 유방압통, 메스꺼움 및 팽만감을 경험할 수 있다. 이러한 증상은 일반적으로 빠르게 호전된다. 체중 증가를 걱정하는 환자도 있는데, 대부분의 연구에서는 체중에 큰 차이가 없다고 보고하고 있다. 또한 기분 장애나 우울증이 있는 여성도 사용할 수 있다. 경구피임약의 복용으로 인한 난소의 안드로겐 억제가 성욕에 부정적인 영향의 우려를 제기하는 경우도 있는데, 대부분의 여성에게 성기능에 큰 영향을 미치지 않는 것으로 보인다.

2. 출혈

경구피임약 복용 시 발생할 수 있는 돌발출혈은 흔한 초기부작용으로, 첫 번째 사용주기 동안 여성의 절반에게 영향을 미치고 다음 달에 빠르게 개선된다. 환자에게 경구피임약의 복용으로 자궁내막층이 감소하면서 일종의 적응과정으로 출혈이 발생하는데, 1-3개월 정도 경과하면 없어지며, 피임 효과의 감소를 의미하지 않는다고 설명하여 안심시킬 수 있다.

복용 시작시기와 돌발출혈은 관계가 없으므로, 출혈을 줄이기 위해 월경이 시작할 때까지 복용을 기다릴 필요는 없다. 에티닐 에스트라디올 20 μg 또는 24/4요법이 30 μg 에티닐 에스트라디올 및 21/7요법보다 돌발출혈 비율이 더 높다. 만약 복용 마지막주에 출혈이 나타나면 약 복용을 중단하고 월경을 만들고 다음 주기를 새로 시작하면 되고, 경구피임약을 먹고 있는 중간에 출혈이 지속적으로 나타나면 그때부터 결합에스트로겐 1.25 mg이나 에스트라디올 발러레이트 2 mg을 7일간 매일 추가로 복용한다.

만약 비정상 출혈이 지속되는 경우에는 다른 원인을 고려해야 한다. 자궁경부원인이나, 임신 여부 확인, 약 복용을 잊었는지, 다른 약을 같이 복용하였는지 등을 확인하고 문제가 없음에도 계속 출혈이 있을 때는 에티닐 에스트라디올 30 μg 함유된 경구피임약이나 다른 제제로 바꾸어 본다.

3. 임신

저용량 경구피임약은 태아의 기형을 증가시키지 않는다. 1998년 FDA에서는 피임약 설명서에서 태아의 기형에 대한 주의사항을 삭제하였다. 임신 중 경구피임약을 복용하였거나 경구피임약을 복용하던 중 임신이 되었을 경우 심각한 선천성 기형이 발생할 위험성은 2-3%로 일반인에 비하여 높지 않으며 자연유산이나 사산이 될 가능성도 일반인에 비하여 높지 않다.

경구피임약 사용 후의 임신능력의 회복에 관한 연구들에 의하면 과거 경구피임약을 5년 이상 장기 복용했던 여성들이 사용을 중단한 후 6개월 이내에 74%, 6-12개월에 14%, 1년 후에 12%가 임신을 하여 경구피임약의 장기간 사용이 임신능력을 감소시키지 않으며, 경구피임약을 장기간 복용했던 여성들은 단기간 동안만 복용한 여성들 보다 오히려 짧은 시일 내에 임신에 이른 것으로 나타났다.

4. 편두통

편두통과 외인성 에스트로겐 사용은 뇌졸중의 독립적 및 복합적 위험인자이기 때문에, 편두통 여부 및 전조의 확인은 피임 상담에 필수적이다. 편두통이 없는 여성에 비해 전조가 있는 편두통 여성의 뇌졸중 위험이 높고(OR 1.5, 95 % CI 1.1-2.0), 편두통환자가 복합경구피임약을 사용할 경우 뇌졸중 위험이 2-4배 증가한다. 새로운 두통 증상이 편두통과 일치하는 경우, 특히 환자가 전조증상이 있거나, 35세 이상, 고혈압 등의 다른 위험인자가 있을 경우 투약 중단을 고려한다.

5. 심혈관효과

1) 고혈압- 복합경구피임약은 정상 범위 내에서 혈압을 약간 상승시킬 수 있다. 현행 제제로 인한 명백한 고혈압은 드물지만, 약 1%는 고혈압이 될 수 있다. 그러므로 피임약 복용 전, 3개월 후(고위험군은 1개월 후), 그 후에는 6개월 간격으로 혈압을 측정한다. 복용 2년 후에는 위험인자가 없고 혈압상승이 없었다면 1년에 한 번씩 혈압을 측정한다. 두 번 측정한 혈압이 140/90 mmHg 이상이면 가능하면 사용하지 말고, 160/100 mmHg 이상으로 상승하면 피임약을 중단한다.
2) 정맥혈전색전증– 모든 유형의 복합경구피임약 복용 시 정맥혈전색전증의 상대적 위험이 3-5배 증가한 것으로 보고되었다. 젊은 여성의 경우, 정맥혈전색전증의 발생비율이 낮기 때문에 사용자의 절대위험도는 약 100 pill-years당 약 0.06명인데, 이것은 임신 및 산후 초기 기간(100년당 0.2명)에 비해 상당히 낮다. 이 위험은 사용 후 처음 몇 개월 동안 가장 높고, 혈전증 관련 질환, 흡연, 비만, 연령증가, 거동불가 등이 위험인자가 될 수 있다.
3) 심근경색 및 뇌졸중- 초기 복합경구피임약 대비 에스트로겐 함량의 감소로 안전성이 크게 향상되었으며 현재 사용되는 제제에서 동맥혈전 사건(심근 경색 및 뇌졸중)은 드물다. 젊은 여성에서 뇌졸중의 절대위험도는 100,000 woman-years당 5-10명인데, 복합경구피임약을 사용하면 2배가 된다. 그러나 정맥혈전색전증과 마찬가지로 동맥혈전 사건의 절대위험도는 임신중이나 산후기간보다 비교할 때 훨씬 낮다.
4) 지질 및 탄수화물 대사- 경구피임약은 지질 및 탄수화물 대사에 부정적인 영향을 미칠 수 있지만, 일반적으로 건강한 여성에서는 임상적으로 영향이 없으나, 다낭난소증후군이 있는 여성에서는 이런 변화가 영향을 줄 수도 있다. 또한 경구피임약은 혈장 인슐린과 포도당 수치를 증가시키고 인슐린 민감성을 감소시키지만, 다낭난소증후군이 없는 정상 체중의 여성에서는 유의미하지 않고, 당뇨병 발병 위험이나 혈당 조절에 영향을 미친다는 증거는 없다.

6. 암발생과 관련된 영향

1) 전체적인 암 위험- 전체적인 암 위험을 증가시키지 않으며, 난소암, 자궁내막암 및 대장암에 대한 보호효과가 있다. 유방암 및 자궁경부암 위험이 현재사용자 또는 최근사용자에서 일시적으로 증가했지만, 복용 중단 후 2-5년 이내에 사라졌기 때문에, 20년 이상 지속되는 종양 보호 효과가 더 중요하게 평가된다.
2) 유방암- 경구피임약은 유방암 위험을 거의 또는 전혀 증가시키지 않는다. 모든 위험도는 일시적이며 현재 또는 최근사용자로 제한된다. 일부 연구에서 사용자가 비사용자에 비해 유방암 위험도가 높았지만(HR 1.55, 95 % CI 1.06-2.28), 절대위험도는 낮고(연간 100,000명당 13명, 연간 7690명당 추가 사례 1명), 특히 복합경구피임약을 사용할 가능성이 가장 높은 연령 그룹인 35세

미만 여성의 경우 절대위험도는 더 낮다(연간 100,000명당 2명, 연간 50,000명당 추가 사례 1명).

유방암 병력이 있는 여성에게 경구피임약을 권장하지 않는다. 그러나 유방암 가족력이 있는 여성의 경우는 경구피임약 사용이 큰 영향이 없다. 연구에 의하면 유방암 감수성유전자 BRCA1 및 BRCA2 돌연변이보유자의 복합경구피임약 사용은 유방암의 경향이 증가하지만 통계적 연관성은 없었다(OR 1.21, 95 % CI 0.93-1.58).

3) 자궁경부암- 사용자가 비사용자에 비해 장기간 위험성은 증가하지 않는 것으로 보인다(OR 1.31, 99 % CI 0.84-2.04). 그런데 연구에 의하면 현재사용자 또는 최근사용자(<5년)의 자궁경부암 위험 증가와 관련이 있었다(발생비율 2.32, 99% CI 1.24-4.34). 경구피임약을 사용하는 인유두종바이러스가 있는 여성은 특히 자궁경부암에 걸릴 위험이 있으나, 자궁경부암 검진이 피임약 사용의 전제 조건은 아니다.

7. 다른 약제와의 상호작용

경구피임약의 효과에 영향을 미치는 약제와 동시에 복용을 해야 되는 경우에는 복용 전에 상담이 필요하다.

1) 항경련제

phenytoin, carbamazepine, barbiturates, primidone, topiramate, felbamate, oxcarbazepine 등의 항경련제는 호르몬피임의 효능을 감소시킬 수 있어서 사용하지 말아야 하지만, 환자가 위험성을 이해하고 다른 방법을 사용할 수 없는 경우 선택할 수 있다. 이 때 에티닐 에스트라디올 30 μg 포함 제제와, 반감기가 더 긴 프로게스틴(드로스피레논, 데소세르트렐, 레보놀게스트렐 등) 및 24/4제제, 연속요법 등을 고려한다.

가바펜틴, levetiracetam, valproate, zonisamide, tiagabine 등은 피임효과를 감소시키지 않는 한편, lamotrigine의 경우 청소율을 증가시켜 혈장농도를 45-60% 감소시키므로 경련 조절을 위해서는 lalmotrigine 용량 조정이 필요할 수 있다.

2) 항생제

리팜핀은 경구피임약 복용 시 혈청 에티닐 에스트라디올과 프로게스틴을 감소시키는 것으로 입증된 유일한 항생제이므로 다른 피임법이 권장된다.

3) 항진균제

griseofulvin 관련 피임실패 사례보고가 몇 개 있지만 데이터는 제한적이어서 세계보건기구(WHO)는 호르몬 피임이 가능하다고 한다.

4) 항레트로바이러스제

일부 protease inhibitor의 경우 에티닐 에스트라디올과 노르에친드론 농도를 저하시키므로, 추가 또는 다른 피임법을 사용한다.

** 참고문헌 목록은 대한산부인과내분비학회 홈페이지 http://www.kosge.or.kr 또는 QR코드를 통해 보실 수 있습니다.*

CHAPTER 28 Long-acting reversible contraception (LARC)

주종길(부산의대)

근래에 전통적인 피임방법 이외에 많은 새로운 피임법들이 소개되고 있으며 이에 피임법 선택의 폭이 넓어지고 있다. Long-acting reversible contraception (LARC)은 매우 효과적인 피임법이며, 장기간 사용 가능하고 편리하며 비용-효과적인 측면에서도 장점을 가진다. 기존 피임법에서는 일반사용군(typical use)과 완벽사용군(perfect use)에서 피임실패율이 차이를 보이지만 LARC 제제는 이러한 차이가 없고 한 번의 시술로 피임효과가 지속되기 때문에 중단하는 비율도 다른 피임법에 비해 낮은 편이다. 일반적으로 자궁내장치와 피하삽입물이 해당한다. 3개월 간격의 근주 또는 피하주사제인 메드록시프로게스테론 제제의 경우 3개월 간격으로 잊지 않고 병원을 방문해야 효과적인 피임효과가 지속되기 때문에 LARC 제제에 포함하는 경우도 있고 그렇지 않은 경우도 있다. 본 단원에서는 메드록시프로게스테론 주사제를 포함하여 LARC 제제들에 대해 알아보고자 한다.

I. 메드록시프로게스테론 주사제

1. 종류 및 작용 기전

1) 데포 초산메드록시프로게스테론 근육주사제(depot medroxyprogesterone acetate, DMPA IM)

데포 초산메드록시프로게스테론(Depot medroxyprogesterone acetate, DMPA)는 1992년 FDA의 승인을 받은 주사용 피임제로 합성 프로게스테론인 초산메드록시프로게스테론(medroxyprogesterone acetate, MPA)이 1 mL당 150 mg 함유되어 있어 적어도 90일 동안 원치 않는 임신을 예방해 줄 수 있다. 혈중 농도가 >0.5 ng/mL에 이르면 피임효과를 나타내는데 근주 24시간 내에 이 농도에 이르러 3개월 동안 1.0 ng/mL의 농도를 유지한다. 피임효과를 나타내는 혈중 농도는 최소한 14주 동안 유지된다. 꾸준한 사용으로 5년 이상 사용한 100명의 여성에서 1예의 임신이 보고될 만큼 가장 효과적인 피임법 중에 하나이다. 기전은 높은 농도의 프로게스테론으로 인해 LH 급증이 억제되어 배란이 일어나지 않는다. 또한 자궁경부 점액과 내막, 난관에도 영향을 미친다. 경구피임약만큼 난포 자극호르몬을 억제하지 못하기 때문에 에스트로겐 농도가 유지되어 초기 난포기 때 나타나는 에스트로겐 결핍 증상이 나타나지 않는다. 효과적인 피임을 위해 처음 주사하는 시기가 중요하다. 권고하기는 월경 처음 5일 이내 주사해야 한다(WHO에서는 월경 7일 이내로 설명하고 있다). 그렇지 않으면 7일 동안 추가 피임법을 병용해야 한다. 병원 방문 시 바로 근주하는 방법인 Quick Start는 지속적인 사용률을 높이며 원하지 않는 임신을 낮추는 효과 있으나, 주사 시 임신의 배제와 이 후 7일 동안 추가적 피임법의 사용을 설명해야 한다. 국내에서는 현재 시판되지 않는다.

2) 데포 초산메드록시프로게스테론 피하주사제(depot medroxyprogesterone acetate, DMPA SC)

2005년 FDA에 승인받은 저용량 주사용 피임제인데 근육주사제보다 30% 용량이 적은 0.65 mL에 DMPA 104 mg을 함유하고 본인이 직접 주사할 수 있게 피하 주사하는 형태이다. 피임 효과는 근육주사제와 비슷하고 미국에서 시행된 3상 연구에서 16,023명의 여성에서 한 명도 임신되지 않았다. 13주 이상 배란을 억제시키고 배란이 돌아오는데 평균 30주가 소요된다. 현재 국내에서는 제품이 철수된 상황이다.

2. 적응증

DMPA 제제는 배란이 돌아오기까지 평균 30주가 소요되기 때문에 최소 1년 이상의 장기적이고 효과적인 피임을 원할 때 적절한 선택이 될 수 있다. 또한 성관계와 별개의 방법을 원하는 경우, 에스트로겐이 포함되지 않은 피임법을 원하는 경우에 적절한 방법이다. 다른 프로게스틴 피임법과 마찬가지로 모유수유 중에 적용 가능하며, 무월경의 비율이 높아 월경과다나 월경통이 있거나 자궁내막증과 관련된 통증이 있는 경우에도 고려될 수 있다. 체질량지수가 30 이상인 경우에도 피임효과가 증명되어 비만한 여성에서도 좋은 피임법이다.

3. 금기증

현재 유방암을 앓고 있는 경우에는 절대 금기에 해당하고 고령이나 흡연, 당뇨병, 고혈압과 같은 심혈관질환에 대한 위험 요소를 여러 가지 가지고 있는 경우나, 수축기압 160 mmHg 이상 또는 이완기압 100 mmHg 이상의 조절되지 않는 고혈압, 혈관 질환과 동반된 고혈압을 가진 경우에도 금기에 해당한다. 허혈성 심장질환의 병력 또는 과거력이 있는 경우, 뇌졸중(뇌혈관 질환의 병력), 항인지질항체 양성인 전신홍반루푸스 환자, 비외상 골절의 병력 또는 위험인자가 있으며 장기 코르티코이드 치료요법을 받은 경우, 전조가 있는 편두통도 금기에 해당한다.

설명되지 않는 자궁 출혈이나 최근 5년간 재발 없는 유방암의 병력, 신장병증, 망막병증, 신경병증이 있는 당뇨병, 20년 이상의 당뇨병, 심각한 간경변, 간 종양 (간세포 샘종 또는 악성 간암)에서도 이익보다 해가 큰 것으로 평가되고 있다.

4. 부작용

1) 불규칙한 출혈

흔한 부작용으로 불규칙한 출혈, 유방통, 체중 증가, 우울증 등이 있다. 이 중 가장 흔한 문제는 불규칙한 출혈이다. 출혈은 심하지는 않은 편이며 실제로 혈색소 수치는 증가하나 사용자의 25%가 첫 해에 불규칙한 출혈로 약물을 중단한다. 불규칙한 출혈은 사용 첫 해에 사용자의 70%에서 보이나, 이후에 10%로 감소하여 결국에는 80%에서 무월경을 보인다. 돌발출혈의 조절을 위해 1.25 mg CEE 또는 2 mg 에스트라디올 발러레이트를 7일 동안 복용하거나 비스테로이드소염제를 7일간 복용, 경구피임약을 1-3개월간 복용하는 방법 등을 사용할 수 있다.

2) 체중 증가

체중 증가로 호르몬 피임제 복용을 중단하기 원하는 여성이 많은데, 대조연구에서 장기간 사용이 체중을 증가시키지 않음을 보고하였다. 그러나 2005년 연구에서는 체중과 체지방이 증가하였고 중심부 비만 유형이 증감함이 관찰되었다. 각 연구마다 대상군의 생활방식이 결과에 영향을 미쳐 다양한 결과를 보고하고 있으나, 사용 시 체중 증가의 위험이 있다는 사실을 간과해서는 안 된다.

3) 골밀도 소실

초기 연구에서 골밀도 소실을 야기한다고 보고하였는데 이는 고농도의 프로게스틴에 의해 난소의 에스트로겐 합성이 억제되어 골다공증의 위험을 높이기 때문이다. 그러나 최근 연구에서 10대에서 주사 중단 후 골소실이 완전히 회복되는 것을 보고하였고, 사용을 중단한 여성의 골밀도 검사에서 요추부위에 골 소실이 관찰되었으나 대퇴골 경부에서는 관찰되지 않았다. 특히 사용 첫 2년 내에 골 소실이 대부분 일어나며 이후에는 사용 기간에 비례하지 않는다고 하였고 대규모 단면조사 연구에서도 비슷한 결과를 보였다. 2004년 미국 FDA는 골소실과 연관 있음을 설명하고 유일한 선택의 피임법이 아니라면 2년 이상 사용하지 말 것을 권장하였다. 그러나 골 소실의 정도, 바로 회복되는 점, 그리고 수유와 같은 양성 골소실과 유사한 양상을 보이기에 사용과 사용기간의 제한에 대해서는 논쟁 중이나 골 소실이 성인 후반기에 골다공증의 위험을 증가시킬 만큼은 아닌 것으로 여겨지며 폐경기 또는 폐경이행기에 중단한 여성은 소실된 골 밀도를 다시 회복하기 위해 호르몬 치료가 격려되어야 할 것을 권장하고 있다.

II. 자궁내장치

자궁내장치는 전세계적으로 가장 널리 사용되는 피임법의 하나로 오랜 사용역사를 가지고 있다. 과거에는 골반 내 감염을 야기하거나 장기 사용 시 불임 유발 등의 우려가 있었으나, 현재 이용되고 있는 자궁내장치는 많은 개량을 통해 이러한 부작용의 발생이 현저히 감소하여 적절한 대상의 선별과 올바른 삽입이 이루어진다면 효과적인 장기간의 가역적인 피임법으로 활용될 수 있다.

1. 역사

역사적으로 자궁내장치는 장기간 사막을 여행하는 동안 낙타의 임신을 방지하기 위해서 낙타의 자궁 강 내에 이물질을 넣어 두었던 것으로부터 유래한다고 알려져 있다. 1902년경에 피임을 위해 질 내에 삽입되었던 페사리를 자궁강 안까지 삽입하여 사용하는 피임법이 독일인인 Hollweg에 의해 소개되었으나, 높은 감염의 위험성을 띄고 있었다. 근대화된 첫 번째 자궁내장치는 1909년 독일의사인 Richter에 의해 소개되었는데, 이는 명주실로 이루어진 링에 니켈과 동으로 이루어진 연결선을 가지고 있는 형태였다. 초기의 형태를 개량하여 Grafenberg와 Ota 등이 링 형태의 자궁내장치를 1920년대에 도입하였다. 1962년경에는 미국의 Jack Lippes에 의하여 명주실의 꼬리를 가진 플라스틱을 이용한 자궁내장치가 개발되어 널리 사용되었다. 이 시기에 자궁내장치는 FDA의 승인을 받았으나 임신율이 1년에 20%까지 다다랐으며, 상대적으로 크기가 크고 자궁강과 형태가 달라 통증과 출혈이 많이 관찰되었다.

현재의 자궁내장치와 같은 형태는 자궁내막에 대한 구리의 국소적인 작용을 증명한 칠레의 Zipper의 발견 이후 큰 형태적 변화를 거쳐 확립되었다. 미국인인 Tatum은 자궁강의 모양과 유사한 T자 형태에 구리와이어를 감은 TCu-200을 도입하였으며, Paragard로 알려진 TCu-380A가 가장 대표적인 구리를 함유한 자궁내장치이며, 함유된 구리의 용량에 따라 다양한 사용기간, 명칭을 가진 제품이 있다. 또한 다양한 용량의 레보노르게스트렐(levonorgestrel, LNG)을 함유한 자궁내장치도 개발되고 널리 사용되고 있다.

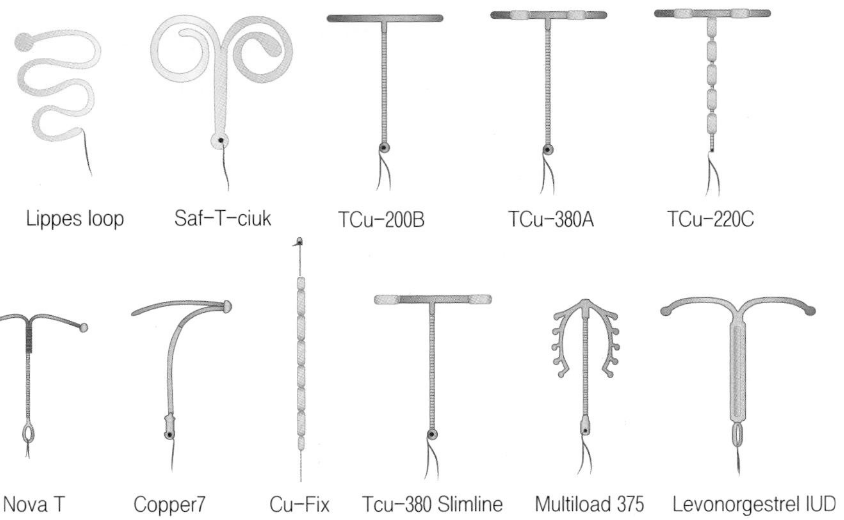

Lippes loop Saf-T-ciuk TCu-200B TCu-380A TCu-220C

Nova T Copper7 Cu-Fix Tcu-380 Slimline Multiload 375 Levonorgestrel IUD

● 그림 28-1. **다양한 자궁내장치의 모식도**

2. 종류

자궁내장치의 종류는 크게 약물의 첨가가 없는 자궁내장치(unmediated IUD)와 구리를 포함한 장치, 호르몬제제를 포함한 장치 등으로 분류할 수 있다. 약물의 첨가가 없는 자궁내장치로는 잘 알려진 Lippes loop가 있으며, 이는 폴리에티렌에 바륨이 포함되어 있다. 구리자궁내장치로는 미국 내에서는 ParaGard로 알려진 TCu-380A가 있으며, 국내에는 노바티로 알려진 TCu-220C가 있다. 레보노르게스트렐 분비 자궁내장치(LNG-IUS)로는 총 52 mg의 LNG를 함유하고 사용초기 20 ug의 약물을 매일 배출하도록 설계된 미레나가 대표적이다(그림 28-1). 최근에는 다양한 용량의 LNG를 함유한 자궁내장치들이 소개되어 사용되고 있다(표 28-1).

3. 작용기전

자궁강 안에 인공물질의 삽입이 피임에 효과가 있다는 것은 밝혀진 지가 2000년이 넘었으나, 아직까지도 명확한 작용기전은 밝혀져 있지 않다. 이는 인체에 대한 조사가 어렵고 피임장치의 작용기전은 윤리 문제 등으로 깊은 연구가 힘들기 때문이다. 자궁내장치를 삽입한 여성에서도 정상적인 배란은 일어나며, LNG-IUS를 사용했을 때에도 혈중 LNG 농도는 배란을 완전히 억제할 수 있는 정도는 아닌 것으로 알려져 있다.

자궁내장치의 효과는 정자운반과정에 장애를 초래하는 것이 주요한 기전으로 생각된다. 성교 후 난관 내 정자의 수가 자궁내장치를 가진 여성에서 감소되는데 이는 구리이온이 정자에 독성을 나타내고, LNG는 자궁경관점액을 변화시켜 정자의 자궁경관 통과를 어렵게 하는 등의 특성에 기인하는 것으로 생각된다.

모든 자궁내장치는 자궁 내에서 이물질로서 반응을 야기하여, 무균성의 염증을 유발하고 이는 조직에 대한 손상을 일으키지는 않으나, 정자에 대한 독성을 나타내어 피임효과를 가진다. 구리자궁내장치는 유리된 구리를 통해 다양한 자궁내막효소에 대한 억제작용을 가지는 프로스타글란딘의 합성을 증가시키고 세포독성을 띠는 사이토카인의 증가를 통해 피임효과를 가지는 것으로 알려져 있다. LNG-IUS는 자체의 이물질 반응과 더불어 LNG 자체가 자궁내막에 대해 선조직을 위축시켜 착상을 방해하며, 정자의 활동과 생존에 영향을 주어 피임효과를 가진다. 자궁

표 28-1. 다양한 함량의 레보노르게스트렐(levonorgestrel, LNG)을 함유한 자궁내장치 비교

명칭	미레나®	카일리나®	제이디스®
T-자형 틀 크기	32 mm × 32 mm	28 mm × 30 mm	28 mm × 30 mm
사용기간(년)	5	5	3
총 LNG 함유량(mg)	52	19.5	13.5
삽입 1년내 일일 분비량(ug)	20	12	8
제거용 실 색	갈색	파란색	갈색
적응증	피임, 월경과다, 월경곤란증, 에스트로겐 보충요법 시 프로게스틴 국소적용	피임	피임

내장치의 제거 후에 자궁내강의 미세환경은 사용기간과 무관하게 빠르게 정상화되며, 가임능력도 회복된다.

4. 효과

1) 피임 효과

TCu-380은 미국에서 10년 간의 사용을 허가 받았으나, 12년까지도 효과가 지속되는 것으로 알려져 있다. 노바티의 경우는 5년이며, LNG-IUS는 포함된 LNG의 용량에 따라 효과 지속기간이 다르다. 약물을 포함하지 않은 자궁내장치의 경우, 정해진 사용기간은 없으나, 자궁강 안에서 칼슘염의 침착에 따라 자궁내막에 대한 자극으로 출혈 등의 증상이 발견되는 경우에는 재삽입이 필요하다. 재삽입 시에는 최근에 개발된 자궁내장치로 교체하여 삽입하는 경우가 많다. 피임법의 효과는 실패율로 나타낼 수 있는데 여러 피임법의 실패율은 표 28-2과 같다.

2) 응급피임법으로서의 효과

구리자궁내장치는 성교 후 7일 이내에 삽입하는 경우 안전하고 가장 효과적인 응급피임법으로 알려져 있다. 실패율은 0.1% 내외이며 응급피임을 위해 삽입한 이후에

표 28-2. 사용 첫 1년이내 피임실패율

	Typical use (%)	Perfect use (%)
No method	85	85
Fertility-awareness-based methods	24	0.4-5
Female diaphragm	12	6
Male condom	18	2
Combined hormonal contraception	9	0.3
Progestogen-only pill	9	0.3
Progestogen-only injectable	6	0.2
Copper-bearing intrauterine device	0.8	0.6
Levonorgestrel-releasing intrauterine system (LNG-IUS)	0.2	0.2
Progestogen-only implant	0.05	0.05
Female sterilization	0.5	0.5
Vasectomy	0.15	0.1

지속적으로 유지하는 경우도 80% 정도로 알려져 있다. LNG-IUS를 응급피임 목적으로 사용하는 경우에 대해서는 연구가 부족하다.

3) 자궁외임신과 자궁내장치

자궁내장치는 자궁외임신을 증가시키지 않으며 자궁외임신이 예방되는 것으로 알려져 있다. 자궁내장치를 사용하는 여성은 피임을 시행하지 않는 여성에 비해 자궁외임신의 발생이 50% 가량 감소하나 경구피임약을 복용하는 여성에 비해서는 그 예방효과가 떨어진다. 자궁내장치를 사용하고 있는 여성에서 피임 실패로 임신이 되는 경우에는 자궁외임신의 확률이 높으나, 실제로 임신의 확률이 낮아 자궁외임신의 빈도가 높다고 보기는 힘들다.

TCu-380A는 Lippes Loop나 TCu-200에 비해 자궁외임신의 발생률이 10분의 1정도인 것으로 알려져 있으며, LNG-IUS의 경우에도 포함된 LNG의 작용에 따라 자궁외임신의 확률이 과거의 자궁내장치에 비해 크게 감소된 것으로 알려져 있어 자궁외임신의 과거력이 있는 여성에서도 사용할 수 있다.

5. 피임 외의 부가효과

1) 구리자궁내장치

구리자궁내장치는 자궁내막암에 대해 예방효과가 있는 것으로 알려져 있다. 이는 국소 작용에 의해 자궁내막이 에스트로겐에 보다 둔감하게 반응하고 프로게스테론에 보다 예민하게 반응하게 함으로써 나타난다고 생각된다.

2) LNG-IUS

(1) 과다월경출혈과 월경통

과다월경출혈에서 감염과 악성종양이 배제된 경우에 프로게스틴은 널리 이용되는 효과적인 치료법이다. LNG-IUS는 프로게스틴의 경구투여에서 관찰되는 여러 가지 전신부작용의 걱정없이 치료에 사용할 수 있으며, 일부 보고에 따르면 경구피임약이나, 프로스타글라딘억제제 보다 효과가 뛰어난 것으로 알려져 있다. 월경혈은 40-50%가량 감소하고 삽입 1년 후에는 30-40%의 여성에서 무월경을 보인다. 월경양을 감소시키는 효과를 이용해서 지혈에 이상이 있는 질환을 가진 여성에서 과다월경출혈을 호소할 때, 장기 치료법으로 매우 효과적이다. 혈액질환에서 감염의 위험이 높을 것이라는 우려와는 달리 골반염 발생도 일반인에 비해 더 낮은 것으로 보고되고 있다.

월경통 감소에도 효과적이며 자궁샘근증을 가진 여성에서도 효과가 관찰되어 최근에 자궁샘근증 환자의 치료에 널리 이용되고 있다. 또한 자궁내막증, 특히 심부 자궁내막증에서도 월경통 감소의 효과가 보고되고 있다.

(2) 폐경 후 에스트로겐치료 시 자궁내막보호

폐경 여성의 에스트로겐요법 시에 자궁내막 보호를 위하여 LNG-IUS가 사용될 수 있다. 사용초기에는 불규칙 출혈이 발생할 수 있으나, 1년 정도가 지난 후에는 대부분의 환자에서 출혈이 관찰되지 않는다. 자궁내막보호와 함께, 폐경이행기 여성에게 효과적인 피임법을 제공할 수 있으며 에스트로겐의 폐경증상 개선 효과에 영향에 미치지 않고 지질대사나 심혈관질환 위험인자에 대해서 영향이 없다는 점 등의 부가적인 장점이 있다. 상대적으로 자궁내강이 작은 폐경기, 폐경이행기에서 삽입의 어려움, 삽입 초기에 흔히 발생하는 출혈과 같은 단점도 고려되어야 한다.

(3) 자궁내막증식증의 치료

자궁내막증식증의 치료에는 경구 프로게스틴이 오랜 기간 사용되어 왔다. 그러나 경구제제의 경우 체중증가, 우울감, 출혈 등의 부작용으로 장기간의 복용에 어려움이 있다. LNG-IUS는 이러한 부작용 없이 고용량의 프로게스틴을 자궁내막에 직접 전달할 수 있는 효과적인 자궁내막증식증 치료법이다. Obro 등은 치료효과에 있어 지속적인 경구 메드록시프로게스테론 투여와 유사한 정도의 효과를 보고하였으며, 2016년 NICE guideline에서는 세포 비정형성이 없는 자궁내막증식증의 일차치료로 LNG-IUS를 추천하며, 세포 비정형성이 있는 경우에도 가임력 보존을 원하는 경우 LNG-IUS를 일차치료로 제안하고 있다. 초기 자궁내막암에서 LNG-IUS를 이용한 치료 이후 성공적인 임신과 출산을 보고하는 증례도 있으나 악성종양의 진행이나 전이 등에 대한 충분한 설명 후에 적용되어야 한다.

(4) 자궁내막용종의 재발예방

유방암을 가진 여성에서 사용되는 타목시펜은 자궁내막증식증이나 용종, 자궁내막암 발생의 위험을 증가시킨다. 이 경우 LNG-IUS의 사용은 자궁내막증식증, 용종, 자궁내막암의 발생 위험을 감소시키는 것으로 보고되고 있다. 그러나 유방암 여성에서 국소적인 프로게스틴의 유방암 재발에 대한 영향은 아직 불확실하고 현재는 유방암 환자에서 LNG-IUS의 삽입은 금기이기 때문에 앞으로 더 많은 연구가 필요하다. 일부 후향적 연구에서 LNG-IUS의 삽입으로 자궁내막용종의 재발이 감소하였다는 보고가 있다.

6. 부작용

장기간의 사용으로 제거 이후에 불임을 초래한다는 우려가 있었으나, 대상 선택과 삽입기술이 적절히 이루어지면 제거 이후에 가임력의 감소는 발생하지 않는다. 자궁내장치 사용에 따른 부작용으로 삽입 시에 복통, 자궁천공이나 출혈 등이 발생할 수 있고 삽입 후에 질출혈, 배출, 자궁내 합입 등이 발생할 수 있다

1) 출혈

자궁내장치의 사용 중단과 가장 관련 있는 부작용은 출혈의 증가와 월경통의 증가이다. 최초 1년 이내에 5-15%의 여성이 이와 관련된 부작용으로 자궁내장치를 제거한다. 월경기간이 길고 월경양이 많은 여성에서는 구리자궁내장치 보다는 LNG-IUS를 먼저 고려한다. 출혈과 복통은 삽입 후 처음 수개월간 그 증상이 가장 심하기 때문에 이 기간에는 NSAIDs 등의 복용을 고려해 볼 수 있다.

월경과 무관한 소량의 출혈은 흔하게 관찰되는 부작용이다. 이러한 경우 출혈이 심해진다고 하더라도 심각한 혈액감소와는 무관하며, 자궁경부와 자궁내막에 대한 일반적인 부인과 검진이 필요하다.

LNG-IUS의 경우 자궁내막에 대해 탈락막화를 일으키고, 위축을 야기하여 무월경을 일으키기도 한다. 2년 이내에, 70%에서 희발월경을 야기하고 30-40%에서는 무월경을 야기한다.

2) 감염

삽입 시에 자궁내막의 오염에 의한 것으로 생각되며, 삽입 수개월 후에 감염이 발생한다면 이는 자궁내장치 보다는 새로운 성매개병에 감염되었을 가능성이 높다. 시술 후 20일 이내의 골반염의 발생률이 20일 이후보다 6배 높은 것으로 보고되고 있으며, 20일 이후에는 골반염의 발생은 매우 낮은 것으로 알려져 있다. 삽입 전에 성매개병의 유무를 확인하고 무균적으로 삽입이 이루어진다면 당뇨 환자에서도 자궁내장치는 감염의 걱정없이 사용 가능하다. 시술 1시간 전에 예방적으로 doxycycline (200 mg)이나, azithromycin (500 mg)의 사용이 골반 감염의 위험을 감소시키는 것으로 알려져 있으나, 골반염의 위험이 낮은 여성에서 예방 항생제 사용이 별다른 이점이 없으며, 삽입 시기에 클라미디아 등 성매개병에 감염된 상태라 하더라도 삽입 이후에 감염을 확인하고 치료를 시행하면 별다른 문제를 야기하지 않으며 자궁내장치는 그대로 유지하면 된다. 그러나 감염이 자궁내막이나 난관으로 전파되는 양상을 보이는 경우에는 자궁내장치를 제거하고 즉시 항생제 치료를 시행하는 것이 좋다.

Actinomycosis와 자궁내장치의 관련성에 대해서는 현재까지도 불명확하나 실제로 자궁내장치를 시행한 여성에서 actinomycosis의 발병이 많이 보고되고 있다. 구리 자궁내장치나 LNG-IUS에서는 1% 미만으로 발견된다. Actinomyces가 질의 정상 세균총으로 발견될 수도 있으나, actinomyces가 진단되고 자궁의 압통이 있거나 골반내 종

괴가 발견되는 경우에는 자궁내장치는 즉시 제거되어야 하며, penicillin G를 통한 치료가 시작되어야 한다.

3) 자궁내장치의 배출

자궁내장치는 삽입 이후에 자연적으로 자궁강에서 밖으로 배출될 수도 있다. 이 경우 하복통이나 질분비물의 증가, 출혈 등이 동반되어 잘 발생한다. TCu-380A는 사용 첫 해에 5%의 배출율을 보이고, 특히 20세 이하의 젊은 연령에서 잘 발생한다. 미산부의 젊은 연령층에서 LNG-IUS의 배출율은 8%로 보고되고 있으며, 전체가 아니라 일부가 자궁강 밖으로 나와있는 경우에는 제거하는 것이 좋으며, 임신이나 감염 등의 증거가 없는 경우에는 즉시 새 자궁내장치를 삽입할 수 있다.

4) 자궁내장치 삽입 중의 임신

자궁내장치 삽입 중인 상태에서 자궁강내 임신이 이루어진 경우에는 약 40-50%에서 자연 유산이 발생하기 때문에 임신이 확인되고 자궁내장치의 실이 보이는 경우에는 즉각 제거가 필요하다. 실이 보이지 않는 경우, 자궁강 내로 기구를 삽입하여 제거하는 것은 피해야 하지만, 초음파를 통해 적절한 유도가 가능한 경우에는 시행해 볼 수 있다. 실이 보이는 경우 자궁내장치 제거 이후에 자연 유산율은 30% 정도로 보고되고 있으나 임신 1삼분기에 손상 없이 쉽게 제거된 경우에는 자연유산율의 증가를 보이지 않는다.

과거에 사용된 자궁내장치에서는 패혈증이 발생한 경우가 많아 자궁내장치의 제거와 함께 치료 유산이 추천되었으나 근래 사용되는 기구에서는 이러한 위험의 증가가 없다.

선천 기형의 발생과 관련해서 약물이 포함된 자궁내 피임장치에 노출된 경우, 태아기형의 증가는 없는 것으로 알려져 있고, 임신기간에 자궁내장치가 자궁강 내에 계속 남겨진 경우 조산의 위험이 증가한다.

5) 질 분비물의 증가와 대사적 영향

일부 여성에서는 질 분비물의 증가를 호소하는 경우가 있으며, 이러한 경우 자궁내장치를 삽입하고 있는 채로 질이나 자궁경부에 발생한 감염에 대한 진단과 치료가 필요하다.

LNG-IUS의 경우 호르몬이 혈중에서 검출되어 여러 대사적 효과에 대한 우려가 있었으나, 혈당이나 인슐린 감수성, 지질 등에 큰 영향은 없는 것으로 밝혀졌다.

유방암의 발병과 관련해서 최근연구에서 모든 연령층에서 16%, 50세 이하에서 12%의 통계적으로 유의한 유방암 증가의 결과를 보이는 메타분석이 발표되었으나, 연구에 사용된 통계분석의 오류나 사용기간의 증가에도 유방암 발생은 증가하지 않는 점, 많은 유방암 관련 위험인자가 분석에서 제외된 점 등 여러 오류가 지적되고 있어 LNG-IUS와 유방암 발생에 관해서는 아직 결론에 이르지 못하고 있는 실정이다.

7. 삽입

1) 자궁내장치 사용의 금기증

각각의 피임법은 임신을 통해 여성이 가지게 되는 위험보다 낮은 정도의 위험성을 가지고 있어야 한다. 그러나 임신에 따른 위험은 여성의 건강수준에 따라 다르기 때문에 피임방법에 따른 위험성도 개인의 수준에서 결정되어야 할 문제이다. 때문에 금기증을 결정하는데 있어서는 반드시 피해야하는 사항을 정하고 그 외의 의학적 판단은 각 개인의 건강상태를 고려하여 임상의가 판단해야 한다.

다른 피임법의 사용이 어려운 경우, 특히 35세 이상이면서 흡연, 비만, 당뇨 등의 심혈관질환의 위험인자를 가지고 있거나 혈전색전증의 병력이 있어 에스트로겐을 포함한 경구피임약의 복용이 어려운 경우에 자궁내장치가 적절한 피임법이 될 수 있다. 또한 분만이나 유산 직후에 삽입하는 경우, 추가적인 시술이 필요 없고 임신이 아님을 확인하는 절차를 생략할 수 있는 장점이 있다. 간효소의 발현을 유도하는 약제(rifampin, griseofulvin, phenytoin, carbamazepine, barbiturates, primidone)를 복용하는 경우에는 복합경구피임약의 효과가 감소될 수 있어 자궁내장치를 고려할 수 있다.

3개월이내 골반염의 병력이 있거나, 현재 성매개병으로 치료 중인 경우, 화농 자궁경부염을 가진 경우, 골반결핵, 임신 중이거나, 산욕기 패혈증, 자궁내강이 변형된 경우, 진단되지 않은 자궁출혈이 있는 경우, 자궁내장치의 성분(copper, LNG)에 알러지를 가진 경우 등에서는 사용을 피해야 한다.

월경양이 많은 여성, 혈액질환이 있거나 지혈작용에 이상이 있는 여성에서 구리자궁내장치는 월경양을 증가시킬 수 있어 피하는 것이 좋다. 윌슨병(Wilson's disease)을 가진 경우에도 구리자궁내장치는 피해야 한다. 이 경우 LNG-IUS를 고려할 수 있다.

2) 삽입시기

과거의 상대적으로 크기가 큰 자궁내장치는 분만 8주 이내에 삽입되는 경우, 배출되는 경우가 많았던 것으로 보고되고 있다. 그러나 현재 이용되는 자궁내장치의 경우 분만 4-6주가 경과한 경우에는 배출이나 자궁의 천공, 부작용에 의한 제거 등의 발생 없이 안전하게 사용할 수 있으며, 분만 직후에 사용된다고 하더라도 감염이나, 천공, 자궁의 불완전 퇴축, 산욕기 출혈 등이 증가하지 않는다고 알려져 있다. 질식 분만이나 제왕절개술 후 어떤 경우라도 즉시 삽입이 가능하나 자궁내 감염이 의심되는 경우에는 분만 4주 후에 삽입하는 것이 적절하다. 수유부에서도 언제든 삽입이 가능하다. 월경 중이나 월경이 끝난 직후에 삽입하는 것은 자궁 경관이 일부 개대되어 있어 삽입 시 불편이 적고, 삽입과 관련된 출혈이 월경에 의한 출혈과 구별이 힘들어 순응도가 높고 임신이 아님을 확인할 수 있는 장점이 있어 적절한 시기로 추천된다.

3) 예방적 항생제의 사용

자궁내장치의 삽입과 제거 시에 예방 항생제의 사용은 필요치 않으며, 심내막염의 위험인자를 가진 여성에서도 항생제를 사용할 필요는 없다. 그러나 NICE guideline에서는 감염이 의심되거나 감염의 위험이 높다고 생각되는 경우, 항생제의 사용을 제한하지 않으며, 임상의의 판단에 따라 사용 가능하다.

8. 제거

자궁내장치는 다양한 겸자를 통해 실을 당김으로써 대부분 손쉽게 제거할 수 있다. 실이 보이지 않는 경우에는 자궁경관 내에 실이 기구를 통해 촉지되는지 확인하고 촉지되는 경우에는 papsmear cytobrush 등을 이용하여 실이 자궁경관 밖으로 노출되도록 시도해 볼 수 있다. 이 경우 통증의 경감을 위해 자궁경관주위의 감각차단(paracervical block)이나 경구용 비스테로이드소염제를 사용할 수 있다. 이러한 방법으로도 실이 확인되지 않을 경우에는 다양한 형태의 겸자와 함께 초음파유도 하에서 자궁내장치 제거를 시도해야 하며, 경우에 따라서 자궁경의 이용이 필요한 경우도 있다.

자궁내장치의 제거 이후에 가임력은 즉시 회복되며 경구피임약보다 빠른 것으로 알려져 있다.

1) 자궁내막에 함입된 자궁내장치의 제거

자궁내장치가 자궁내막에 함입된 경우에는 초음파나 자궁경을 이용해 자궁내장치를 직접 확인하면서 제거하는 것이 필요하다. 초음파를 이용하는 경우, 질식 초음파가 좀 더 명확한 영상을 제공하나 자궁내장치 제거를 위한 시술을 동시에 시행하기에는 힘들어 복식 초음파를 시행하면서 겸자를 통해 자궁내장치의 제거를 시도하게 된다. 초음파를 통한 제거가 실패한 경우에는 자궁경을 이용한다.

2) 자궁내장치를 확인하지 못한 경우

자궁강 내에서 자궁내장치를 확인하지 못한 경우에는 복강 내나 자궁근육층 내 또는 자연적으로 질로 배출된 경우 등을 고려해 볼 수 있다. 일차적으로 초음파를 통해 확인하고 확인이 어려운 경우에는 복부 X-선 검사를 시행한다. 복강 내에서 확인되는 경우에는 복강경을 통해 제거하고 자궁강 내 있는 것으로 보이나 겸자를 통한 제거가 어려운 경우에는 자궁경이 가장 적절한 제거 방법이다. 자궁의 천공은 삽입 시에 가장 많이 발생하는데 자궁천공에 의해 복강 내 또는 자궁근층과 복강에 걸쳐 위치한 경우에는 복강경을 통해 제거를 시도하고 경우에 따라 자궁경을 동시에 시행한다. 삽입 시에 천공이 확인된 경우에는 즉시 제거하도록 한다.

III. 피하이식호르몬피임법 - 임플라논®

피하이식호르몬피임제(sub-dermal contraceptive implant)는 1969년 처음 개발되어 1983년 Norplant®가 상용화되었다. 6개의 캡슐로 이루어져 있으며 하나의 캡슐은 36 mg의 crytstalline levonorgestrel을 함유하고 있다. 사용기간은 5년으로 불규칙한 자궁 내 출혈 및 이식, 제거 시 나타나는 문제로 이후 2세대 Norplant II®가 개발되었으나 현재 미국에서는 유통되지 않는다. 그러나 전 세계적으로 Norplant는 아직까지도 사용 중이다. 3세대 피하이식 피임제인 임플라논®은 현재 가장 많이 사용되는 피임제로 desogestrel의 활동성 대사 물질인 etonogestrel (ENG)을 분비한다. 2006년 미국 FDA의 승인을 받았으며 국내에도 임플라논®이 사용되고 있다. 기존의 ethylene vinyl acetate에 barium sulfate를 혼합해서 방사선에 투과되지 않는 형태의 임플라논 NXT® 가2011년 국내와 미국에서 승인을 받았다. 기존에 사용하던 임플라논과는 생물학적 동등성을 입증한 제품으로 방사선 검사에서 확인할 수 있는 것 이외에는 차이가 없다(그림 28-2).

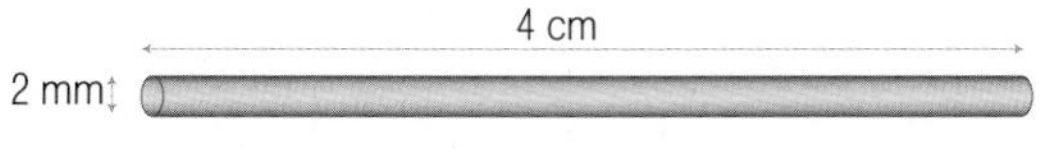

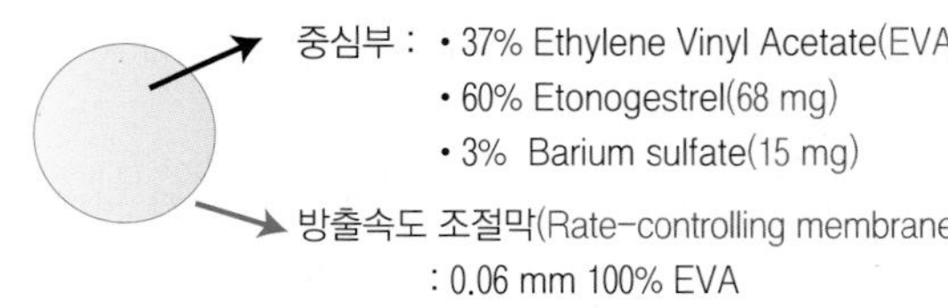

● 그림 28-2. 임플라논 NXT®

ENG를 ethylene-vinyl-acetate에 흡착한 4 cm × 2 mm 크기의 하나의 유연한 막대로 구성되어 있으며 사용기간은 3년으로 처음에는 하루에 67μg 속도로 분비되다가 2년 후에 30 μg 속도로 일정하게 분비된다. 삽입 후 8시간 내에 배란을 억제할 수 있으며 4개월 후에 안정적인 상태를 유지한다. 임플라논은 피하에 일회용 삽입기를 이용하여 삽입하며 2.5년 동안 배란을 억제하고 최소 3년 간 효과적인 피임 효과를 낸다. 부작용은 Norplant와 비슷하나 불규칙 자궁출혈이 좀 더 적고 무월경이 많이 나타난다. 사용자의 순응도보다 삽입하는 기술에 의해 피임결과가 달라질 수 있다. 임플라논은 제거 시 만져지는 않는 경우에는 초음파와 자기공명영상에서만 확인할 수 있었으나, 이러한 문제를 해결하고자 엑스레이 검사와 컴퓨터단층촬영술에서도 확인할 수 있는 임플라논 NXT®가 출시되어 사용되고 있다(그림 28-3).

1. 작용 기전

임플라논은 사용 후 첫 3개월에는 하루에 60-70 μg의 ENG를 분비한다. 12개월까지 35-45 μg으로 점차 감소하여 2년경에는 30-40 μg씩 분비하다가 3년 말 즈음에는 25-30 μg씩 분비한다. Norplant인 경우 체중이 70 kg 이상인 경우 시간이 지날수록 혈중 농도가 빠르게 감소하지만, 임플라논에 포함된 ENG는 체중의 영향을 거의 받지 않으며 임상연구에서 체중의 증가로 임신 실패가 증가하지 않았다. 비록 과체중에 대한 연구는 제한적이지만 비만여성에게 임

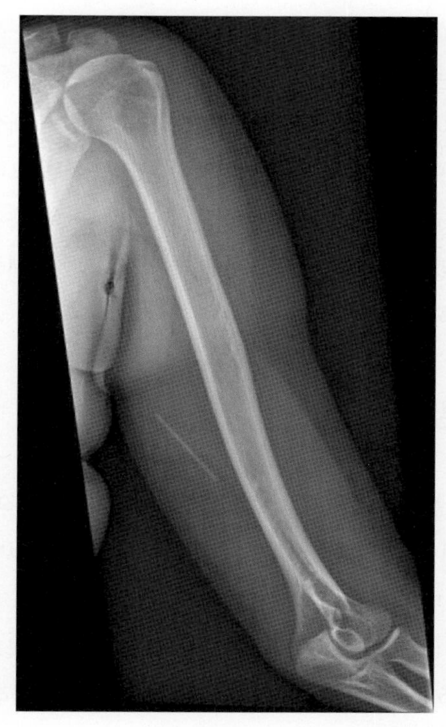

• 그림 28-3. 임플라논 삽입 후 촬영한 엑스레이 사진

플라논은 좋은 피임제로 여겨진다. 또한, 반감기가 42시간인 Norplant와 달리 ENG는 25시간이며, 제거 후 1주일 이내에 혈중 ENG 농도가 감지되지 않을 만큼 낮아진다.

임플라논의 주요 작용기전은 다음과 같으며, 프로게스틴 단독경구피임약의 피임 효과와 유사하나, 매일 먹어도 되지 않는 차이로 훨씬 더 효과적으로 여겨진다.

(1) 프로게스틴이 LH 급증(LH surge)을 억제해서 배란을 방해한다. 3년 동안 배란을 억제하지만 난포 발달은 생기며 마지막 6개월에는 가끔씩 배란도 일어난다.
(2) 자궁경부 점액을 두껍게 하고 경부 점액의 양이 적어져 정자가 자궁내로 들어가기 어렵게 한다.
(3) 주기적인 내막의 성숙 및 발달을 방해해서 내막이 위축된다.

2. 적응증

이식형 피임법은 성적으로 활발하고 오랜 기간의 피임을 원하는 가임기 여성에게 좋은 선택이다. 다음 임신을 최소 2-3년 간 미루고 싶은 경우, 오랜 기간의 높은 효과를 보이는 피임을 원하는 경우, 에스트로겐과 관련된 심각한 또는 가벼운 부작용을 경험한 경우, 매일 피임약 먹기가 힘들거나, 자궁내 장치를 사용하기 어렵거나 금기증이 있거나, 성교와 관련되지 않는 피임법을 원하는 경우에 효과적으로 사용될 수 있다.

특히, 청소년 중 피임약 복용을 꾸준하게 할 수 없고 기타 피임제의 올바른 사용이 어려운 경우에 효과적이다. 모유수유 중인 여성에게 산후기에 바로 삽입하여도 모유의 양과 질 그리고 아기 성장에도 영향이 없어 수유부에게 유용한 피임법이며, 무월경이 흔히 관찰되어 월경양이 많은 경우에도 유용하며 자궁내막증과 관련된 통증을 감소시키는 효과도 보고되고 있다.

3. 금기증

현재 임신이 확인된 상태, 활동성 정맥혈전질환 또는 혈전색전증, 진단되지 않은 자궁출혈, 활동성 간질환, 양성 또는 악성 간종양, 알려진 또는 의심되는 유방암에서는 절대적으로 사용을 금한다.

적절한 의학적 치료와 임상적 판단으로 하루에 15개비 이상의 흡연을 하는 35세 이상의 여성, 자궁외 임신의 병력, 당조절이 잘 되고 있는 당뇨, 고지혈증, 고혈압, 심근경색, 뇌혈관 질환, 관상동맥질환, 협심증, 또는 예전에 혈전색전증의 병력이 있거나 인공판막을 가진 환자, 담낭질환, 면역약화와 같은 만성 질환에서 임플라논을 사용할 수도 있다.

절대 금기증은 아니지만, 다른 피임 방법이 선호되는 경우는 심각한 여드름, 심각한 혈관 두통 또는 편두통, 심각한 우울증, 간 대사 작용을 유도하는 약물을 사용하는 경우 등이다. Carbamazepine, Felbamate, Lamotrigine, Nevirapine, Oxcarbazepine, Phenobarbital, Phenytoin, Primidone, Rifabutin, Rifampicin, St. John's wort, Topiramate, Vigabatrin 등의 약제는 혈중 프로게스틴 농도를 낮춰 임신의 위험이 증가하므로 임플라논을 권유하지 않는다.

4. 부작용

1) 출혈

가장 흔한 부작용은 출혈양상의 변화이다. 특히 처음 1년에 자주 보이며 몇몇 여성과 파트너는 이러한 변화를 받아들이지 못한다. 내인성 에스트로겐은 거의 정상으로 프로게스틴이 규칙적인 쇠퇴출혈을 만들지 못하므로 자궁내막의 딱지(sloughing) 형성을 유도한다. 이에 사용하기 전에 이러한 월경의 변화가 있을 수 있을 수 있음을 미리 설명하는 것이 환자가 받아들이는 데 도움이 된다. 또한, 다수의 무작위 배정 임상시험결과에서, 임플라논 삽입으로 인한 비정상 출혈을 호소하는 환자들 중 복합경구피임약을 복용한 환자군에서 유의한 비정상 출혈의 감소가 관찰되었다는 보고가 있어, 복합경구피임약을 복용 가능한 환자라면 증상이 있을 때 일시적으로 경구피임약을 사용해 볼 수 있음을 미리 안내하는 것도 도움이 될 수 있다. 비정상 출혈을 보이는 환자군에 대한 치료안은 표 28-3과 같다.

2) 체중 변화

이식형 피임제를 사용하는 여성들 중 12% 정도에서 체중증가가 관찰된다고는 알려져 있으나, 이것은 자궁 내 장치와 같은 다른 지속형 피임제 사용자들과 크게 차이가 없다고 보고되고 있다. Norplant를 이식한 여성에서 체중감소보다는 체중 증가에 대한 불평이 많으나, 결과들은 다양하다. 실제로 Norplant를 이식한 75명의 여성을 대상으로 한 연구에서 체질량지수의 증가가 없었음을 보고하였으며, 임플라논 사용자들에서도 구리자궁내장치 사용자들과 비교하였을 때 기구 삽입 1년 후 까지도 유의한 체중증가가 관찰되지 않았다.

3) 유방통

유방통은 자주 월경 전에 일어나며 체액의 저류와 관련된다. 이런 증상은 사용기간이 증가할수록 감소하며 Norplant에 비하여 임플라논은 약 10%로 적은 편이다. 치료는 danazol (200 mg/day), 비타민 E (600 units/day), 브로모크립틴(2.5 mg/day), 타목시펜(20 mg/day) 등으로 이러한 치료에 대한 연구는 아직까지 없다.

4) 기타

Norplant에 비해 ENG가 상대적으로 남성화가 약하여 임플라논 사용자에서 여드름은 덜 발생하는 것으로 알려져 있으며, 효과적으로 배란을 억제하므로 난소암의 위험이 감소할 것으로 기대된다. 대규모 환자군-대조군 연구에서 유방암의 위험과는 관련 없다고 보고되었다.

표 28-3. 임플라논 삽입 후 비정상 출혈을 보이는 환자군에게 사용 가능한 치료요법

	치료요법(therapy regimen)
1차 치료	복합경구피임약 매일 21일 복용 후 7일 휴약, 이를 3개월간 복용, 또는 에스트로겐(conjugated estrogen) 매일 1회 1.25 mg씩 7일간 복용, 또는 에스트라디올(estradiol) 매일 1회 2 mg씩 7일간 복용
2차 치료	고농도프로게스틴 3개월간 복용 (메드록시프로게스테론 아세테이트 10 mg, 또는 노르에티스테론아세테이트 5 mg을 매일 2회 21일간 복용 후 7일간 휴약
3차 치료	프로게스틴단독제제(국내 시판약 없음)를 3개월간 복용
4차 치료	비스테로이드소염제(COX-2 차단제)를 매일 5-10일간 복용
5차 치료	트라넥삼산 500 mg을 매일 2회 5일간 복용

임플라논 삽입 시 월경주기의 변화는 흔하게 일어나며 무월경이 사용 첫 해에 21%, 1년 후에 30-40%로 자주 발생한다.

원인은 확실하게 밝혀진 바가 없으나 비교적 흔하게 두통이 관찰되며, 사용 중단의 20%에서 두통으로 중단하는 것으로 보고되었다.

5. 효능

942명을 대상으로 하는 2-3년 간의 11개 국제 임상연구에서 한 건의 임신도 보고되지 않아 탁월한 피임효과를 입증하였다. 황체기에 삽입한 것으로 제외하면 연간 피임 실패율은 0.01%이다. 시판 후 연구에서 보고된 임신의 경우 잘못 삽입된 결과에 의한 것이었다.

Norplant는 월경 7일 이내에, 임플라논은 월경 5일 이내 삽입하면 바로 피임 효과를 볼 수 있다. 7일 이후에 삽입한다면 최소 3일간 보조 피임 방법을 병행해야 한다. 자궁외임신의 확률은 매우 낮지만, Norplant 사용자에서 임신이 되면 약 30%가 자궁외임신이므로 임신이 확인되는 경우 자궁외임신을 의심해야 한다.

제거 후 48시간 내에 혈중 프로게스틴의 농도가 거의 측정되지 않으며 가임력의 회복이 즉각적으로 이루어진다. 대부분의 여성은 제거 후 첫 달 내에 정상적인 배란 주기가 재개된다

6. 이식과 제거

1) 이식 시기

임신만 배제된다면 이식은 월경주기 언제나 가능하다. 호르몬 피임을 사용하지 않았다면 월경 처음 5일 이내 언제나 이식이 가능하며 호르몬 피임제를 사용했다면 호르몬 휴약기 동안에 삽입이 가능하다. 지속적으로 사용한다면 어느 때라도 삽입이 가능하다.

프로게스틴만 함유한 피임을 사용하는 중이면, 다음 프로게스틴 주사하는 당일이나 이식형 피임제나 자궁내 장치를 제거하는 같은 날 삽입한다. 유산 후 처음 5일 이내에 또는 모유수유를 하지 않는 여성에서 산욕기 3주 이내에 삽입하고, 모유수유를 하는 여성에서 산후 3개월 이내에 이식한다. 그러나 피임방법에 접근이 제한된다면 산욕기에 바로 이식제를 삽입해도 무방하다.

위와 같은 시기에 이식하게 되면 추가피임법이 필요 없으나 다른 시기에 이식한다면 추가피임법이 필요하며 삽입 후 최소 7일 간 콘돔 등 다른 피임법을 사용하도록 권고하고 있다.

2) 이식 방법

잘 사용하지 않는 상완의 안쪽 피하부위에 이식한다.

이식은 숙련된 의사가 무균적으로 시술해야 하며 장착되어 있는 삽입 보조 장치로만 시술해야 한다(그림 28-4).

삽입하는 동안 계속 삽입부위와 바늘의 움직임을 잘 볼 수 있도록 앉은 자세가 권장된다. 이식받는 여성은 시술대에 등을 대고 눕히고 잘 사용하지 않는 팔의 팔꿈치를 고정시키고 바깥쪽으로 뻗도록 하여 손목이 귀와 평행이 되도록 하고 손이 머리 옆에 위치하도록 한다. 삽입 위치는 잘 사용하지 않는 팔의 위팔뼈(상완골)의 안쪽 위관절융기(medial epicondyle)로부터 위로 약 8-10 cm 지점을 확인한다. 무균 마커로 두 지점을 표시한다. 이 두 번째 표시는 삽입방향의 가이드가 된다. 삽입 부위를 소독제로 닦은 후 삽입부위를 마취한다. 멸균된 일회용 삽입 보조 장치를 블리스터에서 꺼낸다. 삽입 보조 장치의 바늘 바로 위의 결이 느껴지는 표면 부위를 잡고 이 약이 들어있는 바늘의 투명한 보호 뚜껑을 제거한다. 만약 뚜껑이 삽입 보조 장치에서 쉽게 빠지지 않으면, 그 삽입보조 장치를 사용하지 말아야 한다. 바늘 끝에 백색의 약이 보이는지를 확인한다. 바늘을 피하에 완전히 삽입할 때까지 절대로 자주색의 슬라이더를 건드려서는 안 된다. 슬라이더는 바늘을 끌어 당겨 삽입 보조 장치로부터 이 약을 방출시키는 역할을 한다. 다른 손의 엄지와 검지로 삽입부위의 주변의 피부를 펴준다. 약 30도 각도로 바늘 끝 부분만 피부에 삽입한다. 삽입보조장치를 수평방향으로 낮춘다. 바늘 끝으로 피부를 들어 올리면서 바늘을 끝까지 삽입한다. 약간의 저항을 느낄 수 있으나

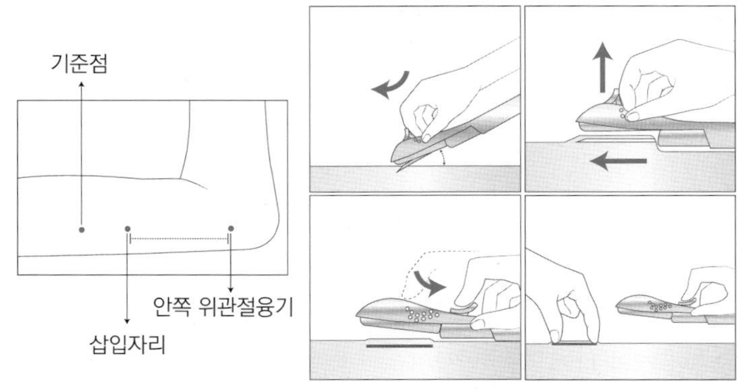

• 그림 28-4. 임플라논 삽입방법

과도한 힘을 주지 말아야 한다. 삽입 보조 장치를 그대로 두고 자주색 슬라이더를 살짝 밑으로 눌러 움직인다. 슬라이더가 멈출 때까지 밑으로 내리면 이식제는 최종 삽입 위치인 피하에 남게 되고 바늘은 삽입 보조 장치 몸체 안으로 회수된다. 만약 슬라이더를 끝까지 내리지 않으면 바늘은 완전하게 회수되지 않으며 이식제는 정확히 삽입되지 않을 수 있다. 삽입 후 이식 부위를 촉지하여 4 cm의 막대를 확인하고 환자에게도 보여준다. 이렇게 손끝으로 이식제를 확인하는 방법 이외에 2차원 X-선, 컴퓨터단층촬영, 초음파, 자기공명영상 등으로 확인할 수 있다. 삽입부위에 작은 밴드를 붙이고 멍을 줄이기 위해 압박붕대와 멸균 거즈를 댄다. 24시간 후에 압박붕대를 풀고 삽입부위의 밴드는 3-5일 후에 제거한다.

3) 제거시기

임플라논 삽입 3년 이내에 언제든지 제거할 수 있으며 제거 직후부터 다른 피임법을 사용하도록 한다. 삽입 3년 이후 제거하였다면 다른 피임법을 시작하면서 첫 7일간은 콘돔을 함께 사용하여야 한다.

4) 제거방법

이식제 부위를 촉진하여 이식제의 정확한 위치를 확인한다. 절개할 부위를 씻고 소독을 한다. 촉진하여 이식제의 위치를 확인하고 원위부에 무균 마커 등으로 표시한다. 절개할 부위인 표시 부위를 1% 리도카인으로 마취한다. 이식제가 표피에 가까이 있도록 하면서 마취제는 이식제의 아래쪽에 주사한다. 이식제를 고정시키기 위해 근위부를 아래로 누른다. 그러면 이식제가 불룩하게 튀어나온다. 이식제의 원위부로부터 팔꿈치 방향으로 2 mm 절개한다. 이식제를 절개부위 쪽으로 끝부분이 보일때까지 부드럽게 밀어낸다. 이식제를 겸자로 제거한다. 만약 절개 시 이식제의 끝부분이 보이지 않으면, 절개부위 속으로 집게를 살짝 밀어 넣는다. 다른 집게를 이용하여 조심스럽게 이식제 주위의 조직을 절개하고 이식제를 집어 제거한다. 4 cm 막대 전체가 제거되었는지 길이를 재서 확인한다. 임플라논을 계속 사용하고자 하면 동일한 절개를 이용하여 새로운 이식제를 삽입한다. 절개부위에 멸균 테이프를 붙여 접합시키고 밴드를 붙인다. 멍을 줄이기 위해 붕대와 멸균거즈를 댄다. 24시간 후 압박붕대를 풀고 작은 밴드는 3-5일 후에 제거한다.

_ 참고문헌 목록은 대한산부인과내분비학회 홈페이지 http://www.kosge.or.kr 또는 QR코드를 통해 보실 수 있습니다._*

CHAPTER 29

기타 피임법

김영아(인제의대)

Ⅰ. 다양한 호르몬 피임법

1. 질 링 피임법

질은 호르몬 피임제가 흡수되기에 가장 이상적인 부위이다. 경피 피임제와 달리 질 점막에는 각질층이 존재하지 않기 때문에 피부를 통한 투여경로에 비해 약물의 흡수가 용이하게 된다. 또한 지방조직이 없어 경피 투여 시 혈중 호르몬 농도를 낮추는 원인이 될 수 있는 호르몬 분리(sequestration)가 발생하지 않는다. 또한 경구피임약과 달리 질 점막을 통해 흡수된 성분은 간문맥을 지나지 않고 바로 대정맥으로 흡수된다. 이에 간 초회통과효과(hepatic first-pass effect)를 피할 수 있어 간기능의 변화와 지단백질에 미치는 영향을 최소화할 수 있다.

질과 자궁 사이에 풍부하게 발달된 혈관분포는 질을 통해 흡수된 피임제 성분의 자궁 내 농도를 높일 수 있다. 이러한 효과로 피임제 투여 용량을 낮출 수 있고 투여 간격을 늘릴 수 있다. 또한 위장계 부작용이 경구 투여제에 비해 적고 설사와 같은 장 기능의 변화에 따라 약물 흡수가 변하지 않는다.

프로게스틴 단독 6개 혹은 에스트로겐-프로게스틴 복합으로 7개 피임 링 제품이 있다. 천연 프로게스테론처럼 상대적으로 약한 메드록시프로게스테론이 함유되어 단기간(1주) 작용하는 링에서부터 더 강력한 레보놀게스트렐 혹은 네스토론(Nestorone)이 함유되어 장기간(1년) 사용하는 링까지 다양하게 출시되었다. 누바링(NuvaRing) ®은 미국에서 사용 중이며 안노베라(Annovera) ®는 2018년에 FDA승인되었다. 둘 다 유연하고 부드러운 링이다. 프로게스테론 혹은 네스토론 단독 질 링은 모유수유 여성을 위해 개발되었다. 미국에서는 질 링 피임법 사용이 꾸준히 증가하고 있으며 지금은 선호하는 방법 중 하나이다. 질 링 피임법의 장점은 매일 사용하지 않아도 되어 사용 순응도가 향상되고 있다.

1) 제제 특성 및 피임 효과

(1) 누바링

누바링(그림 29-1)은 ethylene vinyl acetate로 만들어졌

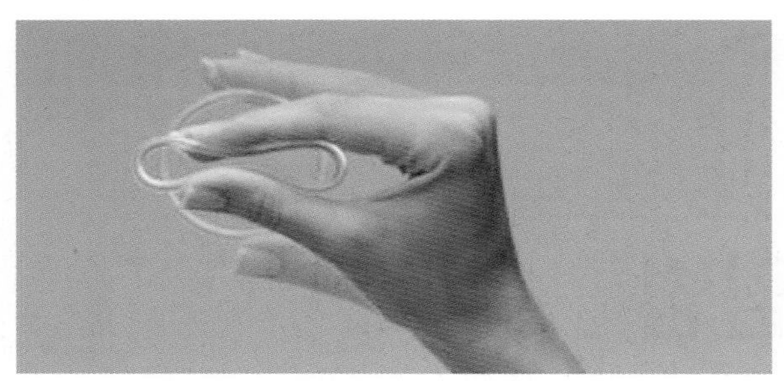

• 그림 29-1. **누바링**

으며 직경 54 mm, 두께 4 mm의 투명한 링으로 질 속에 삽입되어 매일 에티닐 에스트라디올(ethinyl estradiol) 15 μg과 데소게스트렐(desogestrel)의 활성형인 에토노게스트렐(etonogestrel) 120 μg이 방출되는 경질 혼합 호르몬피임제이다. 질 속에 삽입하여 3주간 계속 유지한 후 1주간 제거하면 휴약기 동안 쇠퇴출혈이 보인다. 혈중 에스트로겐과 프로게스틴 농도가 24시간 내에 도달하며 혈중 최고치는 2-3일 후에 도달한다. 에토노게스트렐은 7일 이후에 최고치에 도달하며 35일 동안 안정적으로 유지된다.

질 링은 복합경구피임약과 동일한 방식인 월경 첫날, 일요일 시작, 즉시(an immediate) 그리고 같은 날 시작(same-day start)으로 사용할 수 있다. 일반적인 사용은 매 4주마다 새로운 링을 삽입하고 쇠퇴출혈을 만드는 것이지만 더 쉽고 허용되는 방법은 매월 1일에 새 링을 삽입하는 것이다. 지속 사용도 가능한 방법이며 링에는 적어도 5주까지 배란을 억제할 수 있는 만큼의 호르몬이 함유되어 있으므로 지속 사용하려면 매 5주마다 새로운 링을 삽입하면 된다. 지속 사용으로 인한 돌발출혈(breakthrough bleeding)은 4일간의 호르몬 비투약시기(free interval)를 두어 조절할 수 있다.

2009년 WHO의 발표에 따르면 1년간 100명의 여성당 0.3-6건의 피임실패를 보이며 기존의 경구피임약과 비교하여 피임효과에서 비슷한 효과를 보이는 피임법이다.

(2) 안노베라

직경 54 mm, 두께 8.4 mm인 실리콘 탄성 중합체(elastomer)로 3 mm core 2개 중 한 core에서는 세게스테론 아세테이트(segesterone acetate)를 분비하고 또 다른 core에서는 세게스테론 아세테이트와 에티닐 에스트라디올을 분비한다. 안노베라는 최대 1년간 사용할 수 있다. 삽입 후 최대 21일 동안 질에 두고 이후 제거하여 7일간 외부에서 보관한 후 다시 삽입하여 사용한다. 총 13주기 동안 사용한다. 세게스테론 아세테이트 0.15 mg/day와 0.013 mg/day의 에티닐 에스트라디올을 방출한다. 혈중 호르몬 수치는 삽입 후 2시간만에 최대에 이르며 사용주기에 따라 차이는 있지만 세게스테론 아세테이트는 94-191 pg/mL, 에티닐 에스트라디올은 19-44 pg/mL이다. 누바링과 비슷하게 안노베라는 월경시작, 일요일 시작, 그리고 즉시 시작할 수 있다. 즉시 시작하거나 다른 종류의 피임법에서 변경하는 경우 7일간의 추가 피임법을 권한다. 현재는 체질량지수가 29 kg/m^{2}이상인 여성은 정맥혈전색전증 위험이 높으므로 사용을 금한다.

단백질 결합에 의한 생체 이용률(bioavailability)을 고려할 때, 질 링의 에토노게스트렐의 전신 노출은 데소게스트렐 150 mg을 함유한 복합경구피임약과 비교하는 것과 유사하나, 전신 노출은 에티닐 에스트라디올 30 μg를 함유한 경구피임약의 50% 정도다. 질 투여 방법은 경구용과 경피형 피임방법과 "area under the curve"로 에스트로겐 노출양을 비교 측정했을 때 가장 낮았다. 이것으로 에스트로겐 관련 부작용인 월경통, 오심 그리고 유방압통이 적게 발생하는 것을 설명할 수 있다. 돌발출혈과 질점상출혈 발생률은 30 μg 에티닐 에스트라디올이 함유된 경구피임약과 비교해서 낮게 발생하고(6%), 15 혹은 20 mcg 함유한 경우보다는 훨씬 적게 발생한다.

2) 사용방법

삽입 방법은 질 링을 포장에서 꺼내서 엄지와 검지로 링의 앞부분을 눌러 길쭉하게 만들고 삽입이 편한 자세에서 한 손으로 질 내로 깊숙이 밀어 넣는다(그림 29-2). 불편감이 느껴지면 조금 더 밀어 넣어본다. 피임 효과를 위해 질 내에서 링의 위치를 정확하게 유지할 필요는 없다. 자궁경부에 걸려 있도록 할 필요도 없고 질 점막에 닿기만 하면 된다. 3주 후 링을 뺄 때 검지를 링 아래로 걸어서 빼거나

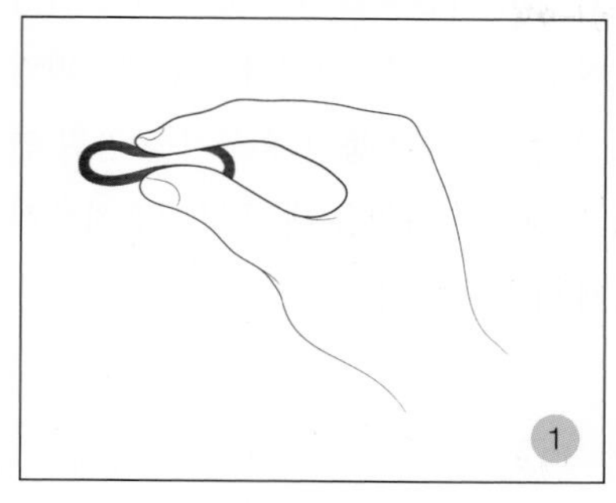

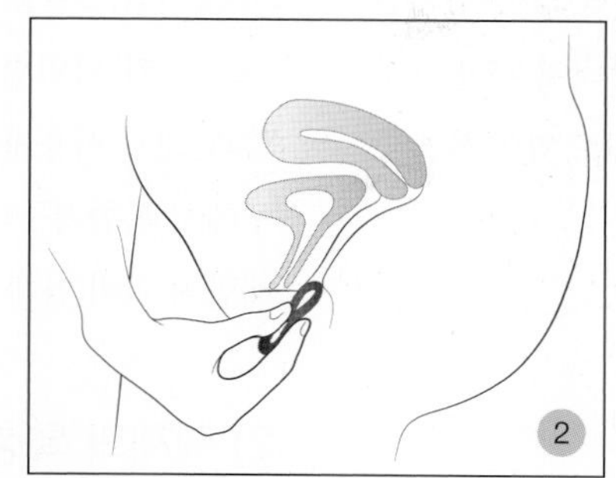

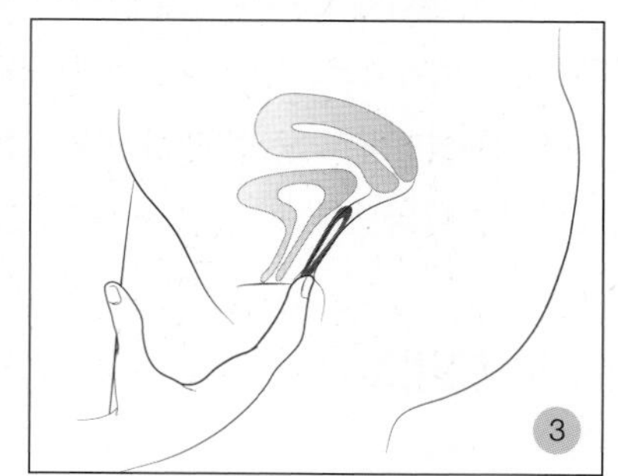

• 그림 29-2. **누바링 삽입 방법**

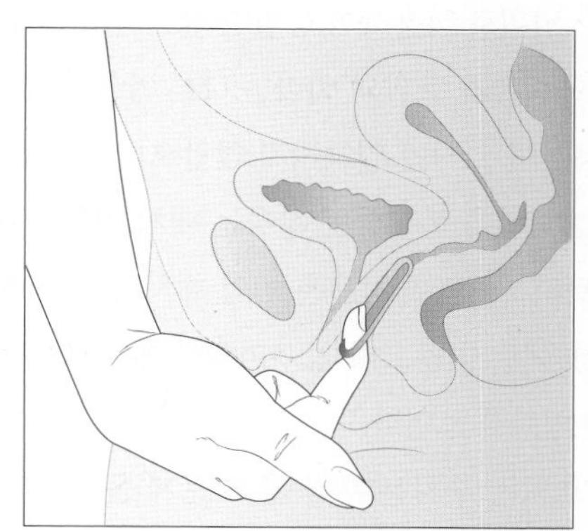

• 그림 29-3. **누바링 제거 방법**

또는 검지와 중지로 링을 잡고 빼낸다(그림 29-3).

질 링은 정상 질에 위치하도록 고안되었기에 감염이 있거나 혹은 해부학적 이상이 있는 경우는 다른 방법을 고려해야 한다. 임상 시험에서 약 2-4% 사용 중단이 보고되었는데, 질 불편함, 링이 느껴지는 불편함, 성교 시 문제, 자발적 배출 등이 이유이다. 여성들은 삽입과 제거가 쉽다고 보고하며 여성의 약 15%와 파트너의 30%에서 성관계 시 링이 느껴진다고 보고하지만 이 이유는 중단 사유는 아니다. 성교를 위해 제거하는 것은 권고되지 않으나, 질 링이 3시간 이내 삽입되면 효능이 유지된다. 시판 후 감시연구에서도 양호한 주기 조절로 만족이 높았다고 보고되었다.

2. 경피형 복합호르몬 피임법 - 피임 패치

질 투여와 마찬가지로 경피 피임법은 매일 투약을 기억할 필요가 없어서 순응도가 높은 피임방법이다. 피임 패치(그림 29-4)는 패치를 이용하여 피부로 호르몬을 투여하는 방법이다. 4.5×4.5 cm 크기의 패치 1장당 750 μg 에티닐 에스트라디올과 6 mg 노렐게스트로민(norelgestromin)이 들어 있어 하루에 20μg 에티닐 에스트라디올와 150 μg의 노렐게스트로민이 분비되는 피임패치(Ortho Evra®)로 2002년 FDA의 승인을 받았다. 노렐게스트로민은 경구 투여되는 노렐게스티메이트(norelgestimate)의 일차 활성 대사물로 17-디아세틸노렐게스티메이트(17-deacetylnorgestimate)이다. 노렐게스트로민은 경피로 투여해도 간에서 대사되나, 노렐게스티메이트의 결과 대사물인 레보놀게스

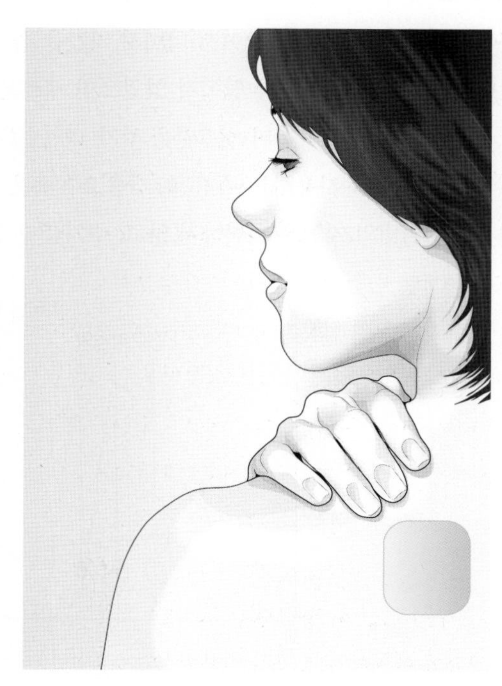

• 그림 29-4. **피임 패치**

트렐은 SHBG에 강하게 결합되어 생물학적 영향이 제한되지만 노렐게스트로민은 상대적으로 결합력이 약한 알부민과 97%결합하고 3%는 결합하지 않은 채로 있어 생물학적 활성을 나타낸다.

1) 사용 방법

패치는 일주일에 한 번씩 3주 동안 같은 날에 붙이고 일주일은 사용하지 않는다. 복합경구피임약처럼 쇠퇴출혈을 만들지 않고 연속해서 사용할 수 있다. 시작하는 시간까지 정확히 맞출 필요는 없다. 또한 월경 시작 첫날, 월경 시작된 후 첫 일요일, 혹은 처방 받자마자 즉시 시작하는 방법이 있다. 즉시 시작하는 경우 제7일간 추가 피임법을 병행해야 한다.

부착은 너무 딱 붙는 옷과 접촉을 피하고, 10초간 압력을 주어서 모서리가 잘 붙었는지를 확인해야 한다. 피부는 깨끗하고 건조하며 연고나 로션을 바르지 않아야 한다. 패치들은 실온에서 보호주머니에 잘 보관되어야 한다.

떨어짐은 약 5%에서 발생하며 처음 사용할 때, 첫 주기에서 반 정도 발생한다. 패치가 느슨해지거나 부분적 또는 전체적으로 떨어진 것이 24시간 이내이면, 같은 패치를 다시 붙이거나 새로운 패치를 붙여서 나머지 기간을 사용할 수 있다. 패치가 24시간 이상 떨어져 있었으면 새로운 패치로 새로운 주기를 시작하며 첫 7일은 추가 피임법을 병용해야 한다. 패치를 사용하는 주기(즉, 사용 2주 혹은 3주경)에서 2일 이내의 지연은 위험하지 않고, 주기를 변경하지 않지만, 2일을 초과해서 지연되면 새로운 주기를 시작하고 추가 피임법을 병용해야 한다. 그러나 복합경구피임약과 패치 사용자를 대상으로 3일 동안 휴약기를 가진 연구에서 복합경구피임약과 비교하였을 때 패치 사용자에서 배란이 의미 있게 적게 나타났다[2].

2) 제제의 특성

경피 피임법은 임상 시험에서 복합경구피임약과 연관된 동일한 범위로 작용하여 동일한 높은 수준의 효능을 보인다. 간 초회통과 효과의 회피는 다른 약물과 상호작용이 적을 가능성이 있지만 알려지지 않았으며 간 대사에 영향을 미치는 약물을 복용하는 경우는 대체 피임을 선택해야 한다. 테트라사이클린 복용은 피임 패치의 혈중 호르몬 농도에 영향을 주지 않으며 경구피임약에서 보이는 것처럼 중립적인 영향을 보인다.

혈중 호르몬 수치는 부착 후 빠르게 올라간다. 노렐게스트로민은 평균 0.7 ng/mL (0.6-1.2 ng/mL), 에티닐 에스트라디올은 약 50 pg/mL (25-75 pg/mL)로 부착 후 빠르게 성취된다. 이러한 수치는 250 μg 노렐게스트로민과 35 μg 에티닐 에스트라디올을 함유한 경구용 피임약에 의해 유지되는 범위(ranges)이다. 그러나 약물 역동학에서 매일 변동(daily fluctuation)이 없는 것은 경구피임약과 다른 점이다(그림 29-5). 이러한 혈중 수준(level)의 일정함이 패치 부착이 2일 동안 늦어져도 피임효과를 유지할 수 있게 해준다. 생식샘자극호르몬 수치는 중단 후 약 6주경에 기저치

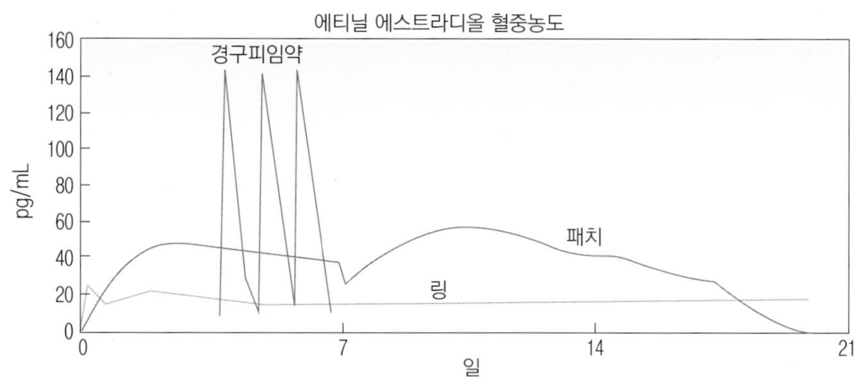

• 그림 29-5. **약물 역동학**

로 돌아온다. 운동, 목욕, 수영, 사우나와 같은 일상생활이 패치가 떨어지는 것과 호르몬 수준이 변하는 것의 원인은 아니다. 경피형 호르몬 피임제는 저용량 경구피임약과 같이 혈액응고인자와 지단백에 영향을 미친다. 중성지방은 증가하고, LDL/HDL 비율은 약간 감소한다. 매우 높은 중성지방을 가지거나, 유전 결함으로 인한 정맥혈전증의 위험이 높은 V-Leiden 인자 또는 단백질 C, S의 결핍이 있는 경우에는 에스트로겐을 함유하지 않는 호르몬 피임법을 고려해야 한다.

3. 프로게스틴 단일경구피임약-미니필 (MINIPILL)

미니필은 소량의 프로게스틴을 매일 지속적으로 복용하는 방법이다. 몇 개의 제품이 있지만 국내에서는 아직 시판되지 않는다.

1) 작용기전

복합경구피임약에 비해 프로게스틴이 낮은 혈류용량으로는 생식샘자극호르몬을 지속적으로 억제시키지는 못하고 피임 효과는 자궁내막과 자궁경부 점액의 영향으로 나타난다. 대략 40%에서 배란이 정상적으로 일어난다. 저용량인 미니필은 매일 같은 시간에 복용해야 한다. 자궁경부 점액의 변화는 복용 후 2-4시간에 나타나며, 중요한 피임 기전인 정자의 불침투성은 22시간 후에 감소되고 24시간이 지나면 일부 정자는 침투할 수 있다. 그러므로 한낮에 복용하는 것이 권고된다. 지질, 탄수화물 대사 그리고 혈액응고인자의 의미 있는 변화는 없다. 복용 중단으로 바로 생식력이 회복되고 정맥혈전증의 위험의 증가는 관찰되지 않는다.

2) 피임 효과

실패율은 사용 첫 해에 여성 100명당 1.1에서 9.6이다. 실패율은 젊은 여성에서 100명 당 3.1로 40세 이상(0.3/100명/1년) 여성보다 높게 나타난다. 그러나 제대로 복용하면 실패율은 복합경구피임약과 비슷하다.

3) 복용법

프로게스틴 단일경구피임약은 월경 첫날 복용해야 한다. 비록 첫 7일 동안은 추가 피임법을 표준방법으로 권고하고 있지만, 추가 피임은 필요하지 않다. 첫 7일 동안의 추가 피임법은 즉시 시작(Quick-Start) 혹은 일요일 시작일 경우 필요하다. 분만 직후 혹은 유산 후에도 시작할 수 있다.

복용은 하루 중 같은 시간에 정기적으로 투여하는 것이 중요하다. 만약 복용을 잊었거나 위장질환의 문제로 흡수가 방해된 경우는 가능한 한 빨리 알약을 복용하고 약이 최소 2일 동안 재개될 때까지 추가 피임법을 사용해야 한다. 만약 2번 이상 빠지고 4-6주내에 월경이 없다면 임신 검사를 시행해야 한다. 3시간 이상 늦게 복용했다면 48시간 동안 추가 피임법을 사용한다. 데소게스트렐제제인 경우는 12시간까지 늦은 것을 허용한다.

4) 문제점

복용 중에 40-50%에서는 정상적인 배란 주기, 40%에서는 짧고 불규칙한 주기 그리고 약 10%에서는 불규칙한 출혈과 질점상출혈, 무월경의 형태가 나타난다. 이러한 문제가 프로게스틴 단일경구피임법 중단의 가장 큰 이유이다. 독시사이클린 100 mg, bid 5일간 복용은 자궁내막세포의 기질금속단백질분해효소(matrix metalloproteases)를 억제하는 효과가 있어 프로게스틴 단독제와 관련된 출혈을 줄이는 데 효과적이다.

5) 임상 적용

단일경구피임법이 가장 큰 효능을 보이는 경우는 수유중인 여성과 40세 이상 여성의 경우이다. 수유중인 여성은 유즙분비호르몬에 의한 배란억제와 결합되어 매우 효과적이며 40세 이상의 여성은 생식력이 감소되어 미니필에 효과적이다. 모유수유 여성에게 좋은 이유는 모유량과 유아 성장과 발달에 관한 부작용 증거가 없다. 이러한 긍정적인 영향으로 미니필은 분만 직후 바로 사용할 수 있다.

미니필은 에스트로겐이 금기(35세 이상 흡연자, 혈관 질환이 있는 당뇨, 중증 전신홍반성루프스, 심혈관질환)인 경우에도 좋은 선택이다. 또한 이전에 혈전증이 있던 여성에게도 사용할 수 있다. 미니필은 복합경구피임약 사용으로 성욕이 감소한 경우에도 대체제로 사용할 수 있다. 또한 위장장애, 유방압통, 두통과 같은 경미한 부작용을 호소하는 경우에도 미니필을 고려할 수 있다. 그리고 상대적으로 적은 양의 프로게스틴을 투여하기에 간 대사를 증가시키는 약물을 사용 중일 경우는 미니필을 피해야 한다.

II. 차단 피임법

차단 피임법은 남성 또는 여성이 기구를 착용하여 정자와 난자의 수정과정을 물리적으로 방해하는 피임 방법으로 고대 이집트 유적에서도 그 흔적을 찾을 수 있을 만큼 오래된 방법이다. 현재 남성 콘돔을 비롯하여 여성이 착용하는 여성용 콘돔, 피임 격막, 자궁경부 캡 등 여러 가지 차단 피임기구들이 나와 있다. 국내에서는 남성용 콘돔 이외에는 아직 인지도가 매우 낮으며 보편화되지 않았다. 콘돔과 피임 격막은 성매개병과 골반염을 50% 감소시킨다. 이러한 질환에는 클라미디아, 임질, 트리코모나스, 헤르페스, 거대세포바이러스, HIV가 포함된다. 자궁경부 캡과 여성용 콘돔에서 성매개병에 대해 의미 있는 임상연구는 없으나, 이러한 방법들이 남성 콘돔만큼 효과적일 것으로 보인다. 차단 피임법을 사용하지 않은 여성은 자궁경부암에 걸릴 확률이 거의 2배로 높으며, 여성용 차단 피임법을 사용하는 경우 독성쇼크증후군(toxic shock syndome)의 위험이 증가하나 실제적인 발생은 너무나 드물어서 임상적으로 의미가 없다. 그러나 이런 독성쇼크증후군이 있었던 여성은 차단 피임법을 피해야 한다.

1. 남성용 콘돔(그림 29-6)

1) 콘돔의 종류와 성매개병의 예방

HIV 감염 예방을 유일하게 입증한 피임법이다. 콘돔 사용에는, 정확한 사용, 꾸준한 사용, 쉽고 저렴하게 이용 가능하게 하는 것 세 가지 구체적인 목표가 있다. 다양한 타입의 콘돔이 이용 가능하다. 가장 많이 사용하는 것은 라텍스 고무이며 폴리우레탄, 실리콘 고무로 만들어진 것도 사용하고 있다. 양의 창자로 만든 "Natural skin"은 약 1%에서 사용하고 있다.

라텍스 콘돔은 0.3-0.8 mm 두께이며, 지름이 0.003 mm인 정자는 관통할 수 없다. 성매개병이나 AIDS를 유발하는 균은 라텍스 콘돔은 통과하지 못하나 장으로 만든 콘돔은 통과할 수 있다. 또한 HPV의 전파를 예방하는 효과도 있다. 살정제나 살정제가 코팅된 콘돔을 사용하면 질 내 세균총이 살정제로 유발된 변화에 영향받아 대장균 혹은 포도상 구균으로 인한 요로 감염 발생이 증가한다. 파트너가 HIV 혈청 양성인 경우, 지속적인 콘돔 사용이 HIV 전염을 예방하는 데 효과적이다. 콘돔을 사용한 124 커플에서 혈청 전환이 관찰되지 않았으나, 지속적으로 사용하지 않은 경우 24개월 후에 12.4%에서 혈청 전환이 보고되었다. 파트너가 콘돔을 사용한 여성에게는 HIV가 양성이 될 가능성이 낮다. 문헌 분석에 의하면 콘돔을 지속적으로 사용하면 임신을 예방하는 효과만큼 HIV에 대한 보호 효과도 있다. 추가로 콘돔은 감염된 남성에게서 여성으로의 단순포진 바이러스 전염도 방지한다.

• 그림 29-6. **남성용 콘돔**

콘돔에 관한 메타분석 결과 HIV를 예방하는 효과는 87% 정도로 알려졌다. 라텍스 알레르기로 인해 라텍스에 알레르기 반응이 없는 합성 폴리우레탄 콘돔이 개발되었다. 이런 폴리우레탄 콘돔도 이러한 성매개병과 HIV를 예방할 것으로 기대되나, 무작위, 잘 고안된 연구에서 파손이 6배나 높고 다른 연구에서는 라텍스 콘돔과 비교하여 높은 임신율을 확인하였다. 일반적으로 라텍스 알레르기는 매우 드물고 미국 질병통제예방센터에서 조사한 바에 의하면 약 0.08%라고 알려졌으며 대부분의 반응이 경미한 것으로 보고되어 있다. WHO에서는 임신과 성매개병의 위험성이 높은 커플의 경우, 적절한 보호조치 없는 성접촉의 위험이 라텍스 알레르기 위험보다 크므로 반드시 콘돔을 사용할 것을 권고하고 있다.

2) 적절한 사용법

피임 효과를 위해 콘돔의 올바른 사용이 중요하다. 콘돔 상태가 불량이거나 올바른 사용 방법을 지키지 않는 경우는 피임 실패의 원인이 된다. 콘돔의 착용 방법은 정액이 모이는 끝 부분에 공기가 차지 않도록 손가락으로 누른 상태에서 남성의 성기 아래까지 충분히 덮이도록 착용한다. 끝 부위에 공기가 찰 경우 성관계 시 콘돔이 파열되어 정액 누출이 생길 수 있다. 윤활액이 필요하면 수용성 제제를 사용하며 바셀린 같은 지용성 오일은 콘돔을 약하게 할 수 있으므로 사용하지 않는다. 사정을 한 후에는 발기 상태가 소멸되면서 질 내로 정액이 흐를 수 있기 때문에 빨리 콘돔을 빼야 한다.

파손되거나 벗겨지는 경우가 있으면 살정제를 신속히 삽입하고 72시간 이내(혹은 120시간) 응급피임법을 시작해야 한다. 이런 지침은 질문하기를 꺼리는 처음 사용자에게 제공되어야 한다. 대부분은 콘돔을 의료적 설명 없이 구하기 때문에 기회가 될 때마다 환자에게 적절한 사용에 대한 정보를 제공해야 한다.

꾸준하지 않은 사용이 가장 흔한 콘돔 실패의 원인이다. 부정확한 사용도 추가적인 실패의 원인이며 손상을 입는 것도 해당된다. 파손율(breakage rate)은 질식 성교 100건당 1-8건이며, 벗겨지는 것(slippage)은 1-5% 정도이다. 사용 경험이 많은 경우는 파손과 벗겨지는 것으로 인한 실패가 약 1% 비율로 발생한다. 미국에서 시행한 조사에서는 콘돔 파손 3건마다 1회의 임신이 발생했다. 파손과 벗겨짐이 있다 해도 콘돔 사용으로 정액 노출을 감소시키기에 임신과 성매개병을 어느 정도 예방한다. 살정제를 같이 사용하는 경우 파손으로 인한 실패율을 낮춘다.

2. 여성용 콘돔

여성용 콘돔은 폴리우레탄으로 만든 주머니로 질 안에 삽입한다. 여성용 콘돔은 좁고 넓은 2개의 링이 안쪽과 바깥쪽을 구성하는 긴 주머니 형태로, 윤활제가 발라진 상태에서 판매된다(그림 29-7). 정확한 사용 방법을 익히는 것이 중요하다. 한 손으로 질 입구를 벌리고 다른 한 손으로 안쪽 링 부분을 좁게 쥐고 질 내로 삽입한 후 여성용 콘돔 내부에 손가락을 넣어 질 안쪽으로 깊게 밀어 넣는다(그림 29-8). 삽입 후 여성용 콘돔의 바깥 링과 몸체의 일부가 질 회부에 나와 있다면 정상적으로 착용된 것이다. 제거 시에는 정액을 흘리지 않도록 주의하면서 바깥 링을 비틀어 살짝 당긴다. 남성용 콘돔은 성기가 발기되었을 때만 사용이

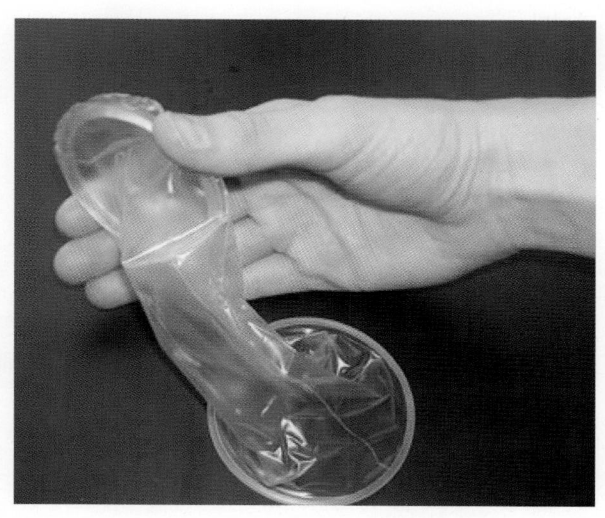

• 그림 29-7. **여성용 콘돔**

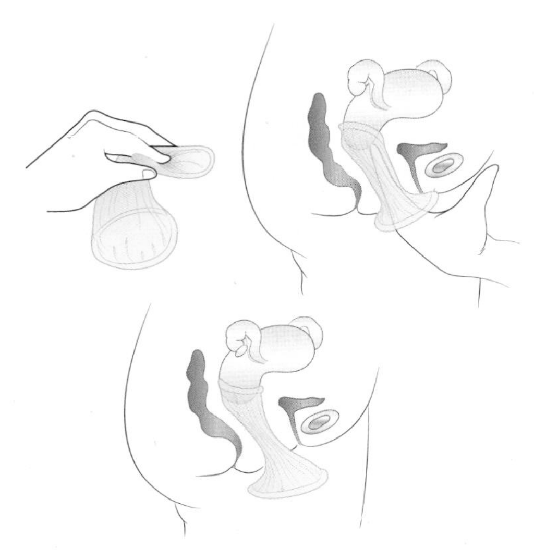

● 그림 29-8. **여성용 콘돔 삽입 방법**

● 그림 29-9. **피임 격막**

가능하나, 여성용 콘돔은 성교 전에 삽입이 가능한 장점이 있다. 남성용 콘돔은 사정 후 발기 상태가 줄면서 빠지거나 정액이 흘러 임신의 가능성이 있는데, 여성용 콘돔은 그럴 가능성이 없으며, 남성이 사정 후에도 성교를 중단할 필요가 없다. 여성용 콘돔은 실리콘으로 미리 윤활 처리되어 있어 살정제를 사용할 필요가 없고 거대세포바이러스와 HIV가 실험으로 통과하지 않음을 확인하였다. 세척, 건조 및 윤활제 사용을 해서 최대 8회까지 사용 가능하다. 그러나 착용의 어려움과 불편함, 상대적으로 비싼 비용이 많이 사용되지 않는 원인이다. 국내에서는 아직 선호도가 낮은 편이다.

3. 피임 격막(The Diaphragm)

현재 거의 사용되고 있지 않다(그림 29-9). 사용하는 사람에 따라 그 크기가 다르다. 따라서 이것을 사용하기 위해선 적절한 크기를 선택해야 한다. 환자를 내진하여 후방 더글라스와로부터 치골결합까지의 길이를 잰 뒤 이것과 동일한 직경의 피임 격막을 선택한다. 격막의 제거는 성교 후 6시간이 지난 후에 하며 24시간 이상 그대로 방치하면 안 된다(표 29-1). 간단한 샤워는 괜찮지만 목욕이나 수영 등은 금한다.

1)효능(Efficacy) 및 부작용

실패율은 연간 2%에서 23%까지 다양하다. 1년 사용

표 29-1. 여성용 차단 피임법 비교

	성교 전 삽입 가능한 시간 (insertion before coitus, no longer time)	성교 후 유지 시간 (after coitus, should be left in place for)	최대 착용 가능시간 (maximal wear time)
피임 격막	6시간	6시간	24시간
자궁경부 캡	6시간	8시간	48시간
여성 콘돔	8시간	6시간	8시간
피임 스펀지	24시간	6시간	30시간

후 일반적인 사용 실패율은 16%이다.

피임 격막은 부작용을 거의 일으키지 않는 안전한 피임 방법이다. 때때로 라텍스 고무 또는 피임격막과 함께 사용되는 살정제 젤리 또는 크림으로 인한 질 자극이 1% 미만에서 보고되고, 이러한 부작용으로 사용을 중단한다. 요로 감염은 경구 피임법을 사용하는 여성에서 보다 피임 격막 사용자에서 2-3배 더 흔하다. 피임 격막과 함께 사용되는 살정제로 인한 질 내 세균총의 변화로 인해 대장균과 함께 세균뇨의 위험이 증가될 수 있다. 성교와 관련된 재발요로감염이 있으면 trimethoprim sulfamethoxazole(사후 1정), nitrofurantoin(사후 50 또는 100 mg) 또는 cephalexin(사후 250 mg)을 사용하면 효과적이다.

부적절하게 착용하거나 장기간 유지(24시간 이상)하면 질 찰과상 또는 점막 자극이 발생할 수 있다. 피임 격막의 정상적인 사용과 독성쇼크증후군 사이에 연관성은 없으나, 24시간 후나 월경 중에 피임 격막을 제거하면서 생기는 위험을 최소화하는 사용법이 필요하다.

2) 장점

피임 격막은 임질, 트리코모나스, 클라미디아, PID 및 난관 불임의 발생을 감소시킨다. 피임 격막 사용이 후천성 면역 결핍증(AIDS) 바이러스 HIV의 전파에 미치는 영향에 대한 데이터는 아직 없지만 질이 노출되기에 HIV로부터 보호할 가능성이 낮다. 임상 시험에서 콘돔과 함께 사용할 때 HIV에 대한 피임 격막의 추가 이점이 입증되지 않았다. 피임 격막의 중요한 장점은 저렴한 비용으로 내구성이 있어 적절한 관리를 통해 몇 년 동안 사용할 수 있다는 것이다.

3)피임격막의 선택과 사용

라텍스 피임 격막은 세 가지 주요 유형이 있으며 대부분의 제조업체는 직경 50-105 mm 범위의 크기로 2.5-5 mm 단위로 생산한다. 대부분의 여성은 65-80 mm 크기를 사용합니다.

성교 전에 삽입해야 한다. 삽입하기 전에 피임 격막 돔에 살정 크림이나 젤리 약 1스푼을 넣어야 하며, 살정제 일부를 손가락으로 테두리 주위에 뿌려야 한다. 피임 격막은 성교 후 약 6시간(최대 24시간까지만 가능) 동안 그대로 두어야 하며, 피임 격막이 제자리에 있는 동안 추가 성관계를 한다면 매 성교 전에 살정제를 질에 넣어야 한다.

체중 감소, 체중 증가, 질 분만 및 성교 조차도 질의 구경을 바꿀 수 있다. 이에 피임 격막의 적합성은 매년 정기검사 시 평가해야 한다.

제거한 후 피임 격막을 비누와 물로 세척하고 건조시킨다. 어떤 종류의 분말도 피임 격막에 바르면 안되고 물을 사용하여 주기적으로 누출 여부를 확인하는 것이 좋다. 보관은 서늘하고 어두운 곳에서 한다

4. 자궁경부 캡 (The cervical cap)

1) 종류와 효능

피임기구로 자궁 경부를 덮어줌으로써 정자의 통과를 차단하는 피입법으로 유럽에서 오랜 기간 많이 사용되었다. 미국 FAD의 공인을 받은 제품은 Prenfif®, Lea's Shield®, FemCap® 등이 있다(그림 29-10). Prenfif가 주로 사용되다가 2005년 생산이 중단되고, 현재는 FemCap이 생산되고 있다. FemCap은 비 알레르기성 실리콘 고무로 만들어졌으며 선원 모자 모양으로 자궁 경부와 질원개(fornix)에 꼭 맞게 디자인되었고 쉽게 제거할 수 있는 "가장자리"를 제공한다.

자궁경부 캡은 피임 격막에 비해 몇 가지 장점이 있다. 더 오랜 시간(최대 48시간) 그대로 둘 수 있으며 살정제와 함께 사용할 필요가 없다. 그러나 적용 전에 뚜껑에 살정제를 한 스푼 정도 넣으면 효능이 증가하고(첫해 실패율 6%) 24시간 후에 흔히 발생하는 불만인 악취가 나는 분비물 발생률을 줄여 착용 시간을 연장할 수 있다.

Lea's Shield는 실리콘으로 구성된 질 장벽 피임 기구로 부드럽고 유연한 장치로 하나의 크기이며 자궁 경부 위에 위치해서 주변 질 벽에 압력을 가해 제자리에 고정된다. 자

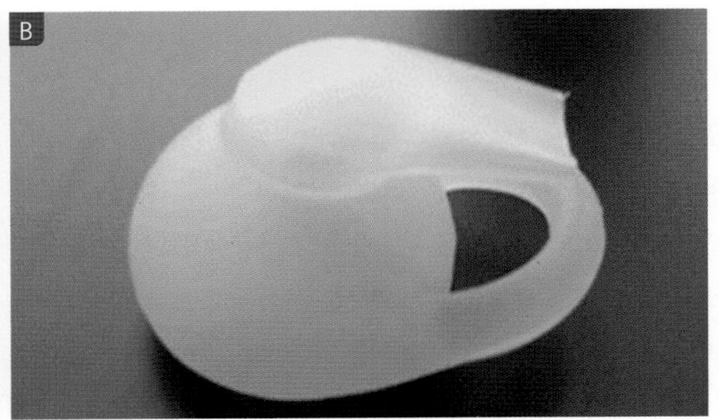

• 그림 29-10. **자궁경부 캡** **A.** Prenfif , **B.** Lea's Shield®

궁 경부에 맞는 캡의 9 mm 구멍과 연결되어 접을 수 있는 밸브가 있고 이 밸브는 자궁 경부 분비물을 배출해서 삽입하는 동안 공기압을 균등화하여 자궁 경부에 잘 맞도록 한다. 캡에 살정제를 넣는 것이 추천되며, 성교 후 48시간 동안 그대로 둘 수 있다. 임신율은 다른 차단 피임방법과 유사하며 심각한 부작용은 보고되지 않았다.

2) 사용법

자궁 경부의 크기는 여성마다 상당히 다르며, 자궁 경부는 임신이나 수술에 의해 개인마다 다르게 변화한다. 여성의 약 80%가 적절하게 착용할 수 있다. 자궁 경부가 너무 길거나 짧거나, 자궁경부가 질에서 훨씬 위쪽에 있는 여성은 캡 사용이 적합하지 않을 수 있다.

의료진은 캡을 사용하고자 하는 여성에게 적절한 크기를 골라준 뒤, 스스로가 자궁경부의 위치를 촉지하고, 질에 캡을 삽입한 뒤, 질 후벽으로부터 자궁경부에 캡을 씌우도록 하고, 성교 전 후 손가락으로 캡의 위치를 확인하도록 교육시켜야 한다. 캡 제거는 성교 후 적어도 8시간이 지난 후에 하며 손가락으로 돔 부위에 압력을 가하여 밀착된 것을 느슨하게 한 뒤 가장자리나, 제거용 끈을 이용하여 꺼낸다.

가장 흔한 실패 원인은 성교 중 자궁 경부에서 캡이 벗겨지는 것이다. 자궁경부 캡이 독성 쇼크 증후군이나 자궁경부 점막의 이형성 변화를 유발한다는 증거는 없다. 아직 문서화되지는 않았지만 자궁경부 캡이 피임 격막처럼 성매개병으로부터 보호를 제공할 가능성이 있다.

5. 피임 스펀지

1) 종류 및 작용 기전

피임 스펀지는 살정제를 지속적으로 방출하는 시스템으로 정액을 흡수하고 자궁경부를 통해 이동하는 것을 방지한다. Today® 스폰지는 부드러운 폴리우레탄 재질로 된 약 7.5 cm 넓이와 3.5-4 cm 두께의 여성용 피임기구로 논옥시놀-9 (nonoxylnol-9)이 1 g 함유되어 질에 남아있는 24시간 동안 방출된다(그림 29-11).

"Protectaid"는 캐나다와 홍콩에서 구입할 수 있는 폴리

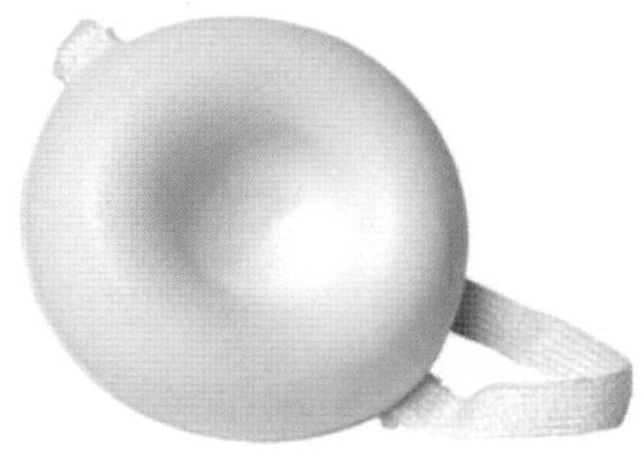

• 그림 29-11. **피임 스펀지**

우레탄 스펀지로 3가지 살정제와 분산 젤이 포함되어 있다. 살정제는 콜산나트륨(sodium cholate), 논옥시놀-9, 벤잘코늄(benzalkonium)으로 이 혼합은 생체외 실험에서 항바이러스 작용을 하며, 분산 젤 성분인 폴리디메틸실록산(polydimethylsiloxane)은 질 전체에 보호 코팅을 형성하여 지속적인 보호 효과를 제공한다.

2) 사용법

삽입은 Today 스펀지를 물을 적셔(과잉을 짜내고) 자궁경부에 단단히 붙인다. 성교 전 24시간 동안 스펀지를 제자리에 두었더라도 성교 후 최소 6시간의 경과한 후에 제거해야 한다(최대 마모 시간은 30시간). 성교 직전 또는 최대 24시간 전에 삽입할 수 있다. 스펀지 뒷면에 부착된 리본에 손가락을 걸면 제거된다. Protectaid 스펀지는 성교 전 12시간 전까지 삽입할 수 있으며 Today 스펀지보다 제거하기가 더 쉽다. 자궁경부에 밀착시켜야 효과적이며 성교의 횟수에 상관없이 24시간 동안 유효하다. 그러나 해부학적 변화가 있는 여성에게는 피임 스펀지는 좋은 선택은 아니다.

3) 효능

대부분의 연구에서 스펀지의 효과는 폼, 젤리 및 정제의 효과를 능가하지만 피임 격막 또는 콘돔보다 낮다. 일부 연구에 따르면 분만 기왕력이 있는 여성에서 실패율이 두 배로 높았으며, 이는 한 가지 크기가 모든 사용자에게 적합하지 않을 수 있음을 시사한다.

중단율은 일반적으로 피임 격막 및 살정제 사용에 비해 더 높다. 그러나 일부 여성에서는 성교 빈도에 상관없이 24시간 동안 지속적인 보호를 제공하기에 스펀지가 선호된다. 또한 사용하기 쉽고 덜 지저분하다. 스펀지와 관련된 부작용으로는 사용자의 약 4%에서 알레르기 반응이 있다. 또 다른 8 %에서는 질 건조, 쓰라림 또는 가려움증을 호소한다. 일부 여성에서는 제거가 어렵다고 생각한다. 독성쇼크증후군의 위험이 없으며, 실제로 논옥시놀-9는 포도상구균의 복제와 독소 생성을 지연시킨다. 스펀지가 질 점막을 손상시키고 HIV 감염을 촉진할 수 있다는 우려가 있었으나, 스펀지를 사용하는 여성은 임질, 트리코모나스 , 클라미디아 감염률이 낮다

6. 살정제

살정제 피임법은 정자를 죽일 수 있는 살정제가 함유된 크림, 젤리, 좌약, 녹는 필름 등을 질 내에 삽입하여 유입된 정자를 무기력하게 하거나 죽임으로써 피임을 하는 방법이다. 자궁 격막, 자궁경부 캡, 콘돔 등과 함께 사용하거나 단독으로 사용하기도 한다. 현재 사용되는 물질은 논옥시놀-9, 옥토시놀-9(octoxynol-9), 염화 벤잘코늄(benzalkonium chloride), 멘페골(menfegol) 등이다. 대부분 시판제품들은 2-12.5%의 농도로 일회 용량인 60-100 mg을 함유한다.

Advantage 24는 질 점막에 부착되어 논옥시놀-9를 더 오래 작용하게 하는 피임 젤이다. 24시간 동안 유효하다. 처방전 없이 사용할 수 있지만 적절한 임상 시험 자료는 없다. Allendale-N9는 논옥시놀-9을 많이 포함한 질 피임 막이다. 논옥시놀-9 대신 염화 벤잘코늄을 포함하는 Allendale 필름도 개발되었다. 염화 벤잘코늄은 정자를 죽이는 효과 외에도 살균성과 HIV에 대한 효과도 보이며 좌약, 스펀지, 그리고 크림 형태로 사용할 수 있다.

생체 외 연구에서 살정제가 HIV를 포함한 대부분의 성매개병의 병원균을 죽이거나 비활성화시키는 것으로 나타났지만 살정제가 성매개병에 대한 보호를 제공한다고 말할 수는 없다. 여성 성노동자를 대상으로 한 임상 시험에서 논옥시놀-9은 HIV 감염을 예방하지 못했다. 임상 연구에는 임질, 골반 감염, 클라미디아 감염 위험이 감소했으나 이러한 연구는 아마도 콘돔 사용이 반영된 것으로 여겨진다. 위약을 사용한 시험에서 논옥시놀-9은 임질이나 클라미디아에 대한 보호를 제공하지 않았다. 실제로 살정제를 자주 사용하면 질을 자극하고 HIV 전파를 증가시킬 수 있다는 우려가 있다. 이러한 우려 때문에 콘돔 제조업체는 논옥시놀-9로 윤활 처리된 콘돔 생산을 중단했다. 살정제 사

용자 간에 트리코모나스, 칸디다증, 세균질염의 발생률은 거의 차이가 없다. 이에 살정제는 콘돔에 의한 보호효과 이상의 역할은 없는 것으로 보이며, HIV, 임균, 클라미디아 등을 예방하기 위한 일차적인 목표를 위해서 단독으로 사용하는 것은 권장되지 않는다.

1) 효능

사용 첫 해의 실패율은 1% 미만에서 거의 1/3까지 다양하다. 피임 실패율은 대부분의 전형적인 사용자에서 1년간 약 20-25% 정도이다.

질 피임 필름(72mg 논옥시놀-9)과 Conceptrol 발포제(100 mg nonoxynol-9)를 비교한 무작위 임상시험에서 6개월간 임신율(필름 24.9%, 발포제 28.0%)이 비슷함을 보고하였다. 다양한 제품에 대한 무작위 평가 결과 52.5 mg 논옥시놀-9 (6개월 동안 임신율 22%)이 용량 100 mg 또는 150 mg (6개월 동안 약 15% 임신율)을 함유한 용량보다 덜 효과적으로 보고되었다. 이는 1년 사용 시 약 30-40%에 이르는 매우 높은 실패율이다. 피임을 하지 않는 것 보다는 낫지만, 피임을 위해서 살정제 단독 사용은 권장되지 않는다.

2) 사용법

성관계를 가지기 전 10-30분 전에 질 내에 넣어둔다. 제품에 따라 유효시간이 다르기 때문에 정해진 시간 내에 사정이 일어나지 않거나 성교를 반복하는 경우 다시 삽입해야 한다. 젤, 크림, 거품 형태는 보통 8시간, 좌약이나 알약 형태는 보통 1시간 미만의 유효시간을 가진다. 성교 후 살정제를 포함한 액으로 질 세척을 하여도 피임으로는 효과가 없다. 즉, 성교 후 질 세척은 정자가 나팔관으로 빠르게 이동하는 것을 막기에는 너무 늦다.

3) 장점과 부작용

살정제는 상대적으로 저렴하며 처방전 없이 구할 수 있다. 심각한 부작용이나 안전을 위협하는 문제는 없다. 단지 심각하게 의심이 되는 것은 살정제와 선천 기형과 자연유산의 연관성이다. 역학 연구에서 이러한 연관성을 찾기에 증거가 부족하다고 결론 내렸다. 살정제는 질 점막을 통해 전신 효과를 보일 만큼 충분히 높은 농도로 흡수되지 않는다. 질과 자궁 경부의 점막 손상이 논옥시놀-9에서 관찰되었으며, HIV 감염에 대한 전반적인 영향은 알려지지 않았지만 우려 사항이다. 문제로는 살정제 혹은 매개체 관련하여 사용자의 1-5%에서 발생하는 알레르기다. 이런 경우 다른 제품을 사용하면 종종 문제가 해결된다. 살정제 사용자는 피임 격막/살정제 사용자에서도 언급한 것처럼 질 세균총의 변화로 요로 감염에 취약해진다.

7. 성매개병 예방을 위한 피임약 찾기

지난 20년 동안 성매개병, 특히 HIV를 예방하기 위한 피임 살균제 개발에 대한 광범위한 연구가 진행되었다. 이상적인 약제는 감염을 예방하고 살정을 할 수 있는 국소 살균제이다. 모든 신약의 기준은 박테리아 및 바이러스 차단에 거의 100 % 효과적인 라텍스 콘돔과 일치해야 한다. 생체 외 실험에서 임상 적용에 이르기까지 긴 여정이다. 허용되는 약제는 질 상피 세포 손상 및 질 세균총 파괴를 피해야 하며 전달 시스템은 사용자 친화적이어야 한다. 해조류에서 추출한 물질인 카라기난(carrageenan)을 함유한 살균제인 Carraguard는 이 분야에서 좌절감을 보여주는 좋은 예이다. 인구 협의회(Population Council)가 광범위하게 개발한 후 남아프리카에서 진행된 대규모 장기간 3상 임상 시험에서 Carraguard가 HIV의 질 감염을 예방하지 못한다는 결론이 내려졌다. 유사한 예로, 사정 후 질 산성도를 유지하도록 설계된 살균제인 BufferGel과 감염되기 쉬운 세포로의 HIV 유입을 차단하도록 설계된 살균제인 ProGel2000은 임상 1상 시험에서 안전하고 효과적인 것으로 나타났지만 무작위 대조시험에서 HIV 전달을 차단하는데 효과가 없음이 입증되었다. 현재는 새로운 살정제 젤인 Acidform의 효능 시험을 기다리고 있다.

III. 질외사정(Coitus interrupts, withdrawal)

질외사정법은 성교 중 사정하기 직전에 음경을 질에서 빼내어 질 외에서 사정함으로 임신을 피하는 방법으로 여러 세기 동안 사용된 방법으로 알려고 하지 않거나 과소평가해서는 안 된다. 질외사정은 직감적으로 배우고, 비용이 들지 않으며, 효능도 놀랄 만큼 좋다. 매 성교 시, 사정 전에 질외사정을 한다면 피임 실패율이 단지 4%이다. 이러한 질외사정에 대한 오해는 사정 전 분비물에 정자가 있다는 생각에서 영향을 받는다. 그러나 사정 전에 나오는 "쿠퍼액"에도 정자가 있을 수 있으나 보통 그 수가 많지 않기에 정상적인 수정이 일어나 임신이 될 가능성이 적다고 알려져 있다. 그러나 짧은 시간에 성교가 반복될 때 사정 전에 나오는 분비물에도 살아있는 상당수의 정자가 있을 수 있어, 성교 전에 남성에게 소변을 보고 외성기를 씻도록 권고한다.

IV. 모유 수유 중 피임

수유를 하지 않는 분만 후 초기 산욕기에는 생식샘자극호르몬이 낮게 유지되다가, 유즙분비호르몬의 경우 3-5주경에 정상 수치로 회복된다. 22명을 대상으로 한 관찰 연구에서, 25일 이전에는 한 명도 배란되지 않았지만, 6주 전에는 11명이 배란됨을 관찰하였다. 또한 처음 월경 이전에 약 2/3에서 배란되었다. 그러므로 모유 수유를 하지 않는 경우는 3주 후에 배란되기 시작하므로 월경을 피임 기준으로 사용할 수 없다.

수유로 인한 무월경은 2년까지 지속되며 자연적으로 효과적인 피임법이다. 수유의 피임 효과는 산모의 영양상태, 젖먹이의 강도, 이유식이 보충 정도에 따라 다르다. 산후 첫 6개월 동안 밤을 포함하여 규칙적인 간격으로 완전 모유수유를 하는 무월경여성은 경구피임약의 피임 효능인 98%처럼 피임 효과가 있다. 그러나 월경이 있거나 6개월이 지나면 배란이 증가한다. 완전하거나 혹은 거의 완전 모유 수유의 경우 약 70% 여성만 6개월까지 무월경을 유지하고 1년까지는 약 37%에서만 무월경이 유지된다. 적극적인 모유 수유의 피임 효과는 처음 1년은 92%로 높다. 완전 모유 수유를 하는 여성에서 분만 후 첫 8주 동안 질 출혈이나 질점상출혈이 흔히 나타나지만 이런 출혈은 배란으로 인한 것이 아니다. 즉, 모유 수유는 피임 효과를 제공하지만 모든 여성에게 신뢰할 만한 방법은 되지 않는다.

프로락틴 농도는 모유 수유를 통한 젖을 빠는 자극에 반응하여 증가한다. 충분한 강도와 빈도가 주어지면 프로락틴 수치는 계속 상승한다. 이런 조건에서 FSH농도는 낮은 정상 범위에 있으며 LH 또한 낮은 정상 범위에 있다. 이런 낮은 수준의 생식샘자극호르몬은 난포를 발달하게 하지 않고 결과적으로 에스트로겐 분비가 없게 된다.

대부분의 여성은 수유 중에 추가 피임이 필요하다. 피임 상담을 위해 모유 수유 여부에 상관없이 산후 3주차에 방문할 것을 권고한다. 완전 모유 수유인 경우 산후 3개월부터 피임을 시작해야 하며 부분 모유 수유이거나 수유를 하지 않는 경우에는 산후 3주차에 피임을 시작한다. 임신 12주 미만의 유산 이후는 즉시 스테로이드 피임을 시작할 수 있고 임신 12주 이후에 임신을 종결한 경우는 산후정맥혈전색전증의 위험을 피하기 위해 산후 3주(3rd-postpartum-week) 규칙을 따라야 한다.

V. 응급피임법

성관계 후 임신을 예방하는 방법을 사후피임 혹은 응급피임으로 부른다. 단 일회성 보호에 해당하는 피임법으로 콘돔이 찢어지거나, 성폭행을 당하거나 혹은 차단 피임법 사용에 문제가 발생한 경우에 고려된다. 미국에서는 응급피임법으로 매년 170만 건의 의도하지 않은 임신을 예방할 수 있을 것으로 추정되며 인공 유산의 수를 40% 줄일 것이다. 응급피임법을 사용 가능하게 하는 것에는 반드시 교육과 동기화가 동반되어야 한다. 또한 임상의는 어린 청소년이 응급피임법을 안전하게 사용할 수 있음을 잘 알고 있어야 한다. 아직까지 많은 여성이 응급피임법을 잘 모르고 구하기도 어렵다. 비록 알고 있다 하더라도 정확한 지식이 부족하다. 최근 미국 FDA는 레보노르게스트렐 응급피임약을 처방전 없이도 살 수 있게 승인하였다. 응급피임법을 사용한 여성들은 이 방법에 매우 만족하나, 대부분의 여성들이 장기피임법으로 대체할 의사를 잘 보이지 않는 문제가 있다.

1. 응급피임법의 종류 및 사용법

(1) 복합응급피임법(Yuzpe 방법)

고용량의 에스트로겐으로 사용하다가 높은 위장관 부작용으로 복합경구피임약을 활용하여 복용량을 줄이는 방법이 Albert Yuzpe에 의해 개발되었다. 에티닐 에스트라디올 100 μg과 레보노르게스트렐 0.5 mg의 용량을 성교 후 72시간 이내에 복용하고 12시간 후에 한 번 더 복용한다.

영국의 General Practice Research Database 분석에서 응급피임을 위해 복합경구피임약을 단기간 사용할 경우 정맥혈전색전증의 위험이 증가한다는 증거는 보이지 않았다. 실제로 100,000회 사용과 사용 후 60일간의 관찰에서 한 경우도 발생하지 않았다.

Yuzpe 방법은 고용량의 에스트로겐에 노출되기에 특발성 혈전성 질환이 본인 혹은 가족력으로 있으면 레보노르게스트렐 혹은 구리자궁내장치를 고려해야 한다. 치료 결과를 확인하고 다음 피임법을 상담하기 휘해 3주 후 추적관찰이 필요하다. 원치 않는 임신을 피하기 위해서는 응급피임법을 사용한 이후 바로 차후 피임법을 시작하는 것이 좋다. 노르에틴드론(norethindrone) 성분과 레보노르게스트렐(lenorgestrel) 성분의 복합경구피임약을 사용한 방법이 거의 동일하게 효과적이므로 다른 성분의 복합경구피임약을 사용한 응급피임법도 효과적일 것으로 여겨진다. 지속적인 방출방법의 피임법(LNG-IUS, 경피형 피임패치 혹은 질 링)들은 호르몬이 너무 낮고 너무 천천히 노출되어 응급피임법으로 사용할 수 없다.

(2) 프로게스틴 단일응급피임약

레보노르게스트렐 0.75 mg 단독으로 12시간 간격으로 두 번 투여되는 방법이 복합경구피임약 방법보다 더 성공적이고 내약성이 우수하였다. 더 큰 효과와 적은 부작용으로 0.75 mg 레보노르게스트렐이 많은 나라에서 응급피임법으로 사용되고 있다. 한 정은 성교 후 72시간 이내에 복용하고 두 번째 정제는 12시간 후에 복용한다. 그리고 이 두 정제, 즉 1.5 mg을 한 번에 효능의 감소 없고 부작용의 증가 없이 사용할 수 있다.

WHO의 무작위 임상시험 연구에서는 72시간 이후 효능이 감소하므로 복용시기의 중요성과 성교 후 24시간 이내 복용하는 것이 가장 큰 보호 효과가 있음을 보여주고 있다. 복용시간을 12시간 연기하면 임신의 가능성이 거의 50% 증가한다. 이러한 이유로 성적 노출 후에 가능한 빨리 치료를 시작해야 한다. 응급피임은 임신이 확정된 이후에는 효과가 없다. 치료 후 월경이 지연되면 임신의 가능성을 고려해야 한다.

Yuzpe방법은 항구토제를 경구 혹은 좌약으로 추가하는 것이 좋다. 장시간 작용하는 항구토제를 응급피임약 복용하기 1시간 전에 미리 복용할 것을 권고한다. 부작용은 호르몬제 사용량을 반영하는데, Yuzpe방법은 오심과 구토가 50%와 20% 보이나, 레보노르게스트렐의 경우 단지 18%와 4%로 나타난다. 만약 환자가 복용 1시간 이내 토한다면 가능한 빨리 추가 약을 투여해야 한다. 오심과 구토가 적은 레보노르게스트렐 방법은 항구토제가 필수적이지 않다.

2. 작용기전과 효능

주로 배란을 늦추고 수정을 방해한다는 실험결과들이 있다 그러나 착상 방해는 보이지 않는다. 고용량 레보노르게스트렐을 수정 후 원숭이와 쥐에게 투여한 실험에서 착상에 영향이 없음을 확인하였다. 이에 응급피임제는 낙태시키는 약이 아님을 알아야 한다.

효능은 대규모 임상 시험으로 확인되었다. 고용량의 에스트로겐 혹은 레보노르게스트렐 치료의 실패율은 약 1%이고, 복합경구피임약을 사용할 경우는 2-3%로 나타난다. 고용량 에스트로겐을 72시간 이내 사용하면 가장 낮은 실패율(0.1%)을 보이지만 부작용으로 고려되지 않는다. 일반적으로 진료현장에서 복합경구피임약을 사용한 응급피임법이 임신의 위험을 75%까지 낮춘다는 의미는 한 번의 성교로 임신이 될 가장 낮은 가능성을 약 8%로 계산했을 때 실패율이 2%로 나타나는 것을 의미한다. 레보노르게스트렐 응급피임법의 결과는 임신의 위험을 85% 감소시킨다. 세계보건기구(WHO)연구에서 레보노르게스트렐 단독을 복합경구피임약과 비교했을 때, 임신 위험을 60% 더 낮추고 메스꺼움과 구토도 절반 이하였다.

3. 선택 프로게스테론 수용체조절제(Selective Progesterone Receptor Modulators), 황체호르몬 길항제 응급피임약

1) 미페프리스톤(Mifepristone, RU486)

단일경구용량 600 mg의 미페프리스톤은 복합경구피임약보다 오심과 구토가 적고 효능이 거의 100%에 이른다. 무작위 시험에서 미페프리스톤 10 mg은 예상 임신을 80-85% 예방하고 25 mg, 50 mg 그리고 600 mg만큼 효과적이다. 이는 레보노르게스트렐 단독요법과 거의 유사한 효용성과 부작용을 보였다. 다음 월경이 미페프리스톤 사용으로 지연되기 때문에 차후 피임은 치료 후 바로 시행해야 한다. 미페프리스톤은 원치 않는 임신 예방과 동시에 낙태를 유도하는 제제이다.

2) 울리프리스탈 아세테이트(Ulipristal Acetate)

울리프리스탈 아세테이트는 미페프리스톤과 유사한 생물학적 효과를 보이며 미국과 유럽에서 30 mg 단일경구응급피임제로 승인되었다. 성교 후 120시간 이내 복용한다. 무작위 연구에서 울리프리스탈 아세테이트는 성관계 후 72시간 이내 그리고 72시간에서 120시간 사이에 사용할 때 레보노르게스트렐 단일 요법보다 더 효과적이다. 부작용은 심각하지 않으며 레보노르게스트렐 단일 요법과 유사하다. 미페프리스톤 혹은 울리프리스탈 아세테이트와 같은 프로게스틴 길항제는 난포 성장을 억제하고 내막 성숙을 지연시켜 치료 후 월경이 지연된다. 배란도 일시적으로 연기될 수 있다. 그러므로 치료 후 즉시 차후 피임을 시작하는 것이 중요하다.

4. 구리자궁내장치 피임법

응급피임의 비경구방법인 구리자궁내장치가 있다. 이 방법은 배란 전 시기나 배란 후 5일까지는 언제나 삽입할 수 있는 방법으로 실패율은 0.1%로 매우 낮다. 이 방법은 확실하게 착상을 방해한다. 구리자궁내장치를 응급피임으로 사용하는 것은 경구용 제제에 비해 많은 비용이 들지만 지속적으로 피임을 계속 유지한다면 유용한 방법으로 생각된다.

최근 LNG-IUS 도 구리내자궁장치 삽입과 비교하였을 때 효과가 열등하지 않았다는 연구결과도 있어, 향후 주목할 만하다.

VI. 영구피임법-불임법(sterilization)

불임법은 난관이나 정관을 절단하여 난자와 정자의 만남을 차단하는 영구 피임법이다. 1823년 영국의 James Blundell이 제왕절개술 시에 산모의 사망률이 높았기 때문에 반복 제왕절개술을 피하고자 시행한 이후, Baird에 의해 가족계획을 위한 개념으로 1930년대부터 제시되고, Madlener, Pomeroy, Irving, Uchida 등에 의해 다양한 방법이 소개되었다. 1970년대 초기에 복강경방법이 소개된 이후 통증, 시술 비용, 입원 기간이 획기적으로 감소되어서, 정관절제술은 감소하기 시작하고 남성보다 여성에서 수술이 늘어났다. 가역 피임법은 완벽하지 않기 때문에 미국 커플의 4분의 1 이상이 불임법을 사용하고 있으며, 난관불임법은 현재 전 세계에서 가장 널리 사용되는 피임법이며 2억 2200만 명의 여성이 가족 계획 방법으로 의존하고 있다. 지난 20년 동안 매년 백만 명이 넘는 미국인이 불임법을 받았으며, 이는 남성보다 여성이 더 많았다. 현재 미국 가임 여성의 20%(피임을 사용하는 미국 여성의 33%)가 불임법에 의존하고 있다. 25%는 난관 불임법을 받고 8%는 남성 불임법인 정관 수술을 받는다. 영국도 마찬가지로 남성과 여성의 32% 이상이 불임 수술을 받았다. 우리나라에서는 1960년대 정부주도하에 가족계획사업을 시행하였다. 시술은 난관불임법과 정관절제술이었다. 이후 30년 간 출산율이 급격히 감소하여 최근에는 출산을 장려하는 정책으로 바뀌었다. 피임방법도 영구적인 피임법인 난관불임법보다는 자궁 내 피임장치, 콘돔 등 일시적인 피임 방법으로 전환되고 있다.

1. 여성 불임법

1) 불임법(sterilization)의 효능

복강경 불임법은 편리할 뿐만 아니라 임신 예방에도 매우 효과적이다. 정관 절제술은 정관에 남아있는 정자의 공급이 소진되면 매우 효과적이다. 남성의 약 50%가 8주에 무정자 상태에 도달하지만 무정자 상태에 도달하는 시간은 매우 가변적이며 12주 후에는 약 60-80%가 도달한다.

사용된 특정 수술법 외에도 수술의사의 기술, 환자의 연령 그리고 불임법 이후 시간이 모두 효능에 기여한다. 실패의 50%는 수술 방법의 오류로 인한 것이다. 복잡한 장비를 사용하는 방법인 스프링이 장착된 클립과 실리콘 고무링은 포메로이 난관 결찰과 같은 단순한 절차보다 기술적인 이유로 실패한다. 난관 불임법 후 임신이 된 경우의 많은 수가 실제로 시술 전에 이미 임신이 된 상태였다. 이러한 이유로 일부 임상의는 불임법 전에 자궁 소파술을 기본적으로 실시한다. 그러나 신중한 병력 조사, 신체 검사 및 불임법 전에 적절한 임신 검사를 통해 임신을 배제하는 것이 더 합리적이며 비용 효율적인 것으로 생각된다. 또한 불임법을 임신을 확실하게 피할 수 있는 월경 후 내막 증식기에 맞춰 시행하는 것도 한 방법이다.

시술 방법, 수술의사 그리고 환자 특성이 모두 불임법의 실패에 영향을 미치기 때문에 누가 시술 후 임신을 경험할지 예측하기 어렵다. 따라서 상담 과정에서 모든 환자에게 실패 가능성 있고 영구적이고 비가역적 시술임을 인식시켜야 한다. 자궁외 임신은 난관 불임법 후 발생할 수 있으며, 일부 유형의 수술방법에서는 발병율이 높다. 양극전기 응고법을 이용한 불임법은 기계적 폐색을 이용한 불임법보다 자궁외 임신을 유발할 가능성이 더 높다. 가능한 설명은 응고된 부분에서 미세한 누공이 생겨서 복막강으로 연결되고 이로 인해 정자가 난자에 도달한다는 것이다. 난관 불임법 후 자궁외임신은 수술 직후보다는 3년 이상 후에 발생할 가능성이 더 높다. 자궁외임신 비율은 처음 3년에 비해 시술 후 4-10년 사이에 3배 더 높다. 복강경 불임법의 자궁외임신의 누적 비율은 수술 후 최소 10년 동안 계속 증가하여 양극전기 응고법의 경우 1,000명당 17명에 도달한다. 그러나 전체적으로 불임법 수술을 받은 여성의 자궁외임신 위험은 시술을 받지 않은 경우보다 낮다. 그럼에도 불구하고 난관 불임법 수술 후 발생하는 임신의 약 1/3은 자궁외임신이다.

2) 불임법과 난소암-불임법의 이점

가장 흔한 난소암인 장액성 난소암은 난관의 난관채에서 기원한다. Nurses Health Study에서 난관 불임법이 난소암 위험을 67% 감소시키는 것을 보고하였다. American Cancer Society에서 실시한 전향적 사망율 연구에서 난관 불임법을 받은 여성에서 중증 난소암 위험이 약 30% 감소되었다. 최근에는 잠재적으로 이런 난소암의 위험을 최소화하기 위해 난관절제술을 시행 중이다. 이런 난관절제술에 대해 수술 시간 증가, 혈액 손실, 감염 위험 증가 그리고 난소 기능 손실 위험에 대한 우려가 평가되었다. 현재까지 연구에 따르면 제왕 절개, 산후 또는 시간 차이를 두고 시행하는 방식으로 난관 절제술을 시행했을 때 이환율이나 사망률이 증가하지 않았다.

3) 불임법의 방법

여성 불임법의 방법은 크게 개복술과 복강경을 이용한 방법으로 나눌 수 있다. 개복술은 제왕절개술이나 다른 개복 수술 시 시행하는 경우, 질실 분만 후 초기 산욕기 때 시행하는 경우, 임신과 관계없이 치골 상부 절개에 의해 소개복술 등의 방법이 있다.

복강경을 이용한 방법은 단극전기응고법과 양극전기응고법을 사용하는 전기소작법과 링, 클립 등을 사용하는 비전기소작법으로 나눌 수 있다. 복강경은 복부 손상을 최소화하면서 복부 및 골반 장기를 직접 보고 조작할 수 있기 때문에 많은 이점을 제공한다. 입원은 필요하지 않고 대부분의 환자는 몇 시간 후에 집에 돌아가고 대부분은 24시간 내에 완전하게 활동할 수 있게 회복된다. 불편함이 적고 절개 반흔이 거의 보이지 않으며 성교를 제한할 필요가 없다. 또한 수술의는 골반 및 복부 장기에 이상이 있는지 검사할 수 있는 기회가 있다. 복강경 불임법의 단점은 비싼 가격과 전문적인 훈련이 필요하며 예상치 않은 장과 혈관 손상의 위험이 있다. 복강경 불임법은 다양한 방법으로 할 수 있다.

난관 불임법에 대한 장기 실패율이 이전에 추정한 것보다 높다. 전체적으로 불임법을 받은 미국 여성의 1.85%가 10년 이내에 실패를 경험한다(표 29-2). Silastic 링과 Hulka-Clemens 클립의 실패율이 높은 것은 이런 수술 방법이 어려운 것을 반영한다(그림 29-12). 젊은 여성은 나이든 여성에 비해 자궁외임신을 포함하여 실패할 가능성이 높으므로 불임법을 원하는 젊은 여성은 매우 낮은 실패율을 제공하는 가역적 방법인 자궁내피임장치 또는 피하이식제 피임법을 고려해야 한다.

표 29-2. 불임법 후 10년간 누적임신율

방법	임신율(%)
단극전기응고법(unipolar coagulation)	0.75
산후 난관 절제술(postpartum tubal excision)	0.75
Fishie클립	0.56
실리콘 밴드-Yoon's 링	1.77
구간 난관 절제술(interval tubal excision)	2.01
양극전기응고법(Bipolar coagulation)	2.48
Hulka-Clemens 클립	3.65

(1) 개복술을 이용한 난관결찰술(그림 29-13)

① 포메로이법(Pomeroy procedure)

가장 많이 사용되는 간단한 방법으로 난관을 하나의 흡수사로 결찰한 후 결찰된 난관 매듭을 절제한다.

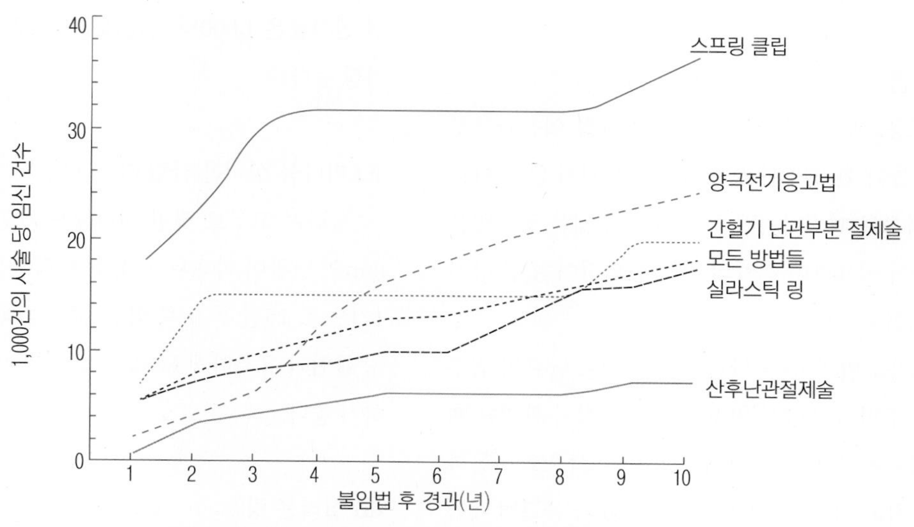

• 그림 29-12. 임신 누적 확률(cumulative probability of pregnancy)

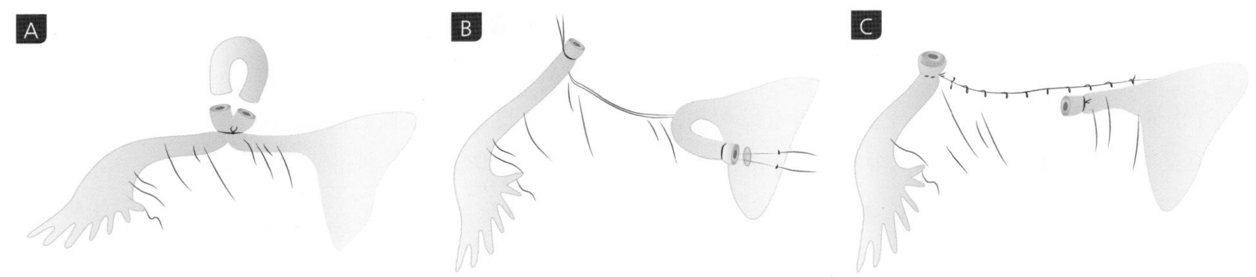

• 그림 29-13. **난관 결찰술** **A.** 포메로이[Pomeroy] 법, **B.** 어빙[Irving] 법, **C.** 우치다[Uchida] 법

② 변형포메로이법(Modified Pomeroy procedure)

난관각막(mesosalpinx)의 무혈부위에 구멍을 낸 후 난관각막을 난관으로부터 분리시킨 후 분리된 난관의 근위부와 원위부를 흡수사로 결찰한 후 난관을 절제한다.

③ 어빙법(Irving procedure)

난관을 결찰한 후 절단하여 근위부는 자궁벽 후면의 근육층에 묻히게 하고 원위부는 난관각막에 묻히게 한다.

④ 우치다법(Uchida procedure)

생리식염수와 희석된 에피네프린 용액을 난관각막에 주입한 후 난관을 박리하여 절단한 후 근위부를 난관각막 안에 묻히게 한다.

(2) 복강경을 이용한 난관불임법

① 전기소작법

단극전기응고법은 단극성 전극의 겸자를 이용하므로 유도된 전자들이 환자의 몸에 화상을 일으키지 않고 다시 환자의 몸 밖으로 빠져나가게 하기 위해서 넓은 접촉면을 가진 접지판이 필요하며 전자의 전도에 의하여 주변 장기에 손상을 입힐 수 있다.

단극전기응고법의 수술 기법은 간단하다. 난관의 협부 부분을 잡고 주변 구조에서 멀리 높이고 조직이 붕괴될 때까지 전기 에너지를 가한다. 그런 다음 자궁 쪽으로 이동하면서 난관을 잡고 재응고하고 난관의 2-3 cm가 응고될 때까지 단계를 반복한다. 일부 수술의는 누공 형성으로 인한 자궁외 임신의 위험을 증가시킬 수 있다는 두려움 때문에 자궁각 응고를 권장하지 않는다. 응고와 절개를 같이하는 경우도 동일한 기구를 사용하여 유사한 방식으로 시행한다.

양극전기응고법은 겸자의 한 면은 전극을 가지고 있고 다른 쪽은 접지효과를 가진 특수한 장비를 이용하므로 몸에 부착하는 접지판이 필요 없고 주변장기 손상의 위험은 줄어드는 반면 소작된 부분의 전기 저항이 증가하여 난관내막(endosalpinx)이 완전히 소작되지 않을 수 있다.

② 비전기소작법 (그림 29-14)

i) **스프링클립**(Hulka-Clemens spring clip)

두 개의 톱니 모양의 플라스틱이 핀에 의하여 고정되어 톱니가 서로 맞물리도록 되어 있으며 난관협부 부위에 90도 각도로 위치하게 한다. 3 mm 정도의 난관이 파괴되며 1년 임신율은 1,000명 가운데 2명으로 10년 누적 임신율이 가장 높다.

ii) **티타늄 실리콘 클립**(Filshie clip)

실리콘 고무로 덮힌 티타늄으로 만들어졌으며 단지 4 mm의 난관이 파괴된다. 1년 후 임신율은 1,000명당 대략 1건으로, 15년 후 누적 임신율은 1,000명당 9건이다. 스프링 클립과 유사하게 Fishie 클립은 난관재문합 시술을 시행하기 좋다.

iii) **실리콘 링**(Silastic, Yoon's ring)

1970년대 초에 윤 등에 의해 개발된 실리콘 고무 밴드

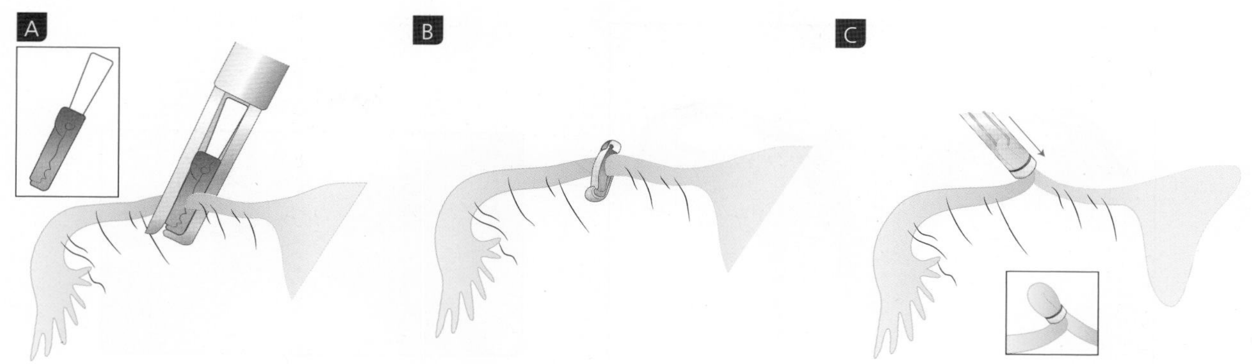

• 그림 29-14. **비전기 소작법** **A.** 스프링 클립(spring clip), **B.** 티타늄 실리콘 클립(titanium silicone clip), **C.** 실라스틱 링(silastic ring

로 특수하게 고안된 기기를 사용하여 난관에 끼워 넣는 것이다. 10-15%에서 수술 후 심한 골반통증을 경험한다. 각각 난관의 근위부와 중간 2/3 지점에 링을 위치시켜야 한다. 괴사는 즉각적으로 일어나며 2-3 cm 정도의 난관이 파괴된다. 실패율은 2년 후 1%이며 10년 누적은 단극전기응고법, 분만 후 난관절제술, 티타늄실리콘 클립보다 낮다. 난관각막(mesosalpingeal) 출혈이 가장 흔한 합병증으로 난관뿐 아니라 난관 각막의 혈관 부위를 잡았을 때 대개 생긴다.

(3) 최소 개복술

치골상부를 조금 개복한 후 자궁과 난관을 자궁 내에 위치시킨 자궁 거상기를 이용하여 들어 올려 난관불임법을 시행하는 방법으로 안전하고 간단한 수술이다. 난관은 밴드나 클립을 이용하여 결찰할 수 있으나 포메로이 방법이 가장 많이 사용된다. 비만하거나 이전에 골반염을 앓았거나 수술한 기왕력이 있는 경우에는 시행이 어렵다. 절개는 2-4 cm 정도이나 비만한 여성에서는 좀 더 절개할 수 있다. 과도한 거상은 시술과 관련된 통증과 회복 시간을 증가시킨다. 이러한 이유로 자궁거상을 동반한 한 최소 개복술은 비만하지 않은 환자(보통 <70 kg)로 제한하는 것이 좋다. 자궁이 움직이지 않는 경우는 최소 개복술로 시행하기 어렵다.

질식분만 후 난관 불임법도 유사한 방식으로 수행될 수 있지만, 최근에 출산 한 자궁의 크기가 커서 절개가 자궁보다 아래에 위치한다. 이 시기는 자궁이 배꼽아래에 있어 복벽으로 접근이 쉬우며 자궁 거상기는 필요 없다.

(4) 다양한 접근

① 자궁경부를 통한 접근(Transcervical approach)

안전하고 효과적인 방법이지만 숙련된 시술자와 정교한 고가의 장비가 필요하다. 이러한 자궁경부를 통한 접근 방법은 전기응고술, 냉동수술(cryosurgery), 난관 사이질(interstitial portion) 부분 파괴를 위한 레이저 사용, 주사용 경화제(sclerosing agent), 난관구멍(tubal ostia)을 통한 조직 유착방법(tissue adhesives, Femcept), 난관 내강(lumen)을 기계적으로 막는 법 등이 사용되었다. 이러한 방법들의 대부분은 미리 준비된 실리콘 마개(plug)를 자궁경으로 장착하나, 많은 합병증과 높은 실패율을 보였다.

이 중 가장 실용적인 접근은 삽입관(cannulare) 또는 자궁내장치를 사용하여 난관구멍을 경화제로 막는 것이다. 월경주기 증식기에 quinicrine pellets를 삽입하면 관이 막히고 두 번의 치료 후 10년 실패율이 1.2%로 비수술적 접근으로 가장 기대되는 방법이다. 이지만 장기간의 안전성과 효능에 대해서는 더욱 평가해봐야 한다(그림 29-15). 월경주기의 증식 단계 동안 quinicrine pellets을 경부 삽입으로 삽입하면 관이 막히고 두 번의 치료 후 10년 실패율이 1.2%로 '비수술' 접근법 중 가장 유망한 방법이다. Quinicrine이 생식기관 암과 관련이 있다는 우려가 그 인기를 떨구었지만, 이러한 우려는 이 치료를 받은 여성을 20년 이상 추적한 후에 사라졌다.

Essure는 폴리에스터(polyester) 섬유를 가진 금속코일

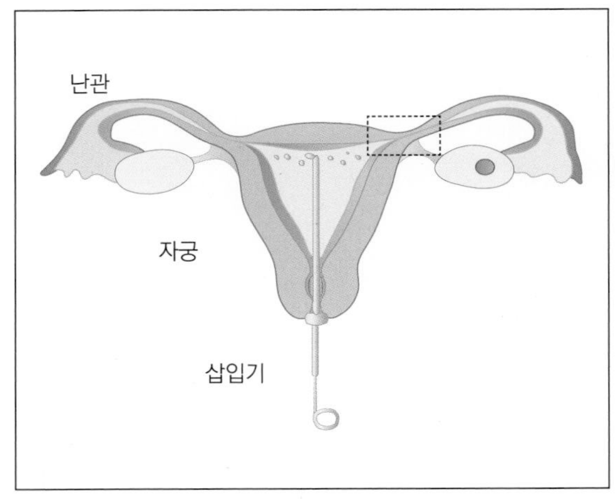

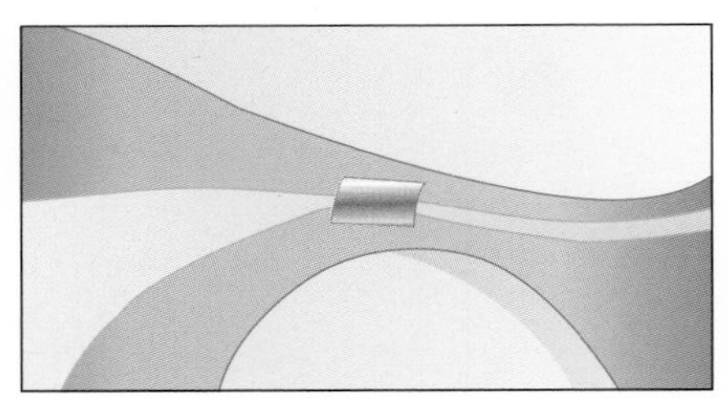

● 그림 29-15. Quinicrine Pellets을 이용한 방법

장치로 자궁경을 통하여 난관의 근위부내에 위치시킨다. 폴리에스터 섬유는 조직반응을 자극해서 섬유화하고 난관 입구를 폐쇄시킨다(그림 29-16). 3개월간 추가 피임을 시행하고 자궁난관조영술로 폐쇄를 확인한다. 만약 3개월째에 폐쇄가 되어 있지 않으면 추가적인 피임을 계속하면서 3개월 후에 다시 자궁난관조영술을 시행한다. 시술은 빠르며 외래에서 시행할 수 있고 진통제가 없이도 할 수 있다. 처음에 효과적인 영구 피임이 약 85-90% 정도였으나, 점점 경험하면서 96%를 보인다. 5년 후의 임신위험은 1,000명당 2.6건으로 자궁외임신은 없었다고 보고되었다. Essure는 판매 감소로 인해 2018년 12월 31일부터 미국 시장에서 자발적으로 판매를 중단하였다.

Adiana는 자궁경으로 난관에 고주파(radiofrequency) 에너지가 전달되어 얇은 세포층이 제거되면서 조직반응을 자극한다. 쌀알보다 작은 부드러운 실리콘을 여기에 이식한다. 이식된 실리콘 주위로 조직이 자라서 영구적인 폐쇄가 된다. 자궁난관조영술로 3개월 뒤에 확인하며 92-95%에서 성공하며 1년 뒤 임신율은 1.1%이다. Adiana도 재정적 문제로 인해 제조가 중단되었다.

② 질을 통한 접근(Vaginal approach)

아직까지 사용되는 기술이지만 높은 감염과 가끔씩 생기는 고름집으로 시술을 꺼리게 한다. 비만 여성에게 명백하게 이익이 될 것으로 생각되지만 가끔은 장막의 지방으로 난관에 접근이 어렵다. 오히려 복강경이 더 안전하고 쉽다.

4) 불임법에 대한 상담

불임법을 받은 사람의 2%가 일년 내에 수술 받은 것을 후회하며 2년이 지난 후에는 2.7%가 후회한다고 하며, 특히 30세 이하의 여성이나 제왕절개술 시 시행받은 여성이 후회를 많이 한다고 보고되었다. 제왕절개수술이나 난산

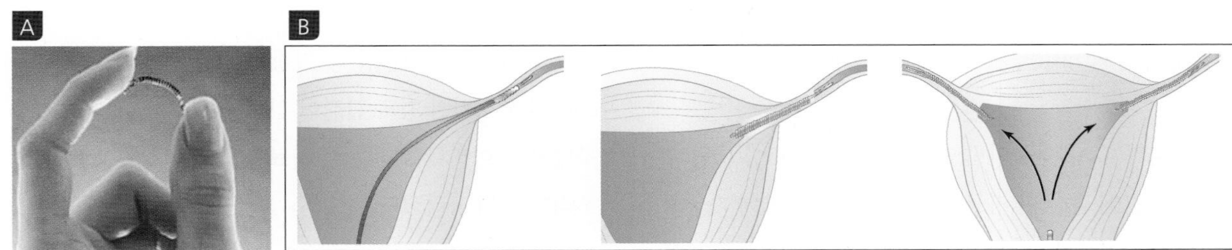

● 그림 29-16. A. Essure, B.삽입 방법

후 또는 치료적 유산 전후같이 심적으로 불안한 시기에 불임법을 시행하는 것은 좋지 않으며 비가역적인 불임법에 대해서는 좀 더 신중한 판단과 상담이 필요하다.

(1) 성생활

불임법로 인한 성생활에 어떠한 악영향은 없다. 실제로 많은 커플들이 임신을 걱정하지 않아도 되므로 훨씬 더 자연스럽게 방해받지 않으면서 성생활을 한다.

(2) 월경 기능

난관 불임법 후 월경통과 월경 기능의 변화가 있다는 우려가 있었다. 그리고 자궁절제술 비율이 난관 불임법을 받은 여성에서 더 높았다. 미국에서 시행한 전향적이고 장기적인 불임법 추적 연구에 따르면, 불임법 수술 전에 부인과 질환으로 치료를 받은 여성에서 수술 후 자궁절제술의 위험이 증가한 것으로 나타났다. 가장 크고 포괄적인 불임법 평가인 미국 공동 불임법 검토(Collaborative Review of Sterilization)에서는 불임법 2년 후 그리고 5년 후에도 월경 변화 또는 이상이 더 많이 발생한다는 증거를 찾을 수 없었다. 즉, 난관 불임법이 월경 이상의 원인이 아님을 설명하였다.

(3) 난관 불임법의 가역성

상담의 중요한 목적은 불임법이 돌이킬 수 없는 비가역적 방법임을 설명하고 부부가 올바른 결정을 내리도록 돕는 것이다. 부부 모두의 적극적인 참여는 중요한 요소이다. 불임법 후 모든 부부가 만족하는 것은 아니다. 수술 1년 후 2%, 2년 후 2.7%에서 후회를 나타냈다. 2년을 기준으로 후회와 관련된 주요 요인은 30세 미만의 연령과 제왕절개 시 편리하게 불임법을 받은 경우였다. 미국 여성을 대상으로 한 장기 추적 조사에서, 수술 당시 30세 미만의 여성이 가장 후회할 가능성이 높았지만 제왕절개, 질식 분만 그리고 1년 후 시기를 비교했을 때 차이는 관찰되지 않았다. 미국 공동 불임법 검토(Collaborative Review of Sterilization)에 따르면 14년의 추적 연구에서 복원 수술에 대한 문의는 14.3%에 불과했지만 18-24세 여성에서 수술을 받은 경우는 거의 4배 더 높았다.

다른 연구에 따르면 30세 이전에 난관 불임법을 받은 여성은 난관 복원수술 혹은 보조생식술에 대한 정보를 요청할 가능성이 최대 18배, 실제로 시술을 받을 가능성이 30세 이후에 난관 불임법을 받은 여성에 비해 최대 8배 더 높았다. 수술 당시 어린 나이가 더 후회하는 중요한 위험 요인인 이유는 불안정한 결혼이다. 결혼 상태의 변화는 의심할 여지없이 불임상태를 되돌리려는 중요한 이유이다. 그러므로 관계가 불안정한 젊은 부부는 상담에 특별한 주의가 필요하다. 또한, 많은 부부의 경우 응급 제왕절개 때 또는 힘든 진통과 분만 직후는 난관 불임법의 적합한 시기가 아니다.

미세난관 복원술은 난관이 적은 부위만 손상을 입었을 때 좋은 결과를 얻을 수 있다. 임신율은 남아 있는 난관의 길이와 연관성이 있으며 4 cm 이상이 가장 이상적이다. 전기응고법에 의한 시술 후 임신율이 가장 낮았고, 클립, 링, 포메로이와 같은 수술적 방법을 사용한 경우는 70-80%에 이른다. 불임법을 한 1,000명이 여성 중 약 2명 정도는 결국 난관 복원술을 받게 된다.

2. 남성 불임법(male sterilization)

1) 정관절제술(vasectomy)

(1) 효능

정관 절제술은 여성의 불임법보다 더 안전하고 쉽고 저렴하며 실패율이 낮다. 수술은 국소 마취하에 이루어 진다. 매년 10회 이상의 수술을 하는 의사에게서 합병증 발생이 낮다.

정관절제술은 정관(vas deferens)에 남아있는 정자가 다 고갈되면 매우 효과적인 피임법이다. 8주 후에 약 50%에서 무정자에 이르나, 개인차이가 있다. 12주 이후에 60-80% 정도만이 무정자에 이른다. 정관절제술 후 이상적인 추적 검사법은 시술 후 10-12주 또는 20-25회의 사정 이후 4-6주 간격으로 시행된 2회 이상의 정액 검사에서 정자가

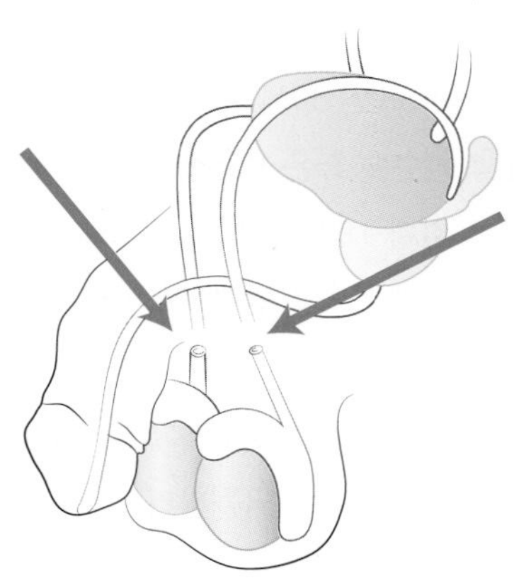

● 그림 29-17. **정관절제술**

발견되지 않아야 한다.

(2) 방법

여성 불임법에 비해 안전하고 간단하며 경비가 적게 들며 실패율도 적다. 정관절제술은 외래에서 국소마취 하에 시행될 수 있으며 고식적인 절개방법과 현재 보편적으로 이용되고 있는 무절개 방법이 있다(그림 29-17).

(3) 정관절제술의 합병증

혈종, 감염이 드물게 생기나 대부분은 보존 치료로 회복된다. 대부분의 남성에서 항정자항체가 생성되며 이것으로 인한 장기적인 문제는 관찰되지 않았다. 부정적 심리나 성기능에 대한 영향은 없다. 고환 이외에서도 정액의 다른 구성성분이 만들어지므로 정액 양과 사정 속도가 감소하는 것을 느끼지 않는다. 동물실험에서 정관절제술 후에 동맥경화증의 빈도가 증가한다고 보고되었으나, 대규모 전향적 코호트연구에서 심혈관질환의 위험이 증가하는 것이 없었다. 실제로 정관절제술 후에 남성 건강에 해로운 영향을 발견하지 못했다. 정관절제술 후 전립선암이 증가한다는 보고가 있었으나, 최근의 대규모 연구에서 전립선암의 위험이 증가하지 않는다고 보고되었다.

(4) 정관복원술

정관복원술 후의 임신율은 70-80%로 높다. 그러나 시간이 흐르면 10년 뒤에 30%로 감소한다. 이에 가장 좋은 결과는 정관절제술 후 3년 이내에 복원술을 시행하는 것이다.

2) 약물적 방법

남성의 가역적 피임법에 대해 여러 해 동안 연구해왔다. 남성의 호르몬 피임은 배란의 주기성이 있는 여성과 달리 정자 형성이 지속적이고 많은 수의 정자가 생산되기 때문에 본질적으로 어려운 생리학 문제점이 있다. 많은 연구들이 성호르몬, GnRH 작용제, 목화씨에서 유도된 고시폴(gossypol) 등을 투여하여 정자의 생성을 억제하는 것에 관심을 가졌다.

외인성 성호르몬의 사용은 테스토스테론의 합성을 감소시켜 성욕을 감소시키고 여성의 이차성징이 나타나게 한다. 더욱이 많은 용량을 사용해도 정자의 수가 효과적으로 감소하지 않는다. 레보노르게스트렐, 초산시프로테론, 초산메드록시프로게스테론을 모두 안드로겐효과를 위해 테스토스테론과 병합해서 피임효과에 대해 연구해왔다.

GnRH작용제의 경우 내인성 테스토스테론의 합성을 감소시켜 추가적인 테스토스테론의 보충이 필요하다. 이러한 접근에 대한 전체적인 대사와 건강에 대한 영향은 아직 다 평가되지 않았다.

고시폴은 정자를 생산하는 세포를 무능하게(incapacitating) 만들어 효과적으로 피임이 될 정도로 정자수를 감소시킨다. 중국에서 고시폴에 노출된 후 많은 수의 남성이 불임이 된 것을 확인하였으나, 미국에서 시행한 동물실험에서 독성이 있음을 확인하고 이에 대한 연구를 중단하였다.

** 참고문헌 목록은 대한산부인과내분비학회 홈페이지 http://www.kosge.or.kr 또는 QR코드를 통해 보실 수 있습니다.*

부 인 과 내 분 비 학

폐경

CHAPTER 30

폐경의 내분비학

김탁(고려의대), 류기진(고려의대)

폐경(menopause)이란 난소의 기능이 소실되면서 월경이 영구히 없어지는 현상을 말한다. 과학이 발달하면서 평균 수명이 길어지고 노년이 점점 길어지고 있다. 2019년 보건복지부 통계에 의하면 한국여성의 평균 수명이 86.3세이므로, 50세 전후에 폐경이 일어난다면 전체 삶의 40% 정도를 폐경 후 영위하게 된다. 일반적으로 부정적인 경험, 즉 질병, 일상 능력의 상실, 친구나 가족의 죽음, 정년 퇴직, 경제적 어려움, 노약한 부모나 친지를 돌보아야 하는 의무감, 자녀들의 분가와 같은 일들을 경험하게 되는 중년기의 여성이 폐경에 대해 부정적인 시각을 가질 수 있다는 사실은 놀랄 만한 일은 아니다. 폐경 이후 호르몬 생성 변화에 따라 비정상 자궁출혈, 열성 홍조, 우울감, 수면장애, 비뇨생식기 위축 등 다양한 변화를 겪게 된다. 그러나 이 시기에 겪는 증상은 단순히 호르몬 변화에만 의한 것이 아니라 정신 사회 문제나 생활 방식 등 여러 요인들에 영향을 받고 있으므로 폐경에 대해 긍정적인 또는 중립적인 마음가짐을 갖도록 하여야 한다. 한국 폐경 여성을 대상으로 정신적 스트레스에 관한 연구에서 폐경 이후 대부분의 여성이 우울증상으로 보인다고 하였으나 혈중 호르몬치(난포자극호르몬, 황체형성호르몬, 에스트라디올)와는 상관관계가 없다고 하였다. 평균 수명이 증가하고 고령 인구가 증가하는 현대 사회에서 폐경 호르몬 치료는 단기적으로는 갱년기 증상 완화와 장기적으로는 호르몬 결핍에 의한 질환의 예방을 위해 중요하다. 그러나 Women's Health Initiative (WHI)의 발표 이후 한국에서 폐경 여성들의 호르몬 사용이 감소하였고, 기존의 호르몬 치료에 비하여 저용량 호르몬이나 티볼론 사용이 증가하는 양상을 보이고 있다. 호르몬 치료를 시작할 때 환자의 병력, 신체검사를 통해 이득과 위험을 판단한 후 각 개인에 맞는 호르몬 치료를 시행하여야 할 것이다. 폐경이라는 일련의 신체적 현상은 의사와 환자를 협력하게 하고 환자가 직접적으로 예방적 건강관리 계획에 참여할 수 있게 해준다. 가족계획, 금연, 적정체중의 유지와 알코올의 섭취 제한, 심혈관질환과 골다공증의 예방, 건강한 성생활을 포함한 정신건강의 유지, 암 검사, 그리고 비뇨기계 질환의 치료 등이 포함된다. 폐경이란 곧 노년기에 접어든다는 징조가 아니라, 향후 지속적으로 건강한 삶을 영위하기 위한 인생의 새로운 계획을 설계할 수 있는 시기이다. 따라서 의사들은 더욱 관심을 가지고 폐경 이후의 시기에 여성이 능동적이고 적극적으로 삶에 대처할 수 있도록 양질의 의료를 제공하는 것이 매우 중요하다.

전 세계적으로 인구 규모는 2100년 또는 2150년까지 계속 증가하여 약 110억 명에 이를 전망이며 향후 이러한 인구의 폭발적 증가요인의 대부분은 개발도상국가의 인구 증가에서 기인하게 될 것이다. 한국에서 평균 수명은 1975년 여성이 67.9세, 남성이 60.2세이던 것이 1990년에는 여성이 75.5세, 남성이 67.3세로 증가하였으며, 2019년에는 여성이 86.3세, 남성이 80.3세로 조사되어 지난 50여 년 사이에 평균수명이 20년이나 증가되었다. 따라서 한국 사회는 출산율 감소와 함께 노령 인구의 증가로 인하여 노령화 사회로 변화하고 있다. 노령화 지수란 0-14세 인구에 대한 65세 이상의 인구의 백분율로써 1970년 7.2%이던 것이 2000년에는 34.3%, 그리고 2020년에는 129%로 급격히 증가하였고, 2050년에는 429.3%가 될 것으로 추정하고 있다. 2020년의 한국 전체 인구 중 65세 이상 인구는 15.7%이다. 흥미로운 것은 고령 인구의 증가와 더불어 노인 인구 자체가 더욱 노령화되고 있으며, 나이가 증가할수록 남녀 성비의 차이도 커진다는 사실이다(표 30-1 참고). 모든 연령층에 있어 남성의 사망률이 여성의 사망률에 비해 높다. 남녀 사망률 차이의 가장 큰 원인은 남자에 있어 관상동맥 심질환에 기인하며, 그 이외에 폐암, 폐기종, 간경화, 사고, 자살 등이 차지하고 있다. 남성과 비교하였을 때 여성의 경우 관상동맥 심질환의 발생은 10년, 심근경색과 급사 등은 20년 정도 늦게 발생하는 것으로 보고되고 있다. 이러한 차이는 주로 흡연, 음주 등의 관상동맥 심질환을 초래하는 생활양식의 차이가 중요한 원인일 것이다. 또한 남녀간 성호르몬 분비의 차이가 콜레스테롤 및 지단백의 조성에 영향을 줌으로써, 남성에서 동맥경화로 인한 조기 사망의 증가와 관련이 있을 것으로 여겨지고 있다.

표 30-1. 65세 이상 노령인구에서 남녀 성비

성비(%, 여성 100명당 남성)	
65-69	81.8
70-74	69.6
75-79	54.5
80-84	46.3
〉85	33.7

Ⅰ. 폐경이행기(Perimenopausal transition)

1. 폐경이행기의 정의

폐경이행기는 월경주기가 불규칙해지면서 난포자극호르몬의 비가역 상승이 시작되는 시기부터 마지막 월경까지를 의미하며, 이후 1년간의 무월경 기간이 지속될 때 비로소 폐경을 확인할 수 있다. 전통적으로 폐경이행기와 이후 1년을 함께 폐경주변기(perimenopause)라고 일컫는다. 2010년에 개정된 STRAW+10 (Stages of reproductive aging workshop+10)에 의하면 여성 생식 및 노화, 폐경 단계를 7단계로 구분하였는데, 마지막 월경을 기준으로 폐경이행기는 마지막 월경의 전 2단계가 된다(표 30-2 참고). 초기 폐경이행기는 기존의 월경주기가 길어져서 7일 이상의 차이가 나는 시기로, 만일 기존에 25일 주기로 월경을 하였던 여성이 32일 이상으로 주기가 길어지는 일이 10번 이상 반복된다면 폐경이행기임을 알 수 있다. 후기 폐경이행기는 두 번 이상의 월경을 건너뛰면서 월경 간격이 60일 이상인 주기가 발생하고, 난포자극호르몬의 농도가 25 IU/L 이상으로 관찰될 수 있다. 후기 폐경이행기는 1-3년 동안 지속되며 흔히 열성홍조 증상이 시작되는 시기이기도 하다. 한 연구에 따르면 월경주기가 60일 이상인 경우가 적어도 한 번 이상 발생한 경우 폐경까지 걸리는 평균 기간은 2.6-3.3년이고, 45세 이상의 여성이 일 년간 무월경이었다면 더이상 자연 월경을 하지 않을 확률은 90%라고 한다. 폐경이행기의 기간은 개인차가 심해서 일정한 패턴을 보이지는 않으며, 이후 난소의 기능이 소실됨에 따라 월경이 영구히 중단되는 폐경(menopause)으로 이어지게 된다. 폐경은 다시 난포자극호르몬과 성호르몬 분비의 변화 또는 안정화에 따라서 두 단계로 구분하여, 마지막 월경 주기로부터 5-8년간을 초기 폐경이라 하고 이후를 후기 폐경으로 구분한다. 초기 폐경 동안 난소의 호르몬 생산 기능은 더욱 악화되고 골밀도의 소실이 가속화된다. 갱년기(climacteric)란 대개 폐경이행기를 거쳐서 폐경기에 이르기까지의 기간을 일컫는 오래되고 일반적인 용어이지만 앞서 설명한 용어들에 비해서 부정확한 면이 있다. 대체로 폐경이행기는 평균 46세(39-51세)에 시작하여 5년(2-8년) 정도의 기간이 걸린다. 대략 10% 정도의 여성만이 월경 주기가 불규칙해지는 기간을 거치지 않고 갑자기 월경이 끊겨 폐경이 된다.

폐경이행기의 첫 번째 특징은 월경 주기의 변화이다. 월경 주기는 난포의 성장 속도나 질에 의해 결정되는데, 개인마다 각 주기에 따른 차이를 보인다. 대체로 초경 후 2-3년간은 비교적 월경주기가 길다가 차츰 규칙적으로 변하나, 40대 이후부터 다시 월경주기가 불규칙해지는 양상을 보인다. 가임기 여성의 대략 15%가 28일 주기를 보이며, 21일 미만인 경우는 0.5%, 35일 이상인 경우는 0.9%이므로 대부분의 여성은 24일에서 35일 주기를 보인다. 40대가 되면서 무배란 주기가 증가할 뿐만 아니라 월경주기도 증가하여 폐경이 되기 2-8년 전부터는 월경주기가 40일 이상인 경우가 흔히 발생한다. 나이에 따른 월경주기의 변화는 지속적인 난자 소모로 인한 것이며, 나이에 관계없이 잔여 난자가 대략 1,000개 미만이 되면 폐경이 일어나게 된다. 폐경이행기에 월경주기가 50-60일 이상으로 길고 불규칙한 주기가 지속되더라도 약 25% 정도에서 배란이 있을 수 있으며 가능성은 낮지만 일부 여성들은 의도하지 않은 임신을 경험할 수도 있다.

폐경이행기의 두 번째 특징은 난포자극호르몬의 증가이다. 폐경이행기 동안 호르몬 분비는 점진적으로 감소하기보다는 대개 정상치로부터 큰 폭의 변이를 보인다. 이 시기 난포자극호르몬 농도가 상승하는 것은 에스트라디올의 감소 때문이 아니라 난소의 인히빈(inhibin) 생성이 감소함에 기인한다. 황체에서 생산되는 인히빈-A와 달리 인히빈-B는 주로 동난포(antral follicle)와 우성난포(dominant follicle)에서 생성되어 뇌하수체에서의 난포자극호르몬 생성을 억제하므로, 난포의 수가 감소하면서 인히빈이 감소하게 되고 난포자극호르몬은 점차 증가하게 된다. 따라서 인히빈의 감소와 난포자극호르몬의 증가는 잔여 난포의 숫자 및 질 감소의 민감한 지표이며, 임상 지표로는 주로 난포자극호르몬 측정이 이용되어 왔다. 비록 난포자극호르몬이 40 IU/L 이상으로 증가되는 것이 후기 폐경이행기의 지표이기는 하나, 폐경 시기를 예측하는 지표로는 효과적이지 못하다. 또한 폐경 호르몬 치료를 하여도 인히빈의 감소로 증가된 난포자극호르몬을 억제하지는 못하므로 폐경 여성의 호르몬치료에서 에스트로겐의 적정용량을 난포자극호르몬으로서 평가할 수는 없다. 한편, 에스트라디올(estradiol)은 폐경이행기 동안 점차로 감소하는 것이 아니라 후기 폐경이행기까지 일정한 농도로 유지되며, 오히려 폐경 1년 전까지는 소폭 증가될 수도 있다. 항뮐러관호르몬(anti-mullerian hormone, AMH)은 인히빈과 달리 되

표 30-2. 생식연령별 단계

<table>
<tr><th>단계</th><th>−5</th><th>−4</th><th>−3</th><th>−2</th><th>−1</th><th colspan="2">최종월경(FMP) 0
+1</th><th>+2</th></tr>
<tr><td>용어</td><td colspan="3">가임기</td><td colspan="2">폐경이행기</td><td colspan="3">폐경</td></tr>
<tr><td rowspan="3">기간</td><td>초기</td><td>중기</td><td>후기</td><td>초기</td><td>후기</td><td colspan="2">초기</td><td>후기</td></tr>
<tr><td colspan="3" rowspan="2">다양함</td><td colspan="2">폐경주변기</td><td></td><td></td><td></td></tr>
<tr><td colspan="2">다양함</td><td>1년</td><td>3-6년</td><td>~사망</td></tr>
<tr><td>월경주기</td><td>불규칙 →
규칙적</td><td>규칙적</td><td>규칙적 →
불규칙적</td><td>불규칙한 월경 주기(지속적으로 7일 이상 차이가 남)</td><td>무월경 기간: 60일 이상</td><td>무월경 1년 이상 지속</td><td colspan="2">소실</td></tr>
<tr><td>내분비</td><td colspan="2">정상 FSH</td><td>FSH 상승</td><td>FSH 상승</td><td colspan="2">FSH 상승(≥40 IU/L)</td><td></td><td></td></tr>
</table>

먹이 기전과 관계없으며 월경주기에 따른 큰 차이가 없이 난포자극호르몬의 자극을 기다리는 난포의 수를 반영함으로써 생식연령별 단계에 따른 변화를 판단하는 데 있어서는 난포자극호르몬보다 임상적으로 유용하다. 한 연구에 의하면 한국 여성에서 폐경이행기의 AMH 역치는 0.5 ng/mL이었고 폐경 이후는 검출되지 않는다고 하였으나, AMH 역치에 대해서는 아직 추가 연구가 필요하다. 또한 초음파를 통하여 난소 용적의 감소나 난포 수의 감소를 확인할 수 있다. 폐경의 예측에 있어 난포의 수, 난소 용적의 측정이 나이보다 더 우수하다는 보고도 있다.

2. 폐경 연령

폐경이 일어나는 평균 연령을 산정하는 데 다소 어려움이 있으나, 대체로 50세에서 52세 사이로 알려져 있다. 최근 한국 여성을 대상으로 한 역학적 연구에서는 자연 폐경의 나이가 49.3-49.9세로 보고되었다. 흥미로운 사실은 건강상태와 복지수준의 향상으로 초경의 연령은 점점 빨라지는 것과는 달리 그리스 시대 이후로 폐경의 연령은 거의 변동이 없다는 것이다. 여러 연구에서 흡연이 폐경 나이와 연관성이 있었으며, 흡연을 하는 여성은 약 1.5년 정도 폐경이 앞당겨지는 것으로 알려져 있다. 특히 흡연의 기간이 길수록, 흡연 양이 많을수록 폐경의 연령은 낮아지며, 금연한 후에도 과거 흡연을 경험했던 여성에서는 유의한 영향을 미치게 된다. 그리고 고산지대 거주하는 여성, 영양상태가 불량한 여성이나 채식주의자의 경우에는 폐경이 더 일찍 온다고 보고한 연구결과들이 있다. 체내 지방이 에스트로겐의 생성에도 영향을 미치기 때문에 체내 지방량이 적은 마른 여성일수록 약간 더 일찍 폐경을 맞이하는 것으로 보인다. 반대로 잦은 음주를 하는 여성의 경우 혈중 에스트로겐 농도가 높으며 폐경 나이도 늦다. 그 외에 경구피임약의 복용, 사회 경제적 여건, 결혼 여부, 초경의 연령, 출산력, 신장이 폐경 나이에 아무 영향을 주지 않는다는 연구결과가 있었으나, 한편으로는 낮은 교육수준과 가계경제수준이 이른 폐경과 연관이 있고, 높은 출산력과 경구피임약 복용력은 폐경이 늦게 일어나는 것과 유의한 연관이 있다는 연구결과도 있다.

대부분의 여성이 45세 이후에 폐경이 되나, 9.7%의 여성은 45세 이전에 이른 폐경(early menopause)이 된다. 또한 대체로 약 1%의 여성은 40세 이전에 폐경이 되는 조기난소부전(premature ovarian failure)이 발생한다고 알려져 있으나, Study of Women's Health Across the Nation (SWAN)에 따르면 동양인에서는 발병률이 낮아서 중국인은 0.5%, 일본인은 0.1%만이 조기난소기능부전이 일어나는 것으로 보고되었다. 최근 조기난소기능부전과 관련된 염색체 이상이 보고되었는데, 45세 이전의 이른 폐경의 경우도 조기난소기능부전과 유사하게 모계를 통한 우성 유전형태를 보인다고 하였다. 즉 어머니가 46세 이전에 폐경된 경우 딸들 역시 일찍 폐경이 될 위험이 있다.

3. 폐경기의 성생활

오늘날의 노년 인구들은 더 오래 삶을 영위하고, 더욱 건강해져 성생활에 관한 적극적인 관심을 보이고 있다. 원활한 성생활이 삶의 질을 평가하는 한 지표로 여겨지기도 한다. 고령 인구를 대상으로 한 연구에서 67세부터 77세 사이의 남성 중 70%에서 성생활에 적극적이었고 80%는 성생활에 흥미를 가지고 있었으며, 그리고 77세 이상의 여성 중 50%가 아직도 성생활에 흥미를 가지고 있음을 보고하였다. 그러나 폐경 여성은 성욕의 감퇴나 질 건조감, 성교통, 오르가즘의 감소 등 여러 가지 성생활의 불편을 호소하며, 특히 수술적 폐경이 된 환자에서 더 흔하다. 이러한 문제는 단순히 호르몬 부족뿐만 아니라, 폐경에 대한 부정적 시각, 남편과의 갈등, 생활 양식이나 문화 등 정신 사회적 요소에 영향을 받는다. 그러나 의사와 상담하는 것을 꺼려해서 의사가 직접 문진시에는 16%의 노년 여성이 성생활과 관련된 불편을 호소하는 데 비하여, 3%의 여성만이 먼저 자발적으로 상담한다. 따라서 진찰 시 적절한 문진이 필요하다. 폐경 이후 여성 호르몬의 감소에 따라 질 분비액의 양과 생성속도가 감소하게 되고 질의 탄력성이 감소한다. 비뇨생식기계의 위축으로 인하여 건조하고 꽉 끼는 듯한 느낌, 화끈거림이나 쓰라림과 같은 성교통뿐만 아니라 성교 후 점상 출혈을 호소하게 된다. 에스트로겐 치료로 이러한 증상을 완화시킬 수 있다. 또한 몸에 바르는 겔형 에스트로겐 치료는 이러한 증상과 더불어 성욕과 성만족도를 개선시키는 효과도 있음이 보고된 바 있다.

Ⅱ. 폐경 후 호르몬 생산

1. 폐경주변기와 폐경 후의 호르몬 변화

폐경주변기에는 인히빈에 의한 되먹임전의 감소로 생식샘자극호르몬이 증가하기 시작하여 난포의 성장이 빨라지거나 난포의 수가 증가할 수 있다. 이로 인하여 나이가 들수록 이란성 쌍태아 빈도가 증가하거나, 난포의 소실이 더 빨라지고 에스트라디올의 수치가 증가할 수 있다. 또한 증가된 에스트라디올로 인하여 자궁내막 두께의 증가, 증식기 자궁내막의 출혈, 월경양의 증가 등이 발생하기도 한다. 후기 폐경이행기에는 생식샘자극호르몬의 수치가 더욱 증가하게 된다.

폐경 후 난포자극호르몬과 황체형성호르몬의 증가는 난소 기능이 소실되었다는 사실을 나타낸다. 원시 난포의 수는 나이가 들면서 지속적으로 소실되나, 38세 이후 소실 속도가 급속히 증가하여 결국 폐경에 이르게 된다. 폐경 후 난포자극호르몬은 10-20배, 황체형성호르몬은 3배 정도 상승하며, 폐경 2-3년 후 최고치에 달한다. 난포자극호르몬에 비하여 황체형성호르몬의 증가가 크지 않는 이유는 황체형성호르몬의 반감기가 20분 정도로 난포자극호르몬의 3-4시간에 비하여 짧을 뿐 아니라, 인히빈과 같은 되먹임기전이 없기 때문이다. 폐경기간이 길어지고 나이가 증가함에 따라 생식샘자극호르몬이 서서히 감소하는데, 이는 뇌하수체내의 생식샘자극호르몬 분비 세포의 노화 때문이다.

폐경 이후 호르몬 생성의 가장 큰 변화는 에스트로겐의 생성이다. 폐경 이후 주된 에스트로겐은 난소나 부신에서 생성된 안드로겐의 전환에 의해 생성된 에스트론(Estrone, E1)이다. 폐경 이후 난소는 주로 안드로스텐디온(androstenedione)과 테스토스테론(testosterone)을 생성한다. 테스토스테론의 혈중 농도는 폐경 전에 비하여 25%정도 감소되나 15-70 ng/dL를 유지한다. 한 연구에 따르면 폐경 후 7년 동안 추적관찰에서 혈중 테스토스테론 농도 변화는 없었으며 오히려 성호르몬결합글로불린의 감소로 인하여 유리테스토스테론은 증가한다고 하였다. 폐경 이후 여성에게 생식샘자극호르몬방출호르몬(GnRH) 작용제(agonist) 또는 길항제(antagonist) 투여로 생식샘자극호르몬 분비를 억제하면 혈중 테스토스테론 수치가 상당히 감소되는데, 이는 폐경 이후 테스토스테론의 상당량이 생식샘자극호르몬에 의존하는 난소에서 생성된 것임을 알려준다. 폐경 이후 순환하는 혈중 안드로스텐디온의 농도는 30-150 ng/dL로 폐경 직전의 약 50% 수준이며, 폐경 이후 안드로스텐디온은 난소에서도 소량 만들어지나 대부분은 부신으로부터 만들어진다. 부신에서 생성되는 남성호르몬인 디하이드로에피안드로스테론(dehydroepiandrosterone, DHEA)과 황산디하이드로에피안드로스테론(dehydroepiandrosterone sulfate, DHEAS)은 폐경 유무에 관계없이 나이가 증가함에 따라 서서히 감소하므로, 폐경 이후에도 크게 감소하지 않는다. 따라서 폐경 이후 안드로겐(adrogen)의 대부분은 부신에서 생성된 것이며, 이러한 남성 호르몬은 말초조직에서의 방향화(aromatization)를 통하여 폐경 이후 에스토로겐 생성의 주생산원이 된다.

폐경 후 에스트라디올(estradiol)은 10-20 pg/mL로 안드로스텐디온의 전환으로 생성된 에스트론(estrone)이 전환된 것이다. 따라서 혈중 에스트론은 30-70 pg/mL로 에스트라디올보다 높다(표 30-3 참고). 여성호르몬 생성의 급격한 감소로 인하여 안드로겐/에스트로겐(androgen/estrogen) 비가 증가하여 경미한 다모증(hirsutism)이 흔히 발생한다. 폐경 후 난소는 더 이상 에스트로겐을 생성하지 못하므로 폐경 후 에스트로겐은 안드로스텐디온과 테스토스테론의 생성과 전환율에 따라 영향을 받는다. 폐경 이후 여성의 경우 말초 조직에서 안드로스텐디온으로부터 생성되는 에스트로겐의 생성속도는 약 45 μg/24 hours이다. 안드

표 30-3. 폐경 후 혈중 호르몬의 변화

	폐경 전	폐경 후
에스트라디올(Estradiol)	40-400 pg/mL	10-20 pg/mL
에스트론(Estrone)	30-200 pg/mL	30-70 pg/mL
테스토스테론 (Testosterone)	20-80 ng/dL	15-70 ng/dL
안드로스텐디온 (Androstenedione)	60-300 ng/dL	30-150 ng/dL

로스텐디온이 에스트로겐으로 전환되는 정도는 체중과 관계가 깊다. 즉 체중이 증가할수록 안드로스텐디온으로부터 에스트로겐 생성이 증가하는 것은 안드로겐을 방향화할 수 있는 지방조직이 많기 때문이다. 이와 함께 비만할수록 성호르몬결합글로불린이 감소하여 혈중 유리에스트로겐 농도가 증가되기 때문에 비만이 자궁내막암 발생의 요인으로 작용할 수 있다. 나이가 진행됨에 따라 결국 난소의 기질(stroma)이 소실되어 난포자극호르몬과 황체형성호르몬이 상당히 증가함에도 불구하고 생식샘에서 스테로이드 호르몬의 생성은 더 이상 일어나지 않는다. 또한 에스트로겐 합성의 전구체를 생산하는 부신 기능의 감소로 결국에는 혈중 에스트로겐의 농도가 2차 성조직을 유지하기에 충분하지 않게 된다. 폐경 12년 이후에는 부신이나 난소에서 남성호르몬 생성이 소실되면서 더 이상 남성호르몬이 혈중에서 검출되지 않는다.

2. 폐경 호르몬 변화에 따른 문제

난소의 기능 감소에 따라 발생하는 에스트로겐 농도의 저하로 초래될 수 있는 폐경이행기 증상은 ① 무배란, 월경량의 감소 또는 월경 과다, 그리고 불규칙한 월경 주기를 포함하는 월경 장애 ② 안면 홍조나 발한과 같은 혈관 운동성의 불안정(vasomotor instability) ③ 초조, 긴장, 우울한 정서 등을 포함한 정신과 증상 ④ 질 상피세포의 위축에 따른 성교통 및 소양감, 요도 소구(caruncle)형성, 피부의 위축 ⑤ 절박뇨나 무균성 요도염 또는 방광염으로 초래되는 배뇨 곤란 ⑥ 에스트로겐의 감소가 장기간 계속되면 골다공증이나 심혈관질환의 발병이 증가한다. 그러나 증상의 정도는 개개인마다 차이가 있어 환자에 따라서는 일상 생활을 할 수 없을 정도로 심한 증상을 나타내기도 하고 때로는 경한 반응을 나타낼 수도 있으므로 정확한 진단을 내리기 위해서는 세심한 의학적 검진이 이루어져야 한다. 또한 이 시기 증상을 그 원인이 되는 호르몬 상태에 따라서 다음과 같이 세 가지로 구분하는 것이 도움이 될 수 있는데, ① 상대적인 에스트로겐 과다에 따른 비정상 자궁출혈, 자궁내막증식증, 자궁내막암 ② 에스트로겐 결핍에 따른 안면 홍조, 위축 질염, 요도염, 골다공증 ③ 호르몬 치료와 관련된 문제가 있다.

3. 폐경주변기의 비정상 자궁출혈

폐경이행기에는 월경 주기가 불규칙해지면서 비정상 자궁출혈이 비교적 흔히 발생한다. 이는 무배란으로 인하여 에스트로겐 분비의 주기성이 소실되고, 프로게스테론의 생성이 감소함으로써 에스트로겐이 상대적으로 증가되기 때문이다. 따라서 폐경이행기에는 자궁내막증식증이나 자궁내막암의 발생 위험이 증가한다. 한 연구에 따르면 45세 이후 비정상 출혈을 가진 여성에서 자궁내막증식증이나 자궁내막암 발병율은 7.9%로써 발병 위험이 3배 증가한다. 따라서 폐경 전후의 모든 여성에서 호르몬 치료 유무와 상관없이 비정상 자궁출혈이 있는 경우 세밀한 병력 청취와 신체 진찰과 함께 질초음파검사와 흡입식 자궁내막 생검을 고려해야 한다. 초음파 검사상 자궁내막의 두께가 4 mm 미만일 때는 자궁내막증식증의 가능성이 낮으므로 자궁내막 생검을 시행하지 않을 수 있으나, 4 mm 이상인 경우 조직생검을 시행하여야 한다. 조직검사 방법으로는 외래에서 간단히 시행할 수 있는 흡입식 자궁내막생검이 추천된다. 그러나 흡입식 자궁내막생검이 부적절한 경우 자궁내막소파술이나 자궁경을 통한 조직검사를 고려할 수 있다. 가장 흔한 자궁내막조직 소견은 프로게스테론의 작용없이 에스트로겐 영향만을 받은 비암종 조직으로써, 내인성 에스트로겐 생성이나 폐경 후 에스트로겐 투여로 초래될 수 있다. 폐경이행기의 무배란 자궁출혈의 치료는 폐경호르몬약물보다는 경구피임약이 효과적이고 안전하다. 주기적인 프로게스틴 투여 역시 처방되고 있으나 폐경이행기에서는 불충분할 수 있다. 프로게스틴을 함유한 자궁내장치 또한 사용될 수 있다. 저용량의 경구피임약을 투여하는 경우 폐경 후에는 치료 제제를 변화시키는 것이 중요하다. 경구피임약의 에스트로겐 양은 저용량이라 하더라도 폐경 후 혈중 농도보다 4배 이상 함유되어 있으며, 연령이 많은 여성일수록 에스트로겐 용량과 관련된 위험성이 증가하기 때문이다. 그러나 그 시기를 결정하기란 쉽지 않은데 하나의 방법으로 50세부터 시작하여, 1년에 한번 정도 경구피임약을 복용하지 않는 시기의 제6일부터 7일 사이의 혈중 난포자극호르몬을 측정하여 수치가 20 IU/L 이상이 되면 호르몬 치료로 변화시킬 수 있으며, 또는 경험적으로 50대 중반에 전환하여도 된다.

조직검사 소견상 핵의 비정형(atypia)이나 이형성 변화가 없는 자궁내막증식증일 경우에는 매달 10-14일 동안 10 mg의 초산메드록시프로게스테론을 투여해야 하며, 역시 프로게스틴을 함유한 자궁내장치가 효과적일 수 있다. 주기적인 경구 프로게스틴 치료시에는 3-4개월 후 추적 소파술이 필요하다. 일반적으로 주기적 프로게스틴 요법으로 90-95%의 자궁내막증식증이 치료되며 불규칙적인 출혈이 조절된다. 프로게스틴 요법은 쇠퇴출혈이 없어질 때까지 지속하는 것이 좋다. 비정형을 동반한 자궁내막증식증의 경우 자궁내막암의 위험이 있으므로 자궁절제술도 추천된다.

III. 폐경 증상

폐경 증상은 발현되는 시기에 따라 급성, 아급성 증상 및 만성 증상으로 나눌 수 있다. 급성 증상으로 열성 홍조와 발한이 가장 흔하며 불면증, 심계항진, 불안감이 나타나기도 한다. 열성 홍조는 얼굴, 머리, 목 등으로 피부가 갑자기 붉게 변하며 불쾌한 열감이 나타나 전신으로 퍼져가는 느낌으로, 가끔 발한이 동반된다. 이들 증상은 그 자체가 신체적으로 해로운 증상이라고는 할 수 없겠으나 여러 가지 불편을 초래할 수 있고 이러한 증상에 사회·문화적 인자와 심리적 인자가 작용하여 다양한 양상을 보일 수도 있다. 아급성 증상은 비뇨생식기의 위축에 의한 증상과 교원질 소실에 의한 증상으로 나누어지는데 비뇨생식기 증상은 거의 모든 여성에서 폐경 2-3년 후 발현되어 나이가 들면서 증상이 더욱 악화된다. 이러한 증상으로 인하여 이차로 성욕이 감퇴될 수 있으며 비뇨생식기의 기능 이상이 초래된다. 교원질 소실에 의한 증상은 피부의 탄력의 감소와 근골격계의 통증 등이 있다. 만성 후유증은 골다공증, 심혈관 질환 및 알츠하이머병이다. 골다공증은 골절을 유발할 수 있는 골 강도의 손상을 의미하며 이러한 골다공증에 의한 골절은 척추, 손목, 고관절 부위에 호발하며 여러 가지 합병증을 일으킬 수 있다. 심혈관질환은 폐경 여성에서 주요한 사망 원인의 하나이며 에스트로겐 결핍에 의한 혈중 지질 농도의 변화와 동맥혈관 벽의 변화로 인하여 그 위험성이 증가한다. 알츠하이머병은 퇴행성 치매의 가장 중요한 원인으로, 서서히 발병하여 8-10년간 진행하고 대부분 사고나 감염으로 사망하는 질환이다. 자연적이든 수술에 의한 것이든 조기에 폐경이 되면 위험성이 더 높으므로 보다 특별한 주의가 필요하다.

1. 급성 폐경 증상

1) 혈관운동 증상

열성 홍조(hot flush)와 발한이며 대부분 여성에서는 폐경 초기부터 나타난다. 혈관 운동 증상은 폐경주변기 여성의 약 60%에서 나타나며, 폐경 전부터 나타날 수도 있으나 대개는 폐경이행기와 폐경 후에 주로 나타난다. 폐경 후 1년 동안 가장 흔하게 나타나고 이중에서 50%의 여성은 4-5년간 증상이 지속된다. 증상이 있는 여성 중에서 25% 정도는 5년 넘게 지속될 수 있으며, 15년까지 지속되는 경우도 많게는 10% 정도로 보고되었다. 열성 홍조는 말초 혈관이 갑자기 확장되었다가 수축되는 자율신경의 부조화 때문에 발생하며, 대부분의 폐경 여성이 어느 정도 이를 경험하게 되는데, 이는 머리, 목, 가슴 등에 갑작스럽게 발생하는 피부의 적색변화로 심한 발열감의 느낌을 동반하고 때때로 발한작용으로 끝나게 된다. 기간은 수초에서 수 분간 이어지며 1시간을 넘기는 경우는 드물다. 빈도 역시 다양하여 거의 느끼지 못하는 정도에서 수분마다 한 번씩 발생하기도 한다. 홍조는 특히 밤에 더 자주 심하게 나타나며 야간 발한(night sweat) 증상을 동반할 수 있고 심하면 불면증을 초래한다. 스트레스를 받는 경우 더 심해지기도 한다. 온도가 낮은 환경에서는 홍조가 덜 나타나고 강도나 기간이 더 짧아지는 경향이 있다.

열성 홍조의 발생 기전에 대해서는 아직까지 정확히 알려진 바는 없지만, 가장 유력한 가설은 시상하부의 체온조절중추가 작은 체온변화에도 예민하게 반응하는 상태가 되는 것으로, 특히 에스트로겐의 감소와 연관이 있는 것으로 생각된다. 즉 에스트로겐의 감소에 의해 중추신경계의 도파민(dopamine) 분비가 감소하고 노르에피네프린(norepinephrine) 분비가 증가하는 현상이 발생하고 이에 따라 생식샘자극호르몬방출호르몬(GnRH) 분비가 증가하여 시상하부의 체온조절 중추가 자극을 받아 시상하부의 체온조절 기능이 감소되어 생리적 반응으로 안면홍조가 오게 된다는 가설이다. 또한 이러한 체온 조절기능의 변화는 내부적, 환경적 요인에 반응하여 강한 발열감을 증가시켜 혈관 확장이나 땀과 열손실 반응을 활성화시키는 것으로 생각된다. 홍조와 발한은 갈색세포종, 유암종(carcinoid), 결핵, 췌장 종양, 갑상선 질환 등에서도 나타날 수 있다. 따라서 폐경 전 여성이 홍조를 경험하는 경우 갑상선 질환 등 다른 질병에 대한 검사를 시행해야 한다.

2) 심리, 정신 증상

폐경여성들이 흔히 겪게 되는 심리 증상들은 신경과민, 집중력 저하, 기억력 감퇴, 공격성, 긴장, 불면, 우울(involutional melancholia), 짜증, 의욕상실, 우유부단함, 자신감의 상실 등으로 다양하다. 미국의 한 연구에서는 폐경 전부터 폐경이행기 초기까지 기분 변화의 유병률은 약 10%에서 16.5%로 상승한다고 보고하였다. 그리고 가능한 원인들로 다음의 세 가지를 제시하였다. 첫째, 폐경으로 인한 에스트로겐의 감소가 기분을 조절하는 신경전달물질에 영향을 미치기 때문이며 둘째, 기분은 혈관운동 증상 등에 의해 크게 영향을 받으며(도미노 효과) 셋째, 폐경 시기에 흔히 접하게 되는 환경의 변화와 호르몬의 파동효과(fluctuation)에 영향을 받기 때문이라고 하였다. 하지만 지금까지의 여러 연구결과들을 종합해서 볼 때 이 시기의 정신 증상들의 발현이 폐경의 직접적인 결과라고 보기는 어렵다. 아직까지 폐경 자체가 여성의 정신 건강에 해로운 영향을 미치는지에 대한 정확한 근거는 없는 상태이며, 실제로 폐경 여성에서 임상적으로 다른 증상들에 비해 정신과 질환에 대한 관심은 비교적 부족하다. 다른 역학 연구에 따르면, 폐경은 우울증의 위험도를 증가시키지 않으며, 여자들이 남자들보다 우울증을 더 많이 경험하더라도 이러한 성적인 차이는 폐경으로 비롯되는 것이 아니라, 청소년기부터의 여러 가지 경험에서 비롯한다고 보고된다. 실제로 대부분 이 시기 정신장애의 가장 흔한 원인은 이미 존재하고 있던 우울증의 병력이다. 특히 가임기 동안의 월경전증후군이 있었던 여성은 폐경주변기에 우울증 증상이 있을 위험이 유의하게 높다. 또한 폐경 초기에 발생하는 많은 문제들 예를 들면, 피로감, 신경 예민, 건망증, 불면증, 관절통이나 근육통, 현기증이나 심계항진 등은 대부분 그 시기에 일상생활에서 일어나는 변화들과 연관되어 나타나는 경우가 많고, 이러한 문제들이 과연 에스트로겐과 관련이 있는지도 역시 논란의 여지가 있다. 실제로 이 시기에는 남녀 모두가 호르몬만으로 설명될 수 없는 여러 정신적 증상들을 호소하는 경우가 많다. 결론적으로 폐경주변기의 약 85%의 여성들은 기분장애를 겪지 않으며, 일부 여성에서 이러한 증상이 새롭게 발생할 위험성은 이전의 정신적 문제 병력과 더불어 폐경기의 호르몬변화나 열성 홍조 증상의 영향을 받을 수 있다.

에스트로겐이 약리학적으로 직접적인 항우울 작용이 있는지에 대해서는 명확히 밝혀진 바는 없지만, 에스트로겐 바탕의 폐경기호르몬치료가 안면홍조 등과 같은 증상을 개선해 여성의 안녕(well-being)을 향상시키는 데 기여하는 것으로 보인다. 특히 고령의 우울증 여성의 경우에는 항우울제를 추가하여 사용함으로써 더욱더 증상의 호전을 볼 수 있다. 무작위 연구에서 경피 에스트라디올 100 ug 사용으로 기분(mood)이 개선됨을 보고하였다. 비록 소규모의 연구이기는 하지만 이러한 치료 효과는 산후 우울증에서도 에스트로겐 사용으로 증상 호전이 되는 것과도 비슷한 결과이다. 결국 폐경이행기 자체가 임상적으로 직접적인 우울증의 원인이 되는 것은 아니지만, 불안정한 심리상태와 증상들은 호르몬 투여를 통해 개선될 수 있다.

2. 아급성 폐경 증상

아급성 증상은 크게 다음과 같이 두 종류로 분류될 수 있다. 비뇨생식기의 위축에 의한 증상과 결체조직으로부터 교원질 소실에 의한 증상이다. 모든 여성이 증상을 호소하지는 않으나, 폐경 후의 기간이 증가함에 따라 그 빈도가 증가한다. 폐경 후 비뇨생식기 위축 증상의 유병률은 정확한 자료는 없으나 개인에서 정도의 차이가 있을 뿐 거의 모든 여성에서 증상이 나타난다. 에스트로겐의 결핍으로 인한 비뇨생식기의 위축은 질염, 소양증, 성교통, 질협착, 빈뇨, 배뇨통, 요실금, 빈번한 요로감염을 가져와 생활의 불편감과 삶의 질(quality of life) 저하를 초래한다. 또 결체조직의 교원질 소실에 의해 피부의 탄력성이 감소하고 두께가 얇아지며, 인대 및 연조직의 교원질 소실로 인하여 근골격계의 통증을 겪게 될 수 있다.

1) 비뇨생식기 위축 증상

폐경이 되면서 질은 점차 결체조직, 지방조직 및 수분을 저장할 수 있는 능력을 소실하게 되며, 점차 얇아지고 위축되어 질주름이 소실된다. 질 상피의 표피세포가 소실되어 외부자극에 취약한 상태가 되어 쉽게 출혈이 일어난다. 에스트로겐 결핍상태가 계속 진행됨에 따라 질에 분포하는 혈관이 좁아지며 질 분비물이 감소하게 된다. 폐경이 점차 진행됨에 따라 질이 좁아지고 탄력성을 소실하게 되어 성교통을 유발한다. 또한 질의 산성도를 잃어버리게 됨에 따라 질이 외부에서 침입하는 균에 취약한 상태가 되어 질염이 자주 발생하게 된다. 질내 산성도를 측정해보는 것은 에스트로겐 결핍으로 인한 영향을 확인할 수 있는 간단한 방법으로, pH가 4.5를 초과하는 경우는 대부분 에스트로겐 결핍 상태이다. 이와 같이 폐경기 호르몬 변화와 연관되어 여성생식기와 비뇨기에 다양한 증상으로 발생하는 일련의 변화들을 이전의 위축성질염이나 질건조증보다 포괄적 용어인 폐경비뇨생식증후군(genitourinary syndrome of menopause)이라고 명하게 되었다.

에스트로겐 결핍은 폐경 후의 성욕감퇴에 어느 정도 영향을 미치게 된다. 에스트로겐의 결핍에 따라 질이 위축되고 건조해지면 성교 곤란이 있게 되며, 따라서 성교 횟수가 줄게 되고 이는 위축과 성교곤란을 가중시켜 자연 성에 대한 관심의 저하를 가져오게 된다. 또한 폐경 후 요실금이 생기는 것이 성교를 기피하게 되는 원인이 될 수 있다. 그러나 이러한 에스트로겐 결핍에 따른 위축 증상만이 폐경 후 성욕감퇴의 모든 원인은 아니다. 성에 대한 욕구라는 것이 하나의 복합 생리현상으로 정신적인 요소 또한 중요한데 예를 들면 배우자와의 관계나 이전의 성에 대한 태도 등이 중요한 인자로 작용할 수 있다.

폐경 이후 방광과 요도상피의 세포가 감소하고 얇아짐에 따라 위축 변화가 오는 것으로 알려져 있다. 에스트로겐 결핍과 비뇨기계의 기능 이상의 인과관계에 대한 결론적 자료는 아직 부족한 실정이나, 특히 방광삼각부와 요도에 에스트로겐 수용체가 존재하여, 폐경 이후 방광과 요도상피의 세포가 감소하고 얇아짐에 따라 위축 변화가 오는 것으로 알려져 있다. 이러한 방광과 요도 상피의 위축은 감염에 취약한 상태를 가져오게 된다. 또한 에스트로겐 결핍상태는 요도 점막하 혈관총과 결체조직층에 영향을 끼쳐 요도의 폐쇄기전에 부정적인 영향을 가져와 요실금에 취약한 상태가 되며, 방광의 불완전 또는 과운동을 가져와 빈뇨, 야간뇨, 절박뇨 증상이 발생하는 데 영향을 끼치는 것으로 생각되었다. 하지만 근래 체계적 고찰에서 국소 에스트로겐 사용이 요실금 증상을 개선시키는 효과가 있다고 보고한 것과는 달리, 경구 에스트로겐 투약을 연구한 여러 임상시험에서는 이러한 증상들이 변화가 없거나 오히려 악화되는 결과를 보였다. 현재로서는 중년 여성에서 새롭게 발생한 요실금을 폐경기 호르몬 변화에 의한 결과로 단정지을 수 없다.

2) 교원질 소실의 증상

피부의 노화는 연령, 호르몬, 환경 요인 등에 의한 복합적인 현상으로 생각되지만, 폐경 후 에스트로겐 분비의 감소와 결핍이 피부의 주름, 건조, 위축 등으로 나타나 피부 노화에 영향을 끼치는 것으로 알려져 있다. 또한 폐경 후 에스트로겐 분비가 감소하면 피부의 수분, 히알루론산(hyaluronic acid) 및 콜라겐이 감소한다. 콜라겐 양의 감소는 폐경 초기부터 급격하게 나타나 폐경 후 첫 5년 동안 피부 콜라겐의 30%가 소실되며 그 후 20년 간 매년 2.1%씩 감소한다고 보고되고 있다. 이러한 변화로 인해 피부는 외상에 약하게 된다. 또 피부의 수분과 수분을 조절하는 물질 및 히알루론산이 감소함에 따라 피부가 건조해지며 거칠어지는 현상을 초래한다. 미국 국민건강영양조사 연구에 따르면 에스트로겐을 투약한 여성들은 피부주름이나 건조 증상이 비교적 적다고 하였다. 하지만 1년 기간의 임상시험에서 호르몬치료가 이미 존재하는 피부주름을 개선시키지는 않는 것으로 확인되었다. 한편, 피부 외에도 에스트로겐 투약은 중년 이후의 여성에서 근육강도가 줄어드는 속도를 늦추는 효과가 여러 연구에서 보고된 바 있어서 근감소증과 골절의 위험에 대비하기 위해 이에 대한 추가 연구가 필요하다.

3. 만성 증상

골다공증, 심혈관질환과 알츠하이머병이 알려져 있다. 폐경 이후 약 7-8년이 지나면 골다공증이 발생되며, 심혈관질환은 약 10년, 알츠하이머병은 노화와 더불어 15년 후 발생이 증가된다.

1) 심혈관질환

이상지혈증, 고혈압 그리고 흡연이 중요하며 그 외 당뇨, 비만, 운동부족, 혈액 점성증가, 정신 스트레스 등이 있다. 교정 불가능한 인자로는 연령, 성별, 심혈관질환의 가족력이 남성보다 더 큰 영향을 미친다.

폐경 전 여성에서는 내인성 에스트라디올이 노화에 의한 혈관 구조변화를 완화시키는 것으로 추정된다. 노화에 따른 혈관 구조 변화는 혈관내피 기능장애, 동맥 내막(intima) 평활근 세포의 성장촉진, 혈관 플라크(plaque)의 빈도 증가 등이다. 이러한 변화가 동맥경화를 유발하는 데 관여한다. 혈관 구조변화가 노화에 의한 것인지 폐경에 의한 것인지 구분하기 힘들지만 같은 연령의 남성과 폐경 후 여성, 같은 연령의 폐경 전 여성과 폐경 후 여성에서 심혈관질환의 발생율을 비교하면 내인성 에스트라디올이 심혈관질환의 발생을 지연시키고 있음을 암시한다. 이와 더불어 여러 연구에 의하면 에스트라디올은 내막평활근 세포증식과 혈관내피 기능장애 등의 노화에 따른 혈관 구조변화를 억제하며, 콜레스테롤을 낮추고 혈관 긴장도를 호전시킨다.

심장질환, 뇌혈관질환, 고혈압성 질환 등을 포함하는 심혈관질환은 한국 여성 사망의 가장 흔한 원인이며 그 빈도가 점차 증가하는 추세이다. 폐경 전 여성들은 나이에 따른 심혈관질환의 발생이 남성에 비해 10년 늦으며 이러한 차이는 내인성 에스트로겐의 보호 작용에 의한다고 생각된다. 45-64세 사이의 남성은 같은 연령대의 여성에 비해 심혈관질환 발생 빈도가 높다. 폐경이 되어 내인성 에스트라디올의 분비가 저하되면 성에 의한 유병율의 차이는 좁혀진다. 대부분의 폐경 여성은 심혈관질환에 연관된 증상이 없으며 심혈관질환을 가진 여성 중 95%가 폐경 여성이다.

에스트로겐의 수용체가 혈관 및 심장에 존재하며 이를 통한 다양한 직접 효과가 보고되고 있다. 에스트로겐은 혈관 내 지질의 축적을 억제하며 항산화 작용으로 혈관 내에서 일어나는 저밀도 지단백의 산화 변성을 저하시킨다. 혈관 내피세포 및 평활근세포의 증식을 억제하며 교원질과 탄력소(elastin)의 축적을 낮추고 혈관내피의 투과성을 조절하고 세포 부착 분자(cell adhesion molecule, CAM)의 발현을 억제하여 염증반응을 약화시켜 동맥경화증을 억제한다. 또한 혈관을 이완시키며 국소 혈전용해를 향상시킨다. 그리고 에스트로겐은 심장에 직접 작용하여 심근 수축력을 향상시키고 심장의 박동수를 감소시키는 효과를 보인다. 이상의 작용기전으로 에스트로겐 결핍이 심혈관질환의 발생과 진행에 영향을 줄 것이라 생각된다. 그러나 한편으로는, 에스트로겐이 혈관내피세포의 기질단백질을 분해시키는 효소인 matrix metalloproteinase 생성과 활성을 촉진시켜서 이미 존재하는 섬유막(fibrous cap)이나 플라크를 파괴시키는데, 이러한 작용은 최근 임상시험에서 관찰된 바와 같이 동맥경화증이 이미 있는 여성에서 에스트로겐을 사용했을 때 오히려 혈전성 위험을 증가시키는 현상의 원인 기전일 수 있다.

혈중 총 콜레스테롤, 저밀도 지단백(low density lipoprotein, LDL) 콜레스테롤 그리고 중성지방 농도가 폐경 후 상승하며 고밀도 지단백(high density lipopretein, HDL) 콜레스테롤 농도는 변화가 없거나 감소한다. 총 콜레스테롤과 저밀도 지단백콜레스테롤은 폐경 후 3년 이내에 증가하며, 난소절제술을 받은 여성에서는 수술 후 6주 이내에 총 콜레스테롤과 저밀도 지단백콜레스테롤이 증가한다.

심혈관질환의 진행은 폐경 연령과 잠복 동맥경화의 정도에 따라 다를 수 있다. 35세 여성의 관상동맥에는 지방줄무늬(fatty streaks)와 소량의 동맥경화 플라크(plaque)가 있지만 폐경이 되어 10년 이상이 경과하는 동안(45-55세) 동맥경화는 활발하게 진행되어 65세 이후에는 이로 인한 합병증이 발생하게 된다. 또한 폐경이 되면 혈관내피 기능장애와 동맥내막 두께가 증가한다. 폐경 후 5-8년이 경과하면 플라크의 빈도와 동맥 내막 및 중막 두께가 증가(intima-media thickening)하게 된다. 또한 폐경은 혈관내피 기능장애, 혈관 내피 의존성 이완의 감소, 혈류성 이완의 감소와 연관된다. 동맥 내막 두께는 연령과 관상동맥질환의 중증도에 따라 증가한다. 양측 난소절제술을 받은 여성에서 동맥 내막 두께는 폐경 후 기간이 길어질수록 진행되며 15년이 되면 유의하게 증가한다. 폐경 전 여성에 비해 폐경 여성에서 혈압저하 인자의 생성은 감소하고 전 혈압인자의 합성은 증가된다고 한다. 또한 폐경 여성은 나트륨에 대한 감수성이 증가되므로 이에 따른 신장 기능의 변화가 고혈압 발생에 기여한다고 한다. 여성호르몬 결핍이 혈압에 미치는 영향에 대해서는 여전히 추가적인 연구가 필요하다.

2) 골다공증(제 32장 참조)

골다공증은 골절이 유발될 수 있는 골 강도의 소실을 의미하며 골 강도는 골량(bone mass)과 골질(bone quality)에 의해 결정된다. 골질은 골 구조, 골 교체율, 골 손상 축적, 무기질화 등으로 결정되지만 이를 측정하는 것은 실제 임상에서는 쉽지 않고, 또한 이를 근거로 골다공증을 진단하는 것은 임상적 이용가치가 적다. 골 강도의 70-80%는 골밀도에 의존하므로 일반적으로 골밀도를 측정하여 골다공증을 진단한다. 골다공증은 대퇴경부보다 요추나 요골의 원위부에서 더 흔하게 발생하지만 골다공증의 유병률은 각 부위의 기준치에 따라 다르게 나타날 수 있다.

골다공증은 골절을 유발하는 결정적인 위험요인이지만 골다공증 외에 다른 요인들도 골절을 유발하는 데 기여한다. 골다공증에 의한 골절은 삶의 질을 저하시키고 장애를 초래하며 심지어 사망에 이르게 한다. 50세의 백인여성들에게서 남은 생애 동안 골다공증에 의한 고관절골절 위험도는 16%, 콜레씨 골절 위험도는 15%, 척추골절의 위험도는 32%라고 한다.

여성의 폐경기는 골상태의 변화가 일어나는 시기이다. 폐경 후 에스트로겐 결핍의 결과로 골의 교체 속도가 증가하고 골흡수와 형성 사이의 불균형이 커진다. 그 결과 연간 골소실이 소주골의 3-5%, 전체 골의 1-1.5%로 5년 동안 가속화된다. 그 후 골소실은 연간 1% 이하로 점점 감소된다. 에스트로겐 결핍은 일차적으로 소주골이 많이 포함된 골 부위 즉 척추골에서 골량의 감소를 유발한다. 에스트로겐 결핍을 초래하는 질병 또는 요인이 있는 경우에도 골소실이 발생하는데 에스트로겐 결핍은 폐경 후 골다공증의 일차 병리 요인이지만 그 정확한 기전은 아직 밝혀지지 않았다. 에스트로겐 수용체는 조골세포, 파골세포, 골세포뿐 아니라 골 근처에 위치한 조혈세포와 혈관세포에서도 발견된다. 에스트로겐은 파골세포의 생존주기를 감소시키거나 파골세포의 형성을 조절하는 국소인자를 변하게 하여 골흡수를 억제할 수 있다, 모든 폐경 여성에서 골소실이 있지만 그 정도는 다양하다. 이는 개인에 따른 에스트로겐 수용체 작용의 차이 때문인 것으로 생각되나 아직 증명된 바는 없다. 이외에 성호르몬결합글로불린 농도와 국소으로 안드로겐에 의한 에스트로겐 생성의 차이도 고려할 수 있다.

3) 인지기능과 치매

정상 노화의 과정으로 60세 이후에 기억력이 감소하는 것으로 보고하고 있다. 단면조사연구에 의하면 60세 이후에 기억력이 점차 감소하여 40%가 일상생활에서 불편을 겪는다고 한다. 특히 새로운 정보를 받아들이고 이를 다시 기억해내는 능력과 작동기억(working memory: 계산 도중의 결과를 고속으로 기억하는 능력)이 현저히 영향을 받는데, 이를 담당하는 뇌는 해마와 전두엽 피질에 해당된다. 즉 연령이 증가함에 따라 뇌의 해마와 전두엽 피질의 노화로 인하여 신경세포, 신경전달물질, 신경세포의 자극전달부, 신경세포망의 손실을 가져와 인지기능의 저하를 초래한다. 기능 자기공명영상(functional MRI)에서도 이러한 양상을 확인할 수 있다.

여성의 알츠하이머병이 폐경 이후 에스트로겐 결핍과 관련이 있음을 시사하는 보고가 많다. 역학연구에서 여성이 남성에 비해 알츠하이머병의 발생율이 2-3배 정도 더 높다. 그 이유로 에스트로겐의 감소가 중요한 요인 중 하나로 지적되고 있다. 에스트로겐 결핍과 관련하여, 골다공증이 동반된 고령 여성에서 인지기능의 감소가 더 심하며, 내인성 에스트로겐 생성이 상대적으로 많은 비만한 여성에서 위험도가 떨어지는 것으로 보고하고 있다. 미국의 전향적 코호트연구에 따르면 폐경기 호르몬치료를 받은 여성은 알츠하이머병이 발생할 위험이 41%까지 감소했으며, 특히 10년 이상 사용한 여성에서는 83%까지도 감소하였다. 중요한 점은, 증상이 발생하는 시점보다 10년 이상 전에 호르몬치료를 시작한 여성에서만 이러한 보호효과가 관찰되어서, 알츠하이머병에 대한 예방효과를 기대하려면 폐경기의 이른 시기부터 호르몬치료를 시작해야 함을 시사한다.

에스트로겐은 뇌의 발육 및 대사에 중요한 영향을 가져오며, 뇌하수체의 신경내분비기능, 기억과 인지 기능, 기분 조절에 영향을 미치는 것으로 알려져 있다. 에스트로겐은 태아의 뇌발육에 영향을 끼쳐 남녀의 뇌 구조가 다르게 분화되도록 한다. 에스트로겐은 신경세포의 성장과 분화 및 재생에 중요한 역할을 하며, 신경세포끼리의 연결을 촉진한다. 에스트로겐은 콜린성 체계와 세로토닌 체계의 일부 신경전달물질의 생성과 대사에 영향을 끼쳐 뇌세포 상호 전달체계에 중요한 영향을 가져오는 것으로 알려져 있다. 또 에스트로겐은 신경손상을 유발하는 상황에서 손상을 줄이고 보호하는 효과를 가져오는 것으로 보고되고 있다. 그 기전으로는 에스트로겐이 항산화제로 기능을 하며, 신경세포의 자연사멸을 조절하고, 뇌혈관에 직접 작용하여 혈관확장을 촉진함으로써 대뇌혈류량과 당운반을 증가시키며, 뇌내의 급성 염증반응에 대한 항염작용을 하여 뇌신경 보호효과를 가져오는 것으로 추측되고 있다. 또 알츠하이머병의 중요 신경 병리 소견은 베타아밀로이드 단백질이 축적되는 소견인데, 에스트로겐이 아밀로이드 전구체 단백질의 대사에 관여하여 베타아밀로이드 단백질의 축적을 감소시키는 것으로 보고되고 있다. 뇌 신경계에는 에스트로겐 수용체 α, β 둘 다 분포하고 있으며, 시상하부, 해마(hippocampus), 편도(amygdala), 소뇌 및 대뇌피질에 선택적으로 분포하고 있는 것으로 보고되고 있다. 그리하여 에스트로겐이 이러한 구조물의 기능인 체온조절, 수면, 기분 및 인지기능에 영향을 끼치는 것으로 보고하고 있다.

에스트로겐은 기억과 인지기능에 주요한 역할을 하는 해마 및 변연계에 영향을 끼친다. 따라서 폐경 후 에스트로겐이 결핍될 경우 기억과 인지기능의 저하를 가져오는 것으로 보고되고 있다. 시공간개념이 뛰어난 남성과 달리 여성은 언어능력이 우수한 것으로 보아 성호르몬에 따른 인지기능의 차이가 있는 것으로 받아들여지고 있다. 건강한 여성에서 월경주기에 따른 인지기능의 변화를 보면, 월경주기 중 에스트로겐이 높고 프로게스테론이 낮은 시기에 정교한 운동, 기억력이 좋아진다. 또한 양측 난소절제술 후 무작위로 에스트로겐과 위약을 투여하여 기억능을 비교하였을 때 에스트로겐을 투여한 군에서는 기억력이 감퇴하지 않았다.

** 참고문헌 목록은 대한산부인과내분비학회 홈페이지 http://www.kosge.or.kr 또는 QR코드를 통해 보실 수 있습니다.*

CHAPTER

31 호르몬 치료

서석교(연세의대), 윤병구(성균관의대), 최승도(순천향의대)

호르몬 치료는 폐경 후 에스트로겐 생산의 감소에 따른 다양한 증상 치료를 위해 개발되었다. 에스트로겐은 열성 홍조, 질위축증 등의 폐경 증상을 완화시키고, 골밀도 감소를 예방하여 골절을 감소시킨다. 또한 심혈관질환 등의 만성 질환의 예방을 위해 널리 사용되었다. 최근 Women's Health Initiative (WHI) 연구는 호르몬 치료의 득과 실에 대한 많은 정보를 제공하였으나, 이에 대한 올바른 전달이 이루어지지 않아 바로잡을 필요가 있다. 이 단원에서는 호르몬 치료 시 고려되어야 할 일반적인 사항 및 각종 약제에 대해 살펴보고 득실에 대해 알아보기로 한다.

Ⅰ. 호르몬 치료의 역사, 적응증 및 금기

1. 호르몬 치료의 역사

1897년 난소 추출물이 폐경 여성의 열성 홍조에 도움이 된다는 사실이 보고된 이후 해당 호르몬을 분리하고자 하는 노력이 시작되어 1930년대 Allen과 Doisy가 처음으로 에스트로겐을 분리하는데 성공하였고 1932년 성호르몬에 관한 국제 미팅에서 '에스트로겐(estrogen)'이라는 단어가 에스트론(estrone), 에스트라디올(estradiol), 에스트리올(estriol)을 포함하도록 정의되었다. 프로게스테론(progesterone)은 1934년 정제되어 보고되었다.

초기 호르몬은 매우 적은 양만 생산이 가능하여 수 mg의 에스트라디올을 얻기 위해서 8,000여 마리의 암퇘지의 난소가 사용되었고, 프로게스토겐 역시 수 mg을 얻기 위해 50,000마리의 돼지 황체가 사용되었다. 1939년 제약 회사인 Ayerst가 말의 소변을 이용하여 다양한 에스트로겐을 포함하는 결합에스트로겐(conjugated estrogen)인 프레마린(premarin)을 개발한 이후 제조 단가가 획기적으로 낮아졌고, 프레마린은 1942년 미국에서 폐경 관련 증상의 치료를 위한 사용이 승인되었다. 이에 따라 1940년대부터 프레마린이 사용되었으나, 1970년대가 되면서 에스트로겐의 단독 사용이 자궁내막암의 발생 위험을 증가시킨다는 사실이 알려지면서 사용이 감소되기도 하였다. 하지만 자궁이 있는 여성에서 프로게스토겐을 추가하는 치료 방법이 소개된 이후 사용이 다시 증가하였고, 효과를 밝히기 위한 다양한 기초 및 임상 연구들이 시행되었다.

2. 호르몬 치료의 적응증

열성 홍조는 폐경 여성에서 호르몬 치료가 필요한 가장 중요한 증상으로 폐경주변기에 시작되어 평균 7.8년 이상 지속되는 것으로 알려져 있으며, 삶의 질, 뼈 건강 및 뇌 건강과 관련이 있는 것으로 생각된다.

우리나라 자연 폐경 여성 800여 명을 대상으로 조사한 바에 따르면 폐경 관련 증상을 경험하였다고 답한 여성은 89%였고 그 중 열성 홍조가 61%로 가장 많았다. 에스트로겐은 프로게스토겐 포함 여부에 관계없이 열성 홍조 및 이와 관련된 장애에 대한 가장 효과적인 치료로, 무작위 대조군 연구에서 위약(placebo)에 비해 열성 홍조의 빈도를 77% 감소시킨다고 보고되었다.

한편, 아급성 폐경 증상인 질위축 증상(건조감, 성교통, 위축 질염)에도 호르몬 치료가 효과적이다. 대부분의 경구 호르몬 제제 및 국소 호르몬 제제들이 질위축 증상의 치료 방법으로 허가되었으며, 저용량의 간헐적인 치료도 효과적일 수 있다. 하지만, 초저용량의 경구 호르몬 제제는 증상을 호전시키는 효과가 부족할 수 있다. 전신 증상이 없이 질위축 증상만을 치료하고자 하는 경우에는 일반적으로 국소 호르몬 치료를 시행하는 것이 바람직하지만, 성욕 증진 등 성기능의 개선만을 목적으로 호르몬 치료를 권고하지는 않는다. 국소 호르몬 치료는 질위축이 동반된 절박요실금이 있는 일부 여성에서도 효과적이라고 보고되기도 하였으나, 다른 투여 경로들도 과민방광의 치료에 효과가 있는지 여부는 아직 불분명하다. 한편, 국소 치료가 요도상피의 증식 및 질내 정상 세균총의 복구를 통해 재발 요로감염의 위험을 줄일 수 있으나, 아직 미국 FDA의 허가사항에는 이와 같은 적응증이 포함되어 있지 않다.

이와 함께 호르몬 치료가 폐경 후 골다공증을 예방하고 골다공증 골절을 감소시킨다는 사실이 잘 알려져 있는데, 폐경 증상과 관계없이 골밀도가 감소된 상태이거나 감소가 예상되는 여성에서 다른 약제의 사용이 여의치 않다면 골밀도 감소를 예방하기 위하여 호르몬 치료를 시행할 수 있다.

40세 이전에 폐경을 경험하는 조기난소기능부전(premature ovarian insufficiency) 환자들은 50대에 폐경을 경험하는 일반적인 경우와는 다르게 골다공증, 심장질환, 치매, 뇌졸중, 파킨슨병 등의 유병률이 증가하며, 사망률(overall mortality)도 증가한다. 따라서 일반적인 폐경 여성들에 대한 연구 결과를 조기난소기능부전 환자들에게 그대로 적용할 수는 없으며, 일반 폐경 여성에 비해 호르몬 치료의 위험은 더 적고 이익은 더 클 것으로 생각된다. 따라서 조기난소기능부전 환자에서는 적어도 평균 자연 폐경 연령까지 호르몬 치료를 하는 것이 필요하다.

3. 호르몬 치료의 금기증

호르몬 치료와 심혈관질환의 관련성에 관해서는 아직 논란이 많은 상황이지만, 최근 WHI 연구 결과에 따르면 50-59세 또는 폐경 후 10년 이내인 여성이 폐경 증상의 치료를 위해 호르몬 치료를 시작한 경우에는 심혈관질환의 위험이 증가하지 않았다. 하지만, 현재 북미 폐경학회에서는 폐경 증상이 없는 여성이 심혈관질환의 1차 혹은 2차 예방을 위한 목적으로만 호르몬 치료를 사용하는 것을 권장하지 않고 있다.

유방암 환자에서 호르몬 치료의 안전성에 대해서는 아직 일치된 견해는 없는데, 2001년의 환자-대조군 연구에서는 유방암 환자에서 호르몬 치료 시 재발 위험이 연간 17/1,000명으로 비사용군(연간 30/1,000명)보다 낮았고, 미국에서 진행된 다른 연구에서는 재발률에 차이가 없었다. 한편 북유럽에서 시행된 2개의 연구는 서로 상반된 결과를 보고하였는데, HABITS (Hormone replacement therapy After Breast cancer-is IT Safe?) 연구에서는 4년간의 추적 관찰에서 재발률이 2.4배 증가한 반면, Stockholm 연구에서는 재발률에 차이가 없었다. 결론적으로 아직 유방암 환자에서 호르몬 치료가 재발에 영향을 미치는지에 대해서는 결론을 내리기 힘든 상황이므로, 폐경 증상으로 부득이하게 호르몬 치료를 고려하는 경우에는 재발 위험에 대해 충분히 논의가 필요하다.

자궁내막암 환자에서의 호르몬 치료는 관찰 연구에서 재발률의 증가가 관찰되지 않았다. 유일하게 1-2기 환자를 대상으로 시행된 무작위 대조군 연구는 WHI 연구의 영향으로 조기 종결되었는데, 3년간의 호르몬 치료 및 2년간의 추적 관찰 기간 동안 재발률의 차이가 없었다. 하지만 상대적으로 예후가 좋은 1-2기 환자만을 대상으로 하였다는 제한점이 있다. 현재 북미 폐경학회에서는 자궁내막암의 과거력이 있는 여성에서는 호르몬 치료를 권고하고 있지 않으며, 호르몬 수용체 양성인 고위험 자궁내막암 환자의 경우 적어도 5년 동안 호르몬 치료를 피해야 한다고 권고하였다.

Ⅱ. 호르몬 치료 방법

표 31-1. 에스트로겐의 상대적인 역가(potency)

에스트로겐	간 단백	골
결합 에스트로겐	0.625 mg	0.625 mg
미세화 에스트라디올	1.0 mg	1.0 mg
에스트로피페이트(Estropipate)	1.25 mg	1.25 mg
에티닐 에스트라디올	2-10 ug	5.0 ug
에스트라디올 발러레이트	-	1.0 mg
경피 에스트라디올 패치	-	50 ug

1. 에스트로겐의 투여 용량과 경로

에스트로겐은 종류에 따라 용량이 다르므로 상대적인 역가를 고려하여 처방하여야 한다. 과거 널리 사용되었던 결합에스트로겐의 표준 용량(0.625 mg)의 골에 대한 효과와 동일한 역가는 에스트라디올 발러레이트(estradiol valerate)는 1 mg, 에티닐 에스트라디올(ethinyl estradiol)은 5 μg에 해당한다(표 31-1). 또한 경피 에스트라디올 패치는 50 μg이 동일한 역가이다. 하지만 폐경 증상에 대한 효과는 약물마다 다르게 나타날 수 있어, 약물을 바꾸게 되는 경우 동일 역가의 용량을 사용하는 것 이외에도 적절한 용량을 찾는 과정(titration)이 필요하다.

이러한 역가의 차이가 발생하는 가장 중요한 이유는 에스트로겐이 수용체에 결합하는 시간이 다르다는 점으로, 에스트리올은 에스트라디올에 비해 수용체 결합력이 20-30% 정도에 불과하며 빠르게 배출되는데, 이에 따라 일부 연구에서는 에스트리올의 경우 골감소를 막지 못한다고 보고되기도 하였다. 한편, 에스트라디올 발러레이트는 복용 즉시 에스트라디올로 수화되어 약리학 반응이 에스트라디올과 동일하다. 에스트로겐은 경구 또는 경피로 투여될 수 있으며, 국소 치료를 위해 경질투여도 가능하다(표 31-2). 경구로 투여된 에스트로겐은 위장관을 거쳐 간문맥으로 흡수되므로 간문맥의 에스트로겐 농도가 말초에 비해 4-5배 높은데, 이에 따라 경구 투여 시간에 대한 영향이 나타날 수 있으며, 대표적으로 혈중 지질 농도의 변화, 특히 저밀도지단백(low-density lipoprotein, LDL)의 감소 및 중성 지방의 증가가 나타날 수 있다. 반면, 경피투여 시에

표 31-2. 호르몬 치료 투여 경로에 따른 장단점

	경구투여	경피투여	경질투여
장점	복용이 편리 용량 조절 가능	투여 방법 용이 간에 대한 효과 없음 고중성지방혈증 시 처방 가능 일정한 혈중 농도 유지	국소에만 작용 비뇨생식기에 효과
단점	낮은 순응도 간에서의 일차통과 효과 (1st pass effect) 소화기계 부작용	피부 과민 반응 낮은 순응도 국소에만 작용 비뇨생식기에 효과	전신 증상에 효과 없음 골 보호 효과 없음

는 이와 같은 영향이 관찰되지 않는다. 또한 경구 투여 시 투여 용량의 30-90% 정도가 간에서 불활성화되므로, 경피 투여에 비해 높은 용량의 투여가 필요하고, 사람마다 대사율의 차이가 있기 때문에 효과에 차이가 있을 수 있다. 또한 에스트로겐을 분해하는 시토크롬(cytochrome) P450 효소에 영향을 주는 약제를 복용하는 경우 효과가 감소할 수 있으며, 포도 주스 등은 수화(hydroxylation) 과정을 방해하므로 분해가 늦어져 농도가 상승할 수 있다.

경피투여는 특히 혈전증의 위험이 있거나 고중성 지방혈증 또는 대사증후군이 있는 비만한 여성, 그리고 흡연을 하거나 고혈압이 있는 여성에서 우선적으로 고려되어야 한다. 패치 및 겔 타입 중 패치는 부착막에 에스트로겐이 함유되어 있는 형태를 사용하며 14-100 μg 용량으로 사용이 가능하다. 일반적으로 3-7일 간격으로 교체하는데, 부착 부위에 홍반이나 자극이 있을 수 있어 둔부에 부착이 권장된다. 반면 겔은 피부가 얇은 팔, 손목 부위에 바르며, 바른 후 신속하게 흡수되지만 한 시간 이내에는 세척하지 않는 것이 좋다.

폐경과 관련된 전신 증상이 없고 질건조증과 같은 국소 증상만이 있는 경우 경질투여가 고려된다. 비뇨생식기계 위축 변화인 질 분비물 감소, 성교통, 빈뇨, 잔뇨감 등이 있는 경우 질크림이나 질정을 이용할 수 있으며, 현재 국내에서는 에스트리올(estriol) 질정을 1주 2회 사용할 수 있다. 경질투여는 골밀도 및 전신 증상에는 영향이 없는 등, 전신 흡수 정도는 미미할 것으로 생각되나 기존 연구 기간이 대부분 1년 미만이므로, 6-12개월 이상의 장기 투여가 필요한 경우나 임상적으로 필요하다고 판단되는 경우에는 초음파를 시행하여 필요시 자궁내막 조직검사를 시행할 수 있다.

에스트로겐 복용에 따른 부작용을 최소화하기 위해 저용량의 호르몬 치료가 가능한데, 일반적으로 저용량은 결합에스트로겐 0.3 mg, 에스트라디올 1 mg, 에스트라디올 발러레이트 1 mg, 경피 에스트라디올 25-50 μg을 의미하며, 에스트라디올 0.25 mg 또는 경피 에스트라디올 0.14 μg은 초저용량이라고 정의한다. 현재 국내에는 결합에스트로겐 0.3 mg, 에스트라디올 1 mg 제제가 사용 가능하다. 저용량 제제의 장기간 사용에 따른 득실은 아직 보고되지 않았으나, 안면 홍조 감소 효과가 적을 수 있음에도 불구하고 전반적 효과는 표준 용량에 비해 유리할 것으로 기대된다. 미국 여성에 대한 연구에서는 경구 결합에스트로겐 0.625 mg, 0.45 mg, 0.3 mg을 투여하였을 때, 모든 용량에서 위약군에 비해 유의하게 안면 홍조의 횟수 및 정도(severity)가 감소하였으며, 횟수의 경우 용량에 따른 차이가 관찰되지 않았다. 한편, 아시아 11개국의 여성 600여 명에 대한 연구에서는 0.625 mg, 0.45 mg, 0.3 mg의 용량으로 6개월 동안 치료 시 모든 용량에서 안면 홍조의 횟수와 정도가 모두 비슷하게 감소하였는데, 이러한 결과는 호르몬 용량에 따른 치료 효과가 인종에 따라 다를 수 있음을 시사하였다. 한편, 질위축에 대한 효과 비교에서는 두 연구 모두 모든 용량에서 위약군과 비교하여 의미 있는 질 상피세포의 증가를 보였다. 한편, 초저용량 경피 에스트로겐(14 μg)을 사용한 연구에서는 중등도 이상의 질건조감과 위축을 호소하는 여성에서 12주간 투여 시 증상의 호전 및 질 상피세포의 증가가 있었으며, 다른 연구에서도 초저용량 경피 에스트로겐 투여 시 질건조감과 통증을 유의하게 호전시켰다.

뇌졸중의 경우 Nurses'Health Study에서는 표준 용량 이상의 결합에스트로겐을 사용하면 뇌졸중의 위험이 증가하는 반면, 0.3 mg을 투여하면 위험 증가가 관찰되지 않아 용량에 따른 위험의 차이가 보고되었다. 정맥혈전증 역시 이와 마찬가지로 저용량 사용 시 위험이 감소할 것으로 생각되나, 아직 무작위 대조군 연구는 진행되지 않았다. 한편, Continuous Hormones as Replacement Therapy (CHART) 연구에서는 에티닐 에스트라디올과 초산 노르테스토스테론(nortestosterone acetate, NETA)의 저용량 치료 시 저밀도 지단백(low-density lipoprotein, LDL)이 감소되는 효과가 관찰되었다. 골에 대한 유익한 효과 역시 저용량에서도 관찰되었으며, 결합에스트로겐 0.3 mg을 3.5년간 투여 시 요추 골밀도가 3.5% 증가한다고 보고하였다. 또 다른 연구에서도 결합에스트로겐 0.3 mg 및 0.45 mg 투여하였을 때 위약군에 비해 유의한 요추와 대퇴 골밀도의 증가 및 골흡수 표지자 역시 감소하였다는 관찰 결과가 있다. 에스트라디올 0.25 mg을 3년간 투여하였을 때도 요추 및 대퇴 골밀

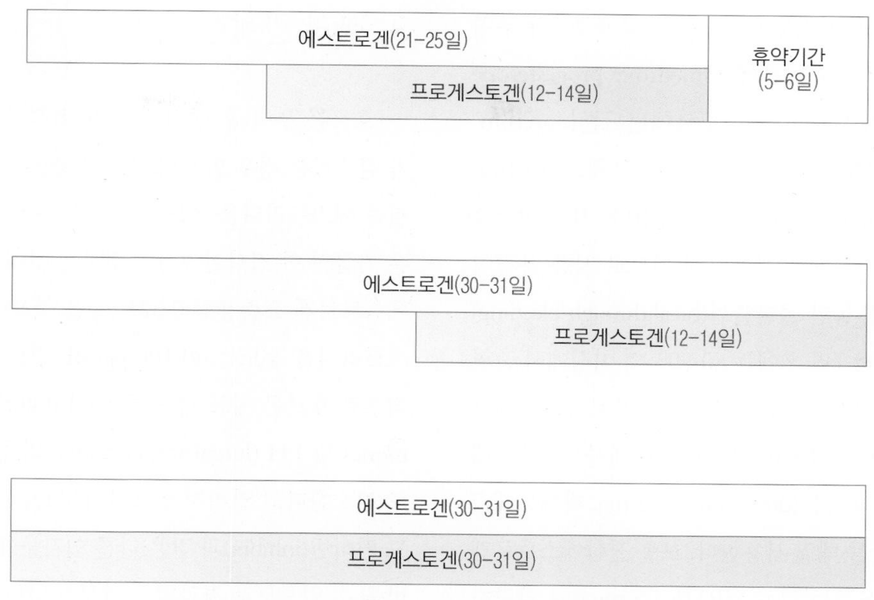

● 그림 31-1. **에스트로겐- 프로게스토겐 병합 투여 방법**

표 31-3. 에스트로겐-프로게스토겐 병합 투여 방법에 따른 장단점

	주기 병합요법	지속 병합요법
제형	에스트로겐 지속 투여 프로게스토겐 12-14일 투여	에스트로겐-프로게스토겐 지속 투여
질출혈 유무	쇠퇴출혈	출혈 없음
장점	환자가 기억하기 쉬워 정확한 복용 필요시 프로게스토겐 날짜 변경 가능	프로게스토겐 용량 감소로 부작용 감소
단점	프로게스토겐의 용량 증가로 인한 부작용 (유방압통, 복부팽만감, 피곤, 과민함) 쇠퇴출혈을 불편해할 수 있음 자궁내막암의 증가 가능성(?)	돌발출혈(6개월 이내) 메드록시프로게스테론의 경우 유방암과 관련성(?)

도가 각각 2.8%, 2.6% 증가하였고 골흡수 표지자가 감소하였다. 경피 에스트라디올 패치 25 μg 사용 시 유의한 요추 및 대퇴 골밀도의 증가가 있었으며, 초저용량(14 μg)에서도 요추 골밀도 증가가 보고된 바 있다.

2. 에스트로겐 투여 방법

자궁이 있는 여성에서 에스트로겐을 단독으로 사용하는 경우 자궁내막암 발생 위험이 증가된다는 사실이 알려진 후, 자궁이 있는 여성에서는 호르몬 치료 시 프로게스토겐을 병합하여 사용하게 되었다. 자궁을 절제한 여성에서도 프로게스토겐 사용이 필요한 경우가 있는데, 자궁내막증의 과거력이 있거나 자궁절제 시 경부의 일부를 남겨놓은 경우 등이 대표적이다. 하지만 전자궁절제술을 받은 여성으로 위와 같은 과거력이 없다면 에스트로겐 단독 치료를 시행한다.

프로게스토겐을 추가하는 방법에 따라 주기 병합요법(sequential combined) 또는 지속 병합요법(continuous combined)으로 나눌 수 있는데(그림 31-1)(표 31-3), 주기적 요법은 80-90%에서 쇠퇴출혈(withdrawal bleeding)을 유발한다. 일반적으로 주기적 요법을 위해서는 에스트로겐은 매일 사용하고 프로게스토겐은 한 달에 2주간 투여하며, 초산메드록시프로게스테론(medroxy progesterone acetate, MPA)는 5-10 mg, 초산노르에틴드론(norethindrone acetate, NETA)는 1 mg, 미세화프로게스테론(micronizedprogesterone)은 200 mg을 사용한다. 지속 병합요법은 매일 프로게스토겐을 복용하게 되므로 사용 용량이 적으며, 초기 6개월 동안 돌발출혈(breakthrough bleeding)이 발생할 수 있으나 1년 후에는 80-90%의 여성에서 출혈이 없어진다. 지속 병합요법을 위해서는 프로게스토겐으로 MPA 2.5-5 mg, NETA 0.5-1.0 mg, 미세화프로게스테론 100 mg, 드로스피레논(drospirenone) 2 mg, 디에노게스트(dienogest) 2 mg을 매일 사용한다. 보통 결합에스트로겐 0.3-0.45 mg을 사용하는 경우 MPA를 1.5 mg으로 감량하여 사용할 수 있는데, 유방통 및 돌발출혈 빈도가 감소하고 무월경 빈도가 증가하는 장점이 있다. 이 밖에 겔 타입의 경질 프로게스토겐 투여 방법도 있으나 국내에서는 시판되고 있지 않으며, 프로게스토겐이 에스트로겐과 함께 포함된 패치는 생산이 중단되었다. 또는 프로게스토겐 분비 자궁내장치(progesterone releasing intrauterine device)도 사용할 수도 있는데, 아직 관련 연구가 많지는 않지만 호르몬 치료 시 자궁내막 보호 효과가 보고되었다.

투여되는 프로게스토겐 종류와 용량, 그리고 날짜는 의사에 따라 다양하게 조절될 수 있지만, 주기 병합요법의 경우 프로게스토겐의 처방 일수가 최소 10일 이상이어야 하며, 14일 미만인 경우 자궁내막증식증의 위험이 증가할 수 있으므로, 일반적으로 최소 12-14일의 사용이 권장된다. 한편, 최근 핀란드에서 시행된 연구 결과 5년 이상 표준 용량의 주기 병합요법을 시행하였을 때 자궁내막암 발생 위험이 증가하였으나, 아직 주기 요법과 지속 요법 중 어느 것이 더 안전하다고 결론을 내릴 수는 없는 상황이다. 다만 표준적인 방법 이외의 프로게스토겐 투여(3개월마다 투여, 경질투여, 저용량 에스트로겐 단독 투여 등)는 자궁내막의 안전에 관한 근거가 아직 미약하므로, 사용 시 자궁내막에 대한 주의 깊은 관찰이 필요하다.

3. 경과 관찰 및 감시

호르몬 투여 후 증상 완화가 적절하지 않거나 골밀도가 감소하는 경우 환자의 약물 순응도를 확인하여야 하며, 혈중 에스트라디올 농도를 측정할 수 있다. 혈중 농도측정은 가급적 한 검사실에서 측정하는 것이 바람직하며, 결합에스트로겐 표준용량 0.625 mg을 복용하는 경우 혈중 에스트라디올 농도는 40-100 pg/mL 정도로 측정된다. 일반적으로 호르몬 치료 시 혈중 FSH (follicle stimulating hormone) 및 LH (lutenizing hormone)의 농도가 10-20% 정도 감소한다고 알려져 있으나, FSH는 에스트로겐 이외에도 인히빈(inhibin)과 같은 다른 인자들에 의해서도 영향을 받을 수 있으므로 결과의 신뢰성이 낮다. 혈중 에스트라디올 농도를 측정하기 어려운 경우 질벽에서 산도를 측정하는 방법을 사용할 수 있는데, 질내 산도는 비교적 정확하게 혈중 에스트라디올 농도와 비례하며, pH 4.5 이하의 산성인 경우 적절한 혈중 에스트라디올 농도를 반영한다고 해석할 수 있지만, 질염 등 산도의 변화가 있을 수 있는 경우에는 부정확하다.

골밀도 추적 관찰 시에는 측정 오차를 고려하여 적어도 3-5%의 골밀도 변화를 임상적으로 의미 있는 골소실로 평가하는데, 환자의 약물 순응도에 따라 다를 수 있지만, 약 5-15% 정도의 환자가 치료에도 불구하고 골소실이 진행되거나 골절을 경험하는 것으로 보고된다. 이와 같은 경우 환자의 약물 순응도를 확인하고 혈중 에스트라디올 농도를 측정하는데, 만약 혈중 에스트라디올 농도가 낮다면 약물 용량을 적절하게 조절한다. 반면, 혈중 에스트라디올 농도가 40-100 pg/mL 농도로 적절하게 유지되는 경우에는 골흡수억제제인 비스포스포네이트 추가를 고려할 수 있으며, 골밀도와 함께 골교체인자를 추적 관찰한다. 한편, 치료 첫 해와 다음 해의 골밀도 변화 양상이 다르게 나타나는 평균값 회귀 현상(regression to the mean)도 고려되어야 하며, 치료 순응도나 다른 이차적 원인이 없다면 적어도 2년 이상의 골밀도를 검사 결과를 이용하여 판단하는 것이 바람직하다.

이외에 골소실이 일어날 수 있는 아래와 같은 원인이

고려되어야 한다.

1) 섭식 장애
2) 약물 복용: 헤파린, 항간질제, 알코올의 다량 섭취
3) 만성 질환: 만성 신질환 혹은 만성 간질환
4) 내분비이상: 스테로이드 사용, 갑상선기능항진증, 부갑상선기능항진증
5) 영양 장애: 칼슘, 인, 비타민D 부족증

4. 호르몬 치료 중 문제점 및 해결 방안

프로게스토겐으로 인해 유방통, 붓는 느낌 등을 경험할 수 있으며, 이로 인해 치료를 중단하는 경우가 있다. 하지만, MPA를 단기간 사용한 연구에서는 유방의 불편감 이외의 다른 부작용은 의미 있게 증가하지 않았는데, 이는 유방통 이외의 다른 부작용들이 치료와 관계없이 발생하였을 가능성을 시사한다. MPA에 민감한 환자들에서는 증상 완화를 위해 NETA로의 교체를 시도해볼 수 있다.

지속 병합요법 시행 시 첫 6개월 동안 약 40-60%의 환자가 돌발출혈을 경험하지만 이 발생이 점차 감소하여 1년이 지나면 약 10-20% 정도로 낮아진다. 돌발출혈은 피임약과 유사하게 프로게스토겐의 자궁내막 위축 효과로 인해 발생하는데, 고용량의 프로게스토겐에서 더 흔하고, MPA에 비해 NETA에서 적게 발생한다. 호르몬 치료 중 출혈이 있으면 초음파를 시행하여 자궁내막 두께를 측정하는데, 일반적으로 4 mm 이상인 경우 자궁내막 조직검사가 필요하며 호르몬 치료 중 출혈이 있는 환자의 50-75%에 해당한다. 반면, 이 기준 이하일 경우 면밀히 관찰하면서 지켜볼 수 있다. 주기 병합요법 시 측정 시기에 따라 자궁내막의 두께가 다를 수 있는데, 프로게스토겐 복용 주기의 끝부분이나 새로운 투약 주기의 시작 즈음에 초음파를 시행하는 것이 권장된다. 조직 검사 결과상 위축 자궁내막(atrophic endometrium)임에도 불구하고 초음파상 자궁내막의 두께가 증가되어 있다면 자궁내막 폴립을 의심해 볼 수 있으며, 이 경우 초음파 자궁조영술(sonohysterography)을 시행하는 것이 진단에 도움을 줄 수 있으나, 도플러는 비정상 자궁내막의 진단 정확도를 높이는 데 별로 도움이 되지 않는다. 한편, 초음파상 정상이라 하더라도 출혈이 지속되면 자궁경 혹은 조직검사를 시행하는 것이 좋다. 지속 병합요법에서 돌발출혈이 지속되는 경우 주기 병합요법으로의 전환, 프로게스틴 분비 자궁내 장치, 자궁내막 소작술 등을 고려할 수 있다.

호르몬 치료 중 체중 증가를 호소하는 경우가 있으나, 기존 연구 결과 프로게스토겐 병용 여부와 상관없이 호르몬 치료는 체중 증가와 관련이 없었으며, PEPI 연구에서는 오히려 체중이 감소하였다. 폐경 여성에서의 체중 증가는 폐경과 연관된 호르몬 변화 혹은 호르몬 치료보다는 칼로리 섭취와 운동의 균형이 맞지 않는 고영양 식이가 주요한 원인으로 생각된다. 폐경 이후에는 인슐린저항성 및 복부 지방 증가가 관찰되는데, 에스트로겐은 이러한 지방 증가를 억제하는 것으로 보고되었다.

5. 투여 기간 및 중단 방법

호르몬 치료의 기간에 대해서는 확실히 정해진 바가 없으며, 치료 기간에 특별히 제한을 둘 필요는 없다. 다만 호르몬 치료의 목적, 투여에 따른 이득과 위험에 대해 환자에게 충분히 설명하고 상담하는 것이 좋다. 그럼에도 불구하고 WHI 연구 결과 발표 이후 호르몬 치료 중단 시 의사와 상의한 사람은 34%에 불과한 것으로 조사되는 등, 정확한 정보를 습득하지 못한 상태로 치료를 중단하는 경우가 많다.

따라서 중단을 결정하기 전에 최근의 연구 결과들, 치료의 적응증, 환자의 과거 병력과 투약력, 가족력을 고려한 상담이 필수이다.

폐경이 된 후 호르몬 치료를 받지 않는 여성의 경우 열성 홍조 등의 혈관운동증상이 10-15%에서는 수년 이상 지속될 수 있다. 이와 유사하게 호르몬 치료를 받던 여성이 치료를 중단하면 혈관운동증상을 다시 경험할 수 있는데, WHI 연구에 참여하였던 여성이 연구 종료 이후 호르몬 치료를 중단하였을 때 혈관운동증상을 20% 정도에서 경

험하였다고 보고되었다. 한편, 현재까지는 치료 중단 시 증상이 어느 정도 지속될지를 예측할 수 있는 방법은 없으며, 증상이 심한 경우에는 환자의 연령, 증상 정도, 호르몬 치료에 따른 득실을 고려하여 치료를 다시 시작할 것인지에 대해 상담이 필요하다.

호르몬 치료를 중단할 때 갑작스럽게 혹은 서서히 중단하는 방법 중 어느 것이 가장 좋은지에 대하여 아직 일치된 의견은 없다. 에스트로겐이 성호르몬결합글로불린과 알부민에 결합하므로 약 한 달에 걸쳐 배설될 수 있음을 고려하여 일단 중단을 해보고("cold turkey") 증상을 확인할 수 있다. 그러나 다시 열성 홍조 등의 증상이 있게 되면 호르몬 치료를 재개하고 약 6개월간 유지한 이후 중단을 다시 시도하는 방법을 사용할 수 있다. 한편, 서서히 중단하는 경우 매일 복용하는 용량을 줄이거나 1주 동안 복용하는 일수를 줄이는 방법이 있으며, 용량을 줄이는 경우 4-6주마다 줄여볼 수 있다. 용량을 줄이면서 혈관운동증상이 나타나는 경우 3-6개월 동안 동일 용량을 사용하면서 증상이 호전되기를 기다려볼 수 있다. 또한 1주 동안 복용하는 일수를 줄이는 경우에는 지속 병합요법과 동일하게 프로게스토겐 용량은 유지한다.

III. 티볼론(Tibolone)

폐경 후 호르몬 요법에 관한 대규모 무작위 대조 연구인 WHI 결과가 발표된 후 호르몬 치료가 매우 감소하게 되었다. 대안의 하나로써 조직특이성을 가진 약제가 주목을 받고 있는데, 이러한 약제들로는 선택에스트로겐수용체조절제(selective estrogen receptor modulator, SERM)와 조직선택에스트로겐복합체(tissue selective estrogen complex, TSEC), 선택조직에스트로겐활성조절제(selective tissue estrogenic activity regulator, STEAR)가 대표적이다.

세계폐경학회의 치료 지침에서 티볼론은 호르몬 치료로 분류되고 있으나, 기존의 호르몬 제제와는 달리 조직에 따라 다른 효과를 나타내므로 STEAR라 불리고 있다.

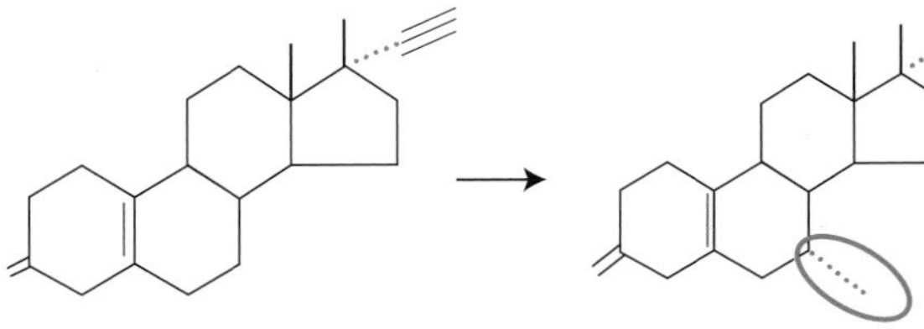

● 그림 31-2. **티볼론의 구조**

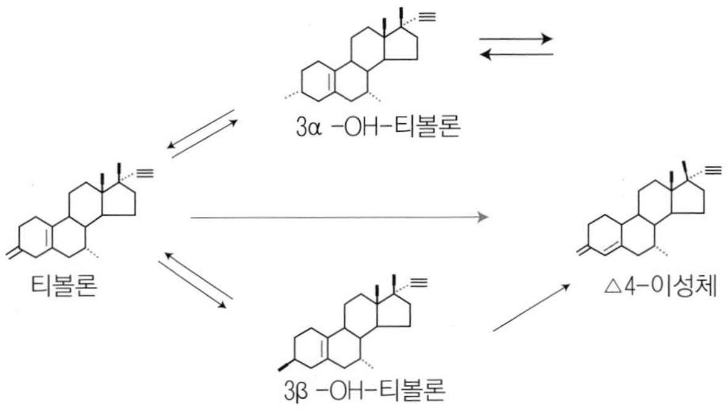

● 그림 31-13. **티볼론 대사**

1. 구조와 대사

티볼론의 화학 구조는 합성 스테로이드인 19-노르테스토스테론 프로게스틴(nortestosterone progestin)과 비슷하다(그림 31-2). 티볼론은 경구 투여 후 간과 장에서 대사되어 3가지 활성 대사물질로 전환되며(그림 31-3), 3α- OH와 3β- OH 티볼론 대사물은 에스트로겐 수용체와 반응하여 뼈와 질 등의 조직에 에스트로겐 효과를 나타내는 반면, △4-이성체(isomer)는 주로 자궁내막에서 전환되어 프로게스테론 및 안드로겐 수용체와 반응하여 각각 프로게스테론

표 31-4. 티볼론 대사물질의 수용체 친화성

	에스트로겐 수용체	프로게스테론 수용체	안드로겐 수용체
3α-OH-티볼론	+	−	−
3β-OH-티볼론	+	−	−
△4-이성체	−	+	+

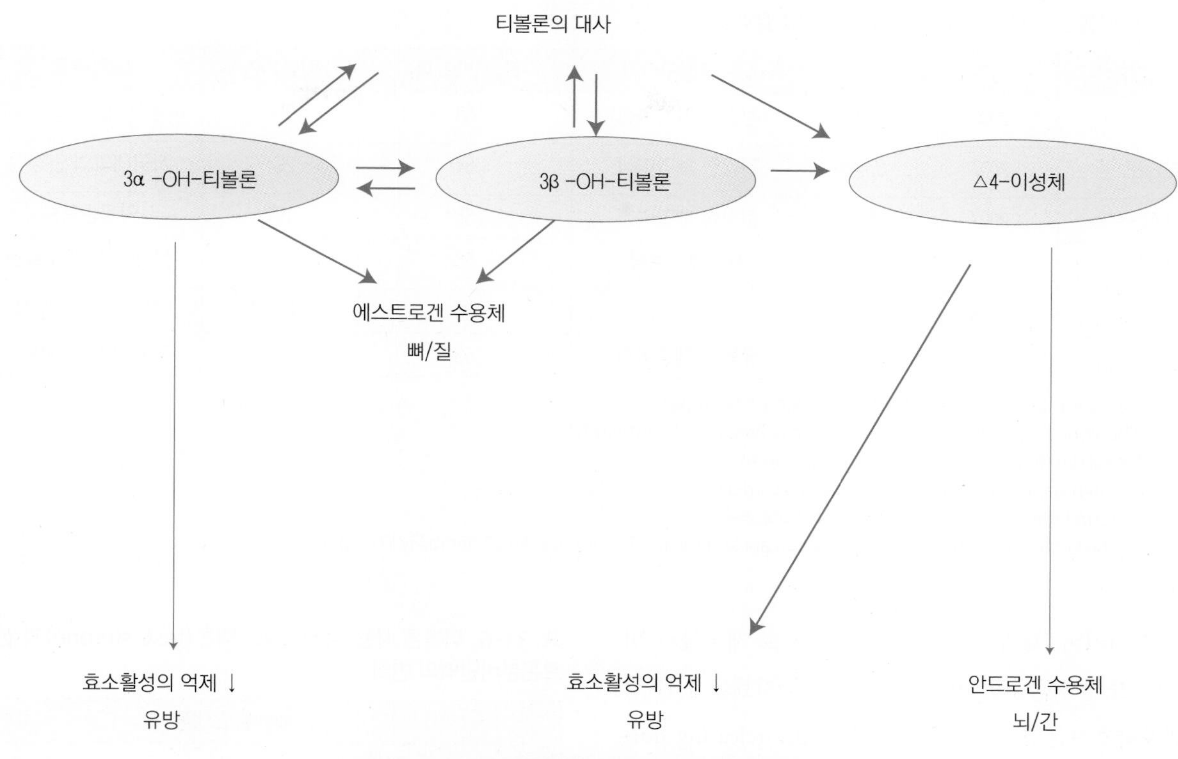

● 그림 31-4. **티볼론 대사 물질의 조직에서의 작용**

과 안드로겐의 특성을 나타내므로 자궁내막과 유방 조직의 증식을 방지한다(표 31-4과 그림 31-4).

2. 제형 및 용량에 따른 효과

티볼론은 1.25 mg(국내에는 없음)과 2.5 mg의 두 제형이 있는데, 초기 연구 결과에 의하면 1일 1.25 mg의 투여도 열성 홍조와 골밀도에 효과가 있다. 다만 열성 홍조의 경우 1.25 mg 사용 시 늦게 효과가 나타났으며 충분한 치료 효과를 보이지 못하는 경우가 있었고, 이로 인해 약 10% 정도가 치료를 중단하였다. 반면 1일 5.0 mg에서는 질 출혈의 빈도가 2배로 증가하는 문제가 발생하여 결론적으로 1일 2.5 mg가 효과적 용량으로 제시되었다. 하지만 골소실의 예방에 대해서는 1일 1.25 mg부터 척추와 대퇴 골밀도를 모두 증가시키므로, 골에 대한 효과만을 목표로 할 때는 1일 1.25 mg가 최소 유효 용량이다.

티볼론의 반감기는 36시간 정도이므로, 이틀에 2.5 mg 1정을 투여하기보다는 매일 1.25 mg를 투여하는 것이 더 효과적일 것으로 생각된다.

3. 효능

티볼론은 폐경 증상의 치료와 골다공증 예방을 목적으로 유럽에서 주로 이용되고 있으며, 미국에서는 사용 허가를 얻지 못하여 사용이 제한적이다. 그동안 티볼론이 주요 건강에 미치는 효과에 대한 연구도 제한적이었으나, 최근 여러 무작위 대조군 연구 결과가 발표되어(표 31-5), 효능 및 안전성에 대한 보다 많은 정보가 제공되었다.

1) 갱년기 증상의 호전

안면홍조, 발한, 불면증, 두통과 피로 등의 갱년기 증상

표 31-5. 티볼론을 사용한 무작위 대조 연구의 결과들

연구	연도	명	대상군	평균연령(세)	치료기간	일차목표
OPAL	2006	866	건강한 폐경여성	58	3년	목동맥 내막, 중막두께
THEBES	2007	3,240	건강한 폐경여성	84	2년	자궁내막의 안정성
TOTAL	2007	572	건강한 폐경여성	55	1년	약물순응도
LISA	2008	403	자연폐경여성	56	6개월	성기능 장애의 호전
LIFT	2008	4,538	골다공증	68	34개월	척추 골절 위험성
LIBERATE	2008	3,148	유방암 폐경여성	53	3.1년	유방암의 재발

OPAL (Osteoporosis Prevention and Arterial Effects of Tibolone)
THEBES (Tibolone Histology of the Endometrium & Breast Endpoint Study)
TOTAL (Tolerability Trial comparing Activelle with Livial)
LISA (Livial International Study in sexual Arousal disorder)
LIFT (Long-term Intervention on Fractures with Tibolone)
LIBERATE (The Livial Intervention following Breast cancer; Efficacy, Recurrence And Tolerability Endopoints)

을 완화시키며, 효과는 기존의 호르몬 치료 제제들과 비슷하다. 또한 자궁근종이나 자궁내막증의 치료를 위한 생식샘자극호르몬방출호르몬(gonadotropin releasing hormones, GnRH) 작용제(agonist) 투여 시 보강요법(addback therapy)으로 사용될 수 있다.

2) 감정과 우울증(Mood & Depression)의 호전

감정에 대한 티볼론의 유익한 효과는 베타 엔도르핀(β-endorphin)의 정상화와 안드로겐적인 특성에 기인한다. 티볼론은 감정의 개선에 있어 호르몬 치료에 비해 보다 효과적이다.

3) 성적 욕구와 성적 반응(libido & sexuality)

티볼론은 성적 반응(성적 욕망, 성적 관심, 특히 성적 판타지, 흥분, 오르가즘) 향상에 대한 우수한 효과를 나타내며, 이러한 반응은 호르몬 치료보다 좋다. 이러한 효과는 두 가지 기전으로 설명되는데, 혈중 유리 테스토스테론의 증가와 △4-이성체의 직접인 안드로겐 효과이다. 티볼론은 총 테스토스테론의 농도는 감소시키나, 성호르몬분비단백(sex hormone-binding globulin, SHBG)도 감소시키므로, 비결합형 상태의 유리 테스토스테론이 증가된다(표 31-6).

표 31-6. 티볼론 사용 시 테스토스테론(testosterone)과 성호르몬분비단백의 변화

	테스토스테론		
	성호르몬 결합글로불린	총 테스토스테론	유리 테스토스테론
에스트로겐	↑	↓	↓
티볼론	50% ↓	↓	↑

4) 비뇨생식계 위축 증상의 호전

질에서는 에스트로겐 효과를 나타내어 위축을 개선하며, 자궁경부 점액을 향상시킨다. 질 건조증, 성교통, 비뇨기계 증상의 개선에 효과적이다.

5) 삶의 질(Quality of life)의 향상

갱년기 증상, 비뇨기계 증상, 수면 장애, 성적 동기와 감정에 대한 유익한 효과와 낮은 질 출혈 및 유방압통 빈도는 삶의 질을 향상시킨다.

6) 골소실 예방

티볼론은 폐경 후 척추와 대퇴 부위 모두에서 골 소실

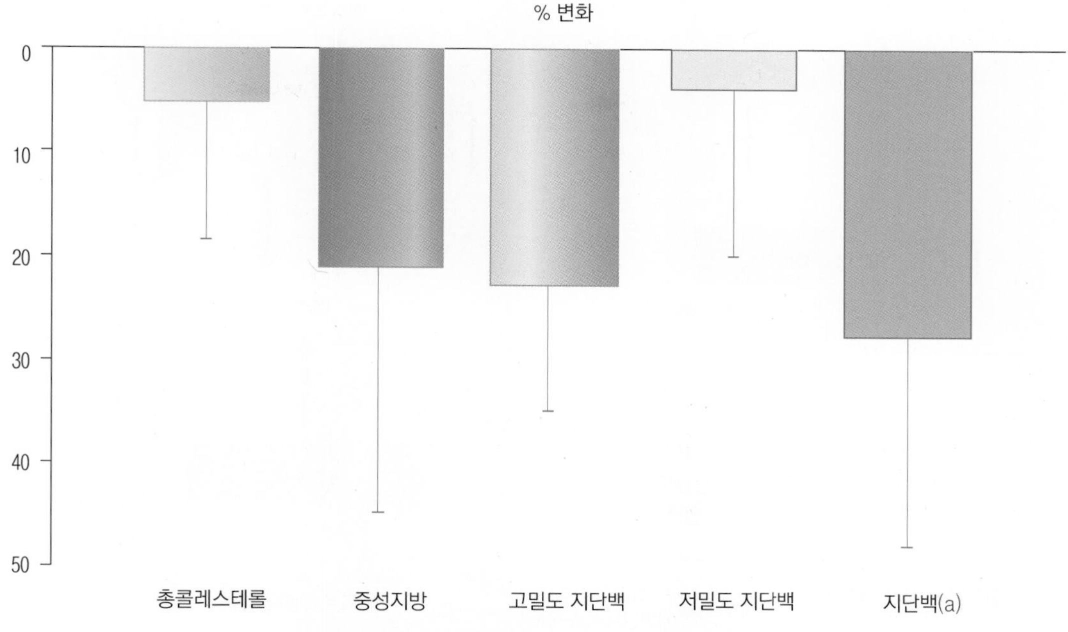

● 그림 31-5. **티볼론이 혈중 지질과 지단백에 미치는 영향**

의 예방에 효과적이다. 티볼론 1일 2.5 mg 2년 투여 시 요추 골밀도는 3.6%, 대퇴골 골밀도는 2.5% 증가하였으며, 1일 1.25 mg의 저용량 투여 시 각각 1.9% 및 1.1% 증가하였다. 10년간 장기간 투여 시 요추 골밀도는 4.8%, 대퇴골 골밀도는 3.7%의 계속적인 증가가 관찰되었다. Long-Term Intervention on Fractures with Tibolone (LIFT)은 골다공증이 있는 폐경 여성에서 티볼론의 골절감소 효과에 대한 대규모 무작위 대조 연구였다. 고령의 폐경 여성 4,538명에서 칼슘 600-1,200 mg 및 비타민 D 400-800 IU와 함께 매일 티볼론 1.25 mg을 투여하였을 때 위약에 비하여 척추골절은 45%, 비척추골절도 26%의 상대적 위험이 감소하였으며 특히 이미 척추 골절이 있었던 경우 골절감소 효과가 더욱 컸다. 다만, 대퇴골절은 위약군에 비해 감소하였지만 유의한 차이는 없었다.

7) 심혈관계

(1) 관상동맥질환

티볼론이 관상동맥질환을 예방한다는 증거는 없으며, 또한 에스트로겐과 같이 초기 폐경 여성에서 사용할 때 안전하고 효과적이라는 "Window of opportunity"가설 또한 증명되지 않았다. 티볼론 사용 시 대부분의 혈중 지질이나 지단백은 감소하지만(그림 31-5), 고밀도 지단백콜레스테롤의 감소에도 불구하고 "콜레스테롤 efflux"는 손상을 받지 않음으로써 항죽상경화 효과는 손상되지 않는다. 이밖에도 저밀도 지단백 콜레스테롤의 산화 억제, 작고 치밀한(small dense) 저밀도 지단백 콜레스테롤의 감소, 엔도셀린의 감소, 인슐린 감수성의 증가 등 비지질에 대한 효과를 보이나 전체적으로는 "중성효과"이다. Osteoporosis Prevention and Arterial Effects of Tibolone (OPAL)연구에 의하면 폐경 여성(평균나이 58세)에서 티볼론 2.5 mg을 매일 투여하였을 때 매년 측정한 경동맥 내막-중막(intima-media) 두께가 기존 호르몬 치료와 유사하게 위약군에 비해 증가하였다.

45-65세의 폐경 여성 3,224명을 대상으로 자궁내막에 대한 티볼론과 결합에스트로겐/MPA의 안전성을 비교했던 무작위 이중맹검 연구(Tibolone Histology of the Endometrium and Breast Endpoins Study; THEBES study)에 따르면, 심근경색이 발생한 경우는 티볼론을 복용한 군(n=1,598)과 결합에스트로겐/MPA를 복용한 군(n=1,626)

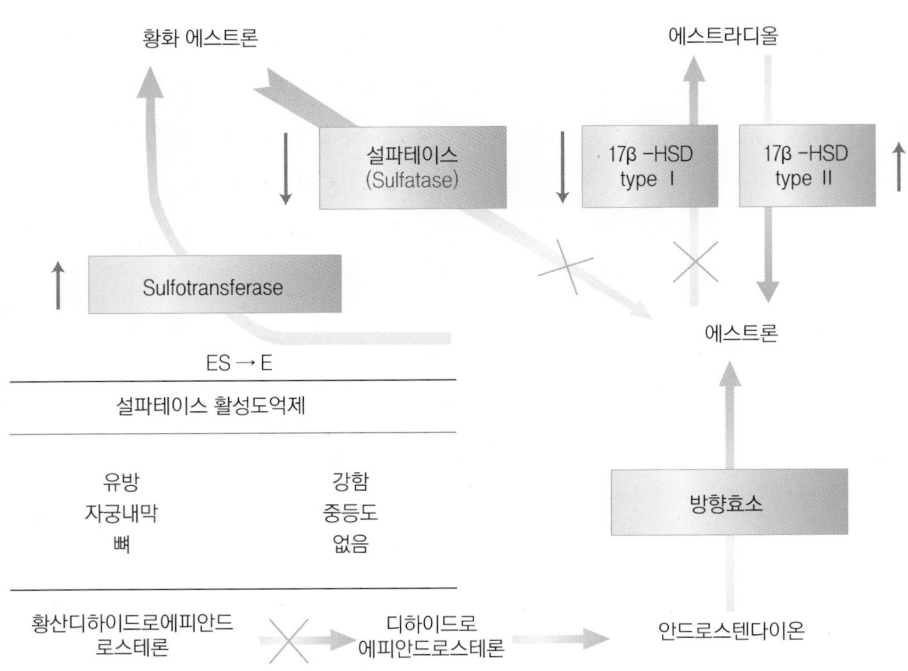

• 그림 31-6. **유방에서 티볼론의 효소조절**

에서 각각 2명씩이었다. 그러나 이 연구는 심혈관질환에 대한 안전성을 일차 목표로 하지 않았으며, 심혈관질환의 발생 수가 너무 적어 통계적인 의미를 두기는 어렵다. 한편, LIFT연구에서 티볼론 1.25 mg을 약 3년간 복용하였을 때 관상동맥질환의 상대 위험도(relative hazard)는 위약군과 유의한 차이가 없다(Relative hazard 1.37, 96% CI 0.77-2.45, p=0.28).

(2) 뇌졸중

LIFT 연구에서는 뇌졸중의 위험성이 약 2배 증가하였으며, 허혈성 뇌졸중의 위험이 유의하게 증가한 반면 출혈성 뇌졸중은 유의한 증가가 없었다. 반면 연구 대상자의 평균 나이가 이보다 적었던 General Practice Research Database (GPRD)에서는 뇌졸중의 유의한 증가를 보이지 않았다. 이에 따라 고령의 여성이나, 뇌졸중의 위험이 증가된 폐경 여성, 즉 고혈압, 당뇨, 심방세동, 그리고 흡연하는 여성에서는 티볼론의 사용을 피하는 것이 바람직하다.

(3) 정맥혈전색전증

LIFT 연구에서 정맥혈전색전증은 유의한 증가를 보이지 않았으며(위험도 0.57 95% 신뢰구간 0.19-1.69), 대규모의 증례-대조군 연구인 General Practice Research Database (GPRD)에서도 또한 증가가 관찰되지 않았다.

8) 유방

티볼론은 유방 조직내 효소를 조절함으로써 에스트로겐의 활성을 억제한다(그림 31-6).

티볼론은 에스트로겐-프로게스토겐 치료에 비해 유방 압통과 유방통이 적으며, 유방 밀도를 증가시키지 않는다. 이에 따라 호르몬 치료 시 이러한 증상을 경험하는 경우에는 티볼론으로 교체를 고려할 수 있다.

티볼론은 병합 호르몬 치료와는 달리 유방 조직을 증식시키지 않으며, 더욱이 세포자멸사(apoptosis)를 자극한다. 이에 따라 티볼론 사용시 유방암의 위험도가 증가하지 않을 것으로 기대되었으나, Million Women Study에서는 티볼론의 유방암에 대한 상대적 위험도가 에스트로겐-프로게스토겐 병합 호르몬 치료보다는 낮았으나 45% 유의하게 증가하였다(상대위험도 1.45, 95% 신뢰구간 1.25-1.67). 이와는 달리 LIFT 연구에서는 침윤성 유방암의 위험성이 68% 유의하게 감소하였다.

유방암 병력이 있는 폐경 여성에서 폐경 증상 완화 목적으로 티볼론 사용 시 효과와 유방암 재발에 대한 안전성에 관한 연구인 The Livial Intervention following Breast cancer; Efficacy, Recurrence And Tolerability Endopoints (LIBERATE)는 티볼론 투여군에서 유방암의 재발이 위약군에 비해 증가하는 것으로 나타나 조기 종결되었다.

9) 자궁내막

티볼론 투여 시 자궁내막에서 국소 대사에 의해 생성된 △4-이성체는 프로게스테론과 유사한 효과가 있어 자궁내막 증식을 억제한다. 또한 티볼론의 설파테이스에 대한 조직 선택 효과는 자궁내막의 에스트로겐 활성을 감소시킨다고 알려져 있다. 티볼론은 병합 호르몬 치료에 비해 불규칙한 질출혈 빈도가 적으며, 무월경이 흔하다.

티볼론 치료 시 자궁내막 증식은 없었고, 자궁내막 위축이 많았으며, 병합 호르몬 치료와 비교하여 자궁내막 두께가 증가하지 않았다. 또한 자궁근종의 크기 역시 증가하지 않았다. 자궁내막의 안전성을 평가하기 위한 2년간의 연구(THEBES)에서는 티볼론 사용 시 자궁내막 증식 및 자궁내막암의 위험성이 증가하지 않았다.

10) 신체 구성의 변화

티볼론 요법 시 체중 증가가 나타나지 않으며, 폐경 여성에서 전형적으로 나타나는 체지방량의 증가 및 제지방량의 감소를 방지하고 근력을 증가시킨다.

4. 결론

티볼론은 기존 호르몬 치료에 비해 정맥 혈전색전증의 위험성이 적으며, 심혈관질환과 유방암의 위험을 증가시키지 않는다는 장점이 있다. 하지만, 이는 약제 간의 직접 비교 연구가 아니라는 제한점이 있다. 티볼론은 기존 호르몬 치료 사용 중 ①유방통이나 유방압통 ②질출혈 ③유방밀도의 증가 ④성기능의 향상이 없음을 경험하는 경우 보다 나은 선택이 될 수 있다. 오늘날에 있어서 호르몬 치료의 핵심은 개별화(individualization)이므로, 사용 시 위험성과 유익성을 고려하여, 각 개인에 가장 적합한 호르몬 요법을 선택하여 사용하여야 한다.

Ⅳ. 생체동등성 호르몬(Bioidentical hormones)

1. 생체동등성 호르몬의 정의

생체동등성 호르몬은 인간의 난소에서 생성되는 호르몬과 분자학적으로 동등한 호르몬을 지칭하는 말이다. 본래 이 용어는 의학적 용어가 아닌 마케팅 용어로서, "생체동등성(bioidentical)"이란 단어는 의학사전에서 찾을 수 없다. 실제적으로 생체동등성 호르몬이란 용어는 의사의 처방전 없이 약국에서 생체 동등한 호르몬 제품을 구할 수 있게 되면서부터 주목을 받게 되었고, 이 용어가 널리 사용되고 있다.

생체동등성 호르몬은 천연 호르몬과 혼동되어 사용되고 있으나 반드시 같은 의미는 아니다. 가령 결합에스트로겐(conjugated estrogen)은 천연 호르몬이나 생체동등성 호르몬은 아니다.

일반인들은 생체동등성 호르몬이 의사의 처방전 없이 약국에서만 구할 수 있고, 의사의 처방이 필요한 폐경 호르몬 요법제는 생체내 동등하지 않다고 알고 있다. 그러나 실제로 미국 FDA의 승인을 받은 호르몬제들 중에서도 생체내 동등한 호르몬이 있다(표 31-7). 또한 생체동등성 호르몬(이하는 비처방제를 말함)에 대한 일반인들의 대표적인 오해는 특히 생체동등성 호르몬이 의사에게 처방받은 기존의 약제에 비해 더 천연 성분이며 안전하다는 것이다. 그러나 제조 회사에서 조제된 생체동등성 호르몬은 제조 과정이 표준화되어 있지 않기 때문에 미국 FDA에서 아직 승인을 받지 못하고 있다. 이에 반해 미국 FDA의 승인을 받은 기존의 호르몬 제제들은 안전성과 효능에 대한 연구와

표 31-7. 미국 식약청에서 허가된 생체동등성 호르몬 제품들

경구	경피		경질
	패치	겔, 로션, 스프레이	
Estrace, 1975	Estraderm, 1985	Estrogel gel, 2004	Femring ring, 2003
Estradiol 1997	Vivelle, 1994	Divigel gel, 2007	Estring ring, 1996
*Prometrium, 1998	Climara, 1995	Elestrin gel, 2008	Estrac cream, 1984
	Vivelle Dot, 1998	Estrasorb lotion, 2006	Vagifem tablets, 1998
		Evamist spray, 2008	*Prochieve 4% gel, 1997

* 생체동등성 프로게스테론을 함유한 제품
표시가 없는 것은 생체동등성 에스트라디올(bioidentical estradiol)을 함유한 제품

그를 뒷받침하는 자료가 있으며 이는 전문가들의 검증을 받은 상태이다.

생체동등성 호르몬 제조 회사에서는 이 호르몬에 대해 광고할 때, 생체동등성 호르몬은 호르몬의 불균형을 줄여 열성 홍조와 폐경 관련 증상을 완화시키고, 체중감소를 도와주고, 유방암, 알츠하이머병을 예방할 수 있다거나 근력을 강화시킬 수 있다고 주장하기도 하지만, 이는 잘못된 내용으로 근거 자료가 없다.

2. 생체동등성 에스트로겐(Bioidentical estrogen)

에스트리올은 단지 임신 중에만 높은 혈중 농도를 유지하는 가장 약한 형태의 에스트로겐으로 대체의학 영역에서 많은 관심을 받고 있으며 흔히 사용된다. 에스트리올은 위험성이 없이 모든 에스트로겐의 유익성을 제공하는 가장 이상적이고 자연적인 대체제라고 알려져 있다. 그러나 이는 잘못된 견해로서 의학적으로도 지지를 받지 못하고 있다. 미국에서는 FDA로부터 허가된 임상시험의 신청 없이 에스트리올을 포함한 약의 조제는 할 수 없도록 되어있으나, 현재 많은 회사들이 이를 어기고 에스트리올을 이용해 비처방 제품을 만들고 있다. 이로 인한 문제는, 각 회사들이 다양한 성분과 함량의 호르몬을 식약청의 감시 없이 제조하게 됨으로써 환자가 먹고 있는 약이 무엇인지 전문가들조차 알기가 어렵다는 점이다. 게다가 각각의 효능마저 차이가 많은 상태이며 부작용에 대한 주의도 요구되고 있다.

미국의 경우 트리에스트(Tri-est)와 바이에스트(Bi-est)가 대체요법에서 사용되고 있다. 트리에스트와 바이에스트의 주된 에스트로겐은 에스트리올이며 80%를 차지한다. 특히 트리에스트는 2 mg의 에스트리올, 0.25 mg의 에스트라디올, 0.25 mg의 에스트론이, 바이에스트에는 2 mg의 에스트리올과 0.5 mg의 에스트라디올이 포함되어 있다. 사용된 에스트로겐 종류에 따라 그 이름이 붙여졌고, 용량은 다르다. 세 가지 종류의 천연 에스트로겐이 포함되어 있어 가장 자연스러운 에스트로겐 치료로 판매되고 있으나 트리에스트와 바이에스트는 인체 내 정상 호르몬의 비율이 아니며, 상당량의 에스트론과 에스트라디올을 함유하고 있고, 다른 호르몬 요법보다 유익하다는 증거는 없다는 점을 주지하여야 한다.

3. 생체동등성 프로게스테론(Bioidentical progesterone)

현재 미국의 경우 많은 종류의 국소 프로게스테론(topical progesterone)제제가 의사의 처방 없이 판매되고 있다. 소위 비처방이 가능한 천연 프로게스테론은 내인성 프로게스테론과 동등하며, 대두나 야생얌(Discorea villosa)과 같은 식물을 사용하여, 화학 처리를 거쳐 합성된다. 이러한 제품들(이하 생체동등성 프로게스테론이라 칭함)은 다양한 용량과 성분을 함유하고 있으며 대표적인 제제로는 얌

(Yam) 크림과 프로게스테론 크림이 있으며 의사의 처방전 없이 구입이 가능하다.

얌 크림에는 에스트로겐의 생산에 영향을 미친다는 디오스게닌(diosgenin)을 포함한 스테로이드성 사포닌(steroidal saponin)이 들어있으나 프로게스테론은 포함되어 있지 않다. 얌 크림은 부작용은 거의 없는 것으로 보이나 폐경 증상에 미치는 영향 또한 거의 없는 것처럼 보인다.

프로게스테론 크림은 식약청의 규제를 받지 않는데, 함량(온스당 프로게스테론이 700 mg에서 2 mg)이 매우 다양하다. 생체동등성 프로게스테론의 피부를 통한 흡수 또한 다양하고 혈중농도는 매우 낮다. 프로게스테론 크림은 무작위 대조 시험에서 위약군(19%)에 비해 높은(83%) 홍조 완화 효과가 있었다는 보고가 있기는 하나 전반적으로 볼 때 폐경과 연관된 증상에 대한 효능은 충분치 않으며 거의 영향을 미치지 않는 것으로 보인다.

최근의 연구 결과에 따르면, 프로게스테론과 얌크림은 전신 에스트로겐을 투여하는 여성에서 자궁내막의 보호를 위해 사용할 수 없으며 골밀도와 심혈관질환의 표지자의 향상을 목표로 한 연구에서 그 효과는 증명되지 않고 있다. 두 제품들 모두 특이한 부작용의 보고는 없었으나 향후 안정성과 효능에 대한 연구가 더 필요한 것으로 생각된다.

4. 타액내 호르몬 농도 측정

개별화된 호르몬 치료를 위해 간단히 혈중 에스트라디올의 농도를 측정할 수 있는 방법으로 타액내 호르몬 농도 측정이 사용되고 있다. 그러나 기존 연구 결과 체내 호르몬 수치를 정확히 반영할 수 없다고 보고되고 있다.

V. 안드로겐(Androgen)

난소에서 생성되는 주요 안드로겐은 디하이드로에피안드로스테론(dehydroepiandrosterone, DHEA)과 안드로스텐디온(androstenedione, ADD) 및 약간의 테스토스테론으로서 주로 난포막 세포(theca cell)에서 분비된다. 안드로스텐디온의 약 50%는 부신 피질에서 형성되고 약 50%는 난소에서 형성되는 반면 디하이드로에피안드로스테론은 약 50%는 부신피질, 약 25%는 난소, 그리고 나머지 25%는 말초 조직에서 형성된다.

혈중 테스토스테론의 대부분은 디하이드로에피안드로스테론와 황산디하이드로에피안드로스테론(dehydroepiandro-sterone sulfate, DHEAS)으로부터 형성된 안드로스텐디온이 말초에서 테스토스테론으로 전환되어 형성된다. 폐경 이후 총 테스토스테론이 감소하는데 이는 테스토스테론의 일차적 근원인 안드로스텐디온이 말초에서 테스토스테론으로 전환하는 것이 감소하기 때문이다.

폐경 초 혈중 안드로스텐디온은 젊은 성인 여성에 비해 약 62% 감소하지만, 혈중 테스토스테론은 일부에서는 변화가 없기도 하고 일부에서는 약 15% 정도만 감소하는 정도이다. 폐경 5년 전부터 폐경 후 7년까지 여성을 관찰한 호주 연구에서는 폐경 후 혈중 테스토스테론 농도가 변하지 않음을 보고하였는데, 폐경 후 성호르몬결합글로불린이 감소하여 유리 안드로겐(free androgen)은 오히려 증가한다고 하였다. 그러나 테스토스테론의 일차 근원인 안드로스텐디온의 말초 전환이 감소함에 따라 생성되는 총 테스토스테론이 약간 감소하므로 이를 고려하여 폐경 후 안드로겐 치료의 필요성이 제시되고 있다.

1. 안드로겐의 효과

폐경 후 안드로겐 치료의 장점은 정신적 안녕(psychological wellbeing)과 성기능의 향상이라 할 수 있다. 성욕감소병(hypoactive sexual desire disorder)은 스트레스가 될 정도의 성 활동이 감소되는 경우로 정의할 수 있는데 고용량의 안드로겐 투여로 성욕감소가 호전된다는 보고가 있다. 한편 저용량의 메틸테스토스테론(methyltestosterone) 5 mg을 투여한 연구에서는 안드로겐 투여로 성적인 환상(sexual fantasy)과 자위(masturbation)의 증가 효과는 있지만 실질적인 성 활동의 향상은 없다고 보고하였다. 다른 연구에서는 혈중 테스토스테론의 농도를 100 ng/dL 이상으로 유지할 수 있는 용량의 테스토스테론 경피투여가 위약에 비해 성기능을 향상시킨다고 하였다.

약리학적 용량의 안드로겐이 성욕(libido)을 증가시킨다는 것은 의심의 여지가 없지만 이러한 용량에서는 부작용이 나타나기도 한다. 또한 고용량을 투여하는 경우 일부에서는 중독현상을 보일수도 있다. 따라서 정신적인 측면으로도 설명할 수 없는 성욕감소 환자에서 혈중 지질을 감시하면서 적은 용량의 안드로겐을 처방할 수 있는데, 이때 나타나는 임상 효과는 위약과 큰 차이가 없다. Fritz 와 Speroff는 혈중 테스토스테론 농도를 측정하여 20-80 ng/dL로 유지하면서 쓰도록 권하고 있다.

2. 종류

현재 사용되고 있는 제품으로 경구 운데카논산 테스토스테론(testosterone undecanoate), 설하 미세화 테스토스테론(micronized testosterone), 근육주사제, 피하 이식, 경피제 등이 있다. 남성들을 위해 판매되는 경피 겔(5 mg/day)은 여성에서 하루 1 mg으로 시작할 수 있다. 운데카논산 테스토스테론은 혈중 농도가 매우 높고 변동이 크므로 권장되지 않는다. 1주에 두 번 사용하는 여성용 경피 패치가 일부 국가에서 사용되고 있으며 이 경우 혈중 테스토스테론 농도를 감시하는 것이 중요하다. 에스트로겐 치료를 받는 수술적 폐경 혹은 자연 폐경 여성에서 경피 테스토스테론 300 μg 투여 시 성욕저하에 효과적이라는 결과가 있으며, 성욕감소병이 있는 814명의 여성을 대상으로 한 연구에서도 1년 동안 하루 300 μg의 경피 테스토스테론 투여 시 성기능(성욕, 흥분, 성극치감, 쾌락감)이 위약군에 비해 한 달에 1.4회 정도 증가하였다. 하지만 300 μg /day 용량을 사용한 군의 약 30%에서 얼굴에 다모증이 나타났고, 일부에서는 음핵비대도 발생하였다. 이 연구에서는 테스토스테론을 투여받은 군에서 4명의 유방암 환자가 발생하였으나 이중 한 명은 투여 후 4개월 만에 발생하였고 한 명은 투여 전에 이미 혈성 분비물이 있었던 환자였다.

3. 부작용

테스토스테론 투여 시 나타날 수 있는 부작용은 여드름, 탈모, 다모증과 같은 남성화와 혈중 지질에 대한 부정적 영향이다. 에스트로겐 단독 투여에 비해 에스트로겐과 테스토스테론(메틸테스토스테론 1.25 mg)을 병합 투여하는 경우 3개월 이내에 혈중 지질에 대한 부정적인 영향이 나타나고, 2년이 경과한 후에는 유의한 부정적 효과가 나타난다. 약 30%의 환자에서는 여드름이 발생하고, 약 36%의 환자에서 얼굴에 다모증이 발생한다. 테스토스테론의 용량을 낮추어도 고밀도 지단백콜레스테롤(HDL)을 유의하게 감소시킨다는 보고도 있다. 이러한 혈중 지질에 대한 부작용은 테스토스테론을 비경구 투여함으로써 감소시킬 수 있다. 안드로겐은 자궁내막을 보호하는 효과가 없으므로 안드로겐을 투여할 경우에는 반드시 프로게스틴을 함께 투여하여야 한다. 안드로겐을 투여하였을 때 조직 내에서 어느 정도의 안드로겐이 방향화(aromatization)를 통해 에스트로겐 효과를 나타낼 것인지, 이러한 효과가 자궁내막암이나 유방암의 위험도를 증가시킬 것인지의 여부는 아직 불명확하다. 에스트로겐과 프로게스토겐의 지속 병합요법 시 발생하는 쇠퇴출혈은 안드로겐을 추가하더라도 감소하지 않는다. 에스트로겐 치료에 안드로겐을 추가하더라도 골이나 안면홍조에 관하여 추가적인 효과를 발생시키지 않지만, 일부 연구에서는 에스트로겐 단독요법에 비해 에스트로겐과 안드로겐을 병합 투여하는 경우 골밀도가 증가한다고 보고하기도 하였다. 골에 대한 안드로겐의 효과는 혈중 성호르몬결합글로불린의 감소로 유리 에스트로겐이 증가하여 발생하는 간접적인 효과로 생각되며, 이밖에 안드로겐으로 인한 근육량이 증가하여 골에 대한 긍정적인 효과를 나타낼 것으로 생각된다. Nurses' Health Study에서 에스트로겐과 테스토스테론을 함께 투여한 경우 침윤성 유방암의 위험도가 2배 증가하는 것으로 나타났다. 비록 Nurses'Health Study가 호르몬 사용군과 비사용군의 특성이 다르다는 문제가 있고, 침윤성 유방암의 발생 빈도가 너무 낮다(에스트로겐과 테스토스테론 병합 투여군에서 총 유방암 발생은 29명)는 제한점이 있지만, 그럼에도 폐경 여성에서 안드로겐 사용에 대한 경각심을 주고 있다. 유방에 대한 테스토스테론의 영향이 직접 효과인지 혹은 국소 방향화에 의한 효과인지는 분명하지 않다. 일부 실험 연구에서 테스토스테론이 유방암 세포의 증식을 억제하고 동물과 여성의 생체 내에서 유방상피세포 증식 표지자를 억제시키므로 테스토스테론의 유방에 대한 효과가 국소 방향화에 의한 기전으로 생각되지만, 다른 연구에서는 경피 테스트스테론 제제 사용시 유방의 밀도가 증가하지 않는다는 점을 고려하여 유방에 대한 테스토스테론의 영향에 반박하기도 하였다.

한편 에스트로겐을 사용하지 않은 폐경 여성에게 경피 테스토스테론 투여 시 고용량에서는 10.6%에서 질출혈이 있었던 반면 저용량에서는 2.7%, 위약군에서는 2.6%에서 질출혈을 보였다. 이러한 효과가 자궁내막에서의 테스토스테론의 방향화에 의한 것인지는 분명하지 않다. 비록 자궁내막증식증이나 자궁내막암은 발생하지 않았지만 오랜 기간 사용 시 자궁에 대한 부작용을 나타낼 수 있을 것으로 생각되며, 이에 대한 장기간의 연구결과가 필요하다. 경피 테스토스테론에 대한 환자의 반응은 투여 전의 혈중 테스토스테론 농도와는 관련이 없으며 치료 중 혈중 테스토스테론 농도로 부작용의 발현을 예측하지도 못한다. 이는 유리 테스토스테론(free testosterone) 및 생유효 테스토스테론(bioavailable testosterone)의 농도를 측정하는 것이 매우 부정확하고 변수가 많기 때문으로 생각된다. 그러므로 성욕감소병의 진단을 위해 혈중 테스토스테론 농도를 이용할 수는 없다.

4. 결론

약리학적 용량의 테스토스테론의 투여는 성기능에 이로운 효과를 보이지만 혈중 테스토스테론 농도를 생리학적 농도로 유지하는 것이 건강에 유익한지는 아직 명확하지 않으며 장기간 투여에 대한 연구 결과도 없다. 환자나 임상의가 안드로겐을 보조적으로 사용하고자 한다면 혈중 총 테스토스테론 농도를 감시하면서 경피 패치나 겔(현재는 남성용만 시판되고 있다) 또는 테스토스테론 복합제를 이용해볼 수 있겠지만, 한 달에 1-2회 정도의 성기능 향상 효과가 장기간 사용으로 인한 다른 부작용을 능가할 만한 것인지에 대한 고려가 필요하며, 과량이 투여되지 않도록 주의하고 효과와 제한점에 대해 반드시 환자에게 주지시켜야 한다.

VI. 호르몬 치료의 득과 실

1. 골다공증(제32장 p.543 참조)

호르몬 치료는 골다공증을 예방한다. Postmenopausal Estrogen/Progestin Interventions (PEPI) trial은 건강한 폐경 여성을 대상으로 결합에스트로겐 단독요법 및 MPA와 미세화프로게스테론을 이용한 지속 및 주기 병합요법의 효과를 밝히기 위한 임상시험이다. PEPI trial에 의하면 표준 용량(결합에스트로겐, 0.625 mg/일)의 호르몬은 폐경 여성(평균 연령: 56세)에서 골밀도 감소를 예방한다. 3년 투여 결과, 척추 골밀도는 치료군에서 3.5-5.0% 증가하나 위약군에서는 1.8% 감소하였다. 또한 결합에스트로겐과 MPA(2.5 mg/일)를 이용한 지속 병합요법이 다른 투여법보다 더 큰 증가를 보였다. 대퇴골밀도는 치료군에서 1.7% 증가와 위약군에서 1.7% 감소를 보였고, 투여법에 따른 차이는 없었다. 연령이 높을수록, 기저 골밀도가 낮을수록, 그리고 호르몬 치료를 처음 사용한 경우에서 더 큰 골밀도 증가를 보였다. 그러나 인종, 흡연, 음주, 칼슘 섭취, 운동량, 그리고 체질량지수(kg/㎡)는 영향이 없었다. 척추골이 대퇴골보다 더 큰 증가를 보였으며, 이는 척추골의 해면골 비율이 높은 결과로 생각된다. 척추골에서 골밀도 증가의 70-90%는 치료 1년에 관찰된다. 골밀도가 감소된 노인 여성(평균 연령: 73세)에서 저용량 호르몬 치료(결합에스트로겐 0.3 mg/일)도 골밀도를 호전시킨다. 초기 폐경 여성(평균 연령: 52세)에서 시행된 연구 결과, 에스트로겐은 용량-의존적으로 척추골밀도를 증가시키며, 함께 투여된 MPA는 추가적인 효과가 있다. 패치 등을 이용한 경피 에스트로겐 치료도 골소실을 막으며, 경구 에스트로겐과 유사한 효과를 보인다. 호르몬 치료는 중단하면 초기 폐경 여성보다 노년 여성에서 더 급격한 감소를 보인다.

2. 심혈관질환

여성에서 심혈관질환은 가장 중요한 사망원인이다. 미국의 경우 여성 사망의 약 45%가 심혈관질환이며, 한국의 경우 약 28%이다. 서양에서는 관상동맥질환이 사망 제1원인이나, 한국에서는 뇌졸중이 관상동맥질환보다 더 중요하다. 심혈관질환의 교정 불가능한 위험인자로서 연령과 가족력이 알려져 있으며, 흡연, 비만, 운동부족 등은 교정 가능한 위험인자이다. 위험을 높이는 의학적 요인으로 당뇨병, 고혈압, 그리고 고지혈증이 중요하다.

폐경 증상을 치료하기 위하여 시작한 호르몬 치료가 관상동맥질환을 예방한다는 다수의 관찰 연구가 보고되었다. Nurses'Health Study에 의하면 과거 사용자(상대위험: 0.82)보다 현재 사용자(상대 위험: 0.61)에서 위험이 더 감소하며, 사용 직후부터 관상동맥질환이 예방된다. 프로게스틴을 함께 사용하여도 비슷한 예방효과가 있으며, 흡연, 고혈압, 고지혈증 등이 있는 고위험군에서도 호르몬 치료는 관상동맥질환을 예방한다. 그러나 60세 이상 고령이거나 체질량지수가 29 kg/㎡ 이상으로 비만한 경우 효과가 없다. 메타분석 결과, 현재 사용자에서 호르몬 치료는 관상동맥질환의 발생률과 사망률을 각각 20%와 38% 유의하게 감소시킨다. 뇌졸중에 대한 연구는 수가 적고 결과가 일관적이지 않다. 메타분석 결과, 과거 호르몬 사용자에서 전체 뇌졸중 발생은 12% 증가하며, 출혈성 아형에는 영향이 없으나 허혈성 아형이 20% 높다. 그러나 전체 뇌졸중의 사망률은 19% 감소한다. 또한 호르몬 치료는 현재 사용자에서 정맥 혈전증 위험을 증가시킨다. 메타분석에 의하면 상대 위험이 2.14로 증가하며, 사용 첫 해에 3.49로 가장 높다. 관찰연구는 교란변수(confounder)나 편견(bias) 등에 의한 제한점이 있으므로 해석상 주의를 요한다.

에스트로겐에 의한 심장보호 효과는 20-30%가 혈중지질변화로 설명이 되며, 최근 혈관에 대한 직접 작용이 더 중요한 기전으로 대두되고 있다. 호르몬 치료는 혈중고밀도 지단백 콜레스테롤 농도를 증가시키고, 저밀도지단백 콜레스테롤 농도를 감소시킨다. 혈관 세포에 존재하는 α와 β 두 종류의 수용체를 통하여 에스트로겐은 동맥을 확장하고, 동맥경화반을 억제하며, 염증반응에 관여하는 등 다양한 효과가 보고되어 있다.

WHI 연구는 건강한 폐경 여성을 대상으로 호르몬 치료가 관상동맥질환과 유방암 위험에 미치는 영향을 규명하기 위해 1990년대 초에 시작되었다. 50-79세 여성 27,500명을 대상으로 자궁이 있는 경우 결합에스트로겐(0.625 mg/일)와 MPA (2.5 mg/일) 병합요법이 사용되었고, 자궁이 없는 경우 결합에스트로겐만이 투여되었다. 추적기간은 원래 8.5년으로 계획하였으나, 결합에스트로겐/MPA군의 경우 유방암 증가로 5.6년만에 중단되었다. 결합에스트로겐군의 경우 연구자의 중간 분석 결과 뇌졸중 증가로 6.8년만에 중단되었다.

분석 결과, 예상과 달리 결합에스트로겐/MPA와 결합에스트로겐이군군 모두에서 유의한 심장병 예방 효과는 없었다(표 31-8). 결합에스트로겐군과 달리, 결합에스트로겐/MPA군의 경우 첫 1년에 상대 위험이 81% 유의하게 증가하였으나 시간이 지남에 따라 유의하게 위험을 감소시켰다. 결합에스트로겐/MPA에 의한 초기 위험에 대한 원인은 아직 확실치 않으나, 동맥경화증이 진행된 상태에서

표 31-8. WHI 연구에서 호르몬 치료에 의한 관상동맥질환 위험

호르몬 치료	상대위험	95%	유의수준	절대위험(년 1만 명당)
결합 에스트로겐/MPA	1.23	0.99	−1.53	+7.8
결합 에스트로겐 단독	0.95	0.78	−1.16	-2.9

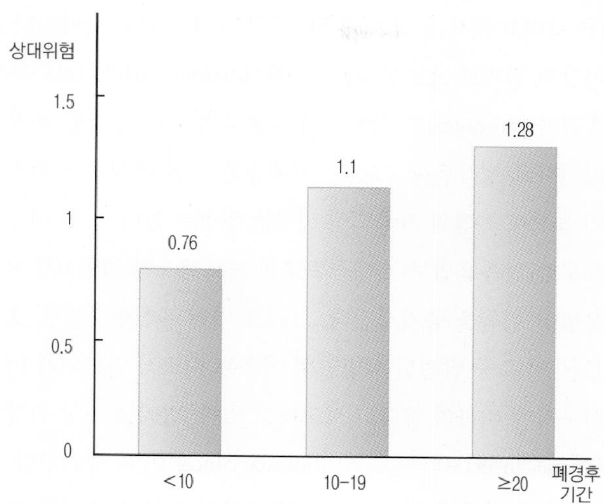

• 그림 31-7. WHI 연구에서 폐경 후 기간에 따른 호르몬 치료의 관상동맥질환 위험
(*95% 신뢰구간:1.03-1.58, p value for trend: 0.02)

MPA의 악영향이 가능한 기전이다. WHI 참가자의 기초 특성상 연령이 결합에스트로겐/MPA와 결합에스트로겐군에서 각각 63세, 체질량지수가 각각 28.5와 30.1이었으며, 관상동맥질환, 뇌졸중, 정맥혈전증 등 심혈관질환의 과거력이 각각 7과 14%이었다. 따라서 WHI는 건강한 폐경 초기 여성에 대한 일차 예방 연구라기보다는 오히려 이차 예방에 가깝다는 비판을 받고 있다. 세부분석 결과, 호르몬 치료는 폐경 초기에는 위험을 감소시키나 폐경 후 기간이 길어짐에 따라 위험이 증가하는 유의한 시간 경향을 보였다(그림 31-7).

결합에스트로겐/MPA는 폐경 후 20년 이상이 경과한 경우 66% 유의하게 증가하였으나, 결합에스트로겐 치료는 50대 여성의 경우 관찰연구와 유사한 예방효과를 제시하였다(상대 위험: 0.63, 95% 신뢰 구간: 0.36-1.09). 더욱이 임상시험 종료 1.3년 후 50대 여성에서 관상동맥의 동맥경화증에 대한 정량 지표인 칼슘점수를 조사한 결과 결합에스트로겐 치료군에서 칼슘점수가 유의하게 낮았다. 최근 폐경 초기에 시작된 에스트로겐 치료는 관상동맥질환을 예방할 수 있다는"timing hypothesis"가 크게 주목받고 있다.

관상동맥질환 환자에서 호르몬 치료의 재발 방지 효과를 알아보기 위한 Heart and Estrogen /progestin Replacement Study (HERS)에서는 2,763명을 대상으로 4.1년간 결합에스트로겐(0.625 mg/일)과 MPA (2.5 mg/일)가 함께 투여되었다. 시간이 지날수록 재발이 감소하는 유의한 시간경향이 관찰되었지만 호르몬 투여 첫 해에 재발 위험이 52% 증가하여, 전체적으로 효과가 없었다. 이는 결합에스트로겐/MPA를 이용한 WHI 결과와 유사하다.

호르몬 치료에 의한 뇌졸중의 일차 예방을 일차 목표로 고안된 임상 시험은 현재까지 없다. HERS에서는 결합에스트로겐/MPA 치료가 뇌졸중 위험에 영향을 주지 않았다.

WHI 연구의 EPT군에서 뇌졸중이 40% (RR: 1.41, 95% CI: 1.07-1.85) 유의하게 증가하였고 ET군에서도 뇌졸중은 유의하게(RR 1.39; 95% CI, 1.10 to 1.77) 증가하였다. 호르몬치료는 연간 EPT군은 8명/10,000명, ET군은 11명/10,000명 추가적으로 뇌졸중을 일으키는 것으로 보고되었다. 연구자들은 하위집단 분석(subgroup analysis)을 시행했으나 호르몬치료에 의한 뇌졸중 발생의 고위험군을 찾아낼 수는 없었다. 그러나 WHI EPT와 ET군을 통합하여 분석된 보고에 의하면 50-59세 사이에 호르몬치료를 시작한 경우 뇌졸중의 위험도를 높이지 않는 것으로 보고되었다(RR: 1.13, 95% CI: 0.73-1.76). 또한 폐경 후 5년이 지나지 않은 경우, EPT군은 연간 3명/10,000명 추가적으로 뇌졸중이 발생되는 것으로 보고되었고 이는 통계학적으로 유의하지 않았다. Women's Estrogen for Stroke Trial (WEST)은 허혈성 뇌졸중에 대한 에스트로겐의 이차 예방 효과를 알아보기 위한 임상시험이다. WEST는 90일 이내 뇌경색이나 일과성 허혈발작을 경험한 664명의 폐경 여성(평균 연령 71세)을 대상으로 약 2.8년간 기본적인 뇌경색 치료와 더불어 에스트로겐(1mg of 17β-estradiol) 치료 또는 위약 투여를 시행하였다. 연구 결과 뇌졸중 재발이나 사망률에 있어서는 유의한 차이가 없었으나, 치명적 뇌졸중의 발생은 오히려 약 3배가 늘어났으며 (RR: 2.9, 95% CI: 0.9-9.0), 특히 치료 첫 6개월 내 뇌졸중 발병률이 높아진다고 보고하였다. 따라서 호르몬치료는 뇌졸중의 재발방지에 효과가 없으며, 심혈관질환이 발병한 경우 오히려 해로울 수 있다.

WHI 연구에 의하면 결합에스트로겐/MPA 병합요법은 정맥혈전증 위험을 106% 증가시키며, 투여 첫 해 상대위험이 4.01로 가장 높으며 시간이 지날수록 감소한다. 또한 연령이나 체질량지수가 증가할수록 더 많이 발생하며, factor V Leiden 돌연변이가 동반된 경우 위험이 크게 증가한다. 다행히 한국에서는 아직 이 돌연변이가 보고된 바 없다. 그러나 결합에스트로겐은 결합에스트로겐/MPA와 다른 결과를 보였다. 결합에스트로겐 단독 투여로 정맥 혈전증 위험은 첫 2년내 122% 증가하나, 전체적으로 뚜렷한 위험 증가는 없었다(상대 위험: 1.32, 95% 신뢰 구간: 0.99-1.75). 또한 정맥혈전증 위험인자에 따른 차이도 보이지 않았다.

임상시험에서 사용되지 않았던 약제의 효과에 대해서는 아직 속단하기 이르다. 에스트로겐의 투여 경로와 용량뿐 아니라 다양한 프로게스토겐 제제의 효과에 대한 연구가 더 필요한 상태이다. 관찰연구에 의하면 경피 에스트로겐은 경구에 비해 정맥혈전증과 뇌졸중 위험이 적다. 그리고 폐경 초기에 시작한 호르몬 치료의 효과를 확인하기 위한 임상 시험이 현재 진행 중이다. 현 상태에서는 심혈관질환의 예방만을 위하여 호르몬 치료가 권장되지는 않는다.

3. 유방암

유방암은 한국 여성에서 두 번째로 흔한 암이나, 예후가 상대적으로 양호하여 사망순위 상 5위를 차지한다. 한국의 유방암은 미국과 큰 차이를 보인다. 발생률과 사망률 모두 미국의 약 1/3 수준이며, 연령별 발생률 상 미국은 계속 증가하나 한국의 경우 50세에 정점을 보이다가 감소하는 종 모양의 양상을 보이며 50세 이전의 환자가 57%로 폐경 후보다 폐경 전에 더 많이 발생한다. 따라서 한국 폐경 여성에서 유방암의 중요성은 미국에 비하여 상대적으로 작다.

관찰연구에 대한 메타분석에 의하면, 호르몬 치료는 현재 사용자에서 5년 이상 사용한 경우 위험이 35% 증가하나, 과거 사용자나 단기간 사용한 경우 위험에 영향이 없다. 그리고 치료 중단 이후 5년이 지나면 위험이 사라진다. 이상의 결과로 호르몬 치료는 개시자(initiator)라기보다는 촉진자(promoter)로 작용하여 기존 유방암의 성장을 촉진시킨다고 생각된다. 그리고 저체중을 가진 여성에서 위험이 높으며 유방암 가족력이 미치는 영향은 없다. 또한 에스트로겐 단독요법보다 에스트로겐-프로게스틴 병합요법이 유방암 위험을 증가시킨다. 그리고 여러 관찰연구들은 호르몬 치료 중 발견된 유방암의 예후는 비교적 일관되게 비사용자에 비하여 좋다고 보고하고 있다. 병리 소견상 관암(ductalcancer)보다는 소엽암(lobular cancer)이 더 증가한다.

WHI 연구에서는 5.2년 동안 관찰한 연구 결과 복합 호르몬 제제를 복용한 군에서 침윤성 유방암의 발생 위험도가 약 1.24배 정도(절대 위험도: 연간 1만 명당 8명 증가) 증가하였다. 호르몬 치료 4년째까지는 위험도의 증가는 없었으나 5년 이후부터 위험도가 증가하였는데 이전에 호르몬치료를 받았던 여성과 받지 않았던 여성으로 나누어 비교를 했을 때 이전에 호르몬 치료를 받았던 여성에서만 유방암의 위험도가 증가하였다. 발생한 침윤성 유방암의 조직학적 소견이나 등급은 위약군과 유사하나 평균 크기가 위약군에 비해 유의하게 크고, 림프절 전이의 빈도가 더 높았으며, 진단 당시의 병기가 더 높았다. 연구시작 1년 후에 유방촬영에서 이상소견을 보인 여성은 복합 호르몬 제제를 복용한 군에서 위약군에 비해 유의하게 더 많았고, 이러한 경향은 연구기간 내내 관찰되었다. 에스트로겐 단독제제에서는 6.8년간 관찰한 결과 단독제제는 통계학적으로 유의하지는 않지만 유방암의 위험이 오히려 감소하는 경향이 있다고 보고하였다. 에스트로겐 단독 제제를 중단 후 추적 관찰을 지속하였는데, 2009년 8월까지 평균 10.7년을 추적 관찰한 결과 유방암의 발생이 유의하게(HR, 0.77; 95%CI, 0.62-0.95) 감소하였고 2010년 9월까지 평균 13년을 추적 관찰한 결과에서도 유방암의 발생이 유의하게(HR, 0.79; 95%CI, 0.65-0.97) 감소하였으며, 침윤성 유방암도 통계학적으로 유의하지는 않았지만(HR, 0.79; 95%CI, 0.61-1.02) 감소하는 경향이 있었다. WHI 연구 이후에 에스트로겐 단독제제의 지속인 사용을 원하는 여성을 대상으로 시행한 연장 연구(평균 5.9년 사용, 11.8년 관찰)에서도 유방암 위험도가 유의하게 감소하였다. 하지만, 폐경증상을 호소하는 유방암 환자에서 호르몬 치료는 원칙적으로 시행하지 않는다.

임상시험에서 사용되지 않았던 약제의 효과에 대해서는 아직 속단하기 이르다. 관찰연구에 따르면 경피 에스트로겐은 경구와 차이가 없으며, 에스트로겐과 함께 투여된 미세화프로게스토겐이나 디드로게스테론(dydrogesterone)은 유방암 위험을 증가시키지 않는다. 골다공증에 대한 임상시험 결과 티볼론은 유방암 위험을 감소시킨다. 따라서 약제에 따라 유방암에 대한 영향이 다를 것으로 생각된다.

4. 자궁내막암

미국의 경우 자궁내막암은 가장 흔한 부인암으로, 여성암 중 발생 제4위이고, 사망 제8위를 차지한다. 자궁내막암은 장액성(serous) 혹은 투명 세포(clear cell) 형태와 자궁내막모양(endometrioid) 형태 등 병리학적으로 두 종류가 있다, 자궁내막모양이 더 흔하고(80-90%) 에스트로겐 자극과 관계가 있으며 예후는 비교적 양호하다. 반면 장액성은 노인 여성에서 자궁내막의 위축과 관련되어 발생하며 예후는 더 나쁘다. 한국의 경우 자궁내막암은 부인암 중 자궁경부암과 난소암에 이어 3위로서 최근 증가 추세이나, 발생 및 사망률은 미국보다 현저히 낮다.

에스트로겐 단독요법은 지속으로 자궁내막을 자극하여 자궁내막증식증을 유발하며, 더 나아가 자궁내막암의 위험을 증가시킨다. PEPI 연구에 의하면 3년간 결합에스트로겐(0.625 mg/일)를 투여한 결과 자궁내막증식증의 유병률은 62.2%이고 자궁내막암은 발생하지 않았다. 그 발생빈도는 사용기간에 따라 차이가 없었으며, 매년 약 20%에서 발견된다. 그리고 병리 소견상 단순성(simple), 복합성(complex) 그리고 비정형(atypical) 증식증의 유병률은 각각 27.7%, 22.7%, 그리고 11.8%이다. 그러나 MPA나 미세화프로게스테론이 주기적 혹은 지속으로 병합 투여된 경우 자궁내막증식증의 위험은 증가하지 않는다. 저용량 에스트로겐(결합에스트로겐 0.3mg/일) 치료도 자궁내막증식증을 증가시킨다. 에스트로겐 투여에 따른 자궁내막증식을 예방하기 위해서 매월 10일 이상의 프로게스토겐 투여가 필요하다. 에스트로겐을 질을 통해 국소 투여할 경우 프로게스토겐을 추가할 필요는 없다. 관찰연구에 대한 메타분석 결과, 에스트로겐 단독요법은 자궁내막암 위험을 130%(95% 신뢰 구간: 2.1-2.5) 증가시킨다. 에스트로겐 용량과 사용 기간에 비례하여 위험이 증가하며, 중단 5년 후에도 상당 기간동안 위험이 높으므로 지속인 추적 감시가 필요하다. 비사용자에 비해 에스트로겐 사용 후 진단되는 자궁내막암은 예후가 양호하다고 보고되어 있다. 폐경 증상을 호소하는 초기 자궁내막암 환자에서 일부 관찰연구는 에스트로겐요법이 안전하다고 주장하나, 현재까지 임상시험 결과는 없는 상태이다.

5. 난소암

난소암은 미국의 경우 여성암 중 발생 제8위이고, 사망 제5위를 차지한다. 한국의 경우 발생 및 사망률이 각각 10위와 9위로 미국보다 낮다.

호르몬 치료가 난소암에 미치는 영향은 아직 확실치 않다. 최근 대단위 전향 관찰연구 결과, 에스트로겐 단독요법은 위험을 증가시키며, 프로게스토겐이 함께 투여될 경우 위험이 감소될 수 있다. WHI 연구에 의하면 결합에스트로겐/MPA는 유의한 위험 증가를 보이지 않는다(상대위험: 1.58, 95% 신뢰구간: 0.77-3.24). 상피성 난소암 환자에서 에스트로겐요법은 예후에 영향이 없으므로 필요시 사용할 수 있다.

6. 대장-직장암

미국 여성에서 대장암은 암 발생 및 사망률 3위이며, 연령이 증가함에 따라 증가한다. 한국의 경우 발생 4위, 사망 3위로 유방암보다 더 중요한 여성암이다.

관찰연구에 대한 메타분석에 의하면 호르몬 치료는 대

장-직장암의 발생과 사망률을 낮춘다. WHI 연구는 약에 따라 다른 효과를 보고하였다(표 31-9). 결합에스트로겐/MPA는 대장-직장암 위험을 유의하게 39% 낮추나 진행된 상태에서 진단되며, 연령에 따른 차이는 없었다. 반면 결합에스트로겐은 유의하지는 않으나 오히려 대장암을 높이는 경향을 보였고 병의 예후에도 영향이 없어, 관찰연구와 다른 결과를 보였다. 또한 연령에 따라 50대에서는 감소하고 70대에는 증가하는 시간 경향을 보였다(p=0.08). 최근 발표된 대규모 전향 관찰연구(평균 연령:55.7세, 추적기간:15년)는 에스트로겐 단독요법이 대장-직장암을 예방하며(상대 위험: 0.83), 특히 10년 이상 장기간 투여된 경우 26% 감소를 보고하였다. 흥미롭게도 관상동맥질환과 유사한 결과 양태를 보인다. 현재 대장-직장암 예방만을 위해 호르몬 치료를 권하지는 않는다.

7. 치매

알츠하이머병은 치매의 가장 흔한 원인이며, 여성에서 남성보다 1.5-3배 더 많이 발생한다. 45세 이전 난소절제술은 받은 경우 위험이 증가되며 인지장애가 심할수록 골밀도가 감소된다. 이는 내인성 에스트로겐 부족이 알츠하이머병과 연관될 수 있음을 암시한다. 관찰연구에 대한 메타분석에 의하면 폐경 후 호르몬 치료는 치매의 위험을 34% 감소시킨다. 호르몬 치료가 시행된 나이의 영향을 분석한 결과, 50-63세에서만 알츠하이머병 위험이 감소되었다. 이는 병변이 진행되기 전 일정 시기에만 예방효과가 있음을 시사한다(critical window hypothesis). 프로게스토겐의 알츠하이머병에 대한 영향은 아직 확실치 않으나, MPA는 인지기능에 악영향을 줄 수 있다.

1993년 이후 소규모 단기간 임상시험을 통하여 경구 및 경피 에스트로겐의 알츠하이머병 치료효과가 제시되었으나, 1년간 결합에스트로겐 치료는 효과가 없었다. 한편 한국 환자를 대상으로 6개월간의 호르몬 치료(결합에스트로겐+micronized progesterone, 100 mg/일) 효과를 tacrine과 비교한 결과, 인지 기능은 양군 간 차이가 없으며 일상생활 수행능력은 호르몬 치료군이 더 우수하였다.

WHI memory study (WHIMS)는 WHI의 세부 연구로써, 65세 이상 여성을 대상으로 호르몬 치료의 치매 예방효과를 평가하기 위하여 고안되었다. 6년간 지속할 예정이었으나, WHI 연구가 중단되어 일찍 종료되었다, 호르몬투여기간은 결합에스트로겐/MPA군의 경우 4.2년, 결합에스트로겐군의 경우 5.2년이었다. 결합에스트로겐/MPA 투여로 예상과 달리 치매의 상대 위험이 2.05로 상승하였다. 호르몬 치료로 무증상의 경미한 허혈성 뇌졸중이 발생하여 알츠하이머병보다는 혈관성 치매가 증가한 결과로 생각된다. 한편 결합에스트로겐 투여는 치매 위험에 영향이 없었다. 폐경 초기 여성을 대상으로 결합에스트로겐과와 MPA를 제외한 다른 호르몬 치료의 효과에 대한 연구가 필요한 상태이다. 현재 알츠하이머병의 예방 혹은 치료만을 위한 호르몬 치료는 권장되지 않는다.

VII. 폐경 증상의 비호르몬 치료

1. 선택 세로토닌 재흡수억제제(Selective serotonin reuptake inhibitor, SSRI) 및 선택 노르에피네프린 재흡수억제제(Selective norepinephrine reuptake inhibitor, SNRI)

표 31-9. WHI 연구에서 호르몬 치료에 의한 대장-직장암 위험

호르몬 치료	상대위험	95%	유의수준	절대위험(년 1만 명당)
결합 에스트로겐/MPA	0.61	0.42	−0.87	−6
결합 에스트로겐/단독	1.12	0.77	−1.63	+1

세로토닌과 노르에피네프린은 체온 조절 과정에 직간접적으로 영향을 줄 수 있으며, 이에 따라 폐경과 연관된 혈관운동성 증상 치료를 위해 세로토닌 또는 노르에피네프린을 증가시키는 약물인 SSRI 또는 SNRI가 사용되고 있다.

기존 임상 연구 결과들을 살펴보면, 파록세틴(paroxetine) 10-25 mg을 6-9주 동안 투여하였을 때 위약군에 비해 열성 홍조 완화에 효과적이었다. 서트랄린(sertraline)의 효과는 용량에 따라 다른데, 50 mg을 4주간 투여 시 위약군에 비해 열성 홍조의 횟수가 감소하였으나, 100 mg을 6주간 투여 시 위약군과 효과의 차이가 없었고 위장관계 부작용, 구갈, 어지럼증 및 성기능 감소 등의 부작용이 증가하였다. 한편, 플록세틴(fluoxetine)의 치료 효과는 다른 약물들과도 비교되었는데, 플록세틴 20 mg과 승마 40 mg을 비교한 6개월간의 연구에서는 두 약물 모두 혈관운동성 증상 감소에 효과적이었으나, 승마 군에서 증상 감소가 컸고(85% vs. 62%), 플록세틴 군에서는 기분(mood)의 호전이 보다 우수하였다. 또한, 시탈로프람(citalopram)과의 비교 연구에서는 플록세틴 20-30 mg 치료가 시탈로프람 20-30 mg 및 위약과 효과 차이가 없었다. 시탈로프람은 호르몬 치료와도 비교되었는데, 8주 동안 호르몬을 투여하고도 증상 호전이 없었던 환자들에서 시탈로프람을 단독으로 8주간 투여하면 열성 홍조 감소에 효과적인 반면, 호르몬 치료를 지속한 군은 증상 호전 정도가 위약군과 유사하였다. 이밖에 12주간 37.5-75 mg의 벤라팍신(venlafaxine)을 투여하였을 때, 증상이 위약군에 비해 유의하게 감소하였는데(51% vs. 15%), 연구 종료 시까지 벤라팍신 사용을 지속한 비율이 93%에 달한다는 점을 주목할 만하다. 또한 중증 이상의 열성 홍조에 대한 데스벤라팍신(desvenlafaxine) 투여 연구 결과, 효과 및 부작용 발생 등을 고려하여 100 mg이 가장 적합한 치료 용량으로 제시되었다. 현재까지의 연구 결과를 종합하면, 서트랄린이나 플록세틴에 비해 벤라팍신 또는 파록세틴이 열성 홍조 감소에 보다 효과적인 것으로 생각된다.

SSRI와 SNRI는 비슷한 부작용을 가지고 있는데, 구역감, 어지러움, 구갈, 신경과민, 변비, 졸림, 발한 등이 대표적이며, 대부분의 경우 용량-의존적이다. 반면, 뼈, 유방, 자궁내막 및 혈전증에 대한 영향은 알려진 바 없다. 부작용은 초기에도 발생할 수 있으므로 치료 초기의 용량 조절이 도움이 될 수 있다.

2. 가바펜틴(Gabapentin)

가바펜틴은 감마아미노부티르산(γ- aminobutyric acid, GABA)의 유사체로, 효과는 주로 말단부 및 뇌에 광범위하게 위치하는 전위의존성(voltage-gated) 칼슘 통로의 α2 -δ1 및 α2 -δ2 아형(subunit)과의 결합에 의해 매개되는 것으로 알려져 있다. 가바펜틴은 GABA 신호 전달을 증가시키고, 흥분성(excitatory) 아미노산과 신경단백의 분비를 감소시키지만, 정확한 작용기전에 대한 추가 연구가 필요하다.

열성 홍조가 있는 여성에서 12주간 하루 900 mg의 가바펜틴을 투여하였을 때 열성 홍조 종합 점수(composite score)가 54% 감소하여, 31%가 감소한 위약군에 비해 감소폭이 컸고, 보다 큰 규모의 다른 연구에서도 비슷한 정도의 증상 감소 효과(치료군 51% vs. 위약군 26%)가 보고되었다. 한편, 하루 2400 mg의 용량을 투여하였을 때에는 증상 감소 효과(71%)가 에스트로겐과 비슷하고(72%) 위약군(54%)에 비해서도 높았으나, 두통, 어지러움, 방향 감각 상실 등의 부작용도 더 높은 빈도로 나타났다.

3. 클로니딘(Clonidine)

클로니딘은 중추신경계내 α-아드레날린 활성을 자극하며 고혈압 치료제로 사용된다. 과거 클로니딘의 혈관운동성 증상 치료 효과를 평가하기 위한 여러 연구들이 시행되었으나, 대부분의 연구가 방법상의 문제를 가지고 있어 결과 해석에 어려움이 있다. 비교적 최근 연구에서는 타목시펜(tamoxifen) 치료를 받는 유방암 환자에서 8주간 사용시 38%의 증상 감소 효과가 있었고, 에스트로겐과 비교하여 증상의 호전 정도가 유사한 결과가 보고되기도 하였으나,

불면증, 변비, 졸림, 구갈 등의 부작용이 있으며 효과 역시 뛰어나지 않기 때문에 임상적으로 사용하는데 제한점이 있다. 다만, 고혈압이 있는 여성에서 혈관운동성 증상의 비호르몬적 치료가 필요한 경우 고려할 수 있다.

4. 보완대체의학(Complementary and alternative medicine, CAM)

1) 승마(Black cohosh)

승마는 현재 가장 흔하게 사용되는 보완대체 약물중의 하나이며, 폐경 증상 호전 효과를 확인하기 위해 여러 연구들이 시행되었다. 하지만, 연구에 따라 사용된 승마의 제형 및 용량에 상당한 차이가 있어 연구 결과 해석에 있어서 주의가 필요하며, 효과 판단에 주로 사용된 Kupperman Menopausal Index 또는 Wiklund Menopausal Symposium Index가 혈관운동성 증상의 빈도가 아니라 주로 증상의 중증도를 판단하기 위한 척도들이라는 제한점도 있다. 이에 따라 현재까지 임상 연구에서 나타난 승마의 효과는 분명하지 않다. 한편, 최근 영국에서는 간에 대한 부작용 우려가 제기되기도 하였다.

2) 붉은 토끼풀(Red clover)

이소플라본 역시 폐경 여성에서 혈관운동성 증상 치료를 위해 사용되고 있는데, 현재까지 시행된 무작위 대조군 연구들 중 단 1개의 연구에서만 붉은 토끼풀이 위약군에 비해 유의한 열성 홍조 완화 효과가 있음이 보고되었고, 메타 분석에서도 붉은 토끼풀이 열성 홍조의 중증도 및 빈도를 호전시키지 못하는 것으로 나타났다.

3) St John's Wort

자연 폐경 여성에서 St John's Wort를 8주간 투여하였을 때 St John's Wort 투여군(53.7%)에서 열성 홍조의 빈도가 위약군(31.8%)에 비해 감소하였으며, 증상의 지속기간(50.6% vs. 23.4%) 및 중증도(59.8% vs. 26.1%) 역시 감소 폭이 컸다. 이에 따라 St John's Wort가 혈관운동성 증상 치료에 효과적일 수 있을 것으로 기대되지만, 향후 보다 많은 연구가 필요하다.

4) 침술(Acupuncture)

침술은 적절한 대조군이 설정된 무작위 대조연구에서 혈관운동성 증상의 치료에 효과적인 결과를 보여주지 못했다. 2016년 총 342명의 유방암 환자를 포함한 7개의 무작위 대조연구를 분석한 메타분석에서도 침술은 혈관운동성 증상의 개선에 효과가 없었다. 하루에 7번 이상의 혈관운동성 증상을 가진 372명의 오스트리아 여성을 대상으로 한 무작위 대조연구에서도 침술은 치료 직후, 3개월 및 6개월 추적 조사에서 거짓침(sham acupuncture)에 비하여 혈관운동성 증상을 개선시키지 못했다.

5) 신체 활동(Physical activity)

신체 활동은 폐경 증상의 호전뿐만 아니라 심혈관질환 및 골다공증의 위험 감소와 같은 다른 장점을 갖는 유용한 방법으로 권장되어 왔으나, 대부분의 무작위 대조군 연구에서는 신체 활동과 혈관운동성 증상 사이에 유의한 상관관계가 없음이 보고되었다.

5. 결론

기존 호르몬 치료의 부작용에 대한 우려로 비호르몬적 치료에 대한 관심이 증대되고 있으며, 관련 연구들도 지속으로 진행되고 있다. 지금까지의 무작위 대조군 연구 결과를 종합하면 일부 선택세로토닌재흡수억제제, 선택노르에피네프린재흡수억제제, 그리고 가바펜틴 등이 혈관운동성 증상 완화에 효과적이지만, 다른 비호르몬적 방법들, 특히 보완대체의학의 치료 효과는 명확하지 않다. 향후 비호르몬적 방법이 폐경 증상 호전에 있어서 효과적이고 안전한 치료 방법으로 자리잡기 위해서는 추가적인 연구가 필요하다.

** 참고문헌 목록은 대한산부인과내분비학회 홈페이지 http://www.kosge.or.kr 또는 QR코드를 통해 보실 수 있습니다.*

CHAPTER

32 골다공증

이동옥(국립암센터), 이동윤(성균관의대)

골다공증은 골 강도의 이상으로 골절 위험이 높아지는 골격계 질환으로, 폐경 여성에서 가장 흔한 건강 문제 중 하나이다. 전 세계적으로 골다공증 환자는 2억 명 이상으로 추정된다. 우리 나라는 최근 들어서 대규모의 체계적인 유병률 조사가 시작되었는데, 2008-2011년 국민건강영양조사에 의하면 50세 이상 여성의 37.3%가 골다공증을 가지고 있으며, 10세 단위로 연령이 증가할 때마다 골다공증이 2배씩 증가하는 것으로 나타나 다른 나라들과 마찬가지로 중요한 건강 문제로 인식되고 있다.

골다공증에 의해 발생하는 골절로 인한 높은 이환 및 사망은 환자의 삶의 질을 저하시킬 뿐만 아니라 상당한 경제적 손실을 초래한다. 실제로 골절과 관련된 직접적인 비용은 대표 만성 질환인 뇌졸중, 유방암, 당뇨 등에 비해 오히려 더 높고, 동반되는 간접 비용을 함께 고려하면 전체적인 손실은 이보다 훨씬 더 클 것으로 추정된다.

이러한 상황을 고려할 때 골다공증의 발생과 치료에 대한 정확한 이해가 매우 중요하므로, 본 장에서는 뼈의 정상적인 생리 작용인 골재형성에서부터 골다공증의 발생 및 진단, 그리고 치료에 이르는 전반적인 내용에 대하여 살펴보도록 한다.

Ⅰ. 골재형성의 생리

1. 개요

뼈는 골격 유지 및 무기물의 항상성 조절을 위한 지속적인 적응이 일어나는 역동적인 기관이다. 골모형화(bone modeling)와 골재형성(bone remodeling)은 골격의 유지와 발달에 중요한 두 가지 과정으로, 이 중 골재형성이란 기존의 뼈가 새로운 뼈로 지속적으로 교체되는 작용을 말한다. 골재형성은 골격의 형태와 질을 유지하는 중요한 과정으로서 여러 세포들이 관여하는 다양한 조절 기전이 존재하는데, 골다공증에 대한 정확한 접근을 위해서는 이를 이해하는 것이 필수이다.

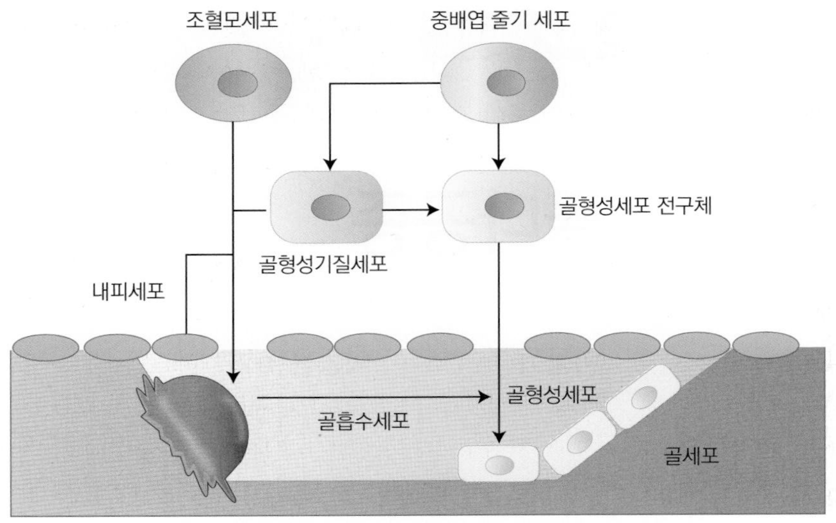

● 그림 32-1. **뼈의 구성 요소 및 분화**

2. 뼈의 구성

뼈는 무기질화된 구조물로 세포와 혈관, 그리고 칼슘 화합물의 결정인 hydroxyapatite로 구성되어 있는데, 이들의 비율은 뼈의 형태 및 부위에 따라 서로 다르다. 성인에는 기질뼈(cortical bone)와 해면뼈(trabecular bone)의 두 가지 종류의 뼈가 있다. 기질뼈는 골격의 대부분을 차지하는 치밀한 뼈로 교체가 느리고, 기계 자극에 대한 저항이 큰 특징을 가지고 있어 주로 보호 기능을 담당한다. 반면 해면뼈는 전체 뼈의 20% 정도를 차지하며, 기질뼈에 비해 덜 치밀하고, 탄력성이 있으며, 높은 골교체율을 나타내는데, 주로 대사와 관련된 역할을 한다.

뼈를 구성하는 주요 요소들은 다음과 같다(그림 32-1).

1) 골질(Bone matrix)

골질은 주로 제I형 콜라겐 섬유와 비콜라겐 단백질 등으로 구성되어 있으며, 전체 골 조직의 유기 구성물 중 약 90% 정도를 차지한다. 아직까지 다양한 비콜라겐 단백질들의 역할에 대한 이해가 부족하지만, 주요 단백질인 osteocalcin은 골질 내에서 칼슘의 결합, hydroxyapatite의 안정화, 그리고 골 생성의 조절 등의 역할을 하는 것으로 생각된다.

2) 골세포(Osteocyte)

골형성 과정 중 골형성세포(osteoblast)가 분화를 지속하여 아직 무기질화 되지 않은 골질(osteoid) 내에 위치하게 되면 이를 osteoid-osteocyte라고 명명하며, 이후 골질이 무기질화 되면 골세포로 부르게 된다. 골세포는 무기질화된 뼈 내의 골세포소강(lacunae)에 위치하며, 모든 골에서 가장 풍부한 세포이다.

골세포의 기능 및 형태는 세포의 나이에 따라 다르게 나타나는데, 비교적 젊은 골세포는 골형성세포의 구조적 특성을 대부분 가지고 있으나 세포의 부피 및 단백질 생성 능력이 감소해 있으며, 보다 오래된 골세포는 세포 부피가 더욱 감소하고, 세포질 내에 당원(glycogen)이 축적된 형태를 나타낸다. 골세포는 긴 수지상 돌기(dendrite-like process)를 통해 다른 골세포 및 골형성세포와 상호 작용을 한다.

골세포의 작용은 아직 정확하게 밝혀지지 않았지만, 골에 대한 압박에 반응할 뿐만 아니라, 골재형성이 필요한 곳으로 골흡수세포(osteoclast)를 이동하도록 하여 골재형성을 증진시키는 역할을 하는 것으로 생각된다.

3) 골형성세포

골형성세포는 중배엽 줄기세포로부터 기원하는데, runt-related transcription factor 2 (Runx 2)가 골형성세포 분화에 중요한 역할을 한다. 분화된 골형성세포의 일부는 새로운 골질 내에 위치하여 골세포로 분화되거나 골 표면에서 내층 세포(lining cell)를 구성한다.

4) 골흡수세포

성숙된 골흡수세포는 지름이 100 um에 이르는 매우 큰 다핵세포로, 단핵구계의 조혈모세포로부터 기원한다. 주로 석회화된 골 표면 및 골세포소강 내에서 발견된다. 골흡수세포 형성에는 골수의 기질(stromal) 세포와 골형성세포에서 생성되는 대식세포집락자극인자(macrophage colony stimulating factor) 및 핵인자 카파 B 수용체 활성화제(receptor activator of NF-kappa B)의 역할이 중요하다.

3. 골재형성 과정

골재형성은 일생에 걸쳐 일어나는데, 미세 골절과 같은 뼈의 결함을 해결하고, 기계 부하에 적응하며, 칼슘 및 인의 항상성을 유지하기 위한 과정이다. 골흡수세포에 의한 골흡수와 골형성세포에 의한 골형성은 균형이 맞도록 조절되는데, 이들 세포는 기초 다세포 단위(basic multicellular unit, BMU)라고 불리는 기능적 단위에서 밀접하게 작용한다. 일반적으로 해면뼈는 치밀뼈에 비해 보다 활발한 골재형성 작용이 일어난다. 골재형성 주기는 다음과 같이 연속된 단계로 이루어져 있으며, 수개월에 걸쳐 진행된다(그림 32-2).

활성(activation) 단계는 골재형성의 첫 단계로서 골재형성 개시 신호를 감지하는 것인데, 자극에 의해 골세포의 세포자멸사가 일어나면 골흡수세포의 생성을 억제하는 전환성장인자(transforming growth factor, TGF)-β의 농도가 감소하면서 골흡수세포의 생성이 진행된다.

흡수(resorption) 단계에서는 다양한 신호에 반응하여 골흡수세포의 전구체들이 골재형성 장소로 동원된다. 기질 분해효소(matrix metalloproteinase)들은 골표면에 위치한 osteoid를 분해하여 골흡수세포의 결합을 위한 부위를 노출시키고, 골흡수세포는 αvβ3 integrin을 통해 이 부위에 결합하여 'sealed zone'이라 불리는 구조를 만든다. 골흡수세포가 골기질에 접하는 부분에는 'ruffled border'라고 불리는 세포막의 깊은 주름이 있는데, tartate-resistant acid phosphatase 및 cathepsin K와 같은 효소들이 골흡수세포에 의해 활발하게 합성되어 이 부위를 통해 분비된다. 이 부분으로 수소 이온이 이동하면 산성 환경이 조성되어 골기질 및 hydroxyapatite 결정의 산성화 및 단백 용해에 의해 기질의 분해가 일어나고, Howship's lacunae가 생성된다. 골흡수세포의 작용 후 Howship's lacunae는 콜라겐 기질로 덮여 있는 상태인데, 단핵 세포가 이들 콜라겐 잔유물을 제거하여 골형성세포에 의한 골형성 과정을 준비한다.

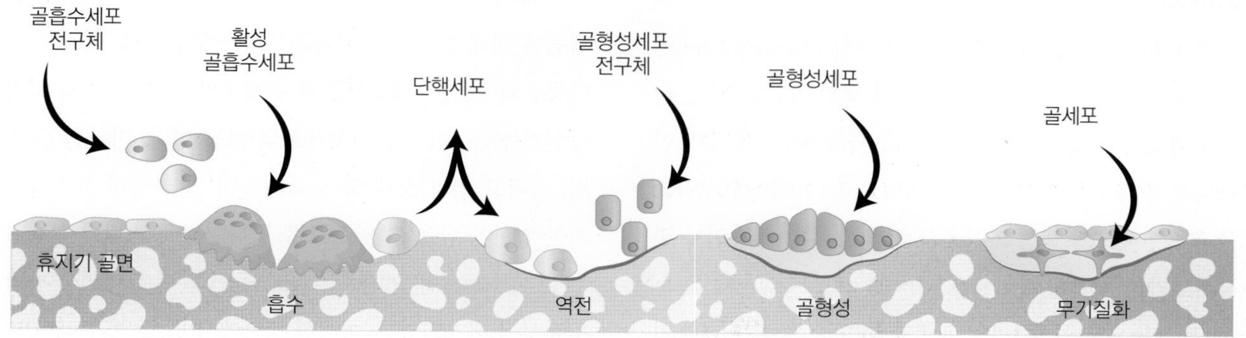

• 그림 32-2. **골재형성 주기**

역전(reversal) 단계에서는 기초 다세포 단위 내에서의 골흡수가 골형성으로 전환되는데, 골형성의 진행을 위해 골흡수세포가 억제되고 골형성세포가 동원된다. 결국 골형성이 활성화되면 골흡수세포의 작용은 중단되고 세포자멸사가 일어난다. 골형성은 osteoid의 생성 및 성숙, 무기질화의 과정을 거친다. 골흡수세포와 골형성세포를 연결하는 조절 기전으로는 성장인자인 인슐린유사성장인자(insulin-like growth factor, IGF)-1 또는 2, 각종 사이토카인, soluble molecule sphingosine 1-phosphate 및 EhpB4/ephrin-B2 양방향 신호 전달체 등이 있다.

마지막으로 흡수된 부분이 모두 교체되면 골재형성이 종료되는데, 골표면은 편평한 내층 세포로 덮이게 되고, 새로운 골재형성 주기가 시작될 때까지 휴식기가 시작된다.

4. 골재형성 조절

골재형성 과정에 골흡수세포와 골형성세포가 함께 작용한다는 가설이 제기된 것은 아주 오래 전이지만, 정확한 분자학적 기전은 최근에서야 규명되었다. 골재형성은 골형성세포 계열인 골세포, 내층세포, 골형성세포 전구체(preosteoblast) 등의 활성화로부터 시작되는데, 이들 세포들은 tumor necrosis factor superfamily인 RANKL을 분비한다. RANKL은 골흡수세포 전구체에 존재하는 RANK라는 수용체와 결합하는데, 이 결합에 의해 골흡수세포계 세포들의 활성화, 분화 및 다핵세포로의 융합이 일어나 골흡수 과정이 시작되며, 골흡수세포의 세포자멸사도 억제된다. RANKL의 작용은 osteoprotegerin (OPG)에 의해 억제되는데, OPG는 RANKL에 대한 미끼 수용체(decoy receptor)로 주로 골형성세포계의 세포들에서 생성된다. OPG는 골흡수세포의 분화와 활성화를 막고, 세포자멸사를 유도함으로써 골흡수를 억제한다. 결론적으로 OPG와 RANKL은 골흡수세포의 생성 과정에서 여러 호르몬, 성장인자 및 사이토카인의 매개체 역할을 하는데, 이를 '융합 가설(convergence hypothesis)'이라고 표현할 수 있으며, 두 인자들의 비율에 따라 골흡수세포의 분화, 활성화, 또는 세포자멸사가 조절되는 것으로 생각할 수 있다.

골형성세포는 인슐린유사성장인자, 혈소판유래성장인자(platelet-derived growth factor, PDGF), 염기성 섬유모세포성장인자(basic fibroblast growth factor), 전환성장인자-β, 그리고 골형성단백(bone morphogenetic protein)과 같은 다양한 인자들의 영향을 받아 자가분비(autocrine) 또는 주변분비(paracrine) 방식으로 활성이 조절된다. 또한 부갑상선호르몬(parathyroid hormone, PTH), 부갑상선호르몬연관단백(parathyroid hormone-related protein, PTH-rP), 갑상선호르몬(thyroid hormone), 성장호르몬(growth hormone, GH), 인슐린, 프로게스테론, 프로락틴 및 에스트로겐, 안드로겐, 비타민 D3 및 레티노이드 등 다양한 스테로이드 호르몬에 대한 수용체 역시 존재한다. 이밖에 Wnt 신호전달계가 골형성세포 분화에 중요한 역할을 하는데, Wnt 신호 전달계가 활성화되면 골형성세포 분화가 촉진되어 골강도가 향상된다. 한편, 골흡수세포의 기능 역시 국소적으로 작용하는 사이토카인이나 전신 호르몬들에 의해 조절되는데, 칼시토닌, 안드로겐, 갑상선 호르몬, 인슐린, 부갑상선호르몬, IGF-1, 인터루킨(interleukin, IL)-1, 집락자극인자(colony-stimulating factor) 1, 그리고 PDGF 등에 대한 수용체가 골흡수세포에서 확인되었다.

II. 골다공증 및 골절의 병리

1. 개요

1940년 Albright 등은 폐경 후 골다공증이 에스트로겐 결핍에 의해 발생한다는 이론을 주장하였는데, 실제로 골다공증의 발생은 에스트로겐 결핍뿐만 아니라, 이차 부갑상선기능항진이나 골형성세포의 기능 변화, 비타민 D 결핍, 그리고 영양 상태 등 노화와 관련된 다양한 요인들에 의한 영향을 받을 수 있으므로, 골다공증의 병리를 설명하는 데 에스트로겐 외에 다른 요인들이 함께 고려되어야 할 필요성이 제기되었다. 이러한 맥락에서 Riggs 등은 1980년대 초 골다공증을 두 가지의 형태로 구분할 것을 제안하였다. 먼저 제1형은 폐경 후 골다공증으로, 폐경 후 대략 5-10년에 걸쳐 관찰되는 급속한 골소실에 의해 발생하며, 주로 해면뼈에 영향을 미치므로 임상적으로는 척추 또는 요골의 골절과 연관되어 있다. 제2형은 노인 골다공증으로, 골형성세포의 기능 부전이나 칼슘의 섭취 및 흡수의 감소와 같은 노화에 따른 변화로 인하여 골다공증이 발생하는 경우로 정의되며, 치밀뼈와 해면뼈에 모두 영향을 미치고 고관절 골절과 연관되어 있다는 차이가 제시되었다.

하지만 이러한 구분은 이후 같은 연구자들에 의해 폐경 후 여성 및 고령 남성에서의 골다공증의 발생 원인이 공통적으로 에스트로겐 결핍 때문이라는 단일 모형으로 다시 일원화되어, 에스트로겐 결핍이 초기 및 후기 폐경 여성에서의 골소실의 주요한 원인으로 제시되었다. 현재까지 제시된 골다공증의 발생과 관련된 기전들은 다음과 같다.

2. 골다공증의 병리

1) 에스트로겐 결핍

에스트로겐의 결핍은 골다공증 발생에 있어서 핵심적인 원인으로, 에스트로겐은 골격계에 대한 작용과 비골격계 작용을 통해서도 골다공증 발생에 영향을 준다. 골격계 작용은 직접 작용과 간접 작용 두 가지로 구분할 수 있는데, 직접 작용은 골형성세포 및 골흡수세포에 위치하는 에스트로겐 수용체와의 결합을 통하여 일어나는 반면, 간접 작용은 기질 세포나 면역계 세포 등 다양한 세포들에 위치하는 에스트로겐 수용체가 매개한다.

최근까지 골다공증의 병태 생리 연구는 골흡수세포에 의한 골흡수 과정에 초점을 맞추었는데, 골흡수세포의 형성 및 활성이 종양괴사인자(tumor necrosis factor, TNF)계 OPG, RANK, 그리고 RANKL의 상호 작용에 의해 조절된다는 사실이 밝혀지면서, 이와 관련된 연구가 활발하게 진행되고 있다. OPG-RANK-RANKL계는 골흡수세포의 분화 및 기능에 관여하는데, RANKL은 골형성세포 표면에 발현하여 골흡수세포 및 그 전구 세포에 존재하는 수용체인 RANK와 결합하여 골흡수세포의 분화를 자극하며, 성숙 골흡수세포의 활성을 증가시키고, 세포자멸사를 억제함으로써 활성 골흡수세포를 증가시키는 역할을 한다(그림 32-3). 한편, OPG는 RANKL에 대한 수용성 미끼 수용체로서 RANKL이 골흡수세포의 RANK에 결합하는 것을 막는 역할을 통해 RANKL의 길항제 역할을 한다. 에스트로겐은 OPG-RANK-RANKL계에 대한 작용을 통해서 골다공증 발생에 영향을 주는데, 에스트로겐이 골형성세포

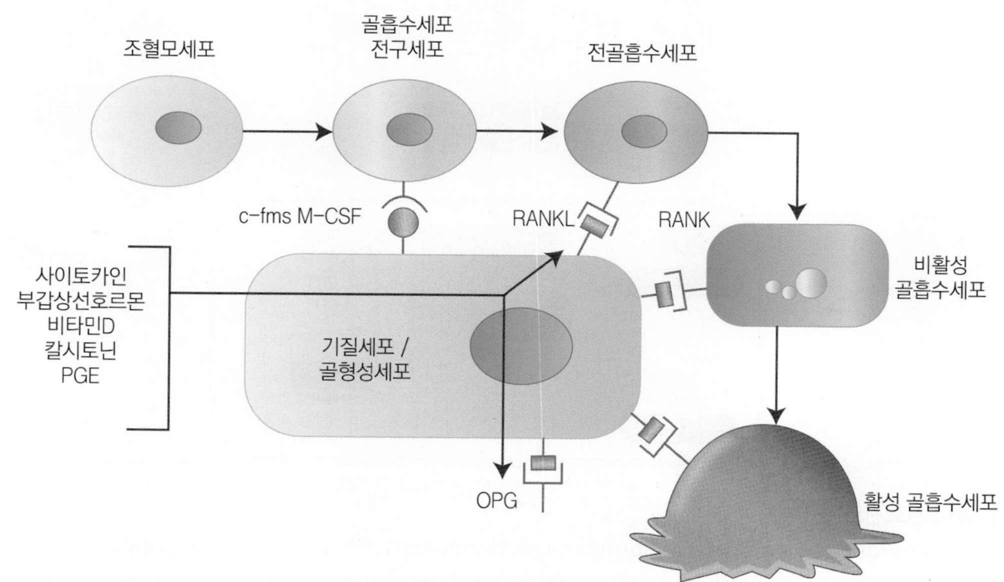

• 그림 32-3. **골흡수세포 형성과정**

에서 OPG 생산을 증가시켜 골흡수를 억제하는 방향으로 작용하는 반면, 에스트로겐의 결핍이 일어나면 골흡수를 증가시키는 데 있어 중요한 인자인 RANKL의 발현이 증가한다.

하지만 최근 골흡수세포의 분화와 기능에 골형성세포의 역할이 중요하다는 증거들이 지속적으로 제시되면서 골형성세포에 대한 관심이 증대되었으며, 이 중 Wnt 신호전달계(그림 32-4)는 조골세포의 분화를 조절하는 중요한 인자로서 연구가 활발하다. Wnt는 분비 당단백질로, 신호 전달경로를 통해 개체의 발생과 형태 변형, 세포의 증식과 분화 그리고 자멸사 등에서 중요한 역할을 담당하고 있다. 조절 과정을 간단히 요약하면, Wnt가 세포막 수용체인 frizzled (FZD) 수용체와 저밀도 지단백 수용체관계 단백 (low-density lipoprotein receptor-related protein, LRP) 5/6에 결합하게 되면 canonical Wnt 경로가 활성화되어 axin, adenomatous polyposis coli (APC), disheveled 복합체로부터 glycogen synthase kinase (GSK) 3β 결합단백질이 배제되면서 이 효소에 의한 β-카테닌의 인산화가 억제되어 세포질 내 β-카테닌이 증가된다. 이 물질이 핵 안으로 이동하여 lymphoid enhancer binding factor (Lef1) 및 T cell factor (Tcf)에 영향을 미치게 되면 유전자의 발현이 증가 또는 감소된다. 여러 경로 중 특히 canonical Wnt 경로를 통해 골형성세포의 전구세포 성장이 자극되고 분화가 조절되는 것이 알려졌으며, 에스트로겐이 Wnt 신호전달계와 상호작용을 한다고 보고되었으나, 이와 관련해서는 추가 연구가 필요하다.

뼈에 대한 에스트로겐의 작용의 많은 부분이 면역 세포에 의해 매개된다는 연구 결과들이 보고되면서, 뼈와 면역 세포의 상호 작용이 관심을 받고 있으며, 이를 골면역학 (osteoimmunology)이라는 새로운 범주로 구분하기도 한다. 이미 1980년대 후반부터 여성 호르몬과 사이토카인의 연관성이 알려졌으며, IL-1, IL-6, TNF-α, prostaglandin E2와 같은 다양한 사이토카인 및 염증 매개 물질들이 골다공증의 병태생리에 관여하고 있음이 밝혀졌다. 에스트로겐 결

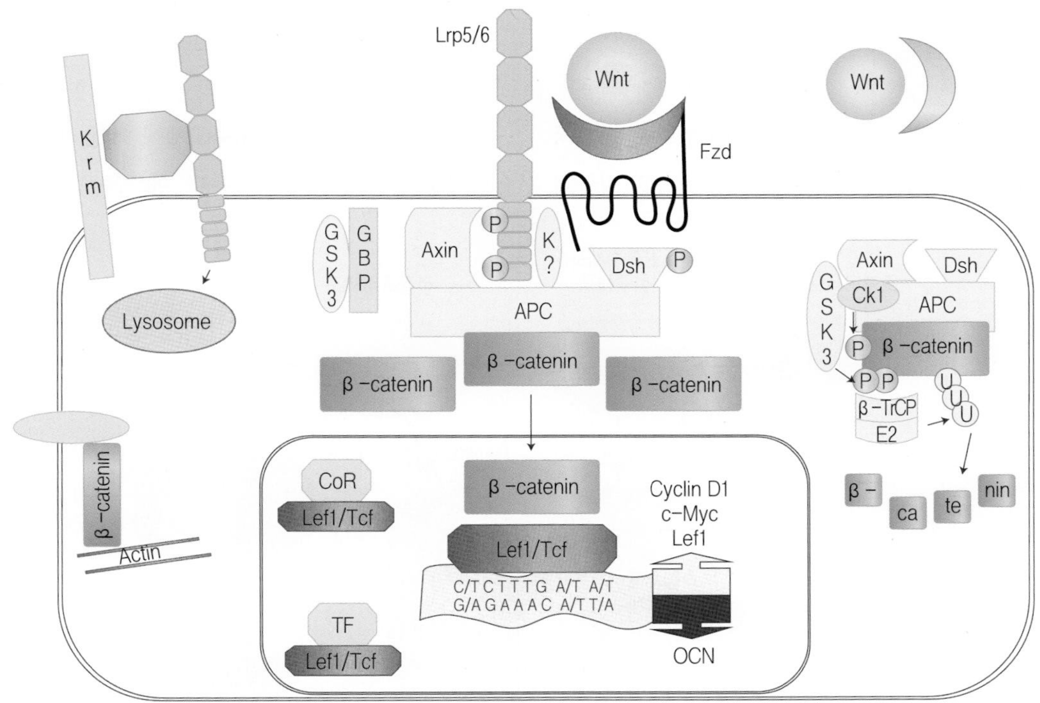

• 그림 32-4. **Wnt 신호전달계**

LRP-low-density lipoprotein receptor-related protein; Dsh-disheveled; APC-adenomatous polyposis coli; GSK-glycogen synthase kinase; Lef1-lymphoid enhancer binding factor; Tcf-T cell factor; Krm-Krremen protein; GBP-GSK-3 binding protein; CoR-co-repressor; TF-transcription factor; Dkk-dickoff; Fzd-frizzled

핍에 의한 T 세포 기능의 변화에 대한 연구에서는 에스트로겐 결핍이 IL-7 생산 증가를 일으켜 T 세포를 활성화시키고, T 세포에서의 interferon-γ 및 TNF-α 생산이 증가됨이 보고되었는데, interferon-γ는 T 세포의 추가적 활성화를 유발하여 보다 많은 RANKL과 TNF-α가 생산되도록 한다.

산화 스트레스 역시 에스트로겐 결핍과 관련되어 있으며, 에스트로겐 결핍은 골수에서 reactive oxygen species의 축적을 일으켜 tumor necrosis factor-α 생산 증가에 의해 유발되는 염증 전 단계(proinflammatory state)가 초래되는데, 실험모델에서 항산화물질 치료에 의해 골소실이 예방될 수 있음이 보고되어 에스트로겐 결핍과 연관된 산화 스트레스 역시 골다공증에 영향을 줄 수 있음이 확인되었다.

에스트로겐의 비골격계 작용으로 신장 및 장에서의 칼슘 조절이 중요한데, 에스트로겐이 결핍되면 칼슘의 배설이 증가하고 장에서의 칼슘 흡수가 감소하며, 장을 통한 칼슘 흡수를 감소시키는 작용을 하는 비타민 D 결핍도 유발된다. 또한 에스트로겐의 결핍은 혈중 부갑상선호르몬의 농도를 지속적으로 증가시키는데, 이러한 이차 부갑상선기능항진은 칼슘 소실에 대한 보상 기전으로 생각되고 있지만, 에스트로겐이 부갑상선에 대하여 직접적인 억제 효과를 가지고 있기 때문이기도 하다. 한편 에스트로겐 결핍은 부갑상선호르몬에 대한 뼈의 감수성도 증가시키는 작용이 있다.

2) 노화

에스트로겐 결핍이 골다공증 발생에 있어 가장 주요한 요인이라 하더라도, 노화로 인한 변화 역시 골다공증 발생에 있어 영향을 줄 수 있다. 예를 들어 나이가 많은 여성에서의 골소실 과정에서 이차 부갑상선기능항진이 중요한 역할을 하는데, 이 시기의 골소실 증가가 모두 에스트로겐의 결핍 때문이라면 뼈로부터 칼슘이 빠져나와 혈중 칼슘 농도가 증가되면 이에 반응하여 혈중 부갑상선호르몬의 농도가 감소하여야 할 것이기 때문이다. 하지만 혈중 부갑상선호르몬의 농도는 지속적으로 증가되어 있으며, 이러한 현상의 일부를 노화에 의한 변화로 생각하고 있다.

노화에 따른 대표적인 변화는 나이가 증가함에 따라 골수에서 골형성세포를 만들어내는 능력이 감소하는 것인데, 골수에서 골형성과 관련된 세포들 보다는 지방을 형성하는 방향으로 변화가 일어나는 것이다. 이에 따라 중배엽성 줄기세포들을 골형성과 관련된 세포로 분화하도록 하는 Runx 2 발현이 감소하는 반면, 지방세포로의 분화를 유도하여 골형성세포의 분화를 억제하는 중요한 조절자로서 작용하는 peroxisome proliferator-activated receptor gamma 2 (PPARγ-2)의 발현이 증가되어, 골형성세포의 발달에 이상이 발생한다.

이와 함께 비타민 D 부족 역시 노화에 따른 골다공증 발생의 주요 원인이다. 비타민 D는 노화에 따라 감소하는데, 원인으로 햇볕에 대한 노출 부족, 식이를 통한 섭취 부족, 신장의 기능 이상 등이 있다. 비타민 D가 결핍됨에 따라 장에서의 칼슘 흡수가 감소하면 저칼슘혈증에 대한 반응으로 부갑상선호르몬의 농도가 증가하는데, 이는 골분해를 촉진시켜 장기적으로 골소실을 초래한다. 한편, 비타민 D는 근육과 같은 다른 조직에도 영향을 주는데, 결핍 시 근력 약화 및 낙상 빈도 증가 등을 통해 신체 활동이 제한되어 골다공증 발생에 영향을 줄 수 있다.

3) 기타

신체 활동을 통한 기계 자극이 골량을 증가시키는 효과가 있는 반면, 움직임 제한은 골량 감소를 일으킨다. 칼슘, 인, 그리고 비타민 D의 섭취 부족은 노화에 의한 골량 감소와 연관되어 있다. 늦은 초경과 빠른 폐경, 카페인 및 알콜 섭취, 흡연 등도 골량 감소의 중요한 요소들로 생각된다. 인종과 같은 유전 요인 역시 골량에 영향을 미치는데, 흑인과 히스패닉 계열은 백인 및 아시아인에 비해 높은 골량을 갖는다. 또한 OPG-RANK-RANKL계와 Wnt 신호전달계, 그리고 골면역학에 매개되는 다양한 인자들 역시 유전 차이가 나타나므로, 결과적으로 유전 인자들은 현재 골다공증 발생 위험 결정에 있어 가장 중요한 요인으로 생각된다.

한편, 골대사에 이상을 초래하는 다양한 질환이나 약물들 역시 골소실을 유발하여 골다공증의 발생 위험을 높이

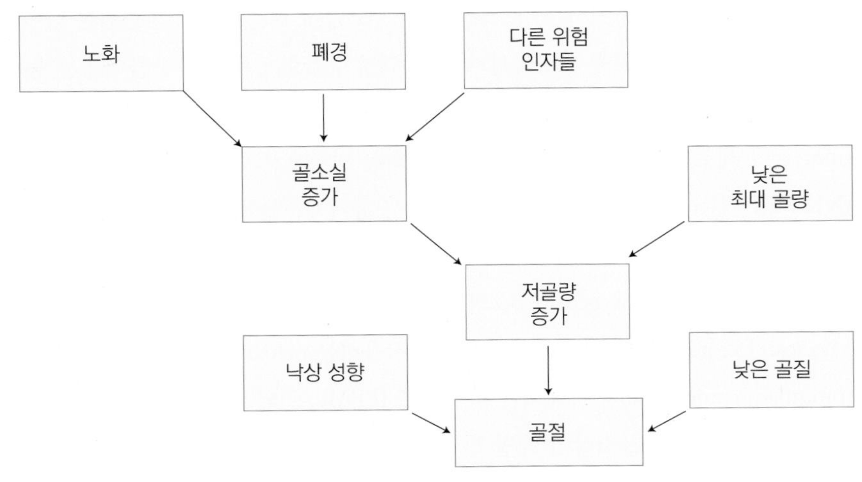

• 그림 32-5. **골절의 병리**

는데, 대표적으로 스테로이드의 사용, 갑상선기능항진, 부갑상선기능항진, 당뇨, 염증장질환, 자기면역질환, 위 절제술 등이 있다.

3. 골절의 병리

골다공증의 임상적 중요성은 궁극적으로 골절의 발생 위험이 증가하는데 있다. 이에 따라 골다공증을 일으킬 수 있는 상황은 일반적으로 골절 위험이 증가한 상황으로 생각할 수 있다. 골다공증 골절의 병리는 다음의 그림 32-5로 요약할 수 있다.

III. 증상, 위험도 평가 및 진단

1. 증상

일반적으로 골다공증 자체는 특별한 증상이 없으나, 골다공증으로 인해 골절이 발생하게 되면 통증, 신장 감소 등의 골격계 변형 및 운동 능력 감소 등의 문제가 발생할 수 있다. 통증은 가장 흔한 관련 증상으로 골다공증 골절이 흉추 및 요추에서 주로 발생하므로, 척추와 관련된 통증이 많다. 낙상, 급격한 움직임, 뛰기, 물건 들기와 같은 다양한 상황에서 골다공증 골절이 발생하면 통증을 심하게 느낄 수 있으며, 주로 골절 부위에 국한되지만 복부나 옆구리 쪽으로 방사되는 경우도 있다. 또한 통증은 복압을 증가시킬 수 있는 행동이나 앞으로 구부리기, 오랫동안 서있거나 앉아 있는 상황 등에서 증가할 수 있다. 골절로 인한 급성 통증은 보통 몇 주 내에 호전되어 3개월이 지나면 대부분 사라지지만, 골절로 인한 골격계 변형으로 인해 새로운 골절이 다시 발생하지 않더라도 통증이 수 년 이상 장기적으로 지속되기도 한다. 특히 척추의 압박골절에 의한 골격계의 변형은 통증뿐만 아니라 신장 감소와 척추전만을 진행시킬 수 있다. 골다공증 골절을 경험한 많은 환자들이 골절 후 몇 년 동안 골절을 다시 경험하는 경우가 많으므로, 새로운 통증이 발생되거나 통증이 지속되면 이러한 사항을 확인하여야 한다.

골절 중 척추 압박 골절은 65세 이상의 고령 여성의 약 절반 정도가 경험할 정도로 흔하게 발생하지만, 골절이 있는 환자의 3분의 2 정도는 이를 인지하지 못한다. Colles' 골절의 발생 역시 연령 증가에 따라 빠르게 증가하는데, 75세까지 발생하는 가장 흔한 골절 중 하나이다. 고령에서는 고관절 골절의 발생이 증가하며, 이들 골절의 약 80% 정도가 골다공증과 관련이 있는 것으로 보고된다. 한편, 치아의 소실을 초래하는 구강 내 뼈의 소실 역시 골다공증과 연관되어 발생한다고 알려져 있다.

2. 위험도 평가

골다공증의 임상적 중요성은 향후 이들 환자들에게 골절 발생의 위험이 증가하는 점이다. 현재 사용되고 있는 골다공증의 진단 기준은 중심골 골밀도를 기반으로 하고 있는데, 골다공증으로 진단된다면 당연히 치료가 시작되어야 하나, 많은 골절이 이미 골다공증 전 단계에서 발생한다. 이에 따라 향후 골절의 위험이 높은 환자들을 선별하여 치료를 시작하는 것이 중요하며, 환자들의 위험을 평가하기 위하여 다음과 같은 방법들이 사용되고 있다.

1) 임상 인자

여성에 있어서 중요하게 고려되는 인자들은 나이, 본인 및 가까운 친척에서의 연약 골절(fragility fracture)의 과거력, 골다공증의 가족력, 흡연, 마른 체형이고 골격이 작은 경우, 무월경으로 인한 저에스트로겐혈증, 장기간의 칼슘 및 비타민 D 섭취 부족, 골소실을 초래할 수 있는 약물을 사용하거나 내과 질환이 있는 경우, 운동 부족, 과도한 음주 등이 대표적이다. 위험 인자들은 병력 청취를 통해 손쉽게 파악할 수 있으며, 향후 추가 검사의 시행 여부 결정 및 생활 습관 교정에 있어 중요하므로 반드시 확인해야 한다.

2) 골밀도 측정

이중 에너지 방사선 측정법(dual-energy x-ray absorptiometry, DXA)을 이용하여 측정한 중심골 골밀도는 현재 골다공증 진단을 위한 기준으로 사용되고 있는데, 이와 동시에 향후 골절 위험을 예측하는 인자이기도 하여 매 표준편차만큼의 감소에 따라 골절 위험이 두 배씩 증가함이 보고되었다. 하지만, 골밀도만으로 골강도를 모두 설명할 수 없으며, 골강도 변화의 50% 미만 정도만이 골밀도 변화에 기인하는 것으로 생각된다. 실제로 National Osteoporosis Risk Assessment 연구 결과 골절이 발생한 폐경 여성의 82%는 골다공증을 가지고 있지 않았으며, 55세 이상의 여성에서의 비척추골 골절의 56%도 골감소증 상태에서 발생하였다. 또한 골흡수억제제의 치료 효과에 대한 임상 연구에서도 치료 기간 중 척추 골밀도의 향상은 관찰되는 척추 골절 위험의 일부만을 설명할 수 있었다. 이 밖에 quantitative ultrasound (QUS)도 사용되고 있으며, 일부 연구에서는 종골에서의 QUS 검사가 DXA와 마찬 가지로 골절 위험이 높은 사람을 확인하는데 도움이 된다고 보고하였으나, 골절 위험을 예측할 수 있는지를 확인하기 위한 전향 연구가 부족하며, 검사 결과를 세계보건기구 기준에 따라 골다공증을 진단하는데 사용할 수 없다는 제한점이 있다.

또한 뼈의 구조를 평가하기 위한 방법으로 quantitative computed tomography (qCT) 및 자기 공명 영상 촬영도 활발하게 시도되고 있다. 이중 qCT는 3차원적 구조를 측정할 수 있는 장점이 있고, 치밀뼈와 해면뼈를 구분할 수 있으며, 골밀도 변화에 보다 민감하다는 장점이 있는데, 척추골 qCT는 척추골 골절 예측에 있어 DXA와 유사한 정확도를 나타낸다. 또한 자기 공명 영상 역시 뼈의 구조를 잘 확인할 수 있고, 방사선에 대한 노출이 없다는 장점이 있다. 향후 이들 영상 방법의 사용에 대한 보다 많은 연구와 사용이 기대된다.

3) Fracture Risk Assessment Tool (FRAX)

골밀도 측정만으로 골절 위험을 정확하게 예측하기 어렵다는 제한점으로 인해, 나이와 같은 다양한 위험 인자들을 함께 고려하여 골절의 위험을 보다 잘 예측할 수 있는 평가 도구를 만들기 위한 노력이 지속되어 왔으며, 그 결과 FRAX가 개발되었다. FRAX는 2008년 세계보건기구가 제안하였는데, 다양한 국제 기관들의 협조를 통해 만들어졌으며 인터넷 홈페이지를 통해 누구나 사용이 가능하다 (www.shef.ac.uk/FRAX).

FRAX의 목표는 임상 위험 인자들을 이용하여 골절의 위험을 예측하는 것으로 나이, 성별, 인종, 키, 몸무게, 체질량지수, 연약 골절 병력, 부모의 고관절 골절력, 경구 글루코코르티코이드 사용, 류마티스성 관절염, 이차 골다공증, 현재 흡연, 알코올 섭취 등의 위험 인자가 사용된다. 이

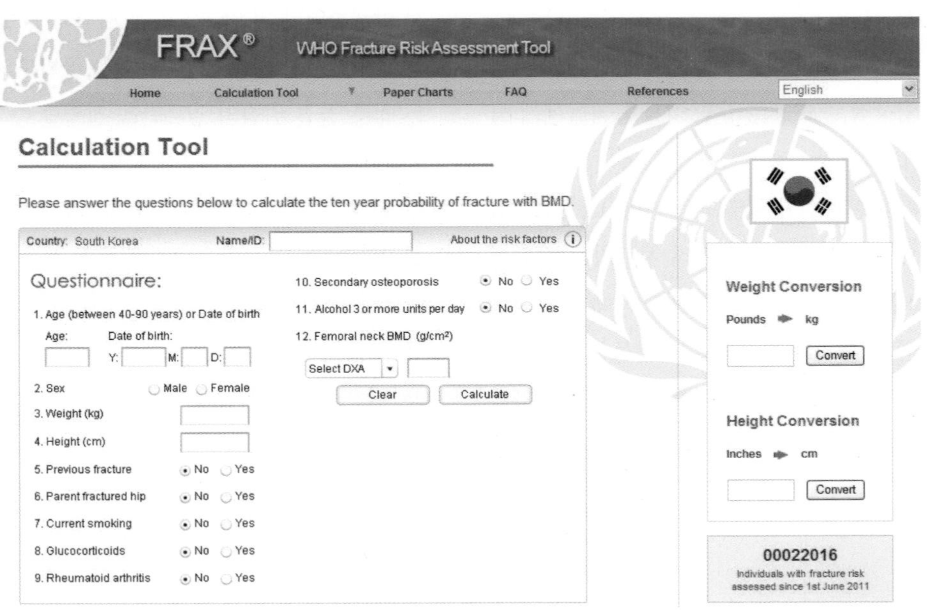

• 그림 32-6. **FRAX 한국 모형**

들 인자들을 이용하여 주요 골다공증 골절(근위 상완골, 손목, 고관절, 임상적 척추 골절) 및 고관절 골절의 10년 발생 가능성을 계산한다. 골절 빈도는 지역에 따라 큰 차이가 있으므로, 각 대상자의 거주 지역이 고려되어야 하는데, 현재 한국을 포함한 세계 각국에서의 FRAX 모형이 개발되었다(그림 32-6). FRAX로 계산된 골절 위험은 골다공증 치료가 필요한 대상을 선별하기 위하여 사용될 수 있는데, 미국에서는 중심골 골밀도 검사상 골감소증에 해당되는 환자들에게서 FRAX로 골절 위험을 계산하여 고관절 골절의 10년 위험도가 3%, 주요 골다공증성 골절의 위험도가 20% 이상이면 치료가 고려되어야 한다고 권고하고 있다.

FRAX 역시 제한점을 가지고 있는데, 주로 고관절 골절에 대한 자료가 포함되었기 때문에 다른 부위 골절의 위험도 평가가 정확하지 않을 가능성이 있으며, 특정 코호트의 자료를 반영한 모델이므로 국가 전체를 대표할 수 있는 일반성이 부족할 수 있다. 이 밖에도 연령에 따른 골절 예측력에 차이가 있을 수 있고, 이미 치료를 받은 경우 사용할 수 없으며, 척추골 골밀도, 비타민 D 농도, 신체 활동, 낙상 위험, 골교체인자 등 다른 주요 위험 인자가 포함되지 않았다는 제한점이 있다.

4) 골교체인자

골교체는 골질 및 골량 조절에 중요한 요소이므로, 골흡수와 골형성 사이의 불균형이 발생하면 골조직의 변화가 초래된다. 골교체 인자에는 골흡수인자와 골형성인자가 있다. 골흡수가 일어나면 다양한 콜라겐 부산물이 혈중으로 유입되어 간 또는 신장에서 대사된다. 이들 콜라겐 분해 생성물은 혈중 또는 소변에서 측정이 가능하여 골흡수표지자로 사용되는데, 대표적으로 crosslinked aminoterminal-telopeptide (NTX), cross-linked carboxy-terminal-telopeptide (CTX), free pyridinoline (PYD), 그리고 deoxypyridinoline (DPD) 등이 있다. 반면, 골형성세포는 제I형 콜라겐을 생성하는데, 이 콜라겐의 양측 말단의 propeptide인 PICP 및 PINP를 혈중에서 측정할 수 있다. 또한 골형성세포에 의해 다양한 비콜라겐성 단백질이 분비되는데, 이 중 bone-specific alkaline phosphatase (ALP)와 osteocalcin을 골형성세포의 활성도의 표지자로 이용 가능하다. 다만 osteocalcin은 골기질의 분해 과정에서도 생성될 수 있고, 일중 변화가 크며, 다른 생물학적 인자들에 의한 영향을 많이 받으므로 사용에 제한이 있으며, ALP는 간에서의 효소와 약 15% 정도의 교차 반응이 있으므로 간 질환이 있는 환자에서 고려가 필요하다.

골교체 인자들은 측정에 따른 변이가 심하고, 중심골과 말단골, 치밀뼈와 해면뼈를 구분하지 못하며, histomorphometry와의 상관성이 높지 않다는 제한점이 있다. 또한 어떠한 인자가 가장 적합한지도 확실하지 않다. 하지만, 여러 제한점에도 불구하고 연약 골절의 발생과 연관이 있고, 골흡수억제 치료와 관련된 임상 연구에서도 골절과의 상관 관계가 골밀도와 비교하여 비슷하거나 우수하다고 보고되어, 현재 임상에서 널리 활용되고 있다.

5) Trabecular bone score (TBS)

2차원으로 측정된 DXA 영상을 프로그램을 통해 3차원으로 구성하여 간접적으로 뼈의 미세구조를 평가하는 방법이다. 즉, 같은 골밀도라고 하더라도 TBS가 다르다면 골강도에도 차이가 있다고 해석할 수 있다. 폐경 여성에서 골다공증 골절 발생을 예측하는 데 도움을 줄 수 있을 것으로 기대되지만, 약물 치료 후 변화 정도가 적고 골절 예방 효과와의 관련성이 명확하지 않아서 아직 골다공증 치료의 효과를 평가하는 데 제한점이 있다.

3. 진단

폐경 여성에서의 골다공증 진단은 중심골(척추 및 고관절)에서 측정한 DXA 결과를 이용하는데, DXA 결과는 골밀도(g/㎠) 외에도 T 및 Z 점수로 표시한다. 세계보건기구는 DXA 검사의 T 점수를 기반으로 골다공증의 진단 기준을 확립하였는데, T 점수는 같은 성별 및 인종의 건강한 젊은 성인의 평균 골밀도와 측정된 골밀도가 얼마만큼 차이가 나는지를 계산한 것으로,

(측정된 골밀도−젊은 성인의 골밀도 평균) /
젊은 성인 골밀도의 표준 편차

와 같이 계산할 수 있다.

Z 점수는 T 점수와 유사하지만, 젊고 건강한 성인의 평균 골밀도와 비교하는 대신, 같은 성별인 동일 연령대의 평균 골밀도와 비교한다는 차이점이 있으며, 다음과 같이 계산할 수 있다.

(측정된 골밀도−동일 연령대의 골밀도 평균) /
동일 연령대의 골밀도의 표준 편차

Z 점수는 소아 및 폐경 전의 젊은 성인에서의 DXA 결과를 해석하는데 사용한다.

세계보건기구는 젊은 성인 평균 여성보다 2.5 표준편차 이상의 골밀도가 감소된(T 점수 기준으로 -2.5) 경우를 골다공증으로 정의하였으며, T 점수가 -1.0 미만이고 -2.5 이상인 경우를 골감소증(저골량)으로 정의하였다(표 32-1). 현재 국제 임상 골밀도학회(International Society for Clinical Densitometry, ISCD)에서는 요추, 대퇴 경부 및 총 대퇴골 중 가장 낮은 T 점수를 진단에 이용할 것을 권고하고 있으며, 척추를 기준으로 진단을 하기 위해서는 적어도 평가가 가능한 척추가 2개 이상 필요하다. ISCD에서는 골밀도 검사가 필요한 경우를 표 32-2와 같이 제시하였다.

한편 원위 요골과 종골 등 말단부를 측정하는 DXA 역

표 32-1. 세계 보건 기구의 골다공증 진단기준

진단	골밀도 검사상 T 점수
정상	−1 이상
골감소증(저골량)	−2.5 초과 −1.0 미만
골다공증	−2.5 이하
심한 골다공증	−2.5이면서 연약 골절의 병력이 있음

표 32-2. 골밀도 검사가 필요한 경우

- 65세 이상 여성
- 65세 미만의 폐경 여성 중 골절 위험 인자를 가지고 있는 경우
- 폐경이행기에 있는 여성으로 골절 위험 인자를 가지고 있는 경우
- 연약 골절의 병력이 있는 경우
- 저골량 및 골소실과 연관된 문제가 있는 경우
- 저골량 및 골소실과 연관된 약물을 복용하는 경우
- 약물 치료가 고려되는 경우
- 약물 치료를 시행하는 경우 치료 효과 확인

시 임상에서 사용되고 있으나, 이러한 측정 방법은 척추 및 대퇴골의 골절 위험 예측에 있어 중심골 측정에 비하여 유용성이 낮으므로, 말단부의 검사 결과는 골다공증의 진단 및 치료 여부 결정에 사용할 수 없다. 또한 말단부는 치료에 대한 반응으로 골밀도가 증가하는 것을 관찰하기에도 적합하지 않다.

DXA를 이용한 골밀도 측정이 골다공증 진단을 위해 사용되고 있지만, 3차원적인 뼈의 기하학(geometry) 또는 미세구조를 구현할 수 없고, 뼈가 두꺼워지는 경우(geometric change)와 조직의 미네랄화 증가(material change)를 구분하지 못하며, 골극(osteophyte) 생성 및 퇴행성 변화, 그리고 대동맥 및 연부 조직 석회화 등 여러 요인들에 의해 결과가 왜곡될 수 있는 제한점이 있다. 하지만, 현재까지 골다공증 진단에는 DXA 검사가 가장 유용하며, 향후 DXA의 단점을 보완할 수 있는 qCT의 측정과 같은 방법이 골다공증 진단에 보다 효과적으로 사용되기 위해서는 추가 연구가 필요하다.

Ⅳ. 치료

1. 보존 치료

1) 칼슘

칼슘은 골격을 구성하는 중요한 무기질로 칼슘 영양상태가 좋은 경우 성장기에 골량 획득을 증가시키고, 노화와 연관된 골소실을 늦추는 것으로 알려져 있다. 이에 따라 적절한 칼슘 섭취가 골다공증 예방과 치료에 필수적이다. 칼슘 섭취가 일정수준 이하로 불충분하면 혈청 칼슘을 정상으로 유지하기 위해 골흡수가 일어나 골소실이 발생하지만, 칼슘은 역치 영양소이기 때문에 필요량보다 섭취를 증가시켜도 더 이상의 이익은 없다.

칼슘 섭취를 늘리면 골밀도 증가에 도움이 될 수 있다. 메타분석 연구에서 2년 이상 칼슘보충제를 사용하면 요추와 대퇴골 골밀도가 각각 1.66%와 1.64% 증가하였다. 32개 대조군 연구를 분석한 결과에서도 1일 1,000 mg의 칼슘을 4년 동안 투여하면 폐경 여성에서 골소실이 예방되었다.

골밀도에 대한 유익한 효과는 달리 골절 감소 효과는 명확하지 않다. 메타분석 연구에 의하면 2년 이상 칼슘보충제를 투여하면 대조군에 비해 척추 골절은 감소하는 경향을 보이나 통계적 유의성은 없었고, 비척추골절에도 영향이 없었다. 칼슘 섭취와 대퇴골 골절 위험의 관계를 평가한 전향 코호트연구를 메타분석한 결과에서 여성과 남성 모두 총 칼슘 섭취와 대퇴골 골절 위험에 연관이 없었고, 800-1,600 mg의 칼슘보충제를 투여한 연구에서도 비척추 골절 발생의 상대 위험이 유의하게 감소하지 않았다. 이밖에 폐경 여성을 19년간 추적 검사한 전향 코호트연구에서 칼슘 섭취를 증가시켜도 골절의 위험도가 감소하지 않았다. 반면, 8개의 무작위 대조군연구에 포함된 30,970명의 자료를 분석한 National Osteoporosis Foundation (NOF)의 메타연구에서는 비타민 D와 함께 칼슘보충제를 사용하면 모든 골절의 위험이 15%, 고관절 골절 위험이 30% 감소하였다. 칼슘보충제의 골절 위험에 대한 영향이 연구에 따라 차이가 있는 것은 연구 디자인과 대상자의 치료 순응도 등에 따른 것으로 생각된다.

칼슘보충제 투여는 위장 장애나 변비 이외에는 중대한 부작용이 없지만, 고칼슘혈증, 신결석, 고칼슘뇨증이 있는 환자에게는 칼슘 투여를 줄이거나 중단하여야 한다. 탄산칼슘 1,000 mg과 비타민 D3 400 IU을 매일 7년간 복용하면 신장결석의 발생 위험도가 1.17 (95% 신뢰구간: 1.02-1.34)로 증가한다는 보고가 있다. 반면, 식사를 통한 칼슘 섭취가 많은 성인에서는 신장결석의 위험이 감소한다.

최근 고령 여성이 칼슘보충제를 과다하게 복용하면 심근경색 등 심혈관질환의 위험도가 증가한다는 보고가 있지만, 적절한 칼슘 섭취 및 보충제 용량에 대해 통일된 기준은 없다. American Society for Bone and Mineral Research (ASBMR)에서는 칼슘보충제를 많이 섭취하는 것이 반드시 좋은 것은 아니며, 노인이나 신장기능이 나쁘면 칼슘보충제가 심혈관질환의 위험도를 높일 가능성이 있으므로 음식으로 칼슘을 보충할 것을 권고하고 있다. 현재까지의 연구 결과를 종합하면 하루 총 칼슘 섭취량은 1,500 mg을 넘지 않도록 해야 하는데, 폐경 여성에 대한 권장 칼슘 섭취량은 NOF와 Institute of Medicine이 1,200 mg으로 동일하다. 한국영양학회에서는 2015년 50세 이상 폐경 여성에서 하루 800 mg의 칼슘 섭취를 권장하였고, 상한섭취량은 2,000 mg으로 제시하였다. 하지만, 국민건강영양조사 결과 50-64세 여성의 하루 칼슘 섭취량은 500 mg 미만으로 권장 섭취량의 약 60%에 불과하였다.

칼슘보충제는 칼슘염의 종류에 따라 칼슘 함량이 다르다. 골분, 백운석등은 흡수도 잘 되지 않으며 중금속 오염의 가능성도 있어 권장되지 않는다. 탄산칼슘은 위산이 적으면 흡수가 잘 되지 않으므로 음식과 함께 복용해야 하며 구연산 칼슘은 위산과 관계없으므로 분복하여 복용한다.

2) 비타민 D

비타민 D는 자외선에 의해 피부에서 생성되거나 음식을 통해서 섭취되는데, 비타민 D가 다량 함유된 식품이 흔하지 않기 때문에 음식을 통한 섭취는 매우 제한적이다. 비타민 D는 활성형(칼시트리올, 알파칼시돌)과 비활성형[ergocalciferol(비타민 D2), cholecalciferol(비타민 D3)]이 있다.

혈청 25(OH)D 농도가 30 ng/mL 이하이면 비타민 D 불충분(inadequacy), 20 ng/mL 이하는 비타민 D 결핍(deficiency)으로 정의한다. 노인에서는 햇빛 노출이 감소하고, 피부에서 비타민 D가 생성되는 효율도 감소하며, 음식으로 섭취되는 비타민 D의 양도 적기 때문에 혈청 25(OH)D 농도가 감소한다.

비타민 D는 골격의 성장 및 유지, 무기질의 항상성 유지에 필수적인 호르몬이며, 골다공증의 예방과 치료 및 근력, 근육 수축 및 신경근육기능 조절에도 중요한 역할을 한다. 칼슘과 비타민 D가 부족하면 이차 부갑상선기능항진증이 발생하여 분비된 부갑상선호르몬에 의해 골교체가 촉진되면 골소실과 골절 위험이 증가한다. 혈청 25(OH)D 농도가 30 ng/mL 이상으로 유지되면 부갑상선호르몬 분비가 억제되며, 소장에서 칼슘이 최대로 흡수되고, 비타민 D 결핍에 의한 낙상의 위험이 감소한다. 대부분 연구에서 혈청 25(OH)D의 농도가 증가하면 골절 위험이 감소하였는데, 골절을 감소시킬 수 있는 혈청 25(OH)D 농도는 적어도 30 ng/mL 이상으로 생각된다. 이 혈청 농도는 하루 700-800 IU 또는 그 이상의 비타민 D를 섭취해야 도달할 수 있다. 또한 비타민 D가 부족하면 구루병, 골연화증, 골다공증이 발생한 뿐만 아니라 유방암, 대장암, 전립선암 등의 악성종양, 고혈압을 비롯한 심혈관질환, 당뇨병, 다발성 경화증, 건선, 류마티스 관절염, 결핵 등도 증가한다는 연구 결과가 발표되기도 하였다.

메타분석 연구 결과 비타민 D와 칼슘을 복용한 군에서 대조군 및 칼슘 단독군에 비해 대퇴골 골절 위험이 26%, 비척추골 골절 위험이 23% 감소하였다. 다만 이러한 효과는 1일 700-800 IU 이상 비타민 D를 복용한 군에서만 관찰되었고 400 IU를 복용한 군에서는 나타나지 않았다. NOF에서는 50세 이상인 성인에게 하루 800-1,000 IU의 비타민 D 섭취를 권장하며, 비만이거나 골다공증이 있거나 햇빛 노출이 제한되어 있는 경우 하루 2,000 IU까지 복용을 늘리도록 권고하고 있다. Institute of Medicine에서도 성인에서 600 IU, 71세 이후에는 800 IU 섭취를 권장하고 있다. 이보다 많은 양을 섭취했을 때 골절 위험이 추가로 감소하는지의 여부는 잘 알려져 있지 않지만, 일부 연구에서는 혈청 25(OH)D 농도가 높을수록 대퇴골 골밀도가 증가하고 하지의 기능이 향상되었다고 보고하였다.

낙상이 발생하면 골절 위험이 증가하는데, 메타분석 연구 결과 비타민 D를 충분히 보충하면 낙상 위험이 22% 감소하였다. 다만 노인에서 하루 400 IU의 비타민 D 섭취는 낙상의 위험도를 감소시키지 못하는 반면, 800 IU를 칼슘과 함께 투여하면 낙상이 위험 감소하는 것을 나타나 적절한 용량 사용이 중요함을 시사한다.

하루 800-1,000 IU의 비타민 D를 투여 시 부작용은 드물게 발생하며, 성인에서 1일 4,000 IU를 복용하여도 부작용이 없다는 보고가 있다. 비타민 D는 지용성으로 체내 지방에 저장되기 때문에 비활성형 비타민 D에 의한 독성 증상이 나타나면 치료 중단 후에도 수 주간 증상이 나타날 수 있다. 약리학적으로 비타민 D의 가장 중요한 부작용은 장에서 칼슘과 인의 흡수 증가, 골격의 골흡수 증가에 의한 고칼슘혈증, 고인산혈증 및 고칼슘뇨증이다. 이외에도 오심을 동반한 위장관 증상, 신경근육증상, 갈증 등의 부작용이 발생할 수 있다. 고칼슘혈증이나 고칼슘뇨증이 장기간 지속되면 신결석증이나 신석회화증이 발생할 수 있고 이에 의해 신장기능이 나빠질 수 있다. ASBMR에서는 비타민 D를 1일 4,000 IU 이상 투여하면 건강에 해로울 수 있으며 음식으로 비타민 D를 보충하도록 권고하고 있다. 한국영양학회에서는 2015년 64세 이하에서는 400 IU, 65세 이상에서는 600 IU를 하루 충분섭취량으로 제시하였고, 상한섭취량은 4,000 IU으로 권고하였다. 하지만, 전세계적으로 비타민 D가 불충분한 상황이며, 국민건강영양조사 결과를 기준으로 우리나라는 비타민 D 불충분이 매우 심한 국가에 해당된다.

2. 호르몬 치료와 티볼론

1) 여성호르몬(31장 참조)

에스트로겐은 골흡수세포의 분화를 억제하고 자멸사를 촉진시켜 골흡수를 억제한다. 또한 초기간질세포의 자가증식은 억제하면서 골형성세포로의 분화를 촉진하며, 골형성세포의 자연사는 억제하기 때문에 골형성은 유지되는 효과를 나타낼 수 있다. 그리고 골세포의 자연사를 억제한다. 결과적으로 에스트로겐은 골전환은 억제하면서 골형성은 유지하는 작용을 한다.

에스트로겐 결핍에 따른 골재형성 증가는 폐경 초기에 가장 현저하며 이후 연령이 증가하면서 감소한다. 폐경 후 수 년이 경과한 후에도 에스트로겐 투여 시 골소실 예방 효과가 있다고 알려져 있으나 그 간의 골소실을 완전히 회복하는데 한계가 있으므로 골소실이 급격하게 증가하는 폐경 초기부터 사용하는 것이 가장 이득이 크다. 에스트로겐 효과는 용량 의존적으로 전신에 나타난다.

무작위 대조 연구인 PEPI (Postmenopausal Estrogen Progestin Intervention)에서 3년 동안 폐경호르몬요법 시 요추와 대퇴골 골밀도가 각각 3.5-5.0%, 1.75% 유의하게 증가한 반면, 위약군에서는 각각 1.8%, 1.7% 감소하였다. 호르몬 치료 시 골밀도는 치료 첫 해에 대부분 상승하였고, 낮은 골밀도를 가지고 있거나 호르몬 치료의 과거력이 없는 경우 골밀도가 더욱 증가하였다. 한편 메타분석 연구 결과 폐경호르몬요법 시 요추, 전완, 대퇴골 골밀도가 첫 해에 각각 5.4%, 3.0%, 2.5%, 2년째에는 각각 6.8%, 4.5%, 4.1%가 상승하였다. 호르몬 치료를 중단하면 골소실이 발생하며 골절 위험 감소 효과도 사라진다.

폐경호르몬요법은 골교체 인자들을 유의하게 감소시킨다. 저용량 폐경호르몬요법을 사용한 무작위 대조 연구인 HOPE (Women's Health, Osteoporosis, Progestin, Estrogen) 연구 결과 2년의 폐경호르몬요법은 요중 NTX 농도를 55%, 혈중 osteocalcin 농도를 36.6% 감소시켰다. 골교체 인자의 감소는 치료 시작 6개월 이내에 현저하게 관찰되며 그 이후에는 추가적인 감소가 크지 않았다.

2002년 Well 등의 메타분석 연구 결과, 에스트로겐 투여 시 대조군에 비해 골절 위험이 유의하게 감소하지 않은 반면, Torgeson과 Bell-Syer (2001)이 발표한 메타분석 연구에는 에스트로겐-프로게스틴 병합요법에서 비척추골 골절의 상대 위험도가 0,73 (95% 신뢰구간: 0.56-0.94)로 유의하게 감소하였다. WHI 연구는 폐경호르몬요법의 골절 감소 효과를 뒷받침하는 연구이다. 5.6년 동안 결합에스트로겐(conjugated equine estrogen, CEE)과 메드록시프로게스테론(medroxyprogesterone, MPA) 사용 시 늑골, 흉골, 두개골, 안면골, 척골, 그리고 경추에서 발생한 골절을 제외한 모든 골절 위험이 24%, 대퇴골 골절 위험은 33% 유의하게 감소하였다. 그리고, 6.8년 동안 CEE만 복용한 군에서는 모든 골절 위험이 30%, 대퇴골 골절 위험이 39% 유의하게 감소하였다. 대퇴골 골절 위험 감소 효과는 CEE와 MPA 병합요법군에서 70세 이상이거나 폐경 후 20년이 경과한 경우에 뚜렷하게 관찰되었고, CEE 단독 복용군에서는 폐경 후 20년 이상 경과한 경우에만 유의하였다. 2019년 Endocrine Society 가이드라인의 메타분석에 따르면, 폐경호르몬요법 사용군에서 위약군에 비해 척추 골절 위험 34%, 고관절 골절 위험 29%, 그리고 비척추골 골절 위험이 21% 유의하게 감소하였다.

저용량의 폐경호르몬요법도 골밀도를 증가시킨다. 17β-estradiol 0.25 mg을 65세 이상 폐경 여성에게 3년 동안 투여하였을 때 대조군에 비해 대퇴골, 척추, 그리고 전신 골밀도가 증가되었다. 또한 무작위 대조 연구인 HOPE 연구에서 2년 동안 서로 다른 용량의 저용량 에스트로겐(결합에스트로겐 0.625, 0.45, 0.3 mg)과 MPA 2.5, 1.5 mg을 투여 시 골밀도가 증가하였고, 에스트라디올 0.014 mg을 피하 투여한 초저용량 요법에서도 골재형성이 감소되고 골량이 유지되었다. 폐경 여성에서 혈중 에스트라디올 농도에 따라 골량에 차이가 있다는 연구 결과를 고려할 때 골절 위험에 대한 효과 역시 에스트로겐 투여 용량에 따라 다를 가능성이 있지만, 아직 저용량 에스트로겐 사용 시 골절 위험에 대한 신뢰할 만한 연구는 없는 상황이다.

2) 티볼론(Tibolone) (31장 참조)

뼈조직에서는 sulfatase 활성이 억제되지 않으며 sulfotransferase가 존재하지 않아 3α- 및 3β-OH 티볼론이 활성형으로 바뀌고 에스트로겐 수용체와 결합하여 강한 에스트로겐 활성을 나타낸다. 특히 기질뼈보다는 주로 해면뼈에 작용하며 골교체율을 감소시키고 골밀도를 증가시킨다. 티볼론은 에스트로겐 수용체에 작용하여 골흡수억제 효과를 나타내며, 에스트로겐 수용체뿐만 아니라 안드로겐 수용체에도 결합하여 골 형성을 촉진한다. 티볼론을 1일 1.25 mg 또는 2.5 mg 복용하는 경우 모두 골 소실이 예방되며, 골교체 인자 농도가 감소한다.

매일 티볼론 2.5 ㎎을 24개월 동안 복용하면 요추 골밀도는 3.6%, 대퇴골 골밀도는 2.5% 증가하고, 1일 1.25 ㎎을 복용한 경우에는 각각 2.0%와 1.1% 증가하여, 티볼론에 의한 골밀도 증가는 용량에 비례하는 것으로 생각된다. 1일 티볼론 2.5 ㎎을 10년 동안 장기 투여하였을 때 요추 골밀도는 4.8% 증가하고, 대퇴골 골밀도는 3.7% 증가하였다. 골감소가 있는 308명의 폐경 여성에서 티볼론 1.25 mg 복용군과 랄록시펜 60 mg 복용군의 골밀도 변화를 관찰한 결과 두 군 모두에서 요추 골밀도가 증가하였는데, 티볼론 복용군에서 복용 1년째와 2년째에 측정한 요추 골밀도와 2년째 대퇴골 골밀도의 증가가 랄록시펜 복용군에 비해 더 크게 나타났다. 이밖에 골다공증이 있는 여성이 2년 동안 티볼론을 복용하였을 때 골밀도가 5-12% 증가하였다.

요추 또는 대퇴골에서 T-점수 -2.5이하인 4,538명의 폐경 여성을 대상으로 티볼론 1.25 mg과 위약의 효과를 비교한 LIFT (Long-term Intervention on Fracture with Tibolone) 연구 결과, 4년간 티볼론 복용군에서 요추와 대퇴골 골밀도는 위약군에 비해 4.8%, 3.1% 각각 증가하였다. 또한 새로운 척추 골절 발생의 상대 위험이 45%, 비척추골절 위험은 26% 감소하였다. 과거 척추 골절의 병력이 있는 여성에서도 척추 및 비척추 골절 발생의 상대 위험이 대조군에 비해 각각 39% 및 53% 유의하게 감소하였다. 2019년 Endocrine Society 가이드라인의 메타분석 연구에 따르면, 폐경 여성에서 티볼론 사용 시 위약군에 비해 척추 골절 위험 44%, 그리고 비척추골 골절 위험이 27% 유의하게 감소하였다.

3. 비스포스포네이트(Bisphosphonates)

비스포스포네이트는 pyrophosphate의 P-O-P 구조 가운데 산소를 탄소로 치환한 P-C-P 구조를 가지고 있는 매우 안정된 유도체이며, 탄소 원소에 결합하는 두 개의 측부 사슬(R1, R2)을 다른 구조로 치환시켜 뼈의 석회화에는 영향을 미치지 않으면서 골흡수억제 효과를 강화한 구조체이다. 대부분 한쪽 사슬(R1)은 수산화기로 치환하여 뼈의 칼슘에 대한 친화력을 더욱 강화시키고, 나머지 한쪽 사슬은 다른 염기나 질소 화합물로 변환시켜 골흡수를 억제하는 효과를 증가시킨다. 뼈의 hydroxyapatite 결정의 성장을 얼마나 효율적으로 억제하는지에 따라 비스포스포네이트와 hydroxyapatite 결정체의 결합력을 알 수 있다. 졸레드로네이트(zoledronate)가 가장 강력하게 결합하여 가장 적은 농도에서 hydroxyapatite 결정의 성장을 저하시킨다. 그 다음으로는 알렌드로네이트(alendronate), 이반드로네이트(ibandronate), 리세드로네이트(risedronate), 에티드로네이트(etidronate) 순서이다. 비스포스포네이트는 골흡수세

표 32-3. 비스포스포네이트 제형 및 적응증

	용량/용법	경로	폐경 후 골다공증		스테로이드 유발 골다공증		남성 골다공증
			예방	치료	예방	치료	
알렌드로네이트	5 mg/일	경구	●	●		●	●
	10 mg/일	경구		●		●	●
	70 mg/주	경구		●			●
	5 mg + calcitriol 0.5 μg	경구		●		●	●
	70 mg + cholecalciferol 2800 IU/주	경구		●			●
	70 mg + cholecalciferol 5600 IU/주	경구		●			●
리세드로네이트	5 mg/일	경구	●	●	●	●	
	35 mg/주	경구	●	●			●
	75 mg/2주	경구	●	●			
	150 mg/달	경구	●	●			
	35 mg + cholecalciferol 5600 IU/주	경구	●	●			●
	150 mg + cholecalciferol 30000 IU/달	경구	●	●			
이반드로네이트	150 mg/달	경구	●	●			
	150 mg + cholecalciferol 24000 IU/달	경구		●			
	3 mg/3달	주사		●			
파미드로네이트	30 mg/3달	주사		●			
졸레드로네이트	5 mg/년	주사	●	●	●	●	●

포가 뼈에 부착되는 데 필요한 단백질을 생성하는 farnesyl diphosphate synthetase 작용을 방해하여 골흡수세포의 기능 저하와 자연사를 유발하고 뼈를 녹이는 산성 과립물질 생성을 저하시켜 골흡수를 억제시킨다.

비스포스포네이트에는 경구용과 주사용이 있다(표 32-3). 경구용은 1일 1회, 1주 1회, 2주 1회 및 1개월 1회 용법 등이 있다. 경구용으로는 알렌드로네이트, 리세드로네이트, 그리고 이반드로네이트에 비타민 D와의 복합제로 개발된 약제도 있다. 경구용은 공복 시 복용해야 흡수가 잘되는 데 복용 방법은 아침 공 복시 충분한 양의 물(200 mL 이상)과 같이 복용 후 약 30분-1시간 동안 공복을 유지하면서 눕지 않도록 한다. 유제품이나 주스, 보리차 등은 비스포스포네이트의 흡수를 방해하므로 반드시 맹물과 함께 복용하도록 하며 식도 염증 유발 가능성 때문에 복용 후 바로 눕지 않도록 충분히 교육하여야 한다.

표 32-4. 주사 비스포스포네이트의 종류 및 용법

약제	치료용량	투여방법
이반드로네이트	3 mg/3달	15-30초간 정맥투여
졸레드로네이트	5 mg/년	15분 이상 정맥투여
파미드로네이트	30 mg/3달	생리식염수 250-500 mL에 혼합하여 1-4시간 정맥투여

주사용 비스포스포네이트로는 파미드로네이트, 이반드로네이트와 졸레드로네이트 등이 있다. 주사용은 3개월 1회 및 1년 1회 용법이 있다(표 32-4).

1) 골격계 효과

(1) 파미드로네이트

폐경 골다공증 환자에게 3개월 간격으로 30 mg 정주요법을 2년간 지속한 연구에서 척추 골밀도가 10%, 대퇴골 경부 골밀도가 6% 증가하였다. 위장 장애를 호소하는 골다공증 환자에게 2년 동안 정주 요법을 시행한 결과 요추 및 대퇴골 골밀도가 각각 6.1%, 1.4% 유의하게 증가하였으나 경구용 알렌드로네이트를 복용한 군과 비교하여 유의한 차이는 없었다.

위장장애가 있는 골다공증 환자에게 치료의 대안으로 고려될 수 있고, 현재 국내와 유럽에서는 골다공증 치료적응증으로 사용이 인정되고 있지만 미국에서는 인정을 받지 못하고 있다.

(2) 알렌드로네이트

골다공증이 있는 폐경 여성에게 2년 간 투여 시 대조군에 비해 척추 골절 발생 위험이 36% 감소하였고, 10년간 매일 10 mg의 알렌드로네이트 투여 시 요추 골밀도는 13.7%, 대퇴골 경부는 5.4% 증가하고, 신장 감소나 비척추 골절의 발생 빈도도 유의하게 감소하였다. 매일 10 mg를 적어도 1년 이상 투여한 연구를 메타분석한 결과에 의하면 척추 골절은 45% 유의하게 감소하였으며 일차 및 이차 골절이 모두 각각 45% 유의하게 감소하였다. 비척추골절은 16% 유의하게 감소하였는데 이차 골절만 23% 유의하게 감소하였다. 또한 대퇴골 골절은 40% 유의하게 감소하였는데 이차 골절만 53% 유의하게 감소하였다. 폐경 후 골다공증 여성에게 매일 5 mg 이상의 알렌드로네이트를 적어도 1년 이상 투여한 메타분석에 의하면 척추 골절은 48%, 비척추 골절은 49%, 대퇴골 골절은 50% 감소되는 것으로 보고된다. 5년 투여 후 중단한 경우에는 요추 및 대퇴골 전자 부위에서는 증가되었던 골량이 유지된 반면, 전체 대퇴골 및 대퇴골 경부에서는 골량이 서서히 감소하였다. 2019년 Endocrine Society 가이드라인의 메타분석에 따르면, 폐경 여성에서 알렌드로네이트 치료 시 위약군에 비해 척추 골절 위험 44%, 고관절 골절 위험 40%, 그리고 비척추골 골절 위험이 17% 유의하게 감소하였다.

(3) 리세드로네이트

VERT (Vertebral Efficacy with Risedronate Therapy) 연구 결과 리세드로네이트 5 mg을 3년간 투여하면 요추 골밀도가 5.4%, 대퇴골 경부 골밀도가 1.6% 증가하였다. 새로운 척추 골절의 발생은 41% 감소하였고 비척추 골절의 발생은 39% 감소하였다. 대퇴골 골절은 70세 이상의 고령 환자에서 40% 감소하였다. 7년 동안 투여하여도 골절 감소 효과는 지속되었다. 메타연구 분석 결과에 의하면 척추 골절은 36%, 비척추 골절은 27% 감소하였다. 골다공증이 있는 폐경 여성에서 1개월 1회 150 mg 투여군과 1일 1회 5 mg 투여군을 비교한 결과 요추와 대퇴골 골밀도의 증가 정도, 척추 골절 발생률, 그리고 부작용 빈도 등에 유의한 차이는 없었다. 2019년 Endocrine Society 가이드라인의 메타분석에 따르면, 폐경 여성에서 리세트로네이트 사용 시 위약군에 비해 척추 골절 위험 36%, 고관절 골절 위험 26%, 그리고 비척추골 골절 위험이 20% 유의하게 감소하였다.

(4) 이반드로네이트

3년간 이반드로네이트 2.5 mg을 매일 복용한 군에서 척추 골절이 62% 감소하였다. 150 mg을 1달마다 1년간 복용하는 연구에서 요추 골밀도가 6.6%, 대퇴부 골밀도가 3% 상승하였고, 부작용도 매일 복용한 군과 비교하여 차이가 없었다. 한편 경구 이반드로네이트 2.5 mg 사용군과 3 mg을 3개월 간격으로 정맥 주사한 군의 골밀도를 비교한 연구에서 2년간 치료 시 정맥 투여가 경구 사용에 비해 척추 및 대퇴골 골밀도의 증가가 컸다. 3 mg을 3개월 간격으로 5년 간 정맥 투여한 경우 기저치에 비해 척추골밀도는 8.1% 증가하였으나 대퇴골 골밀도는 2.8% 증가하여 대퇴골 골밀도 향상 효과는 없는 것으로 보고되었다. 3년 동안 3 mg을 3개월 간격으로 사용하여 골절을 관찰한 단독 연구는 없지만 기존 이반드로네이트의 연구들을 메타분석한 결과에서 연간 10.8 mg 이상이 사용된 경우(경구 150 mg, 주사 3 mg/3개월 용법에 해당)에는 저용량 군에 비해 비척추골절을 38%, 대조군에 비해서는 34% 감소시켰다. 2019년 Endocrine Society 가이드라인의 메타분석에 따르면, 폐경 여성에서 이반드로네이트 투여 시 위약군에 비해 척추 골절 위험이 31% 유의하게 감소한 반면, 고관절과 비척추골 골절 위험에 유의한 감소는 없었다.

(5) 졸레드로네이트

5 mg을 1년 간격으로 3년간 정맥 투여한 골절예방 연구에서 대조군과 비교하여 요추 골밀도 6.7%, 대퇴경부 골밀도가 5.1% 증가되었다. 1년 뒤 측정한 혈청 CTX (C-terminal telopeptide)가 59%, bone specific ALP는 30% 감소되었다. 척추골절은 약 70%, 대퇴골 골절은 41%, 그리고 비척추골절은 25% 감소되었다. 대퇴골 골절이 있었던 환자를 대상으로 수술치료 90일 이내에 졸레드로네이트를 사용한 경우 대조군에 비해 임상 골절을 35% 감소시켰으며 사망률도 28% 감소시켰다. 최근에는 6년 간 졸레드로네이트를 사용하여 지속적인 골밀도 증가를 관찰한 바 있다. 2019년 Endocrine Society 가이드라인의 메타분석에 따르면, 폐경 여성에서 졸레드로네이트 치료 시 위약군에 비해 척추 골절 위험 56%, 그리고 고관절 골절 위험이 42% 유의하게 감소하였다.

2) 이상 반응

일반적으로 치료에 따른 독성이 크지 않지만 경구 투여 시 경도의 소화관 증상이 나타날 수 있는데, 약제 종류를 바꾸거나 일시적으로 약물 투여를 중지한 후 증상이 호전되면 재투약해 볼 수 있다. 위장관 장애가 오랜 기간 지속되면 내시경 검사로 원인을 확인하고 필요한 치료를 시행한 뒤 재투여 여부를 결정해야 한다.

처음 투여했을 때 급성기 반응으로 발열, 근육통 등이 발생할 수 있다. 대부분 3일 이내에 자연 소실되고 반복 투여 시에는 점차 감소되지만, 증상이 심하면 예방적으로 해열 진통제, 항히스타민, 스테로이드 등을 미리 사용할 수도 있다. 또한 일과성 저칼슘혈증이 발생될 수 있으며, 특히 비타민 D 결핍증이 있으면 문제가 될 수 있기 때문에 칼슘과 비타민 D를 함께 보충해야 한다.

주사용 비스포스포네이트는 대사되지 않은 상태로 신장으로 배설되기 때문에 빨리 정맥 주사하면 혈액 내 칼슘과 복합체를 형성하여 신장 기능에 장애를 줄 수 있으므로 정해진 주입속도를 준수해야 한다. 경증 내지 중등도의 신장기능 저하(크레아티닌 청소율 35-60 mL/분)에서는 용량의 조절 없이 사용이 가능하지만, 중증 이상의 신부전환자(크레아티닌 청소율 <35 mL/분)에서는 약물 투여가 권장되지 않는다. 이외에 일시적으로 임파구가 감소할 수 있으며, 안과적 합병증으로 홍채염, 결막염 및 포도막염 등이 드물게 나타날 수 있다.

졸레드로네이트 연구에서 증상이 있는 심방세동이 증가되었다는 보고가 있었으나 대부분 정맥투여 30일 이후 관찰되었고, 대퇴골 골절 환자를 대상으로 한 다른 연구에서는 심방세동이 증가하지 않아 약물과 직접적인 관계는 적다고 생각된다. 미국 FDA에서도 관련성이 없다는 공식 입장을 제시하였다.

비스포스포네이트의 금기로는 중증 신부전증, 저칼슘혈증, 골연화증, 임산부, 수유부에게 사용하지 말아야 하며 식도협착증 환자에게는 경구용 제제를 사용하지 않아야 한다.

3) 장기간 사용 시 고려하여야 할 사항

장기간 투여 시 과도한 골재형성 억제가 발생하여 턱뼈괴사(osteonecrosis of jaw)의 발생 위험이 증가한다는 보고들이 있는데, 이와 관련한 학회들의 의견은 다음과 같다. 턱뼈괴사는 ① 과거 또는 현재 비스포스포네이트를 사용하는 환자에서, ② 안면에 방사선치료를 받은 병력 없이, ③ 악안면 부위의 뼈가 노출된 병변이 8주 이상 회복되지 않은 경우로 정의한다. 턱뼈괴사는 항암제와 같이 사용되는 고용량의 주사 비스포스포네이트에서 많이 관찰되는 반면, 골다공증 치료를 위해 사용되는 경구 용량에서는 매우 드물다. 2003년부터 2014년까지의 문헌 고찰 결과, 턱뼈괴사 발생률은 0.001%에서 0.01% 정도로 추정되며, 이는 일반인에서의 발생률(<0.001%)에 비해 미미하게 높은 정도에 불과하였다. 대부분 선행된 치과 시술과 연관성이 많기 때문에 비스포스포네이트를 사용하는 환자에서는 치과의사를 포함한 모든 의료진 간의 의사소통이 필요하다. 발생을 예방하기 위한 권고 사항으로 비스포스포네이트

사용기간이 3년 미만이고 위험인자가 없는 경우에는 치과 치료를 지연시킬 필요는 없으며 비스포스포네이트를 중단할 필요도 없다. 3년 미만으로 비스포스포네이트를 사용하였지만 위험인자가 있는 경우 또는 3년 이상 투여한 경우에는 침습적 치과치료 수개월 전에 비스포스포네이트 중지를 고려할 수 있다. 하지만, 약물의 일시 중지가 턱뼈괴사 발생에 대한 효과가 어떠한지에 대한 확실한 연구 결과는 없다. 턱뼈괴사가 진단된 후에는 구강 살균세정제로 세정하고 감염이 있을 경우 항생제 투여를 하면서 비스포스포네이트 투여를 중단하면 대부분 치유되는 것으로 알려져 있다.

비스포스포네이트 사용 시 대퇴골 전자하부에 비전형 대퇴골절(atypical subtrochanteric fracture) 발생 위험이 증가할 수 있다. 과도한 골흡수억제가 뼈의 구성 성분을 변화시키고, 미세골절의 축적을 초래하며, 골재형성을 지나치게 억제해서 골질을 악화시킬 수 있기 때문이다. 스웨덴에서 발표된 코호트 연구 결과 비스포스포네이트 사용 시 비전형 대퇴 골절의 발생 위험도는 33.3 (95% 신뢰도: 14.3-77.8)으로 유의하게 증가하고 사용기간이 길수록 위험이 더 증가하였지만, 절대 위험은 연간 만 명당 5예로 정도로 매우 적었다. Black 등은(2010) FIT (the Fracture Intervention Trial), FLEX (the FIT long-Term Extension trial, and the Health Outcomes), 그리고 HORIZON Pivotal Fracture Trial 등의 무작위 대조 연구를 분석하여 비전형 대퇴 골절의 절대 위험은 연간 만 명당 2.3이라고 보고하였다. 장기간 비스포스포네이트를 사용한 경우 허벅지 바깥쪽으로 통증이 있는지 확인하고, 필요시 진찰 및 영상검사를 시행한다. 전구 증상인 통증이 있으면 약물 투여를 중단하고, 체중 부하를 줄이며, 충분한 칼슘과 비타민 D를 섭취하도록 하며, 필요에 따라서는 부갑상선호르몬을 투여할 수 있다. 또한 양측성으로 발생할 수 있기 때문에 반대편 대퇴골도 잘 관찰하여 문제가 있을 경우 조기에 치료할 수 있도록 한다.

비스포스포네이트의 장기간 사용으로 인한 턱뼈괴사와 비전형 대퇴골절 등에 대한 우려가 제기되면서 비스포스포네이트의 투여 기간이 중요한 관심 사항이 되고 있다. 여성호르몬은 치료 중단 후 급격한 골흡수가 발생하는 반면, 비스포스포네이트는 중단 이후에도 서서히 골밀도가 감소하는 특성이 있기 때문에, 장기간 사용한 경우에는 장단점을 고려하여 약제 휴약기를 고려할 수 있다. 휴약기 기간에는 주기적으로 골밀도와 골교체인자를 확인하면서 치료 재개 여부를 결정할 수 있다. FIT 및 HORIZON 연장 연구 결과를 토대로, 고위험군에서는 경구 비스포스포네이트를 10년, 주사 졸레드로네이트를 6년 투여할 수 있으며, 경구 비스포스포네이트 5년, 또는 주사 졸레드로네이트 3년 투여 이후 약물 휴약기를 고려할 수 있다.

비스포스포네이트는 오랜 기간 동안 골다공증 치료를 위해 널리 사용되어 온 훌륭한 약제이다. 그러나 구조의 차이에 따라 작용 기전이나 효과 및 이상반응에도 차이가 있기 때문에 투여를 시작하기 전 반드시 이에 대한 충분한 이해가 필요하며, 투약방법, 이상반응의 대처 방안 등에 대해 주의하여야 한다. 주사는 경구 복용이 어려운 대상에게 사용하며, 3개월 또는 1년 간격으로 투여하기 때문에 경구 투여에 비해 환자에게 편의성을 제공할 수 있다.

4. 선택에스트로겐수용체조절제(Selective estrogen receptor modulator, SERM)

1) 총론

선택에스트로겐수용체조절제(SERM)는 에스트로겐 수용체와 결합하여 그 에스트로겐 수용체가 존재하는 신체 조직에 따라 특이적으로 효과를 나타내는 화합물로써 어떤 조직에서는 에스트로겐 작용제(agonist)로, 다른 조직에서는 길항제(antagonist)로의 역할을 할 수 있는 특징을 가진 약제이다.

에스트로겐 수용체는 α수용체와 β수용체가 있으며 이 둘은 신체 조직별로 서로 다른 발현 양상을 나타내는데, β수용체는 중추신경계, 심혈관계, 면역계, 요로생식계, 골조직, 신장, 폐 등에 높은 발현을 보이는 반면 α수용체는 자궁과 유선에서 높게 발현된다. 또한 에스트로겐 수용체는 결합하는 리간드에 따라 다른 입체 형태로 변화하여 각 입체 형태에 따라 보조활성 물질(coactivator) 또는 보조억제물질(corepressor)과 결합하여 전사 및 신호전달이 촉진 또는 억제된다. 각 신체 조직에 따라 에스트로겐 수용체가 다르게 분포되어 있으며 보조활성 물질과 보조억제물질의 발현 비율이 각각 다르고 SERM의 각 종류별로 α, β에스트로겐 수용체에 대해 서로 다른 친화력을 가지므로, 이러한 차이로 인한 상호작용을 통해 여러 종류의 SERM이 각 조직에서 각기 다른 작용제와 길항제의 활성을 나타낸다.

SERM은 화학적 구조에 따라 크게 triphenylethylene, benzothiophene, naphthylenes, indoles, benzopyran 계열로 분류할 수 있으며(표 32-5) 각각의 작용 부위 및 작용제-길항제의 활성에 따라 다른 목적의 치료제로 사용된다(표 32-6). 초기에 개발된 SERM에서는 이러한 조직 특이적 활성에 따른 분류로서 자궁내막에서 작용제의 성질을 갖는 경우를 1세대, 길항제의 성질을 갖는 경우 2세대로 구분하였다. 지금까지 미국 FDA의 승인을 받은 약제로는 triphenylethylene 유도체인 클로미펜(clomiphene), 타목시펜(tamoxifen), 토레미펜(toremifene)과 benzothiophene 유도체인 랄록시펜(raloxifene), indole 유도체인 바제독시펜이 있다. 클로미펜은 배란유도제로, 타목시펜과 토레미펜은 유방암 치료제로 사용되고 있으며 랄록시펜과 바제독시펜은 골다공증의 예방 및 치료제로 사용되고 있다. 타목시펜은 SERM 제제의 근간이 되는 대표적 1세대 약제이다.

2세대 SERM으로 불리는 랄록시펜은 골격과 혈청 지질에서는 에스트로겐 작용을 하며 자궁내막과 유방에서는 에스트로겐 길항 작용을 하는 것으로 생각된다. 과거 케옥시펜(keoxifene)으로 불리다가(1982) 랄록시펜으로 명칭이 변경되었으며(1994), 이후 여러 대규모 임상 연구를 통해 골격에 대한 효과 및 유방에 대한 안정성 등이 확립되어(표 32-7) SERM 제제로서는 제일 먼저 폐경 여성의 골다공증의 예방과 치료제로 사용되었다. 1997년에 폐경 후 골다공증 예방의 적응증으로, 1999년에는 골다공증 치료의 적응증으로 미국 FDA에서 사용 승인을 받았다.

표 32-5. 화학적 구조에 따른 SERM의 분류

화학적 구조	Triphenyl-ethylenes	Benzothiophenes	Naphthylenes	Indoles	Benzopyrans
SERM	타목시펜 클로미펜 토레미펜 드로록시펜 이독시펜 미프록시펜 오스페미펜 피스페미펜	랄록시펜 아르족시펜	라소폭시펜 나폭시딘 트리옥시펜	바제독시펜 파페독시펜	레보멜록시펜 올멜록시펜 아콜비펜

SERM; selective estrogen receptor modulator

표 32-6. SERM의 종류에 따른 신체 조직별 에스트로겐 작용제/길항제 효과

SERM / 작용조직	유방	골조직	지질	자궁
타목시펜	길항제	작용제	작용제	작용제
토레미펜	길항제	작용제	작용제	작용제
랄록시펜	길항제	작용제	작용제	-
바제독시펜	길항제	작용제	작용제	길항제

SERM; selective estrogen receptor modulator

표 32-7. 랄록시펜의 대표적 임상연구

연구명	연구대상	참여자 수 (명)	연구 시작년도-실험군당 투약기간(년)	평가변수
MORE (Multiple Outcomes of Raloxifene Evaluation)	골다공증을 가진 폐경 여성	7,705	1994-4	골밀도, 골절, 유방암 등
CORE (Continuing Outcomes Relevant to Evista)	MORE 연구에 참여했던 여성	4,011	1999-4	침윤성 유방암
RUTH (Raloxifene Use for The Heart)	관상동맥질환 또는 그의 복합 위험인자를 가진 폐경 여성	10,101	1998-7 (중앙값 5.6)	관상동맥 사망, 침윤성 유방암
STAR (Study of Tamoxifen and Raloxifene)	유방암의 고위험 폐경여성	19,747	1999-6 (중앙값 4.6)	침윤성 유방암

이후 여러가지 SERM 제제가 개발되어 임상연구를 진행했지만 골다공증의 치료에는 랄록시펜 외애 바제독시펜만이 임상적으로 사용 가능하다.

2) 랄록시펜

(1) 골격계의 효과(Skeletal effect)

① 골밀도에 대한 효과

랄록시펜은 건강한 폐경 여성 및 골다공증이 있는 폐경 여성 모두에서 골소실을 감소시키는 것으로 나타났다. 건강한 폐경 여성에서 랄록시펜에 의한 골소실의 예방 효과는 전향 이중맹검 위약대조군 시도의 다음 3가지 대규모 연구에 의해 평가되었다. ① European trial (Raloxifene phase III European Study) ② North American trial ③ International trial. European trial에서는 600명의 이른 폐경 환자에서 랄록시펜을 투여하면 여러 부위의 골격계에서 골소실이 감소되는 것을 확인하였는데, 2년간 치료 후 위약군에 비해 요추와 고관절의 골밀도가 2.4%, 신체 총 골밀도는 2.0% 증가하였다. North American trial과 International trial에서도 24개월간의 치료 후 척추와 대퇴골, 총 신체골밀도가 2-3% 증가하였는데 이는 호르몬 요법이나 비스포스포네이트를 사용했을 때 골밀도 증가의 약 절반 정도이다. 총 5년간 치료한 결과에서 골감소증이나 골다공증으로 진행될 위험성이 유의하게 감소되는 것으로 나타났다. 골다공증 여성을 대상으로 한 MORE 연구에서 4년간 60 mg/d의 랄록시펜을 사용한 경우 위약군에 비해 요추 골밀도는 2.6%, 대퇴경부 골밀도는 2.1% 증가하였다. MORE 연구를 연장한 CORE 연구에서는 7년간 랄록시펜 투약했을 때 골밀도의 증가는 지속되는 것으로 나타났다. 그리고 75세 이상의 고령의 폐경 후 여성에서도 젊은 폐경 후 여성과 동일한 골 보호 효과를 가지며, 동양인에서도 서구인과 같은 골 보호 효과가 증명되었다.

② 골표지자에 대한 효과

랄록시펜은 골교체율(bone turnover)을 감소시키는 것으로 보이며 이는 골표지자의 감소를 통해 반영된다. European trial에서 골생성 표지자인 osteocalcin (OC)과 골흡수 표지자인 소변 type I collagen c-telopeptide (CTX)은 각각 23%, 34%의 감소를 보였으며 이는 복용 첫 6-9개월에 현저하게 나타났고, 또 다른 골생성 표지자인 bone-specific alkaline phosphatase (BAP)는 복용 첫 12개월 동안 약 15%의 감소를 나타냈다. MORE 연구에서도 랄록시펜 치료 기간 동안 OC, BAP, 소변 CTX 수치가 폐경 전 범위로 낮게 유지됨이 확인된 바 있다.

③ 골절에 대한 효과

MORE 연구에서 랄록시펜 60 mg/일을 4년간 투여한 결과로 위약군에 비해 척추골절 발생 위험은 36% 감소하였으며 치료 첫 해 척추골절의 위험성은 68% 감소하였다.

표 32-8. MORE 연구에서 랄록시펜 투약군의 골절의 상대적 위험도

골절 종류	상대적 위험도 (95% 신뢰구간)
척추골절	0.64 (0.53-0.76)
이전 척추골절이 있는 상태에서 발생하는 척추골절	0.66 (0.55-0.81)
척추골절이 없는 상태에서 처음 발생하는 척추골절	0.51 (0.35-0.73)
비척추골절	0.93 (0.81-1.06)
손목골절	0.83 (0.66-1.05)
고관절골절	0.97 (0.62-1.52)

그러나 비척추골절인 손목, 대퇴골에서의 골절은 감소하지 않았다(표 32-8). CORE 연구에서 랄록시펜을 8년간 투약한 경우에도 비척추골절 감소에는 효과가 없는 것으로 나타났다. 그러나 심한 척추골절을 보이는 환자는 비척추골절의 위험도가 47% 감소하였다.

MORE의 추가 분석에서 기존 척추골절이 없었던 골감소증 환자에서도 랄록시펜을 4년간 투여한 결과 새로운 척추 골절 발생 위험이 47% 감소하는 것으로 나타났다[상대적 위험도(relative risk, RR) 0.53, 95% 신뢰구간 0.32-0.88]. 골감소증과 골다공증이 있는 경우 랄록시펜을 투여하면 척추골절의 발생 빈도는 2% 정도로 비슷한 발생률을 보였다. RUTH 연구에서도 랄록시펜 투여 결과 임상적 척추골절의 위험이 35% 감소하는 것으로 나타났다.

(2) 비골격계 효과(Non-skeletal effect)

① 유방에 대한 효과

랄록시펜은 에스트로겐과 달리 유방통을 증가시키지 않으며 유방암의 발생률을 유의하게 감소시키는 것으로 나타났다. 랄록시펜 사용 후 유방통의 빈도는 3-4%로 위약군과 동일하며 호르몬 요법을 할 때 32%에 비해서는 유의하게 낮다. MORE 연구에 의하면 랄록시펜 투약군에서 모든 유방암 발생은 62%, 침윤성 유방암의 발생은 72% 감소하였다. 침윤성 유방암의 경우 에스트로겐 수용체 양성 유방암의 위험도만이 유의하게 감소하였고 에스트로겐 수용체 음성 유방암의 위험도는 유의한 감소가 없었다. 에스트로겐 수용체 양성 침윤성 유방암의 위험도는 84%까지 감소하였다. 유방암의 고위험 여성을 실제 염두에 두고 고안된 CORE와 RUTH 연구에서도 유사한 결과가 관찰되었다(표 32-9).

랄록시펜의 유방암에 대한 효과를 타목시펜과 비교한 STAR 연구에서는 유방암의 고위험군에서 각각 타목시펜 20 mg/d 과 랄록시펜 60 mg/d을 5년간 투여했을 때 랄록시펜 투여군에서의 침윤성 유방암의 발생률은 타목시펜 투여군에서와 차이가 없었다. 비침윤성 유방암의 경우 타목시펜 복용 그룹에서 감소되는 경향은 있었으나 통계학적 유의성은 없었다(상대적 위험도 1.40, 95% 신뢰구간 0.98-2.02). 즉 랄록시펜은 타목시펜만큼 침윤성 유방암의 위험을 감소시키며, 백내장 등의 이상 반응은 더 적은 것으로 보인다. 따라서 미국 FDA에서는 골다공증을 가진 폐경 여성뿐 아니라, 유방암의 고위험 폐경 여성에서 침윤성 유방암의 위험성을 감소시키기 위한 적응증으로 랄록시펜의 사용을 2007년 승인하였다. 그러나 침윤성 유방암의 치료

표 32-9. 각 연구별 랄록시펜 복용군에서 유방암의 상대적 위험도

연구명 / 유방암 특성	MORE	CORE	MORE+CORE	RUTH
	상대적 위험도(95% 신뢰구간)			
총 유방암	0.38 (0.24-0.58)	0.50 (0.30-0.82)	0.42 (0.29-0.60)	0.67 (0.47-0.96)
침윤성 유방암	0.28 (0.17-0.46)	0.41 (0.24-0.71)	0.34 (0.22-0.50)	0.56 (0.38-0.83)
에스트로겐수용체 양성	0.16 (0.09-0.30)	0.34 (0.18-0.66)	0.24 (0.15-0.40)	0.45 (0.28-0.72)
에스트로겐수용체 음성	1.13 (0.35-3.66)	1.13 (0.29-4.35)	1.06 (0.43-2.59)	1.44 (0.61-3.36)
비침윤성 유방암	0.90 (0.30-2.69)	1.78 (0.37-8.61)	1.12 (0.46-2.73)	2.17 (0.75-6.24)

나 유방암의 재발 또는 비침윤성 유방암의 위험성의 감소는 그 적응증이 되지 않는다.

② 심혈관계에 대한 효과

MORE 연구에서 랄록시펜을 4년간 투여했을 때 관상동맥 질환이나 심혈관계 질환 발생률이 위약군과 유의한 차이를 보이지 않았지만, 심혈관계 위험이 증가한 여성에서는 유의한 위험 감소를 보이는 것으로 나타났다(상대적 위험도 0.60, 95% 신뢰구간 0.38-0.95). 심혈관계 질환의 위험이 높은 여성을 대상으로 한 RUTH 연구를 포함한 여러 연구에서도 랄록시펜은 심혈관계 질환 위험을 감소시키지 못하는 것으로 나타났다. RUTH 연구에서 랄록시펜은 관상동맥 질환의 발생 위험 및 전체사망률을 감소시키지 못하고 뇌졸중 발생 위험 또한 감소시키지 못하며, 치명적인 뇌졸중 발생 위험은 증가하는 것으로 나타났다(위험도 1.49, 95% 신뢰구간 1.00-2.24). 현재 흡연자에서도 뇌졸중 발생 위험이 증가하였다. 정맥혈전색전증은 랄록시펜 투여군에서 발생 위험이 유의하게 증가하는 것으로 나타났다(위험도 1.44, 95% 신뢰구간 1.06-1.95).

혈청 지질의 경우 MORE 연구에서 랄록시펜 투여군은 총 콜레스테롤(total cholesterol, TC), 저밀도지단백 콜레스테롤(low density lipoprotein cholesterol, LDL-C)이 에스트로겐 투여 시와 유사한 수준으로 감소하였으나 고밀도지단백 콜레스테롤(high density lipoprotein cholesterol, HDL-C), 중성지방(triglyceride) 등은 유의한 변화를 보이지 않는 것으로 나타났다. RUTH 연구에서는 랄록시펜이 저밀도지단백 콜레스테롤은 감소시키고 고밀도지단백 콜레스테롤은 증가시키는 결과를 나타냈는데 이는 모두 심혈관계 약물을 사용할 경우에 비해서는 변화가 적은 중등도의 효과였다.

③ 자궁내막에 대한 효과

랄록시펜은 타목시펜과는 달리 자궁내막을 자극하지 않는다. 여러 연구들에서 랄록시펜 투여군에서 질출혈이나 자궁내막 두께 증가 등이 나타나지 않았다. 자궁내막암의 발생률 또한 증가하지 않는 것으로 MORE, RUTH, STAR 등의 연구에서 확인되었다.

④ 중추신경계에 대한 효과

초기에는 랄록시펜이 열성 홍조를 유발한다는 점에서 중추신경계에서 에스트로겐 길항제로 작용할 것이라고 생각했다. 그러나 여러 동물연구 결과, 적어도 일부는 에스트로겐 작용제의 효과를 가질 것으로 생각된다. 인간의 인지능력에 관한 두 가지의 무작위 연구에서 12개월 동안 120 mg의 랄록시펜을 복용했을 때 언어기억 능력에서 약간의 향상이 관찰되었고, MORE 연구의 최근 분석에서도 랄록시펜 사용 시 통계학적 유의성은 없지만 언어기억능력과 주의력의 저하가 둔화되는 경향을 보였다.

⑤ 기타 효과

현재까지 랄록시펜은 비뇨생식계의 위축 증상, 요실금, 피부 등에 대해 영향을 미치지 않는 것으로 보인다. 악성 종양과 관련하여서는 유방암과 자궁내막암뿐만 아니라 다른 어떤 종류의 암도 발생 위험이 증가하지 않는 것으로 나타났다.

(3) 부작용

랄록시펜의 대표적인 부작용은 열성 홍조(hot flush)와 하지동통(leg clamp)이다. MORE 및 CORE 연구와 RUTH 연구 모두에서 이러한 부작용이 보고된 바 있다.

열성 홍조는 치료 후 처음 수개월 때 나타나며 용량 의존성을 보이는데, 일반적으로는 그 정도가 가벼워서 이로 인한 약의 복용률 감소는 없는 것으로 나타났다. RUTH 연구에서는 랄록시펜 투여와 관련하여 말초부종 증상 또한 유의하게 증가하는 것으로 보고하였다.

3) 바제독시펜(Bazedoxifene)

Indoles 유도체인 바제독시펜은 동물실험에서 자궁에 대한 자극이 에스트로겐이나 랄록시펜보다 적은 것으로 보고되었다.

(1) 골격계의 효과(Skeletal effect)

① 골밀도에 대한 효과

바제독시펜의 임상 연구는 골밀도 변화를 조사한 2년간의 예방연구 및 골절을 조사한 3년간의 치료연구의 두 가지 연구가 대표적이다. 예방연구에서 바제독시펜 10, 20, 40 mg/d을 복용 시 요추와 고관절의 골밀도는 랄록시펜과 유사한 정도로 유의하게 개선되었으며 20 및 40 mg/d는 대퇴골 경부의 골밀도 개선에도 효과를 보였다.

② 골표지자에 대한 효과

임상 연구 모두에서 골표지자인 혈청 OC와 CTX가 감소하였으며, 이는 투약 3-12 개월째부터 효과가 나타났다.

③ 골절에 대한 효과

3년간 20 및 40 mg/d 바제독시펜을 투여한 연구에서 새로운 척추골절의 발생 위험은 각각 42%(위험률 0.58, 95% 신뢰구간 0.38-0.89), 37%(위험률 0.63, 95% 신뢰구간 0.42-0.96) 감소되어 랄록시펜과 유사한 골절 위험 감소를 나타내었는데 이전 척추골절이 존재하는 경우와 없는 경우 모두에서 유사한 결과를 보였다. 비척추골절은 전체 투약군에서는 유의한 차이를 보이지 않았지만 골절의 고위험군에서는 매일 20 mg 투약으로 위험률이 위약군에 비해 50% 감소하였으며 랄록시펜 치료군에 비해서도 44% 감소하는 것으로 나타났다. 이때 고위험군은 대퇴경부 T-score가 -3.0 이하이거나 1개 이상의 중등도 혹은 중증 척추골절이 있거나 다발성 척추골절이 있는 여성들이었다.

(2) 비골격계 효과(Non-skeletal effect)

① 자궁내막에 대한 효과

자궁내막 두께 증가나 자궁내막증식증 및 자궁내막암의 발생은 위약군과 유의한 차이가 없었다. 7년간의 추적관찰에서 바제독시펜 투여군은 위약군에 비해 자궁내막암이 유의하게 감소하였다. 이 분석에서 바제독시펜 투여군 3,758명 중 3명에서 자궁내막암이 발생하였고 위약군 1,885명 중 7명에서 자궁내막암이 발생하였다(p=0.020). 자궁내막증식증이나 폴립 등을 포함한 자궁내막 신생물의 발생에는 유의한 차이가 없었다.

② 유방에 대한 효과

유방에 대한 효과에서는 유방 밀도를 증가시키지 않았으며 유방통, 유방낭종, 유방암의 발생은 용량에 관계없이 모든 투약군에서 위약군과 유의한 차이를 보이지 않았다. 7년간의 추적관찰에서 바제독시펜 복용은 위약군에 비해 유방암, 유방통증의 위험을 높이지 않았으며 랄록시펜 투여군과도 유의한 차이를 보이지 않았다.

③ 심혈관계에 대한 효과

혈청 지질에 대한 효과는 총 콜레스테롤과 저밀도지단백 콜레스테롤을 감소시키고 고밀도지단백 콜레스테롤은 증가시키며 중성지방은 유의한 변화가 없었다. 랄록시펜과 비교했을 때에는 총콜레스테롤, 저밀도지단백 콜레스테롤의 감소는 랄록시펜보다 유의하게 적었으며 고밀도지단백 콜레스테롤, 중성지방의 변화는 랄록시펜과 차이가 없었다.

④ 기타 효과

7년간의 추적관찰에서 바제독시펜은 자궁내막암의 발생을 유의하게 감소시켰다. 따라서 바제독시펜은 자궁내막에 보다 안전한 것으로 생각되어 현재 자궁이 있는 폐경 여성에서 프로게스토겐 대신 자궁내막을 보호하기 위해 에스트로겐 제제에 병합한 약물인 tissue selective estrogen complex (TSEC)은 폐경기 안면홍조 등의 증상 조절을 위해서도 사용되고 있다.

(3) 부작용

열성 홍조는 바제독시펜 투여군이 위약군에 비해 높은 빈도로 발생하였고 다른 SERM 제제와 마찬가지로 유익한 혈청 지질의 변화에도 불구하고 심부 정맥혈전색전증은 3년간의 치료 연구에서 20 및 40 mg/d 투약군 모두에서 증가하는 것으로 나타났다. 특히 투여 첫 해에 유의하게 증가하는데 위약군에 비해 상대 위험도 4.6 (95% 신뢰구간 2.00-9.14)를 보이며 투여 2, 3년 차에는 유의한 증가는 없었다. 아시아 여성에서의 분석은 혈전색전증의 위험을 높이지 않았다. 7년간의 추적관찰에서 뇌졸중의 위험은 증가하지 않았으며 랄록시펜 투여군과도 차이를 보이지 않았다.

4) 결론

SERM 제제의 치료 목적은 유방과 자궁내막에 영향을 주지 않으면서 골격계에는 유익한 에스트로겐의 작용이 나타나도록 하는 데 있다. 랄록시펜은 골밀도 증가 및 골표지자의 감소 효과를 나타내며 골다공증에 대한 예방 및 치료 효과가 있으며 척추골절을 감소시키나 비척추골절에 대한 증거는 불충분하며 효과적이지 못하다. 유방암의 유병률은 유의하게 감소시키는 효과가 있다.

바제독시펜은 새로운 척추골절의 위험을 감소시키나 랄록시펜과 마찬가지로 비척추골절에 대해서는 고위험군에서만 효과를 보이며, 자궁내막암을 감소시키는 효과가 있어 에스트로겐과의 병합 요법을 통해 골다공증뿐만 아니라 열성 홍조와 질위축 등의 증상을 함께 개선시키는 효과가 기대된다.

SERM은 각 제제별로 유익-유해 비율(risk-benefit profile)이 다르므로 이를 고려하여 환자의 상황에 따른 맞춤치료법(tailored therapy)을 시행해야 하며, 현재 개발된 SERM 제제의 대부분에서 정맥혈전색전증의 위험이 증가하므로 이에 대한 주의를 요한다.

5. 부갑상선호르몬

골다공증의 치료는 많은 발전을 거듭하며 오늘날 매우 다양한 범주의 약물들이 치료제로 쓰이고 있다. 1990년대 초반 여성호르몬과 칼시토닌에 국한된 골다공증의 치료는 1990년대 중반 이후 비스포스포네이트와 선택에스트로겐 수용체조절제가 추가되면서 그 영역이 확대되었다. 이들의 작용 기전은 서로 다르지만 궁극적으로 파골세포에 의한 골흡수 억제라는 공통적인 특징을 갖는다. 골흡수 억제제는 재형성 공간(remodelling space)을 감소시키는 것 이상의 새로운 골을 생성하거나, 골량 및 골구조를 회복시키지는 못하기 때문에 약제의 작용 기전상 골재형성을 지속적으로 억제함으로써 발생되는 문제점에 대한 우려가 있는 반면, 골형성 촉진제는 조골세포에 동화 작용(anabolic effect)을 함으로써 신생 골형성을 증가시킬 뿐 아니라 골절 치유를 촉진시키는 장점을 갖는다. 현재 인간 재조합 부갑상선호르몬(recombinant human parathyroid hormone, rhPTH) 제제로는 테리파라타이드(teriparatide)로 알려져 있는 PTH (1-34)와 전체 길이 분자(full-length molecule)의 PTH (1-84)가 있는데, 유럽에서는 이 두 약제 모두 유용하게 쓰이고 있는 반면, 미국에서는 고칼슘혈증과 같은 안정성 논란 때문에 PTH (1-84)는 아직 FDA승인을 받지 못한 상태이다. 현재 국내에서는 PTH (1-34) 제제만이 사용 가능하다.

1) 부갑상선호르몬의 골 형성 작용기전

PTH는 칼슘과 인 대사에 중심적인 역할을 하며, 일차 또는 이차부갑상선항진증과 같이 PTH가 지속적으로 주입되는 경우 골격(skeleton), 특히 피질골에 부정적 영향을 미쳐 골 이화 작용(catabolic action)이 일어난다. 반면, 간헐적으로 주입되는 경우 조골세포의 수와 활동성을 증가시켜 소주골과 피질골 모두에서 골 구조의 향상을 기대할 수 있다.

PTH의 주 표적세포는 조골세포이며, 조골세포에는 PTH가 작용하는 PTH1R (PTH-related peptide receptor)이 발현되어 있다. N-말단(terminal end)에 위치하는 PTH 34개의 아미노산은 PTH1R 신호체제를 활성화시켜 Gs 단백 의존 cAMP-PKA 경로와 PKC 의존 및 비의존 경로를 자극함으로써 세포내 칼슘 농도를 증가시킨다. 나아가 PTH 효과를 궁극적으로 매개하는 IGF-1, IGF-2, TGF-β등과 같은 성장인자 유전자 발현을 또한 촉진시키는데, 실제로 IGF-1은 cAMP 매개 전사 활동력 증가에 필수 요소이다. 이들 성장인자들은 조골세포로 하여금 잔기동과 피질골 내면에 골이 침착되도록 만드는 매개물질로써, IGF-1은 미성숙한 전구세포의 증식을 자극하기도 하지만, 성숙한 조골세포의 생산성을 증가시키고, 파골세포와 높은 인 농도에 의해 유도되는 조골세포의 세포자멸사에 대한 감수성을 낮추어 수명을 연장시킨다.

(1) 동화작용(Anabolic effects)

PTH의 동화작용에 대한 정확한 신호경로는 아직 알려지지 않았지만, PTH는 다양한 경로를 통해 동화 또는 이화작용을 나타내게 된다. Wnt와 베타-카테닌(β-catenin)이 관여하는 canonical Wnt-signaling경로가 골 조직에서 골세포의 분화, 증식, 사멸 및 골 량의 조절에 매우 중요한 역할을 하는데, 이 경로는 Wnt 길항제인 스클레로스틴(sclerostin)이 PTH에 의해 하향조절(down regulation)됨으로써 최근 주목을 받게 되었는데, 이것이 PTH의 동화작용을 어느 정도 설명할 수 있겠다. 간헐적인 PTH 치료는 조골세포 수를 증가시키고, 이와 관련된 전구인자의 분화를 촉진하고 조골세포 수명을 연장시킨다(그림 32-7).

> ■ 약어
> RUNX2, Runt-related transcription factor 2
> PPARɣ2, peroxisome proliferator-activated receptor ɣ2
> PKC, protein kinase C
> MAPK, mitogen-activated protein kinase
> RANKL, receptor activator of nuclear factor kB ligand
> M-CSF, marcrophage colony stimulating factor
> PKA, protein kinase A
> IGF, insulin-like growth factor

PTH는 조골세포 내에서 RUNX2의 발현 및 조골세포 수를 증가시켜 조골세포 전구인자의 분화를 유도하고, 조골세포의 수명을 연장하며, 활성형 조골세포로의 전환을 촉진하고 골 형성 억제자인 sclerostin 생성을 감소시킨다.

(2) 이화작용(Catabolic effects)

조골세포가 PTH에 지속적으로 노출되었을 때 M-CSF와 RANKL의 발현 증가 및 OPG (osteoprotegerin) 발현감소로 인해 파골세포 형성이 증가됨으로써 이화작용이 나타나게 된다. RANKL-OPG system은 조골세포에 의해 파골세포의 분화와 활성이 조절되는 공통된 주경로이다(그림 32-8).

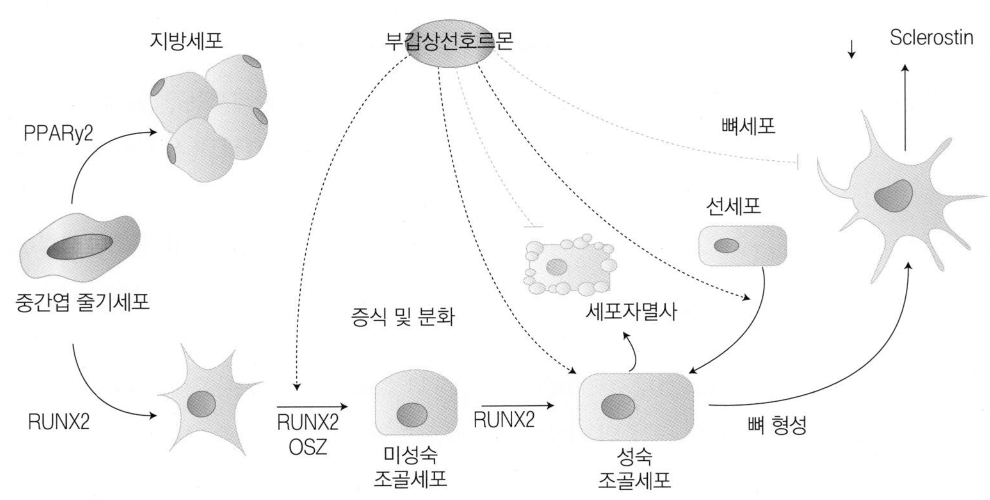

● 그림 32-7. 간헐적인 부갑상선호르몬 주입이 조골세포와 골 형성에 미치는 영향

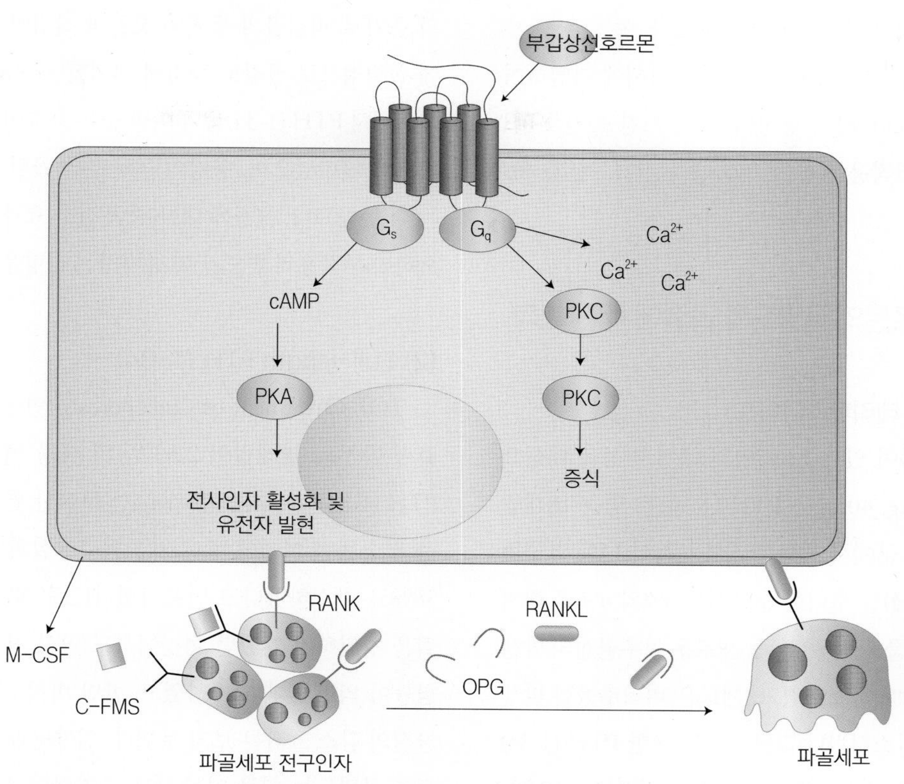

• 그림 32-8. **부갑상선호르몬의 조골세포에 대한 작용기전**

■ **약어**
PKC, protein kinase C
MAPK, mitogen-activated protein kinase
RANKL, receptor activator of nuclear factor kB ligand
M-CSF, marcrophage colony stimulating factor
PKA, protein kinase A
IGF, insulin-like growth factor

PTH는 조골세포 또는 기질세포(stromal cell) 상에 있는 PTH1R에 작용하고, PTH1R은 Gs단백을 통해 PKA활성 및 cAMP 매개 전사 활동력을 증가시킨다. PTH1R은 또한 Ca2+/PKC 경로와 MAPK를 활성화시켜 PTH에 대한 증식반응(proliferative response)을 결정짓는다. PKA, IGF-1, PKC는 결과적으로 RANKL과 CSF를 증가시키고 반면 OPG는 감소시킨다. 이로써 조절력을 가진 파골세포를 생성할 수 있는 파골세포 전구물질(precursor)이 모집된다.

(3) 생화학적 표지자에 대한 영향

테리파라타이드 투여 1개월 만에 골 형성 표지자가 큰

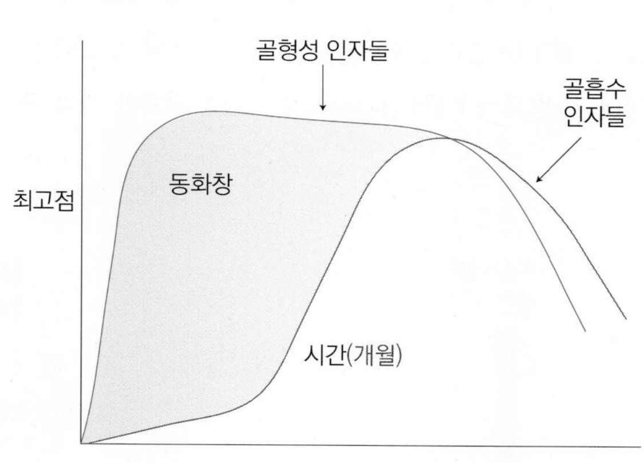

• 그림 32-9. **동화창(anabolic window)**

폭으로 증가하는 반면, 골흡수 표지자는 뒤늦게 증가하는 것으로 알려져 치료 효과를 추적하는데 주안점을 두어야 한다. Glover 등에 의하면 테리파라타이드 투여 이틀 만에 PINP (type I collagen H-terminal propeptide)가 8.2% 증가하고, 치료 종료 시까지 110%의 증가율을 유지한다고 보고하였다. Osteocalcin (OC) 또한 유사하나 증가율이 조금 낮게 보고되고 있고, PINP, OC, bone ALP 치료 종료 시 적어도 75%의 증가율을 보인다고 보고하였다.

골 형성과 골 흡수 표지자간의 역동학 차이에 기인하여 동화창(anabolic window)이 형성되고, 이 기간 동안 PTH는 최대한으로 동화작용을 할 것으로 생각된다(그림 32-9).

2) 부갑상선호르몬의 골밀도와 골절에 대한 효과

(1) PTH (1-34, 테리파라타이드)

이미 척추 골절이 있는 1,637명의 폐경 여성을 대상으로 위약 또는 20 μg, 40 μg의 PTH (1-34)를 평균 18개월 투여한 결과, 위약 군에서 새로운 척추골절이 14% 발생했던 반면 PTH (1-34)를 투여한 군에서는 5%와 4%로 현저한 골절 감소 효과를 나타냈다. 즉, 새로운 척추골절의 발생 위험률은 65%, 69% 감소시켰고, 새로운 비척추골절 발생률도 53%. 54% 감소시켰다(그림 32-10). 또한 PTH (1-34) 투여군은 위약군에 비해 요추 골밀도가 각각 9.7%, 13.7% 증가되었고, 대퇴 경부의 골밀도는 2.8%, 5.1%로 증가되었다. 반면 주로 피질골로 구성된 요골부(radial shaft)에서 측정한 골밀도는 2.1%, 3.2%가 위약군에 비해 감소되었다. 피질골 골밀도가 PTH (1-34)치료로 감소되지만 골막 반응의 증가로 피질골의 두께와 장골의 직경이 증가하기 때문에 실질적으로 골강도 증가에 기여할 것으로 판단된다. 이 연구에서 PTH (1-34)를 투여한 군은 요통이 현저히 감소된 것으로 나타났으며, 용량이 높을수록 골밀도의 증가 정도는 더 높았으나, 골절에 대한 위험 감소 효과는 유사하였고, 오히려 부작용의 빈도가 더 증가하는 경향을 보였다.

(2) Full-length PTH (1-84)

TOP (Treatment of Osteoporosis) 연구에서는 이전의 골절 유무와 관계없이 2,532명의 폐경 여성을 대상으로 PTH (1-84) 100 μg을 18개월 간 투여한 결과 이전에 골절을 경험했던 여성에서 새로운 척추골절의 발생 위험률은 58%로 감소하였다고 발표하였다(그림 32-11). 이전에 골절을 경험하지 않았던 여성에서도 역시 척추골절 발생 위험률이 의미 있게 감소하였고, 반면 비척추골절 및 고관절 골절의 감소 효과는 보지 못했다. 위약군과 비교하였을 때, 요추 골밀도는 치료 기간 내내 증가하였고 고관절 골밀도는 치료 초기에는 감소하였지만 치료 18개월째에는 의미있는 증가를 보였다. 반면, 원위 요골 골밀도가 위약군에 비해 의미 있게 감소하였다.

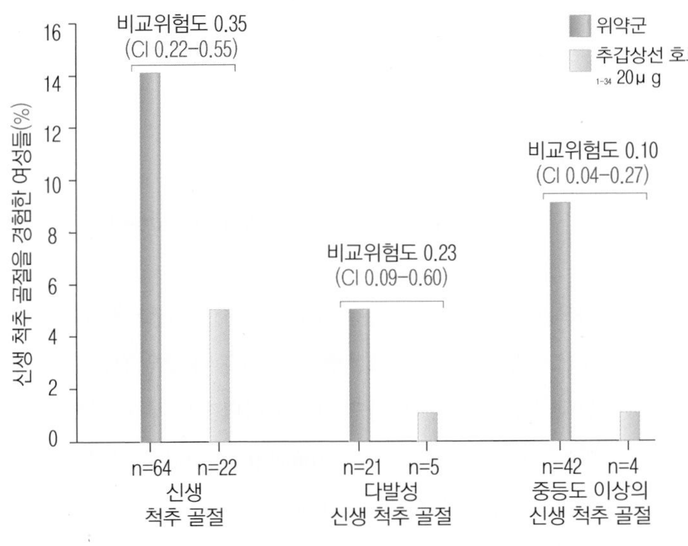

• 그림 32-10. **부갑상선호르몬(1-34)의 척추 골절에 대한 효과**

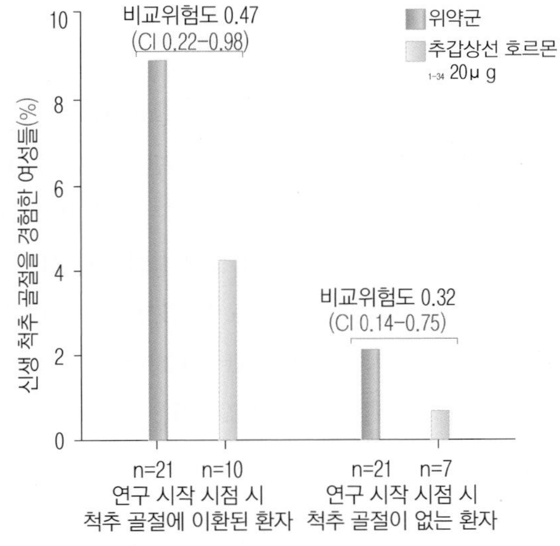

• 그림 32-11. **부갑상선호르몬(1-84)의 척추 골절에 대한 효과**

3) 부갑상선호르몬의 병합치료(Combination therapy) 및 순차치료(Sequential therapy)

(1) 병합치료

PTH와 골흡수억제제의 병합치료는 이상적으로는 좋은 효과가 기대되었으나 병합치료의 결과는 기대와는 다른 결과를 보여주었다. 238명의 폐경 후 여성을 대상으로 PTH와 골흡수억제제인 알렌드로네이트를 병합 투여하였을 때 PTH 단독 치료보다 요추 골밀도 상승효과는 관찰되지 않았다. 즉 PTH를 알렌드로네이트와 함께 사용하면 PTH에 의한 새로운 골형성을 자극하는 역할을 알렌드로네이트가 방해할 수 있음을 제시하였다. 따라서 현재까지는 강력한 골흡수억제제와의 PTH 병합 투여는 추천되고 있지 않다. 한편, Cosman 등은 52명의 폐경 후 여성을 대상으로 PTH (1-34) 25 μg과 여성호르몬을 병행하였을 때 여성호르몬 단독 치료보다 의미 있는 골밀도 증가가 있었다고 보고하였다.

한편, PTH를 사용하기 이전의 사용된 골다공증 치료도 골밀도 증가에 영향을 줄 수 있다. PTH 치료 이전의 알렌드로네이트 또는 랄록시펜의 사용이 병합 효과와 같은 효과를 나타낼 것으로 우려되어 PTH 사용 이전에 일정 기간 휴약기에 대한 의견도 제시된 바 있다. 하지만 최근 발표된 EUROFORS 연구의 결과에서는 초기 골밀도의 증가에 다소 지연이 관찰되는 것은 사실이지만 과거에 사용된 약제의 종류에 관계없이 2년간 골밀도가 증가됨이 관찰되어 이전 사용 약물에 의하여 PTH의 사용이 크게 제한되지 않음을 보여주었다.

(2) 순차치료

단기적인 PTH 치료가 종료된 후 골흡수억제제를 순차적으로 투여하는 방식에 대한 연구는 먼저 여성호르몬을 이용하여 이루어졌다. 폐경 후 여성에서 PTH 치료 후 여성호르몬의 투여가 추후의 골 소실을 예방하지 못했고, 요추골에서 4%의 골 소실이 있다고 보고한 바 있다.

그러나 1년간 PTH를 투여받은 여성에서 이후 1년간 알렌드로네이트를 순차적으로 투여하였을 때 위약군에 비해 골밀도가 증가되었고, 골량의 증가는 특히 소주골 부위에서 현저하였으며 피질골의 양과 석회화 정도도 증가하였다. 또한 PTH 치료 후 SERM 또는 리세드로네이트, 졸레드로네이트와 같은 약제들이 PTH 치료로 얻어진 골량을 효과적으로 유지하는 것으로 알려져 있다.

데노수맙의 경우 데노수맙 중단 후 PTH를 사용하면 고관절 고밀도가 급격히 감소하는 현상을 보이므로 이러한 순서로 순차치료를 하는 것은 권고되지 않는다.

4) 부갑상선호르몬의 부작용

테리파라타이드 투여군에서는 위약군과 비교하여 오심(비교 위험도 2.34), 두통(비교 위험도 1.4), 하지 동통(비교위험도 3.22), 고칼슘혈증(비교 위험도 9.73)이 더욱 빈번하게 나타났다. 그러나 FPT (Fracture Prevention Trial)에서는 고칼슘혈증이 teriparatide 20 μg 투여 시 11%의 환자에서 나타났지만, 고칼슘혈증이 지속적으로 관찰되는 환자는 3% 정도였다고 보고하였다. 고칼슘뇨증(hypercalciuria)은 그보다 적은 발생률로 나타나는데, PTH 투여 이전에 신결석(renal stone)이나 고칼슘뇨증이 이미 있는 환자들은 문제점들이 교정된 후 투여할 것을 권고하고 있다. 혈중 요산(serum uric acid) 농도는 정상상한치까지 증가되나 통풍(gout)의 발생은 보고되지 않았다.

부갑상선호르몬의 독성 연구에서 생후 2개월의 쥐에 PTH (1-34) 5, 30, 75 μg/kg을 각각 2년간 사용하였을 때 투여 용량에 비례하여 골육종(osteosarcoma)의 발생이 증가되었으나, 투여량이 사람에 비해 각각 3, 20, 60배 정도 높은 양이었다. 인간에게서는 두 명의 골육종 환자가 발생하였는데, 이들은 이전의 방사선 노출과 같은 위험인자를 가지고 있는 사람들이었다. 골육종 발생 위험이 증가되는 다음과 같은 환자, 즉, 성장판이 닫히지 않은 청소년, Paget씨 병, 이전에 뼈 방사선 치료를 받은 환자, 고칼슘혈증 또는 부갑상선항진증 환자들에게는 PTH투여가 금기시되고 있다.

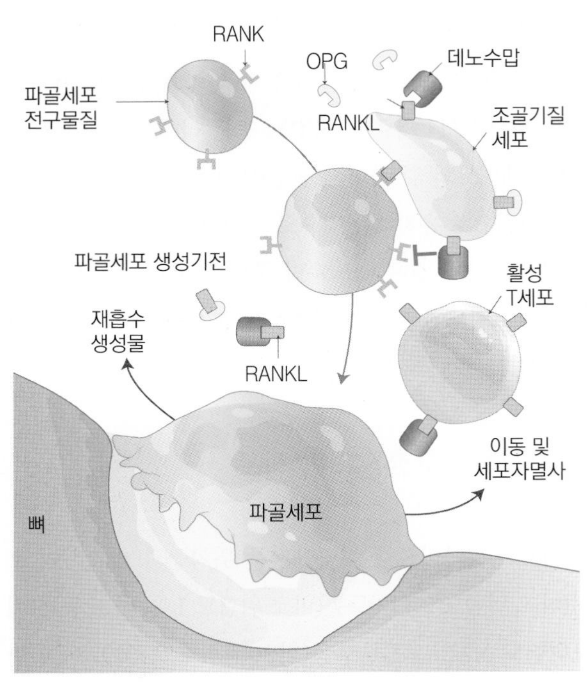

● 그림 32-12. **데노수맙의 골 작용**

5) 부갑상선호르몬 치료의 적응증

PTH 치료의 적응증은 골절의 병력, 극심한 골다공증(BMD T score ≤-3.5), 골흡수억제제에 만족할 만한 반응이 없는 경우를 들 수 있고, 비스포스포네이트에 순응도가 낮거나 금기증인 환자에서도 PTH가 고려될 수 있다. 또한 GIOP (glucocorticoid-induced osteoporosis) 환자를 대상으로 알렌드로네이트와 PTH (1-34)를 36개월 간 투여한 무작위 이중 맹검 연구에서는 PTH 투여군에서 더욱 높은 골밀도 증가와 척추골절 감소율을 보였다고 보고하였다. 반면 PTH 1-84의 GIOP에서의 효과에 대한 보고는 아직 없다.

6. 데노수맙

데노수맙(denosumab)은 RANKL에 대한 단일클론항체(monoclonal antibody)로 파골세포의 발생과 활성을 억제하여 골의 재흡수를 억제하고 골밀도를 증가시키는 약제이다. RANKL은 조골세포, 골수 기질세포, 활성 T 세포 등에서 합성되며, 전구파골세포(proteoclast) 및 파골세포에 존재하는 수용체인 RANK를 활성화시킴으로써 파골세포의 형성, 분화, 활성화, 생존 등에 관여하게 된다(그림 32-12).

1) 약역동학적 특징 및 골표지자에 대한 효과

데노수맙은 단 1회의 피하 주사로 골 표지자 억제 효과가 6개월까지 지속된다. 투여 후 혈중농도는 급격히 상승하여 10일 정도에 최고치에 올랐다가 점차 감소하며 6개

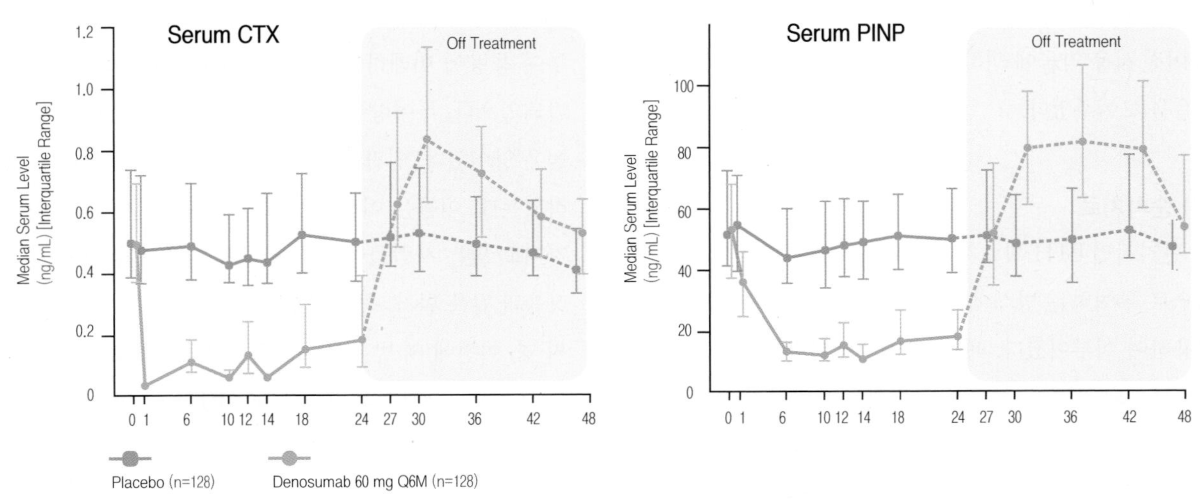

● 그림 32-13. **데노수맙 24개월 투여 후 중단 시 혈중 골표지자의 변화**

월 후에는 거의 제로에 가깝게 소실된다. 골흡수 표지자인 CTX-I과 골형성 표지자인 PINP는 3일 내 급격히 감소하여 기존치의 85%까지 감소하게 되며 6개월 후 다음 주사일 정도 되면 다시 45%까지 회복하게 되는 빠른 반응을 보인다.

비스포스포네이트가 골세포에 흡수되었다가 다시 재분비, 재흡수 과정을 거치며 장기간 효과를 지속시키는 것과 달리 추가 투여를 하지 않으면 빠르게 효과가 사라지는 현상을 보이며 24개월 치료 후 중단했을 때 CTX는 마지막 투여 6개월 후인 30개월 째에 피크를 이루며 투여 전보다 오히려 상승하는 현상을 보여 중단 직후 골절의 위험을 높이게 된다(그림 32-13).

2) 골밀도에 대한 효과

DEFEND (Denosumab FortifiEs bone Density) 연구에서는 T 값이 -1에서 -2.5인 골감소증 폐경 여성 332명을 대상으로 데노수맙과 위약을 투여하여 2년간 골밀도를 관찰한 결과 위약과 비교하여 모든 부위의 골밀도가 증가하였다고 보고하였다. DECIDE (Determining Efficacy: Comparison of Initiating Denosumab vs. alEndronate) 연구에서는 데노수맙 군에서 알렌드로네이트 군에 비해 골밀도가 더 많이 증가하였으며 골표지자 억제 효과가 더 빨리 나타났다고 보고하였다. 이중 맹검 연구인 STAND (Study of Transitioning from AleNdronate to Denosumab) 연구에서는 알렌드로네이트 투약을 받은 여성을 대상으로 데노수맙으로 바꿔 투여한 군과 계속 알렌드로네이트로 치료를 받은 군으로 나누어 골밀도의 변화를 관찰을 하였는데 데노수맙으로 변경한 군에서 대퇴부 골밀도가 더 증가하였다(각각 1.9% 1.05%).

데노수맙이 골밀도에 미치는 영향의 특징은 10년간의 투여에서 척추골은 물론 골반골에서도 지속적인 골밀도 증가를 보여준다는 것이다. 비스포스포네이트의 경우 척추골은 어느정도 계속 증가하지만 골반골의 골밀도는 일정기간 지나면 유지하는 정도(plateau)만의 효과를 보이는 것과 대조된다(그림 32-14).

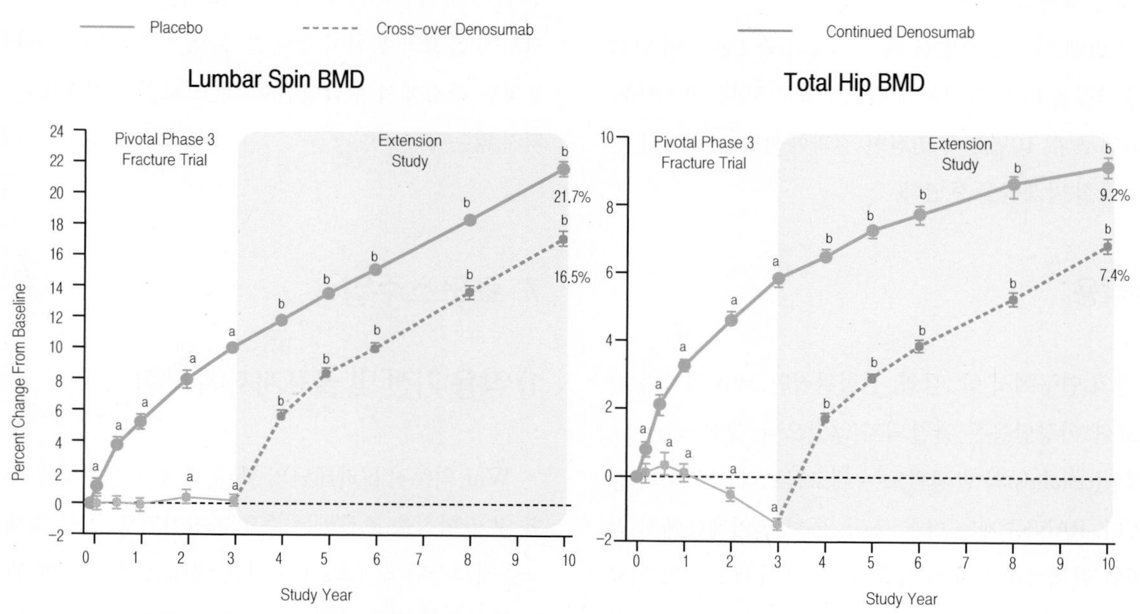

● 그림 32-14. **데노수맙을 10년간 투여했을 때 골밀도 변화**
: [a]$p < 0.05$ vs Pivotal Phase 3 study baseline; [b]$p < 0.05$ vs Pivotal Phase 3 study baseline and extension baseline; [c]Percentage change while on denosumab treatment.
BMD = bone mineral density; LS = least-squares; CI = confidence interval

이렇게 지속적인 골밀도 증가를 보이는 이유는 비스포스포네이트가 골표면에 흡수되어 작용하면서 주로 소주골 골밀도만 증가시키는 것에 비해 데노수맙은 혈액을 통해 소주골과 피질골 모두에 영향을 주고 뼈의 리모델링뿐 아니라 모델링에도 영향을 주어 나타나는 현상으로 설명하고 있다.

3) 골절에 대한 효과

이 약의 효능을 평가하기 위해 무작위 3상 임상시험들이 진행이 되었다. FREEDOM (Fracture Reduction Evaluation of Denosumab in Osteoporosis Every 6 Months) 연구에서는 척추 또는 대퇴부 T 값이 -2.5에서 -4.0 사이인 60-90세 여성 7,868명을 대상으로 데노수맙 60 mg 또는 위약을 매 6개월마다 피하 주사하여 새로운 척추골절의 발생을 관찰하였다.

위약에 비해 데노수맙은 새로운 영상학적 척추골절의 위험도를 68% 감소시켰으며, 임상적인 골절 역시 61%에서 예방 효과를 보였고 이차 목표인 비척추골절의 발생은 20%, 골반골 골절은 40% 감소되었다.

효과 발현 시기를 보았을 때 투여 2회 즉 1년 투여 만으로 척추골절을 61% 유의하게 감소시켰고 3년간의 FREEDOM 연구 후 10년까지 연장한 결과에서도 지속적인 낮은 척추골절 발생률을 보였다.

4) 부작용

이상의 연구에서 암, 감염, 심혈관질환, 악골괴사와 같은 주요한 이상반응은 관찰되지 않았으나 습진(eczema), 봉와직염(cellulitis)의 발생빈도는 대조군보다 유의하게 증가되었다. RANKL계는 다른 조직, 특히 면역계통에서 작용하지만 현재까지 시행된 임상시험들에서 데노수맙 치료 시 감염 및 종양의 발생이 증가하지 않는다는 것을 확신할 만한 통계적 검정력이 충분하지 않은 실정이다.

골흡수억제제라는 특성상 악골괴사와 비정형골절 발생의 위험은 존재하며 아직까지는 주로 암환자에서 고농도로 사용했을 때 발견되지만 골다공증 환자에서도 발생 가능하고 비스포스포네이트에 비해 더 위험하다는 결과는 없다.

빠르고 강력한 효과의 특성상 저칼슘혈증의 발생이 가능하여 적절한 칼슘, 비타민 D 공급이 필요하고 신기능이 저하된 환자에서는 칼슘 모니터링이 필요하다. 임상적으로 문제되는 정도의 부작용 발현빈도는 유의하게 높다고 보고되지는 않았다.

5) 순차치료

비스포스포네이트를 사용하면서 순응도가 떨어지거나 골밀도 증가가 없던 환자에서 데노수맙으로 전환 시 순응도가 향상하고 골밀도가 향상하는 결과를 보인다. 다만 데노수맙 치료로 충분한 골밀도 상승이 나타나 약제를 중단할 경우 급격한 골표지자의 상승과 골밀도의 감소, 다발성 척추골절의 증가가 나타나는데(rebound fracture) 이를 방지하기 위해 1-2년 비스포스포네이트를 사용하여 치료 기간 증가한 골밀도를 유지하는 방법이 권고된다. 특징적으로 데노수맙을 사용하다가 부갑상선호르몬으로 전환할 경우 골반골 골밀도가 급격히 감소하는 현상을 보이는데 이 시기에 골절의 위험이 높아질 수 있으므로 데노수맙을 사용하던 환자에서 부갑상선호르몬으로의 순차치료는 권고되지 않는다.

7. 로모소주맙

1) 작용 기전 및 골표지자에 대한 효과

Wnt 의존적 β-카테닌의 핵내 축적이 골형성세포의 분화 및 골형성을 조절하는 주요 과정이므로, 이를 억제하는 스클레로스틴 및 Dkk-1과 같은 체내 신호 전달에 관여하는 물질들에 대한 중화 항체들이 골형성을 촉진하는 골다공증 치료 약물로 개발되어 왔다.

높은 골량이 초래되는 van Buchem's병이나 sclerosteosis는 스클레로스틴을 코딩하는 유전자의 변이와 연관되어

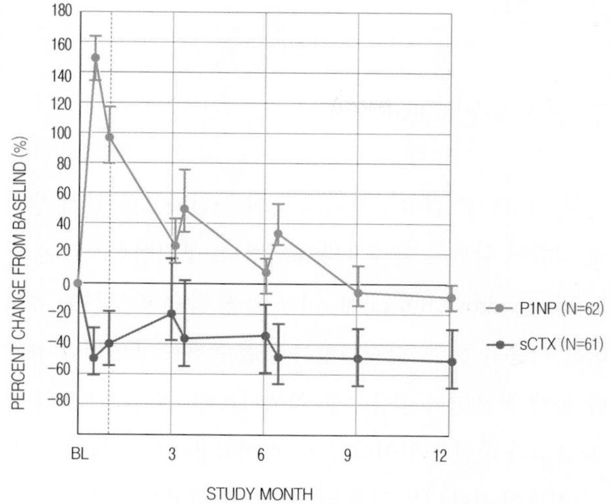

● 그림 32-15. **로모소주맙 12개월 투여 기간 동안의 골표지자 변화**

; BL=baseline, P1NP=procollagen type 1 N-telopeptide, sCTX=serum type 1 collagen C-telopeptide, N=number of randomized patients enrolled in the BTM and biomarker substudy with a baseline and at least 1 postbaseline reported result for the parameter of interest.

있다고 알려져 있는데, 이는 골량의 항상성 유지에 스클레로스틴의 역할이 중요하다는 것을 보여주는 예이다. 따라서 골형성을 촉진시키기 위해 스클레로스틴에 대한 단일클론항체가 개발되었다. 쥐를 이용한 동물 실험에서는 난소 적출 후 스클레로스틴 항체를 투여하였을 때 에스트로겐 결핍과 연관된 골량 감소를 억제하였으며, 원숭이 실험에서는 스클레로스틴 항체를 2개월간 치료한 결과 부위에 따라 골량이 11-29%까지 증가하였다.

인간에서 스클레로스틴에 대한 단일클론항체로 개발된 것이 로모소주맙이며 조골세포의 분화와 활성을 자극하여 골형성을 촉진시키고 파골세포 조절체를 변화시켜 골흡수를 막는 이중 효과를 가지는 것으로 평가된다. 이는 로모소주맙 투여 시 골흡수 표지자인 CTX는 감소하는 현상을 보이고 골형성 표지자인 PINP는 증가하는 현상으로 설명된다. 다만 골형성 표지자인 PINP는 투여 초기 급격히 상승했다가 점차 감소하여 투여 9-12개월 시점에서는 투여 전 수준으로 떨어지게 된다. CTX는 투여 기간 지속적으로 억제된 상태를 유지한다(그림 32-15).

2) 골밀도에 대한 효과

위약군과 비교를 진행한 FRAME (FRActure study in postmenopausal woMen with ostEoporosis) 연구에서 7,180명의 55세에서 90세, 대퇴경부 혹은 골반골 BMD -2.5이하 폐경 여성에서 로모소주맙과 위약 투여군을 비교했을 때 로모소주맙은 투여 12개월째에 척추 골밀도는 12.7%, 골반골 골밀도는 5.8% 증가하는 결과를 보였다. 이는 지금까지 발표된 약제들보다 월등히 많은 골밀도의 증가이다. 비스포스포네이트보다 높은 골밀도 증가를 보이는 것으로 알려진 데노수맙 투여 시에 나타나는 골밀도 증가보다도 많아서 데노수맙을 4-5년간 투여한 정도의 골밀도 증가가 로모소주맙 1년 투여로 나타났다.

알렌드로네이트와 효과를 비교한 연구인 ARCH (Active-contRolled fracture study in postmenopausal women with osteoporosis at High risk of fracture) 연구에서는 4,093명의 55세에서 90세, 대퇴경부 혹은 골반골 골밀도 -2.5이하인 여성에서 로모소주맙과 비스포스포네이트의 효과를 비교하였는데 투여 12개월 후 알렌드로네이트 투여군에서는 척추골 골밀도가 5%, 골반골 골밀도가 2.8% 증가하는데 비해 로모소주맙 투여군은 각각 13.7%, 6.2% 증가하여 통계적으로 유의한 차이를 보였다.

부갑상선호르몬과의 비교 연구도 진행되었는데 STRUCTURE (STudy evaluating effect of RomosozUmab Compared with Teriparatide in postmenopausal women with osteoporosis at high risk for fracture pReviously treated with bisphosphonatE therapy) 연구에서 436명의 55세 이상, 골다공증이 있으면서 비척추골절의 병력이 있고 이전 비스포스포네이트 치료력이 있는 여성에서 로모소주맙과 테리파라타이드를 투여하고 비교했을 때 1년째 척추골밀도는 로모소주맙 투여군에서 9.8%, 테리파라타이드 투여군에서 5.4% 증가하였고 대퇴경부 골밀도는 각각 3.2%, -0.2%, 골반골 골밀도는 2.9%, -0.5% 변화하여 테리파라타이드보다 로모소주맙 투여가 유의한 골밀도의 증가를 보였다. QCT를 통해 측정한 vBMD도 피질골, 소주골 모두에서 로모소주맙 투여군이 테리파라타이드 투여군보다 유의한 증가를 보였다(각각 피질고 1.1%, -3.6% 그리고 소주골 15.6%, 9.9%).

3) 골절에 대한 효과

FRAME 연구에서 로모소주맙은 투여 1년 후 위약군에 비해 척추골절을 73% 감소시켰다. 이어서 데노수맙을 1년 더 투약하면 위약군 1년에 이어 데노수맙 1년을 투약한 군에 비해서도 척추골절은 75% 감소하였다. 비척추골절은 투여 1년째에는 유의한 차이가 없었으나 2년째에 로모소주맙-데노수맙 투여군이 위약-데노수맙 투여군보다 25% 유의하게 낮은 빈도를 보였다.

ARCH 연구는 1년간 로모소주맙을 투여하고 이어서 추가로 2년간 알렌드로네이트를 투여한 군과 3년 내내 알렌드로네이트를 투약한 군을 비교하였는데 투여 1년 후 새로운 척추골절은 로모소주맙-알렌드로네이트 투여군이 알렌드로네이트-알렌드로네이트 투여군보다 36% 유의한 감소를 보였고 투여 2년 후에는 50% 유의한 감소를 보였으며 전체 투여기간 비척추골절은 19%, 골반골절은 38% 유의하게 감소하는 결과를 보였다.

4) 부작용

로모소주맙 투여 기간 가장 흔한 부작용은 관절통(13.1%), 두통(6.6%), 근육통(4.6%), 말초부종(2.4%) 등이었으나 위약군과 비교하면 유의한 차이를 보이지 않았다.

다만 알렌드로네이트와 비교한 ARCH 연구에서 알렌드로네이트 투여군에 비해 심근경색(0.8%), 뇌졸중(0.6%), 심혈관계 사망(0.8%)이 알렌드로네이트 투여군보다 유의하게 높았는데(각각 0.2%, 0.3%, 0.6%) 이러한 결과로 투여 전 1년간 심근경색이나 뇌졸중이 있었던 환자에서는 투여가 금기된다. 로모소주맙이 심혈관계 부작용의 위험을 높이는 것인지, 상대적으로 알렌드로네이트가 심혈관계 부작용을 줄여서 나타난 결과인지 아직 불명확하며 심혈관계에 미치는 영향의 기전도 아직은 알려져 있지 않다.

8. 기타

1) 칼시토닌(Calcitonin)

칼시토닌은 갑상선에서 분비되는 단백으로 아직 생리적 역할이 완전히 알려지지 않았으나, 부갑상선호르몬 및 1, 25-dihydroxycholecalciferol과 함께 칼슘 항상성을 유지하는 작용을 한다. 칼시토닌은 골흡수세포 표면의 수용체를 통해 작용하여 골흡수를 억제하는데, 골흡수세포의 활성 감소가 주된 기전이나 수 및 분비작용에도 영향을 준다.

치료에 사용되는 약제는 대부분 연어에서 얻은 것으로, 합성된 인간 칼시토닌에 비해 40-50배 강력하며 대사성 골질환에 이미 오랜 기간 사용되어 온 약제로서 많은 국가에서 폐경 후 골다공증의 치료제로 승인을 받았다.

투여는 주로 주사 또는 흡입을 통해 이루어지나, 최근 경구 약물 역시 사용되고 있다. 치료 효과에 대한 연구들에서는 주로 주사 및 흡입 형태가 사용되었는데, 주사 제형의 경우 몇몇 소규모 연구에서 척추 골밀도의 증가 효과가 보고되었으며, 척추 골절의 감소 효과 역시 무작위 연구에서 보고된 바 있으나, 대퇴골 골절의 감소 효과는 후향적 연구에서만 확인되었다. 임상적으로는 주사 형태보다는 코를 통해 흡입하는 제형이 유용한데, 이는 골절 감소 효과가 밝혀져 있고, tolerability가 우수하며, 장기 사용이 보다 용이하기 때문이다. Prevent Recurrence of Osteoporotic Fracture (PROOF) 연구는 칼시토닌 투여에 대한 대표적 무작위 대조군 연구로서 평균 연령이 60대 후반인 1,255명의 폐경 후 골다공증 여성에서 시행되었는데, 연어 칼시토닌 100, 200 또는 400 IU를 칼슘 및 비타민 D와 함께 흡입 투여하였다. 연구 결과 200 IU를 5년간 투여하였을 때 위약군에 비해 33%의 척추 골절 위험 감소가 관찰되었고(RR, 0.67; 95% CI 0.47-0.97), 이러한 효과는 이미 골절을 경험하였던 대상군에서도 비슷하게 나타났다. 또한 나이에 따른 분석에서 70세 이상의 연령군에서 보다 높은 척추골절 감소 효과가 있었다. 이 연구는 비척추골 골절에 대한 효과를 확인하기 위한 연구 설계가 아니었다는 제한점이 있으나, 세부 분석 결과 통계적으로는 유의하지 않지만 대퇴골 골절의 감소가 관찰되었다. 같은 연구에서 척추 골밀도 증가는 기저치와 비교하여 1-1.5% 정도로 통계적으로 유의하였으나, 다른 골흡수억제 약물인 비스포스포네이트와 비교하여 증가폭은 적었다. 한편, 투여 후 감소한 골흡수표지자는 치료를 중단하면 3개월 이내에 기저치로 회복되는데, 이는 골흡수세포에 대한 작용이 가역적임을 의미한다. 칼시토닌의 골절 감소 효과는 뼈의 미세구조를 유지하는 효과에 기인하는 것으로 생각되는데, 최근 폐경 후 골다공증 여성에서 시행된 무작위 연구에서는 원위부 요골 및 대퇴골에서 자기 공명 영상으로 평가한 해면뼈의 미세 구조의 유지 및 호전이 관찰되었다.

뼈와 관련된 통증에 대한 칼시토닌의 진통 효과가 알려져 있으며, 이러한 효과에는 중추신경계, 특히 시상하부에서 다양한 칼시토닌 결합 부위가 발견되었음을 고려하여 세로토닌 경로가 관여할 것으로 생각된다. 관련 임상 연구들에서 칼시토닌의 투여가 급성 척추 골절, 뼈의 전이성 병변, 파제트 병, 그리고 대퇴 관절 수술 후 진통효과가 있음이 보고되었으며, 연구들에 제한점이 있고 결과 역시 일관되지는 않지만, 잠재적 이익으로서 관심을 받고 있다.

치료에 사용되는 연어 칼시토닌은 매우 안전한 것으로 생각되며, 약제 성분에 대한 과민성이 있는 경우를 제외하면 대부분의 경우 투여가 가능하다. 전신적인 부작용은 제형과 관계없이 드물고, 흡입형의 경우 흡입과 관련된 국소적 부작용이 있을 수 있으나 사용자의 10% 미만에서만 경험한다.

치료를 위해 사용되는 용량은 흡입형의 경우 하루 200 IU, 피하 주사는 50-100 IU가 권장된다. 비척추골 골절감소 효과에 대한 근거가 부족하고, 사용 중단율이 높다는 단점 때문에 보편적 사용은 어렵지만, 경구 비스포스포네이트나 호르몬 치료가 어려운 상황에서 고려가 가능한 약물로 생각된다.

2) 플루오라이드(Fluoride)

Fluoride 이온은 hydroxyapatite 결정 내의 수산화기를 치환함으로써 골조직의 결정 구조를 변화시키는데, 이러한 효과를 이용하여 골다공증 치료가 시도되었다. 하지만, fluoride가 골형성 및 해면골 부피를 증가시키고, 칼슘 균형에 유익한 작용을 함에도 불구하고, osteoid가 지나치게 생성되고 무기질화에 이상이 발생하여 결과적으로 뼈의 기계 강도가 오히려 저하되는 문제점이 확인되었다.

2000년에 발표된 중간 분석 결과 fluoride를 2년 및 4년 동안 투여하였을 때 척추골 골밀도가 각각 8.1% 및 16.1% 만큼 유의하게 증가하였으나, 고관절에서는 골밀도의 유의한 증가가 없었고, 전완부의 골밀도는 오히려 유의하게 감소하는 결과를 보였다. 또한 골절 발생 위험감소가 관찰되지 않았으며, 특히 비척추골 골절의 경우 4년 후에는 오히려 1.85%의 유의한 골절률 증가가 있었다. 치료와 관련된 부작용으로는 소화기계 증상 및 피로골절과 동반되는 하지의 통증이 보고되었다. 한편 2008년의 또 다른 중간 분석에서는 척추골(7.9%) 및 대퇴골(2.1%) 모두에서 fluoride 투여에 의해 유의하게 골밀도가 증가하였는데, 척추골의 골밀도는 치료 기간에 따라 증가하였으나, 제형 및 용량에 따른 차이는 없었다. 골절위험은 척추골 및 비척추골 골절 모두에서 통계적으로 유의한 차이가 없었으며 치료 기간에 따른 차이 역시 없었던 반면, 치료 용량 따라 차이가 있었는데, 하루 20 mg 이하의 사용은 척추골(교차비, OR=0.28, 95% 신뢰구간, CI 0.09-0.87) 및 비척추골(OR=0.52, 95% CI 0.28-0.76) 골절 위험을 유의하게 감소시킨 반면, 20 mg 이상의 용량은 골절을 오히려 증가시키는 경향을 보였다.

이와 같이 골밀도를 유의하게 증가시키는 효과가 있음에도 불구하고 골절 위험을 감소시키지 못한다는 연구 결과들은 fluoride 투여 시 뼈의 두께는 증가하지만, 골질은 오히려 나빠질 수 있다는 점으로 설명되고 있으며, 현재 fluoride는 상업적인 사용 승인을 받지 못한 상황이다. 또한 fluoride는 뼈에 축적되는 것을 방지하기 위해 장기간의 치료도 권장되지 않는다. 기존의 연구 결과를 고려할 때 효과를 보다 명확하게 판단하여 임상 적용 가능성을 확인하기 위해서는 향후 20 mg 이하의 저용량 fluoride를 칼슘 및 비타민 D와 함께 투여하는 무작위 연구가 시행되어야 할 것으로 생각된다.

9. 골다공증의 순차치료(Sequential therapy)

골다공증 치료약제가 다양해지고 고령화 사회로의 변화로 골다공증 치료의 중요성이 부각되고 장기간, 평생에 걸친 치료가 강조되면서 환자들의 상황에 맞춰 약제를 변경하는 순차치료의 중요성이 강조되고 있다. 일반적으로 골다공증 약제의 선택은 환자의 나이, 현재 골절 위험, 골절 병력, 낙상이나 스테로이드 사용 등의 다른 요인들을 고려하여 결정하게 되고 이에 더해 약제별 특성, 부작용도 감안하여 결정하여야 한다.

골절의 위험이 높지 않은 폐경 직후 여성으로 안면홍조 등의 폐경 증상을 호소하는 경우 호르몬 치료가 골절 위험을 낮출 수 있으므로 선택 가능하며 60대가 넘어 폐경 증상이 없는 경우에는 환자의 골절 위험 등을 평가하여 약제를 선택한다. 골다공증이 진단된 환자에서 일차치료로는 비스포스포네이트, 데노수맙이 일차 선택제로 고려되며 비스포스포네이트 중 이반드로네이트와 SERM의 경우 비척추골절에 대한 효과가 입증되지 않았으므로 이차 선택제로 분류된다. 이미 골절이 있는 고위험군에서는 부갑상선호르몬, 로모소주맙, 데노수맙, 졸레드로네이트가 먼저 고려되어야 하는데 국내 보험 조건에서는 현재 부갑상선호르몬, 로모소주맙을 먼저 시작하는 것은 경제적 부담이 있다. 순차 치료 중 데노수맙을 먼저 사용한 환자에서 부갑상선호르몬으로의 전환은 대퇴경부, 골반골 골밀도의 급격한 감소를 가져오므로 피해야 하며 데노수맙을 투여하던 환자에서 골절 발생 등의 이유로 부갑상선호르몬을 써야 할 때에는 데노수맙을 끊지 않고 부갑상선호르몬을 추가하여 쓰는 것을 권고한다.

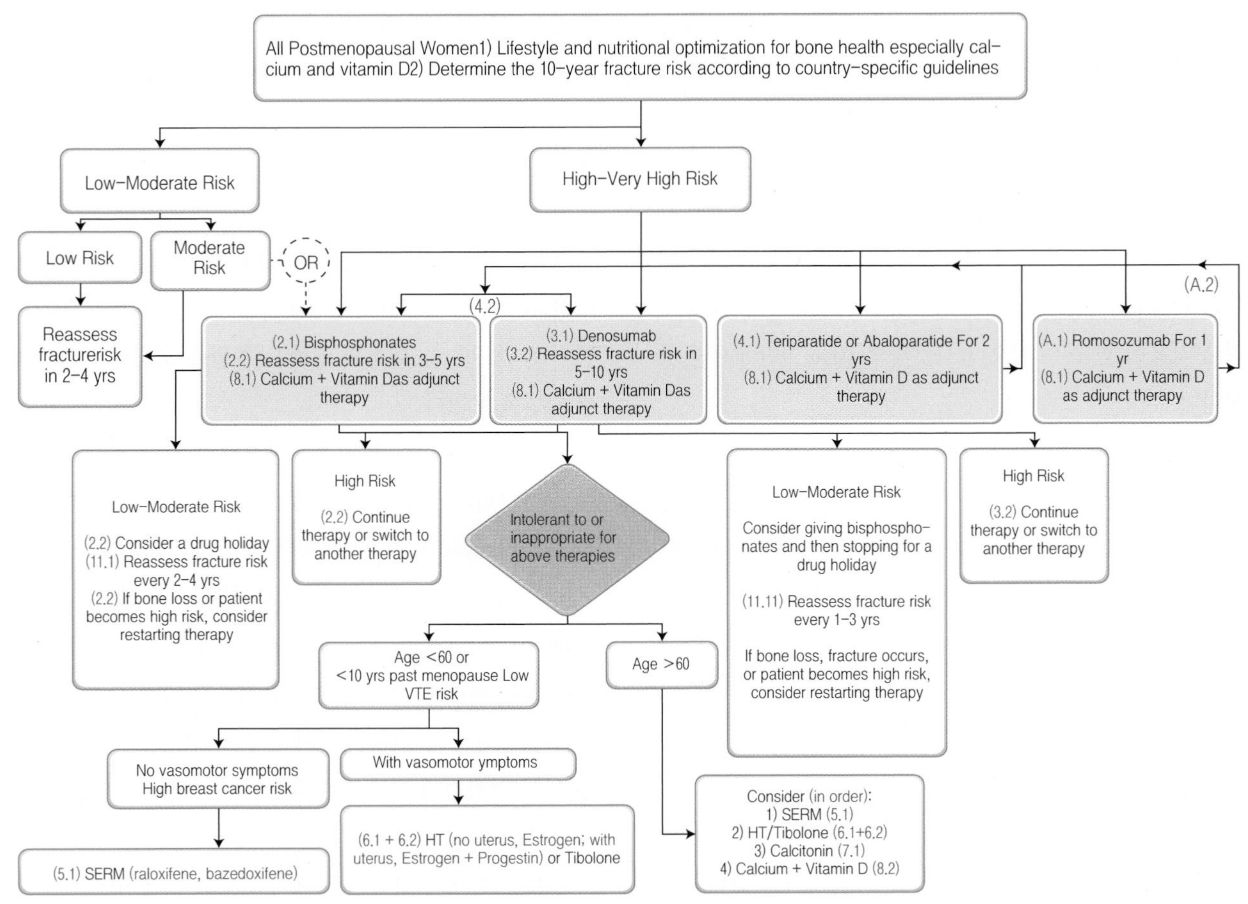

● 그림 32-16. 2020 Endocrine Society 치료 가이드라인

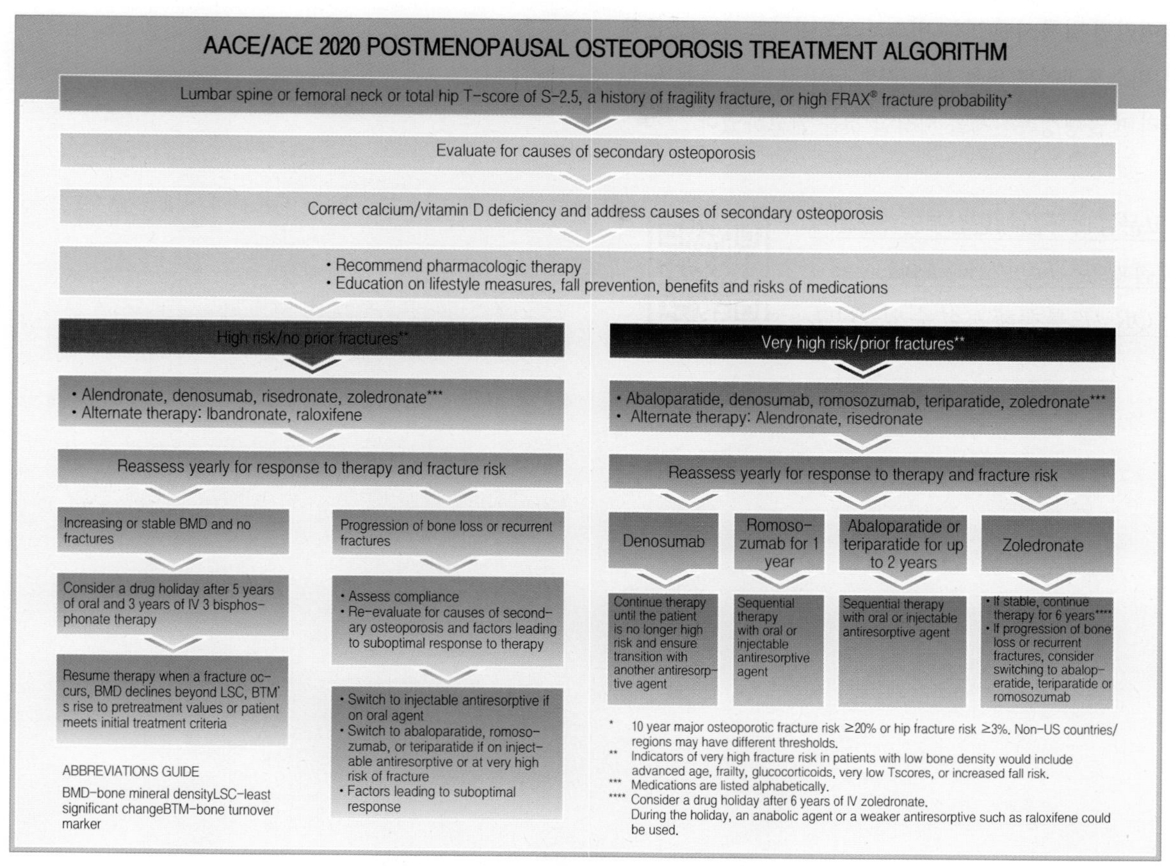

● 그림 32-17. 2020 AACE/ACE 치료 가이드라인

골다공증 환자에서 약물 치료를 하더라도 골절이 100% 예방되는 것은 아니므로 치료 기간 중 한번의 골절 발생은 치료불응군(non-responder)으로 분류되지 않지만 약물 치료에도 불구하고 골절이 2개 이상 발생하거나 골밀도가 유의하게 감소하고, 골표지자의 반응이 없는 경우 치료불응군으로 정의하고 다른 약제로의 전환을 권고한다.

10. 골다공증 치료의 최신 가이드라인

2020년 Endocrine Society에서는 골다공증 치료가 필요한 고위험군에서 1차 치료 약제로 비스포스포네이트 또는 데노수맙을 사용하도록 권고하였다. 만약 이러한 치료가 어려우면, 폐경 10년 이전, 60세 미만이면서 정맥혈전색전증 위험이 낮다면 폐경 증상 유무에 따라 호르몬요법이나 티볼론 또는 SERM을 사용할 수 있고, 60세 이상이라면 SERM, 호르몬요법/티볼론, 그리고 칼시토닌의 순서대로 사용을 고려한다. 만약 골절 발생 위험이 매우 높다면 부갑상선호르몬 또는 로모소주맙을 사용한다(그림 32-16).

2020년 AACE/ACE 가이드라인에서는 골절의 과거력이 없는 고위험군에서 알렌드로네이트, 데노수맙, 리세드로네이트, 졸레드로네이트를 1차 치료 약제로 권고하며, 대체 치료로 이반드로네이트와 랄록시펜을 사용할 수 있다고 하였다. 한편 이미 골절력의 과거력이 있거나 골절 발생의 위험이 매우 높은 경우에는 1차 약제로 부갑상선호르몬, 데노수맙, 로모소주맙, 졸레드로네이트를 사용하고, 알렌드로네이트와 리세드로네이트를 대체 치료로 고려할 수 있다(그림 32-17).

2021년 북미폐경학회의 가이드라인에서 제시한 초기 치료 선택 기준에 따르면, 골절 위험을 평가하여 중등도의 위험이라면 랄록시펜 또는 비스포스포네이트, 고위험군에서는 비스포네이트 또는 데노수맙, 그리고 매우 높은 위험군이라면 골형성촉진제를 시작할 것을 권고하였다.

** 참고문헌 목록은 대한산부인과내분비학회 홈페이지 http://www.kosge.or.kr 또는 QR코드를 통해 보실 수 있습니다.*

CHAPTER 33

폐경비뇨생식증후군

이사라(울산의대)

I. 서론

폐경 후 수년이 경과하면 에스트로겐 결핍상태가 지속됨에 따라 질 점막의 위축이 발생하며 폐경비뇨생식증후군(Genitourinary Syndrome of Menopause, GSM)이 발생하게 되는데, 증상으로는 질 자극감, 소양증, 성교통 및 협착을 동반한 성기능 감퇴, 반복되는 요로감염 등의 불편 증상이 있다. 진단에는 이러한 증상들 외에도 락토바실러스 감소로 인한 질 산도의 상승으로 pH가 4.6 이상으로 측정되거나 질 점막 세포들의 조성비를 평가한 질 성숙 지표(vaginal maturation index, VMI)에서 표면세포가 5% 미만인 것을 확인하면 진단에 도움이 된다.

GSM은 이전에 비뇨생식기 위축증(Vulvovaginal atrophy, VVA)이라 불리던 것으로 폐경 후 에스트로겐 감소로 인한 다양한 증상들을 통칭하는 진단명으로서 이러한 다양한 증상이 여성의 삶의 질에 많은 영향을 미치게 된다. 요도염, 요실금, 빈뇨 등의 배뇨곤란이 생기는데 이는 요도와 방광의 점막이 얇아진 결과이다. 재발 요로감염은 질내 에스트로겐 투여로 효과적으로 예방할 수 있다. 한편, 방광류, 직장류, 자궁탈출증, 외음부 이영양증(vulvar dystrophy)은 에스트로겐 결핍의 직접적인 결과는 아니다.

소변관련 증상 중에서, 절박뇨, 빈뇨, 야간빈뇨, 절박요실금을 주 증상으로 하는 과민방광은 에스트로겐이 치료효과가 있다고 알려져 있다. 그러나 스트레스 요실금(복압요실금)은 에스트로겐이 호전효과가 없다는 주장이 있지만, 다른 연구자들은 에스트로겐 치료가 요도 점막에 직접적 영향은 미쳐 50% 이상의 환자에서 복압요실금을 개선하거나 치료한다고 주장했었다. 그러나 메타분석 결과, 이러한 효과는 관찰연구에서만 보였고 두 개의 무작위연구에서는 에스트로겐 치료가 요실금의 호전에 유의한 차이를 보여주지 못했다. 다만 노년여성의 요실금은 대부분 복압요실금과 에스트로겐에 효과가 있는 절박요실금이 복합적인 경우(복합 요실금)가 대부분이므로 이런 경우에서는 일부 호전을 보일 수 있다. 그런데, The Heart and Estrogen-Progestin Replacement Study (HERS) 무작위 연구에서 호르몬요법이 절박요실금과 복압요실금을 모두 악화시켰고, Nurses' Health Study (NHS)에서는 호르몬 요법자에서 요실금이 약간 악화되었다고 보고했다. SWAN 연구에서 요실금 여성의 15%만이 폐경이행기 동안 주로 체중증가로 인해 요실금이 악화되었다고 보고했다. 대부분의 요실금 여성들은 아무런 변화나 개선을 경험하지 못했기에, SWAN 연구 결과는 요실금이 폐경과 폐경 이행기의 주요 증상이 아니라는 것을 시사한다. 대조적으로, 2012년 Cochrane 리뷰는 위약과 비교했을 때, 요실금을 위해 국소 에스트로겐 기반 치료를 받은 여성들이 증상의 개선을 보였다고 보고하였다. 흥미롭게도, 경구용 에스트로겐을 사용한 실험에서, 여성들은 비뇨기 증상이 악화되었다고 보고하였는데, 중년여성에서 새로운 요실금의 발생은 에스트로겐 부족의 결과가 아닐 것으로 여겨진다.

에스트로겐이 결핍되면 질은 콜라겐, 지방조직, 수분의 보유능력을 상실하고, 질벽이 위축되면서 질주름은 평평해지고 사라진다. 표면상피는 외부 섬유질층과 그 외의 세포층이 사라지며, 기저세포(basal cell)의 비율이 현저하게 감소한다. 그 결과 질표면은 건조해지고 최소한의 외상으로도 출혈되기 쉬운 상태가 된다. 이러한 변화가 일어나는 동안 질벽의 혈관은 가늘어지고 피지샘의 분비물은 감소한다. 또한 시간이 경과하면서 질의 구경은 점차 작아지고 유연성을 잃으면서 소음순은 창백해지고 작아진다. 산성도는 더 알칼리화 되어 질 환경이 젖산균에 대한 수용성이 떨어지고 비뇨기와 대변 관련 병원균에 의한 감염에 더 취약해진다. 이러한 질의 감염은 요도염, 요도감염, 방광염으로 진행할 수 있다.

1993년 영국에서 수행된 조사 결과 폐경비뇨생식증후군의 유병률은 50%로 보고되었다. 이처럼 높은 유병률에도 불구하고 진단 및 치료가 충분히 이루어지지 않고 있는데, 주요한 이유는 수치심으로 인해 진료를 꺼려하거나 노화에 따른 어쩔 수 없는 현상으로 인식하고 에스트로겐 감소로 인한 증상이라고 인지하지 않고 치료가 가능하다고 생각하지 않기 때문이다. 2014년 유럽에서 수행된 설문조사에서는 의료인 역시 이 질환에 대해 충분히 관심을 가지고 있지 않은 것으로 보고되었다.

외음질위축증을 진단할 때는 경화성 태선, 편평 태선, 접촉 피부염, 외음질암, 파제트병, 감염 등 다른 질환을 감별하는 것이 중요하다. 질 위생상태와 분비물을 평가하고 필요에 따라 조직검사를 시행해야 한다.

II. 치료

급성 폐경기 증상과 가장 중요한 차이점은, 시간이 지나면서 급성 폐경기 증상은 치료하지 않아도 증상이 점차 소멸되지만 아급성 폐경기 증상으로 분류되는 이 GSM은 초기부터 치료하지 않으면 점차 증상이 심해지고 특히 성교통 등은 성관계를 못할 정도로 심해지면서 부부관계에도 영향을 미치게 된다.

성교통은 때때로 성관계 시 질출혈을 동반하는데 이는 심하게 위축된 질과 부족한 윤활의 불가피한 결과이다. 심지어 성적으로 활발하지 않은 여성들에게도 위축 질염은 가려움, 자극, 화끈거림의 원인이 될 수 있다. 이러한 증상들은 환자가 불편감을 호소하지 않을지라도 질위축의 징후를 검사하는 것이 중요하다. 산성도(pH)를 측정하는 것은 에스트로겐의 영양이나 결핍을 확인하는 간단한 방법으로 산성도가 4.5 이상이면 에스트로겐 결핍을 의심할 수 있다. 노년 여성에서 성교통을 주소로 병원에 내원하는 일은 드문데 이는 성생활에 대해 논의하기를 꺼리는 사회 통념이 남아있기 때문이다. 이런 경우 진료 시 의료진이 먼저 가볍게 성활동에 대한 질문을 하면 에스트로겐 치료로 이어지고 성생활의 만족도를 높일 수 있다. 여러 논문들에서 성생활의 만족도에 영향을 미치는 질적 요인들이 적절한 양의 에스트로겐 치료에 의해 유지될 수 있다는 것을 보고하였다. 한달 후부터 증상이 호전되는 결과를 확인할 수 있었으나 비뇨생식기의 완전한 회복에는 6-12개월 이상의 오랜 시간이 걸리기 때문에 치료에 대한 즉각적인 효과가 없다고 해서 의료진이나 환자 모두, 이에 대해 실망할 필요는 없다. SERM제제인 랄록시펜과 타목시펜은 질 상피에 거의 영향을 미치지 않으며, 방향효소억제제는 질 건조감을 악화시킬 수 있다. 성생활은 질조직의 혈액순환에 도움을 주고 에스트로겐의 치료효과를 강화한다. 따라서 성생활이 활발한 노년 여성은 에스트로겐이 없어도 질위축이 적다. 그러므로 이 같은 치료의 일환으로 성 파트너가 있거나 없거나 상관없이 자위행위를 통해서라도 규칙적인 성생활을 할 것을 권장하고 있다.

1. 비호르몬 치료

1) 국소 치료

보습제는 1-3일 간격으로 투약하면 질 점막에 작용하여 내피세포 조성을 변화시키고 질 산도를 낮춤으로써 윤활제보다 더 오래동안 효과가 유지된다. Long acting 보습제를 사용하는 것과 경질 에스트로겐 요법을 비교한 연구에서 대등한 정도의 질 건조증 개선 효과를 보였다.

윤활제는 건조감을 일시적으로 완화시켜주고, 특히 성관계 통증을 감소시켜준다. 성분에 따라 수분, 실리콘, 유분 바탕의 제제로 구분할 수 있는데 수분 제제가 가장 보편적으로 사용되고 있고 부작용도 적다. 생흡착 고분자 물질을 함유하여 보습 효과를 나타내고, 그 밖에 보존제와 산도 및 오스몰농도 유지를 위한 재료가 포함되어 있다. 윤활제는 일반적으로 위험도가 낮은 것으로 알려져 있으나, WHO는 산도나 농도가 생리적인 범위를 크게 벗어나면 질염을 유발할 수 있다고 하였다. 농도 380 mOsm/kg 이하, 산도 4.5 이하가 이상적이다. 올리브나 코코넛 등 천연 오일 성분을 사용하는 경우도 있으나 임상시험 결과가 없다.

국소 리도카인도 통증 경감을 위해 사용할 수 있다.

2) 선택에스트로겐수용체조절제(SERM)

합성 비스테로이드성 물질로서, 표적 장기에 따라 에스트로겐 작용과 항에스트로겐 작용을 나타낸다. 오스페미펜(Ospemifene)은 폐경비뇨생식증후군과 관련된 성교통에 유일하게 인정받은 SERM제제로, 매일 60 mg 복용 시 환자의 증상과 질 산도 등 객관적 지표를 유의하게 향상시켰다. 그러나 유방암 환자에서는 승인되지 않았고 SERM 제제이므로 혈관운동증상이나 정맥혈전증을 악화시킬 수 있어 주의해야 하지만 유방밀도의 감소 및 골다공증 예방 등의 좋은 효과가 있을 수 있다. 1년 사용에도 자궁내막조직검사에서 내막증식 등의 변화는 없었다. 바제독시펜에 대한 연구에서는 결합에스트로겐과 함께 투여한 군에서 유의하게 증상 개선 및 질 상피세포 개선 효과를 보였다.

3) 질 레이저 치료

레이저 요법은 세포 회복과 조직 성장을 촉진시키고 면역학적 기전을 통해 세포 증식을 유도한다.이전의 소규모 연구에서는 fractional CO_2 레이저 치료가 폐경비뇨생식증후군의 증상을 효과적으로 호전시켰다. 4주 간격으로 3번의 레이저 치료를 받은 환자군은 치료 24주 후 질 증상과 성기능이 유의하게 호전되었다. 어븀야그 레이저(Erbium YAG Laser)도 비뇨생식 증상 완화에 대한 연구가 이루어지고 있다. 레이저의 파장이 물 분자를 분해시켜 활성산소를 생성하는데, 이것이 콜라겐 섬유의 수축을 일으키고 섬유아세포를 자극시킨다. 선행연구에 따르면 어븀야그 레이저는 치료 24주 뒤까지 질건조증과 성교통을 개선시키는 것으로 나타났고, 더 큰 규모의 후속연구도 진행되고 있다. 하지만 질 레이저 치료의 효용 및 안전성이 완전히 확립되지 않고 논란이 있으므로 아직 FDA의 승인을 받지는 못한 상태이다.

4) 고주파 치료

고주파 치료는 일시적으로 세포내 온도를 상승시켜 세포막 파열을 유도할 수 있다. 이는 질 점막에서 콜라겐 신생을 일으키는데, 이는 레이저 치료와 비슷한 기전이다. 1개월 간격으로 3회의 고주파 치료를 14명에게 시행한 예비연구 결과, 환자들은 비뇨생식 증상 및 성 기능의 개선을 보고하였다. 그러나 아직 FDA 승인은 되지 않은 상태이다.

5) 비약물 치료

폐경비뇨생식증후군의 증상이 자연적으로는 호전되지 않고 적절한 치료를 통해 조절할 수 있다는 것을 환자에게 알려주어야 한다. 외음질 조직 스트레칭은 질의 신축성을 개선시킨다. 또한 자위법이나 질 확장기를 사용함으로써 질 이완을 유도해 성교통을 완화시킬 수 있다. 폐경비뇨생식증후군과 연관된 성교통을 가진 경우 골반저이완 장애가 있을 수 있으므로 골반저 물리치료를 통해 증상 호전을 기대해 볼 수 있다.

2. 호르몬 치료

전신요법(경구, 경피 투여)보다는 국소요법(경질 투여, 질 크림, 질정)이 효과적이며 우선적으로 선택되어야 한다.

1) 저용량 경질 에스트로겐 요법

비호르몬 치료에도 폐경비뇨생식증후군이 지속될 때 매우 효과적이다. 점막으로 흡수된 여성호르몬이 질 혈류를 개선시키고 상피세포를 두텁게 하는 효과를 나타내며, 2014년 미국에서 수행된 CLOSER 서베이에서는 성교통이 56% 감소, 성적 만족은 41% 증가하는 결과를 보였다.

제형으로는 질정제, 연고, 링 형태가 있는데 한국에서는 질정제와 연고가 사용 가능하다. 경질 요법 동안 혈중 에스트로겐 농도는 대개 폐경 수준으로 유지된다. 하지만 유방암 환자, 특히 aromatase inhibitor를 투약 중인 경우 잠재적인 위험을 고려해 신중히 사용해야 한다.

태아에서 생성되는 에스트로겐 수용체 조절물질인 에스테트롤(E4)도 세포핵 내 에스트로겐 수용체에 선택적으로 작용하여 비뇨생식기 증상을 완화시켜준다. 무작위배정 임상시험에서 하루 2-40 mg 용량을 사용함으로써 외음질위축 및 질 세포형태를 유의미하게 개선시켰다.

경질 에스트로겐 요법 시작 후 수 주 내에 질 환경 개선을 보였고, 최적의 효과는 2-3개월 내에 나타났다. 한편 2006년의 코크란 리뷰에서는 경질 에스트로겐 투여제제를 사용하는 경우에는 6-24개월간 사용 시에는 자궁내막 보호를 위한 전신 황체호르몬의 투여가 필수라는 증거는 없다. 경질 저용량 에스트로겐은 에스트로겐 의존성 암과 심혈관질환에도 사용할 수 있다.

2) 전신 에스트로겐 요법

경질 요법뿐만 아니라 전신 에스트로겐 요법도 질 건조 증상을 완화시키고, 질 혈류 및 질내 세균총과 환경을 개선시킨다. 전신 요법은 경질 요법에 비해 혈관운동증상 및 골밀도 개선 등 전신적 이득이 추가로 있지만, 위험도-이익을 평가한 후 치료를 시작하고, 자궁내막과 유방에 대한 평가를 지속하여야 한다.

3) 경질 DHEA

비뇨생식 증후군에서 중등도 및 중증의 성교통에 대한 치료로 경질 DHEA 요법은 FDA 승인을 받았다. DHEA는 질 점막세포에서 에스트로겐으로 전환되어 증상을 개선시킨다. 무작위 이중맹검 시험에서 0.5% (6.5 mg) DHEA를 매일 12주간 투약했을 때 주관적 불편감과 객관적 질 건강 지표 모두 효과적으로 개선되었다. 연구기간 동안 혈중 에스트로겐/테스토스테론 농도는 변하지 않고 유지되었으며 1년 사용에도 자궁내막 조직검사에서 자궁내막증식 등의 변화가 없다.

흔한 부작용으로 제형이 용해되면서 나타나는 질 분비물과 자궁경부세포의 이상소견이 있었다. 유방암 환자에서 금기는 아니지만 추가적인 연구가 필요하다.

4) 전신 및 국소 테스토스테론

주로 동물실험이 진행되어 있으나, 사람을 대상으로 한 연구는 거의 없다. 1주간 총 125 mg 테스토스테론을 근주한 후 질 표피의 세포와 글리코겐 저장량이 증가되었다. 그러나 경피 테스토스테론에 대한 연구 결과 질 건강 개선을 입증하지 못했고, 이런 결과는 에스트로겐 병용 여부에 무관하게 나타났다.

2020 북미폐경학회의 입장문에서도 폐경비뇨생식증후군에서 테스토스테론 치료의 효과를 확인할만한 데이터가 충분하지 않다고 하였다. 현재까지는 성욕저하장애가 폐경 여성에서 테스토스테론 치료의 유일한 적응증이다.

** 참고문헌 목록은 대한산부인과내분비학회 홈페이지 http://www.kosge.or.kr 또는 QR코드를 통해 보실 수 있습니다.*

CHAPTER

34 하부요로계의 변화

김수림(가톨릭 관동의대), 김철홍(전남의대)

폐경 후 에스트로겐의 감소는 에스트로겐 수용체가 존재하는 조직들에 영향을 미치며, 하부요로와 생식기가 영향을 받아 발생하는 일련의 증상들을 폐경비뇨생식증후군(Genitourinary Syndrome of Menopause, GSM)이라고 통칭하여 새로이 명명하였다(2014년, 북미 폐경학회). 이전의 폐경기 비뇨생식기 위축(vulvovaginal atrophy in menopause)보다 더 정확한 용어로 생각된다.

폐경 여성의 약 50%에서 빈뇨, 야간뇨, 절박뇨, 요실금, 재발 요로감염을 포함한 다양한 하부요로 증상들과 질건조감, 작열감 및 불편감, 윤활작용의 감소로 인한 통증, 성교통 등 생식기 위축과 위축 질염의 생식기 증상을 모두 포함한다. 하부요로 증상은 치명적이지는 않지만 여성의 삶의 질 감소와 일상생활과 사회활동에 많은 제약을 줄 수 있다. 그런데도 폐경 여성뿐 아니라 의료진도 폐경 비뇨생식증후군과 노화현상을 혼동하여 인식하는 경우가 많아 각별한 관심 및 적극적 치료가 필요한 부분이다.

본 장에서는 에스트로겐이 하부요로계에 미치는 영향과 에스트로겐 투여로 변화되는 조직, 생리학적 변화, 그리고 발표된 연구 결과들을 종합해서 고찰함으로써 폐경 여성에서 발생하는 하부요로 증상의 치료에 도움을 주고자 한다.

Ⅰ. 폐경 후 변화

1. 하부요로 증상의 빈도

폐경 여성들은 폐경 전 여성들에 비해 높은 빈도(30-50%)의 하부요로 증상을 가지고 있는 것으로 보고되고 있다. 하지만 이것이 노화 때문인지, 폐경 자체에 기인한 것인지는 아직까지 명확하게 밝혀져 있지 않다. 2,200명의 61세 여성들을 대상으로 한 Iosif와 Bekassey의 연구에서 요실금을 가진 여성의 70%가 요실금 증상이 폐경 때부터 시작되었다고 답한 반면, 55-85세 여성 2,045명을 대상으로 한 Barlow 등의 연구에서는 50%가 하부요로 증상을 가지고 있었으나 대다수의 여성들은 이들 증상이 폐경과 연관성이 없다고 답하였다. 폐경이행기와 요실금과의 연관성을 살펴본 두 편의 전향 코호트연구에서도 서로 다른 결과를 보여주었다. 호주에서 시행된 SWAN 연구(Study of Women's Health Across the Nation)에서는 요실금 증상의 유병율과 폐경이행기 사이에 특별한 연관성을 발견할 수 없었으나, 영국에서 시행된 다른 연구에서는 폐경이행기에 접어들거나 1년 이상 폐경이행기에 있는 여성들의 경우 폐경 또는 폐경 전 상태에 지속적으로 있는 여성들에 비해 보다 많은 여성들이 복압요실금 증상을 가지고 있었다. 이 연구에서 폐경이행기는 절박요실금과는 연관성을 보이지 않았다.

종합적으로 판단해 볼 때 폐경 자체가 복압요실금이나 절박요실금을 유발하는 주된 인자는 아니지만 적어도 복압요실금의 유병률을 증가시키는 데 기여할 수 있다.

2. 하부요로계에 미치는 영향

하부요로계 전반에 걸쳐 에스트로겐과 프로게스테론 수용체가 존재한다. 에스트로겐 수용체는 방광과 요도의 편평상피 및 이들을 지지하는 구조물들, 즉 두덩자궁목근막, 항문올림근, 자궁엉치인대에 일관되게 분포되어 있다. 폐경 이후 발생하는 하부요로계의 변화는 노화와 에스트로겐의 결핍에 의한 총체적인 결과일 수 있다. 노화는 피부와 점막 위축, 골격근 양 감소, 평활근 긴장도 감소 및 신경 퇴화를 야기함으로써 하부요로계 기능에 영향을 미칠 수 있다. 조직학적으로 노화에 따라 방광목에 섬유화가 증가되며, 요도조임근 및 골반저부에 있어 근섬유수가 감소한다. 기능적으로는 방광감각 저하 및 방광용적 증가, 요속 감소, 잔뇨량 증가와 같은 방광기능 저하가 노화에 따른 변화로 관찰된다.

폐경 이후 에스트로겐의 결핍은 요도점막과 방광삼각부의 점진적인 위축 및 방광과 요도를 지지하는 구조물들의 약화를 초래할 수 있다. 에스트로겐 결핍으로 인해 폐경 여성에서 하부요로 기능장애가 초래되는 기전으로 제시되고 있는 것들은 표 34-1과 같다.

노화와 폐경에 의해 발생하는 이러한 변화들은 에스트로겐 치료에 의해 개선될 수 있다. 에스트로겐은 배뇨근내 무스카린 수용체의 수를 감소시키고, 세포외 칼슘이온의 근세포 내 유입을 차단함으로써 배뇨근과활동성과 연관된 배뇨근의 자발적 수축 빈도와 진폭을 감소시킨다. 에스트로겐을 투여할 경우 방광 감각의 역치가 증가된다는 보고도 있다. 또한, 에스트로겐은 편평상피의 성숙 및 증식 개선, 요도 점막 및 요도 조임근으로의 혈류증가, 요도조임근의 알파 아드레날린성 긴장도 증가, 요도주위 조직에서의 교원질 합성 증가 등을 통해 요도폐쇄압을 증가시킬 수 있다.

프로게스테론 수용체는 에스트로겐 수용체와는 달리 하부요로계에서 일관되게 관찰되지는 않으며 호르몬 치료를 받지 않는 폐경 여성에서는 발현이 감소되어 있다. 프로게스테론은 전반적으로 하부요로 기능에 악영향을 미치는 것으로 알려져 있다. Elliott와 Castleden (1994)은 쥐를 이용한 동물실험을 통해 배뇨근 수축에 대한 에스트로겐의 억제 효과가 프로게스테론에 의해 차단됨을 관찰하였다.

표 34-1. 에스트로겐 결핍에 따른 하부요로 기능장애 발생 기전

효과	원인
요도폐쇄압 감소	요도주위로의 혈류 감소 요도세포의 성숙지수 감소 요도 평활근 내 알파 아드레날린성 수용체의 민감도 저하
방광감각 역치 감소	무스카린성 수용체의 민감도 증가 방광 평활근과 점막으로의 혈류 감소 배뇨근의 수축성 반응 증가
요로감염에 취약 기분/인지기능 저하	질과 요도 상피세포의 위축 뇌를 포함한 여러 신경로에 위치한 수용체에 대한 에스트로겐의 중추 효과 소실

임상적으로 프로게스테론은 자극성 방광 증상을 증가시키며 요실금을 가진 여성에서 요누출을 증가시킨다.

Ⅱ. 호르몬 치료의 결과

폐경 여성에서 에스트로겐 요법은 하부요로 증상을 개선시킬 것으로 예상되었지만 실제 임상 연구 결과에서는 일관된 좋은 결과를 보여주지는 못했다. 기존의 대다수의 연구들이 관찰 연구였으며, 다양한 제제, 용량 및 투여 방법을 사용하였고, 결과 측정방법이 다양했으므로 이러한 결과는 당연한 결과라고 생각된다. 여기에서 저용량 경질 에스트로겐은 질정(10 μg), 크림 혹은 링(7.5 μg/day)의 형태가 있고 혈중 에스트로겐 수치를 상승시키지 않고 (3-11 pg/mL 로 유지) 효과는 약 2-3개월 사용 후에 나타난다(표 34-2).

1. 복압요실금

노화에 따른 에스트로겐의 감소와 비뇨생식기의 위축은 빈뇨, 절박뇨 및 요실금과 같은 하부요로 증상의 원인으로 여겨져 왔다. 따라서 이들 증상의 개선 및 치료 목적으로 에스트로겐의 역할에 관심을 가져왔다. 일부 초기 관찰 연구에서 에스트로겐 경구 투여 시 최대요도압력이 증가하며 60-70%의 여성에서 증상이 개선된다고 보고한 바 있으나, 다른 연구에서는 이를 관찰할 수 없었다. HUT (Hormones and Urogenital Therapy) 위원회에 의해 시행된 메타분석에서 에스트로겐 치료는 주관적인 복압요실금 증상의 개선을 보였지만(특히 경질투여의 경우 경구 투여에 비해 보다 나은 결과를 보임) 객관적인 측정변수(요실금 양)에 있어서는 차이를 보여주지 못했다. 이 연구에는 무작위 대조군 연구가 단지 6편만 포함되어 있었다. 이후 2003년 발표된 Cochrane 고찰에는 다양한 호르몬 용량과 제형을 사용한 28편의 무작위 연구들을 포함되었다. 전반적으로 위약군에 비해 에스트로겐 치료군에서 높은 완치율을 보였다. 하지만 포함된 대다수의 연구들에서 치료효과를 단지 주관적으로 평가하였으며, 치료 종료 후에도 이러한 효과가 지속될지에 대한 자료는 충분치 않았다. 또한, 프로게스토겐을 함께 사용한 경우 치료 효과가 감소하는 양상을 보였다. 같은 해 발표된 다른 메타분석에서는 에스트로겐이 복압요실금을 개선한다는 근거가 없다고 결론지었다.

최근 발표된 대규모 무작위 대조군 연구결과 역시 에스트로겐이 하부요로 증상에 도움이 되며 최소한 악영향은 미치지 않으리라는 기대에 벗어난 결과를 제시하였다. 50-75세의 39,436명의 폐경 여성을 대상으로 4년 이상 추적 관찰한 Nurses' Health Study에서 요실금 발생의 위험도는 호르몬 치료를 받지 않는 여성들에 비해 호르몬요법을 받고 있는 여성에서 높게 나타났다. 경구 에스트로겐요법(상대위험도 1.54, 95% 신뢰구간 1.44-1.65), 경피 에스트로겐 요법(상대 위험도 1.68, 95% 신뢰구간 1.41-2.00), 경구 에스트로겐-프로게스토겐 병합요법(상대 위험도 1.34, 95% 신뢰구간 1.23-1.34), 경피 에스트로겐-프로게스테론 병합요법(1.46, 95% 신뢰구간 1.16-1.84)을 받고 있는 여

표 34-2. 경질 에스트로겐의 종류

에스트로겐 질크림	
Premarin vaginal cream	Conjugated estrogens 0.625 mg/g
에스트로겐 질정	
Gynoflor vaginal tablet	Estriol 0.03 mg + Lactobacillus acidophilus 50 mg
Ovestin vaginal suppositories	Estriol 0.5 mg
Estriol Ovulum Jenapharm vaginal suppositories	Estriol 0.5 mg

성 모두에서 요실금 발생의 위험도가 높았다. 또한 치료를 중단한 후에도 위험도가 약간 높은 채로 유지되었으며(상대 위험도 1.14, 95% 신뢰구간 1.06-1.23), 10년이 지나서야 호르몬 치료를 받지 않는 여성과 동일한 수준에 도달하였다(상대 위험도 1.02, 95% 신뢰구간 0.91-1.41). HERS (Heart and Estrogen/Progestin Replacement Study)에서도 에스트로겐-프로게스토겐 병합요법을 받고 있는 여성에서 복압요실금과 절박요실금의 위험도가 유의하게 높았다. WHI (Women's Health Initiative) 연구 역시 복용시작 시점에의 요실금 증상 유무에 관계없이 복용 1년째에 있어 호르몬 치료를 받고 있는 여성들에서 요실금의 발생빈도가 높다고 보고하였다. 위험도는 복압요실금과 혼합형 요실금에서 가장 높았으며, 절박요실금에 대해서는 프로게스토겐 사용 여부에 따라 결과에 차이를 보였다. 에스트로겐을 단독으로 사용한 경우 프로게스토겐 투여를 병행한 경우보다 요실금 발생의 위험이 더 높았다.

이와 같이 최근 발표된 무작위 대조군 연구들에서는 에스트로겐 치료가 요실금, 특히 복압요실금 증상을 악화시킬 수 있음을 보여주었다. 하지만 이들 결과를 해석함에 있어 다음과 같은 것들을 고려해야 한다. 첫째, 이들 연구들은 요실금 증상을 평가하기 위해 특별히 고안된 임상시험이 아니었고, 단지 면담을 통해 요실금을 평가하였다. 둘째, 광범위한 연령대(50-79세)의 여성들이 포함되어 있었으며, 70% 이상이 60세 이상의 고령 여성이었다. 따라서, 이미 하부요로계 위축이 많이 진행되어 있었던 점이 결과에 영향을 미쳤을 수 있으며, 만약 폐경 직후의 보다 젊은 여성들이 포함하였다면 다른 결과를 보였을 수 있다. 셋째, 상당수의 여성들이 요실금을 악화시킬 수 있는 다른 질환을 가지고 있었기 때문에 호르몬 치료 효과를 정확히 반영하지 못했을 수 있다. 넷째, 이들 연구는 주로 경구 결합에스트로겐(conjugated equine estrogen) 제제의 효과를 평가한 것이기 때문에 다른 제형의 에스트로겐을 사용하거나 투여방식을 달리 할 경우 다른 결과를 보일 수 있다. 따라서, 호르몬 치료가 복압요실금에 미치는 영향에 대한 보다 명확한 결론을 내리기 위해서는 이러한 제한점들을 보완한 추가 연구가 필요할 수 있다.

2. 과민방광 증상

에스트로겐은 수 년 동안 폐경 후 절박뇨 및 절박요실금 치료를 위해 사용되어 왔으나, 이것이 효과적인지 검증하기 위한 무작위 대조군 연구는 많지 않다. 또한, 이들 연구들의 경우 연구대상 수가 많지 않고 6개월 미만의 짧은 추적관찰을 시행한 제한점을 가지고 있다.

여러 연구결과들을 포함하여 시행한 체계적 고찰에서 에스트로겐을 경질로 투여할 경우 빈뇨, 야간뇨, 절박뇨, 절박요실금 증상을 개선시키는 것으로 나타났으나, 다른 경로로 투여할 경우 절박요실금 증상 개선 효과는 있었으나, 빈뇨의 개선 효과는 없었으며, 야간뇨가 오히려 심해지는 결과를 보였다.

하지만, 경질 에스트로겐 치료의 이러한 이점이 치료 중단 후에도 지속될 지에 대한 근거는 아직까지 부족하며, 과민방광 증상 치료에 있어 경구 항무스카린 약제와 에스트로겐 경질 투여의 상승효과는 아직까지 관찰되지 않고 있다.

여성요실금에 대한 NICE 지침(2006)에서는 질 위축이 있는 폐경 여성의 경우 과민방광 증상을 치료할 때 경질 에스트로겐을 사용하도록 권장하고 있다.

다양한 메타분석을 통해 과민방광 증상이 있을 때 국소 에스트로겐 투여를 하는 것이 경제적이며 효과가 있다고 밝혀졌다. 객관적으로 확인해 볼 수 있는 요역동학 검사 결과도 경질 에스트로겐 투여군에서 위약군과 비교했을 때 호전된 결과를 보였다.

최근 연구에 따르면 SERM 제제인 오스페미펜(ospemifene)은 폐경 후 외음부질위축증(Vulvovaginal atrophy)이 있는 여성에서 질점막의 생리학적 변화를 통해 과민방광 증상을 감소시킬 수 있으며 질건조증이나 성교통의 치료에 사용될 수 있는 유일한 경구 약제이다.

3. 재발 요로감염

이전 12개월 이내 요로감염이 3번 이상 또는 최근 6개월 이내 2번 이상의 요로감염이 발생한 경우를 재발 요로감염이라고 하며 폐경 여성의 약 8-10%에서 재발 요로감염을 경험한다고 한다. 에스트로겐은 폐경 후 발생하는 질내 정상균총의 미생물학적 변화를 쉽게 복구시킬 수 있기 때문에 재발 요로감염을 치료하고 예방하는 데 사용되고 있다. 2008년 발표된 Cochrane 고찰에는 폐경 환자 3,345명을 대상으로 한 9편의 무작위 대조 연구들이 포함되었다. 재발 요로감염을 예방하기 위해 경질 에스트로겐을 투여한 군이 위약군과 비교하여 재발 요로감염의 재발 횟수가 줄었다. 다른 무작위 대조연구에서도 경질 에스트로겐 0.5 mg을 사용한 폐경 여성들에서 요로감염이 재발되는 횟수가 현저하게 감소하는 양상을 보였다. 링의 형태로 경질 투여된 에스트로겐(Estring, 7.5 mg estradiol/24시간) 역시 위약군에 비해 재발 요로감염을 예방하는 데 있어 유의하게 나은 결과를 보여주었다(45% 대 25%). 이러한 결과는 HUT 위원회에 의한 체계적 고찰 결과에서도 나타났으며, 이들은 특히 국소 투여할 경우 재발 요로감염을 가진 여성에게 에스트로겐이 도움이 된다고 결론지었다.

III. 결론

에스트로겐은 여성의 하부요로계에 중요한 생리적인 영향을 미치며, 혈중 농도의 변화는 증상적, 조직학적, 기능적 변화를 야기할 수 있다. 폐경에 따른 에스트로겐 결핍은 요실금, 요절박증후군, 재발 요로감염을 비롯한 다양한 요로생식계 문제의 병인으로서 제시되고 있다. 에스트로겐 치료가 요로생식계 위축을 개선시킨다는 데에는 이의가 없으나, 하부요로 증상에 대한 치료 효과는 아직까지 명확하지 않다. 경질로 투여된 에스트로겐은 빈뇨, 절박뇨와 같은 자극성 요로증상 치료에 효과적이며, 이는 요로생식계 위축을 되돌림으로써 얻어지는 효과일 수 있다. 또한 재발 요로감염을 예방하는 데 효과적일 수 있으며 적어도 절박요실금에 대해서는 긍정적인 효과를 기대할 수 있는 것으로 보인다. 최대효과를 얻기 위해 수 주 또는 수 개월 간의 치료가 필요할 수 있으나 적절한 투여 기간에 대해서는 보다 많은 연구가 필요하다.

** 참고문헌 목록은 대한산부인과내분비학회 홈페이지 http://www.kosge.or.kr 또는 QR코드를 통해 보실 수 있습니다.*

부 인 과 내 분 비 학

부인과내분비질환

CHAPTER 35

유방

안태규(조선의대), 우주현(이화의대-외과)

포유류(mammals)는 유방으로 젖을 물려 자식을 키우는 것을 특징으로 정의된다. 특히 여성의 유방은 모유를 만들어내는 기관으로서 형태, 기능 및 병리가 의학적으로 사회적으로 중요한 관심사이다. 산과적으로는 유방의 기능을 증진 혹은 감소시켜야 할 때가 있고 부인과적으로는 부적절한 유즙분비, 유방의 종물, 통증, 혹은 유방형태의 변화가 심각한 질병과 연관되어 있기도 하다. 유방암은 세계적으로 여성에서 가장 많이 발생하는 암이다. 우리나라 유방암의 발생은 1990년대 이후 빠르게 증가하여 2016년에는 유방암이 여성에게 가장 많이 발생한 암으로 보고되었으며 유방암의 발생자 수는 매년 2만 명 이상을 기록하고 있다. 유방암은 유방이라는 기관에만 국한하여 생각해서는 안되며 전신적인 호르몬 영향과 관련한 난소, 자궁내막암과의 연관 관계를 생각해야 한다. 즉 암의 예방과 조기검진에서 뿐만 아니라 치료 과정에서도 연관된 기관과의 상호작용을 생각해야만 부인과 질환에 대해 총괄적인 접근이 가능하다.

이번 장에서는 유방의 정상적인 성장과 발달에 연관된 요인과 유방암의 내분비학 관점에 대하여 살펴보고자 한다.

Ⅰ. 성장, 발달 및 수유(Growth, development and lactation)

1. 성장 및 발달

모유를 생산하는 하는 조직(system)은 배아의 발달과정, 사춘기, 그리고 임신 중에 여러가지 호르몬에 의존하여 성장한다.

유방은 땀을 분비하는 아포크린선(apocine gland)의 변형된 기관이며 형태학적으로 처음 확인되는 시점은 제태 4주경에 외배엽이나 표피에 부분적으로 두꺼워진 부분이 생긴다. 이것을 유방융기(mammary ridges) 또는 유선(milk lines)이라 하고 배아의 앞쪽에 생기는데 액와 중앙선(midaxillary line)에서 허벅지 안쪽을 향하여 길게 늘어서 있다. 하지만 인간에서는 대부분 쇠퇴되고 몇 개만 남아 나중에 유두를 형성하게 된다. 재태 5주에 유방 융기의 분화가 시작하게 되는데 이것을 일차 유선아(mammary bud)라고 하고 7주에는 이 유선아가 안쪽의 진피를 향해 자라기 시작하고 12주에는 이차 유선아가 생긴다. 임신 제2 삼분기 동안 표피의 기저층에서 안쪽으로 세포가 자라 일차 유관(primary mammary duct)이 형성되고 점점 발달하고 분만될 때에는 유두와 유륜 주위까지 뻗으면서 잔유 유관으로 존재하며 이때 각각 유즙관(lactiferous duct)을 가지는 약 15-25개의 유엽(lobe)이 형성된다. 사춘기 이전까지 유방의 성장과 유관의 발달이 아주 천천히 일어나며 남성의 경우 성장이 더 이상 진행되지 않으나 여성에서는 초경이 시작되기 전 유관사이의 유발실질과 유관의 분지형성 속도가 빨라진다. 월경이 시작되면서 에스트로겐과 프로게스테론이 분비되는데 이 두 호르몬이 주로 유방 실질조직의 성장을 자극하며 성장호르몬, 부신피질호르몬(corticoid) 그리고 인슐린 등도 관여한다. 임신이 되면 유방의 완전한 분화를 보이며 수유를 시작하면서 극에 달하게 되며 폐경이 될 때까지 월경주기에 따라 생리적 변화를 보이게 된다. 폐경 이후의 유방은 지방 침착이 늘고 결체조직이 줄고 단순한 유관만 남고 소엽은 없어진다.

2. 임신기

임신 제1삼분기에 유방의 크기와 혈관분포가 증가하여 약간의 유방통증을 느낄 수 있고 간혹 심한 통증을 호소하기도 한다. 임신 제2삼분기 후기에 이르면 소포(acini)의 상피세포가 분비세포로 분화하고 소포에 콜로이드가 축적되며 소엽들은 완전히 분화한다. 임신 제3삼분기에 이르면 모유를 생산하는 세포들이 분화되고 초유를 생산하며 분만 직전 유방의 혈류가 증가하여 소포와 소엽에 초유가 채워진다. 유즙분비에 작용하는 호르몬은 프로게스테론, 에스트로겐, 사람태반젖샘자극호르몬(human placental lactogen, hPL) , 프로락틴, 부신피질 호르몬과 인슐린 등이며 임신 중 사람태반젖샘자극호르몬과 프로락틴 같은 호르몬이 유방조직에 영향을 주는 정도에 따라 남아와 여아 모두를 포함한 신생아의 절반가까이에서 유방분비물이 있을 수 있다. 임신 전 유두는 분홍색 또는 갈색을 띄고 있다가 임신이 진행되는 동안 검은색으로 변하고 크기도 증가한다. 또한 유륜에 닭살 모양의 몽고메리 결절을 관찰할 수 있는데 여기에서 지방성분의 윤활제가 분비되어 수유 동안 유두를 보호한다. 임신 및 수유가 종료되더라도 색은 연해지나 임신 전보다는 검은색을 띤다.

3. 수유기

분만이 끝나면 프로게스테론과 에스트로겐이 급격히 감소하고, 이 호르몬들에 의해 억제되어 있던 알파 락트알부민(α-lactalbumin)이 증가하면서 락토스 합성이 증가되어 모유가 만들어진다. 수유기가 끝나면 유방은 다시 휴지기 상태로 돌아간다.

1) 모유수유의 피임효과

모유수유를 함으로써 피임효과가 있고 자녀 사이의 간격이 생기기 때문에 가족의 규모를 제한하고자하는 수단으로써 개발도상국에서는 매우 중요한 의미가 있다. 모유수유의 피임효과는 아기가 빠는 강도(intensity of suckling), 모유 이외의 보충수유양, 그리고 엄마의 영양상태에 따라 달라진다. 아기의 젖을 빠는 강도가 약해지거나 모유수유 횟수가 줄어들면 피임의 효과는 감소한다. 밤시간을 포함하여 첫 6개월 동안 적어도 매시간 모유수유를 하는 무월경인 여성은 경구피임약의 피임효과(98%)와 동일한 효과를 볼 수 있다. 월경이 돌아오거나 모유수유 6개월 후에는 배란의 가능성이 증가하게 된다. 완전히 모유수유만 하는 경우에는 대개 70%의 여성이 6개월간 월경을 하지 않고, 37%는 1년간 무월경 상태를 유지한다. 또한 이러한 경우 1년간 92%의 피임효과를 보인다. 완전 모유수유를 하는 여성에서도 출산 후 첫 8주간 흔하게 질출혈이 있을 수 있고 이러한 질출혈은 배란으로 인한 것이 아니다. 보충수유는 무월경인 여성에서도 배란(임신)의 가능성을 증가시킨다. 완전 모유수유를 하는 여성에서 단 10주간만 완전한 피임이 가능하다. 완전 모유수유를 하지 않는 여성의 절반은 6주전에 배란이 되기 때문에 출산 후 3주째에, 완전 모유수유를 하는 여성은 출산 후 3달째에 피임에 대한 상담이 반드시 필요하다. 모유수유를 하지 않는 여성은 생식샘자극호르몬(gonadotropin) 수치가 출산 후 초기에는 낮고 3-5주째에는 프로락틴 수치가 정상으로 돌아오면서 생식샘자극호르몬 수치도 정상으로 돌아온다.

프로락틴 농도는 모유수유 중 반복되는 아기의 빠는 자극에 반응하여 증가한다. 아기가 젖을 빠는 강도와 횟수가 충분하다면, 프로락틴의 수치는 증가되어 있는 상태로 유지된다. 난포자극호르몬(follicle-stimulating hormone, FSH)의 농도는 낮은 정상 범위에 있게 되고(출산 시에는 매우 낮은 농도임) 황체형성호르몬(luteinizing hormone, LH) 농도 또한 낮은 정상 범위에 있게 된다. 생식샘자극호르몬 수치가 낮으면 난포가 크지 못하고 에스트로겐을 분비할 수 없다. 따라서 모유수유를 하는 여성에서 질건조와 성교통(dyspareunia)이 흔히 발생한다. 질에스트로겐 제제는 에스트로겐이 흡수되면서 모유의 생성을 저해할 수 있기 때문에 권장되지 않으며 난소의 기능과 에스트로겐 생산이 회복될 때까지는 질윤활제가 사용되어야 한다.

모유수유의 피임효과의 기전은 유즙이 나오고 무월경이 있는 비임신 여성에서 프로락틴 수치가 올라가 있으면서 뇌하수체-생식샘 기능에 나타나는 변화와 유사하다. 프로락틴은 체외실험에서 프로게스테론의 합성을 억제함으로써 과립막세포(granulosa cell)의 기능에 영향을 주었다. 또한 테스토스테론/디하이드로테스토스테론의 비율에 변화를 줌으로써 방향화가 가능한 물질(aromatizable substrate)을 줄이고 항에스트로겐의 농도를 증가시킨다. 프로락틴이 난소의 난포발달에 주는 영향이 주요한 요인은 아닌 것으로 생각된다.

모유수유를 줄여나갈 때에는 혈중 프로락틴 수치가 정상으로 떨어지면서 생식샘자극호르몬 수치가 증가하고 에스트라디올의 분비가 증가한다. 난소기능이 신속하게 회복되면서 14-30일 내에 배란이 일어나게 된다.

4. 폐경기

폐경이 되면 유방에서 퇴행 변화가 일어나고 실질이 줄어들며 대부분의 유방은 지방조직으로 대치된다.

II. 유방조직의 평가(Breast tissue evaluation)

1. 위치

유방은 대흉근(pectoralis major muscle), 전방거근(ser-

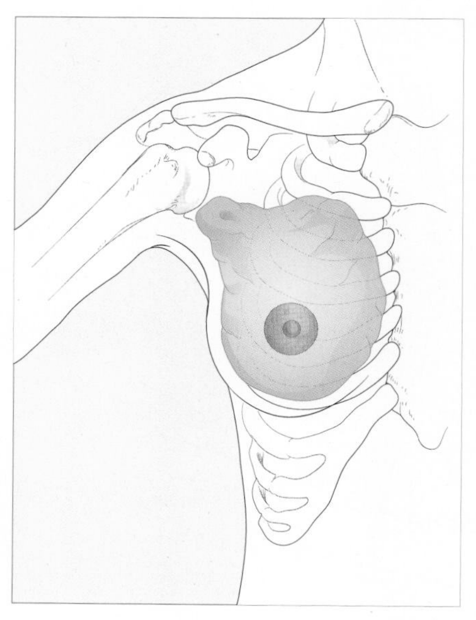

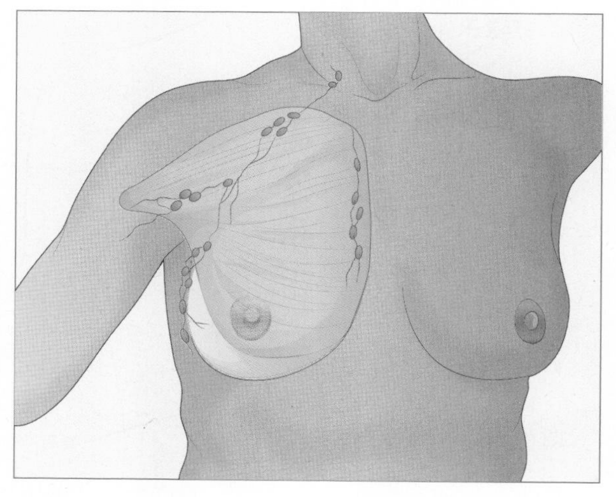

• 그림 35-1. 유방의 위치

ratus anterior muscle) 그리고 외복사근(external oblique muscle) 위에 놓여있는 형태로 상하로 2번째 늑골과 6번째 늑골 사이에 있고 좌우로 흉골에서 액와중앙선(midaxillary line) 사이에 위치하고 있으며 외상방으로 꼬리모양의 유방 조직이 뻗어나가는데 이 부분을 액와미부(axillary tail, tail of Spence)라고 한다(그림 35-1).

2. 유방의 근육(그림 35-2)

1) 대흉근(Pectoralis major muscle)

두꺼운 부채 모양의 근육으로 가슴의 상부를 넓게 덮고있는 근육으로 쇄골의 내측전반, 흉골의 외측전반의 절반, 2-6, 7번 늑연골, 외복시근과 복직근 건막상부에서 시작하여 상완골의 결절간 홈(inter-tubercular groove)의 외측 가장자리 끝 부분과 삼각근건(deltoidtension)에 부착되며 주로 상박을 내전(adduction)시키는 작용을 하고, 굴곡(flexion) 및 내측회전(medial rotation)도 시킨다.

2) 소흉근(Pectoralis minor muscle)

얇은 삼각 모양의 근육으로 대흉근과 전방거근 사이에 위치한다. 2, 3, 4, 5번 늑연골의 상외부 변연에서 시작하여 견갑골의 오훼돌기(coracoids process)에 부착하며 주로 견갑골의 상하운동을 하고 호흡운동을 돕는다.

3) 전방거근(Serratus anterior muscle)

소흉근 아래쪽에 위치하는 얇은 근육층이며 견갑골의 운동에 관여하기도 하며 호흡운동에 작용한다.

4) 외복사근(External oblique muscle)

복부의 앞쪽과 옆쪽에 위치하는 얇은 표재성 근육으로 8번 늑골외면, 전방거근, 광배근(lattisimus dorsalis muscle)의 아래에서 시작하여 백선(linea alba), 서혜인대(inguinal ligament), 장골유기(iliac crest)에 부착한다.

5) 복직근(Rectus abdominis muscle)

유방하부에서 시작하여 하복부까지 길게 있는 근육으로 호흡운동 및 척추 굴곡에 관여한다.

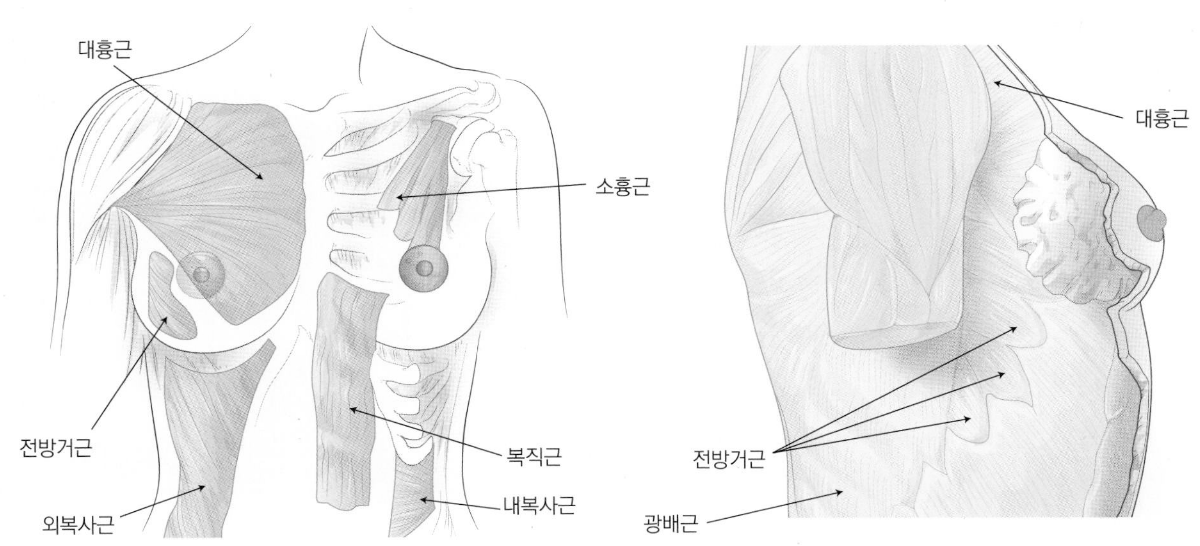

그림 35-2. 유방의 근육

3. 유방의 구조

유방은 15-20개의 유엽으로 이루어지며 각각의 유엽은 다시 20-40개의 소엽으로 되어있으며 한 개의 소엽에는 10-100개의 소포(acini)가 있다. 유방실질(parenchyma)이란 유엽, 소엽 및 소포이고 유방 간질(interstitium)은 지방조직과 이들 사이의 결체조직이다. 기능적으로는 소엽단위에서 모유를 생산하여 유관을 거쳐 유두 바로 아래 약간 넓은 공간인 유선관팽대부(lactiferous sinus)를 거쳐 유두에 있는 15-20개의 개구부를 통해 모유가 나온다. 쿠퍼씨인대(Cooper's ligament)의 기능은 유방의 위치를 고정시키고 모양을 유지시키는 역할을 하는데 이것은 쇄골(clavicle)과 쇄골흉근근막에서 시작하여 유방조직과 주위조직을 통과하여 유방 진피에 연결되어 있다. 나이가 들거나 어떤 원인으로 인해 인대가 늘어지면 유방이 처지고 정상 형태를 유지하기 어렵다. 유방을 표피에서 대흉근까지 단면으로 표시하면 유방 표피 아래에 피하지방층이 있고 유방실질 밑에는 다시 지방층이 있는데 이를 젖선 뒤공간(retromammary space)라고 하며 림프관과 작은 혈관들이 분포해 있다(그림 35-3).

4. 유두와 유륜

유두는 보통 쇄골 정중선(midclavicular line)에서 4번째 늑간틈(intercostal space)에 위치하며 유륜과 함께 유두유륜복합체(nipple-areolar complex)라고 표현한다. 유두에는 15-20개의 개구부가 존재하고 유륜 표면에는 동그랗고 작은 크기의 결절들이 있는데 이를 몽고메리 결절(Montgomery tubercle)이라 하고 이 결절은 두 가지 구성을 가지고 있는데 피지체(sebaceous apparatus)와 유방 실질에서 올라오는 유관이다. 그러므로 유방의 질환은 유륜에도 같이 올 수 있다.

5. 유방의 혈관계

유방으로 가는 주된 혈관은 모두 액와동맥의 분지로 내유방동맥(internal mammary artery) 또는 내측흉동맥(internal thoracic artery)의 관통분지(perforatingartery)가 유방내측에 혈액을 공급하고, 외측흉동맥(lateral thoracic artery)의 관통분지(perforating artery)가 외측유방에 혈액을 공급한다. 정맥혈은 내유방정맥(internal mammary vein)이나 목 하부로 가는 표재정맥과 내유방정맥(internal mammary vein), 액와정맥(axillary vein), 늑간정맥(intercostal vein)으

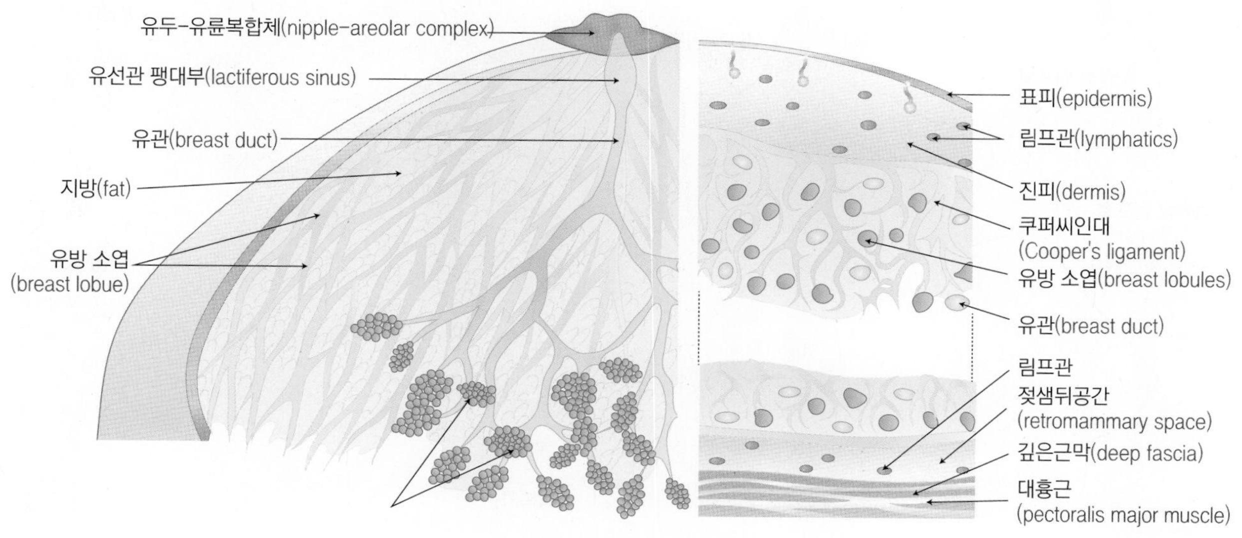

● 그림 35-3. **유방의 구조**

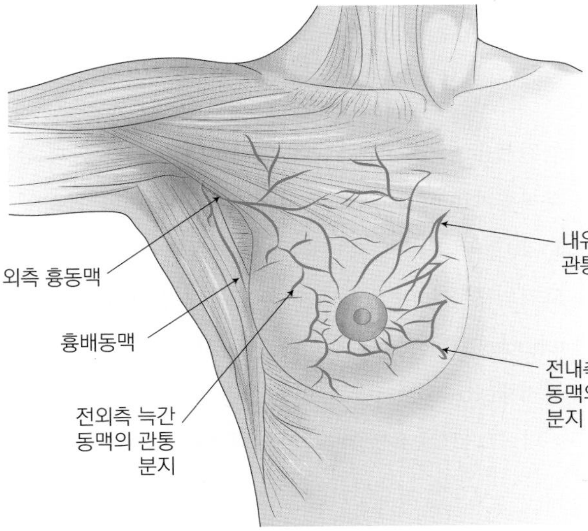

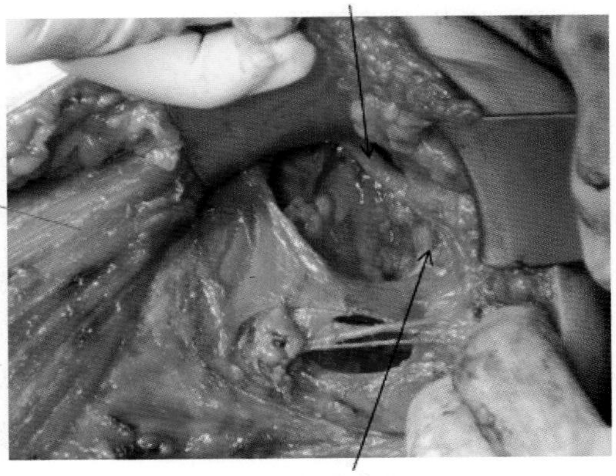

● 그림 35-4. **우측유방의 동맥혈, 좌측 액와부의 정맥혈 혈관계**

로 가는 심부정맥이 있으며 정맥 배출은 중요한데 그 이유는 림프의 경로를 나타내서가 아니라 암전이의 통로가 되기 때문이다(그림 35-4).

6. 림프배액

유방의 림프통로는 악성 종양의 전이에 관계되므로 임상적으로 중요하다. 유방의 림프배액의 대부분은 액와부로 가고 내유방 림프절로는 많이 가지 않는다. 처음에는 림프가 많은 층에서 표재성으로 배액되고 이것이 유륜주위 림프총(periariolar plexus)을 거쳐서 액와부로 간다.

이는 감시림프절 생검(sentinel lymph node biopsy)할 때 유륜 근처의 피하에 생체염료를 주사해보면 림프의 표재성 이동경로를 쉽게 볼 수 있다.

액와부 림프절은 위치에 따라 세 부분으로 나눌 수 있

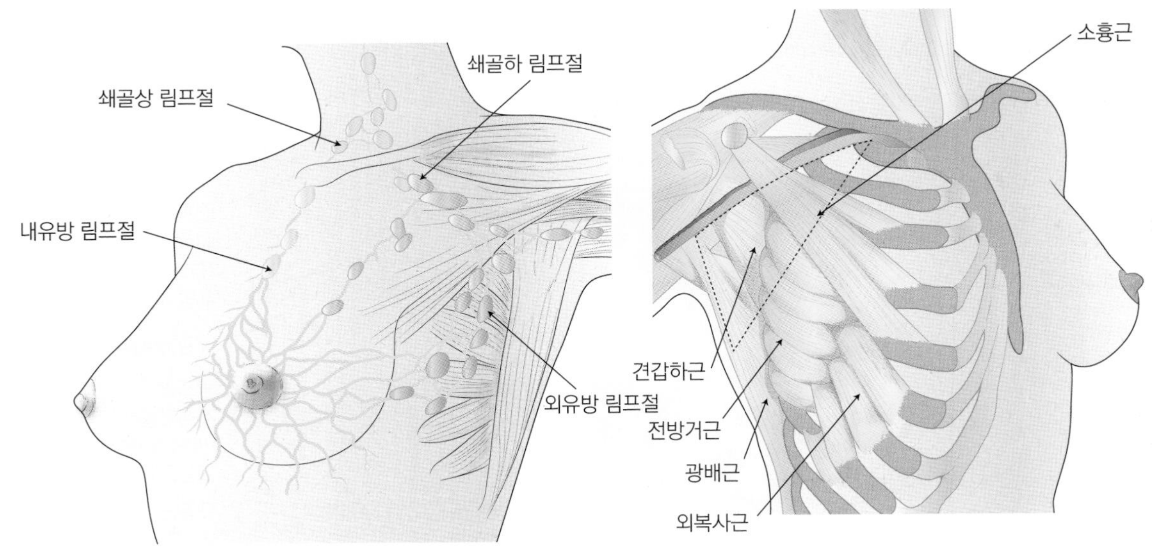

● 그림 35-5. **림프절**

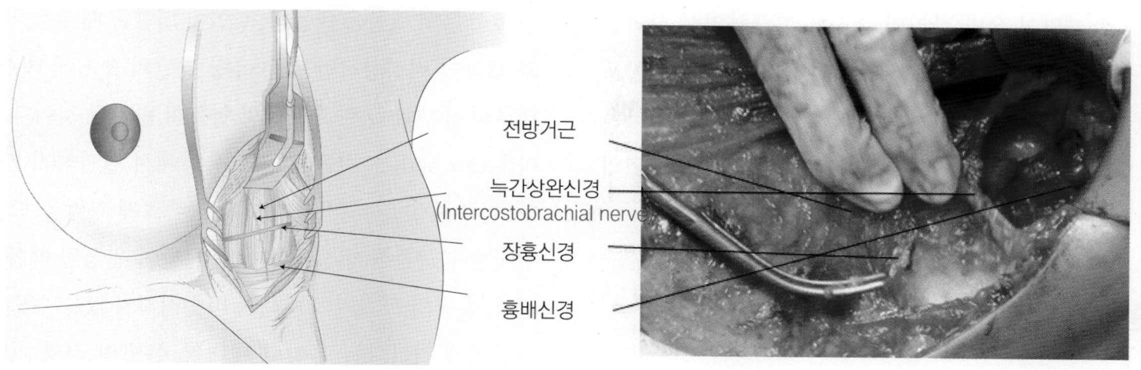

• 그림 35-6. **유방 수술 시 주의할 신경**

는데 레벨 I은 소흉근의 외측과 아래쪽에 위치한 림프절이고 레벨 II는 소흉근의 안쪽에 있는 림프절이며 Level III는 소흉근의 위쪽과 내측에 위치하는 림프절이다(그림 35-5).

7. 신경분포

유방의 감각을 담당하는 신경분포는 3-5번 흉신경(thoracic nerve)에서 나오는 늑간신경(intercostal nerve)의 전외측 분지(anterolateral branches)과 전내측분지(anteromedial branches)로부터이다. 그리고 경신경총(cervical plexus)의 아래쪽 섬유질에서 유래된 쇄골상신경(supraclavicular nerve)은 유방의 위쪽과 외측을 지배한다. 유두의 감각은 4번 흉신경의 외측피부신경(lateral cutaneous branch)이 전방거근을 뚫고 나와 대흉근 하방 경계부에서 유방 실질내로 들어가고 피부층 근처에서 여러 개의 속상(fasciculi)으로 나뉘어져 유두에 도달한다.

유방수술 시에 특별히 조심해야할 신경은 흉근신경(pectoral nerve), 흉배신경(thoracodorsal nerve), 장흉신경(long thoracic nerve)이다(그림 35-6). 흉근신경은 소흉근 주위를 지나거나 관통하여 대흉근으로 가며 소상 시 대흉근과 소흉근의 근 위축을 가져온다. 흉배신경은 액와부 절제 시 꼭 보존해야 하는 신경이지만 만약 광배근(lattismus dorsi muscle)을 이용한 유방재건 시에는 이 신경을 절제함으로써 신경지배를 제거한다. 장흉신경은 견갑골을 지배하는 신경으로 손상 시 견갑골의 날개흉(winging scapula)

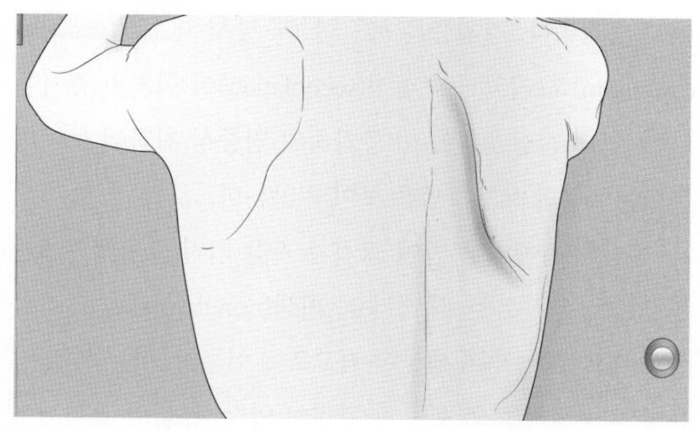

• 그림 35-7. **우측 견갑골의 날개흉**

을 초래한다(그림 35-7).

8. 월경주기에 따른 유방 조직의 변화

유방조직의 변화는 자궁내막과 마찬가지로 정상적인 월경주기에 분비되는 에스트로겐과 프로게스테론의 변화양상에 맞추어 일어난다.

1) 난포기(Follicular phase)

월경이 끝난 난포기 초기에는 소포를 둘러싸고 있는 상피층과 근상피층(myoepithelial layer)이 저명하지 않고 2-3층으로 쌓여 있으며 간혹 소엽내 간질(intralobular stroma)에 부종이나 유사분열상(mitotic figure)이 보이는 것은 이전 월경주기의 잔재이다. 에스트로겐이 증가하는 난포기 후반으로 가면서 유방 상피의 증식을 자극하면서 상피층과 근상피층 사이가 저명해지고 기저층(basal layer)에 공포형성(vacuolation)이 약간 보인다. 간질의 부종이나 침착은 아직 없고 유사분열 및 세포자멸은 보이지 않으며 소엽의 내강(lumen)에 약간의 분비물이 고인다.

2) 황체기(Luteal phase)

이 시기에는 유관이 확장되고 소포의 상피세포가 분비세포로 분화한다. 종말유선관의 수가 증가하고 커진 엽들이 특징적이다. 기저층은 깨끗한 핵, 낭성 세포질(vesicular cytoplasm) 그리고 공포형성(vacuolation)이 현저히 증가한다. 소엽내 간질은 부종이 증가하고 염증성 침착이 보이며 유사분열상과 세포자멸은 보이지 않는다.

유방은 황체기 후반에 크기가 가장 커지고 황체기에는 세포들의 유사분열, 체액저류, 비샘(nonglandular) 조직과 샘상피조직의 DNA 생산이 최고조에 이른다. 이는 월경 전 유방의 낭성 변화와 통증과 관련이 있다. 유샘의 상피세포에 있는 에스트로겐 수용체는 황체기에 감소하는 반면, 프로게스테론 수용체는 높은 수치를 유지한다. 유방조직의 세침조직생검을 분석한 연구에서 증식과 관련된 조직면역학적 지표들이 증식기보다 황체기에 더 높게 발현되었다. 이는 혈청 프로게스테론 수치와 직접적인 연관이 있었다.

3) 월경

월경이 시작되면서 에스트로겐, 프로게스테론 농도가 감소하면서 부종도 없어지면서 상피세포도 정상화되고 다음 주기를 기다린다. 월경주기 5-7일 때가 유방의 부종이 제일 적은 시기로 이때 유방의 촉진 시 유방실질이 잘 만져진다.

9. 유방의 비정상적인 모양과 크기

유샘(mammary gland)의 초기분화는 유전 혹은 태아기 호르몬의 영향을 받는다. 성인이 되었을 때 유방의 크기와 모양이 비정상적인 것은 유방 발달의 초기에 테스토스테론의 유무와 같은 호르몬의 영향이 반영된 것이다. 유선아(breast bud)는 처음에 한쪽 유방에서 발달하기 시작한다. 한쪽 유방은 다른 한쪽보다 더 빠르게 자랄 수도 있다. 이러한 불균등한 현상은 유방의 발달이 완성될 때쯤 사라진다. 유방의 크기가 정확하게 비슷해지지 않을 수도 있다. 확연하게 나타나는 유방의 비대칭, 유방의 저형성(hypoplasia)과 비대(hypertrophy)는 성형외과적으로 교정될 수 있다. 이러한 경우 호르몬치료는 유방의 모양이나 크기에 영구 변화를 일으키기에는 효과적이지 않다. 다만, 예외적으로 난소의 기능에 결핍이 있어 일차인 무월경인 환자에서는 에스트로겐 치료가 유방의 성장을 유도할 수 있다. 유방의 크기는 경구 피임제를 복용하고 있는 환자들에서 일시적으로 증가할 수 있으나 이전에 복용했던 과거력과 관련하여 지속되는 효과는 없다.

1) 부유두(Accessory nipples)

부유두는 사타구에서부터 목, 몸의 배쪽이나 측면을 따라 배아기 때의 유선(mammary line) 잔재에 이르기까지 어디서든 발견될 수 있다. 여성의 약 1%에서 생기고 대개 유방조직을 동반하지 않으며 치료를 필요로 하지 않는다.

2) 부유방(Accessory breast tissue)

부유방은 유방능선이 배아기 때 불완전하게 퇴화하여 생긴다. 그렇게 때문에 부유방은 유선을 따라 겨드랑이에서부터 치골부위까지 위치할 수 있다. 이소성(ectopic) 유방조직은 사춘기, 임신기, 수유기 동안 발견될 수 있으며 이는 호르몬으로 인한 유방조직 비대의 결과이다. 부유방은 흔히 양측으로 존재하지만 드물게 겨드랑이, 견갑골, 허벅지, 대음순 등에서 발견될 수도 있다. 유두와 유륜이 없기 때문에 그 종물을 부유방으로 진단하기는 쉽지 않다. 진단이 불분명한 경우에도 미용적인 목적이나 불편감을 줄이기 위하여 수술로 제거하는 경우가 있다. 부유방 또한 정상 유방조직과 같이 암 발생의 위험이 있다.

III. 검사를 요하는 상황

우리나라의 유방검진에 대한 권고안은 나이에 따라 분류된다. 30세 이후는 매월 유방 자가 검진, 35세 이후는 매월 자가 검진하면서 2년 간격으로 의사에 의한 임상검진, 40세 이후에는 매월 자가 검진하면서 1-2년 간격으로 임상진찰과 유방 촬영이다. 즉, 유방 촬영은 40세 이후로 권고되고 있는데 그 이유는 40세 이전에는 유방의 치밀도가 높아 병변을 구분하는 데 어려움이 있기 때문이다. 유방암에 걸린 적이 있거나 가족력이 있는 고위험군에서는 나이와 상관없이 의사와 상담해서 더욱 주의를 해야 하고 필요하면 유전자 검사, 초음파 및 자기공명영상도 촬영하여야 한다. 권고안에서 보듯이 유방자가검진은 평생 시행하여야 할 가장 기본 검사이다. 가장 적절한 시기는 월경주기 5-7일째며, 월경이 제대로 나오지 않는 여성은 매월 일정한 날을 정하여 정기적으로 시행하여야 한다. 순서는 시진과 촉진을 하는데 먼저 거울에 자신의 유방을 비추어서 피부 변화와 형태를 관찰하여 색이 변한 곳이 있거나 주름진 곳이 있는지를 확인하고 난 후, 검사하고자 하는 반대측 손가락으로 원형을 그리거나 상하, 좌우 방향으로 빠진 곳이 없도록 꼼꼼히 만져보고 마지막으로 유두를 짜서 분비물이 나오는지 확인하여야 한다. 만약 검사 상 이상 소견이 보이면 바로 의사와 상담하여야 한다. 다음은 의사와 상담이 필요한 이상 소견들이다.

1. 유방통

유방통은 병원을 찾은 환자들에게서 가장 많이 호소하는 증상이며 여성의 약 70%에서 느낄 수 있다. 유방통을 일으키는 원인은 생리적인 원인부터 유방암에 이르기까지 아주 다양하다. 그러므로 유방통을 주소로 내원하는 환자에서 먼저 만져지는 종괴가 있는지의 확인 여부가 우선적으로 필요하다. 만약 만져지는 종괴가 있다면 종괴에 대한 적극적인 검사가 필요하다. 주기적인 유방통이 있을 때 유방암이 발견되는 경우는 0-3.2%이고, 규칙적이지 않는 유방통인 경우 유방암이 발견되는 경우는 2-7%로 상당히 낮은 편이다. 반대로 유방암에서 유방통을 느끼는 경우는 연구자들에 의해 다양하여 약 5-18%이다. 종양과 연관되지 않은 순수한 형태의 유방통은 크게 월경주기 유방통과 비주기 유방통으로 나뉘어진다.

1) 월경주기 유방통

특징적으로 월경주기에 관계되며 양측성으로 온다. 주로 폐경 전 여성에서 나타나며 황체기에 시작하여 월경 때까지 점점 심해지다가 월경이 시작하면서 소진된다. 대부분 유방의 외상방에 부종, 동통, 멍울 그리고 묵직함을 느끼거나 심한 동통을 느낄 수 있다. 비만한 여성에서 잘 나타나는 경향이 있고 포화지방산의 과섭취와 밀접한 관계가 있다. 그리고 커피, 홍차와 같이 말초 혈관이나 자율 신경계에 영향을 줄 수 있는 음식, 약물 등에 의해서도 유방통이 나타날 수 있다. 카페인과 포화지방산을 줄이는 식이습관을 포함하여 좋아질 것이라는 확신을 주는 것이 치료의 첫 걸음이다. 두 번째로 스포츠 브라를 사용하여 잠자는 동안 유방을 안정시키고 간혹 비스테로이드 소염제 같은 약물을 쓸 수도 있다. 비타민 E는 그 치료효과에 대한 논란이 있기도 하지만 유방통의 치료방법으로 40년 이상 사용되어온 지용성 항산화제로 400 U/일를 한 달간 사용해 볼 수 있다. 만약 비타민 E에 효과를 보이지 않으면 omega-6 필수지방산이 다량 함유된 달맞이꽃 종자유(evening primrose oil, EPO)를 사용한다. 월경주기 유방통에 58%, 비주기 유방통에서는 38%의 효과를 보이고 있다. 그러나 최근에 연구된 메타분석에서 EPO의 효과를 위약과 비교했을 때 특별한 치료의 이득을 볼 수 없었다고는 하나 약물적인 치료 전에 꼭 시도해보아야 한다. 다음 단계로는 호르몬 치료로 타목시펜(Tamoxifen, 10 mg/일), 다나졸(Danazol, 200 mg/일), 브로모크립틴(bromocriptine 1.25 mg/일) 등을 사용할 수 있으며 지속적인 사용 시(타목시펜, 6개월;

다나졸, 2-4개월; 브로모크립틴, 2-4개월) 월경주기 유방통에서 77%의 효과를 볼 수 있다.

2) 비주기 유방통

월경주기와는 상관없고 유방의 어느 부위에도 올 수 있으며 한쪽 또는 양측으로 올 수도 있다. 이 경우에는 먼저 주의 깊게 유방검진을 하여 통증 부위에 이상 소견이 있는지 확인하여야 한다. 즉 종괴, 피부나 유두의 함몰을 확인 후 유방촬영과 초음파를 시행한다. 비주기 유방통인 경우 늑연골염(costo-chondritis; Tietze's syndrome)에 대한 경우도 생각해야 하는데 이것은 늑골늑연골 관절의 공간(costo-chondral joint space)에 염증이 생긴 것으로 모든 연령대의 여성에서 흔하게 발생한다. 늑연골염에 의한 유방통인 경우는 병소가 있는 연골부위에 스테로이드가 섞인 리도카인(1% lidocaine)을 주사하면 효과적이다.

아무런 병변이 없어 임상적으로 관찰을 요할 때에는 메틸잔틴(methylxanthins)을 중단하는 것이 증상완화에 도움이 될 수 잇다. 메틸잔틴은 커피, 차, 초콜렛, 콜라음료에 많이 함유되어 있다. 또한 유방을 안정화시키고 염증을 줄이는 목적으로 스포츠 브라를 취침 중에 1개월간 착용하게 한다. 비주기 유방통에서는 약물요법에 대체로 잘 반응하지 않고 호르몬 치료의 효과도 낮은 편이다.

2. 유두분비물

유두에서 분비물이 나오는 증상은 여성에서 아주 흔하여 유방의 불편감을 호소하는 여성의 3-10%에서 볼 수 있고 양성 유방질환의 10-50%에서 나타난다. 유두분비를 일으킬 수 있는 가장 흔한 유방병변으로는 유관유두종(duct papilloma)이며 이어서 유관확장증(duct ectasia)이다. 그 외에도 유두습진(nipple eczema), 파제트병, 유방고름집, 유방암 등이 원인이며 이중 유방암이 차지하는 비중은 약 10%(범위 2-15%)로 보고되고 있다. 유관확장증이나 섬유낭성 변화일때는 양성일 때 볼 수 있는 회색이나 녹색인데

표 35-1. 유두분비

생리적 분비	병적 분비
비자발적	자발적
양측성	일측성
다수의 관에서 분비	한 개 관에서
회색, 녹색, 갈색, 우윳빛	혈성 또는 맑음(crytal clear)

반해 유방암일 경우에는 장액성(serous), 장액혈성, 혈성 또는 수성(watery)이며 유방을 압박하거나 짜지 않아도 자연스럽게 나오며 한쪽 유방에 국한되며 단일 유관에서 분비된다(표 35-1). 최근 Montroni 등(2010)의 후향적 연구에 의하면 유두 분비 중 혈성 분비물이 유방암과 가장 큰 상관관계를 갖고 장액혈성이나 유색 분비물은 유방암의 위험도가 낮은 것으로 나타났다. 유두분비가 있을 때 그 가능성이 낮더라도 암을 배제하기 위해 반드시 세포병리 검사(cytology)를 시행하여야 한다. 중요한 것은 세포병리 검사결과는 민감도가 낮으므로 음성이 나오더라도 유방촬영이나 초음파로 유두아래 종괴나 유관 확장을 확인하여야 한다. 관조영촬영술(ductography)은 혈성 분비물의 가장 많은 원인이 되는 유두종을 아는데 많은 도움을 주지만 널리 이용되지는 않는다. 유두분비가 지속되는 경우 진단과 치료 목적을 위해 외과 절제 생검 또는 선택 유관절제술(selective dochectomy)을 시행한다.

유즙분비(Galactorrhea)는 임신이나 모유수유와 관계없이 지속되는 비정상 모유 양상의 분비물을 뜻한다. 대개는 하얗거나 깨끗한 양상일 수 있지만, 노란빛을 띠거나 초록색을 띠는 경우도 있으며 이러한 경우에는 유방질환을 의심해 보아야 한다. 유즙분비는 양측 유방에서 발생할 수 있고 한쪽 유방에서만 발생할 수도 있다. 호르몬으로 인한 분비는 여러 개의 유관에서 나오는 반면, 병적인 유두분비는 하나의 유관에서 나온다. 혈성 유두분비물은 유방암과 관련이 있을 가능성이 더 높다. 분비물의 양은 진단에 있어서 중요한 기준은 아니다.

유즙분비는 생리적으로 올 수 있는데 신생아에서 볼 수 있는 기유(witch's milk), 사춘기 초, 임신시, 유두 자극이나 성적흥분상태 그리고 수유를 끝낸 후에도 정상적으로 있

을 수 있다. 생리적 원인 이외에도 만성 신부전증, 갑상선 저하증, 뇌하수체샘종 그리고 약물(호르몬 투여, 향정신성 약물, 항고혈압제, H2 수용체길항제)등이 있다. 유즙분비가 있는 여성에서 무월경이 반드시 동반되는 것은 아니다. 출산경험이 없는 여성이거나 마지막 임신이나 수유를 중단한지 12개월 이상 지난 여성에서는 유즙분비가 있을 경우 평가가 필요하다. 또한 경험적으로 많은 여성에서 모유수유 후 수개월 동안 유즙분비가 지속될 수 있기 때문에 임상적인 판단이 필요하다.

임상에서 유즙분비의 감별진단은 복잡하다. 대부분의 병적인 경우에서 가장 흔한 유즙분비의 원인이 프로락틴 분비의 부적절한 상승이고 프로락틴 분비를 조절하는 것과 관련된 요인이 많기 때문이다. 첫째, 뇌하수체 종양으로 프로락틴의 분비가 증가할 수 있다. 시상하부 기능이 정상이어서 프로락틴억제인자(prolactin-inhibiting factor, PIF)가 적절하게 분비되는 것과 상관없이 뇌하수체 종양에서 프로락틴을 분비하는 것이다. 흔하지는 않지만 잠재적으로 위험한 종양이고, 내분비학적, 신경학적, 안과적으로 문제가 생길 수 있다. 뇌하수체 종양이 자라면서 뇌하수체 실질을 압박하여 다른 자극호르몬의 분비를 저해할 수 있다. 둘째, 여러 가지 약물이 시상하부 도파민을 억제하여 유즙분비가 생길 수 있다. 페노티아진(phenothiazine) 계열 혹은 유사 약물, 이뇨제나 혈관확장제와 함께 고혈압 치료에 사용되는 리서핀(reserpine) 계열의 약물, 암페타민, 마약진통제(opiates), 디아케팜, 베라파밀, 삼환계 항우울제 등이 시상하부를 억제하여 유즙분비를 일으킬 수 있다. 이러한 약물들은 도파민 수치를 낮추거나 도파민 수용체를 차단한다. 또한 방향족 고리(aromatic ring)를 갖고 있기 때문에 에스트로겐과 페노티아진 계열 약물은 같은 수용체에 대하여 경쟁적으로 작용한다. 치료적 약물용량으로 사용하는 경우는 프로락틴 수치가 일반적으로 100 ng/mL를 넘지는 않으며 30-50%의 경우, 약물 중단 후 3-6개월이 지나면 유즙분비가 멈춘다. 셋째, 갑상선저하증이 유즙분비와 관련이 있을 수 있다. 갑상선호르몬이 감소하면 뇌하수체에서 분비하는 갑상선자극호르몬방출호르몬(Thyrotropin-releasing hormone, TRH)이 과도하게 생산되어 뇌하수체에서 프로락틴 분비가 증가하게 된다. 넷째, 경구피임제 등으로 인한 지나친 에스트로겐이 시상하부를 억제하여 유즙분비를 일으킬 수 있다. 이 경우에는 약을 중단하고도 7일간 관찰될 수 있지만 3-6개월 내에는 유즙분비가 없어진다. 다섯째, 강하게 지속되는 흡입(suckling)에 의해 시상하부의 도파민이 감소함으로써 프로락틴이 분비될 수 있다. 개흉술 반흔, 경추병변, 습진, 대상포진 등으로 인해 구심성 감각신경을 활성화시켜 흡입과 유사한 반응을 일으켜 프로락틴 분비를 유도할 수 있다. 여섯째, 스트레스는 시상하부의 도파민을 억제하여 프로락틴를 분비시키고 유즙분비를 일으킬 수 있다. 외상, 수술, 마취 등으로도 일시적으로 생길 수 있다. 그 외에도 시상하부의 병변이 있거나 폐, 난소, 신장의 종양, 자궁근종 같은 병변으로 프로락틴이 증가할 수 있다.

3. 만져지는 종괴

유방자가검진, 임상의에 의한 진찰 중 또는 파트너에 의해 발견되는 촉지되는 종괴는 의사를 찾는 많은 원인 중 하나이다. 이러한 종괴는 양성부터 악성까지 종류가 다양한데, 이중 섬유선종이 제일 흔하며(72%) 다음으로 낭성병변(4%), 섬유낭성변화(fibrocystic change; 3%), 악성(1%) 순서이다. 나이에 따라서 보면 신생아에서 유즙분비와 함께 종괴가 촉지되는 것은 엄마에게서 받은 호르몬 영향으로 몇 달 이내에 사라진다. 대개 8살 이후 여자 어린이에서 2차성징의 발달이 시작되는(Tanner stage 2기) 시기에 유방 종괴를 호소하는데 이는 유방발육(thelarche or breast bud) 때문이며 사춘기의 첫번째 신체 변화이다. 남자에서도 호르몬 영향으로 사춘기(14-15세)에 유방의 종괴가 만져질 수 있다. 여성에서는 월경주기에 유방통 등의 증상과 함께 생리적으로 종괴가 만져질 수 있다. 환자가 유방종괴를 주소로 내원하였을 때 월경주기와의 연관성을 포함한 기본적인 병력청취와 함께 유방의 물리적 손상이 있었는지 꼭 확인하는데 이는 종양과 구분이 힘든 지방괴사(fat necrosis)를 구별하기 위함이다. 다음으로는 유방 진찰, 유방촬영, 초음파 등을 시행하여 필요하면 세침흡인세포검사(fine needle aspiration cytology, FNAC) 또는 중심부침생검(core needle biopsy)을 하여야 한다.

1) 낭성 병변

모든 연령대의 여성에서 흔히 발견되며 단순낭종은 악성위험이 없으나 고형 성분이 혼합되어 있을 때는 주의를 요한다. 단순 낭종 일지라도 유방촬영에서는 변연이 깨끗한 종괴 형태로 보일 수 있으며 초음파에서 쉽게 에코가 없는 BI-RADS 카테고리 2인 낭종을 확인할 수 있다. 하지만 복합 고형낭종(complex solid and cystic mass)일 경우에는 반드시 세침흡인세포검사를 통해 고름집, 유선낭종, 지성낭포(oil cyst), 혈종(hematoma), 지방괴사, 섬유성 낭성 변화 등과 감별해야 한다. 특히 복합고형낭종에서 악성이 나올 가능성이 0.3%로 낮을지라도 고형성분이 혼합되어 있으면 악성 가능성이 있으므로 반드시 세침흡인검사를 하여야 한다.

2) 고형 병변

제일 흔한 고형병변은 섬유선종이며 그 외에도 엽상종(phylloides tumor), 유두종(유방 주변부에 생기는 다수의 유두종은 lobulated mass형태를 보임), 지방종 등이 있다. 유방촬영만으로도 양성을 확인할 수 있는 지방종, 과오종, 양성 림프종 등은 정기적인 추적관찰이 가능하나 대부분은 초음파로 꼭 확인을 하고 초음파상 양성이 확실하다면 크기의 변화를 지켜볼 수 있지만 조금만 의심이 되더라도 조직검사를 시행하여 종괴의 성향을 확인하는 것이 필요하다.

3) 임신과 관계된 병변

젖낭종(galactocele)은 임신 및 수유와 관계되어 만져 질 수 있는 가장 흔한 유방병변으로 낭종 내에는 우유성분의 액체가 있다. 특징적인 초음파 소견은 대체로 낭종형태를 보인 반면 임신과 관계없는 젖낭종은 여러 형태의 초음파 소견을 볼 수 있고 고형 성분의 초음파 소견을 보이기도 한다. 임신 및 수유에 관계되는 또 다른 양성 종괴인 수유샘종(lactating adenoma)은 임신중 증가된 에스트로겐의 영향으로 유방이 자극되어 생긴 종괴로 수유를 끝내고 몇 달 후에 자연스럽게 사라지며 필요하면 브로모크립틴을 사용할 수 있다.

Ⅳ. 영상 검사

1. 유방촬영술

1) 유방촬영술의 역할

단순 X선을 이용한 유방촬영술은 모든 유방질환의 발견과 진단에 가장 간단하면서도 기본이 되는 검사이다. 그 이유는 만져지지 않는 조기 유방암의 가장 중요한 소견인 미세석회화를 가장 민감하게 발견할 수 있기 때문이다. 유방의 영상검사가 필요한 경우 30세 이상의 여성에서는 유방촬영술을 일차으로 시행해야 하며, 영상의학과에서는 무증상 여성의 경우도 40세 이상부터 매년 유방촬영술을 받을 것을 권장하고 있는데 이는 정기적인 선별 유방촬영술(screening mammography)로 유방암을 조기 발견하는 것이 유방암으로 인한 사망률을 줄이는 가장 확실한 방법으로 판명되었기 때문이다.

2) 정상 유방촬영술 소견

정상 유선조직은 사진상 하얗게 보이며, 유선조직을 전체적으로 둘러싸고 있는 지방조직 및 유선조직 사이사이에 섞여 있는 부분의 정상 지방조직은 검게 보인다. 쿠퍼씨 인대는 흰 선상 구조물로 보이며, 나이든 여성의 지방형 유방에서 뚜렷하다. 정상 유방은 지방(fat), 섬유질(fibrous tissue), 유선조직(ductal tissue)으로 구성되며, 그 구성비율에 따라 다양한 양상을 보인다. 유선과 결체조직이 풍부하여

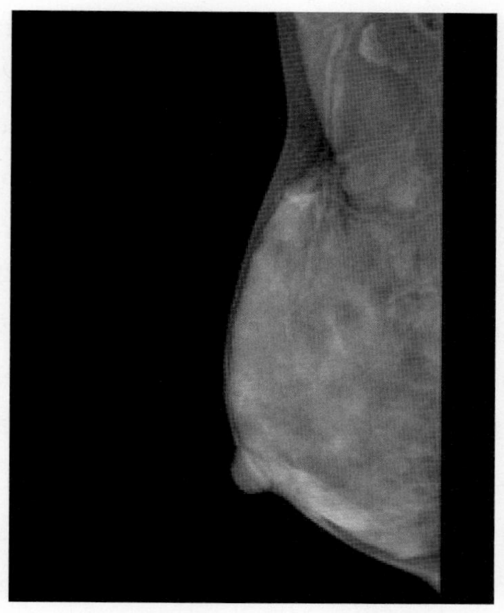

• 그림 35-8. **치밀 유방** 젊은 여성의 내외사위 영상으로 유방 조직 대부분이 치밀한 유방 실질로 이루어져 있다.

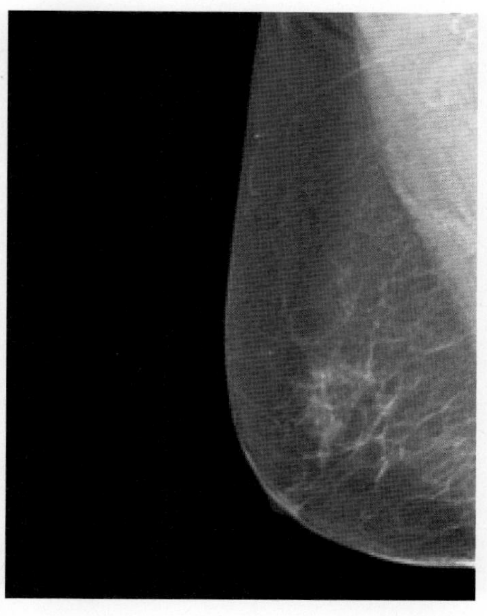

• 그림 35-9. **지방 유방** 폐경 이후 여성의 내외사위 영상으로 유방 조직 중 실질조직이 적고, 거의 지방조직으로 이루어져 있다.

유방의 75% 이상이 희게 보이는 경우를 치밀 유방(dense breast)(그림 35-8)이라 하고, 지방 비율이 높아 검게 보이는 경우를 지방 유방(fatty breast)(그림 35-9)이라고 한다. 나이, 출산력에 따라 큰 차이가 있지만 젊은 여성에는 치밀 유방이 많고, 폐경기 이후 여성에서는 지방 유방이 많다.

유방실질 유형은 유방암 발견 민감도와 밀접하다. 젊은 여성층에서는 치밀 유방의 비율이 지방 유방의 비율보다 높기에 유방촬영술의 유방암 발견 민감도가 폐경기 이후 여성보다 떨어진다. 50대 이상에서 위음성률이 10% 정도인 데 비하여 40대에서의 위음성률은 25% 정도이다.

3) 비정상 유방촬영술의 판독

비정상 유방의 영상 판독에 있어서 가장 중요한 것은 정상에서 벗어난 이상소견을 찾는 것이다. 정상 유방은 연령과 사람에 따라 다르지만 좌우대칭을 유지하므로 양측 유방 사진을 맞대고 관찰해야 미세한 병변을 발견할 수 있다. 검사 설문지를 이용하면 만져지는 종괴 등 임상적으로 의심되는 병변의 위치를 미리 파악할 수 있으며, 과거에 촬영한 필름이 있다면 꼭 비교해야 한다.

이상이 발견될 경우 이것이 두 가지 촬영(projection)에서 보이는 3차원 구조물인지 정상 유방조직이 겹쳐서 생긴 음영(summation artifact)인가를 꼭 확인해야 한다. 국소 압박촬영과 확대촬영 등의 보조검사가 유용하다. 유방암 등의 진짜 종괴는 양쪽 촬영에서 같은 위치에 정상조직보다 같거나 높은 음영으로 보이며, 병변 주변보다 중심부 음영이 높고 국소 압박촬영에서 종괴가 더 분명히 보인다.

유방암의 유방촬영술 소견은 군집성 또는 다형태성 미세석회화(clustered or pleomorphic microcalcifications), 침상돌기 모양의 음영(a lesion with spiculated border), 경계가 불분명한 종괴(a mass with ill-defined margin), 미세분엽양 종괴(a mass with microlobulation), 새로 생기거나 변화하는 석회화 또는 음영(changing calcifications or density), 유방조직의 왜곡(architectural distortion), 비대칭 음영(asymmetric density) 등이며 미세석회화와 종괴가 주요 소견이다(그림 35-10, 11). 진행된 유방암에서는 피부비후, 수축이나 유두함몰, 액와부 림프절 비후등의 소견이 보이기도 한다. 조기에 미세석회화나 주변실질 왜곡 등을 동반하지 않는 종양은 미세석회화나 주변실질 왜곡 등을 동반하는 종양에 비해 발견하기 힘들다. 또한, 미만성 성장을 하는 침윤 소엽암종(lobular carcinoma) 등의 유방암은 경계가 불명확하거나 한쪽 촬영사진에서만 보일 수 있으므로 주의

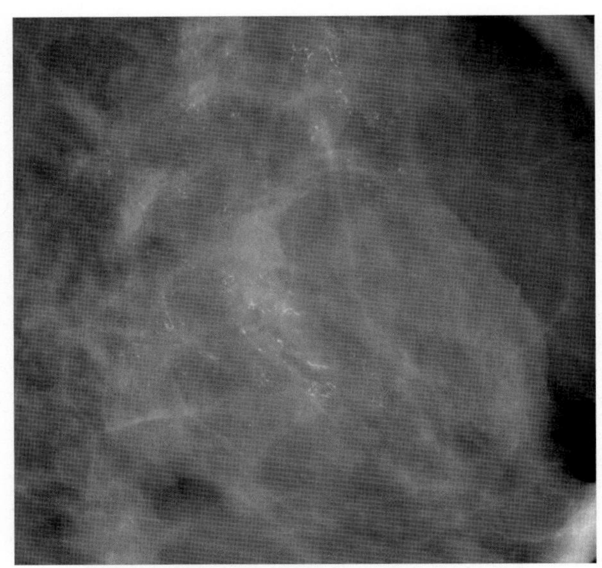

• 그림 35-10. **유방암의 유방 촬영** 영상 분절형 분포를 보이는 다형태성의 미세석회화가 좌상외부에 분포하고 있음

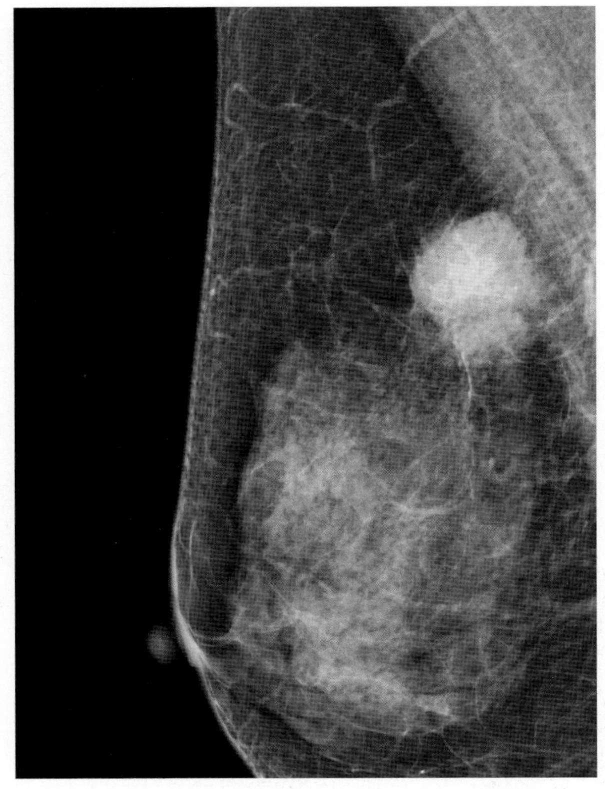

• 그림 35-11. **유방암의 유방 촬영 영상** 불규칙한 모양의 고음영 종괴가 우측 유방 상측에 보이고 있음

해야 한다. 유방암 진단을 위해, 유방촬영에서 일단 의심병변이 있을 때는 확대 촬영 등의 추가 검사 또는 초음파검사를 이용하여 병변에 대해 좀 더 세밀하게 살펴볼 수 있다.

미국방사선의학회(American College of Radiology, ACR)의 유방 영상 보고 데이터 체계(Breast Imaging and Reporting Data System, BI-RADS)를 병변의 분석, 보고, 평가 방식으로 이용하고 있다. 보고서에는 유방실질양상, 종괴나 석회화 등의 주요 소견과 최종 평가를 기록하도록 권장하고 있다. 미국 방사선학회 유방 영상 보고 데이터 체계의 최종 평가는 범주(category) 0-6로 나뉜다. 범주 0은 평가유보(incomplete)로 추가검사가 필요한 경우이고, 범주 1은 정상(negative), 범주 2는 분명한 양성 병변(benign), 범주 3은 양성의 가능성이 높은 병변 (probably benign), 범주 4는 악성 의심병변(suspicious malignancy), 범주 5는 악성의 가능성이 매우 높은 병변(highly suggestive of malignancy)이다. 이 중 범주 4, 5가 조직검사의 대상이며 범주 3은 악성 확률 1-2% 이하 군으로 6개월 추적검사로 재평가할 것을 권하고 있다(표 35-2). 범주 6은 이미 암으로 확진된 경우이다.

2. 유방 초음파검사

1) 유방 초음파 검사의 역할

유방 초음파검사는 유방촬영술과 함께 가장 널리 이용되고 있는 유방 영상 검사법이다. 우리나라 여성의 유방은 서양 여성에 비해 크기가 작고 치밀형 유방이 많기에 초음파검사가 용이하다. 유방 초음파검사는 방사선 조사의 위험성이 없어 30세 이하의 젊은 여성, 임신 또는 수유 중인 여성에서 유방 검사가 필요한 경우 일차 검사방법이다. 유방 초음파의 도입 이전에는 낭종을 비롯한 모든 유방종괴가 외과적 절제의 대상이었으나, 유방 초음파의 이용으로 양성 병변을 진단 목적으로 수술하는 경우가 줄어들고 있다. 유방 초음파는 7.5-10 MHz 이상의 선형 탐촉자를 이용하여 고해상 실시간 검사를 해야만 그 이점을 최대한 살릴 수 있다. 최근 12 MHz 이상 고주파 탐촉자와 디지털 장비

표 35-2. 최종 판정 - 미국 방사선학회(American College of Radiology, ACR)의 유방 영상 보고 데이터 체계(Breast Imaging and Reporting Data System, BI-RADS)

카테고리 0	▪ 판정 유보 ▪ 추가 검사 또는 이전 검사와의 비교가 필요한 경우
카테고리 1	▪ 정상 ▪ 아무런 이상 소견이 없는 경우
카테고리 2	▪ 양성 ▪ 판독지에 전형적인 양성소견을 기술한 경우로 카테고리 1과 함께 정상 판독에 해당 예 : 석회화된 섬유선종, 분비성 석회화, 지방을 포함하고 있는 병변(지방종, 과오종, 지방낭종), 혈관 석회화, 유방성형물
카테고리 3	▪ 양성추정 ▪ 양성가능성이 높으나 악성일 가능성(2% 미만)을 완전히 배제할 수 없는 경우로 짧은 추적검사가 요구되는 경우이다. 6개월 간격으로 2-3년간 추적검사하는 것을 권장한다. 예 : 석회화가 없는 경계가 좋은 고형 종괴, 국소비대칭, 군집성 원형 석회화
카테고리 4	▪ 악성의심 ▪ 악성병변이 의심되어 조직검사가 필요한 경우 4a - 낮은 악성 가능성(low suspicious): 악성 확률 3-10% 4b - 중간 악성 가능성(intermediate suspicious): 악성 확률 11-50% 4c - 높은 악성 가능성(moderate suspicious): 악성 확률 51-94%
카테고리 5	▪ 악성 ▪ 95% 이상의 악성 가능성이 있는 병변으로 조직검사를 반드시 시행해야 한다.
카테고리 6	▪ 확진된 유방암 ▪ 소견에 대해 2차 자문을 받거나 수술 전 신항암화학요법을 받은 경우

의 등장으로 초음파의 해상도와 조직대조도가 크게 향상되었으며, 이전에 불가능한 것으로 간주되던 유방의 석회화 병변의 발견과 특성화에도 도움을 준다. 최근에는 치밀형 유방을 가진 여성의 유방암 검진에 추가적으로 유방 초음파검사를 시행하여 유방암을 더 발견하였다는 연구 결과가 나오고 있다. 유방 초음파검사 단독으로 유방암 검진을 하는 것은 미세석회화나 작은 크기의 유방암을 발견할 수 없으므로 부적절하다. 작은 고형 병변, 특히 주위 지방에 둘러싸여 있는 병소는 전문의사가 아니면 초음파로 발견하기 힘들다. 그러므로 유방 초음파검사는 유방촬영술의 이상 또는 만져지는 부위에 대한 문제해결 차원에서 시행되어야 한다.

높은 위양성률 또한 유방 초음파검사의 위험성 중 하나이다. 치밀형 유방의 여성에서 유방촬영술은 정상이나 초음파에서만 보이는 종괴가 악성으로 판정되는 경우도 있으나, 유방암 검진법으로서 1차 영상 검사는 유방촬영술이며 유방 초음파검사는 추가적인 정보를 제공하는 방법으로 이해해야 한다. 유방초음파를 잘 이용하면 유방암의 진단율을 높이고 불필요한 외과 생검을 줄일 수 있다.

2) 유방병변의 초음파소견

유방 초음파검사는 일차으로 촉지되는 종괴 또는 유방촬영술에서 발견된 종괴가 고형 종괴와 낭성 종괴(그림 35-

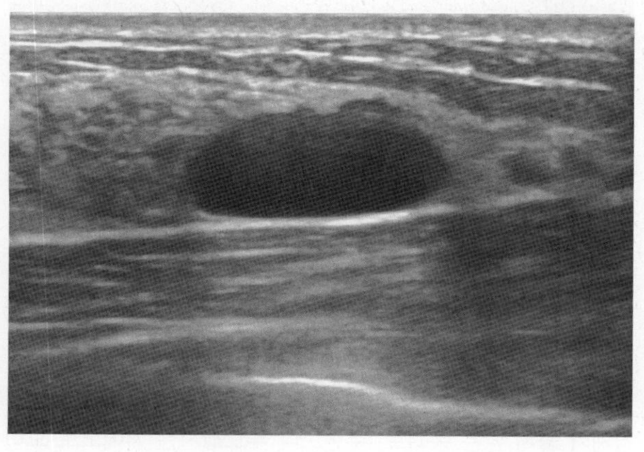

• 그림 35-12. **낭종의 유방 초음파 소견** 난원형 국한성 변연의 종괴로 내부에 무에코와 후방 에코 증강을 보이는 낭종이다.

12)의 감별, 고형 종괴 중 양성과 악성의 감별 진단에 유용하다. 일반적으로 유방의 종괴 발견 시, 종괴의 모양, 방향, 변연, 병변 가장자리, 에코 양상, 후방 에코 소견, 주변 조직 변화, 및 도플러 소견 등을 종합하여 감별을 할 수 있다. 전형적인 양성 종괴의 기준에는 균질하고 강한 고에코를 보이거나 난원형이며 평행한 방향을 보이고 완전한 얇은 에코성 피막을 보이거나 네 개 미만의 완만한 분엽을 보이고 평행한 방향, 완전한 얇은 에코성 피막을 가지는 경우가 포함된다(그림 35-13). 악성으로 의심할 만한 소견은 침상, 각짐, 미세 분엽양 변연, 에코 달무리(echogenic halo), 불평행 방향, 후방에코감쇠 등이다(그림 35-14).

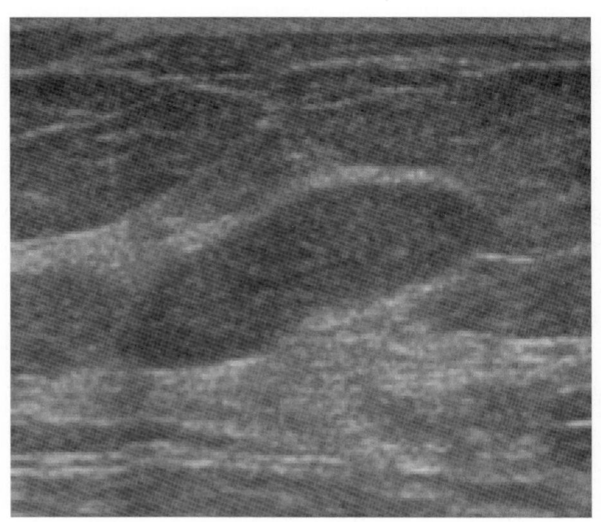

• 그림 35-13. **양성 고형 종괴인 섬유선종의 유방 초음파 소견** 난원형 국한성 변연의 종괴로 저에코를 보이는 고형 종괴이다.

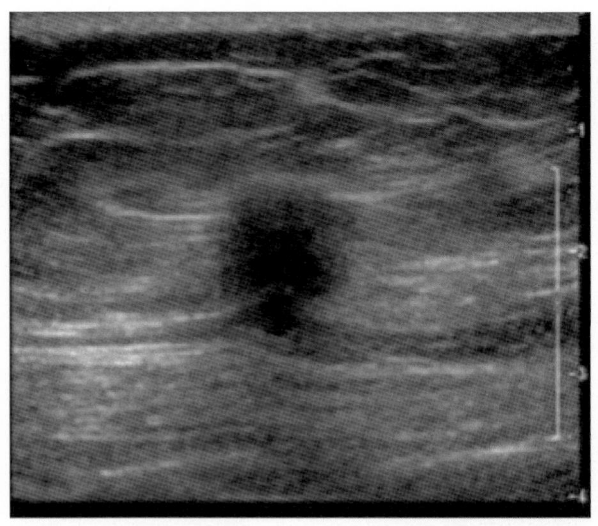

• 그림 35-14. **유방암의 유방 초음파 소견** 불규칙한 모양의 경계가 좋지 않은 종괴로, 주변보다 두드러지는 저에코로 보이며, 가장자리에는 지방조직보다 고음영의 달무리 음영을 동반하고 있다.

3. 유방 자기공명영상

1) 유방 자기공명영상의 역할

유방자기공명영상(breast magnetic resonance imaging)은 방사선 노출의 위험이 없으며 영상 대조도가 뛰어나고 객관적 평가가 용이하여 유방촬영술의 보조 검사법으로 이용된다. 특히 조영제를 이용한 역동적 조영증강검사가 도입되면서 유방자기공명영상은 불필요한 조직검사의 횟수를 줄이고, 다발성 유방암의 발견, 유방암의 병기 결정 등에 도움이 되는 비침습적 방법으로 각광받게 되었다. 더불어 최근에는 자기공명영상에서 발견되었으나 유방촬영술이나 유방초음파검사에서는 보이지 않은 병변의 경우 자기공명영상 유도의 조직검사, 침위치결정술 등이 가능해짐에 따라 그 역할이 더 확대될 것으로 기대되고 있다.

유방 자기공명영상은 유방촬영술이나 초음파와 같은 다른 영상법으로 병변의 감별진단이 어려울 때 사용될 수 있다. 유방암의 발견에 매우 민감하므로 수술 전 다발성 병소의 발견과 유방암의 병기 결정에 주로 이용된다.

조기 유방암의 치료법으로서 유방보존수술이 보편화되어 정확한 병변의 범위 결정이 중요해지면서 유방암 수술 전 자기공명영상의 시행이 증가하고 있다. 이 밖에도 액와 전이암 환자의 잠복 유방암 발견, 유방 보존수술 후 반흔과 재발 유방암의 감별, 유방성형술 후 삽입물의 파열 확인, 항암요법의 모니터링과 잔존 병변의 평가에 가장 정확한 영상법이며, 유방암의 위험도가 높은 고위험군 여성에서 유방촬영술에 추가로 선별 자기공명영상법의 시행이 고려되고 있다.

2) 유방 자기공명영상 소견

유방 자기공명영상에서 의심 병변이 발견되는 경우 형태학적 분석과 함께 역동학(kinetic) 분석을 함께 종합하여 감별진단한다. 병변의 형태, 변연과 내부 구조가 유방암과 양성 종양의 감별에 중요하다. 불규칙한 변연이나 주변부 조영증강은 악성 병변의 특징이고 평활한 변연과 균일한 내부조영증강 양상은 양성종양의 특징이다. 하지만 미만성 조영증강을 보일 때는 증식성 이형성증, 미만성 염증 변화, 유방암과 감별하기가 힘들다. 유방암은 조영제 주입 후 60-120초 사이에 빠르게 조영증강 되어 정점에 이르고 조영증강 직후 유실(washout)되며 정상 섬유유선조직은 시간이 흐를수록 점점 조영증강되어 유방암과 주변 조직과의 대조도가 점점 감소하므로 이 시점에 영상을 획득할 수 있는 시간해상능이 중요하다. 따라서 조영제 주입 후 60-120초 간격으로 4-5번 유방영상을 얻는 역동조영증강 기

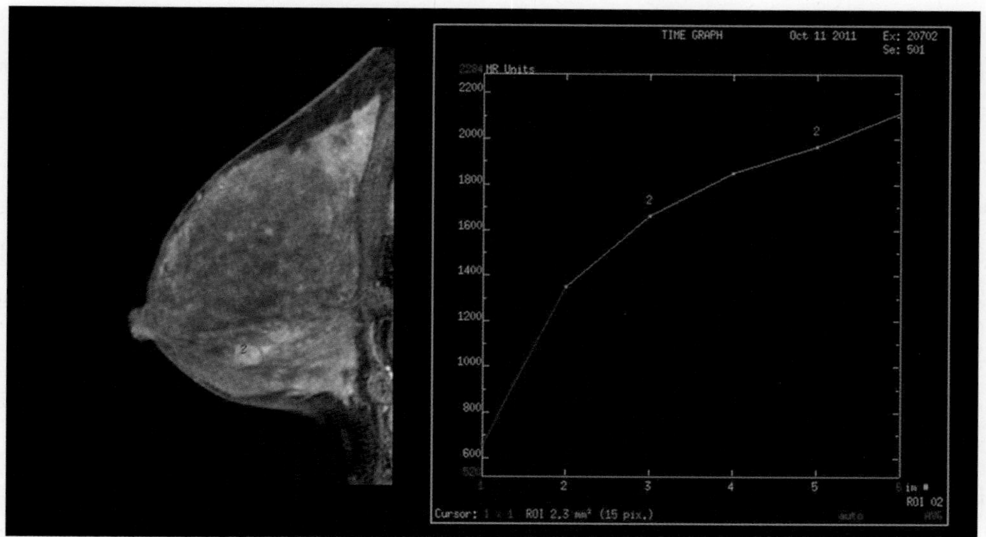

• 그림 35-15. **섬유선종의 역동 증강 자기 공명영상 소견** 종괴 내부의 신호강도가 조영제 주입직후 지속적으로 증가하는 조영증강 양상을 보인다. 병변의 경계는 평활하다.

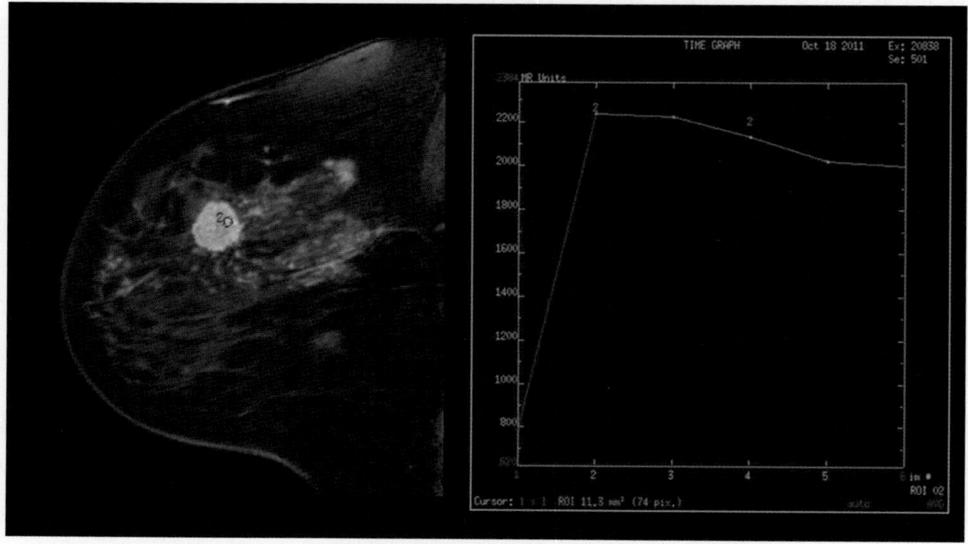

• 그림 35-16. **유방암의 역동 증강 자기 공명영상 소견** 종괴 내부의 신호강도가 조영제 주입직후 초기에 최대치에 도달한 후 감소하는 조영증강 양상을 보인다. 병변의 모양은 불규칙하다.

법이 사용되며, 시간에 따른 병변의 조영증강 양상을 파악하는 것이 병변의 감별진단에 중요하다. 조기 조영증강 직후 지속적으로 증가하는 양상(persistent pattern), 기울기가 편평해지는 양상(plateau pattern), 감소하는 양상(washout pattern)이 있고, 대개 양성 병변은 조영증강이 지속적으로 증가하는 양상을(그림 35-15)을, 악성 병변은 조영증강이 최초의 빠른 증가 이후의 점차 감소하는 양상(그림 35-16)을 보인다.

V. 초음파유도생검

신체진찰에서 종괴가 만져지거나 영상소견만으로 병변이 조기유방암인지 양성 질환인지를 구분하기가 어려울 때 확진하기 위해 흔히 생검을 하게 된다. 영상유도 침생검법으로 초기에는 세침흡입술(fine needle aspiration, FNA)이 이용되었으나, 최근에는 충분한 조직을 얻을 수 있다는 장점 때문에 14게이지(gauge) 이상의 굵은 침과 생검총을 이용한 중심부침생검(core needle biopsy)과 진공흡입장치(vacuum-assisted device)를 이용한 생검이 주류를 이루고 있다.

초음파유도생검은 유방촬영술유도생검에 비해 방사선 노출이 없고, 환자가 유방의 압박 없이 누운 자세로 시술을 받을 수 있으며, 실시간으로 침의 위치를 확인할 수 있고, 유방과 액와부 등 모든 부위를 여러 방향에서 접근하여 조직 채취가 가능하며, 시술시간이 짧다. 그래서 유방초음파검사에서 병변이 잘 보이는 경우에는 초음파유도생검을 선호한다. 초음파유도생검은 외과생검법보다 덜 침습적이며 95% 이상의 높은 진단 정확도를 보여 널리 이용되고 있다. 초음파유도생검으로 암을 진단하면 수술횟수를 줄이고 수술법 등 치료계획을 결정하는 데 도움이 된다. 상처를 적게 남기면서도 경제적이고 정확한 영상유도 조직검사법이 외과생검을 대체하고 있다.

1. 세침흡인술

세침흡인술은 가는 바늘을 사용하여 병변에서 세포들을 흡입 추출하여 세포학적 형태를 검사하는 방법이다. 세침흡인술은 20-25게이지의 바늘과 주사기를 이용한다. 세침흡인술이 유방암의 진단에 정확하다고 생각되는 이유는 암세포가 양성 세포에 비하여 응집력이 약해서 쉽게 떨어져 나오기 때문이다.

유방 병변의 세침흡인술의 장점은 시행방법이 간편하면서 빠르고, 정확하고 결과를 빨리 알 수 있다는 것이다. 또한 매우 가는 침을 이용하므로 상대적으로 환자의 고통이 적고 안전하여 시술로 인한 합병증이 드물고 흉터가 남지 않으며, 세침 경로를 따라 암이 전이될 가능성이 매우 적다. 세침흡인술의 유용성을 최대화하려면 시행의사의 숙련된 기술과 경험이 중요하며, 유방 세포진단학에 경험이 많은 병리과 의사가 반드시 있어야 한다. 병리과 의사는 표본이 충분한지 결정하고, 악성 유무를 정확히 진단할 수 있어야 한다. 그러나 불충분한 표본추출 및 높은 위음성률(예민도: 65-99%, 특이도: 64-100%, 정확도: 81-98%) 등으로 점차 세침흡인술 대신 중심부침생검을 시행하는 경향으로 바뀌면서 세침흡인술 시행 건수가 전체적으로 감소하고 있다. 세침흡인술 시 유도법으로는 촉지, 초음파, 유방촬영술이 있다. 이 중 가장 흔히 이용되는 유도법은 초음파이고, 촉지되는 병변의 경우에도 정확하고 안전한 검사를 위해 가능하면 초음파 유도 흡인술을 시행할 것을 권장한다. 또한 유방촬영술과 초음파검사 모두에서 보이는 병변이라면 초음파 유도 하에 시행하는 것이 좋다. 초음파 유도 세침흡인술은 피부 소독후 보통 21-25게이지 바늘을 사용하며 10 cc 또는 20 cc 주사기를 끼운다. 검사자는 한 손에는 탐촉자를, 다른 손에는 주사기 잡개를 잡고, 바늘로 병소를 여러 각도로 10-15번 정도 움직이며 흡인한다. 흡인물을 즉시 도말하고 에탄올에 고정한다. 고정액에서 30분 이상 고정된 슬라이드를 Papanicolau 염색이나 hematoxylineosin 염색하여 판독하고 필요한 경우에는 특수 염색하기도 한다.

2. 중심부침생검(core needle biopsy)

초음파유도생검은 1993년 Parker 등이 처음 기술한 이래로 빠르게 보급되고 있다. 생검총을이용한 중심부침생검은 일반적으로 외과생검에 비해서는 비침습적이고 간단하며 병리학적 판독이 어렵지 않아 외과적 생검과 거의 비슷한 수준의 진단율을 보인다. Parker는 그의 초기 연구에서 181개 초음파 유도에 14게이지 중심부침생검을 시행하고 49개의 병변에 대해 외과절개생검을 하여 서로 비교한 결과 100%의 일치율을 보고하였다. 세침흡인술과 비교하면 일반적으로 14게이지 코어침(core needle)을 이용하여 좀더 많은 조직을 얻기 때문에 위음성률과 불충분한 검체율을 낮추어 진단율을 높일 수 있고 양성 질환의 확진 및 비정형 관상증식증 및 관상피내암의 저평가율을 낮춘다. 촉지성 여부에 관계없이 영상으로 병변을 확인하면서 생검을 시행하면 조직 채취의 정확도가 높아지므로 영상유도생검을 시행하고 있다. 보고에 따르면 초음파 유도 14게이지 총생검 후 영상-병리 소견 불일치를 보인 경우 7-50%에서 재생검상 악성병변으로 확인되었다. 생검 결과와 영상 소견이 일치하지 않을 때는 진공보조흡인 생검 또는 외과생검 등 재생검으로 조직을 더 많이 얻어야 하며, 중심부침생검결과 비정형 관상증식증, 유두종양, 엽상종양 의심, 소엽종양, 방사상 반흔 등 고위험병변으로 진단된 경우 외과생검을 해야 한다. 많은 연구에서 중심부침생검 후 재검하는 비율은 9-18%로 보고하고 있다. 시술시에는 유방초음파 사진을 관찰하여 검사할 병변을 정하고 시술에 필요한 도구를 확인한다. 시술 전에는 환자의 병력(출혈소인, 심장병, 약에 대한 부작용 등)을 알아보고 시술 여부를 결정한다. 병변에 침이 들어갈 방향을 고려하여 환자를 눕히고, 병변 부위 및 침이 들어갈 피부를 소독한 후 구멍이 있는 소독포를 덮는다. 1% 리도카인(lidocaine) 2-3 mL로 피부 및 침이 위치할 유방조직을 마취한 뒤, 외과용 칼로 코어침이 들어갈 피부 부위를 약간 절개한다. 피부의 절개부위를 통해 유방 내로 침을 탐촉자에 평행한 방향으로 삽입한다.

초음파 영상을 보면서 코어침을 병변의 가까운 쪽 경계면에 위치시킨 상태에서 발사 전 사진을 찍고, 초음파 영상으로 실시간으로 확인하며 병변을 향해 총을 쏘아 침을 병변 내로 관통시킨 다음 발사 후 사진을 찍는다. 관통 후 탐촉자를 90도로 돌려서 코어침이 병변 내에 위치하고 있는 영상을 확인할 수 있다(그림 35-17). 코어침을 피부 밖으로 빼내 얻은 조직을 포르말린 용액이 담겨있는 조직통에 넣는다. 같은 과정을 침의 위치를 조금씩 바꾸어가면서 4-5회 이상 반복하여 여러 개의 조직을 채취한다. 시술이 끝난 후 지혈을 위해 몇 분간 압박한 후 피부 상처 부위를 소독하고 멸균 반창고나 거즈를 대준다. 이후, 생검 결과를 확인하여 생검 결과와 영상 소견이 일치하지 않으면 재생검을 고려해야 한다. 중심부침생검 후의 가능한 합병증으로는 통증, 출혈, 감염, 흉근의 천공 등이 있으나 흉근의 천공과 같은 심각한 합병증은 실제로 매우 드물다.

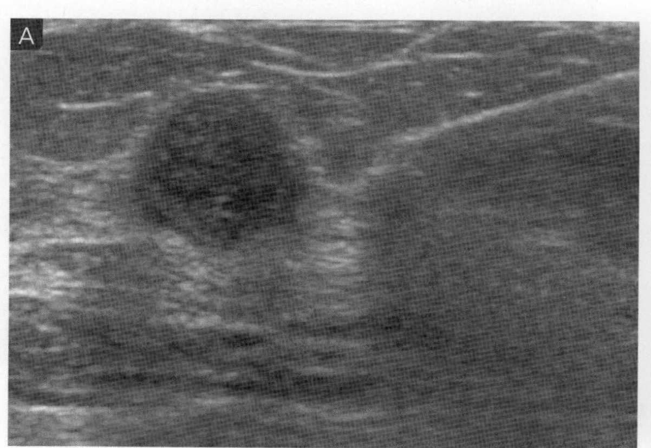

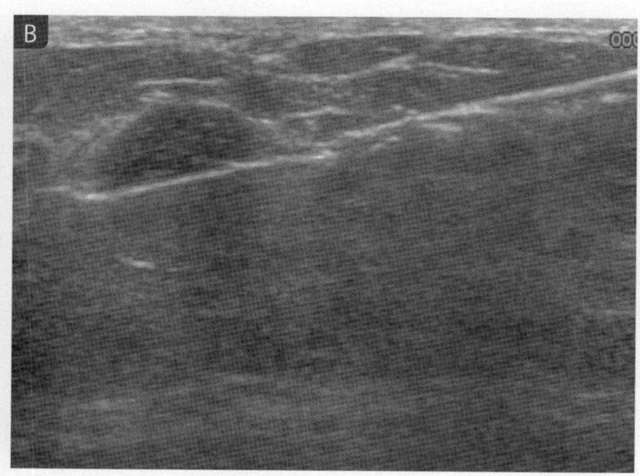

• 그림 35-17. 총생검 시 코어침이 병변을 관통하기 전(A)과 병변을 관통한 후(B)

3. 진공보조흡인생검

진공보조흡인생검은 진공흡입기의 원리를 이용한 장비를 이용하여 병변의 조직을 얻는 방법으로, 침은 홈이 패인 바깥쪽 침과 안쪽의 회전하여 자르는 침칼로 구성되어 있고 진공흡입기에 연결되어 있다. 침을 목표 종괴의 아래쪽에 위치시킨 후 진공흡입기를 작동시키면 바깥쪽의 자르는 관이 열리면서 홈 안쪽으로 조직이 들어오고, 곧이어 바깥쪽의 자르는 관이 회전하면서 홈쪽으로 전진하여 조직을 자르고, 잘린 조직은 자동으로 침 손잡이 부분으로 나오게 된다. 사용되는 침의 굵기는 총생검의 침 보다 굵은 8-11게이지로 보다 많은 조직을 얻는 데 용이하도록 되어 있다. 진공보조흡인생검은 총생검과 달리 한 번 침을 삽입하면 침을 꺼내지 않고 같은 위치에서 침의 위치와 방향을 약간씩 조절하며 반복 흡입하여 병변의 조직을 얻는다(그림 35-18). 조직을 채취하기 위해 침을 쏠 필요가 없으며 침을 한 번만 종괴에 삽입하면 다시 침을 유방 밖으로 뺄 필요 없이 15-20회 정도 반복해서 조직을 얻을 수 있으므로 진단율을 높이고 재생검의 빈도를 줄일 수 있다. 또한 진공흡입기의 원리로 지속적으로 조직을 채취함으로써 많은 양의 조직을 얻을 수 있어 암이 아닌 양성 병변의 경우 병변을 제거할 수도 있다. 14게이지의 총생검에 비해 많은 양의 조직 채취가 가능하므로 진단율이 높아 11게이지 침을 이용할 경우 민감도가 98-100%, 특이도가 100%라고 알려져 있으며, 총생검에 비해 비정형 관상증식증, 관상피내암의 조직학적 저평가율이 적다. 특히 유방초음파유도 진공보조흡인 생검으로 병변을 완전히 제거했을 때의 저평가율은 0%로 보고되었다. 그러나 진공보조흡인생검 결과 고위험병변(비정형 관상증식증, 엽상종양, 유두종양 등)으로 진단되면 외과생검으로 더 많은 조직을 얻어 정확히 진단해야 한다. 시술 시에는 유방촬영술 및 유방초음파 사진을 관찰하여 검사할 병변을 정한 뒤, 검사 부위를 소독하고

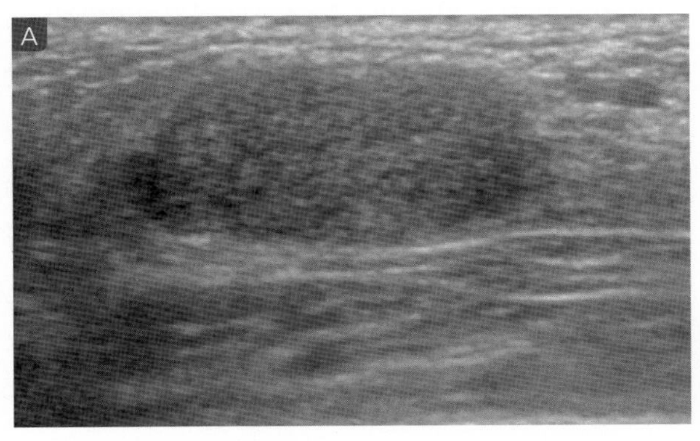

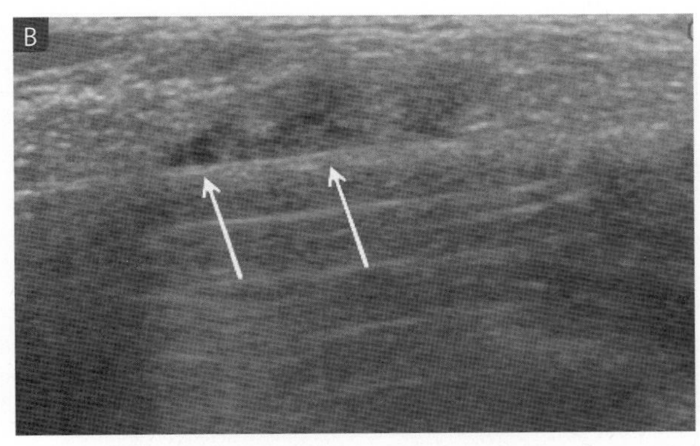

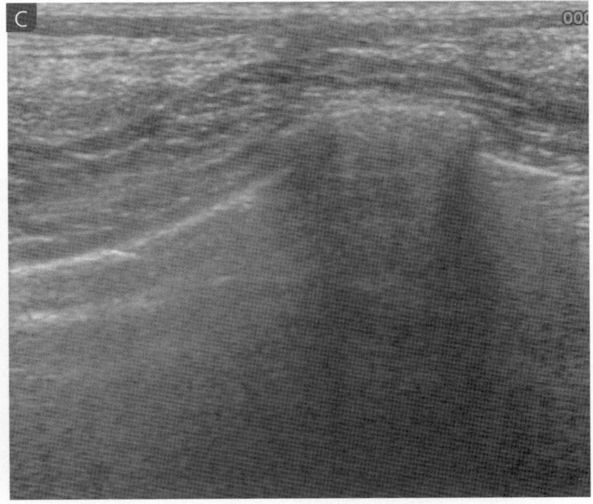

● 그림 35-18. **초음파 유도하 진공흡인생검법을 이용한 조직검사 초음파 소견** A : 경계가 좋은 저에코 종괴가 보이고 있다. B : 진공흡입기를 채취모드로 작동시키면 바깥쪽의 자르는 관이 열리면서 홈(화살표)이 보인다. 홈 뒷쪽으로는 반향 호상이 보이면서 조직이 홈 안쪽으로 들어온다. C : 시술 후 시술 부위에 더 이상의 종괴가 보이지 않는다.

총생검과 같은 방법으로 마취를 시행하고 침이 들어갈 굵기를 고려하여 절개한다. 이후, 1% 리도카인과 에피네프린(epinephrine) (200,000: 1)을 혼합한 10-15 mL 용액으로 척수천자바늘을 이용하여 병변 내, 주위, 그리고 침이 들어가는 경로를 추가적으로 마취한다. 진공흡인장치를 켜고 positioning mode에서 침의 회전칼을 침 끝까지 닫아 침의 홈을 막는다. 침을 피부의 절개를 통해 유방 내로 삽입한 후 초음파 영상을 보면서 침을 병변 아래쪽에 삽입한 상태에서 장비를 sampling mode로 바꾼다. 이때 회전칼이 후진하면서 침에 파인 홈이 나타난다. 스위치를 눌러 회전칼을 전진시키면 조직이 침에 파인 홈으로 진공흡입되면서 회전칼에 의해 절단되다. 절단을 마친 회전칼이 후진하면 절단된 조직이 침의 후 방에 있는 수집공간으로 배출된다. 장비의 종류에 따라 생검 도중 조직을 꺼내거나 생검이 끝난 뒤 한꺼번에 조직을 꺼내 포르말린 용액이 담겨있는 조직통에 넣는다.

회전칼의 전진, 후진과정을 반복하는 동안 병변 내에 위치한 침의 방향을 −15°+15°또는 −30°+30° 정도로 돌려가면서 병변의 여러 부위를 골고루 채취한다. 침 방향을 바꿀 때는 회전칼이 전진된, 즉 침 홈이 닫힌 상태에서 해야 병변, 유방의 내부 상처를 줄일 수 있다. 시술 중간에는 간헐적으로 clear mode를 이용하여 병변이나 바늘내에 남아있는 혈액이나 혈종, 조직찌꺼기를 제거한다.

시술이 끝난 후 출혈을 방지하기 위해 10-20분간 압박한 후 피부 상처 부위를 소독한다. 시술 부위에 거즈를 대고 압박붕대로 압박하여 가슴을 감아준다. 압박붕대는 2-3일간 착용하게 하여 혈종을 방지한다.

VI. 양성 질환

1. 양성 유방질환의 빈도

양성 유방질환은 일반 여성에서도 매우 흔하게 관찰된다. 예를 들어 조직학적으로 섬유화 변화와 낭형성의 특징을 보이는 섬유낭종 변화의 경우 여성들의 50-60%에서 발견될 정도로 흔하다. 섬유낭종 변화는 임상적으로 유방에 다수의 멍울처럼 만져지나(lumpy breast) 잘 구분되는 결절이 없으며, 이러한 섬유낭종 변화는 유방암의 발생 위험을 높이지 않는다. 사춘기에서 20대 중반까지 흔한 섬유샘종의 경우, 이 연령대 여성들의 부검한 증례에서 15-23%, 유방전문 클리닉을 방문한 여성의 7-13%, 역학적인 연구에서 2.2%의 빈도로 유병률이 보고되고 있다.

2. 양성 유방질환의 병리학적 구분

양성 유방질환은 만져지는 병변, 유방의 영상학적 검사 중 발견된 만져지지 않는 병변, 그리고 현미경 검사 중 우연히 발견된 병소 등 악성 질환 이외의 이질적인 성격의 병변들을 포함한다. 일부 섬유샘종이나 관내유두종과 같이 균일한 조직학적 병소이기도 하지만, 대부분 양성 유방 질환의 조직 소견은 종말관유소엽단위(terminal duct lobular unit)의 조직학적 변화가 혼재된 양상으로 존재한다.

양성 유방질환을 병리학적으로 분류하는 목적은 (1) 상피내암과 침습암으로부터 양성 병변을 구분하고, (2) 확인된 양성 병변의 유방암 발생 위험도를 구분하는 데에 있다.

Dupont는 양성 유방 병변을 유방암 발생위험도에 따

표 35-3. Dupont, Page, Rogers의 기준에 따른 양성 유방병소의 분류

비증식성 병소
낭 유두상 아포크린화생 상피 관련 석회화 보통형 경도 관상피증식증
비정형성이 없는 증식성 병소
보통형 중등도 또는 개화성 관상피증식증 관내유두종 경화샘증 섬유샘종
비정형증식증
비정형관상피증식증 비정형소엽증식증

라, 비증식 병소(nonproliferative lesion), 비정형이 없는 증식 병소(proliferative lesion without atypia), 비정형증식증(atypical hyperplasia)의 세 가지로 나누었다(표 35-3).

1) 비증식 병소

비증식 병소는 낭(cyst), 유두상 아포크린화생(papillary apocrine change), 상피관련석회화(epithelial-related calcifications), 보통형 경도 관상피증식증(mild hyperplasia of the usual type) 등이 포함된다.

경도 관상피증식증은 관상피세포가 4층 이하로 증식하며 관강을 가로지르지 않은 상태를 말한다. 이들 비증식성 병소는 향후 유방암 발생의 위험성을 높이지 않는다.

2) 비정형이 없는 증식 병소

비정형이 없는 증식 병소는 보통형 관상피증식증(usual ductal hyperplasia) 또는 중등도와 개화성 관상피증식증, 관내유두종(intraductal papilloma), 경화샘증(sclerosing adenosis), 방사형 반흔(radial scar), 섬유샘종(fibroadenoma) 등이 포함된다. 이 병소들의 향후 유방암 발생의 비교위험도는 평균적인 여성들과 비교해 1.5-2.0이다.

보통형 관상피증식증은 관상피세포가 5층 이상으로 증식한 관내상피 증식상태를 말하며 관강을 가로지르거나 관이 확장된 소견을 종종 보인다. 증식의 양상은 고형(solid), 창문모양(fenestrated), 또는 유두상(papillary)일 수 있으며 남은 관강은 모양이 불규칙하거나 다양하며 기저막(basement membrane)과 평행하게 증식부의 가장자리에 주로 분포한다.

관내유두종은 단일(중심) 또는 다발(말초)로 발생하며 단일성은 배출관(major lactiferous duct), 다발성은 종말유선관소엽단위에서 발생한다. 조직학적으로 입방상피세포와 원주상피세포가 섬유혈관 중심(fibrovascular core)를 둘러싸는 유두상구조물을 이룬다. 근육상피세포층은 상피세포와 결체조직 줄기사이에서 구분되어진다. 관내유두종이 중심부침생검(core needle biopsy)에서 진단된 경우 약 5% 내외에서 상피내암이나 침윤 유방암이 동반되기 때문에, 완전한 종괴의 절제가 권장된다. 최근에는 사이즈가 작은 관내유두종의 경우 진공흡입장치(vacuum assisted device, Mammotome®)를 이용한 절제를 시도하기도 한다.

경화샘증은 보통 우연히 발견되나 유방촬영술에서 석회화 또는 변형된 구조나 종괴 병소로 나타나기도 한다. 때로 영상에서나 조직학적으로 침윤암과 유사한 소견을 보이므로 주의를 요한다. 경화샘증이 진단된 여성에서 암발생위험은 일반 여성보다 1.7배 정도 높다.

방사형 반흔은 방사상 경화병소(radial sclerosing lesion)라고도 불리며, 크기가 1cm 보다 크거나 인접한 탄력섬유 구역이 동반된 경우 복합 경화병소(complex sclerosing lesion)로 불리기도 한다. 다른 적응증으로 시행한 조직검사에서 우연히 발견되는 경우가 가장 많다.

크기가 클 경우에는 유방촬영술에서 불규칙적인 경계의 음영으로 나타나며 암종과 유사한 소견을 보이기도 한다. 방사형 반흔과 암종과의 인과 관계에 대해서는 명확하지 않지만 중심부침생검(core needle biopsy)에서 방사형 반흔이 있을 경우 악성 병변이 동반되는 빈도가 5%에 이르기 때문에 병변의 완전한 절제를 요한다. 섬유샘종은 10-20대 여성에게서 호발하는 양성 질환으로서 상피요소들은 다른 종말유선관소엽단위의 정상세포와 비슷하지만, 결합조직 요소가 다른 것이 특징이다. 섬유샘종은 신생물과정(neoplastic process)이라기보다는 과증식과정(hyperplastic process)으로 인정되고 있다. 임상적으로 섬유샘종은 경계가 분명해서 주위 정상조직과는 확실히 구분된다. 육안적으로 표면은 매끈하거나 결절성을 띠고 절단면은 흰색이나 연노랑색이며, 고형 조직 안에 초승달모양의 길쭉하고 납작한 공간들을 흔히 볼 수 있다. 단단하거나 고무 같은 촉감을 느낄 수 있고 점액성 변화가 동반되어 미끄럽기도 하다. 일반적으로 단순 섬유샘종은 유방암 발생 위험을 높이지 않으나, 직경 3 mm 이상의 낭종, 경화샘증, 상피석회화, 유두상변화 등을 동반한 복합섬유샘종(complex fibroadenoma)의 경우 상대위험도가 증가된다는 보고가 있다. 섬유샘종은 약 8%에서만 2년 내 크기가 증가하는 것으로 되어있으며, 대부분의 섬유샘종은 2-3 cm 정도 자라면 성장을 멈춘다. 섬유샘종은 대부분의 경우 종괴를 제거할 필요가 없지만, 사이즈가 크거나 계속 자라는 경우, 악성 종양이나 엽상종양과 감별이 어려운 경우 종괴의 절제술을 시행할 수 있다.

3) 비정형증식증

이 카테고리의 병변은 향후 유방암 발생 위험을 일반인에 비해 3.5-5.0배 증가시킨다.

(1) 비정형관상피증식증

비정형관상피증식증(atypical ductal hyperplasia)이란 조직학적으로 저등급의 관상피내암(ductal carcinoma in situ)의 구조와 세포학적 형태를 일부 만족시키지만 완전히 일치하지는 않는 병소를 일컫는다. 저등급 관상피내암의 소견은 구조적으로 종양세포들이 분명한 경계를 보이며 골고루 분포하지만, 이러한 소견이 관의 일부에서 관찰되면 비정형관상피증식증으로 진단한다.

(2) 비정형소엽증식증

비정형소엽증식증(atypical lobular hyperplasia)은 소엽상피내암과 세포학적으로 차이는 없지만, 비정형세포로 대치된 소실이 소엽의 50% 이하를 차지하여 변형되고 팽창되어 있으면 비정형소엽증식증으로 진단할 수 있다.

3. 그 밖의 양성 종양

1) 수유샘종(Lactating adenoma)

수유샘종은 임신 또는 수유기간 중에 발견되는 하나 또는 하나 이상의 유동성 양성 종양이며 육안으로 보았을 때 경계가 분명하고 소엽모양이며, 황갈색의 관상샘종보다 부드러운 단면을 보인다. 수유샘종과 관상샘종의 소견이 중복되는 경우가 있기 때문에 이 종양은 이미 존재하던 관상샘종에 수유성 변화가 동반되었다는 주장도 있고, 진정한 종양이 아니라 임신이나 수유기에 보일 수 있는 소엽의 국소적 과증식이라는 견해도 있다.

2) 유두샘종(Adenomas of the nipple)

유두샘종은 유두관에서 발생한 종양으로 주된 성분은 샘종 증식이며 유관상피의 유두상증식이 함께 존재하지만, 이러한 유두상증식은 눈에 띄지 않게 존재하거나 존재하지 않는 경우도 있다. 육안으로 보았을 때 샘종의 경계가 불분명한 회황색의 고형 종괴로 유두 및 유두하구역에 관찰되지만 일부에서는 육안으로 관찰되는 소견이 없기도 하다. 불완전하게 절제되면 재발할 수 있다. 드물게 이 병소와 관련된 암종이 보고되고 있다.

3) 샘근상피종(Adenomyoepithelioma)

샘근상피종은 드문 종양으로 다양한 연령에서 발생한다. 종종 촉지성 병소로 관찰되며 육안으로 보면 경계가 분명하며 분엽화된 소견을 보인다. 조직학적 소견에서는 대부분 몇 개의 결절성 종괴가 모여 있는 모습을 보이며 부분적으로 유두상 성장양상을 보이는 경우가 많아 관내유두종의 한 종류로 구분하고 있다. 병소의 적절한 치료를 위해 국소 절제술을 통한 병소의 완전한 절제를 권하고 있다.

4. 유방통

모든 여성의 69%가 심한 유방통을 한 번은 경험할 정도로 유방통은 여성에서 매우 흔한 증상이다. 이러한 유방통은 젊은 여성에서부터 폐경 후 여성까지 다양하게 경험한다. 유방통의 가장 중요한 특징은 환자를 안심시키는 것만으로도 약한 통증은 86%에서 그리고 심한 통증도 52%에서 증상이 소멸된다는 점이다.

유방통은 월경주기와 관계된 주기(cyclic) 유방통이 전체의 70%를 차지하며, 비주기(noncyclic), 유방외통증(extramammray) 등이 나머지를 차지한다. 비주기 유방통증의 원인으로는 쿠퍼씨 인대의 견인, 브래지어의 압박, 지방괴사, 유방염, 낭종, 몬도르씨 병 등이 있으며, 유방외통증의 원인으로는 Tietze 증후군, 외측흉벽 통증, 경추 관절염, 허혈 심질환, 담낭질환 등이 있다.

유방의 통증을 호소하는 환자가 진료실을 방문했을 때에는, 유방암을 비롯한 병적인 상태가 아닌지 확인하는 것이 가장 중요하며, 특히 35세 이상의 여성에서는 유방촬영술을 시행하는 것이 바람직하다. 실제로 유방통이 유방암의 단독 증상인 경우는 매우 드물다.

다른 질병이 확인되지 않았으며, 통증이 일상생활에 지장을 줄 정도로 심하고, 6개월 이상 지속되는 경우 약물 치료를 고려한다. 지금까지 연구에서 유방통에 효과가 입증된 약은 타목시펜이 거의 유일하다. 초기 용량을 하루 10 mg으로 3-6개월 간 투여해 보며, 증상에 따라서 그 이후에 용량을 조절한다. 타목시펜에 반응이 없을 경우 다나졸(200 mg/일)이나 브로모크립틴의 투여를 고려할 수 있다. 달맞이꽃 종자유(evening primrose oil)가 유방통에 효과가 있다는 보고가 있고 부작용이 적어 초기에 사용해 볼 수 있으나(1-3 g/일), 그 효과에 대한 근거가 부족하다.

약물치료 외에 환자에게 권고할 수 있는 방법으로는 몸에 잘 맞는 브래지어를 착용할 것, 카페인 섭취와 지방 섭취를 줄일 것, 호르몬 보충제를 먹는 여성의 경우는 그 용량을 감소해 볼 것 등이 있다.

5. 유두 분비물

유방의 질환이나 증상으로 병원을 방문하는 환자의 6.8%가 유두 분비물을 주소로 호소한다고 하며, 유두 분비물의 95% 이상은 양성 병변이 원인이다. 병적인 유두 분비물의 특징은 다음과 같다.

- 짜지 않아도 자발적으로 나올 때
- 단일 유관에서 분비물이 나올 때
- 지속적이며, 환자가 불편감을 느낄 때
- 육안적으로 혈성, 혹은 잠혈이 있을 때
- 환자의 연령이 40세 이상
- 촉지되는 종괴나 영상 소견의 이상을 동반한 경우

유두 분비물의 가장 흔한 원인은 생리적인 분비물과, 약물에 의해 유발된 분비물이다. 약물 중에서도 시메티딘

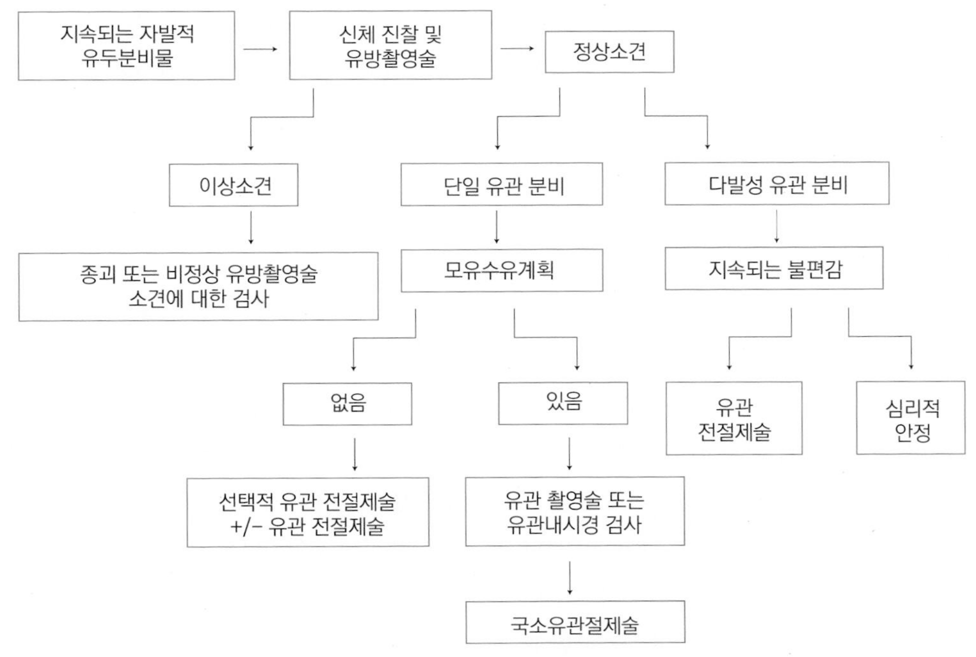

• 그림 35-19. **유두 분비물의 진단과 치료 알고리즘**

(cimetidine)과 같은 H2 수용체 길항제에 의한 것을 흔하게 볼 수 있으며, 그 밖에 항구토제, 항고혈압제, 항우울증 약물 등 향정신성 약물, 여성 호르몬제제 등이 원인이 될 수 있다. 임신 중인 여성에서 정상적으로 일시적인 혈성의 분비물이 있을 수 있어서 주의를 요하며 이런 경우 신선한 선홍색의 혈액이 유두를 통해서 나오는 것이 특징인데, 한 두 번의 분비물이 있은 후 저절로 좋아진다. 임신이나 출산과 무관하게 유즙이 나오는 경우에는 고프로락틴혈증이나 갑상선기능저하증과 관련이 있을 수 있으므로, 이에 대한 검사를 요한다.

병적인 혈성 분비물의 가장 흔한 원인은 유관내 유두종이다. 과거에 유관조영술을 이용해 진단하였으나, 최근에는 유방초음파를 통해 확인이 가능하며, 정확하게 병변의 위치를 파악하여 제거할 수 있다. 유관확장증(mammary duct ectasia)이 병적인 유두 분비물의 15-20%를 차지하는데, 이는 특별한 치료를 요하지 않는다.

병적인 유두 분비물의 10-15%는 악성 질환이다. 유두 분비물이 있으면서 종괴가 촉지되거나, 영상 검사에서 종괴가 확인되는 경우 반드시 조직 검사를 통하여 악성질환의 여부를 확인하여야 한다(그림 35-19).

6. 고형 종괴의 평가

유방암의 가장 중요한 증상은 촉지되는 종괴이다. 그러므로 촉지되는 종괴를 주소로 내원한 환자에 대해서 정확한 평가가 필요하다. 임상적으로 중요한 촉지되는 종괴의 특징은 월경 주기의 다른 시기에도 변화없이 만져지고, 주변의 조직과는 다르게 구별되며, 반대편 유방의 상응하는 부위에는 비슷하게 촉지되는 멍울이 없어야 한다. 이런 종괴는 30세 미만에서는 섬유샘종이 가장 흔하며, 30-50세에는 섬유샘종을 비롯하여, 낭, 섬유낭종변화, 관상피증식증 등 다양한 양성 질환이 나타나며, 50세 이후에는 악성 병변의 가능성이 높아진다. 모든 분명히 촉지되는 종괴가 있는 환자는 유방 전문의의 진찰과 의견을 들을 필요가 있다.

35세 이상의 고형 종괴를 가진 환자는 진단을 위해, 의사에 의한 진찰, 유방촬영±유방초음파, 조직검사(혹은 세침흡인검사) 등의 삼중 검사를 거친다. 조직검사의 방법은 병변의 성격에 따라 선택할 수 있으며, 가장 많이 사용하는 방법은 침생검법이다. 맘모톰 조직생검은 더 많은 조직을 채취할 수 있는 장점이 있고 양성 병변이 확실시되는 경우 병변의 제거도 가능하다.

악성으로 진단되는 경우 주변조직의 파괴가 광범위하고 혈종이 생길 수 있어 추후의 외과적 수술을 어렵게 만드는 경우도 있다. 세침흡인검사는 저비용으로 손쉽게 수행할 수 있다는 장점이 있으나, 경험 많은 병리과 의사가 있어야 하며 위양성의 우려도 있다.

병변에 대한 절제생검의 장점은 차후 추적검사가 필요없어져 오히려 비용-효과적일 수 있고, 환자의 암에 대한 불안감을 현저히 감소시킬 수 있고, 위음성의 가능성없이 가장 확실하게 조직학적 진단을 내릴 수 있는 점이다. 그러나 절제생검을 할 경우 흉터가 생기는 것을 막을 수 없고, 수술 자체가 환자에게 부담이 될 수 있으며, 악성으로 진단되었을 경우 이후에 유방보존수술을 어렵게 할 수 있다. 병변에 대한 절제술을 반드시 해야 하는 경우는 침생검에서 비정형 관상피증식증(atypical ductal hyperplasia)이 진단된 경우와 영상검사나 진찰에서 악성이 의심되나 조직검사에서 양성으로 진단된 경우이다.

Ⅶ. 유방암

1. 유방암의 역학 및 위험인자

유방암은 가장 흔한 여성암으로 발생률 또한 전세계적으로 매년 0.5%씩 계속 증가하고 있으며 특히 한국을 포함한 아시아권에서는 그 발생률이 3-4%정도로 더욱 급격히 증가하고 있다. 이는 이른 초경, 늦은 출산, 출산율 저하, 수유 감소 등으로 인한 에스트로겐의 노출 기간이 길어짐과 관련이 있을 것으로 생각되며 정기 검진이 보편화됨으로 인해 조기 발견의 증가 또한 중요한 원인으로 생각된다. 아시아권의 급격한 증가의 원인으로는 비만을 비롯한 서구화된 생활양식도 기여한 바 있다. 유방암은 다른 모든 암이 그러하듯 여러 인자가 복합적으로 작용하여 암을 일으킨다고 알려져 있다. 식이, 흡연, 음주 등의 보편적인 위험인자와 함께 생식 및 임신과 관련된 요인, 호르몬제제 노출력 등이 중요한 위험 인자로 알려져 있다. 또한 BRCA 1/2 변이 등의 유전적 요인은 유방암 발병에 5-10% 정도를 차지하고 있고 이러한 유전자 변이가 있는 여성은 평생 유방암에 걸릴 확률이 60-80% 정도로 추정된다.

유방암의 가장 분명한 위험인자는 성과 나이이다. 여성은 남성보다 유방암이 발병할 확률이 100배가량 높다. 유방암은 20대 여성에 비해 40대 이상에서 생길 확률이 400배가량 높다. 서양에서는 60대 이후의 폐경 여성에서 생길 확률이 더 높은 반면 우리나라에서는 연령별 발생률이 40-50대에 가장 높고 폐경기 이후에는 점차 감소하는 경향을 보인다. 어머니나 자매, 딸 중 유방암 환자가 있는 여성은 그렇지 않은 여성에 비해 유방암이 발병할 확률이 1.5-4배가량 높으며 이는 특히 발병 연령과 관련이 있다. 여성호르몬이 유방암의 발병에 기여하는 기전은 세포증식과 DNA 손상, 암의 성장 촉진 등이라고 생각된다. 그렇기 때문에 이른 초경, 늦은 폐경, 저출산, 늦은 출산 등이 유방암의 위험요인으로 작용하게 되는 것이다. 폐경 증상으로 인해 여성 호르몬제제를 복용하는 경우는 에스트로겐과 프로게스테론이 혼합된 대체요법을 5년 이상 지속한 경우 위험도를 높이는 것으로 알려져 있다. 비만, 과다한 음주 및 흡연 또한 유방암의 위험 요인으로 작용한다. 유방암 발생의 상대위험을 증가시키는 인자들은 표 35-4에 정리되어 있다.

표 35-4. 유방암의 위험도를 증가시키는 인자들

상대위험도	위험인자
4.0 이상	▪ 확실히 유전되는 유방암 유전자(BRCA1/2 이상) ▪ 직계가족에서 2명 이상의 유방암 환자(젊은 연령) ▪ 유방암의 병력이 있는 환자 ▪ 65세 이상의 고령(한국은 호발 연령이 40-50대) ▪ 여성(남성에 비해) ▪ 유방조직의 밀도가 높은 경우(유방촬영술상)
2.1-4.0	▪ 직계 가족에서 1명의 유방암 환자 ▪ 흉부에 고용량의 방사선치료를 받은 경우 ▪ 폐경 후 높은 골밀도
1.1-2.0 체내 여성 호르몬 관련 요인들	▪ 12세 이전의 조기 초경 ▪ 55세 이후의 늦은 폐경 ▪ 출산력이 없는 경우 ▪ 첫 출산이 30세 이후로 늦은 경우 ▪ 임신 경험이 없는 경우 ▪ 모유수유 경험이 없는 경우 ▪ 폐경 후 비만 ▪ 최근 경구피임약을 복용한 경우 ▪ 여성호르몬요법을 장기간 받은 경우
그 밖의 임상 요인들	▪ 난소암, 자궁내막암의 병력 ▪ 젊은 나이에 과다한 음주 ▪ 높은 생활 수준 ▪ 키가 큰 경우 ▪ 유태인종

2. 유방암의 증상 및 징후

환자들이 유방클리닉을 찾게 되는 가장 흔한 증상 중 하나인 유방통은 대부분의 경우에 있어서는 잠복 유방암을 시사하는 특이증상이 아니므로 정기적인 검진이 진행되고 있는 환자라면 추가적인 검사의 필요성을 시사하지 않는다. 유두 분비 또한 여러 가지 원인에 의해 발생할 수 있으며 병적 유두분비를 의심해야 하는 경우는 압박을 하지 않아도 저절로 분비되거나, 단일 유관에서 분비되거나, 지속적으로 분비되거나, 혈성 분비이거나, 40세 이상인 경우, 만져지는 종괴가 동반될 경우이다. 유방 종괴가 있을 경우 유방촬영술과 초음파를 시행하여 그 유방 영상 보고 데이터 체계인 BI-RADS (Breast Imaging Reporting and Data System)에 비추어 C4A 이상인 경우 조직학적 진단을 위한 조직검사가 필요하다. 검진상 유방암이 의심되는 경우에는 림프절 종대를 확인하는 것이 중요한데 양측 액와부 및 유방으로부터 배액되는 림프절이 존재하는 쇄골상하부를 모두 포함해야 한다. 병기 결정에 중요한 영향을 미치며 이에 따라 선행 항암요법이 우선시될 수 있으므로 간과되어서는 안 될 부분이다.

조직검사 방법으로 가장 흔히 사용되는 방법은 중심부 침생검(core needle biopsy)이며 대부분 초음파 유도 하에 시행될 수 있다. 세침흡인세포 검사는 과거에 많이 쓰였던 방법으로 간단하면서 정확도가 높고 이환율이 낮으며 환자들의 불편이 적다는 장점이 있지만 중심부침생검에 비해 얻는 조직의 양이 적기 때문에 위음성률이 상대적으로 높으며 숙련된 시술자가 요구되며 숙련된 세포병리학적인 판독이 요구된다. 중심부침생검의 경우도 세침흡인세포검사보다는 얻는 조직이 많기는 하지만 비슷한 한계를 갖기 때문에 영상 및 임상 양상과 불일치하는 경우 반드시 재생검을 통해 위음성의 가능성을 배제하는 과정이 필요하다. 초음파에서 잘 확인되지 않는 미세석 회화가 주된 병변인 경우 입체정위유도 맘모톰생검(stereotactic mammotome biopsy)을 시행할 수 있다. 이는 유방촬영술 유도 하에 굵은 바늘로 진공압을 이용해 조직을 얻는 진공보조유방생검법(vacuum-assisted biopsy)이다. 또 다른 방법으로는 유방촬영술 유도 하에 바늘로 위치표시 후 수술적 절제생검을 하는 방법이 있다. 이는 진단 및 치료를 동시에 할 수 있는 장점이 있고 침생검이 태생적으로 갖는 위음성의 가능성을 배제할 수 있다는 장점이 있다. 최근 이슈가 되고 있는 맘모톰 절제술은 현재까지 명확한 그 시행 가이드라인이 존재하지 않는다. 환자에게는 흉터가 거의 남지 않는다는 장점이 있지만 일단 맘모톰 절제술 후에는 시술 부위가 흐트러져 추후 수술이 필요한 경우 일차 병소의 경계를 파악하기가 어려워 그로 인해 양성 경계연의 확보가 중요한 경우 권장되지 않는다. 특히 침생검 결과상 유방암의 가능성이 배제되기 어려운 경우나 영상-병리 불일치 경우 신중한 판단이 요구된다.

3. 유방암의 병리

1) 비침윤 암종

(1) 관상피내암종

유방암에 있어서 비침윤과 침윤의 경계는 종양세포의 유관 기저막 침습 여부에 따라 결정된다. 관상피내암의 경우 종양세포가 기저막 내에 국한되어 증식하고 주변 기질 내로 침윤하지 않아 대부분의 경우 육안적으로 발견하기 어렵다. 하지만 분화가 나쁜 경우에는 불분명한 경계를 갖는 종괴 형태로 만져지기도 한다. 관상피내암종은 그 성장형태에 따라 크기 네 가지 유형으로 분류된다. 면포형(comedo), 체모양(cribriform), 미세유두형(micropapillary), 충실형(solid) 형으로 분류되지만 실제로 혼합되어 나타나는 경우들이 있고 어느 유형에도 맞지 않는 경우가 있으며 특히 그 예후를 반영하지 못하는 한계가 있어 최근 Van Nuys 분류 등 여러 기준들이 제안되고 있다. Van Nuys 분류는 크기, 절제연과 종양과의 거리, 핵등급과 면포형 괴사 소견 등으로 점수를 매겨 예후를 예측하기도 하였고 임상적 재현성에 대해서는 논란이 있다. 현재까지는 순수한 관상피내암의 경우 항암요법이나 표적치료의 대상에 들어가지 않으며 전절제가 아닌 보존 수술을 시행한 경우 방사선 치료를 권장한다. 호르몬요법은 에스트로겐 수용체 양성인 경우 화학예방의 개념으로 시행하고 있다.

(2) 파젯병

파젯병은 유방 외의 다른 부위에서도 생길 수 있는 질환으로 유방에 있어서는 주 분비관에 발생한 관암종이상피내 침윤으로 인해 유두와 유륜의 피부까지 침범하는 암종으로 전체 유방암의 5% 이내를 차지하며 많게는 95% 이상에서 잠재 유방암이 동반된다는 보고도 있다. 대부분 관내암종을 동반하며 침윤 관암종은 드물다. 유두와 유륜에 습진 병변처럼 삼출액이 나오고 가피나 균열, 궤양이나 화농 괴사를 동반하는 경우가 있으며 이러한 유두의 병변으로 발견되는 경우가 많아 이러한 경우 펀치 생검을 통한 조직학적 진단과 함께 유방촬영술과 초음파를 통해 동반 가능한 유방암의 유무를 확인하는 것이 필요하다. 파젯병을 동반한 유방암의 경우 예후가 더 좋지 않다는 보고도 있어 파젯병이 의심되는 경우 더욱 잠재암에 대한 검사가 필요하다.

(3) 소엽상피내암종

비정형소엽증식증과 소엽상피내암종은 종말유선관소

엽단위를 구성하는 세포에서 기원하여 소엽의 내강을 채우며 증식 확대되는 종양으로 비침윤 종양이지만 역시 유방암의 위험도를 7배 가량 증가시키는 비정형증식증의 일환으로 간주된다. 최근에는 암의 전구병변보다 강한 위험인자로 생각하는 경향이 많으며 1) MRI 등을 포함한 스크리닝 검사를 자주 하는 것과 2) 화학적예방요법(chemoprevention), 3) 예방적 양측 유방절제술(prophylactic bilateral mastectomy)을 고려한다.

2) 침윤 암종

(1) 침윤 관암종-일반형

침윤 관암종은 전체 유방암의 65-80%를 차지하는 가장 흔한 형이다. 그 크기는 중요한 예후인자 중 하나이다. 세포의 분화도와 핵/세포질의 비 등의 다양한 소견을 통해 핵등급과 조직학적 등급이 분류되는데 이에 따라 고/중등도/저분화 암종으로 구분되며 이 또한 예후와 관련이 있다.

(2) 침윤 소엽암종

침윤 소엽암종은 5-10%를 차지하는 두 번째로 흔한 유방암이다. 관암종과 소엽암은 육안적으로 관암종과 유사한 소견을 보여 구별되기 어려운 경우들이 있으며 공존하는 경우도 있다. 소엽암종의 경우에는 Ecadherin의 발현이 없어 감별에 도움을 준다. 소엽암종은 반대쪽 유방에 진단받았던 과거력이 있거나 병발하는 경우가 있고 다발성, 양측성 병변을 갖는 특징이 있어 있어 유방 MRI를 통해 추가적인 병변을 확인하는 것이 도움이 될 수 있다.

(3) 기타

침윤 유방암의 대부분은 관암종과 소엽암종이며 이 외에 세관암종, 수질암종, 점액암종, 침윤 유두암종, 선모양성 암종, 화생암종 등이 있다. 전체 유방암에서 차지하는 비율은 대부분 5% 내외로 적다. 이 외에도 유방의 피부와 피부 부속기 혹은 결합조직, 지방조직에서 기원하는 악성 종양이 있으며 편평상피세포암종, 기저세포암종, 섬유육종, 평활근육종, 지방육종, 연골육종, 골육종, 맥관육종 등이 있다. 육종은 혈행을 따라 원격전이를 흔히 동반하며 이들 중 맥관육종이 예후가 가장 불리하다.

4. 유방암의 외과적 치료

1) 역사

20세기 중반까지 유방암 수술의 원칙은 범위를 크게 하면 할수록 사망률을 감소시킬 수 있을 것이라는 가정 하에 유방 조직의 완전한 절제와 액와림프절의 완전한 제거가 중요하다고 여겨졌고 이를 기반으로 1894년 Halsted와 Meyer는 근치 유방절제술(radicalmastectomy)를 보고하는데 이는 유방암이 림프관을 따라 국소적으로 전이된다는 가정 하에 유방, 그 위의 피부, 흉근과 액와림프절을 모두 절제하는 것을 말한다. 유방암이 국소치료를 통해 극복될 수 있을 것이라는 하지만 근치 유방절제술 후에도 유방암의 전이 및 사망은 계속되었고 더불어 25% 정도의 유방림프배액이 내유림프절(internal mammary lymph node)로 된다는 사실이 밝혀지면서 확대 근치유방절제술(extended radical mastectomy)가 시행되기 시작하였다. 이는 근치유방절제술에 내유림프절 절제를 포함하는 술식으로 이러한 확대적 수술 방식으로도 생존기간이 연장되지 못하자 Halsted의 이론은 그 한계를 드러내게 되었고 1948년 Patey와 Dyson은 대흉근(pectoralis major muscle)을 보존하는 변형 근치유방절제술(modified radiacal mastectomy)을 고안하였다. 1970년대에 들어서면서 점차 변형 근치유방절제술이 근치유방절제술을 대체하기 시작하였다. Fisher 등에 의한 National Adjuvant Breast and Bowel Project (NSABP) B-04연구를 통해 유방전절제술 후 방사선치료를 한 군과 근치유방절제술을 한 군에서 생존율의 차이가 없음을 보였고 다른 두 연구에서도 근치유방절제술과 변형 근치유방절제술을 한 군의 생존율의 차이가 없음이 보고되어 변형 근치유방절제술이 유방암 수술의 표준 술식으로 자리 잡았다. 유방암의 치료를 위해서는 국소치료와 함께 전신치료가 모두 중요함을 강조하는 발상의 전환은 이후 유방암 치료에 큰 영향을 미쳤다. 유방암을 전신질환으로 생각하는 발상의 전환과 함께 수술 후-방사선치료는 유방암의 국소 치료에 있어 수술의 범위를 줄이는데 결정적인 역할을 하였다. 유방보존술을 Veronesi에 의해 사분역절제술(quadrantectomy)이란 이름으로 처음 시도되었다. 이후 6개의 대규모 전향적 연구에 의해 유방보존술후 방사선치료를 한 군과 유방절제술을 시행한 군에서 생존율이 차이가 없는 결과가 보고됨에 따라 이후 유방보존술을 표준 수술법으로 자리잡게 되었다.

액와림프절에 대한 곽청술은 그 치료 목적과 함께 병기 설정 및 예후를 가늠하고 수술 후 보조항암요법의 선택을 위한 목적을 가지고 있으며, 침윤 유방암에서는 일률적으로 시행되었지만 림프부종 등의 합병증과 후유증이 보고되고 또한 1/3 정도에서만 림프절 전이가 발견되면서 액와림프절을 평가하기 위한 새로운 방법을 모색하였다.

감시림프절(sentinel lymph node)이란 유방암에서 림프관을 통해 전이가 일어나는 첫 번째 림프절로 실제 임상에서는 흑색종에서 먼저 시작되었다. 감시림프절 생검을 통해 전이가 보이지 않았을 경우 액와림프절의 전이는 없을 것이라는 이론적 가정 하에 등장하였고 이후 Giuliano 등에 의해 그 안전성이 입증되면서 현재는 동위원소 주입 혹은 염색시약 주입을 통한 감시림프절 생검이 액와림프절 평가의 표준 술식으로 진행되고 있다.

2) 유방수술

(1) 유방절제술

유방절제술(mastectomy)은 수술 범위에 따라 근치유방절제술, 변형 근치유방절제술, 유방전절제술, 피부보존 유방절제술 등이 있다. 근치 유방절제술은 피부를 포함하여 유방 전체와 유두-유륜 복합체, 대흉근, 소흉근을 모두 제거하고 레벨 I, II, III 액와림프절을 모두 제거하는 술식이다. 변형 근치유방절제술은 대흉근과 레벨 III 액와림프절을 보존하는 술식이고 유방전절제술은 대흉근을 보존하고 액와림프절에 대한 평가는 포함되지 않은 개념의 술식이다. 피부보존 유방절제술은 기존의 유방절제술을 하면서 피부를 최대한 보존하여 유방재건을 용의하게 하고자 하는 술식이다.

유방절제술은 유방 조직을 모두 절제하는 방법으로 그 피판의 경계는 위로는 쇄골 하연, 바깥쪽으로는 광배근의 전연, 아래쪽으로는 복직근초, 안쪽으로는 흉골의 중앙선까지이다. 중요한 운동 신경인 장흉신경과 흉배신경이 보존되었는지 확인이 필요하다.

(2) 유방보존치료

유방보존치료(breast conservation therapy, BCT)는 종양 중위의 정상 유방조직을 포함하여 유방암을 절제해내고 액와림프절의 전이상태를 평가하며 수술 후 남아있는 유방에 방사선치료를 하는 것을 말한다. 종류에는 구역유방절제술(segmental mastectomy), 종괴절제술(lumpectomy), 부분유방절제술(partial mastectomy), 광범위 국소절제술(wide local excision) 등 다양하다. 유방보존치료에 있어서 국소재발을 줄이기 위한 가장 중요한 부분은 음성 절제연을 확보하는 문제이다. 이는 종양 주위 정상조직이 충분히 절제 되었는지의 여부이며 NCCN 가이드라인에서는 음성 절제연을 no ink on tumor로 정의하고 있는데 이는 제거된 조직 겉면에 염료를 칠했을 때 염료가 칠해진 부위에 암세포가 존재하지 않는 것이다. 기관에 따라 차이가 있지만 수술장에서 동결절편검사를 통해 음성 경계연이 확보되었음을 확인하는 경우와 최종병리결과를 통해 확인하는 경우가 있고 그러한 경우 최종 병리검사 결과상 절제연이 양성인 경우 추가 절제를 고려하게 된다.

(3) 종양성형술

최근 도입되고 있는 술식 중 종양성형술(oncoplastic surgery)이라는 개념이 있다. 이는 단순 유방실질의 재배치부터 다양한 유경피판을 이용하는 방법, 유방축소술까지 다양한 방법이 있으며 고전적인 유방보존술에 비해 피부 절개연이 크고 절제되는 유방조직의 부피가 큰 특징이 있고 그렇기 때문에 미용적인 효과를 배가시키면서도 절제연 양성과 그로 인한 추가 절제술의 필요성을 줄이고 나아가 잠재적인 국소재발을 줄일 수 있다는 장점을 갖는다.

(4) 유두-유륜복합체 및 피부보존유방절제술(Nipple-sparing mastectomy)과 피부보존유방절제술(Skin-sparing mastectomy)

피부보존유방절제술은 유방의 피부는 남기지만 모든 유방조직과 유두-유륜복합체를 완전 절제하는 술식으로 유두재건술이 2차적으로 필요하다. 이에 비해 유두-유륜복합체를 보존하면 미용효과를 증가시킬 수 있는데 수술방법의 안정성을 확보하기 위해 수술 전 유두-유륜복합체의 암세포침윤을 확인하는 것이 중요하다. 수술 전 신체 진찰 및 초음파, MRI 등으로 파악할 수 있으며 수술 중 유륜하부 유방실질의 절단면에 대한 동결절편검사로 확인할 수 있다. Gerber 등은 변형근치유방절제술, 피부보존유방절제술과 비교하여 101개월의 평균추적관찰기간 동안 국소재발률에 차이가 없음을 보고하였다. 이 수술의 가장 흔한 합병증은 유두-유륜복합체의 괴사로 빈도는 0-3% 정도이고 환자들이 가장 많이 호소하는 불편은 피부와 유두-유륜복합체의 감각소실이다.

3) 액와림프절 수술

(1) 감시림프절 생검

감시림프절 생검을 임상적으로 림프절 전이가 없는 유방암 환자에서 액와림프절 전이를 평가하기 위해 시행하는 술식이다. 미국 임상암학회의 권고안에 따르면 염증성 유방암이나 만져지는 액와부 림프절이 있는 경우, 임신 중 유방암, 이전 액와부 수술을 받은 병력이 있는 경우, 선행항암요법을 시행한 경우 등에서 감시림프절 생검을 시행하지 않도록 권고하고 있다. 최근 미국 외과 종양학회(American College of Surgeon Oncology Group, ACSCOG)에서 선행항암요법 후 감시림프절 절제술의 역할을 알아보고자 하는 다기관 전향적 연구(Z1071)가 시행되었다. 진단 시 세침흡인세포검사나 중심부침생검으로 액와부 림프절 전이가 확진된 환자를 대상으로 선행항암요법 후 감시림프절생검술 후 액와림프절절제술을 시행하였는데 1개 이상의 감시림프절발견율은 92%였고, 위음성률은 12.6%였다. 하지만, 연구설계 시 설정된 위음성률이 10% 미만을 만족하지 못하여 액와림프절 양성인 환자에서 수술 전 항암요법 후 감시림프절생검술을 보편적으로 적용하는 것은 불확실할 것으로 보고하였다.

감시림프절을 찾는 방법으로는 방사선 동위원소나 청색 생체염료가 주로 이용된다. 종양 주위나 유륜하에 주사하게 되며 수술 전날 혹은 수술 당일에 주입하는 경우가 대부분이다. 감시림프절은 85% 이상에서 레벨 I 구역에 위치한다. 최근 보고에 따르면 감시림프절을 찾는 성공률은 97%, 위음성율은 9.8% 정도로 보고되고 있다.

(2) 액와림프절 절제술

액와림프절곽청술은 우선적으로 감시림프절 생검에서 감시림프절에 전이가 보이는 경우 시행한다. 감시림프절이 나머지 액와림프절의 전이여부를 대표하지 못할 것으로 생각되거나 전이가 강력하게 의심되는 경우 일차로 액와림프절곽청술이 고려된다. 만져지는 액와림프절이 있거나 육안적으로 커져 있는 림프절이 있는 경우, 수술 전 액와림프절 조직검사상 전이가 있었던 경우 등이 그러한 경우이다. 액와림프절곽청술은 기본적으로 레벨 I, II 구역을 곽청하는 것이 표준이며 선택적으로 레벨 III까지 시행하기도 한다. 최근 1-2개 정도의 감시림프절에만 전이가 있는 경우 액와림프절 절제술을 시행하지 않아도 방사선치료와 전신요법을 통해 생존율에 차이를 보이지 않는 것으로 보고되어, 조건을 만족하는 경우 감시림프절 1-2개 전이가 발견된 경우에는 액와림프절 절제술을 생략할 수 있다.

5. 유방암의 항암화학요법

유방암은 수술 당시 이미 혈류에서 유방암 세포가 발견되는 경우가 대부분이며 이러한 미세하게 전이된 유방암 세포들이 나중에 원격전이로 발전할 확률이 있기 때문에 유방암 치료에 있어 항암화학요법은 중요한 축을 이룬다. 1970년대에 처음으로 이탈리아의 Milan그룹과 National Surgical Adjuvant Breast and Bowel Project (NSABP)에 의해 시행한 임상 연구를 시작으로 100개 이상의 전향적 무작위 연구를 포함한 수많은 연구들을 통해 보조 약물 요법을 통해 재발률과 사망률이 치료군에서 비치료군에 비해 25%가량 감소하고 특히 재발 위험도가 높은 군에서 그 약물 치료의 절대적인 이익이 높음이 보고되었다.

이후 보조 항암화학요법을 시행할 군을 결정하는 수많은 연구들이 진행되고 있으며, 현재까지의 연구를 기반으로 한 National Comprehensive Cancer Network (NCCN)의 보조요법 가이드라인에 따르면 예후가 매우 좋은 몇 가지 조직학적인 경우를 제외하고는 70세 이하의 침윤 유방암 환자에서 림프절전이가 있는 경우, 림프절전이 여부와 관계없이 원발 종양의 크기가 1 cm 이상인 경우 보조항암화학요법을 추천하고 있다. St. Gallen 회의에서는 에스트로겐/프로게스테론 수용체, HER-2등의 예측인자에 따른 세부 환자군별로 그 위험도에 따른 보조항암화학요법을 제시하였다. 유방암 환자의 위험도 분류는 표 35-5에 제시되어 있다. 호르몬수용체 양성이면서 HER2가 음성인 유방인 경우 최근에는 유전자 분석을 통해 보조 항암요법 여부를 결정하기도 한다. 전이된 림프절이 4개 미만인 환자에서 수술 후 파라핀고정조직으로 RT-PCR방법(Oncotype Dx®, MammaPrint®)을 통해 유방암 관련 유전자를 분석하여 재발의 위험도의 높고 낮음을 확인한 후 항암요법의 이득이 높을 것으로 판단되는 환자에서 선택적으로 항암화학요법을 하도록 하고 있다. 이러한 여러 방법들과 함께 환자들의 선호도와 전신 상태를 고려하여 전신보조치료 여부를 결정하게 된다.

유방암의 보조항암요법은 두세 가지의 약제를 이용한 복합항암화학요법이며 대개 3-4주 간격으로 투여된다. 항암요법 제재로는 고전적인 방법인 CMF (cyclophosphamide+methotrexate+5FU)를 6개월 간 시행하는 요법, anthracycline을 포함한 AC (anthracycline+cyclophosphamide), FEC (5FU+epirubicin+cyclophosphamide), CAF (cyclophosphamide+adriamycin+5FU) 등이 있다. 전이성 혹은 재발성 유방암에서 taxane 계열 항암제를 쓰기 시작하였고 최근 anthracycline 후에 taxane을 사용하는 순차적인 방법, 동시에 사용하는 병용하는 방법, taxane 계열만 사용하는 TC 요법이 있다.

선행항암요법이란 항암요법을 수술 전에 투여하는 것을 말하며 기본적으로 같은 약제를 같은 횟수와 주기로 주게 된다. 국소진행성 유방암에서 선행항암요법을 시행하는 것은 ① 전신적 세포독성제제를 조기에 투여하여 미세

표 35-5. 유방암 수술을 받은 환자들의 위험도에 따른 분류

위험도 분류	
저위험군	림프절 전이 음성 그리고 다음 사항 모두 ■ 종양 크기 ≤ 2 cm, 그리고 ■ 조직학적 등급 1, 그리고 ■ 광범위 종양 주위 혈관 침윤 음성, 그리고 ■ 에스트로겐 수용체 그리고 프로게스테론 수용체 양성, 그리고 ■ HER-2 증폭이나 과발현 음성, 그리고 ■ 나이 ≥ 35세
중등도 위험군	림프절 전이 음성 그리고 다음 사항 중 최소 한 개 ■ 종양 크기 > 2 cm 또는 ■ 조직학적 등급 2-3 또는 ■ 광범위 종양 주위 혈관 침윤 양성, 또는 ■ 에스트로겐 수용체 그리고 프로게스테론 수용체 음성 또는 ■ HER-2 증폭이나 과발현 양성, 또는 ■ 나이 < 35세
고위험도	■ 림프절 전이 양성(1-3개) 그리고 ■ 에스트로겐 수용체 그리고 프로게스테론 수용체 음성 또는 ■ HER-2 증폭이나 과발현 양성, 또는 ■ 림프절 전이 양성(≥ 4 개)

전이를 막는다는 이점, ② 반응이 있는 경우 수술 범위를 축소하여 보존술이 가능할 수 있다는 점, ③ 생체 내에서의 항암제에 대한 반응을 미리 알 수 있고, ④ 예후를 미리 가늠할 수 있다는 장점을 갖는다. 선행항암요법을 한 경우와 보조항암화학요법을 수술 후에 시행하는 경우 생존율의 차이는 없지만 상기 서술한 장점들로 인해 국소진행 유방암의 경우 선행항암요법이 표준 치료법으로 쓰이고 있다.

6. 유방암의 보조호르몬요법

유방은 여성 호르몬인 에스트로겐이 주로 영향을 미치는 여러 기관들 중 하나이다. 폐경 전의 여성에서는 난소에서 에스트로겐이 분비되며 폐경 후에는 지방, 근육 뇌 등의 조직에서 방향효소에 의해 부신에서 만들어지는 남성호르몬인 안드로겐이 에스트로겐으로 전환된다.

에스트로겐 수용체와 유방암의 임상적 특징은 서로 관련이 깊다. 폐경 전이고 젊은 환자들에서는 수용체 음성이 더 흔하다. 수용체 양성인 유방암환자의 생존률이 더 좋고 수용체 음성인 유방암환자들보다 유방절제술 후 무병생존률도 더 좋다. 에스트로겐 수용체의 발현이 있는 경우 종양의 크기와 위치에 상관없이 무병기간(disease-free interval)이 더 길다. 에스트로겐 수용체 음성인 환자들은 액와부림프절 전이가 있을 때 재발률이 더 높다. 에스트로겐 수용체가 양성인 유방암 환자들은 호르몬요법에 잘 반응한다. 에스트로겐 수용체 발현여부는 원발종양의 분화 정도와 비례한다. 잘 분화된 원발종양(grade I)의 상당수는 호르몬수용체 양성인 반면 분화도가 낮은 원발종양(grade III)은 호르몬수용체 음성인 경우가 많다.

에스트로겐은 프로게스테론 수용체 생산을 자극한다. 유방암의 약 80%가 에스트로겐 수용체 양성이고 이중 70%는 프로게스테론 수용체 또한 양성이다. 약 58%의 유방암이 에스트로겐 수용체 및 프로게스테론 수용체를 발현한다. 프로게스테론 수용체가 호르몬요법의 표적으로 사용되지는 않으나 프로게스테론 수용체가 양성인 경우 에스트로겐 수용체를 표적으로 하는 호르몬요법에 종양이 더 잘 억제되는 양상을 보이기 때문에, 에스트로겐 수용체의 기능을 나타내는 지표로 이해되고 있다. 에스트로겐 수용체가 양성이고 프로게스테론 수용체가 음성인 종양은 상피성장인자수용체(HER-1 and HER2)의 발현이 높고 더 공격적이며 타목시펜 치료에 저항성을 가진다. 에스트로겐 수용체와 프로게스테론 수용체가 모두 음성인 경우는 항암화학요법으로 적극적 치료를 해야 한다.

보조호르몬요법이란 에스트로겐이 유방암의 성장에 미치는 영향을 차단함으로 인해 유방암의 재발 또는 진행을 막고자 하는 치료법으로 절제술 후 잠재적 미세전이의 성장을 억제하는 전신치료법의 일환이다. 보조호르몬요법은 크게 에스트로겐 생성 자체를 억제하거나, 에스트로겐이 표적 기관의 수용체에 부착하는 것을 경쟁적으로 방해하여 에스트로겐의 작용을 억제하는 방법이 있다. 기본적으로 유방암의 면역화학검사상 에스트로겐 혹은 프로게스테론 수용체 양성인 모든 병기의 유방암 환자가 대상이 된다. 보조호르몬요법에 사용되는 약제는 크게 선택에스트로겐수용체조절제(Selective Estrogen Receptor Modulator, SERM)과 방향효소억제제(Aromatase Inhibitor, AI), 황체형성호르몬방출호르몬유사체(LHRH analogue)로 나누어진다.

1) 선택에스트로겐수용체조절제(SERM)

대표적인 SERM제재로는 타목시펜이 있으며 이 외에도 랄록시펜, 토레미펜 등이 있다. 타목시펜은 구조적으로 (DES)와 관련이 있는 비스테로이드 약물로 구조와 작용에 있어서 클로미펜(clomiphene)과 매우 유사하다. 체외연구에서 에스트로겐의 수용체와 결합하는 친화력(affinity)이 타목시펜보다 100-1000배 높다. 그러므로 타목시펜이 유방암세포를 억제하기 위해서는 에스트로겐보다 100-1000배 이상의 농도로 존재해야한다. 그러나 타목시펜의 용량과 반응도에 대한 연구에서 하루 20 mg 이상 복용하는 것이 타목시펜의 효과를 증가시키지 못했다. 타목시펜이 에스트로겐 수용체에 결합하면 타목시펜은 TAF-2 경로를 통해 유전자의 전사(transcription)를 억제한다. 체외 연구에서 타목시펜의 이러한 작용은 세포사멸(cytocidal)의 효과보다 세포증식억제(cytostatic)의 효과를 보여준다. 타목시펜은 환자의 나이, 폐경 여부, 액와림프절 전이유무 등과 관계없이 호르몬수용체 양성인 모든 환자에게 효과가 있으며 재발율을 47%, 사망률을 26%, 반대쪽 유방암 발생율 50% 감소시키는 것으로 보고되었다. 타목시펜의 복용은 첫 5년 재발률을 낮춰주며 생존률에 미치는 효과는 15년째까지도 지속된다. 타목시펜은 하루에 20 mg씩 5년간 복용하는 것이 표준 치료법이었다. 그런 최근 타목시펜의 적절한 복용 기간에 대한 2개의 대규모 임상연구 결과가 발표되면서 타목시펜 10년 연장요법이 고려되고 있다. ATLAS (Adjuvant Tamoxifen: Longer Against Shorter)연구에서는 기존 5년 요법에 비해 10년 요법을 했을 경우 재발확률은 15%, 반대편 유방암 발생위험도는 12%, 유방암 특이 사망률은 17% 정도 낮아지는 효과가 있었고, 10년 이상 경과 후 발생하는 재발은 25% 정도 낮아지는 결과를 보여주며, 타목시펜 연장요법이 재발 방지 효과가 더 높은 것으로 나타났다. aTTOM (Adjuvant Tamoxifen-To offer more)연구에서도 연장요법을 하는 경우 재발률이 15% 정도 줄어들어 ATLAS연구와 유사한 결과를 보였다. 타목시펜 10년 연장요법에 관한 연구들을 모두 모아서 분석한 연구 결과에서 특히 타목시펜 10년 연장요법의 효과는 림프절 전이가 있는 환자에서 더 유의하게 나타났다. 10년 이상 경과 후 재발이나 사망률 자체가 많지 않은 것을 고려할 때, 타목시펜 5년 복용 이후에도 폐경 이전 상태(50세 이하)이면서, 처음 수술 당시에 림프절 전이가 있었던 고위험군의 유방암 환자에서는 타목시펜 10년 연장요법을 시행하는 것이 도움이 될 것으로 보인다. 10년 연장요법을 시행한 환자군에서 폐색전과 자궁내막암 위험도가 의미있게 증가한 반면 허혈심장질환의 위험도는 의미있게 감소하였다. SWOG 8814 그룹에 의해 보조항암화학요법이 끝난 후에 순차적으로 복용하는 것이 동시에 투여하는 것보다 치료 효과가 우월하고 동시 사용할 경우 오히려 정맥혈전증의 빈도가 높아질 수 있음이 보고된 후 보조항암화학요법 후 5년 간 순차적으로 투여하는 것이 권장되고 있다. 더불어 수용체 양성인 환자가 진단 후 2년 이상 지난 시점에서 타목시펜을 투여하였을 경우에도 재발 및 사망률을 낮춘다는 결과를 근거로 최초 치료 이후 보조호르몬요법을 시행 받지 못한 경우에 늦게라도 시작하는 것을 권고하고 있다.

타목시펜의 효과는 활성 대사물인 4-하이드록시타목시펜(4-hydroxytamoxifen)과 엔독시펜(endoxifen)에 따라 달라지며 이 물질들은 타목시펜보다 에스트로겐 수용체에 대한 친화력이 더 높다. 싸이토크롬 효소(cytochrome enzyme)인 P450 2D6가 이 대사에 관여하고 이 효소의 유전자적 변이가 생기면 활성이 줄어들어 타목시펜의 효과를 떨어뜨린다. 그러나 CYP2D6의 변이와 치료에 저항성 있는 종양의 재발과의 직접적인 연관은 아직 분명하지 않다.

타목시펜은 유방에서 유방암 세포의 성장을 억제하지만 다른 기관이나 특정한 유전자에 대해서는 에스트로겐과 같은 성질을 나타내는 이중 작용을 함으로 인해 부가적 이득을 주기도 하지만 다른 부작용을 유발하기도 한다. 타목시펜으로 인한 가장 큰 부작용은 폐경 증상이다. 안면홍조(hot flush)는 많은 환자들에게 나타나는 불편한 부작용이다. 폐경 전 여성에서 정맥혈전증, 백내장의 빈도가 증가한다는 보고가 있다. 정맥혈전증이나 혈액응고장애가 있는 환자의 경우 약제를 변경하여야 한다. 시야가 흐려지고 시력이 감소하는 것은 망막의 변화와 연관이 있다. 그리스에서 63명의 환자를 대상으로 시행한 전향적 연구에서 6.3%의 환자에서 망막병증이 발생했고 이는 망막혼탁(retinal opacity)를 제외하고는 가역적이었다고 보고하였다.

타목시펜의 에스트로겐(agonistic) 작용으로 인해 혈청 단백질에 변화가 생긴다. 항트롬빈 III (antithrombin III), 콜레스테롤, LDL 콜레스테롤이 감소하고 HDL 콜레스테롤과 성호르몬결합글로불린(Sex Hormone Binding Globulin, SHBG)은 증가한다. 폐경 전 여성에서 SHBG가 감소하기 때문에 순환하는 에스트로겐이 매우 증가하게 된다. 그러나 결합 없는 유리 에스트로겐(free estrogen)은 실질적으로 감소한다. 타목시펜 20 mg을 매일 복용하는 폐경 전 여성을 대상으로 한 임상연구에서 SHBG이 증가함으로써 3개월 후 유리 에스트라디올(estradiol)이 1.72%에서 1.47%로 감소하였다.

타목시펜 20 mg을 매일 복용했을 때 타목시펜의 에스트로겐 작용은 에스트라디올 2 mg의 효과와 유사하며 폐경 후 여성에서는 FSH를 낮춘다. 또한 프로게스테론 수용체의 합성을 자극하고 골(bone)과 심혈관계, 질 점막과 자궁내막에서 에스트로겐과 유사한 작용을 한다. 실제로 타목시펜 치료를 받은 유방암 환자에서 심장관상동맥질환이 적게 발생했다는 일부 보고가 있다. 폐경 후 여성에서 타목시펜을 사용하였을 경우 골밀도를 증가시키는 부가적 이득이 있다. 폐경 전 여성에서는 에스트로겐의 강력한 작용을 억제함으로 인해 골밀도가 감소될 수 있다. 미국 국립 유방암 대장암 임상연구협회(The National Surgical Adjuvant Breast and Bowel Project, NSABP)는 유방암환자에서 타목시펜 치료 여부에 따른 자궁내막암의 발생률을 비교하였다. 타목시펜 치료를 받은 집단에서 자궁내막암의 발생률은 상대적 위험도 7.5로 증가하였다. 자궁내막암이 발생한 환자들의 88%가 I기에 해당했지만 4명의 환자는 진행성 자궁내막암으로 사망하였다. 무작위연구들을 분석한 결과 자궁내막암 발생은 타목시펜을 5년 복용했을 때 4배로 증가하였다. 또한, 타목시펜을 복용하는 여성에서는 자궁내막의 비정형증식증(atypical hyperplasia), 자궁내막용종, 난소낭종, 샘근증, 자궁내막증의 악화 등이 발생하였다. 따라서 타목시펜 치료를 하는 여성에서 산부인과적인 적절한 예방과 감시(surveillance), 치료가 매우 중요하다. 타목시펜에 대한 자궁내막의 변화를 예방하기 위해서 경구 프로게스테론 치료를 하는 것은 부적절하다. 프로게스테론이 자궁내막을 보호하기 위해 매우 낮은 용량으로 투여된다고 하더라도 유방암 재발에 주는 영향과 타목시펜과의 상호작용에 대해서는 알려진 바가 없다. 영국의 타목시펜 예방연구에 참여한 건강한 여성들에서 상대적으로 높은 농도의 노르에틴드론(norethindrone)을 투여했을 때(3개월간 매일 2.5 mg) 자궁내막에 대한 보호 효과가 없었으며 고용량의 메게스트롤(megestrol acetate)을 투여했을 때에도 자궁내막 증식을 반전시키지는 못했다. 레보노게스트렐분비 자궁내장치(levonorgestrel intrauterine system, LNG-IUS)는 타목시펜을 복용하는 여성이나 폐경 후 에스트로겐 치료를 하는 여성에서 자궁내막의 증식증이나 용종을 효과적으로 막아줄 수 있으나, 유방암 환자에서 사용은 아직은 권고되지는 않는다. 갑작스러운 출혈이 초기 몇 달동안 문제가 될수는 있지만 이 방법은 타목시펜을 복용하는 폐경 전, 폐경 후 여성 모두에게 적절한 방법이다. 그러나 6개월간 추적생검을 했을 때 비정형세포가 계속 존재한다면 호전될 가능성이 낮다는 지표이다. 자궁내 장치가 자궁내막증식증에 확실히 좋은 보호효과를 보여주긴 하나, 예기치 않은 출혈에 주의하고 적극적으로 자궁내막을 평가해야 한다. 자궁내막암이 발생한 타목시펜치료를 받은 여성의 대부분에서 자궁출혈 증상이 있다. 타목시펜을 복용하는 여성에서 자궁출혈이 있다면 즉시 자궁에 대한 평가를 해야 한다. 하지만 일부의 무월경인 여성들에서도 진행성, 침윤 자궁질환이 생긴다. 3기 4기의 자궁내막암은 매우 예후가 좋지 않은데, 장기간 타목시펜을 사용하는 환자에서 더 흔하게 나타난다. 그러므로 자궁내막의 비정상 변화를 일찍 발견하는 것이 중요하다. 프로게스틴 부하검사(progestin challenge test)는 자궁내막의 자극 여부를 찾아낼 수 있는 비용-효과적인 검사 방법이다. 주기적인 질초음파로 자궁내막의 두께를 측정하여 9 mm가 넘는 지 확인하는 방법은 민감도 63%, 특이도 60%, 양성예측율 1.4%로 자궁내막암을 찾아내는 데에는 효과적이지 못한 검사 방법이었다. 후향적 연구에서 질초음파에서 9.5 mm, 생리식염수주입초음파에서 5.5 mm의 자궁내막두께를 보일 때 각각 민감도 89%, 78%, 특이도 78%, 84%를 보고한 바 있다. 폴립양상인 경우는 민감도가 100%였다. 주기적인 자궁내막의 흡인생검은 질병감시에는 충분한 방법이지만 환자의 순응도는 매우 떨어지는 단점이 있다.

유방암을 치료하고 있는 여성들이 암치료 자체에 집중하는 것은 당연한 일이다. 환자들과 소통하는 임상의는 환자의 치료가 신체 다른 부위의 기능에 줄 수 있는 변화에 대하여 주의를 기울여야 한다. 타목시펜은 환자의 인생에서 수년의 이득을 줄 수 있다. 임상의는 의학적 검사와 치료를 통해 환자가 얻은 수년의 기간 동안 훌륭한 예방적 건강관리를 받을 수 있도록 해야 한다.

2) 난소기능억제술

폐경 전 여성에서 에스트로겐의 주요 생성 장소는 난소이다. 그렇기 때문에 에스트로겐 수치를 낮출 수 있는 방법으로 수술 혹은 약물 방법을 통한 난소기능의 억제가 있다. 이러한 난소절제술은 폐경 전 수용체 양성 유방암 환자에서 CMF 요법과 동일한 효과를 보인다는 보고가 있다. anthracycline 항암화학요법과의 비교 연구는 발표된 바 없다. 대부분의 경우에는 LHRH 유사체(고세렐린, 루프로라이드, 부세렐린)를 사용하게 된다. LHRH 수용체의 하향 조절, 뇌하수체에서 생식샘자극호르몬 분비 억제, 난소에서의 에스트로겐 합성 억제의 기전을 통해 항에스트로겐 역할을 하는 기전이다. 이는 항암화학요법이 난소기능을 비가역적으로 억제하는데 비해 난소기능을 가역적으로 억제한다. 항암화학요법을 받은 폐경 전, 에스트로겐 수용체 양성인 유방암환자 1,483명을 대상으로 한 ASTRRA연구에서는 항암화학요법 완료 후 적어도 2년간 난소기능을 모니터링 해야 할 필요가 있다고 보고하였고, 항암화학요법 후에도 난소의 기능이 남아있는 환자들에 대해서는 타목시펜에 추가적으로 난소기능억제제를 추가로 투여하는 것이 무병기간을 의미있게 향상시킴을 보여주었다. 또한 5년간 타목시펜을 복용, 혹은 타목시펜을 복용하면서 난소기능억제치료를 받거나, 엑세메스탄(exemestane)을 복용하면서 난소기능억제치료를 받은 폐경 전 조기 유방암 환자를 대상으로 한 무작위 SOFT (Suppression of Ovarian Function Trial) 및 TEXT(Tamoxifen and Exemestane Trial) 연구에서 8년 동안 추적관찰한 결과, 타목시펜복용과 난소기능억제요법을 병용한 군의 무병생존율과 전체생존율이 타목시펜만 복용한 군보다 의미있게 향상되었다(무병생존률: 83.2% vs. 78.9%, 전체생존률: 93.3% vs. 91.5%). 또한 난소기능억제요법과 방향효소억제제를 함께 투여한 경우에는 타목시펜을 기본으로한 치료보다 더욱 의미있는 재발억제의 효과가 있었으며, 항암화학요법이 필요할 만큼 재발의 위험이 큰 환자, 항암화학요법을 한 후에도 폐경이 초래되지 않은 환자에서는 더욱 절대적 이득이 있었다.

3) 방향효소억제제(Aromatase inhibitor)

폐경 전 여성과 달리 폐경 후 여성에서의 에스트로겐은 말초조직에서 방향효소에 의해 안드로겐이 에스트로겐으로 전환되어 합성된다. 방향효소는 방향효소는 정상 및 비정상 유방조직의 기질, 유방의 상피세포에 존재한다. 방향효소의 활성은 유방암에서 증가되어 있으나 매우 낮아서 측정하기는 어렵다. 호르몬에 반응하는 유방암의 성장이 촉진되는 것은 암세포가 주변분비(paracrine) 방법으로 근처의 기질세포에서의 에스트로겐 합성을 증가시키기 때문이다. 또한 방향효소는 지방, 근육, 뇌, 간 등에 존재하며 부신수질에서 만들어진 남성 호르몬인 안드로겐을 에스트로겐으로 전환시킨다. 방향효소억제제는 안드로겐의 전구체가 에스트로겐으로 전환되는 것을 막기 때문에 폐경 후 여성에서 몸 전체의 에스트로겐 생산을 거의 완전히 억제한다. 폐경 전 여성에서 방향효소억제제를 사용할 경우 오히려 난소에서의 에스트로겐 생성을 증가시킬 수 있기 때문에 기본적인 적응증은 폐경 후 여성이며 시작 전 혈중 FSH 레벨을 확인하는 것이 필요하다. 방향효소억제제는스테로이드성과 비스테로이드성으로 나뉘어지며 스테로이드성에는 엑세메스탄(exemestane: Aromasin®)이 있고 비가역적으로 방향효소를 억제하며 비스테로이드성에는 아나스트로졸(anastrozol: Arimidex®)과 레트로졸(letrozol: Femara®)이 있고 가역적으로 방향효소와 결합한다.

타목시펜에 비해 방향효소억제제가 우월한 효과를 보이는 결과는 전이성 유방암에서 먼저 밝혀진 바 있다. 이후에 대표적인 무작위 임상시험인 ATAC (Arimidex Tamoxifen Alone or in comnbination)연구와 BIG (Breast International Group) 1-98 연구가 시행되었는데 폐경 후 여성에서 아나스트로졸과 타목시펜을 각각 5년간, 레트로졸과 타목시펜을 비교한 연구로 모두 방향효소억제제 그룹에서 유의하게 재발이 감소하고 재발까지의 기간이 증가하는 결과를 보고하였다. ATAC 연구 100개월 추적 결과에서는 더불어 원격전이 및 반대편 유방암 발생 측면에도 우월한 결과를 보였다.

방향효소억제제는 폐경 후 여성에서 일차으로 사용하

는 약제로 대두되고 있으며 기본적으로 5년 복용을 원칙으로 한다. 타목시펜 2-3년 복용 후 방향효소억제제로 바꾸어 복용하는 요법도 가능하며 5년 간의 타목시펜 후 추가 5년의 방향효소억제제의 복용도 가능하다.

방향효소억제제는 에스트로겐 반응성 유방암인 폐경 후 여성에서 조기유방암이거나 전이성 유방암에 상관없이 타목시펜보다 더 효과적이다. 세 가지 방향효소억제제는 유사한 부작용을 보인다. 가장 주요한 부작용은 에스트로겐 수치가 99%에 가깝게 매우 감소하여 골소실이 생기고 골절의 위험이 증가한다. 이를 막기 위해서는 적절한 칼슘제, 비타민 D의 보충을 하는 것이 좋고 예방적 비스포스포네이트(bisphosphonate)의 사용을 고려해야 한다. 6개월마다 졸레드로네이트(zoledronic acid) 4 mg을 정맥투여하거나 데노주맙(denosumab) 60 mg을 피하주사함으로써 방향효소억제제를 복용하는 여성들의 골밀도를 증가시키고 무병생존률을 향상시키는 효과가 있다. 경구용 비스포스포네이트도 골밀도를 증가시킬 수 있다. 골소실과 골절을 예방하는 더욱 효과적인 방법은 방향효소억제제와 동시에 비스포스포네이트 치료를 시작하는 것이다. 경구용 비스포스포네이트 복용이 에스트로겐 수용체 양성인 유방암의 발생을 32% 감소시켰다고 보고된 관찰연구가 있으나 무작위 연구에서는 55-89세 여성들에서 3-4년 비스포스포네이트 치료를 했을 때 유방암의 발생 위험도를 의미 있게 낮추지 못했다.

무작위 시험들을 모아 분석한 메타분석 연구에서 조기유방암에서 방향효소억제제를 복용한 환자들을 타목시펜을 복용한 환자들과 비교했을 때 심혈관 질환의 위험도를 증가시킨다고 보고하였다. 심각한 심혈관계 부작용의 상대적 위험도는 방향효소억제제 군에서 1.31배 높았지만 혈전증의 위험도는 47% 감소하였다. 또한 방향효소억제제는 홍조를 비롯하여 관절통, 근육통의 근골격계 부작용, 성기능의 감소 등이 생길 수 있으며 타목시펜에 비해 자궁내막에 대한 자극이 적다.

7. 유방암의 방사선치료

유방암에서의 방사선치료는 1930년대에 퀴리 부부가 라듐이라는 방사성동위원소를 발견한 후 라듐침을 유방암 치료에 이용한 것을 시작으로 현재는 전자기파를 이용한 방사선 이외에 중성자, 양성자 그리고 탄소 이온 등의 중입자 방사선치료기도 개발되어 그 영역이 확대되고 있다. 방사선치료가 유방암 치료에 있어서 주요 축으로 자리잡게 된 배경에는 유방보존술이 있다. NSABP B-06에서 1,851명의 환자를 대상으로 근치유방절제술, 유방보존술, 유방보존술과 방사선치료(유방보존치료) 세 가지 치료방법을 비교하였다. 근치유방절제술과 유방보존치료의 생존율 차이는 없었고, 유방보존술만 시행한 그룹에 비해 방사선치료를 추가하였을 경우 국소재발률, 액와림프절 재발률이 유의하게 감소함을 보였다. 또한 EBCTCG에서 시행한 메타분석에 따르면 방사선치료는 모든 연령층에서 국소재발을 유의하게 감소시켰고 20년 이상 장기 추적결과에서 생존율을 향상시키는 효과를 보였다. NCCN 가이드라인에서는 유방보존술을 시행한 환자는 반드시 방사선치료를 시행하도록 권고하고 있다. 방사선치료를 시행할 수 없는 과거 흉벽에 방사선치료를 받은 환자나 임산부의 경우는 유방절제술을 일차으로 고려해야 한다.

방사선치료는 기본적으로 전 유방에 5-6주에 걸쳐 50 Gy를 시행 후 재발위험성이 높은 원발 병소 2-3 cm 이내의 위치에 추가 방사선치료를 하는 것을 기본으로 한다. 노인이나 다른 질병이 있는 경우, 혹은 장기적으로 방사선치료를 다니기 어려운 경우에는 3-4주 안에 끝내는 요법이 영국 등에서 시도되고 있기도 하다. 더불어 원발병소 주위 재발율이 유방 전체 재발에서 80% 이상을 차지하여 5% 미만인 다른 부위의 재발을 막기 위해 유방 전체에 방사선치료를 하는 것이 적절할 것인지에 대한 의문들이 제기되면서 종양 부위에만 방사선을 조사하는 부분 유방 방사선치료도 시도되고 있다. 조직 내 근접 방사선치료, 풍선 근접 방사선치료, 수술 중 방사선치료, 3차원입체 방사선치료, 세기조절 방사선치료 등이 그것이다.

방사선치료는 국소 치료법 중 하나로 국소재발의 위험

도가 높은 경우 시행하는 것이기 때문에 유방절제술을 시행한 경우에도 림프절 전이가 4개 이상, 종양의 크기가 5 cm 이상, 피부 침윤이 있거나 흉벽까지 침윤이 있는 경우 국소재발율이 20% 이상이므로 수술 후 방사선치료가 추천된다. 최근 NCCN 가이드라인에 따르면 액와림프절 전이가 1-3개인 경우, 경계연이 양성이지만 추가절제를 통해 경계연을 확보하기 어려운 경우에도 방사선치료가 권유된다.

방사선치료를 시행할 경우 만성 후유증인 팔의 부종, 섬유화, 어깨가 굳어지고 팔신경얼기(brachial plexus)가 마비되는 등의 발생할 수 있고 특히 유방재건술을 시행하였을 경우 섬유화, 구축이 일어날 수 있으므로 수술 전 병기를 고려하여 재건의 시기를 결정하는 것이 중요하다.

최근 액와림프절 방사선치료 영역이 이슈화되고 있다. 감시림프절 절제술을 하면서 림프절 전이가 확인되면 액와림프절청소술을 시행하는 것이 원칙으로 간주되고 있다. ACOSOG Z0011 연구결과에 따르면 선행항암요법을 받지 않고 유방보존술을 시행할 때, 종양의 크기가 5 cm 이하이고 감시림프절 1-2개에서 전이가 확인된 경우는 방사선치료를 반드시 한다는 전제 하에 추가적인 액와림프절청소술을 시행하지 않을 수 있다. 또한 AMAROS연구에서는 유방보존술 혹은 유방전절제술을 받은 1,425명의 감시림프절 양성 환자를 대상으로 추가 액와부림프절절제술을 시행한 환자와 액와부 방사선치료를 시행한 환자를 비교하였을 때, 액와부림프절절제술이 추가적인 이득이 없음을 확인하였다.

8. 유방암의 표적치료

유방암은 병기 이외에도 조직학적 형태와 등급, 호르몬수용체 발현 여부, 사람성장인자수용체-2 (human epidermal growth factor receptor, HER-2) 등에 따라 다양한 경과와 예후를 갖는 비균질적 질환군이다. 최근에는 유전자발현 배열법(gene expression array)를 통해 4개의 분자생물학적 아형으로 분류하였고 여기에는 내강형(luminal A, B), HER-2형, 기저양(basal-like)이 있고 이들은 그 치료와 예후에 있어 판이하게 다른 경과를 거치게 된다.

유방암의 표적치료는 이러한 유방암의 생화학적 경로에 대한 이해의 발전을 근간으로 발전하고 있다. 표적치료란 종양세포만을 특이적으로 확인하고 공격하는 약제도는 단클론항체와 같은 물질을 이용하여 종양을 치료하는 항암화학요법의 한 종류로 정의할 수 있다. 기존의 항암제가 빠른 속도로 분열하는 모든 세포에 작용하는 것과 달리 특정 표적 분자에만 선택적으로 작용함으로 인해 정상 세포에 대한 비선택 독성을 피할 수 있는 장점이 있다.

유방암에 있어서의 최초의 표적치료제는 선택에스트로겐수용체조절제의 하나인 타목시펜이다. 이후 HER2 단백질을 표적으로 하는 트라스트주맙(trastuzumab)과 혈관내피성장인자를 표적으로 하는 베바시주맙(bevacizumab)이 개발되었고 DNA 손상을 회복시키는 poly ADP ribose polymerase (PARP)를 억제하여 특히 BRCA 변이가 있는 유방암의 표적치료제로 쓰이는 올라파립(olaparib) 등도 표적치료제 중 하나이다. 퍼투주맙(pertuzumab)은 재조합 인간화 단일클론 항체로 HER2의 세포 밖 도메인 중 트랜스주맙의 결합부위와 다른 도메인에 결합하여 치료효과를 나타낸다. 국소진행성 유방암에서 선행항암요법으로 taxane계열 항암제와 트라스트주맙에 퍼투주맙을 추가했을 때 완전관해율이 29%에서 45.8%로 현저히 향상되었다. CLEOPATRA연구 결과 전이성 유방암에서 도세탁셀과 트라스트주맙에 퍼투주맙을 치료했을 때 무진행생존기간과 전체생존기간이 월등하게 연장되어 보조요법으로서의 퍼투주맙의 효과를 확인하는 APHINITY 연구가 진행되었으며 보조요법으로 트라스트주맙과 함께 퍼투주맙을 추가했을 때 침윤질환에 대한 무병생존율이 향상됨을 보여주었다.

T-DM1은 트라스트주맙에 대한 내성을 극복하고 약효를 증진시키기 위해 만들어진 항체-약제 접합체이다. EMILIA연구에서 전이성 HER2 양성 유방암 환자에서 기존의 트라스트주맙 저항성이 있는 경우 사용되었던 lapatinib과 capecitabine 복합요법에 비해 질병 진행까지의 기간을 늘려주고 전체생존율 또한 향상됨을 보여주었고, 현

재는 KATHERINE연구를 근거로 HER2표적치료를 포함한 선행항암요법 후 잔존암이 남은 경우 T-DM1을 수술 후 보조요법으로 사용하는 것이 권고되고 있다.

이외에도 다양한 표적치료제들이 개발되고 있으며, 이들의 효과를 입증하기 위한 임상시험이 진행 중이다.

Ⅷ. 유방암 환자에서 보조호르몬요법(Adjuvant hormone therapy)의 문제점

유방암의 발병과 치료에서 있어서 호르몬은 아주 중요한 부분을 차지하게 되었으며 유방암 치료과정에서 나타날 수 있는 폐경증상, 자궁내막암, 골다공증 등의 문제점들은 호르몬과 직접적인 관계가 있다.

1. 에스트로겐 결핍에 따른 문제점

유방암 치료과정에서 많은 여성들이 힘들어 하는 것은 항암화학요법, 타목시펜 등에 의한 열성 홍조, 발한, 수면장애, 성기능 장애로 일반 폐경 여성보다 흔하게 볼 수 있다. 열성 홍조의 경우 유방암 전체 환자의 65%에서, 항암화학요법을 받은 경우는 78%, 타목시펜을 받은 경우는 90%에서 경험한다. 하지만 일반 폐경여성과는 다르게 에스트로겐을 투여해서는 안된다는 기본전제로 실제 폐경증상을 완화시킬 수 있는 확실한 방법이 없다. 사실 유방암 치료 후 호르몬 대체요법은 유방암 재발과 관계없다는 주장도 있지만 유방암 재발과 관계있다고 주장도 있어 아직까지 결론이 없다. 폐경증상을 완화할 수 있는 방법은 호르몬 대체 요법, 국소요법 등이 있으며 SSRI, SNRI 등과 같은 항우울제가 효과가 있는 것으로 되어 있다. 그 외에도 가바펜틴(gabapentin) 같은 항경련제도 사용가능한데 300 mg/일 용량으로 시작하여 증상이 계속되면 3-4일 간격으로 600 mg에서 900 mg/일까지 증량할 수 있다. SSRI 계열 중 파록세틴(paroxetine)은 12.5-25 mg/일의 용량을 6주간 사용하면 안면 홍조 빈도를 62-65% 감소시킬 수 있지만 CYP2D6을 억제하여 타목시펜의 활성을 억제하므로 타목시펜과 같이 써서는 안된다.

2. 타목시펜(Tamoxifen)

현재 폐경 전 유방암 환자에서 쓰이고 있는 타목시펜은 1962년 영국의 Imperial Chemical Industries이라는 회사에서 처음으로 합성한 비스테로이드호르몬으로 에스트로겐 수용체에 선택적으로 결합하여 항에스트로겐 효과를 나타내며 1977년 미국 FDA 승인이 난 이후 현재까지 유방암 환자에서 재발 및 전이를 감소시킬 목적으로 널리 사용되고 있다. 유방암의 타목시펜은 항에스트로겐이지만 자궁내막과 뼈에는 약간의 에스트로겐 역할을 하여 자궁내막을 증식시키고 자궁내막암을 2-3배 증가시키는 문제가 있으며 폴립과 자궁육종의 증가도 온다. 그래서 미국 산부인과 학회에서는 타목시펜을 복용중인 환자에서 폐경된 상태에서는 특별한 관찰이 필요하나 특별히 규칙적인 부인과 검진은 효과적이지 않으며 복용기간은 5년 이내로 국한했다. 타목시펜 복용중 만약 자궁출혈이 있다면 반드시 부인과 의사의 진찰을 받아 자궁내막암의 첫 증상인 자궁출혈인지 확인하여야 한다. 그 외에도 타목시펜의 의미 있는 부작용은 폐색전증, 심부정맥혈전증, 뇌졸중 등이다.

타목시펜 사용중 자궁내막에 관해서 프로게스테론 부하검사(progesterone challenge test)에서 음성이면 자궁이상이 없다(특이도 100%)라는 최신 발표가 있었으며, 또한 레보노게스트렐이 함유된 자궁내 장치(Mirena®)를 사용하면 자궁내막 폴립 발생이 적어진다는 연구도 있으나 유방암 환자에게 적용하기에는 아직 안전성이 입증되지 않았다.

3. 방향효소억제제(Aromatase inhibitor, AI)

폐경 이후 보조호르몬요법으로 사용되는 방향효소억제제는 호르몬수용체 양성인 폐경 후 유방암 환자의 재발 위험도를 타목시펜보다 더 낮추는 것으로 알려져 있다. 방향효소억제제는 방향효소를 영구결합(permanent bond)하는 엑세메스탄과 방향효소와 가역적으로 반응하는 아나스트로졸, 레트로졸 제제가 있으며 모두 방향효소를 억제하는 효과가 있다. 유방암에 대한 수술 및 항암화학 요법이 끝난 후 방향효소억제제의 투여방법은 처음부터 5년간 투여하는 선행요법(upfront therapy), 2-3년 타목시펜 투여후 교체하는 순차요법(switching therapy), 타목시펜 5년 사용 후 방향효소억제제를 투여하는 연장요법(extended therapy)이 있으며, 선행요법과 순차요법간의 재발률과 생존율의 차이는 없는 것으로 보고되고 있다. 방향효소억제제는 자궁내막 또는 심혈관에 대한 부작용은 타목시펜보다 적으나 관절통, 근육통, 골절과 같은 대표적인 부작용을 나타낸다.

4. 생식샘자극호르몬방출호르몬작용제 (GnRH agonist)

폐경 전 유방암 재발 환자에게서 GnRH 작용제를 단독 또는 타목시펜과 병용 투여하면 난소제거수술과 비교 시 생존률과 반응률이 비슷한 효과를 나타내며, 단독보다는 병용투여 시 더 효과적이다. 폐경 전 여성의 초기 유방암과 마찬가지로 재발 또는 전이된 유방암에서도 타목시펜과 GnRH 작용제의 병용투여 시 생존율이 더 높다.

5. 요약

1) 에스트로겐수용체(Estrogen receptor, ER)와 프로게스테론수용체(Progesterone receptor, PR)

유방암 치료에 있어서 호르몬 보조요법에서 에스트로겐 수용체와 프로게스테론 수용체는 반드시 양성이어야 한다. 수용체가 10% 정도만 되어도 호르몬요법이 가능하고 만약 수용체가 10% 이하라도 시도할 만하다.

2) 초기 유방암의 보조 요법(Adjuvant setting)

(1) 폐경 전에 발견된 유방암

St. Gallen Consensus Conference (2009)에서 5년간 단독 타목시펜 또는 타목시펜과 GnRH 작용제병합을 추천하였으며 폐경 전에는 난소의 배란자극을 하는 방향효소억제제 사용을 금했다.

(2) 폐경 후 발견된 유방암

현재는 방향효소억제제의 5년간 사용이 표준화되었는데 이유는 타목시펜보다 더 효과가 좋기 때문이며 이미 타목시펜을 사용하고 있다면 방향효소억제제로 바꾸고 타목시펜을 5년 사용하였다면 방향효소억제제로 연장시킬 수 있다.

3) 전이유방암의 보조 요법

(1) 폐경 전

에스트로겐 수용체 양성이고 전이성이면 타목시펜과 배란억제를 위해 GnRH작용제를 사용한다.

(2) 폐경 후

방향효소억제제가 효과적이다.

4) 유관상피내암(DCIS)에서 보조호르몬요법

현재까지 유관상피내암에서 유방보존술(breast conserving operation)을 시행한 경우 보조적으로 방사선 치료가 원칙이며 호르몬 보조요법은 논란의 대상이다. 하지만 그 재발률, 전이, 반대측 유방의 유방암 발생을 감소시키기 위해 사용을 고려해야하고 이때 타목시펜을 사용한다면 같이 올 수 있는 자궁내막암, 폐색전증, 심부정맥혈전증 및 뇌졸중의 위험도 생각해야한다. SABCS (San Antonio Breast cancer Symposium)에서 Cuzick은 15년 추적관찰결과 DCIS가 있던 쪽에서는 방사선치료 시 암 발생률 감소에 더 효과적인 반면 DCIS가 있던 반대측에서는 호르몬 치료가 암 발생억제에 더 효과적이었다고 말했다.

IX. 유방암 환자가 겪게 되는 부인과 문제

이들 유방암 환자들은 치료 과정에서 무월경이나 조기 폐경을 겪게 되는 일이 많고 이로 인한 여러 가지 합병증을 경험하게 된다. 일반적으로 젊은 여성이 조기 폐경을 겪거나 항암제로 인해 장기간의 무월경을 보이는 경우 골다공증이나 심혈관질환 등의 합병증 예방을 위해 호르몬 치료가 권장되곤 하나 유방암 환자에서는 호르몬 치료가 금기이기 때문에 적절한 치료를 해주기가 힘든 경우가 많다. 그리고 무월경이나 조기난소부전 외에도 유방암 환자들은 수술 후 타목시펜이나 방향효소억제제를 쓰면서 여러 가지 부인과 문제에 직면하게 된다.

1. 무월경과 조기난소부전

유방암 환자들은 항암치료 과정에서 무월경을 겪게 되는 경우가 많은데 무월경을 나타내는 빈도는 약제의 종류나 사용량, 환자의 나이에 따라 달라진다. 연구에 따라 무월경을 항암 치료 시작 후 3개월, 혹은 6개월, 12개월간 생리가 없었던 것으로 정의하여서 그 빈도는 정의에 따라 달라지는데, 사용한 항암제나 용량, 주기 수, 환자의 나이에 따라서도 달라지지만 그 빈도는 많게는 85%까지 보고되고 있다. 무월경이 12개월 이상 지속되고 혈중 난포자극호르몬(FSH)이 30 mIU 이상인 경우는 폐경으로 정의하는데, 유방암 환자들에서 볼 수 있는 일시적인 폐경은 항암 치료 후 나이가 젊을수록 다시 월경이 돌아오는 경우가 많아 조기폐경보다는 약물유도 무월경(drug induced amenorrhea) 혹은 항암치료유도 난소부전(chemotherapy induced ovarian failure)으로 표현하기도 한다.

항암치료는 암세포에 대한 직접 작용 외에도 무월경을 유도함으로써 호르몬 수용체 양성인 유방암의 재발을 막는 효과를 가지는 것으로 알려져 있다. 실제로 항암제 사용 후 무월경이 유발된 환자에서 예후가 더 좋다는 연구들도 있다.

타목시펜 자체는 무월경을 일으키는 것으로 보이지는 않으나, 항암제 사용 후 타목시펜을 사용하는 여성에서는 무월경이 더 많이 나타나는데, 그 기전은 명확히 알려져 있지는 않고 타목시펜이 시상하부-뇌하수체에 작용하는 되먹이기 기전(feedback system)에 영향을 주기 때문일 것으로 추측된다.

2. 골다공증

골다공증은 골강도가 약해져 골절의 위험이 증가하는 질환으로 유방암 환자에서는 상대적으로 젊은 나이에 골다공증의 위험에 처하게 된다는 것이 문제가 된다. 특히 우리나라의 경우 외국보다 좀더 젊은 연령의 여성에서 유방암의 빈도가 높고, 이들 환자의 장기 생존율이 증가함에 따라 골다공증은 점차 문제가 될 수 있는 질환이다.

유방암 환자들은 항암치료 과정에서 무월경이나 조기 폐경을 겪으면서 골다공증의 위험이 증가하게 되고, 또한 타목시펜이나 방향효소억제제들도 골밀도를 저하시킬 수 있어 문제가 된다.

타목시펜은 폐경 전 여성에서는 골밀도를 감소시키는데, 이는 폐경 전 여성에서는 타목시펜이 골에 에스트로겐 작용을 하는 것보다는 결과적으로 무월경을 일으키는 영향이 더 크게 작용하기 때문일 것으로 추측되지만 아직 기전은 불명확하다. 방향효소억제제의 경우 폐경 여성에서 타목시펜에 비해 우월한 무병생존율(disease-free survival)을 보이면서 안면홍조나 질출혈, 자궁내막증, 혈전색전증의 위험은 타목시펜에 비해 적게 나타내는 장점이 있으나 골절의 위험은 증가시키는 문제가 있다.

유방암 환자들이 상대적으로 높은 골다공증 위험에 처해 있으면서도 실제로는 기본적인 골밀도 측정조차 받고 있지 않은 경우가 많다. 이들 환자에서 6개월 이상의 무월경을 보이는 경우 우선 골밀도 측정이 실시되어야 하며 하루 1,500 mg의 칼슘과 800 IU 이상의 비타민 D를 공급하고 필요하면 골다공증 치료제를 사용해야 할 것이다.

골다공증 치료제 중 비스포스포네이트는 유방암 환자의 골전이(bone metastasis) 때 고농도로 사용되고, 시험관 내(in vitro) 연구에서 농도에 비례하는 유방암 세포 억제 효과를 보이기도 하는데, 골다공증 치료 목적으로 투여하는 경우에 골전이의 위험을 낮춘다는 연구결과도 나온 만큼 유방암 환자에서 특별한 위험 없이 사용될 수 있을 것으로 보인다.

랄록시펜(raloxifene)은 타목시펜과 같은 SERM 제제이면서 골다공증 치료제로 승인된 약물로, 골밀도를 증가시키고 골절률(fracture rate)을 낮추면서 타목시펜과 달리 자궁내막에는 안전하다. STAR (Study of Tamoxifen and Raloxifene) 연구 결과, 유방암의 위험성을 가진 건강한 여성에서 타목시펜과 비슷한 유방암 예방효과를 보인 점에서 미루어 볼 때 타목시펜이나 방향효소억제제를 사용하지 않는 유방암 환자에서는 무리 없이 사용될 수 있을 것으로 보이나 랄록시펜이 타목시펜 대신 사용될 수 있을지에 대해서는 아직 연구가 필요하다.

국내에서는 비정상적으로 1년 이상 무월경을 보이는 폐경 전 여성이나 골다공증을 유발할 수 있는 질환이 있거나 약물을 복용 중인 경우 골다공증 검사가 보험 인정되고 있으나, 골다공증 치료제의 사용 기한에 대해서는 애매한 점이 있다.

우리나라 여성은 코카시언 인종에 비해 상대적으로 골다공증 골절의 위험은 낮은 것으로 알려져 있으나 현재 정확한 골다공증의 유병율이나 골절률은 파악하기 힘든 상태이다. 유방암 환자들의 경우 위와 같은 위험인자를 갖게 되는 경우가 많으므로 골밀도 검사 상 골다공증이 아닌 골감소증이더라도 골다공증에 대한 충분한 설명과 함께 필요하다면 적극적인 치료를 시행해야 할 것이다.

3. 질건조증

유방암 환자에서 흔히 문제가 되는 갱년기 증상 중 하나는 위축 질염이나 질건조증이다. 특히 우리나라는 유방암이 미국에 비해 상대적으로 젊은 여성에서 발병하는데 이들 젊은 여성에서 질건조증은 성생활에 지장을 초래하면서 삶의 질에 큰 영향을 주게 된다.

자궁내막암의 경우 경구로 에스트로겐 단독요법(unopposed estrogen)을 하루 0.3 mg 정도의 낮은 용량으로 써도 기간에 비례하여 자궁내막암의 위험이 증가하는 것으로 알려져 있으나, 에스트로겐 질크림을 단독으로 사용하는 것은 자궁내막암의 위험을 증가시키지 않고 초음파상의 자궁내막 두께나 자궁내막 생검 결과에 영향을 주지 않는 것으로 되어 있다. 마찬가지로 유방암 환자에서 낮은 농도의 에스트로겐 질크림을 사용하는 것은 유방암의 재발에 영향을 주지 않는다고 보고된 바 있으나 연구 규모가 작은 것이 한계이다.

실제로 매일 에스트라디올 100 mg/일을 사용할 경우 경피로 사용하는 패취보다는 적지만 혈중 에스트라디올의 농도를 높이는 것으로 알려져 있으며 이러한 혈중 에스트라디올의 상승은 유방암 환자에서는 부담이 될 수 있다. 하지만 질위축증을 해소하기 위해서는 아주 적은 양의 에스트로겐으로 충분하여 10-25 mg 정도의 용량으로 주 2회 사용 정도로도 증상이 호전되는데, 이 정도의 용량은 혈중 에스트라디올의 농도를 유의하지 않을 정도로만 상승시키므로 보통의 윤활제로는 증상이 경감되지 않는 유방암 환자에서 충분한 설명 후 주의 깊게 사용할 수 있지만, 아직 그 안전성에 대해서는 확신할 수 없다.

질 윤활제의 경우 자주 사용하면 질 건조감을 60% 정도 경감시키고 성교통을 40% 정도 경감시키는 것으로 되어 있으므로 유방암 환자에서 이러한 문제는 일단 윤활제로 접근해 보는 것이 안전하다.

4. 안면홍조

유방암 환자에서 안면홍조에 대한 비호르몬 치료로는 항우울제, 항경련제, 항고혈압제, 비타민 E 등이 연구된 바 있다. 하지만 이들 비호르몬 치료는 호르몬 치료에 비해 갱년기 증상에 대해 효과가 약하다는 문제가 있다.

1) 항우울제

항우울제 약제는 중추 신경계의 세로토닌과 노르에피네프린의 농도를 변화시켜 동물 실험에서 체온조절 중추의 변화를 일으키는 것으로 알려져 있다. 열성 홍조를 나타내는 여성에서 효과가 있다고 알려져 있으나 대부분의 연구들이 비교적 경증 열성 홍조를 나타내는 여성을 대상으로 4주에서 6주간의 짧은 기간에 걸쳐 시행한 것이 한계다. 이들 항우울제 중 열성 홍조에 대해 사용할 수 있는 약은 벤라팍신, 파록세틴, 플록세틴이 있는데 우울증 환자들에서는 이들 약제의 부작용으로 성욕의 감퇴가 나타나나 유방암 환자에서 사용 시에는 리비도의 증가가 관찰되었다. 하지만 타목시펜이 대사되어 활성화되는데 작용하는 효소인 시토크롬(cytochrome) P450 효소의 활성을 낮출 가능성이 제기되기도 하므로 타목시펜을 사용 중인 환자에 대해서는 이에 대한 설명이 우선 되어야 한다.

(1) 벤라팍신

세로토닌과 노르에피네프린 재흡수억제제(SNRI, serotonin and norepinephrine reuptake inhibitor)로서 열성 홍조에서는 37.5-75 mg/일의 용량으로 사용하는 것이 권장되며 150 mg/일까지 사용하는 경우도 있다. 1-2주 내에 열성 홍조 감소 효과를 내고 부작용으로 오심, 구토 등의 소화기계 부작용이 가장 흔하여 5-10%의 여성에서는 이와 같은 부작용으로 약물을 끊게 되며 그 외에 구강 건조감, 식욕저하, 변비 등이 나타날 수 있다. 금기증으로는 MAO 억제제를 복용하는 경우가 있고 경우에 따라 혈압이 올라가는 경우가 있으므로 주의해야 한다. 하지만 12주간에 걸친 장기간의 연구에서는 위약군에 비해 유의한 효과를 보기 어려웠다는 연구도 있다.

(2) 파록세틴

선택세로토닌재흡수억제제(SSRI, selective serotonin-reuptake inhibitor)로서 12.5-25 mg/일의 용량으로 사용하는 것이 권장되며 경증 열성 홍조 환자에서 효과적인 것으로 보고된 바 있고 더불어 수면 장애 증상에 좋은 효과를 보일 수 있다. 금기증으로는 MAO억제제를 사용하는 경우나 티오리다진(thioridazine)을 사용하는 경우이며 와파린을 사용 중인 환자에서는 주의를 요한다. 우울증 환자에서 사용 시 부작용으로는 무력증, 발한, 오심, 식욕저하, 졸림, 불면, 현기증 등이 있다.

(3) 플록세틴

SSRI로써 20 mg/일의 용량으로 사용하는 것이 권장되며 경증 열 홍조 환자에서 효과적인 것으로 보고되었으며, 부작용과 금기증은 파록세틴과 같다.

2) 가바펜틴

항경련제로서 열성 홍조에 작용하는 기전은 알려지지 않았으나 칼슘 조절기전에 기인한다고 생각된다. 시작용량은 300 mg/일로 65세 이상 여성에서는 100 mg/일의 낮은 용량으로 시작하여 증상이 조절되지 않으면 하루 3회 복용까지 900 mg/일로 3-4일 간격으로 증량할 수 있다. 제산제를 복용할 경우 약물효과를 경감시키므로 2시간 이상의 간격을 두고 투약하도록 한다. 중등도 혹은 중증 열성 홍조를 나타내는 여성에서 50% 정도 효과적인 것으로 보고된 바 있다.

금기증으로는 약물에 과민반응을 나타내는 환자가 있으며 부작용으로는 3,000-3,600 mg/일의 고용량을 간질환자에서 사용할 경우 졸림, 현기증, 운동실조, 피로, 안구진탕 등이 있다. 열성 홍조 환자에서 사용할 경우 취침 전에 복용하여 현기증이나 어지러움을 방지할 수 있다.

3) 항고혈압제

(1) 클로니딘

알파-아드레날린성 작용제(α-adrenergic agonist)로서 경증 열성 홍조 환자에서 사용 가능하며 항우울제나 가바펜틴(gabapentin)에 비하여 효과가 떨어진다. 0.05 mg 하루 2회로 시작하여 0.1 mg 하루 2회까지 증량 가능하며 0.1 mg/일 패치(patch)도 사용 가능하다. 용량-반응성효과

(dose-response effect)가 있어 0.4 mg/일까지 사용해야 열성 홍조에 효과가 나타나기도 한다. 투약을 중단할 때 나타날 수 있는 신경예민, 두통, 초조, 혼란, 혈압의 급격한 증가 등을 방지하기 위하여 점차적으로 용량을 줄여야 한다. 37-46%에서 열성 홍조를 경감시키는 효과가 있으나 수면장애, 구강건조감, 졸림, 변비, 패취 부위 가려움증 등의 부작용이 10-15%에서 나타날 수 있다.

(2) 메틸도파

항도파민제인 메틸도파는 하루 500-1,000 mg의 용량으로 열성홍조에 효과가 있다고 보고된 바 있다. 금기증으로 MAO억제제 사용자가 있으며 혈압을 낮추는 작용이 있으므로 주의해야 한다. 부작용으로 쿰스 검사(Coomb's test) 양성, 용혈 빈혈, 간기능 장애 등이 나타날 수 있으며 고혈압 환자에서 사용 시 진정, 두통, 무력증, 부종, 체중 증가 등의 부작용이 알려져 있다. 상대적으로 두통 등의 문제되는 부작용이 많아 열성 홍조 환자에서의 사용은 권장되고 있지 않다.

4) 비타민 E

비타민 E는 1953년 처음으로 열성 홍조에 대한 효과가 연구되어 위약보다 우월한 효과를 내는 것으로 알려졌고 이후 유방암 환자를 대상으로 한 연구에서도 큰 차이를 보이진 않았지만 위약과 유의한 차이를 보였다. 하지만 유의한 차이를 내지 않은 연구가 많아 경증 열성 홍조 환자를 제외한 중등도, 중증 환자에서 사용하는 데에는 논란이 있다. 용량은 800 IU/일로 투여하며 4주간 투여 시 25%에서 열성 홍조가 감소한다고 알려져 있다. 부작용으로는 출혈 경향이 있을 수 있으며 특히 비타민 K 결핍증이 있는 환자에서는 주의를 요한다.

5) 식물 에스트로겐

식물 에스트로겐은 식물에 포함된 비스테로이드성 에스트로겐으로서 체내에서 대사된 후 에스트로겐과 유사한 물질로 변환되어 에스트로겐 수용체에 에스트로겐과 경쟁적으로 결합하여 에스트로겐과 같은 작용제 효과를 내거나 때로는 길항제 효과를 내는 물질을 말한다. 에스트로겐 수용체에 대한 식물성 에스트로겐의 결합력은 에스트라디올의 1/100-1/1,000 정도인 것으로 알려져 있다. 에스트로겐 수용체에 대한 결합력은 낮지만 상대적으로 높은 농도로 존재하게 되는 경우 효과를 내게 된다.

결론을 먼저 말하자면 대부분의 국제 규모 폐경 학회들은 식물 에스트로겐을 막연히 안전할 것이라 생각하고 유방암 환자와 같은 고위험 환자에서 사용하는 것은 바람직하지 않다고 권유한다. 이는 대개의 식물 에스트로겐을 사용한 연구들이 제한점이 많기 때문이다. 대부분의 연구가 적절한 대조군을 설정하지 않거나 제품 당 식물 에스트로겐의 함유량이 일정하지 않고, 연구 대상 환자의 선정이나 결과 측정 방법에도 문제가 있는 경우가 많았다.

열성 홍조에 대한 식물 에스트로겐의 효과에 대해서는 역학적 연구로 식품을 통한 이소플라본(isoflavone)의 섭취가 많은 나라에서 열성 홍조가 상대적으로 적게 나타난다는 보고가 있어 그 효과에 대해 기대를 갖게 했지만 건강한 폐경 여성을 대상으로 대두(soy bean)나 적클로버(red clover)의 이소플라본이나 승마(black cohosh)를 이용하여 시행한 연구 결과는 기대에 미치지 못해다. 결과적으로 40-80 mg의 이소플라본을 쓸 경우 40-50% 정도 열성 홍조 감소 효과가 있어 열성 홍조에 대해서는 경도 내지는 중등도의 효과를 보이는 것으로 평가되었는데, 이는 대개의 호르몬 약제가 90%에서 열성 홍조에 대해 효과를 내는 것에 비해 낮은 수치이다.

북미폐경학회(North American Menopause Society, NAMS)에서는 경증(mild)의 열성 홍조 환자에서는 식물 에스트로겐을 권유할 수 있다고 2004년 position statement에서 언급한 바 있지만 유방암 등 고위험 환자에서 장기간 사용 시 안전성에 대해서는 아직 연구가 없으므로 이들 환자에서 식물 에스트로겐을 안심하고 사용할 수는 없는 상태이다.

5. 난소 종양

타목시펜을 사용하는 여성들에서 자주 난소낭종(cyst)이 발견되곤 한다. 이들 환자에서의 난소낭종은 유방암의 난소 전이나 이중 원발종양으로서의 난소암과 감별 진단을 해야 하고, 양성일 경우도 꼬임이나 파열이 가능하여 임상으로 하여금 곤란을 겪게 한다. 유방암 환자에서 타목시펜을 3개월 이상 사용하면 위약군에 비해 유의하게 난소낭종의 빈도가 증가하게 되며, 그 빈도는 전체적으로 19.3-25%, 월경을 하는 여성의 경우 43.8-80%, 월경을 하지 않는 여성의 경우는 더 드문 빈도인 1.1-10%로 보고된다. 대개는 나이가 젊고 타목시펜을 사용한 기간이 짧으면서 무월경이 된 지 1년 미만인 여성이 많고 이들 환자에서는 혈중 에스트라디올 농도가 높고 FSH 수치가 낮은 경우가 많지만 월경을 하지 않는 상태인 환자에서는 에스트라디올의 농도가 높지 않은 경우가 많다. 대개 이러한 환자에서 CA-125는 정상이다.

타목시펜이 난소낭종을 유발하는 원인은 아직 불명확하나 이들 환자에서 FSH, LH의 농도가 증가되어 있지 않은 경우가 많은 것으로 보아 타목시펜이 직접 난소를 자극하여 난소에서의 에스트라디올의 분비를 유도는 것으로 추정되기도 한다.

타목시펜 사용 중 난소낭종의 크기가 크거나 증상이 있는 경우, 혹은 크기가 증가하거나 고형부위가 있는 경우 수술을 시행하여 조직검사를 해보면 거의가 양성 종양이고 간혹 난소암이나 유방암의 난소전이가 발견되는데, 특별히 타목시펜의 사용이 난소암의 위험을 높인다고 알려져 있진 않지만 이러한 환자를 예측할 수 있는 특별한 임상지표가 없다는 것이 문제이다. 이들 환자에서 GnRH 작용제를 3-6주기 사용하여 난소낭종의 소멸과 혈중 에스트라디올의 감소를 보고한 연구도 있고 낭종이 소실될 때까지 타목시펜을 중지하는 연구자들도 있으나 자연히 소실되는 경우가 많아 4-6개월 간격의 정기적 초음파 추적 관찰과 필요한 경우 수술하는 방법이 권유된다.

BRCA 유전자 변이가 확인될 경우, 환자의 가임 및 임신, 출산 여부 등을 고려하여 35-40세에 예방 난소-나팔관절제술(위험감소 난소-나팔관 절제술, risk-reducing salpingo-oophorectomy, RRSO)을 시행하는 것을 고려해야 한다.

6. 자궁내막암

1971년 소개된 타목시펜은 반대측 유방에서의 유방암 재발을 30% 감소시키고 재발률, 생존율을 향상시킴으로써 유방암 치료에서 널리 사용되게 되었다. 하지만 SERM 제제인 타목시펜은 자궁내막에는 에스트로겐 작용제 작용을 나타내면서 자궁내막암의 위험을 2-3배가량 높이게 되는데 이러한 위험은 타목시펜을 끊은 후에도 감소하지 않아 발암기전에는 자궁내막에 대한 에스트로겐 길항제 작용 외에 c-fos proto-oncogen, jun, DNAadducts, p53 over-expression, k-ras 등을 통해 작용한다고 보여진다.

자궁내막암의 위험은 타목시펜을 사용한 기간에 비례하며 환자의 나이나 혈중 타목시펜이나 그 대사물의 농도와는 상관없다고 알려져 있다. 이들 환자에서 발견된 자궁내막암은 분화도가 낮고 에스트로겐 수용체 음성인 경우가 많으며 2/3가량의 환자에서는 나쁜 예후를 갖는 조직학적 형태(poorly differentiated endometrioid, papillary serous, clear cell, malignant mixed Mullerial tumor)를 보이는 경우가 상대적으로 많다.

이들 환자에 대한 모니터링은 주로 질초음파나 외래에서 시행하는 자궁내막생검, 혹은 자궁경을 통해 이루어진다. 이들 환자에서의 자궁내막 두께는 평균 10 mm 정도로 나타나게 되고 초음파로 보이는 두께에 비해 실제로 자궁내막 생검을 해보면 조직이 거의 나오지 않으며 자궁경 소견으로는 위축된 자궁내막만이 관찰되게 된다.

초음파를 통한 검사가 다른 검사 결과와 불일치되는 경우가 45-90%에 이르고 초음파를 통한 자궁내막의 두께가 3 mm임에도 불구하고 자궁내막 출혈이 있는 여성에서 자궁내막암이 보고되는 등의 결과로 인해 1996년 미국산부인과학회(American College of Obstetricians and Gynecologist, ACOG)는 이들 환자에선 일반 여성과 같은 매년 시행하는 검사만을 시행하고 자궁내막출혈이 있는 여성에서만 상세한 검사를 시행할 것을 권고하고 있다. 하지만 어떤 방법의 추적관찰이 가장 효과적인지는 아직 밝혀져 있지 않아서, 여전히 6-12개월 간격의 질초음파 검사를 권고하기도 한다.

1,026명의 타목시펜을 사용하는 유방암 환자를 대상으로 한 연구에서 자궁내막암은 1.25%의 빈도를 보였으며 이들 중 1/6의 환자는 아무 증상이 없었다는 점을 고려하면 상대적으로 수가가 낮은 우리 나라에서는 자궁내막에 대한 주기적인 초음파 관찰을 자주 시행하는 것이 효과적일 수 있다.

7. 기타

타목시펜은 자궁, 질 등 생식기관에서는 에스트로겐 작용제로 작용하여 근종이나 샘근증, 자궁내막증을 악화시켰다는 보고들이 있다. 그리고 타목시펜을 사용하는 여성에서는 상대적으로 자궁경부세포진 검사에서 비정형세포(atypical squamous cell of undetermined significance, ASCUS)의 빈도가 높아진다고 알려져 있으나 자궁경부이형성증이나 자궁경부암의 위험이 높아지지는 않는다.

** 참고문헌 목록은 대한산부인과내분비학회 홈페이지 http://www.kosge.or.kr 또는 QR코드를 통해 보실 수 있습니다.*

CHAPTER 36 갑상선

박영주(서울의대-내과), 이규언(서울의대-외과)

I. 서론

갑상선에 발생하는 기능이상 또는 결절 질환은 연령에 따라 유병률이 증가하는 매우 흔한 질환으로, 특히 여성에서 빈도가 높다. 갑상선기능이상은 정도에 따라서 월경을 불규칙하게 하거나, 임신을 어렵게 할 수 있다. 또한, 갑상선호르몬은 임신의 유지와 태아의 성장과 발육에 중요한 역할을 한다. 그러므로 특히 임신을 준비 중이거나 임신중인 여성은 갑상선기능을 정상으로 유지하도록 하는 것이 중요하다. 그러나 갑상선질환이 동반된 경우에도 정상 갑상선기능을 유지하면 임신, 출산 및 수유에 영향을 미치지 않으므로, 이에 대한 적절한 진단과 치료가 중요하다. 한편, 임신과 출산은 갑상선호르몬의 대사와 면역 체계에 변화를 유발하여 갑상선기능에 영향을 미칠 수 있고, 임신 자체의 생리적 변화가 갑상선질환에 의한 증상과 비슷한 점이 있어서 이에 대한 감별이 필요한 경우도 있다. 폐경과 갑상선질환과의 관계는 불분명하나, 특히 폐경을 전후하여 여러 가지 갑상선질환의 빈도가 증가하고, 여성에서 갑상선질환이 호발하는 점 등은 여성호르몬의 변화가 갑상선질환에서 어떠한 역할을 담당할 가능성을 시사하고 있다. 그러므로, 갑상선기능의 정상적인 생리와 갑상선질환, 특히 임산부 및 산모에서의 갑상선 생리 및 기능의 변화와 호발하는 질환에 대한 이해가 중요하다.

II. 갑상선 생리

1. 정상 갑상선 생리

1) 갑상선호르몬의 합성과 분비

갑상선호르몬은 전구물질인 갑상선글로불린(thyroglobulin)과 요오드(iodide; 옥소)를 원료로 하여 갑상선과산화효소(thyroid peroxidase)의 촉매작용에 의하여 합성된다. 정상 성인에서의 요오드 섭취량은 지역에 따라 1일 10 μg 이하에서 수 mg까지 다양한데, 한국인의 요오드 섭취량은 1일 중앙값 249.3 - 375.4 μg으로 알려져 있다. 국제보건기구(World Health Organization, WHO)에서는 정상 성인에게 1일 150 μg의 요오드 섭취를 권장하고 있다. 갑상선에 능동적으로 섭취된 요오드는 갑상선과산화효소에 의하여 산화된 후 갑상선글로불린의 티로신기에 결합하여 유기화와 연결과정을 거쳐 여포강 내에서 콜로이드 형태를 이룬다. 콜로이드는 여포 세포에 의하여 다시 세포 내 이입이 되고 이때 산성 가수분해 과정을 거쳐서 갑상선호르몬[triiodotyronine (T_3)와 thyroxine (T_4)]을 형성, 혈액으로 분비된다. 세포 외로 분비된 갑상선호르몬은 혈액 내 용해도가 낮은 비수용성이므로 티록신-결합 글로불린(thyroxine-binding globulin, TBG), 티록신-결합 프리알부민(thyroxinebinding prealbumin, TBPA), 알부민(albumin) 등의 운반 단백과 결합하여 말초조직으로 운반된다. 대부분의 갑상선호르몬은 결합단백에 결합되어 있고, 총 T_4의 0.03%, 총 T_3의 0.3%만이 유리형으로 존재한다.

2) 갑상선호르몬의 대사

탈요오드효소(deiodinase)에 의하여 연속적으로 탈요오드화되는 것이 갑상선호르몬의 주요 대사 경로이며, 그 외 글루쿠론산이나 황산염과의 접합(conjugation), 산화적 탈아미노반응(oxidative deamination), 탈탄산반응(decarboxylation) 및 에테르 연결부위 절단에 의하여 대사된다. T_4는 탈요오드효소에 의하여 T_3와 reverse T_3 (rT_3)로 전환되는데, 말초 조직에서 작용을 나타내는 T_3의 약 70-90%는 T_4의 탈요오드화에 의하며 생산된다. 정상인에서 갑상선호르몬의 혈장 반감기는 T_4는 약 7일, T_3는 약 1일이다.

3) 갑상선기능의 조절

갑상선기능은 시상하부-뇌하수체와 이에 대한 갑상선호르몬의 되먹임작용(feedback)을 통한 시상하부-뇌하수체-갑상선 축(hypothalamus-pituitary-thyroid axis, HPT 축)의 조절을 받는다. 이를 통하여 항상 일정한 양의 갑상선호르몬이 분비되는데, 이 축에서 갑상선자극호르몬(thyroid stimulating hormone, TSH, thyrotropin)이 가장 중추적인 역할을 한다. TSH는 주로 갑상선호르몬과 갑상선자극호르몬방출호르몬(thyrotropin releasing hormone, TRH)에 의하여 조절되며, 기타 뇌에서 분비되는 각종 신경전달물질과 호르몬들에 의해서도 영향을 받는다. HPT 축 조절에 의한 TSH 반응은 혈중 갑상선호르몬 농도 변화에 매우 민감하여, 바로 음성 혹은 양성 되먹임작용을 통하여 분비가 조절된다. 따라서 HPT 축이 정상인 경우에는 갑상선기능 이상이 발생하면 혈중 TSH 농도의 변화가 혈중 갑상선호르몬 농도 변화에 선행하여 나타난다. 한편, TSH 분비는 일중 변동(최고; 오후 11시-오전 4시, 최저; 오전 11시)과 박동성 분비를 보이고, 추위 노출, 연령 증가, 칼로리 섭취 제한, 스트레스, 우울증, 시상하부 및 뇌하수체 질환 등의 영향을 받는다.

HPT 축과 더불어 갑상선의 요오드에 대한 자가조절기전이 갑상선기능의 조절 기전으로 작용한다. 이를 통하여 요오드 섭취양이 변화해도 갑상선 내 요오드 대사가 일정하게 유지되어 갑상선기능이 정상으로 유지되는데, 이는 TSH나 다른 조절 물질의 자극과는 무관하게 작용한다.

4) 갑상선호르몬의 역할

갑상선호르몬은 태아 및 신생아의 중추신경계 발육에 매우 중요한 역할을 담당한다. 아직까지 직접 조절되는 유전자가 분명하게 밝혀져 있지는 않지만, 선천 갑상선기능저하증에서는 생후 3개월 이내에 치료하지 않으면 정신발육지연(mental retardation)이 회복되지 않는다. 또한 정상적인 골 성장, 발육, 골교체율에 중요한 역할을 하여, 치료하지 않은 갑상선기능저하증 소아에서는 성장 이상, 골단이상발육(epiphyseal dysgenesis), 단신 등의 소견이 관찰되며, 치료하지 않은 갑상선기능항진증 소아에서는 골다공증과 골절의 위험도가 증가한다.

갑상선호르몬은 뇌, 고환, 비장 등의 일부 장기를 제외한 대부분의 장기에서 세포내 미토콘드리아(mitochondria)의 수와 크기를 증가시키며, 에너지 생산에 관련된 여러 가지 효소를 증가시키고, 결국 산소 소모와 열 발생을 유도한다. 또한 갑상선호르몬은 신체 대사를 증가시키는데, 당분해작용(glycolysis)과 포도당의 신합성(gluconeogenesis), 콜레스테롤의 합성과 분해, 체내 지방의 분해와 지방산 합성 등을 증가시켜서, 혈당과 혈중 유리 지방산의 농도를 상승시킨다. 콜레스테롤은 합성보다 분해량이 많아서 혈중 콜레스테롤 농도는 감소한다. 그 외, 갑상선호르몬은 말초혈관저항을 감소시키고 혈류량을 증가시키며, 심장의 수축력과 심박수를 증가시키는 효과를 나타내어 심박출량을 증가시킨다.

2. 임신에 따른 갑상선 생리의 변화

임신 중에는 다양한 생리학, 면역학 변화가 나타나며, 기초대사율을 포함한 여러 가지 대사가 증가한다. 갑상선호르몬의 생성과 분비, 대사도 임신에 의하여 큰 변화가 나타난다(그림 36-1). 임신 중에는 태반에서의 갑상선호르몬 대사가 증가하고, 에스트로젠 자극에 의해 갑상선호르몬 결합단백 농도가 증가할 뿐 아니라, 체내 분포용적(volume of distribution)이 증가하면서 임신초기부터 갑상선호르몬의 필요량이 증가한다. 이때 태반에서 생성된 사람 융모생식샘자극호르몬(human chorionic gonadotropin, hCG)이 TSH 수용체를 자극하여 이에 적응하도록 한다. 또한, 임신 중 체액성 및 세포성 면역이 억제되면서 자가면역 갑상선질환에 영향을 미치기도 한다.

1) 정상 임신에서의 갑상선기능 조절

임신 중에는 신혈류량과 사구체여과율이 증가하여 요오드의 신장으로의 배설이 증가하고, 태반을 통해 태아에게 전달되므로, 요오드의 필요량이 증가하게 되며, 50% 이상의 갑상선호르몬 합성의 증가가 나타나게 된다. 그러므로 임신 중에는 정상인보다 많은 요오드 섭취가 필요하다. 임신초기에 상승되는 hCG는 TSH와 알파아단위가 동일하여 갑상선의 TSH 수용체를 자극하여, 임신초기 유리 T_4 상승과 TSH 감소를 일으킨다(그림 36-2). 한편, TBG는 에스트로겐에 의하여 상승되므로 임신초기부터 증가하여 임신 20주경에 최고치에 이르러 임신기간 중 유지되고, TBG와 함께 혈중 총 T_3 와 총 T_4가 증가하게 된다(그림 36-2). TBG는 출산 후 급격하게 감소되어 출산 4-6주 후에는 정상화되며, 이와 함께 혈청 총 T_3 와 총 T_4도 정상 범위로 환원된다. 또한, 임신 중에는 혈장량이 증가하여 체내 갑상선호르몬의 총량은 증가하게 된다. 한편, 태반에는 많은 양의 제3형 탈요오드효소가 존재하는데, 임신 주수가 진행함에 따라 태반의 크기가 증가하여, 특히 중기 이후에는 이에 따른 갑상선호르몬의 대사증가로 인해 갑상선호르몬 생산

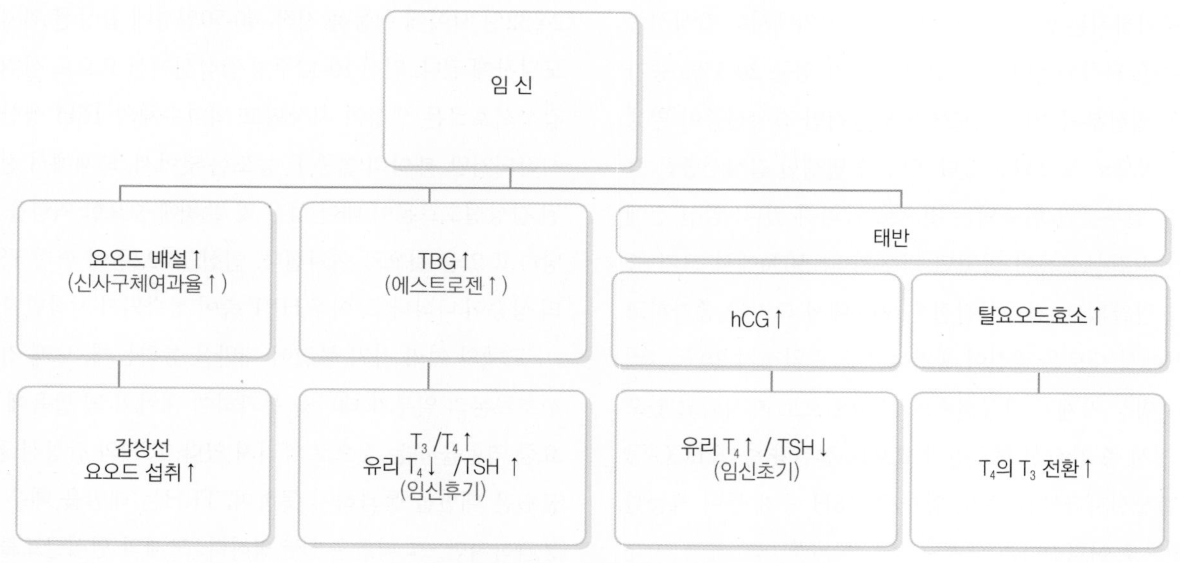

● 그림 36-1. 임신 중 갑상선기능에 영향을 미치는 생리학 변화

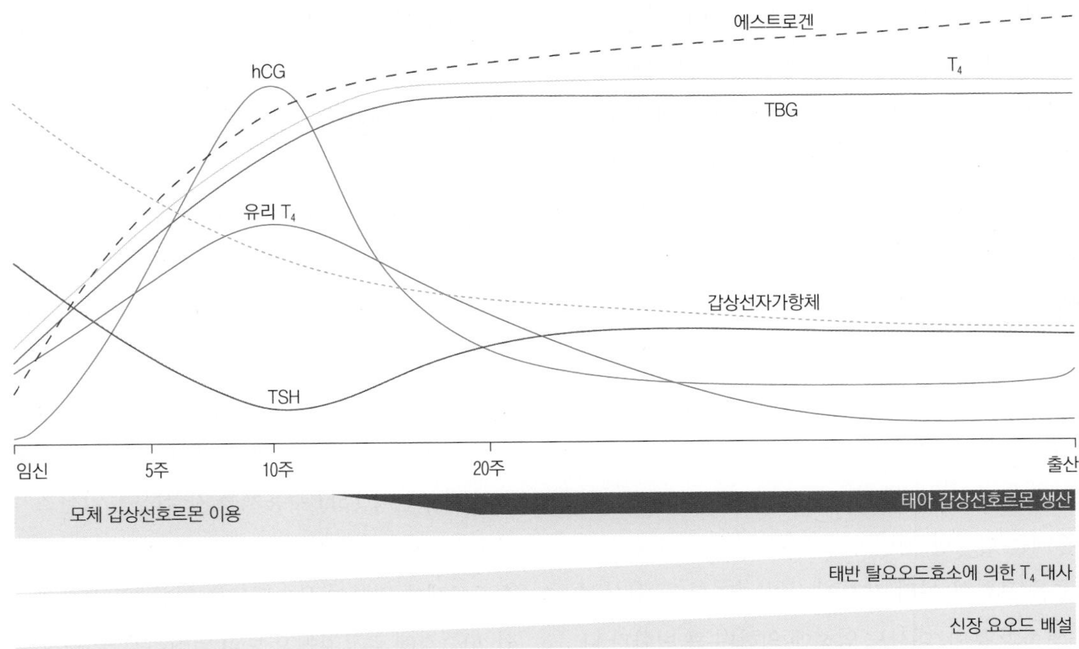

• 그림 36-2. **임신 중 갑상선 기능 및 임신 연관 호르몬의 변화. hCG,** human chorionic gonadotropin; T_4, thyroxine; TSH, thyroid stimulating hormone (modified from Korevaar TIM 등 2017, Glinoer 등 1990)

요구량이 증가하게 된다

2) 임신 중 갑상선종 발생

요오드 충분 지역에서는 임산부에서 갑상선종의 빈도가 증가하지는 않으나, 요오드 부족 지역에서는 갑상선종이 종종 관찰되는데, 갑상선의 부피가 평균 20-35% 증가하고, 임산부의 10% 정도에서 임상적인 갑상선종이 발생하는 것으로 보고되고 있다. 임신중 발생한 갑상선종은 출산 후 일부분만 위축되는 것으로 알려져 있다. 임신 전에 미만성 갑상선종이 있었던 경우의 약 30%에서 크기 증가가 관찰되고, 갑상선결절은 60%에서 크기가 증가하고 20%에서 새로운 결절이 생기는 것으로 알려져 있다. 그러므로 임신 자체가 갑상선종의 한 요인으로 제시되고 있으며, 임신 중 갑상선 혈류량과 요오드 섭취량 증가, hCG 등의 갑상선자극물질 증가, 임신 중 TSH 증가 등이 가능한 기전으로 여겨진다.

3) 임신 중 태아의 갑상선 발생과 모체-태반-태아의 상호 작용

태아의 HPT 축은 모체와 무관하게 독립적으로 발생한다. 임신 16일경부터 갑상선 여포세포가 보이기 시작하여, 24-32일 사이에 이동을 시작, 40-50일경에 갑상선 위치에 도달하게 된다. 임신 10-12주경 갑상선에서 요오드 섭취와 갑상선호르몬 생성이 시작되고 뇌하수체의 TSH 생산이 시작되지만, 태아의 혈중 T_4 농도는 낮아서, 모체에서 전달된 갑상선호르몬이 태아 성장 및 발육에 중요한 역할을 담당하고 있을 것으로 여겨진다. 임신 18-22주에 혈청 TSH의 상승이 나타나고, 이후 HPT 축이 성숙되기 시작한다.

모체의 여러 가지 물질이 태반을 통하는데, 모체 갑상선호르몬의 일부가 태반을 통과하여 태아의 뇌 발육에 중요한 역할을 하는 것으로 알려져 있다. TSH와 갑상선글로불린은 태반을 통과하지 못하며, TRH는 태반을 매우 잘 통과하지만, 그 역할은 불분명하다. 모체의 면역글로불린(immunoglobulin)은 태반을 잘 통과하는데, 항갑상선글로불린 항체(antithyroglobulin antibody, TgAb)와 항갑상선 과산화효소 항체(antithyroperoxidase antibody, TPOAb)가 태아에 미치는 영향은 미미하다. 그러나 TSH 수용체 항체(anti-TSH receptor antibody, TSHRAb)는 자극항체(TSH receptor stimulating antibody, TSAb) 활성도를 가진 경우에는 태아의 갑상선을 자극하여 태아의 갑상선종과 일과성 갑상선기능항진증을 유발할 수 있으며, 반대로 자극억제 항체(TSH receptor stimulating blocking antibody, TSBAb) 활성도를 가진 경우에는 태아에서 일과성 갑상선기능저하증을 유발할 수 있다. 요오드도 태반을 잘 통과하며 태아의 갑상선에 축적될 수 있는데, 태아에서 요오드에 의한 갑상선의 자가조절능은 임신 36주 이후 성숙되므로, 임신중 과량의 요오드 섭취는 태아의 갑상선기능저하 및 갑상선종을 유발할 가능성이 있다. 모체의 갑상선기능항진증을 치료하기 위하여 투여하는 메티마졸(methimazole)과 프로필티오우라실(propylthiouracil)도 태반을 잘 통과하여, 다량 투여 시에는 태아의 갑상선종과 기능저하증을 유발할 수 있다.

4) 임신 중 요오드 대사

임신 중에는 갑상선호르몬 요구량이 증가되고 소변으로의 요오드 배설이 증가되므로, 요오드 섭취량이 증가되어야 한다. 임신 중 요오드가 부족한 경우, 갑상선호르몬 생성 부족을 유발, 모체와 태아의 갑상선종과 기능저하증을 유발할 수 있고, 태아의 신체 또는 신경발달장애와의 연관성이 보고되기도 한다. 임신 중에는 신장에서 요오드 배설이 증가하고 태아의 요구량이 증가하므로 임신, 수유 중의 요오드 필요량은 비임신 성인보다 많다. 수유시에도 신생아의 요오드 섭취가 수유를 통해서만 이루어지므로 충분한 양의 요오드 섭취가 권장된다. 임신부와 수유부에게 WHO에서는 1일 250 ug, 미국의학회에서는 1일 290 ug의 요오드 섭취를 권장하고 있으며, 모체의 요오드과잉이 모체와 태아에 미치는 영향과 이의 교정에 따른 득실에 대해서는 아직까지 확실하게 밝혀져 있지 않으나, 요오드 과잉섭취에 따른 신생아 갑상선기능이상발생에 대한 우려로 1일 500-1,100 ug 이상의 요오드 섭취는 피하도록 권고하고 있다.

WHO에서는 적정한 요오드를 섭취하는 임신부의 소변 요오드 중앙값이 149-249 μg/L 라고 제시하고 있는데, 2012-2013년 우리나라 임산부 344명을 대상으로 측정한 소변 요오드 농도는 중앙값이 427 μg/L로 요오드 과잉 섭취 지역으로 나타났다.

III. 갑상선기능의 평가

갑상선기능을 평가하는 가장 예민한 방법은 혈청 TSH로서 일차 선별검사 방법으로 추천된다. 이어서 필요하면 유리 T_4를 측정하는 것이 좋다. 그러나 기왕의 갑상선질환을 치료 중이거나 중추 갑상선기능이상이 의심되는 경우 등에는 처음부터 TSH와 함께 유리 T_4의 측정이 필요하다. 임신을 준비 중이거나 임신 중인 여성에서는 혈청 TSH가 비정상일 때는, TPOAb와 TgAb 등의 갑상선자가항체를 측정한다.

1. 갑상선 기능검사

1) TSH

뇌하수체는 혈중 갑상선호르몬의 농도변화에 매우 예민하게 반응하여 유리호르몬이 약간만 변화해도 혈청 TSH는 급격한 변화를 보여서, 갑상선질환이 의심되는 경우에 갑상선 자체의 이상 여부를 알고자 하는 선별검사로서 TSH를 우선적으로 측정한다. 만약 혈청 TSH 농도가 정상이면, 갑상선기능은 정상으로 판단할 수 있다. 갑상선호르몬의 분비가 증가한 갑상선기능항진증에서는 TSH 농도가 감소하며, 반대로 갑상선호르몬이 부족한 갑상선기능저하증에서는 TSH 농도가 상승하게 된다.

한편, 시상하부 및 뇌하수체가 정상이 아닌 경우에는 TSH 농도 해석이 주의가 필요한데, 이차 또는 중추성(시상하부 또는 뇌하수체성) 갑상선기능저하증에서는 유리호르몬이 낮은 데도 혈청 TSH가 정상 혹은 감소되어 있으며, TSH 분비 뇌하수체종양 또는 갑상선호르몬 저항성증후군에서는 유리호르몬이 상승되었음에도 TSH가 정상 혹은 상승되어 나타나게 된다. 동반된 비갑상선질환 자체와 질환 치료를 위해 사용 중인 당류코르티코이드나 도파민 등도 TSH 분비에 영향을 줄 수 있다.

그러므로 혈청 TSH 농도의 측정은 일차 갑상선기능이상의 초기 진단에 유용하며, 갑상선기능저하증 혹은 갑상선호르몬 억제요법이 필요한 환자에서 적정량의 갑상선호르몬 투여량을 결정하는 데에도 도움이 된다.

2) 갑상선호르몬

갑상선기능 평가를 위한 일차 검사로는 혈청 TSH의 측정만으로 충분한 경우가 대부분이나, 갑상선 기능이상의 치료 초기, 중추성 갑상선 질환 등 HPT 축이 불안정하거나 비정상적인 경우와 임신 등에서는 TSH 측정만으로 정확한 갑상선기능의 평가가 어려울 수 있다. 그러므로 이러한 경우 우선 일차 검사로 혈청 TSH 를 측정하고, 검사결과에 따라 필요하면 갑상선호르몬(특히 유리 T_4와 유리 T_3)을 측정한다.

갑상선호르몬은 혈액내에서 갑상선호르몬결합단백(주로 TBG)과 결합되어 있는 결합형과 유리형을 모두 측정한 총 T_3, 총 T_4와 유리형만을 측정한 유리 T_3, 유리 T_4 검사로 측정할 수 있다. 이 중 유리형은 각각 0.3%와 0.03%에 불과하여, 총 T_3, 총 T_4는 TBG의 양적 혹은 질적인 변화가 생기는 상황에서는 실제적인 갑상선기능이 정상이라 하더라도 비정상적으로 측정될 수 있다. 대표적으로 TBG가 증가하는 경우는 임신, 경구피임약, 에스트로겐의 복용과 급성 및 만성 활동성 간염 등이 있으며, 반대로 안드로겐이나 당류코르티코이드, 만성 간질환, 신증후군 등에서는 TBG가 감소한다. 반대로, 말초에서 T_4에서 T_3로의 탈요오드화가 억제되는 조건에서는 갑상선 자체의 이상이 없이도 총 T_3가 감소하거나 총 T_4가 증가할 수 있다. 태아 및 신생아 시기, 각종 급, 만성 질환이나 수술, 발열 후 등 비갑상선질환과 절식, 프로필치오우라실 등의 약물 복용이 이에 해당한다. 그러므로 총 T_3, 총 T_4는 갑상선기능이상을 진단하기 위한 선별검사로는 적합하지 않고, 혈청 TSH와 함께 직접 혈중 유리 T_3 또는 유리 T_4의 농도를 측정하는 것이 실제 갑상선기능을 가장 정확하게 반영할 수 있다. 그러나 유리호르몬은 임상에서 흔히 사용되는 자동화된 면역측정법(automated immunoassays)은 TBG 상승이나 혈중 알부민 감소 등의 인자에 영향을 받을 수 있어서 검사 결과의 해석에 주의를 요한다.

3) 갑상선자가항체

임상에서 흔히 측정하는 갑상선자가항체로는 TgAb, TPOAb, TSHRAb가 있다. TPOAb는 정상인의 약 6%, 우리나라 성인의 약 10%에서 검출되며, 하시모토 갑상선염의 90% 이상, 그레이브스병의 80-90%에서 양성으로 측정된다. 자가면역 갑상선질환의 진단에 사용되며, 산후 갑상선염을 포함한 자가면역 갑상선질환 발생과 기능이상의 진행을 예측하는 인자로 사용된다. 또한, 인터페론이나 리치움, 아미오다론 등 치료시 갑상선기능이상의 발생을 예측하는 인자이며, 자연 유산과 불임의 위험인자로서 이용되고 있다. TgAb는 정상인의 약 5-30%에서 검출되며, 하시모토 갑상선염의 90% 이상, 그레이브스병의 40-60%에서 검출된다. 그러나 TgAb가 양성인 경우는 자가면역 갑상선질환의 진단과 진행 예측에 추가적인 도움을 주지 못하는 것으로 알려져 있다. 임상적으로는 주로 갑상선암 환자의 수술후 암표지자로서 이용되는 갑상선글로불린 농도의 해석과, 일부의 경우 재발을 예측하는 인자로 사용되고 있다.

TSHRAb는 TSH 수용체와 결합하여, TSH 신호를 활성화시키거나(TSAb), 반대로 억제한다(TSBAb). 그러나 임상에서 흔히 사용되고 있는 방사면역측정법으로는 자극 혹은 억제 여부는 확인할 수 없고, TSH 수용체와의 결합능을 가진 TSHRAb의 양만 측정할 수 있고, 갑상선기능을 고려하여 자극 또는 억제 여부를 추정한다. TSHRAb는 갑상선중독증(thyrotoxicosis) 환자에서 그레이브스병을 진단하는 데 유용하며, 정상 갑상선기능의 그레이브스 안병증(euthyroid Graves' ophthalmopathy)의 진단에도 이용된다. 현재 그레이브스병을 앓고 있거나 과거력이 있는 임산부에서는 임신초기와 후기에 이를 측정하는 것이 태아 및 신생아의 그레이브스 발병을 예측하는 데에 도움이 될 수 있다.

2. 임신 중 갑상선기능

1) 임신 중 TSH

임산부의 갑상선기능의 정상 범위는 임신을 하지 않은 정상 성인보다 하한치 0.1-0.2 mU/L 정도, 상한치 0.5-1.0 mU/L 정도 감소한다. 2011년 미국갑상선학회에서는 임산부에서의 갑상선기능의 정상 범위를 임신초기(first trimester) 0.01-2.5 mU/L, 중기(second trimester) 0.2-3.0 mU/L, 후기(third trimester) 0.3-3.0 mU/L로 제시하였으나, 요오드 섭취량, 지역/인종간 차이, TPOAb 양성율, 체질량지수, TSH 측정법 등에 따른 차이가 보고되면서, 2017년에는 기관별 임신 주수에 따른 정상치를 사용하도록 권고하였다. 기관별 정상 범위가 없는 경우에는 비슷한 집단에서 보고된 결과를 사용하거나, 임신초기에는 하한치가 비임신 정상의 0.4 mU/L, 상한치가 0.5 mU/L 정도 감소하며, 중기 및 후기가 되면서 점차 비임신 정상성인과 동일하게 회복되는 것을 참고하여 정하도록 권고하였다. 기저 갑상선질환이나 TPOAb가 없고 요오드 섭취가 적정한 수준이라면 7-12주에는 상한치가 4 mU/L 정도에 해당한다고 제시하고 있다. 우리나라의 경우 2012년 문 등은 238명의 비임신 정상인의 TSH 정상범위가 0.56-4.98 mU/L 인 집단에서, 465명의 정상 임산부에서는 초기 0.01-4.1 mU/L, 중기 0.01-4.26 mU/L, 후기 0.15-4.57 mU/L 가 정상범위라고 제시하였다.

2) 임신 중 유리 T_4

임신 중에는 특히 TBG와 비에스테르화지방산(non-esterified fatty acid)이 높고, 알부민이 상대적으로 낮아 유리호르몬의 변화 범위가 크므로 측정법과 임신주수에 따른 정상 범위를 아는 것이 필요하다. 우리나라에서 2012년 문 등은 면역측정법으로 측정한 유리 T_4의 정상범위는 238명의 비임신 정상인에서 0.94-1.50 ng/dL, 465명의 정상 임산부에서 초기 0.83-1.65 ng/dL, 중기 0.71-1.22 ng/dL, 후기 0.65-1.13 ng/dL 으로 보고하였다.

자동화된 면역측정법의 제한점을 극복하기 위해서는 유리 T_4 지수(free T_4 index)와 총 T_4 값이 이용될 수 있는데, 정상 범위를 임신중 TBG 상승으로 고려하여 비임신 정상보다 임신 16주까지는 [임신주수 X 5]% 높게, 이후에는 50% 높게 하여 사용한다.

3) 임신 중 갑상선자가항체

임산부에서 TPOAb 또는 TgAb는 2-17% 정도로 알려져 있는데, 우리나라의 보고에서는 임산부 524명 중 11.3%가 양성, 임산부 108명에서 측정한 결과에서는 각각 13.9%와 16.7%가 양성으로 비임신 정상인과 비슷한 정도로 보고되었다. 정확한 근거는 없으나 임산부에서 갑상선자가면역질환에 대한 연구의 대부분이 TPOAb에 대한 것으로 대부분의 권고안에서는 TSH가 상승된 경우 TPOAb 측정에 대해서만 권고되고 있다. 임신이 갑상선자가항체에 미치는 영향에 대해서는 확실하지 않으나, 갑상선자가항체와 불임, 유산, 조산 등과의 연관성이 보고되고 있는데, 최근 3개의 메타분석 연구 결과들은 TPOAb에 의한 조산의 위험도가 각각 1.4, 1.6, 2.9배 증가함을 보고하였다.

TSHRAb는 임신 중 그레이브스병인 산모에서 나타나며, 태반을 통과하여 태아 또는 신생아 갑상선기능항진증을 유발할 수 있다. 임산부가 정상갑상선기능인 경우에도 TSHRAb가 양성이라면 태아의 갑상선기능에 영향을 미칠 수 있으므로, 치료 전 또는 치료 중인 그레이브스병을 동반한 임산부, 임신 전 그레이브스병으로 방사성요오드 치료 또는 갑상선전절제술을 받거나 임신 중 갑상선기능항진증으로 갑상선수술을 받은 병력이 있는 임산부, 신생아 갑상선기능항진증이 발병한 자녀가 있는 임산부 등에서는 TSHRAb를 측정이 권고되고 있다.

3. 갑상선기능의 평가

1) 갑상선기능검사의 해석

시상하부와 뇌하수체가 정상인 경우, 혈청 TSH와 유리 T_4는 반비례 관계를 보인다. 그런데, 뇌하수체는 혈청 갑상선호르몬의 변화에 매우 예민하게 반응하므로 갑상선호르몬이 조금만 변해도 혈청 TSH는 큰 폭의 변화를 보인다. 그러므로 갑상선의 기능이상이 발생하게 되면 가장 먼저 TSH의 변화가 나타나게 된다. 갑상선호르몬이 부족한 경우, 갑상선호르몬의 부족으로 TSH가 상승되는데, 이로 인하여 갑상선호르몬 생성이 증가되어 초기에는 혈청 갑상선호르몬이 정상으로 유지되는 무증상 갑상선기능저하증(subclinical hypothyroidism) 상태를 보이게 되나, 기능저하상태가 진행되면 갑상선호르몬 농도도 감소하는 현성의 갑상선기능저하증(hypothyroidism) 상태로 나타난다. 반대로 갑상선호르몬의 혈중 농도가 증가하면 TSH만 감소되어 있는 무증상 갑상선기능항진증(subclinical hyperthyroidism) 상태에서 진행하면 갑상선호르몬 농도도 상승되는 현성의 갑상선기능항진증(hyperthyroidism) 상태가 된다(그림 36-3). 무증상의 갑상선기능저하증은 일과성 TSH 상승을 배제하기 위하여 3-6개월 후에 재검이 필요하다. 무증상 갑상선기능항진증 환자에서는 T_3-갑상선중독증의 감별을 위하여 혈청 T_3의 측정이 필요하다.

2) 임신 중 갑상선기능의 평가가 필요한 경우

일차 갑상선질환이 의심되는 경우에는 선별을 위해서는 혈청 TSH를 측정하여, 정상이면 갑상선질환을 배제할 수 있고, 정상보다 상승 혹은 감소된 경우에는 유리호르몬을 측정하여 감별한다. 임신 중에는 TSH 와 유리 T_4를 함께 측정하며, TPOAb는 산후 갑상선염과 태아의 갑상선장애를 예측할 수 있는 지표가 되므로 임신 중 갑상선기능검사로 함께 측정할 수 있다. 예전에 산후 갑상선염을 앓았거나 TPOAb가 양성인 경우, 출산 후 갑상선종이 있거나 갑상선염을 의심할 수 있는 증상이 있으면, 산후 6-8주에 TSH 와 유리 T_4를 측정한다

2017년 미국갑상선학회에서는 다음과 같은 경우, 임신과 출산 후 갑상선 기능을 평가하도록 권고하였다. 제1

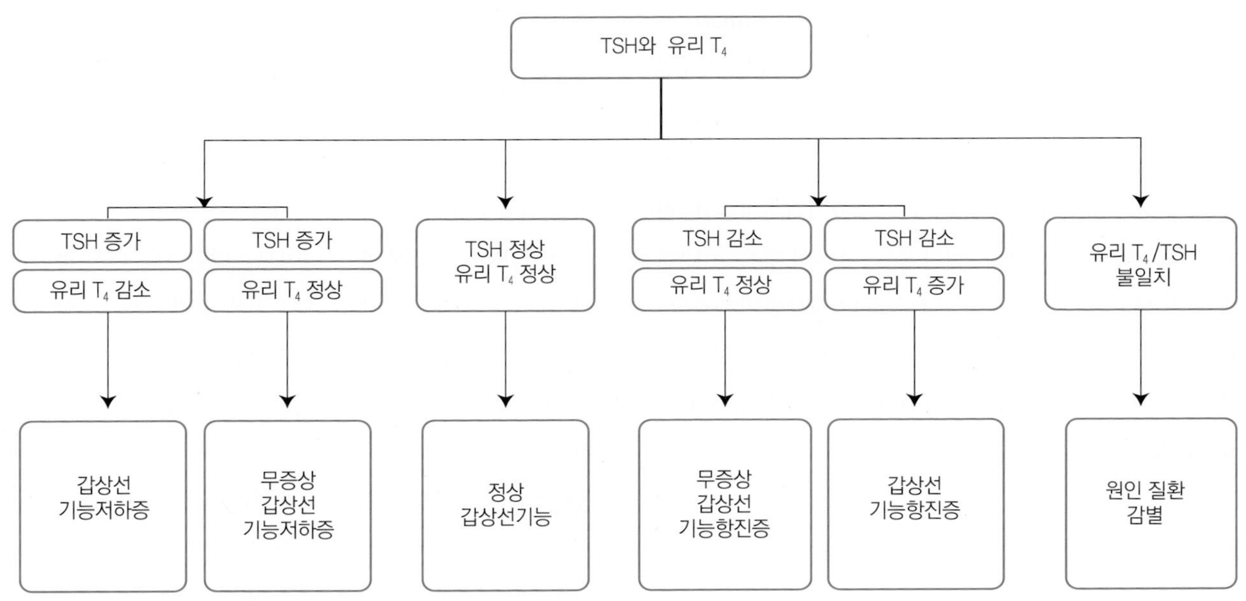

• 그림 36-3. **갑상선기능검사의 해석.**

형 당뇨병 또는 다른 자가면역질환, 갑상선엽절제술을 포함한 갑상선 질환의 병력이 있거나 현재 치료받고 있는 경우, 갑상선종이나 갑상선기능이상의 증상이 있는 경우, TPOAb 양성인 경우, 조산 혹은 유산의 경험이 있는 경우, 불임에 대한 검사를 하고 있는 경우, 유소아기에 경부 방사선조사를 받은 경우, 체질량지수가 40 이상인 고도 비만인 경우, 30세 이상의 산모, 아미오다론이나 리치움을 복용한 경우, 최근 6주 이내에 조영제를 사용한 경우, 갑상선 질환의 가족력이 있는 산모가 이에 해당한다. 이와 같은 여성에서는 임신 진단 당시, 또는 임신 전에 갑상선기능검사를 시행하도록 권고되고 있다.

4. 갑상선 영상 검사

1) 갑상선 스캔

갑상선스캔에 주로 사용되는 핵종으로는 ^{99m}Tc, ^{131}I, ^{123}I 등이 있는데, 생리학적으로는 ^{131}I과 ^{123}I이 적합하지만, 반감기와 분비되는 에너지 등의 물리적 특성에 따른 제약 때문에 ^{99m}Tc가 가장 많이 사용된다. 갑상선스캔은 갑상선중독증에서 그레이브스병과 아급성 또는 무통성 갑상선염을 감별에 도움이 되며(그림 36-4A-C), 갑상선 결절에서는 혈청 TSH가 감소되어 있는 경우에 중독성 결절(toxic nodule, hot nodule) 존재 여부 감별에 도움이 된다(그림 36-4D-E). 방사성요오드 스캔은 갑상선암 수술후 경과 관찰과 재발 및 전이를 확인하는 데에 이용되며, 이소성 갑상선의 진단에 필수적이다.

2) 갑상선초음파 및 미세침흡인세포검사

갑상선초음파는 갑상선의 내부구조와 주위 조직과의 관계를 잘 파악할 수 있게 해주며, 방사선 노출 우려가 없으며, 식사 및 투약 여부와 관계없이 시행할 수 있으며 조영제를 사용하거나, 전처치가 필요하지 않은, 비관혈적인 검사방법으로 갑상선 결절의 진단에 가장 유용한 검사이다.

갑상선초음파 검사는 갑상선종이 있을 때에, 갑상선 결절의 존재와 악성 여부, 크기 등을 확인하기 위하여 주로 이용된다. 미만성 갑상선종은 매우 흔한데, 이 경우 갑상선 초음파로 모양 및 균질성을 확인할 수 있으나, 이를 확인하기 위하여 초음파를 시행하는 것은 권고되지는 않는다. 갑

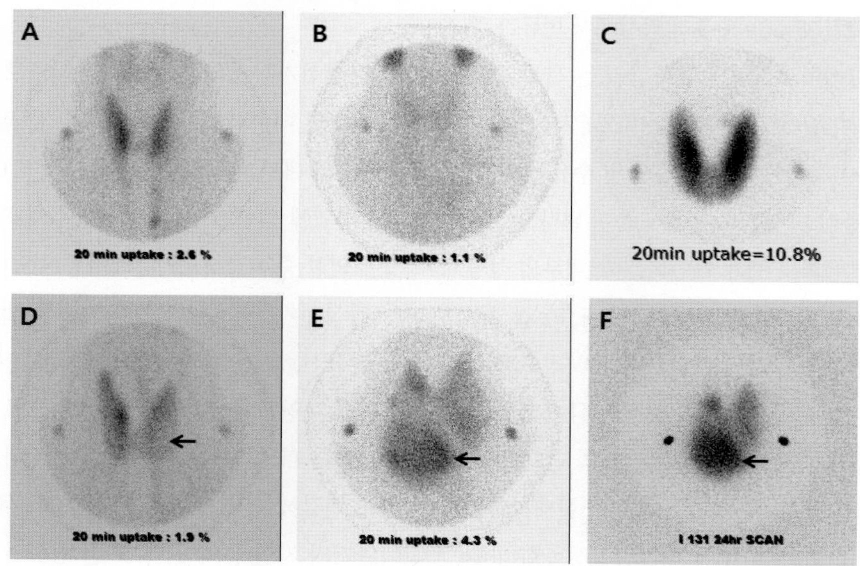

● 그림 36-4. **갑상선 스캔 검사 소견** A : 정상 갑상선, B : 아급성 갑상선염, 무통성 갑상선염, 산후 갑상선염, C : 그레이브스병, D : 좌측 냉결절(의심), E, F : 우측 독성결절(E; ^{99m}Tc scan, F, ^{131}I scan)

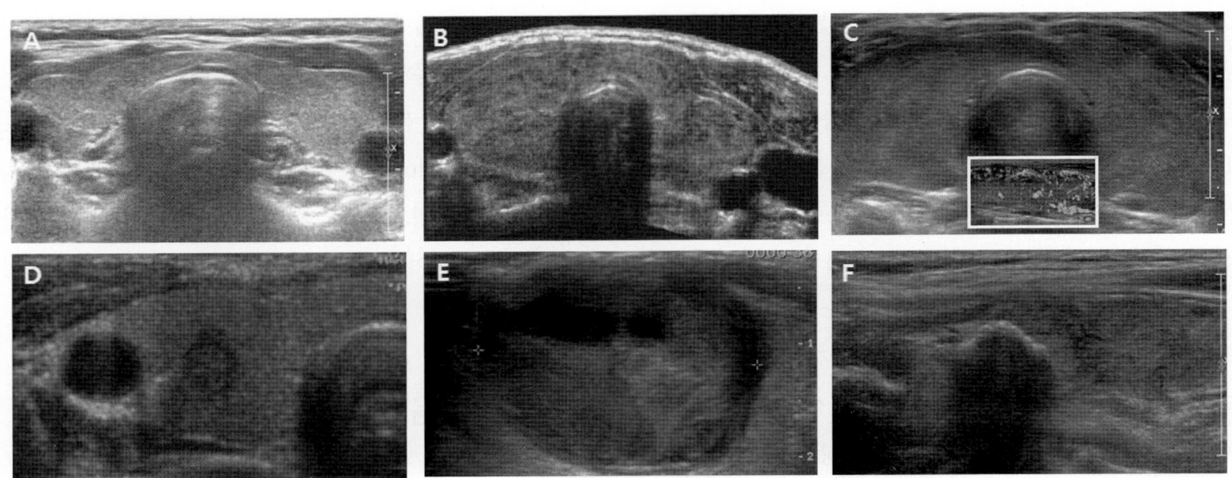

● 그림 36-5. **갑상선초음파 소견** **(A)** 정상 갑상선, **(B)** 하시모토 갑상선염, **(C)** 그레이브스병(박스 안은 도플러 검사의 혈류 증가 소견), **(D,E,F)** 갑상선 결절

상선 결절의 동반 여부를 확인하기 위해서는 초음파 검사가 필요한데, 이의 시행에 대해서는 득실이 분명하지 않아 아직까지 권고되고 있지 않다. 미만성 갑상선종에서 초음파가 도움이 되는 대표적인 경우는 비대칭적인 갑상선종을 다른 종괴와 감별이 필요한 경우인데, 하시모토 갑상선염은 비균질성의 저에코 소견을 보이며 간혹 석회화 때문에 부분적으로 고에코가 관찰되기도 한다. 1-5 mm의 작은 저에코성 결절이 다발성으로 보이면 하시모토 갑상선염을 의심해 볼 수 있다(그림 36-5B). 도플러 검사에서 혈류가 증가되어 있는 경우 그레이브스병과 무통성 또는 산후 갑상선염의 감별에 도움이 된다(그림 36-5C. 박스내 사진 참조). 특히 갑상선스캔검사 시행이 어려운 임신 및 수유 중인 환자에서 갑상선중독증이 발생한 경우에 도움이 된다.

갑상선 결절은 초음파로 쉽게 확인되는데, 내부의 성상에 따라 여러 가지 소견을 보인다(그림 36-5D, E, F). 갑상선 결절은 유병률이 높으며, 발견된 결절의 약 5% 정도가 갑상선암이다. 갑상선암을 진단하기 위해서 지금까지 보고된 결과와 전문가의 의견에 따른 갑상선 결절의 진단 및 치료에 대한 진료 권고안들이 제시되고 있으며, 현재까지는 2015년 미국갑상선학회와 2016년 대한갑상선학회의 권고안 등에 근거하여 결절의 크기와 초음파 모양 및 악성의 고위험인자의 존재 여부에 따라 미세침흡인검사를 시행하고 있다. 갑상선초음파 검사는 갑상선 결절의 크기와 모양의 변화를 추적 관찰하거나 갑상선암의 치료 후 재발 및 전이병소의 진단에 매우 유용하다.

IV. 갑상선기능저하증

1. 갑상선기능저하증의 임상상

갑상선기능저하증이란 갑상선호르몬의 부족으로 인해 전신의 대사과정이 저하된 상태를 말한다. 갑상선기능저하증의 대부분이 일차성이며, 이 중 70-85%는 자가면역갑상선염에 의한다. 드물게 뇌하수체 혹은 시상하부의 이상에 의한 중추 갑상선기능저하증이 있다.

갑상선기능저하증의 임상소견은 발생 원인에 무관하게 갑상선호르몬 결핍의 정도와 결핍이 발생하는 속도에 따라서 다양하게 나타난다. 갑상선호르몬 결핍에 의한 증상으로는 피로와 쇠약감이 들고 동작과 말이 느려지고 추위에 민감해지거나, 변비, 체중증가, 서맥 및 심부건반사 이완기의 지연 등이 있다. 또한 심하면 머리가 쉽게 빠지고, 목소리가 쉬고, 피부가 건조하고 거칠며 얼굴과 눈 주위 부종 등이 나타날 수 있다. 그 외에도 난청, 근육통 및 이상감각, 우울증, 월경과다, 관절통, 확장기고혈압, 심낭삼출, 유루증 등이 나타나기도 한다.

2. 갑상선기능저하증의 치료

갑상선기능저하증의 치료 목표는 갑상선호르몬 결핍을 보충하여 말초조직의 대사상태를 정상화하는 데에 있으며, 혈청 유리 T_4와 TSH를 정상 범위로 유지한다. 체내에서 필요한 T_3는 주로 말초 기관에서 T_4가 전환되어 사용되므로, 혈중 T_3가 과도하게 되지 않도록 갑상선호르몬의 보충은 T_4 제제인 레보티록신(Levothyroxine, LT4)을 주로 사용한다. 성인에서 LT4의 평균 치료용량은 1일 1.6 μg/kg 정도이며, 갑상선호르몬의 부족 정도나 연령, 증상의 정도, 원인 질환, 유병 기간, 전신 상태 등 여러 인자들을 영향을 미칠 수 있으므로 이들을 종합적으로 고려하여 결정하여야 한다.

LT4는 음식, 섬유질 및 약제 중에 철분, 칼슘, 제산제, 콜레스티라민(cholestyramine) 등은 장 안에서 LT4와 결합하여 장흡수를 감소시킬 수 있으므로, 흡수에 영향을 줄 수 있는 음식과 약제와는 3-4시간 이상의 간격을 둔 공복 상태에 복용하고 복용 후 30-60분 이상 공복 상태를 유지해야 한다. LT4 복용 후 평형 상태에 도달하는데 4-6주가 걸리므로 치료 시작 혹은 용량 조절 후 갑상선기능검사는 적어도 4-6주 이후에 해야 한다. LT4 투여 후 9시간 정도까지 혈청 T_4가 15-20% 정도 증가하고 TSH가 감소할 수 있으므로, 혈청 T_4 및 TSH 측정은 LT4 투여 전에 하도록 한다. 치료 효과의 판정은 일차성의 경우에는 혈청 TSH 측정이 가장 좋으며 주기적으로 혈청 TSH 와 유리 T_4를 측정하여 과치료가 되지 않도록 한다.

경과 관찰 중 LT4 요구량이 증가하는 가장 흔한 원인으로는 불규칙한 약 복용이므로, 혈청 유리 T_4 농도는 정상 또는 증가하였는데도 TSH 농도가 높은 경우에는 항상 약물 복용 방법이나 복용 순응도를 확인하여야 한다.

무증상 갑상선기능저하증 치료의 명확한 지침은 확립되어 있지 않다. 일반적으로는 TSH가 10 mU/L 이상인 경우와 임신을 준비 중인 여성이나 임산부에서 LT4 치료가 권고되고 있다. 심혈관질환 위험도가 높은 사람에서는 TSH 7-8 mU/L 이상의 무증상 갑상선기능저하증이 심혈관계 사망률과 이환율, 전체 사망률 등이 증가하는 것으로 알려지고 있으나, 아직까지 이들에서 LT4 투여의 효과가 증명되지는 않았다. 그 외 갑상선종이 진행하거나 갑상선기능저하증의 증상이 동반된 경우 등에서도 LT4 치료를 고려할 수 있는데, 환자 개개인의 연령, 동반 질환, TSH 증가 속도와 정도, 갑상선자가항체 여부, 갑상선종 정도 등을 함께 고려하여 치료를 결정한다.

3. 임신과 갑상선기능저하증

1) 갑상선기능저하증의 진단

갑상선기능저하증의 위험인자가 있는 경우에는 임신 전 혹은 임신초기에 갑상선기능을 검사하여야 한다. 미국갑상선학회에서는 갑상선자가항체가 양성인 경우나, 갑상선부분절제술 또는 방사성요오드 치료를 받았던 임산부는 임신 전 또는 임신 초기 갑상선기능이 정상이더라도 임신 기간 중 TSH가 상승할 위험성이 있으므로 임신 중기까지는 4주 정도의 간격으로 정기적으로, 그리고 임신 30주 전후로 TSH를 측정하도록 권고하고 있다.

한편, 아직까지 갑상선기능저하증이 불임에 미치는지는 확실하게 밝혀져 있지 않지만, 현성 갑상선기능저하증의 치료는 비교적 안전하고 임신에 도움이 될 수 있고, 적정량을 복용함으로써 임신 후 요구량 증가에 따른 TSH 상승을 방지할 수 있으므로, 불임 여성이나 생리주기가 불규칙한 여성에서 TSH 측정이 도움이 될 수 있다. 2021 유럽갑상선학회 권고안에서는 이러한 여성에서 무증상 또는 현성 갑상선기능저하증이 동반되어 있는 경우가 있으므로, 특히 보조생식술의 도움으로 임신을 준비 중인 여성에서는 혈청 TSH 측정을 권고하였으며, 갑상선질환의 위험요인이 있는 경우에는 TPOAb를 측정하고, TPOAb 가 음성인 경우 TgAb 측정을 고려하도록 권고하였다.

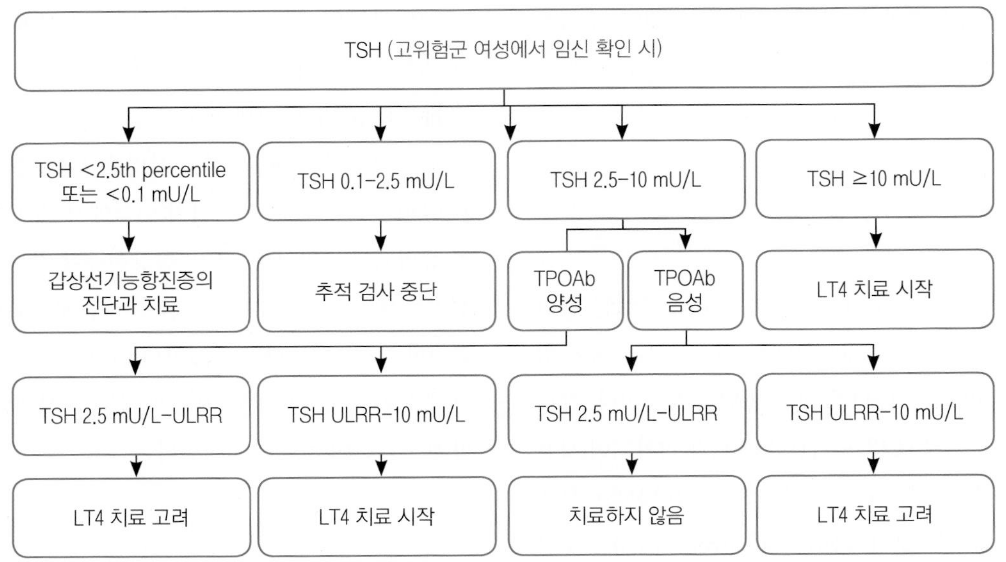

• 그림 36-6. **임신 중 갑상선기능에 따른 진단 및 치료 권고안(2017 미국갑상선학회).** ULRR, upper limit of the reference range.

2) 갑상선기능저하증의 치료

임신 초기 태아의 중추신경계 발달에서, 태반을 경유하여 들어오는 모체의 T_4가 중요한 기능을 담당하는 것으로 알려져 있다. 그러므로 T_4 농도가 불충분할 수 있는 T_3-T_4 복합제 및 T_3 제제는 산모에서는 권고되지 않으며, 이들 약제를 사용하고 있던 산모도 임신 후에는 T_4 제제인 LT4로 약을 변경해야 한다.

아직까지 갑상선기능저하증이 불임에 미치는지는 확실하게 밝혀져 있지 않지만, 임신 전 발견된 갑상선기능저하증의 치료는 비교적 안전하고 임신에 도움이 될 수 있고 적정량을 복용함으로써 임신 후 요구량 증가에 따른 TSH 상승을 방지할 수 있으므로, 보조생식기술 예정인 갑상선자가항체 양성의 TSH 4 mU/L 이상인 무증상 갑상선기능저하증 여성에서도, 현성 갑상선기능저하증과 동일하게 TSH를 정상 하한치에서 2.5 mU/L 사이를 목표로 치료하도록 권고된다. 갑상선자가항체가 음성인 TSH 4 mU/L 이상인 무증상 갑상선기능저하증인 불임 여성에서 LT4 치료 효과에 대해서는 서로 다른 연구결과가 보고되고 있으며, 임상근거가 불충분하지만 치료에 따른 위험도가 높지 않으므로 저용량 LT4를 조심스럽게 사용해 볼 수 있다고 제시되고 있다.

임신초기에 무증상 갑상선기능저하증을 진단받은 산모에서도 태아의 지능저하 및 정신운동 발달장애와 연관이 보고되고, 일부 LT4 치료로 예방 가능하다는 보고가 있다. 그러나 최근의 무작위 비교연구에서는 LT4의 효과를 증명하지 못하였으며, 아직까지 논란이 지속되고 있다. 2017년 미국갑상선학회에서는 갑상선기능저하증의 고위험군에서 TSH를 측정하여 TSH가 2.5 mU/L 이상이면 TPOAb를 측정하여 이에 따라 LT4 치료 여부를 결정하도록 권고하고 있다(그림 36-6). 권고안에 따르면 현성의 갑상선기능저하증은 LT4를 즉시 투여하며, 무증상 갑상선기능저하증일 때에는 TSH가 10 mU/L 이상이거나, TPOAb가 양성이면서 TSH가 정상 상한치 이상일 때는 반드시 LT4 치료를 하고, TPOAb 양성이면서 TSH가 2.5 mU/L-정상상한치이거나, TPOAb 음성이면서 TSH가 정상상한치-10 mU/L 경우에는 LT4 투여를 고려한다. 그런데, 권고안 이후 보고된 연구 결과들에서는 TPOAb 음성이면서 TSH가 정상상한치-10 mU/L 경우에는 임신초기에 LT4 투여가 도움이 되는 것과는 달리, 임신중기와 후기에서는 그 효과가 없는 것으로 보고하고 있다. 또한, 임신 전 TPOAb가 양성으로 발견된 정상갑상선기능인 (불임)

여성에서는 도움이 된다는 근거가 불충분하므로 LT4 치료가 권고되지 않는다. TPOAb가 음성이면서 TSH 2.5 mU/L-정상상한치인 경우는 LT4 투여를 권고하지 않고 있다. 임신하고 난 후에 갑상선기능저하증이 새로 진단되어 LT4 복용을 시작한 경우에는 갑상선기능이 안정화될 때 까지는 4-6주마다 갑상선기능검사를 시행하는 것이 좋다.

TPOAb는 태반을 통과하는데, 태아의 갑상선기능에 미치는 영향은 확실하지 않으며, 일부 주산기 합병증 및 태아의 인지, 발달 등과의 연관보고가 있으나 확실하지 않다. TPOAb가 높은 경우 TSH가 임신 주수에 따라 상승하고, 20% 정도에서는 정상의 상한치 이상으로 상승한다고 보고되어, 미국갑상선학회에서는 갑상선기능이 정상이지만 TPOAb 또는 TgAb가 양성인 임산부는 임신 중기까지 4주 간격으로 갑상선기능을 측정하도록 권고하고 있다. 메타분석, 코호트 및 환자-대조군 연구에서 TPOAb 또는 TgAb가 양성인 임산부에서 1.8-3.9배로 유산의 위험도가 증가하며 반복적인 유산의 위험도도 2.3-2.5배 정도 증가는 것으로 보고되고 있으나, 그 기전은 확실하지 않다. 아직까지 증거는 불충분하지만 미국갑상선학회에서는 반복적인 유산 경험이 있는 TPOAb 또는 TgAb 양성인 정상갑상선기능의 여성에서, 25-50 ug 정도의 LT4 보충이 도움이 될 수 있다는 의견을 제시하고 있고, 이에 대한 2개의 전향적 무작위 연구[영국의 The Thyroid AntiBodies and LEvoThyroxine study (TABLET), 네덜란드의 T_4-LIFE study]가 진행 중이다.

3) 갑상선기능저하증 환자의 임신 중과 출산 후 치료

임신 중에는 모체의 대사 증가로 인하여 갑상선호르몬의 필요량이 증가하는 반면, 복용하는 갑상선호르몬의 흡수가 감소하게 되어 보통 임신 전에 복용하던 갑상선호르몬 용량의 25-50% 정도의 갑상선호르몬을 더 필요로 하게 된다. 그러므로, 갑상선기능저하증 환자는 임신하면 바로 혈청 TSH를 측정하고 결과에 따라 복용하고 있던 갑상선호르몬의 용량을 조절하여야 한다. 임신 중 증가하는 갑상선호르몬 요구량은 기저갑상선질환, 임신전 TSH 농도 및 LT4 흡수와 대사에 영향을 주는 인자들에 따라 다양하다. 한 전향적 연구결과를 근거로 하여 갑상선호르몬을 복용하고 있던 경우 임신이 확인되면, 기존 1주일 복용량의 2일분(약 29%), 또는 20-30%의 용량을 증량하고 갑상선기능검사를 확인하도록 권고되고 있다. 임신 기간 중에는 임신 주수에 따라 정상 갑상선기능이 변화하므로, 각 기수에 갑상선기능을 평가하고 이에 따라 갑상선호르몬의 용량을 조절한다. 보통 임신 16-20주까지는 요구량이 점차로 증가하다가 이후 출산까지는 일정하게 유지된다. LT4 치료에 따른 TSH 농도는 기관의 임산부 주수에 따른 정상 상한치의 50% 또는 2.5 mU/L를 목표로 한다.

임신 기간 중 정상 갑상선기능이 유지된 경우, 태아 및 신생아에 미치는 위험도 증가는 알려진 바가 없으므로, 임신 기간 중 혹은 출산 후 태아에 대한 추가적인 검사가 필요하지 않다.

출산 이후에는 다시 갑상선호르몬의 모체 요구량이 감소하므로 임신 전 복용하던 양으로 감량하여 복용하도록 하면서 출산 6주 후에 갑상선기능검사를 시행하여야 한다. 임신 전에는 LT4을 복용하지 않았던 경우에는 1일 복용량이 50 ug 이하이면 중단하고 갑상선기능을 추적한다.

산모의 현성 및 무증상 갑상선기능저하증에서 모유 생산이 감소될 수 있으므로 수유부에서도 갑상선기능저하증이 지속 혹은 발생 시 LT4 치료가 필요하다. 모체의 갑상선호르몬은 모유를 통하여 전달되는데, 그 양은 신생아의 1일 필요한 갑상선호르몬의 1%에도 미치지 않는 적은 양으로 문제가 되지 않는다.

V. 갑상선기능항진증

1. 갑상선기능항진증의 진단

갑상선중독증(thyrotoxicosis)은 원인과 무관하게 혈액내에 갑상선호르몬이 증가되어 말초 조직이 과다한 호르몬에 노출되어 증상이 나타나는 상태를 의미한다. 갑상선

기능항진증은 갑상선에서 갑상선호르몬이 과다하게 생산되어 갑상선호르몬이 과다한 상태로서 그레이브스병이 가장 흔한 질환이며, 자율기능성 결절(중독성 결절)과 드물게 TSH 분비종양 및 영양모세포종양(trophoblastic tumor) 등이 있다. 갑상선중독증의 다른 원인으로는 무통성 갑상선염, 산후 갑상선염, 아급성 갑상선염 등 갑상선조직이 파괴되면서 갑상선내에 저장되어 있던 갑상선호르몬이 한꺼번에 혈액으로 유출된 경우가 있으며, 갑상선호르몬을 복용하고 있는 경우에는 갑상선호르몬을 과다복용하고 있는 경우가 흔하다. 기타 드문 원인으로 이소성 갑상선 혹은 전이 갑상선암 등이 있다.

그레이브스병은 TSH 수용체에 대한 자가항체가 갑상선을 자극하여 갑상선기능항진증을 일으키는 자가면역성 질환으로, 전형적으로는 수주 혹은 수개월에 걸쳐 점진적으로 피로감, 심계항진과 호흡곤란, 손떨림, 근력약화, 불안, 신경과민, 월경불순, 잦은 배변과 묽은 변, 전신쇠약 및 체중감소 등의 갑상선중독증의 증상과 갑상선종, 안구돌출 및 안증상이 나타난다. 안병증은 없는 경우도 많고, 갑상선중독 증상이 나타난 수개월-수년 후에 나타나기도 하고, 갑상선기능은 정상이면서 안병증만 나타나기도 한다(euthyroid Graves' ophthalmopathy). TSH가 감소되어 있으면서 유리 T_4 또는 유리 T_3가 상승되어 있을 때에, 갑상선 스캔에서 미만성으로 섭취가 증가되어 있으면 그레이브스병으로 진단할 수 있다. TSHRAb가 대부분 양성으로 나타나므로 진단에 도움이 된다.

2. 갑상선기능항진증의 치료

메티마졸과 그 전구체인 카비마졸(carbimazole, 10 mg 용량이 체내 대사되어 6 mg 메티마졸에 해당), 프로필치오우라실(100 mg 프로필치오우라실이 5 mg 메티마졸과 비슷한 강도임) 등의 항갑상선제 치료와 방사성요오드 치료 및 수술 절제 방법이 있다. 항갑상선제에 이한 심한 간독성이 프로필치오우라실에서 더 빈도가 높게 보고되면서, 일차 치료로 메티마졸 사용이 권고되고 있으며, 메티마졸에 의한 부작용으로 이를 사용할 수 없는 경우나 갑상선중독 발증 시기, 임신 초기에 한하여 프로필치오우라실을 우선적으로 사용할 것이 권장된다. 항갑상선제로 치료 반응이 좋지 않거나 항갑상선 부작용이 발생한 경우 등에는 방사성요오드 치료나 갑상선절제술이 가능하다. 방사성요오드 치료를 받은 경우, 90% 이상의 환자에서 갑상선기능저하증으로 진행하며, 갑상선전절제술 혹은 아전절제술을 받은 경우에도 갑상선기능저하증이 발생한다. 표 36-1에 임신 예정인 여성에서 각 치료 방법의 장단점이 기술되어있다.

표 36-1. 그레이브스 치료 방법의 장점과 단점

치료방법	장점	단점
항갑상선제	단기간(1-2개월)에 정상기능 가능 TSHRAb 감소 또는 소실 간편하고 조절 용이	경증 및 중증 부작용 태아 이상 발생 위험도 높은 재발율(50% 이상)
방사성요오드치료	치료가 용이(경구섭취) 갑상선종 크기 감소 낮은 재발 가능성	영구 갑상선기능저하증 드물지만 재치료 필요 TSHRAb 역가 지속 또는 상승: 안병증 악화 및 태아의 갑상선기능항진증 위험도 증가
갑상선절제술	재발 없음(전절제술의 경우) 갑상선종의 소실 TSHRAb 감소 또는 소실	영구 갑상선기능저하증 수술 합병증(부갑상선기능저하증, 성대마비 등) 상처

TSHRAb, TSH receptor antibody

3. 임신과 갑상선기능항진증

1) 임신 중 발견된 갑상선기능항진증

갑상선기능항진증은 임신 전 0.4-1.0%, 임신 중 약 0.2%에서 발견되며, 원인은 비임신여성의 경우와 같이 그레이브스병이 가장 흔한데, 임신초기 및 분만 후에 악화되며 임신중기 및 후기에는 호전되는 양상을 보인다. 임신중 그레이브스병이 호전되는 것은 모체의 면역학적 활성의 감소로 인한 갑상선자가항체의 감소 및 혈청내 호르몬결합능의 증가로 인한 결합형 호르몬의 증가 등으로 설명되고 있다.

임신 중 혈청 TSH가 낮은 것이 발견되면 유리 T_4를 측정하여 갑상선중독증 여부를 확인, 중독증이 확인되면 그레이브스병과 임신입덧, 임신성 일과성갑상선중독증(gestational transient thyrotoxicosis)을 감별하여야 한다. TSHRAb와 T_3 측정이 감별에 도움이 된다. 임신 중에는 방사성 물질을 이용한 스캔검사는 금기이다. 임신 임신자체로도 갑상선기능항진증 시 나타나는 기초대사율, 호흡수, 맥박수, 심박출량의 증가 및 과다발한, 열불내성, 정서불안정, 심계항진 등의 생리적 변화가 흔히 나타나므로, 증상만으로 갑상선기능항진증의 유무를 판단하기는 어렵다. 비교적 그레이브스병에 특징적인 소견으로는 안검 지연, 근무력감, 갑상선종의 존재, 발살바조작(Valsalva maneuver)에 잘 반응하지 않는 동성빈맥, 체중감소, 조갑박리 등이 있다. 이와 같은 그레이브스병의 소견이 있거나, 그레이브스병의 과거력이나 다른 자가면역질환이 동반되었을 경우에는 TSHRAb를 측정하여 이를 감별하여야 한다. T_3 농도가 상승된 경우에도 감별에 도움이 될 수 있다. 그레이브스의 증상 및 병력이 없고 갑상선중독에 의한 증상이 경미하거나, 입덧이 심한 경우에는 임신성 일과성갑상선중독증의 가능성이 높다. 흔하지 않지만 갑상선중독성결절의 감별이 필요한 경우에는 갑상선초음파 검사와 T_3 농도가 도움이 될 수 있다.

임신 일과성갑상선중독증은 임신초기 hCG의 일시적 증가로 인한 것으로, 흔히 임신오조(hyperemesis gravidarum)와 연관되어 나타나고, 포상기태, 융모막암종에서도 발생할 수 있다. 임신초기 임산부의 1-3%에서 발견된다. 임신오조는 임신의 결과에 악영향을 끼치지 않으며, 기존에 TPOAb 양성이거나 갑상선종을 갖고 있는 임산부에서 호발한다. 그레이브스병에서 나타나는 TSHRAb는 일과성에서는 나타나지 않아 감별이 어려울 때에 이를 측정하면 도움이 된다. 음성인 경우에는 항갑상선제 치료를 유보하고 2-4주 후에 갑상선기능검사를 다시 하는 것이 좋다.

임신 중 발견된 갑상선기능항진증의 치료는 원인에 따라 다르다. 임신 오조와 연관된 임신 일과성갑상선중독증은 일과성으로 혈중 T_4가 임신 14-18주 사이에 대부분 정상화되므로 항갑상선제 치료의 대상은 아니다. 그레이브스병은 임신 16주까지는 프로필치오우라실, 16주 이후 부터는 메티마졸 치료가 권고된다. 치료 목표와 방법은 기존에 항갑상선제를 복용해온 임산부와 동일하다. 일부 갑상선중독증의 증상이 심한 경우에는 임신 일과성갑상선중독증과 그레이브스병 모두에서 2-6주 이내 단기간의 베타차단제 투여를 고려할 수 있다. 베타 차단제인 프로프라놀롤은 성장 지연, 신생아의 호흡시작의 지연, 서맥 및 저혈당 등을 유발시킬 가능성 때문에 많이 사용되지 않고 있으나 실제 발생률은 매우 낮아 적응증이 되면 사용할 수도 있다.

2) 그레이브스병의 임신중 및 산후 변화와 치료

갑상선기능항진증을 가진 여성의 60% 내외에서 희발월경, 무월경이나 배란 장애가 나타나고, 이로 인해 임신이 잘 안되거나 유산을 하는 경우가 흔하다. 그러나 질환이 심하지 않은 경우나, 항갑상선제 치료를 하는 중에는 언제라도 임신이 가능하다. 치료받지 않은 갑상선기능항진증은 임산부와 태아 모두에게 악영향을 끼치는데, 산모에서는 임신성 고혈압, 조기분만, 울혈성 심부전, 갑상선중독위기, 유산, 감염, 태반미숙박리 등이 증가하며, 태아에서는 갑상선기능항진증, 일과성 신생아 갑상선기능저하증, 자궁내 성장지체, 저체중, 미숙아, 사산 등의 빈도가 증가한다. 그러나, 임신 전 또는 임신초반부에 진단과 적절한 치료가 시작되는 경우에는 모체와 태아에 대한 예후는 양호하다. 선천 기형 발생에 대해서는 아직까지 이견이 있는데, 발생이 증가한다 하더라도 항갑상선제 치료로 정상 갑상선호르몬혈증을 유지하면 감소하는 것으로 알려져 있다. 그러므로 가임 여성인 갑상선기능항진증 환자를 치료할 때에는 임신에 대한 계획을 염두에 두어야 하는데, 베타차단제와 같은 약제는 가급적 피하고 항갑상선제만 사용하면서 정상 갑상선기능으로 회복된 후(최소 1개월 간격으로 2회 이상 정상으로 확인된 경우 권장)에 임신을 하도록 하며, 임신을 조기에 발견할 수 있도록 주의를 기울인다. 수술이나 방사성 요오드로 치료한 경우에는 적어도 6개월에서 1년이 지난 후에 임신하도록 권고한다.

항갑상선제를 임신 6-10주에 복용하였을 때, 메티마졸 복용한 경우의 2-4%에서 피부무형성증, 후비공폐쇄, 식도폐쇄, 복벽 및 비뇨기계, 눈, 심장 등의 기형 발생이 보고되고 있고, 프리필치오우라실에서도 기형의 정도는 덜 심하지만 2-3% 정도에서 비슷한 기형이 발생함이 보고되고 있어, 항갑상선제 복용 중 임신을 준비하고 있는 경우에는 이에 대한 주의가 필요하다. 정상 월경주기에 월경이 없거나 임신 가능성이 있으면(대체로 임신 5주) 바로 임신반응검사를 시행하도록 교육하고, 임신이 확인되면 항갑상선제를 중단 또는 감량하고 임신 초기에는 1-2주 간격으로, 임신 중기 부터는 2-4주 간격으로 임상 증상과 TSH 와 유리 T_4을 추적하도록 한다. 보통 메티마졸을 1일 5-10 mg 이하, 또는 프로필치오우라실을 100-200 mg 이하로 복용하면서 임신 전 정상갑상선기능을 유지하던 경우에는 임신이 확인되면 항갑상선제를 중단해 볼 수 있다. 그러나 복용 중 갑상선기능 정상화 여부, 갑상선종 크기, TSHRAb 역가, 치료 반응력 및 유병 기간 등에 따라 경과가 달라질 수 있으므로, 이들 임상상에 따른 주의 깊은 추적이 필요하다. 임신 중 항갑상선제 복용이 지속적으로 필요한 경우 임신 16주까지는 프로필치오우라실을 복용하도록 하고, 이후에는 프로필치오우라실을 유지하거나 메티마졸로 변경한다. 이 때 프로필치오우라실 50 mg 1일 2회 복용량은 메티마졸 5 mg 1일 1회 복용에 해당한다. 임신 중에는 그레이브스병의 임상상이 호전되므로 비교적 적은 용량으로도 조절되는 경우가 많고 과량 투여 시에는 태아의 갑상선종이나 갑상선기능저하증을 유발할 수 있으므로, 가능한 적은 용량을 사용하는 것이 원칙이다. 즉, 태아의 갑상선기능저하가 발생하지 않도록 목표 유리 T_4 또는 총 T_4를 임신 주수에 따른 정상의 상한치(혹은 유리 T_4는 정상 비임신의 상한치, 총 T_4는 상한치의 1.5배)로 하여 가능한 최소한의 용량의 항갑상선제를 사용한다. TSH 와 유리 T_4는 안정화 될 때까지는 2-4주 간격으로, 이후 4-6주 간격으로 추적한다. 임신 초기 TSHRAb가 양성이거나 항갑상선제 복용 중이면, 임산부의 갑상선기능이 정상인 경우에도 태아의 갑상선기능항진증 증상에 대한 주의 깊은 관찰이 필요하며, 임신 18-22주 사이에 TSHRAb를 다시 측정한다. 이때 양성이거나 항갑상선제 복용이 지속적으로 필요하면 임신 30-34주에 TSHR 항체를 추적한다. 임신중기까지 갑상선기능이 정상화되지 않거나, 임신중기 및 후기의 TSHRAb 역가가 정상 상한치의 3배 이상인 경우에는 태아와 신생아의 갑상선기능항진증의 위험도가 증가하므로 주의 깊은 관찰이 필요하다.

모체의 갑상선기능이 정상이지만 모체의 TSHRAb에 의해 태아에서 갑상선기능항진증(isolated fetal hyperthyroidism)이 발생한 매우 드문 경우 이외에는 항갑상선제와 LT4를 동시에 처방하는 것은 금기이다. 임신 중 방사성 요오드를 투여하면 태반을 자유롭게 통과하여 태아의 갑상선을 파괴시키므로 절대 금기이며, 과량의 요오드 사용 역시 태아에서 갑상선기능저하증을 유발시키므로 금기이다. 항갑상선제의 사용이 어려운 경우 임신 중기에 수술을 시행할 수 있다.

출산 후에는 기존의 그레이브스병이 악화 또는 재발되기 쉽고, 새로 그레이브스병이 발생할 위험도도 비임신의 3-4배 이상 증가한다. 출산후 갑상선중독증은 산후 갑상선염과의 감별이 필요하다. 모유를 통하여 프로필치오우라실은 복용량의 0.01% 미만, 메티마졸은 0.1-0.2% 정도가 신생아에게로 전달될 수 있지만, 신생아에 미치는 영향은 거의 없고 항갑상선제를 복용하고 있는 수유부의 신생아에서도 갑상선기능과 인지발달이 정상으로 유지되는 것으로 보고되고 있다. 수유 중에도 메티마졸이 우선적으로 권고되며, 1일 최대 프로필치오우라실은 450 mg, 메티마졸은 20 mg 까지의 복용이 허용되고 있다. 그러나 가능한 최소량의 용량을 사용하는 것이 좋으며, 항갑상선제의 복용은 수유 직후에 하는 것이 권장된다. 정상 발달을 보이는 신생아에서 갑상선기능검사는 추천되지 않는다.

VI. 갑상선염

갑상선염이란 갑상선에 발생한 염증을 일컫는 말로, 이는 세균에 의한 염증이 아니라 병리조직학 소견에서 갑상선내에 임파구를 비롯한 염증세포들이 모여 있음을 의미하는 것이다. 갑상선염을 일으키는 원인으로는 갑상선 자가항체에 의한 자가면역반응(하시모토 갑상선염, 무통성 혹은 산후 갑상선염 등), 바이러스나 세균에 의한 감염(아급성 갑상선염 등), 그리고 약물 등이 있다.

1. 하시모토 갑상선염

하시모토 갑상선염(Hashimoto's thyroiditis; 동의어 만성 갑상선염, 만성 자가면역성갑상선염)은 갑상선종을 수반한 갑상선기능저하증의 가장 흔한 원인이며, 갑상선질환 중 가장 흔한 질환이다. 여자에서 15-20배 많고, 30-50세 사이에 호발하지만 전 연령에서 나타난다. 20대에는 갑상선종이 비교적 작고 표면도 평활하며 약간 견고한 편이지만 30-50대의 중년에서 발견되는 갑상선종은 상대적으로 크며 비교적 딱딱하고 불규칙한 표면을 갖고 있다. 하시모토 갑상선염은 림프구가 갑상선항원에 감작되어, 이들 항원에 대한 자가항체를 생산하는 질환으로 이해되고 있다. TPOAb는 90% 이상의 환자에서 양성이며, TgAb는 50-60%에서 양성이다. 혈중 갑상선호르몬 농도는 대부분에서 정상이나 약 20%의 환자에서는 갑상선기능저하증으로 발현한다. 무증상 갑상선기능저하증 상태에서 수년에 걸쳐서 현성의 갑상선기능저하증으로 진행하게 되는데, 1년에 약 5% 정도씩 진행하는 것으로 알려져 있다. 하시모토 갑상선염 환자의 치료는 병발한 갑상선기능의 상태에 따른다.

2. 아급성 갑상선염

아급성 갑상선염은 갑상선의 아급성 염증 질환으로 자연 회복되며 수주에서 수개월 동안 지속된다. 원인으로는 바이러스 감염에 의할 가능성이 높은 것으로 알려져 있다. 아급성 갑상선염은 갑상선 동통을 유발하는 가장 흔한 원인 질환으로 역시 여성에서 호발한다. 대개의 경우 근육통, 발열, 피로감, 인후통 등의 상기도감염 증상이 전구증상으로 나타난다. 동통과 압통을 동반한 갑상선종이 나타나고 갑상선중독증의 임상소견이 있으면 아급성 갑상선염을 의심할 수 있다. 갑상선스캔에서 현저한 방사성 섭취감소와 혈중 ESR의 증가, 혈청 갑상선호르몬의 증가가 있으면 진단이 가능하다. 아급성 갑상선염은 전형적인 경우 갑상선 동통 및 갑상선중독증(심계항진, 떨림, 발한증가, 체중감소 등의 증상 동반)이 나타나는 급성기(4-8주), 정상 갑상선기능 상태, 갑상선기능저하기(4-8주), 무증상의 회복기 등의 4개의 병기를 거치는데, 일부 환자들은 갑상선기능 저하기 없이 바로 회복기로 넘어가기도 한다(그림 36-5 참고). 이러한 경과는 무통성 갑상선염과 산후 갑상선염에서도 동일하게 관찰될 수 있다. 영구적인 갑상선기능장애는 드물게 (10% 미만) 발생한다.

아급성 갑상선염에 대한 특이한 치료법은 없으며 발열, 근육통 등의 전신 증상이나 갑상선 동통이 있을 때는 아세트아미노펜, 아스피린이나 비스테로이드성 항염제 등을 사용하거나 단기간의 스테로이드 치료가 도움이 된다. 갑상선중독증의 증상이 심한 경우 베타차단제가 유용하다.

3. 무통 갑상선염과 산후 갑상선염

무통 갑상선염과 산후 갑상선염은 임상 경과가 아급성 갑상선염과 같으나 갑상선에 동통 및 압통이 없는 점이 다르며, 대부분의 환자가 혈청 안에 갑상선 자가항체를 갖고 있으며, 많은 환자에서 자가면역 갑상선질환의 가족력이 있고, 상당수의 환자가 영구적 갑상선기능저하증으로 이행하며, 갑상선종이 지속되는 등 하시모토 갑상선염의 여러 임상소견과 비슷하여 하시모토 갑상선염의 한 변형이라고 여겨진다. 무통 갑상선염과 임상상 및 경과는 동일하지만 출산 후 나타나는 경우를 산후 갑상선염이라고 한다. 일과성갑상선중독증, 갑상선스캔의 방사성섭취율 감소, 무통 갑상선종 등을 특징으로 하며, 임상 경과는 갑상선 동통 및 압통이 없는 점 외에는 아급성 갑상선염과 같다. 평균 3개월의 갑상선중독증 기간(출산 후 2-6개월 사이)이 지난 후 약 40%의 환자는 갑상선기능저하증의 시기(출산 후 3-12개월 사이)를 거친다. 갑상선기능저하증은 4-16주 지속되는데, 10-30% 에서는 영구적 갑상선기능 저하증을 보인다. 그러므로 갑상선기능이 정상화될 때까지 4-8주 간격으로 TSH 추적검사가 필요하다. TPOAb가 50-80%에서 검출되고, TgAb는 25%에서 검출된다. 혈청 ESR은 대부분 정상이다(표 36-2). 산후 갑상선염에 항갑상선제를 사용하여서는 안 되며, 중독증 시기에는 증상이 심하면 베타차단제를 사용하여 증상을 완화시키는데, 수유 중에도 안전함이 알려져 있으나, 가능한 최소량을 사용하도록 한다. 기능저하증 시기에는 LT4를 복용한다. 임상적으로 갑상선중독증으로 나타나는 그레이브스병과의 감별이 중요하다.

4. 산후 갑상선기능장애

산후 갑상선기능장애는 분만 후 1년 이내에 발생하는 갑상선기능이상을 총칭하는 말로 정상 임신의 2-17%에서 발생하는 것으로 알려져 있으며, 산후 갑상선염, 산후 그레이브스병, 림프구성 하수체염, 산후 뇌하수체경색 등에 의한다. 그 중 산후 갑상선염과 그레이브스병이 흔하며 분만 후 1년 이내에 발생하는 갑상선중독증의 85%는 산후 갑상선염에 의한다. 출산 3개월 이내 발생한 경우는 대부분 산후 갑상선염이다. 안구병증이나 혈류가 느껴지는 갑상선종이 있거나, 혈중 T_4:T_3 비율이 높거나 TSHRAb가 발견되는 경우에는 산후 그레이브스병의 가능성이 높으며, 산후 6개월 정도 이후 발병이 흔하다. 임신 말기에 TSAb의 역가가 높은 경우에는 산후 그레이브스 발생 위험도가 높다. 이러한 소견이 없는 경우에는 감별을 위하여, 검사 후 24시간 정도 수유 중단이 가능하다면 ^{99m}Tc 갑상선스캔이 도움이

표 36-2. 산후 갑상선기능장애의 감별

	아급성 갑상선염	산후 갑상선염	산후 그레이브스병
발병 양상	갑자기 시작	갑자기 시작 (주로 출산 1-3개월 사이)	점진적 (주로 출산 3-6개월 사이)
원인	바이러스 감염	자가면역	자가면역
병리	육아종성 염증	림프구 침윤	
상기도감염	+	-	-
전구증상	+	-	-
안구병증, 피부병증, 갑상선잡음	-	-	+
갑상선초음파 혈류증가	-	-	+
갑상선스캔 섭취율	감소	감소	증가
ESR	증가	정상	정상
TPOAb 또는 TgAb	음성	양성	양성
TSHRAb	음성	음성	양성

ESR, erythrocyte sedimentation rate; TPOAb, thyroperoxidase antibody; TgAb, thyroglobulin antibody; TSHRAb, TSH receptor antibody

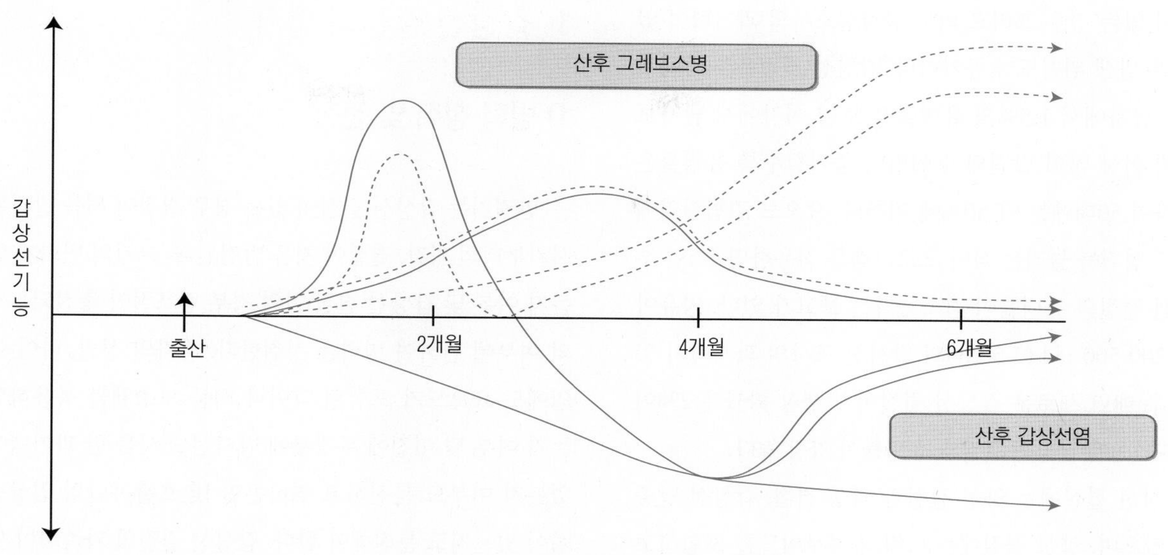

● 그림 36-7. 산후 갑상선기능장애의 임상 양상

된다. 갑상선초음파 소견도 도움이 될 수 있는데, 그레이브스병은 혈류가 증가되어 있는 반면 갑상선염은 혈류의 증가 소견 대신 거친 갑상선 실질 에코를 보인다. 산후 불안증, 열불내성, 심한 피로감, 두근거림 등의 갑상선중독증연관 증상이나, 쥐위를 잘 타거나 이상감각, 집중력 장애, 피부가 건조해지거나 피곤, 산후 우울증 등의 증상이 의심되면 갑상선기능검사를 해 보는 것이 좋다.

산후 갑상선염과 산후 그레이브스병의 경과와 감별에 도움이 되는 임상적 소견이 그림 36-7과 표 36-2에 정리되어 있다.

5. 태아 및 신생아의 갑상선질환

산모의 갑상선기능자체는 정상이더라도 그레이브스병의 TSHRAb는 쉽게 태반을 통과하므로 태아의 갑상선기능항진증을 유발할 수 있으며, 드물게 TSHRAb가 차단항체 활성도를 가진 경우에는 태아의 갑상선기능저하증을 유발하기도 한다. 태아의 갑상선질환 여부를 평가하기는 쉽지 않으나, 산모가 갑상선질환의 현재 혹은 과거 병력을 가지고 있으면서 태아에서 다른 원인 없이 빈맥 또는 서맥이 있는 경우에 의심할 수 있으며, 양수 천자액에서 갑상선호르몬의 측정이 도움이 될 수 있다. 치료는 갑상선기능항진증은 산모에 항갑상선제를 투여하며, 갑상선기능저하증의 경우에는 LT4를 투여하면 되나, 이 경우 갑상선호르몬이 태반을 잘 통과하지 못하므로 치료가 쉽지 않다. 신생아의 갑상선중독증은 산모의 TSHRAb에 의하여 생기는데, 항체가 자연적으로 소실됨에 따라 호전되는 일과성이다. 신생아 갑상선기능저하증은 심한 요오드 결핍 상태이거나 산모가 과량의 항갑상선제를 복용하고 있던 경우, 산모에서 차단형 TSHRAb 또는 TPOAb가 양성인 경우 등에서 일과성으로 나타날 수 있다.

VII. 갑상선 결절

일반인의 4-7%에서 만져지는 갑상선 결절이 발견된다. 경부 초음파 검사에서 발견되는 갑상선 결절은 유병률이 25-67%로 보고된다. 부검연구 결과에 의하면 갑상선 질환이 없었던 인구집단의 49.5%에서 하나 또는 하나 이상의 갑상선 결절이 발견되었다.

갑상선 결절은 여성인 경우, 고령인 경우, 요오드가 결핍되어 있는 경우 그리고 외부 방사선조사의 과거력이 있는 경우 발생 위험도가 증가한다. 갑상선 결절은 여자에서 6.4%, 남자에서 1.5%의 유병률을 보여 여자에서 남자보다 4배 이상 많이 발견되며 연령이 증가할수록 유병률은 증가하여 50대에는 약 50%에 이른다. 요오드 결핍지역에 요오드 섭취를 늘리는 식이 프로그램을 적용하면 4-5년 후 갑상선 결절의 유병률이 감소했다는 보고가 있다. 영유아기에 200-500 rad (2-5 Gy)의 방사선 조사의 과거력이 있는 경우 매년 새로운 갑상선 결절이 발생할 확률은 2%이며 15-25세에 갑상선 결절의 유병률이 가장 높다.

갑상선 결절에는 양성 결절과 악성 결절, 갑상선 낭종 등이 있으며, 양성 결절에는 다량의 콜로이드를 포함하고 있는 대부분 비기능성인 콜로이드 결절과 갑상선 여포세포에서 기원한 여포성 선종으로 나뉜다. 악성 결절은 조직학적으로 갑상선 유두암, 여포암, 수질암, 미분화암 및 갑상선 림프종으로 구분된다. 갑상선 결절의 15-25%를 차지하는 갑상선 낭종은 괴사된 갑상선 유두암일 가능성이 있고 또한 세침흡인검사(FNA)에서 불충분한 검체로 결과가 보고될 수 있으므로 주의를 요한다.

갑상선 결절 중 약 5%는 악성 결절인 것으로 알려져 있다. 경부 초음파검사를 시행한 일반인의 1.2%에서 갑상선암이 발견된다. 양전자 방사 단층촬영법(positron emission tomography, PET)에서 갑상선 결절이 우연히 발견된 경우가 1.2%였고 이 중 28.6%의 환자에서 갑상선암으로 진단된다는 보고가 있었다. 국내에서 728명의 갑상선 결절환자를 대상으로 조사한 바에 따르면 7.8%가 악성 결절인 것으로 보고된 바 있다.

악성 갑상선 결절의 발생률에는 방사선 노출, 사회경제적 지위 등이 영향을 준다. 체르노빌 원자력 발전소 사고 후 벨로루시의 어린이, 청소년의 갑상선암 유병률이 증가된 것이 방사선과 갑상선암의 관계를 뒷받침하고 있다. 백인이 흑인보다 갑상선암 발생률이 높은 것이 사회경제적 지위에 따른 건강보험 상태의 차이에서 기인한다는 보고가 있다. 최근 영상학 검사기법의 발전으로 검진상에서 발견된 갑상선암이 증가하고 있어 갑상선 결절에 대한 진료 및 치료지침이 중요하게 대두되고 있다.

1. 갑상선 결절의 평가

1) 병력 청취 및 진찰

만져지는 갑상선 결절이 있는 경우 결절이 처음 발견된 시기부터의 기간, 결절이 처음 발견된 후 크기의 변화가 있는지 여부 및 갑상선 결절 이외 경부 림프절이 촉진되는지의 여부에 관하여 병력을 청취한다. 환자의 성별, 나이 이외에도 요오드가 포함된 약이나 식품 보조제를 복용하였는지 여부 및 이전에 두경부에 방사선 조사를 한 과거력이 있는지 여부도 문진하고 연하곤란 및 호흡곤란의 임상증상이 있는지도 문진해야 한다. 갑상선 결절의 가족력이 있는지의 여부도 문진해야 하는데 이는 가족성 수질암, 제 2형 다발성 내분비 선종, 가족성 유두암, 가족성 선종성 용종증, 코우덴(Cowden) 증후군, 가드너(Gardner) 증후군 등에서 갑상선 암의 위험도가 증가하기 때문이다.

병력 청취를 통하여 악성도를 의심해 볼 수 있는데 남자가 여자보다 악성 결절의 위험도가 높으며 젊은 환자일수록 악성 결절의 비율이 높아진다. 몇 주에서 몇 달에 걸쳐 꾸준히 결절의 크기가 증가하는 경우에 악성 결절을 의심해 볼 수 있고 최근에 갑자기 결절의 크기가 빠른 속도로 증가하는 경우에는 미분화 갑상선암의 가능성이 있으므로 주의 깊은 관찰이 요구된다.

대부분의 갑상선 결절은 증상이 없다. 환자들은 주로 목의 비특이적 불편감, 통증, 목소리 잠김 등을 호소하는데 대개 갑상선 결절과 직접적인 관련이 없다. 드물게 낭성 결절에서 출혈이 동반되는 경우 갑작스러운 통증 및 목이 갑자기 붓는 증상이 나타난다. 결절의 크기가 증가하면 압박 증상으로 인하여 호흡곤란, 기침 등의 증상이 나타날 수 있으며 갑상선 결절이 종격동으로 자라는 경우 흉곽 입구를 막아서 정맥 환류를 방해하여, 환자의 양팔을 머리위로 올려 흉곽 입구를 좁게 하고 몇 분 지난 후 관찰하였을 때 외경정맥이 확장되어 환자의 얼굴이 붉어지는 팸버톤 징후(Pemberton's sign)를 관찰할 수 있다.

갑상선 결절의 신체 진찰 시에는 갑상선 결절이 있는지의 여부와 경부 림프절 종대가 있는지 촉진한다. 촉진 시에는 환자의 등 쪽에서 양손을 이용하여 시행하며 윤상연골 바로 아래의 협부를 비롯하여 양측 갑상선엽을 모두 촉진하며 주변의 커진 림프절이 만져지는지의 여부도 확인한다. 갑상선 결절이 주변 띠 근육이나 기관에 고정되어 있는 경우와 경부에 커진 림프절이 촉진되는 경우 악성 결절이 의심된다. 통증, 압통 또는 갑작스러운 부종은 갑상선 결절 내부의 출혈 또는 악성 결절의 가능성을 시사한다. 쉰 목소리는 악성 갑상선 결절을 시사하는 소견으로 결절의 압력으로 되돌이후두신경이 눌려서 발생하거나 악성 세포가 되돌이후두신경을 침범하여 발생한다.

2) 검사

(1) 혈액검사

대부분의 갑상선 결절 환자는 정상 갑상선 기능을 가지고 있다.

그러나 그레이브스병이나 하시모토 갑상선염 환자와 같이 갑상선 기능이상을 보이는 질환에서도 결절이 발견되는 경우가 있어 기본 검사로 갑상선 기능검사를 시행한다. 국내의 보고에 따르면 245명의 그레이브스병 환자를 대상으로 경부초음파검사를 시행하였을 때 35.1%의 환자에서 갑상선 결절이 발견되었으며 전체 환자의 3.3%에서 갑상선 암이 발견되었다. 그레이브스 병 환자 중 갑상선암의 발견률은 6.5%이고 이 경우 경부림프절로의 국소전이가 있는 경우가 많아 주의 깊은 추적관찰이 필요함을 보고한 바도 있다. 하시모토 갑상선염이 있는 경우에 국내의 보고에 따르면 갑상선암의 위험도가 2.96배 증가하는 것으로 알려져 있다.

갑상선 결절이 갑상선 기능이상과 동반되었는지 여부를 확인하기 위해 갑상선 자극호르몬(thyroid stimulating hormone, TSH)을 측정한다. TSH는 0.01 IU/mL까지 측정이 가능한 민감한 검사로 TSH 측정을 통하여 갑상선 기능이상 동반 여부를 판단하고 TSH가 증가할수록 악성 결절의 위험도가 높아진다는 보고가 있어 악성도를 예측해 볼 수도 있다. TSH가 감소되어 있으면 갑상선 기능이상 여부를 확인하기 위해 혈중 유리 T_4, T_3를 포함한 갑상선기능검사와 ^{99}mTc pertechnetate 또는 ^{123}I, ^{131}I를 이용한 갑상선 스캔을 시행하고, TSH가 정상범위 내에 있거나 증가되어 있으면 경부초음파검사를 시행하여 결절을 평가한다.

갑상선 수질암의 경우 부여포세포(parafollicular cell) 기원의 종양으로 부여포세포에서 분비되는 혈중 칼시토닌(calcitonin)수치 측정이 도움이 된다는 보고가 있다.

(2) 영상 검사

① 갑상선 스캔

갑상선 스캔은 ^{99}mTc pertechnetate 또는 ^{123}I, ^{131}I 등 방사성 요오드를 주입한 후 갑상선 전면과 필요시 사위면(oblique view)을 스캔하는 검사로 갑상선의 형태와 기능변화를 파악할 수 있다. 갑상선 기능검사 소견상 TSH가 정상보다 낮은 경우 기능성 결절의 감별을 위해 ^{99}mTc pertechnetate 또는 ^{123}I를 이용한 갑상선 스캔을 시행하는 것을 권고하고 있다.

갑상선 결절에 방사성 동위원소의 섭취가 없거나 현저히 감소되어 있는 경우를 냉결절(cold nodule)이라고 하며 냉결절이 발견된 경우 100%의 민감도와 45%의 특이도로 33%의 악성 결절의 예측이 가능하였고 동위원소의 섭취가 증가된 열결절(hot nodule)인 경우에 100% 양성결절로 보고되었다. 그러나 냉결절인 경우에도 악성으로 보고되는 정도는 문헌에 따라 5%에서 30%까지 다양하며 1 cm 미만의 작은 갑상선 결절은 갑상선 스캔의 민감도가 떨어져 그 역할이 제한적이다. 경부 초음파로 작은 갑상선 결절의 선별검사가 가능해지면서 갑상선 스캔의 유용성은 감소되었다.

② 경부초음파

경부초음파는 갑상선결절의 진단에 있어 매우 유용한 검사이다. TSH가 정상범위 내에 있거나 증가된 경우 및 TSH가 감소되어 있지만 갑상선 스캔상 열결절이 아닌 경우 갑상선결절의 평가를 위하여 시행한다. 2015년 미국갑상선학회의 권고안과 2016년 대한갑상선학회의 권고안에서 갑상선결절이 존재하거나 의심되는 모든 환자에서 경부 림프절 평가를 포함한 갑상선 초음파 시행을 권고하고 있다. 갑상선결절의 세침흡인검사(fine needle aspiration, FNA)를 시행할 때 결절이 촉지되지 않거나, 주로 낭성 결절인 경우 또는 갑상선 실질 내 뒤쪽에 위치하여 있는 경우 경부 초음파 유도하에 시행하면 도움이 된다. 악성 결절의 수술을 시행할 때 수술 전에 경부 초음파를 시행하여 병변의 반대쪽 갑상선엽에 이상소견이 있는지의 여부 및 경부 림프절의 전이 여부를 확인하는 것을 권유하고 있으며, 경부 림프절 전이가 의심되는 경우 경부 초음파 유도하에 림프절의 FNA를 시행한다. 최근 고해상도 초음파가 널리 이용되면서 2-3 mm의 작은 갑상선 결절도 발견되고 있다.

경부 초음파 소견에서 갑상선결절의 모양, 경계면, 에코의 정도, 석회화 유무로 악성도를 예측할 수 있다. 악성 갑상선 결절의 경우 결절의 높이가 너비보다 긴 모양(taller-than-wide)인 경우가 많고 경계면이 잘 지어지지 않거나(ill-defined margin) 뾰족한 경계면을 이룬다(spiculated margin). 갑상선 실질과 비슷한 정도의 저에코성 결절 또는 갑상선 주변 띠근육 보다 더 낮은 저에코성 결절로 나타나는 경우에도 결절이 악성임을 의심할 수 있으며 미세석회화가 관찰되거나 결절의 가장 자리에 석회화가 둥글게 관찰되는 경우에도 악성 결절임을 의심할 수 있다. 도플러로 관찰한 경우 결절 내부에 혈류가 증가되어 있는 경우에도 악성 결절을 의심해 볼 수 있다. 초음파 소견을 기초로 갑상선결절의 암 위험도를 예측하는 분류 체계들이 제시되었으나 아직 국제적으로 표준화되어 있지 않다. 최근 대한갑상선영상의학회에서 제시한 초음파 소견에 의한 갑상선결절의 악성 위험도 분류체계(Korean Thyroid Imaging Reporting and Data System; K-TIRADS)에 따르면 갑상선결절은 초음파 유형에 따라서 갑상선암 높은의심(high suspicion), 중간의심(intermediate suspicion), 낮은의심(low suspicion), 양성(benign)으로 분류할 수 있다(표 36-3).

③ 경부 컴퓨터 단층촬영(computed tomography, CT) 및 자기공명 영상(magnetic resonance imaging, MRI)

경부 CT 및 MRI은 초음파 및 FNA 소견상 악성 결절이 의심되는 경우 주변 조직과의 관계를 검토하고 임상적으로 관찰되지 않는 림프절 전이를 확인할 때, 그리고 흉곽 내 갑상선종(substernal goiter)의 범위를 파악하는 데 도움이 된다. 임상 소견, 진찰 소견 및 영상검사 소견상 갑상선 결절이 악성임을 시사하는 경우는 표 36-4과 같다.

(3) 세침흡인검사(Fine needle aspiration, FNA)

FNA는 갑상선 결절의 진단에 필수적이며 가장 중요한 역할을 한다. FNA의 시행 기준은 주로 결절의 초음파 소

표 36-3. K-TIRADS에 기초한 갑상선결절의 암 위험도 및 세침흡인검사 기준[a]

카테고리		초음파 유형	암 위험도 (%)	계산된 암 위험도(%)	세침흡인검사[c]
5	높은의심	암 의심 초음파 소견[b]이 있는 저에코 고형결절	>60	79 (61-85)	>1 cm (선택적으로 >0.5 cm[d])
4	중간의심	1) 암 의심 초음파 소견이 없는 저에코 고형결절 혹은 2) 암 의심 초음파 소견이 있는 부분 낭성 혹은 등고에코 결절	15-50	25 (15-34)	≥1 cm
3	낮은의심	암 의심 초음파 소견이 없는 부분 낭성 혹은 등/고에코 결절	3-15	8 (6-10)	≥1.5 cm
2	양성	1) 해면모양 2) comet tail artifact 보이는 부분 낭성 결절 혹은 순수낭종	<3 <1	0 0	≥2 cm
1	무결절	-	-		

a. K-TIRADS = Korean Thyroid Imaging Reporting and Data System
b. 미세석회화, 침상 혹은 소엽성 경계, 비평행 방향성(nonparallel orientation) 혹은 앞뒤가 긴 모양(taller than wide)
c. 원격전이 혹은 경부 림프절전이가 의심되는 경우에는 결절 크기와 무관하게 의심 결절과 림프절에서 세침흡인검사를 시행한다
d. 1 cm 미만의 결절에서는 환자 선호도 및 상태를 고려하여 시행한다

표 36-4. 악성을 시사하는 갑상선 결절의 소견

임상 소견	진찰 소견	초음파 소견
과거력 이전 두경부 방사선 조사력 나이:20세 미만 또는 60세 초과 남자 암의 과거력 갑상선 암의 가족력 결절의 빠른 크기 증가	딱딱한 결절 단일 결절 크기: 4 cm 초과 두경부 림프절 비대 성대 마비	고형 결절 석회화 저에코 결절 불규칙한 경계면, 불규칙한 halo 중심부 혈류의 증가

견에 따른 악성 위험도와 결절의 크기에 의해서 결정되는데, 2016 대한갑상선 학회의 권고안을 따르면 초음파 소견이 높은의심 혹은 중간의심인 결절은 크기가 1 cm 이상인 경우 FNA를 시행하고, 낮은의심 결절은 1.5 cm 이상인 경우에 시행한다. 초음파 소견상 양성결절은 암 가능성이 거의 없기 때문에 진단 목적의 FNA는 필요하지 않으나 해면모양(spongiform) 소견을 보이는 경우에는 2 cm 이상 크기에서 선택적으로 시행한다(표 36-3).

대한갑상선학회와 미국갑상선학회의 권고안에서는 0.5 cm 이하의 갑상선암은 대부분 예후가 양호하고 치료 이득이 불명확한 점을 고려하여 초음파 암 위험도와 상관없이 FNA를 시행하지 않고 추적 관찰할 것을 권고한다. 단, 원격전이가 진단된 경우 혹은 전이 의심 경부 림프절 종대가 동반된 경우에는 결절 크기와 상관없이 FNA가 권고된다. 0.5 cm보다 크고 1 cm 미만의 결절은 초음파 소견이 높은 의심 결절인 경우에 환자의 선호도를 고려하여 FNA를 시행할 수 있다. 단, 높은의심 결절에서 명백한 피막 외 침범이 의심되거나 기관 침범의 위험이 있는 기관 근처에 위치한 결절 혹은 되돌이후두신경 침범 위험성이 있는 피막 하 결절에서는 FNA를 시행한다.

FNA는 환자가 앉거나 누운 자세에서 어깨에 작은 베개를 괴어 경부를 약간 신전시킨 상태로 시행하며 갑상선 결절을 촉지하고 결절 부위의 피부를 알코올로 소독 후 25-27 gauge 주사바늘을 결절을 향해 찔러놓고 음압을 주어 세포를 흡인한다. 경부초음파 유도하에 시행하는 것이 안전하고 정확하다. 검사 후 혈종 형성을 주의 깊게 확인하기 위해 시술 후 초음파를 시행하고 경도의 출혈이 있는 경우 경부 압박을 시행할 수 있다. 시술 후 약 30분-1시간 관찰하여 이상이 없는 경우 환자를 귀가시키고 항생제나 진통제는 대부분 경우 필요하지 않다. 시술로 인한 합병증은 거의 없으며 매우 드물게 급성 호흡부전이나 미주신경반사로 인한 허탈이나 일시적인 성대 마비가 오는 경우도 있어 주의를 요한다.

갑상선결절의 FNA 결과는 Bethesda system에 기술된 진단 범주에 따라 보고한다(표 36-5). 2017년 Bethesda system은 6개의 범주, 1) 비진단적, 2) 양성, 3) 비정형(atypia of undetermined significance or follicular lesion of undetermined significance; AUS/FLUS), 4) 여포종양 혹은 여포종양 의심, 5) 악성 의심, 6) 악성으로 구성되어 있고, 문헌 검토와 전문가 의견을 통하여 범주별로 악성도를 예측하여 제시하고 있으며 유두암종유사핵모양비침습소포종양(NIFTP, noninvasive follicular thyroid neoplasma with papillary-like nuclear features)을 악성의 분류에 포함시키는지의 여부에 따라 악성위험도의 차이를 나누어 제시하였다.

3) 진단 알고리즘

2016 대한갑상선학회에서 권고하는 갑상선 결절의 진단 알고리즘은 그림 36-6와 같다. 환자로부터 병력을 청취하고 이학적 검진을 시행한 후 TSH를 측정하여 TSH가 감소되어 있는 경우 기능성 결절여부를 판단하기 위하여 갑상선 스캔을 시행한다.

기능성 결절인 경우 방사성 요오드 치료를 포함한 비수

표 36-5. The 2017 Bethesda System, 갑상선 세침흡인검사의 악성 위험도와 임상 치료 권고안

악성위험도	악성위험도, if NIFTP ≠ CA (%)	악성위험도, if NIFTP = CA (%)	일반적인 치료[a]
비진단적(Nondiagnostic or unsatisfactory)	5-10	5-10	초음파 유도하 FNA 반복
양성(Benign)	0-3	0-3	임상 및 초음파 추적관찰
비정형(Atypia of undetermined significance or follicular lesion of undetermined significance)	6-18	~10-30	FNA 반복, 분자표지자 검사, 엽절제술
여포종양 혹은 여포종양 의심(Follicular neoplasm or suspicious for a follicular neoplasm)	10-40	25-40	분자표지자 검사, 엽절제술
악성 의심(Suspicious for malignancy)	45-60	50-75	갑상선 근전절제술 이나 엽절제술[b,c]
악성(Malignant)	94-96	97-99	갑상선 근전절제술 이나 엽절제술[c]

a. 실제 치료는 FNA 이외의 요인 (e.g., 임상양상, 초음파 소견)에 따라 달라질 수 있다.
b. 일부 연구에서는 수술 절제 범위를 결정하기 위한 분자표지자 검사를 권장한다.
c. 원발성 갑상선 악성 종양이 아닌 전이성 종양을 나타내는 경우에는 수술이 필요하지 않을 수 있다.
NIFTP, noninvasive follicular thyroid neoplasm with papillary-like nuclear features; CA, carcinoma.

술 치료를 시행하며 기능성 결절이 아닌 경우 TSH가 정상 범위에 있거나 증가된 경우와 같이 진단적 경부초음파를 시행하여 갑상선 결절을 평가한다. 경부초음파 소견상 갑상선 결절이 발견되지 않거나 양성결절 소견인 경우 TSH를 측정하여 정상인 경우에는 경과 관찰하고 증가되어 있는 경우 방사성 요오드 치료를 포함한 갑상선 기능저하증에 대한 평가 및 내과적 치료를 시행한다. 경부초음파 소견상 갑상선 결절이 발견되는 경우에는 FNA를 시행하게 되며 결과에 따라 치료한다.

2. 갑상선 결절의 치료

1) 열결절의 치료

혈청 TSH가 감소 또는 억제되어 있는 경우 혈청 T_3, 유리 T_4를 측정하고 갑상선 스캔을 시행한다. 갑상선 스캔 상 방사성 요오드의 섭취가 증가되어 있는 경우 열결절이라고 하며 이 경우 혈청 T_3, 유리 T_4 수치에 따라 기능성 결절인지 비기능성 결절인지 감별하고 영상검사를 통하여 단일 결절인지 다발성 결절인지 확인한다. 단일결절이면서 유리 T_4 또는 T_3가 증가되어 있는 경우에는 ^{131}I 치료 또는 수술을 시행하게 되며 갑상선 기능이 정상인 단일 결절인 경우 경과를 관찰한다. 다발성 결절인 경우 초음파를 시행하여 악성이 의심되는 소견이 있으면 FNA를 시행하고 의심스러운 소견이 관찰되지 않으면 단일결절에 준하여 치료한다. 기능성 결절인 경우 T_4를 투여함으로써 TSH를 억제하여 결절의 크기증가를 억제하고 새로운 결절이 발생하는 것을 방지하는 T_4억제요법이 시행되기도 하나 여기에는 논란이 있다. T_4 억제요법이 결절의 크기를 감소시키거나 변화 없이 유지한다는 보고도 있으나 대부분 후향 연구이며 결절의 크기 측정에 있어 객관적 기준이 없었다는 점 및 요오드 고섭취지역의 결과도 포함되어 있어 결론을 신뢰하기가 어렵다. T_4 억제요법 시 심방세동 및 골다공증이 생길 수 있다는 보고도 있다. 현재 열결절에 대한 T_4 억제요법은 추천되지 않고 있다.

열결절이라도 FNA 소견상 암이 의심되거나 갑상선암의 가족력이 있거나 외부 방사선조사 병력이 있는 경우 등의 고위험군인 경우에는 수술을 시행해야 하며 이외에도 미용상의 문제가 있거나 결절의 크기가 커서 주변 조직을 압박하여 증상이 있는 경우에는 수술 치료가 고려되어야 한다.

2) 비진단적 결절의 치료

FNA가 진단적 가치를 갖기 위해서는 적어도 6개 이상

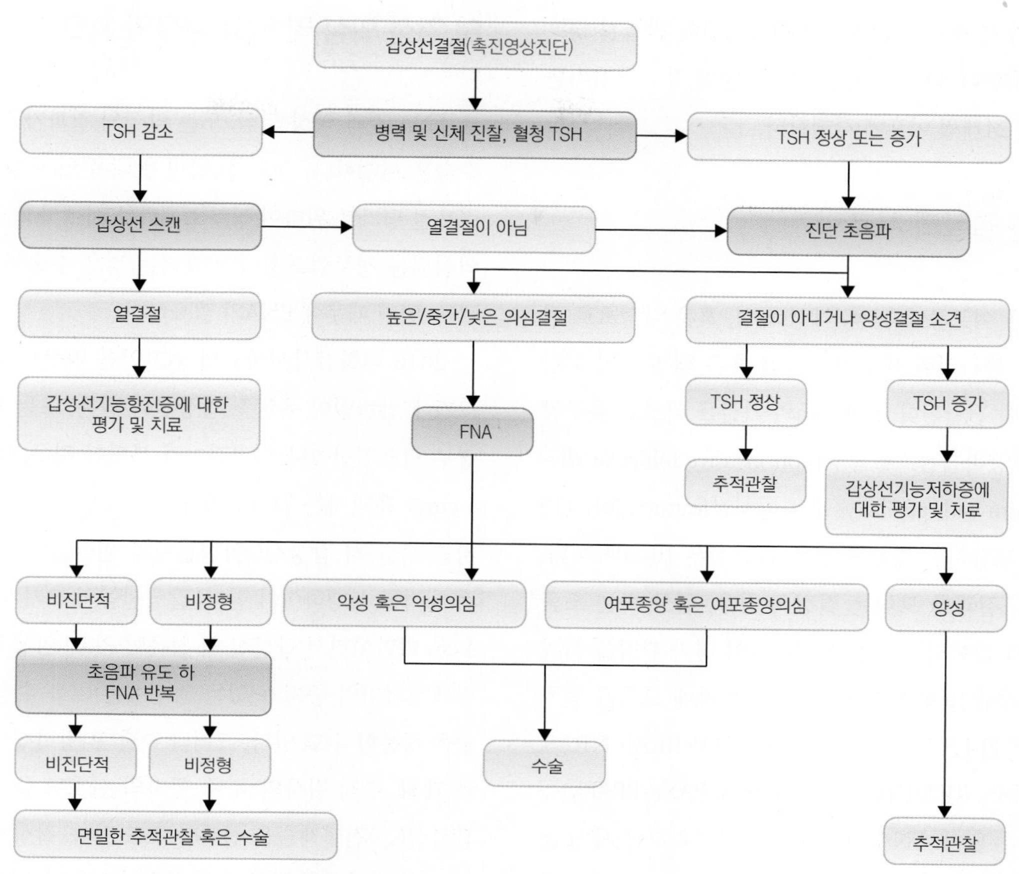

● 그림 36-6. 2016 대한갑상선학회 갑상선결절 및 암 진료 권고안 - 하나 혹은 그 이상의 갑상선결절을 가진 환자의 평가 알고리즘

의 여포세포 그룹이 관찰되어야 하고 각각의 여포세포 그룹이 한 결절을 적어도 두 번 이상 흡인 시 10-15개의 세포로 이루어져 있어야 한다. 이 기준을 만족하지 못한 FNA 검체의 경우 비진단적 검체로 분류되며 이 경우 초음파 유도하에 FNA의 재검을 시행하는 경우 고형 결절의 75%, 낭성 결절의 50%에서 진단에 적합한 검체가 나오는 것으로 보고되고 있다. 그러나 약 7%에서는 재검사에도 불구하고 비진단적 카테고리로 결과가 나오는 경우가 있는데 낭성 결절(단, 초음파 소견에서 악성을 시사하는 높은 의심 소견이 없는 경우)은 주의 깊게 추적 관찰하거나 수술 절제가 필요할 수 있다. 반복적인 FNA에서도 비진단적 결과가 나오는 경우, 초음파 소견상 악성이 강력히 의심되거나, 추적관찰 동안 20% 이상 크기가 증가하거나, 임상적으로 악성의 위험도를 가진 경우에는 진단을 위해 수술 절제를 고려한다.

3) 양성 결절의 치료

FNA 결과 양성 결절로 판명된 경우 즉각적인 추가 검사나 치료가 필요하지 않다. T_4 억제치료는 논란이 있어 권고되지 않는다. 양성 결절이라도 크기가 커서 주변 해부학적 구조를 압박하여 증상이 있는 경우나 미용상 문제가 있는 경우 수술을 시행할 수 있으며 이 경우 대개 엽절제술을 시행한다. 수술 이외에도 증상을 일으키는 갑상선결절의 크기를 줄이기 위해서 에탄올, 레이저, 고주파절제술을 고려할 수 있다. 양성 고형 갑상선결절의 비수술치료는 에탄올보다는 레이저나 고주파절제술을 권고한다.

대한갑상선학회의 권고안을 따르면 양성 결절의 추적관찰을 할 경우 초음파 소견이 높은 의심소견을 보인다면 12개월 이내에 초음파와 FNA를 시행하고, 중간 의심 또는 낮은 의심에서는 12-24개월 내에 초음파를 시행하여 결절의 크기가 증가하거나 새로운 의심소견이 관찰된 경우 FNA를 시행한다. 낮은 의심 중 해면모양일 경우 초음파를 시행한다면 24개월 이후에 시행한다.

4) 비정형 결절의 치료

비정형은 여포종양 의심, 악성 의심, 혹은 악성으로 진단하기에는 불완전한 세포의 구조적 혹은 핵 모양의 이형성을 보일 때 진단된다. Bethesda의 기준을 따르면 유두암종유사핵모양비침습소포종양(non-invasive follicular thyroid neoplasm with papillary- like nuclear features, NIFTP)을 암으로 포함시킬 경우 악성의 가능성은 10-30%이다. 비정형 세포결과를 보이는 결절의 경우, 임상 또는 초음파 소견에서 의심되는 소견을 고려하여 경과 관찰을 하거나 진단적 수술을 하기 전에, 악성도 평가에 도움을 얻기 위해 반복적인 FNA 또는 분자표지자 검사(BRAF, NRAS, HRAS, KRAS, RET/PTC1, RET/PTC3, PAX8/PPARγ)를 시행해 볼 수 있다. FNA 재검이나, 분자표지자 검사 또는 두 가지 모두 시행되지 않았거나 결론에 이르지 못했을 경우, 임상적인 위험 인자, 초음파 소견, 환자의 선호도에 따라 경과 관찰 또는 진단적 수술이 시행될 수 있다.

5) 여포종양 혹은 여포종양 의심 결절의 치료

Bethesda system에서 FNA 결과가 여포종양 혹은 여포종양 의심일 경우 악성 위험도는 유두암종유사핵모양비침습소포종양(NIFTP)을 암으로 포함시킬 경우 25-40% 이다. 세포학적 판독이 여포종양 혹은 여포종양 의심인 경우 진단을 위한 수술적 절제가 표준치료이다. 그러나 임상 소견과 초음파 소견을 고려한 후 수술을 하기 전에 악성도 평가를 위해 분자표지자 검사(BRAF, NRAS, HRAS, KRAS, RET/PTC1, RET/PTC3, PAX8/PPARγ)를 이용해 볼 수 있다. 임상적인 의사 결정에 환자의 선호도와 실행 가능성이 고려되어야 한다. 만약 분자표지자 검사가 시행되지 않았거나 결론적이지 않다면, 수술적 절제가 고려될 수 있다.

6) 악성 의심 및 악성 결절의 치료

FNA 결과 악성 의심, 또는 악성의 결과가 보고된 경우 수술을 시행한다. 수술 전 병변 반대쪽 엽의 평가 및 경부 림프절 평가를 위하여 경부초음파를 시행하고 국소전이가 의심되는 경부림프절이 관찰되는 경우 수술의 범위가 바뀔 수 있기 때문에 FNA가 필요하다.

2016 대한갑상선학회의 권고안을 따르면 갑상선암의 크기에 상관없이 육안적 갑상선외 침윤, 또는 임상적으로 경부 림프절전이나 원격전이가 분명한 경우, 또는 크기가 4 cm를 초과하는 갑상선암에서는 특별한 금기가 없는 한 처음 수술 시 갑상선(근)전절제와 원발암의 완전한 육안적 제거를 시행하여야 한다. 갑상선암의 크기가 1 cm 초과 4 cm 미만이면서 갑상선 외 침윤이 없고, 임상적으로 경부 림프절전이의 증거가 없는 경우에는 처음 수술로 엽절제술을 적용할 수도 있다. 그러나 수술 후 방사성아이오딘 치료 계획, 추적 검사의 효율, 환자의 선호도 등을 고려하여 갑상선(근)전절제술을 선택할 수도 있다. 갑상선암의 크기가 1 cm 미만이고 갑상선 외 침윤이 없으며, 임상적으로 경부 림프절전이의 증거가 없는 경우, 반대쪽 엽을 절제해야 하는 분명한 이유가 없다면 처음 수술로 갑상선 엽절제술을 적극 권고한다. 두경부 방사선 조사의 과거력이 없고 가족성 갑상선암이 아니면서 경부 림프절전이가 없는 갑상선 내에 국한된 단일 병소의 작은 갑상선암의 경우 일반적으로 초기 수술은 갑상선 엽절제술로 충분하다.

임상적으로 중앙경부 림프절전이가 확인된 경우에는 치료적 중앙경부(level VI) 림프절절제술을 시행한다. 임상적으로 중앙경부 림프절전이가 없는 갑상선유두암 환자에서도, 진행된 원발암(T_3 혹은 T_4) 또는 임상적으로 확인된 측경부 림프절전이(cN1b)가 있는 경우 또는 향후의 치료 전략 수립에 필요한 추가적인 정보를 얻기 원하는 경우에는 예방 중앙경부(level VI) 림프절절제술을 고려한다. 대부분의 갑상선여포암의 경우에는 예방 중앙경부(level VI) 림프절절제술이 불필요하다. 측경부 림프절전이가 조직검사로 확인된 경우에는 치료 측경부 림프절절제술을 시행한다.

2016 대한갑상선학회의 권고안과 2015 미국갑상선학

회의 권고안을 따르면 FNA의 결과가 악성 의심, 또는 악성의 결과일 때 일반적으로 수술을 하지만 다음과 같은 상황에서는 적극적 감시(Active surveillance)도 고려할 수 있다.

가. 매우 낮은 위험도를 가진 종양의 경우(임상적으로 전이와 국소 침윤이 없고 세포학적으로 공격적인 질환이라는 근거가 없는 미세유두암 등)
나. 동반된 다른 질환으로 인해 수술의 위험도가 큰 경우
다. 남은 여생이 짧을 것으로 예상되는 경우(심한 심혈관계 질환, 다른 악성 종양, 고령인 경우 등)
라. 갑상선 수술 전에 해결되어야 할 내과적 또는 외과적 질환이 병발된 경우

최근 수술은 목에 절개를 가하는 고전적인 방법의 수술(open thyroidectomy) 외에도 양측 겨드랑이와 유륜 접근법(bilateral axillo-breat approach, BABA), 구강 경유 접근법(transoral approach), 겨드랑이를 통한 접근법(gasless axilla approach) 등을 이용한 로봇 및 내시경 수술이 시행되고 있다.

2018년 국가암정보센터의 통계에서 갑상선 암의 발생률은 전체 암 중에서 남녀 전체와 여자에서 각각 2위를 차지하고 있고 미용적으로 관심이 많은 15-34세와 35-64세에서는 남녀 전체에서 발생하는 암중 1위로 가장 높다. 이러한 이유로 로봇 및 내시경을 이용한 갑상선 수술이 많이 시행되고 있다. 목에 절개를 하는 방식과 비교하여 다른 곳으로 접근하는 방법들은 수술상처가 눈에 띄지 않아 미용적 측면에서 우수하고 환자의 만족도가 높다. 또한 여러 연구들에서 로봇을 이용한 수술의 안정성이 입증되었고 고전적인 방법과 비교하여 종양수술학적 완성도, 환자의 회복기간, 수술 합병증 발생률 등에서 동등 혹은 우수하다는 결과가 보고되고 있다.

7) 갑상선 수질암 및 미분화 갑상선암의 치료

갑상선 수질암은 갑상선 전절제술과 중심부림프절 절제술이 표준치료이다. 림프절 전이는 진단 당시의 종양의 크기와 상관이 있어 크기가 1 cm 미만인 경우 11%의 환자에서 림프절 전이가 발생하고 크기가 2cm 이상인 경우 60%의 환자에서 림프절 전이가 발생한다. 일부에서는 촉진되는 갑상선 수질암 환자는 갑상선 전절제술, 부갑상선 절제술 및 자가이식술, 중심부 림프절 절제술 및 동측, 양측 측경부 림프절 절제술까지 시행하는 것을 권고하고 있기도 하다. 그러나 미국갑상선학회 권고안에 따르면 임상적으로 중심부 림프절 전이가 의심되지 않는 경우에는 갑상선 전절제술 및 예방적 중심부림프절 절제술을, 임상적으로 중심부림프절 전이가 의심되는 경우에는 갑상선 전절제술 및 치료적 중심부림프절 절제술을 시행하는 것을 권하고 있다. 측경부림프절 전이가 의심되는 경우에는 측경부림프절 절제술을 함께 시행해야 하며 원격전이가 있는 경우에는 삼키는 기능 및 목소리 등 기능 보전을 위하여 덜 침습적인 수술을 시행할 것을 권고하고 있다.

미분화 갑상선암의 경우 수술 치료만으로 환자의 생존률을 향상시킬 수 없으며 외부 방사선 조사 등을 비롯한 다제학적인 접근이 요구된다. 6개월 이상 생존하기 어려워 분자유전학적 표지자를 타겟으로 하는 여러 임상시험들이 시도되고 있다.

8) 임산부의 갑상선 결절의 치료

2016 대한갑상선학회 권고안을 따르면 임산부에서 임상적으로 의미 있는 갑상선결절이 발견된 경우 갑상선기능이 정상 혹은 저하중이면 FNA를 고려한다. 임신 초기(first trimester) 이후에도 혈청 TSH가 지속적으로 낮은 경우에는 결절의 기능을 평가할 수 있는 갑상선스캔이 가능해지는 출산 이후로 FNA를 미룰 수 있다. 임신 초기에 진단된 갑상선암은 초음파 추적관찰이 필요하며, 임신 24주까지 의미 있는 성장(적어도 두 방향에서 2 mm 이상이면서 20% 이상의 직경 증가가 확인되거나, 용적이 50% 이상 증가)을 보이거나 경부 림프절전이가 발견되는 경우 수술을 시행한다. 그러나 임신 중기까지 크기 변화가 없거나, 임신 후기에 처음 갑상선암이 진단된 경우라면 분만 후 수술을 시행할 수 있다. 진행된 갑상선암은 임신 중기에 수술을 시행하는 것이 바람직하다.

3. 요약

갑상선 결절은 매우 흔한 내분비 질환으로 일반인의 4-7%에서 만져진다. 여성인 경우, 고령인 경우, 요오드가 결핍된 경우 및 외부 방사선 조사 과거력이 있는 경우 결절이 발생할 위험도가 증가하며 전체 갑상선결절의 5%는 악성 결절이다. 갑상선결절 환자의 자세한 병력청취 및 이학적 검사가 요구되며 혈청 TSH를 측정하여 정상보다 낮을 경우 갑상선스캔을 시행한다. 열결절인 경우 갑상선 기능항진증에 대한 평가 및 치료를 시행하고 열결절이 아닌 경우나 TSH가 정상이거나 높은 경우 초음파검사를 시행한다. 초음파 결과 결절이 아니거나 양성 결절 소견인 경우 TSH가 정상이라면 추적관찰을 하고 TSH가 증가된 경우 갑상선 기능저하증에 대한 평가 및 치료를 한다. 초음파 소견에서 낮은/중간/높은의심의 결절이 있다면 FNA를 시행한다. FNA 소견상 비진단적 검체나 비정형 소견인 경우 FNA를 반복하고 결과를 얻지 못한다면 추적관찰을 하거나 수술을 시행한다. 양성 결절인 경우에는 추적관찰을 하거나 임상증상이 있는 경우 수술 혹은 에탄올, 레이저, 고주파절제술을 시행할 수 있다. 여포종양 혹은 여포종양의심이거나 갑상선 악성 의심 및 악성 결절인 경우 갑상선갑상선수술을 시행한다. 수술은 절개를 가하는 방법 이외에도 로봇 및 내시경을 이용하여 양측 겨드랑이와 유륜 접근법, 구강 경유 접근법, 겨드랑이를 통한 접근법 등으로 수술이 시행된다.

** 참고문헌 목록은 대한산부인과내분비학회 홈페이지 http://www.kosge.or.kr 또는 QR코드를 통해 보실 수 있습니다.*

CHAPTER

37 생식과 부신

이혜진(이화의대-내과), 송도경(이화의대-내과)

부신은 한 쌍의 내분비샘으로 신장의 상부내측 후복막에 위치하고 있다. 부신은 호르몬을 분비하는 피질과 수질의 두 구획으로 구성된다. 조직학적으로 부신피질은 3개의 영역으로 나뉘는데, 밖으로부터 과립층(zona granulosa), 다발층(zona fasciculata), 그물층(zona reticularis)으로 이루어진다. 과립층은 무기질부신피질호르몬(mineralocorticoid)인 알도스테론을 생성하며, 다발층은 당질부신피질호르몬(glucocorticoid)인 코티솔과 부신 안드로겐인 다이하이드로에피안드로스테론(dihydroepiandrosterone, DHEA), 황산디하이드로에피안드로스테론(dihydroepiandrosterone sulfate, DHEA-S)을 생성한다. 가장 안쪽의 그물층은 수질을 싸고 있으며 코티솔과 안드로겐을 생성한다.

Ⅰ. 여성의 안드로겐

난소와 부신피질은 여성 안드로겐의 중요한 원천이다. 여성의 주요 안드로겐은 DHEA-S, DHEA, 안드로스텐다이온(androstenedione), 테스토스테론(testosterone), 다이하이드로테스토스테론(dihydrotestosterone)이다. DHEA-S, DHEA, 안드로스텐다이온은 남성화(androgenic) 활성이 거의 없기 때문에 전구호르몬으로 고려될 수 있고 남성화 효과를 발휘하기 위해 테스토스테론으로 전환되는 것이 필요하다. DHEA-S는 부신에서 만들어지며, 하루에 3.5-20 mg의 속도로 생성되고 정상적인 혈청 농도는 대개 100-350 μg/dL이다. DHEA는 부신(50%)과 난소(20%)에서 생성되고 DHEA-S의 말초 전환(30%)에 의해서도 생성된다. DHEA는 하루에 6-8 mg 생성되고 정상적인 혈청 농도는 1-10 ng/mL이다. 안드로스텐다이온 생성은 난소와 부신 사이에 차이가 없고 하루에 1.4-6.2 mg이 생성되고 정상적인 혈청 농도는 0.5-2.0 ng/mL이다. DHEA-S, DHEA, 안드로스텐다이온은 단백에 거의 결합하지 않아 이 세 호르몬의 혈청 면역분석(immunoassay)은 일반적으로 생물학적으로 작용하는 호르몬을 반영한다.

여성에서 테스토스테론의 합성은 부신에서 25% 유래되고 난소에서 25% 유래되며 안드로스텐다이온의 말초 전환에 의해 50%가 유래된다. 테스토스테론은 하루에 0.1-0.4 mg 합성되고 정상적인 혈청 농도는 20-80 ng/

dL이다. 농도는 크게 변동이 없지만 초기 난포기(follicular phase) 동안 가장 낮고 배란기(midcycle)에 대략 20% 더 높다. 부신의 안드로겐 생성은 폐경 상태와 상관없이 나이가 듦에 따라 점차 감소하는 것으로 여겨진다. 혈청 DHEA-S 농도는 40-50세 여성에서 대략 젊은 여성의 절반 정도이다.

부신 수질의 세포는 기능과 발달적인 면에서 피질과 완전히 별개이다. 부신 수질은 카테콜아민(catecholamine), 노르에피네프린(norepinephrine), 에피네프린(epinephrine)을 만들어내고 심혈관(cardiovascular)과 신장을 조절하는데 중요한 역할을 한다. 전신적인 질환은 생식기능에 궁극적으로 영향을 미칠 수 있지만, 부신 수질의 질환은 생식기능이상(reproductive dysfunction)으로 거의 발현되지 않지 않는다.

1. 여성 생식과 관련된 부신 피질 질환

1) 선천부신과다형성증

선천부신과다형성증(congenital adrenal hyperplasia, CAH)은 상염색체 열성(autosomal recessive) 유전 내분비 질환으로 특정 스테로이드 합성 과정에 작용하는 효소의 선천적인 결핍으로 인한 코티솔 합성 장애를 특징으로 하며, 다양한 정도의 부신 안드로겐 과다가 특징적이다. 임상 양상은 효소 결핍의 정도와 안드로겐 과다의 정도에 따

표 37-1. 선천부신과다형성증: 흔한 유전적 변이

효소의 결함	결함 유전자	표현형	내분비 특징
21-수산화효소 결핍(가장 흔하다.)	CYP21A2	**고전**(심한 결핍) ▪ **75%에서 염분 소모**가 있다: 유전적 여아에서 모호생식기, 신생아 첫 몇 주에 빠르게 시작하는 부신부전 ▪ **단순한 남성화**(덜 심한 결핍) - 출생 후 남성화, 거짓성 조숙	17-수산화프로게스테론의 증가 (>800 ng/dL) 황산디하이드로에피안드로스테론의 증가 총 테스토스테론의 증가 부신피질자극호르몬의 증가 위와 동일(덜 심하게)
		비고전(덜 심한 결핍) ▪ 소아기 동안 안드로겐과다증, 시상하부-뇌하수체-부신과 시상하부-뇌하수체-난소 축의 이른 활성화(이른 성증발현, 이른 혹은 성조숙) ▪ 다낭난소증후군과 유사하게 발현될 수 있다. ▪ 무증상일 수 있다.	위와 동일(덜 심하게) 부신피질자극호르몬은 정상범위의 상한치일 수 있다.
11β-수산화효소 결핍(두번째로 흔하다.)	CYP11B1	**고전**(심한 결핍) ▪ 유전적 여아에서 모호생식기, 출생후 남성화, 고혈압	데옥시코티코스테론의 증가 데옥시코티솔의 증가
		비고전(덜 심한 결핍) ▪ 소아기 혹은 이른 성인기 동안 안드로겐과다증 ▪ 고혈압이 흔하다. ▪ 무증상일 수 있다.	위와 동일(덜 심하게)
2형 3β-수산화스테로이드 탈수소효소 결핍(가장 흔하지 않다.)	HSD3B2	**고전**(심한 결핍) ▪ 남아와 여아 모두에서 모호생식기, 부신부전과 염분 소모가 신생아 첫 몇 주에 나타난다.	황산디하이드로에피안드로스테론의 증가 17-수산화프레그네놀론의 증가 17-수산화프레그네놀론 대 17-수산화프로게스테론 비의 증가(부신피질자극호르몬 자극 검사 후 >6)
		비고전(덜 심한 결핍) ▪ 소아기 혹은 이른 성인기 동안의 안드로겐 과다증 ▪ 무증상일 수 있다.	

라 달라지게 된다. 고전 CAH가 있는 여성(표 37-1)은 모호 생식기(ambiguous genitalia)로 대개 출생 시 혹은 초기 영아기(infancy)에 발견된다. 비고전 CAH는 더 나중에 발현되게 되는데, 미성숙한 성증발현(adrenarche) 혹은 성조숙(precocious puberty)이 나타날 수 있고 안드로겐과다증(hyperandrogenism)과 불규칙한 월경으로 다낭난소증후군으로 종종 잘못 진단되기도 한다. 고전 CAH의 전반적인 유병률은 대략 생존출생(live birth) 10,000명당 1명에서 15,000명당 1명까지 나타나고 인종(ethnicity)에 따라 다양하게 나타났다. 중국인에서 28,000명당 1명 발생하는 것으로 보고되었고, 백인은 5,000명당 1명에서 23,000명당 1명까지, 유피크 에스키모인에서는 280명당 1명이 발생하는 것으로 보고되었다. 미국에서 보고된 고전 CAH 유병률은 백인 15,500명당 1명이고 아프리카계 미국인 42,000명당 1명이었다. 일반 인구와는 대조적으로, 안드로겐과다증의 증거가 있는 미국계 백인과 히스패닉계 여성에서 비고전 CAH의 유병률은 1-4%까지 보고되었다. 그 외, 북부 이탈리아인에서 0.3%, 이스라엘, 인도, 요르단 여성에서는 6-10%의 유병률이 보고되었다. 다른 연구에서 비고전 CAH의 유병률이 1-15%까지 보고되기도 하였다.

고전 CAH와 비고전 CAH의 가장 흔한 원인은 CYP21A2 유전자 돌연변이에 의한 부신의 21-수산화효소(21-hydroxylase)의 부족이다. 21-수산화효소는 당질부신피질호르몬과 무기질부신피질호르몬의 합성에 중요한데 21-수산화효소의 결핍은 스테로이드 호르몬의 전구 물질인 17α-수산화프로게스테론(17α-hydroxyprogesterone)의 축적과 과다 생성을 유발한다. 17α-수산화프로게스테론은 스테로이드 대사 중간 산물로 21-수산화효소의 기질이 될 뿐만 아니라 부신의 코티솔과 안드로겐 합성에 중요한 전구물질이다. 21-수산화효소의 결핍은 CAH의 대부분(대개 90%) 환자에서 나타난다. 11β-수산화효소(11β-hydroxylase)를 포함한 결핍은 일반인구에서 생존출생 100,000명당 1명에서 나타나고 CAH 환자의 대략 5%를 차지한다. 3β-수산화스테로이드 탈수소효소(3β-hydroxysteroid dehydrogenase)의 결핍은 CAH에서 가장 적게 나타나고 HSD3B 유전자의 돌연변이에 의해 생긴다. 관련된 효소와 상관없이 CAH의 병태생리학은 코티솔 합성의 감소로 인해 보상적으로 뇌하수체에서 부신피질자극호르몬(adrenocortiotropic hormone, ACTH)의 분비가 자극되어 나타난다. 만성적인 ACTH 과다의 결과로 부신 증식, 효소 차단 이전(proximal) 스테로이드 호르몬의 과다와 다른 대사 회로의 활성화로 인해 안드로겐 생성의 증가가 나타난다. 호르몬 이상은 효소 장애의 정도에 달려 있고 이는 유전자형(genotype)에 의해 결정된다. 두 가지 다른 돌연변이의 복합이형접합자(compound heterozygote)는 대개 경미한 돌연변이에 합당한 표현형을 보인다(표 37-1).

고전 CAH가 있는 여성은 전형적으로 출생시에 모호 생식기를 보인다. 여성 신생아(female newborn)에서 고전 CAH가 있는 경우는 이상하게 보이는 생식기 때문에 조기에 진단될 수 있다. 생화학적 선별검사를 하지 않는 한, 정상적으로 보이는 남성 생식기를 가지고 있는 남성 신생아(male newborn)에서는 조기 진단을 놓칠 수 있다. 시기 적절하게 진단이 내려지지 않으면, 고전 CAH가 있는 영아에서 무기질부신피질호르몬과 당질부신피질호르몬이 부족하여 전해질과 수분 불균형이 빠르게 시작되어 예후가 나쁘다. 미국과 다른 많은 나라에서 호르몬 부족의 보충을 적절하게 시작하고 부신 안드로겐을 정상화시키기 위해 신생아의 정례적인 선별검사가 도입되었다. 고전적인 변이와 달리 비고전 CAH 혹은 늦게 시작하는 형태의 CAH는 소아기 혹은 초기 청소년기 동안 성조숙으로 발현되거나, 혹은 젊은 성인에서 다낭난소증후군과 같이 안드로겐과다증의 징후로 발현된다. 비고전 CAH는 안드로겐과다증의 징후와 증상을 보이는 모든 여아(girls)와 여성(women)에서 감별진단으로 고려되어야 하고 특히 남성형다모증이 조기에 시작되는 경우, CAH의 가족력이 있는 경우, 안드로겐 과다의 특징을 보일 위험성이 높은 인종의 여아 혹은 여성에서 감별진단으로 고려되어야 한다.

CAH가 흔하지 않기 때문에 정례적인 선별검사의 진단율은 매우 낮다. 비고전 CAH는 즉각적인 진단이 중요하며, 이는 적시에 중재함으로써 안드로겐 과다와 관련된 증상을 최소화하는데 도움이 되고, 유전상담을 할 수 있기 때문이다. 당질부신피질호르몬을 포함한 비고전 CAH의 치료는 음성되먹임(negative feedback)에 의한 ACTH의 억제로 고안드로겐혈증(hyperandrogenemia)을 효과적으로 호전시키는 것으로 보인다. 하지만 초기 접근으로 당질부신피질호르몬을 이용하는 치료보다 최근에는 남성형다모증을 치료하기 위해 복합 호르몬 피임제와 항안드로겐제(antiandrogen)를 이용하는 증상 표적 치료 전략이 권고된다. 비고전 CAH 여성에서 당질부신피질호르몬은 만성 무배란과 남성형다모증의 치료에 에스트로겐-프로게스틴(estrogen-progestin) 피임제보다 덜 효과적이다.

2) 안드로겐-분비 부신 신생물

부신 신생물은 안드로겐 과다의 드문 원인이다. 테스토스테론 생성이 일부 부신 샘종에서 보고되었으나 안드로겐을 분비하는 부신 신생물의 대부분은 악성이다. 안드로겐(DHEA, DHEA-S, 테스토스테론)뿐만 아니라 코티솔 과다도 또한 보고되었다. 임상양상은 난소의 안드로겐-분비 종양과 유사하다.

3) 쿠싱증후군

코티솔 과다를 특징으로 하는 질환인 쿠싱증후군(Cushing syndrome)은 남성형다모증과 같은 안드로겐과다증과 월경 불규칙의 증상을 동반하여 다낭난소증후군과 혼동될 수 있다. 하지만 안드로겐과다증을 발현하는 여성에서 쿠싱증후군의 유병률은 매우 낮아서 1% 미만이다.

고코티솔증(hypercortisolism)의 증상과 징후에 경각심을 가지고 있어야 하는데 과다한 코티솔 분비의 기간과 정도에 따라 증상과 징후는 다양하게 나타날 수 있다. 쿠싱증후군의 전형적인 특징은 남성형다모증뿐만 아니라 진행하는 중심성 비만, 뺨에 지방 축적 과다(달덩이얼굴, moon face), 목 뒤쪽에 지방 축적 과다(물소혹, buffalo hump), 심한 피로, 근육 약화, 고혈압, 피부 위축, 쉽게 멍듦, 배와 옆구리의 자주색 선조이다. 과다색소침착(hyperpigmentation) 또한 흔한데 특히 쿠싱병(Cushing disease)이 있는 환자(프로오피오멜라노코틴에서 만들어지는 ACTH 합성의 부산물인 α-멜라닌세포자극호르몬의 분비과다로 인해)에서 햇빛에 노출되는 부위(얼굴, 목, 손등)와 만성적으로 경미한 외상, 마찰, 압력을 받기 쉬운 부위(팔꿈치, 무릎, 주먹결절, 어깨)에 특히 현저하게 나타날 수 있다. 고혈압, 당뇨병, 골다공증, 우울증도 흔하게 나타난다(표 37-2).

표 37-2. 코티솔 과다의 원인

의인쿠싱증후군(가장 흔한 원인)
부신피질자극호르몬-의존성 코티솔 과다(80%)
부신피질자극호르몬-분비 뇌하수체 종양(80%)
샘종
암종
이소성 부신피질자극호르몬 생성(20%)
부신피질자극호르몬-비의존성
자율부신과활성(20%)
드문 원인
이소성 부신피질자극호르몬방출호르몬 분비
일차 색소침착결절성부신질환
매큔-올브라이트증후군(McCune-Albright syndrome)

쿠싱증후군의 임상 양상은 ① 만성 질병의 치료로 처방되는 당질부신피질호르몬의 장기간 복용, ② ACTH-분비 뇌하수체 ACTH 분비세포(corticotroph) 샘종, ③ 코티솔-분비성 부신 샘종과 암종 ④종양에 의한 이소성 ACTH 방출호르몬(corticotropin-releasing hormone, CRH) 혹은 ACTH 분비에 의해서도 나타날 수 있다. 처방된 당질부신피질호르몬이 쿠싱증후군의 가장 흔한 원인이다. 쿠싱증후군이 의심될 때 평가의 첫번째 단계는 과다한 당질부신피질호르몬 노출을 배제하는 것이다.

II. 부신 질환이 의심되는 여성의 평가

일반 부인과의사와 생식 내분비전문의는 부신 질환이 있는 환자를 월경기능 장애로 처음 만날 수 있다. 또한 당질부신피질호르몬과 안드로겐의 과다 생성을 유발하는 부신 질환은 가임기 여성에서 가장 흔한 내분비 질환인 다낭난소증후군의 특징과 유사할 수 있다. 따라서, 부인과 의사와 생식 내분비전문의는 부신 질환의 초기 선별과정에 친숙해야 한다. 평가는 중요한 진단의 단서가 되는 세심한 병력과 신체 진찰에서부터 시작되어야 한다. 검사실 평가와 영상 검사는 주로 다른 드물거나 가능성이 있는 심각한 가능성을 배제할 때 이용된다.

III. 병력과 신체 진찰

부신 질환은 안드로겐 과다뿐만 아니라 월경불규칙의 특징을 보이는 여아 혹은 여성에서 감별진단을 위해 고려되어야 한다. 부신 질환이 의심되는 여성에서 병력의 중요한 요소는 월경력, 안드로겐 과다(여드름, 남성형다모증, 탈모, 남성화의 특징)의 특징이 있는지, 있다면 시작된 시기와 진행하는 속도이다. 인종과 민족에 대한 정보와 가족력은 비고전 CAH와 같은 상염색체 열성 유전질환을 고려할 때 특히 중요하다.

비고전 CAH의 임상 양상은 다낭난소증후군과 유사하지만, 성증발현과 성조숙, 남성형다모증이 더 이른 시기에 심하게 나타나는 경향이 있다. 남성형다모증이 상대적으로 늦은 나이에 시작되거나 수개월에 걸쳐 빠르게 진행하는 것은 안드로겐-생성 신생물과 더 관련된다. 안드로겐과다의 증상(남성형다모증, 여드름)이 있고 점진적인 체중증가, 쉽게 멍이 들고 우울감이 동반될 경우 감별진단으로 쿠싱증후군을 고려해야 한다.

남성형다모증, 월경불규칙, 비만, 불임이 있을 경우 비고전 CAH의 가능성에 대해서도 고려해야 한다. 신체 진찰로 기저 부신 질환의 가능성을 시사할 수 있는 징후와 증상에 특히 경각심을 가지고 일반적인 외모에 주의를 기울여야 한다. 과다한 당질부신피질호르몬으로 인해 전형적으로 달덩이얼굴, 소물혹과 얼굴 다혈증, 복벽의 앞쪽과 옆쪽을 따라 나타나는 자주색 선조, 근위부 근육 약화, 고혈압, 고혈당, 저칼륨혈증, 골다공증, 쉽게 멍듦과 우울증이 나타난다. 비고전 CAH로 인한 안드로겐 과다의 특징은 다낭난소증후군과 종종 혼동될 수 있으며, 남성화(남성형다모증의 악화, 남성형대머리, 거대음핵증, 목소리가 굵어짐, 성욕 증가, 유방 크기의 감소와 근육 양의 증가)의 징후가 있을 경우, 특히 최근에 증상이 시작되고 진행이 빠를 경우(수개월)에는 안드로겐-분비 종양의 가능성에 대해 고려해야 한다. 음핵 크기는 여성에 따라 다양하다. 한 연구에서 평균 음핵의 길이는 5.1 ± 1.4 mm였고 평균 너비는 3.4 ± 1.0 mm였다. 거대음핵증은 일반적으로 음핵의 길이가 10 mm 초과이거나 음핵 지수(clitoral index)가 35 mm 초과라고 정의한다. 다른 관련된 신체 진찰 소견은 고프로락틴혈증(hyperprolactinemia)을 시사하는 자발적으로 혹은 짜낼 수 있는 젖분비과다(galactorrhea)와 안드로겐-분비 종양에 해당할 수 있는 복부 혹은 골반 덩어리이다. 수정된 Ferriman-Gallwey 점수는 남성형다모증의 정도를 정량화하는데 이용된다.

IV. 실험실 평가

남성형다모증과 같은 안드로겐과다증의 증상과 혈중 안드로겐 농도 사이의 관련성은 명확하지 않다. 실험실 평가의 주요 목적은 치료가 필요한 심각한 내분비질환(비고전 CAH, 안드로겐-분비 종양, 쿠싱증후군)의 가능성이 있는 환자를 확인하는 것이다. 또한 월경기능장애가 있는 여성에서 갑상선 질환과 고프로락틴혈증을 배제해야 한다. 증가된 혈청 프로락틴 농도는 증가된 혈청 DHEA-S와 연관된다. 프로락틴 수용체가 사람의 부신에서 발견되었고 프로락틴은 실험실에서 부신의 DHEA 생성을 증가시킬 수 있었다.

1. 선천부신과다형성증의 선별

1) 혈청 17α-수산화프로게스테론 농도

정상 여성과 비고전 CAH 여성 모두 뇌하수체에서 분비되는 ACTH가 아침에 가장 높고 늦은 오후에 가장 낮은 일일주기 리듬을 보이며, 이는 혈청 17-수산화프로게스테론 농도에 반영된다. 아침 혈청 17-수산화프로게스테론치는 월경 주기의 난포기 동안 비고전 CAH 여성이 정상 여성보다 명확하게 더 높지만, 저녁 농도는 중복될 수 있다. 난포기에 측정한 아침 혈청 17-수산화프로게스테론 농도가 200 ng/dL 미만(<2 ng/mL)일 때 비고전 CAH가 배제될 수 있고, 1,000 ng/dL 초과(>10 ng/mL)인 것은 21-수산화효소 결핍으로 사실상 진단 내릴 수 있으며 농도가 200-800 ng/dL (2-8 ng/mL)인 경우에는 강하게 진단을 시사하지만 확진 검사로 ACTH 자극 검사가 필요하다.

ACTH 자극 검사는 코신트로핀(cosyntropin, 합성 ACTH 1-24, 0.25 mg 근육 내로 혹은 정맥 내로) 투여하기 전과 투여하고 60분 후에 채혈을 하여 17-수산화프로게스테론을 측정하는 것이다. 대부분의 CAH가 있는 여성에서 ACTH 자극에 대한 반응은 과장되어 있고 17-수산화프로게스테론치는 1,500 ng/dL를 초과한다.

2) 유전 선별

CAH의 95% 이상은 21-수산화효소를 암호화하는 *CYP21A2*의 돌연변이에 의해 생긴다. 기능을 하는 *CYP21A2* 유전자와 비기능적 *CYP21A1P*는 6번 염색체의 단완에 같이 위치한다. 유전자 결손, 중복, 재배열, 대체, 점돌연변이, 유전자잘라이음과 같은 다양한 구조적인 이상이 보고되었고 이는 효소 활성에 영향을 주어 남성화의 정도를 결정한다. 보인자(carrier) 상태를 진단하거나 설명하기 위해 유전형을 확인하는 것을 고려해야 하며, 유전형은 병의 정도와 관련되고 유전 상담에 필수적이다. 이형접합체 보인자는 ACTH 자극에 덜 반응하여 정상인과 겹치게 나타날 수 있다.

2. 안드로겐-분비 부신 종양의 진단

증가한 안드로겐 농도를 검사하는 것은 혈청 총 테스토스테론 농도를 측정하는 것으로 시작해야 한다. 혈청 테스토스테론 농도(정상 20-80 ng/dL)는 대부분의(70%) 만성적인 무배란과 남성형다모증이 있는 여성에서 상승되어 있다. 안드로겐-분비 종양의 가능성이 있는 거의 모든 여성에서 혈청 총 테스토스테론 농도는 150 ng/dL를 초과한다. 하지만 혈청 테스토스테론 농도는 종양이 있는 여성과 없는 여성 모두에서 다양할 수 있어, 남성형다모증 혹은 남성화의 징후 등의 증상이 빠르게 진행하는 경우, 혈청 테스토스테론 농도가 문턱값보다 낮을 때에도 종양은 의심되고 배제되어야 한다. DHEA-S는 다른 스테로이드와 유도 물질보다 혈중 농도가 높고 거의 독점적으로 부신으로부터 유래한다. 따라서 부신 안드로겐 활성의 척도로 볼 수 있다. 대부분 실험실에서 정상의 상한치는 대략 350 µg/dL이지만 실험실마다 범위가 다양하다. DHEA-S는 주로 전구호르몬으로서 역할을 하여, 테스토스테론으로 전환되는 기질이 되고 말초에서 이후에 DHEA가 된다. 혈청 DHEA-S 농도는 안드로겐과다증의 원인이 부신인 여성을 확인하는데 유용하게 보일 수 있지만 민감도와 특이도가 낮다. DHEA-S는 비고전 CAH가 있거나 쿠싱증후군이 있는 여성에서 극도로 상승되지 않고 다낭난소증후군이 있는 여성에서 종종 상승된다. 하지만 비고전 CAH와 다르게 ACTH 농도는 다낭난소증후군이 있는 여성에서 상승되지 않는다. 혈청 DHEA-S 농도는 안드로겐-분비성 부신 종양이 있는 여성에서 700 µg/dL 이상으로 매우 상승될 수 있다. 하지만 이러한 여성의 거의 대부분에서 테스토스테론 농도가 상승하는데, 이는 DHEA-S가 말초에서 전환되거나 종양에서 테스토스테론이 분비되기 때문이다. 임상 양상이 종양의 가능성을 강하게 시사하는 여성에서 혈청 DHEA-S 농도는 유용하게 사용될 수 있지만, 남성형다모증을 평가하는데는 임상적 유용성이 거의 없을 수 있다.

부신 컴퓨터단층촬영 영상은 드문 안드로겐-분비성 부신 샘종 혹은 암종을 확인하는데 매우 민감하다. 이 검사는 안드로겐 과다의 기원으로 부신이 의심될 때, 골반 진찰과 질초음파에서 난소종양을 확인할 수 없을 때 시행해야 한다. 대부분의 안드로겐-분비 부신 종양은 악성이다. 부신 샘종은 전형적으로 직경 4 cm 미만으로 암종에 비해 작고 경계가 분명하고 조영증강하지 않은 컴퓨터단층촬영 감쇠수치가 특징적으로 낮다. 경계가 불규칙하고 괴사, 출혈, 혹은 석회화는 암종을 시사한다. 필요하면 부신 종양의 평가에 도움이 되는 부가적인 정보를 자기공명영상, 기능핵영상(functional nuclear imaging), 양전자방출단층촬영

(positron emission tomography)에서 얻을 수도 있다.

양측 병변이 있는 경우 전이성 암(가장 흔하게 유방, 신장, 혹은 폐), 부신 증식(뇌하수체 혹은 ACTH의 이소성 원인에 의한 장기간 자극, ACTH-비의존성 거대결절과 미세결절 질환의 드문 형태), 감염(결핵, 곰팡이), 출혈, 갈색세포종, 아밀로이드증(amyloidosis)과 같은 원인 중 감별진단을 위해 추가적인 평가가 필요하다.

정기적인 부신 영상은 권고되지 않는데, 비기능성의 부신 종양(부신우연종)이 흔하고 부신우연종을 확인함으로써 추가적으로 불필요한 검사가 요구되어 오해를 불러일으킬 수 있기 때문이다. 부검 연구에서 우연하게 발견된 부신 샘종의 유병률은 10%였고 다양한 원인으로 복부 컴퓨터단층촬영을 하였을 때 부신우연종의 유병률은 3-4%였다.

우연하게 발견된 부신 종양은 기능을 하는지 결정하기 위해 평가하는 것이 필요하고 15%까지도 코티솔, 카테콜라민, 알도스테론과 같은 호르몬을 과다하게 분비한다. 필요한 검사는 24시간 소변의 분획 메타네프린과 카테콜라민(갈색세포종), 테스토스테론, DHEA-S(부신암종), 혈장 알도스테론과 레닌 활성(일차 알도스테론증), 야간 덱사메타손 억제 검사(쿠싱증후군)이다. 세침흡인생검은 부신외 암이 의심될 때 혹은 이미 알고 있는 암의 병기 평가를 할 때 필요할 수 있다. 세침흡인생검은 상대적으로 안전한 시술이지만 잠재적인 합병증은 부신 혈종과 농양, 복통, 혈뇨, 췌장염, 기흉이다. 갈색세포종을 의도하지 않게 세침흡인생검을 하는 것은 급성 고혈압 위기를 촉발시킬 수 있으므로 세침흡인생검을 하기 전에 항상 생화학적 검사로 진단이 배제되어야 한다. 검사 결과 호르몬 기능의 증거가 없고 암이 의심되는 이유가 없을 때, 현재 권고사항은 적어도 4년 동안 6, 12, 24개월 후에 영상검사를 반복(점진적인 성장의 근거를 확인하기 위해)하고 매년 내분비 평가를 반복(기저에 확인 안된 자율기능을 확인하기 위해)하는 것이다.

3. 쿠싱증후군의 진단

안드로겐 과다의 증상이 고코티솔증의 뚜렷한 증상과 징후와 동반될 때 쿠싱증후군의 선별검사가 필요하다. 하지만 쿠싱증후군은 선별검사 결과가 위양성일 위험이 높다. 과체중과 비만한 여성의 광범위한 선별검사 결과는 무시해도 될 정도이고 위양성 검사 결과와 불필요한 걱정을 야기시킨다. 따라서 선별검사는 상대적으로 질병을 가지고 있을 가능성이 높은 개인에게로 제한된다. 현재 권고되는 검사 전략은 위음성 결과를 최소화하고 가장 편리하고 최소한의 비용이 드는 검사를 강조하기 위해 민감도가 높은 문턱값을 사용하는 한편 위양성 결과를 줄이는 것을 목표로 한다.

쿠싱증후군의 세가지 선별검사 방법은 비슷한 진단적 정확도를 가진다. 24시간 소변 유리 코티솔 배출(두 번 재검), 늦은 밤(오후 11시-자정) 혈장 혹은 침의 코티솔 농도(두 번 재검), 야간 덱사메타손 억제 검사가 이에 해당한다.

24시간 소변 유리 코티솔 배출은 혈청 유리 코티솔 농도의 직접적이고 믿을 만한 통합치수이다. 믿을 만한 24시간 소변 수집이 얻기 어려울 수 있으므로 지시에 대한 순응도를 평가하기 위해 크레아티닌(creatinine) 배출을 같은 검체로 측정해야 한다. 쿠싱증후군에 대한 진단적 검사의 체계적 문헌연구와 메타분석은 이상 결과에 대한 우도(likelihood ratio)가 10.6 (95% 신뢰구간=5.5-20.5)이고 정상 결과에 대한 우도가 0.16 (95% 신뢰구간=0.08-0.33)이다(검사가 이상할 때 어떻게 승산이 상승되고 검사가 정상일 때 어떻게 승산이 감소되는지를 반영한다). 반면에 정상 상한치의 세 배 이상 높은 24시간 소변 유리 코티솔 배출이 명백하게 이상한 반면, 더 낮은 이상값은 모호하고 위양성 결과일 가능성이 더 많다. 환자에게 과다한 수분 섭취를 피하고, 수집하는 동안 당질부신피질호르몬을 포함하는 어떠한 산물도 사용을 피하도록 설명해야 한다. 쿠싱증후군의 고코티솔증은 변동이 있을 수 있어서, 검사는 결과 판정 전에 최소한 두 번 시행해야 한다.

늦은 밤 침의 코티솔 농도는 혈청 코티솔 농도가 정상적으로 오전 7-9시에 가장 높고 낮 동안 감소되어 늦은 밤에 가장 낮은 반면, 쿠싱증후군이 있는 환자에서 정상적인 하루주기리듬이 소실된다는 것에 기초한다. 혈중 유리 코티솔은 침의 코티솔과 평형을 이루기 때문에 늦은 밤(오후 11시-자정) 침의 코티솔 농도는 쿠싱증후군 진단을 확진하는데 이용될 수 있다. 침은 수동적으로 침을 흘리거나 1-2분 동안 면 외과용거즈를 씹어서 집에서 환자가 쉽게 모을 수 있다. 검체는 수주 동안 상온 혹은 냉장 온도에서 안전하다. 침의 성 스테로이드 호르몬 검사와 대조적으로, 침의 코티솔 검사는 믿을만한 검사 결과를 보인다. 결과는 검사 방법의 차이로 연구에 따라 다양할 수 있지만, 알려진 정상 범위와 비교하여 해석한다. 쿠싱증후군의 진단적 검사의 메타분석 결과 이상 결과에 대한 우도는 9.5 (95% 신뢰구간=1.7-54.1)였고 정상 결과에 대한 우도는 0.09 (95% 신뢰구간=0.08-0.33)였다. 쿠싱증후군의 고코티솔증은 변동이 있을 수 있으므로, 늦은 밤 코티솔 농도는 적어도 두 번 검사해야 한다. 환자는 침의 코티솔 농도가 위양성 결과를 보일 수 있어 감초 사용, 담배 씹기, 흡연을 피하도록 권고되어야 한다. 검사는 또한 교대근무자와 자정 이후 잠자리에 드는 대상자에서는 최선의 선택이 아닐 수 있다.

야간 덱사메타손 억제 검사는 덱사메타손(강력한 합성 당질부신피질호르몬)이 정상적인 뇌하수체에 의해 ACTH를 억제시켜서 코티솔 분비를 억제시킨다는 개념에 기초한다. 검사는 경구로 오후 11시와 자정 사이에 1 mg의 덱사메타손을 복용하고 그 다음날 아침 8시에 혈청 코티솔을 측정하는 것이다. 측정값은 1.8 ㎍/dL 미만이 정상이다. 체계적 문헌연구에서 이상 결과의 우도는 16.4 (95% 신뢰구간=9.3-28.8)였고 정상 결과의 우도는 0.06 (95% 신뢰구간=0.03-0.14)이었다. 2일 저용량 덱사메타손 억제 검사(0.5 mg 덱사메타손을 6시간 간격으로 검사 첫 날 오전 9시에 시작하여 총 8번 먹고 마지막 용량 복용하고 6시간 후에 혈청 코티솔 측정) 또한 이용될 수 있는데 정상 억제 기준은 동일하다(<1.8 ㎍/dL). 하지만 2일 검사는 야간 검사에 비해 진단적 정확도가 더 낮고 이상 결과에 대한 우도가 7.3 (95% 신뢰구간=3.6-15.2)이고 정상 결과에 대한 우도가 0.18 (95% 신뢰구간=0.06-0.52)이다. 간단함과 구별능을 고려하여, 야간 덱사메타손 억제 검사가 남성형다모증이 있는 환자에서 쿠싱증후군이 의심될 때 가장 좋은 첫번째 검사 방법이다. 에스트로겐이 코티솔결합글로불린 농도를 상승시키고 혈청 검사법은 총 코티솔을 측정하기 때문에 경구피임약을 사용하는 여성에서 야간 덱사메타손 검사의 위양성 결과가 흔하게 나타날 수 있다. 따라서 가능하다면 에스트로겐이 포함된 약은 검사 혹은 재검사 6주 전에 중단해야 한다.

처음 선별검사가 정상이었다면 쿠싱증후군은 배제되고 임상적으로 강하게 의심되지 않는다면(임상양상에 기반하여) 더 이상 검사는 필요하지 않다. 쿠싱증후군의 증상 혹은 징후가 진행하는 경우, 6개월 후 혹은 더 빨리 재검사하는 것이 필요하다. 처음 검사에서 이상 결과가 나왔을 때, 두번째로는 다른 검사를 시행해야 한다. 쿠싱증후군은 두 가지 다른 검사 결과가 모호하지 않게 이상한 경우 진단할 수 있다. 검사 결과가 상이하거나 모호한 경우 추가적인 평가가 필요하다. 필요할 때 추가적인 평가는 이상 검사를 다시 시행하는 것으로 시작해야 한다. 확대된 평가는 자정 혈청 코티솔 농도 혹은 덱사메타손-CRH 검사이다.

자정 혈청 코티솔 농도는 늦은 밤 침의 코티솔 농도와 같은 근거를 가진다. 검사를 시행하기 어려우나 24시간 소변 유리 코티솔 배출 혹은 야간 덱사메타손 억제 검사가 정상이지만 쿠싱증후군이 임상적으로 강하게 의심될 때 유용할 수 있다. 수면 중 자정 혈청 코티솔이 1.8 ㎍/dL이상이거나 깨어있을 때 자정 값이 7.5 ㎍/dL이상일 때 쿠싱증후군의 가능성이 높다. 반대로 쿠싱증후군 의심 정도가 약할 때 예를 들면 단순 비만에서 24시간 소변 유리 코티솔 배출 혹은 야간 덱사메타손 억제 검사는 경미하게 비정상이고 수면 중 자정 혈청 코티솔은 1.8 ㎍/dL 미만 혹은 깨어 있을 때 자정 혈청 코티솔 7.5 ㎍/dL 미만이면 쿠싱증후군을 효과적으로 배제할 수 있다. 항경련제가 덱사데타손의 대사를 가속화시켜서 야간 덱사메타손 억제 검사의 위양성 결과를 일으킬 수 있기 때문에 자정 혈청 코티솔 검사는 항경련제를 사용하는 환자에서 비슷한 유용성을 가진다.

덱사메타손-CRH 검사는 쿠싱증후군 환자를 신체적, 심리적 스트레스 혹은 우울증이 있는 고코티솔증이 있는 대상자(가성 쿠싱증후군)에서 감별해내는데 도움이 된다.

검사는 2일 동안 덱사메타손 0.5 mg을 6시간 간격으로 총 8번 복용하는 것이고 덱사메타손 마지막 용량을 투여하고 2시간 후에 CRH (1 ㎍/kg, 정맥 내로)을 투여하고 15분 후에 혈청 코티솔을 측정한다. 가성 쿠싱증후군이 있는 환자에서 값은 일반적으로 1.4 ㎍/dL 미만이다.

4. 코티솔 과다의 원인 평가

쿠싱증후군의 진단이 내려지고 나면, 원인에 대해 평가해야 한다. 평가의 첫번째 단계는 혈장 ACTH 농도를 측정하는 것으로 고코티솔증이 ACTH에 의존적인지(ACTH-분비 종양 때문에) 혹은 ACTH에 비의존적인지(일차 부신 기원 때문에)를 평가하는 것이다. 가장 좋은 ACTH 검사는 면역방사측정법(immunoradiometric assay)이다. 혈장 ACTH 농도는 정상적으로 하루주기리듬을 보이지만 (오전 8시에 20-80 pg/mL, 오후 4시에 <20 pg/mL, 잠들기 1시간 내에 <10 pg/mL) 고코티솔증환자에서는 정상적인 하루주기리듬이 소실되기 때문에 ACTH는 고코티솔증 환자에서 언제라도 측정될 수 있다. 적어도 두 번 측정하여 5 pg/mL 미만 값은 ACTH-비의존 질환을 의미하고 20 pg/mL 초과 값은 ACTH-의존 질환을 의미한다. 그 사이 값은 쉽게 해석하기 힘들고 주로 ACTH-의존 질환과 연관된다. 이러한 드문 경우 CRH 자극 검사가 올바른 방향으로 평가하는 데 도움이 될 수 있다.

ACTH-분비 뇌하수체 샘종이 있는 대부분의 환자는 CRH로 자극하고 난 후 혈장 ACTH와 혈청 코티솔 농도가 즉시 상승하지만, 일차 부신 기원일 경우에는 뇌하수체의 ACTH 분비가 억제되어 있어 혈장 ACTH와 혈청 코티솔 농도가 상승하지 않는다. CRH 자극에 대한 ACTH 반응은 ACTH-의존 쿠싱증후군을 시사하고, 이러한 반응이 없으면 ACTH-비의존 질환을 시사한다.

1) 부신피질자극호르몬-비의존 쿠싱증후군

ACTH-비의존 쿠싱증후군이 있는 환자는 부신의 박편 컴퓨터단층촬영(thin-section computed tomography) 영상이 부신 종양을 찾기 위한 첫 번째 접근방법으로 고려되어야 한다. 영상에서 한쪽(unilateral) 부신 샘종이 있는 경우, 더 이상 검사는 필요하지 않고 확실한 치료를 위해 환자를 내분비 외과의사에게 보내야 한다. 결과가 암종의 가능성이 있다면 의심되는 암의 병기 결정을 위해 추가적인 평가가 필요하다. 대부분의 양성 코티솔-분비 샘종은 상대적으로 적은 안드로겐을 분비하는 반면, 대부분의 안드로겐-분비 부신 종양은 악성이다. 부신 양측에 종양이 있는 경우, 종양이 둘 다 기능적인지 혹은 한쪽은 비기능 우연종인지 확인을 해야 한다. 또한 뇌하수체 혹은 이소성 ACTH의 장기간 부신 자극과 ACTH-비의존 거대결절과 미세결절 질환의 드문 형태를 포함하여 양측 부신증식증의 다양한 원인을 감별해야 한다.

2) 부신피질자극호르몬-의존 쿠싱증후군

ACTH-의존 쿠싱증후군이 있는 환자의 평가는 ACTH 분비의 기원을 평가하는 것이 목적이다. 대부분의 ACTH-의존 쿠싱증후군이 있는 환자는 뇌하수체의 ACTH 분비세포 샘종(쿠싱병)을 가지고 있을 것이다. 이소성 ACTH-분비 혹은 CRH-분비 종양은 드물다.

CRH 자극 검사는 ACTH의 기원이 뇌하수체인지 혹은 이소성인지 감별하는데 도움이 된다. 같은 이유로 혈장 ACTH 농도가 모호한 여성에서 ACTH-비의존 쿠싱증후군과 ACTH-의존 쿠싱증후군을 감별하는데 도움이 된다. ACTH와 코티솔 농도는 ACTH-분비 뇌하수체 샘종이 있는 대부분의 환자에서 CRH 자극 이후 즉시 상승되지만 ACTH의 기원이 이소성일 때에는 뇌하수체의 ACTH 분비가 억제되어 있어 CRH 자극 이후에도 ACTH와 코티솔 농도는 상승되지 않는다. 4시간 이상 공복 기간 후에 CRH (1 ㎍/kg 혹은 총 100 ㎍)를 정맥 내로 주입하기 바로 전과 주입하고 60분 동안 15분 간격으로 채혈하게 되고 ACTH와 코티솔을 측정한다. 쿠싱증후군이 있는 환자에서 CRH 자극검사를 해석하는 통일된 기준은 없다. 다양한 연구에서 기저 농도에 비해 ACTH는 35-50% 상승하였다. 코티솔이 20-50% 상승된 경우, 이소성 ACTH 분비가 있는 모든 환자를 배제할 수 있고 쿠싱병이 있는 환자의 90% 이상을 정확하게 확인할 수 있었다. 쿠싱병이 있는 환자의 대략 8-10%에서 ACTH는 CRH에 반응하여 눈에 띄게 상승되지 않는다.

고용량 덱사메타손 억제검사는 뇌하수체 기원의 ACTH 질환을 이소성 기원의 ACTH 질환과 감별해 낼 수 있다. ACTH-분비 뇌하수체 샘종은 당질부신피질호르몬에 의한 음성되먹임에 상대적으로 저항성이라는 사실에 기반한다. 저용량의 덱사메티손은 ACTH 분비를 억제하지 않지만, 일반적으로 고용량의 덱사메타손은 ACTH의 분비를 억제한다. 반대로 ACTH의 기원이 이소성일 때, ACTH는 음성되먹임에 의해 조절되지 않기 때문에 당질부신피질호르몬 억제에 완전하게 저항성이 있다. 야간 고용량 덱사메타손 억제 검사는 표준 2일 검사(2 mg을 6시간 간격으로 총 8번 복용)에 비해 더 쉽게 시행될 수 있고 민감도와 특이도가 비슷하다. 검사는 8 mg의 덱사메타손을 밤 11시와 자정 사이에 투여하고 그 다음날 오전 8시에 혈청 코티솔 농도를 측정하는 것이다. 코티솔 농도는 대부분의 ACTH-분비 뇌하수체 샘종이 있는 환자(쿠싱병)에서 5 μg/dL 미만이다. 대체로 덱사메타손 치료 전과 후에 아침 혈청 코티솔을 비교할 수 있는데, 쿠싱병에서 50% 이상 억제된다.

CRH 자극검사에서 얻어진 결과와 고용량 덱사메타손 억제 검사를 종합하여 ACTH-의존 쿠싱증후군이 있는 환자에서 ACTH의 기원을 판단해볼 수 있다. 고용량 덱사메타손에 의해 코티솔 농도가 억제되고(양성 결과) CRH에 의해 자극(양성 결과)되는 환자는 거의 확실하게 뇌하수체의 ACTH 분비 샘종을 가지고 있다. 상이하거나 음성 검사 결과를 보이는 환자에서 여전히 이소성의 ACTH 분비보다 쿠싱병을 가질 가능성이 더 높지만, ACTH의 기원을 확인하는 추가적인 평가가 필요하다.

바위정맥굴채혈검사(petrosal venous sinus catheterization)는 바위정맥굴의 ACTH와 말초혈액의 ACTH를 비교함으로써, 과다한 뇌하수체의 ACTH 분비가 있는지 증명하는 가장 직접적인 방법이다. CRH 투여 전과 투여하고 10분 내에 바위정맥굴과 말초 정맥에서 채혈한다. 바위정맥굴의 ACTH 농도가 말초 정맥의 ACTH 농도보다 두 배 이상이고, CRH 자극 후에는 세 배 이상 되는 것으로 이소성 기원의 ACTH 질환에서 뇌하수체 기원의 ACTH 질환을 감별해 낼 수 있다. 일부 연구에서 두 개의 바위정맥굴의 ACTH 농도 차가 1.4 이상일 때 뇌하수체 샘종의 위치를 예견할 수 있다고 보고하였으나, 다른 연구에서는 측정을 믿을 수 없다고 하였다. 바위정맥굴채혈검사는 또한 뇌졸중, 뇌신경마비, 폐색전증, 깊은 정맥 혈전증 혹은 혈종과 같은 심각한 위험 가능성이 있다. 따라서 시술을 종양의 위치를 알기 위한 목적으로만 시행하는 것은 정당화하기 어렵다.

뇌하수체 자기공명영상(비조영증강, 가돌리늄-조영증강)이 컴퓨터단층촬영에 비해 ACTH 분비세포 샘종을 확인하는데 민감도가 더 높지만 ACTH 분비세포 샘종의 절반 정도만 확인할 수 있다. 영상 프로토콜은 ACTH 분비세포 샘종을 확인하는데 최적화되어야 한다. CRH 자극과 고용량 덱사메타손 억제 결과로 쿠싱병의 진단 가능성이 높고, 영상에서 확실한 종양(>6 mm)이 증명되면 더 이상 평가는 필요하지 않다. 내분비 검사 결과가 상이하거나 음성일 때 불필요한 바위정맥굴채혈과 이에 따르는 위험을 피하기 위해 일차 뇌하수체 영상으로 명백한 종양을 신중하게 배제 해야하고, 바위정맥굴채혈검사는 일반적으로 ACTH의 기원을 확인하는데 필요하다.

이소성 ACTH-분비 종양은 위치를 확인하기 어려울 수 있다. 기관지 유암종 등 확인을 위해 흉부 컴퓨터단층촬영 혹은 자기공명영상이 처음으로 시행해야 하는 검사이다.

부신 질환의 평가

- 부신 기원의 안드로겐 과다는 안드로겐 과다증의 양상을 보이는 환자에서 고려되어야 한다.
- 남성형다모증이 일찍 시작되는 환자(미성숙 성증발현 포함)와 비고전 CAH의 가족력이 있는 여성과 고위험 인종(히스패닉, 지중해 민족, 슬라브족, 아슈케나지 유대인)에서는 비고전 CAH가 의심되고 배제되어야 한다.
- 생식 내분비전문의는 스테로이드 합성 과정의 호르몬에 대해 잘 알고 있어야 하고(표 37-3) 의심되는 부신 질환을 평가하는 데 이용되는 검사의 근거와 방법(표 37-4)에 대해 잘 알고 있어야 한다.
- 안드로겐-분비성 부신 종양은 안드로겐 과다의 증상 기간이 짧고 심하며 빠르게 진행하고, 총 테스토스테론 농도가 150 ng/mL 초과이며, 난소 영상에서 특별한 소견이 없어 보일 때 고려되어야 한다.
- 증가한 혈청의 DHEA-S 농도로 안드로겐 과다의 기원이 부신이라는 것을 확인할 수 있다.
- 쿠싱증후군은 고코티솔증의 증상과 징후가 있는 여성에서 의심되고 배제되어야 한다.

V. 부신 질환의 관리

고전 CAH 여성에서 내인성의 ACTH 분비를 억제시키고, 비고전 CAH 여성에서 남성형다모증을 관리하기 위하여 당질부신피질호르몬이 이용된다. 당질부신피질호르몬이 비고전 CAH 여성에서 효과적으로 부신의 안드로겐 수치를 억제하지만, 남성형다모증 치료 측면에서는 경구피임약이나 항안드로겐제보다 덜 효과적이다. 결론적으로 당질부신피질호르몬 치료는 남성형다모증의 다른 원인이 있는 여성에서 권해지지 않는다.

1. 특수한 상황

비고전 CAH가 있는 여아와 여성은 월경 기능장애와 안드로겐 과다의 증상에 대한 평가를 위해 부인과 전문의에게 진찰받을 수 있고, 부인과 전문의는 감별진단으로 비고전 CAH의 가능성에 대해 경각심을 가져야 한다. 비고전 CAH는 다낭난소증후군과 유사할 수 있어 시기 적절한 진단과 적절한 배우자 선별을 통해 고전 CAH가 있는 자녀를 임신할 가능성을 줄이도록 해야 한다.

1) 선천부신과다형성증 자녀를 임신할 가능성이 높은 여성에서 생식력과 임신

(1) 불임

비고전 CAH 환자에서 배란 장애는 흔하게 나타나고, 자연 수태가 많이 보고되었으나, 임신을 위해서는 배란 유도 혹은 보조생식술과 같은 생식력 치료가 필요할 수 있다. 코티코스테로이드 사용으로 자연 배란이 재개될 수 있다. 스테로이드-유도로 인한 ACTH 분비 억제로 시상하부-뇌하수체-부신 축을 순차적으로 억제하고 안드로겐과 프로게스테론치 낮추어 자궁내막의 수용성을 향상시키는 것은 CAH가 있는 여성에서 생식력을 향상시키는 기전이다.

심한 고전 형태의 CAH 자녀를 임신할 가능성이 높은 여성을 확인하는 것이 중요하다. 안드로겐과다증이 있는 여성에서 고전돌연변이와 경미한 효소 결핍과 연관된 변이 대립인자를 가진 경우와 배우자가 숨은 고전 돌연변이를 가질 때 고전 CAH 자녀를 임신할 가능성이 높아진다. 환자와 배우자가 흔한 돌연변이 유전자 중 하나를 가지고 있는 유전적 보인자로 확인되거나 이전에 CAH가 있는 자녀를 출산한 여성에서 착상전 유전진단이 동반된 체외수정(in vitro fertilization)과 같은 보조생식술이 돌연변이 유전자를 다음 세대로 전달할 위험성을 없앰으로써 CAH가 있는 자녀의 위험을 없앨 수 있어 신중하게 고려해야 한다.

(2) 태아 위험도와 위험도 줄이기

착상 전 유전적 진단이 동반된 체외수정을 통해 위험을 없애는 것이 실현 가능한 선택지가 아닐 경우, 태반을 통과함으로써 태아 혈액에 도달할 수 있는 당질부신피질호르몬(덱사메타손과 같은)을 모체에 보충하는 것은 CAH가 있는 여자 태아에서 모호생식기의 위험도를 줄이는 전략으로 사용되었다. 이러한 접근의 전제는 다음과 같은 추정에 근거한다. ① 수태물이 돌연변이 유전자에 대해 동형접합인 경우 ② 유전적으로 여자인 경우이다. 비고전 CAH로 진단된 여성에서, 이환된 자녀를 수태할 가능성은 일반

인구에 비해 매우 높다. 심각한 CYP21A2 돌연변이에 대한 이형접합체의 유병률은 1:60이고 비고전 CAH 여성의 약 1/2는 사실상 복합이형접합자이다. 비고전 CAH 여성이 CAH에 이환된 자녀를 가진 가능성은 1:480으로, 일반 인구의 위험도(1:12,000-1:23,000 이상)보다 극적으로 높다. 이환된 태아에서 특이한 스테로이드 합성 효소(21-수산화효소가 가장 흔함)의 결핍은 태아 코티솔 생성을 감소시킬 수 있고, 따라서 음성 되먹임 억제로 태아 ACTH 합성을 상향 조절시킬 수 있다. 이러한 결과로 태아의 높은 ACTH는 정상 코티솔 농도에 도달하기 위해 스테로이드 합성 과정을 자극하게 된다. 이러한 스테로이드 합성의 계속되는 자극은 효소 차단 전(proximal)의 스테로이드 전구 물질을 안드로겐 합성 방향으로 전환시키게 되어 태아 내에서 고안드로겐혈증이 유발된다. 코티솔 결핍이 CAH에 이환된 임신에서 시상하부-뇌하수체-부신 축 과열의 주요한 기전이 되고, 모체에 당질부신피질호르몬 보충하는 것은 대사되지 않고 태반으로 통해 전달될 수 있어 태아의 코티솔치를 상승시키게 되고 태아 ACTH는 하향 조절되어 따라서 태아의 안드로겐 농도를 정상화시킬 수 있다. 이러한 접근은 임신이 확인된 초기(6주)부터 태어나기 전 유전적 선별로 태아의 성별이 결정될 때까지 권고된다. 모체 보충은 높은 안드로겐 농도가 남자 외부 생식기 변형에 미칠 위험도가 없어서 남자 태아인 경우에는 안전하게 중단될 수 있다. 임신 첫 8-12주 내에 모체 보충하는 것은 이환된 태아가 유전적으로 여자라면 외부 생식기가 분화될 때 남성화의 위험과 정도를 줄일 수 있고 나중에 재건수술이 필요할 수 있다. 유사한 근거를 가지고 임신 기간 동안 모체의 코티코스테로이드 사용은 태아 남성화를 예방하기 위한 전략으로 설명된다. 태아의 남성화를 막기 위해 모체에 당질부신피질호르몬 사용하는 것에 대한 데이터는 관찰연구와 비교연구의 결과이다. 최근 모체에 코티코스테로이드 보충을 하는 것에 대해 의문이 제기되었고 특히 장기간 안전성에 대한 데이터는 없다. 출생 전 태아를 위해 CAH가 있는 경우 코르티코스테로이드를 사용하는 것은 FDA 승인 없이 처방되는 것이다. 비고전 CAH 여성은 질환이 없는 여성에 비해 자연 유산의 위험성이 높은 것으로 여겨지고 이러한 위험성은 임신 초기에 당질부신피질호르몬을 치료받은 여성에서 더 낮을 수 있다. 당질부신피질호르몬 치료는 임신까지의 기간을 단축시킬 수 있다. 하이드로코티손과 프레드니손이 태반의 2형 11β-수산화스테로이드 탈수소효소에 의해 대사되어 태아 노출을 최소화할 수 있어 이러한 적응증으로 더 선호되는 당질부신피질호르몬이다.

- 부신의 내분비질환의 관리가 부인과 전문의의 진료 범위를 넘어서는 것처럼 여겨질 수 있지만, 부인과 전문의는 환자가 적절하게 확실한 치료를 받을 수 있도록 다낭난소증후군과 유사한 흔한 부신 질환에 친숙해져야 한다.
- 부인과 전문의는 CAH와 쿠싱증후군과 같은 흔한 부신 질환을 평가하는 선별 검사에 대해 익숙해야 하고(표 37-3과 표 37-4) 안드로겐 과다 증상의 기전으로 기저 종양을 시사하는 증상과 징후에 대해서도 잘 알고 있어야 한다.
- 빠르게 진행하는 안드로겐과다증의 징후와 증상이 있을 경우 임상의는 안드로겐 분비 종양의 가능성에 대해 경각심을 가져야 한다. 만약 난소가 질초음파검사에서 정상으로 보인다면, 안드로겐 과다의 기원으로 부신을 고려해야 한다.
- 젊은 여성에서 안드로겐 과다와 월경불규칙의 양상을 보일 경우 비고전 CAH를 배제해야 한다.
- 11β-수산화효소 결핍에 의해 늦게 시작하는 CAH와 쿠싱증후군은 만성 안드로겐과다증과 월경불규칙의 특징을 보이는 여성을 평가할 때 고려되어야 한다.
- 예상 유전 상담은 CAH로 진단된 모든 여아/여성뿐만 아니라 남성에서도 가능하도록 해야 하고 출생전 유전진단이 가능한 곳에서 해야 한다.
- 비고전 CAH로 알려진 여성에서 첫 삼분기에 출생 전 코티코스테로이드(하이드로코티손/프레드니손)를 사용하는 것은 자발 유산의 위험도보다 이득일 수 있다.
- 이환된 여자 태아의 남성화의 위험을 최소화하기 위해 모체를 덱사메타손으로 정례적으로 치료하는 것은 현재 권고되지 않는다. 치료가 고려된다면 임신 6주경 초기에 시작되어야 하고 외부 생식기 발달이 최소한 완성되는 시기(12주경)까지 지속되어야 한다. 장기간 치료에 노출되었던 소아는 추적조사가 권고된다.

표 37-3. 스테로이드호르몬, 해석과 고려 사항

스테로이드호르몬	해석	고려 사항
17-수산화프로게스테론	21-수산화효소와 11-수산화효소의 결핍으로 선천부신과다형성증에서 상승된다. 기저선 정상 <2 ng/mL 기저선 >10 ng/mL가 선천부신과다형성증에서 진단적이다.	배란 전후에 상승될 수 있다. 이른 난포기에 가장 잘 평가된다. 아침에 측정한다.
17-수산화프로그네놀론	3β-수산화스테로이드 탈수소효소에 의해 선천부신과다형성증에서 상승된다.	배란 전후에 상승될 수 있다. 이른 난포기에 가장 잘 평가된다.
총 테스토스테론	농도가 >150 ng/mL으로 상승되면 안드로겐-분비 종양에 대한 고려를 해야 한다.	배란 전후에 상승될 수 있다. 이른 난포기에 가장 잘 평가된다.
황산디하이드로에피안드로스테론(DHEA-S)	대개 전적으로 부신 기원이다.	배란 전후에 상승될 수 있다. 이른 난포기에 가장 잘 평가된다.
부신피질자극호르몬	모든 형태의 선천부신과다형성증에서 상승된다. 쿠싱병에서 상승된다(>20 pg/mL) 쿠싱증후군에서 감소된다(<5 pg/mL)	의인 당질부신피질호르몬 사용으로 억제된다. 오전 8-9시 사이 측정하는 것이 선호된다.
코티솔	쿠싱증후군과 쿠싱병에서 상승된다. 비고전 선천부신과다형성증에서 정상일 수 있다.	자정 혈장/혈청 코티솔 >7.5 μg/dL일 때 쿠싱증후군의 진단적 정확도 95%이다(정상적으로 코티솔 농도는 자정에 가장 낮고 오전 7-9시 사이에 가장 높다.). 자정 침의 코티솔 문턱값은 측정방법에 따라 다양하다. 24시간 소변 유리 코티솔치를 통합하여 판단한다.
11-데옥시코티솔	11β-수산화효소 결핍에 의해 선천부신과다형성증에서 상승될 수 있다.	고혈압은 11β-수산화효소 결핍으로 선천부신과다형성증에서 종종 나타날 수 있다.

표 37-4. 부신질환의 평가에 흔하게 사용되는 유발 검사

	해석	검사	정상 반응	해석
덱사메타손 억제 검사 ■ 야간 덱사메타손 억제검사 ■ 2일 덱사메타손 억제검사				
	■ 경구 1 mg 덱사메타손을 오후 11시-자정 사이에 투여	■ 혈장/혈청 코티솔(오전 8-9시 사이 채혈)	정상 <1.8 μg/dL	코티솔 농도의 억제는 코티솔과다의 원인으로 쿠싱증후군 혹은 부신 종양을 배제한다.
	■ 경구 덱사메티손 500 μg씩 오전 9시부터 6시간 간격으로 8번, 총 2 mg 투여	■ 혈장/혈청 코티솔을 마지막 용량 투여하고 6시간 후에 채혈	정상 <1.8 μg/dL	
부신피질자극호르몬 자극검사	250 μg의 합성 부신피질자극호르몬(코신트로핀)을 근육 내 혹은 정맥 내 주사	■ 0, 60분에 17-수산화프로게스테론 검사 ■ 황산디하이드로에피안드로스테론, 17-수산화프로그네놀론, 11-데옥시코티솔, 코티솔과 같은 다른 스테로이드 합성 호르몬 검사	■ 고전과 비고전 선천부신과다형성증 환자에서 17-수산화프로게스테론치는 >1000 ng/dL일 수 있다. ■ <1000 ng/dL는 선천부신과다형성증을 배제한다.	■ 선천부신과다형성증에 대한 선별검사이다. ■ 부신피질자극호르몬 자극하고 17-수산화프레그네놀론 대 17-수산화프로게스테론 비가 >6인 경우 3β-수산화스테로이드 탈수소효소의 결핍을 시사한다. ■ 더 낮은 용량의 부신피질자극호르몬으로 일차 부신부전의 선별에 이용된다.

** 참고문헌 목록은 대한산부인과내분비학회 홈페이지 http://www.kosge.or.kr 또는 QR코드를 통해 보실 수 있습니다.*

CHAPTER 38 비만

이지영(건국의대), 남궁정(가톨릭의대)

세계보건기구(WHO)는 1996년 비만을 만성적인 관리를 요하는 질병으로 규정했다. '비만이야말로 가장 빠르게 확산되는 전염병이며, 가장 위험한 질병'이라는 것이다. 비만의 유병률이 1980년에 비해 2008년 전세계적으로 거의 두 배 증가하였고, 유럽 여성의 23%, 남성의 20%가 비만이라고 발표하였다 한국에서도 사회 경제적인 발전과 함께 일상적인 생활이 서구화됨에 따라, 지방 및 열량을 과다 섭취하는 식습관과 함께 절대적인 운동량의 부족으로 인하여 비만 인구가 증가하고 있다. 통계청 자료에 따르면, 국내 만 19세 이상 인구 중 체질량지수(BMI, kg/m^2)가 25 이상인 인구의 비율로 보는 비만율은 1998년 26%에서 2019년 33.8%으로 증가하였고, 2005년 30%를 초과한 이후 지속적으로 증가하고 있다. 국내 연령별 비만 유병률은 청년에서 36.8%, 중장년에서 38.9%, 노년에서 39.7% 로 나이의 증가에 따라 높아지지만, 최근 그 증가속도는 소아 및 청소년에서 더욱 급격한 것으로 나타나고 있다. 소아기 비만은 청소년 시기로의 비만의 이행 및 성인비만과 이에 따른 동반질환 발생 위험을 증가시키고, 우울이나 불안 등과 같은 심리적인 문제와도 관련이 있어 더욱 중요한 보건학적 문제로 대두되고 있다.

비만은 그 자체로 혹은 다른 질환과 연관되어 많은 건강관련 문제를 야기한다. WHO는 이미 2008년 "매년 비만과 과체중으로 사망하는 인구가 전 세계적으로 260만 명에 이른다"고 발표했다. 전 세계 1년 사망자의 5%가 비만환자인 셈이다. 비만인 사람은 질병의 발병률도 높다. 특히 비만은 2형 당뇨병, 심혈관질환, 특정 암의 발생 증가, 폐쇄성 수면 무호흡증과 같은 호흡기 합병증, 관절염과 연관되어 있다. 따라서 비만은 질병 위험의 증가와 연관되어 수명을 단축시키며, 40세 성인은 비만으로 인해 수명이 약 7년 단축된다고 보고되었다. 한국의 국민건강보험공단 건강검진 자료를 30세에서 95세의 120여만 명을 대상으로 실시한 전향 추적연구 결과에서도 비만도 증가에 따라 암, 심뇌혈관질환의 사망률이 점진적으로 증가하는 것으로 나타났다. 체질량지구가 높을수록 암발병률은 남녀 평균 1.5배 증가하고, 심뇌혈관질환 발병은 2.4배 이상 높아지는 것으로 확인되었다.

이와 같이 비만은 사회 경제적 문제뿐 아니라 개개인의 건강상 심각한 문제의 원인으로 지적되고 있어 최근 가장

의학적으로 가장 중요한 분야라고 하겠다.

Ⅰ. 정의 및 평가

1. 비만의 정의

비만은 에너지의 소비보다 섭취가 증가하여 오는 과잉의 에너지를 지방 형태로 저장하면서, 지방세포의 크기가 증가하여, 건강에 악영향을 미칠 정도로 과도한 체지방이 축적되는 만성 질환을 의미한다.

서구에서는 남녀 모두에서 체질량지수가 30 kg/m^2 이상이면 비만에 의한 심혈관질환 및 당뇨 등의 위험도가 증가하므로 이를 기준으로 비만을 판정하였다. 그러나 서양인과 기본 체형이 다른 한국인을 포함한 아시아인들의 경우 체질량지수 25 kg/m^2 이하에서도 당뇨병 및 심혈관계 질환의 위험이 증가하며, 동일한 체질량지수에서 서양인에 비해 상대적으로 복부지방률이 높아, 30 kg/m^2 이상을 기준으로 정의할 때 동양인에서 비만관련 건강위험을 과소평가하게 될 우려가 있다. 이에 아시아에서는 아시아지역 인구의 특성을 감안하여 이루어진 비만도 평가를 기준으로 체질량지수가 25 kg/m^2 이상을 비만으로 정의하고 있다. 이를 따라 한국인의 비만진단기준으로 제시되고 있는 체질량지수에 의한 체중 분류와 이에 따르는 동반질환의 위험도는 표 38-1과 같다.

2. 비만의 원인

비만은 일반적으로 과거부터 단순 비만이라고 불리던 일차 비만과 내분비 질환이나 유전, 약제 등이 원인이 되는 이차 비만으로 분류된다(표 38-2). 이중 일차 비만은 총 섭취한 에너지의 총량이 소비하는 에너지보다 많은 상태에서 체지방이 증가하여 발생하는 것으로 전체 90% 이상을 차지한다. 비만환자의 10% 정도에서 유전이나 선천 장애, 신경 및 내분비 질환, 정신질환, 약물 등에 의한 이차 비만이 유발되며, 이 경우 정확한 원인질환을 감별하여 유발인자를 제거하는 것이 효과적인 치료에 중요하다.

3. 비만의 평가

비만이란 비정상적인 체지방의 증가로 인해 대사 장애가 유발된 상태를 말하며, 우리 몸의 총 지방량을 측정하여 비만도를 평가할 수 있다. 임상적으로 체지방량의 측정은 생체전기저항분석법(bioelectrical impedance analysis, BIA), 이중에너지 X-선 흡수계(Dual Energy X-ray Absorptiometry, DXA), 자기공명영상(MRI)이나 컴퓨터 단층촬영(CT)에 의한 복부내장지방 측정법 등 의료기기를 이용하는 방법과 체질량지수(body mass index, BMI)와 허리둘레(waist circumference)측정, 피부두께측정법(skinfold thickness) 등의 신체계측법에 의해 시행된다. 실제로 검사의 편이성, 비

표 38-1. 한국인에서 체질량지수와 허리둘레에 따른 동반질환 위험도 (대한비만학회, 2020)

분류*	체질량지수 (kg/m^2)	허리둘레에 따른 동반질환의 위험도	
		< 90 cm(남자), < 85 cm(여자)	≥ 90 cm(남자), ≥ 85 cm(여자)
저체중	<18.5	낮음	보통
정상	18.5-22.9	보통	약간 높음
비만전단계	23-24.9	약간 높음	높음
1단계 비만	25-29.9	높음	매우 높음
2단계 비만	30-34.9	매우 높음	가장 높음
3단계 비만	≥35	가장 높음	가장 높음

*비만전단계는 과체중 또는 위험체중으로, 3단계 비만은 고도비만으로 부를 수 있다.

표 38-2. 비만의 원인

일차 비만		이차 비만	
분류	원인	분류	원인
연령 및 성별	▪ 신생아기: 모체흡연, 임신 당뇨병, 저체중신생아 ▪ 영아기: 모유수유빈도의 감소 ▪ 아동 및 청소년기: 비만이 시작된 연령, 가족력 ▪ 여성: 임신, 폐경 ▪ 남성: 좌식생활과 관련된 활동량의 감소	유전 및 선천 장애	▪ 비만 유발 유전자: ob, db, POMC, MC4R 등 선천 장애 ▪ Prader-Willi 증후군 ▪ Laurence-Moon 증후군 ▪ Carpenter 증후군 ▪ Alström 증후군 ▪ Cohen 증후군
식이습관	▪ 과식 ▪ 고지방 식이 ▪ 패스트푸드 ▪ 식사 횟수의 감소 ▪ 빠른 식사시간 ▪ 야식	신경 및 내분비계 질환	▪ 시상하부 비만: 외상, 종양, 감염 질환, 수술 등 ▪ 쿠싱증후군 ▪ 갑상선기능저하증 ▪ 인슐린종 ▪ 다낭난소증후군 ▪ 성인 성장호르몬 결핍증
생활습관	▪ 좌식생활 ▪ 수면부족 ▪ 금연	정신질환	▪ 과식장애(Binge-eating disorder) ▪ 계절성 정서 장애(Seasonal affective disorder)
인종 및 사회·경제적 요인	▪ 비만에 대한 인종적 특성의 차이 ▪ 낮은 사회 경제적 지위 ▪ 유전 요인: 가족력 ▪ 심리 요인: 스트레스 등	약물	▪ 항정신성 약물: Thioridazine, Olanzepine, Clozapine, Quetiapine, Risperidone ▪ 삼환계항우울제: amitriptyline, Nortriptyline ▪ 알파-2 길항제: impramine, Mitrazapine ▪ 선택적 세로토닌 재흡수 억제제: Paroxetine ▪ 항전간제: Valproate, Carbamazepine, Gabapentin ▪ 당뇨병 치료제: 인슐린, 설폰요소제, 그리나이드제, 싸이아졸리딘다이온 ▪ 세로토닌 길항제: Piazotifen ▪ 항히스타민제: Cyproheptadine ▪ 베타 차단제: Propranolol ▪ 알파 차단제: Terazocin ▪ 스테로이드제제: 경구피임약, 당질코르티코이드제제

용 등의 문제로 신체계측법을 이용한 간접 체지방량 측정이 많이 이용되고 있으며, 이는 기기측정법과 높은 상관관계를 가지는 것으로 신뢰도와 타당성이 비교적 높은 방법으로 알려져 있다.

임상적으로 비만을 평가하는데 가장 널리 이용되는 체질량지수는 체중(kg)을 신장(meter)의 제곱으로 나누어 구한다(BMI=kg/m^2). 체질량지수가 체지방을 직접 측정하는 것은 아니나, 체질량지수와 체지방 백분율간의 상관관계가 높기 때문에 흔히 체지방 지표로 사용한다. 근육질인 운동선수는 지방보다 근육이 무게가 더 나가기 때문에 체질량지수가 높아지고, 지방이 많지 않아도 체질량지수는 과체중의 범위에 있게 된다. 임산부나 수유중인 여성에서도 체질량지수를 사용하기는 곤란하며, 성장기 어린이에서는 연령에 따른 기준을 이용하여야 한다.

허리둘레 측정은 지방 분포를 평가하는 방법이다. 허리/엉덩이 둘레비에 대한 데이터들이 많이 발표되어 왔지

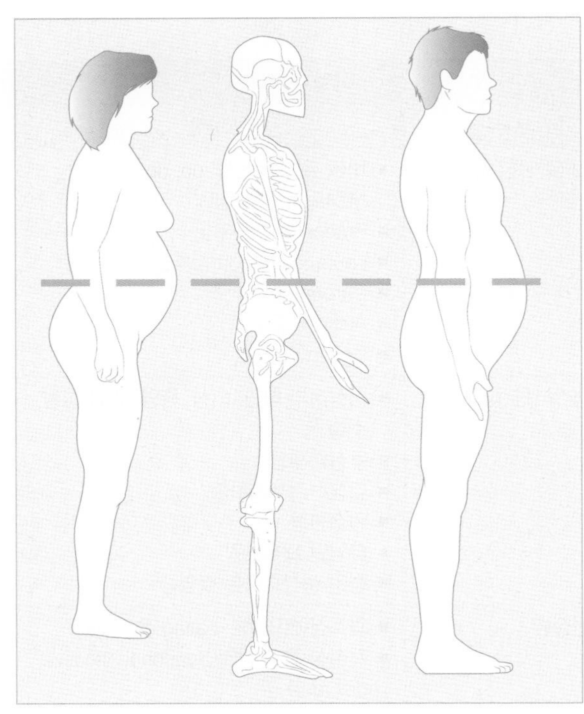

● 그림 38-1. **허리둘레 측정 위치**

만, 엉덩이 둘레의 측정이 오차가 크며, 최근 허리둘레가 복부내장지방의 적절한 지표임이 확인되어 허리둘레가 복부 비만의 지표로 이용되고 있다. 허리둘레는 측정 시 표준화된 해부학적 위치의 선정이 중요하며, WHO에서 제시한 방법은 양발을 어깨넓이로 벌리고 선 직립자세로 숨을 편히 내쉰 상태에서 최하위 늑골하부와 골반장골능과의 중간부위를 측정하는데, 이는 전상장골극(anterior superior iliac spine)의 3 cm 상부를 의미한다(그림 38-1). 심한 비만으로 선 자세 어깨 넓이에서 허리부위의 피하지방이 과도한 경우는 피하지방을 들어올려 측정하는 것을 원칙으로 한다. 2006년 대한 비만학회에서는 남자에서 90 cm이상, 여자에서 85 cm이상을 복부비만의 기준으로 정의하였으며, 현재 국민건강보험공단의 검진 진단 및 질병관리본부 복부 비만율 통계 등에서 사용되고 있다. 이 기준에 의한 2015년 국내 성인 복부비만 유병률은 20.8%(남자 24.6%, 여자 17.3%)였다.

복부비만이나 내장지방의 과다가 관상동맥질환과 2형 당뇨병의 중요한 위험인자임이 알려진 이후 여러 방법으로 내장지방을 측정하고자 하는 시도가 있어왔다. 위에서 설명한 허리둘레 측정법도 내장 지방을 잘 반영하지만, 가장 정확한 내장지방 측정법은 CT나 MRI를 이용한 영상기법이다. L4-L5 레벨에서 CT 한 컷을 찍어 내장 지방과 복벽의 피하지방의 면적비를 구하는 것으로 이 비가 0.4 이상이면 내장 지방형 비만이라고 한다.

II. 지방조직의 생리

지방조직은 인체에서 에너지대사와 항상성 유지를 담당하는 기관으로, 과잉의 에너지를 중성 지방의 형태로 저장하여, 에너지가 필요한 때 중성 지방을 유리지방산과 글리세롤로 분해하여 체내에 에너지를 공급하는 저장기관이다. 최근 이러한 지방세포의 새로운 기능들이 밝혀지고 있어, 내분비 기관으로서의 중요성이 강조되고 있는데 예를 들면 여러 사이토카인을 생산 및 분비할 수 있으며, 이를 통하여 중추신경계와 말초조직들에서 능동적으로 체내 에너지 대사를 조절하는 기능을 하고 있다. 특히 피하지방층보다는 내장 지방층에서 분비되는 호르몬이 문제를 일으키는 것으로 여겨지고 있다.

1. 지방조직의 종류

포유류에서 지방조직은 백색지방조직과 갈색지방조직으로 나누어진다.

백색지방조직은 정상체중인 성인의 경우 몸무게의 약 10% 정도를 차지하는데 주로 여분의 에너지를 저장하는 기능을 담당한다. 주로 유리지방산을 중성 지방으로 변환하여 저장하거나, 혈중 지단백으로부터 지방산을 흡수하여 지방세포 내부에 하나의 큰 지방방울의 형태로 저장한다. 또한 백색지방세포는 여러 아디포사이토카인을 생산하고 분비하여 몸 전체의 에너지 균형을 맞추는 역할을 담당하는데, 아디포넥틴, 렙틴, 레지스틴, 안지오텐시노겐, TNF-α가 대표적인 단백질성 호르몬이다. 인슐린에 의해서 지방세포 표면으로 포도당 수송체 4 (GLUT4, Glucose Transporter Type 4)가 이동하여 혈중 포도당 양 조절 기능을 수행하기도 한다. 반면에 에너지 섭취가 부족한 경우 지방산을 분비함으로써 체내 에너지 균형을 유지하는데 기여한다.

이에 비해 갈색지방조직은 추위에 대비한 열 생산을 위하여 에너지를 소비하고 방출하는 기능을 가지고 있다. 갈색지방조직은 주로 다수의 작은 지방 방울을 가지고 있으며, 열방출 기능은 갈색지방조직에 다량 존재하는 미토콘드리아에서 특이한 UCP-단백질(uncoupling protein)을 이용하여 ATP를 합성하는 대신 열의 형태로 방출하는 것으로 알려져 있다. 갈색지방조직은 몸 전체의 에너지균형에 영향을 미칠 수 있기에 이를 표적으로 한 항비만효과에 대한 연구가 이루어지고 있다.

2. 아디포사이토카인의 종류 및 대사작용에 미치는 영향

성숙한 지방세포는 다양한 대사과정에 참여하는 많은 매개체를 분비하는 활성형의 내분비기관이자 주변 분비기관으로, 지방세포는 여러 종류의 사이토카인, 호르몬, 지질 등을 분비하며 이들은 지방과 당대사를 조절하는 신호전달을 통제한다. 지방조직에서 특이적으로 만들어지고 분비되는 단백질성 호르몬들을 특히 아디포사이토카인이라고 칭하는데(그림 38-2), 렙틴, 아디포넥틴, IL-6, 레지스틴, TNF-α 등이 있다 .

1) 렙틴

지방세포와 에너지 균형 사이의 연결고리에 관한 큰 전환점을 마련한 계기가 바로 렙틴의 발견이었다. 렙틴은 ob 유전자의 산물로 전적으로 백색 지방조직의 성숙된 지방세포에서만 만들어진다. 피하지방층이 전체 렙틴 생산의 약 80%를 차지하며, 렙틴의 혈장농도와 지방조직에서의 mRNA발현은 비만의 정도와 직접 연관이 있어, 지방량의 증가는 렙틴의 증가를 가져오며, 결국 렙틴은 전체 지방량의 지표로 여겨지고 있다. 렙틴은 식욕촉진물질인 neuropeptide Y와 anadamide의 효과를 저해하고, 식욕 억제제로 알려진 α-MSH의 합성을 촉진함으로써 식욕을 억제하도록 하는데, 비만 쥐 모델로 잘 알려져 있는 Ob/Ob 쥐의 경우 렙틴 유전자에 돌연변이가 생겨 정상적인 렙틴이 발현

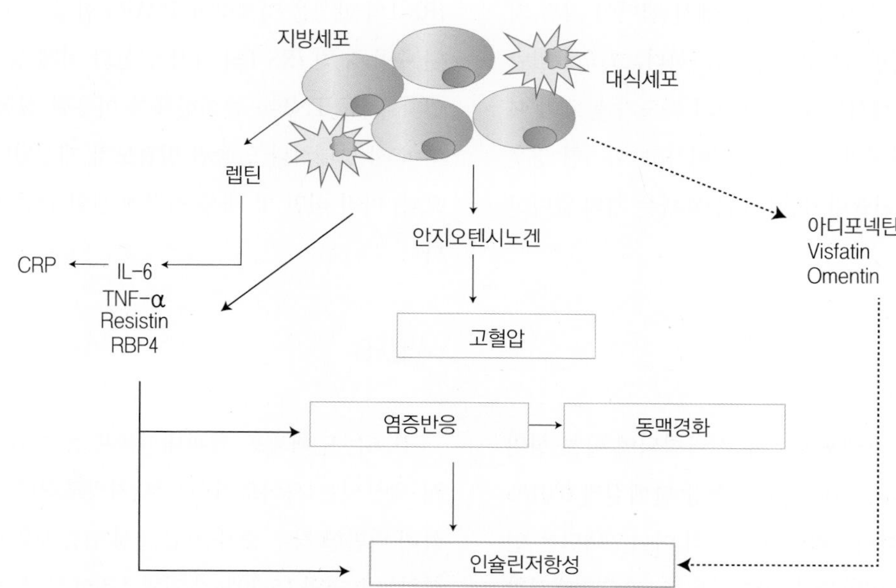

• 그림 38-2. **지방조직에서 발현되는 아디포카인의 종류와 대사작용에 미치는 영향**

되지 않는다. 그 결과 렙틴에 의한 식욕 억제 신호가 식욕 중추에 잘 전달되지 않아 포만감을 느끼지 못하게 되고 음식물의 지속적 섭취가 이루어져 비만하게 된다.

이와 같이 중추신경계에서 렙틴의 중요 생물학적 기능은 음식 섭취와 에너지 소비를 조절하는 것이지만, 비만 개체에서 렙틴은 만성 염증상태와도 관련이 있어 말초에서 사이토카인과 같은 다른 생물학적인 기능을 수행하는 것으로 보인다. 분자생물학적 기전이 명확히 밝혀지지는 않았지만, 혈중 렙틴 농도의 증가는 전염증반응과 관련이 있어, 렙틴이 TNF-α의 생산이나 대식세포의 활성을 조절하며, 역으로 TNF-α나 IL-6은 비만세포에서 렙틴의 합성을 자극할 수 있는 것으로 여겨지고 있다. 렙틴은 endothelin-1과 NO synthase의 합성 및 MCP-1의 발현, 혈관내피세포의 증식과 이동을 자극할 수 있다. 또한 렙틴은 혈소판의 응집, 고혈당 개체에서 대식세포내 콜레스테롤의 침착, 혈관신생을 촉발하는데 이러한 모든 기전들은 결과적으로 렙틴이 동맥혈관질환을 촉발할 수 있다는 것을 의미한다.

반면 렙틴은 AMPK (AMP-activated kinase)경로를 통해 인슐린 민감성을 향상시키는데, 간에서 포도당 생합성을 증가시키고 글리코겐 분해는 억제시켜 당대사를 개선시킨다. 특히 임상적으로 지방이상증 환자에게 투여 시, 인슐린저항성 개선과 더불어 지방간이 개선되고 혈중 중성지방이 개선되는 사실은 중추신경계에서 렙틴이 직접 지방 및 당대사를 조절한다는 사실을 암시한다. 그러나 일반적으로 비만인 사람에서는 혈중 렙틴의 농도가 높으며 이는 비만이 렙틴 저항성인 상태임을 의미하고, 이러한 경우 렙틴을 투여하여도 인슐린저항성 개선효과는 거의 없다고 알려져 있다.

2) 아디포넥틴

아디포넥틴은 지방세포에서 주로 발현되며 마른 성인의 경우 혈중 농도가 5-30 mg/L로 혈장 단백질의 0.01%를 차지한다. 다른 아디포카인과는 달리 아디포넥틴은 인슐린저항성을 지닌 비만환자, 2형 당뇨병, 관상동맥질환자 등에서 적게 발현된다. 렙틴처럼 AMPK경로 활성화를 통해 인슐린 민감성을 향상시킨다. 아디포넥틴이 간 및 골격근의 수용체에 결합하면, PPARα (Peroxisome proliferatoractivated receptor alpha), AMPK경로의 활성화를 통해서 지방산 산화를 증가시키고, GLUT4를 증가시켜 포도당 흡수를 촉진한다. 이러한 인슐린 민감성에 미치는 좋은 영향 이외에도 혈관 내피세포에서 adhesion molecule 발현을 방해함으로써 초기 죽상경화증으로부터 혈관보호효과를 보이고, TNF-α에 의해 유도된 단핵세포의 혈관내피세포로의 침윤 억제, 대식세포에서 산화된 저밀도 지단백질의 흡수 감소 등이 혈관보호작용을 보이는 것으로 여겨지고 있다.

3) TNF-α

TNF-α는 주로 대식세포, 림프구 등에서 분비되는 전염증성 사이토카인인데, 인간에서는 지방세포에서도 일부 분비된다. 지방세포 분비 단백질들 중 처음으로 TNF-α는 포도당 항상성에 영향을 주는 것으로 규명되었는데, 비만하거나 인슐린저항성을 가진 개체에서 혈중 농도가 높으며, 지방세포에서 지방분해를 촉진시킨다. TNF-α가 인슐린저항성을 야기시키는 기전들로는 지방세포에서 GLUT4의 발현을 억제하고, 인슐린 신호전달 과정 중 IRS-1의 합성을 억제하며, PPARα 합성 및 기능 억제, 인슐린 수용체 및 IRS-1의 자가 인산화 억제 등으로 설명되고 있다. 최근 TNF-α 중화항체를 이용한 실험에서, TNF-α 투여 시 당대사나 인슐린 민감도가 개선된다는 보고가 있으나, 아직 비만 및 대사 조절에 관한 많은 연구가 필요하다

4) IL-6

IL-6는 단핵세포, 혈관내피세포 등 여러 종류의 세포에서 생산되는 사이토카인으로 지방조직에서도 분비되며, 특히 비만한 경우 증가한다. 급성 염증반응이 없는 경우 순환하는 IL-6의 15-30%가 지방조직에서 생산된다.

IL-6의 다양한 작용 중 하나는 간에서 CRP와 같은 염

증성 단백질의 생산을 조절하는 것이다. 지방조직의 IL-6 농도와 순환하는 CRP 사이에는 양의 비례관계가 있는데, CRP는 잘 알려진 심혈관계 주요 위험인자의 하나이다. 내장지방은 피하지방조직보다 3배 이상 많은 IL-6을 생산하는데, 이러한 점이 내장비만환자에서 심혈관계위험도가 증가하는 점을 설명한다고 할 수 있다. 내장지방에서 생산되는 IL-6는 간문맥을 통해 직접 간으로 유입되므로, 간에서의 중성 지방분비에 영향을 미쳐 비만에서 보이는 고중성 지방혈증에 기여하고 있다. 인슐린저항성과 관련해서는 suppressor of cytokine signaling (SOCS) 1, 3를 통해 인슐린 수용체의 퇴화를 유도하지만, 골격근에서는 오히려 인슐린 감수성을 증가시킨다는 보고도 있어 좀더 연구가 필요하다.

III. 대사증후군

대사증후군은 대사이상과 심혈관질환 위험인자들이 한꺼번에 발생 및 진행하고 만성적인 경과를 취함으로써 심혈관계 죽상경화증의 발생위험을 높이는 대사장애를 말한다. 이러한 여러 대사이상의 군집적인 발생에는 인슐린 저항성이 핵심적 역할을 한다고 알려져 있어 인슐린 저항 증후군이라고도 한다. 대사증후군이라는 용어는 1988년 Reaven GM이 미국당뇨병학회의 Banting lecture에서 인슐린저항성 및 고인슐린혈증, VLDL의 증가와 HDL-cholesterol의 감소, 내당능장애(impaired glucose tolerance) 및 고혈압 등이 같이 동반되어 나타나는 증후군을 "syndrome X"라고 명명하면서 시작되었다. 이후 죽음의 4중주(비만, 내당능장애, 고지혈증, 고혈압), 인슐린 저항 증후군 등 여러 이름으로 불려오다가 최근에는 대사증후군이란 용어로 쓰이고 있다.

대사증후군의 유병율은 진단기준, 국가 및 인종에 따라 다르지만, NCEP-ATP III (National Cholesterol Education Program Adult Treatment Panel III, NCEP ATP III) 진단기준에 의하여 제3차 미국 국민건강영양조사자료를 분석한 결과 20세 이상 미국 성인의 23.9% 가 대사증후군을 가지는 것으로 나타났다. 연령별로는 20대에서 10% 미만, 40대에서 약 20%, 60대에서 약 45% 인 것으로 조사되었고, 40대 이상에서 대사증후군의 유병률은 간단히 나이에서 20을 뺀 것과 유사하며, 전체적으로 연령에 비례하는 양상을 모이고 있다.

국내에서도 국민건강영양조사 제4기부터 제7기까지인 2007-2018년 자료에서 19세 이상 성인 데이터를 분석한 결과, 최근 12년간 대사증후군 유병률은 2007년 21.6%에서 2018년 22.9%로 증가세가 나타났다. 특히 2016년에는 24.6%로 분석 기간 중 가장 유병률이 높았다. 특히 남성에서 유병률 증가가 두드러졌다. 2007년 22.5%에서 2018년 27.9%로 증가하였으며, 2016년에 29.7%로 가장 높았다. 이와 달리 여성은 2007년 20.8%에서 2018년 17.9%로 약간 감소했다. 이미 한국에서 2008년 대사증후군으로 진료받은 사람은 400만 명으로 한국인 5명중 1명이 대사증후군으로 연간 진료비 6천억 원을 넘어서고 있다. 이런 대사증후군은 결국에는 심혈관계 질환으로 인한 위험이 높기 때문에 임상의사가 조기에 발견하여 관리함으로써 최종적으로 동맥경화증에 의한 심혈관계 질환을 예방하고자 하는 데에 그 의의가 있다고 하겠다.

1. 진단 기준

대사증후군에 대한 중요성이 커짐에 따라 세계보건기구(WHO)는 1999년 구체적인 진단기준을 설정하였고, 2001년 미국 국립콜레스테롤 교육프로그램의 제3차 개정(National Cholesterol Education Program Adult Treatment Panel III, NCEP ATP III)에서 이 진단기준을 조금 변형하여 발표하였으며, 이후 유럽의 인슐린저항성 연구 그룹(European Group for Study of Insulin Resistance, EGIR)등 여러 연구 그룹과 학회에서 각각의 기준을 제시하였다(표 38-3). 그러나 이러한 기준들은 모두 서구인을 대상으로 하였으며, 비만에 관한 기준에 있어 차이가 많아, 특히 아시아 인종에 그대로 적용할 경우 인구 집단 내 대사증후군의 빈도가 매우 차이가 나타났고, 이런 모순을 해결하기 위해

표 38-3. 대사증후군의 진단 기준

	WHO (1998)	EGIR (1999)	NCEP ATP Ⅲ (2001)
필수조건	당뇨병, 공복혈당장애, 당불내인성 또는 인슐린저항성* (+) 다음 항목 중 2가지 이상이 있을 때	인슐린저항성** (+) 다음 항목 중 2가지 이상이 있을 때	아래 5가지 항목 중 3가지 이상이 있을 때
공복 혈당		≥6.1 mmol/L (110 mg/dL)	≥5.6 mmol/L (100 mg/dL)***
혈압	≥140/90 mmHg	≥140/90 mmHg 또는 치료 중	≥130 / ≥85 mmH or medication
이상지혈증	중성지방 ≥150 mg/dL 또는 치료 중 또는HDL -C< 35 mg/dL(남성) HDL -C< 39 mg/dL(여성) 중성지방 ≥150 mg/dL 또는 치료 중 또는HDL -C< 35 mg/dL(남성) HDL -C< 39 mg/dL(여성)	중성지방<179 mg/dL 또는 치료 중 또는 HDL -C< 39 mg/dL 중성지방<179 mg/dL 또는 치료 중 또는 HDL -C< 39 mg/dL	고중성지방혈증: ≥1.7 mmol/L (150 mg/dL) 낮은 HDL-C: <1,03 mmol/L (40 mg/dL)(남성) <1,29 mmol/L (50 mg/dL)(여성)
비만	BMI >30 kg/m^2 또는허리/엉덩이 둘레비 : >0.90(남성), >0.85(여성)	허리둘레 ≥94 cm(남성), ≥80 cm(여성)	허리둘레 ≥102 cm(남성), ≥88 cm(여성)
미세알부민뇨	요중 알부민 배출비 ≥20 μg/min 또는 alburnin creatinine ratio ≥30 mg/g		

* 정상혈당 고인슐린혈증 잠금 기법으로 측정한 인슐린 민감성에서 당흘수가 하위 25%에 해당될 경우
** 당뇨병이 없는 정상인구군에서 공복 인슐린농도가 상위 25%에 해당될 경우
*** 2001년 기준으로는 공복혈당 ≥6.1 mmol/L (110 mg/dL)를 증가한 것으로 보았으나, 2004년 미국당뇨병학회의 IFG(공복혈당장애) 기준에 맞추어 ≥5.6 mmol/L (100 mg/dL)으로 개정됨

표 38-4. 세계당뇨병연맹에 의한 대사증후군 진단 기준

만족	복부비만 진단을 위한 허리둘레 기준치(≥ cm)	
	남성	여성
유럽	94	80
미국	102	88
남아시아, 중국	90	80
한국, 일본	90	85
중남미	합당한 데이터가 구해질 때까지 아시아 기준 사용	
중동 및 아프리카	합당한 데이터가 구해질 때까지 유럽 기준 사용	

(+) 아래 5가지중 3가지 이상의 이상소견 시 진단

허리둘레 증가	국가-인종-특이값 적용(한국의 경우 남성 90 cm이상, 여성 85 cm 이상)
고중성지방혈증	>150 mg/dL (1.7 mmol/L) 또는 치료제복용
낮은 HDL-C	< 40 mg/dL (1.03 mmol/L)(남성), 〈50 mg/dL (1.29 mmol/L)(여성) 혹은 치료제 복용
높은 수축기 혈압	≥130 mmHg, 이완기 ≥85 mmHg 또는 치료제복용
높은 공복혈당	≥100 mg/dL (5.6 mmol/L) 또는 2형 당뇨병

세계당뇨병연맹(International Diabetes Federation, IDF)에서 2005년에 비만, 특히 복부비만의 기준을 각국에 따라 적용하도록 권고하는 새로운 기준은 제시하였다. 각 국가별 복부비만을 포함하여 5개의 임상적 특성 중 3개의 비정상 소견을 포함할 경우 대사증후군으로 진단하게 된다(표 38-4).

복부비만의 기준으로 미국 NIH에서는 20-59세의 네덜란드 성인들을 대상으로 시행한 단면연구 결과를 토대로 비만관련 대사이상 질환의 발생이 "증가"하는 분별점을 남자 94 cm, 여자 80 cm으로, "상당히 증가"하는 분별점을 남자 102 cm, 여자 88 cm로 제시하였다. WHO에서는 남자 94 cm, 여자 80 cm를 복부 비만의 기준으로 제시하였으나, 이러한 기준점들은 백인들을 대상으로 한 연구결과에 근거한 수치이므로 우리나라를 포함한 아시아인들에게 적용하기에는 무리가 있다. 이에 WHO 서태평양지역 회의에서는 잠정적으로 남자 90 cm, 여자 80 cm를 아시아인을 위한 기준치로 제시하였다. 최근 대한비만학회에서는 기존의 역학 연구를 바탕으로 우리나라의 대사증후군 진단에 있어 허리둘레 분별점으로 남자 90 cm, 여자 85 cm를 제시하였다.

지금까지 여러 단체가 제시한 진단기준을 비교해 보면, WHO에서는 인슐린저항성이 병태생리의 기본으로 여겨지면서 필수항목으로 자리하였기에 진단과정이 다소 번거로운 반면, NCEP-ATP III에서는 서양인 자료를 바탕으로 한 복부 비만의 기준을 바탕으로 임상적으로 적용하기에 간편한 기준을 제시하였으며, 최근의 IDF기준은 복부비만이 가장 필수적인 항목으로 자리매김하였고, 인종에 따른 역학연구결과를 바탕으로 고유한 복부비만 기준을 적용한다는 점이 장점이라 하겠다.

2. 병태 생리

인슐린 저항 증후군이라는 명칭에서도 알 수 있듯이 이 증후군의 가장 기본적인 병태 생리학적 이상은 인슐린저항성 즉 인슐린에 의한 포도당 대사능의 감소이다. 인슐린저항성이라는 개념은 2형 당뇨병의 병태생리 연구에서 비롯되었으며, 췌장의 베타세포에서 분비된 인슐린이 표적장기(간, 근육, 지방조직 등)세포의 수용체에 잘 결합하였으나, 결합 후 인슐린의 신호전달이 적절하게 이루어지지 않고, 이를 보상하기 위한 기전으로 고인슐린혈증이 나타나는 현상을 일컫는다.

인슐린저항성이 나타나는 기전에 대하여서는 이제까지 많은 연구가 있어 왔지만 아직 뚜렷한 결론은 나 있지 않은 상태이다. 인슐린저항성으로 인한 대사증후군은 유전적 소인에 환경적 인자가 부가될 때 발생하는 포괄적 개념으로 이해해야 한다. 인슐린저항성과 직접적으로 관련된 유전자는 다양하며, 에너지 항상성, 지질대사, 인슐린 수용체 신호 경로, 사이토카인, 세린 단백분해효소억제자들을 포함한 호르몬결합단백질, 다양한 다른 단백분해효소 조절자들이 관여한다. 그러나 대사증후군 환자의 다수가 비만하며, 체중으로는 비만증으로 분류되지 않은 환자에서도 복부 특히 복강 내 지방축적의 증가는 관찰되기 때문에 비만 또는 체지방의 이상 분포가 이들 대사이상의 발현에 원인으로 작용하였을 가능성이 많다. 복부비만이 대사질환으로 발전하는 기전을 보면 복강 내 지방이 과잉 축적되어 간문맥 혈액속으로 지방산이 많이 유입되며, 그 결과 간이나 근육에서 인슐린의 포도당 이용률이 떨어진다. 인슐린은 세포속에 에너지원인 포도당을 운반하는 역할을 하는데 혈중에 지방산이 증가되면 세포는 포도당 대신 지방산을 받아들이게 되어 포도당 유입이 방해받게 되고 인슐린저항성이 생긴다. 인슐린저항성으로 포도당이 세포내로 들어가지 못하면 혈중 포도당이 높아져서 췌장의 베타세포가 자극을 받아 인슐린분비가 촉진되어 고인슐린혈증이 된다.

대사증후군에서 심혈관질환이 증가하는 것은 그냥 제2형 당뇨만을 지닌 환자와는 다른 특성을 보인다. 당뇨병이나 고혈압, 이상지혈증 등 알려진 위험인자들만으로는 대사증후군에 의한 심혈관질환의 발생을 충분히 설명하지 못하며, 이에 따라 고인슐린혈증 혹은 인슐린저항성 자체가 죽상동맥경화증 발생을 촉진시킬 가능성이 제시되었다. 당뇨병성 망막증이나 신증의 경우 당뇨병의 이병기간이 길어짐에 따라 그 유병율이 증가되는데 반해 관상동맥 질환등의 대혈관병증은 당뇨병 이병기간에 따른 유병율의 증가를 관찰할 수 없다. 이 사실은 당뇨병성 망막증이나 신증과 같은 미세혈관병증은 당뇨병에 이차적인 것으로 고혈당으로 대표되는 당뇨병의 대사장애에 기인하는 데 반해, 대혈관병증의 경우는 당뇨병 자체보다는 당뇨병으로 대변되는 다른 전신적인 대사장애가 그 원인이 될 가능성을 시사한다. 대사증후군인 비만환자의 경우 당뇨병 발생 훨씬 이전부터 인슐린저항성 및 이에 따른 고인슐린혈증이 관찰되며, 따라서 고인슐린혈증으로 대표되는 대사증후군이 지속된 기간이 당뇨병 자체의 이병기간보다 대혈관병증의 발생에 더 큰 영향을 미치는 것이라고 이해할 수 있겠다. 혈중 인슐린농도가 높아지면 신장의 염분배출을 억제하여 체내에 염분과 수분이 과잉 축적되고, 교감신경이 자극을 받아 심장박동이 증가되고 혈관이 수축되어 고혈압이 발생한다. 또한 고인슐린혈증은 혈중 중성 지방 농도를 증가시키고, HDL콜레스테롤 농도를 감소시키는 이상지혈증을 유발하며, 이들이 복합적으로 작용하여 죽상동맥경화증을 일으킨다. 죽상동맥경화증은 관상동맥에서는 협심증과 심근경색증을 일으키고 뇌동맥에서는 뇌경색을 초래한다. 이러한 대혈관병증의 기본원인 중에 인슐린저항성이 있고 여기에 내장형 비만이 크게 기여하고 있다.

3. 내장지방의 문제점

과도한 체지방이 축적되는 현상을 비만이라고 하지만, 비만한 개체의 지방 축적이 체내 어느 부위에서 이루어졌는지에 따라 내장비만과 피하지방비만으로 나눌 수 있다. 엉덩이나 허벅지와 같은 부위에 지방이 축적되는 피하지방비만보다 내장부위에 지방조직이 많이 쌓이는 내장비만에서 인슐린저항성, 2형 당뇨병, 지질대사이상, 고혈압 등의 심혈관질환, 지방간, 콜레스테롤담석증 등 여러 가지 대사질환의 위험도가 높다고 알려져 있다.

내장지방과 피하지방은 유전적으로 서로 다른 전구세포로부터 분화되어 고유의 성질을 가지고 있는 것으로 생각되고 있는데, 각각의 지방세포로부터 지방전구세포를 분리하여 성숙한 지방세포로 분화시킨 뒤 유전자 발현의 차이를 살펴보았을 때 피하지방전구세포에서 지방세포분화표지유전자인 PPAR-r, C/EBPα, 아디포넥틴, GLUT4등의 발현이 더 높게 나타났다고 보고되었다.

이러한 유전 차이에 의한 지방세포의 작용은 각기 차이를 보이고 있다. 대사작용에 있어, 인슐린에 의하여 나타나는 지방분해 억제 작용을 통한 지방조직 내 중성지방 저장능력은 피하지방에서 더 강하게 나타나며, 따라서 피하지방에 비해 내장지방에서 지방분해가 더 많이 일어나게 되고, 생성된 non-esterified 지방산이 간문맥을 통해 직접 간으로의 유입이 증가되며, 간의 인슐린저항성을 유발하게 된다. 각 지방세포에서 분비되는 아디포사이토카인에 있어서도 차이를 보이고 있어 인슐린저항성을 증가시키는 레지스틴이나 RPB-4 등은 내장지방에서 더 많이 분비되고 인슐린 민감도를 증가시키는 아디포넥틴은 피하지방에서 더 많이 분비된다고 알려져 있다. 또한 내장지방에는 피하지방보다 더 많은 대식세포 및 T세포가 발견되며, 그로 인해 더 많은 염증인자를 분비하여 인슐린저항성에 영향을 미칠 수 있다.

임상적으로도 내장지방과 피하지방의 상대적 양을 비교하는 허리 엉덩이 비가 높을 수록 지질대사이상이나 고인슐린혈증과 같은 대사질환의 위험이 더 높다고 보고되었다. 체내의 총 지방량보다 내장지방의 비율이 심혈관질환 및 당뇨병과 같은 대사질환과 더 밀접한 연관관계를 보이고 있으며, 이러한 내장지방을 제거하면 인슐린과 혈당 수치가 감소되었다는 보고도 있다. 결론적으로 내장지방과 피하지방은 각기 에너지대사에 기여하는 바가 다르며, 내장지방이 심혈관계질환을 포함한 대사증후군에 더 위험 요인이라 하겠다.

4. 대사증후군의 치료원칙

대사증후군의 각 요소가 증가함에 따라 관상동맥질환 발생위험도 증가한다. 따라서 대사증후군의 모든 요소를 조절해야 한다. 치료는 두 가지 목표를 가지고 포괄적으로 접근해야 하는데, 첫 번째는 인슐린저항성을 유발하는 교정 가능한 위험인자(즉, 비만, 운동부족 등)에 목표를 둔다. 다음으로 고혈압, 고혈당, 이상지혈증을 개선하기 위해 약물치료의 사용을 조심스럽게 고려해 본다.

Ⅳ. 비만 치료

비만 치료의 일차적 목적은 단순히 체중감량이 아니라, 비만과 관련된 위험인자를 감소시키고 비만으로 인해 발생할 수 있는 합병증의 발생위험을 감소시키는데 있다. 환자의 과거력, 신체진찰, 진단검사를 통해 위험인자를 평가하고 치료계획을 세우게 되는데, 환자를 얼마나 엄격하게 치료할 것인지, 어떤 치료방법을 사용할 것인지에 대해서는 환자의 위험인자, 치료에 대한 기대치, 사용 가능한 방법 등에 따라 달라질 수 있다.

비만 치료 전 체중 감량과 관련된 이득과 위험에 대해 환자와 충분한 토의를 통해 치료를 결정해야 하며, 환자가 체중감량에 참여할 준비가 되어있는지를 확인하고 치료를 권고한다. 일반적으로 체중감량의 일차 목표는 6개월 내에 치료 전 체중의 5-10%를 감량하는 것이다. 초기 체중의 5-10%의 감량으로 당뇨병과 심혈관질환의 위험인자가 감소된다.

최근의 많은 연구를 통해 비만의 발병 기전에 대해 수많은 사실이 알려져 있으나, 공통적으로 가장 기본이 되는 점은 "비만은 만성적인 에너지 과잉에 의한 결과"라고 할 수 있다. 따라서 에너지 소비에 비해 에너지 섭취가 많을 경우 잉여 에너지가 오랜 세월을 거쳐서 우리 몸에 지방이라는 형태로 "퇴적"되는 것이다. 한 연구에 의하면 하루 섭취 에너지의 약 5%에 해당하는 125 kcal를 초과로 섭취할 경우 1년 후에 약 6 kg의 체중 증가가 관찰된 바 있다. 그렇다면 에너지 소모량보다 적은 양의 에너지를 섭취하는 것 또는 에너지 섭취량보다 많은 양의 에너지를 소모하는 것이야말로 체중 감량을 위해 필수불가결한 요소라고 할 수 있다. 하지만 문제는 간단치 않아서 식이요법, 운동

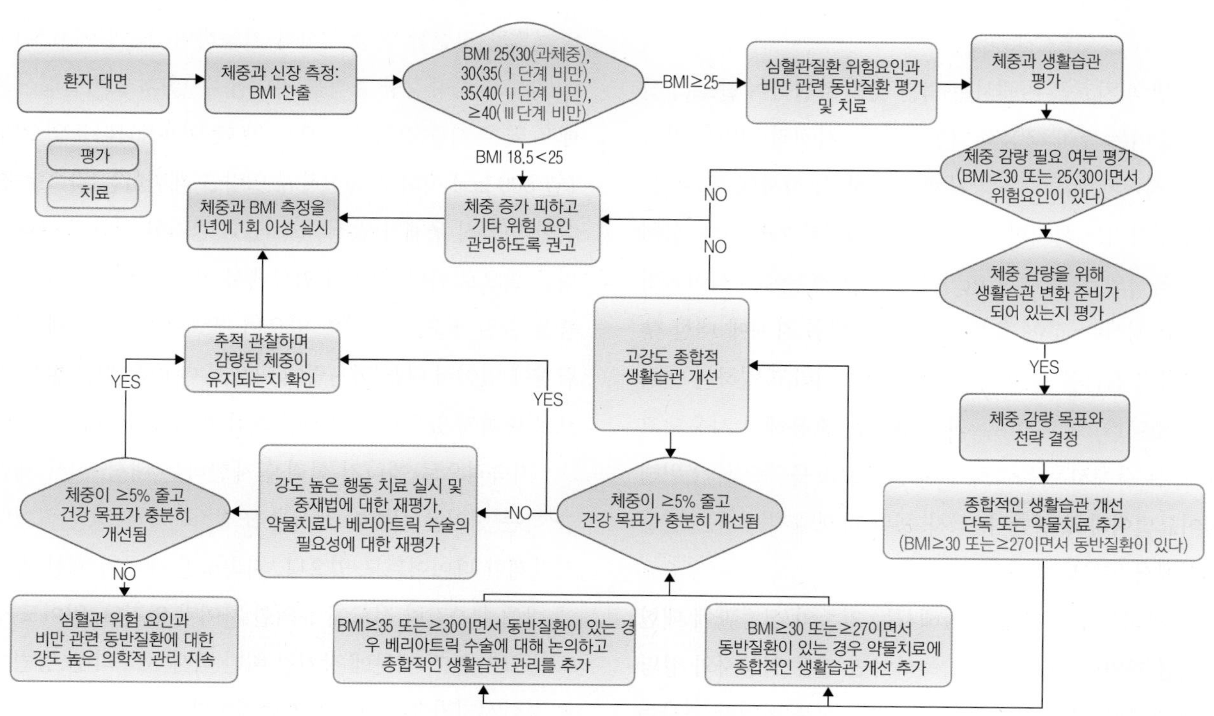

그림 38-3. **과체중 및 비만 성인 관리 가이드라인**

요법을 근간으로 하는 생활습관 관리부터 시작해서 약물요법, 그리고 수술 요법 등 다양한 치료법을 환자의 특성에 맞추어 잘 선택해야 한다. 미국심장협회(AHA)와 심장학회(ACC), 비만학회(TOS)가 2013년 과체중 및 비만 성인 관리 가이드라인에서 권고하는 치료 가이드라인은 다음과 같다(그림 38-3).

1. 생활습관 관리

비만 치료는 생활습관 관리의 세 가지 필수요소인 식습관, 육체적 활동, 행동치료가 기본이다. 비만은 기본적으로 에너지 불균형에 의해 생기므로, 환자들은 언제, 어떻게 에너지가 저장되고(식이), 언제, 어떻게 소모되는지(육체적 활동), 이러한 정보들이 일상에서 어떻게 적용되어야 하는지(행동치료)에 대해 알아야 한다. 적절한 생활습관 관리만으로 치료를 하지 않는 경우에 비해 평균 3-5 kg의 체중감량을 보인다.

1) 식이요법

비만의 치료를 위해서는 먹는 것을 조절하여 칼로리 섭취를 줄이는 것이 핵심적 역할을 한다. 사전적 의미를 찾아보면, 식이(食餌)는 음식 자체를 말하고, 식사(食事)는 음식을 칭하기도 하지만 주로는 먹는 행위를 가리킨다. 섭취하는 음식의 양적 질적 변화를 도모할 경우에는 식이요법이라고 칭하는 것이 옳겠으나, 먹는 행위 자체에 대한 행동과학적 접근을 중시한다면 식사요법이라고 칭하는 것이 옳을 것이다. 현재 이 두 가지 용어는 혼용해서 사용되고 있다. 본 장에서는 음식의 양적 질적 요소를 강조하기 위해 식이요법이라고 칭한다. 식사 행위 자체에 대해서는 행동요법에서 논하도록 하겠다.

효과적인 식이요법을 위해서는 기존의 식습관에 대한 철저한 파악이 필요하고, 가능하다면 전문 영양사와 상담을 하게 하는 것이 많은 도움이 된다. 식품 섭취량 조사는 24시간 회상법, 식사기록법(식사일지법), 식품섭취빈도조사법 등을 사용한다. 비만 환자의 경우 정상 체중인 사람에 비해 식품섭취량을 20-30% 정도 낮게 보고하는 경향이 있으므로 주의를 요한다. 또한, 폭식증 및 신경성 식욕부진증이 동반된 경우는 치료를 어렵게 하므로, 이러한 경우 정신과 의사나 비만 치료에 경험이 많은 의사에게 의뢰할 필요가 있다.

앞서 설명한 바와 같이 체중 조절을 위해서는 음의 에너지 균형(negative energy balance)을 만들어야 한다. 그렇다면, 얼마나 많은 양의 에너지를 줄이거나 소모하여 음의 에너지 균형을 일으켜야 할까? 지방 조직 1 kg은 약 7,700 kcal에 해당하므로, 신체 활동도의 변화가 없는 상황에서 약 500 kcal/일의 에너지 섭취 감소는 1주일에 약 0.45 kg의 체중 감량을 일으킨다. 이와 같이 음의 에너지 균형을 유도하기 위해 섭취하는 열량을 제한하는 것이 체중 감량을 위해 가장 기본이 된다. 비만 치료를 위한 식이 요법은 칼로리 제한 정도에 따라 저열량식(low calorie diet), 초저열량식(very low calorie diet:), 균형 열량 제한식(balanced deficit diet: 1500-1800 kcal/일), 중등도 열량 제한(평소 섭취량보다 약 500 kcal/일 감량) 등으로 구분할 수 있다. 저열량식은 에너지 섭취를 500-1,000 kcal 정도 감량하는 것으로 영양적으로 적절한 일상 식사가 가능하며, 1주일에 0.5-1.0 kg 정도의 체중감량 효과를 기대할 수 있다. 초저열량식은 매우 빠른 체중 감량을 필요로 할 때 이용해 볼 수 있으며, 1일 800 kcal 이하로 극심하게 열량을 제한하는 것으로 심각한 의학적 문제가 발생할 수 있어 철저한 의학적 모니터링을 필요로 한다. 그러나 임상에서 이렇게 빠른 속도로 체중을 줄일 필요성은 거의 없으며, 장기적으로 볼 때 체중감량에 있어서 다른 접근법에 비해서 더 나은 점은 없는 것으로 밝혀져 있으므로 그 사용은 극히 제한적이다.

지속적으로 에너지 섭취를 제한하는 대신, 식사 제한을 하는 시기를 정하여 식사를 조절하는 간헐적 단식이나 시간제한 다이어트도 있으나, 지속적인 에너지 제한 방법에 비해 체중감량 정도에 유의한 차이가 없거나, 있어도 정도가 크지 않기 때문에 장기간 비만 식사 치료의 한 방법으로 포함시키기에는 근거가 제한적이다.

지금까지 시중에 다양한 다이어트 방법이 소개된 바 있

고, 이 중 탄수화물, 지방, 단백질 등 3대 영양소의 조성을 달리하거나 또는 3대 영양소 조성은 유지하면서 칼로리를 제한하는 방법들이 있다. 이러한 연구를 통해 밝혀진 흥미로운 사실은, 앞서 설명한 열량 제한 자체만으로 설명할 수 없는 3대 영양소 조성 차이에 따른 체중 감량 효과의 차이가 있다는 것이다. 3대 영양소의 조성에 초점을 둔 최근의 연구 결과를 요약 설명하면 다음과 같다.

(1) 저지방 식이(Low-fat diet)

역학연구에서는 지방 섭취량이 비만도와 역비례 관계가 있음이 밝혀져 있으나, 실제로 비만 환자에게 적용했을 때 그 실효성에 대해서는 논란이 있다. 전통적으로 지방으로 얻는 열량은 전체 열량 섭취의 30% 이하로 제한하고 있다. 초저지방식(very low fat diet)은 지방으로부터 얻는 열량을 15% 이하, 단백질로부터 15%, 탄수화물로부터 70%를 섭취하는 식이 요법이다. Lifestyle Heart Trial에 의하면 지방으로부터 얻는 열량을 전체 열량의 7%이하로 줄였을 때 1년간 약 11 kg의 체중 감소가 있었고, 5년 후 관상동맥 질환의 진행을 유의하게 낮춤이 증명된 바 있다. 그러나 이러한 초저지방식이는 장기간 유지하는데 매우 어려움이 따른다는 문제점이 있다.

(2) 저탄수화물 식이(Low-carbohydrate diet)

최근 저탄수화물 식이(하루 섭취량 60 g 미만)에 대한 관심이 늘고 있다. 일반적으로 총에너지 40-45% 수준으로 탄수화물 섭취를 제한하는 방법이다. Atkins diet 및 South Beach diet 등의 이름으로 미국에서 성행하고 있는데 우리나라에서는 황제다이어트라는 이름으로 소개된 바 있다. 이 식이요법은 첫 시작 시에는 하루 탄수화물 섭취량을 20 g 미만으로 제한하고 있으며 점차 약간의 섭취량을 증가시키는 방식이다. 탄수화물 섭취량이 하루 20 g 미만이라는 것은 밥으로 환산할 경우 하루 총 1/3 공기 미만만 먹는다는 것이므로 얼마나 탄수화물 섭취를 제한하고 있는지 알 수 있다. 이러한 식이요법의 이론적 배경은 탄수화물을 극도로 제한함으로써 인슐린 분비를 줄이고, 케톤 생산을 위한 지방 분해 효과가 있으며, 케톤 생산과 고단백 섭취가 식욕 억제 효과가 있다는 점에 있다.

특히, 이러한 방식의 식이요법 자체가 식욕 억제 작용이 있으므로 특별히 칼로리 섭취의 제한을 두지 않아도 과도한 칼로리 섭취는 일어나지 않는 것이 대부분이다. 1년 및 2년까지 진행된 임상 연구에서는 약간의 논란은 있으나 저탄수화물 식이는 기존에 식이요법의 표준이 되어온 저지방식이에 비해 체중 감소 효과가 더 큰 것으로 보고되고 있다. 이러한 저탄수화물 식이의 경우 필연적으로 지방 섭취가 증가하므로 여러 가지 대사적 부작용이 예측되었으나, 치료 초기에만 약간의 LDL콜레스테롤 상승이 관찰된 것 이외에 오히려 혈당, 중성 지방 등은 감소하고 HDL콜레스테롤은 증가하는 등의 좋은 효과가 보고되고 있다. 그러나 이 또한 장기간 유지하기에는 어려움이 따르고, 특히 한국인의 식사가 기본적으로 탄수화물 함량이 높다는 점에서 문화 요소를 감안할 때 국내 비만 환자에게 적용하기에는 상당한 무리가 예상된다.

(3) 저혈당지수 식이(Low-glycemic-index diet)

혈당지수는 특정 음식 섭취 2시간 후 혈당 상승의 정도를 나타내는 개념이다. 무작위 배정 연구에서 저혈당지수 식이는 열량 제한만으로 설명할 수 있는 이상의 체중 감소는 보여주지 못하였다. 혈장 인슐린 농도의 감소는 관찰되었으나, 이러한 사실이 실제 임상적으로 어떠한 장단점을 가져올 지에 대해서는 불명확한 실정이다.

(4) 고단백 식이(High-protein diet)

고단백 식이는 일반적으로 총에너지의 25-30% 수준으로 단백질을 섭취하는 것이다. 단백 섭취는 포만감을 증대시키고, 식이 유도 열생산을 증가시키며, 제지방체중을 유지하고, 에너지 효율을 감소시키는 등의 작용이 있으므로, 탄수화물 대신 단백 섭취를 증가시키게 되면 체중 감소가 촉진될 것으로 추정되고 있다. 무작위 배정 연구 결과에서도 열량 제한식이를 하면서 탄수화물 대신 단백 섭취를 증가시킬 경우 더 많은 체중 감소가 관찰된 바 있다.

(5) 각 식이요법에 따른 체중 감량 효과 비교

현재 미국을 중심으로 유행하고 있는 상용화된 다이어트 방법의 효과를 직접 비교한 임상 연구 결과가 발표되었다. 이들 연구에서는 Atkins diet(저탄수화물 식이), Zone diet(40% 탄수화물, 30% 지방, 30% 단백), Ornish diet(저지방 식이) 및 열량 제한 식이(Weight Watchers or LEARN diet)의 효과가 비교 대상이 되었다. 한 연구에서는 네 가지 다이어트 사이에서 특별한 차이는 나타나지 않았고, 또 한 연구에서는 Atkins diet가 Zone diet에 비해서는 체중 감량이 많았으나 전체적으로는 그룹간의 차이가 없음을 보고하였다. 이러한 연구에서 체중감소는 혈압 강하, 총 콜레스테롤/HDL 콜레스테롤 비저하, C-반응 단백 감소, 혈당 감소, 혈중 인슐린 농도 감소 등이 일관되게 관찰되었다. 혈중 중성 지방의 경우 Atkins diet에서 Zone diet에 비해 더욱 많이 감소함이 관찰되었다. 최근 보고된 이스라엘에서 이루어진 2년 추적 연구에 의하면 저지방 식이에 비해서 지중해식 식이 및 저탄수화물 식이가 체중 감소가 유의하게 컸고 연구 기간 동안 잘 유지되는 것이 밝혀진 바 있다. 특히, 이스라엘 연구에서는 채소 섭취가 많고, 쇠고기나 양고기 대신 가금류 및 생선을 먹으며, 단일불포화지방산 섭취가 많은 소위 지중해식 식이가 단순한 저지방식에 비해 체중 감소효과가 우수함을 보여주었다. 이러한 식이요법을 선택하는데 있어서 문화적인 특성이 반드시 고려에 포함되어야 할 것이다.

효과적인 식이요법 측면에서 전문 영양사의 치료 참여가 체중 감소에 도움이 된다는 연구 결과가 있는데, 대형병원에서는 문제가 없겠으나 일차 진료에서는 영양사를 고용하기가 어려운 여건이므로 적용이 쉽지는 않다. 또한, 아침 식사를 거르지 않기, 식이 섬유 섭취 늘이기, 대용식(meal replacement)이용하기 등이 도움이 될 것으로 생각되었으나, 이 중에서 대용식 이용만이 무작위 배정 연구에서 효과가 증명되었다. 대용식을 이용해서 하루 두 끼 식사를 한다면 나머지 한 끼에 대해서만 집중적인 관리를 할 수 있다는 장점이 있다고 알려져 있다. 결론적으로 최소 하루에 500 kcal 이상의 열량 섭취 제한을 하기 위해 다양한 접근 방법을 이용하되, 환자 개인의 특성을 고려하고 현재 시중에 유행하고 있는 다이어트 방법의 장단점 및 실제 임상 효과 등에 대한 정보를 바탕으로 상담과 교육이 이루어져야 할 것이다.

2) 운동요법

열량 제한을 하지 않고 운동만으로 체중 감량을 일으키기는 쉽지 않다. 그러할 경우 일반적으로 아주 약간의 체중 감소가 나타날 뿐이다. 열량 제한을 하지 않은 채 일주일에 20마일(32.2 km)에 해당하는 조깅을 하도록 한 연구에서는 8개월 후 고작 2.9 kg의 체중 감소가 관찰되었다. 그러나 이러한 경우에도 복부(내장)지방의 감소 및 인슐린저항성 개선이 관찰되었다는 점은 주목할 만하다. 운동과 동시에 식이 요법을 통해 섭취 열량 제한을 할 경우에는 각각을 따로 시행한 것과 비교할 때 체중 감소 정도가 더욱 크고 체구성 성분의 개선이 일어남도 보고된 바 있다. 유산소 운동과 열량 제한을 같이 시행할 경우 열량 제한만을 시행한 경우에 비해 HDL-콜레스테롤을 증가시키고 중성 지방 및 혈압을 더욱 감소시킨다.

비만 환자들은 정말 다양한 이유로 운동을 못한다고 한다. 특히 힘들거나 시간이 없어서 운동을 하지 못한다는 환자들이 많이 있는데, 하루에 40분을 연속으로 운동하는 것과 10분씩 나누어 4번에 걸쳐 운동을 하는 것이 체중 감소에 큰 차이가 없다는 것이 알려져 있으므로, 개인의 운동능력 및 처한 상황에 맞추어 개별화된 전략을 택하는 것이 중요하다. 또한, 생활 속에서 활동량을 증가시키는 것이 운동을 하는 것과 견줄 정도로 체중 감소에 도움이 되며, 이와 일맥상통하는 것으로 비운동열생산(non-exercise activity thermogenesis, NEAT)을 통한 에너지 소비 역시 체중 조절에 도움이 된다. NEAT의 경우 열량 섭취가 비슷한 상황에서 똑같이 운동을 하지는 않지만 어떤 사람은 비만하고 어떤 사람은 비만하지 않은 사실을 설명해 준다. 운동량을 모니터하고 생활 속에서 신체 활동 특히 걷기를 증가시키기 위한 방법으로 만보계(또는 만보기, step counter, pedometer)를 유용하게 이용할 수 있다. 만보계는 수직 상하 운동의 빈도를 측정하는 것으로서 가속도계(accelerometer)에 비해서 신체 운동량을 정확히 반영하지 못하지만, 편리하게 이용할 수 있고 가격이 저렴하다는 장점이 있다. 최근의 메타분석에 의하면 만보계를 착용할 경우 걸음 수가 증가하고 체질량 지수가 감소하며 혈압이 감소함이 보고되었다. 단, 만보계로 효과를 보기 위해서는 목표 걸음수를 정하는 것이 중요하며, 매일 다이어리에 기록을 하여 모니터하는 것이 필요하다.

운동을 하지 않는 비만 환자를 운동하게 만들기 위해서는 환자가 운동 준비도의 어느 단계에 해당하는지를 파악할 필요가 있다. 운동 준비도와 관련해서 크게 5단계로 나누어 볼 수 있는데, 운동을 생각지도 않는 단계(precontemplation), 운동을 해야겠다고 생각하는 단계(contemplation), 운동을 준비하는 단계(preparation), 운동을 시작하는 단계(action), 꾸준히 운동을 하는 단계(maintenance)가 그것이다. 따라서 운동을 하도록 만드는데 있어서는 환자가 처해 있는 상황과 심리 상태 등을 면밀히 파악해야 하며 포기하지 말고 환자를 설득하고 교육하고 칭찬해야 한다.

운동치료 전 운동 참여 여부를 확인하고 건강상태를 평가하여 심혈관, 대사성, 신장질환의 증상이 있는 경우는 의사 상담 후 운동 시작을 권고하고 그 외에는 의료적 허가 없이 저-중강도 운동부터 시작하도록 권고한다. 체중감량을 위해서는 유산소운동이나 근육운동 단독 보다 혼합된 운동이 더 효과적이기 때문에, 주당 150분 이상 또는 주 3-5회 유산소 운동을 실시하며, 대근육군을 이용한 근력운동을 주 2-4회 혼합하여 실시하도록 한다.

3) 행동요법

식이요법과 운동요법을 이용한 소위 생활습관개선을 통한 체중 감량을 외래에서 많은 의사들이 특별한 전략없이 환자에게 강요하고 있기 때문에, 실제로 효과를 보는 경우는 극히 드물다. 이는 세 살 버릇 여든 가는 것과 같은 이치로 이미 한 개인에서 고착화한 생활 습관은 좀처럼 고치기 어렵다는 사실에 그 이유가 있다. 이를 위해 행동수정요법을 이용한 접근법이 필요하며, 일부에서는 인지행동치료를 비만 환자를 대상으로 시행하고 있다. 이러한 행동수정요법 및 인지행동치료에서는 식이요법과 운동요법을 원칙에 따라 제대로 시행할 수 있도록 도와주고 있다. 효과적인 생활습관개선과 이를 통한 체중 감량에 있어서 가장 중요한 것은 자기모니터링인데, 이와 관련해서는 자기모니터링을 잘 할수록 유의한 체중 감량을 일으킨다는 증거가 제시된 바 있다. 자기모니터링은 식사 및 운동과 관련된 일에 대해 매일 상세한 기록을 하도록 하며 정기적으로 체중을 측정하도록 한다. 이렇게 모니터링함으로써 식이 및 운동요법에 대한 순응도를 높일 수 있고, 치료 제공자 입장에서는 비만으로 연결되는 다양한 행동 고리(behavioral chain)를 분석 파악할 수 있다는 장점이 있다. 여러 다양한 방법을 통해 발견된 비만관련 생활 습관의 문제점에 대해서는 체계적인 방법으로 분석하고 구체적으로 교정 계획을 제시하게 된다. 특히, 열량 과다 섭취로 이어지는 여러 상황에 대해서 통제할 수 있는 기술을 구체적으로 알려주어야 하는데 이러한 것을 자극 조절(stimulus control)이라고 칭한다. 예컨대, 눈에 띄는 곳에 음식을 두면 생각 없이 계속 먹어대는 경우 음식은 반드시 눈에 잘 띄지 않는 곳에 보관을 하도록 한다는 등의 방법이다. 환자가 처해 있는 각종 스트레스 상황에 대해서도 상담이 필요하다. 효과적인 비만 치료를 위해서는 가족 및 주위사람의 협조가 매우 중요하기 때문에 필요에 따라 치료에 동참하도록 한다. 인지재구성(cognitive restructuring)도 매우 중요한 역할을 하는데, 이를 통해 현실적인 체중 감량의 목표를 세우고 체중감량과 관련된 여러 상황에 대한 부정적인 반응을 긍정적 반응으로 전환시키도록 한다. 또한, 체중 감량 목표에 도달한 후에 체중 재증가가 일어나는 상황에 대한 대처 교육도 매우 중요하다.

의사 및 환자 측면에서 공히 느끼고 있는 비만 치료에 있어서 가장 어려운 점은 체중 감량 자체보다 오히려 감량한 체중을 유지하는 것일 것이다. 이에 대해서는 감량 후 유지요법을 시행하지 않은 군과 유지요법을 시행한 군 사이에 체중 재증가 여부가 확연히 차이가 난다는 연구 결과가 뒷받침하고 있어서 환자와 장기적으로 접촉을 유지하면서 앞서 언급한 치료를 지속할 수 있도록 해야 한다.

표준 행동수정 프로그램은 목표 설정, 자기 모니터링,

표 38-5. 식이요법 및 운동요법에 성공하기 위한 생활습관교정 기술

생활습관교정 기술	식이요법에 대한 적용	운동요법에 대한 적용
자기 관찰(self-monitoring)	■ 식사 기록	■ 운동 기록, 주기적인 평가
목표 설정(goal setting)	■ 열량 제한 균형식	■ 열량 소비 증가
보상 상황(reward setting)	■ 건강한 식사 목표와 동일	■ 운동 요법 목표와 동일
사회적 지지(social support)	■ 건강에 도움이 되는 식품 구매 및 조리에 도움이 되는 사람 찾기 ■ 건강에 도움이 되는 식습관을 격려하는 사람 찾기	■ 같이 운동하고 생활 속의 활동을 증가시키는 데 도움이 될 수 있는 사람 찾기
자극 조절(stimulus control)	■ 식탁, 선반, 냉장고에서 고열량 저영양(emptycalorie) 식품 없애기	■ 사무실, 자동차, 가방 속에 운동화 넣어 두기
인지 재구성(cognitive restructuring)	■ 모든 음식이 도움이 된다(흑백사고 금지)	■ 어떠한 신체활동이라도 움직이지 않는 것보다 낫다
건강 증진 기회 만들어 주기(increasing healthy opportunities)	■ 건강에 도움이 될 식당 찾기 ■ 새로운 저지방 음식 시도 ■ 건강식 조리법 교실 참가	■ 주변의 공원, 레크리에이션 센터, 운동 클럽 등 물색 ■ 가정에 운동 기구 비치
재발 방지(relapse prevention)	■ 고칼로리 음식 및 부적절한 식사 상황에 대해 미리 계획 세우기 ■ 일탈 행위가 발생한 후 즉각 제자리로 돌아갈 수 있도록 긍정적 사고 전략 가지기 ■ 건강에 해로운 음식을 대하는 인지 기술 개발	■ 운동 계획을 망치는 상황에 대해 미리 계획 세워 대비(예: 운동할 시간 부족, 날씨, 부상 등) ■ 일탈 행위가 발생한 후 즉각 제자리로 돌아갈 수 있도록 긍정적 사고 전략 가지기 ■ 운동을 하지 않게 되는 일이 생기지 않도록 하는 인지 기술 개발

자극 조절, 인지 재구성, 재발 방지 등을 포함한다. 약 6개월 간 매주 개인 및 소그룹 교육 세션을 통해서 행동 수정은 이루어지고, 이 기간 동안 약 8-10%의 체중 감량을 가져온다. 인지행동치료의 경우에는 체중 조절의 장애물, 신체 활동 증가, 신체상(body image), 체중 감량의 일차 목표, 목표 체중, 건강한 식습관, 감량된 체중 유지 등에 대해 다루게 된다. 식이 요법 및 운동 요법에 성공하기 위한 생활 습관 교정 기술에 대해서 표 38-5에 요약하였다.

2. 약물요법

비만의 기본적인 치료방법은 식이요법, 운동치료 및 행동치료이며, 약물치료는 이들과 함께 부가적인 치료로 사용할 것을 권고한다. 대부분의 가이드라인에서는 체질량지수 30 kg/m^2 이상이거나 27 kg/m^2 이상이면서 당뇨병, 이상지혈증 등 다른 질환이 병발해 있는 경우 약물치료의 적응이 된다. 대한비만학회에서는 체질량지수 25 kg/m^2 이상인 환자에서 비약물 치료로 체중감량에 실패한 경우에 약물처방을 고려하도록 권고하고 있다. 약물의 체중 감소 효과는 대개 생활 습관 교정과 함께 처방되어 연구되었으며, 위약 대비 3-5% 정도의 추가적인 체중 감량 효과를 보이고, 치료 전 대비 약 5-10% 정도의 체중 감량 효과를 나타낸다. 심혈관질환의 위험 감소는 대개 체중 감소와 비례하여 나타난다. 약물치료 시작 후 3개월 내에 5% 이상 체중감량이 없다면 약제 변경이나 중단을 권고한다.

가장 이상적인 비만치료제라고 하려면 원하는 만큼 먹으면서도 살이 찌지 않거나 체중 감량이 일어나는 약일 것이다. 그러나 현실에는 이러한 이상적인 약은 없고 오히려 비만치료제의 개발사를 살펴보면 부작용과 관련된 많은 사건이 있었다. 역사적으로 가장 많이 시도된 접근법은 식욕을 줄이는 방법으로 이들은 주로 중추신경의 모노아민신호경로와 관련되는 것들이며 phentermine, mazindol, phendimetrazine, diethylpropion 등은 FDA에 의해 단기간

표 38-6. 국내에서 처방 가능한 비만 치료 약제

	작용기전	용법	부작용
단기사용 (12주 이내)			
Phentermine	교감신경작용제	15,30,37.5 mg qd 또는서방정 30 mg qd	심박수 증가, 혈압 상승, 구강건조, 변비, 불안, 어지러움, 불면 등
Diethylpropion	교감신경작용제	25 mg tid 또는75 mg CR qd	
Phendimetrazine	교감신경작용제	17.5–35 mg bid to tid	
Mzindol	교감신경작용제	0.5–1.5 mg qd	
장기사용 (1년 이상)			
Orlistat(제니칼®)	리파제 저해제	120 mg tid	지방변, 긴급 변의
Naltrexone/bupropion 복합제(콘트라브®)	opioid길항제/ 항우울제	8 mg/90 mg 2T bid (max)	구역, 구토, 변비
Liraglutide(삭센다®)	GLP-1 수용체 길항제	3 mg SQ (max) 하루 1회 0.6 mg 피하주사로 시작하여 매주 0.6 mg씩 증량, 5주 후 최대 3 mg까지 증량 가능	구역, 구토, 설사, 변비, 소화장애, 복부팽만감 등
Phentermine/topiramate extended-release(큐시미아®)	교감신경작용제/ 항경련제	3.75 mg/23 mg, 7.5 mg/46 mg, 11.25 mg/69 mg, 15 mg/92 mg	감각이상, 어지러움, 미각이상, 불면증, 변비, 입마름

사용에 한해서 승인된 바 있다. 현재 국내에서 처방 가능한 장기 사용 비만 치료제로는 Orlistat, Naltrexone/bupropion 복합제, Liraglutide, Phentermine/topiramate extended-release이 있다. 국내에서 처방 가능한 비만 치료 약제에 대해 표로 요약하였다(표 38-6).

1) Phentermine과 diethylpropion

Phentermine과 diethylpropion은 교감신경 촉진제로서 뇌의 특정 부위에서 norepinephrine의 분비를 증가시킴으로써 식욕을 억제한다. 무작위 배정 연구에서 이 두 약제는 모두 위약 대비 약 3-4%의 체중감소 효과를 보였다. 구갈, 불면증, 어지러움, 혈압 및 맥박 상승 등의 부작용이 공통적으로 나타난다. 따라서 전고혈압(prehypertension)단계이거나, 고혈압으로 치료를 받고 있는 환자의 경우 혈압을 철저히 모니터해야 한다. 과거에 사용했던 amphetamine과 유사한 기전을 갖기 때문에 중독에 대해서도 주의가 필요한데, 이들 약물은 DES schedule IV에 해당하는 약물이므로 중독의 가능성은 있기는 하되 매우 낮다고 보면 된다. 12주 이상 지속적으로 사용할 경우 심판막질환과 폐동맥고혈압의 발생 위험이 있으므로 주의가 필요하다. 일부 연구에서는 이들 약물이 10년간의 효과가 보고된 바 있으나, FDA에 의해서 단기간 사용 약물로 승인되어 있다. 국내 식품의약품안전처에서는 처음 복용시 4주 이내로 복용하도록 하고 효과가 없는 경우 중단하며, 복용 기간을 12주 미만으로 허용하고 있다.

2) Orlistat

Orlistat은 지방질을 분해하는 효소인 리페이스 저해제로서 위장관에서 식이 지방섭취를 약 30% 감소시킨다. 환자들은 일반적으로 이 약을 복용하면 섭취한 지방을 거의 100% 내보내는 것으로 착각을 하고 있어서 이 점에 대해서 주의를 주는 것이 필요하다. Orlistat은 위장관 지방분해효소에 특이적으로 장시간 작용하는 강력한 가역적 억제제로서, 위장과 소장의 내강에서 위와 췌장의 지방분해

효소의 활성 부위인 세린과 공유결합을 형성하여 그 치료 활성을 나타낸다. 즉, 불활성화된 지방분해효소는 트리글리세리드 형태의 식이성 지방을 흡수가 가능한 모노글리세리드와 유리지방산으로 가수분해할 수 없게 되고, 이 분해되지 않은 트리글리세리드는 체내로 흡수되지 않고 변으로 배출되기 때문에 결과적으로 칼로리 감소를 초래하게 되어 체중조절을 가능하게 한다. Orlistat을 복용하는 환자에게 저지방 식이를 권장하고 있긴 하나, 이 약의 약효는 지방 섭취량에 의존적으로 나타난다. 주된 부작용은 지방변, 방귀와 함께 지방변의 분출, 긴박한 변의 등 주로 위장관 부작용이 나타난다.

그러나 이러한 부작용은 대개 일시적이며(절반에서 1주 이내에 소실되며 대부분 1개월 이내에 소실되나 일부 환자는 6개월 이상 부작용을 보이기도 함. 저지방식이를 하면 부작용이 감소함), 초기에 psyllium과 같이 처방할 경우 다소 경감될 수 있다는 보고가 있다.

생활습관교정과 함께 orlistat을 투여하면 생활습관교정 단독군에 비해 약 3%의 추가 체중 감소가 나타난다. Orlistat을 이용한 당뇨병 예방 연구(XENDOS, Xenical in the Prevention of Diabetes in Obese Subjects)에서 4년간 orlistat을 투여한 경우 생활습관교정만 시행한 군에 비해 유의하게 당뇨병 발생률을 감소시켰다. Sibutramine과 orlistat을 병용한 연구를 시행한 결과, 각각의 약제 단독 투여에 비해 우월한 체중 감소는 관찰할 수 없었다.

현재 국내에는 120 mg 캡슐이 판매되고 있으며 하루 3회 식사와 함께 복용하거나 식후 1시간 이내에 복용한다. Orlstat은 현재 미국에서는 비처방약물(OTC)로도 판매되고 있으며, 이 경우 용량은 60 mg tid로 되어 있다(국내에서는 처방 필요한 전문의약품임). 4-24개월간 진행된 연구에서 이 용량에서는 약 2%의 체중 감소가 관찰되었다.

약물 상호 작용 면에서는 지용성 약물의 흡수를 저해할 수 있을 것이라는 우려가 있다. (1) 이 중 가장 잘 알려져 있는 것이 cyclosporin A로서, 병용 투여 시 혈중 농도 감소시키므로 orlistat 투여 전후 2시간 이상 간격을 두고 투여하거나 microemulsion 형태의 cyclosporin A 투여가 필요하다. (2) warfarin의 흡수에 영향을 미치지는 않으나 비타민 K 흡수를 억제하므로 INR 증가가 나타날 수 있으므로 주의를 요하며 자주 INR 측정을 해야 한다. (3) pravastatin의 혈중 농도가 약 30% 증가하며 콜레스테롤저하 작용을 증가시킨다. (4) 기타 알코올, 디곡신, 칼슘길항제, 설포닐유레아 등과의 상호 작용은 없으나, 체중감소와 함께 대사 변화가 발생하면서 당뇨병 환자에서 저혈당이 발생할 수 있음에 대해서 유의해야 한다.

Orlistat은 지용성 비타민(A, D, E, K)의 흡수 및 베타카로텐의 흡수를 억제한다. 특히 초산비타민 E 보충제의 경우 동시 투여시 흡수가 60% 억제되며, 베타카로텐의 경우는 30% 억제된다. 따라서 지용성 비타민을 포함하는 비타민 제제를 보충하는 것이 바람직하며 흡수에 문제가 없도록 하기 위해서는 orlistat 투여 전후 적어도 2시간의 간격을 두고 복용해야 하며 취침 전에 복용하는 것도 방법이다.

금기 사항으로는 만성 흡수 불량 증후군 환자 또는 담즙분비정지 환자와 이 약 또는 이 약의 구성성분에 과민력이 있는 환자가 포함된다.

3) Naltrexone/bupropion 복합제

opioid길항제인 naltrexone과 항우울제인 bupropion의 복합제로 2014년 9월 미국 FDA에서 장기간 비만 치료제로 승인되었다. 임상 연구(COR-I, II)에서 체중감소효과는 복용 4주째부터 나타나고 32주째 최대치로 감소하였으며, 위약 대비 3.2-5.2%의 체중감소 효과를 보였다. 흔한 부작용으로는 구역, 구토, 변비 등의 소화기계 증상이며, 다른 비만치료제에서 보이는 감정변화에 대한 영향은 거의 없는 것으로 나타났다. 주요 금기증으로는 조절되지 않는 고혈압 환자, 발작 병력이 있는 환자, 중추신경계 종양이 있는환자, 알코올/항간질약 등 약물복용을 갑자기 중단한 환자, 양극성 장애 환자, 대식증 또는 신경성 식욕부진을 진단받은 환자, 아편의존선 또는 급성아편금단증상을 지난 환자, MAO 억제제를 투여 중인 환자 등이다.

4) Liraglutide

Liraglutide는 glucagon-like peptide-1 (GLP-1) 수용체 길항제로 제2형 당뇨병 치료제로 개발된 약제이다. 시상하부 뉴런의 활성에 의해 식욕을 억제시켜 체중감량에 독립적으로 유의한 효과가 있다. 매일 3mg 피하주사 용법으로 체중감소 효과가 있어 2014년 미국 FDA에서 비만치료제로 승인되었다. 임상연구(SCALE)에서 liraglutide 3mg을 56주간 복용한 군에서 평균 8.4kg의 체중감량이 있었으며, 허리둘레가 8.2 cm 감소하는 것으로 나타났다. 또한 당뇨병 전단계의 예방 및 치료 효과를 보였고 심혈관 위험요인의 개선효과가 있어 LEADER 임상 연구에서 4.5년간의 장기간 관찰 결과 심혈관 사망률이 22% 감소하는 것으로 나타났다. 췌장암 발생과 관련하여 liraglutide 투여군에서 0.3%, 위약군에서 0.1%로 나타났으나, 유의한 차이를 보이지는 않았다(HR 95% CI, 0.92-7.27).

대표적인 부작용으로는 구역, 구토, 설사, 변비, 소화장애, 복부팽만감 등의 위장관 장애였으며, 주요 금기증으로는 갑상선 수질암의 가족력이나 과거력을 가진 환자, 다발 내분비선종증 2형 환자이다.

5) Phentermine/topiramate extended-release

기존의 단기간 비만치료제인 phentermine과 간질 치료제인 topiramate 서방정 복합제로 각 약물의 부작용을 줄여 복약 순응도를 높인 약물로 미국 FDA 2012년 허가, 국내에서 2019년 7월에 허가되어 현재 사용 가능한 약제이다. 대표 임상 연구로 고도비만환자를 대상으로 한 EQUIP, 비만 동반 질환 환자들 대상으로 한 CONQUER 연구가 있으며 56주간 복용 시 많은 환자들에서 5-10%의 체중감량을 보였으며 시간 경과에 따라 최대 14.4%의 체중감량을 보였다. 2년간 연장하여 시행한 SEQUEL 연구에서 장기간의 체중감량 유지효과가 있었으며 체중감소와 연관된 심혈관질환, 대사이상지표들이 용량-의존적으로 개선되는 효과를 보여 장기 효과에 대한 안정성이 입증되었다. FDA 승인된 비만 치료 약제들을 비교 분석한 2016년 발표된 메타분석에 의하면 비만 치료 약제들 중 Phentermine/topiramate extended-release는 평균 8.8 kg 체중감량효과 및 적은 부작용으로 현존하는 비만치료제 중 효과가 가장 우월한 것으로 나타났다. 일반적인 부작용으로는 변비, 입마름, 감각이상 등이 있으며, 장기 복용시에는 부작용의 발현 비율이 감소하여 순응도가 상승하는 것으로 나타났다. 임신 및 역학 관련 연구 자료에 따르면 임신 초기에 이 약의 성분인 토피라메이트에 노출된 태아는 선천 태아 구순형성장애의 위험성이 증가한다. 따라서 환자가 임신 중에 이 약을 복용하거나 이 약 복용 중에 임신한 경우, 치료를 즉시 중단하고 태아에게 미칠 잠재적인 위험이 있음을 환자에게 알려야 하며, 가임기 여성은 이 약으로 치료 중에는 효과적인 방법으로 피임을 해야 한다.

5. 수술요법

식이, 운동요법과 약물요법이 고도 비만 치료에 있어서 큰 효과를 거두지 못하고 있는 가운데 배리아트릭 수술(bariatric surgery)의 효과는 괄목할 만하다. 국내 비만수술은 2019년부터 급여 인정이 되었으며 급여 인정 기준은 BMI≥ 35 kg/m²이거나, BMI≥ 30 kg/m²이면서 합병증(고혈압, 저환기증, 수면무호흡증, 관절질환, 비알콜지방간, 위식도역류증, 제2형 당뇨병, 고지혈증, 천식, 심근병증, 관상동맥질환, 다낭난소증후군, 가뇌종양(pseudotumor cerebri)을 동반한 경우 또는 기존 내과적 치료 및 생활습관 개선으로도 혈당조절이 되지 않는 27.5 kg/m² ≤ BMI <30 kg/m²인 제2형 당뇨환자에게 위소매절제술 및 비절제 루와이형 문합 위우회술을 시행하는 경우에 해당된다.

배리아트릭 수술은 비만을 치료함을 목적으로 하는 수술로서 어원을 따져보면 baros(체중, 무게)와 iatrike(치료)의 합성어이다. 배리아트릭 수술은 영양소 흡수를 억제하고 음식 섭취량을 줄이는 두 가지 기전을 가지며 어느 쪽이 우세하느냐에 따라 크게 세 가지로 나눌 수가 있다(표 38-7). 흡수장애가 주된 기전인 수술법 중에서 공장회장우회

표 38-7. 배리아트릭 수술의 종류

흡수 장애 술식(malabsorptive procedures)
■ 공장회장우회술(jejunoileal bypass) ■ 담췌우회술(biliopancreatic diversion) ■ 십이지장 치환술(duodenal switch)
제한 술식(restrictive procedures)
■ 위성형술(gastroplasty or stomach stapling) ■ 수직밴드 위성형술(vertical banded gastroplasty) ■ 위밴드시술(adjustable gastric banding) ■ 위소매절제술(sleeve gastrectomy)
복합형
■ 루와이 위우회술(Roux-en Y gastric bypass)

술(jejunoileal bypass)은 긴 맹관(blind loop)이 만들어지는데 이곳에서 세균 증식에 따른 부작용으로 심각한 간부전이 발생하여 더 이상 시행되지 않는 방법이며, 담췌우회술(biliopancreatic diversion)이나 이를 변형한 십이지장 치환술(duodenal switch)은 이러한 맹관을 만들지는 않으나 체중 감소의 효과가 큰 반면 흡수 장애에 따른 문제점도 있어서 초고도비만 환자에게 시도된다. 위용적을 줄이는 제한술식(restrictive procedure)에는 표 38-7에 소개된 바대로 다양한 방법이 있다. 국내에서는 개원가를 중심으로 위밴드시술(laparoscopic adjustable gastric banding)이 활발히 시행되고 있고 최근에는 대학병원을 중심으로 위소매절제술(sleeve gastrectomy)이 자주 시행되고 있다. 그러나 이러한 제한 술식의 경우, 체중 감소 효과가 아주 크지 않다는 단점이 있다(위소매절제술의 경우 최근 체중 감소 효과도 매우 만족할만하다고 보고되고 있으며, 작용 기전이 다른 제한 술식과 차이가 있다고 알려지고 있음).

체중 감소 측면이나 흡수 장애에 따른 부작용 측면을 모두 고려할 때 현재 배리아트릭 수술의 표준 시술은 복강경 루와이 위우회술(laparoscopic Roux-en Y gastric bypass)이며 흔히 위우회수술이라고 칭한다. 한 메타분석에 의하면 표준체중보다 더 많이 나가는 체중 즉 과다체중(excess weight)의 감소율이 위밴드 수술의 경우 약 47%, 위우회술의 경우 약 62%, 담췌우회술 또는 duodenal switch의 경우 약 70%이었다. 배리아트릭 수술은 체중 감소뿐 만 아니라 비만과 연관된 합병증인 당뇨병, 고혈압, 이상지혈증, 지방간, 수면무호흡증, 위식도역류, 관절통 등의 호전을 보이며, 삶의 질을 개선하고 나아가 사망률을 감소시킨다. 4,776명의 배리아트릭 수술을 받은 환자를 대상으로 한 연구에서(이 중 3412명이 위우회술을 받음), 수술 후 30일 이내 사망률이 0.3%였으며, 전체의 4.3%에서 사망, 심부정맥혈전증, 재수술, 장기 입원등의 문제를 하나 이상 보였다. 이러한 수치는 환자들의 비만도나 동반된 합병증에 비해서 높지 않은 것으로 평가되며, 특히 수술 전에 심부정맥혈전증, 폐색전증, 수면무호흡증을 가지고 있었거나 기능적 상태가 좋지 않은 경우에 위험이 증가하였다. 장기적으로는 영양소 흡수장애로 철, 칼슘, thiamine, 비타민 B12 등이 결핍될 수 있어서 보충 및 추적 관찰이 필수적이다.

놀랍게도 2형 당뇨병을 가진 비만 환자에서 배리아트릭 수술을 시행하였을 때 당뇨병 치료제를 사용하지 않고도 혈당이 정상 범위로 조절되는 소위 관해(remission)을 보이는 환자가 흔히 관찰된다. Buchwald 등의 메타분석에 의하면 위밴드 수술의 경우 약 57%, 위우회술의 경우 약 80%, 담췌우회술 또는 duodenal switch의 경우 약 95%에서 당뇨병의 관해가 나타났다. 위우회술이나 담췌우회술의 경우에는 체중이 채 감소하기도 전인 수술 직후에 당뇨병의 관해가 관찰되어 그 기전에 대한 연구가 활발히 진행되고 있다. 이러한 놀라운 결과에 힘입어 최근에는 배리아트릭 수술을 보다 낮은 체질량지수에서 시도하는 것이 권고되고 있고 동양인에서는 서양인보다 낮은 기준으로 수술의 적응증을 정해야 한다는 주장도 있다.

6. 요약 및 전망

비만 치료에 있어서 식이요법이 근간을 이루고 이에 더하여 운동요법이 필요하며, 또한 식이, 운동요법만으로 조절이 안 되는 경우에는 약물요법 및 수술요법이 필요하므로 해당 상황에 맞추어 가능한 모든 방법을 동원할 필요가 있다. 이를 위해서 전문 영양사, 정신과 의사, 내분비내과 의사, 외과 의사 등의 긴밀한 협조가 필요하며 비만과 동반된 질환 치료를 위해 다른 의사와도 팀 접근을 하는 것이 필수적이다. 현재 사용 중인 비만 치료제의 체중 감소능이 비교적 약하고 기존에 사용하였던 약제들이 부작용으로 현재는 사용하지 못하는 점 등으로 약물치료만으로 비만과 동반 질환을 치료하는데 매우 큰 어려움이 있다. 하지만 최근 배리아트릭 수술의 경험을 통해 드라마틱한 체중 감소와 더불어 관련 합병증, 특히 2형 당뇨병의 극적 호전이 일어남을 알게 되었다. 이러한 배리아트릭 수술의 메커니즘을 밝혀 새로운 약물을 개발한다면 향후 수술적 치료 없이도 비만과 관련 합병증을 효과적이며 안전하게 치료할 수 있을 것으로 전망해 본다.

** 참고문헌 목록은 대한산부인과내분비학회 홈페이지 http://www.kosge.or.kr 또는 QR코드를 통해 보실 수 있습니다.*

GYNECOLOGIC ENDOCRINOLOGY

부 인 과 내 분 비 학

10

초음파와 부인과 내시경

CHAPTER

39 초음파

최영식(연세의대)

Ⅰ. 초음파

질초음파(transvaginal sonography)는 1969년 Kratochwil에 의해 처음으로 보고되었고(Kratochwil, 1969) 1980년대 중반부터 임상에서 불임과 관련된 문제들을 평가하기 위하여 이용되기 시작한 이후 전 세계적으로 널리 사용되고 있다. 질초음파는 현재 불임 및 보조생식술, 초기 임신, 자궁외 임신 및 임신 제1삼분기 임신과 관련된 이상의 평가에 있어 표준 진단방법으로 사용되고 있다. 복부초음파에 대한 질초음파의 주된 장점은 관심부위에 고주파 트랜스듀서(transducer)를 사용할 수 있다는 점으로 이를 통하여 자궁, 자궁경부, 난소, 자궁부속기, 막힌주머니(cul-de-sac), 방광, 장에 대한 최적의 영상을 얻을 수 있으며, 특히 비만한 환자 및 후굴된 자궁에 대한 평가에 유용하다.

보조생식술 및 골반구조물의 평가에서 질초음파가 표준 진단방법이지만 복부초음파(transabdominal sonography)는 전체적인 골반의 해부학적 구조를 파악하는데 도움이 된다는 사실을 주지하고 있어야 한다. 복부초음파를 시행하지 않는 경우 비교적 짧은 범위의 질초음파 영역 밖의 병변을 놓칠 수 있다. 질초음파는 고주파의 트랜스듀서를 사용하기 때문에 해상도는 최적이지만 보이는 영역이 작고 조직 투과성이 제한적이다. 추가적으로 질초음파 검사는 조작성(maneuver ability)에 제한이 있어 사춘기 전 청소년, 성경험이 없는 여성 등에서는 직장초음파 또는 회음부 초음파를 사용할 수 있다.

1. 초음파 물리학(Ultrasound physics)

1) 초음파(Ultrasound)

음파(sound)는 파형(waveform)의 에너지이고 초음파는 영상을 얻기 위하여 고주파의 음파(2-10 MHz)를 이용한다. 질초음파 더듬자(probe)는 유기조직을 관통할 수 있는 음파를 생성하고 반향된 음파에너지의 파형이 전기신호로 변환되어 초음파 모니터에 영상을 만들어낸다.

2) 3차원 초음파(3 dimensional ultrasound)

2D (dimenstional) 초음파는 산부인과 분야에서 중요한 진단 수단으로 사용되고 있지만 3D 초음파는 거의 실시간에 가깝게 컴퓨터를 통하여 영상을 재구성할 수 있다. 3D 초음파의 최근 발전으로 태아 기형의 정확한 산전 진단이 가능해졌고 선천 자궁기형 및 자궁내 병변을 감별하는데 도움을 줄 수 있다. 용적을 스캔하여 저장하기만 하면 놓치기 쉬운 영상 또는 통상적인 2D 초음파에서는 불완전한 영상이나 놓치거나 왜곡될 수 있는 부분이 3D 초음파에서 명확히 재현된다. 3D 초음파에서는 화면에 보이는 세 개의 수직 단면을 회전시키거나 조정하여 보다 적합한 해부학적 위치를 얻을 수 있고 또한 정확한 진단을 위한 보다 세부적인 형태를 제공할 수 있다. 현재 3D 영상의 처리시 다양한 영상 모드가 가용하여 적합한 모드를 병합하면 표적기관의 구조를 영상화할 수 있어 종양이나 표적기관의 측정에 적용될 수 있다. 2D 색도플러(color Doppler)는 작은 혈관이나 혈류가 느린 경우에는 덜 민감하지만 파워도플러(power Doppler)는 부피당 혈류의 질과 양에 관한 정보를 제공하여 표적장기의 기저 혈관분포를 확인할 수 있는데 3D 파워도플러는 난소 실질의 혈류 및 혈류분포를 정량화 하는데 있어 2D 영상보다 더 정밀하다.

2. 골반 구조물의 초음파(Ultrasound of pelvic structures)

1) 자궁(Uterus)

자궁은 장축(long axis) 및 단축(short axis, transverse view)에서 평가되어야 한다(그림 39-1). 자궁의 위치는 매우 다양하며 방광의 팽만 정도에도 영향을 받는다. 자궁체부의 장축과 자궁경부의 장축과의 굴절(flexion) 관계와 자궁목의 장축과 질의 장축과의 경사(version)를 확인한다. 예를 들면 후방경사자궁(retroverted uterus)은 질에 대하여 자궁 및 자궁 및 자궁 경부가 후방향으로 경사진 경우이고 후굴자궁(retroflexed uterus)은 자궁체부가 자궁경부보다 후방으로 굴절된 경우이다.

정상 자궁크기는 환자의 산과력 및 폐경 여부에 따라 다르다. 자궁의 길이는 중앙시상단면(midline saggital image)에서 자궁바닥 (uterine fundus)의 장막표면부터 자궁경부의 원위부(자궁외궁구, external os)까지를 측정한다. 전후 직경은 같은 시상단면에서 장축에 수직으로 전벽과 후벽의 바깥쪽 사이를 측정한다. 자궁의 최대 폭은 관상면(coronal plane) 또는 가로면 (transverse plane)에서 양쪽벽의 바깥쪽 사이를 측정한다. 사춘기 후 미분만부 자궁은 대략 길이 6-8.5 cm, 전후직경 2-4 cm, 자궁체부 폭 3-5 cm이고 다분만부 자궁은 길이 8-10.5 cm, 전후 직경 3-5 cm, 자

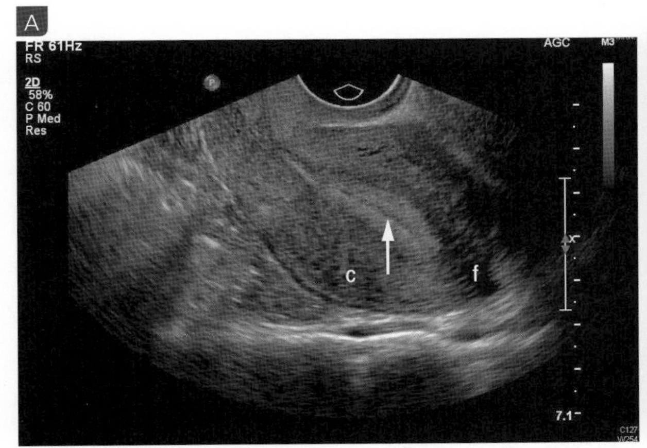

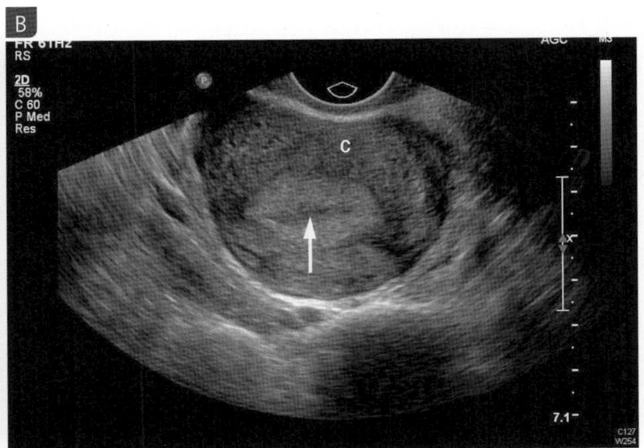

• 그림 39-1. **자궁의 질초음파** A : 시상면(sagittal plane), B : 관상면(coronal plane), c : 자궁체부(uterine corpus), f : 자궁저부(uterine fundus), ↑: 자궁내막(endometrium)

궁체부 폭 4-6 cm 정도이다. 폐경 후 첫 10년 동안 자궁의 크기는 급속히 작아져 폐경 후 5년 이상된 여성에서 자궁은 대략 길이 3.5-7.5 cm, 전후 직경 1.7-3.3 cm, 폭 2-4 cm 정도로 측정된다.

자궁 근육의 내측(medial), 외측(outer)에서 자궁의 수축이 종종 관찰되며 전형적으로 저에코의 비후된 자궁근육으로 나타나는데 종종 자궁근종으로 오인될 수 있다. 지속적으로 관찰하게 되면 이러한 비후는 소실된다. 내, 외 자궁근육층의 수축은 안쪽 자궁근육층의 수축으로부터 발생하는 내막하(subendometrial) 수축과 구분되어야 한다. 내막하 수축은 월경 후에 점진적으로 주기 및 강도가 증가하여 배란 시에 분당 3회 정도의 최고 주기로 수축하게 되며 이는 에스트라디올 농도와 관련이 있다. 배란 시에 자궁 수축은 자궁저부로 전달이 되고 정자의 이동에 참여한다는 설이 있으며, 이와 반대로 월경 시에는 자궁경부를 향하여 수축이 전달된다.

(1) 선천 자궁기형(Congenital uterineanomalies) (제 13장 참조)

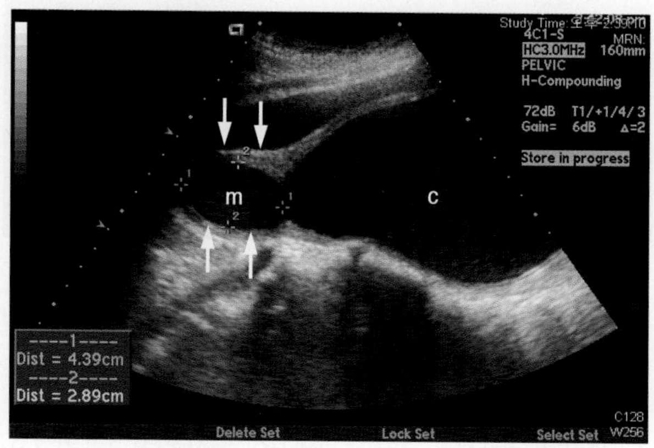

● 그림 39-2. **질입구주름막힘증(imperforate hymen)의 복부초음파 소견** c : 질혈종(hematocolpos), m : 자궁혈종(hematometra), ↑: 얇아진 자궁벽

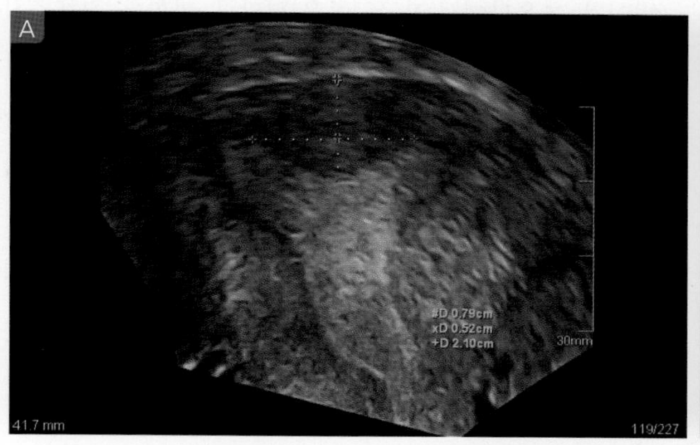

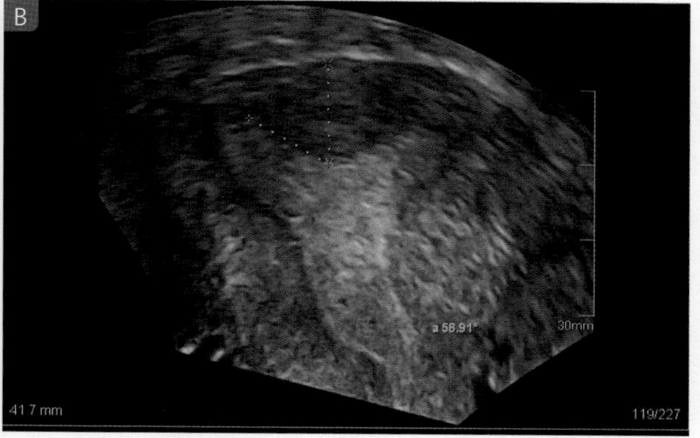

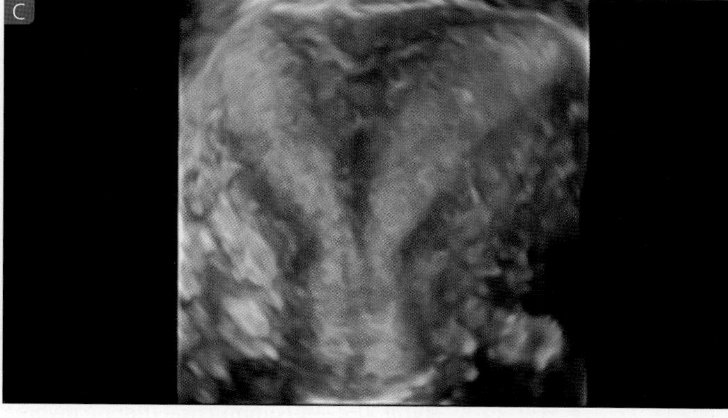

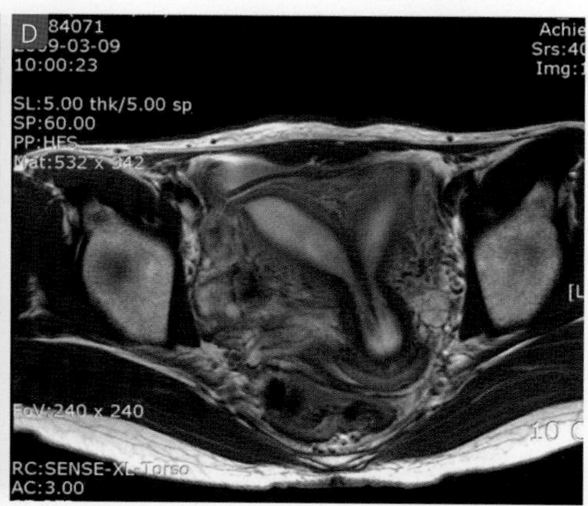

● 그림 39-3. **뮐러관 기형(Müllerian anomalies)** A, B : 궁상자궁(arcuate uterus), C : 중복자궁(uterine didelphys) 3D 초음파, D : 중복자궁 자기공명영상

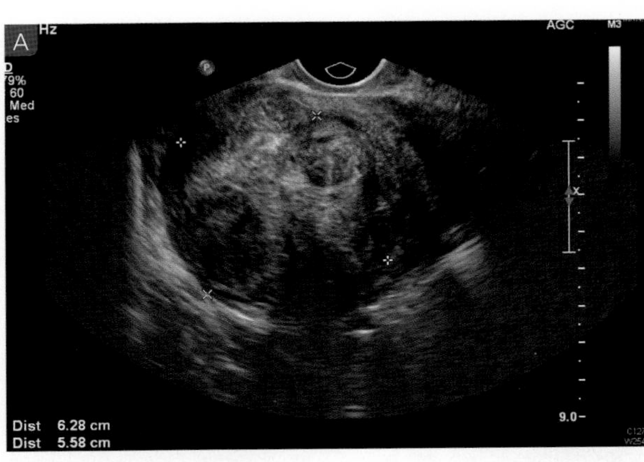

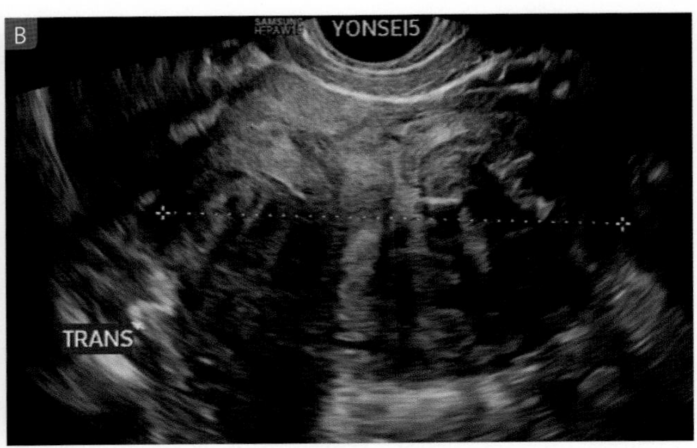

• 그림 39-4. **자궁근종(Uterine myoma)의 질초음파 소견** A : 저에코성, 이종음영, 특징적 후방음영줄무늬(venetian blind shadowing)를 보이는 다발 자궁근종, B : 자궁근종. 특징적 후방음영줄무늬(venetian blind shadowing)을 보이는 자궁근종

선천 자궁기형은 그림 14-7에서와 같이 다음 7가지군으로 나눌 수 있다.

질입구주름막힘증(imperforate hymen), 질가로사이중격(transverse vaginal septum) 또는 질무형성(vaginal agenesis)은 사춘기에 자궁혈종(hematometra)을 유발할 수 있으며 초음파에서 자궁질혈종(hematocolpometra)은 내부가 액체로 차있는 확장된 자궁 및 질로 관찰되며 에코발생(echogenic) 응고 혈액이 질 및 자궁의 체위 의존 부위에서 관찰된다(그림 39-2).

자궁의 형성(formation), 관형성(canalization), 융합(fusion), 재흡수(resorption)의 실패로 인한 뮐러형 기형은 자궁내막이 잘 관찰되는 시기인 분비기에 가장 잘 평가할 수 있다. 자궁난관조영술 및 3차원 초음파는 종종 비기능 자궁뿔, 자궁뿔미발생, 중복자궁, 쌍각자궁, 중격자궁 등을 구별하는데 도움이 되나 여전히 자기공명영상이 표준 진단방법이다(그림 39-3).

(2) 평활근종(Leiomyomas)

자궁근종은 여성생식기 종양 중 가장 흔하며 35세 이상의 여성의 25% 이상에서 발생한다. 자궁근종은 자궁근육층에서 가장 흔하게 발견되며 자궁 경부에서는 드물게 발견된다. 자궁근종은 위치에 따라서 장막하, 근육내, 점막하 자궁근종으로 분류되며 월경과다, 월경통, 비정상 자궁출혈을 유발할 수 있고 불임과 관련이 있을 수 있다. 자궁근종은 자궁 크기가 증가하는 가장 흔한 원인이다. 초음파 검사를 통하여 자궁근종의 위치 및 자궁내강의 변형여부에 대하여 기술하여야 한다. 초음파자궁조영술은 자궁근종에 의한 자궁내강의 이상을 확인하는데 가장 적합한 검사방법이다. 초음파에서 자궁근종은 평활근, 석회화, 결체조직의 조성에 따라서 저에코성, 에코성, 동일에코성으로 관찰될 수 있다(그림 39-4). 다발 자궁근종이 발견될 때, 근종들의 크기 및 범위를 더 잘 기술하기 위하여 복부초음파가 시행되어야 한다.

점막하 자궁근종을 평가할 때 감별진단이 필요한 경우로 혈액, 점액, 자궁내막 용종 등이 있다. 자궁내막용종은 작은 점막하 근종과 구별하기 어려울 수 있다(그림 39-5).

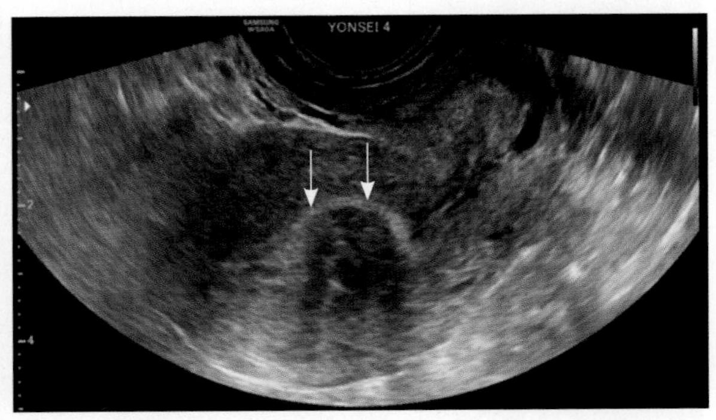

• 그림 39-5. **점막하 자궁근종(submucosal uterine myoma)의 질초음파 소견** 저음영의 점막하 자궁근종(지름자 표시부분)이 자궁내강(↑)내로 돌출되어 있음

경계가 명확한 근종이 없이 미만성으로 커진 자궁, 자궁내막-근육층 경계의 불분명, 불명확한 병변 경계, 다발의 자궁 근육층내 에코반향과 내막하 및 근육내 낭종, 투과(perforating) 혈액 공급, 종괴 효과의 부재 등은 자궁샘근증(adenomyosis)을 시사하는 소견이다(그림 39-6). 미만 자궁샘근증과 자궁근종을 구별하는 데 있어 자기공명영상이 초음파보다 더 정확하다.

자궁정맥류와 동정맥기형은 골반초음파에서 확인될 수 있으며 컬러 혈류 영상(color flow imaging) 및 이중(duplex) 도플러는 이러한 기형의 혈관성을 확인하는데 도움이 된다(그림 39-7).

2) 자궁내막(Uterine endometrium)

자궁내막은 자궁 중심부의 에코반향 경계면(interface)이다. 자궁내막 두께의 초음파 측정은 실제 해부학적 자궁내막 두께와 잘 일치한다고 보고된 바 있다. 자궁내막 두께의 측정은 자궁내막의 맞 층(opposing layer)을 포함하여야 하며 에코반향이 큰 자궁내막을 둘러싼 저에코성의 테(halo)는 포함해서는 안된다(그림 39-8). 자궁내막 내 액체가 존재한다면 자궁내막 두께 측정에서는 제외되어야 하므로 자궁강내 액체 두께에 대한 별도의 측정이 시행되어야 한다. 자궁내막의 두께와 모양은 혈중 에스트로겐 및 프로게스테론 농도의 영향을 받는다. 월경 중에는 자궁내막

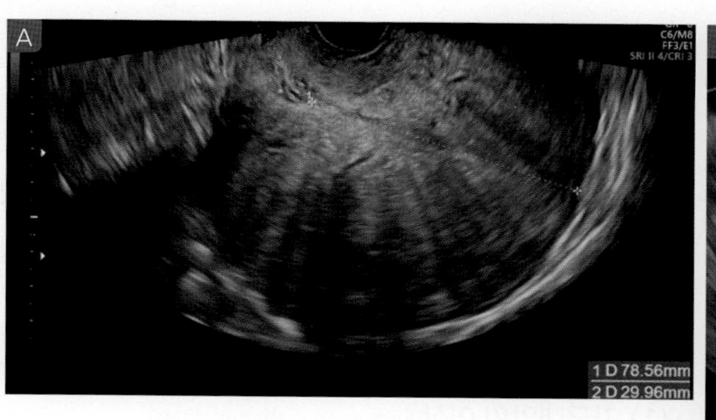

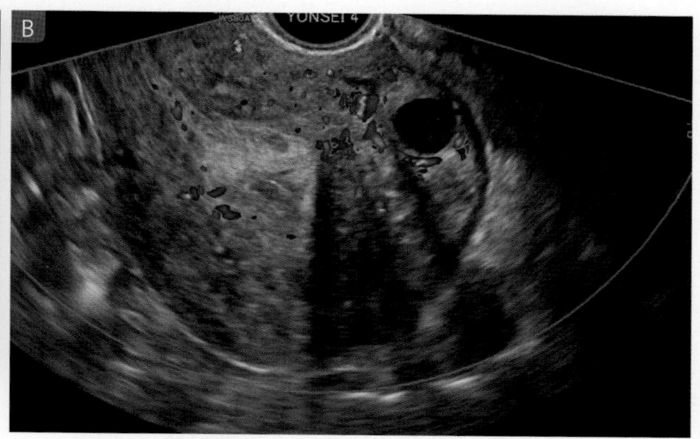

● 그림 39-6. **자궁샘근증(adenomyosis)의 질초음파 소견**

A : 미만 자궁샘근증. 자궁벽의 비후로 자궁체부가 공모양(globular shape)으로 관찰됨.

B : 미만 자궁샘근증. 미만성으로 두꺼워진 자궁후벽과 특징적인 저에코성 음영줄무늬(venetian blind striation)이 관찰되며 다발의 에코발생중심(echogenic foci)과 내막하(subendometrial) 및 근육내(myometrial) 낭종이 관찰됨.

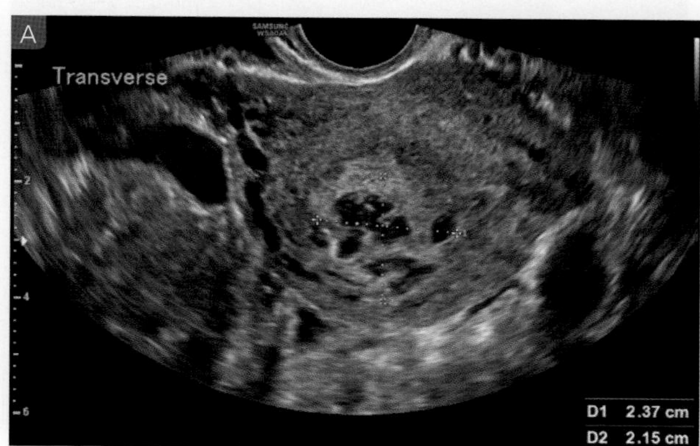

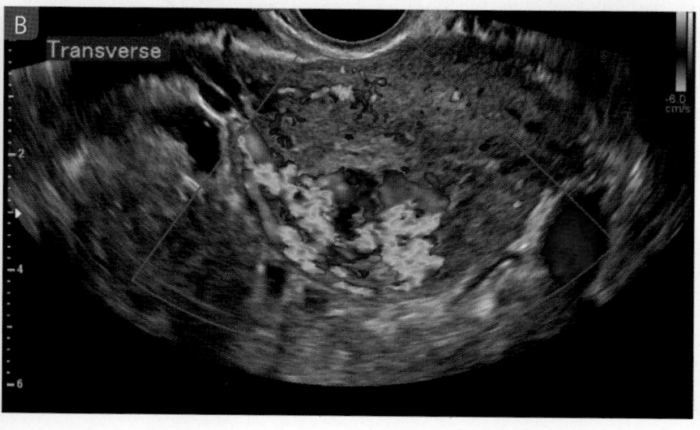

● 그림 39-7. **자궁동정맥기형(arteriovenous malformation of uterus)의 초음파 소견**

A : 회색조 초음파. 자궁저부에 낭성 병변이 관찰됨, B : 컬러도플러 초음파. 전형적인 컬러 도플러의 모자이크 형태가 관찰됨

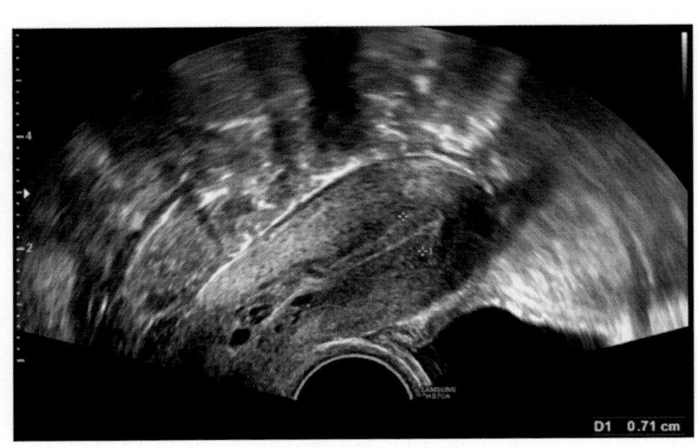

• 그림 39-8. **자궁내막의 두께 측정**

의 두께가 대개 4 mm 미만으로 얇고 고음영의 선으로 보인다. 증식기 초기에는 자궁내막의 두께가 4-8 mm이고 자궁근육층과 비슷하거나 약간 고음영으로 보인다. 증식기 중기 및 후기에는 에스트로겐의 영향으로 자궁내막의 기능층 (functional layer)의 부종이 발생하여 기저층 (basal layer)에 비해 저음영을 띄게 되어 3층 자궁내막 소견을 보이고 10-16 mm 두께로 측정된다. 분비기 동안에는 프로게스테론의 영향으로 기능층이 두꺼워지며 기저층 음영과 비슷해지면서 3층 자궁내막소견은 더이상 보이지 않고 균질한 고음영으로 관찰되며 분비기 말기에 자궁내막 두께는 16-18 mm까지 측정된다. 폐경 후 자궁내막 두께는 얇고 균질한 고음영의 선으로 보이며 두께는 3 mm 미만이다.

자궁내막의 두께 및 형태는 체외수정을 위한 과배란유도 및 배란유도시 임신율에 영향을 주는 것으로 보고되어 왔다. 3층 자궁내막은 균질성의 내막보다 높은 임신율과 관련이 있다고 보고되어 임신을 위한 최적의 자궁내막 형태이다. 성공적인 임신을 위한 자궁내막의 두께에 대해서는 의견일치가 되어 있지 않다. 자궁내막 두께가 7 mm 미만인 경우 임신이 되지 않았다는 보고도 있고 착상을 위한 최소 내막두께는 6 mm라는 보고도 있으며 자궁내막의 두께가 8-10 mm일 때 가장 임신율이 높다는 보고도 있다. 4 mm의 자궁내막 두께에서도 임신이 되었다는 보고도 있지만 대부분의 연구들에서는 얇은 자궁내막을 보이는 환자에서 착상률, 임신율의 저하를 보고하고 있다. 자궁내막의 두께가 14 mm 이상 두꺼운 환자들에서 유산율이 높았다는 보고가 있으나 다른 대규모 연구에서는 자궁내막의 두께가 14 mm 미만인 환자들과 비교하여 착상률, 임신율, 유산율에서 유의한 차이가 없다는 보고도 있어 두꺼운 자궁내막의 임신에 대한 영향은 명확하지 않다. 자연주기와 성선자극호르몬을 사용한 주기를 비교할 때, 자궁내막은 성선자극 호르몬 사용 주기에서 약간 더 두껍다.

(1) 자궁내막의 이상(Endometrial abnormalities)

자궁내막의 비후는 자궁내막증식증, 자궁내막용종, 자

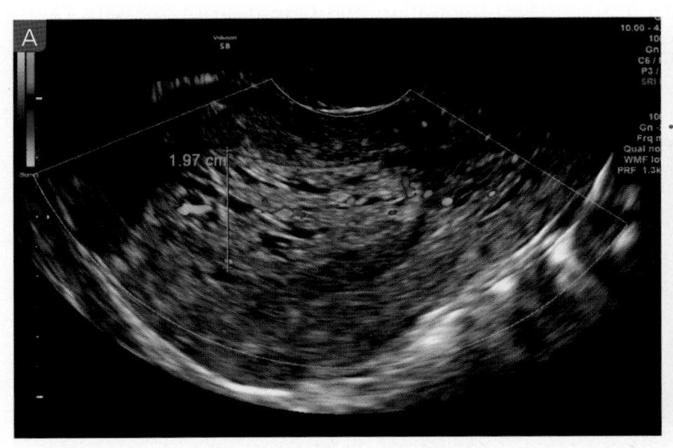

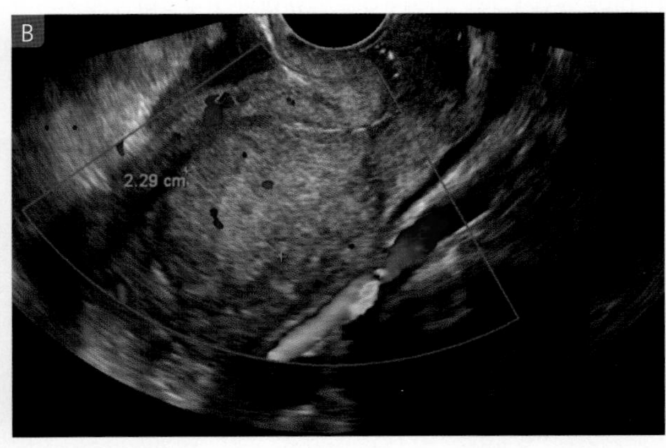

• 그림 39-9. **비정상자궁출혈(abnormal uterine bleeding) 환자의 질초음파 소견**

A : 자궁내막증식증(endometrial hyperplasia). 중심부 자궁내막의 에코가 증가되어 있고 두께가 19.7 mm로 측정됨. 진단소파술에서 자궁내막증식증으로 진단됨

B : 자궁내막암(endometrial cancer). 자궁내막의 두께가 22.9 mm로 증가되어 있고 자궁내강을 채우고 있는 덩이(mass)가 관찰됨. 진단소파술에서 자궁내막암으로 진단됨

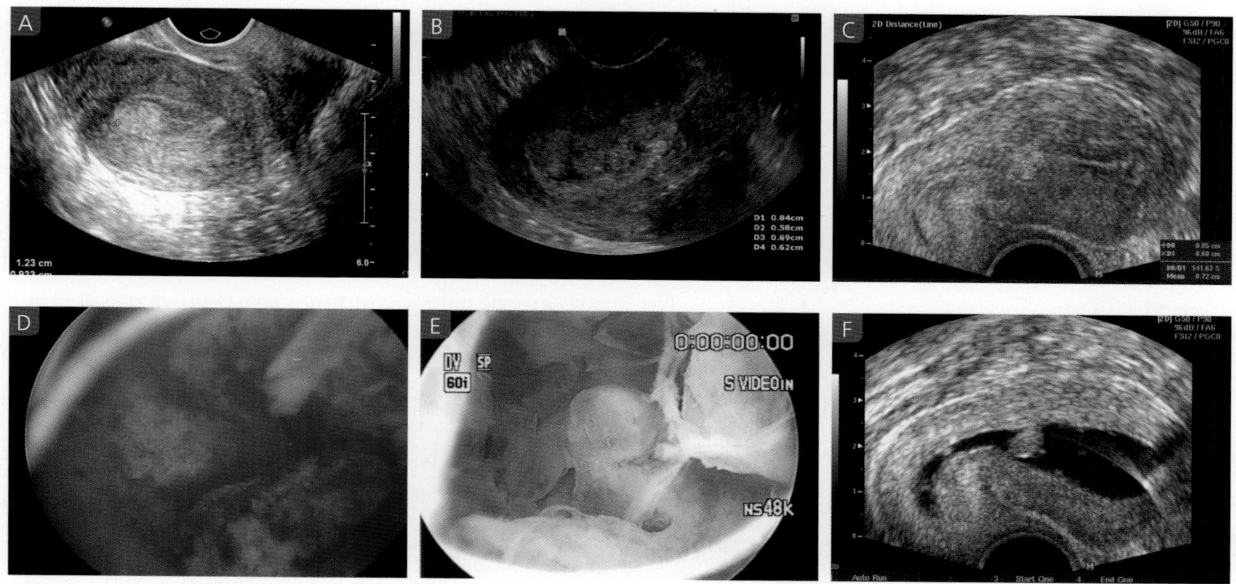

● 그림 39-10. **비정상자궁출혈(abnormal uterine bleeding)을 보이는 환자의 초음파 및 자궁경 소견**
A : 자궁내막용종(질초음파). 고에코 덩이가 자궁내강 내에 관찰되며, B : 자궁내막용종(자궁경), C : 다발성 자궁내막용종(질초음파), D : 다발성 자궁내막용종(자궁경), E : 자궁내막용종(질초음파), F : 자궁내막용종(초음파 자궁조영술)

궁내막암과 관련이 있을 수 있다. 초음파에 의하여 확인된 자궁내막암 환자들에 대한 보고에서 평균 자궁내막 두께는 17.7±5.8 mm이었다. 자궁내막증식증 또는 자궁내막암이 의심되는 환자들에서는 자궁내막 생검이 필요하다(그림 39-9). 초음파 자궁조영술(saline infusion sonohysterography)은 자궁내에 생리식염수를 주입하면서 질초음파를 시행하는 방법으로 자궁내강의 병변을 보다 정확하게 평가할 수 있다. 규칙적으로 경구피임약을 사용하는 환자들은 자궁내강을 나타내는 단일 고에코성선을 보인다. 기능장애 자궁출혈 환자에서 자궁내막이 매우 얇은 경우 추가적인 에스트로겐 치료의 적응증이 될 수 있다.

자궁내막 용종은 매우 작은 것으로부터 수 센티미터만큼 큰 것까지 크기가 다양하다. 자궁내막 용종은 전형적으로 동일한 연령의 여성에서 기대되는 것보다 더 두꺼운 자궁내막의 미만성 또는 국소적 비후로 관찰된다(그림 39-10).

자궁내막 유착은 자궁난관조영술 또는 자궁경으로 가장 잘 진단할 수 있다. 또한, 자궁강 내 액체가 비정상적인 자궁내막의 윤곽을 보이거나 액체로 자궁내강이 확장되는 월경 중에 관찰될 수 있다.

초음파에서 자궁강 내 액체가 종종 관찰되는데 이는 골반염에 기인한 자궁농, 정상 분비액, 선천 질폐쇄 또는 자궁경부폐쇄, 자궁경부협착 또는 섬유화, 자궁강내유착, 자궁내막암, 자궁경부암과 관련이 있을 수 있다.

자궁내피임기구는 자궁내막 경계면내에서 고에코성으로 관찰되며 후방그림자 음영(posterior shado-wing)이 존재한다(그림 39-11). 금속 및 비금속 자궁내피임기구는 질

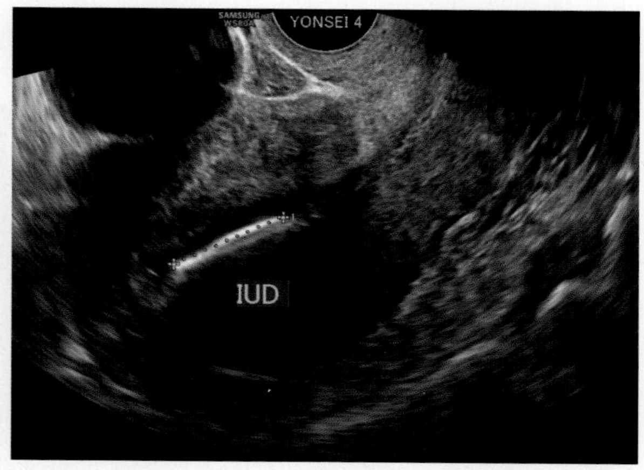

● 그림 39-11. **자궁내장치(intrauterine device)** 질초음파에서 고에코의 자궁내장치가 후방그림자음영(posterior shadowing)과 함께 자궁내강의 중심에서 관찰됨

초음파에서 가장 잘 관찰되며 천공, 위치이상, 자궁내피임기구의 불완전 제거를 진단하기 위해 사용되어져 왔다. 자궁내피임기구의 자궁벽 내 착상은 자궁내장치의 일부분이 자궁내막면으로부터 주위 자궁근육으로 위치할 때 의심되어야 한다.

3) 초기 임신(Early gestation)

보조생식술 측면에서 초기 임신의 질초음파는 중요하다. 정상 자궁내 임신을 확인할 수 있는 사람융모생식샘자극호르몬(human chorionic gonadotropin, hCG) 농도는 복부초음파에서는 약 4,000 mIU/mL이고 질초음파에서는 약 1,000-2,000 mIU/mL이다.

보조생식술 환자에서 다태임신이 되었을 때 임신낭이 보이기 전에 hCG 농도가 이 식별영역보다 더 높을수 있다. 자궁근종, 비만, 이전의 자궁수술과 같은 동반된 문제들은 초기 자궁내임신을 영상화하는데 영향을 줄 수 있다. 일반적으로 초기 임신 중 초음파에서 초음파투과(sonolucent) 중심부를 둘러싸고 있는 두꺼운 에코성 윤으로 나타나는 임신낭을 확인할 수 있다. 임신낭이 두꺼워진 탈락막에 의해 둘러싸이게 되어 명확한 이중윤(double ring 또는 double decidual sac sign)을 형성하게 된다. 안쪽의 윤은 피막탈락막(deciduacapsularis) 및 평활융모막(chorion laeve)이고 바깥쪽의 윤은 진성탈락막(decidua vera) 및 벽쪽탈락막(deciduaparietalis)이다.

초기 임신 동안 임신낭의 평균 직경이 일일 약 1 mm씩 증가한다. 임신낭 내 난황은 밝은 에코성 테 및 에코가 없는 중심부로 나타난다. 난황의 존재에 대한 식별이 가능한 평균 임신낭 직경은 5-13 mm 사이로 임신 5주 5일 경에 보이기 시작한다. 배아는 난황의 가장자리를 따라 비후된 부분으로서 처음 식별되는데 임신 6주에 보이기 시작하며 처음에는 길이 2-3 mm의 선형 구조물이고 성장함에 따라 C 자형의 올챙이 같은 모양으로 발달한다. 배아가 17-22 mm 사이에 측정될 때 머리엉덩길이를 측정할 수 있고 17 mm 전에 배아크기는 배아의 장축을 따라 최대 길이를 측정한다(그림 39-12). 배아의 심장은 임신 6주경부터 보이기 시작하며 심박동이 식별가능한 배아 크기는 5 mm 이상이다.

화학적 임신은 혈중 hCG 측정에 의하여 임신을 확인하였으나 배아의 임상적 확인까지 도달하지 못한 경우로 정의된다. 한 연구에서 hCG 검사로 확인된 임신의 22%는 임상적 임신 이전에 유산되었고 이러한 높은 유산율에도 불구하고 화학적 임신을 경험했던 환자들은 6주기 내에 임신의 확률이 83%에 달하여 향후 성공적인 임신의 예후인자라고 보고된 바 있다. 임상적 임신이 확인된 후 유산은 대부분 염색체 이상에 기인하는 것으로 일부 연구에서는 초기 유산의 70%는 염색체 이상이 있었고 이 중 64%는 보통염색체세염색체증(autosomal trisomy), 9%는 다배수염색체(polyploidy), 7%는 X 홑염색체(monosomy), 6%는 구조적 재배열(structuralrearrangement)이었다고 보고하였다.

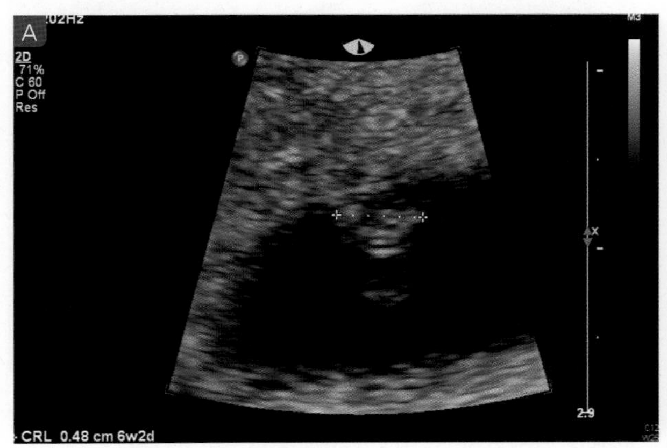

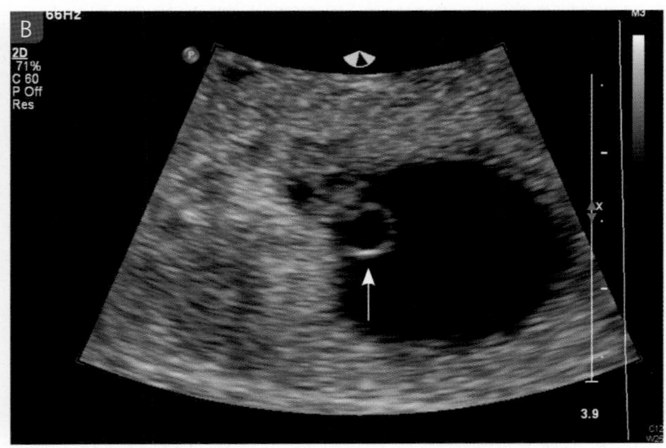

● 그림 39-12. **초기임신의 초음파** A : 머리엉덩길이(crown-lump length, CRL). 캘리퍼 표시된 부분, B : 난황(yolk sac). (↑)

실패한 임신(failed pregnancy)을 진단할 때 세심한 주의가 필요하고 종종 연속적인 검사가 필요하다. 실패한 임신의 정의는 머리엉덩이길이가 7 mm 이상임에도 심박동이 없는 배아, 임신낭의 평균직경이 25 mm 이상임에도 심박동이 있는 배아가 없는 경우, 난황이 없는 임신낭을 보였던 검사 2주 후에 심박동이 있는 배아가 없는 경우, 난황이 있는 임신낭을 확인한지 최소 11일 후에도 심박동이 있는 배아가 없는 경우로 정의된다.

(1) 임신주수의 평가(Assessment of gestational age)

임신주수 평가 소프트웨어를 사용하여 정확하게 계산이 되어야 하지만 다음의 임신 주수를 계산하는 수식을 사용할 수도 있다.

임신주수(일) ± 3일 = 평균 임신낭 직경(mm) + 30
임신주수(일) ± 3일 = 배아크기(mm) + 42

(2) 다태임신의 확인(Detection of multifetal pregnancy)

다태임신의 양막(amnionicity) 및 융모막(chorionicity)에 대한 결정은 중요하다. 모든 다태임신에서 조기진통 및 조산, 태반 부착이상, 자궁내 발육지연, 태아기형의 위험성이 증가한다. 단융모막 쌍태아/다태임신은 쌍태아간수혈증후군(twin-to-twin transfusion syndrome) 및 쌍태아역동맥관류연쇄(twin reversed arterial perfusion sequence)의 위험성이 증가한다. 단일 융모막임신은 제대 꼬임 및 결합쌍둥이의 위험성이 증가한다. 임신낭의 수는 임신 5주에 정확하게 확인할 수 있다. 융모낭은 배아가 관찰될 때 가장 잘 확인할 수 있다. 배아의 수는 배아 심박동 수에 의해 결정된다. 8주부터 융모막강내 양막이 구분되어야 한다.

4) 자궁부속기(Adnexae)

난소 및 자궁부속기는 장축면 및 단축면에서 평가된다. 장축면에서 가장 긴 직경을 확인하고 단축면은 장축에 수직인 면이다. 난소의 부피는 다음 수식으로 계산된다: D1 × D2(장축면) × D3(단축면) × 0.52. 난소는 특징적인 타

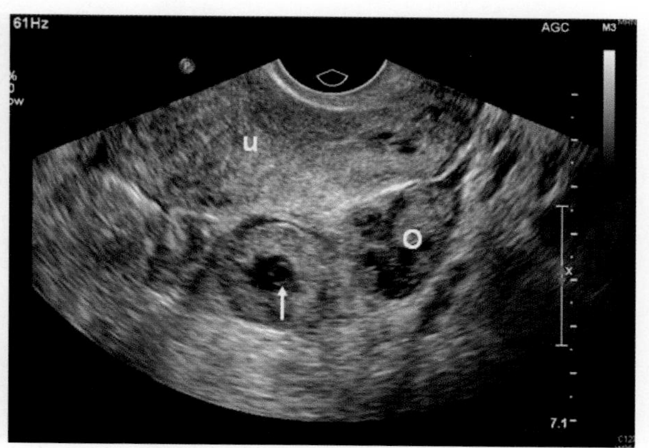

● 그림 39-13. **자궁외임신 환자의 초음파 소견**
난소(O) 주위에 난황 (↑)을 포함한 난관내 임신낭이 관찰됨.
u : 자궁

원형의 모양 및 주변(periphery)에 위치한 난포들에 의해 쉽게 확인할 수 있는데 난소의 바로 뒤쪽으로 내장골혈관(internal iliac vessel)을 확인하면서 난소를 찾는 것이 통상적인 방법이다. 난포의 크기 측정은 각 클리닉에 따라 다를 수 있는데 대개 가장 긴 직경 또는 난포의 면적이 가장 큰 한 평면에서 두 직경의 평균을 사용한다. 난소, 난포수, 난포직경을 확인한 후 막힌주머니를 확인한다.

막힌주머니의 에코성 액체는 흔히 자궁외임신(그림 39-13)과 같은 경우에서의 출혈, 염증반응에 따른 고름집, 단백성 복수와 관련이 있다.

(1) 다낭난소의 초음파 소견(Sonographic characteristics of polycystic ovary)

고주파 질초음파나 영상증강 소프트웨어 같은 기술적인 발달로 초음파의 해상도 및 측정력이 향상되어 초음파상 관찰되는 다낭난소의 초음파 소견에 대한 기준은 논란이 되어 왔다. 이전에 사용되던 복부초음파소견에 따른 정의가 현재는 질초음파에 근거한 정의로 개정되었다. 2003년 Rotterdam 진단기준에서는 가능한 질초음파를 사용하도록 권고하고 있다. 직경이 10 mm 이상인 난포가 없는 난포기 난소에서 직경 2-9 mm(두 단면에서 측정된 직경의 평균)로 측정되는 난포가 12개이상 존재하거나 난소의 용적이 10 mL이상인 경우 다낭난소로 진단할 수 있다(그림 39-14). 최근 국제 근거중심 임상지침 위원회에서는

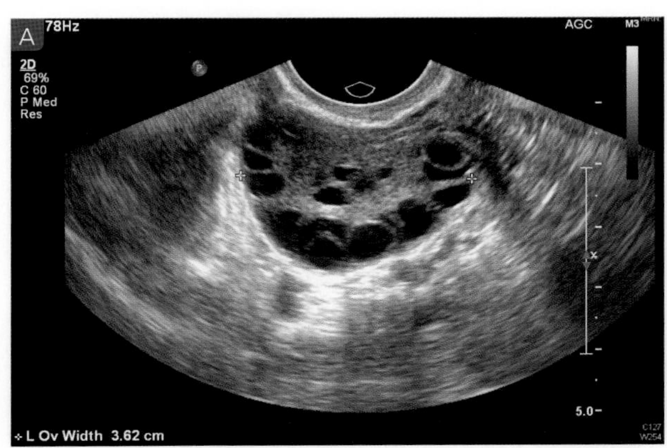

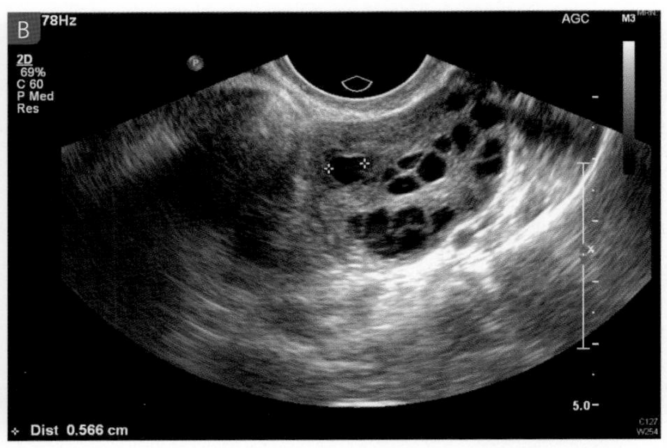

● 그림 39-14. **다낭난소증후군의 초음파(A, B)** 2-9 mm 크기의 난포들이 20개 이상 관찰되거나 난소의 용적이 10 cm^3 이상인 경우 다낭난소로 진단함

8 MHz 이상의 고화질 초음파로 검사를 시행한 경우 2-9 mm 난포수 기준을 20개 이상으로 할 것을 권고하고 있다. 다낭난소에서 난포의 배열, 기질의 부피나 증강된 에코와 같은 다른 특징적인 소견이 있을지라도 위의 두 가지 소견들은 실시간으로 측정되는 장점이 있고 다낭난소의 핵심적이고 일관된 특징으로 간주되기 때문에 다른 소견들보다 우선한다.

측정 시기는 월경주기가 일정한 경우는 초기 난포기(월경주기일 제3-5일째)에 측정하여야 하고 희발월경이나 무월경인 경우는 월경주기일에 상관없이 무작위로 측정하거나 프로게스테론 소퇴 출혈을 유도한 후 3-5일째에 측정할 수 있다. 사춘기 소녀들의 경우에 복부초음파를 사용하여야 한다면 난포 수에 근거한 기준은 신뢰성이 떨어지므로 난소의 용적에 의하여 진단이 내려져야 하고 난소 용적에 대한 기준은 초경 후 청소년기에서도 적절하다.

(2) 자궁부속기종양(Adnexal mass)

자궁부속기 종양의 평가에 대한 형태학적 점수매기기(scoring) 체계가 보고된 바 있으며 9점을 초과한 점수는 악성 자궁부속기 종양과 연관이 있다. 이러한 형태학적 기준은 자궁부속기 종양의 초음파 평가에 도움이 될 수 있다.

(3) 기능 난소낭종(Functional ovarian cyst)

정상 난포는 월경주기에 따라 5-24 mm로 측정되지만 배란이 일어나지 않으면 지속난포낭종(persistent follicular cyst)이 발달할 수 있다. 이러한 벽이 얇고 무에코 단방난포

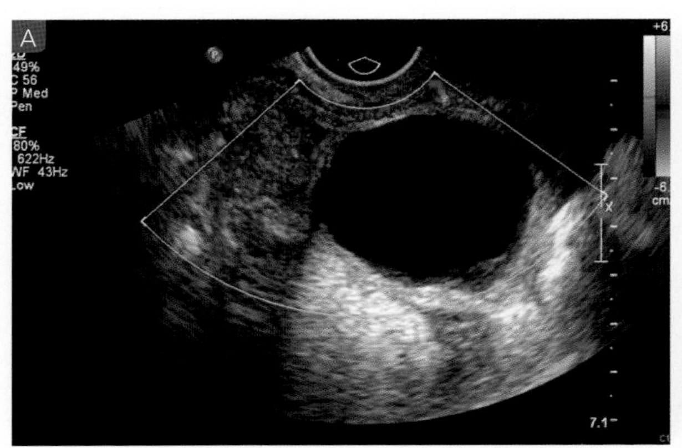

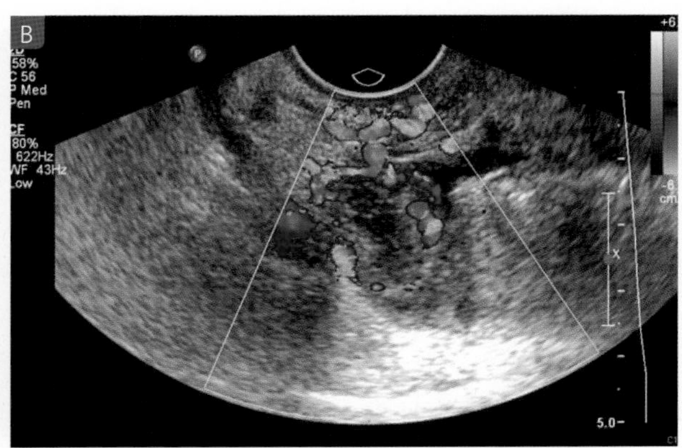

● 그림 39-15. **기능 난소낭종(functional ovarian cyst)의 초음파** A : 난포낭(follicular cyst). 단방성의 무에코 낭종이 관찰됨, B : 황체낭(corpus luteal cyst)

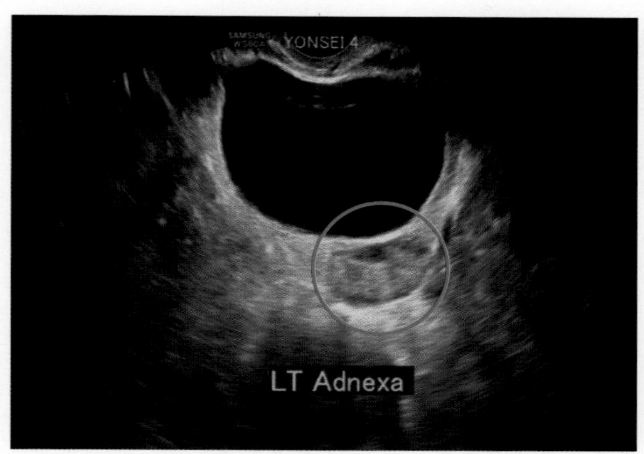

● 그림 39-16. **부난관낭종의 초음파** 난소(○)와 구분되는 무에코 낭종이 관찰됨

는 크기에서 3-8 cm 정도 될 수 있고 일상적으로 수개월에 걸쳐 소멸된다(그림 39-15).

(4) 부난소/부난관낭종

부난소/부난관낭종은 흔히 우연히 발견되나 종종 의미 있게 커지거나 꼬임이 되면 증상을 유발할 수 있다. 흔히 단방, 무에코의 벽이 얇은 낭종이고 질식 더듬자를 조심스럽게 이동하면서 이웃하는 난소로부터 낭종이 분리되는 것을 확인함으로서 진단할 수 있다(그림 39-16).

(5) 양성 상피 난소종양(Benign epithelial ovarian tumors)

장액낭샘종(serous cystadenoma)은 일상적으로 단방, 무에코 낭종으로 수개월 이상 지속적으로 관찰되고 주로 40-50대에 호발하나 모든 연령대에서 발견될 수 있다. 단방, 무에코 낭종은 오랫동안 추적관찰 할 수 있으며 그러한 낭종의 거의 70%는 추적관찰 중 소멸되며 악성의 위험도는 약 0.9%이다. 점액낭샘종(mucinous cystadenoma)은 단방 소견을 보일 수도 있지만 대개 다방으로 흔히 장액낭샘종보다 크며 50 cm 정도로 큰 경우도 있다. 일상적으로 뮤신에 기인하는 것으로 내부에 저에코를 띠며 종종 중격형성(septation)이 있으며 중격은 두껍고 약간 모양이 특이할 수 있다(그림 39-17).

(6) 자궁내막종(Endometrioma)

자궁내막종은 전형적으로 혈액산물로 인하여 저에코를 띠고 음파의 전달을 통해 증강된 소견을 보이며 벽 내에

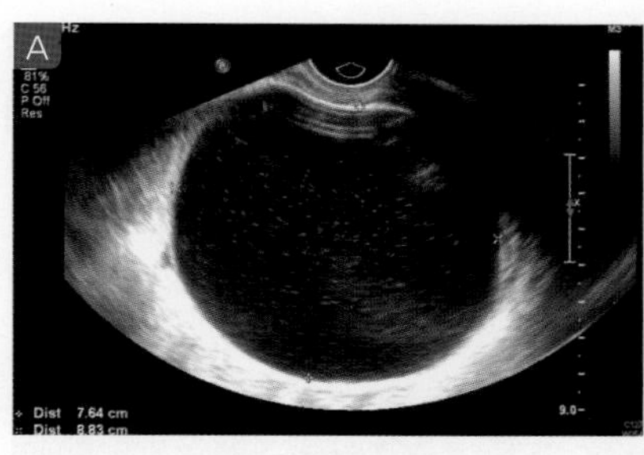

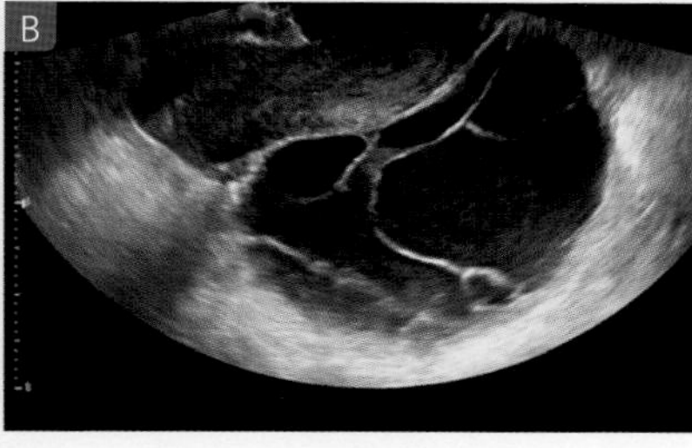

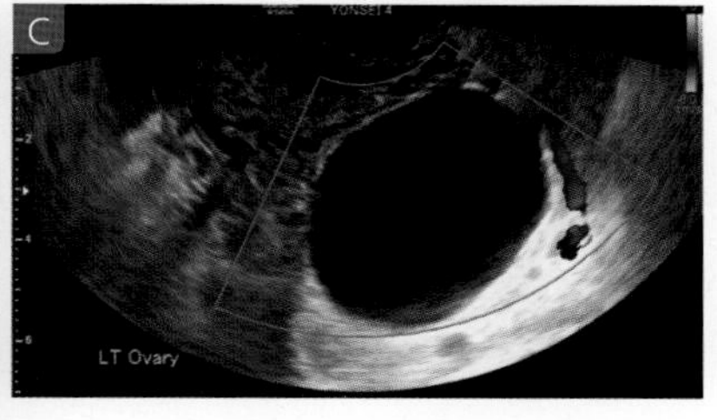

● 그림 39-17. **양성 상피난소종양의 초음파 소견** A : 단방 점액낭샘종(mucinous cystadenoma), B : 다방 점액낭샘종, C : 장액낭샘종난소(serous cystadenoma)

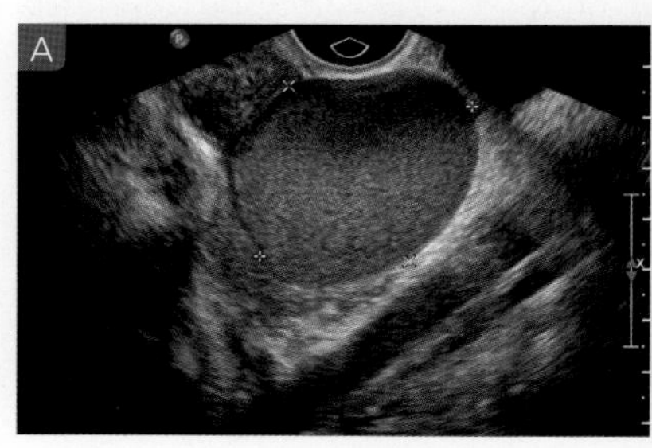

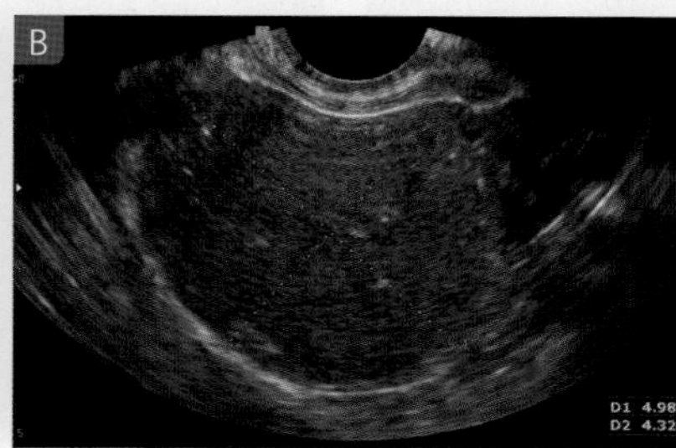

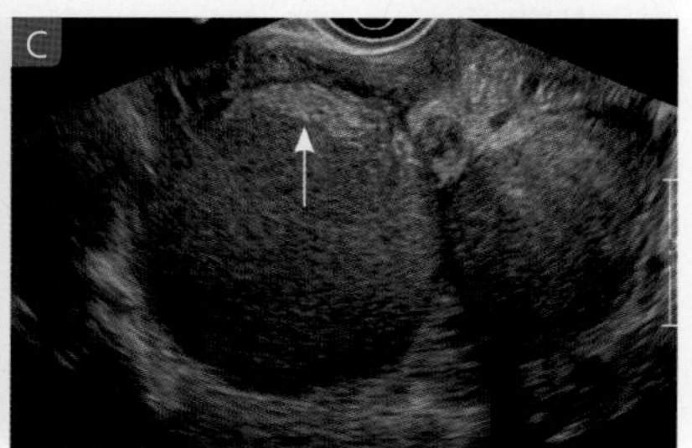

● 그림 39-18. **난소 자궁내막종의 초음파소견** A, B : 단측, C : 양측. 내부의 오래된 혈액으로 인하여 균질한 저에코 낭종이 관찰되며 내부에 응고된 혈액은 고에코로 관찰됨(↑)

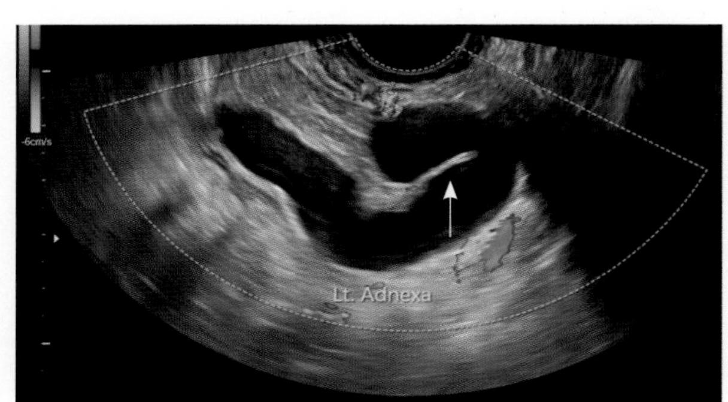

• 그림 39-19. **난관수종의 초음파 소견** 액체로 차 있는 확장된 곱슬한 난관. 난관내에 불완전 중격(incomplete septa, ↑)이 관찰됨

종종 밝은 점상 에코를 보인다(그림 39-18).

(7) 골반염/난관난소고름집(Pelvic inflammatory disease/tuboovarian abscess)

난관은 정상적으로 초음파에서 관찰되지 않으나 질병이 있는 난관은 초음파로 확인할 수 있다. 난관수종은 무에코의 액체로 차있는 관 모양 낭종으로 벽이 얇고 불완전중격처럼 보이는 주름이 보일 수 있다(그림 39-19). 골반염 환자들은 일상적으로 골반통, 화농의 질분비물, 골반압통의 증상을 보인다. 초음파 소견에서 확장된 난관이 관찰될 수 있으며 막힌주머니에 화농 액체가 있으면 더 잘 보인다. 질초음파 더듬자의 움직임은 압통을 유발할 수 있다(그림 39-20). 난소난관고름집의 특징적인 초음파 소견은 없고 복합낭으로 나타나므로 반드시 종양과 감별해야만 하며 환자의 임상증상과 연관지어 진단하는 것이 바람직하다.

(8) 유피낭종(Dermoid cyst)

성숙기형종 또는 유피낭종은 가임여성에서 가장 흔한 난소 종양으로 양성 난소종양의 40-50%를 차지하며 10-15%에서 양측 발생하고, 종종 우연히 발견된다(그림 39-21). 초음파 소견은 보통 광범위하게 밝은 에코를 보이며 종양의 후방음향을 감소시켜 음향음영(acoustic shadow)을 나타내거나 고음영의 선과 점들이 종양을 채우고 있는 소견과 함께 액체층이 관찰되기도 한다. 종양을 구성하는 뼈나 치아에 의해 석회화가 관찰되기도 한다. 종양의 고음영 부위 아래쪽이 음향음영 때문에 전혀 보이지 않는 경우가 있는데 이를 'tip of iceberg' 징후라 한다.

(9) 악성 종양

악성을 시사하는 초음파 소견은 고형종괴, 고형성분, 낭종벽으로부터 돌출(excrescence) 및 유두상 투사(papillary projection)를 포함한다(그림 39-22). 도플러 연구들은 양성 종양으로부터 저항지수(resistence index)가 0.4미만인 악성 종양을 구분하는데 도움이 될 수 있으나 많은 초기 난소암은 악성에 대한 역치위의 값을 보이며 도플러 결과로 악성을 확진하거나 배제할 수 없다.

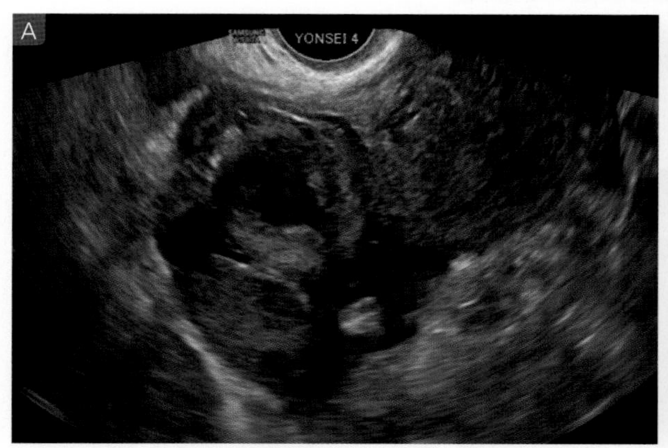

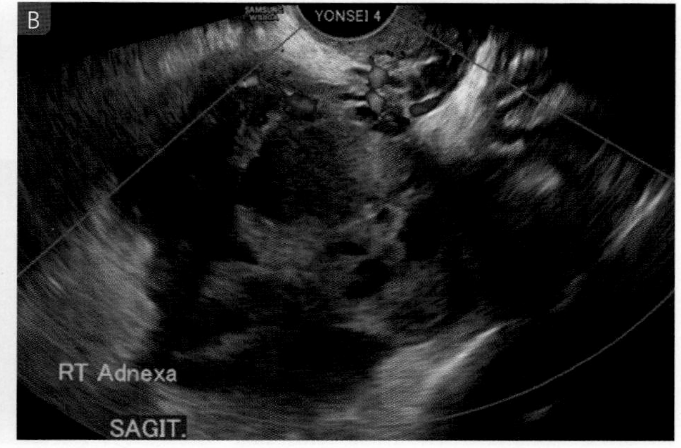

• 그림 39-20. **난관난소고름집(tubo-ovarian abscess)의 초음파 소견** A, B : 균질한 에코반향이 있는 물질들로 차있는 벽이 두껍고 중격이 두꺼운 낭종으로 관찰되며 자궁내막증이나 난소암 같은 다른 질환과 혼동될 수 있음

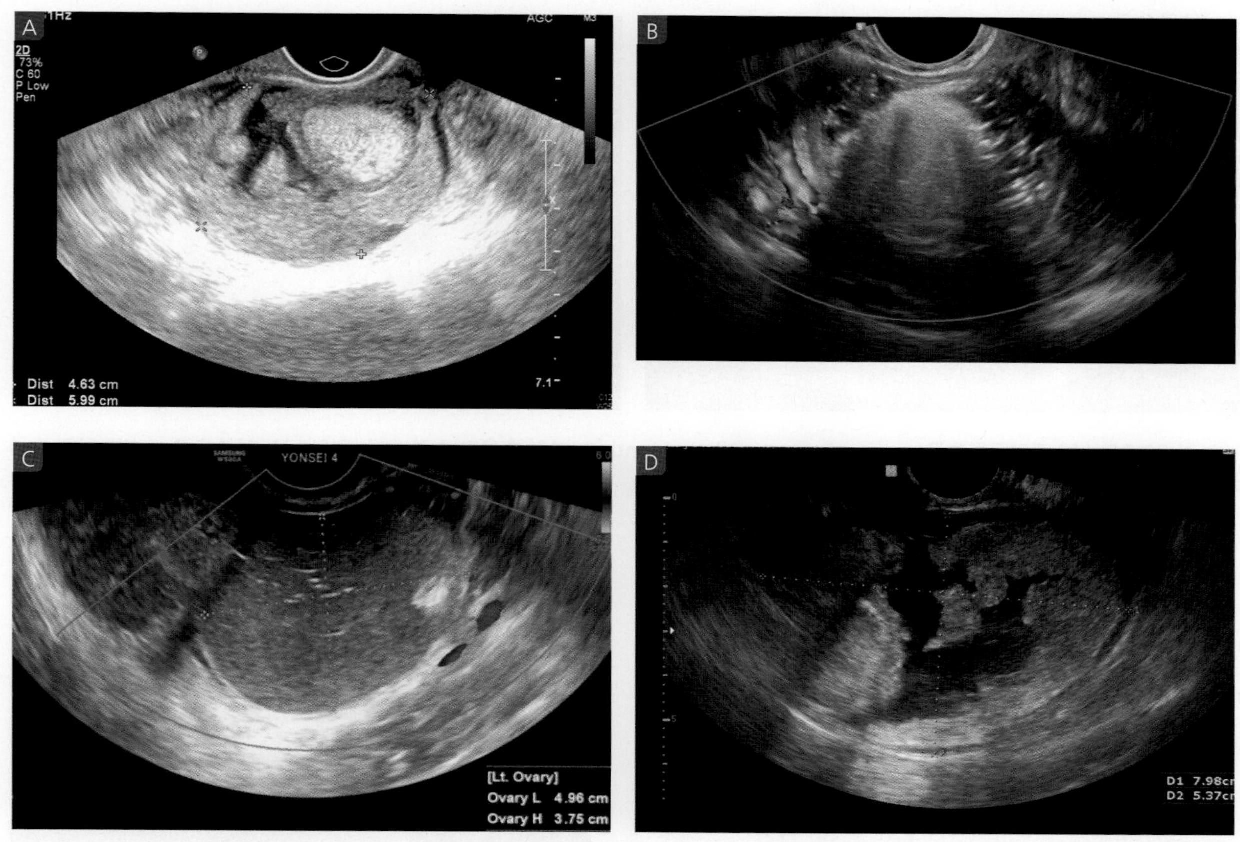

• 그림 39-21. **성숙기형종(mature cystic teratoma)의 초음파 소견** A, B : 전형적인 고에코 볼, C : 전형적인 고에코 선 및 점(hyperechogenic lines and spots), D : 낭종내 비체위의존 구조물

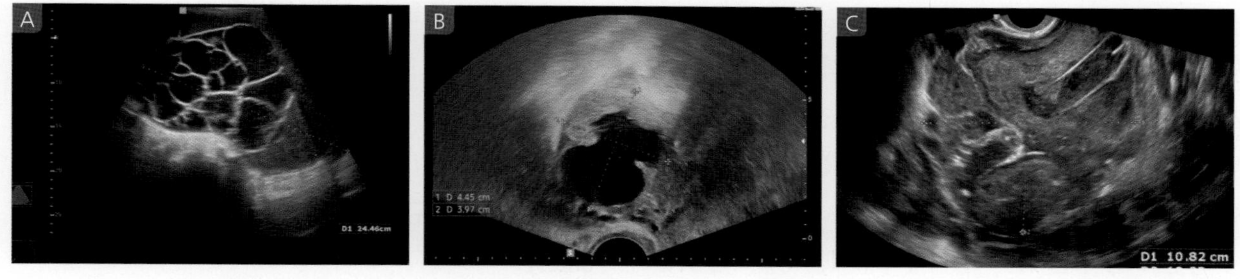

• 그림 39-22. **악성 상피난소종양의 초음파 소견** A : 다방 점액낭샘암종, B, C : 고형성분 및 불분명한 경계를 보이는 악성 난소종양

3. 불임치료에서 초음파(Ultrasound in the treatment of infertility)

1) 초음파 감시(Ultrasound monitoring)

초음파, 특히 질초음파는 불임 치료시 난포 성장(크기 및 수)의 감시의 중심(mainstay)에 있다. 자연주기에서의 연구에 따르면 우성난포는 평균적으로 월경주기일 7일째에 나타나게 되고 난포크기 20-24 mm에서 황체형성호르몬의 급증이 일어난다. 우성난포가 나타나면 난포의 크기는 일일 약 2 mm씩 성장한다. 불임 환자들에서는 더 많은 난포들이 성숙되어 배란되도록 난소를 자극하기 위하여 경구 또는 주사제를 사용하기도 한다. 최근 연구들에서 클로미펜과 같은 경구 배란유도제를 사용하는 환자에서 초

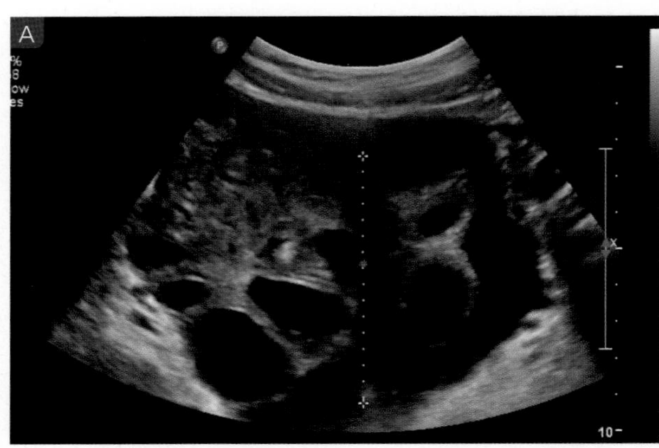

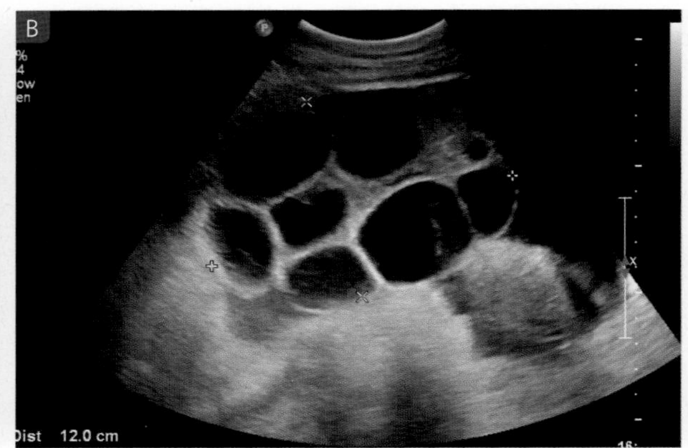

● 그림 39-23. **난소과자극증후군(ovarian hyperstimulation syndrome)의 초음파 소견** 여러 개의 난포 낭종으로 난소의 크기가 증가된 소견을 보이며 난소 주위에 복수가 관찰됨

음파 감시를 통하여 배란을 시키기 위한 hCG를 투여하는 방법과 소변 배란진단시약을 사용하여 임신을 시도하는 방법을 3주기 동안 비교하였을 때 임신율에 차이가 없다고 보고된 바 있다.

그러나 과배란 유도 및 체외수정 주기에서 초음파 감시는 필수적인데 질 초음파를 사용하여 1-3일 간격으로 난소 내 난포의 개수 및 크기를 측정하여 환자의 반응정도에 따라 생식샘자극호르몬 용량을 조절한다. 또한, 에스트라디올 농도의 측정이 도움이 된다. 초음파를 통한 난포성장의 감시 및 에스트라디올 농도 측정은 생식샘자극호르몬을 사용한 과배란 유도 시 배란일 성교, 인공수정, 체외수정 난자채취일을 정하기 위한 hCG 투여일을 결정하기 위하여 사용되어 진다.

또한, 초음파 감시는 자궁내막의 상태를 평가하는 것을 포함한다. 전형적으로 난포기 중기 이후에는 자궁내막이 삼층(trilaminar)으로 보이고 배란 직전에 자궁내막의 두께가 7-12 mm에 도달하는 것을 목표로 한다. 배란 이후에는 자궁내막이 보다 균질적이며 고에코성으로 관찰된다.

난소과자극증후군(ovarian hyperstimulation syndrome, OHSS)은 과배란유도 후 발생하는 심각한 합병증 중 하나이다. 난소과자극증후군 환자의 초음파 소견으로 얇은, 고에코의 경계를 가진 많은 난포 낭종들이 국소적 혈류 증가와 함께 관찰되며 난소의 크기가 증가된다. 일부 난포에서는 난포내 출혈 소견이 관찰되기도 하며 심한 경우 복수가 관찰된다(그림 39-23).

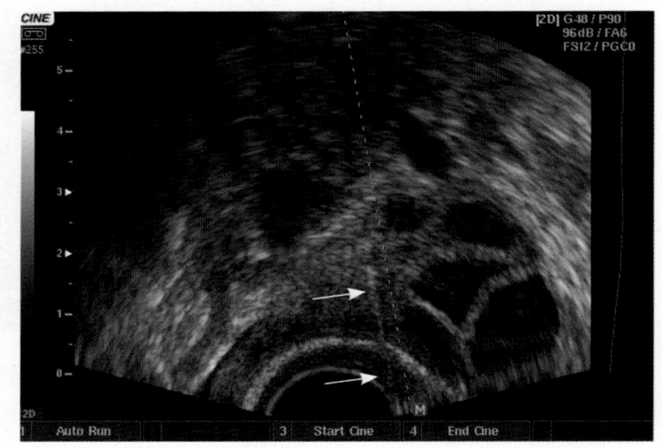

● 그림 39-24. **초음파 유도하 난자채취** 화살표, 난자채취 바늘

2) 초음파 유도하 시술(Sonography-guided procedures)

(1) 난자채취(Oocyte retrieval)

질초음파는 체외수정이 시행되는 방법에 있어 혁신을 가져와서 질초음파 더듬자에 침 유도자를 사용하여 16-17 게이지 바늘로 난자를 채취할 수 있게 되었다. 과배란유도 동안 대부분의 난소는 후방팽낭(posterior culde-sac)로 내려오게 되어 질벽으로 바늘을 관통시키면 난소와 만날 수 있게 된다. 바늘이 난소의 난포 안에 위치하게 되면 난포액을 흡인하고 흡인된 난포액내에서 난자의 존재 여부를 확인하게 된다(그림 39-24).

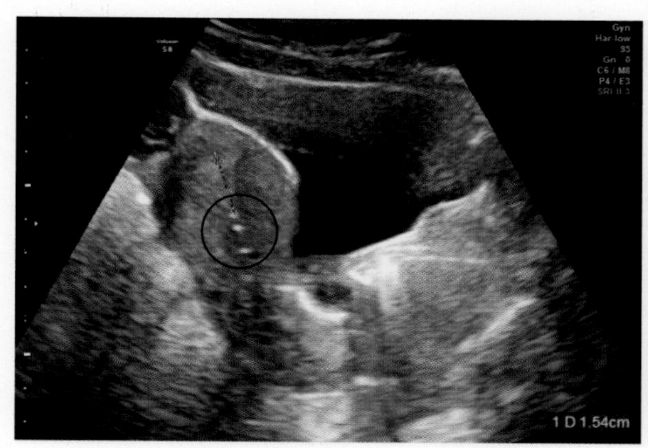

● 그림 39-25. **초음파 유도하 배아이식** 배아 이식관의 공기거품(air bublle)이 고에코로 관찰되며(원) 자궁저부 내막으로부터 1.5-2 cm 거리에서 배아이식을 시행함

(2) 배아이식(Embryo transfer)

배아이식후 임신율은 배아의 질, 자궁내막의 수용성 및 배아이식술 같은 다양한 요인들에 의존적이다. 배아이식은 난자 채취 2, 3일째 또는 5일째에 시행이 되며 자궁강내 배아를 적절히 위치시키기 위하여 임상적 접촉법(clinical touch method) 또는 복부초음파 또는 질초음파를 사용한다. 숙련된 술자가 임상적 접촉법을 사용하는 경우 우수한 임신율을 얻을 수 있다고 보고되고 있다. 복부초음파가 사용되는 경우 환자의 방광을 채워 자궁체부-경부 접합부를 평편하게 펴서 이식이 용이하도록 하며 더 좋은 영상을 얻을 수 있도록 한다. 이론적으로 자궁체부-경부 경계를 확인하여 자궁내강의 중앙부 내에 이식관의 팁을 위치시키고 자궁저부 내막 손상을 줄이며 기계적 조작의 필요성을 감소시켜 배아이식을 용이하게 함으로서 임신율의 향상을 가져올 수 있다(그림 39-25). 최근의 메타분석에서 임상적 접촉법과 비교하여 복부초음파 유도하 배아이식은 임상 임신율(odds ratio 1.5; 95% CI, 1.34-1.68), 생아출산율(odds ratio 1.78; 95% CI, 1.19-2.67)을 유의하게 증가시킨다고 보고하였다.

Ⅱ. 도플러(Doppler)의 이용

1. 초음파를 이용한 혈류 측정

1842년 빛이나 소리와 같은 파동의 파원이 관찰자에게 접근하는 경우와 멀어지는 경우에 관찰자가 느끼는 진동수에 차이가 있다는 도플러(doppler) 효과가 Christian Doppler에 의해 처음 발표된 이후, 임상적으로는 초음파에서 사용되었다. 탐촉자에서 나간 초음파 빔이 특정 혈관에 부딪혀서 움직이는 적혈구에 따라 영향을 받는 주파수의 변화를 감지하여 영상화 하게 된다. 주파수의 변화는 그래프 형으로 보일 수 있으며, 심장의 수축기와 이완기를 시간상 형태로 보여주고, 혈류의 평균 속력(mean velocity), 박동지수(pulsatility index, PI), 저항지수(resistance index, RI)

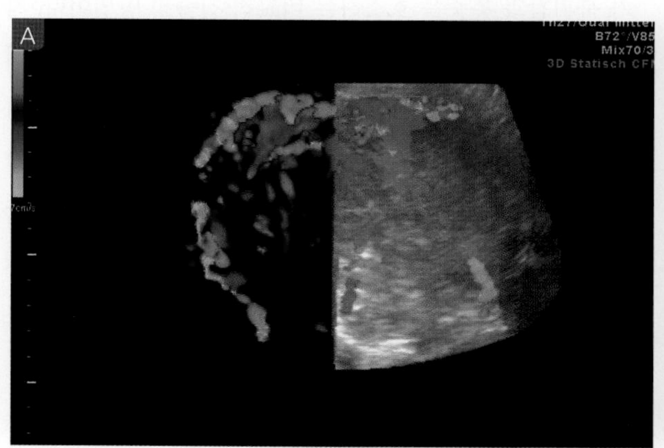

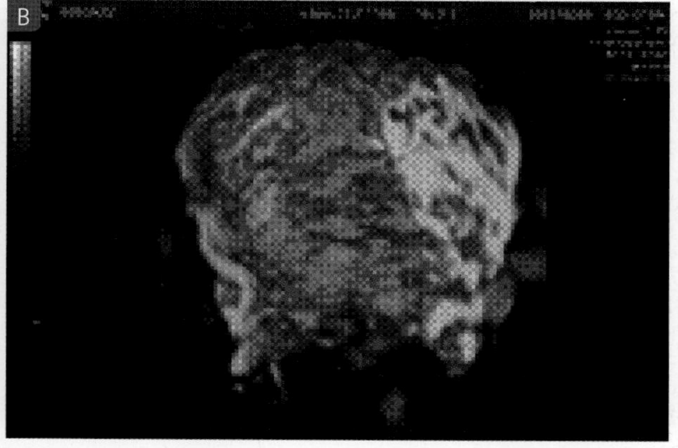

● 그림 39-26. **도플러를 이용한 혈관의 묘사** A : 색 도플러를 시용한 난소 종괴의 혈관 분포, B : 3D 초음파와 강화 도플러를 병합하여 묘사한 자궁 전체의 혈관 분포

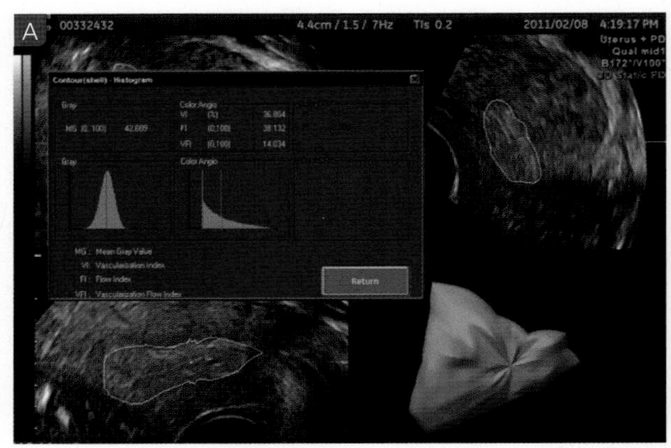

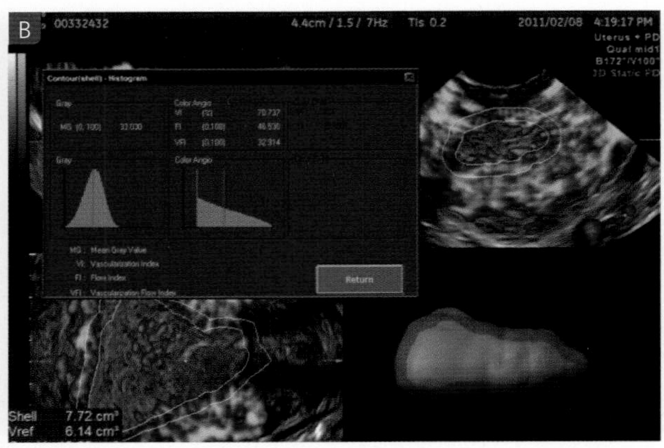

• 그림 39-27. **3D 초음파와 강화 도플러를 병합하여 구해 낸 표적기관의 부피 및 혈관 지표** A : 자궁내막의 부피 및 혈관 지표, B : 자궁내막하 구역의 부피 및 혈관 지표. VI(vasculer index); FI(flow index); VFI(vascular flow index)

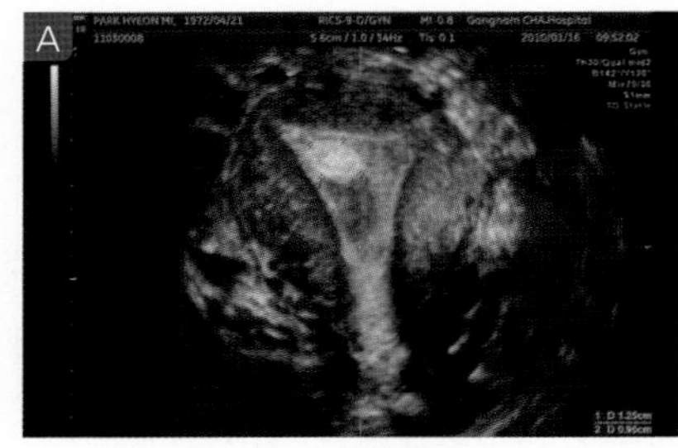

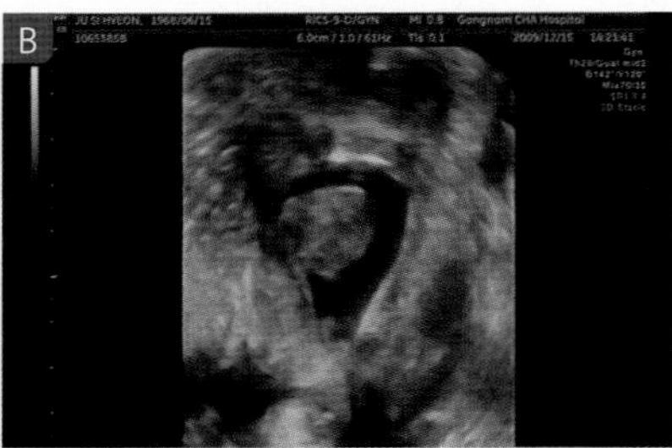

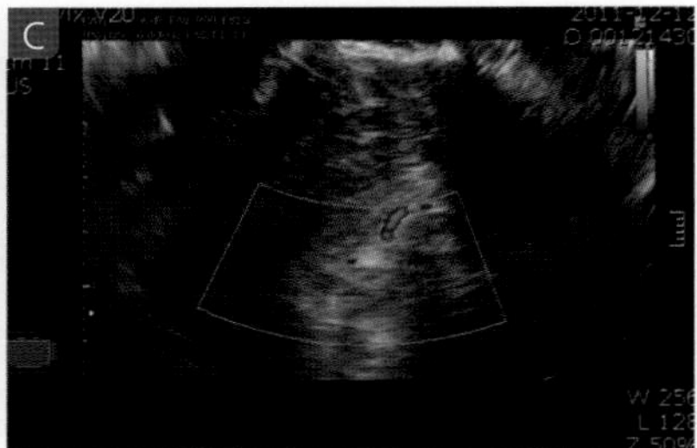

• 그림 39-28. **자궁내막 폴립의 초음파 소견** A : 3D 초음파로 구현한 자궁내막 폴립, B : 초음파 자궁조영술과 3D초음파를 병합. 보다 정확히 자궁내막 폴립의 위치를 파악할 수 있다, C : 강화 도플러를 이용하여 공급 혈관(feeding vessel)을 확인한 영상

등과 같은 혈관 지표를 얻을 수 있다.

초음파 영상 기법의 발전은 자궁과 난소 및 자궁부속기에 분포하는 혈관을 묘사할 수 있게 하여, 임상 진단을 보다 용이하게 한다. 색 도플러를 이용하면 2차원(2-dimensional, 2D) 영상에서도 손쉽게 각 기관에서의 혈류 분포를 볼 수 있다. 발전된 개념의 3차원(3-dimensional, 3D) 영상이나 실시간 3D (live 3D)가 제공하는 입체 해상도를 통하면 색 도플러로도 기관 내에 분포하는 혈관의 총체적 분포를 볼 수 있을 뿐 아니라(그림 39-26), 혈관 및 이동하는 액체 표적에 보다 민감한 강화 도플러(power doppler)를 병합하면 표적 기관의 혈관 밀집 정도를 정량화할 수 있어 혈관지수(vascular index, VI), 혈류지수(flow index, FI), 혈관혈류지수(vascular flow index, VFI)를 구할 수 있다(그림 39-27).

2. 자궁내 병변(Uterine lesions)

자궁내막의 폴립이 의심되는 경우 자궁강내 식염수를 주입하여 보는 초음파 자궁조영술(saline infusion sonohysterography)이 진단에 많이 사용되고 있으나, 검사 시 환자가 불편감과 통증을 호소하는 비교적 침습적 방법이다. 자궁내막의 폴립이 의심되면 초음파 자궁조영술 전 간단히 도플러를 활성화시키는 것만으로도 환자에게 불편감을 가중시키지 않고 진단에 도움을 받을 수 있다. 확인 가능한 분명한 공급 혈관(feeding vessel)이 확인된다면 자궁내막폴립에 합당한 소견이다. 또한, 3D 초음파로 관상단면을 재구성하여 자궁경 전 정확한 폴립의 위치를 파악하는데 도움을 받을 수 있다(그림 39-28).

점막하 자궁근종의 진단과 내막 침범 정도를 파악하는데 도플러가 도움을 줄 수 있는데, 근종의 전형적인 도플러 소견인 테두리 혈관망(peripheral rim of vessels)을 확인하는

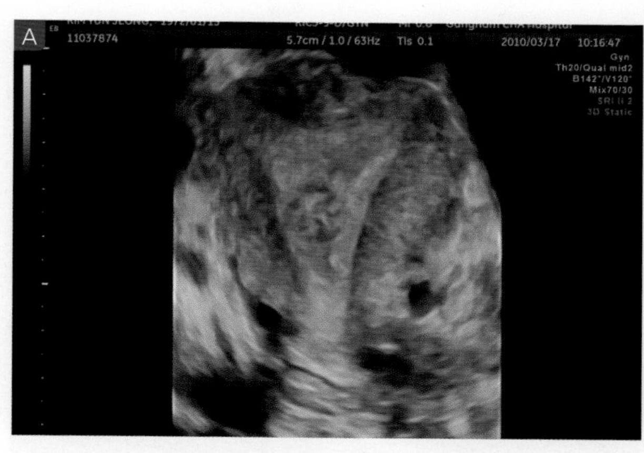

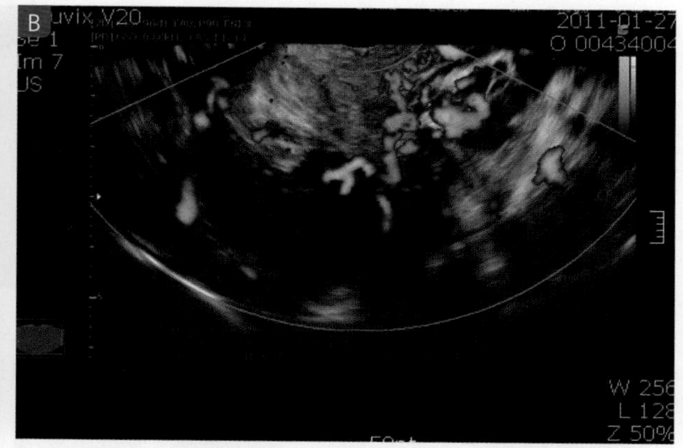

• 그림 39-29. **자궁근종의 초음파 소견** A : 3D 초음파로 구현한 점막하 자궁근종의 위치, B : 강화 도플러로 확인한 근종 주위 테두리 혈관망(peripheral rim of vessels)과 근종 내부로의 혈류 분포

것으로, 인접해 있는 자궁근층의 범위를 파악할 수 있어 수술적 방법을 결정하는데 이용될 수 있다(그림 39-29). 이러한 소견은 상대적으로 혈관분포가 적고 공급 혈관이 뚜렷한 자궁내막폴립과의 감별에도 유용하다. 점막하 자궁근종뿐 아니라 자궁근층 및 장막하 자궁근종에도 도플러상 테두리 혈관망을 관찰함으로써 자궁샘근증과의 감별진단에 도움이 되는데, 자궁샘근증은 테두리 혈관망 없이 국소적인 관통 혈관뿐만 아니라, 도플러를 이용하여 근종의 위치 및 범위를 파악하면 자궁동맥결찰술의 효과를 예측하는데 도움을 줄 수 있는데, 자루형의 장막하 자궁근종은 난소동맥으로부터 부수적인 혈관분포를 받으므로 자궁동맥결찰술의 좋은 적응증이 되지 못한다.

자궁내막암의 진단에 도플러의 이용은 고식적으로는 자궁동맥과 자궁내막 혈관의 낮은 임피던스를 시사하는 혈관 지표, 즉 낮은 PI와 RI의 측정이 기대되는 소견이나, 이보다는 새로운 혈관 지표인 VI, FI, VFI가 표적 영역의 혈관 분포를 잘 대변하므로 이를 통한 진단에서는 자궁내막암이나 자궁내막증식증에서 정상 자궁내막보다 높은 혈류 분포를 보인다(그림 39-30). 그러나 아직까지는 자궁내막암이나 자궁내막증식증의 진단에 이용되기에는 논란의 여지가 있으며, 향후 보다 많은 연구가 이루어져야 한다.

3. 난관(Fallopian tubes)

난관은 병변이 있지 않는 한 질초음파에서도 복식초음파에서도 보이지 않는다. 난관임신의 경우 고식적인 질초음파에서 베이글 징후(bagel sign)로 묘사되는, 난관에 의해 둘러싸인 저음영의 임신낭이 전형적으로 보이게 된다. 도플러를 이용하게 되면 영양아층주위 혈류증강(peritropho-

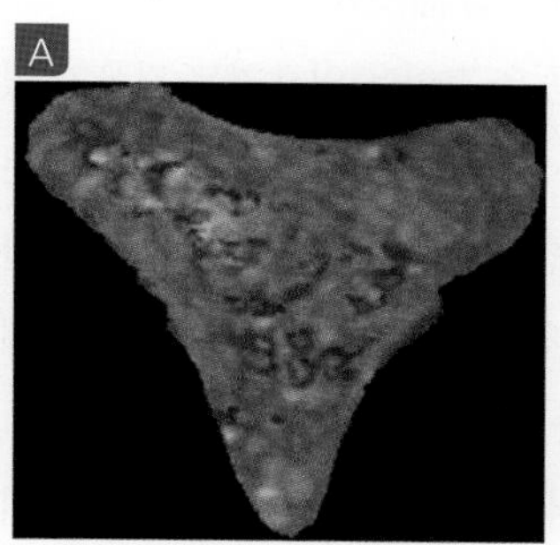

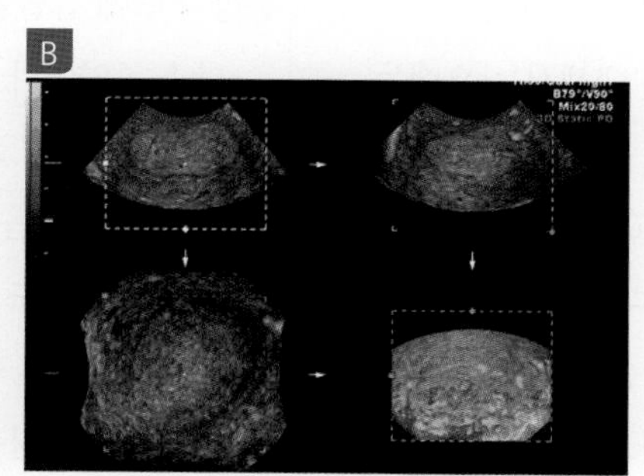

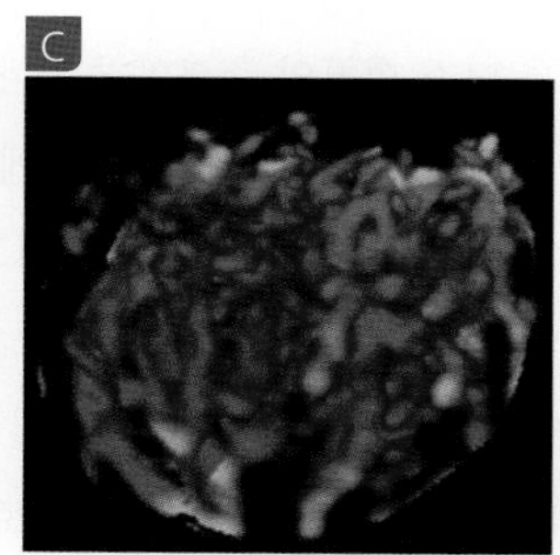

• 그림 39-30. **자궁내막의 초음파 소견** A : 배란기의 정상 자궁내막의 혈류 분포, B : 자궁내막암의 혈류 분포; C : 자궁내막암 환자의 자궁내막암종만의 혈류 분포를 나타낸 도플러 영상

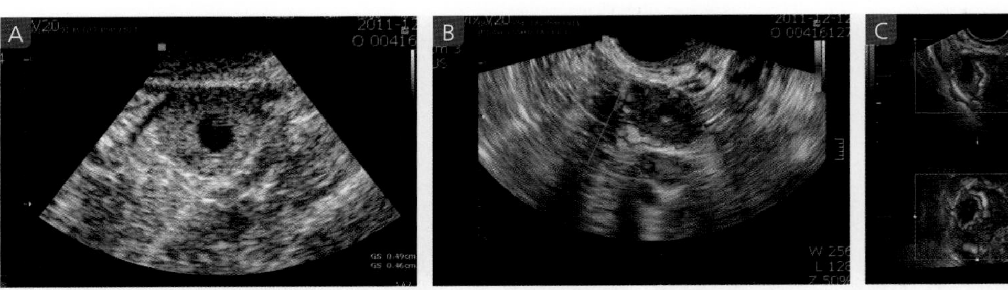
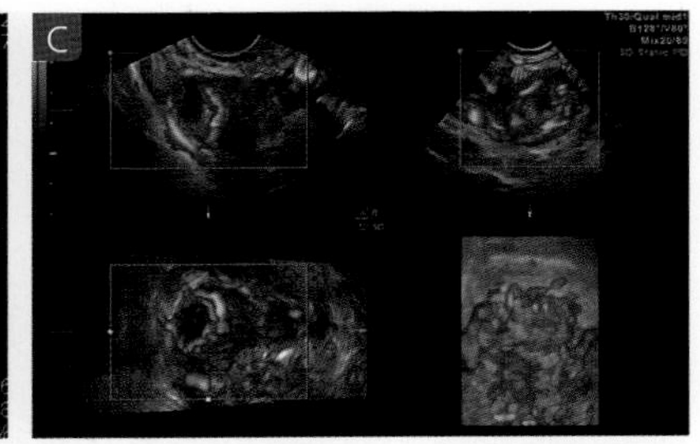

• 그림 39-31. **난관임신의 초음파 소견** A : 베이글 징후(Bagle sign)를 보이고 있는 난관 내에 위치한 원형의 임신낭, B : 영양아층 주위 혈류증강(peritrophoblastic flow), C : 황체. 주위 혈류 증강을 보이나 난소내에 위치하고 있다.

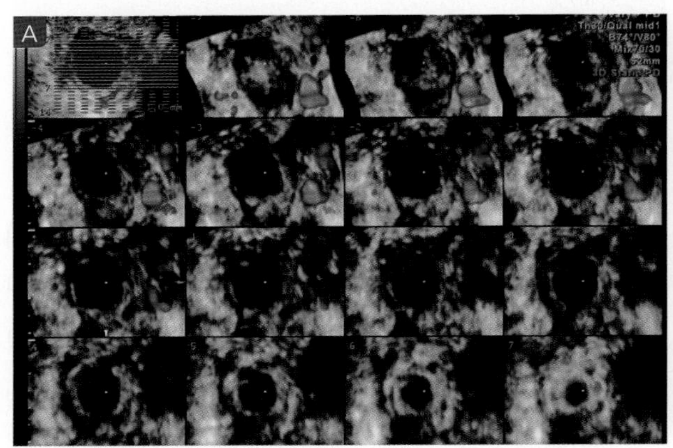
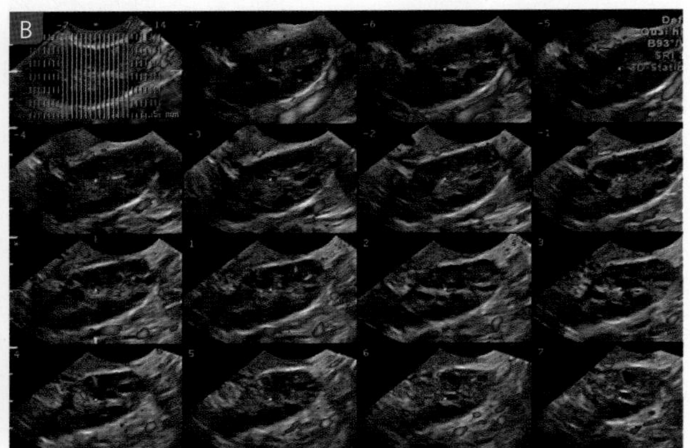

• 그림 39-32. **강화 도플러로 묘사한 난소 내 혈류 분포** A : 정상 난소, B : 다낭난소. 다낭난소에서 혈류 분포가 증가된 것을 확인할 수 있다.

blastic flow)이 관찰된다(그림 39-31). 이러한 소견은 황체와 구분되지 않을 수도 있으므로, 난소가 독립적으로 보이는지 확인해야 하며 초음파 시 복부 진찰이 난소와의 위치 관계 파악에 도움을 줄 수 있다.

4. 난소(Ovaries)

난소 혈류의 측정의 초음파적 진단에 대해서는 오랫동안 연구되어 왔다. 초기 연구에서는 양성 종양과 악성 종양의 혈관 민 혈류 차이를 밝히고자 하였고, 악성 종양에서 낮은 임피던스를 보이는 것으로 알려졌다. 그러나 아직도 양성 종양과 악성 종양의 감별 진단에서 신뢰할 수 있고 정확한 혈관예측인자는 의문으로 남아있다. 3D 초음파가 보다 정확한 공간묘사가 가능하고, 초음파 조영제의 사용이 혈관을 보다 잘 보여주게 되므로 이를 이용한다면 의미 있는 임상적 이용도 가능하다.

다낭난소의 도플러 소견은 정상 난소에 비해 증가된 난소 내 혈류를 보이는 것이다. 진단에 기준이 되는 혈관 지표는 없으나, 로테르담기준(Rotterdam criteria)에 의한 기준에 모호하거나 초음파 해상도가 좋지 않을 때 참고할 수 있다(그림 39-32). 황체는 주위에 증가된 혈관상을 확인할 수 있어, 도플러를 사용하면 추적관찰이 필요한 양성 난소 종양과 쉽게 감별할 수 있다(그림 39-33).

난소 종양이나 난관 수종은 꼬임을 일으키는 경우가 있다. 비록 몇 가지 꼬임을 시사하는 초음파 소견이 있기는 하나, 도플러 초음파를 시행한다 할지라도 완전히 확진할 수도, 배제할 수도 없다. 꼬임은 동맥, 정맥, 및 림파선의 폐색을 초래하여 울혈과 부종을 일으킨다. 따라서 정상 난소가 꼬임되었을 경우에도 시간이 지날수록 점차 둥글고 커지는 양상으로 보일 수도 있다. 과자극된 난소가 꼬임을 일으킨 경우 주된 소견은 반대쪽 난소와 구별되어 보이는 심

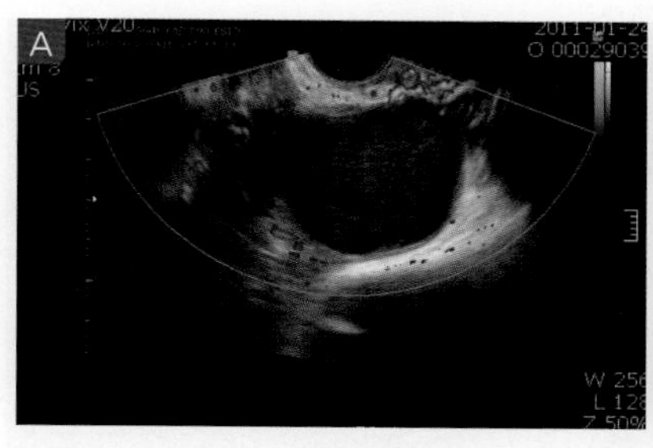
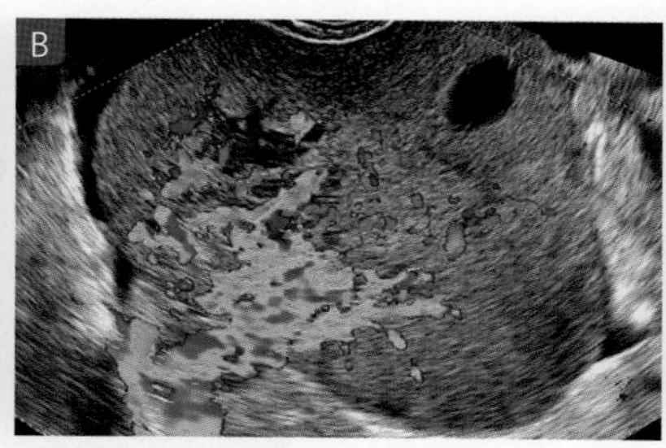
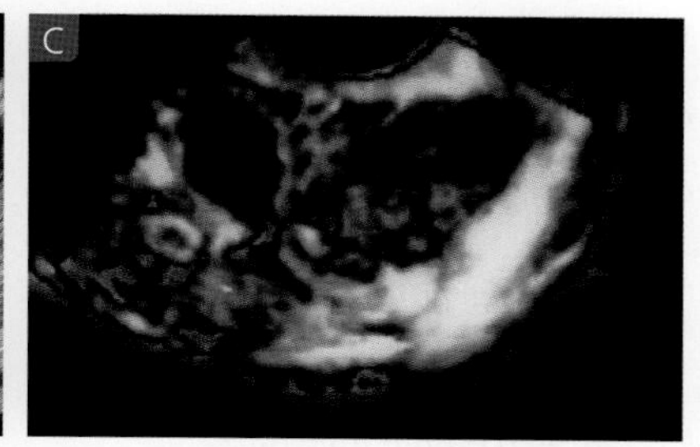

• 그림 39-33. **난소 종양의 초음파 소견** A : 장액 난소 낭종. 혈류 분포가 미미하다, B : 난소의 악성 종양. 관통혈관이 종양의 내부로 들어가고 있고 매우 불규칙한 형태로 보인다. C : 악성 종양의 강화 도플러소견

한 비대이다. 자궁부속기 꼬임에서 도플러의 역할은 보조적일 뿐이어서, 혈관상이 안보일 수도 보일 수도 있음을 알아야 한다.

난소 악성 종양의 도플러 소견은 혈관망 내의 혈관 배치 및 그 밀도를 파악하는데 우선 사용된다. 종양 내 혈관신생은 전형적으로 종양 내부로 향하는 관통 혈관(penetrating vessel)의 형태로 나타나며, 혈관근층의 발달이 미약하여 혈관의 협착 및 동맥류와 같은 확장이 관찰된다. 심한 경우 동정맥 단락이 보이기도 한다. 또한 분지와 군집의 혈관상을 보여 매우 불규칙한 형태로 보이게 된다. 이러한 소견들은 color 도플러보다는 소동맥 수준까지 감지할 수 있는 강화 도플러가 유리하며, 3D 초음파와 결합하여 입체적인 혈관상을 구현해 낼 수 있다.

5. 골반울혈증후군(Pelvic congestion syndrome)

도플러는 자궁과 난소 및 인접 장기의 혈관 이상을 진단하는데 도움이 된다. 이러한 혈관 이상은 비정상 자궁출혈을 일으킬 수도 있고 골반통을 유발할 수 있는데, 의심되는 환자에게 도플러의 사용은 진단뿐 아니라 치료의 반응을 확인하는 수단으로 이용될 수 있다.

골반울혈은 초음파검사 상 확장된 난소정맥과 자궁주위정맥이 보이면 의심하게 되는데, 좌측에서 보다 흔하다. 우측 난소정맥은 바로 하대정맥으로 들어가므로 보다 짧은 주행경로를 가지는 반면, 좌측 난소정맥은 좌측 신정맥과 연결되는 긴 경로를 가지므로 보다 더 확장되어 보이기 때문이다. 환자가 발살바 동작을 하고 초음파를 시행하여 난소정맥에서 느릿한 또는 방향성 없이 앞뒤로 움직이는 혈류를 관찰한다면 골반울혈을 의심하게 된다(그림 39-34).

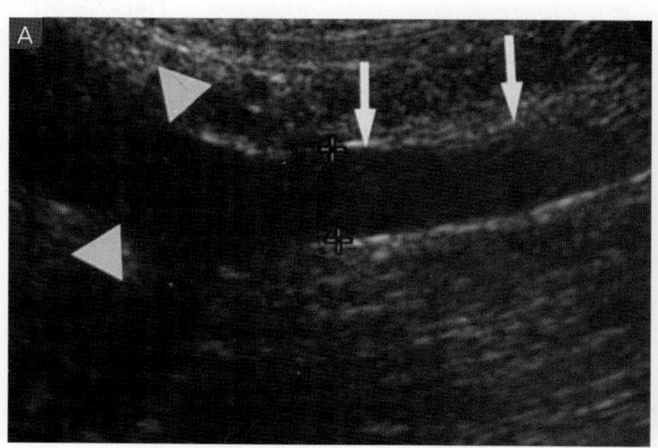
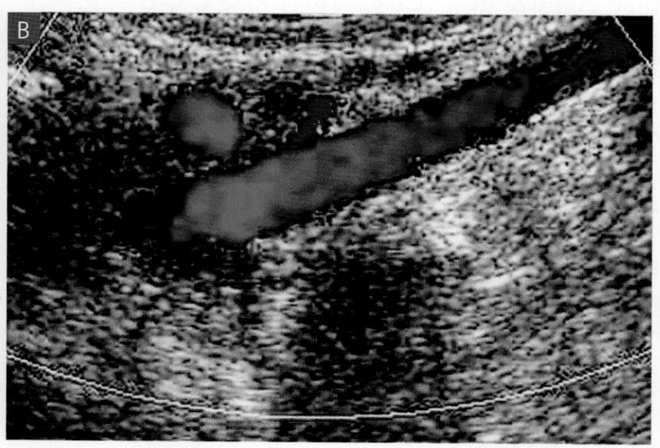

• 그림 39-34. **골반울혈증후군의 복부초음파 소견** A : 좌측 난소정맥으로 확장되어 있다, B : 도플러를 이용하면 방향성이 일정치 않은 것이 확인된다.

도플러는 이 혈관의 직경변화 및 혈류의 변화를 측정하는 데 도움을 주므로, 색전술과 같은 치료 반응을 파악하는 데 이용할 수 있다.

6. 불임(Female infertility)

불임 영역에서 도플러 초음파의 사용은 크게 자궁내막의 수용성(endometrial receptivity), 배란유도에 대한 난소의 반응성, 그리고 난관 폐쇄의 진단에 이용된다. 자궁내막의 수용성은 고식적으로 사용되던 자궁내막의 두께 외에 부피 및 자궁내막의 신생혈관의 파악이 이용되는데, 높은 혈류 분포를 보이는 경우 착상률이 더 좋다고 알려져 있다(그림 39-27). 난소의 평가에 있어, 높은 혈류분포를 보일수록 난소자극에 대한 반응도 더 좋으며, 난포에 있어서도 주위에 혈관링을 가지는 난포가 보다 좋은 난자를 생산한다는 연구 결과가 있다. 그러나 이와 같은 혈관성은 상대적인 비교이며, 현재까지 정확한 기준은 없으므로 임상적으로는 쓰이기에는 아직 무리가 있으며 어디까지나 불임시술자가 참고로 할 사항이다.

반면 난관 폐쇄의 진단에 있어서는 유용한 초음파 검사법이 자궁난관조영대조초음파촬영술(hysterosalpingp--contrast sonography, HyCoSy)이다. 이 방법은 미세거품으로 된 조영제를 사용하여 도플러민감성을 극대화시켜 3D와 함께 구현하여 시행하는 검사법으로, 조영제를 자궁강 내에 주입하여 자궁 내강의 모양과 함께 난관으로 유출되는 양상까지 확인하게 된다(그림 39-35).

적은 양의 조영제를 사용하게 되므로 자궁난관조영술(hysterosalpingography)보다 통증이 덜하다는 장점과 함께 3D초음파를 구현하게 되므로, 입체적인 정보를 제공할 수 있다는 장점이 있다.

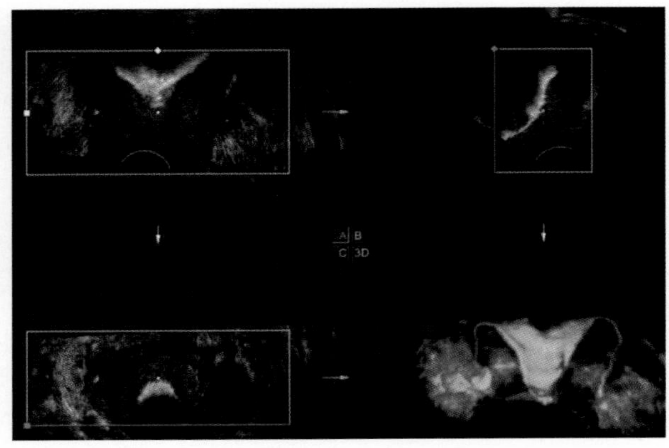

• 그림 39-35. HyCoSy(hysterosalpingo-contrast sonography)로 자궁강 및 양측 난관 폐쇄 여부를 진단할 수 있다. 정상 자궁 및 폐쇄되지 않은 양측 난관을 입체적으로 확인할 수 있다.

7. 유산(Failed pregnancy)

도플러는 가장 흔하게는 태아의 심박동 확인으로 유산 여부를 확인하게 된다. 유산 후 융모탈락막이 남아 있다면 영양아층주위 혈류증강(peritrophoblastic flow)으로 확인할 수 있으나, 혈류가 차단된 융모탈락막은 혈전(blood clot)과 혼동되어 보일 수 있어 융모조직의 혈류부전은 진단이 어려울 수 있다.

** 참고문헌 목록은 대한산부인과내분비학회 홈페이지 http://www.kosge.or.kr 또는 QR코드를 통해 보실 수 있습니다.*

CHAPTER 40

복강경

조시현(연세의대)

역사적으로 1805년 Phillip Bozzini가 요도점막을 관찰하고자 단순한 관에 촛불을 비춘 시도를 내시경(endoscopy)의 시초라고 생각하고 있다. 산부인과 영역에서는 1869년 Pantaleoni가 자궁내막용종을 관찰하기 위해 방광경을 이용했던 것이 최초로 알려져 있다. 이후 1910년, 복강경(laparoscopy)이 스웨덴의 Jacobaeus에 의해 처음 시도된 이후 1930년대까지 자궁외임신의 진단과 불임수술 등의 목적으로 사용되었다.

1960년대에 들면서 광섬유 케이블(fiberoptic cable)이 개발됨에 따라 복강경의 비약적 발전을 이룰 수 있었고, 1970년대부터는 본격적으로 수술 목적의 복강경 수술이 비약적인 발전을 해 오고 있다. 독일의 Kurt Semm은 진단 목적 위주의 복강경 수술에서 수술 목적의 복강경 수술의 기초를 확립한 사람으로 알려져 있다. 우리나라에서는 1970년대 초반, 가족계획을 위한 불임수술인 난관결찰(tubal ligation)이 국가적인 지원 하에 널리 시행되었고, 수술 목적의 복강경은 1988년 도입되었다.

복강경은 크게 진단 목적과 수술 목적으로 나뉘어진다. 진단 목적의 복강경은 초음파나 컴퓨터단층촬영(CT), 자기공명영상(MRI) 등 영상검사들이 발달함에 따라 그 적응증이 점점 줄어들고 있다. 그러나 자궁내막증이나 골반내 유착의 경우는 아직까지 복강경에 비해 더 뛰어난 영상검사가 없으므로, 복강경이 기본 검사법이라고 할 수 있겠다. 반면, 수술 목적의 복강경은 그 영역이 점점 확대되고 있으며, 현재는 산부인과 영역의 대부분의 수술이 복강경으로 가능하다고해도 과언이 아니다. 그러나 복강경의 접근성 문제 때문에 장폐쇄(bowel obstruction), 장폐색증(ileus), 복막염(peritonitis), 횡격막탈장(diaphragmatic hernia) 등에서는 금기로 되어 있다. 장폐쇄나 장폐색증의 경우는 장천공의 위험성이 있기 때문이고, 횡격막탈장의 경우는 기복이 형성되면 횡격막을 거상시키게 되면서 더 악화시킬 수 있기 때문이다. 상대 금기증으로는 고도비만, 염증장질환(inflammatory bowel disease), 크기가 큰 복강내 종양, 중후반기의 임신 등을 들 수 있겠다. 고도비만의 경우는 수술기구를 복강내로 삽입하기가 어려울 뿐 아니라 트렌델렌부르크자세(trendelenburg position) 및 기복에 의해 심장호흡기계에 문제를 유발할 수 있기 때문이다.

복강경 수술은 개복수술에 비해 작은 피부 절개를 통해

수술이 이루어지므로, 통증이 적고, 흉터도 작다. 또한 회복시간이 빠르고 출혈량도 적으며, 수술 시 내시경을 통해 확대된 영상을 볼 수 있다는 장점이 있다. 반면에, 촉진을 할 수 없기 때문에 자궁벽내 근종(intramural myoma) 수술이나 속빈 장기(hollow organ) 수술에 어려움이 있다. 또한, 과거 수술 경력 등으로 인한 심한 유착이 있거나 복부 종괴의 크기가 너무 큰 경우에 시야의 제한이 있을 수 있다. 그러나, 수술에 대한 숙련도가 높아짐에 따라 이러한 제한들을 극복하게 되면서 개복수술에 비해 복강경수술의 비율은 점점 높아지고 있으며, 새로운 투관침(trocar)의 개발로 배꼽만을 이용하여 단일공 접근에 의한 복강경수술도 널리 행해지고 있다.

Ⅰ. 수술 전 준비 및 설명

수술 전 수술자의 경험과 능력에 따라 수술 방법에 대한 면밀한 검토가 이루어져야 하고, 환자와 수술 방법에 대한 충분한 상담을 해야 한다. 특히, 수술자의 경험에 비추어 수술이 쉽지 않을 것으로 예상되는 경우에는 특히 개복수술로의 전환에 대한 사전 설명이 반드시 필요하다. 수술 전 검사는 일반 수술과 큰 차이는 없다.

1. 동의서 작성

수술 전 환자와 환자보호자로부터 동의서를 받는 과정은 누구나 알고 있다. 여기서는 개복수술과 달리 복강경에서만 발생할 수 있는 합병증에 대해 설명하도록 하겠다.

1) 간질기체 주입(Interstitial insufflation)

대부분의 간질기체주입은 수술자가 베레시침(Veress needle)을 복막까지 다 뚫지 못해서 발생하는 경우가 대부분이나 복강내 압력이 높아 CO_2 가스가 삽입관(cannula) 주위로 새면서 발생하는 경우도 있다. 때로는 베레시침이 그물막(omentum), 후복막강(retroperitoneum), 장간막 등에 위치하면서 가스가 주입되는 경우도 있다. 그러나 임상적 처치가 필요한 경우는 드물다. 다만 종격(세로칸, mediastinum)으로 상당한 양의 가스가 주입되는 경우는 심폐기능의 이상이 발생할 수도 있으므로 즉각적 조치가 필요하다.

2) 혈관내 기체주입(Intravascular insufflation)

베레시침이 혈관에 직접 들어가거나 수술 박리 과정에서 CO_2 가스가 체순환계로 주입되는 경우가 있다. CO_2 가스는 물에 매우 잘 녹는 특성이 있으므로 CO_2 색전(emboli)은 대부분 문제가 되지 않는다. 다만 많은 양의 CO_2 색전이 있는 경우 청색증, 저혈압, 심부정맥혈전증(deep vein thrombosis) 등의 증상을 유발하여 심폐기능의 이상을 초래할 수도 있다. 이러한 경우는 좌측 측와위를 취하고 머리를 우심방보다 아래에 두도록 한다. 또한 빨리 중심정맥을 확보하여 심장으로부터 가스를 흡입하여 제거하여야 한다.

3) 혈관 손상

(1) 대혈관

복강내의 대혈관이라고 함은 대동맥, 하대정맥, 총장골동맥, 외장골동맥, 내장골동맥 등을 말한다. 대혈관 손상의 발생률은 적게는 0.04%에서 많게는 0.5%까지 보고되고 있다. 마른 체형의 여성인 경우 복벽과 대혈관과의 거리가 가까우므로 대혈관 손상의 가능성이 높고, 개방법(open technique)에 비해 폐쇄법(closed technique)에서 발생률이 높다. 대혈관의 손상은 엄청난 양의 출혈을 동반하기 때문에 즉각적인 개복수술이 필요한 경우가 많고, 지연될 경우 사망에까지 이를 수 있는 심각한 합병증이다. 베레시침을 통해 혈액이 흡인되어 바로 확인할 수 있는 경우도 있으나, 때로는 혈액이 후복막강 내에만 고여 있어 수술이 끝날 때까지 확인하지 못하는 경우도 있어 주의를 요한다.

(2) 복벽혈관

주로 배꼽 외의 투관침 삽입 시 발생하게 되는데 가장

문제가 되는 혈관이 심부하복벽동맥(deep inferior epigastric artery)이다. 대부분은 처음 투관침 삽입 시 손상이 발생하나, 때로는 수술 중 조작에 의해 발생하기도 한다. 수술 중에는 발견되지 않는 경우가 많고 수술이 끝나고 투관침을 제거했을 때 출혈이 복강 내로 떨어지는 것을 확인하거나 투관침 삽입 부위 주위의 혈종을 발견함으로써 확인하기도 한다. 때로는 회복실이나 병실에서 쇼크(shock)으로 발견되어 생명을 위협하기도 한다.

따라서 수술자는 투관침 삽입 시 광원을 복벽에 비추어서 혈관이 없음을 확인해야 하고, 수술 후 투관침 제거 후 복강 내로 떨어지는 출혈이 없는지도 확인하는 습관이 필요하다.

4) 장손상

장손상은 수술 경력 혹은 복막염의 과거력이 있는 환자에서 많이 발생한다. Bonjer 등이 보고한 대규모 후향적연구의 결과 발생률은 0.048%였다. 장손상은 베레시침이나 추가 투관침 삽입 시 모두 발생할 수 있으나, 베레시침 삽입 시는 수술 중 천공이 확인되지 않는 경우가 많으므로 특히 주의를 요한다. 따라서 베레시침 삽입 시 복강내 압력이 높지 않은지, 비대칭적으로 복벽이 상승되지 않는지, 장내용물이 흡인되지 않는지 등을 반드시 확인해야 한다. 다행히 수술 중 천공이 확인되는 경우 천공된 크기 등을 고려하여 관찰하거나, 봉합술 혹은 개복수술 등을 고려해 해결이 가능하나 수술 후 복막염, 패혈증 등으로 발견되는 경우는 사망 등 심각한 문제를 유발할 수도 있다.

2. 수술실에서의 준비

1) 환자의 자세

환자는 골반내진자세(lithotomy position)를 취하고, 엉덩이는 테이블에서 조금 더 튀어나오게 한다. 팔의 위치는 내전(adduction) 및 엎침pronation) 자세를 취하는 것이 좋

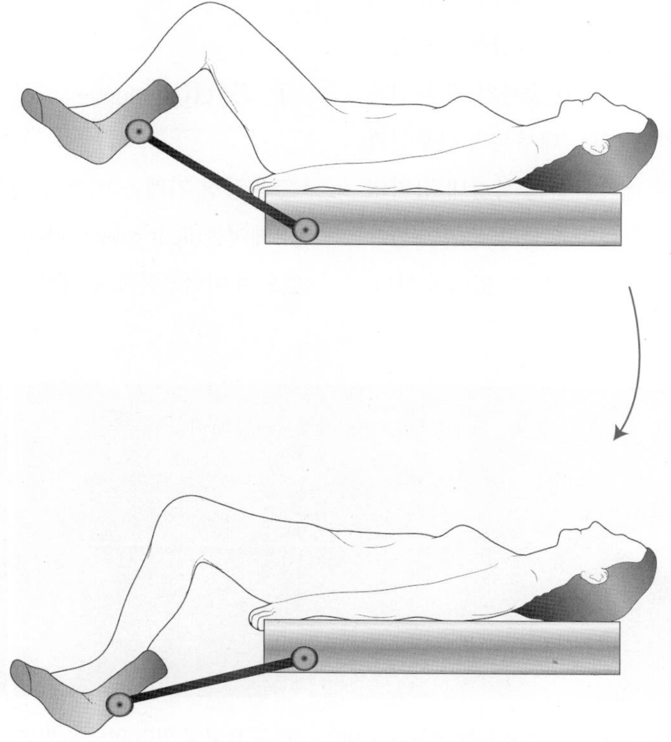

• 그림 40-1. **골반경 수술에서 환자의 자세** 베레스바늘을 삽입하고 난 후 트렌델렌부르크자세를 취해야 한다. 팔은 양측 팔을 내전 및 회내 자세를 취하고 다리는 수평에 가깝게 유지하는 것이 수술자의 운동범위를 최대화할 수 있다.

고, 종아리신경(peroneal nerve) 손상을 막기 위해 등자장치(stirrup)에는 패드를 대도록 한다. 이때 환자의 대퇴부가 수평에 가깝도록 해야 수술 시 수술자의 팔이 환자의 다리에 걸리게 되는 것을 예방할 수 있다(그림 40-1).

2) 환자의 소독

개복수술과 같이 포비돈 요오드로 늑골 하부에서 대퇴부와 둔부까지 소독을 한다. 특히 배꼽 부위는 가장 오염된 부분이므로 특히 주의가 필요한데 딱딱한 물질이 있는 경우도 많아 겸자 등을 이용해 제거해야 한다. 성경험이 없는 여성을 제외하고 질 안쪽까지 소독을 하고, 임신 등 금기가 아닌 경우를 제외하고는 탐침검사(sounding test)를 시행한다.

3) 기복을 만드는 방법

복강으로 접근하는 방법은 최소개복술(minilaparotomy) 후 직접 보면서 들어가는 개방법이 있고, 복강내에 베레시침을 삽입하여 기복을 형성한 후 투관침을 삽입하는 폐쇄법이 있다(그림 40-2). 간혹 숙달된 술자의 경우 기복 형성없이 투관침을 삽입하기도 한다. 대부분의 산부인과 의사들은 폐쇄법을 선호하며 베레시침은 복강내 장기의 손상을 막기 위한 스냅기능이 있는데 수술자 손의 느낌으로 근막 및 복막이 천공이 되는 것을 느낄 수 있어야 한다. 대정맥 내의 압력은 최고 15 mmHg 정도이므로 수술 중에는 12 mmHg가 넘지 않도록 한다.

안전한 기복을 만들기 위한 방법들은 다음과 같다.

- 대동맥 촉진 검사: 배꼽과 대동맥 사이의 거리가 어느 정도인지 파악하기 위해 시행. 비만인 여성에서는 촉진이 어려운 경우가 많음
- 스냅 검사(snap test): 베레시침이 피부, 근막, 복막을 뚫을 때 딸깍 소리가 나는 것을 확인하는 검사. 피부, 근막, 복막에 직각으로 들어갈수록 잘 나타남
- Hiss 검사: 베레시침 끝이 복강 내에 위치한다면 복벽을 들어올렸을 때 열린 베레시침의 밸브에서 hiss 소리가 들림
- 흡인검사(aspiration test): 베레시침에 주사기를 연결하여 식염수를 주입한 후 다시 흡인해 보는 검사. 혈액이나 장내용물이 나오는지 확인함
- 압력계 검사: 베레시침을 가스주입기와 연결 후 복강내 압력을 관찰. 복벽을 들어올릴 때 압력이 (-)를 보이면 정상

II. 장비(equipment) 및 기구

복강경 기계는 여러 구성으로 만들어져 있다. 광원과 빛 케이블(light cable), 카메라가 달린 내시경과 모니터가 있으며 이산화탄소 주입기와 세척흡입기가 필요하다.

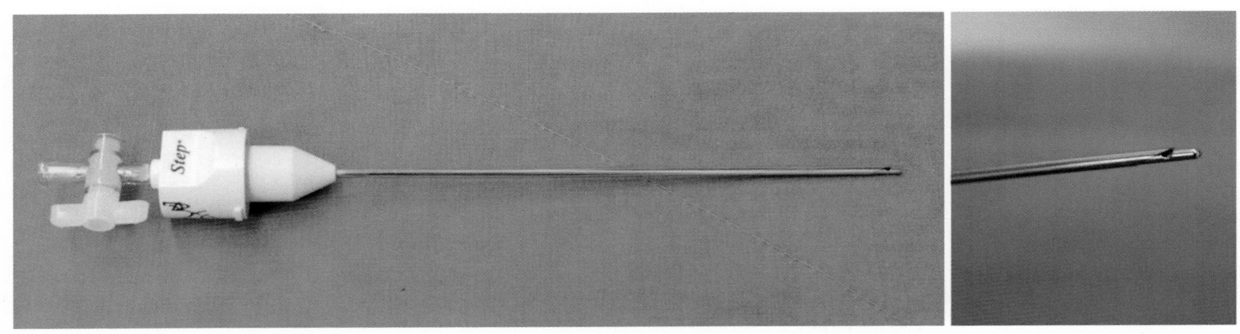

● 그림 40-2. **베레시침** 베레시침의 끝부분은 스프링 장치가 되어있는 둥근 부분이 있어 압력을 받으면 안쪽으로 들어가게 되어 있다. 따라서 근막이나 복막을 뚫을 때는 날카로운 부분이 나오게 되고 천공 후에는 다시 둥근 부분이 나오게 되어 복강내 장기의 손상을 최소화할 수 있다.

1. 영상 시스템

영상 시스템에는 광원, 빛 케이블, 내시경, 비디오카메라, 모니터와 동영상 저장 장치 등으로 구성된다.

광원은 빛을 발생시켜 수술부위를 밝혀 준다. 150 와트 이상의 충분한 밝기의 광원이 필요하며 보통 제논 혹은 할로겐을 사용한다. 광원은 손상을 일으킬 만한 충분한 열을 내므로 수술 시 주의를 필요로 한다. 빛 케이블은 빛을 내시경까지 전달하는데 유리섬유의 다발로서 심히 꺾여 파손되면 영상에 흑점이 보이게 되므로 꺾이지 않도록 주의하여야 한다.

카메라가 달린 긴 막대모양의 내시경(telescope)은 수술자의 눈 역할을 한다. 내시경의 굵기는 1.8 mm부터 12 mm 크기까지 있는데 큰 것은 수술 목적으로 주로 쓰이며 작은 것은 진단 목적으로 주로 쓰이고 있다. 내시경 끝의 각도는 0도와 30도짜리가 있는데 30도짜리가 시야의 확보가 유리하다.

카메라 시스템은 카메라 헤드, 케이블, 카메라 컨트롤로 구분된다. 카메라 헤드는 내시경과 연결되는 부분으로 내시경에 의해 전송된 영상을 잡는 부분이라 할 수 있다. 최근에는 카메라와 내시경이 연결되어 있는 형태의 제품들도 개발되어 있다.

모니터는 수술 시야의 영상을 보여준다. 수술자는 모니터의 영상을 보고 시술을 하게 되는데 여러 개의 모니터를 쓰면 수술 중 시야의 확보가 용이하다. 특히 암 수술을 할 경우 여러 개의 모니터를 쓸수록 수술이 용이하다. 모니터는 최근에는 주로 고화질의 LCD로 만든 것이지만 과거에는 브라운관을 사용하는 두꺼운 모니터가 사용되었었다. 음성인식을 통한 무선 컨트롤 시스템도 개발되어있다.

영상 저장 장치는 처음에는 비디오테이프로 시작하여 CD를 거쳐 지금은 하드디스크에 저장하도록 되어 있다.

2. 이산화탄소 주입기(CO_2 insufflator)

시야를 확보하기 위해 복강 내 가스를 적절한 속도로 주입하여 복강내압을 유지하는 기구이다. 빨리 흡수되고 폭발 위험성이 없다는 장점이 있어 이산화탄소를 사용한다. 가스주입압력, 분당 가스 주입량, 복강내압, 사용된 가스의 총량을 확인할 수 있게 되어 있다. 이산화탄소 가스 주입기는 분당 10-15 L의 가스를 주입하여 수술에 적당한 기복을 만들어 주며 복강내압을 조절할 수 있게 되어 있다. 보통 10-15 mmHg의 복압을 유지하게 되는데 폐의 산소 분압이 낮아지는 경우엔 복압을 10 mmHg 이하로 낮추어 폐 기능을 회복 유지시켜야 한다.

3. 세척 흡입기

세척흡입기는 복강안의 이물질을 씻고 흡입 제거하는 동력을 제공한다. 세척액으로는 생리 식염수를 사용한다.

4. 베레시침과 투관침

복강안으로 접근하기 위한 베레시침과 투관침이 있다(그림 40-3). 베레시침은 배꼽을 절개한 후 찔러 넣어 기복을 만드는데 쓴다. 끝이 둥글며 스프링이 달려 있어 압력을 받으면 침의 관속으로 들어가 침이 피부 밑 조직을 뚫고 들어갈 수 있게 한다. 투관침의 직경은 5 mm, 10 mm, 11 mm, 12 mm 등이 있고 용도에 따라 다양하게 쓰인다.

5. 질 절개기(Colpotomizer)

질 절개기(Koh Colpotomizer™ System)는 자궁경부를 질로부터 잘라내는 데 필수적인 기구이다. 질 절개기는 루미 자궁 조작기(RUMI® uterine manipulator)(그림 40-4), 자궁경부 컵(Koh Cup™)(그림 40-5), 루미 팁(RUMI® Tip)(그림 40-6), 질 폐쇄기(Colpo-Pneumo Occluder™)(그림 40-7)의 4개의 부속 기구로 조립한다. 질절개기와 루미 자궁 조작기의 사용은 출혈을 줄이고 절개를 쉽게 할 수 있게 한다.

● 그림 40-3. **투관침 5 mm, 11 mm**

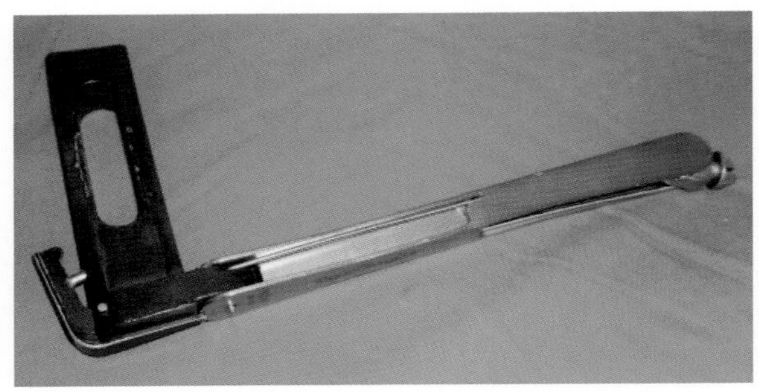

● 그림 40-4. **루미 자궁 조작기**

● 그림 40-5. **자궁경부 컵**

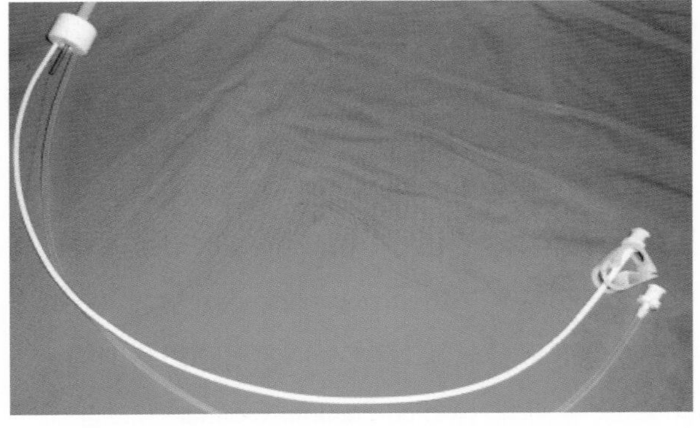

● 그림 40-6. **루미 팁**

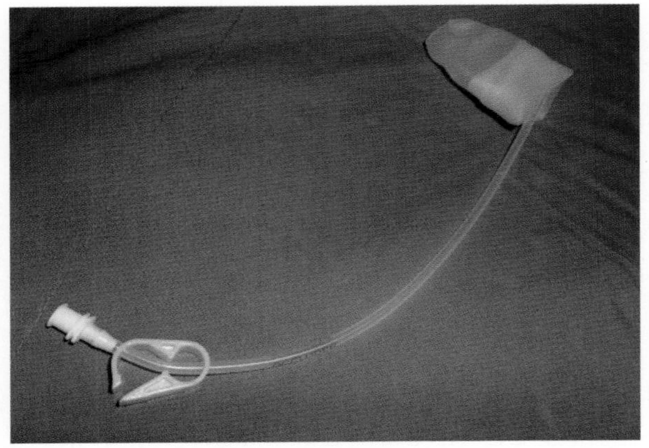

● 그림 40-7. **질 폐쇄기**

6. 기타 기구들

수술 과정에 단극 가위, 양극 겸자, 여러 가지 복강경 파악 겸자, 복강경 칼을 사용한다. 봉합을 위한 기구로 복강경 needle clamp가 있으며 그 외 단순 소모품으로 endoloop, endopouch가 있다.

III. 복강경 전자궁절제술(Total laparoscopic hysterectomy, TLH)

자궁절제술의 방법에는 크게 3가지가 있다. 전통적으로 쓰이던 복식 절개 자궁절제술, 질식 자궁절제술과 복강경 자궁절제술이다. 이 중 수술 후 정상 생활로의 복귀는 질식이 복식보다 빠르고 복강경이 복식보다 더욱 빠르다. 복강경과 질식의 비교는 복강경이 좀 빠르나 유의하진 않다. 비뇨기계의 합병증은 복강경이 개복보다 2-3배 많은데 수술 중 장관 손상에는 3가지 방법 모두 차이가 없었다.

복강경 자궁절제술은 개복수술에 비해 많은 장점을 가지고 있다. 회복에 걸리는 시간이 짧으며 수술 후 통증이 적어 재원일수가 짧다. 또한 복강안의 유착이 적으며 절개창이 작아 미용상 좋다.

질식 자궁절제술은 본래 자궁탈출증에 쓰였는데 복식보다 덜 침습적으로 생각하여 지금은 월경이상을 보이는 크지 않은 자궁의 적출에 쓰이고 있다. 숙달된 수술자들은 제법 큰 자궁의 경우도 질식으로 절제하기도 한다. 그러나 복강 내 소견, 즉 자궁경부 이상의 자궁의 형태, 자궁 주변의 유착, 복막이나 복강 내 다른 장기의 상황을 판단할 수 없다는 점이 큰 단점이다. 이 단점을 보완할 수 있는 것이 복강경이다. 복강경은 질식과 복식보다 더 능숙한 솜씨를 요구하지만 수술 중 자궁내막증, 자궁부속기의 질환, 유착 등을 진단하고 치료할 수 있다는 장점이 있다. 또한 복강 내의 충분한 지혈을 할 수 있다는 장점이 있다.

1. 수술 방법

복강경 전자궁절제술에 쓰이는 기구들이 다양하게 개발되고 있으며 수술자의 선호도나 필요성에 따라 적절히 적용하여 사용한다.

1) 질 절개기의 장착

질 절개기의 자궁경부 컵을 자궁경부에 알맞게 장착하고 자궁강 내로 들어간 루미 팁의 끝의 풍선을 생리식염수를 넣어 팽창시켜 고정한다(그림 40-8). 나중에 수술 중에 자궁을 질로부터 잘라내게 되어 복강내의 이산화 탄소가 빠지게 되면 질 폐쇄기에 공기를 넣어 팽창시켜 복강 내의 가스가 빠져나가지 못하게 한다.

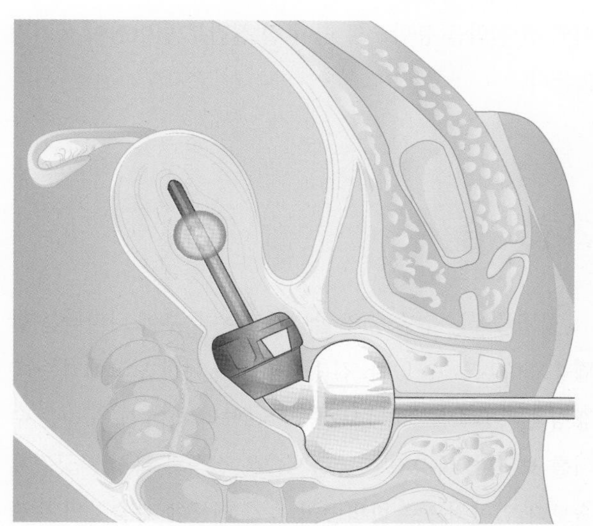

● 그림 40-8. **질 절개기의 장착**

2) 투관침의 삽입

투관침을 복강내로 넣기 위하여는 기복 형성을 하게 되는데 배꼽 아래쪽을 반원 절개 또는 수직으로 반을 절개한 후 베레시침을 찔러 넣어 이산화탄소를 넣게 된다. 기복 형성을 하여 장을 보호한 후 필요에 따라 10-12 mm의 투관침을 복강내로 넣게 된다. 최근에는 단일공 복강경 수술을 위한 특수한 투관침을 사용하기도 한다. 이후 복압을 10-15 mmHg로 유지함이 중요하다.

배꼽 주위의 유착이나 종양의 크기가 배꼽 주변에 다다르는 경우 왼쪽 복부 가장 위쪽 즉 왼쪽 갈비뼈 중앙 바로 밑으로 베레시침을 넣고 기복 형성 후 내시경을 삽입하여 복강 내 상황을 파악하게 된다.

3) 복강 내 상태 파악

내시경을 삽입하면 먼저 복강 전체의 상황을 파악한다. 골반부터 시계 방향으로 충수(막창자꼬리), 상행결장, 간, 횡격막, 위, 비장, 횡행결장, 하행결장, 소장과 그물막(막, omentum)의 상태를 파악한다. 이때 유착이 있는 경우 수술에 지장이 있거나 증상을 일으킬 수 있는 것이면 박리를 한다. 요관의 경로와 질 절개기의 컵이 정확하게 위치해 있는지 확인한다. 이후 자궁절제술을 시작하게 된다.

4) 누두골반(Infundibulopelvic) 또는 자궁난소인대, 난관 및 원인대의 절단

난소의 절제가 필요한 경우 오른쪽 누두골반인대를 절단한다. 난소를 보존하여야 할 경우에는 자궁난소인대와 난관의 근위부를 절단한다. 이때 양극 겸자로 조직을 건조시킨 후 단극 가위로 자르는 경우는 이어서 원인대를 자르게 되나 최근 개발된 에너지 기반의 혈관 봉합 기구(LigaSure™, Caiman®, ENSEAL®, Harmonic® 등)를 쓸 경우는 2종의 인대를 단번에 자른다.

양극 겸자와 단극 가위를 사용할 경우는 오른쪽을 먼저 절단하고 5), 6)의 과정을 거친 뒤 왼쪽을 절단하지만 에너지 기반의 혈관 봉합 기구를 사용할 경우는 오른쪽에 이어 왼쪽의 절단을 시행한다.

5) 광인대 후막의 절개

자궁경부를 질로부터 절단하기 전에 필요한 과정으로 자궁경부의 양쪽 혈관들을 절단하는 단계이다. 광인대의 후막을 자궁의 외측을 따라 자궁천골 인대의 자궁 접속부까지 절개한다. 일반적으로는 요관을 박리하지 않지만 골반벽 복막의 유착이 있어 요관 손상이 염려된다면 요관을 광인대의 후막과 자궁천골 인대로부터 박리하기도 한다.

6) 방광 오목 복막의 절개 및 방광 박리

방광자궁오목(vesicouterine pouch)에서 질 절개기의 컵에 의해 볼록한 것을 확인하고 복강경 겸자로 눌러보아 촉감으로 자궁경부부위를 확인한다. 광인대 앞막의 양쪽과 방광자궁오목을 덮고 있는 복막을 절개하여 방광의 밑 부분을 노출시킨 후 방광을 자궁 경부 앞과 질 앞 벽으로부터 박리한다.

7) 자궁의 절제

질 절개기를 위로 밀어 올려 자궁을 위로 당기는 효과를 얻은 다음 단극 가위로 질 절개기 컵을 따라 절개한다. 질의 전원개(anterior vaginal fornix)에 해당하는 12시 방향에서 시작하여 시계의 역 방향으로 절개한다. 자궁경부 양옆은 혈관이 많은 부위로 지혈에 유의하여 절제를 진행한다. 이때 사용하는 질 절개기와 루미 자궁조작기는 불필요한 출혈을 막고 절제를 쉽게 할 수 있게 한다.

8) 자궁의 제거

절제한 자궁을 꺼내기 위해서는 장착된 질 절개기의 팁과 질 폐쇄기 풍선의 내용물을 빼내고 당기개(tenaculum)로 자궁 경부를 잡아 밑으로 당기며 질을 통하여 자궁을 그대로 끄집어낸다. 자궁의 크기가 커서 잘 빠져나오지 않는다면 질을 통해 칼을 이용하여 조각낸 후 꺼내게 된다. 떼어낸 자궁이 크더라도 자궁 경부부터 당겨내며 조각내기 쉬운 경우는 괜찮지만 출산의 경험이 없는 여성인 경우 질의 폭이 좁은데다 자궁경부는 본래의 모양이고 자궁협부 위쪽으로만 커진 경우는 칼질을 할 경우 직장이나 방광에 손상을 주기 쉽다. 이런 때는 배꼽의 절개 부위를 사용하여 제거함이 안전하다. 혹시 모를 자궁육종의 복강내 전이를 막기 위하여 자궁이 큰 경우에는 복강내에서 endobag에 담아서 절개하는 것이 권장되며 endobag에 담지 않은 상태에서의 복강내 근종세절기(morcellator) 사용은 되도록 피한다.

9) 질 절단부(vaginal stump) 봉합

자궁 또는 자궁의 일부를 질속으로 넣어 이산화탄소의 유출을 막아 기복을 유지시킨 상태에서 복강경을 통하여 질 절단부를 봉합한다. 이때 연속적인 봉합, 불연속 봉합(단절봉합, interrupted suture)을 할 수 있다. 4-6개의 불연속 봉합으로 질 절단부를 충분히 닫을 수 있다. 질의 앞 뒤 벽의 전층을 같이 뜨는데 질 절단부로부터 최소 5 mm 이상의 질 점막을 봉합(stitch)에 포함시켜야 한다. 충분한 길이의 질 점막을 봉합으로 떠야 질 절단부 벌어짐이 생기지 않는다.

2. 합병증

합병증에는 수술 중의 합병증과 수술 후에 나타나는 합병증으로 나눌 수 있다. 김 등(1996)의 이전 보고에서는 복강경 전자궁절제술의 합병증이 5.4%라 하여 매우 높은 수치를 보였다. 복강경 자궁절제술은 질식과 복식 자궁절제술보다 일반적으로 합병증이 높기 때문에 수술자의 숙련도가 높아야 한다. 가장 흔한 합병증은 방광 손상과 원위

요관의 열손상이다. 모든 복강경 수술에서 요관손상은 약 2% 정도이다. 합병증을 줄이기 위한 세심한 시술이 필요하며 수술 숙련도를 높일 필요가 있다.

1) 수술 중 합병증

베레시침이나 투관침을 삽입할 때, 가위나 전기 칼로 절개하거나 유착을 예리하게 또는 둔하게 박리할 때 혈관이나 장에 손상을 줄 수 있다.

2) 수술 후 합병증

열에 의한 합병증으로 장기의 손상이 생길 수 있다. 가장 큰 문제가 되는 장기는 요관과 방광이다. 방광은 제왕절개술 후 유착된 부위를 박리할 때 가장 위험하며 요관은 자궁을 질로부터 절제할 때 손상을 입기 쉽다. 10 mm 이상의 투관침을 사용하였을 경우 그 부위 근막을 봉합하지 않으면 탈장이 생길 수 있다.

** 참고문헌 목록은 대한산부인과내분비학회 홈페이지 http://www.kosge.or.kr 또는 QR코드를 통해 보실 수 있습니다.*

CHAPTER 41

자궁경

조문경(전남의대)

인체에서 내시경의 사용은 1805년 Bozzini가 인체의 질, 요도, 직장 등을 볼 수 있는 기구를 만들면서 시작되었으며, 부인과에서 자궁경이 사용된 기록은 1869년 Pantaleoni 가 "Medical Press and Circular"에 발표한 자궁내막용종 제거가 처음이었다. 그 이후 많은 연구를 통한 기구의 개발로 1970년대에 들어서면서 점차 대중화되어 현재는 자궁강 내의 국소적인 병변을 진단하고 치료하는데 있어 가장 신뢰성 있는 방법(gold standard)으로 인정받고 있다.

1. 자궁경의 구성

1) 자궁경 및 자궁경외피(sheath)

(그림 41-1, 그림 41-2, 그림 41-3)

자궁경은 대안렌즈 , 대물렌즈, 스테인레스 스틸로 이루어진 통로로 구성되어 있고, 렌즈의 광각 시야는 대부분 60-90도이다. 대물렌즈가 내시경의 장축에 직각을 이루면 자궁경을 회전시켜도 상이 변하지 않아 방향감각을 유지

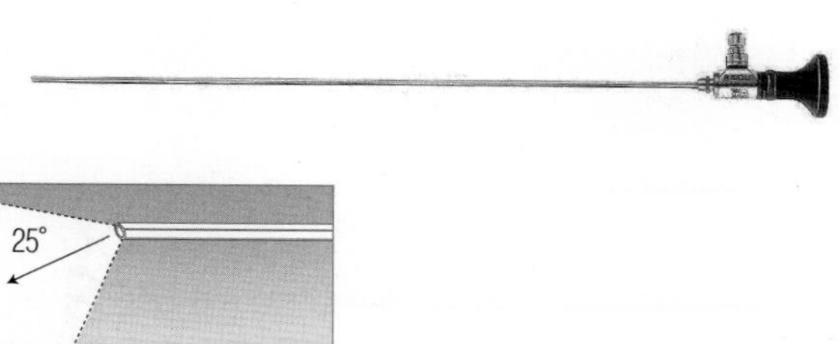

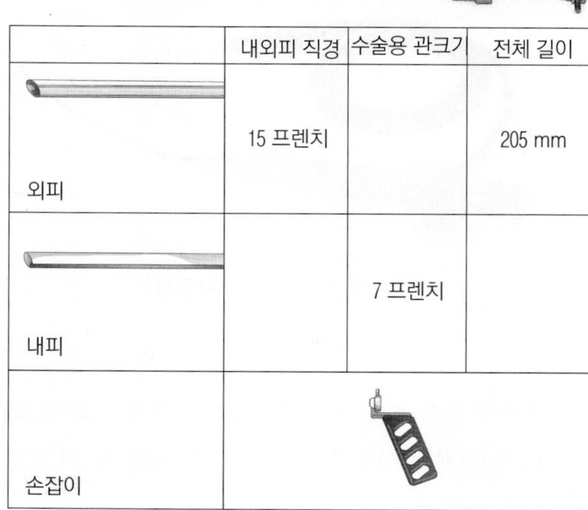

	내외피 직경	수술용 관크기	전체 길이
외피	15 프렌치		205 mm
내피		7 프렌치	
손잡이			

● 그림 41-1. 외래 수술용 미세 자궁경: 자궁경-외피분리형

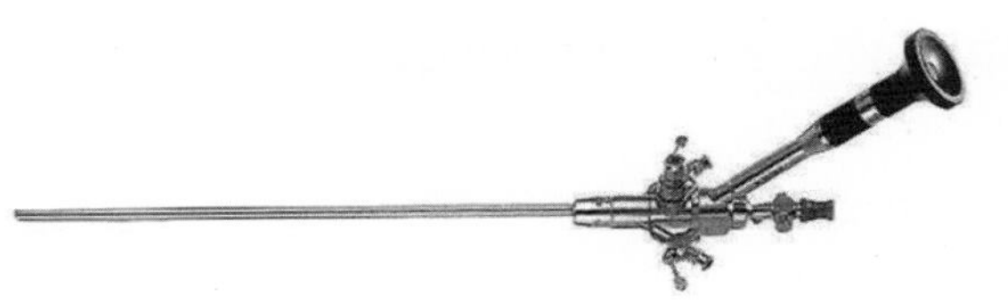

• 그림 41-2. **자궁경-외피 일체형 미세자궁경(고형)**

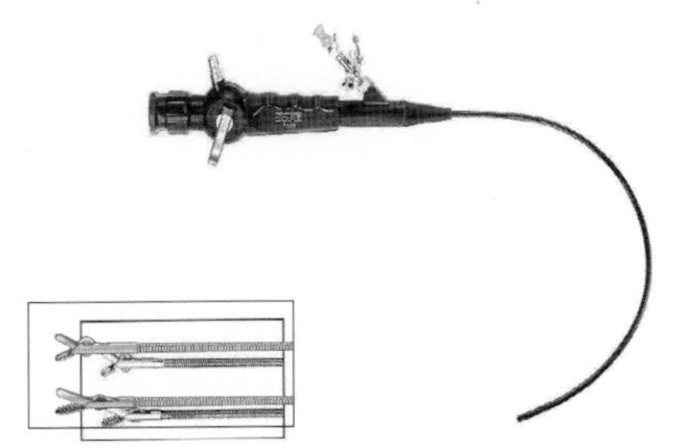

• 그림 41-3. **자궁경-외피 일체형 미세자궁경(유연형)**

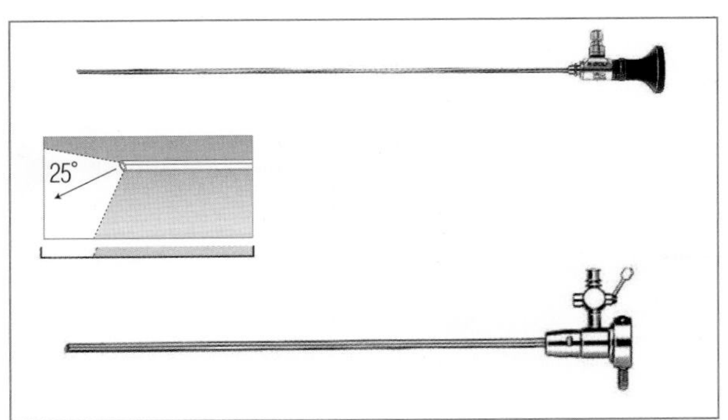

• 그림 41-4. **고형 소자궁경**

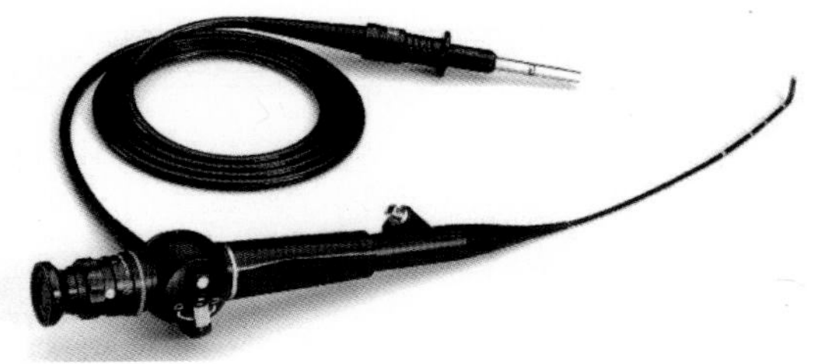

• 그림 41-5. **유연성 소자궁경**

하기에 가장 좋다. 대물렌즈가 내시경의 장축에 12도, 25도, 30도로 경사를 이루면 자궁경을 회전했을 때 더 넓은 시야가 확보된다.

자궁경은 강직형(rigid type)과 유연형(flexible type)이 있다(그림 41-4, 41-5). 강직형은 수술자궁경의 가장 흔한 형태로 0도에서 30도까지 다양한 각도와 크기가 있으며 파노라마 영상(panoramic view) 기능이 있고 선명도가 우수하다. 유연형은 광섬유를 이용한 것으로 보통 진단 목적으로 사용하나 직경이 큰 제품의 경우 수술적 사용이 가능하다. 유연형은 90도에서 100도 사이의 시야를 확보할 수 있고 내시경의 끝을 90도에서 110도까지 굽힐 수 있지만 선명도가 낮다.

자궁경은 자궁경-외피 분리형(그림 41-4)과 자궁경-외피 일체형(그림 41-2)이 있는데, 자궁경-외피 분리형의 경우 자궁경을 자궁경외피에 삽입하여 사용한다. 자궁경에는 자궁경을 광원과 연결시켜주는 광케이블을 부착하는 부위가 있고, 자궁경외피에는 자궁강을 팽창시키는 매체가 들어가고 나갈 수 있는 유입통로와 유출통로가 존재한다. 유입통로와 유출통로가 따로 존재하므로 자궁강 내로 확장매체가 지속적으로 흘러 들어가고 배출되면서 자궁강 내가 적절하게 세척되어 깨끗한 이미지를 얻을 수 있다. 수술용 자궁경의 외피에는 수술에 필요한 수술기구가 삽입되는 통로(working channel)가 따로 위치하고 있다. 진단용 자궁경외피는 직경이 3.5-5 mm이며, 수술용 자궁경외피는 직경이 8.5 mm이다.

2) 광원 및 광케이블

유연형 내시경에서는 빛을 전달하기 위해 50와트 할로겐을 광원으로 사용한다. 자궁출혈이 있는 환자에서는 250와트의 텅스텐 할로겐 램프를 사용하며, 그 외 자궁경 수술에는 300와트 제논 램프를 주로 사용한다.

광원으로부터 자궁경으로 빛을 전달하는 역할을 하는 광케이블은 섬유성 광학광케이블과 유체광케이블이 있다.

3) 카메라

자궁경의 대안렌즈 부위에 카메라의 헤드 부분을 결합하며, 카메라를 케이블을 통해 비디오 조절기와 연결하면, 자궁강 내의 이미지가 모니터로 나타나게 된다. 모니터를 이용하면 시술자의 피로도를 줄이고, 선명한 이미지를 얻을 수 있다.

4) 자궁확장매체와 전달시스템(그림 41-6)

자궁확장매체는 기체와 액체가 있다. 기체 중에서는 이산화탄소만 사용되고 있다. 이산화탄소는 공기와 굴절률이 동일하여 수술 중 시야 확보가 용이하지만, 수술 중 발생하는 혈액 및 찌꺼기를 제거해 낼 수 없어 진단 자궁경에서만 사용한다. 이산화탄소를 사용할 때는 색전증을 예방하기 위해 유입량을 조절하는 가스 주입기를 사용해야 하며, 자궁내강의 압력을 100 mmHg 이하로 유지해야 한다. 액체는 이산화탄소에 비해 자궁내강을 대칭적으로 팽창시키며, 시술 중 발생하는 혈액, 점액, 기포, 작은 조직 조각들을 수술 시야 밖으로 효과적으로 제거할 수 있다는 장점이 있다. 액체 자궁확장매체는 점성도(viscosity)에 따라 구분할 수 있는데, 점성이 높은 32% 덱스트란이나 10% 포도당은 혈액과 섞이지 않는다는 장점이 있지만, 고장성(hypertonic)이므로 혈관내로 들어가 수액 과부하 및 전해질 불균형이 발생할 수 있으며, 빠른 속도로 캐러멜처럼 변하여 기구에 손상을 주므로 요즘은 거의 사용하지 않지 않는다. 점성이 낮은 액체확장매체로는 전해질을 포함하고 있는 유산링거용액, 생리식염수와 전해질을 포함하지 않는 3% 솔비톨, 1.5% 글리신, 5% 만니톨, 5% 포도당, 5% 덱스트로스가 있다. 5% 만니톨과 생리식염수는 등장성(isotonic)이며, 3% 솔비톨, 1.5% 글리신, 5% 포도당, 5% 덱스트로스는 저장성(hypotonic)이다. 전해질을 포함하지 않는 용액은 전해질 불균형을 일으킬 수 있다. 유산링거용액과 생리식염수는 등장성이기 때문에 다량이 혈관내로 흡수된다 하더라도 전해질 불균형을 일으키지 않는 더 안전한 확장매체이다.

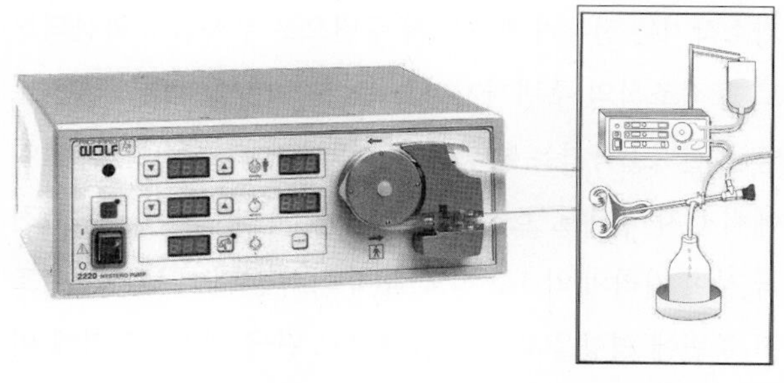

• 그림 41-6. 자궁경 펌프(Hystero-pump) 및 지속성 액체공급 시스템

자궁확장매체는 시술자가 이용할 전기소작기의 종류에 따라 결정한다. 단극(monopolar) 전기소작기를 사용하는 경우 전해질을 포함하고 있는 즉, 전류가 흐를 수 있는 생리식염수를 확장매체로 사용하게 되면, 전류가 표적조직으로 집중되지 못하고 확장매체들을 통해 분산되기 때문에 단극 전기소작기의 효과가 감소하거나 나타나지 않게 된다. 그러므로 단극 전기소작기를 사용할 때는 반드시 전해질을 포함하지 않는 확장매체를 사용해야 한다. 반면 양극(bipolar) 전기소작기를 사용하는 경우에는 두 전극사이에 전류가 흐를 수 있도록 전해질을 함유하는 확장매체를 사용해야 한다.

확장매체 를 주입할 때 가장 적절한 자궁내압은 환자의 평균 동맥압보다 낮은 60-80 mmHg이다. 자궁내압이 75 mmHg 이하로 유지되어야 확장매체가 나팔관을 통해 새나가지 않는다. 확장매체를 주입하는 가장 간단한 방법은 중력을 이용하는 것이다. 확장매체가 담긴 주머니를 자궁내강이 충분하게 확장될 수 있는 가장 낮은 위치에 두어야 하는데, 주머니를 환자의 자궁보다 1-1.5 m 높은 곳에 위치시키면 70-100 mmHg의 자궁내압을 얻을 수 있다. 주머니 주위에 압력띠(pressure cuff)를 감아 압박하여 주입하는 방법도 있으나 이 방법은 자궁내압을 정확히 조절할 수는 없다는 단점이 있다. 주입펌프(Infusion pump)를 이용하면 자궁내압을 미리 정해진 값으로 일정하게 유지할 수 있다(그림 41-6). 진단자궁경이나 간단한 자궁경 수술시에 꼭 필요한 것은 아니지만 수술 시간이 오래 걸리는 경우에는 반드시 자궁내 압력을 적절한 정도로 일정하게 유지해 주어야 한다.

5) 에너지원

전기수술용 발전기와 Nd:YAG 레이저, 다이오드 레이저, KTP 레이저 등이 있으며, 병변을 간편하게 제거하는데 사용할 수 있다.

	크기(프렌치)	전체길이
 고형 조직검사 및 집게 포셉	7	335 mm
 고형 갈고리가위	7	335 mm
 고형 조직검사 포셉 갈고리형, 절단행위	7	335 mm

● 그림 41-7. **미세자궁경 수술기구(고형)**

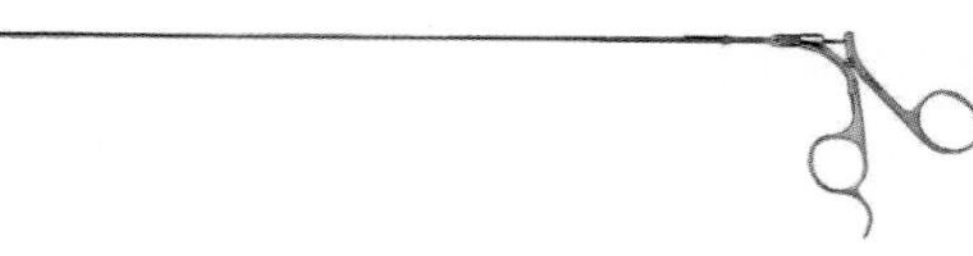

	크기(프렌치)	전체길이
 유연성 집게 포셉	7	410 mm
 융연성 이물질 포셉	7	410 mm
 유연성 조직 검사용 포셉	7	410 mm
 유연성 가위	7	410 mm
 유연성 주입관	7	500 mm

● 그림 41-8. **미세자궁경 수술기구(유연형)**

6) 수술기구

자궁경수술을 위해서는 가위, grasping forceps, biopsy forceps, 흡입카테터 등 많은 종류의 수술 보조 기구들이 필요하다. 보조 기구들은 강직형, 반강직형, 유연형으로 분류되며, 강직형의 경우 직경이 더 크기 때문에 사용시 큰 직경의 working channel 이 필요하며, 큰 용종이나 깊이박힌 자궁내장치의 제거와 같이 큰 힘이 필요할 때 유용하다. 반강직형은 강직형에 비해 약하여 비교적 작은 용종 제거 시 또는 생검 시에 사용하기에 적당하다. 유연형은 가장 힘이 약하여 섬세하고 정교한 시술 시 사용될 수 있다(그림 41-7, 8).

전기소작기는 spring, twizzle, ball 형태가 있으며, 직경이 1.5 mm로 얇아서 5 mm의 진단용 자궁경에도 사용할 수 있어 진단과 동시에 수술이 가능하도록 고안되었다.

7) 절제경(그림 41-9)

과거에 비뇨기과 의사들이 요도경유전립샘절제(transurethral prostatectomy)에 사용하던 단극 전기소작기를 개량하여 1990년대 이후 부인과에서 절제경으로 사용하고 있다. 절제경은 자궁경, 외측 외피, 내측 외피, 그리고 operating channel 로 구성되어 있다. 내측 외피에는 확장매체의 유입구가 있고, 외측외피에는 확장매체의 유출구가 있으며, operating channel에는 전기소작기를 연결하여 사용한다. 전기소작기의 끝부분은 수술 목적에 따라 cutting loop, roller ball, sylinder, 또는 바늘전극(needle electrode) 등의 여러 형태를 선택하여 사용할 수 있으며, 주로 고주파전류(high frequency current) 를 사용하는 것이 좋으나 그 목적이 절제인지 응고인지에 따라 전류를 다양하게 적용할 수 있다. 전기소작기는 단극, 양극 두 가지가 있다. 단극 전기소작기는 전류가 표적조직 주변으로 무작위로 확산되므로 표적조직의 주변까지 어느 정도 영향을 미친다. 반면, 양극 전기소작기는 활성화되었을 때 전류가 두 전극 사이에서 U자 형태로 흐르게 되며, U자 형태의 깊이는 두 전극 사이 거리의 약 1/2 정도 밖에 되지 않기 때문에 표적조직 주변에 영향을 미치지 않으므로 단극 전기소작기에 비해 안전하게 사용할 수 있다. 단, 양극 전기소작기를 사용할 때는 액체가 전기를 전도할 수 있어야 하므로 반드시 자

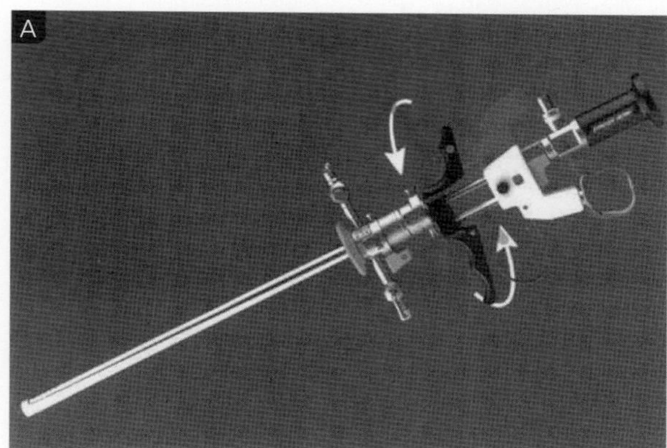

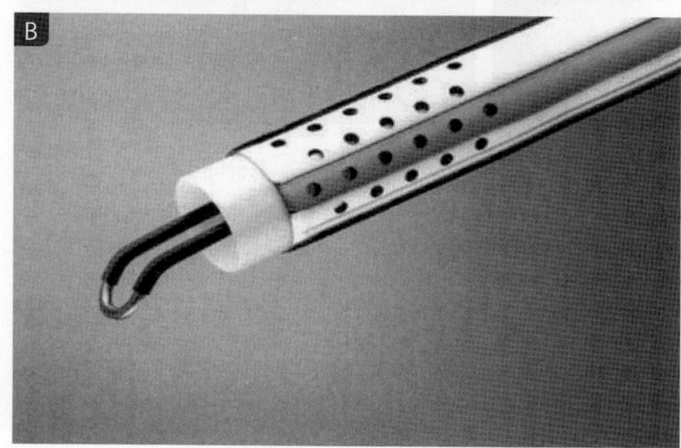

● 그림 41-9. **A. 수술용 절제경 B. 전기소작기**

궁확장제를 유산링거용액이나 생리식염수를 사용해야 한다. 최근에는 단극 전기소작기와 함께 한쪽에 조직을 흡입하는 흡입관이 부착된 기구도 개발되었다 .

절제경은 점막하 자궁근종 이나 거대 자궁내막용종의 제거, 중격절제, 그리고 자궁내막절제술(ablation) 등에 주로 사용한다.

2. 진단자궁경(그림 41-4, 41-5)

직경이 작은 자궁경이 개발되면서 시술로 인한 통증이 줄어들어 외래에서 마취 없이 진단자궁경을 시행하게 되었다.

1) 적응증

(1) 비정상 자궁출혈
(2) 불임환자에서 자궁내강의 확인
(3) 습관성 유산
(4) 비정상 자궁내막초음파 소견 및 종괴(자궁내막용종, 점막밑 자궁근종)
(6) 자궁내막유착증이 의심될 때
(7) 자궁내장치 (IUD) 등의 이물질의 위치 확인
(8) 선천 자궁기형
(9) 자궁내막증식증의 추적 검사(Follow-up of endometrial hyperplasia)
(10) 자궁내막암의 수술 전/후 자궁내부 검사

2) 금기증

절대 금기증으로는 급성 골반염, 심한 자궁경부의 감염, 자궁경부암, 경험 부족, 불충분한 장비, 비협조 환자 등이 있다. 상대 금기증으로는 질염, 자궁경부염, 임신, 자궁출혈, 중증 자궁경부 협착, 중증 심폐질환, 자궁내막암 등이 있다.

3) 장/단점

자궁내부를 직접 관찰할 수 있으며, 가능한 경우 진단과 동시에 생검과 치료를 할 수 있다. 단, 약간의 불편감이나 통증을 느낄 수 있다. 자궁내 출혈이 심하거나 자궁경관 유착시 진단이 부정확하거나 불가능할 수 있다.

4) 시술방법

환자를 골반내진자세(lithotomy position) 를 취하게 하고 적절하게 소독을 한다. 자궁경의 직경 및 종류에 따라 필요한 경우 마취를 하고 자궁경부를 확장시킨다. 자궁경부를 당기개(tenaculum)로 잡고 확장매체를 주입 하면서 자궁경을 삽입하면서, 자궁내강을 관찰한다.

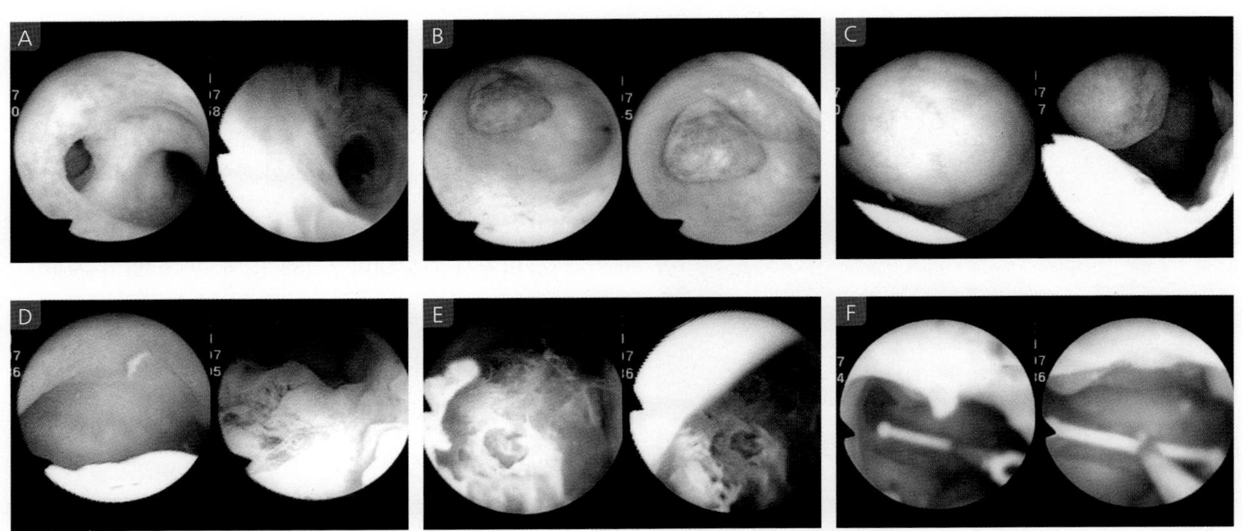

● 그림 41-10. A: 자궁내 유착, B: 자궁내막 폴립, C: 점막하 자궁근종, D: 자궁내막증식증, E: 태반 폴립, F: 자궁내장치

5) 진단영상(그림 38-4)

3. 수술자궁경

1) 적응증

(1) 자궁내장치의 제거
(2) 자궁내막용종의 제거
(3) 자궁내 유착 박리
(4) 불임 환자에서 자궁각 폐쇄(cornual obstruction) 시 난관도관삽입(tubal catheterization)
(5) 자궁중격 절제
(6) 자궁경부경유 불임법(Transcervical sterilization)
(7) 점막하 근종절제술

2) 시술방법

(1) 자궁근종절제술

자궁경 수술이 점막하 자궁근종의 주된 치료법이기는 하지만 모든 점막하 자궁근종에서 자궁경 수술이 가능한 것은 아니므로 수술전에 초음파나 자기공명영상, 자궁난관조영술, 진단자궁경 등을 이용하여 자궁근종의 위치와 크기, 자궁근층으로의 침범 정도를 확인하여 적응증에 해당하는 환자들을 잘 선별하는 것이 중요하다. 자궁근층 내로 많이 침범된 제2형 자궁근종은 완전히 절제가 어려워 2회에 걸쳐 수술을 하기도 한다.

고리형태의 전기소작기를 이용해 근종을 반복하여 절제하는 것이 가장 흔하게 사용하는 방법이다. 전기소작기를 시술자가 있는 방향으로 당기면서 절제해야 자궁천공을 예방할 수 있으며, 전기소작기가 인접한 자궁내막에 닿지 않도록 주의해야 한다. 절제시 전기소작기의 전류를 너무 낮추게 되면 조직 내에서 전류가 지나가는 속도가 느려지면서 전기에 노출되는 시간이 증가하게 되어 열손상이 더 깊어지게 된다. 제1형과 제2형의 자궁근종의 경우 일단 자궁강내로 돌출된 부위를 절제한 후, 자궁근층 내에 존재하는 부위를 고리로 문지르거나 복강경하에 자궁근층에 prostaglandin F-2α를 주사하여 자궁내강으로 돌출되도록 유도하여 돌출된 나머지 부분을 다시 절제한다. 만약 이러한 방법으로 돌출이 되지 않는다면 수술을 종료하고, 생리 후에 근종이 자궁강 내로 돌출되었으면 이차 수술을 한다.

(2) 자궁내막용종

자궁경 수술 중 가장 간단하고 쉬운 수술에 해당한다.

사용하는 기구의 종류와 관계없이 치료 효과는 비슷하므로, 시술자가 가장 익숙한 방법으로 시술을 진행한다. 자궁근층을 절개하지 않으므로 시술 후 자궁내유착이 발생하는 경우는 매우 드물다

(3) 자궁내막유착증

남아있는 자궁내막에 대한 손상을 최소화하기 위해 수술용 미세가위나 겸자와 같은 기구를 주로 사용한다. 자궁하방에서 자궁저부쪽을 향해 자궁내강의 형태가 정상이 될 때까지 진행하는데, 일반적으로 박리가 더 쉬운 부분인 중앙부위에 위치한, 유착이 얇은 곳부터 시작한다. 수술 후 재유착을 방지하기 위해 폴리도뇨관(Foley catheter)을 풍선확장(ballooning)시켜 수 일간 자궁 내에 삽입하기도 한다. 수술 후에는 6-8주 후에 진단내시경을 이용하여 자궁내부가 다음 임신에 적절한지 확인한다.

(4) 자궁내막절제술

자궁내막이 얇을 때 시술해야 가장 효과적이므로, 자궁내막 두께가 4 mm 미만인 월경직후에 또는 자궁소파술(D&C)을 하거나 다나졸 또는 프로게스토겐, 생식샘자극호르몬방출호르몬작용제(GnRH agonist) 를 투여하여 자궁내막을 얇게 만든 후 자궁내막절제술을 시행한다. 2009년 Cochrane Database Systematic Review에 따르면 생식샘자극호르몬방출호르몬작용제로 전처치를 하면 전처치를 하지 않은 경우에 비해 시술이 용이해져 시술 시간이 단축되고, 시술 12개월 후 무월경의 발생률이 더 높고, 시술 후 월경통 또한 감소한다.

Nd:YAG 레이저를 이용하면 광증발(photovaporization)을 통해 자궁내막을 절제할 수 있다. Nd:YAG 레이저는 조직 투과 깊이가 5-6 mm 정도이다. 반면, 롤러볼은 에너지원으로 전기를 사용하는데, 롤러볼의 열 효과는 4 mm의 깊이까지 전달되므로 자궁근층의 두께가 4 mm 미만일 수 있는 자궁각 부위를 시술할 때는 특히 주의를 기울여야 하고, 자궁내막이 두꺼울 경우 자궁내막 전층이 파괴되지 않을 수 있으므로 전처치를 고려해 보아야 한다. 롤러볼의 효과는 사용된 전력(electric power)보다는 조직과의 접촉시간에 의해 좌우되므로 롤러볼을 자궁내막에 대고 천천히 움직여야 한다. 접촉된 자궁내막조직이 하얀색으로 변하면 충분한 효과가 나타난 것이라고 판단할 수 있다. 너무 오래 접촉을 하고 있으면 자궁근층 전체가 괴사되거나 자궁천공 또는 주변장기에 열손상이 발생할 수 있으므로 주의해야 한다.

단극 또는 양극 전류가 흐르는 고리모양의 전극봉을 이용하는 절제내시경(transcervical resection of the endometrium, TCRE) 시에는 자궁근육 섬유가 노출될 때까지 반복적으로 고리모양의 전극봉을 조직사이로 통과시키면 자궁내막 전층을 제거할 수 있다. 그러므로, 자궁내막에 대한 전처치는 별로 중요하지 않다. 절제내시경 시술 시 가장 중요한 원칙은 전극봉을 자궁경부 쪽으로 당길 때에만 전류를 활성화시켜야 한다는 것이며, 이는 우발적인 자궁천공을 감소시켜 줄 수 있다(표 41-1).

자궁경을 이용하여 열수절제(hydrothermal ablation)를

표 41-1. 1세대 자궁내막절제술의 장단점

	레이저	롤러볼	절제내시경(고리)
장점	▪ 조직응고 깊이 5-6 mm ▪ 절제내시경에 비해 천공률 낮음 ▪ 작은 점막하 자궁근종이나 용종 치료 가능	▪ 절제내시경보다 시술이 쉬움 ▪ 절제내시경보다 자궁천공, 수액과부하 및 출혈 위험이 낮음 ▪ 레이저보다 시술시간 짧음	▪ 조직생검 가능 ▪ 자궁내막이 두꺼운 경우 적당함 ▪ 점막하 자궁근종이나 용종 치료 가능
단점	▪ 비용이 많이 듦 ▪ 시술 속도가 가장 느림 ▪ 전기 절제보다 수액과부하 위험이 높음 ▪ 조직생검 불가능	▪ 조직생검 불가능 ▪ 점막하 자궁근종 치료 불가능 ▪ 양극전류보다 안전성이 낮은 단극전류 사용 ▪ 비생리적인 확장매체 사용	▪ 레이저와 롤러볼에 비해 시술자의 숙련도가 가장 중요 ▪ 자궁천고 위험 높음 ▪ 전해질이 없는 확장매체 사용(단극전류 이용 시)

하는 방법도 있다. 자궁내강으로 자궁경을 삽입한 후 90 ℃로 가열된 생리식염수를 45 mmHg 미만의 압력으로 10 분 동안 주입하여 2-3 mm 두께의 자궁내막을 괴사시키는 방법이다. 생리식염수 주입 압력을 45 mmHg 미만으로 유지해야 자궁내압력이 50-55 mmHg으로 유지되어 난관을 통해 수액이 빠져나가는 것을 막을 수 있으며, 생리식염수의 온도와 유입/유출양은 microprocessor로 조절한다. 시술 전에는 반드시 자궁내막을 얇게 만들어 주어야 하는데, 소파술은 출혈을 일으켜 열수절제의 효과를 감소시킬 수 있으므로 생식샘자극호르몬방출호르몬작용제나 다나졸을 이용하여 전처치를 하는 것이 좋다.

4. 합병증

자궁경수술의 합병증은 1-12%로 보고되고 있으며, 진단자궁경은 수술자궁경에 비해 합병증 발생률이 낮다.

1) 초기합병증

(1) 감염

자궁경수술 중 감염은 0.25-1%에서 발생한다. 시술 후 발생한 감염은 향후 자궁내강 유착, 골반유착, 불임 등의 만성합병증의 원인이 될 수 있다. 하지만, 시술 전 골반염이 없었던 경우에는 자궁경수술 후 감염 합병증이 흔하지 않다. 그러므로 시술 전 예방 항생제를 일상적으로 사용할 필요는 없으나, 류마틱 심장염(rheumatic carditis) 의 과거력이 있거나, 선천심장병(congenital heart disease), 만성자궁내막염이 의심되는 경우에는 예방 항생제를 투여할 것이 권고되고 있다.

(2) 출혈

자궁경수술 중 출혈은 0.16%에서 발생한다. 출혈의 빈도는 자궁내막절제술 , 자궁내막용종절제술, 근종절제술, 중격절제술 보다 유착박리술에서 유의하게 높은 것으로 보고되고 있다.

시술 중 출혈이 있을 때에는 양극성 전기소작기를 이용하여 지혈한다. 시술 종료 후에도 출혈이 지속되면 자궁내에 풍선을 삽입하여 지혈을 시도할 수 있다.

(3) 자궁천공

미국부인과내시경학회의 보고에 따르면 1991년에 자궁경수술 중 자궁천공의 발생 빈도는 1.1%였으며, 이 중 50%는 자궁경부를 확장시킬 때 발생했고, 나머지 50%는 시술 중 내시경의 사용법이 부적절하여 발생하였다. 자궁천공은 자궁중격절제술, 자궁근종절제술, 유착박리술 중에 가장 흔하게 발생한다.

자궁천공이 발생하면 확장매체가 천공된 부위를 통해 유출되므로 자궁내 압력이 갑자기 감소하게 되어 자궁내강이 잘 보이지 않게 된다. 자궁천공이 의심되면 즉시 시술을 중단한다. 천공이 물리적인 기구에 의해 발생했고 장손상이 의심되지 않으면 관찰할 수 있지만, 장손상이 의심된다면 복강경으로 확인을 해야 한다. 전기소작기로 천공된 경우에는 반드시 장손상 여부를 확인해야 한다

자궁천공을 예방하기 위해서는 자궁경을 삽입할 때 모니터상에 자궁경구를 확인하면서 무리한 힘을 가하지 않으면서 진입해야 한다. 만약 자궁경부의 협착이 심한 경우라면 라미나리아(luminaria) 또는 misoprostol 등을 사용하여 자궁경부를 충분히 확장시켜 주어야 안전하게 자궁경을 진입시킬 수 있다. 또한 수술기구는 시술자 방향으로 당기면서 작동시켜야 한다. 필요한 경우 자궁경수술 시 동시에 복강경으로 감시하면 자궁천공을 예방할 수 있다.

(4) 미주신경반응(Vagal reaction)

큰 직경 의 자궁경을 사용하는 경우 간혹 미주신경자극에 의해 메스꺼움, 구토, 저혈압, 어지럼(dizziness), 실신 등이 나타날 수 있다.

(5) 열 손상

열 손상은 대부분 자궁천공과 동반되어 발생한다. 열 손상은 시술 중에 진단되는 경우가 드물고 시술 수일 후에 발열, 복통과 같은 복막염 증상으로 진단되는 경우가 많다.

(6) 자궁확장매체 관련 합병증

① 액체 자궁확장매체의 혈관내 유입

자궁내강의 압력이 평균 동맥압보다 크면 액체 자궁확장매체가 혈관내로 유입되면서 과다혈량(증)(hypervolemia), 저나트륨혈증, 삼투압저하증 등이 발생할 수 있다. 서맥을 동반한 갑작스러운 혈압 상승, 혈액순환 감소, 신경학적 증상, 빈뇨, 무뇨, 급성 신부전, 폐부종 등이 나타나며 사망하는 경우도 보고되어 있다. 저나트륨혈증이 진단되면 수분 공급을 제한하고, 만니톨 등의 이뇨제를 투여하며, 고장성 식염수 사용을 고려해야 한다. 예방을 위해서는 자궁내강의 압력을 평균동맥압보다 낮은 70-80 mmHg 로 유지하는 것이 중요하며, 액체 자궁확장매체의 유입량과 유출량을 확인하여 차이가 1,000 mL를 넘지 않도록 주의하며, 1,500 mL 이상 차이가 나면 시술을 중단해야 한다. 덱스트란70은 사용량은 300 mL 미만으로 제한하여 심부전이나 폐부종을 예방해야 한다.

그 외 수액 자체의 합병증으로 덱스트란은 과민반응이나 혈액응고장애, 폐부종, 호흡 부전, 심부전, 신부전 등이 올 수 있고, 당류를 함유한 확장제는 고혈당(hyperglycemia)을 유발할 수 있으며, 글리신을 함유하는 매체는 수액 과부화시 심한 신경학적 독성 합병증을 가져온다. 만니톨과 솔비톨을 같이 함유한 매체는 간기능이 좋지 않은 사람에서는 사용하면 안 된다.

② 이산화탄소 색전증

이산화탄소 색전증은 자궁확장매체로 이산화탄소를 사용하는 경우 발생하는 심각한 합병증으로 발생 빈도는 0.017% 정도이다. 주입된 이산화탄소의 양이 너무 많거나 속도나 압력이 너무 높을 때 발생한다. 그러므로 자궁경 중 이산화탄소의 주입 압력은 100 mmHg, 주입속도는 100 mL/분, 자궁강내 압력은 80 mmHg 미만으로 제한해야 한다. 이산화탄소 색전증은 호기 시 이산화탄소가 급격하게 감소하면서 water-wheel 심잡음이 들리면 진단할 수 있다.

(7) 마취합병증

2) 후기합병증

(1) 자궁혈종

자궁내막절제술 후 1-2%에서 자궁혈종이 발생한다. 주기적인 하복부 통증이 나타나게 되는데, 치료는 자궁경부 를 확장시켜 주거나, 필요한 경우 자궁경을 통한 유착박리술을 해야 한다.

(2) 자궁내막절제술 후 자궁내막암

자궁내막절제술 후에도 정상 자궁내막이 일부 존재할 수 있어, 시술 후 자궁내막암의 발생이 보고된 바 있다. 자궁내막절제술 후에는 자궁내막암의 주요한 증상인 비정상 자궁출혈이 없을 수 있어 진단이 지연될 수 있다.

(3) 자궁경수술후 임신 시 자궁파열

자궁경하 유착박리술 또는 중격절제술을 한 경우 또는 자궁경 수술 중 자궁천공이 있었던 경우, 자궁경수술 중 단극 전류를 사용했던 경우 임신 시 자궁파열이 된 증례가 보고되고 있다. 자궁경수술로 자궁에 흉터가 생기면 임신 중 자궁확장이 제한되어 자궁파열이 발생할 수 있다.

** 참고문헌 목록은 대한산부인과내분비학회 홈페이지 http://www.kosge.or.kr 또는 QR코드를 통해 보실 수 있습니다.*

CHAPTER

42 로봇수술

김미란(가톨릭의대), 정경아(이화의대)

과거의 개복수술에서부터 미세침습수술로의 변화와 발전은 괄목할 만하며 부인과 영역에서 복강경의 시작은 난관불임수술이었고 로봇수술의 시작은 이를 복원하는 난관문합술이었다. 본격적인 복강경 수술이 1980년대부터라면 2000년대부터 로봇수술의 시대가 열렸고 개복수술에서 복강경 수술로의 전환에 오랜 시간이 걸리지 않은 것처럼 로봇수술의 보편화는 예상보다 빠르게 진행되었다.

여성의 활동이 늘고 출산이 늦어지는 사회 경향에 따라 젊은 여성들에서의 부인과 수술은 점차 많아지고 있다. 이들은 특히 수술 후 통증이 적고 회복이 빨라 일상생활과 직장으로의 즉각 복귀를 원하고 수술 상처는 최대한 작고 드러나지 않는 미용 효과를 원한다. 반면 미래의 임신을 위한 가임력보존을 위한 정교한 수술이 필요하므로 부인과 분야에서의 로봇수술, 특히 로봇단일공 수술에 이르기까지 호응도가 높아지고 있다.

기존의 복강경수술은 2차원 영상을 기반으로 하며 기구가 대부분 막대기 형태로 만들어져 움직임의 제한이 있을 뿐 아니라 복강경 술기의 습득에 오랜 훈련이 필요하므로, 이를 보완할 수 있는 새로운 수술 플랫폼(platform)인 로봇수술이 각광을 받게 되었다.

1. 로봇수술 플랫폼(Platforms)

현재 사용되고 있는 미국의 인튜이티브 써지컬에서 개발한 다빈치(da Vinci) 수술 시스템은 세 부분으로 구성되어 있다(그림 42-1).

인체공학 설계로 수술 집도의가 앉아서 조종하는 콘솔, 비전 카트, 환자 카트이다. 콘솔은 환자와 떨어진 곳에 위치하며, 같은 수술실 안에서 환자 카트와 근거리 통신이 가능하고, 로봇 팔을 조작하기 위한 손잡이에 해당하는 마스터조정장치에 자동화기술이 장착되어 있다. 집도의는 콘솔에 이마를 대고 3D 입체영상을 보면서 두 손과 두 발로 동시에 전기소작기의 스위치를 켜거나 카메라 또는 조정하려는 로봇 팔을 선택적으로 조종한다. 콘솔 바닥에 위치한 발판을 이용하여 카메라의 위치, 초점 조절, 단극 또는 양극 에너지 소스의 활성화, 클러치를 통한 손잡이의 재위치, 작동 기구 변경 등의 다양한 기능을 적용할 수 있다.

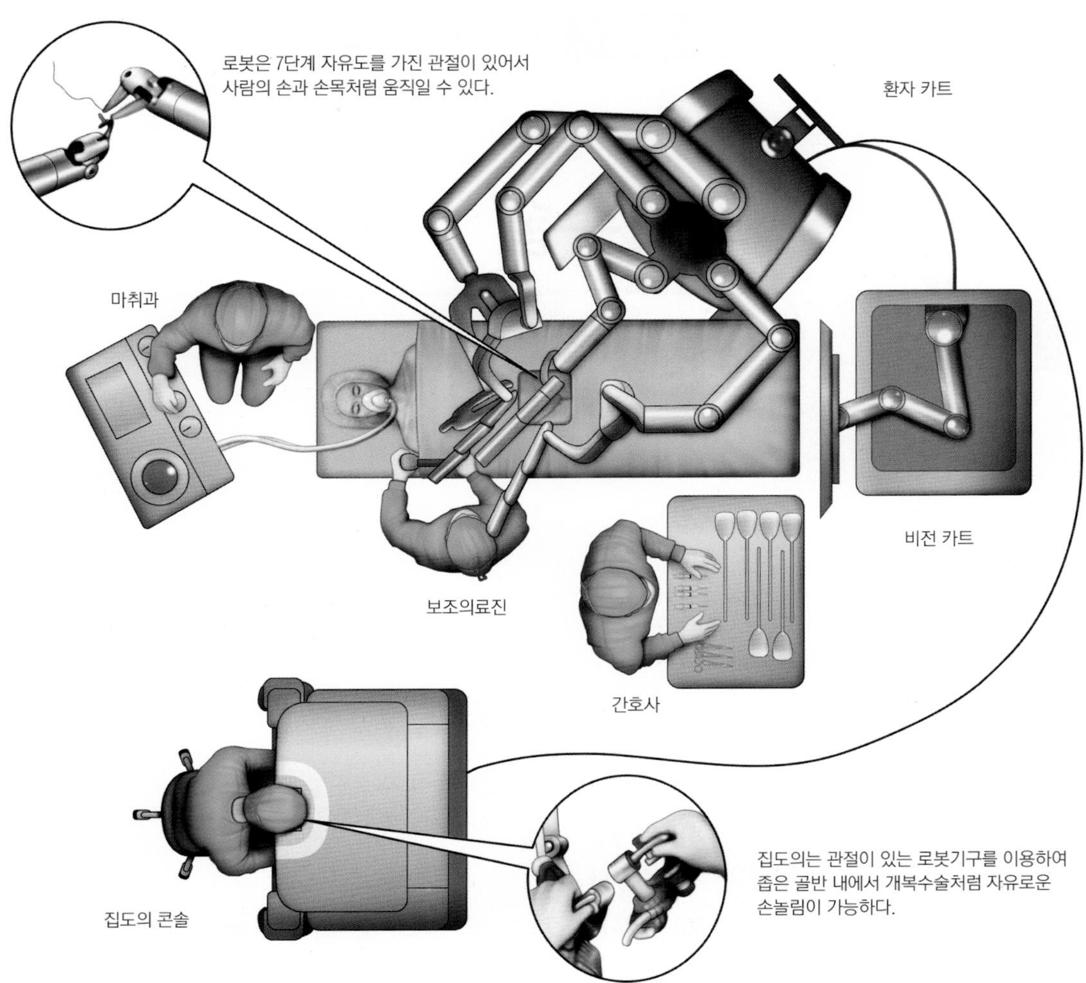

• 그림 42-1. **로봇수술 플랫폼**

비전 카트는 3D 입체 영상을 제공한다. 각각 카메라 헤드에 개별적인 이미지를 보낼 수 있는 두 개의 평행한 확대경(0도 또는 30도)으로 구성되어 있어 두 이미지가 컴퓨터에 의해 나타날 때 3D 수술 시야를 콘솔에서 볼 수 있다. 10-15배의 확대와 고화질의 화면을 제공하며, 안개처럼 시야가 뿌옇게 되는 것을 최소화하기 위한 온도 조절프로그램이 내재되어 있다. 환자 카트는 셋 또는 네 개의 로봇팔을 통해서 로봇관절(EndoWrist)이 있는 기구들을 삽입할 수 있다. 로봇수술은 환자 카트를 도킹(docking)한 후에 집도의가 콘솔에서 로봇기구를 조정하여 사람의 손목관절과 최대한 비슷한 회전 및 섬세한 동작을 구사하며 수술할 수 있는 것이 복강경수술에 비해 우월한 장점이다. 또한 로봇시스템은 복강경수술에서 나타나는 집도의의 손 떨림을 보정해 주고 오른손 잡이가 왼손도 쉽게 쓸 수 있도록 보완해 준다. 반면에 직접 촉각을 느끼는 대신 시각 피드백을 활용해야 하며 이러한 시스템 구비를 위한 고비용이 발생한다는 것이 단점이다.

2. 로봇시스템의 발전

다빈치 수술로봇은 S에서 Si, Xi와 X, 그리고 SP에 이르기까지 발전해 오고 있다. Si(그림 42-2)부터는 로봇단일공 수술이 가능하도록 시스템이 업그레이드 되었으며 단일공 수술에 특화된 SP 시스템이 최근에 임상화 되었다. 현재 가장 많이 사용하고 있는 Xi 시스템(그림 42-3)은 천정에서

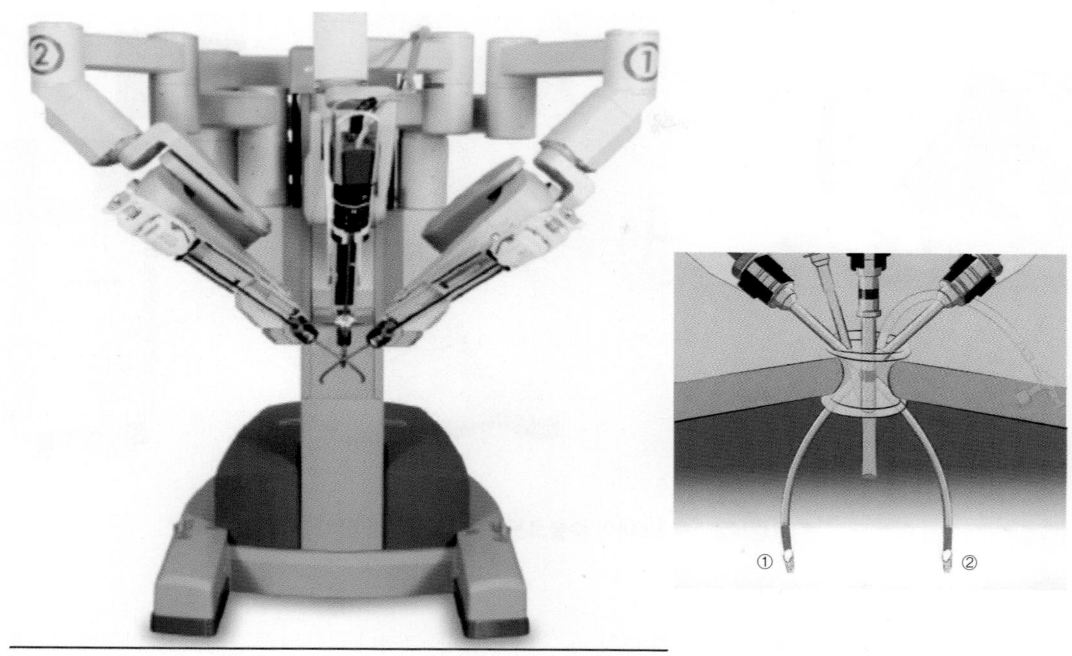

• 그림 42-2. **다빈치 Si 시스템: 굴곡이 있는 투관침 1, 2가 교차되는 단일공 시스템**

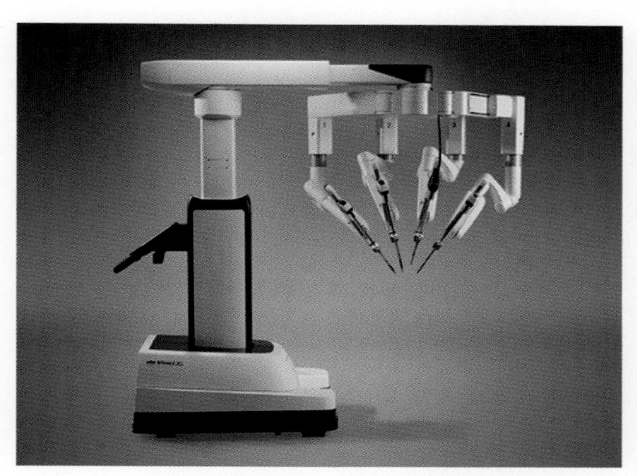

• 그림 42-3. **다빈치 Xi 시스템**

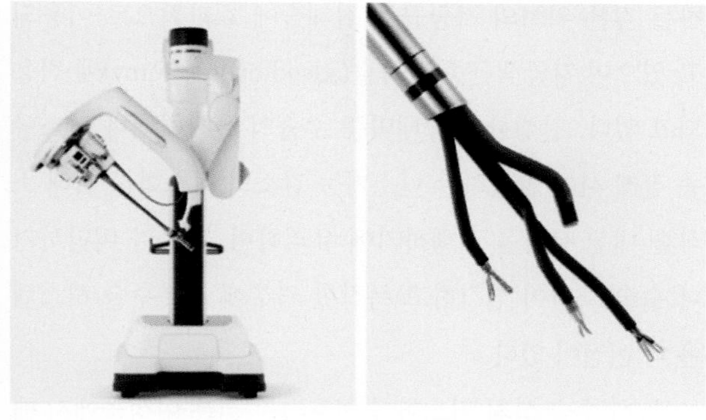

• 그림 42-4. **다빈치 SP 시스템**

내려오는 4개의 로봇 팔이 길어지고 얇아져서 복강 내 어느 곳으로도 접근이 가능해서 수술 범위가 확대되었고, 로봇 팔 어디에도 자유롭게 카메라를 장착할 수 있게 되어 집도의가 로봇 위치를 조정하지 않고도 다양한 각도에서 수술을 진행할 수 있다. 수술 부위에 형광 이미지를 적용하면 혈관과 혈류, 미세 조직까지 더 정밀하게 관찰할 수 있다. 로봇 단일공 수술의 발달로 개발된 SP시스템(그림 42-4)은 좁은 수술 공간에서 잘 움직일 수 있도록 세 개의 다관절 기구 및 360도 회전가능한 3HD 카메라를 하나의 로봇팔에 구성하여 Si, Xi 시스템을 이용한 로봇단일공 수술의 영역을 보다 확대해 가고 있다.

국내에서도 미래컴퍼니에서 2018년 레보아이(Revo-i) 수술로봇 시스템을 출시하였으며 비용절감을 현실화하며 지속적으로 보급할 전망이다(그림 42-5).

3. 부인과 로봇수술

부인과 수술 영역에서 로봇수술은 자궁근종, 자궁내막

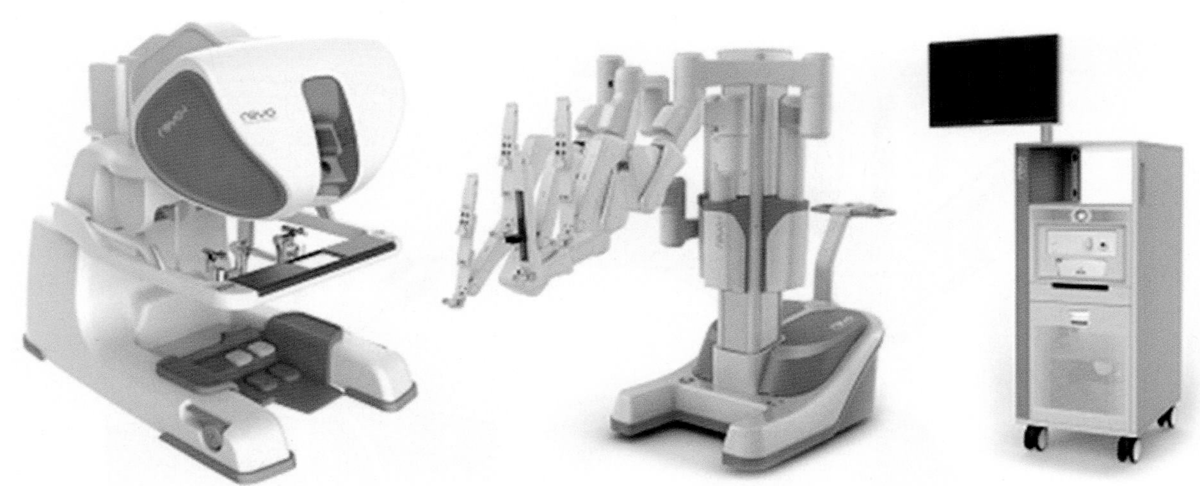

● 그림 42-5. **레보아이 수술로봇 시스템(미래컴퍼니)**

증 등 양성 질환뿐 아니라 악성 부인암에 이르기까지 다양한 질환에 적용되고 있다. 복강경 수술에 비해 정교한 봉합이 가능하다는 우월한 장점으로 인해 자궁내막까지 침범하는 깊은 위치의 자궁근종 절제술에 효과적으로 이용되고 있으며 자궁샘근종 감축술(adenomyomectomy)에 적용되고 있다. 진행한 자궁내막증 수술의 유착박리나 난소낭종 절제 시에 발생하는 난소기능 감소의 최소화를 위해 소작술 대신 봉합을 시행하기에 유리하며, 환자가 비만하거나 수술 소견이 심각하고 복잡한 경우에 로봇수술 시스템은 더 이점이 있다.

특히 수술 상처 최소화를 선호하는 젊은 여성들에서 배꼽 한 곳만을 이용한 단일공 수술을 복강경으로 시행할 때, 강직한 복강경 수술기구들과 카메라가 부딪히고 섬세한 봉합을 봉합을 하기까지 시간과 노력이 많이 든다는 단점이 있었다. 그러나 굴곡된 투관침, 로봇기구에 장착한 관절효과 및 회전되는 카메라와 다관절 기구로 시스템을 최신화함으로써 그러한 단점을 극복하였으며, 수술적용 범위가 확대되었다. 수술적용 범위가 확대되고 있다.

부인과 질환에서 로봇수술의 임상 연구결과들이 지속적으로 발표되고 있으며 복강경에서 로봇수술로의 전환은 더욱 가속화될 것이다.

** 참고문헌 목록은 대한산부인과내분비학회 홈페이지 http://www.kosge.or.kr 또는 QR코드를 통해 보실 수 있습니다.*

GYNECOLOGIC ENDOCRINOLOGY

부 인 과 내 분 비 학

11

일반부인과학

CHAPTER

43 부인과 염증질환

이향아(강원의대), 홍승화(충북의대)

Ⅰ. 냉 유발 질환

1. 냉(leukorrhea) 유발질환

냉은 산부인과 외래를 방문하는 여성이 주로 호소하는 증상으로 세균질증, 트리코모나스 질염, 칸디다 질염 등이 주로 관련되어 있다. 그 중 트리코모나스 질염은 성매개감염으로 알려져 있어 특히 성 파트너의 치료와 관리도 중요하다.

냉은 그 외에도 자궁경관염 및 호기 질염, 위축 질염 등과 같은 생리학적이거나 병적인 상태에 의해 야기될 수 있다. 질 분비물 특이 검사상 음성이면서 냉증을 자주 호소하면 정신성 문제나 우울증에 의한 원인도 고려해 보아야 한다. 외음부 피부염증이나 알러지나 외음부에 자극을 줄 수 있는 물질에 의한 반응일 수도 있음을 염두에 두어야 한다. 클라미디아나 임질균에 의한 자궁경관염증에서도 자주 냉증을 호소할 수 있다.

1) 세균질증(Bacterial vaginosis, BV)

세균질증은 가임기 여성에서 비정상 질 분비물의 가장 흔한 원인이며, 폐경기나 소아에서도 드물게 나타날 수 있다. 세균질증은 정상 질 세균군 생태계의 변화 때문에 발생하며, 질내의 주된 균주인 젖산균이 감소하고 비호기성균(Gardnella vaginalis, Prevotella spp, Mycoplasma Hominis, Mobiluncus spp)이 과증식되어 대체되는 특징을 가지고 있다.

세균질증은 자연발생으로 생성되었다가 소멸될 수 있으며, 성매개감염은 아니다. 정상 젖산균이 감소되는 원인은 잦은 질세척과 잦은 성교 등에 의한 질의 알칼리화 때문이며, 특정 바이러스들에 의해 공격을 받은 젖산균이 재형성이 안될 때 비호기성 균의 과다증식이 일어나서 발생할 수도 있다고 한다.

세균질증을 가진 여성은 여러 심각한 부작용과의 관계가 보고되어 있다. 부인과 영역에서는 골반염증질환, 유산 후 골반염증질환, 자궁절제술 후 질염, 자궁경부세포이상 등의 빈도가 높아진다. 산과 영역에서는 조기양막파수나 조산, 양수내감염, 융모양막염, 제왕절개술 후 자궁내막염 등의 빈도가 높아진다.

(1) 임상증상 및 징후

질분비물: 50% 정도가 무증상이며, 생선 냄새가 나는 회색의 하얀 분비물이 증가한다.

(2) 진단

① 생선 냄새가 나는 회색의 하얀 질 분비물

② 질 분비물의 산도는 pH 4.5 이상

③ 질분비물에 KOH를 첨가하면 아민 같은 생선 냄새가 난다(whiff test).

④ 현미경 소견으로 직접도말 표본법(wet smear) 상 실타래상 세포(clue cell)-(세균이 붙어있어 경계가 불분명해진 질 상피세포)가 나타난다.

(3) 치료

비호기성 균을 억제하는 메트로니다졸(metronidazole)과 클린다마이신(clindamycin)을 주로 사용한다.

① 메트로니다졸 500 mg 하루 2번 경구로 7일 간 복용하는 방법이 일반적이며, 2 g을 한 번 경구로 투여하는 방법이 있다. 0.75% 메트로니다졸 겔을 5 g씩 하루에 1번 또는 2번 5일 동안 질내 주입하는 방법도 부작용이 적어 임상 의사들이 선호한다. 메트로니다졸을 질 내 500 mg 7일간 사용하는 방법이 400 mg 경구 7일 간 복용하는 것과 유사한 치료효과를 나타낸다는 보고도 있다.

② 클린다마이신 300 mg을 하루에 2번씩 7일 동안 경구 복용하는 방법, 100 mg 질정을 취침 전 질내 3일 동안 삽입하는 방법, 2% 크림 5 g을 취침 전 질내 7일 동안 주입하는 방법, 클린다마이신 생부착성 크림(bioadhesive cream) 2% 100 mg을 한 번 질내에 삽입하는 방법 등이 있다.

③ 메트로니다졸은 치료 중이나 치료 후 24시간 안에는 음주는 허용되지 않는다. 두통 및 심계항진과 같은 금주약과 유사한 반응이 나타날 수 있기 때문이다.

④ 성파트너는 치료가 필요하지 않다.

⑤ 임신 시 증상이 있는 세균질증은 치료를 해야 한다. 증상이 없어도 조기양막파수, 조산, 양수내감염, 융모양막염, 제왕절개술 후 자궁내막염 등의 임신 합병증을 일으킬 수 있으므로 적절한 치료와 관리를 요한다. 임신 중에는 경구로 메트로니다졸 250 mg을 하루 세 번씩 7일 동안 복용하는 치료법을 권하고 있으나, 이론적으로 태아에 대한 악영향이 가능하기 때문에 임신 1삼분기의 치료는 피해야 한다. 다른 방법으로는 클린다마이신 2% 크림을 취침 전에 5 g 질내 7일 동안 주입하는 방법을 권유하며, 임신 1삼분기에 시행해도 비교적 안전할 것으로 예측된다.
임신 중 세균질증 환자는 치료 한 달 후에 다시 한 번 검사해야 하며 재발하는 경우에는 같은 방법으로 치료를 다시 시행한다.

(4) 만성 재발 세균질증 치료

증상이 지속되거나, 조산의 위험성을 감소시키기 위해 임산부에게 처방되어졌다면, 한 달 뒤 추적검사를 시행한다. 젖산균제제나 질산성화를 유도하는 젤을 사용할 수 있다.

2) 트리코모나스 질염(Trichomonial vaginitis)

질 편모충(Trichomonas vaginalis)은 3-5개의 편모를 가진 병원성 단세포 원충으로 생식기에 주로 기생하며, 성접촉에 의해 감염을 일으키며, 주로 질과 요도를 통해 감염된다. 여성에서 90%에서 요도 감염을 일으킬 수 있고, 자궁절제술 후 질염의 발생을 증가시킨다. 또한, 임신 중에는 조기양막파수나 조산의 위험성을 높인다. 트리코모나스 질염은 성매개병으로 분류되므로 다른 성매개병인 임질과 클라미디아 염증에 대한 검사가 동반되어야 하며, 매독과 인간 면역결핍바이러스(HIV, humanimmunodefiency virus)에 대한 혈청검사도 시행하여야 한다.

(1) 임상증상 및 징후

① 질분비물: 다량의 화농의 냄새가 나며, 기포가 많다.

② 질소양감: 가려움증과 작열통증 등을 호소한다.

③ 질점막의 부종, 발적, 반점형 질홍반(patch vaginal erythema), 딸기 경부(strawberry cervix) 등을 관찰할 수 있다.
④ 질분비물의 산도는 pH 5.0 이상이며, Whiff test는 양성으로 나올 수 있다.

(2) 진단

① 임상증상과 징후
② 직접 도말표본법(wet smear)에서 움직이는 편모를 가진 서양배 모양의 트리코모나스 원충을 관찰할 수 있으며, 백혈구가 증가되어 있는 것을 볼 수 있다. 시간에 따라 움직임이 감소하므로 검체 채취 후 가능한 빨리 검사되어야 한다. 세균질증과 동반 시 clue 세포가 나타날 수 있다.
③ Pap smear: 민감도가 58%로 낮아서 유병률이 높은 환경이면 치료하나, 감염 가능성이 적으면 배양검사로 확인 후 치료한다.
④ 배양검사
⑤ 핵산증폭검사(nucleic acid amplification tests, NAATs)

(3) 치료

① 질산이미다졸(nitroimidazoles)이 항생제감수성이 높은 약제로, 경구, 주사치료가 둘 다 가능해서 가장 많이 이용되는 치료제이다. 메트로니다졸 2 g 1일 1회 요법과 500 mg 1일 2회 7일 간 요법이 95%까지 치유율이 높아 주로 사용되며, 요도나 요도주변부 감염이 자주 일어나므로 국소요법제는 권고되지 않는다. 처음 치료에 실패하면 메트로니다졸 500 mg 1일 2회 7일 간 다시 투여하고, 그래도 반응이 없으면 1일 2 g 요법으로 3-5일 간 투여한다. 반응이 없는 경우 균배양검사를 하여 메트로니다졸에 대한 감수성 검사를 시행한다. 임신 시 사용에 대한 위험성 분류(category) B이며, 임신 1삼분기의 사용은 피하는 것을 원칙으로 한다. 금주약(antabuse) 반응을 일으킬 수 있으므로 음주는 피해야 한다.
② 성파트너도 함께 치료하며, 재발 시 반드시 같이 치료해야 한다. 무증상이 될 때까지 성생활은 피하도록 하여야 한다.
③ 질내의 산성도 유지(pH 4.5-5.0)가 중요하다.
④ 자연적인 치유율은 20-25%이다.

(4) 만성 재발 트리코모나스 질염 치료

① 추적검사는 남성이나 무증상이 된 여성은 불필요하나, 지속적인 증상이 있거나 재발한 경우는 다시 치료를 고려하여야 한다.
② 메트로니다졸의 치료 순응도와 구토여부를 확인하고, 성 파트너가 치료받지 않았는지 여부와 새로운 파트너에 의한 감염여부 가능성을 확인한다.
③ 처음 치료했던 방법으로 반복 치료한다.
④ 반복치료에 실패하면 에리스로마이신(erythromycin)이나 아목시실린(amoxycillin)과 같은 경험적 치료를 해본다. 연쇄상구균(streptococci)과 같은 균의 동반 감염이 메트로니다졸의 치료효과를 감소시킬 수 있기 때문이다.
⑤ 트리코모나스 질염의 2-5%에서 저용량 메트로니다졸에 내성이 관찰되므로 고용량을 사용하거나 티니다졸(tinidazole)을 사용해본다. 티니다졸은 반감기가 길고 비뇨생식기의 조직에 메트로니다졸보다 더 작은 용량으로 치료효과가 높다.

다음과 같은 집합적인 치료를 고려해 본다.

- 메트로니다졸 400 mg 하루 세 번 경구 7일간, 메트로니다졸 1 g 직장내와 질내에 매일 삽입 7일 사용
- 메트로니다졸이나 티니다졸 2 g 매일 3-5일 경구사용
- 고용량의 메트로니다졸 주사제 사용
- 니모라졸(nimorazole) 2 g 경구 투여와 설폰아마이드(sulphonamide, sultrin) 페사리(pessaries) 하루 두 번 질 내 삽입 10일 사용

3) 칸디다 질염(Candidial vaginitis)

칸디다 질염은 90% 정도에서 Candida albicans의 과

다증식에 의해 발생하며, 그 외 Candida glabrata, Candida krusei, Candida tropicalis 등도 질염 증상을 나타낼 수 있으며, 후자의 경우 치료에 내성을 보이는 경향이 있다.

75%의 여성이 평생 동안 1번 이상 경험하며, 10-20%의 여성이 무증상의 칸디다 보균자이며, 임신 시에는 40%까지도 보고되고 있다.

칸디다증이 발병되는 선행 요인으로는 임신, 당뇨병, 항생제의 남용, 경구피임약의 복용, 면역억제상태, 질의 위생 상태불량, 남성 요인 등이 알려져 있다. 질칸디다증의 주된 근원지는 칸디다가 존재하는 대변에 의한 오염, 구강, 남성성기, 질세척, 속내의, 수건 등이다.

(1) 임상증상 및 징후

① 치즈형태의 냄새 없는 질분비물이 특징이다.
② 외음부 소양감, 작열감, 성교통, 배뇨통증
③ 외음부 질의 홍반, 부종

(2) 진단

① 임상증상과 징후
② 검사소견으로 칸디다균의 확인: 생리 식염수 도말검사에서 40-60%의 민감도, 염색도말검사(gram stain, pap smear)는 65%의 민감도, 10-20%의 KOH 도말검사는 80-90%의 민감도를 나타낸다. 배양검사는 도말검사상 음성일 때 확진을 할 수 있는 검사이다. 배양검사상 음성이면 경험적인 치료를 하지 않아야 한다.
③ 질의 산도는 정상이다.
④ Whiff test는 음성이다.

(3) 치료

① 적응증

검사상 칸디다균이 양성이면서 증상이 있는 여성은 치료하고, 무증상인 여성과 남성 파트너는 치료하지 않는다.

② 임신 중 치료

임신 중에는 질염의 증상이 없을 때는 치료가 필요 없으나, 증상이 있을 때는 신생아 진균감염을 방지하기 위해 치료하여야 하며, 국소제제를 사용하여 치료하여야 한다. 플루코나졸(fluconazole) 경구제 사용에 의한 선천기형의 가능성이 있기 때문에 이를 피하고, 국소 요법으로 클로트리마졸(clotrimazole), 미코나졸(miconazole), 부토코나졸(butoconazole), 터코나졸(terconazole), 니스타틴(nystatin) 등이 사용 가능하다. 또한, 경구용제는 수유부에서도 금기이다.

③ 이미다졸(Imidazole) 제제

치료제로는 국소치료제와 경구투여제가 있는데, 투여방식에 따른 치료효과는 유사하며, 치료율이 높고 재발률이 낮아 현재 가장 많이 사용하고 있다.

국소요법제는 아졸(azole) 제제들이 니스타틴보다 효능이 좋고 사용시간이 짧아 현재 가장 많이 사용되고 있다. 2-3일 정도 사용하면 증상이 해소된다. 가려움이 주증상이면 하이드로코티손(hydrocortisone)이 들어있는 국소제를 사용할 수 있다.

플루코나졸(Fluconazole) 1회 150 mg 경구요법이 국소아졸(azole) 요법과 동등한 효과를 나타내나, 2-3일 동안 증상이 해소되지 않으므로 환자에게 주지시킬 필요가 있다. 증상이 심한 경우 3일 후 150 mg을 추가로 투약할 수 있다. 이트라코나졸(itraconazole) 200 mg 하루 두 번 하루 복용과 케토코나졸(ketoconazole) 200 mg 하루 두 번 하루 복용할 수 있다. 경구약의 장기 투여 시 드물게 치명적인 간기능 장애를 초래할 수 있다. 가려움증이 심하면 경구제제 사용 시 수분크림을 병용할 수 있다.

④ 젠티안 바이올렛(Gentian violet)

현재 잘 사용하지는 않으나, 숙련된 의사에 의해 1-2% 용액을 2-3일 간격으로 질점막, 질전정, 음순에 염증이 없어질 때까지 도포하여 치료할 수 있으며, 보통 2-3회면 충분하다. 때로 심한 화학적 외음질염이 발생할 수 있고 환자 내의에 착색되는 단점이 있다.

⑤ **마이코스타틴**(Mycostatin, Nystatin)

이미다졸(Imidazole) 유도체가 사용되기 전에 주로 사용했던 항진균제로 크림, 연고제, 질정으로 되어 있으며, 주로 질정으로 사용하나, 십만 단위 질정을 1일 1회씩 10-14일 간 장기간 사용해야 하는 단점이 있다.

(4) 만성 재발 외음부 및 질칸디다증 치료

1년에 4회 이상 임상 및 검사 상 칸디다증이 발병하는 것을 말하며, 소수의 여성에서 발생하며, 지속적인 외음부 자극증상이 있으면, 확진을 위해 도말검사 및 배양검사를 시행한다.

재발은 항생제, 항암제, 부신피질호르몬 등을 투여 받는 환자나, 임신이나 당뇨병의 소인이 있는 여성에서 흔하며, 자가 전염력이 높아서 항문, 외음부, 피부에서 질로 침범하거나 외음부 심층에 균이 있을 경우 치료해도 제거가 되지 않아 재발이 잘된다.

치료는 개개인에 따라 다르고, 아직 완전히 확립되지는 않았지만, 만성인 증상에는 플루코나졸 150 mg 3일마다 3회 투여하고, 억제요법으로 매주 같은 용량을 1회씩 6개월간 사용한다. 90% 정도가 이러한 치료로 완치되나 억제 요법 후 무증상은 50% 정도이고, 나머지는 재발한다고 하니 향후 억제요법에 대한 연구가 필요한 실정이다.

2. 자궁경관염(Cervicitis)

자궁경관염은 외자궁경부와 내자궁경부에서 발생할 수 있으며, 외자궁경부상피의 염증은 질상피의 연장선상에 있으므로 질염을 일으키는 트리코모나스, 칸디다, 헤르페스 심플렉스 등에 의해 발생하고, 내자궁경부 상피인 선상피에 생기는 염증은 임질균과 클라미디아가 주된 원인으로 결국 화농 자궁경관염을 일으킨다.

1) 진단

(1) 노란색 또는 초록색을 띄는 화농 자궁경관, 점액 분비물의 임상소견이 특징이다.

(2) 면봉으로 노출된 선상피를 만지면 연약하여 쉽게 출혈을 일으킨다.

(3) 그람염색이나 임질균 배양검사, 세포배양이나 효소결합면역흡착검사(ELISA, enzyme-linked immunosorbent assay)에 의한 클라미디아 검사, 핵산증폭검사(nucleic acid amplification tests, NAATs)를 시행하여 임질이나 클라미디아 감염을 확인한다. 균이 발견되지 않는 환자의 50%에서 자궁경관염증의 원인을 알 수 없다.

2) 치료

(1) 임균치료를 위해 세프트리악손(ceftriaxone) 125-250 mg 1회 근육 주사한다.

(2) 클라미디아 치료를 위해 아지스로마이신(azithromycin) 1 g 1회 경구 복용한다.

표 43-1. 임균 및 클라미디아 치료 항생제, 미국 질병통제예방센터(CDC) 2021 권고안

임균 자궁경부염, 요도염	클라미디아 자궁경부염, 요도염
세프트리악손 500 mg, 근주, 1회 요법 (몸무게<150 kg 경우)	독시사이클린 100 mg, 하루 2회, 7일
세프트리악손 1 g, 근주, 1회 요법 (몸무게≥150 kg 경우)	대안 방법 아지스로마이신 1 g, 경구, 1회 요법 또는 레보플록사신 500 mg, 경구, 하루 1회, 7일
세프트리악손 투여가 불가능할 경우, 겐타마이신 240 mg, 근주, 1회 요법 + 아지스로마이신 2 g, 경구, 1회 요법 또는 세픽심 800 mg, 경구, 1회 요법	

CDC, Sexually Transmitted Infections Treatment Guidelines, 2021

(3) 독시사이클린(doxycycline) 100 mg 하루 2번 경구 7일간 복용하거나, 에리스로마이신(erythromycin) 500-800 mg 하루 4번 7일간 경구 복용한다.
(4) 퀴놀론(quinolone)은 항생제 내성 때문에 치료에 사용하지 않을 것을 권고하고 있다.
(5) 모든 성 파트너도 검사 및 치료하여야 한다(표 43-1).

3. 클라미디아 트라코마티스 감염 (Chlamydia trachomatis infection)

원인균은 Chlamydia trachomatis로 젊은 여성에서 가장 흔한 세균 성매개병으로 알려져 있다. 인간에게만 감염되며 항원 결정인자에 따라 15종류의 혈청형으로 나뉜다. 감염은 성접촉이나 출생 시 두 개체사이에서 감염부위의 점막에 직접 노출됨으로써 발생하며 여성에서는 자궁경부, 남성에서는 요도가 주 감염부위이다.

성 파트너를 통한 감염이 75%나 되므로, 성 파트너에 대한 교육과 치료가 매우 중요하다.

1) 임상 양상

약 90%에서 무증상을 나타내므로 감염과 후유증의 처치가 간과되기 쉽다. 25세 이하의 성 활동성이 있는 여성과 25세 이상인 위험요인이 있는 여성에서는 클라미디아 감염에 대한 선별검사가 선행되어야 한다.

위험 요인으로는 이전에 성매개병에 이환된 과거력이 있는 여성, 새로운 성 파트너가 생겼거나, 다수의 성 파트너를 가지거나, 성매개병 예방을 위한 콘돔사용을 제대로 하지 않는 여성 등이며 골반염증질환, 자궁내막염, 난관염, 자궁외임신, 난관요인 불임 등의 합병증을 방지하기 위해 선별검사를 통한 조기 치료를 해야 한다.

2) 진단

세포배양이나 효소결합면역흡착측정법에 의한 클라미디아 항원검출법, 핵산증폭검사 등이 있으며, 최근에는 중합효소 연쇄반응(PCR, polymerase chain reaction) 검사법이 간단하면서도 정확한 검사법으로 널리 이용되고 있다.

3) 치료

일차 선택약으로 독시사이클린 100 mg 하루 2번 경구 7일간 복용할 수 있다. 대체 치료로는 아지스로마이신 1 g 1회 경구투여하거나, 리보플록사신 500 mg 하루 1번 7일간 경구복용 한다. 임신 시 감염에는 일차선택약으로 아지스로마이신 1 g 1회 경구투여, 선택약으로 아목사실린 500 mg 3회 7일 간 복용을 권고하고 있다. 치료 후 3-4주후에 치료효과에 대한 검사를 시행해야 하며, 성 파트너에 대한 평가와 치료가 시행되어야 한다.

4. 임질(Gonococcal infection)

원인균은 임균(Neisseria gonorrhoeae)으로 젊은 여성에서 두 번째로 흔한 세균 성매개병이다. 남성에서는 요도증상을 대부분 일으켜 빠른 치료가 되지만 여성에게 균의 전파를 막을 정도로 치료가 충분하지 않을 수 있다. 불임, 자궁외임신을 일으킬 수 있는 골반염증질환과 같은 후유증을 일으킬 때까지 무증상으로 있을 확률이 50%에 달하므로 위험 인자가 있을 때는 선택적인 선별검사가 필요하다.

1) 임상 양상

약 50%에서 무증상을 나타내므로 호발하는 연령인 15-29세의 성활동성이 있는 젊은 여성에서 다음과 같은 위험요인이 있는 여성은 임질균 감염에 대한 선별검사가 선행되어야 한다. 위험 요인으로는 이전에 성매개병에 이환된 과거력이 있는 여성, 새로운 성 파트너가 생겼거나, 다수의 성 파트너를 가지거나, 성매개병 예방을 위한 콘돔사용을 제대로 하지 않는 여성 등이다. 대부분은 국소 점막표층 감염이지만 상부 생식기로의 전이, 림프선이나 혈행 전파로 전신 감염을 일으키기도 한다. 가장 흔한 증상은 자궁경부와 요도 감염에 의한 작열통, 빈뇨, 배뇨곤란, 화농 냉, 발열 등이 있고, 육안으로 자궁경부관찰 시 화농 대하, 홍반, 부종, 점막출혈을 보이나 특이성이 높지 않다. 클라미디아나 트리코모나스 균에 의한 감염이 동반되기 쉬우므로 이에 대해 염두에 두고 검사 및 치료에 임해야 한다.

2) 진단

그람 염색상 신장 모양의 그람음성 쌍구균을 관찰하거나, 세포배양, 핵산증폭검사 등이 사용된다. 최근 핵산증폭검사가 인두, 직장의 임질균 검출률을 증가시킨다는 보고가 있어 이 방법의 사용이 늘고 있는 추세이다.

3) 치료

세프트리악손 500 mg 1회 근육주사하는 것이 일차 치료이며, 대체 치료로는 겐타마이신 240 mg 1회 근육주사, 그리고 아지스로마이신 2 g 1회 경구복용 또는 세픽심 800 mg 1회 경구복용할 수 있다. 임신 시 감염에는 일차선택약으로 아지스로마이신은 항생제 내성이 증가하여 치료로 권고되지 않는다. 그러나, 최근 항생제에 내성이 있는 임질균의 치료나 성기 및 인두에 감염이 있을 경우 이를 치료하기 위한 일차 치료로 세프트리악손과 아지스로마이신(또는 독시사이클린)의 복합 치료를 권고하고 있다.

5. 옴(Scabies, 개선)

옴진드기(Sarcoptes scabiei)에 의해 발생되는 질환으로 직접적인 신체접촉이나 감염된 침구, 옷 등에 의해서 전파된다. 2-6주의 잠복기를 거쳐 나타나며, 밤에 심해지는 소양증이 주된 임상 특징이며, 5 mm 정도의 짧고 불규칙한 터널 같은 수로(burrow)를 외음부, 손, 손가락, 손목, 발 등에서 관찰할 수 있으며, 현미경하에서 수로의 끝에서 얻은 병변 피부조직에서 수로를 확인하거나 직접 병변 부위에서 현미경을 통하여 옴진드기를 관찰할 수 있다.

치료는 일차적으로 1% 린단(lindane; gammabenzene hexachloride) 로션이나 크림을 발끝에서 목까지 도포하고 12시간 후 물로 씻어내며, 증상이 없는 가족들도 반드시 동시에 치료하여야 한다. 그 외 치료제로 퍼메트린(permethrin) 크림 5% 8-14시간에 한 번 사용하거나, 벤질벤조에이트(benzyl benzoate) 로션 10-25%, 설퍼(sulphur) 6-33% 등이 있다. 성 파트너도 증상 발현 6주 이전까지 추적하여 치료하여야 한다. 감염된 침구류 등은 고온살균(>50℃)하거나 3일 간 사균될 때까지 플라스틱 백에 넣어 놓는다. 임신 중 사용가능한 치료제로 퍼메트린과 벤질벤조에이트 등이 보고된 바 있다.

6. 위축질염(Atrophic vaginitis)

위축질염은 질의 정상 생태학에 중요한 에스트로겐이 감소되면서 화농 질분비물이 증가하는 질염을 말한다. 폐경기 이후의 여성에서 주로 발생하며, 질과 외음부 피부의 위축 때문에 성교통과 성교 후 출혈을 호소하게 된다. 진찰상 외음부 상피의 위축에 의한 질주름(rugae)의 손실과 현미경학적으로 방기저(parabasal) 상피 세포의 독점적인 증가와 백혈구의 증가를 나타낸다. 치료는 원인 치료로서 국소 에스트로겐 크림 1 g을 질 내에 1-2주 바르면 증상이 완화되고 재발방지목적으로 지속적으로 사용하거나, 경구용 에스트로겐 치료를 고려하여야 한다.

II. 외음부 궤양

성생활이 활발한 젊은 여성에서의 외음부, 항문, 항문주위의 궤양의 가장 흔한 원인은 성기헤르페스와 매독이다. 세 번째 원인은 연성하감(chancroid)이며, 성매개병림프육아종(LGV, lymphogranuloma venereum), 서혜육아종(granuloma inguinale)은 드물지만 원인이 될 수 있다. 외음부 궤양은 성접촉에 의하지 않는 칸디다, 외음부열상, 암,

베체트병, 건선, 고정약물발진 등에서도 발생할 수 있다. 성기헤르페스와 매독, 연성하감은 사람면역결핍바이러스(human immunodeficiency virus, HIV) 전파의 위험요인이므로 에이즈에 대한 검사와 적절한 치료는 필수이다.

환자의 과거력과 임상소견으로 진단을 하면 정확성이 떨어지지만 검사결과가 나오기 전 치료를 시작해야 병변의 전파가 진행되는 것을 막을 수 있다. 특히, 헤르페스에서는 신속한 치료의 여부가 완치에 영향을 미치므로 매독검사, 에이즈검사, 헤르페스 바이러스 배양 검사 및 혈청학 항체검사 등을 시행하고, 지역적인 특성을 고려하여 임상소견에 따른 진단을 하고 이에 따라 먼저 경험적인 치료를 시작해야만 한다. 외음부궤양은 검사결과가 나온 후에도 25%에서 원인이 밝혀지지 않는다.

1. 연성하감(Chancroid)

성기나 회음부의 표재 감염으로 동통 궤양을 형성하며, 이차로 샅고랑 림프절을 침범하여 통증을 동반하는 성인 질환으로 연성하감균(Haemophilus ducreyi)에 의한 감염으로 발생한다. 아프리카나 카리브해 지역에서는 여전히 발생하나, 전 세계적으로 연성하감은 빈도가 감소하고 있는 추세이다.

진단은 연성하감균에 대한 선택적 배양배지에서 균을 동정하는 것이나 일반 클리닉에서 검사가 쉽지 않다. 임상으로 통증이 있는 외음부궤양과 샅고랑 림프절의 압통 화농 병변을 동반할 때 연성하감을 의심할 수 있으며, 현미경으로 매독균이 발견되지 않거나, 궤양 발생 후 적어도 7일 후에 시행한 매독 혈청검사 상 음성이고 궤양 삼출물에서 시행한 헤르페스 검사 상 음성일 때 진단을 확정할 수 있다.

치료는 세프트리악손(ceftriaxone) 250 mg 1회 근육 주사하거나 아지스로마이신(azithromycin) 1 g 1회 경구 복용한다. 사이프로플록사신(ciprofloxacin)이나 에리스로마이신(erythromycin)은 치료에 대한 내성이 보고되고 있는 실정이다.

치료의 효과는 치료 시작 후 3-7일 후에 다시 진찰하여 증상이 완화되는 것으로 판정하며, 전혀 완화가 없으면, 진단의 정확성과 다른 성매개병의 가능성, HIV 감염 여부, 치료를 지시대로 따랐는지, 항생제 내성이 생겼는지 등을 고려해 본다. 2 cm 이상의 크기가 큰 궤양은 치료기간이 2주 이상이 걸릴 수 있으므로 이에 대한 설명과 지속적인 치료를 고려해야 하며, 샅고랑 림프절 병변은 궤양보다 더 오래갈 수 있으므로 증상이 심할 경우 주사흡입이나 절개 및 배액을 시도할 수 있다. 증상발현 이전 10일이내의 성 파트너도 검사 및 치료를 권고하여야 한다.

추적 검사는 증상이 없어질 때까지 시행하며 치료시작 3-7일 이내에 증상이 호전되었다면 완치에 대한 검사는 필요하지 않다. 매독, HIV 검사는 진단초기에 시행하고 음성이더라도 3개월 후 재시행한다. 3개월 이내 성 파트너도 추적하여 검사하여야 하며 필요하면 치료를 한다.

2. 매독(Syphilis)

매독은 나선균(spirochete)인 매독균(Treponemapallidum)에 의해 발생하는 전신 질환이며, 성접촉이나 태반을 통해 수직 감염될 수 있는 만성 성매개병이다. 매독은 임상양상과 시간경과에 따라 병기를 구분한다.

1) 분류

(1) 후천 매독(Acquired syphilis)

① 조기 매독(Early syphilis): 감염된 후 1년 이내의 매독

i. 1기 매독(primary syphilis)
ii. 2기 매독(secondary syphilis)
iii. 조기 잠복매독(early latent syphilis)

② 만기 매독(Late syphilis): 감염된 후 1년 이상 경과된 매독

i. 만기 잠복매독(late latent syphilis)
ii. 3기 매독(tertiary syphilis)

(2) 선천 매독(Congenital syphilis)

① 조기 선천매독(Early congenital syphilis): 생후 2년 이내에 나타나는 매독 증세

② 만기 선천매독(Late congenital syphilis): 생후 2년 이후에 나타나는 매독 증세

2) 임상 양상

(1) 1기 매독: 하감(Chancre)

매독균의 침범부터 1기 매독의 발생까지의 잠복기는 10-90일이며, 평균 3주 정도로 알려져 있다. 산부인과 의사가 주로 진단하게 되는 1기 매독의 전형적인 병변은 하감(chancre)으로, 한 개의 통증이 없고 경계가 명확한 경화된 궤양을 형성한다. 평균크기는 0.5-2 cm이며 대부분 음순에 호발하나 질, 자궁경부나 인두, 항문에 드물게 나타날 수 있다. HIV 감염된 환자에서는 비전형 통증이 있으면서 여러 개의 궤양이 입이나 입술주위에도 나타날 수 있다. 외음부의 궤양은 검사결과가 나오기 전일지라도 치료 시작 전에 매독을 의심하여야 한다.

(2) 2기 매독

매독균의 혈행 전파에 따라 다양한 장기를 침범하여 전신증상이 나타나며, 발진, 림프절 종대와 구강과 생식기에 점상반(mucous patch)이 가장 흔히 나타난다. 다양한 형태의 피부병변이 나타날 수 있으며, 안면부는 침범하지 않지만 손바닥과 발바닥에서 흔히 관찰할 수 있다.

외음부에 편평콘딜로마(condyloma latum)가 나타날 수 있고, 군집을 이루기도 한다. 드물게 간염, 뇌막염, 사구체신염 등이 나타날 수 있다.

(3) 3기 매독

첫 감염으로부터 5-20년 이후에 발현되며, 전형적인 고무종 궤양 괴사를 주로 일으키나, 가장 심각한 형태인 신경매독, 심혈관계매독으로 진행되기도 한다.

(4) 잠복 매독

매독에 대한 혈청학 검사에서는 양성이나 어떤 임상인 증상이 없는 상태를 말하며, 2기 매독을 치료받지 않는 환자에서 잠복기로 들어가며 감염력도 사라진다. 1년 이내의 시기를 조기 잠복매독, 1년이 경과하면 만기 잠복매독이라고 한다.

(5) 선천 매독

매독균은 임신 전반기에 태반을 통과할 수 있으며, 임신 말기에 가까울수록, 전염력이 강한 임상기의 매독일수록 잘 전파된다. 1기와 2기 매독은 80-95%, 조기 잠복매독은 70%, 만기 잠복매독은 10%에서 전파된다.

3) 진단

암시야 검사상 매독균을 발견하면 진단이 가능하나, 진단율이 78%로 낮고 항생제를 사용한 경우 위음성의 빈도가 증가한다.

대부분의 매독의 진단은 혈청 검사를 사용하며, 매독균 비특이항체검사(nontreponemal test; RPR/VDRL)와 매독균 특이항체검사(treponemal test; TPHA, TPPA, EIA, FTA-abs)가 있다. 이러한 혈청 검사 하나만으로는 진단이 불충분하고, 각 검사마다 한계점이 있다.

주사제 마약 남용자일 때, 자가면역질환, 고령 환자, 다양한 주사약제 사용자 등 매독이 아닌 환자에서 매독균 비특이항체 검사상 위양성이 나올 수 있다. 그러므로, 매독균 비특이항체검사 상 양성일 때는 반드시 매독균 특이항체 검사로 매독진단 확진 검사를 시행하여야 한다.

매독균에 노출된 지 4주 이내 혈청 검사상 75%에서 양성반응을 보이며 6주에서 3개월까지는 거의 99-100%에서 양성 반응을 보이므로 매독에 노출되는 것으로 의심되는 환자에서 3개월 후의 검사에서도 음성 반응을 보일 경우 매독의 진단을 배제될 수 있다.

일차 선별 검사로는 매독균 특이항체검사(treponemal test; TPHA, TPPA, EIA)가 사용된다.

확진 검사로는 매독균 특이항체검사(treponemal test;

TPHA, TPPA, EIA) 중 선별검사에서 시행하지 않는 다른 검사를 사용한다. FTA-abs 검사는 표준 확진검사로는 추천되지 않으나 대량의 검사가 필요한 곳과 같은 특수 환경에서만 사용될 수 있다.

확진 검사 후에 치료의 효과와 경과를 확인하기 위해서 매독균 비특이항체검사(nontreponemal test; RPR/VDRL)의 사용을 권고하고 있다. RPR/VDRL검사상 음성일 때는 anti-treponemal IgM EIA 검사를 대신 사용할 수 있다.

4) 치료

일차 선택약은 벤자딘 페니실린(benzathine penicillin)이며 용량은 240만 단위 근육주사 1회이며, 페니실린 알레르기를 보일 경우 독시사이클린(doxycycline) 100 mg 하루 2회 14일을 추천하고 있다. 테트라사이클린(tetracycline) 400 mg 하루 4회 14일, 에리스로마이신(erythromycin) 500 mg 하루 4회 14일, 세프트리악손(ceftriaxone) 250 mg 1일 1회 10일 간 근육주사할 수 있다.

5) 추적 관리

매독균 비특이항체검사(nontreponemal test; RPR/VDRL)를 치료 후 첫 3개월 이내에는 매달 시행한다. 그 후 6개월, 12개월 간격으로 시행하나, HIV 감염환자는 더 자주 시행한다.

역가(titer) 가 6-12개월 이내에 4배수로 감소하지 않으면(two dilution steps) 추가치료를 고려한다. 벤자딘 페니실린(benzathine penicillin) 240만 단위를 3차(1, 8, 15일)치료를 시행한다.

추적 중 증상이 지속되거나 4배 이상 역가가 증가하면 재감염 및 재활성화를 나타내므로 재치료를 고려하여야 하며, 이때는 성 파트너의 재검과 치료가 필요하다.

3. 성매개병림프육아종(Lymphogranuloma venereum, LGV)

클라미디아 트라코마티스(Chlamydia trachomatis serovars L1, L2, L3)에 의해 야기되며, 가장 흔한 임상 증상은 동통이 있는 샅고랑과 서혜부의 림프절병증이 일측으로 발병하며, 같은 측에 외음부 궤양과 구진이 발생하나 치료를 위해 방문 시 자가 치료되어 사라져 있는 경우가 많다. 직장에 노출 시 점액 출혈 직장 분비물, 항문통증, 변비, 열, 배변통증 등을 호소하는 직장결장염을 일으킬 수 있다. LGV는 침윤성의 전신질환으로 조기 치료되지 않으면 직장결장염이 만성인 직장대장의 치루, 협착 등을 야기할 수 있다. 또한 이차 감염을 일으키거나 다른 성매개균과 동반 감염될 수 있으므로 주의를 요하며 진단을 위한 검사를 요한다.

1) 임상 양상

(1) 1단계

잠복기로 감염 후 1-4주 시기를 말하며, 직장염이 이 시기에 나타날 수 있다. 감염 부위에 작은 무통성의 구진성, 고름물집이 나타날 수 있으나, 1주일 이내에 스스로 치유되어 관찰이 안 될 수 있고, 점액 고름분비물이 요도, 자궁경부, 직장 등에 나타날 수 있다.

(2) 2단계

서혜부 병변기로 1차 증상 후 2-6주 시기에 서혜부에 동통 임파선병증이 나타나며, 전형적으로 일측으로 나타나 확장되어 염증, 고름, 고름집을 형성하고 30% 정도에서 파열되기도 한다.

(3) 3단계

항문성기직장증후군(anogenitorectal syndrome)이라 부르며 여성에서 주로 나타난다. 직장결장염이 직장주위 고름집, 치루, 협착 등으로 진행되어 림프관팽창(lymphorrhoids)을 이루어 치료하지 않으면 만성으로 진행되는 림프염으로 상피병(elephantiasis)과 직장협착에 의한 거대결장(megacolon)이 생길 수 있다.

2) 진단

진단은 임상인 증상에 기초를 두고 성기, 직장, 임파선의 표본을 도말 또는 흡입에 의해 채취하여 세균배양, 직접면역형광법이나 핵산증폭검사에 의해 검사한다. 중합효소연쇄반응이나 혈청학 검사가 진단에 도움이 될 수 있다.

3) 치료

일차 선택약으로 독시사이클린(doxycycline) 100 mg 하루 2번 경구 21일 간 복용할 수 있다. 대체 치료로는 에리스로마이신(erythromycin) 500 mg 하루 4번 21일간 경구 복용한다. 아지스로마이신(azythromycin) 1g 3주 동안 매주 경구투여 할 수 있으나, 아직 치료 효과에 대한 임상인 자료가 부족한 실정이다.

4) 추적 관리

임상 증상이 사라질 때까지 추적 관찰해야 하며, 3주간 충분히 치료했다면 완치에 대한 검사가 필요하지는 않다. 성 파트너는 60일 이내 성접촉한 상대를 추적하여 독시사이클린(doxycycline) 100 mg 하루 2번 경구 7일 간 치료하거나, 아지스로마이신(azythromycin) 1 g 경구 1회 치료한다. 매독, HIV, hepatitis B, C에 대한 적절한 추적 검사가 필요하다.

4. 샅고랑육아종(Donovanosis, 서혜육아종, Granuloma inguinale)

원인균은 그람음성 간균인 칼림마토박테륨 그라뉼로마티스(Calymmatobacterium granulomatis)로 샅고랑, 치골부, 생식기 및 항문 주위에 특징적인 만성 육아종궤양을 형성하는 질환이다. 무통성의 천천히 진행하는 궤양으로 임파선병증이 없으며 피하육아종이 특징이다.

10-15%의 낮은 전염력을 보이며 미국에서도 드물게 발생하며, 인도, 남아프리카, 카리브해 등 몇몇 지역에서만 보고되고 있다.

진단은 균에 대한 배양이 어려우며, 조직검사에서 암염색되는 도노반소체(donovan body)를 관찰할 수 있다.

치료는 일차 선택약으로 독시사이클린(doxycycline) 100 mg 하루 2번 경구 21일 간 복용할 수 있다. 대체 치료로는 에리스로마이신(erythromycin) 500 mg 하루 4번 21일 간 경구 복용한다. 또한, 아지스로마이신(azythromycin) 1 g을 3주 동안 매주 경구 투여할 수 있다. 초기 치료에 반응이 없으면 아미노글리코시드(aminoglycoside)를 추가 치료할 수 있다. 임상 증상이 사라질 때까지 추적관찰해야 하며, 60일 이내의 성 파트너에 대한 추적 및 치료가 필요하다.

5. 성기 헤르페스(Genital herpes)

매독과 함께 외음부의 궤양을 형성할 수 있는 가장 호발하는 질환으로 다음 바이러스 질환에서 자세히 다루기로 한다.

III. 바이러스 질환(Viral disease)

1. 사람면역결핍바이러스(Human immunodeficiency virus, HIV)

HIV 감염은 짧게는 급성 레트로바이러스 증후군을 비롯하여 길게는 수년에 걸친 만성 질환을 포함한다. 치료하지 않을 경우 증상을 동반한 생명을 위협하는 면역결핍질환인 후천면역결핍증후군(AIDS, acquired immune deficiency syndrome)으로 진행하게 된다. 치료하지 않은 환자에서 HIV 감염으로부터 AIDS 발병까지 기간은 수개월에서 수년에 걸쳐 다양하며 평균 11년가량 된다. HIV 증식은 감염 후 모든 단계에서 가능하며 점차적으로 CD4 림프구(lymphocyte)를 고갈시켜 면역력을 감소시킨다. CD4 세포가 200 cell/μL 이하로 감소할 경우 치명적인 AIDS 연관 기회 감염(Pneumocyctis pneumonia, Toxoplasma gondii 뇌염(encephalitis), 파종(disseminated) Mycobacterium avium 복합 질환(complex disease), 결핵(tuberculosis), 세균성 폐렴(bacterial pneumonia))의 위험이 높아지게 된다. 치료하지 않을 경우 HIV에 감염된 환자는 모두 AIDS로 인해 사망한다.

HIV 감염은 조기 진단과 평가, 치료가 경과와 다른 사람으로의 전파를 예방하기 위해 중요하다. 무엇보다 급성 감염기에 전파력이 강하면서 HIV 항체 음성으로 진단을 놓치고 타인에게 계속 전파할 수 있으므로 이 시기의 진단이 중요한데 이 때 다른 성매개병이 동반되어 병원을 찾는 경우가 많으므로 성매개병으로 치료받는 환자에서는 항상 유의해야 한다.

1) 선별검사와 진단

성매개병으로 진단 후 치료 중인 환자는 모두 HIV 감염을 확인해야 한다. 선별검사는 먼저 HIV 항체검사(rapid enzyme immunoassay, EIA)를 시행하며 양성 반응이 나올 경우 2차 검사로 보조항체검사(supplemental antibody test: Western blot, WB; 간접면역형광측정[indirect immunofluorescence assay, IFA]) 혹은 바이러스검사(virologic test: HIV-a RNA assay)를 통해 확진한다. 2차 검사까지 시행하여 양성인 경우는 HIV에 감염된 것이며 다른 사람에게 전파할 수 있다는 뜻이다. HIV 항체 검사는 감염 후 3개월 이후부터 95%의 환자에서 발견된다. 검사 음성인 경우 대개 감염되지 않았다는 의미이지만 최근에 감염된 경우도 포함되는데 최근 감염으로 HIV 항체음성인 경우는 HIV-1 RNA 검사로 감별 가능하다. 대개의 HIV 감염은 HIV-1이지만 서부 아프리카나 포르투갈을 포함한 일부 유럽 지역에서는 HIV-2 유병률이 증가하고 있으므로 병력상 의심될 경우 HIV-2검사도 시행한다.

감염 후 50-80%에서는 급성 레트로바이러스 증후군이 나타나는데 비특이증상으로 발열, 근육통, 림프절병증(lymphadenopathy), 피부발진 등의 증상이 있다. 감염 후 첫 몇 주간 나타날 수 있으며 이 시기에는 항체검사 음성이므로 혈청검사로 감별하기 힘들다. 급성 레트로바이러스 증후군이 의심되는 경우 HIV 항체검사와 함께 HIV 혈장(plasma) RNA 검사를 시행해야 하며 후자에서 양성인 경우 이후에 HIV 항체검사를 다시 시행하여 혈청전환(seroconversion) 되는 것을 확인해야 한다. 급성 감염기에는 혈액이나 체액 내 바이러스 농도가 높아 매우 전파력이 강하다. 이 시기의 치료는 환자의 감염력을 낮추기 위해 중요하며 환자의 건강을 위해서라도 바로 전문 기관에 의뢰해야 한다. 환자에게 즉각적인 치료의 중요성과 치료의 효과, 앞으로의 경과에 대해 설명해야 하며 응급상황이 아닌 경우 다음과 같은 평가가 필요하다.

- 자세한 병력, 백신 접종력, 이전의 성매개병 병력, 여행력, 이전의 HIV 검사 여부
- 부인과 검진을 포함한 신체검사
- N. gonorrhoeae, C. trachomatis 검사, 자궁경부세포진검사(Pap smear), 젖은도말표본(Wet smear), 질분비물배양(culture of vaginal secretion)
- 일반혈액검사(CBC), 혈액화학검사(blood chemistry), 지질검사(lipid profile)
- 톡소플라스마 항체검사(toxoplasma Ab test)
- 항C형간염항체(anti-HCV), 항A형간염항체(anti-HAV), 항B형간염항체(anti-HBV), 매독검사(VDRL)
- CD4 T림프구 분석(CD4 T-lymphocyte analysis), HIV 혈장 바이러스 부하(plasma viral load)
- HIV 유전자형 저항성 검사(genotypic resistance testing)
- 투베르쿨린 피부검사(tuberculin skin test)
- 소변검사(urinalysis), 흉부방사선검사(chest PA)

헤르페스 감염 여부가 불확실할 경우는 HSV-2에 대한 타입특이 검사(type-specific testing)가 필요하며 HAV, HBV에 대한 백신 투여를 시작해야 한다. 이후 방문할 기회가 있으면 항레트로바이러스 치료를 시작한다. 이후에

새로운 성매개병이 발생하거나 재발하는 경우 적극적으로 치료해야 하며 HIV를 전파시킬 가능성이 있는 고위험 행동을 지속한다는 의미이므로 상담과 교육이 시행되어야 한다. 이들 환자에서는 특히 성매개병이 무증상인 경우가 많으므로 매년 매독(syphilis), 임질(gonorrhea), 클라미디아(chlamydia)에 대한 선별검사를 시행해야 한다. 여성에서는 자궁경부세포검사를 매년 시행해야 하며 개인의 행동양식에 따라 필요하면 검사 주기를 줄일 수 있다.

이미 HIV 감염이 지속된 환자에서는 열, 체중감소, 설사, 기침, 호흡이 짧아짐(shortness of breath), 구강 캔디다증 등의 증상이 나타날 수 있으므로 이들 증상이 있을 경우 바로 검사를 시행하거나 전문기관에 의뢰하도록 한다.

2) 임신 중 HIV 감염이 확인된 경우

모든 임신한 여성은 임신 초기에 HIV 검사 대상이 된다. 임신 3분기에는 36주가 되기 전 두 번째로 HIV 항체검사를 시행해야 하며 이전 검사 결과가 있더라도 매 임신마다 검사를 반복해야 한다.

임신 중 HIV 감염이 확인된 경우 출산 시 신생아 감염의 위험성에 대해 설명하고 항레트로바이러스제를 사용하지 않거나 제왕절개술을 시행하지 않는 경우 신생아의 15-25%가 감염되고 모유수유를 할 경우 추가로 12-14%에서 감염됨을 알려야 한다. 임신 중 항레트로바이러스제제를 사용하고 임신 38주에 제왕절개를 시행한 후 모유수유를 하지 않을 경우 신생아 감염을 2% 미만으로 줄일 수 있다.

산모에게서 HIV 감염이 확인된 경우 산모가 이전에 출산한 아이들에 대해서도 검사가 시행되어야 한다. 이때 HIV 항체 검사가 양성이더라도 이는 산모로부터 태반을 통해 전달된 것일 수 있으므로 18개월 미만의 영아는 HIV 핵산(nucleic acid) 검사를 시행해야 한다. 감염이 확인되었거나 감염이 의심되는 영유아, 소아는 전문기관에 의뢰하도록 한다.

2. 단순헤르페스 바이러스(Herpes simplex virus, HSV)

HSV 감염은 성기 궤양의 형태로 나타나며 다른 궤양을 일으키는 질환과의 감별을 위해 ① 매독혈청 검사(syphilis serology)와 암시야검사(darkfield examination), ② HSV 배양(culture) 혹은 PCR 검사, ③ 타입특이 HSV 항체 혈청검사(serologic testing for type-specific HSV antibody)를 시행해야 한다. 검사를 시행한 후 바로 경험적 치료를 시행하는 것이 치료 효과를 높이고 타인으로의 전파를 막기 위해 필요하다. 25%에서는 검사를 시행해도 확진 불가능하기도 한다.

HSV 감염은 일생에 걸쳐 반복되게 되며 성기 헤르페스 감염은 주로 HSV-2에 의한 것이다. 첫 감염 시 대개는 증상 없이 지나가나 바이러스를 분비하므로 본인이 헤르페스 바이러스 감염자인지 모르는 배우자나 감염 후 무증상인 배우자를 통해 감염된다.

1) 진단

특징적인 통증을 동반한 여러 개의 수포와 궤양을 확인하면 진단 가능하지만 많은 환자에서 이러한 특징적인 병변이 발견되지 않는다. 향후 상담과 관리를 위해서 검사실 검사(laboratory test)를 시행하면 도움이 된다.

(1) 바이러스 검사(Virologic tests)

성기궤양이나 기타 피부점막병변을 보이는 환자에서 세포배양(cell culture)과 PCR이 권고된다. 바이러스배양(viral culture)은 민감도가 낮고 특히 재발된 병변이나 치유가 시작된 병변에서는 민감도가 낮다. HSV DNA에 대한 PCR 검사는 민감도가 높아 특히 중추신경계 HSV 감염 진단 시 뇌척수액검사는 PCR을 시행한다. 배양이나 PCR에서 바이러스가 검출되지 않아도 진단을 배제할 수는 없는데 감염된 환자에서 항상 바이러스가 흘림(shedding)현상이 있는 것이 아니기 때문이다.

(2) 타입특이 혈청검사(Type-specific serologic test)

HSV에 대한 항체는 감염 후 수주 후부터 형성된다. 급성기 타입특이 HSV 혈청검사(type-specific HSV serologic test)는 HSV 특이적 당단백질 G2 (HSV specific glycoprotein G2, HSV-2)와 당단백질 G1 (HSV-1)이다. 민감도는 80-98%로 다양하고 감염 초기에는 위음성률이 보다 높을 수 있다. 특이도는 96% 이상이다. 위양성이 나타나는 경우는 매우 드물다. 첫 감염이 의심되는 경우에는 검사를 반복 시행하여 확진하는 것이 좋다. HSV에 대한 IgM 검사는 타입-특이적이지 않고 재발된 경우에도 나타나므로(recurrent episode) 유용하지 않다. 대개의 HSV-2는 성접촉을 통해 감염되므로 HSV-2 항체가 양성인 경우 생식기를 통한 감염으로 간주하고 생식기 헤르페스에 대한 교육이 필요하다. HSV-1의 경우 소아기 구강을 통해 감염된 경우가 많으며 증상이 없었을 수 있다.

2021년 미국 질병통제 예방센터(CDC, Centers for Disease Control and Prevention) 권고에서 외음부 헤르페스에서 타입특이 혈청검사가 도움이 되는 경우는 다음과 같다고 제시하고 있다.

① 배양에서 음성이나 외음부 병변이 재발하고 증상이 전형적이지 않은 경우
② 임상으로 생식기 헤르페스가 의심되는 경우 확진을 위한 검사
③ 배우자가 생식기 헤르페스를 가진 경우

2) 치료

증상 있는 환자에서는 항바이러스제가 투여되어야 한다. 생식기 헤르페스의 감염 경로와 임상경과, 전파를 막기 위한 방법 등이 설명되어야 한다.

첫 감염 시나 증상 재발 시 항바이러스제는 증상을 줄일 수 있고 억제요법으로 매일 사용될 수도 있다. 하지만 체내 잠복 바이러스를 박멸할 수는 없으며 항바이러스제 중단 후 증상 재발의 위험이나 빈도, 증상의 정도에 영향을 주지도 않는다. 생식기 헤르페스에 대해서는 아시클로버(acyclovir), 발라시클로버(valacyclovir), 팜시클로버(famciclovir) 세 가지 약제가 임상연구에서 효과를 입증한 바 있다. 항바이러스제를 국소 도포하는 것은 임상으로 별 의의가 없다.

표 43-2. 생식기 헤르페스 초회 감염 시의 치료권고안

아시클로버 400 mg 경구, 하루 3회, 7-10일 또는
아시클로버 200 mg 경구, 하루 5회, 7-10일 또는
팝시클러버 250 mg 경구, 하루 3회, 7-10일 또는
발라시클로버 1 g 경구, 하루 2회, 7-10일

* 10일간의 치료 후 회복되지 않는 경우 치료 기간을 연장하도록 한다.

(1) 생식기 헤르페스의 초회감염(First clinical episode of genital herpes)

HSV에 대한 첫 감염 시에는 심한 생식기궤양과 함께 신경 증상을 동반한 임상 증상이 보다 오래 지속될 수 있다. 첫 감염으로 증상이 경미한 사람도 증상이 오래 지속될 수 있으므로 첫 감염된 경우 반드시 항바이러스제를 사용한다(표 43-2).

(2) 증상 재발 시

HSV 감염 후에는 무증상 기간 후 증상의 재발이 반복되는데 상대적으로 HSV-1은 재발빈도가 적다. 증상이 없는 기간에도 HSV-2가 분비되므로(shedding) 재발의 횟수를 줄이거나 재발 시 증상 발현의 정도나 기간을 줄이기 위해 억제요법을 계속하기도 한다. 재발의 빈도가 적고 증상이 경미하더라도 항바이러스제를 사용하는 것이 좋을 수 있으므로 환자에게 치료를 선택할 수 있도록 설명해 주어야 한다. 항바이러스제의 사용은 재발을 줄일 뿐 아니라 타인으로의 감염 위험도 감소시키므로 많은 환자들이 억제요법을 선호한다.

① 재발 생식기 헤르페스에 대한 억제요법(표 43-3)

생식기 헤르페스가 자주 재발되는 환자에서 억제요법은 재발의 빈도를 70-80% 감소시켜주며 많은 환자들이 증상의 재발이 없이 지내게 된다. 증상 재발의 빈도가 적은 환자에서도 효과적인 것으로 알려져 있다. 아시클로버의

표 43-3. 생식기 헤르페스 억제요법 권고안

아시클로버 400 mg 경구, 하루 2회 또는 팜시클로버 250 mg 경구, 하루 2회 또는 발라시클로버 500 mg 경구, 하루 1회 또는 발라시클로버 1 g 경구, 하루 1회

*발라시클로버 500 mg/일은 다른 방법에 비해 증상 재발의 빈도가 높은 사람에서는 효과가 떨어질 수 있음(일 년에 10회 이상 재발하는 경우)

경우 6년 간, 발라시클로버, 팜시클로버의 경우 1년간의 사용에도 안전성이나 효과에서 이상이 없었음이 증명된 바 있다. 많은 환자에서 증상이 있을 때 마다 치료하는 것보다 억제요법을 지속하는 것이 삶의 질을 향상시켰다고 보고했다.

생식기 헤르페스 증상의 재발 빈도는 많은 환자에서 시간이 지날수록 감소하므로 억제요법을 받는 환자들은 주기적으로(일 년에 한 번 정도) 치료를 지속할 지 상담을 받는 것이 좋다.

생식기 헤르페스의 병력이 있는 배우자가 발라시클로버 500 mg/일을 사용할 경우 상대 배우자에 대한 전파를 줄일 수 있었다. 따라서 이러한 커플에서는 억제요법이나 평소 지속적으로 올바른 방법으로 콘돔을 사용하고 증상 재발 시 성접촉을 피하는 등의 예방을 생활화하도록 교육해야 한다.

아시클로버, 팜시클로버, 발라시클로버는 모두 증상 재발시에 효과적인 것으로 알려져 있으나 팜시클로버의 경우 바이러스흘림(viral shedding)에는 효과가 떨어지는 것으로 알려져 있다. 장기간 사용 시에는 복용의 편리성이나 가격도 고려되어야 한다.

표 43-4. 생식기 헤르페스 재발 시 치료 권고안

아시클로버 400 mg 경구, 하루 3회, 5일 또는 아시클로버 800 mg 경구, 하루 2회, 5일 또는 아시클로버 800 mg 경구, 하루 3회, 2일 또는 팜시클로버 125 mg 경구, 하루 2회, 5일 또는 팜시클로버 1000 mg 경구, 하루 2회, 1일 또는 팜시클로버 500 mg 하루 1회, 이후 250 mg 하루 2회, 2일 또는 발라시클로버 500 mg 경구, 하루 2회, 3일 또는 발라시클로버 1 g 경구, 하루 1회, 5일

② 생식기 헤르페스 증상 재발 시의 치료(표 43-4)

증상 재발 시에는 전구 증상이 있거나 병변이 생긴 지 1일 안에 치료를 시작해야 효과적이다. 따라서 증상 재발 시 바로 치료를 시작할 수 있도록 환자에게 미리 처방을 해 주는 것이 좋다.

③ 증상이 심한 경우

증상이 심하거나 입원이 필요한 합병증 발생 시(disseminated infection, 폐렴, 간염), 중추신경계 합병증 발생 시(뇌막염) 에는 acyclovir 정맥주사가 필요하다. 아시클로버 5-10 mg/kg IV를 8시간마다 2-7일 간이나 임상 증상의 호전이 있을 때까지 주사하고 이후에는 총 치료기간이 10일이 되도록 경구 투여를 시행해야 한다. 신기능이 저하된 환자에서는 용량을 보정한다.

3) 상담

생식기 헤르페스에 감염된 환자와 성 파트너에 대한 상담은 필수적인 것으로 목적은 ① 환자가 감염 증상과 앞으로의 치료 경과에 대해 적응하도록 돕고 ② 배우자나 출산 시 신생아에 대한 전파를 막기 위한 것이다. 첫 방문 시 상담이 이루어질 수 있지만 대개는 급성 증상이 줄어든 다음 시행하는 것이 바람직하다.

다음 항목들이 환자를 상담할 때 도움이 될 수 있다.

- 생식기 헤르페스가 진단된 사람은 헤르페스바이러스 감염의 자연사, 특히 재발의 가능성과 증상 없이 타인에게 전파 가능한 점, 성접촉으로 전파 가능한 점에 대해 알아야 한다.
- 첫 감염이 진단된 환자는 억제요법은 증상 재발의 빈도를 줄일 수 있고 증상 재발 시의 치료는 증상의 기간을 줄일 수 있다.
- HSV 감염이 확인된 사람은 성 파트너에게 이를 알리고 새로운 성 파트너에게는 성접촉 전에 감염 병력을 알려야 한다.
- 성접촉을 통한 HSV 감염은 증상이 없는 기간에도 가능하다. HSV-1에 비해 HSV-2는 무증상 기간에

바이러스가 분비되는 경우가 흔하고 특히 첫 감염 12개월 내에 흔하다.

- 생식기 헤르페스를 진단받은 사람은 전구 증상이 있거나 병변이 재발된 기간에는 감염되지 않은 사람과의 성접촉을 피하도록 한다.
- HSV-2의 타인으로의 전파는 매일 억제요법을 시행하는 경우 줄일 수 있다. 증상이 있는 기간 동안만 항바이러스제를 사용할 경우 타인으로의 전파를 줄일 수는 없으므로 전파력을 줄이기 위해 증상이 있는 동안만 항바이러스제를 사용하는 것은 피해야 한다.
- 감염된 사람은 라텍스 콘돔을 꾸준히 올바른 방법으로 사용할 경우 타인으로의 전파를 줄일 수 있다.
- 감염된 환자의 성 파트너는 증상이 없더라도 감염되었을 수 있으므로 타입-특이적 항체검사를 시행하여 감염 여부를 알아보아야 한다.
- 신생아 HSV 감염의 위험성을 가임력이 있는 모든 환자에게 설명해 주어야 하며 생식기 헤르페스의 병력이 있는 여성은 반드시 분만을 담당할 의사에게 이를 알리도록 한다. 이전에 HSV-2 감염력이 없거나 알 수 없는 여성은 임신 3분기에 생식기 헤르페스나 구강 헤르페스가 있는 남성과의 성접촉을 금하도록 한다.
- 항체검사 양성이면서 증상이 없는 사람도 증상이 있는 사람과 같은 방법으로 상담을 받아야 한다.
- HSV-2 감염이 있는 사람은 HIV의 위험도 높으므로 상담 후 이에 대한 검사를 시행하고 HSV에 대한 항바이러스 치료가 HIV에 대한 예방 효과는 없다는 것을 교육해야 한다.

표 43-5. HIV 환자에서 생식기 헤르페스 억제요법 및 재발 시 치료 권고안

HIV 환자에서 생식기 헤르페스 억제요법
아시클로버 400-800 mg 경구, 하루 2-3회 또는 팜시클로버 500 mg 경구, 하루 2회 또는 발라시클로버 500 mg 경구, 하루 2회
HIV 환자에서 생식기 헤르페스 재발 시 치료 권고안
아시클로버 400 g 경구, 하루 3회, 5-10일 또는 팜시클로버 500 mg 경구, 하루 2회, 5-10일 또는 발라시클로버 1 g 경구, 하루 2회, 5-10일

4) HIV 감염 등 면역력이 저하된 환자의 경우 (표 43-5)

면역력이 저하된 환자의 경우 증상이 심하거나 통증이 심하고 오래 지속될 수 있다. 바이러스 흘림(virus shedding)도 더 흔하다. 항바이러스제 치료가 증상의 빈도나 심한 정도를 줄일 수 있으나 바이러스 흘림(virus shedding)은 지속되는 경우가 흔하다. 항레트로바이러스제 사용 후 면역 재구성(immune reconstitution) 기간에는 증상이 더 심해질 수 있다.

증상을 줄이기 위해 억제요법이나 증상 재발 시 항바이러스제 사용이 도움이 될 수 있지만 HSV 전파를 줄일 수 있는지는 알려져 있지 않다. HIV 감염 환자는 초기 평가 시 HSV 타입-특이적 항체 검사를 시행하고 HSV-2 감염이 있을 경우 억제요법이 고려되어야 한다.

세 가지 항바이러스제 모두 생식기 헤르페스 치료 용량으로는 면역억제된 환자에서 안전하다. 증상이 심한 경우에는 아시클로버 5-10 mg/kg를 매 8시간마다 정맥주사한다.

치료에도 불구하고 병변이 지속되거나 재발될 때에는 HSV의 내성을 고려하고 바이러스를 배양하여 민감도 검사를 시행해야 하므로 전문가에 의뢰하도록 한다. 아시클로버에 내성인 바이러스는 모두 발라시클로버에도 내성을 가지고 대부분이 팜시클로버에도 내성을 가지는 것으로 알려져 있다. 이러한 경우에는 포스카넷(foscarnet) 40 mg/kg를 8시간마다 임상으로 호전될 때까지 정맥주사하면 흔히 반응한다. 시도포비어(cidofovir) 5 mg/kg를 일주에 한 번 정맥주사하는 것도 효과적일 수 있다. 국소적으로 이미퀴모드(imiquimod)를 사용하거나 시도포비어겔(gel) 1%를 바르는 것도 도움이 된다. 이러한 국소제는 5일 이상 연속으로 하루 한 번씩 도포해야 한다.

항바이러스제에 반응하지 않는 경우가 점차 문제가 되

고 있는데 계속해서 억제요법을 시행하는 경우 증상 재발 시마다 치료하는 것보다 내성이 나타나는 빈도가 낮은 것으로 알려져 있다.

5) 임신 시의 헤르페스 감염

신생아에게 전파될 위험은 분만에 가까울 때 처음으로 감염된 산모에서 30-50%로 높으며, 임신 초기 처음 감염되었거나 분만 시 재발된 병변을 가지고 있는 산모에서는 1% 미만으로 낮다. 하지만 빈도 상 분만 시 재발된 헤르페스 병변에 의한 신생아 감염이 더 흔하다. 신생아 감염을 줄이기 위해서는 만삭 산모에서 헤르페스 감염을 막고 분만 시 산모의 병변에 노출되지 않도록 해야 한다. 만삭에 가까운 산모가 HSV 첫 감염이 의심될 경우 태아 로의 감염의 위험이 높으므로 전문가에 의뢰하도록 한다.

이전 감염력이 확실하지 않은 산모는 임신 삼분기에는 성 파트너가 생식기 헤르페스나 구강 헤르페스의 병력이 있거나 병변이 있는 경우 성접촉을 피해야 한다.

모든 산모에서 생식기 헤르페스 병력 유무를 확인하고 진통이 시작되면 산모에게 헤르페스 병변이나 전구증상이 있는지 확인해야 한다. 진통 시작 시 생식기 헤르페스의 전구증상이나 병변이 현재 없는 상태라면 자연분만이 가능하다. 제왕절개 분만이 신생아로의 헤르페스 감염의 위험을 완벽히 예방해 주진 못함에도 제왕절개 분만을 반드시 고려해야한다.

임신한 여성에서 항바이러스제 치료의 안전성은 알려져 있지 않다. 임신 초기 아시클로버 사용이 중요 기형의 빈도를 높이지는 않는 것으로 알려져 있으나 발라시클로버, 팜시클로버에 대해서는 자료가 제한적이다. 아시클로버는 임신 중 첫 감염된 산모나 재발된 증상이 심한 경우 경구로 투여할 수 있으며 증상이 심한 경우에는 정맥주사 투여도 가능하다. 임신 후기 아시클로버 투여는 증상 재발의 빈도를 줄여 제왕절개 분만의 빈도를 줄일 수 있으나 신생아 감염의 빈도를 줄일 수 있는지는 알려져 있지 않다.

3. 인유두종바이러스(Human Papillomavirus, HPV) 감염

인유두종바이러스에는 100개 이상의 타입이 있으며 이 중 40개 정도가 생식기 감염을 일으킨다. 대개의 인유두종바이러스 감염은 증상이 없이 지나간다. 16번, 18번을 포함한 고위험군 인유두종바이러스는 자궁경부암을 비롯한 생식기와 항문 주변 암과 인후두암을 일으킨다.

그 외 6번, 11번을 포함한 저위험군 바이러스는 생식기 사마귀를 일으킨다. 대개의 감염은 증상 없이 저절로 치유되어 성생활을 하는 성인의 50%가 일생에 한 번씩은 감염된다. 고위험군 바이러스의 지속적인 감염이 발암기 전에 관여한다고 알려져 있다.

1) HPV test

30세 이상의 여성에서는 자궁경부암 선별검사로 시행하기도 하는데 남성이나 20대 여성에서 성매개병검사의 일환으로 권고되지는 않는다.

2) 치료

감염에 의한 육안병변(성기사마귀)이 있거나 전암병변으로의 조직학 변화가 있을 때 치료 대상이 된다. 병변 없이 검사 상 양성 결과만으로 항바이러스 치료는 권고되지 않는다.

3) 예방

가다실9으로 9가백신이 2016년 국내 허가되었고, 접종 연령 및 성별도 확대되어 2020년 7월에 만 9-45세 여성, 만 9-26세 남성이 접종 대상이 되었다.

현재 세 가지 인유두종바이러스 백신이 처방 가능하다. 16번, 18번 인유두종바이러스를 대상으로 한 2가 백신인 서바릭스(Cervarix)와 6번, 11번, 16번, 18번 인유두종바이러스에 대한 4가 백신인 가다실(Gardasil)인데 16번, 18번 인유두종바이러스는 전체 자궁경부암의 70%를 유발한다고 알려져 있고 6번, 11번 인유두종바이러스는 성기 사마귀의 90%를 유발한다고 알려져 있다. 접종 대상은 11-12세 이상 여아이며 9세 이상부터는 접종 가능하다. 아직 접종을 시행하지 않은 13-26세 여성도 접종 대상이 되며 되도록 성생활을 시작하기 전에 접종을 완료하도록 한다. 4가 백신인 가다실의 경우 성기사마귀와 항문암의 예방을 위하여 11-12세 남아가 접종 대상이 되며 아직 접종을 시행하지 않은 경우 22-26세까지 접종 가능하다. 남성에서도 되도록 성생활을 시작하기 전 접종하도록 한다. 두 가지 백신 모두 6개월에 걸쳐 3회 접종을 시행하며 서바릭스는 0, 1, 6개월, 가다실은 0, 2, 6개월째 접종을 권고한다.

백신을 투여하더라도 자궁경부암의 선별검사는 접종하지 않은 경우와 동일한 권고안대로 시행하도록 하는데 이는 16, 18번 인유두종바이러스가 원인이 아닌 자궁경부암의 비율이 30%가량이기 때문이다.

4) 성기사마귀(Genital warts)

성기사마귀의 90%는 6번, 11번 인유두종바이러스에 의해 발생한다. 성기사마귀 병변에서는 16, 18, 31, 33번 바이러스가 함께 발견되는 경우가 많으며 이들 병변에서의 부분적 고등급상피내병변의 원인이 되기도 한다. 6번, 11번 바이러스는 결막, 코, 눈, 후두 사마귀를 일으키기도 한다.

대개는 무증상이며 크기와 위치에 따라 통증이나 가려움증을 유발할 수 있다. 대개 편평하거나 유두상 혹은 줄기를 가진(pedunculated growth) 형태로 자라며 여성의 경우 질 입구 점막, 남성의 경우 포경안된 음경꺼풀(foreskin), 포경된 경우 줄기(shaft)에 호발하며 생식기와 항문 주변 상피에 걸쳐 다발성으로 생기기도 한다.

진단은 시진으로 가능하며 조직검사를 통해 진단하기도 하는데 조직검사의 적응증은 (1) 진단이 확실하지 않거나 (2) 표준 치료에 반응하지 않을 경우, (3) 치료에도 불구하고 악화되는 경우, (4) 병변이 비정형인 경우, (5) 환자가 면역 저하 상태인 경우, (6) 사마귀에 색소가 침착되었거나 딱딱하고 고정되거나 출혈, 궤양이 동반된 경우 등이다. 성기사마귀가 확인되었을 때 인유두종바이러스 검사를 시행하는 것은 향후 치료 방법에 차이가 생기지 않으므로 권고되지 않는다.

3-5% 아세트산(acetic acid)을 가하면 병변이 하얗게 변해 감별 가능하지만 이러한 반응은 인유두종바이러스 감염에 특이적인 것은 아니므로 진단 방법으로 사용할 수는 없다.

표 43-6. 성기사마귀의 치료

	사용 방법	최대기간	환자 직접 사용 가능성
프로필록스(podofilox) 0.5% solution or gel	하루 두 번 3일 동안 바르고 4일 휴약을 반복, 하루 0.5 mL까지만 사용	4주	가능
이미퀴모드(imiquimod) 5% cream	하루 한 번 자기 전, 일주일 3번씩, 바른 후 6-10시간 후 물과 비누로 씻어냄	16주	가능
시네카테킨(sinecatechins) 15% 연고(ointment)	손가락으로 얇게 바름	16주	가능
액체 질소나 냉동프로브를 사용한 냉동치료(crythearapy with liquid nitrogen or cryoprobe)	1-2주 간격 반복	-	불가능
포도필린 레진(Podophyllin resin) 10-15%	바른 후 공기 중 건조, 일주 간격 반복	-	불가능
삼염화아세트산(trichloroacetic acid TCA) or 이염화아세트산 (bichloroacetic acid BCA) 80%	적은 양을 병변에 국한해 도포 후 완전 건조, 일주간격 도포	-	불가능
수술 제거(surgical removal)	접면 가위 절제술(tangential scissor excision), 면도 절제술(shaving excision), 소파술(curettage), 또는 전기수술(electrosurgery)		불가능

(1) 치료(표 43-6)

치료의 목적은 증상을 완화하고 육안 병변을 제거하는 것이다. 대개의 환자에서 사마귀는 치료로 제거 가능하다. 치료하지 않을 경우 육안 병변은 저절로 없어지거나 크기가 줄거나 그대로 남기도 한다. 대개의 치료 방법은 육안병변을 제거할 뿐 인유두종바이러스를 박멸하거나(eradication) 감염력을 없애진 못한다. 치료로 바이러스 DNA를 줄인다 해도 미래의 감염력을 줄이는지는 불명확하다. 성기사마귀 병력이 자궁경부암의 위험을 높인다는 증거는 없다.

치료방법은 특정 치료 방법이 효과가 더 좋다고 알려져 있진 않기 때문에 환자의 선호도, 약제 이용 가능성(available resource), 치료자의 경험을 바탕으로 결정한다. 치료 결과로 전염력이 감소된다는 증거가 없고 저절로 좋아지는 경우도 있기 때문에 몇몇 환자에서는 자연관해를 기다리는 방법이 나을 수도 있다.

치료 방법은 사마귀의 크기, 개수, 위치, 모양, 환자의 선호도, 치료제의 가격, 편의성, 부작용, 의료진의 경험에 따라 선택하고 치료에 대한 반응은 환자의 순응도, 면역억제제 사용 여부에 따라 달라질 수 있어 단일요법으로 치료되기도 하나 여러 단계의 치료를 필요로 하기도 한다. 대개의 성기사마귀는 국소요법에 잘 반응하지만 충분한 기간 동안 사용했는데도 반응이 없거나 부작용이심할 경우 다른 약제로 전환이 필요하다. 대개의 성기사마귀는 3개월 치료에 충분히 반응한다.

치료 중의 합병증은 흔하지 않은데, 환자에게 소작술(ablation)이나 이미퀴모드(imiquimod)와 같은 면역제사용 이후에는 과도한 색소침착이나 반대로 탈색이 나타날 수 있음을 설명해야 한다. 드물게 주변보다 함몰되거나 과증식된 흉터가 남기도 하는데 시간상의 제약으로 치료간 간격을 충분히 두지 않았을 경우 더 잘 발생한다. 드물게 치료 부위에 만성 통증이나 과민성(hyperesthesia)을 호소하거나 병변이 항문에 있었을 경우 배변 시 통증이나 치루(fistula)가 발생하기도 한다. 드물게 포도필린(podophyllin resin)이나 인터페론(interferon) 사용 후 심한 전신 부작용이 보고된 바도 있다.

치료 방법 중 포도필록스(polofilox), 이미퀴모드(imiquimod), 시네카테킨(sinecatechins)은 환자가 직접 병변에 도포할 수도 있으나 제대로 병변 전체에 걸쳐 바르는지, 제대로 반응을 나타내는지는 추적 관찰할 필요가 있다. 병변 위치상 환자가 스스로 바르기 힘든 경우에는 의료진에 의한 도포가 필요하다.

① 포도필록스(Podofilox)

포도필록스는 성기사마귀 병변을 파괴하는 항분열제(antimitotic)로서 값이 싸고 사용하기 편하며, 부작용이 적고 환자 스스로 바를 수 있다는 장점이 있다. 도포시에는 면봉을 사용하거나 겔을 손가락에 묻혀 바를 수 있다. 3일 동안은 하루 두 번 바르고 이어서 4일 동안은 휴약하는 주기를 반복하는데 반응 정도에 따라 4주까지 사용한다. 전체 도포 면적이 10 cm^2를 넘어선 안되며 하루 사용량이 0.5 mL를 넘지 않도록 한다. 첫 도포 시에는 의료진이 시행하면서 적정한 양과 바르는 부위를 설명해 주는 것이 좋다. 경미하거나 중등도의 통증이나 자극감이 생길 수 있으며 임신 중 안전성 여부는 평가되지 않았으므로 주의를 요한다.

② 이미퀴모드(imiquimod)

이미퀴모드는 국소성 면역증강제로서 인터페론이나 기타 사이토카인의 형성을 촉진시킨다. 하루 한 번 자기 전 바르며 일주일에 3번씩 16주 동안 사용할 수 있다. 바른 후 6-10시간 후에는 물과 비누로 씻어내도록 한다. 국소 염증 반응인 발적, 자극감, 딱딱함(induration), 궤양, 수포 등의 반응이 흔하게 나타나며 탈색반응이 보고되기도 한다. 이미퀴모드는 콘돔이나 다이아프람(diaphragm)을 약화시킬 수 있으므로 주의를 요하며 임신 중 안전성 여부는 평가되지 않았다.

③ 시네카테킨(Sinecatechin)

시네카테킨 연고는 활성제(active product)인 카테킨(catechins)을 함유한 녹차 추출물로서 손가락으로 병변 전체에 걸쳐 얇게 바른다. 16주 동안만 사용 가능하며 도포 후 씻어내지 않도록 한다. 도포 후 성접촉은 금기이며 가장 흔한 부작용은 홍반, 가려움증, 작열감, 통증, 궤양, 부종, 경화(induration), 수포 발적(vesicular rash)이다. 콘돔이나 다이아프람(diaphragm)을 약화시킬 수 있으며 다른 약제와 안전성이나 효과가 비교된 적은 없다. HIV 감염 환자, 면역저하 환자, 생식기헤르페스 환자에서는 효과나 안전성이 입증되지 않아 권고되지 않으며 임신 중 사용도 평가된 바 없다.

④ 냉동치료(cryotherapy)

냉동치료(cryotherapy)는 사마귀병변을 녹이는 방법으로 과도하거나 부족하게 치료될 경우 효과가 떨어지거나 부작용을 초래하므로 경험 있는 의료진에 의해 시도되어야 한다. 액체 질소 사용 후 통증이 나타나며 이어서 괴사, 수포 발생이 흔하다. 성기사마귀가 여러 군데 있거나 큰 경우 국소 마취제를 사용하는 것이 좋다.

⑤ 페도필린 레진(Pedophyllin resin) 10-25%

페도필린 레진(Pedophyllin resin) 10-25%는 바른 후 공기 중에서 건조시킨 후 옷을 입도록 한다. 과도하게 많은 양을 사용하거나 공기 중 건조되지 않은 상태에서 옷을 입을 경우 주변까지 퍼져 국소 자극반응을 유발하게 된다. 필요하면 일 주 간격으로 반복하며 전신 흡수를 막기 위해 ⅰ) 한 번 사용 시 0.5 mL, 도포 면적 10 cm^2를 넘지 않도록 하고, ⅱ) 도포되는 부위에 개방 상처가 있으면 안된다. 국소 자극을 줄이기 위해 1-4시간 후 완전히 씻어내도록 한다. 임신 중의 안정성은 확인되지 않았고 제품별로 활성화물의 농도가 다르고 저장기간(shelf life)이나 안정성(stability)이 알려져 있지 않다.

⑥ 삼염화아세트산(Trichloroacetic acid, TCA), 이염화아세트산(bichloroacetic acid, BCA)

삼염화아세트산이나 이염화아세트산은 성기사마귀의 단백질을 화학적 소작하는 것으로 널리 이용되고 있지만 정확히 평가된 바 없다. 삼염화아세트산 용액은 점도가 낮아 빠르게 흡수되므로 과도하게 사용할 경우 주변 조직을 상하게 할 수 있다. 적은 양을 병변에 국한해서 바르고 완전히 건조되어 하얀 결정(white frost)이 생긴 후 일어서거나 앉도록 한다. 통증이 심한 경우 비누나 중탄산염나트륨(sodium bicarbonate, 베이킹소다 등)으로 중화시킬 수 있다. 과도한 양이 도포된 경우 활석(talc), 중탄산염나트륨, 액체 비누 등을 바르도록 한다. 일주 간격으로 필요한 만큼 반복한다.

⑦ 수술 방법

수술 방법은 한 번에 병변을 제거할 수 있다는 장점이 있으나 추가 장비와 의료진의 숙련도, 장기간의 추적관찰이 필요하다. 국소마취 후 육안으로 감별되는 병변을 전기지짐기(electrocautery)로 소작한다. 너무 깊이 소작할 경우 흉터를 남길 수 있으므로 주의한다. 가위나

작은칼(scalpel), 레이저, 큐렛을 이용하여 접면 절제술(tangential excision)을 시행할 수도 있다. 대개의 사마귀는 밖으로 자라나므로 외과 절제술은 상부 진피까지만 절개를 가하고도 시행할 수 있으며 지혈은 전기 소작이나 화학 소작(aluminum chloride solution 등)으로 충분하고 대개의 경우 봉합은 필요하지 않다. CO_2 레이저나 수술 절제는 병변의 크기가 크거나 개수가 많은 경우, 요로 내에 병변이 위치할 경우, 다른 치료 방법에 반응하지 않는 경우 적응증이 된다.

여러 가지 치료제를 함께 사용하는 경우도 있는데 이러한 방법의 효과나 안전성은 평가된 바 없다.

(2) 대체요법(Alternative regimens)

기타 효과나 안전성이 명확하지 않거나 부작용이 많은 치료 방법으로 병변내 인터페론 주입술, 광역학요법(photodynamic therapy), 국소(topical) 시도포비어(cidofovir) 등의 방법이 있다.

(3) 특수한 경우의 성기사마귀

① 자궁경부에 밖으로 자라나는 성기사마귀가 있는 경우: 병변 내에 고등급상피내병변(high-grade squamous intraepithelial lesion, HSIL)이 있는 경우가 있으므로 치료 전 조직검사를 시행해야 한다.

② 질에 발생한 성기사마귀: 액체 질소를 사용한 냉동치료는 질의 천공(perforation)이나 질루(fistula)가 합병될 수 있으므로 금기이다. 삼염화아세트산이나 이염화아세트산을 사용할 경우 소량을 병변에만 바르고 하얀 결정이 생길 때까지 건조시켜야 한다. 과도한 양이 도포된 경우 활석(talc)이나 베이킹파우더, 액체 비누 등으로 중화시킨다. 병변이 없어질 때까지 일주일 간격으로 반복한다.

③ 요로 입구에 발생한 성기사마귀: 액체질소를 이용한 냉동치료나 포도필린 10-25%를 사용한다.

④ 항문 근처에 발생한 성기사마귀: 액체질소를 이용한 냉동치료나 삼염화아세트산/이염화아세트산 80-90%, 수술 절제술을 이용할 수 있다. 항문 내 위치한 성기사마귀의 경우 직장 점막에도 병변이 위치하는 경우가 많으므로 직장수지검사, 직장경 등의 검사가 추가로 필요하므로 전문가에 의뢰하는 것이 좋다.

(4) 상담

① 생식기 인유두종바이러스 감염은 매우 흔하다. 대개의 인유두종바이러스 감염은 성기 접촉을 통해 이루어지며 구강 성교로도 전파 가능하다.

② 대개의 성생활을 하는 성인은 일생에 한 번 정도 감염 가능하며 대개의 경우 증상 없이 지나가는 경우가 많다.

③ 대개의 경우 인유두종바이러스는 자연적으로 치유되지만 드물게 성기사마귀나 전암 병변, 암으로 진행된다.

④ 성기사마귀를 유발하는 인유두종바이러스는 암을 발생시키는 것과는 다른 종류이다.

⑤ 인유두종바이러스 감염이 진단된 시점에 성 파트너도 증상은 없어도 감염되어 있는 경우가 대부분이다.

⑥ 성 파트너가 인유두종바이러스 감염이 확인되어도 증상없는 배우자에서 인유두종바이러스 검사를 시행하지는 않는다.

⑦ 치료는 바이러스 감염에 의한 증상이 있는 경우 병변에 대한 것이고 바이러스 자체를 치료하는 것은 아니다.

⑧ 인유두종바이러스는 여성의 가임력이나 임신 결과에 영향을 주지는 않는다.

⑨ 적절한 콘돔 사용은 인유두종바이러스 감염을 줄일 수는 있으나 콘돔으로 가려지는 부위 외에 병변이 있을 경우 감염 가능하므로 콘돔만으로 예방할 수는 없다.

⑩ 성 파트너의 수를 줄이는 것이 인유두종바이러스 감염을 최소화할 수 있으나 인유두종바이러스 감염은 증상 없이 지나가는 경우가 많으므로 한 명의 성 파트너만 있더라도 인유두종바이러스 감염은 가능하다. 따라서 인유두종바이러스 감염을 완벽히 피할 수 있는 방법은 금욕뿐이다.

⑪ 인유두종바이러스 검사는 자궁경부암 선별검사로 이용되기도 하나 청소년기나 20대 여성에서의 사용은 부적절하며 여성이나 남성에서 이외의 암이나 성기사마귀 선별검사로 시행하는 것도 권고되지 않는다.

⑫ 현재까지 개발되어 상용화 되어 있는 인유두종 바이러스 예방백신은 3가지로써 GlaxoSmithKein (GSK)사의 자궁경부암의 70% 원인으로 알려져 있는 인유두종 바이러스 16, 18 바이러스 유사 입자를 사용한 2가 백신, Merke사의 성기 사마귀의 75%의 원인으로 알려진 6,11번 유사 입자가 추가된 4가 백신, 31, 33, 45, 52, 58에 대한 L1 유사입자를 함유한 9가 백신이 있다. 이 백신들은 16, 18번 인유두종 바이러스에 의한 자궁경부암을 80% 예방 한다고 알려져 있으며 성기 바이러스의 경우 90%까지 예방 가능하다고 보고되어 있다. 이들 백신은 첫 성경험 이전에 접종해야 효과를 최대화할 수 있고 11-12세 소녀에서 접종 권유되며 접종하지 않은 13-26세 여성까지 접종 대상이다. 4가백신은 성기사마귀 예방을 위해서는 9-26세까지 접종 가능하다.

⑬ 성기사마귀는 수명에 영향을 주지는 않으며 치료하지 않을 경우 저절로 없어지거나 그대로 있거나 크기

나 숫자가 더 증가하기도 한다. 아주 드문 경우를 제외하고는 성기사마귀가 암으로 발전되지는 않는다.

⑭ 언제 어떻게 해서 인유두종바이러스에 감염되었는지 알기는 힘들다. 성기사마귀는 보이는 병변이 없거나 치료가 종료된 사람에서도 옮을 수 있다.

⑮ 성기사마귀 치료 후 언제까지 감염력을 가지고 있는지 알 수 없다. 이전 성기사마귀 병력을 성 파트너에게 알린다 해도 예방에 도움이 되는지 불분명하다.

⑯ 성기사마귀는 치료 후에도 자주 재발하며 특히 3개월 안에 재발되는 경우가 흔하다.

⑰ 인유두종바이러스 백신을 접종한 여성이나 이전 성기사마귀 병력이 있는 여성도 자궁경부암 선별검사는 다른 여성들과 동일하게 시행한다. 성기사마귀 병력이 있다고 선별검사를 더 자주 시행해야하는 것은 아니다.

⑱ 성기사마귀가 진단되었어도 성 파트너에 대한 인유두종바이러스 검사는 불필요하다.

⑲ 성기사마귀가 진단되었을 경우 환자와 성 파트너 모두에 성매개감염 질환에 대한 검사를 시행하는 것이 좋다.

⑳ 성기사마귀가 진단되었을 경우 성 파트너에게 전파 가능성이 있으므로 이에 대해 알리고 가능하면 성기사마귀가 완전히 치료될 때까지 성접촉을 피하는 것이 좋다.

㉑ 꾸준히 적절한 방법으로 콘돔을 사용할 경우 성기사마귀 감염을 줄일 수는 있으나 콘돔으로 가려지는 부위 외에 성기사마귀가 있을 경우 전파 가능하므로 콘돔만으로 성기사마귀를 완전히 예방할 수는 없다.

㉒ 4가 자궁경부암 백신은 성기사마귀를 90%까지 예방 가능하다. 9가백신이 이론적으로는 가장 높은 확률로 자궁경부암을 예방할 것으로 추정되지만 국가별 인유두종 바이러스 유형과 비율에 차이가 있어 비용대비 얻을 수 있는 예방효과에 대한 이득 또한 차이를 보일 것으로 생각된다.

㉓ 고위험군 인유두종바이러스 양성 결과가 자궁경부암을 의미하는 것은 아니다. 적절한 추적 관찰이 향후 자궁경부의 이상이 진행하는 것을 막기 위해 필요하다.

㉔ 인유두종바이러스 검사 양성이고 자궁경부세포검사가 음성인 경우 자궁경부에 인유두종바이러스 감염이 있으나 자궁경부암으로 발전 가능한 세포는 아직 없다는 의미이다. 하지만 앞으로 세포변화가 일어날 가능성이 바이러스검사 음성인 경우보다 높으니 주기적인 추적관찰이 필요하다.

㉕ 자궁경부세포검사에서 비정형세포가 나온 것은 앞으로 정기적인 검사가 필요하며 진행할 경우 치료가 필요한 상태라는 의미로서 좀더 정확한 진단을 위해 추가적인 검사가 필요할 수 있다. 정해진 다음 검사를 반드시 지켜야 한다.

㉖ 대개의 경우 인유두종바이러스 감염은 본인의 면역반응으로 치유되지만 몇몇 환자에서 치유되지 않고 진행한다.

㉗ 남자에서 인유두종바이러스 검사는 권고되지 않으며 고위험군 인유두종바이러스는 성기사마귀를 유발하지는 않는다.

㉘ 장기간 관계를 유지한 성 배우자도 증상이 없더라도 인유두종바이러스에 함께 감염되었을 가능성이 높다. 하지만 여성에서 인유두종바이러스가 발견되더라도 남성 배우자에서 검사로 확인할 필요는 없다.

㉙ 어떠한 검사로도 인유두종바이러스가 정확히 언제, 어떤 경로로 감염되었는지 알 수 없다.

㉚ 콘돔을 사용하더라도 콘돔으로 덮이지 않는 피부를 통해 인유두종바이러스 감염이 가능하다.

(5) 임신 시의 성기사마귀

이미퀴모드, 시네카테킨, 포도필린, 포도필록스는 임신 중 사용 금기이다. 임신 중 성기사마귀는 더 증식하면서 부스러지기 쉬워(friable) 진다. 임신 중 제거를 시도할 수 있으나 분만시까지 완벽히 없어지지 않는 경우가 많다. 드물게 6번, 11번 인유두종바이러스가 영유아나 소아기 호흡기 유두종증(respiratorypapillomatosis)을 유발하기도 하나 전파 경로가 태반을 통한 것인지, 출산시인지, 출산 후인지는 분명하지 않다. 제왕절개를 통한 분만으로도 호흡기 유두종증을 예방할 수 있는지는 불분명하므로 인유두종바이러스 감염 예방만을 목적으로 제왕절개를 시행하는 것은 권고되지 않고 성기사마귀에 의해 산도가 막히거나 자연분만이 과도한 출혈을 일으킬 경우에만 제왕절개 분만이 권고된다. 임신한 여성에서 성기사마귀가 발견된 경우 신생아에 대한 호흡기 유두종증의 위험은 낮다는 점을 설명해야 한다.

(6) HIV 감염이 있는 환자의 성기사마귀

HIV 감염이 있는 환자에서 성기사마귀는 더 흔하게 나타나고 면역력 저하로 치료에 잘 반응하지 않는 경우가 많다. HIV 감염이 있다고 해서 치료 방법이 달라지지는 않지만 병변이 더 크거나 심한 경우가 많고 치료에 반응하지 않거나 재발되는 경우가 많다는 점에 유의해야 한다. 성기사마귀로 보이는 병변에서 상피세포암이 발생하는 경우가 있으므로 면역력이 저하된 환자에서는 의심되는 병변에 대해서 조직검사를 시행하는 것이 좋다. HIV 감염 환자에서는 항문암의 빈도도 높으므로 이에 대한 검사도 시행하는 것이 좋으나 현재까지 마땅한 선별검사가 없다는 문제점이 있다.

(7) 성매개병이 확진된 환자에서의 자궁경부암 선별검사

성매개병이 확인된 환자에서 고위험군 인유두종바이러스가 지속적으로 양성인 경우 자궁경부 전암병변이나 자궁경부암의 위험을 높일 수 있다. 고위험군 인유두종바이러스가 성매개병이 진단된 환자의 25%에서 발견되는데 특히 14-19세에서 양성율이 높고 나이가 증가함에 따라 양성율은 낮아진다. 성매개병을 진료할 때에 의료진은 자궁경부암 선별검사의 필요성을 설명하고 마지막 검사 날짜를 확인해야 한다. 환자들은 흔히 부인과 진료를 받은 것만으로 자궁경부암 선별검사를 시행했다고 착각하는 경우가 많으므로 1년 내에 다른 진료 시 자궁경부세포검사를 시행한 것이 확실하지 않으면 진료 시 자궁경부세포검사를 반드시 시행해야 한다.

(8) HPV test

인유두종바이러스 검사는 21세 이상의 여성에서 자궁경부세포검사상 미확인 비정형 편평상피세포 (ASCUS) 이상의 결과가 나온 경우나 30세 이상의 여성에서 자궁경부세포검사시 보조적으로 함께 시행될 수 있다. 인유두종바이러스 검사를 20세 미만 여성에서 선별검사만의 목적이나 성매개병의 선별검사로 사용하지는 않는다. 또한 HPV 백신 접종 이전에 시행할 필요도 없다.

Ⅳ. 골반염증질환(Pelvic inflammatory disease)

골반염증질환은 여성 상부생식기에 발생하는 감염성 질환으로 흔히 여러균감염(polymicrobial infection)의 특징을 가진다. 이 질환은 성생활이 왕성한 젊은 가임 연령에서 주로 발생하며 자궁내막염, 난관염, 골반복막염, 난관난소고름집(tubo-ovarian abscess) 등으로 구성된다. 골반염증질환의 50-75%는 클라미디아나 임질균에 의한 성매개병에 의해 발생하며, 증상 양상에 따라 급성, 아급성, 불현성 질환으로 분류된다. 이 질환은 급성기 증상뿐만 아니라 난관인자 불임증, 자궁외임신, 만성 골반통 등의 후유증을 남길 수 있다는 점에서 임상 중요성을 가진다.

1. 역학(Epidemiology)

골반 염증질환 발병율은 과거 성매개병 발생율에 비례하여 지속적으로 증가하였다. 미국 통계에 의하면 1982년도에 발병율이 정점에 이르러 연간 백만명의 여성이 골반염증질환으로 진단되었고 가임여성의 14.2%가 이 질환에 대한 치료 경험이 있었다. 역사적으로 골반염증질환은 제2차 세계대전 후 유럽에서 주로 임질균 감염에 의해 크게 증가하였다. 그러나 최근 골반염증질환 발병율 증가는 질환의 실질적 증가보다는 주로 진단 빈도 증가에 기인할 것으로 보인다. 1960년에서 1979년까지 골반염증질환 유병율이 1.5배 증가하였는데 이러한 유병율 증가는 20-29세 여성에서의 감염 증가가 원인이 되었다. 미국 통계에 의하면 1975년부터 1981년 사이 연 167,200명이 골반염증질환으로 입원하여 1,000명 당 5.3명의 입원율을 보였으며 1982년에 유병률이 최고조에 달해 7명 중 1명 정도의 유병율이 보고되었으나 1983년 이후 최근까지는 발병율이 지속적으로 감소하는 경향을 보인다. 그러나 골반염증질환은 불현 질환이 많고 주로 외래에서 진료가 이루어진다는 점과 진단 정확도의 문제 등으로 인해 일반 인구군에서 정확한 유병률을 확인하기는 매우 어렵다.

2. 위험인자(Risk factors)

골반염증질환 발생에는 인구학 특성, 성생활 양상, 피임 방법 등이 관련된다. 교육 수준이 낮은 여성, 한 명 이상의 성 파트너를 가진 경우, 18세 이전에 첫 성경험이 있었던 경우, 임질 감염 병력을 가진 경우, 월경 중 성교, 피임을 하지 않는 경우(특히 차단 피임) 등이 골반염증질환 발생의 위험인자로 알려져 있다.

골반염증질환 발생은 연령에 역비례 하며 15-19세에 가장 높은 발병율을 보인다. 젊은 연령은 그 자체가 골반염증질환의 위험인자이다. 젊은 여성에서는 에스트로겐의 영향으로 변형대(transformation zone)가 확대되어 있고 자궁경관 원주세포의 외반이 형성되어 클라미디아나 임질균의 부착이 쉬워지고 이로 인해 상부생식기 감염 가능성이 높아진다. 또한 사춘기-청년기는 성생활이 왕성한 시기로 다수의 남성과 성관계를 가질 가능성이 많고 또 그 대상이 다수의 여성들과 성접촉이 있을 가능성이 높으므로 성전파질환(sexually transmitted disease)에 이환될 가능성이 높아진다. 질세척도 질내 미생물 환경 변화를 유발하고 질내 세균을 상부생식기로 유입시켜 골반염증질환 발생을 일으킬 수 있는 위험인자로 약 1.73배 정도의 상대 위험도를 보인다.

3. 미생물학적 원인

골반염증질환은 대부분 하부생식기 세균이 상부생식기 즉 자궁, 난관, 복강내로 침범하는 상향감염에 의해 발생하는 것으로 알려져 있다. 이 질환을 유발하는 원인균은 성매개 세균과 하부생식기 미생물총(flora)으로 대별된다. 성매개감염의 가장 흔한 병원균인 클라미디아와 임질균은 골반염증질환에 이환된 여성의 12%에서 발견된다. 성매개감염 바이러스인 단순포진바이러스(herpes simplex virus)나 거대세포바이러스(cytomegalo virus)들과 골반염증질환 발생과의 관계는 분명하지 않다. 골반염증질환의 30%는 혐기 세균이나 조건박테리아(facultative bacteria)를 포함하는 비성매개병 내재미생물에 의해 발생하는데 혐기성 균주로는 프레보텔라(prevotella), 박테로이데스(bacteroides), 펩토스트렙토코쿠스(peptostreptococcus) 등이 높은 빈도로 동정되고 세균질증을 유발하는 박테리아들도 이환 여성 상부생식기에서 흔히 동정된다.

4. 진단

골반염증질환의 진단은 임상양상의 세가지 요건(골반통, 자궁경부 운동성 압통 및 자궁부속기 압통, 발열)을 기초로 이루어지지만 이러한 증상이나 징후가 질환 특이적 소견은 아니므로 진단은 환자의 위험인자, 신체진찰 소견, 병리검사 소견 등을 포함하여 신중하게 이루어져야 한다. 임상 진단에서의 양성 예측도는 경험이 많은 의사에서도 65-90% 정도로 진단이 쉽지 않다. 전통적으로 골반염증질환은 복부압통, 자궁경부 운동압통(motion tenderness) 및 자궁부속기압통(adnexal tenderness)이 있고 2차 진단기준(자궁경관에서 클라미디아나 임질균 동정, 화농점액 자궁경부염 소견, 38.3℃ 이상의 발열, 적혈구 침강속도나 C-반응단백 상승, 골반 초음파에서 염증 종괴 존재) 중 최소 하나의 소견을 동반할 때 진단된다. 골반염증질환과 유사한 증상 또는 징후를 나타낼 수 있는 다양한 부인과 또는 비부인과 질환들이 있으므로 진단에서 혼란을 겪는 경우가 자주 발생하는데 이러한 경우에는 자세한 병력 청취와 이학적 검사가 도움이 될 수 있다. 환자들은 흔히 천천히 진행되는 복통과 발열, 질분비물 증가를 호소하고 증상은 주로 월경 후 발생하여 2-3일 동안 악화되는 경과를 보이며 3주 정도 지속된다. 골반염증질환은 충수염과 증상이 유사하여 감별진단이 필요하다. 골반염증질환은 증상 급성도가 낮아서 병원을 방문하는 시기가 충수염에 비해 늦어지는 경향이 있고 질분비물 증가 및 출혈, 양측성의 광범위 복통이 더 자주 나타난다. 진찰 시 자궁경부 운동압통 및 자궁부속기 압통도 충수염보다는 골반염증질환에서 더 흔히 나타난다. 충수염은 오심과 구토가 더 흔하고 복통과 압통이 우하복부에 국한되는 경향이 있다. 검사실 검사는 일반 혈액검사, 염증 표식체 검사, 질 분비물 도말검사로 구성된다. 골반염증질환 환자의 44%에서 백혈구 증가 소견을 보이며 C-반응성 단백이나 적혈구 침강율과 같은 염증 표식체 상승은 질환 예측에서 74-93%의 민감도와 25-90%의 특이도를 보인다. 질분비물 도말검사에서 고배율시야 당 3개 이상의 백혈구 존재는 상부생식기 감염에 대한 87-91%의 민감도를 가지고 백혈구가 존재하지 않는 경우는 상부생식기 감염에 대한 94.5%의 음성예측도를 보인다. 그러므로 질분비물 도말검사는 진단이 모호한 경우에 질환을 배제하기 위한 검사로 유용하게 사용될 수 있다.

질초음파는 사용이 간편하고 비용이 적게 든다는 점에서 골반염증질환 초기 평가에 광범위하게 사용되고 있다. 가장 흔한 초음파 소견은 난관 종창(swelling)과 뒤틀림(tortuousness)을 나타내는 난관 벽의 불완전 격막으로 환자의 92%에서 발견된다. 난관 횡단면에서 난관벽 비후(100%)와 톱니바퀴 모양 구조(86%)는 주로 급성 질환에서 보이고 난관벽이 얇아진 소견(97%)이나 난관벽내 결절(57%)은 주로 아급성 질환에서 나타난다. 난관난소고름집이 형성된 경우에는 편측 또는 양측 부속기의 정상 구조가 확인되지 않는다. 초음파는 난관수종이나 난관난소고름집이 합병된 골반염증질환 진단에 매우 유용하다. 진단 정확도는 97-100%의 높은 특이도를 보이지만 민감도는 32-85%로 비교적 낮다. 즉 질초음파는 어떤 특정 소견이 보이는 경우에는 진단 정확도가 매우 높지만 초음파 소견이 정상인 경우에도 골반염증질환 가능성을 배제할 수 없으므로 반드시 임상 증상을 고려하여 진단이 이루어져야 한다. 자궁내막검사도 골반염증질환 진단에서 높은 민감도와 특이도를 가진다. 자궁내막검사는 결과 확인까지의 시간이 많이 걸리므로 급성 질환 진단에서는 적용하기가 어렵지만 비급성 질환 진단 및 배제에는 도움이 될 수 있다.

자궁내막검사에서 백혈구와 형질세포(plasma cell)가 존재하면 진단에서 70-90%의 민감도와 67-90%의 특이도를

표 43-7. 골반염증질환 치료를 위한 권장 항생제, 미국 질병통제예방센터(CDC) 2021 권고안

비경구	경구/외래 통원
1. 세프트리악손 1 g, 24시간마다 + 독시사이클린 100 mg, 경구 또는 정맥주사, 12시간마다 + 메트로니다졸 500 mg, 경구 또는 정맥주사, 12시간마다 2. 세포테탄 2 g, 정맥주사, 12시간마다 + 독시사이클린 100 mg, 경구 또는 정맥주사, 12시간마다 3. 세폭시틴 2 g, 정맥주사, 6시간마다 + 독시사이클린 100 mg, 경구 또는 정맥주사, 12시간마다 4. 암피실린/설박탐 3 g, 정맥주사, 6시간마다 + 독시사이클린 100 mg, 경구 또는 정맥주사, 12시간마다 5. 크린다마이신 900 mg, 정맥주사, 8시간마다 + 겐타마이신 – 부하용량(loading dose): 2 mg/체중(kg), 정맥주사 또는 근주 – 유지용량(maintenance dose): 1.5 mg/체중(kg), 정맥주사 또는 근주, 8시간마다 [1일 1회 투약(3–5 mg/kg 체중)을 대체 가능]	1. 세프트리악손 500 g, 근주, 1회 요법 + 독시사이클린 100 mg, 경구, 하루 2회, 14일 + 메트로니다졸 500 mg, 경구, 하루 2회, 14일 2. 세폭시틴 2 g, 근주, 1회 요법 + 프로베네시드 1g, 경구 1회 요법 + 독시사이클린 100 mg, 경구, 하루 2회, 14일 + 메트로니다졸 500 mg, 경구, 하루 2회, 14일 3. 다른 경구 3세대 세팔로스포린(세프티지딤 또는 세포탁심) + 독시사이클린 100 mg, 경구, 하루 2회, 14일 + 메트로니다졸 500 mg, 경구, 하루 2회, 14일 * 몸무게≥150 kg 경우, 세프트리악손 1 g 투약

CDC, Sexually Transmitted Infections Treatment Guidelines, 2021

가진다. 복강경 검사는 골반염증질환 진단에서 마지막 방법으로 고려될 수 있다. 복강경 소견으로는 난관 종창과 발적, 난관체부로부터 화농 삼출물 유출, 난관 주위 유착 등이 있다. 그러나 복강경 소견만으로는 골반염증질환 진단에서 50% 정도의 민감도와 85% 정도의 특이도를 보이므로 완벽한 진단방법이 될 수는 없다. 복강경은 비용과 위험성을 고려할 때 모든 환자에서 시행할 필요는 없으며 진단이 불확실하거나 배농과 균배양이 반드시 필요하다고 판단되는 경우에 국한되어야 한다.

5. 치료

골반염증질환의 치료는 기본적으로 여러균감염(Polymicrobial infection), 특히 클라미디아와 임질균의 특성을 고려한 광범위 항생제 투여로 이루어진다. 치료의 목적은 급성 증상 완화와 감염 및 염증 반응의 결과로 발생하는 장기 후유증을 예방하는 것이다. 임질균이나 클라미디아와 같은 가장 흔한 원인균에 대한 충분한 항균 능력을 가진 항생제를 선택하여 최소 2주간 투여하여야 한다(표 43-7). 치료 후 전반적인 임상 완치율이 90% 이상이므로 항생제에 호전되지 않는 경우에는 투약 수용 상태, 오진 가능성, 염증 종괴 형성 등을 고려하여 신속한 재평가가 이루어져야 한다. 골반염증질환 치료에서는 외래 통원 치료와 입원 치료를 결정하는데 어려움이 있다. 경증과 중등도 환자를 대상으로 외래 통원 치료와 입원 치료의 효과와 안전성을 비교하였을 때 치료 30일 후 회복율은 외래 통원 치료에서는 54.1%, 입원 치료에서는 62.4%로 유의한 차이가 없었다. 임상 완치율에서도 외래 통원 치료와 입원 치료에서 각각 79.4%와 81.6%로 유의한 차이가 없었고 장기 추적결과 재발, 만성 골반통, 불임, 자궁외임신, 난관 폐쇄 등의 장기 합병증 발생율 및 임신율, 생존아 출생율에서도 차이가 없었다. 이러한 연구 결과로 추론할 때 경증 및 중등도 질환은 외래 통원 치료가 가능할 것으로 보인다. 비록 상당수의 환자들은 외래 통원으로 치료가 가능하지만 외과복증이 배제되지 않는 경우, 임신 중인 경우, 경구 항생제에 반응하지 않는 경우, 외래 추적이 불가능하거나 경구 항생제 복용이 어려운 경우, 고열과 오심 및 구토를 동반하는 경우, 난관난소고름집 형성이 의심되는 경우에는 입원 치료를 권고해야 한다.

6. 합병증 및 예후

골반염증질환은 급성, 아급성 형태의 다양한 임상증상을 보인다. 급성 증상 및 징후로는 복부-골반 통증 및 압통, 발열, 백혈구증가 등이 있으며 급성 질환으로 입원한 환자의 약 30%에서 가장 심각한 합병증인 난관난소고름집을 동반한다. 이 질환으로 인한 사망률은 미국 통계에 의하면 100,000명당 0.29로 매우 낮다. 피츠-휴-커티스(Fitz-Hugh-Curtis) 증후군으로 알려진 간주위염(perihepatitis)은 환자의 1-30%에서 발생한다. 간주위염이 합병된 환자는 우상복부통증 및 압통이 있고 간과 전복벽 사이에 바이올린 현(violin string)과 같은 유착밴드가 형성되며 클라미디아나 임질균에 의한 감염에서 가장 흔히 발생한다. 이러한 환자에서는 혈중 간효소 수치 상승을 보이는 경우도 있어 담낭염과 감별진단이 이루어져야 한다. 골반염증질환의 후유증으로 발생하는 난관인자 불임증, 자궁외임신, 만성 골반통 등은 급성 질환 회복 후 후속치료를 필요로 하는 경우가 많아서 여성 건강관리 측면에서 많은 부담이 되고 있다.

7. 난관난소고름집(Tubo-ovarian abscess)

난관난소고름집은 난소와 난관, 주위 조직을 포함하는 염증성 종물로서 심각한 이환과 드물게는 사망을 초래할 수 있는 골반염증질환의 가장 심각한 합병증이다. 난관난소고름집은 골반염증질환으로 입원한 환자의 약 1/3에서 동반되며 임상증상과 징후는 골반염증질환과 유사하지만 신체 진찰이나 영상 진단에서 골반 종괴가 발견된다. 난관난소고름집이 형성된 환자의 절반에서 발열과 오한이 나타나고 오심(26%), 질분비물(28%), 질출혈(21%) 등의 증상을 보인다. 전형적 증상 및 징후로는 복통, 골반내 종물, 발열, 백혈구 증가 등이 있지만 환자의 35%에서는 발열이 없고 23%에서는 정상 백혈구 수치를 보인다. 초음파와 전산화단층촬영은 난관난소고름집 진단에서 가장 많이 사용되는 영상진단 기술이다. 전산화단층촬영의 진단 민감도는 78-100%로 75-82%의 초음파보다 우수하지만 검사 비용이 많이 든다는 단점이 있다. 전산화단층촬영 소견으로는 균일하게 비후된 조영증강 고름집 벽(95%)이 보이며 다포실(multilocular)의 낭종(89%)과 증강된 유동액 밀도가 나타난다. 이 외에도 난관간막(mesosalpinx) 비후(91%), 골반 지방침윤(91%), 장벽비후(59%), 자궁천골인대 비후(64%) 등의 소견이 흔히 나타나고 난관난소고름집은 환자의 50%에서 발견된다. 초음파검사는 골반염증질환 초기 평가에 광범위하게 이용되는데 특히 골반염증질환과 난관난소고름집을 감별하는데 크게 도움이 된다. 난관난소고름집 환자의 초음파 검사에서는 편측 또는 양측 부속기의 구조가 대부분 확인되지 않고 낭성 또는 다격막 종괴가 흔히 보인다. 부유 반점을 포함한 유동액이 흔히 보이는데 이는 복부와 더글라스와 내의 화농 삼출액과 연관된 소견이다. 초음파에서 복잡 부속기 종괴, 내부 반향성이 증가한 낭성 구조물이 보일 때 난관난소고름집을 우선 의심해야 하며 진단 정확도는 약 90% 정도이다. 난관난소고름집 발생의 미생물학 원인은 대부분 혐기, 호기, 조건 박테리아의 혼합감염이다. 임질균은 고름집 형성에 중요한 원인이 될 것으로 보이지만 고름집에서의 동정율은 3.8%로 매우 낮다. 그러나 환자의 자궁경관에서는 31% 정도의 임질균 동정율이 나타나는 것으로 볼 때 임질균은 하부생식기 미생물의 상부생식기 침범을 조장하는 것으로 보인다. 난관난소고름집에서 주로 동정되는 균주들은 주로 대장균(E. coli), 프레보텔라(prevotella), 박테로이데스(bacteroides), 펩토스트렙토코쿠스(peptostreptococcus) 들로 고름집이 형성되지 않은 골반염증질환에서와 유사하다.

난관난소고름집의 치료는 과거에는 주로 수술 치료가 시행되었으나 광범위 항생제가 개발되고 영상 진단 및 배농 기술이 발전함에 따라 최근에는 약물 치료가 우선되고 전반적 성공률은 70% 이상으로 보고되고 있다.

따라서 수술은 이차선택 치료로 고름집 파열이나 항생제에 반응이 없는 환자에 국한되어 시행되고 있다. 약물 치료에서 10 cm 이상의 고름집을 가진 환자에서는 후속 수술율이 60%인 반면 4-6 cm 고름집 환자에서는 20%의 수술율로 약물 치료 성공률은 고름집 크기와 역비례 관계를 보인다.

범발 복막염 증상과 징후를 보이는 난관난소고름집 파열은 외과 응급 질환으로 패혈증을 초래할 수 있는 심각한 질환이다. 광범위 항생제가 개발되기 전에는 85-100%의 높은 사망률을 보였으나 적극적인 외과 치료와 항생제 사용으로 현재 사망률은 3.1% 정도로 감소하였다. 과거에는 보존 수술에 비해 자궁전절제와 양측 난소난관절제술이 생존율이 높다는 이유로 선호되었으나 이 질환이 젊은 가임 여성에서 주로 발생한다는 점을 고려할 때 보존 치료가 우선 고려되어야 하며 집중적인 항생제 치료를 포함한 편측 부속기절제술은 안전하고 효과적인 치료가 될 것으로 보인다. 항생제 선택은 호발 원인균과 고름집내로의 침투 능력을 고려하여 결정되어야 한다. 그람 양성 및 음성 호기균과 혐기균, 임질균에 대해 공통적 항균 능력을 가진 항생제가 선택되어야 하며 표 43-7에서 전술된 항생제들은 난관난소고름집 치료에 적절한 항생제이다. 메트로니다졸과 크린다마이신은 혐기균에 대한 항균 능력과 고름집 벽 통과 능력이 우수하여 자주 사용되고 있다. 이미페넴-실라스타틴, 피페라실린-타조박탐, 암피실린-술박탐 등은 새로운 단일 광범위 항생제로 상당한 효과를 나타내고 있다. 난관난소고름집이 형성된 환자에서는 감염의 복잡성을 고려할 때 비경구용 장기 항생제 투여를 원칙으로 한다. 우선 입원을 권고하고 항생제 치료에 대한 반응과 고름집 파열 증상 및 징후를 관찰한다. 항생제 투여 후 통증과 압통이 없어지고, 열이 떨어지고, 백혈구수가 정상화되고, 종괴의 크기가 안정화되거나 작아지는 등 항생제에 대한 반응이 충분하다고 판단될 때 퇴원을 고려한다. 최근에는 중재 방사선학 기술의 발달로 복잡하고 위험한 수술을 피해 경피 고름집 배농술이 자주 시행된다. 과거에는 주로 후원개절제를 통한 더글라스와 배농이 시행되었으나 현재는 전산화단층촬영이나 초음파 유도 하에 더 쉽고 효과적으로 직접 배농이 시행되고 있다. 골반이나 복부 고름집은 이러한 영상 장치를 이용하여 위치와 접근성에 따라 복부, 질, 둔부, 직장을 통하여 배농이 시행될 수 있으나 복부나 질을 통한 배농이 최소 침습적인 방법이 된다. 이와 같은 배농술의 치료 성공률은 93.4% 정도이며 시술 환자 62.3%에서 배농 48시간 내에 통증이 완화된다. 또한 배농 환자의 77.4%에서 48시간내에 체온이 정상화되고 후속 수술이 필요한 경우는 7% 정도로 보고되고 있다. 그러나 복잡한 다실고름집을 가진 경우에는 이러한 배농술의 성공률이 떨어지게 된다. 난관난소고름집 치료에서 배농술의 치료 적정성이 아직 확립되어 있지는 않지만 이러한 최소침습 배농술은 난관난소고름집 환자에서 하나의 치료 선택이 될 수 있다.

V. 요로감염(Urinary tract infection)

1. 급성 방광염

급성 방광염은 갑작스럽게 발생하는 배뇨곤란증, 빈뇨, 절박뇨 등의 요도 증상을 특징으로 하며 흔히 치골 상부 통증이나 하부 요통을 동반한다. 여성 방광염은 주로 직장으로부터 질이나 요로에 전이증식(colonization)된 대장균에 의해 발생한다. 급성 방광염을 일으키는 가장 흔한 균주는 대장균으로 환자의 약 80%에서 동정된다.

두 번째 빈도를 차지하는 균주는 포도상구균(staphylococcus saprophyticus)으로 환자의 5-15%에서 발견된다. 신체 진찰에서는 치골 상부에 압통이 있고 소변검사에서는 농뇨가 나타나고 때로는 혈뇨도 동반된다. 방광염 발병의 위험인자로는 성교, 격막이나 살정자제 피임, 성교후 배뇨 지연, 반복 요도감염 등이 있다. 트리메토프림과 플루오로퀴놀론은 질내 정상 미생물 군에 크게 영향을 주지 않고 대장균을 박멸할 수 있다. 트리메토프림과 트리메토프림-설파메톡사졸에 대한 대장균의 저항성이 증가하고 있지만 니트로퓨란토인이나 시프로플록사신에 대해 저항성을 보이는 빈도는 높지 않다. 그러므로 경구 니트로퓨란토인 100 mg을 하루 두 번씩 일주일 간 투여하든지 경구 시프로플록사신 250 mg을 하루 두 번 3일간 투여하는 것은 합병증이 없는 방광염에 대한 가장 적절한 치료가 될 수 있다. 전형적인 증상을 가진 환자에서는 검사실 검사 전 우선 경험 항생제 치료를 시작한다. 소변검사에서 농뇨가 확인되면 추정 진단이 가능하며 요세균 배양은 관행으로 시행하지 않는다. 치료 후 증상이 지속되거나 반복되지 않는다면 추가검사나 추적 진료도 필요하지 않다.

2. 재발 방광염

방광염 병력을 가진 폐경 전 여성에서 재발율은 20% 정도이고 이러한 재발의 90%는 외부 요인에 의한 재감염에 의해 발생한다. 재발 방광염은 저항 세균주에 의한 감염인지를 확인하기 위하여 반드시 요세균배양 검사가 이루어져야 한다. 이러한 재발 방광염은 장기적인 항생제 투여나 성교 후 예방 약물 투여 등을 통하여 치료할 수 있다. 폐경 여성에서는 재발률이 더 높은 편인데 예방 항생제에 여성호르몬 투여나 국소 크림 제제를 병합 투여하는 것이 도움이 된다.

3. 요도염

요도염에 의한 배뇨곤란증은 경증의 증상이 점진적으로 발생하고 흔히 동반된 자궁경부염에 의해 질분비물 증가나 소량의 출혈, 복통 증상이 있을 수 있다. 요도염은 새로운 대상과의 성관계 후 발생하는 경우가 많으며 신체 진찰에서 화농 자궁경부염이나 외음부 헤르페스 병변이 흔히 발견된다. 클라미디아, 임질균, 헤르페스 바이러스는 급성 요도염을 일으킬 수 있는 주요 원인 인자이다. 소변검사에서는 농뇨가 보이지만 혈뇨는 거의 없다. 클라미디아 감염치료는 자궁경부염과 마찬가지로 독시사이클린, 아지스로마이신, 레보플록사신 등이 사용되고, 임균 감염 치료에도 세프트리악손, 겐타마이신, 아지스로마이신, 세픽심 등이 사용된다(표 43-1).

때때로 진균이나 트리코모나스 질염이 있는 경우에도 배뇨곤란증을 유발할 수 있지만 빈뇨와 절박뇨를 보이는 경우는 거의 없고 농뇨와 혈뇨도 동반되지 않는다.

4. 급성 신우신염

젊은 여성에서 급성 신우신염의 임상 증상은 경도의 옆구리 통증을 동반한 방광염 유사 증상에서부터 그람 음성 패혈증까지 매우 다양하게 나타난다. 원인균으로는 대장균이 가장 흔하며 환자의 80% 이상에서 동정된다. 소변검사에서 농뇨와 그람음성 박테리아가 발견되며 신우신염이 의심되는 모든 환자에서는 배양검사가 시행되어야 한다. 또한 입원 환자들에서는 혈액 배양검사도 반드시 시행되어야 하는데 배양 양성율은 15-20% 정도이다. 오심, 구토, 발열 등 중증 질환 증세가 없는 경우에는 경구 항생제를 이용한 외래 치료가 가능하나 중증 증상이 있거나 임신 여성의 경우는 반드시 입원 치료를 권고하여야 한다. 외래 경구치료에는 트리메토프림-설파메톡사졸(160-800 mg 하루 두 번) 또는 퀴놀론(오플록사신 200-300 mg 하루 두 번) 등이 사용되며 10-14일간 투여한다. 입원 치료에는 비경구 세프트리악손(하루 1-2 g 한번), 암피실린(하루 1 g 4회), 아즈트레오남(하루 1 g 2-3회) 등이 이용되고 장내구균(enterococci) 감염이 의심되는 경우에는 겐타마이신을 사용한다. 임상증상은 치료 시작 48-72시간 내에 호전이 있어야 하는데, 72시간 후까지 발열과 옆구리 통증이 지속되면 초음파 또는 전산화단층촬영을 시행하여 신주위염, 신고름집, 요로폐쇄 등을 배제하여야 한다. 치료가 끝나면 2주 후에 추적 요배양검사를 시행하여 치료 결과를 최종 확인하는 것이 바람직하다.

** 참고문헌 목록은 대한산부인과내분비학회 홈페이지 http://www.kosge.or.kr 또는 QR코드를 통해 보실 수 있습니다.*

CHAPTER 44

자궁외임신

류철희(전북의대), 채희숙(전북의대)

자궁외임신은 자궁강(uterine cavity) 밖에 수정란이 착상하는 경우를 말하며 임신 제1삼분기 모성사망의 주요한 원인 중 하나이다. 자궁외임신의 95% 이상은 난관에 임신낭이 착상되는 난관임신이고 5% 미만에서 난관 이외 부위에 발생한다고 보고되고 있다. 난관 이외 부위에 발생하는 자궁외임신으로는 자궁경부임신(cervical pregnancy), 자궁각임신(cornual pregnancy), 제왕절개반흔임신(cesarean scar pregnancy), 복강내임신(abdominal pregnancy), 난소임신(ovarian pregnancy) 그리고 병합임신(heterotopic pregnancy) 등이 있다.

근래에 들어 자궁외임신의 발생률은 지속적인 증가 추세에 있는 반면 과거에 비해 자궁외임신으로 인한 사망률은 현저히 감소하고 있다. 이는 혈청 융모생식샘자극호르몬(β-hCG) 검사, 고해상도의 질초음파 그리고 복강경술 등 진단 기술의 발달에 따라 조기 진단이 가능해졌기 때문이다. 따라서 치료의 관점도 급성 혈복강(hemoperitoneum) 등 응급상황을 개선시키는 방식에서 이제는 수술을 피하는 약물치료법과 난관을 보존하여 자연 수태능력을 유지시키기 위한 보존 치료를 시행하는 방향으로 변화하고 있다.

Ⅰ. 역학

자궁외임신의 발생율은 서구국가와 개발도상국간에 차이는 있으나 대략 모든 임신의 1-2% 정도로 보고되고 있고 최근 수 십년간 그 빈도는 증가하고 있다. 이는 성매개병 등 자궁외임신 발생을 증가시키는 위험인자가 증가함과 동시에 과거에는 진단하지 못한 초기 자궁외임신의 진단율이 높아졌기 때문으로 생각된다. 최근 들어 일부에서 발생 빈도가 감소하는 것으로 보고되는 경우도 있는데 그 이유는 진단 및 치료를 입원 대신 외래에서 시행함으로써 통계에서 누락되었기 때문으로 추정한다.

체외수정 후 발생하는 자궁외임신의 빈도는 약 2-6%로 보고되고 있으며 이는 일반 인구집단에서의 발생빈도보다 2-3배 높은 편이다.

자궁외임신으로 인한 사망률은 현저하게 감소하였는데, 2000년대 자궁외임신으로 인한 사망률은 인구 10만 명당 0.5명으로 1980년대 사망률인 1.15명의 약 절반 수준으로 감소하고 있다. 그럼에도 불구하고 현재까지 임신 제1삼분기 모성사망의 첫 번째 원인이 되고 있다.

II. 병태생리

1. 위험 인자

자궁외임신을 일으킬 수 있는 위험인자 중 대표적인 것은 난관 손상이다(표 44-1). 난관 손상을 일으키는 원인은 과거의 자궁외임신이나 골반 및 복강내 수술, 골반염증질환, 그리고 난관결찰술 등이다.

자궁외임신의 과거력이 1회 있는 여성은 약 10%에서, 2회 이상의 과거력이 있던 경우에는 약 25%에서 재발한다고 알려져 있으며, 골반염증질환 중 특히 클라미디아 트라코마티스에 의한 골반염은 모든 자궁외임신의 30-50%를 차지한다고 보고된 바 있다. 보조생식술 자체가 자궁외임신을 증가시킨다고 알려져 있는데 난관요인의 불임환자에서는 그 발생률은 더 높다. 이 외에도 난관 및 자궁내막의 병태생리학적인 변화를 일으킬 수 있는 흡연, 연령 증가, 다수의 파트너와 성교를 한 경우 등이 위험요소로 알려져 있다. 또한 자연유산 및 인공유산의 기왕력, 과거의 제왕절개 수술 등도 위험요소로 보고된 바 있다.

흡연이 자궁외임신을 일으킬 수 있는 위험성은 그 용량에 비례하며 특히 하루에 20개피 이상을 피울 때 높은 통계적인 유의성을 보여주고 있는데, 이는 배란 지연, 난관 및 자궁의 운동성과 미시환경의 변화 또는 면역체계의 변화에서 기인한 것으로 추정하고 있다.

구리나 프로게스테론 제제를 함유하고 있는 자궁내장치를 사용할 경우에도 피임 실패 시에 자궁외임신의 위험성을 증가시킨다고 알려져 있다. 그 밖에 여성의 나이가 증가할수록, 특히 35세 이상의 연령은 유의한 위험 인자로 알려져 있는데 이는 나이가 많을수록 다른 위험 인자에 노출되기 쉽고 영양막조직 내 염색체 결함이 존재할 가능성이 증가하며 연령과 관련된 난관의 이송능력이 저하되기 때문인 것으로 설명되고 있다.

표 44-1. 자궁외임신 발생과 관련된 위험 인자

난관 손상 ■ 과거 난관 수술(난관 결찰술 등) 및 골반강내 수술 ■ 과거 복강내 수술(충수돌기절제술 및 장 수술) ■ 과거 자궁외 임신의 병력
골반내염증
불임 ■ 확인된 난관 질환, 보조생식술, 자궁내막증, 원인 불명의 불임
피임 실패 ■ 황체호르몬 단독 피임 ■ 자궁내 장치
흡연
35세 이상
과거 자연유산 혹은 인공유산

2. 발병기전

자궁외임신의 발생 기전은 크게 두 가지로 나누어 볼 수 있다.

1) 수정란이 자궁내로 이동하는 과정에 장애 발생

2) 포배낭(blastocyst) 이전 단계 배아의 조기착상

이러한 기전의 근거는 만성 난관염, 결절협부, 난관염 등 난관의 병리학적 이상과 난관 수술 및 디에틸스틸베스트롤(diethylstilbestrol) 노출 등의 과거력 등으로 미루어 알 수 있다. 그러나 확진된 자궁외임신의 절반 이상에서 난관 이상을 비롯한 기존의 위험 인자와의 관련성을 찾을 수가 없었다는 보고도 있다. 최근에는 분자생물학적 관점에서 그 원인을 찾고자 하는 연구가 이뤄지고 있는데, 난자와 착상부위 사이의 분자신호 이상, 렉틴, 인티그린, 기질퇴화 난구세포(matrix-degrading cumulus), 프로스타글란딘, 성장인자 및 사이토카인 등 착상과 관련된 인자들에 대한 연구가 그것이다.

비정상 착상과 관련하여 염색체 이상을 완벽히 입증할 만한 연구는 아직 미흡한 상태이다. Goddijn 등의 보고

표 44-2. 자궁외임신 부위별 발생빈도

난관 임신(95%) ■ 팽대부(70%) ■ 협부(12%) ■ 난관채(11%) ■ 자궁각(2%)
난소 임신(3%)
자궁경부 임신(<1%)
복강내 임신(1%)

(1996)에 의하면, 30건의 자궁외임신 조직에서 얻어낸 융모막 융모의 염색체 분석 결과는 대조군과 특별한 차이가 없었다.

3. 발생 부위별 빈도

자궁외임신의 발생부위는 대부분 난관이다(표 44-2). 이중 팽대부 임신이 가장 많았으며 협부, 난관술 그리고 자궁각 순으로 발생하였다.

비난관 자궁외임신은 난소임신이 가장 많았으며 자궁경부임신, 제왕절개반흔임신, 복강내임신 등은 그 발생빈도가 비슷하였다. 병합임신은 임신 5,000-7,000건당 1건으로 보고된 바 있으며 전자궁절제술 후에도 자궁외임신이 보고된 적도 있다.

III. 진단

자궁외임신은 무증상의 경우부터 급성 복강내 출혈에 의한 저혈압쇼크까지 다양한 증상을 보이지만 발전된 여러 가지 진단 기법을 동원하여 난관 파열이 일어나기 이전에 진단함으로써 난관의 보존적인 치료를 시행할 수 있도록 해야 한다.

1. 병력 및 임상 증상

자궁외임신의 위험인자에 대한 병력 청취가 중요하다. 월경력과 피임의 시행 여부와 방법을 알아야 하며 환자가 호소하는 증상을 듣고 자궁외임신인지 아니면 자연유산의 증상인지 감별해야 한다. 월경의 지연, 불규칙한 질출혈 및 하복부통증 등이 단독 또는 복합으로 나타난다. 급격한 복부통증과 저혈압은 파열된 난관임신을 의미한다.

일반적으로 월경이 규칙적이었던 경우 수일에서 1-2주간 월경이 지연된다. 불규칙 월경주기를 보였던 환자에서는 자궁외임신으로 인한 출혈과 월경의 구분이 어려워 진단이 늦어질 수도 있다.

질출혈은 초기 자연유산의 양상과 비슷하게 소량의 암갈색 출혈이 간헐적 또는 지속적으로 나타날 수 있다. 월경통과 비슷한 양상의 하복부통증과 선홍색의 많은 양의 질출혈은 유산을 의심할 수 있는 증상이다.

자궁외임신에 의한 통증은 배꼽 아래 자궁을 중심으로 일측 또는 양측에 나타날 수 있고, 상복부에서도 나타날 수 있다. 통증의 양상도 지속적 또는 간헐적인 둔통이나 난관의 팽창으로 인한 경련통을 보일 수도 있다. 난관이 파열되면 일시적으로 통증이 완화되는 경우도 있지만 복강내 출혈 양에 따라 견갑통, 흉통 또는 요통이 나타날 수 있다.

2. 신체 진찰

초기 자궁외임신일 경우 활력징후와 골반 및 복부 진찰 소견은 정상일 수 있어서, 하복부의 압통이나 반발압통은 없거나 미미하고 자궁은 약간 커져 있기도 하지만 자궁경부를 촉진했을 때 운동압통(motion tenderness) 또한 없을 수 있다.

자궁외임신이 좀더 진행되면 자궁부속기에서 종괴가 촉지될 수 있으나 그 크기, 단단한 정도, 압통 등은 다양한 양태로 나타난다. 난관 파열에 의한 복강내 출혈이 있으면 빈맥과 저혈압, 복부 팽만과 압통 및 반발통이 현저하게 나타나고 복막자극에 의해 자궁경부 운동압통도 나타난다.

이때 통증으로 인한 복부 강직을 보여 골반진찰이 어려운 경우도 흔하다.

3. 검사실 검사

1) 혈청 사람 융모막생식샘자극호르몬(β-hCG)

융합세포영양막에서 생성되는 hCG는 정상적인 임신일 경우 배란 후 8-10만에 모체 혈액에서 검출되기 시작하며, 예정 월경일 즈음에는 혈청내 농도가 50-100 IU/L에 이른다. β-hCG 정량검사법은 민감도가 매우 높아서 혈청내 농도가 5 IU/L 정도만 되어도 검사실 검사에 나타난다. 따라서 임상적으로 자궁외임신이 의심되더라도 실질적인 임신이 아닌 경우에는 β-hCG는 검출이 되지 않는다.

위음성 자궁외임신 또는 위양성 자궁외임신은 매우 드물다. 위양성의 결과를 보이는 경우는 상용화된 시약에 포함되어 있는 동물 항체에 반응하는 혈청내 비특이항체(heterophilic antibody) 때문인데, 이럴 경우 반복된 검사에 일반적으로 수치의 증감이 없다. 임상적인 소견과 일치하지 않아 위양성이 의심스러우면 β-hCG의 정량 검사 방법을 달리하여 확인할 필요가 있다.

정상임신의 경우 첫 6주간은 β-hCG 수치가 기하급수적으로 증가하며, 이 기간 동안은 배가시간이 비교적 일정하고 혈청내 수치는 재태연령과 비례한다. 일반적으로 임신 초기에는 β-hCG 수치가 2-3일마다 2배로 증가하며 8-10주 사이에 50,000-100,000 IU/L으로 가장 최고치를 보인다. 혈청내 수치가 6,000-10,000 IU/L 정도에 이른 이후에는 그 상승의 정도가 완만하고 일정하지 않다.

초기 정상 자궁내임신인 경우 β-hCG는 매 2일마다 최소한 66% 이상씩 증가한다고 하였다. 자궁외임신일 가능성이 높은 경우는 β-hCG 수치가 증감이 없이 고평부(plateau)를 보이거나 배가기간이 7일 이상으로 완만히 증가하는 경우, 또는 β-hCG가 감소하되 그 반감기가 7일 이상일 경우 등이다. 반면 β-hCG의 감소 반감기가 1.4일 미만으로 짧으면서 급격히 감소할 때에는 자궁외임신보다는 자연유산일 가능성이 높다.

초기 초음파 검사에 자궁내 임신낭이 보이지 않고 자궁밖에서도 태아 심박동을 관찰할 수 없다면 위치가 불분명한 임신(pregnancy of unknown location)으로 생각하고 반복적인 β-hCG 검사를 해야 한다. β-hCG가 정상적으로 증가하지 않거나 감소하는 경우는 설사 자궁내임신이더라도 생존 가능성이 희박한 임신이다.

처음 hCG 농도가 2,000 IU/L 미만이면서 연속검사에 정상으로 증가한다면 초음파검사로 생존가능한 자궁내임신인지를 확인하고, β-hCG가 정상으로 증가하지 않는 경우에는 자연유산 혹은 자궁외임신인지를 복강경이나 자궁내막 소파술과 같은 수술 방법으로 확인할 필요가 있다.

2) 혈청 프로게스테론

일반적으로 정상 임신에 비하여 자궁외임신일 경우 혈청 프로게스테론의 수치가 낮다. 프로게스테론 수치가 20 ng/mL 이상이면 정상 자궁내임신이지만 5 ng/mL 이하의 경우 자궁외임신이거나 자궁내임신의 유산을 의미한다. 그러나 자궁외임신의 50%, 자연 유산의 20%, 정상 자궁내임신의 70%에서 혈청 프로게스테론의 수치가 5 ng/mL와 20 ng/mL 사이에 있어서 자궁외임신을 진단하는 데 특이도가 높지 않다.

4. 초음파 검사

정상 자궁내임신인지 자궁외임신인지를 구별하기 위해 초음파검사로 처음 확인해야 할 구조물은 자궁내 임신낭(gestational sac)이다. 임신이 진행되며 차츰 난황주머니(yolk sac), 임신낭 내 배아와 심장박동 등이 자궁 안에서 확인이 되면 자궁내 정상임신으로 진단 내릴 수 있다. 최종월경일로부터 38일 후에도 자궁내 임신낭이 보이지 않으면 자궁외임신을 강력하게 의심할 수 있다.

자궁외임신의 8-29%에서 자궁내 출혈의 저류로 생긴 정상 임신낭과 유사한 거짓 임신낭(pseudogestationalsac)이 보일 수 있다. 양자의 구별점은 정상 임신의 경우 임신낭이 자궁강 중심에서 벗어나 있으며 임신낭 주위로 두꺼운 반향성 테(thick echogenic ring)와 특히 이중탈락막 주머니 징후(double decidual sac sign)를 보이고 있는 점이다.

초음파검사에 정상 자궁내임신 소견이 보이지 않으면 자궁부속기와 더글라스와 부위를 자세히 살펴봐야 한다. 자궁부속기에 체액이 차있는 벽이 두꺼운 반향 원형낭이나 난황 주머니, 또는 배아의 심박동이 보이면 자궁외임신으로 진단할 수 있다. 부속기의 복합성 종괴 또는 더글라스와의 자유체액(free cul-de-sac fluid)은 자궁외임신을 의심할 수 있는 소견이지만 그것이 확진 소견이 될 수 없다. 초음파검사에 자궁 안쪽과 자궁부속기 모두에서 임신낭이나 기타 특이한 소견이 보이지 않을 경우 위치가 불분명한 임신(pregnancy of unknown location)으로 정의할 수 있고, 이 때에는 초음파검사로 찾아내기에는 너무 이른 정상 자궁내임신 또는 초기 자궁외임신 그리고 유산 등의 모든 가능성을 다 고려하여야 한다.

앞에서 기술한 것처럼 혈청 β-hCG 정량분석 기술의 발달로 그 예민도가 높아서 임상에서는 반복 초음파검사와 혈청 β-hCG 검사를 병행하여 자궁외임신을 조기에 진단할 수 있다. 정상 자궁내임신에서 복식 초음파의 경우 β-hCG 수치가 6,000-6,500 IU/L 이상일 때, 질초음파의 경우 1,000-2,000 IU/L 이상이면 자궁내 임신낭의 확인이 가능하다. 이와 같이 초음파 검사에서 임신낭이 항상 보일 수 있는 최소 β-hCG 수치를 식별범위(discriminatory zone)라고 한다. 식별범위 이하의 β-hCG 수치를 보이며 자궁내 임신낭이 보이지 않으면 초기 정상 자궁내임신, 자연유산, 최근의 유산, 자궁외임신 또는 임신이 아닌 경우 등을 생각해 볼 수 있다. 식별범위 이하이면서 자궁 안에서 임신낭이 보이면 실패한 자궁내 임신이거나 자궁외임신 때문에 생긴 거짓 임신낭일 가능성이 높다. β-hCG 수치가 1,000-2,000 IU/L 이상인데 질초음파 검사에서 자궁내 임신낭이 보이지 않으면 자연유산이나 자궁외임신의 가능성이 높다.

5. 자궁내막소파술(Uterine curettage)

혈청 β-hCG 수치가 정상 상승 곡선을 보이지 않거나 하강하면서 초음파 검사에 위치가 불분명한 임신일 때에는 자궁외임신과 생존 가능성이 없는 자궁내임신을 감별할 목적으로 자궁내막 소파술을 시행한다. 따라서 생존 가능성이 있는 자궁내임신을 완전히 배제한 다음에 시술을 결정해야 한다. 자궁내막소파술에 영양세포가 발견되면 자궁외임신은 배제할 수 있다. 영양 세포가 보이지 않는 경우는 자궁외임신이나 최근의 완전 자연유산 또는 불완전한 소파술 등도 고려해야 한다. 진단을 신속히 하기 위해 동결절편 조직검사를 하는 것이 도움이 된다.

자궁내막소파술 후 반복적인 혈청 β-hCG 측정이 필요할 수도 있다. 생존 불가능한 자궁내 임신의 수태물을 완전히 제거한 경우 β-hCG는 12-24시간 내에 15-20% 이상 감소한다. 자궁내막소파술 후에도 β-hCG의 증감이 없거나, 계속 증가한다면 자궁외임신을 강하게 의심해볼 수 있다. 또한 그 수치가 감소하더라도 정상치가 될 때까지 반복적인 검사를 시행하며 지속적인 관찰이 필요하다.

6. 더글라스와 천자(Culdocentesis)

이는 혈복강을 확인할 수 있는 간단하고 쉬운 방법으로 자궁외임신 진단에 널리 시행되었던 검사법이다. 자궁 경부를 위로 위치시킨 후 18-20 gauge의 바늘로 질 후원개를 찔러 더글라스와에 고여 있는 내용물을 흡인하여 비응고성의 혈액이 나오면 혈복강이 있다고 판정할 수 있다. 그러나 혈청 β-hCG 검사와 해상도가 좋은 초음파 검사가 널리 이용되면서 요즘은 많이 시행하지 않는다. 더글라스와 천자 결과와 임신의 상태가 항상 일치하지 않는다. 자궁외임신의 경우 70-90%에서 더글라스와 천자 결과가 양성이었지만, 난관 파열이 있었던 경우는 50%에 불과하였다. 즉, 양성 결과로 난관 파열 여부를 명확히 구별할 수 없으므로 이 검사는 자궁외임신을 확진할 수 있는 방법은 아니다.

7. 복강경(Laparoscopy)

자궁외임신을 가장 정확한 진단할 수 있으며 동시에 수술 치료를 병행할 수 있는 방법이 복강경이다. 이를 통해 쉽게 자궁과 자궁부속기, 그리고 골반강을 자세히 볼 수 있지만 너무 이른 자궁외임신의 경우 3-4%에서 진단하지 못하는 경우가 있다. 또한 난관이 팽대되어 있거나 변색된 경우 자궁외임신으로 착각하여 난관에 손상을 주거나 절제할 수 있으므로 신중히 결정해야 한다.

이상의 진단과정을 요약하면 다음과 같다(그림 44-1).

Ⅳ. 치료

자궁외임신의 치료는 크게 약물 치료와 수술 치료방법이 있다. 자궁외임신 위치, 환자의 임상 상태나 동원 가능한 자원에 따라 치료법을 선택하게 된다. 과거에는 자궁외임신의 치료는 수술 치료를 일차 치료 방법으로 선택하였지만, 최근 신속한 수술 치료가 필요한 혈역학적으로 불안정한 상태의 환자의 경우를 제외하고는 여러 가지 진단법으로 조기 진단이 가능해진 점으로 인해 약물치료 등 보존치료방법이 이용되고 있다. 또한 수술 치료방법도 전통적인 개복술보다는 복강경 수술이 많이 시행되고 있으며, 접근방법도 이전에 비해 훨씬 다양하다.

1. 수술 치료

자궁외임신에서 통상적으로 이용되는 방법이다. 어떤 수술법을 적용할지는 환자의 출혈 정도 및 혈역학적 상태,

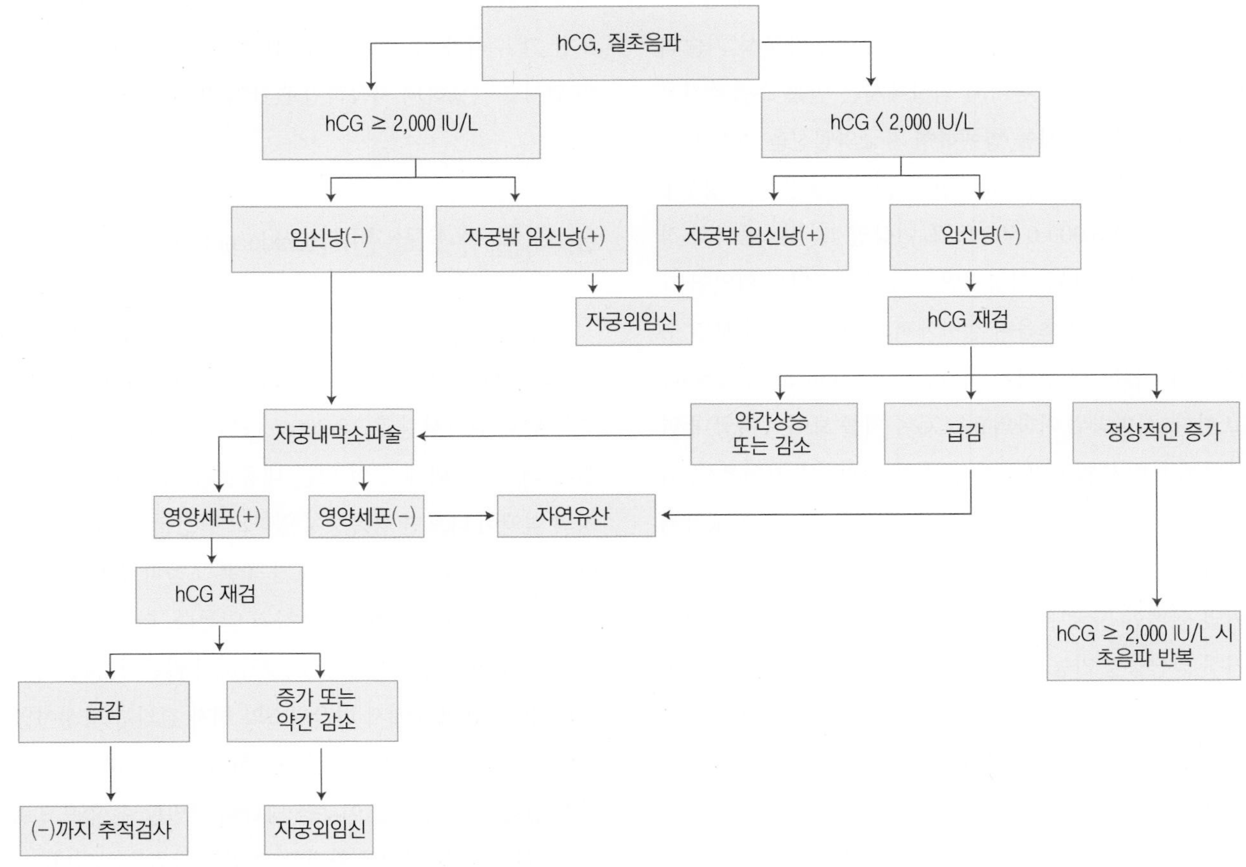

● 그림 44-1. **자궁외임신 진단과정**

추후 임신을 원하는 환자의 경우 난관 손상의 정도를 고려하여 선택한다.

1) 수술 경로

(1) 개복술 또는 복강경 수술

자궁외임신의 수술경로는 개복술이나 복강경 수술이 있는데, 개복술의 경우 다량의 복강 내 출혈로 인하여 혈역학적으로 불안정한 환자에서 시행된다. 심한 유착으로 인하여 충분한 시야가 확보되지 않거나 복강경으로 진행 시 장기 손상 가능성이 높은 경우에는 개복술이 적절한 처치다. 이전에는 간질임신이나 자궁각임신의 경우 개복술을 시행해왔으나 최근 숙련된 집도의에 의해 복강경 수술이 주로 사용되고 있다. 예전에는 난관 파열의 경우 거의 개복술이 시행되어 왔지만 최근에는 환자의 임상 상태에 따라 복강경 수술이 선택된다. 개복 수술에 비해 복강경 수술은 덜 침습적이고, 출혈도 적고, 수술 시간도 짧고 수술 후 통증이 적어 회복이 빠르며, 조기에 일상생활에 복귀할 수 있다는 장점이 있다. 그러나 고도의 복부 비만 환자나 유착이 심한 복부 수술의 기왕력이 있는 환자의 경우 복강경은 어려울 수 있다.

2) 수술방법

(1) 난관절제술(salpingectomy)

난관절제술은 자궁외임신이 된 전체 난관을 절제하는 방법으로 추후 임신을 원하지 않는 여성이나 이전에 자궁외임신이 있었던 부위의 난관에 재발한 경우, 출혈이 지속되거나 난관에 심한 손상이 있을 경우에 시행한다.

(2) 난관개구술(salpingostomy)

비파열 자궁외임신이 된 난관에 절개 창을 만들어 임신조직을 제거한 후 레이저(laser)나 바늘 소작기(needle-point cautery)를 이용하여 지혈하여 절개부위를 봉합(salpingotomy)하거나 열어둔 채로 남겨두는 방법(salpingostomy)으로 향후 임신을 원하는 환자에게 적용할 수 있는 방법이다. 그러나 이 방법들은 영양막세포의 잔존 및 반복 자궁외임신의 위험성을 가지고 있다. 결국 동측 자궁외임신 과거력, 양측 난관 상태, 향후 임신을 원하는지에 따라 난관개구술을 고려할 수 있다.

3) 보존수술 후 결과

(1) 임신율과 재발률

보존적 수술을 시행한 후 동측 난관의 개통률은 약 84% 정도이다. 누적 자궁내임신률은 난관개구술을 시행한 경우 73%로 난관절제술을 시행한 경우 57%보다 높으나 자궁외임신 재발률도 15%, 10%로 높았다.

(2) 지속 자궁외임신(persistent ectopic pregnancy) 또는 지속 영양막조직(persistent trophoblastic tissue)

난관개구술과 같은 보존수술을 한 경우 영양막 조직이 완전히 제거되지 않는 경우가 발생하는데, 그 빈도는 약 3-20% 정도로 보고되고 있다. 따라서 보존수술 후 자궁외임신의 완전관해를 확인해야 하며 수술 후에도 매주 β-hCG 검사를 실시하여 β-hCG가 정상이 될 때까지 추적검사를 해야 한다. β-hCG 농도 감소 정도가 50%보다 낮은 경우는 지속 자궁외임신 위험이 약 3배 높고, 80% 이상의 감소를 보이는 경우는 위험이 매우 낮다. 결국 수술 다음날 β-hCG가 50% 미만으로 떨어지지 않으면 약물 요법을 시행하는 것을 권고하고 있다. 만일 수술을 고려한다면 난관개구술보다는 난관절제술이 추천된다.

2. 약물 치료

자궁외임신에서 가장 흔하게 사용되는 약물은 메토트렉세이트(MTX, methotrexate)로, 염화칼륨(potassium chloride), 프로스타글란딘(prostaglandin), 또는 미페프리스톤(mifepristone, RU486)과 같은 약제들도 있지만 메토트렉세이트를 제외하고는 아직 안전성이나 효율성에서 많이 알려져 있지 않다.

1) 메토트렉세이트 전신 투여법

메토트렉세이트는 엽산길항제로 디히드로폴레이트 환원효소(dihydrofolate reductase)의 작용을 차단하여 DNA 합성을 억제한다. 영양막세포(trophoblasts), 암세포(malignant cells), 골수(bone marrow), 또는 장점막 세포와 같이 빠르게 분열하는 세포에 주로 작용을 한다. 지금까지 많은 연구들은 거의 35%의 자궁외임신 환자에서 메토트렉세이트의 일차치료 대상이 되며 메토트렉세이트의 안정성과 효율성에 대해서 보고하였다.

(1) 메토트렉세이트 치료의 적응증

자궁외임신의 메토트렉세이트로 약물치료 할 경우 안전하고 효과적이지만 모든 환자들에 사용할 수는 없다. 메토트렉세이트 치료의 금기는 표 44-3과 같다.

메토트렉세이트 투여 전에 환자는 일반혈액검사, 간기능검사, 혈청 크레아티닌을 포함한 전해질검사, 혈액형검사가 시행되어야 한다. 폐질환의 과거력이 있는 여성은 흉부방사선검사도 시행되어야 한다. 이런 검사들은 메토트렉세이트 투여 후 1주일 뒤에 혹시 발생할 합병증의 가능성을 고려하여 다시 반복 시행하여야 한다.

표 44-3. 메토트렉세이트 치료의 금기

절대 금기증
자궁내임신
파열된 자궁외임신
혈역학적으로 불안정한 환자
수유
면역결핍
중등도 또는 중증의 빈혈, 백혈구감소증 또는 혈소판감소증
메토트렉세이트에 과민반응
활동성 폐질환
활동성 소화기궤양
임상적으로 중요한 간이나 신장부전
상대 금기증
초음파상 자궁외임신 크기 >4 cm
초기 hCG 농도가 높은 환자 (>5,000 mIU/mL)
태아심박동이 있는 경우
추적관찰이 불가능한 환자
수혈 거부한 경우

*2013년 미국 생식의학협회의 자궁외임신 약물치료 위원회

(2) 1회 투여법

메토트렉세이트(50 mg/m^2)를 1회 주사하는 방법으로 환자의 순응도가 높고 치료 성공률도 거의 90%에 달해 다회 투여법과 비슷한 결과를 보여준다. 또한 비용과 부작용을 줄일 수 있는 장점이 있다. 메토트렉세이트 1회 단일 투여를 한 경우 자궁외임신 환자의 15-20%에서는 혈중 β-hCG이 감소하지 않아 같은 용량의 두번째 메토트렉세이트가 필요하며 1회 주사에서는 70%, 2회 주사에서는 약 85%의 성공률을 보인다. 치료 시 혈중 β-hCG 수치에 따라 치료 결과가 달리질 수 있는데, β-hCG 수치가 5,000 mIU/mL인 경우에 치료 실패율은 14.3%이고, 5,000 mIU/Ml 이하의 경우는 3.7%이다.

(3) 다회 투여법

다회 투여 방식을 표 44-4에 요약되어 있다. 메토트렉세이트(1 mg/kg)를 1, 3, 5일째, leucovorin (0.1 mg/kg)은 2, 4, 6, 8일째 근주나 정주로 주입한다. Leucovorin은 부작용을 줄여주고 환자의 순응도를 증가시키기 위해 준다. β-hCG 수치를 1, 3, 5, 7일째에 검사를 시행하는데, β-hCG가 이전 결과의 15% 감소한다면 약물치료는 중단하고 1주일 뒤 β-hCG를 검사한다. 만일 수치가 감소하지 않거나 증거한다면, 1주일 뒤 메토트렉세이트와 leucovorin을 주입하며 19%에서는 네 차례까지 투여하는 것이 필요하다고 하였다.

(4) 2회 투여법

2회 투여법은 1회와 다회 투여법의 교차점 정도로 생각할 수 있다. 왜냐하면 54% 정도에서는 다회 투여법에서 4번의 투여가 필요하였고 1회 투여법에서 15-25%에서는 추가적인 투여가 필요하기 때문에 2회 투여법을 고려하는 것이 합리적이다. 2회 투여법은 표 44-4에 기술되어 있다.

표 44-4. 메토트렉세이트 투여방법

날짜	1회 투여법	2회 투여법	다회 투여법
1	β-hCG, 메토트렉세이트 50 mg/m^2, IM	β-hCG, 메토트렉세이트 50 mg/m^2, IM	β-hCG, 메토트렉세이트 1 mg/kg, IM
2			류코보린(Leucovorin) 0.1 mg/kg IM
3			β-hCG - ≥15% 감소(1-3일), 비임신 농도가 될 때까지 매주 검사 - <15% 감소, 메토트렉세이트 1 mg/kg, IM
4	β-hCG	β-hCG 메토트렉세이트 50 mg/m^2, IM	류코보린(Leucovorin) 0.1 mg/kg IM
5			β-hCG - ≥15% 감소(1-3일), 비임신 농도가 될 때까지 매주 검사 - <15% 감소, 메토트렉세이트 1 mg/kg, IM
6			류코보린(Leucovorin) 0.1 mg/kg IM
7	β-hCG - ≥15% 감소(4-7일), 비임신 농도가 될 때까지 매주 검사 - <15% 감소, 메토트렉세이트 50 mg/m^2, IM	β-Hcg - ≥15% 감소(4-7일), 비임신 농도가 될 때까지 매주 검사 - <15% 감소, 메토트렉세이트 50 mg/m^2, IM	β-hCG - ≥15% 감소(5-7일), 비임신 농도가 될 때까지 매주 검사 - <15% 감소, 메토트렉세이트 1 mg/kg, IM
8			류코보린(Leucovorin) 0.1 mg/kg IM (7일째 메토트렉세이트를 투약한 경우)
11	β-hCG - ≥15% 감소, 비임신 농도가 될 때까지 매주 검사 - <15% 감소, 메토트렉세이트 50 mg/m^2, IM	β-hCG - ≥15% 감소, 비임신 농도가 될 때까지 매주 검사 - <15% 감소, 메토트렉세이트 50 mg/m^2, IM	β-hCG - ≥15% 감소, 비임신 농도가 될 때까지 매주 검사 - <15% 감소, 수술적 치료
14	β-hCG - ≥15% 감소, 비임신 농도가 될 때까지 매주 검사 - <15% 감소, 수술적 치료	β-hCG - ≥15% 감소, 비임신 농도가 될 때까지 매주 검사 - <15% 감소, 수술적 치료	

Speroff's Clinical Gynecologic Endocrinology and Infertility, 9th

2회 투여법은 메토트렉세이트를 1일과 4일 두 번 투여하고 4일과 7일째 β-hCG 검사를 시행한다. 만일 15% 이상 감소하지 않으면 7일과 11일째 다시 투여한다. 2회 투여법의 성공율은 87%였으며 부작용도 적었고 환자의 만족도도 높았다고 보고하였다.

(5) 메토트렉세이트의 치료효과

메토트렉세이트의 치료 성공률은 78-96%로 보고되고 있다. 한 메타분석에 따르면 다회 투여법이 1회 투여법보다 성공률이 약간 높았다고 보고하였지만, 다른 메타분석에서는 차이가 없다고 하였다. 그러나 이 두 연구들에서 β-hCG 농도가 3,000 mIU/mL 미만이었다는 한계가 있다. 메토트렉세이트와 복강경 난관개구술을 비교할 때, 다회 투여법은 유사한 성공률을 보여주었고 1회 투여법은 초기 성공률은 낮으나 추가 투여를 했을 때 유사한 성공률을 보여주었다.

메토트렉세이트는 용량 및 사용 빈도에 따라 부작용이 증가한다. 가장 흔한 부작용으로는 구역질, 구토, 구내염(stomatitis)및 복부통증 등이다. 그 외에도 골수억제(bone marrow suppression), 탈모(alopecia), 피부염(dermatitis), 출혈장염(hemorrhagic enteritis) 및 간세포 괴사 등의 부작용이 있다. 이런 부작용들은 아주 드물게 생명을 위협할 정도로 심각한 경우도 있지만, 대부분 경미하여 자연치유된다. 다회 투여법에서 이런 부작용의 위험성은 더 높아 폴리닌산(folinic acid, leucovorin)을 같이 투여하여 부작용을 줄이고자 하였다.

메토트렉세이트 치료 후 생식기능은 자궁외임신의 재발률, 난관 개통, 임신의 결과를 근거로 평가될 수 있다. 자궁외임신의 재발은 메토트렉세이트나 난관개구술에서 약 10% 정도이며, 난관 개통률은 1회 또는 다회 투여법으로 치료받은 경우 80% 이상으로 난관개구술을 시행한 경우와 비슷하였다. 또한 메토트렉세이트와 복강경을 이용한 난관개구술을 시행한 경우와 난관 개통률의 차이는 없었고, 치료 후 자궁내임신률도 36-64%로 유사하다. 메소트렉세이트 치료 후 3개월 후에 임신을 시도하라고 하였으나 이에 대한 근거는 없다.

2) 직접 국소 주입법(direct local injection)

메토트렉세이트(1 mg/kg)를 복강경 또는 초음파 하에서 자궁외임신된 임신낭에 직접 주입하는 방법으로 혈중 농도는 전신 투여 때와 비슷한 것으로 보고되고 있다. 치료 성공률은 전신 투여법과 비슷하고 전신 부작용을 피할 수 있다는 장점이 있지만 전신 투여법에 비해 침습적이고 비용이 많이 들며 치료 후 가임력에 대한 보고가 연구가 거의 없어 권고되지 않는다.

3) 기대요법(expectant management)

기대요법은 수술 치료나 약물 치료 등을 하지 않으면서 임상 증상, β-hCG 측정 및 초음파검사를 지속적으로 시행하면서 주의 깊게 감시하는 것으로 자궁외임신이 의심되지만 초음파 검사로는 확진을 못하고 β-hCG는 식별 범위 이하인 경우 적용할 수 있다. 자궁외임신의 약 25%에서 β-hCG 가 감소하는 경향을 보이며 이 중 70%는 약물치료나 수술을 하지 않아도 저절로 소실된다고 하였다. 증상이 없거나 경미하면서 β-hCG가 높지 않으면서 점차 감소하는 경우에는 기대요법을 적용해 볼 수 있는데, 이처럼 기대요법이 가능한 경우에 한해서 이 기대요법을 적용했을 때 치료 성공률은 평균 67% 정도로 보고되고 있다.

그러나 β-hCG가 지속적으로 감소한다 하더라도 난관 파열이나 지속적 영양세포 잔존의 가능성은 있을 수 있는데, 심지어 β-hCG가 100 IU/였던 경우에서도 난관 파열이 이 있었다는 보고도 있기 때문에 기대요법을 선택할 경우에는 상당한 주의가 필요하다.

V. 비난관 자궁외임신

1) 자궁벽 난관임신(Interstitial pregnancy) 또는 자궁각임신(Cornual pregnancy)

자궁벽 난관임신과 자궁각임신은 같은 의미로, 난관 간질 부위의 자궁외임신은 난관임신의 2-4%를 차지하고 있으며, 2.2% 정도의 모성 사망률을 초래한다. 자궁각임신은 자궁각 쐐기절제술을 시행하는 것이 원칙이나, 혈역학으로 안정적이며 파열이 되지 않고 조기진단이 된 경우 메토트렉세이트를 사용한 보존 치료를 할 수 있다. 복강경은 널리 이용되고 있지만 집도의의 숙련도가 중요하다.

2) 난소임신(ovarian pregnancy)

난소임신은 전체 자궁외임신의 0.5-1%의 빈도를 보이며, 7,000-40,000분만당 1명의 확률로 나타난다. 난소임신의 진단은 주로 복강경 검사로 진단하게 되며, 보통 출혈황체낭종(hemorrhagic corpus luteum)과 구별해야 된다.

난소임신의 치료는 과거에는 주로 난소절제술(oophorectomy)을 시행하였지만, 난소 낭종절제술(ovarian cystectomy) 또는 쐐기절제술(wedge resection)만으로도 치료 결과가 좋았고 또한 메토트렉세이트를 이용한 성공적인 치료가 보고되어 왔다.

3) 복강내임신(abdominal pregnancy)

복강내임신은 복강내 장기에 배아가 착상되는 것을 말하는데, 복강내임신은 0.5-18%의 모성 사망율과 40-95%의 주산기 사망률이 보고되고 있기 때문에, 임신 초기에 복강경이나 초음파를 이용하여 태아의 상태가 좋지 않다고 판단된 경우에는 복강임신을 수술로 제거해 주는 것이 좋다. 그러나 임신이 진행된 상태에서 태아의 상태가 양호한 경우에는 태아와 산모의 상태를 세심하게 추적 관찰하면서 개복 하에 분만을 시도할 수도 있다.

복강내임신에 의한 모성 사망률은 분만 후 복강 내 혈관 주위나 장 주위에 유착된 상태로 있는 태반을 어떻게 처치하느냐에 따라 사망률과 밀접한 관련을 가지고 있는데, 보통 60% 정도에서는 태반의 제거가 가능하나 출혈이 지속된 경우에는 출혈 부위의 압박에 의한 지혈 후 일정한 기간이 지난 후 다시 개복하는 방법, 동맥혈전술, 메토트렉세이트나 기대요법 등을 상황에 맞게 적용시켜 볼 수 있다.

4) 자궁경부임신(cervical pregnancy)

자궁경부임신은 자궁 내경부에 착상이 된 것으로, 이 경우의 치료는 치료 중 생명을 위협할 수 있는 출혈의 위험성 때문에 고전 치료로는 자궁절제술을 시행한다. 그러나 향후 임신을 원하는 여성에게는 보존 치료로 메토트렉세이트를 사용하거나 착상 부위를 소파수술로 제거하고 풍선으로 압박해서 지혈시키는 방법, 자궁경부원형결찰(cerclage), 선택 동맥색전술 등을 상태에 따라 적용해 볼 수 있다.

5) 병합임신(Heterotopic pregnancy)

병합임신이란 정상적으로 자궁내임신과 자궁외임신이 동시에 존재하는 것을 말한다. 발생 빈도는 5,000-7,000 임신당 1명 정도의 빈도를 보이나, 보조생식술에 의해서 임신을 한 여성에서는 100 임신당 1명 정도로 그 발생 빈도가 높게 나타난다. 이런 경우에는 자궁 내 정상 임신된 태아 때문에 메토트렉세이트를 사용해서는 안 되며, 난관절제술이나 난관개구술을 상황에 따라 시도해 볼 수 있다.

** 참고문헌 목록은 대한산부인과내분비학회 홈페이지 http://www.kosge.or.kr 또는 QR코드를 통해 보실 수 있습니다.*

CHAPTER

45 가임기 종양의 관리

정윤지(가톨릭의대)

Ⅰ. 양성 난소종양

가임기 중에 발견되는 부속기종양의 80-85%는 양성 종양으로 양성 부속기종양은 비종양 또는 기능(functional) 낭종과 양성 종양으로 구분할 수 있다. 이중의 약 2/3는 20-44세 사이에 발현된다. 대부분에서 증상이 없거나 비특이 증상을 약하게 호소하는데 가장 흔한 증상은 복부팽만감, 복통 또는 복부불편감, 하복부 압박감 또는 배뇨 증상 및 소화기계 증상을 호소하지만 부속기 종양의 꼬임(torsion), 난소낭종의 출혈 및 낭종의 파열이 발생한 경우 급성 통증을 호소하기도 한다. 일반적으로 단측, 낭성(cystic), 유동(mobile) 및 매끈한(smooth) 성질을 나타내며, 양측, 고형(solid), 비유동(fixed), 불규칙한 성질을 보이며 복수나 직장자궁오목의 결절을 동반하고 성장 속도가 매우 빠른 악성 종양과 구분할 수 있다.

1. 비종양(기능) 낭종

기능 낭종에는 난포낭종(follicular cyst), 황체낭종(corpus luteum cyst), 및 난포막황체낭종(theca lutein cyst)이 있고 특히 난포낭종이 가장 흔히 발생한다. 대부분 증상을 유발하지 않으며 6개월 이내에 소실되므로 수술 치료를 요하지 않는다. 흡연은 기능낭종의 발생을 증가시키지만 비만이나 과체중은 그 위험도를 상쇄시키는 것으로 알려져 있다.

경구피임약은 기능 낭종의 발생을 감소시킨다. 그러나 저용량 경구피임약이 상용화되면서 고용량 피임약에 비해 기능 낭종의 억제효과가 감소되었고, 경구피임약의 이용이 기능 난소낭종이 소실되는 시간을 단축시켜주지는 못한다.

폐경 여성에서 발견되는 단순 낭종의 경우 초음파상에서 단측이면서 낭종의 벽 두께가 얇고, 직경이 10 cm 미만으로 더 이상의 크기 증가가 없으면서 CA-125가 정상범위인 경우 기대요법을 시행할 수 있다.

1) 난포낭종(Follicular cyst)

난포낭종은 기능낭종 중에 가장 흔히 발생하는 난소낭종으로 낭종의 크기가 3 cm 이상인 경우에 진단할 수 있고 8 cm이 넘는 경우는 드물다. 부인과 검사 중에 우연히 발견되는 경우가 대부분이지만 간혹 파열되어 통증과 복막자극징후를 유발하기도 한다. 항응고제를 복용 중이거나 출혈 경향이 있는 경우 출혈이나 파열의 위험도가 높다. 보통 4-8주 내에 자연 소실된다.

2) 황체낭종(Corpus luteum cyst)

황체낭종은 난포낭종보다는 빈도가 적지만 파열되면 혈복강을 유발하여 수술 치료를 요하기도 한다. 특히 항응고제를 복용하는 경우 파열될 위험이 증가한다. 성교 중에 파열되기도 하는데 우측에서 파열이 더 자주 일어나고 월경주기 20-26일에 주로 발생한다. 파열되지 않더라도 낭종 내로 출혈이 발생하여 통증을 유발할 수 있으며 낭종의 꼬임과 감별이 필요하다.

3) 난포막황체낭종(Theca lutein cyst)

기능낭종 중에 가장 빈도가 낮은 것으로 주로 임신 시에 양측으로 발생한다. 다태임신, 포상기태, 융모막암종, 당뇨, Rh 감작화(sensitization), 클로미펜 및 배란유도, 생식샘자극호르몬분비호르몬 작용제(GnRH agonist) 등과 관련하여 발생하기도 하는데 크기가 약 30 cm에 이르는 다낭 양상을 보이기도 하지만 자연 소실된다.

2. 양성 종양

1) 기형종(Mature cystic teratoma, Dermoid cyst)

가임기 여성인 젊은 여성과 청소년에서 발생하는 가장 흔한 종양으로 종양내에 외배엽, 중배엽, 내배엽에서 기원하는 성분을 혼합하여 포함하고 있다. 40세 미만의 여성에서 발견되는 양성 종양의 약 62%를 차지하고 약 2%에서 악성의 가능성이 있지만 주로 40세 이상에서 발견된다. 약 15%에서 꼬일 가능성이 있는데 이는 기형종 내에 지방 성분이 많이 포함되어 있어 복강 및 골반강 내에서 떠있도록 하기 때문이며 상대적으로 파열되는 경우는 드물다.

치료는 남아 있게 될 정상조직이 아주 적더라도 난소보존수술을 시행하도록 한다. 복강경하 난소낭종절제술을 시행할 경우 기형종 내의 내용물이 복강내로 흘러 드물

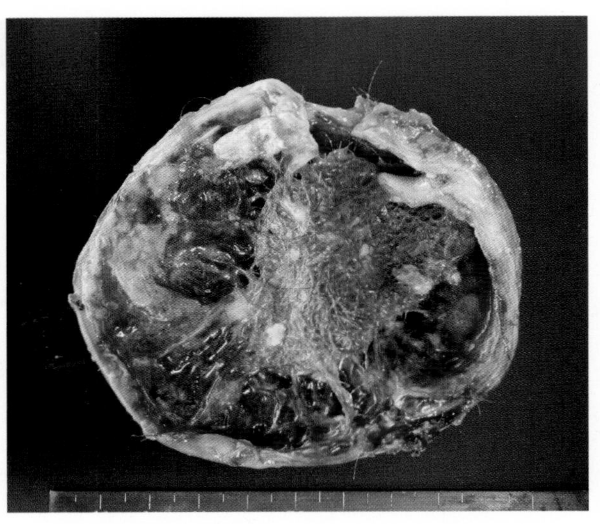

• 그림 45-1. **기형종의 단면 소견** 머리카락, 지방세포들이 낭종내에 차 있다.

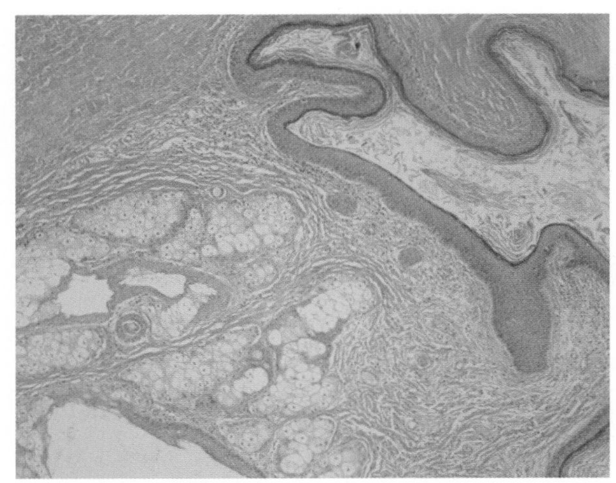

• 그림 45-2. **기형종** 조직 소견으로 각질편평상피세포, 지방세포 및 머리카락, 피지샘 및 모발종자세포(hair germ cells)들이 낭종벽을 구성하고 있다.

게 복막염과 같은 합병증을 유발할 수도 있으므로 주의한다. 양측으로 발생할 가능성이 높아 과거에는 반대측 난소가 정상 모양인 경우에도 반대측 난소의 쐐기절제 또는 조직검사를 시행하였지만 최근 초음파의 정확도가 높아짐에 따라 반대측 난소가 육안으로 정상인 경우 조직검사를 시행하지 않게 되었다(그림 45-1, 2).

2) 상피 종양

(1) 양성 장액낭샘종(Benign serous cystadenoma)

기형종에 이어 흔히 발생하는 양성 종양으로 상피 난소종양 중에 가장 흔히 발생하고 50세 미만의 여성에서 발생하는 양성 종양의 약 20%를 차지하며 일반적으로 양성이지만 5-10%에서 경계성 악성종양의 가능성을 보이고 20-25%에서 악성의 가능성이 있다. 난소암의 위험 요인으로는 가족력이 있는 경우, 유방암감수성유전자1 돌연변이(BRCA1 mutation, 약 40%의 위험도), 유방암감수성유전자2 돌연변이(BRCA2 mutation, 15%의 위험도) 또는 린치증후군(Lynch syndrome, 5% 위험도)와 같은 가족성 유전질환이 있는 경우이다.

다방(multilocualr)으로 때로는 유두성분(papillay component)을 포함하기도 하며 상피세포 표면에서 장액 액체를 분비하여 내부에 물처럼 보이는 분비물을 함유하고 있다. 모래종체(psammoma body) 즉, 섬세하게 석회화된 육아조직(calcified granulation)이 종양내에 흩어져 있어 방사선 사진에서 관찰되기도 한다. 치료는 수술 제거를 요하며 육안적인 모양으로는 양성, 경계성, 또는 악성 종양의 구분이 어려우므로 수술 시 동결절편검사를 시행하여 감별하는 것이 필요하다.

(2) 양성 점액낭샘종(Benign mucinous cystadenoma)

양성 점액낭샘종은 전형적으로 소엽 모양의(lobulated), 표명이 매끄럽고 다방 종양으로 내부에 점액 물질을 함유하고 있으며 크기가 매우 큰 것도 있다. 양성 난소종양의 약 15%를 차지하고 점액 종양의 약 80%가 양성종양이다. 주로 30-50세 사이에 발병하며 약 10%에서 양측으로 나타나며 5-15%는 악성 종양으로 나타나기도 한다. 수술 치료를 시행하되 최근 복강경 수술이 보편화됨에 따라 복강경 수술을 시행할 수 있으나 점액 물질이 복강내로 새어 나와 복강 가성점액종(pseudomyxoma peritoni)을 유발할 수 있으므로 주의하도록 한다(그림 45-3).

• **그림 45-3. 점액낭샘종의 조직학적 소견** 낭종을 점액 원주세포들(columnar mucus cells)이 둘러싸고 있다.

3) 난소섬유종(Fibroma)

난소섬유종은 난소에 발생하는 고형종양 중 가장 흔한 것으로 난소간질(ovarina stroma)의 과성장에 의해 발생한다. 고형의 성질을 보이며 발생이 흔하지 않으므로 수술 전에 자궁근종으로 오인되기도 하는 등 정확한 진단이 어렵다. 난소섬유종이 복수 및 수흉증(hydrothorax)와 동반되어 발생한 경우 메이그 증후군(Meig's syndrome)이라 하는데 악성 난소종양과 감별을 요한다. 난소섬유종은 약 45%에서 복수를 동반하지만 실제 메이그 증후군은 매우 드물다. 치료는 수술 치료를 요한다.

4) 자궁내막종(Endometrioma)

자궁내막종은 난소내에 발생한 낭성 자궁내막증으로서 전형적으로 갈색을 띈 난소 낭종의 부드러운 낭종벽 내에 쵸콜렛 색깔의 진득한 액체를 함유하고 있다. 단방(unilocualr)으로 나타나기도 하지만 직경이 3 cm 이상인 경우 다방(multilocular)으로 발생하기도 한다. 자궁내막종을 낭종절제술로 치료하는 것이 전기소작술(ablative technique)보다 자연 임신을 위해서는 더 도움이 된다.

3. 부난소종양(Paraovarian cyst)

부난소종양은 난소와 난관 사이의 광인대에 발생하는 종괴로서 부속기 종괴의 약 10-20%를 차지하며 20-30대 연령에서 가장 흔히 발생한다. 우연히 발견되는 경우가 많으며 악성의 가능성은 매우 낮지만 5 cm 이상 시 악성의 가능성이 있다. 임상 양상은 증상이 없는 작은 낭종부터 출혈이나 꼬임을 동반한 큰 낭종까지 매우 다양하다. 임상적으로 난소의 낭종과 감별하기가 어렵지만 낭종과 구별되는 동측의 난소를 확인하는 것이 진단에 도움이 되지만 난관수종과도 감별하기가 어렵다. 난관 수종의 경우 골반염증 질환의 과거력이 있는 경우 진단에 도움이 될 수 있다.

4. 부속기 꼬임(Torsion of adnexal mass)

자궁부속기의 꼬임 현상이 발생하는 것으로 가장 흔하게는 난소와 난관이 동시에 광인대 주변으로 꼬이는 것이나 드물게 난소 단독으로 난소간막(mesovarium) 주변으로 꼬이기도 하며 난관단독으로 난관간막(mesosalpinx) 주변으로 꼬이기도 한다.

주로 가임기에 발생하고 20-39세에 약 70% 발생하고 폐경 여성에서도 발생하며 20-25%는 임신부에서 발생한다.

50-80%에서 일측 난소 종괴가 발견되며 부속기에 종괴가 발생하면 부속기의 이동성(mobility)이 증가되어 꼬임의 가능성이 높아지는 한편, 선천적으로 난소인대의 길이가 긴 경우에는 정상 부속기에서도 발생할 수 있다.

난소의 크기가 6 cm 이상이 되면 골반강을 벗어나므로 이동성이 커지게 되며 실제로 6-10 cm 크기에서 가장 많이 발생한다.

부속기는 난소동맥 및 자궁동맥에서 이중으로 혈류를 공급받는데 꼬임 시 하나의 동맥이 영향을 받을 수 있다. 낮은 압력의 정맥은 꼬임에 의해 압박을 받지만 높은 압력의 동맥은 압박에 견딜 수 있으므로 꼬임 시 혈류의 유입은 지속되지만 유출이 되지 않아 부속기의 부종이 생기지만 초기에는 경색(infarct)은 발생하지 않으므로 꼬임이 발생한 초기에는 난소의 보존치료가 가능하다. 그러나 부종(swelling)이 지속되고 동맥마저 압박을 받게 되면 경색 및 괴사를 초래하게 된다.

증상은 꼬임이 발생한 부분에서 간헐적으로 급성 통증을 느끼며 점차 악화되고 다리나 옆구리 부위에 방사통을 느끼기도 한다. 미열이 동반된 경우 괴사되었음을 시사하고 오심 및 구토가 동반되기도 한다.

진단은 도플러를 이용한 질초음파로 혈류공급이 차단된 것으로 진단할 수 있으며 대부분 정맥혈이 관찰되지 않지만 꼬임이 진행되면 동맥혈도 차단된다. 그러나 불완전하게 꼬임이 발생하거나 간헐적으로 발생하는 경우에는 정맥혈 및 동맥혈이 관찰될 수 있으므로 도플러에서 정상 혈류를 보이더라도 꼬임을 배제할 수는 없다. 임상적으로 진단이 어려운 경우 CT나 MRI가 도움이 된다.

과거에는 꼬임을 풀 때 또는 수술 후 혈전색전증이 생기는 것을 예방하기 위해 부속기절제술을 시행하였으나 최근 연구들에서는 꼬임된 경우에서 폐색전증의 발생은 약 0.2%에 불과하고 이러한 색전증은 꼬임풀기 수술보다는 부속기절제술과 관련이 있다는 보고가 있고, 부속기절제술을 시행한 경우와 비교하여 감염 등의 이환율이 증가하지 않는다고 보고됨에 따라 최근에는 치료로서 꼬임풀기를 권장하고 있다. 꼬임풀기 후 수분내에 울혈현상이 사라지고 난소의 청색증과 부피가 감소하게 된다. 꼬임풀기 후 이러한 변화가 관찰되지 않을 경우 부속기절제술을 시행하는 경우가 많은데 Cohen 등은 꼬인 부속기의 색깔에 관련 없이 꼬임풀기를 시행한 후 95%에서 난소의 기능이 회복되고 성공적인 임신을 이루었다고 보고하였다. 따라서 난소가 지속적으로 검푸른 색깔을 띤다고 해서 괴사의

사인으로 간주할 수는 없으나 보존적 치료 후 발열, 백혈구 증가증 및 복막징후를 보이는 경우 괴사를 의심할 수 있다.

난소의 병변이 있다면 절제를 시행하도록 한다. 꼬임으로 허혈 변화 및 부종이 발생한 난소의 낭종은 제거하기가 기술적으로 어려우므로 일부에서는 꼬임풀기 후 6-8주 후에 낭종절제술을 권하기도 한다. 난소의 꼬임풀기 후 추후 관리에 관한 일관된 의견은 없으나 보존수술 방법이 많이 이용됨에 따라 꼬임이 재발하는 경우는 증가할 수 있다.

임신 중이라도 치료는 동일하다. 단 임신 10주 전에 황체를 제거하는 경우 프로게스테론(17 hydroxyprogesterone caproate 150 mg)을 근육 주사하되 임신 8주에서 10주 사이에 황체를 제거한 경우에는 한번만 투여하고 6주에서 8주 사이에 제거한 경우에는 1 내지 2주 간격으로 2번 더 추가하도록 한다.

Ⅱ. 자궁근종과 자궁샘근증

1. 자궁근종

1) 서론

자궁근종은 다양한 양의 섬유결체조직(fibrous connective tissue)을 포함한 평활근 세포로 구성된, 여성에서 발생하는 종양 가운데 가장 흔한 종양으로, 특히 가임기 여성의 약 20-50%에서 발견된다. 자궁근종의 발생은 여러 가지 원인 즉 연령, 유전성 및 호르몬, 인종 등이 관여하지만, 발생 원인이나 기전이 명확히 밝혀져 있지 않고, 증상, 동반질환, 검사소견, 내분비학적 특성 등 임상적 자료도 학자들 간의 연구와 의견에 다라 다양하게 보고되고 있다. 자궁근종은 하나의 자궁근육세포의 염색체 이상으로 발생한다. 에스트로겐에 의해서 자궁근종이 발달하고 성장하지만, 프로게스토젠과 주변 성장인자의 조절을 받게 된다. 이러한 양성 종양의 성장 양식은 호르몬 환경에 의해 영향을 받게 된다. 자궁근종은 사춘기 이전에는 거의 발견되지 않지만, 가임기에 가장 흔하게 발견되며 가임기 동안에는 그 크기가 성장하는 경향을 보인다. 또한, 임신과 같이 스테로이드 호르몬 농도가 높아지는 시기에는 크기가 커질 수 있고, 일반적으로 폐경기가 되면 크기가 감소하거나 더 이상 커지지 않게 된다.

2) 위험인자

(1) 연령

가임기 여성에서는 나이가 많아질수록 자궁근종의 위험도가 높아진다. 누적 발생빈도는 나이가 증가함에 따라 증가하지만, 증가 속도는 고령이 될수록 줄어든다. 이것은 나이가 많은 폐경 전 여성의 자궁은 자궁근종의 성장에 덜 민감함을 시사하거나, 40대 후반의 자궁근종이 없는 여성은 자궁근종 발생의 저위험군임을 의미한다.

(2) 인종

아프리카계 미국인에서 자궁근종이 발생하는 연령이 백인보다 10-15년 정도 빠르고, 누적 발생빈도가 급격히 증가하는 연령이 흑인에서는 25세였고 백인은 35세였다. 아직까지 아시아 여성이나 다른 인종군에 대해서는 초음파 선별검사 비교 연구 결과가 보고된 바는 없다.

(3) 초경 연령

대부분의 초기 연구들에서는 이른 초경이 자궁근종의 위험도를 높인다고 보고하였고 새로운 자료들도 이러한 결과를 뒷받침한다. 이른 초경은 자궁내막암이나 유방암과 같이 위험 인자가 된다.

(4) 산과력

산과력은 자궁근종의 위험도와 역비례한다는 초기의 연구 보고는 최근의 연구들에서도 확인되었다. 첫 출산의 연령이 늦거나 마지막 출산으로부터 시간이 짧을수록 자궁근종에 대해 예방 효과를 갖는다는 것은 유방암 환자에서의 관련성과는 다르다. 그러나 임신의 직접적인 예방 효과는 입증되었으나 그 기전에 대해서는 거의 알려진 바가 없다.

(5) 흡연

새로운 연구 결과에 따르면 흡연과 자궁근종은 서로 관계가 없다고 보고하고 있다. 초창기 연구에서의 흡연의 자궁근종 예방효과는 연구 설계에서 비롯된 편견의 결과라고 생각된다.

(6) 호르몬 피임법

초창기 연구들은 경구피임약의 사용과 자궁근종의 발생 위험도 사이의 관계에 대해 일정하지 않은 결과를 보였다. 이후 발표된 새로운 연구 결과에서는 서로 관계가 없는 것으로 나타나거나 17세 이전에 경구피임약 복용시에만 위험도가 증가한다는 보고를 하였다.

(7) 알콜과 카페인

알콜 섭취와 자궁근종에 관한 관련성에 대해서는 서로 상반된 결과가 보고되고 있다. 현재 술을 마시고 있는 여성에서 술을 전혀 마시지 않는 여성에 비해 자궁근종 위험도가 의미 있게 높아지고, 알콜 섭취 기간과 양에 용량 반응 관계가 성립하는 것으로 보고되었다. 알콜은 에스트로겐 농도를 높이는 것과 관련되어 유방암의 위험 요인이다. 카페인은 초창기 연구에서는 자궁근종과 관련이 없는 것으로 여겨졌다. 그러나 최근 연구에 따르면 전반적으로는 관련이 없지만, 35세 미만의 여성에서 하루 3잔 이상의 커피를 마시고 하루 500 mg 이상의 카페인을 섭취하는 군에서는 자궁근종의 위험도가 높아지는 것으로 나타났다.

(8) 체질량지수(Body Mass Index, BMI)

비만과 자궁근종 발생률의 관련성에 대한 많은 보고가 있다. 대부분의 연구에서 체중보다는 체질량지수(BMI) 증가 시 자궁근종 발생률이 높아지며, 이는 말초 지방조직이 증가하면서 남성호르몬인 안드로겐이 여성호르몬인 에스트로겐으로의 전환이 많아지고, 이 전환된 여성호르몬은 간에서 성호르몬결합단백생산의 여성호르몬의 대사 감소로 인해 초래되는 고에스트로겐혈증에 기인한 것으로 추측된다. 반면 자궁근종과 체질량지수와의 연관성이 없다고 보고한 연구도 있다. BMI가 20 kg/m2 이상 25 kg/m2 미만인 군에서 20 kg/m2 미만인 군보다 2.3배 통계학적으로 의미 있는 발생률의 증가가 관찰되었으나, BMI가 25 kg/m2 이상인 군에서는 1.9배 증가가 있었으나 통계학적인 의의는 없었다. 향후 체중 감소에 의한 효과와 자궁근종과의 관계를 전향적으로 확인하기 위해서는 비만수술(bariatric surgery) 후 환자에서의 연구 등이 유용할 것으로 생각된다.

3) 병리소견

자궁근종은 간엽(mesenchymal) 종양이며, 평활근세포와 많은 양의 결체 조직으로 이루어진 양성 평활근종이다.

(1) 육안 소견

자궁근종은 자궁벽의 어느 부위에서도 발생 가능하다.

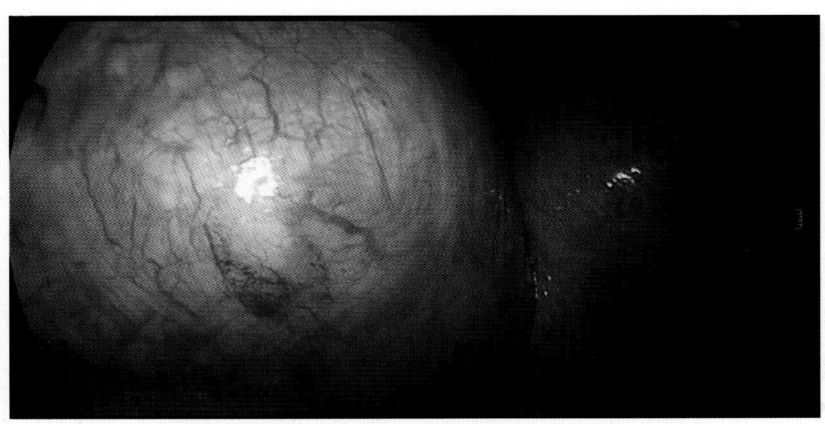

● 그림 45-4. **표면에 혈관이 풍부하게 발달된 여러 개의 자궁근종이 관찰되는 복강경 소견**

종괴의 위치에 따라 세가지 유형으로 분류하는데, 근층 내에 존재하는 근층내근종, 자궁내막 바로 아래에 생겨 자궁내강으로 용종처럼 돌출한 점막하근종, 그리고 장막아래 생긴 장막하근종이다. 대개 주위의 자궁근층보다 약간 돌출되어 보이다. 그 절단면을 보면 조직이 치밀하여 주위 조직과 가성피막(pseudocapsule)에 의해 경계가 분명하다. 크기는 아주 작은 결절에서부터 골반강을 채우는 매우 큰 종양까지 다양하고 단단하며 둥근 근종이 한 개 또는 다발성으로 존재한다. 큰 종양은 황갈색 내지는 적색의 연화소견을 동반하는데 이를 적색변성이라 한다. 초자양변성, 점액변성, 괴사 및 석회화가 동반되기도 한다(그림 45-4).

(2) 현미경 소견

자궁근종은 일반적으로 전형적인 평활근 분화를 보인다. 방추모양 근육세포가 서로 얽혀 있거나 소용돌이 형태를 이루고 있으며 개개의 세포의 크기는 일정하고 염색상태도 균일하다. 각각의 세포는 헤마톡실린-에오신(hematoxylin and eosin, H&E) 염색에서 연분홍의 세포질을 가지고 길게 늘어난 형태를 보이거나 또는 긴 방추모양 형태를 보인다(그림 45-5, 6).

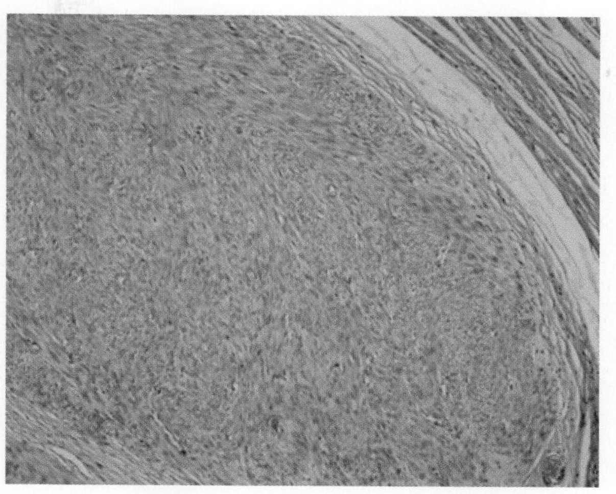

• 그림 45-5. **자궁근종의 현미경 소견** 균일한 방추형의 세포들이 다발을 형성하고 있으며 경계가 좋은 것이 특징이다(x100, H&E stain).

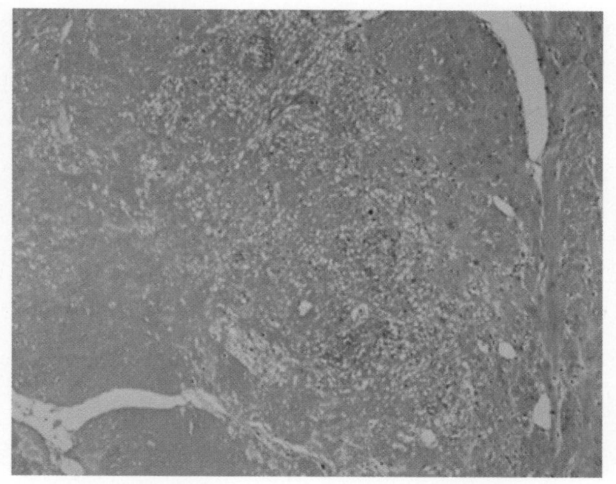

• 그림 45-6. **자궁근종의 적색변성의 현미경 소견 (x100, H&E stain)**

4) 임상증상

자궁근종을 가진 환자의 50%정도에서는 아무런 증상이 없이 우연히 시행한 이학적 검사나 영상학적 검사에서 발견된다. 자궁근종의 임상증상은 나머지 반수에서 볼 수 있으며, 근종의 개수, 크기 및 위치에 따라 다양한 증상을 나타낸다.

(1) 비정상자궁출혈(Abnormal uterine bleeding) 및 빈혈

자궁근종의 주증상의 하나인 비정상자궁출혈의 기전에 대해서는 아직 뚜렷하게 밝혀진 바는 없다. 혈관구조의 국소적인 비조절과 증가된 혈액공급에 의한 것이라고 1912년 처음 언급되었고, 이후 자궁근종이 주위의 자궁내막 및 근층의 정맥층을 압박하거나 자궁내막의 세정맥 확장을 일으킴으로써 비정상자궁출혈을 유발한다는 보고도 있었다. 점막하근종은 외층의 자궁내막 위축과 자궁근종 주위의 자궁내막샘의 확장과 팽창에 의해 월경과다가 유발되고, 또한 동반된 난소 호르몬 과다분비에 의한 자궁내막 증식과 관계가 있다는 보고가 있다. 하지만 최근 많은 연구들에서는 자궁에 존재하는 수많은 성장인자의 비조절로 인해 새로운 신생혈관들이 만들어지고 혈관을 확장시키며, 자궁에 각종 수용체의 발현을 증가시킴으로써 비정상자궁출혈을 유발시킨다고 하였다. 자궁근종에서의 빈혈은 비정상자궁출혈에서 기인하는 것으로 생각된다.

(2) 골반 동통

자궁근종 환자의 동통은 주로 골반압통이나 월경통으로 표현된다. 아무런 증상 없이 지내다가 갑작스러운 동통은 큰 자궁근종에서 조직의 부분적인 괴사나 염증성 변화에 의해 주위 장기와 유착된 경우이거나 자루형(pedunculated)의 장막하근종의 꼬임 등에 의해 발생한다. 거대한 크기의 자궁근종때문에 인접부의 신경계, 하부 비뇨기계, 소화기계 등을 압박하여 빈뇨, 변비 등을 일으킬 수도 있다.

(3) 생식기능 이상 및 불임

자궁근종과 불임과의 관련성이나 불임 환자의 치료에 미치는 영향에 대한 많은 연구가 시행되었으나 명확한 결론을 내리지 못하고 있는 실정이다. 자궁근종은 자궁을 형태학적으로 변형시켜 정자의 이동을 방해함으로써 불임을 초래하거나, 자궁강내 혈류 변화 또는 자궁내강의 변형을 유발함으로써 수정란의 착상이나 성장을 저해하는 것으로 보고되고 있다. 또한 자궁근종으로 인한 자궁내 염증반응이 자궁내 환경에 생화학적 변화를 일으켜 임신에 영향을 미친다는 주장도 제시되고 있다.

그러나 지금까지의 대규모 연구를 살펴보면 불임 여성과 정상 여성 사이에서 자궁근종 빈도 차이는 없었으며, 자궁근종을 가졌더라도 많은 여성들에게 정상적인 임신이 가능하였다. 하지만 또 다른 연구에 의하면, 불임 여성의 많은 수가 자궁근종을 가지고 있으며, 자궁근종을 가진 여성에서 상대위험도 1.3-2.0 정도로 불임의 위험성이 높다고 하였다. 또한 자궁근종이 있는 여성의 40%가 유산이 되었다는 보고도 있다. 자궁근종의 위치와 크기는 향후 임신에 영향을 미치는 가장 중요한 인자로 추측된다. 장막하근종은 임신에 거의 영향을 주지 않으나 자궁내강의 모양을 변형시키는 점막하근종과 근층내근종은 임신율을 감소시키며 자연 유산율을 증가시키는 것으로 알려져 있다. 자궁근종이 생식에 미치는 영향에 대해 결론을 내리기는 쉽지 않으므로 자궁근종의 위치나 크기, 자궁강의 변형의 유무 등을 고려하여 환자들에게 근종의 영향 및 제거의 장단점 등에 대해 충분히 설명한 후 개개인의 상황에 맞게 치료 방법을 결정해야 할 것이다.

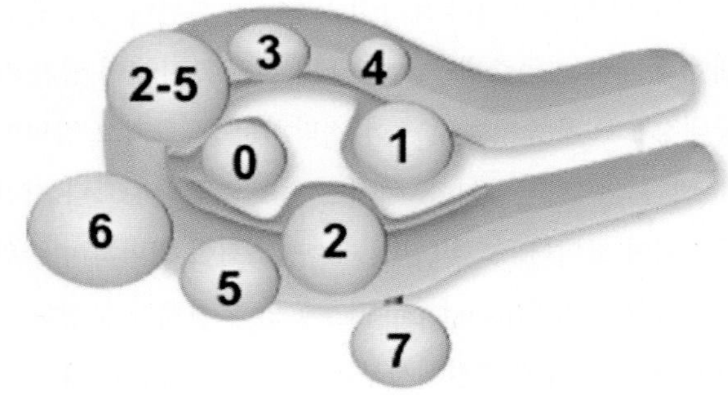

• 그림 45-7. **FIGO 자궁근종 분류 체계**

Type 0 - 자궁강내에 위치(예: 전체가 자궁강 내에 위치하는 목있는 점막하자궁근종)
Type 1 - 자궁근종 직경의 50% 이하가 근층내에 위치하는 경우
Type 2 - 자궁근종 직경의 50% 이상이 근층내에 위치하는 경우
Type 3 - 자궁강내에 위치하는 부분 없이 자궁내막에 인접한 경우
Type 4 - 자궁내막쪽이나 장막쪽으로 확장되지 않고 근층내에만 위치하는 경우
Type 5 - 최소한 50%가 근층내에 존재하는 장막하자궁근종
Type 6 - 50% 미만이 근층내에 존재하는 장막하자궁근종
Type 7 - 유경성 장막하자궁근종
Type 8 - 자궁근육층과 연관이 없는 위치; 자궁경부 병변을 포함하여, 자궁 원인대나 광인대 내에 위치하며 자궁과 직접적인 연결이 없는 경우, 그리고 기생(parasitic) 근종

5) 진단

(1) 골반진찰(Bimanual pelvic examination)

방광이 비어 있는 상태에서 기본적인 복부의 이학적 검사 및 양수 골반 진찰을 하여 근종의 크기와 자궁과의 관계 및 유착 여부 등을 예측한다.

(2) 자궁근종의 위치

FIGO (The International Federation of Gynecology and Obstetrics) 자궁근종 분류 체계에서는 자궁근종의 위치를 점막하, 근층내, 장막하, 그리고 전층(transmural) 자궁근종으로 분류하고 있다.

전층(transmural) 자궁근종은 자궁내막과 장막 두가지 모두와의 관계에 따라 분류한 것으로, type 2 to 3와 같이 자궁내막과의 관계를 먼저 표기한다.

표 45-1. FIGO 자궁근종 분류 체계

SM - 점막하	0	목있는 점막하자궁근종
	1	자궁근종 직경의 50% 이하가 근층내에 위치
	2	자궁근종 직경의 50% 이상이 근층내에 위치
O - 기타	3	자궁강내에 위치하는 부분 없이 자궁내막에 인접
	4	자궁근층에만 위치
	5	50% 이상 근층내에 존재하는 장막하자궁근종
	6	50% 미만이 근층내에 존재하는 장막하자궁근종
	7	목있는 장막하자궁근종
	8	기타(자궁경부, 기생근종 등)
혼성 자궁근종 (자궁내막과 장막 모두에 영향을 줌)	"–"으로 구분된 두 숫자가 나열되는데 관례상 첫 번째는 자궁내막과의 관계를, 두 번째는 장막과의 관계를 말함. 한 가지 예가 아래에 있음.	
	2–5	점막하와 장막하, 각각 자궁내막 및 복막 공동의 지름이 절반 미만임

(3) 초음파(Ultrasonography)

자궁근종은 대부분 가성피막(pseudocapsule)을 갖는 저에코로 보이고, 그 이외에 동등한 에코, 초자변성이 발생한 경우 후방으로 음향음영을 가지는 고에코로 보인다(그림 45-8).

자궁근종의 이차변성은 초자질변성, 낭포변화, 석회화, 감염, 화농, 조직괴사, 지방변화 및 육종변화 등이 있으며 그 중에서 초자질변성이 가장 흔하다. 자궁근종은 초음파상 주변 조직의 영상과 위상차가 많이 나지 않는 경우가 많아서 실제로 진단이 어려운 경우도 있다. 그리고 자궁내막 용종과의 구분도 어려워 초음파자궁조영술(sonohysterography)을 이용하여 점막하자궁근종을 보다 정확히 진단하는 데 도움이 된다(그림 45-9).

(4) 전산화단층촬영(CT)과 자기공영영상(MRI)

해상도와 연부조직 대조도가 제한적이고 방사선피폭이 있으므로 골반전산화단층촬영으로 수술 전 평가를 하는 것은 불충분하다.

자기공명영상은 탁월한 연부조직 대조도를 가지기 때문에 자궁근종의 발견과 국소화에 가장 정확한 영상기법이다. 또한 수술 전 계획을 세우고 내과치료에 대한 반응을 볼 때도 효과적인 역할을 할 수 있다. 변성이 없는 자궁근종은 전형적으로 T1, T2강조 영상에 모두에서 경계가 분명하고 균질한 저신호강도를 보이는 국소 원형 종괴로 나타난다(그림 45-10).

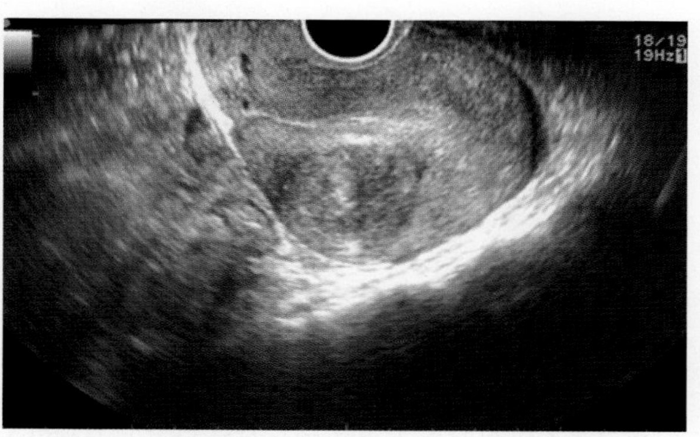

• 그림 45-8. 자궁 전벽에 저에코의 비교적 경계가 뚜렷한 근층내자궁근종이 관찰됨

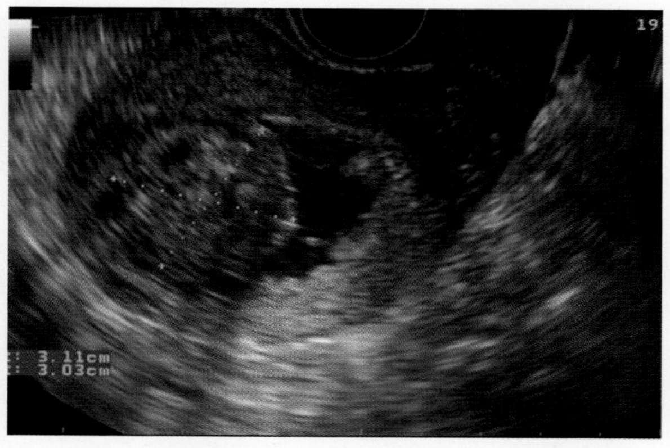

• 그림 45-9. 초음파 자궁조영술 시행 결과 넓은 기저부를 가지는 점막하자궁근종이 관찰됨

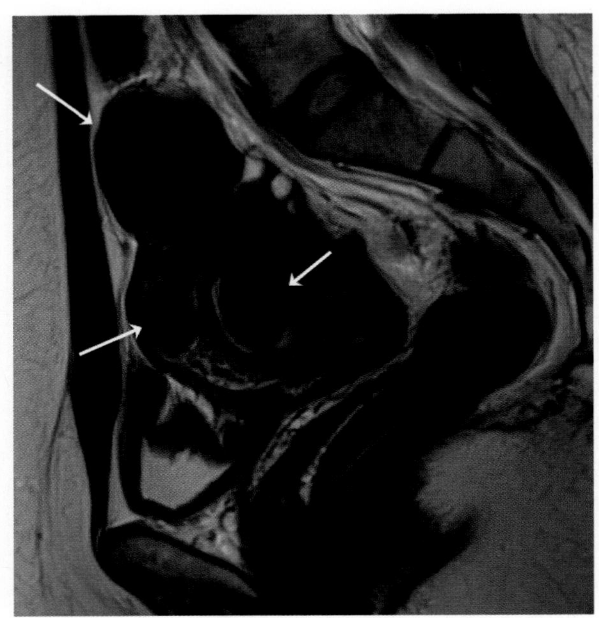

• 그림 45-10. **자궁근종의 전형적인 MRI 소견** T2 강조 시상면 MRI에서 경계가 분명하고 균질한 저신호강도를 보이는 국소 종괴들(화살표)이 자궁에 있다.

변성된 근종이나 근종의 특이한 아형들은 자기공명영상에서 다양한 소견을 보인다. 악성 평활근육종과의 감별은 어렵다.

6) 치료

자궁근종은 악성으로 변할 가능성이 낮기 때문에(0.2-2%), 증상이 없는 경우에는 치료를 하지 않고 지켜보기도 하나, 자궁근종의 수술기준은 다음과 같다.

- 빈혈을 유발할 정도의 비정상적인 자궁출혈: 호르몬이나 기타 다른 치료에 반응하지 않는 경미한 통증
- 만성 통증: 심한 월경통, 성교통 또는 하복부 압박감이나 통증
- 급성 통증
- 비뇨기계 증상: 요로 압박으로 인한 수신증이 발생하거나 방광 압박으로 인한 빈뇨증상이 있는 경우
- 불임의 유일한 원인으로 생각되는 경우
- 자궁내강의 변형으로 인한 반복유산
- 자궁근종 크기가 커서 골반내 압박으로 인한 통증이나 불편감이 있는 경우, 직장을 눌러 만성적인 변비가 발생한 경우
- 악성이 의심되는 경우: 폐경 전 성장속도가 빠른 경우
- 폐경 후 크기가 증가하는 경우

(1) 약물치료

① 생식샘자극호르몬방출호르몬(GnRH agonist)

한 달에 한번씩 또는 3개월에 한번씩 사용하며, 첫 주사는 월경 후 난포기에 시작하는 것이 좋다. 거대 자궁근종 환자에서 수술 전 크기를 감소시키거나 수술 전 빈혈교정이 필요한 경우, 폐경이 가까운 여성에서 수술을 피하기 위해, 또는 수술 치료에 금기증이 있거나 수술을 연기해야 하는 환자에서 사용하기도 한다.

가. 효과

자궁근종의 부피를 40-60%가량 줄일 수 있으나 치료 중단 후 근종의 재성장이 50%에서 나타나기 때문에 완치 목적으로 사용하기는 어렵다. 45세 이상인 여성으로 초기 난포기의 FSH 수치가 25 mIU/mL 이상인 여성에서 효과가 더 좋다.

나. 합병증

저 에스트로겐 상태로 인한 일시적인 폐경기 증상 유발(골 손실 및 안면홍조)이 있으므로 합병증을 막기 위해 보충 약물요법(add back therapy, 저용량 호르몬 치료 또는 티볼론)을 한다.

② 레보노르게스트렐 자궁내 삽입장치(LNG-IUS)

19-노르테스토스테론(19-nortesttostrerone) 유도체 프로게스틴인 레보노르게스트렐(levonorgestrel)을 20 ㎍/일의 용량으로 분비하여 자궁내막을 위축시키는 자궁내 삽입장치이다. 월경통과 월경과다에 치료효과가 있다.

임산부, 생식기관의 염증질환(최근 3개월), 진단되지 않은 질출혈, 자궁기형, 자궁내강의 모양을 변형시키는 근종, 면역저하, 출혈 질환이 있을 때에는 금기이다. 강력한

자궁내막 증식 억제작용으로 무월경(또는 과소월경)을 유발한다. 자궁근종이 있는 사람에서 LNG-IUS 삽입 후 월경량 감소율은 92.1%(3개월), 97.4%(12개월), 97.4%(24개월), 99.5%(36-48개월)로 조사된다. 자궁의 부피는 LNG-IUS 삽입 후 유의하게 감소하나 근종 부피는 감소하지 않는다.

가. 적응증

- 월경과다
- 만성 질환(신부전증 등)으로 인한 출혈
- 자궁내막증과 자궁샘근증
- 자궁내막증식증의 예방 및 제한적인 경우에서 치료 목적
- 자궁근종. 단, 점막하근종은 출혈이 심해질 수도 있음

나. 합병증

비정상 주기를 갖는 프로게스테론 돌발출혈이 첫 4-6개월 간 발생할 수 있다. 양이 많은 경우 에스트로겐을 복용하여 치료한다.

(2) 중재 시술

① 고주파 자궁근종용해술(Myolysis)

초음파 유도 하에 자궁근종 중앙부에 고주파를 발생하는 바늘을 삽입하여 근종을 열치료하는 방법으로, 근종 세포 내부의 물을 가열하여 근종세포의 사망을 유도하며 근종의 먹이혈관을 응고시켜 차단하는 시술이다. 자궁근종 및 국소 자궁샘근증에서 사용이 가능하다. 2차 변성이 있거나 임신 중인 여성, 악성 종양이 감별되지 않은 경우 등에서는 사용하지 않는다. 향후 임신에 대한 영향이 명확하지 않으므로 임신을 원하는 여성에서는 주의하여 시술한다.

가. 효과

고주파 자궁근종용해술 후 근종의 부피 감소율은 1개월째 41.5%, 3개월째 59%, 6개월째 77% 로 보고된 바 있으며, 국내 연구에서도 3개월째 52%, 6개월째 68.6%, 12개월째 74% 정도의 부피감소율이 조사된 바 있다. 재 수술율은 4.3% 정도이며, 시술 후 근종으로 인한 출혈 및 월경과다증상이 뚜렷하게히 개선되었다.

나. 합병증

고주파 자궁근종용해술은 열치료이므로, 주변장기 손상에 유의해야 한다. 방광, 장의 천공 및 열손상, 복벽화상 등이 발생할 수 있다. 수술 후 가장 흔한 합병증은 질 분비물의 증가로, 물 같은 분비물이 1개월 이상 지속적으로 나타날 수 있다. 통증이나 출혈은 대부분 심하지 않다.

② 고강도집속초음파치료(high intensity focused ultrasound ablation, HIFU)

자궁근종의 고강도 집속 초음파치료은 자궁근종 부위에 고강도로 집약한 초음파를 한 곳의 초점을 정하고 집중적으로 쬐어 열을 발생시킴으로써 종양의 응고 괴사를 일으켜 치료하는 방법이다. 치료하는 과정의 모니터 방법에 따라 초음파 유도하 고강도 집속 초음파치료(HIFU)와 자기공명영상유도 하 고집적 초음파치료(MR-guided focused ultrasound ablation, MRgFUS)가 있다. 고강도집속 초음파치료 후 1년 안에 자궁근종의 증상이 85-95%까지 소실된다고 보고하고 있다. 그러나 모든 환자에서 고강도 집속 초음파치료를 할 수 있는 것은 아니며 환자의 상태나 자궁근종의 위치 등에 따라 치료방법을 선택해야 한다.

보통 스크리닝 후 1/3 정도 되는 환자가 고집적 초음파치료를 받을 수 있으며, 가격이 비싸고 시간이 오래 걸리며(평균시간 2-3시간) 장에 가스가 찬 경우 시술이 어려운 것이 단점이다. 가장 흔한 부작용은 피부화상으로, 대부분 경미하나 이식수술을 한 예도 있다. 골반신경장애(pelvic neuropathy), 장이나 방광손상, 심부정맥혈전증 등도 시술 후 부작용으로 보고되어 있다. 시술 후 임신에 대한 영향은 아직 명확하지 않은데, 시술 후 임신 보고예는 약 54예 정도이며 분만까지 한 경우는 그 중 41%, 만삭분만율은 93%이며, 조산한 경우는 한 경우에서 보고되었다. 임신 합병증으로는 전치태반이 9% 정도 보고되었다. 향후 임신 및 출산 가능성이 있으면 의료진과의 충분한 상담 후 손익을 고

려해 치료를 결정해야 한다.

가. 효과

증상 개선율은 86%(3개월), 93%(6개월), 88%(12개월) 정도로 나타난다. 근종의 부피 감소율은 6개월 후 약 30% 정도로 나타나며, 3년 후에도 27% 정도의 부피 감소율이 유지된다. 자궁샘근증에서는 시술 6개월 후 증상개선율과 자궁부피감소율이 약 13% 정도로 보고되고 있다.

나. 금기증

- 임산부
- MRI 금기증(조영제 부작용, 심장박동기 착용, 폐쇄공포증 등)
- 자궁크기가 임신 20주 이상의 크기 또는 근종 크기가 10 cm를 넘는 경우
- 초음파가 통과하는 복부부위에 상처가 있는 경우
- 5개 이상의 다발성 근종

③ 자궁동맥색전술(Uterine artery embolization)

자궁동맥색전술은 자궁동맥 내로 색전 물질을 주입하여 혈류를 차단하면 자궁근종에 허혈성 괴사가 유발되고 이로 인해 자궁근종의 크기가 감소하여 관련된 증상이 호전되는 원리를 이용한 비수술적 치료법으로 1995년 Ravina 등이 최초로 보고한 이래 꾸준히 그 시술 건수가 증가하고 있다.

가. 환자 선택

일반적으로 증상이 있는 자궁근종 환자가 모두 시술대상이 될 수 있으며 반드시 환자가 호소하는 증상이 자궁근종과 관련이 있어야 한다. 가장 이상적인 환자는 더이상 임신을 원하지 않는 폐경기 전 환자로서 수술 치료를 원하지 않는 경우이다.

임신 중이거나, 활동성 비뇨생식계 감염이나 악성 종양, 이전에 골반에 방사선치료를 받았던 환자, 신기능이 저하된 환자, 조영제에 부작용이 있는 환자는 시행해서는 안된다. 직경이 10 cm 이상으로 자궁근종의 크기가 큰 경우는 색전술의 효과가 떨어지고 시술 후 괴사로 인한 합병증의 위험이 크며, 목있는 장막하근종의 경우 시술 후 복강내로 떨어져 나가 복강내 염증 등이 발생할 수 있으므로 시술을 결정하는 데 신중해야 한다.

자궁동맥색전술을 시행하기 앞서서 반드시 조영증강 자기공명영상을 시행해야 하는데 근종의 정확한 크기와 위치, 유형, 혈류 등을 평가하고 자궁샘근증이 동반되어 있는지 여부를 판단할 수 있기 때문이다.

나. 결과

자궁동맥색전술 후 대부분의 환자에서 증상이 개선되었다고 보고되었는데 월경과다는 83-87%, 월경통은 77-85%, 압박증상은 80-90%의 효과가 있고 시술에 대한 환자의 만족도는 91-97%였다. 시술 후 자궁자체의 부피는 35-55%, 자궁근종의 부피는 42-73%까지 감소하였다. 5년 추적검사 결과에 대한 연구결과를 분석해보면 73-90%의 환자에서 증상이 조절되었고 약 20% 정도에서만 재발하여 자궁절제술, 근종절제술 등이 필요하였다.

다. 합병증

가장 흔한 합병증은 골반통으로서 거의 모든 환자에서 발생한다. 자궁의 허혈변화로 인한 통증으로 생각되며 마약 진통제 및 소염진통제에 효과적으로 반응한다. 대부분 시술 다음날 아침부터 좋아지기 시작하지만 환자에 따라서 2-3일 지속되는 경우도 있다. 복통, 구역, 구토, 미열 및 백혈구 증가 등이 발생할 수 있는데 이는 색전후증후군으로 보존적 치료만으로도 대부분 호전된다. 드물지만, 자궁이 괴사되고 이로 인한 감염이 발생할 수 있는데 항생제만으로 치료되지 않아 자궁절제술을 응급으로 시행하는 경우도 있다. 자궁동맥색전술 후 난소기능 부전이 발생하는 경우가 2-7% 정도 보고되고 있는데 그 빈도는 45세 이상의 환자에서 높다. 이는 시술도중 색전 물질이 난소로 유입되어 발생된다고 생각된다.

라. 생식 및 임신과의 연관성

자궁동맥색전술은 난소 기능 저하의 가능성이 있고, 임

신과 관련된 합병증을 일으킬 가능성이 있으므로, 향후 임신을 원하는 여성은 자궁동맥색전술을 시행하지 않는 것이 권장된다. 자궁근종을 가진 여성을 자궁동맥색전술 또는 자궁근종절제술을 무작위로 배정하여 시행한 결과, 수술을 시행한 경우가 자궁동맥색전술 시행군에 비해 임신율이 더 높았고 유산되는 경우도 더 적었다.

(3) 수술 치료

① 수술 범위에 따른 분류

가. 자궁절제술(Hysterectomy)

증상이 있는 자궁근종 환자에서 더 이상 임신 계획이 없으면서 자궁근종의 재발을 원치 않는 환자에서 시행한다. 자궁부속기를 제외한 자궁전체를 절제하는데, 경부를 제거하는 경우 전자궁절제술(total hysterectomy), 경부를 남겨두는 경우 자궁경부상부자궁절제술(supracervical hysterectomy)이라고 한다. 개복, 복강경, 로봇수술, 경질의 방법으로 시행할 수 있다. 전신마취가 필요하며 대개 2-7일 정도 입원한다. 주변장기인 요관, 방광, 장 등에 손상이 생길 수 있으며 출혈, 감염, 요 축적 등 일반적인 수술 후 합병증의 위험이 있으나 드물다. 복강경 수술 시 방광질샛길(vesicovaginal fistula)이 0.2% 정도에서 발생할 수 있다.

나. 자궁경부상부자궁절제술

자궁경부를 남겨놓고 자궁체부만을 절제해 내는 방법으로 더글라스와(cul de sac)이 폐쇄되어 수술 시 확인이 어렵거나 제왕자궁절제술(cesarean hysterectomy), 또는 경부제거 시 성기능 저하가 걱정되는 경우에 시행한다. 자궁경부, 체부, 내막에 암 병변이 있는 경우에는 금기이다. 자궁경부 주변의 신경 조직이 유지되어 성생활 시 오르가즘이 유지되는 것이 가장 큰 장점이다. 시술 전 반드시 자궁경부세포도말검사(PAP smear)를 시행하여 정상임을 확인해야 하며, 정기적으로 자궁경부세포도말검사 및 초음파검사를 반드시 받아야 한다. 남아있는 자궁내막조직에서 주기적인 출혈이 발생할 수 있으며, 내막질환도 발생할 수 있다.

다. 자궁근종절제술(Myomectomy)

임상 증상이 있는 자궁근종 환자로, 임신 계획이 있는 여성 또는 자궁절제수술을 원하지 않는 여성에서 시행한다. 개복, 복강경, 로봇수술, 자궁경을 사용하여 수술이 가능하며 근종의 위치와 크기에 따라 질절개(colpectomy)를 통한 경질 수술도 가능하다. 자궁근종절제술 후 임신한 여성의 경우, 임신 중 또는 분만 중 자궁파열률의 위험성이 있으므로 주의를 요한다. 일반적인 합병증은 전자궁절제술과 동일하다. 근종 수술 후 재발률은 11.7%(1년), 36.1%(3년), 52.9%(5년), 84.4%(8년) 정도이며, 재수술율은 5년 이내 6.7%, 8년 이내 16% 로 조사된다.

② 수술 방법에 따른 분류

가. 개복수술(Laparotomy)

복부와 근막, 복막을 절개하여 수술하는 방식으로 일반적으로 6 cm 미만으로 절개하는 경우 소개복수술(mini-laparotomy)로 분류된다. 소개복수술은 복부피부와 근막의 절개를 6 cm 미만으로 절개하여 수술하는 것으로 통증이 적고 회복이 빠르며 수술 후 흉터가 적게 생기는 장점을 가지고 있다. 복강경 수술에 비하여 시야 확보가 유리하며 촉진이 가능하고, 지혈이 용이한 것이 장점이며, 일반 개복수술에 비해 견인기 등의 수술도구가 필요하지 않으며 수술보조자가 많이 필요하지 않다. 일반 개복수술 보다 입원기간이 짧고 통증이 적으며 출혈이 적은 것도 장점이다.

나. 복강경수술

복강경수술을 하다가 개복수술로 전환될 가능성은 약 11.3% 정도로, 근종의 위치와 크기, 수술자의 경험이 영향을 준다.

개복 자궁근종절제술보다 복강경 자궁근종절제술이 수술 후의 이환율이 낮고 유착이 적으며 회복 속도가 빠르지만 복강경 자궁근종절제술에서 자궁을 효과적으로 봉합하는 것이 기술적으로 어렵고 적절한 문합을 하지 못하는 경우가 있어 여전히 개복술도 많이 시행되고 있다. 다빈치 로봇 수술 장비에 있는 엔도리스트(EndoWrist®)기술은 술자에게 정밀한 수술과 훨씬 개선된 시야의 가능하게 해주어 수술 기술을 향상시켜 주며 수술 포트를 통해 복벽에 가해지는 힘을 최소화하여 수술 후 통증이 적다. 게다가 상대적으로 어려운 복강내 봉합과 매듭 만들기가 쉽다. 향후 임신과 출산을 해야 하는 자궁을 충분한 강도로 봉합할 수 있다는 점에서 로봇 자궁근종절제술이 이점이 있다.

로봇 자궁근종절제술에 대한 최초의 연구 보고들 중 Advincula 등은 로봇 자궁근종절제술이 개복술에 비해 출혈양이 적고 병원 재원 기간이 짧으며 개복술로 전환한 경우는 8.6%로 복강경 수술이 11.2%인 점과 비교하여 낮다고 보고했다. 국내보고에서도 로봇수술이 개복술에 비해 근종의 크기에서 차이가 없고 수혈을 받는 경우가 적으며, 재원일수가 짧았다. 로봇 수술 환자들이 미산부인 경우가 많았고, 고학력, 전문직 여성이 선호하는 경향이 있었다. 로봇 자궁근종절제술이 수술 시간이 길고 비용이 비싸다는 단점이 있으나 고난이도의 자궁근종으로 개복수술을 택해야 하는 경우 고려해 볼 수 있다.

가) 장단점

장점(L 복강경, R 로봇)	단점(L 복강경, R 로봇)
재원기간이 짧다.	시야가 좁고 시야 장애가 있다(L).
통증이 적다.	유착이 심한 경우 접근성이 떨어진다(L).
회복이 빠르다.	숙련된 수술보조자가 필요하다(L,R).
흉터가 적다.	촉진이 불가능하다(L,R).
	사용하는 기구가 작고, 고정된 수술창을 이용해야 하므로 한계가 있다(L,R).
	병변 부의 mass ligation 이 불가능하다 (L,R).
	섬세한 봉합이 불가능하다(L).
	CO_2 가스 사용으로 인해 수술 후 상당기간 통증이 있을 수 있다(L,R).
	비용이 비싸다.

나) 복강경 시 발생 가능한 특수 합병증

- 심부정맥: CO_2 사용 시 CO_2 색전증, 고탄산혈증과 산혈증으로 인함
- 저혈압, 위산역류, 흡인성 폐렴: 복부팽만으로 인함
- 복막외 가스삽입: 피부밑공기증(subcutaneous emphysema), 종격동기종(penumomediastimum), 공기가슴증(pneumothorax), 고탄산혈증(hypercarbia), 심혈관허탈(cardiovascular collapse)
- 전기합병증: 장, 신경, 요관, 방광 등에 열손상을 줄 수 있다.
- 투관침 손상: 대동맥, 하대정맥, 온엉덩혈관(common iliac vessel) 등의 큰 혈관과 복부에 위치한 혈관을 찌르거나 장, 방광, 요관에 손상을 줄 수 있다.
- 탈장: 투관침 삽입창이 10 mm 이상인 경우 발생할 수 있다. 삽입 창이 10 mm 이상이면 반드시 근막까지 봉합하여야 한다.

다) 조직 제거

세절술은 복강내 또는 질로부터 조직을 제거하기 위해서 조직을 작은 조각으로 절제하는 수술 방법이다. 복강경하 자궁근종절제술의 경우, 질을 통하거나 소개복술을 통한 세절술 또는 복강경 포트 절개를 통한 전기기계 세절술이 필요하다. 세절술은 많은 여성에게 최소침습수술의 이점을 제공한다.

최근 미국 FDA에서는 평활근육종이 전동세절술로 인하여 종양이 파종된 것에 기인하여 2014년 4월 복강경하 전자궁절제술이나 자궁근종절제술을 시행할 때 전동세절기를 사용하는 것에 대하여 경고한 바 있다. 세절술은 자궁 또는 자궁경부의 악성 종양이 의심되는 경우 조직을 복강내에 파종시키게 되며 질환의 병기와 병의 예후에 중요한 영향을 미치게 되므로 시행해서는 안된다. 초음파 또는 자기공명영상 소견에서 크기가 크고 불규칙한 혈관 덩어리가 보이거나, 괴사를 시사하는 불규칙한 낭종 병변이 보이거나 조영증강 자기공명영상에서 동맥기에 조영증강이 되는 경우 평활근육종(leiomyosarcoma)를 강하게 시사하는 소견이다.

다. 자궁경수술

점막하자궁근종의 절제에 사용된다. 근종이나 자궁내막용종으로 인한 월경과다나 자궁강 모양 변형으로 인한 불임에 효과가 있다. 수술 후 4년 이내에 재수술을 받을 가능성이 21% 정도이며, 2개 이상의 점막하근종이 있는 경

우에는 35%까지 증가한다. 자궁내막소작술은 자궁내막을 소작하여 월경혈의 생성을 차단하는 방법이다. 1cm 미만의 작은 점막하근종이나 자궁내막용종은 소작 후 치료가 같이 되기도 한다.

임신, 또는 향후 임신 계획이 있는 경우나 자궁내막암이 있거나 의심되는 경우, 수직절개 제왕절개를 받았거나 근층내 근종절제술을 받은 경우, 자궁기형이 있을 때는 금기이다. 시술 전 향후 임신계획이 없는지 반드시 확인을 요하며, 피임이 되는 것은 아님을 인식시켜야 한다. 자궁경으로 롤러볼을 사용하거나 자궁경으로 진단 후 Therma choice (water balloon), Novasure (RF electro surgery) 등을 이용하여 시술하기도 한다.

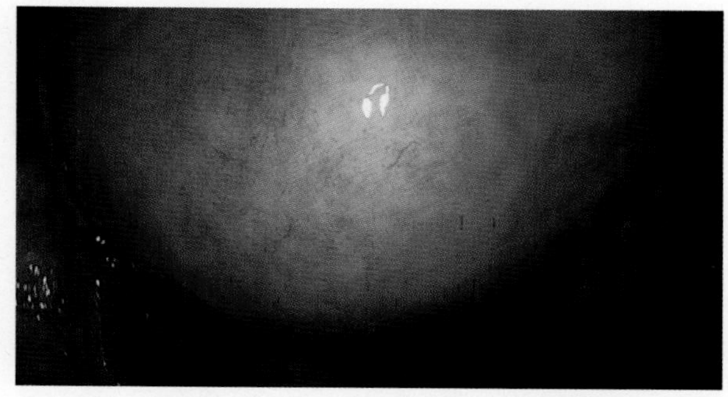

• 그림 45-11. 자궁이 전반적으로 커져있고 자궁 표면이 울혈된 양상을 보이는 자궁샘근증의 복강경 소견

2. 자궁샘근증

1) 서론

자궁샘근증은 자궁내막증과 더불어 가임기 여성에서 골반통, 월경통, 그리고 불임을 유발하는 질환으로, 현재까지 이 질환의 충분한 이해가 되지 않고 있다. 일반적으로 임상 증상 및 영상 검사로 자궁샘근증의 진단을 추정하기는 하지만, 수술 시 얻는 조직검사 결과를 통해 확정 진단을 하게 된다. 최근에는 영상 기술이 향상되고 초음파 및 자기공명영상에서 자궁샘근증에 대한 진단 기준이 진화함에 따라 수술 전에 자궁샘근증을 진단할 수 있다. 자궁샘근증은 기저 자궁내막과 자궁근층 사이의 정상적인 관계가 파괴될 때 발생하게 된다. 그 결과로 자궁근층내에 자궁내막샘과 기질이 낭을 형성하게 된다. 자궁샘근증의 정의는 1972년 Bird에 의해 확립된 정의가 지금까지 받아들여지고 있는데, "자궁샘근증은 자궁내막조직이 자궁근층으로 양성 침범하여, 전체적으로 자궁이 커지게 되며, 현미경 소견으로는 이소성, 비종양 자궁내막샘 및 기질이 비후되고 증식된 자궁근층에 둘러싸인 형태"로 정의된다(그림 45-11).

최근 들어, 새로운 영상 기법과 분자생물학 진단 방법이 소개됨에 따라, 자궁샘근증과 자궁내막증은 생식기관 전체에서 난소 생식호르몬에 대한 세포반응부전이 특징인 더욱 심각한 질병의 서로 다른 표현형이라는 병인론 또한 제시되고 있다.

2) 위험인자

자궁샘근증의 위험인자로는 다출산력, 유산 및 자궁내막증 등의 생식 관련 병력, 흡연과 같은 생활 방식 인자, 제왕절개술, 인공유산 또는 소파술 등의 수술 외상 등이 있다. 여러 보고에서 양수 천자나 골반 수술, 특히 제왕절개술 후 자궁내막 조직이 복벽에 존재하는 것이 보고되었고, 이러한 현상은 수술 중 자궁내막이 착상되어 이소성 자궁내막이 묻힘 및 생존하여 자궁샘근증이 발생한다는 설명을 뒷받침할 수 있다. 자궁내막증식증 또한 자궁샘근증의 위험인자 중 하나이며, 이것은 고에스트로겐혈증과 자궁샘근증이 서로 연관이 있으며, 자궁샘근증 여성의 월경혈 내 에스트로겐 농도가 높아져 있었다는 보고와도 관련이 있다.

3) 병리소견

조직학적인 진단 기준은 자궁내막 표면에서 하나의 고배율상보다 큰 거리에 샘과 기질이 존재하는 것에서부터 두 개의 저배율상 정도의 깊이까지이다(그림 45-12).

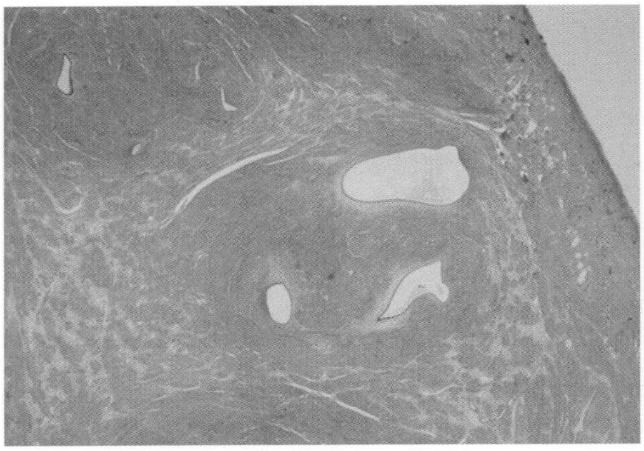

• 그림 45-12. **자궁근층내에 보이는 자궁내막샘과 기질 (x20, H&E stain)**

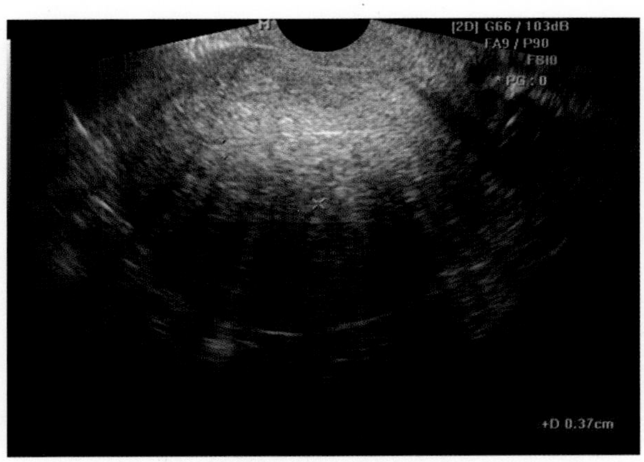

• 그림 45-13. **자궁샘근증의 초음파 소견 자궁근층이 비균질한 에코로 보이며 두꺼워져있고, 다수의 작은 후방감쇄가 보임**

대부분의 병리학자들은 자궁샘근증의 이소성 자궁내막샘과 기질이 자궁내막 표면보다 최소 2-3 mm 이하이어야 한하며, 자궁근층을 침범하는 자궁내막샘과 기질이 자궁벽 두께의 최소 1/3 이상의 깊이에 존재하는 것으로 정의한다.

4) 임상증상

자궁샘근증의 빈도는 문헌에 따라 8.1-16.7%로 다양하게 보고되고 있다. 자궁샘근증 환자의 1/3에서는 특별한 증상이 없다. 나머지 2/3에서는 가장 흔한 증상으로 월경과다(50%), 월경곤란증(30%), 자궁출혈(20%) 등이 있다. 성교통 및 불임도 발생할 수 있다. 약 20%의 자궁샘근증 환자가 40세 미만의 가임기 여성이고, 나머지 80%의 환자는 40세에서 50세 사이의 환자이며 이 연령대에서 가장 증상이 심하다. 폐경 후 타목시펜(tamoxifen)을 사용하는 환자에서는 이전에 존재하던 자궁샘근증에 의한 증상이 재발하기도 한다.

5) 진단

(1) 질초음파(Transvaginal ultrasonography)

자궁샘근증은 질초음파에서 자궁근층의 에코의 증가 또는 선형 고에코 밴드가 자궁근층 깊은 곳까지 연장되어 보이는데, 이것은 이소성 자궁내막조직의 섬이 존재함을 나타낸다(그림 45-13).

또한, 자궁근층의 저에코 부위는 이소성 조직을 둘러싸고 있는 근육조직의 과다증식에 적합한 소견이다. 무에코 부위는 자궁내막샘의 팽창 또는 자궁근층의 낭종 때문이다. 경계부위가 잘 보이지 않으며 자궁이 전체적으로 커져 있으며 한쪽 벽만 비대칭적으로 두꺼워진 소견이 보인다.

(2) 전산화단층촬영과 자기공명영상

전산화단층촬영은 초음파검사나 자기공명영상에 비교하여 자궁샘근증 진단에 유용한 검사는 아니다. 자기공명영상은 자궁샘근증진단에서 질초음파검사보다 높은 민감도와 특이도를 보이는 가장 정확한 영상진단 방법이다. 자궁샘근증의 가장 흔한 소견은 접합구역(junctional zone)의 미만성 또는 국소적 비후인데 병리적으로 이소성 자궁내막조직을 동반한 자궁근층의 과증식을 의미한다. 이와 함께 T2강조영상에서 자궁근층의 비정상 저신호강도 내 다발 고신호강도 부위가 있는 것도 자궁샘근증의 진단에 유용할 수 있다(그림 45-14).

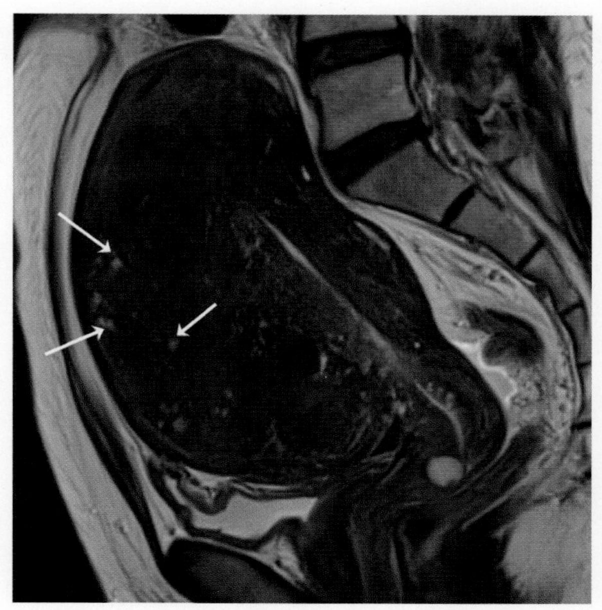

• 그림 45-14. **자궁샘근증의 자기공명영상 소견**
T2 강조영상 시상면에서 비정상적인 저신호강도를 보이는 자궁 근층의 미만성 비후가 있고 내부에 수많은 작은 고신호강도 부위들(화살표)이 보인다.

6) 치료

(1) 비수술 치료 방법

자궁근종의 비수술적 치료방법으로 사용되는 열치료, 자궁동맥색전술, 자궁동맥결찰술 등이 모두 사용 가능하다. 약물치료로는 생식샘자극호르몬방출호르몬 작용제(GnRH agonist), 진통제(NSAID), 경구피임약, 황체호르몬, 다나졸 등 자궁내막증 치료에 사용되는 약물이 모두 사용된다.

① GnRH 작용제

GnRH 작용제는 고식 방법으로 한달에 한번, 여섯 번을 주사하는 방법과 3개월에 한번씩 두 번 주사하는 방법이 있다. 트립토렐린(triptorelin) 3.75 mg을 6주에 한번씩 4번을 주사하는 확장된 용량도 사용된다.

② LNG-IUS 등 이용한 치료

가. LNG-IUS를 1년 동안 사용한 여성에서 자궁 크기가 감소하며, 통증 감소 및 출혈양 감소에 유의한 효과가 있다.

나. CA-125 가 증가한 자궁샘근증이 있는 여성에서 LNG-IUS를 사용하면 CA-125의 수치가 유의하게 감소한다.

(2) 수술 치료 방법

① 전자궁절제술/ 자궁경부상부자궁절제술

자궁샘근증의 근본적인 치료 방법은 전자궁절제술이다.

② 자궁샘근증 병변부절제(Adenomyomectomy)

만일 부위가 국한되어 있고 향후 임신을 원하지 않으나 자궁보존을 원하는 여성에서 국소부위의 자궁샘근증을 절제하는 수술이다. 자궁벽의 병변 부위를 도려내고 봉합해 주는 방법으로, 자궁파열가능성이 있으므로 향후 임신을 원하는 여성에서는 주의를 요한다. 자궁근종절제술에 준하여 관리하며, 자궁내막증을 동반할 가능성이 많으므로 이에 대한 후속 처치로 GnRH 작용제를 추가로 사용하여 재발을 방지한다.

** 참고문헌 목록은 대한산부인과내분비학회 홈페이지 http://www.kosge.or.kr 또는 QR코드를 통해 보실 수 있습니다.*

CHAPTER

46 골반장기탈출증

신정호(고려의대), 배상욱(연세의대)

I. 서론

여성의 골반저는 이를 구성하는 근육, 인대, 결합 조직 등에 의해 골반강 내의 비뇨기, 생식기, 장 등 골반 장기를 지지하고, 배뇨, 배변을 통한 배설 기능 및 성생활, 임신과 출산의 통로가 되는 구조물이다. 골반저 구조물에 결함이 생기면 골반장기탈출증과 요실금이 발생하게 되는데, 이런 골반저질환은 삶의 질 및 자아 이미지에 많은 영향을 미치게 된다.

골반장기탈출증은 골반지지 조직의 손상 및 이완에 의해 생식 기관, 방광, 직장 및 일부 소화 기관 등의 골반장기가 질벽 결손부위로 탈출하는 질환으로, 탈출 장기에 따라 다양한 기능 장애를 초래한다. 골반장기탈출증은 모든 연령대에서 발생 가능하지만 연령이 증가할수록 발생 빈도가 증가하고, 발생 원인은 여러 요인이 있으나 임신이 가장 일반적으로 연관된 위험 요인이다. 보고된 골반장기탈출증의 유병률은 여러 연구에 따라 매우 다양하며, 3%에서 50% 사이인 것으로 확인되었다. 한 연구에서는 2050년 미국에서 증상이 있는 골반장기탈출증으로 고통받는 여성들의 유병률이 46%로 증가하여 500만 명 이상이 될 것으로 추정했다. 또한 인구통계학 연구에 따르면 여성의 연령이 증가함에 따라 골반장기탈출증으로 인한 의학적인 도움을 더 찾게 되고, 30세에서 39세 사이의 여성들의 비율은 1/1,000명이며 이 비율은 60-69세의 여성에서 13.2/1,000명으로 증가한다. 증상이 있는 골반장기탈출증에 대한 의료 상담을 받으려는 사람들 중 가장 높은 비율은 70-79세 여성에게서 보고되었으며, 이는 18.6/1,000명에 달한다. 한국에서의 국민건강보험공단자료에 따르면 2009년에서 2014년까지 6년간 50세 이상 여성 중 골반장기탈출증 진단코드를 부여받고 페서리나 수술 치료를 받은 여성의 비율은 1.8/1,000명이었다. 미국의 연간 골반장기탈출증 수술 비율은 1.5-1.8/1,000명으로 80세까지 골반장기탈출증 수술을 적어도 한 번 받은 미국 여성의 평생 위험 확률은 6.3%이고 재발 위험은 30%이다.

이처럼 골반장기탈출증은 전세계적으로 높은 유병율을 보이는 질환으로, 이에 대한 재현성 있고 신뢰도가 높은 표준화된 체계가 필수적으로 필요하기 때문에 1996년 골반장기탈출증 정량화체계(pelvic organ prolapse quantification system, POP-Q)가 국제요실금협회(International Continence Society), 미국여성비뇨의학회(American Urogynecologic Society), 부인과학회(Society of Gynecologic surgeons)에 의해 승인되었다. 이러한 체계에 의해 진단된 골반장기탈출증을 가진 환자는 각각의 병기 및 위치 상태, 기저 질환에 따라 적절한 치료를 받게 된다.

II. 역학

1. 병인

출산력 증가, 나이 증가, 골반장기 지지 결함을 교정하기 위한 수술 기왕력은 골반장기탈출증의 위험 인자로 일관되게 판명되는 것들이다. 이외에도 만삭아의 질식분만, 자궁절제술, 선천 결함, 인종, 생활양식, 복강내 압력을 증가시키는 만성 질병상태(예: 만성 변비, 폐질환, 비만)를 포함한 여러 인자들이 제시되고 있다. 하지만, 이 부분에 대한 문헌들은 그다지 일관되지 않으며, 이들 인자들의 역할이 아직 완전하게 이해되지 못하고 있다.

1) 출산

만삭아의 질식 분만은 차후의 골반장기탈출증 발생에 가장 유의하게 기여하는 인자로서 보고되고 있다. 태아머리마루(vertex)가 질 관을 통과할 때, 항문올림근(levator ani muscle)과 음부 신경(pudendal nerve)을 신전시킴으로써 영구 신경병증과 근육 약화로 이어지는 손상을 일으키며, 이 손상이 결국 후에 발생하는 골반장기탈출증에 최종 원인이 되는 것으로 여겨진다. 네 번 이상 질식분만을 한 여성에서 미산부에 비해 골반장기탈출증의 위험이 11배 증가함을 입증한 한 연구가 있으며, 보다 큰 영아가 분만 시점에서 골반저에 더 많은 손상을 가한다는 것이 제시되고 있다. 기구를 사용한 질식분만은 위험을 증가시키고, 중측방회음절개(mediolateral episiotomy)는 위험을 감소시킨다는 보고들이 있지만 이에 대한 증거는 불충분하다.

2) 나이

나이가 증가함에 따라 골반장기탈출증의 유병률이 증가한다는 것은 이미 여러 보고들을 통해 알려진 바 있다. 연구에 따르면 골반장기탈출증의 유병률은 삶의 10년마다 40%씩 증가한다. 최고 수술 연령은 71-73세이며, 연간 위험은 4.3/1,000이다. 증상이 있는 골반장기탈출증을 가진 여성들 사이에서 나이 분포는 급격하게 증가한다. 골반장기탈출증으로 고통받는 20-29세 여성은 6%를 차지하고, 50-59세 여성은 31%를 차지하며, 80세 이상이 50% 정도이다.

3) 폐경

폐경 여성에게서 골반장기탈출증이 더 많이 발생하는 것을 통해 폐경 상태가 위험인자임을 보이는 연구가 있다. 폐경기의 호르몬 변화는 전신 에스트로겐 농도 저하를 유발하며 골반장기의 저에스트로겐 환경은 콜라겐의 구성과 강도에 변화를 일으킨다. 그러나 에스트로겐과 선택에스트로겐수용체 조절제(SERM)가 골반장기탈출증의 발생에 미치는 영향을 평가한 연구들은 상반된 결과를 보여준다. 비록 에스트로겐이 탈출의 발생을 예방하지는 못 하더라도 동반되는 위축질염 등의 증상 감소를 위한 보조치료로서는 의미가 있다. 결론적으로 골반장기탈출증의 발병에 여성호르몬의 역할은 더 논의되어야 할 문제다.

4) 이전의 수술력

골반장기 지지결함을 교정하기 위한 수술을 받은 환자들은 이미 골반저 질환을 유발하는 위험인자들을 가지고 있으며, 따라서 골반장기탈출증 발생의 위험이 높을 수 밖에 없다. 골반장기탈출증의 수술적 교정 후 재발율은 15-30%로 보고되고 있으며, 중증 골반장기탈출증을 가진 환자들을 대상으로 분석한 연구에서 이전의 골반장기탈출 교정수술력은 이후 중증 자궁탈출 발생에 대한 가장 큰 단일 위험인자임이 밝혀졌다. 다시 말해 이것은 골반장기결함의 위험을 예측하기 위한 강력한 예측인자로서 의의가 있다고 할 수 있다.

또한 자궁절제술을 한 경우 수술을 하지 않은 여성에 비해 중심부의 탈출증의 위험이 증가하였다. 수술 중 골반 연결조직의 손상, 골반 혈액공급 및 신경의 손상이 있고, 많은 자궁절제술에서 질원개의 안전한 고정이 이뤄지지 않아 이로 인한 골반장기탈출증이 발생할 수 있다. 자궁절제술 후 160,000명의 여성을 평가한 코호트 연구에 따르면, 골반장기탈출증의 발병 위험은 대조군의 경우 2%에 불과했던 것에 비해 3.2%였다.

5) 체질량지수(BMI)/비만

비만은 골반장기탈출증의 증상에 직접적으로 영향을 미친다. 복부내 압력은 복부신경을 포함한 골반 구조에 과도한 압력을 가한다. 당뇨병과 같은 동반 질환은 신경병증과 유전 배경, 관절 과운동성을 통해 조직의 상태가 나빠지는 원인이 된다. 한 연구에서는 골반장기탈출증 발생 및 재발 위험인자를 결정하기 위해 체계적인 검토를 수행하였고, 높은 체질량지수는 중요한 위험 요인이 되었다. 체중감소는 해부학적 개선과는 관련이 없을 수 있지만, 증상 개선과는 관련이 있을 수 있으므로 골반저 질환 증상 감소에 유익한 영향을 미치기에 비만 여성들에게 일차 치료방법으로 고려되어야 한다.

6) 선천질환

특정 선천질환과 골반장기탈출증 간에 연결 고리를 찾는 것은 학계의 큰 쟁점 중에 하나이다. 골반지지 결함에 관여될 수 있는 하나의 분명한 선천이상은 교원성 혈관질환(collagen vascular disease)이다. 골반장기탈출증이 있는 여성의 두덩자궁목근막(pubocervical fascia)의 경우 대조군에 비해 총 교원질 양이 더 적고 더 약한 형태의 교원질이 증가한다는 연구결과가 있다. 그러므로 골반장기탈출증이 교원질 결함과 관련성이 있다면 선천결합조직 질환이 있는 여성들에게서 탈출 빈도가 더 커야 하지만, 엘러스-단로스증후군(Ehlers-Danlos syndrome) 여성들을 평가하였을 때 더 큰 관절 운동성의 정도와 골반장기탈출증의 발생 정도 간에는 관련성이 없었다.

골반장기탈출증과 관련되는 다른 선천 결함은 이분척추(spinal bifida)이다. 이 질환은 젊은 미산부 환자들의 골반장기탈출증과 연관된 보고들이 있으며, 연관이 명확히 밝혀지지는 않았지만 중증 골반장기탈출증을 가진 여성에서 잠재 이분척추에 대한 평가는 정당화되고 있다. 그러나 이는 명확한 기전이 밝혀지지 않았으며, 이들 질환을 가진 환자에 대해 골반장기탈출증을 예방하거나 조기치료 하는 방법에 대한 어떠한 가이드 라인도 제시되고 있지 않다.

7) 유전 요인

골반장기탈출증에 영향을 미치거나 악화시킬 수 있는 다른 모든 위험 요소와 무관하게 유전 소인이 있다는 것은 잘 확립된 사실이다. 가족력이 있는 여성의 경우 일반 인구에 비해 골반장기탈출증 발생률이 2.5배 증가하였다. 또한, 젊은 나이에 골반장기탈출증이 발생한 여성들은 고령에 골반장기탈출증이 발생한 여성들에 비해 어머니, 자매, 딸(first degree) 등이 골반장기탈출증을 가질 확률이 더 높다. 몇 연구들은 골반장기탈출증의 원인이 되는 유전자를 확인하기 위해 시도하였으며 이에 대한 연구가 더 필요하다.

8) 생활 양식

스포츠 활동 시 고강도 운동을 하거나, 생활 환경상 10 kg 이상의 무거운 짐을 드는 일을 자주 하거나, 장시간 서서 작업을 하는 직업을 가진 여성들이 이를 하지 않는 여성보다 골반저질환 및 이에 관련된 합병증을 보이는 것으로 알려져 있다. 고강도의 스포츠를 즐기는 여성의 경우 위험요소가 없는 젊은 여성들에 비해 높은 요실금 발생률을 보고하고 있는 연구가 있었지만, 골반장기탈출증과의 관계는 보고된 바 없다. 고강도의 운동이 골반저질환에 영향을 미치는지 아직 알 수 없지만, 무거운 것을 드는 것 역시 골반저 기능부전 발생의 한 원인이 될 것으로 보인다.

9) 만성질환

만성폐쇄폐질환 또는 만성기침, 만성변비, 비만과 같은 질환이 위험 인자로 자주 언급되고, 만성변비, 비만, 흡연은 모두 복압요실금의 형태로 골반저 기능부전 발생과 관련이 있는 것으로 보인다. 그러나 골반장기탈출증의 발생에 어떤 영향을 미치는가에 대한 내용은 아직 명확하게 규명되지 않았다. 이에 대한 추가 연구가 필요하다.

10) 인종 차이

골반장기탈출증의 발생에 유전 소인이 영향을 미친다. 인종간의 발생빈도에 대한 여러 가지 보고들이 있다. 흑인 또는 아시아 여성보다는 백인여성에서 탈출 발생에 대한 위험이 더 크다는 보고가 있었고, 백인 여성보다 아시아 여성에서 근막지지에 있어 교원질 함량이 더 많은 것으로 나타났다. 그러나 인종간의 해부학적 차이가 골반장기탈출증에 어떤 영향을 미치는가에 대한 더 많은 연구가 필요하다.

III. 증상 및 진단

골반장기탈출증은 환자 개개인에 따라 다양한 증상을 나타낸다. 대부분의 환자들은 증상이 없으나 질 밖으로 튀어나온 돌출부를 보거나 느끼는 것이 가장 특징적인 증상이다. 환자의 자각 증상으로 하복부 중압감, 질 밖으로 무언가 튀어나온 느낌, 또는 달걀 위에 앉은 것 같은 느낌이 드는 증상이 있으며, 치료에 의해 가장 효과적으로 호전되는 증상은 불룩하게 튀어나오는 증상이다. 완전 자궁탈출증이라도 단지 국소적 불편감만 있는 경우도 있지만, 대체로 만성골반통, 하중감, 배뇨장애, 요실금, 배변장애, 변실금, 성기능장애 등을 유발한다. 오래 서있거나 무거운 물건을 들어올리거나 기침을 하는 등 복압이 올라가면 증상이 유발되어 일상생활 속에서 불편감을 느낄 수 있고 증상이 심한 경우 불안감으로 인해 사회적 고립 및 우울과 같은 정신 증상을 유발하기도 한다. 환자의 주관적인 증상이 진단에 중요하며, 진찰실에 내원하여 앙와위 자세를 취한 후 Valsalva 법으로 복압을 주게 하여 내진을 통해 탈출 장기의 위치 및 병기를 확인한다. 장기의 위치 및 병기는 표준화된 기록법인 POP-Q 병기체계에 의거하여 각 장기의 지점들

표 46-1. POP-Q 병기체계

병기	기준
0기	Aa, Ba, Ap, Bp가 모두 −3이고, C, D가 ≤ −(TVL−2)일 때
1기	0기 기준을 만족하지 않고, 선진부 지점 < −1일 때
2기	1 ≤ 선진부 지점 ≤ +1일 때
3기	+1 < 선진부 지점 〈 +(TVL−2)일 때
4기	선진부 지점 ≥ +(TVL−2)일 때

★ 감별 진단
단순 경관비대증, 점막하자궁근종, 거대 자궁내막용종, 심한 변비, 거대 방광결석 등과 감별이 필요하며, 단순 경관비대증은 골반저의 이완이나 방광, 직장 탈출은 동반하지 않는다.

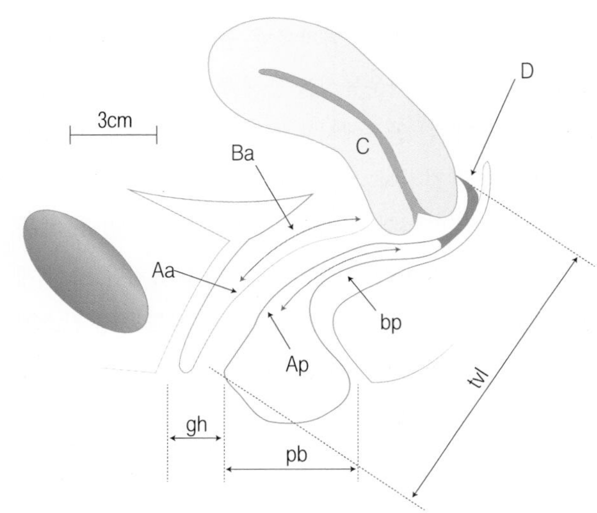

• **그림 46-1. POP-Q 병기 설정을 위한 9개의 진단 기준점**
Aa: 질입구주름 기준으로 근위부 앞질벽 3 cm 지점
Ba: 상부 앞질벽의 가장 원위부 지점
C: 자궁목 또는 질원개의 가장 원위부 지점
D: 뒤질천장
Ap: 질입구주름을 기준으로 근위부 뒤질벽 3 cm 지점
Bp: 상부 뒤질벽의 가장 원위부 지점
Genital hiatus (gh): 질입구의 단면 길이(외요도구에서 질입구주름 후중앙까지의 길이)
Perineal body (pb): 항문 중앙에서 질입구주름 뒤중앙까지의 길이
Total vaginal length (tvl): C 또는 D를 정상위치로 복구시킨 상태에서 측정한 전체 질길이

이 어느 정도 빠져나왔는지를 기록한다. 각 장기의 위치 및 병기에 따라 그 치료 방법 및 수술 범위는 달라진다(표 46-1, 그림 46-1).

IV. 치료

선진부가 질입구주름 기준 안쪽인 2기 초반, 2a 이하의 골반장기탈출증은 악화요인을 회피하거나 줄이는 생활습관 교정이 필요하다. 국소 에스트로겐 도포요법도 흔히 동반되는 위축질염을 치료하며 뻐근하고 당기는 느낌 등의 증상 경감에 도움이 된다. 골반저근육강화운동을 권하기도 하지만, 골반저근육강화운동을 하더라도 진행을 늦추기는 어려우며, 실제 수술을 받게 되는 시기에 영향을 미치는지 알아본 연구에서는 아쉽지만 수술 시기에 차이가 없다고 보고되었다. 오히려 잘못된 방법으로 골반저근육강화운동을 하는 경우 복압을 증가시켜 병의 진행을 유발할 가능성이 있으므로 주의해야 한다. 질입구주름 바깥쪽으로 나오는 2기 후반인 2b, 혹은 3기 이상 골반장기탈출증의 치료는 단기간의 페서리 치료 외에는 수술이 유일한 치료 방법이며, 수술을 시행하더라도 추후 재발 가능성이 15-30%에 달하고, 진행된 병기를 보이는 경우일수록 재발율이 높게 보고되므로 수술을 하더라도 악화요인을 줄이는 생활습관 교정이 반드시 동반되어야 한다.

1. 비수술 치료

1) 골반근육운동(Pelvic muscle exercise)

Arnold Kegel에 의해 고안되고, Greenhill에 의해 골반근육을 스스로 강화하는 운동이다. 요실금을 예방하고 치료하며, 골반저 탈출을 치료하며, 성 감각을 향상시킬 수 있는 방법으로 주장되었다. 복압요실금에서 분명한 효과를 보이는 치료법으로 여러 문헌에서 보고되고 있으나, 골반장기탈출증 치료에 있어서의 유용성은 입증되지 않았고, 실제 수술을 받는 시기를 늦추는 효과는 없는 것으로 보고되고 있다.

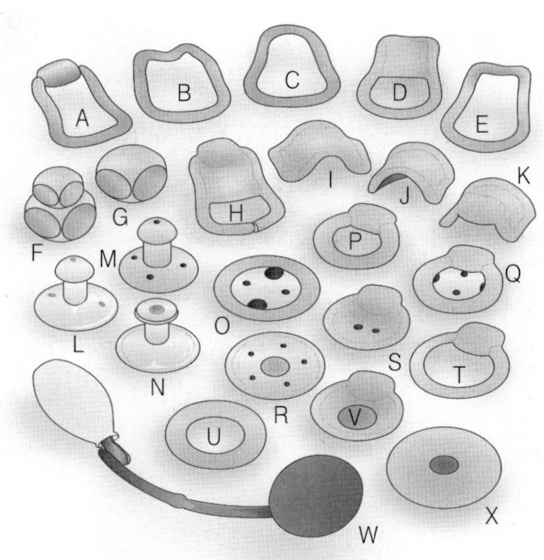

• 그림 46-2. 여러 페서리 종류

2) 페서리(Pessary)

페서리는 골반장기탈출증 치료에 있어 동반된 내과 질환 등으로 수술을 받기 어렵거나 기대여명이 짧은 환자에게 효과적이고 적절한 대체방법이다(그림 46-2). 그러나 장기간 사용하고 유지하는 것에는 염증의 발생이나 외상, 샛길의 발생 등 어려움이 따르므로 기대수명이 긴 여성에게 장기간 사용은 적절하지 않을 수 있다. 특정 페서리가 특정 상황에서 더 낫다는 증거는 없으므로 의사의 익숙함과 환자의 편안함에 기준을 두고 페서리의 종류를 선택하면 된다.

(1) 환자 평가

페서리 크기를 결정하기 위해, 골반진찰을 시행한다. 질의 깊이와 너비를 측정함으로써 페서리의 크기를 결정하며, 페서리 맞춤(fitting)의 목표는 다음과 같다;

① 탈출로 인한 증상의 교정,

② 찰과상, 미란, 출혈과 같은 질점막 압박과 연관된 이완을 피할 수 있는 적절한 페서리 크기 맞춤,

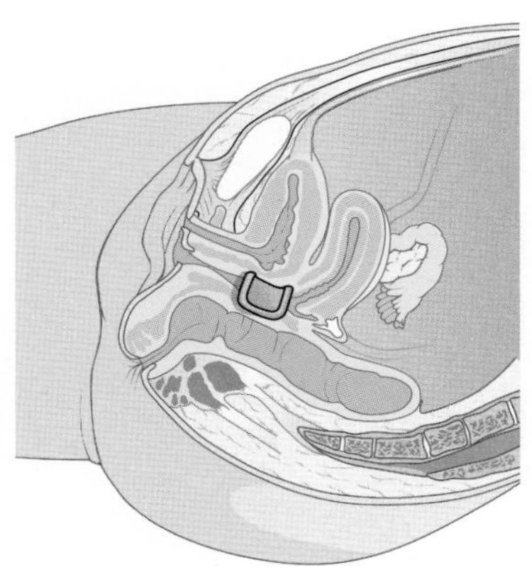

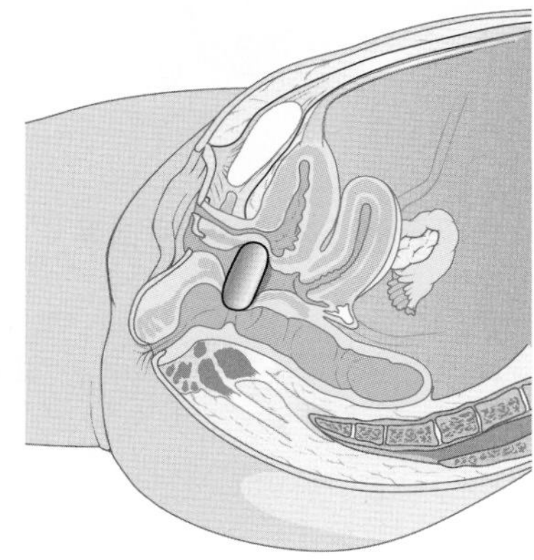

● 그림 46-3. 페서리 삽입 위치

③ 환자가 페서리의 여부를 자각하면 안됨

그림 46-3과 같이 적절한 위치에 페서리를 삽입한 후 환자에게 페서리가 잘 맞는지 평가해야 한다.

(2) 페서리의 금기와 합병증

자궁의 염증질환, 자궁내막증 등으로 후방으로 고정되어 유동적이지 못한 경우 페서리를 삽입할 수 없다. 또한 골반장기탈출증 정도가 너무 심해서 페서리로 지탱하지 못하는 경우에 페서리를 사용하지 못하는 경우가 많다. 심한 질염, 경부염이 있는 경우 역시 금기이다. 매일 질세척을 하고, 페서리를 6-8주마다 제거하여 세척해도 상피에 자극 외상이 일어나는 경우가 종종 있기 때문에, 지속적인 관리가 중요하다. 장기간 페서리를 사용하는 경우에 원발 질암, 감염, 샛길 등이 발생할 수 있으므로, 주기적인 자궁경부세포검사가 필요하며, 삽입 후 적어도 6-12주 간격으로 정기적인 진찰이 필요 하다. 질상피가 얇은 환자에게는 호르몬요법이 권장된다.

2. 수술 치료

골반장기탈출증의 수술적 치료는 폐쇄수술과 교정수술로 우선 나뉘게 된다. 그 중 교정수술 방법은 새로운 수술 방법들이 도입되기도 하고, 안전성 우려로 사용이 줄어들기도 하면서 큰 변화를 거치며 발전해 가고 있다. 골반지지 구조의 결함을 교정하는 위치에 따라 앞, 첨부(가운데), 뒷구획의 수술로 분류하는데, 앞구획의 결함이 가장 많은 빈도로 발생한다. 어느 구획의 결함인지에 따라 그 해부학 구조에 맞는 수술방법의 조합을 선택하게 된다. 과거에는 흔히 결함구획과 상관없이 일괄적으로 질식전자궁절제술과 전후방질벽협축술을 시행하였으나, 결함위치와 불문한 교정술을 시행하는 것은 바람직하지 않으며, 특히 첨부의 결함이 있는 경우는 반드시 첨부지지술을 같이 해주는 것이 권고되고 있다.

수술 교정의 방법은 구획별 분류 외에 경로에 따라 크게 2가지 경로로 구분할 수 있는데, 질식(transvaginal)으로 아래에서 접근하는 방법과, 복식(transabdominal), 복강경 또는 로봇(laparoscopic/robotic)으로 위쪽에서 접근하는 방법의 두가지 경로가 가능하다. 과거에는 개복을 통해 복식으로 진행되던 수술들이 근래 복강경 수술기법과 장비의 발달이나 로봇수술기의 도입으로 점차 미세침습 접근으로의 전환이 이루어지고 있다. 각각의 수술 방법은 골반지지 구조의 결함 위치, 집도의의 경험 및 환자의 기저 질환, 환자의 수술 방법에 대한 선호도에 따라 선택되며, 2017년 요실금 국제 협의회(International Consultation on Incontinence, ICI)에서는 골반장기탈출증 때의 수술 방법 선택에 대한 모식도를 제공하였다(그림 46-4).

앞구획의 결함은 방광류와 질측부 결함을 포함하며, 이를 교정하기 위해 앞질벽협축술(anterior colporrhpaphy, 그림 46-5)과 질방교정술(paravaginal repair)이 고전적인 수술법으로 인정되어 왔다. 그물망, 메쉬를 이용해 방광저와 질벽 사이에 고정을 해서 당겨 올려주는 질식 교정술

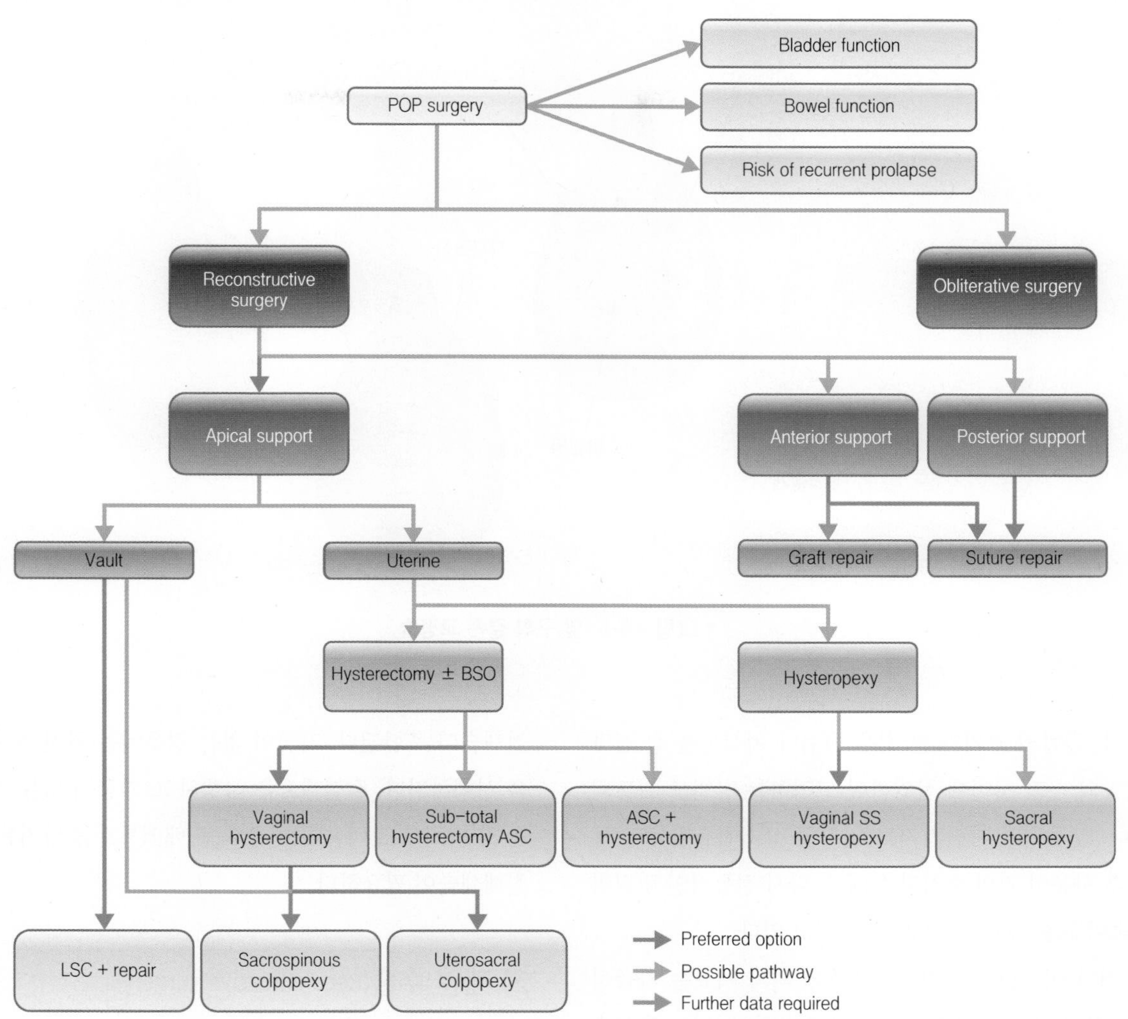

• 그림 46-4. 2017년 요실금국제협의회(International Consultation on Incontinence, ICI)의 골반장기탈출증 때의 수술 술기 선택에 대한 모식도

의 경우 고전적인 수술법에 비해 재발률을 감소시키는 장점이 보고되었으나, 비정상 상처치유반응(Wound healing abnormality, mesh erosion)의 발생 보고로 인해 FDA에서 질식 그물망을 이용한 수술의 경고를 하고나서 사용이 매우 제한되고 있는 현실이다. 또한 앞구획의 교정은 일부에서 카데바나 동물로부터 추출된 생물학 이식물을 사용하는 시도가 되고 있으나, 대부분은 다시 고전적인 수술 방식으로 회귀하고 있는 상태이다.

질첨부, 질원개탈출증 교정은 메쉬를 이용한 복식 엉치질고정술, 혹은 천골질고정술(sacrocolpopexy)이 1962년 처음 발표된 이후 표준수술방법으로 인정받고 있으며, 그 외에도 질식으로 접근하는 천골자궁인대고정술(uterosacral ligament suspension), 천골쐐기인대고정술(sacrospinous ligament fixation), McCall 질첨부교정술(McCall culdoplasty)이 꾸준히 사용되고 있다. 나이와 지역, 시술하는 기관에 따라 복식과 질식을 선택하는 경로가 다양하다. 90년대 후반부터는 복강경 엉치질고정술이 등장하였고, 2010년대 이후 로봇이 도입되면서부터 로봇유도 하에 시행하는 엉치질교정술이 개발되어 시행되고 있다. 자궁탈출증의 경우, 자궁을 보전하거나 자궁을 전체를 절제하거나 부분절제하면서 질첨부를 지지하는 방식들의 조합이 가능하다.

뒷구획의 결함은 직장류를 일컫는데, 뒷질벽협축술(posterior colporrhaphy)이 고전적인 수술 방법으로 사용되

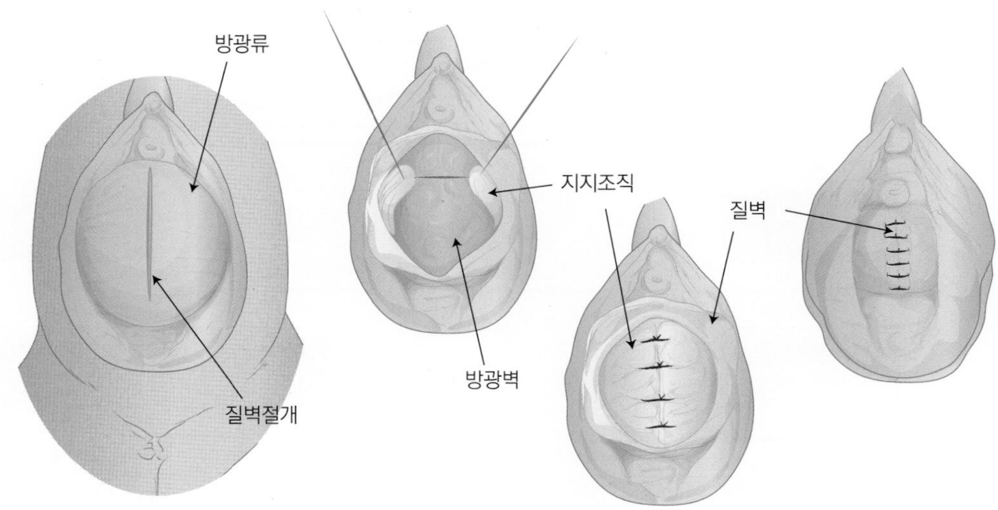

• 그림 46-5. **앞 구획 결손 교정술**

고 있다. 결함의 크기가 큰 경우 메쉬나 이식물을 질 점막과 직강의 근막 사이에 삽입하여 고정하는 방법도 시도되었으나, 앞구획과 마찬가지로 비정상 상처치유반응의 보고 이후 사용이 거의 중지된 상태로, 다시 전통적인 뒷질벽협축술이 표준 치료방식으로 사용되고 있다.

그러나 이러한 골반장기탈출증의 외과 치료는 가급적 가족계획이 완료된 이후까지 연기해야 한다. 이는 출산으로 수술 효과를 다시 손상시킬 수 있기 때문이다. 골반장기탈출증의 교정은 아래 기술하는 방법으로 시행한다.

1) 폐쇄 수술(Obliterative surgery)

질폐쇄술로 대표되는 폐쇄수술은 국소마취가 가능하며, 수술시간이 짧아 이환율을 감소시킬 수 있다. 또한 수술 단면도 큰 혈관과 신경에서 떨어진 단면에서 박리하기 때문에 다른 재건수술과 관련된 출혈이나 신경손상의 합병증을 최소화할 수 있다. 하지만, 추후 자궁경부와 자궁내강의 평가가 불가능하기 때문에 질폐쇄술 시행 전에 질식자궁절제술을 고려하거나, 자궁경부와 내막에 대한 평가가 시행되어야 한다. 또한 폐쇄 수술 시 성교가 불가능하다는 것을 충분히 숙지시켜야 하며, 환자가 이를 받아들일 수 있어야 한다. 폐쇄 수술에는 부분 또는 전체 질폐쇄술과 질절제술이 포함된다. 자궁이 없는 경우에는 완전 질폐쇄술을 시행하거나, 질절제술을 시행하고, 자궁이 있는 경우에는 자궁 경부 분비물에 대한 측면 배액통로를 남기는 부분 질폐쇄술이 필요하다.

2) 재건 수술(Reconstructive surgery)

(1) 앞구획 결손(Anterior compartment defect)

원래 앞질벽협축술(anterior colporrhaphy)은 1914년에 요실금을 교정하기 위해 등장하였으나, 지금은 앞구획 탈출증을 교정하는 술식으로 자리매김했다. 2000년대 이후 메쉬가 등장하면서, 이를 사용하여 내구성(durability)을 높이는 수술 방법이 등장했는데, 메쉬 사용의 장점은 복원술 시 내구성을 지지해 주고, 해부학적인 기능을 보강해 주는데 있지만, 이러한 장점에도 불구하고, 수술 중 합병증, 상처 회복 이상 등의 부작용이 보고되면서 요실금 국제 협의회에서는 앞질벽협축술 시 폴리프로필렌 메쉬를 사용하는 것이 수술 1년 후 해부학 경과를 향상시킬 수 있지만, 동시에 발생할 수 있는 합병증도 고려해야 한다고 권고하였다. FDA로부터 경고를 받은 이후 의료기기 회사들의 제품철수가 이어지면서 미국 등에서는 사용이 불가능해졌고, 유럽과 일부 국가들에서만 사용되고 있으나 그 시행빈도가

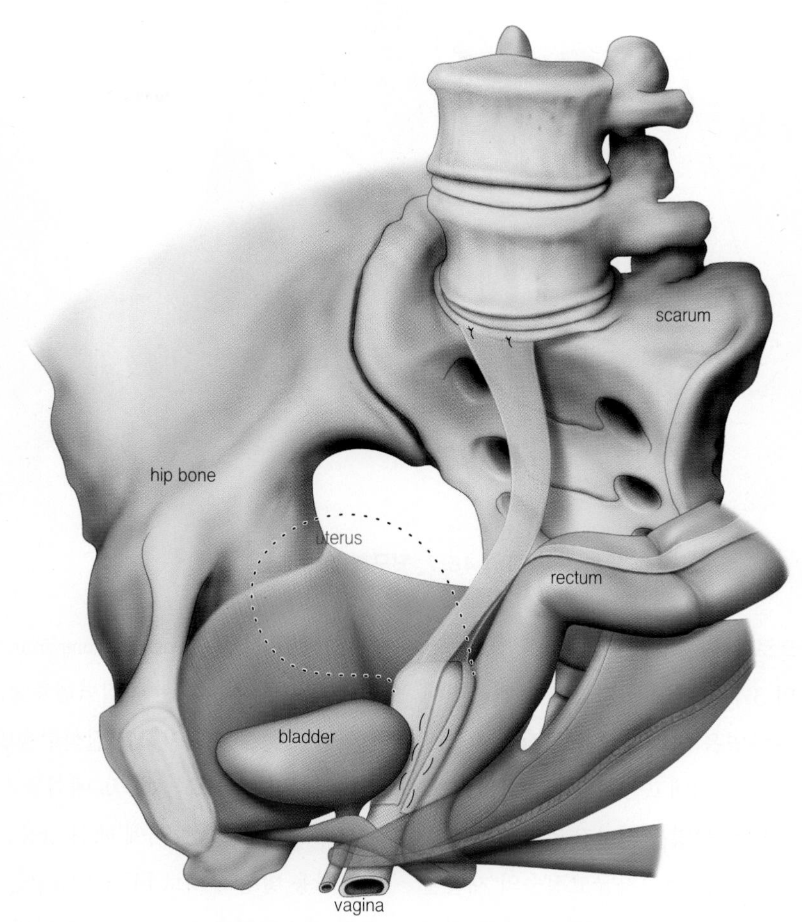

• 그림 46-6. 엉치질고정술

현저히 감소한 상태로, 지금은 다시 앞질벽협축술이 표준 술식으로 시행되고 있다.

(2) 질첨부 결손(Apical compartment defect)

현재까지 질첨부 교정술로 사용되고 있는 표준 수술 방법은 엉치질고정술(그림 46-6)로, 지역에 따라 시행 방법에 차이가 있어왔는데, 프랑스나 유럽에서는 질식 교정술 후 재발하거나, 60세 미만의 여성에서 복강경 엉치질고정술(laparoscopic sacrocolpopexy)을 시행하는 경향이고, 미국이나 영국에서는 복강경 수술은 거의 이루어지지 않고 대부분 복식 엉치질고정술을 많이 시행해 왔다. 개복 복식에 비해 유럽에서 주로 시행되던 복강경 엉치질고정술의 경우, 개복에 의한 합병증을 줄일 수 있고 회복속도나 재원일수를 단축시킬 수 있는 장점이 있으나, 고도로 훈련된 의사들의 복강경 기술이 필요하며, 숙련까지의 시간이 오래 걸리고, 숙련된 의사들이라고 하더라도 수술 피로도가 높은 단점이 있어 왔다. 그러나 로봇수술기의 보급 이후 수술 피로도가 감소하며 숙련까지의 시간이 단축되면서, 미국에서는 급격한 속도로 복식에서 로봇식으로 전환이 이루어지고 있는 상태이다.

자궁탈출증의 경우, 재발한 경우이거나, 위험인자의 동반으로 재발의 우려가 높은 경우, 특히 3도 이상의 진행된 상태이거나, 60세 미만의 여성에서 전자궁절제술을 시행하면서 엉치질고정술을 시행하는 것을 권고하고 있다. 자궁 전체를 보전하거나 부분절제로 경부를 남기면서 엉치자궁고정술을 시행하는 경우는, 자궁절제 이후 시행하는 엉치질고정술에 비해 매쉬가 노출되는 부작용을 줄일 수는 있다는 장점은 있으나, 최근 1형 메쉬를 사용한 이후 메쉬의 부작용 빈도는 많이 감소한 반면, 골반장기탈출증의 재발율이 높고, 이후 남아 있는 자궁에서 병변이 발생할 경

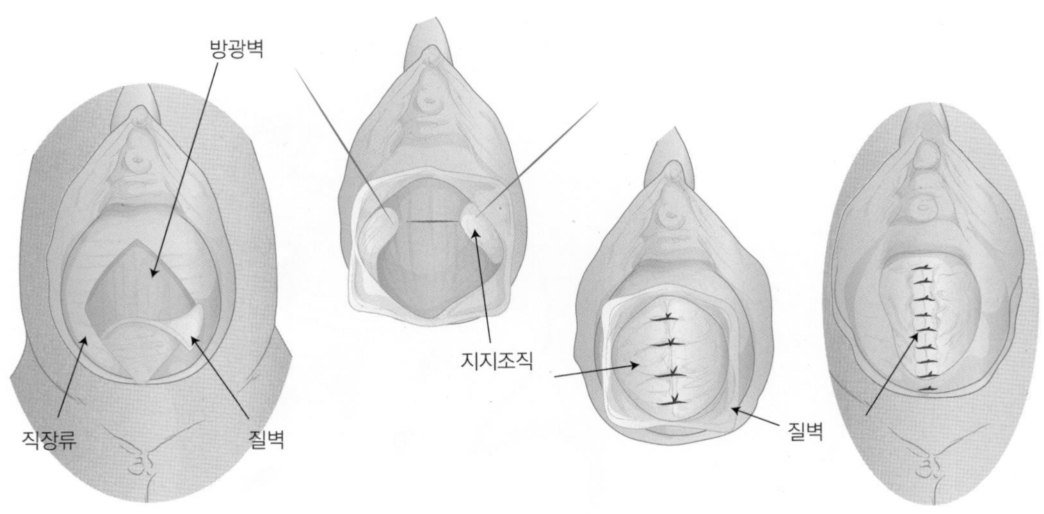

● 그림 46-7. **뒷구획 결손 복원술**

우, 메쉬로 인한 유착으로 인해 수술로 제거가 어렵다는 단점이 있다. 네덜란드의 3개 센터에서 자궁을 보전하면서 엉치자궁고정술을 사용하였을 때의 재발율과 질식 자궁절제술을 시행하면서 자궁천골인대고정술을 시행하였을 때의 재발률을 각군 41명씩 총 82명을 일년간 추적한 무작위 대조연구 결과, 자궁을 보전한 엉치자궁고정술의 재발율이 질식 수술보다 오히려 증가하는 것을 보고한만큼, 자궁을 보전하는 수술 방법의 선택은 신중하게 이루어질 필요가 있겠다.

천골자궁인대고정술(uterosacral ligament suspension)과 천골쐐기인대고정술(sacrospinous ligament fixation)은 엉치질고정술에 비해 환자가 느끼는 재발률이나, 실제 재수술을 하게 되는 비율은 높으나, 수술시간이 짧고, 의료자원 소모가 적은 장점이 있다. 이 두 수술 방법을 총 5년간 추적 관찰한 대규모 임상연구인 OPTIMAL 연구를 통해 비교해 보면, 거의 유사한 재발률을 보였다. 그러나 천골자궁인대고정술의 경우는 천골자궁인대 옆으로 주행하는 요관을 뒤틀리게 할 위험성이 증가하므로 수술 후 방광경검사 등을 통해 요관의 활동성을 확인하는 것이 필요하며, 천골쐐기인대고정술의 경우 후측방으로 질첨부를 당기는 만큼, 원래의 해부학 구조에서 벗어난 질의 각도를 만들면서 앞구획의 방광류 재발이 증가하는 각각의 단점이 있다.

(3) 뒷구획 결손(Posterior compartment defect)

뒷구획 결손에는 뒷질벽협축술(posteriorcolporrhaphy)이라고 불리는 고전적인 질식수술법이 표준 수술방법으로 여겨지고 있다(그림 46-7). 메쉬를 사용한 술식도 시도되었으나, 뒷구획 결손 시에 메쉬 사용은 앞구획과 마찬가지로 부작용 발생 우려로 FDA의 경고를 받은 이후 사용이 급격히 감소하였으며, 요실금국제협의회에서는 뒷질벽협축술을 표준 수술방법으로 규정하고 있다. 메쉬를 사용한 수술은 미국에서는 사실상 퇴출되었으며, 유럽 국가 등에서 제한된 경우에서만 사용이 되고 있을 뿐, 일반적인 경우에는 사용이 권고되지 않고 있다.

** 참고문헌 목록은 대한산부인과내분비학회 홈페이지 http://www.kosge.or.kr 또는 QR코드를 통해 보실 수 있습니다.*

CHAPTER

47 요실금

유은희(경희의대), 전명재(서울의대)

여성의 배뇨는 크게 소변을 저장하는 방광충전기와 소변을 비우는 방광배출기로 나뉘며 이러한 배뇨는 뇌간에서 척수의 하부요로지배 자율신경 및 체신경을 조절하여 방광, 요도와 골반저의 상호협동작용에 의해 이루어진다. 이러한 요저장과 요배출의 실패에 의해 배뇨장애가 초래되며, 환자는 하부요로증상을 호소하게 된다. 하부요로증상은 크게 방광저장증상, 배뇨증상, 배뇨 후 증상으로 구분할 수 있다. 방광저장증상은 방광이 소변을 저장하는 동안에 발생하는 증상으로, 자주 소변을 보는 빈뇨, 밤에 잠을 자는 동안에 소변을 보려고 두 번 이상 잠을 깨는 야간뇨, 밤에 잠을 자면서 깨지 않고 소변을 보는 야뇨증이 있으며, 소변이 갑자기 마려우면 참고 미루지를 못하는 절박뇨, 자신의 의지와는 상관없이 소변이 새는 요실금이 있다. 요실금을 좀 더 세분하면 복압요실금, 절박요실금, 혼합요실금, 지속 요실금 등으로 구분한다. 배뇨 시 나타나는 배뇨증상으로는 소변을 보고자 해도 즉시 안 나오거나, 배로 힘을 줘야 소변을 볼 수 있거나, 소변보는 힘이 약해지거나, 소변이 중간 중간 끊기는 증상들이 있다. 배뇨 후 증상으로는 소변을 다 못 본 느낌이 있거나, 소변을 다 본 다음 소변이 떨어지는 증상이 있다. 과민 방광은 방광저장증상인 절박뇨가 주된 증상으로 빈뇨와 야간뇨와 함께 절박요실금이 있기도 하고 없을 수도 있는 증상 복합체를 일컫는다. 여성의 사회경제활동이 활발해지고, 고령 인구의 증가와 함께 삶의 질을 중요하게 여김에 따라 이러한 하부요로증상으로 병원을 방문하는 환자가 증가하고 있다. 본 장에서는 여성의 하부요로증상 중 요실금에 관하여 정의, 역학, 진단 및 치료 방법 등에 관하여 살펴보고자 한다.

Ⅰ. 정의

요실금이란 본인의 의사와 상관없이 소변이 요도 밖으로 흘러나오는 증상으로 방광내 압력이 요도의 저항보다 높은 경우에 발생한다. International Continence Society (ICS) 정의에 의하면 요의 불수의 유출로 인하여 사회적 위생적 문제가 따르며 객관적으로 요 누출이 증명되어야 한다고 하였다. 요실금은 크게 복압요실금, 절박요실금, 혼합요실금으로 나뉜다. 복압요실금의 병인론은 크게 요도의 과운동성과 내인 요도괄약근의 부전으로 인해 복압이 증가할 때 방광과 요도로 압력이 그대로 전달되어 소변이 새는 것이며, 절박요실금은 소변이 차는 과정 중 이유를 알 수 없는 방광근의 수축이 일어나 요의를 느끼고 이를 억제하지 못하면 소변이 새는 것이다. 임상적으로 복압요실금은 기침이나 재채기, 줄넘기 등에 의해 복압이 증가하는 경우에 소변이 새는 것을 호소하며, 절박요실금은 소변이 마려우면 참기가 어렵고 참지를 못해 소변을 흘리는 양상으로 나타난다. 혼합요실금이란 복압과 절박요실금이 혼재해 있는 요실금이다. 정의에서 보듯이 요실금은 환자가 소변이 새는 것을 호소하는 증상이면서 객관적으로 요실금을 확인하는 징후, 그리고 요역동학 검사에 의해 확진을 하는 진단명이다.

또한 요실금은 섬망, 감염, 위축 요도염, 약물 원인, 심리 요인, 내분비적인 원인, 제한된 이동성, 변막힘이 있는 경우 일시적으로 요실금이 발생할 수 있다.

II. 역학

요실금의 유병률은 요실금의 정의를 어떻게 하느냐, 요실금이 얼마나 자주 발생하는지, 또는 어떤 집단에서 조사하느냐에 따라 차이가 많이 나는데, 일반 성인여성에서 요실금의 유병률은 5-64%까지 보고되고 있다. 그 중 요실금이 매일, 매주 또는 대부분의 시간 동안에 발생하는 요실금으로 정의하여 그 유병률을 조사해보면 3-17%가 중증의 요실금으로 간주되고 있다. 요양원에 거주하는 여성에서 요실금의 유병률은 일반인보다 훨씬 높아 50% 이상으로 보고되고 있다. 요실금의 종류별 빈도를 살펴본 연구에 의하면 복압요실금이 가장 흔하여 5-50% 내외로 보고되고 있으며, 혼합요실금이 2-21%, 절박요실금은 8-29%로 보고되고 있다. 요실금의 발병, 진행, 자연완화에 관하여는 잘 알려져 있지 않으나 요실금의 연 발생빈도는 6.25%이며 이러한 발생빈도는 연령이 증가함에 따라 증가하는 것으로 보고되고 있다. 요실금의 자연완화 또는 호전빈도는 54세-79세 여성에서는 2%, 46세-55세 여성에서는 11.9%, 36세-45세 여성에서는 17.1%로 연령이 증가함에 따라 자연완화 빈도는 감소하는 것으로 보고되고 있다.

1. 위험인자

요실금의 위험인자로 백인 인종, 질식 분만력, 연령의 증가, 비만이 가장 영향이 큰 것으로 보고하고 있다. 호르몬요법이 요실금에 미치는 영향에 관하여 명확하게 밝혀진 바는 없으나, 경구 호르몬요법이 요실금을 악화시키는 것으로 보고하고 있다. 경질에스트로겐은 하부요로증상 일부를 호전시키는 것으로 보고하고 있으나 일차 치료제로 권하지는 않는다. 그 외 인지능력 및 신체기능의 저하, 가족력, 변비, 흡연, 골반장기탈출증을 들고 있다.

1) 연령

1995-1997년까지 노르웨이에 거주한 27,936명의 일반 여성을 대상으로 하여 요실금의 유병률을 살펴본 EPI-CONT 연구에 의하면 요실금의 유병률은 연령이 증가함에 따라 증가하여 40-60세에 최고의 유병률을 보이며, 65-70세 이후에도 꾸준히 증가한다. 요실금의 종류에 따라 연령별 유병률이 다른데, 복압요실금의 유병률은 40-50대에 최고를 보이다가 그 이후에 감소를 하며, 절박요실금과 혼합요실금은 연령이 증가함에 따라 증가하는 추세를 보여 65세 이후에는 혼합요실금이 주된 요실금으로 나타난다. 요실금의 발병률, 자연소실률을 고려해 볼 때, 복압요실금의 발병률은 40-50대에 5%에서 60대에 7.5%로 증가하고 절박요실금의 발병률은 각각 3%에서 2%로 감소하며, 혼합요실금의 발병률 또한 각각 2%에서 10%로 증가하며, 일반적으로 복압, 절박, 혼합요실금의 자연소실률은 발병률에 비해 낮은 것으로 보고되므로, 복압요실금, 절박요실금 각각의 유병률을 합친 것보다 혼합요실금의 유병률이 더 높다. 이는 복압요실금, 절박요실금 중, 한가지 요실금을 보이는 경우에 다른 형태의 요실금에 취약해져 이환율이 증가하여 동시에 두 가지 형태의 요실금을 보이는

것으로 설명되기도 하고, 또는 한 종류의 요실금이 중등도가 심해져서 다른 형태의 요실금이 동시에 발생되는 것으로 설명되기도 한다.

2) 인종

인종에 따른 위험도의 차이가 실제로 생물학 요인으로 또는 사회문화 요인으로 인해 초래되는지에 대해서는 확실치 않다. 그러나 유전 요인과 해부학 요인의 차이로 인해 요실금 위험도는 달라질 것으로 보이나 백인 여성에서 다른 인종에 비해 모든 유형의 요실금의 유병율이 더 높은 것으로 보고되며, 특히 복압요실금의 빈도가 백인여성에서 더 높으며, 일부 연구에 의하면 흑인과 히스패닉 여성에서 복압요실금의 위험도는 낮으나 방광 과활동성의 위험도는 높은 것으로 보고하고 있다.

3) 분만력

분만력은 요실금의 가장 잘 알려져 있는 위험인자이다. 그러나 이러한 위험 영향력은 나이가 듦에 따라 점차 감소하여 노령 여성에서는 분만력이 더 이상의 위험인자가 아닌 것으로 받아들여지고 있다. HERS (Heart and Estrogen/Progestin Replacement Study) 연구와 NHS (Nurses'Health Study) 연구를 보면, 노령여성에서는 분만력이 요실금에 미치는 영향이 거의 없었다. 분만방법 또한 요실금의 위험인자가 될 수 있는데, 질식분만 방법은 분만 직후 일정기간 동안에는 요실금에 영향을 끼치는 위험인자로 간주되나 이러한 영향은 시간이 경과함에 따라 소실되는 것으로 보인다. EPICONT 연구에 의하면, 분만력이 없는 여성에서 요실금의 유병률은 10.1%, 제왕절개술을 받은 여성은 15.9%, 질식분만한 여성은 21.0%의 유병률을 보였으며, 이러한 분만방법의 차이로 인한 유병률의 차이는 50세 이후에는 소실되었다. 일부 연구에서는 이러한 분만방법의 영향력은 분만 후 5년 이후에는 소실되는 것으로 보고하였다. 또, 제왕 절개술의 횟수가 3회 이상 증가함에 따라 요실금의 유병률은 질식분만 여성의 유병률과 비슷하다고 하였다.

4) 비만

비만은 요실금의 강력한 위험인자로 비만여성에서 복압이 더 많이 증가함에 따라 요실금을 초래하는 것으로 여겨지며 체중 감소만으로도 다른 치료 없이 요실금이 소실되기도 한다. 비만으로 인한 체중증가로 인해 골반저에 가해지는 변형손상, 스트레칭 등에 의해 골반저가 약화되어 요실금이 발생하는 기전으로 설명하고 있다

III. 진단

요실금의 진단 검사는 크게 병력청취, 신체 진찰, 요검사 그리고 요배양검사로 이루어지는 첫 평가와 정밀검사로 나뉜다. 정밀검사에는 신기능검사, 요속측정검사, 정맥신우촬영술, 방광내시경, 요역동학검사가 포함되며, 부가적인 선택검사로 요도내압검사(urethral pressure profilometry), 비디오 요역동학검사, 집중적인 근전도검사(concentric EMG), 컴퓨터단층촬영술, 자기공명영상이 있다.

병력청취, 신체 진찰, 요검사 그리고 요배양검사로 이루어지는 첫 평가에서는 요실금이 복압인지, 절박인지, 혼합인지를 구별할 수 있어야 하고, 정밀검사가 필요한 환자인지를 감별해야 한다. 즉 배뇨통, 혈뇨, 재발요로감염증, 배뇨곤란증, 다른 골반장기탈출증을 동반하고 있는 경우, 이전에 요실금 수술, 광범위 골반수술, 골반 방사선치료을 한 적이 있는 경우, 직장 또는 방광간에 샛길(fistula)이 의심되는 경우에는 정밀검사가 필요하다. 즉 외래에서 간단히 행해지는 이러한 검사들을 토대로 예비적인 진단이 내려지며, 이를 토대로 첫 치료가 이루어지게 된다. 그러나 임상상황이 단순하지 않고 복잡한 경우, 일차 치료에도 불구하고 호전이 되지 않는 경우, 또는 수술 치료가 고려되어야 하는 경우에는, 확진을 내릴 수 있는 특수 진단 검사과정이 필요하다.

1. 첫 평가

먼저 병력청취, 신체 진찰, 요검사, 요배양검사 그리고 잔뇨검사를 시행하며, 필요에 따라 방광일지, 패드테스트를 시행한다.

1) 문진

먼저 하부요로증상을 기간과 빈도, 중증도, 그로 인해 삶의 질이 얼마나 영향을 받는지에 관해 질문을 한다. 체계적으로 이러한 요증상을 설문지로 만들어 의사와 면담

표 47-1. 하부요로증상설문지

1. 웃거나, 기침하거나 재채기를 할 때 소변을 속옷에 적신 적이 있습니까?
   □ 없다 □ 간혹 있다 □ 계속 그렇다 □ 요사이는 없으나 전에는 있었다.
2. 소변이 보고 싶으면 참지 못하고 당장 화장실에 가야 합니까?
   □ 아니다 □ 간혹 있다 □ 계속 그렇다 □ 요사이는 없으나 전에는 있었다
3. 소변을 보고 싶으면 참지 못하고 화장실에 가기 전에 또는 팬티를 내리기 전에 소변을 속옷에 적신 적이 있습니까?
   □ 없다 □ 간혹 있다 □ 계속 그렇다 □ 요사이는 없으나 전에는 있었다
4. 하루에 소변을 대략 몇 번 보십니까?
   □ 7-8회 이하 □ 8회 이상
5. 자는 도중 깨서 소변을 보러 가는 횟수는 대략 몇 번 이십니까?
   □ 2회 이하 □ 3회 이상
6. 자는 도중 본인도 모르게 소변을 흘려서 요를 적신 적이 있습니까?
   □ 없다 □ 간혹 있다 □ 계속 그렇다 □ 요사이는 없으나 전에는 있었다
7. 본인이 심각한 스트레스를 받거나, 초조함을 느끼거나 급박감을 느낄 때, 갑자기 강한 요의를 느껴 급하게 화장실을 가야 하는 경우가 있습니까?
   □ 없다 □ 간혹 있다 □ 계속 그렇다 □ 요사이는 없으나 전에는 있었다
8. 성생활 도중 또는 성생활 후 소변을 흘린 적이 있습니까?
   □ 없다 □ 간혹 있다 □ 계속 그렇다 □ 요사이는 없으나 전에는 있었다

9-1. 얼마나 자주 소변을 흘립니까?
   □ 없다 □ 한 달에 1회 미만 □ 한 달에 1회 이상 수 회 □ 일주일에 1회 이상 수회 □ 매일

9-2 소변을 흘릴 때 얼마나 흘립니까?
   □ 몇 방울 이하 □ 몇 방울보다는 많이 또는 흠뻑 적신다

10. 소변이 새는 것 때문에 패드 또는 기저귀를 사용하십니까?
   □ 사용하지 않는다. □ 사용하지 않으나 팬티를 자주 갈아입는다 □ 외출이나 모임이 있을 때에만 사용한다
   □ 하루 중 필요할 때에만 사용한다 □ 일상생활 할 때 항상 착용한다
11. 이전에 방광염이나 신우신염으로 치료 받은 적이 있습니까?
   □ 없다 □ 있다
12. 소변을 볼 때 동통이나 불편감을 느끼십니까?
   □ 전혀 느끼지 않는다. □ 간혹 그렇다 □ 계속 그렇다 □ 요사이는 없으나 전에는 있었다
13. 소변에 피가 섞여 나온 적이 있습니까?
   □ 없다 □ 간혹 있다 □ 계속 그렇다 □ 요사이는 없으나 전에는 있었다
14. 소변을 보려고 시작하기가 어렵습니까?
   □ 아니다 □ 간혹 있다 □ 계속 그렇다 □ 요사이는 없으나 전에는 있었다
15. 소변을 보려면 배에 힘을 주어야 하거나 소변줄기가 가늘고 천천히 나옵니까?
   □ 아니다 □ 간혹 있다 □ 계속 그렇다 □ 요사이는 없으나 전에는 있었다
16. 소변을 다 본 후, 소변이 방울방울 떨어지거나, 시원치 않고 소변이 남아있는 느낌이 있습니까?
   □ 없다 □ 간혹 있다 □ 계속 그렇다 □ 요사이는 없으나 전에는 있었다

표 47-2. 요로기능에 영향을 미칠 수 있는 약물

방광의 수축력에 영향을 미치는 약물
ACE inhibitors β-adrenergic agonists Alcohol Anticholinergics Antidepressants Antihistamines Antipsychotics Calcium channel blockers Narcotics/Opiates Sedatives/hypnotics
방광의 활동성/크레아티닌 청소율을 증가시키는 약물
Caffeines Diuretics
요도괄약근의 긴장도를 증가시키는 약물
α-adrenergic agonists Amphetamines Tricyclic antidepressants
요도 괄약근의 긴장도를 감소시키는 약물
α-adrenergic blockers

하기 전에 환자 스스로가 작성할 수 있게끔 하는 것도 좋은 방법이다(표 47-1). 그리고 내·외과 병력, 신경과 병력, 부인과 병력, 산과력을 문진하여 배뇨장애를 초래하는 질환이 있는지, 예를 들어 당뇨, 뇌졸중, 요추 디스크, 만성 폐색 호흡기질환이 있는지를 물어보아야 한다. 또 요로계에 영향을 끼칠 수 있는 수술을 받은 기왕력 유무, 즉 광범위 자궁절제술, 골반 방사선치료, 질식수술, 요실금수술 유무를 확인을 하여야 한다. 또 현재 복용하고 있는 약물이 요로계에 영향을 끼칠 수 있는지를 확인해보아야 한다. 요로기능에 영향을 미칠 수 있는 약물을 표 47-2에 열거하였다.

2) 신체 진찰

전신 상태로 인지기능, 보행기능, 비만도를 점검하고, 복부, 배부 등에 다른 종물, 근긴장도 등을 검사한다.

(1) 부인과 검사

먼저 방광을 가득 채운 상태에서 기침을 하거나 아래로

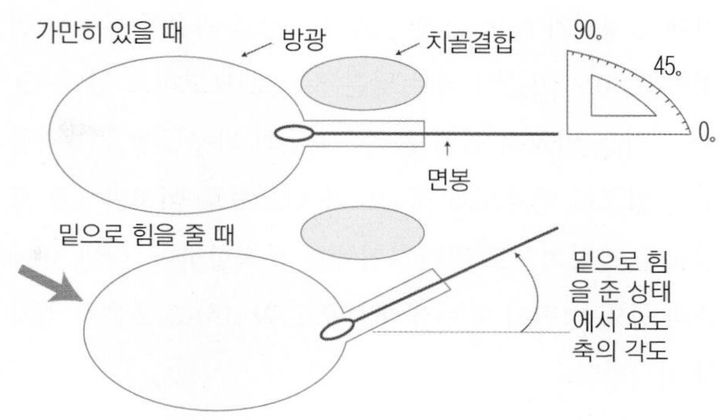

● 그림 47-1. Q-tip 검사

힘을 주게 하여 요실금 유무를 확인하고 방광을 비운상태에서 내진을 하여 골반장기 이상 유무를 확인한다. 앞질벽과 요도를 촉진하여 요도로부터의 분비물, 통증을 확인하여 요도의 병변을 확인할 수 있다. 앞 뒷 질벽, 자궁 또는 질원개의 탈출된 정도를 pelvic organ prolapse quantification (POP-Q) system을 이용하여 기록한다. 또 질과 직장을 통하여 회음부와 질-직장 중격을 확인할 수 있으며, 골반저근육의 긴장도를 평가할 수 있다. 페사리를 하고 있는 여성에서는 방광이 가득 찬 상태에서 기침을 하였을 때 요실금이 있는지(occult urinary incontinence), 페사리를 뺀 다음 골반장기탈출증의 정도를 둘 다 확인하여야 한다. 방광목의 과운동성을 보기 위하여 Q-tip검사를 하기도 한다. 요도를 통해 방광목에 Q-tip을 밀어 넣은 다음, 기침이나 밑으로 힘을 주게끔 하여 Q-tip의 축이 변화하는 것을 측정함으로써 요도의 운동성여부를 측정하는 방법이다(그림 47-1). 즉 소독된 면봉을 윤활유와 국소마취제를 발라 요도를 통해 방광목까지 밀어 넣은 다음 천천히 뒤로 빼내 저항이 느껴지면 그 위치가 방광목이 되는데, 즉 방광목에 Q-tip의 끝이 위치하게끔 둔다. 그리고 가만히 있는 상태에서 Q-tip의 축이 수평과 이루는 각을 정형외과용 각도기로 측정을 하고, 기침이나 밑으로 힘을 주게끔 하여 Q-tip의 축이 수평과 이루는 각도를 각도기로 측정한다(최대 각도, maximum straining angle). 일반적으로 최대 각도가 30도 이상이 되면 요도의 과운동성으로 인정한다. 그러나 경산부여성에서 요실금이 없는 여성과 요실금여성을 대상으로 Q-tip 검사를 해서 최대 각도를 측정한 결과를 보면 두 군

간에 측정치가 서로 넓게 겹쳐져 정상과 과운동 유무를 판정하는 30도 기준이 너무 낮은 것으로 보고하고 있다. Q-tip 검사는 비교적 쉽게 근위요도부의 과운동성을 측정할 수는 있으나 민감도와 특이도가 낮으므로 이것만으로 요실금을 결정적으로 진단하기에는 부적합하다. 골반 내에 종괴 등의 병변이 있는지 내진으로 확인하고 초음파 검사를 실시한다.

(2) 신경과 검사

신경과 진찰은 환자가 진찰실로 걸어 들어와 문진을 하는 과정에서 시작한다. 즉 걸음걸이, 얼굴표정, 대화하고 이해하는 정도를 가지고 그 환자의 신경계 질환 유무를 확인할 수 있다. 요로계에 영향을 끼치면서 운동이상을 초래하는 질환에는 파킨슨씨병, 다발 경화증, 뇌혈관질환, 감염, 종양 등이 있다. 배뇨과정을 조절하는 뉴론을 포함하고 있는 천추 피부분절(sacral dermatomes) 2-4 이상 유무를 확인해야 한다. S2-4 피부분절은 회음부의 가벼운 접촉, 동통, 온도예민도로 검사할 수 있다. 저린 감각이나 감각이상이 있는지를 검사해 보아 피부분절 구획을 정해 보면 중추와 말초신경 장애의 구분이 가능하다. 천골신경반사(sacral cord reflex)를 알기 위하여 망울해면체반사(bulbo-cavernosus)와 항문깜박임반사(anal wink reflex) 검사를 해본다. 이는 음핵과 회음부 피부를 가볍게 때리거나 두드려서 항문괄약근이 수축하는지를 봄으로써 알 수 있다. 만약 이 반사가 없으면 음부신경과 천골신경의 손상을 의미하지만 정상인의 10%에서는 반응이 너무 약해 눈에 잘 보이지 않을 수도 있다. 하지의 근육 강도 검사를 해보면 천골신경의 정보를 알 수 있다. 엉덩이굽힘(hip flexion)은 S2-3의 운동 신경에 의해 조절되고. 발의 바닥쪽 굽힘(plantar flexion)은 S1과 S2에 의해 조절된다. 이러한 검사에서 이상이 나타나면 전문적인 자세한 신경학 검사가 요구된다. 이를 위하여 음부신경 말단운동 반응지연검사(pudendal nerve terminal motor latency, PNTML)나 근전도검사를 한다.

(3) 요검사, 요배양 검사 및 잔뇨 검사

요로계감염이나 대사 질환, 신장과 요로 방광의 질환유무를 알아보기 위하여 반드시 필요한 검사가 요검사이다. 소변의 세균 배양 검사를 하여 감염증이 있는지를 알아보고 기본 검사는 아니지만 자극적 배뇨 증상을 가진 50세 이상의 여성은 비뇨기 종양의 배제를 위하여 소변세포 검사를 가급적 해보는 것이 좋다. 혈뇨가 있으면 소변 세포검사와 정맥신우조영술과 방광경검사를 실시하고 의심되는 병변이 있으면 조직 검사를 실시해야 한다. 단백뇨는 신장 손상의 징후가 될 수 있으므로 24시간 소변단백량을 측정하도록 한다. 배뇨기능을 보기 위해 첫 검사에서 잔뇨검사를 시행하기도 한다. 배뇨 후 10분이내에 측정한 잔뇨량은 50 mL 이하인 경우 정상으로 정의하는데, 실제로 일어난 배뇨량을 고려해서 정의해야 하며, 총 방광에 차있던 소변양의 적어도 70%는 배뇨를 해야 한다.

(4) 배뇨일지(Bladder diary, voiding diary, frequency/volume chart)

병력청취에서 요증상의 빈도나 중증의 정도는 주관적이어서 매우 부정확하다. 그리하여 환자가 배뇨 증상을 일기형식으로 기록하여 객관적으로 확인하고자 하는 것이 배뇨일지다. 배뇨일지에는 크게 3가지로 나누는데, 첫째, frequency charts는 배뇨와 요실금의 횟수를 기록하는 것이다. 둘째, frequency-volume charts로 배뇨와 요실금 횟수, 배뇨량을 기록하는 방법이며, 셋째, 음료나 음식을 섭취하는 종류와 양을 frequency-volume charts에 기록하는 방광일지가 있다(표 47-3). 세 종류 중, 확인하고자 하는 요증상 부분이 포함된 배뇨일지를 골라 작성하는 것이 환자의 순응도를 높일 수 있다. 보통 임상적으로 사용하기에는 24시간 배뇨일지 작성이 편리하며, 특히 요실금을 비수술 치료를 하는 경우 배뇨일지를 작성하게 하면 환자 스스로가 치료 효과를 확인할 수 있고 동기부여 효과도 있다. 평소의 요증상을 반영하기 위해서는 3일간 배뇨일지 작성이 권장된다.

표 47-3. 배뇨일지

날짜 : ______년 ______월 ______일					요 실 금					
시 간	수 분 섭 취		소 변		요 실 금			절박감 유무		소변이 샐때
	종 류	양	횟 수	양	양 (○표시해주세요)			해당되는 문항에 표시 해주세요		무엇을 하고 있었나요?
					소 량	중	다량			
(예)	우유	1컵	2번	600 cc	○			예(○)	아니오	뜀뛰기
오전 6시-7시										
7시-8시										
8시-9시										
9시-10시										
10시-11시										
11시-12시										
오후 12시-1시										
1시-2시										
2시-3시										
3시-4시										
4시-5시										
5시-6시										
6시-7시										
7시-8시										
8시-9시										
9시-10시										
10시-11시										
11시-12시										
오전 12시-1시										
1시-2시										
2시-3시										
3시-4시										
4시-5시										
5시-6시										

(5) 패드테스트

객관적으로 요실금의 유무와 정도를 확인하기 위해 일반적으로 1시간 패드 테스트를 권하고 있다(그림 47-2). 방법은 무게를 잰 패드를 착용한 후 500 mL의 물을 15분에 걸쳐 마신 다음, 30분간 다음과 같은 행동을 한 다음 패드의 무게를 잰다; 걷고, 계단을 오르고, 앉았다 일어서기 10회, 기침 10회, 1분간 제자리 달리기, 몸을 구부렸다 폈다 하는 것을 5회, 1분간 손 씻기를 한 다음 패드를 빼서 무게를 잰다. 1시간 패드 테스트 전후에 패드 무게를 측정하였을 때 정상에서는 그 패드 무게의 증가가 평균 0.26-0.39 g으로 1.4 g을 넘지 않는 것으로 간주한다. 이러한 1시간 패드 테스트를 한 후 요실금의 정도가 평소에 요실금의 정도를 잘 반영하는지를 환자에게 확인하는 것이 중요하다. 1시간 패드 테스트는 외래에서 간단히 시행할 수 있는 장점

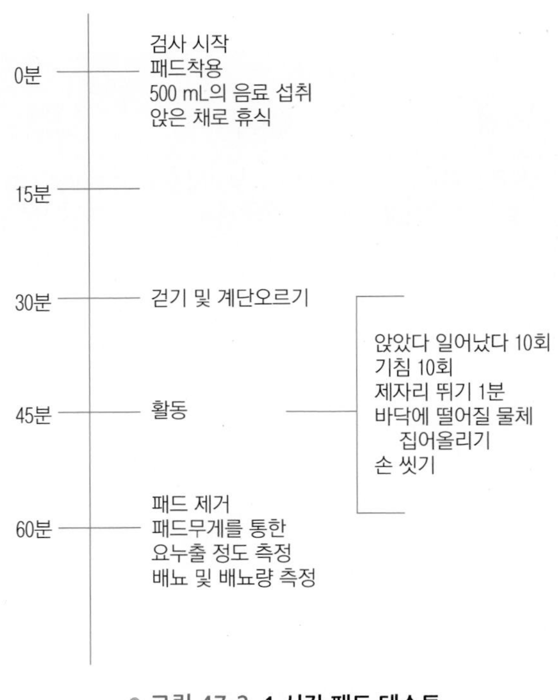

• 그림 47-2. **1 시간 패드 테스트**

이 있는 반면, 단점은 테스트 전 소변을 보지 않고 시행하므로 방광 내 소변의 양에 따라 그리고 운동의 심한 정도에 따라 결과가 크게 차이가 나며 또 재현성이 크게 떨어져 그 결과가 항상 같지 않다는 것이다. 또는 24시간 동안 집에서 사용한 패드를 모아 오게끔 해서 측정할 수도 있다. 그러나 패드 테스트에서 측정된 요실금의 양과 비디오 요역동학검사에서 측정되는 요실금의 심한 정도는 서로 일치도가 낮으며 민감도가 낮아, 임상에서 1시간 패드 테스트를 널리 사용하는데 제한점을 가지고 있다.

2. 정밀검사

정밀검사에는 신기능검사, 요속측정검사, 정맥신우조영술, 방광내시경, 요역동학검사가 포함되며, 추가 선택검사로 요도내압검사, 비디오 요역동학검사, 집중 근전도검사, 컴퓨터단층촬영술, 자기공명영상이 있다.

1) 신기능검사

하부 요로계의 기능장애는 신부전의 흔한 원인이므로 소변 비중검사 및 혈청 크레아티닌농도 및 크레아티닌 청소율을 측정하기도 한다.

2) 영상 검사

방광조영술은 신경 기능이상을 가진 환자의 하부요로계 검사에 중요하며 방광, 방광출구, 요도의 해부학적 구조, 역류, 게실, 결석의 유무에 대해 정보를 제공한다. 하부요로의 기능이상이 있는 모든 환자에게 상부요로계검사가 필요하지는 않지만, 고저장압, 고배뇨압, 배뇨근-괄약근 협조장애(detrusorsphincter dyssynergia)와 같은 방광요관역류와 같은 위험인자가 있다면 상부요로검사가 필요하다. 신장초음파검사는 일차적으로 상부요로 영상검사방법으로 신장의 크기, 신반흔, 종물, 폐색의 양상과 이에 따른 수신증 여부를 확인할 수 있다. 방광목 및 요도의 과운동성을 측정하기 위해 경회음부 초음파 검사를 시행한다.

3) 방광경검사

하부요로의 내시경 검사는 협착, 게실, 결석 등의 해부학적 또는 구조적 이상을 찾아내는데 도움이 되며 혈뇨의 평가에도 이용된다.

4) 요속측정검사/요역동학검사

요속측정검사/요역동학검사는 하부요로증상으로 내원하는 환자의 요 저장기능과 배뇨기능을 보는 검사로 이러한 요역동학검사로부터 정확하고 가능한 많은 정보를 얻기 위해서는 병력청취, 신체 진찰, 요검사 등에 의해 얻어진 충분한 임상정보를 가지고 시작하는 것이 중요하며, 이러한 임상정보가 요역동학검사를 통해 환자가 가지고 있는 문제가 가능한 다 재현되도록 노력을 하며, 요역동학검사가 시작되면 계속 관찰을 하며 오류가 나면 즉시 교정을

표 47-4. 요역동학검사의 적응증

- 환자의 증상과 일치하지 않는 소견이 있을 때
- 요실금은 호소하나 다른 방법으로 증명이 되지 않을 때
- 기본적인 간단한 검사로 진단을 내리기 어려울 때
- 보존 치료에 반응하지 않을 때
- 과거에 요실금 수술을 받은 적이 있거나 요실금 수술이 고려될 때
- 혼합요실금의 증상이 있어서 주 증상의 원인 규명이 필요할 때
- 직장암이나 자궁암 등으로 근치 수술이나 방사선 조사를 받았을 때
- 신경 질환의 의심이 있을 때
- 심한 골반 장기 탈출증이 동반되었을 때
- 잔뇨량이 많을 때

하면서 진행되도록 해야 한다. 또 요역동학검사 결과를 얻게 되면, 이를 임상정보와 상호 연결시켜 판독하는 것이 가장 중요하다. 그러기 위해서는 요역동학검사의 적응증을 잘 이해하고 필요한 검사를 선택하여 시행하여야 하며, 정도관리를 통해 오류를 줄이고 결과를 분석하여 체계화된 보고서를 작성하여 관리되어야 한다. 요역동학검사의 적응증을 표 47-4에 열거하였다.

요역동학검사는 단순 방광충전검사, 다중채널 요역동학검사와 비디오 요역동학검사가 있으며, 다중채널 요역동학검사가 가장 많이 시행된다. 다중채널 요역동학검사는 방광내압을 측정하는 도뇨관을 방광에 넣고, 복압을 재는 도관을 항문에 삽입하여 방광이 충전되는 시기와 방광이 배출되는 시기 동안에 방광과 요도의 생리적 기능을 확인하는 검사이다(그림 47-3). 이 검사에는 요속측정검사(uroflowmetry), 방광내압측정검사(cystometry), 압력요속검사(pressure-flow study), 요도내압검사가 포함된다(그림 47-4, 5).

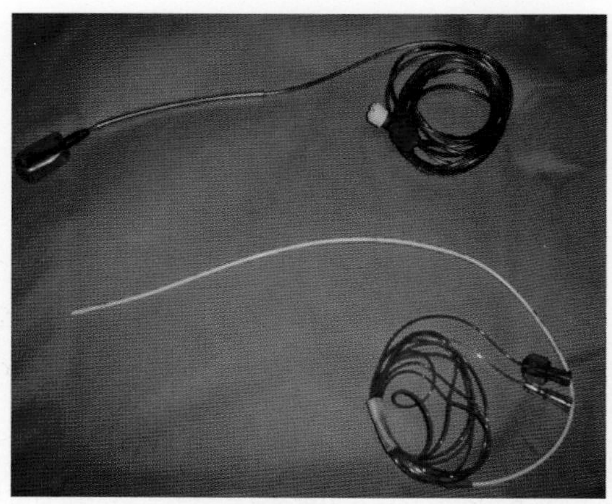

• 그림 47-3. 직장(빨강색 도관)과 방광(파랑색 도관)에 삽입하는 전자식 도관

(1) 요속측정검사

요속측정검사는 비침습적이고 저렴하며 배뇨장애 증상에 대하여 비교적 객관적인 정보를 제공하므로, 배뇨장애 증상을 시사하는 경우, 빈뇨와 절박뇨를 호소하는 경우, 골반수술 전, 즉 요실금 수술, 광범위 자궁절제술, 골반장

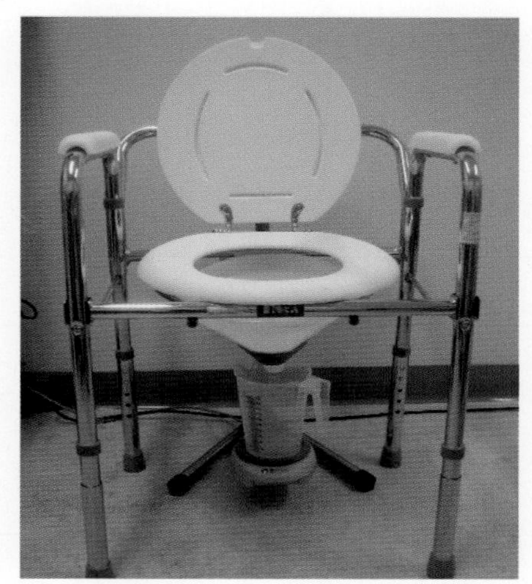

• 그림 47-4. 요속측정검사

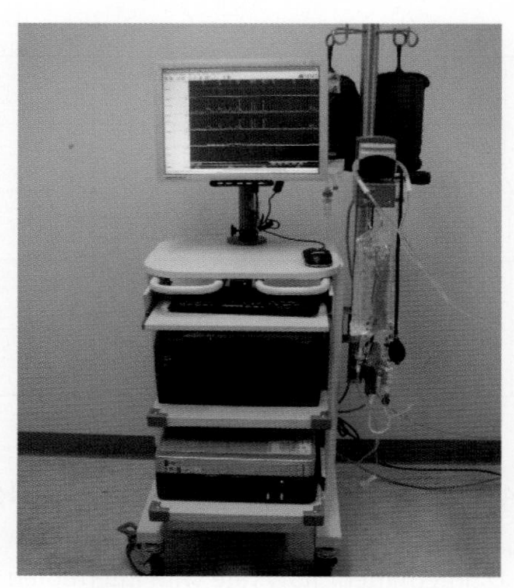

• 그림 47-5. 다중채널 요역동학검사

기탈출증 수술이전에, 특히 고령, 신경과 질환을 가지고 있는 경우, 이전에 골반수술을 받은 과거력이 있는 경우에는 배뇨장애의 증상이 없어도 술 전에 요속측정검사를 할 것을 권하고 있다.

요속에 영향을 끼치는 인자에는 방광용적, 배뇨근 수축력, 방광출구 저항, 요속 측정기의 측정 기술과 신호처리 과정이 있다. 또한 환자의 소변의 비중이나, 긴장된 상태에서 배뇨근의 이완이 충분히 일어나지 않는 경우에 결과에 영향을 끼칠 수 있다. 즉 요속측정검사의 정확도는 요속측정기의 정확도에 의해 영향을 받으므로, 요속측정기는 최대요속(Qmax) 0-50 mL/sec의 범위, 배뇨량 0-1000 mL 범위, maximum time constant 0.75 sec의 범위에서 측정치의 ±5%의 정확성을 갖도록 권장하고 있다. 또한 요속측정검사는 환자가 정상적인 요의를 느끼고 가능한 내밀하게 환자가 이완되게끔 사적인 환경을 만들어 평소 배뇨양상과 유사하게 배뇨가 일어나도록 하여 오류를 줄이는 것이 중요하다. 검사 후 평소의 배뇨습관과 비슷한지를 물어 의심스러울 때에는 반복 검사를 하는 것도 중요하다.

일반적으로 200 mL 이상의 소변을 15-20초에 걸쳐 배뇨가 일어나 종모양의 곡선이 그려지면서 최대요속이 20 mL/sec 이상이면 정상으로 간주한다. 최대 요속이 15 mL/sec 이하인 경우는 배뇨기능의 이상으로 진단한다. 배뇨 후

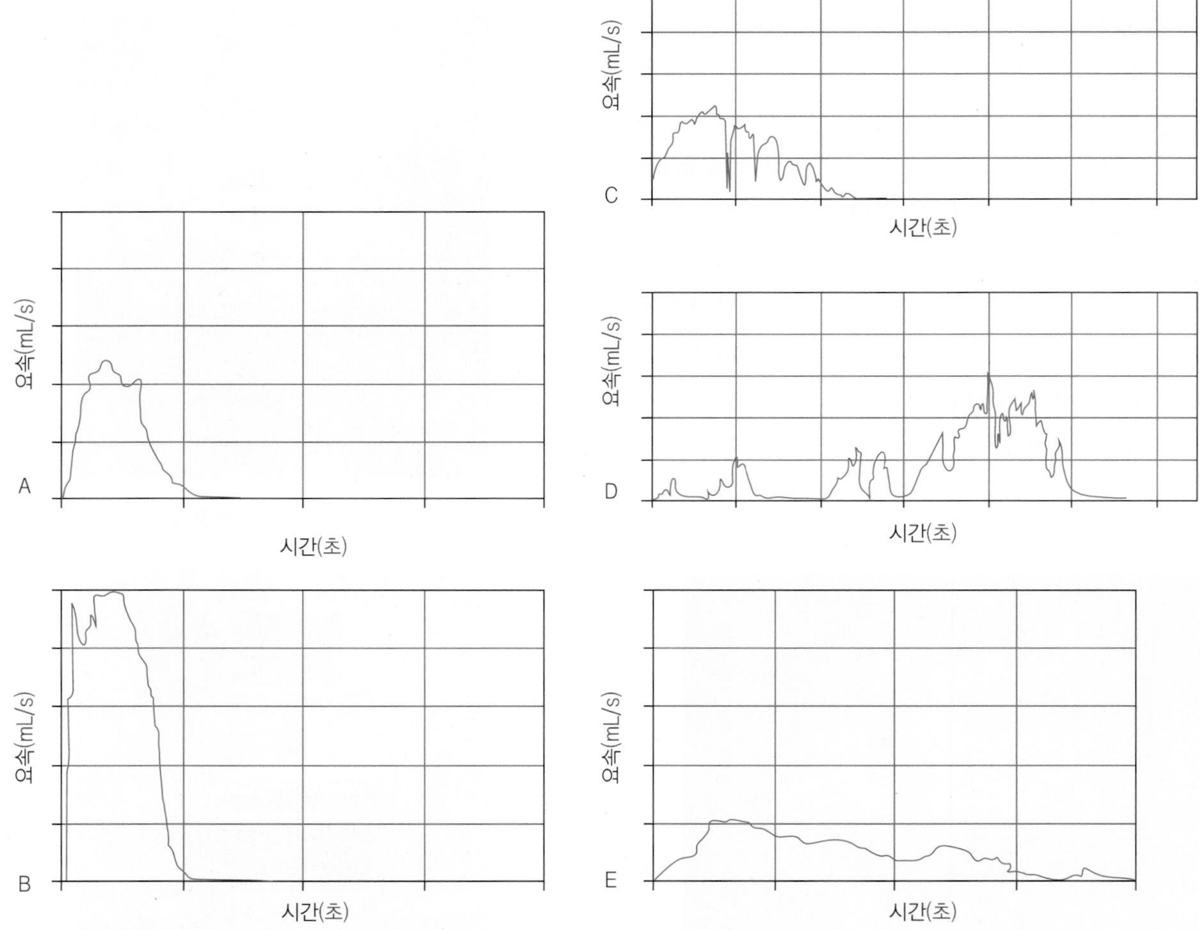

• **그림 47-6. 요속측정검사에서 보이는 다양한 요속곡선형**

A: 정상, B: superflow pattern, C: intermittent flow rate with multiple peak pattern, 요도가 자발적으로 열리는 양상을 보여주고 있다. D: intermittent flow rate with interrupted pattern, 요배출을 하기 위해 복압이 사용되고 있는 것을 시사한다. E: 전체적으로 요속이 떨어져 있어 방광출구 폐색을 의심하게 한다.

측정한 잔뇨량은 대부분 50 mL 이하인 경우로 정의하는데, 실제로 일어난 배뇨량을 고려해서 정의해야 하며 총 방광에 차있던 소변양의 적어도 80%는 배뇨를 해야 한다. 요속측정검사에서 보이는 요속곡선형으로 정상과 요로폐색을 진단할 수 있다(그림 47-6).

(2) 방광내압측정검사

방광압(Pves)으로부터 복압(Pabd)을 뺀 압력이 배뇨근압(Pdet)으로, 요역동학검사장치는 이러한 계산이 가능한 소프트웨어가 운영되고 있다. 방광충전기 또는 배출기 때의 배뇨근압이 방광의 과활동성 또는 요역동학적 요실금의 진단, 배뇨 시 요도출구의 폐색여부를 진단하는 데 있어 주요 근거이므로 방광압, 복압을 정확하게 재는 것이 요역동학검사에서 제일 중요하다. 이러한 측정의 기준은 각 도관의 영점을 대기압에 맞추는 것과 기준높이(reference height)를 치골결합의 윗변에 맞추었을 때 측정되는 방광압과 복압의 값이 누웠을 때 5-20 cmH_2O, 앉았을 때 15-40 cmH_2O, 서 있을 때 30-50 cmH_2O에 있는 것을 확인하는 것이다. 그리고 기침이나 Valsalva법을 할 때 방광압과 복압이 같이 반응하여 배뇨근압이 영점 주위로 움직여(0-5 cmH_2O), 영점이 유지되는 것을 확인하는 검사를 검사 시작 전, 검사 중, 검사 후에 시행함으로써 요역동학검사의 질관리가 이루어질 수 있다(그림 47-7).

방광내압측정검사에서 사용되는 용어의 정의와 정상치는 표 47-5에, 여성 방광기능의 정상치는 표 47-6에 정리하였다. 방광충전기에 배뇨근의 과활동성과 기침에 의해 요실금을 보이는 예를 그림 47-8에 예시하였다.

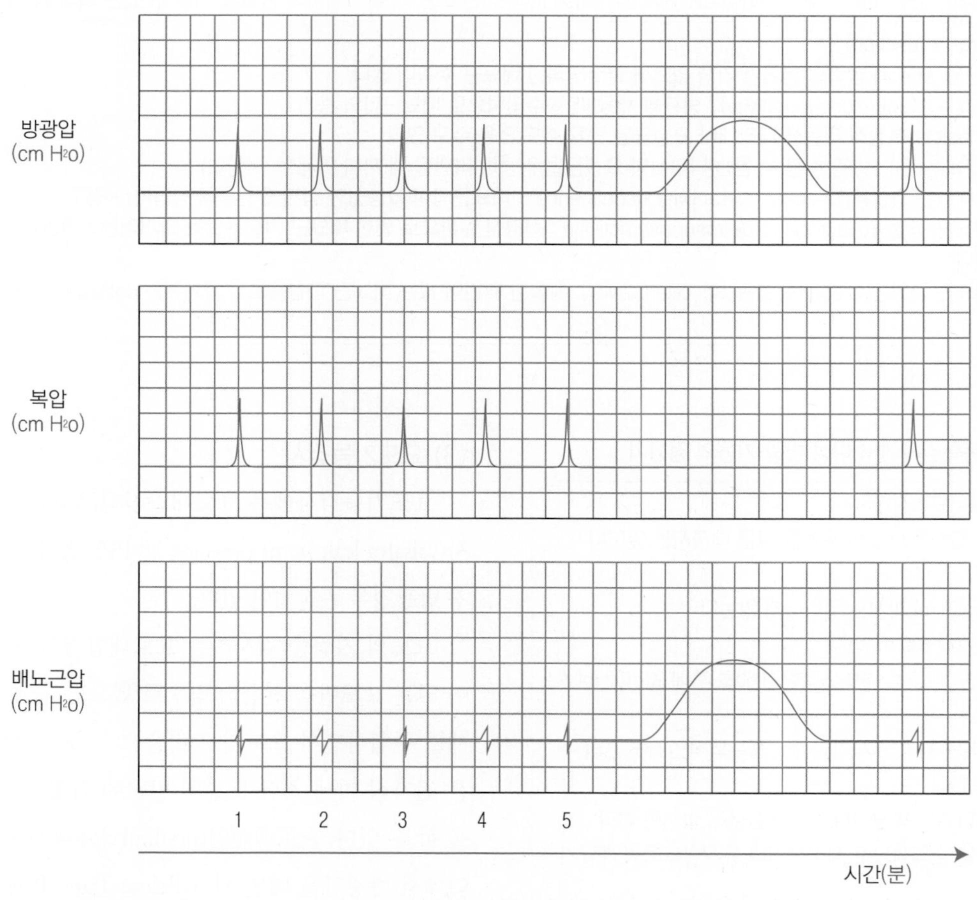

● 그림 47-7. 요역동학검사 전, 중간, 후에 기침을 하게하여 제대로 측정되고 있음을 확인하는 질관리

표 47-5. 방광내압 측정검사에서 사용되는 용어정의

1. 방광압

a. 방광압(intravesical pressure), Pves : 방광의 압력
b. 복압(abdominal pressure), Pabd : 방광을 둘러싸고 있는 복압으로 직장, 질에서 측정
c. 배뇨근압(detrusor pressure), Pdet : 방광벽의 배뇨근에 의한 진성방광압력으로 방광압에서 복압을 뺀 압력

2. 방광감각

방광의 감각은 방광을 채우면서 환자가 느끼는 충만감의 감각을 물어서 측정하는 것이다

a. 최초방광충전감각(first sensation of bladder filling) : 방광이 차는 것을 환자가 처음 느끼는 감각
b. 최초 배뇨요의(first desire to void) : 방광을 채우는 중 환자가 요의를 느끼나 배뇨를 참을 수 있는 상태
c. 강한 요의(strong desire to void) : 요실금 없이 지속적으로 요의를 느끼는 상태
d. 감각의 증가(increased bladder sensation) : 방광이 차는 것을 처음 느끼는 상태 또는, 첫 요의를 정상보다 더 빨리 예민하게 느끼거나, 적은 방광용적에서 지속적으로 호소하는 경우
e. 감각의 감소(reduced bladder sensation) : 방광을 채우는 동안 감각이 떨어져 있는 경우
f. 무감각(absent bladder sensation) : 방광을 채우는 동안 감각이 없는 경우
g. 방광통(bladder pain) : 방광을 채우는 동안 치골부 동통을 호소하는 비정상 소견
h. 절박뇨(urgency;sudden compelling desire to void) : 갑작스런 긴급한 요의

3. 방광의 유순도(compliance)

정상적인 방광은 탄력성이 좋으며, 낮은 압력에서 많은 소변을 저장할 수 있다. 방광의 유순도는 방광용적의 변화를 배뇨근압의 변화로 나누어 계산해서 얻을 수 있다(C=△V/△Pdet, ml/cm$H_2$0).

4. 방광의 용적(capacity)

a. 방광내압측정용적(cystometric capacity) : 정상적인 요의를 느껴 충전이 중지되는 방광용적
b. 최대방광내압측정용적(maximum cystometric capacity) : 더 이상 배뇨를 참을 수 없는 최대 방광용량
c. 마취하 최대방광용적(maximum anesthetic bladder capacity) : 전신 또는 척수 마취하에 방광을 채울 수 있는 최대 방광용량

5.배뇨기능(detrusor function)

a. 정상 : 방광을 채울 때 압력의 변화가 거의 없으며 불수의적인 배뇨근 수축이 없다
b. 배뇨근 과활동성(detrusor overactivity) : 방광을 채울 때 불수의적으로 배뇨근압의 증가
   1) 위상(Phasic) : 특징적 파동을 나타내나 요실금은 있을 수도 없을 수도 있다.
   2) 최종적(Terminal) : 방광 충전 시 한번 나타나며 요실금을 방광이 비워질 때 까지 억제할 수가 없다
   3) 요실금 배뇨근 과활동(Detrusor overactivity incontinence) : 배뇨근의 과활동성과 함께 요실금이 나타나는 경우
   4) 신경 배뇨근 과활동(Neurogenic detrusor overactivity) : 신경성 질환으로 인한 배뇨근 과활동으로 과거에는 detrusor hyperreflexia 라고 했다
   5) 특발 배뇨근 과활동(Idiopathic detrusor overactivity): 확실한 원인이 없는 배뇨근 과활동으로 과거에는 detrusor instability 라고 했다

표 47-6. 요역동학검사에서 여성 방광 기능의 정상치

- 잔뇨는 50 mL 보다 적다
- 최초 요의는 150-250 mL의 용액을 넣을 때까지는 일어나지 않는다
- 강한 요의는 250 mL까지는 일어나지 않는다
- 방광 용적은 400-600 mL이다
- 방광 유순도는 방광 용적에 도달한지 60초 후에 20-100 mL/cmH2O이다
- 방광충전기에는 자극을 시키더라도 불수의적인 배뇨근의 수축은 없어야 한다
  유발을 시키더라도 복압이나 절박요실금이 없어야 한다
- 배뇨근 수축을 수의적으로 시작하거나 유지함으로써 배뇨가 일어난다
- 배뇨압은 50cmH2O보다 적으며 요속은 15mL/sec보다 크다

(3) 요도기능검사

요도기능검사에는 요도내압검사, Valsalva 요누출압검사(valsalva leak point pressure, VLPP), 방사선 투시나 방광경 방광경부 관찰법이 있다.

요도의 기능을 검사하는 요도내압검사는 측면에 구멍이 있는 요도관을 천천히 밖으로 뽑으면서 그 구멍으로 액체를 주입하면서 요도의 압력을 측정하는 방법이다. 요즘은 전자식 미세 첨단 도관의 발달에 힘입어 더 쉽게 검사를 할 수 있다. 요도폐쇄압(urethral closure pressure)은 요도압에서 방광압을 빼면 된다(Pclose=Pure- Pves). 기능성 요도길이(functional urethral length, FUL)와 최대요도폐쇄압

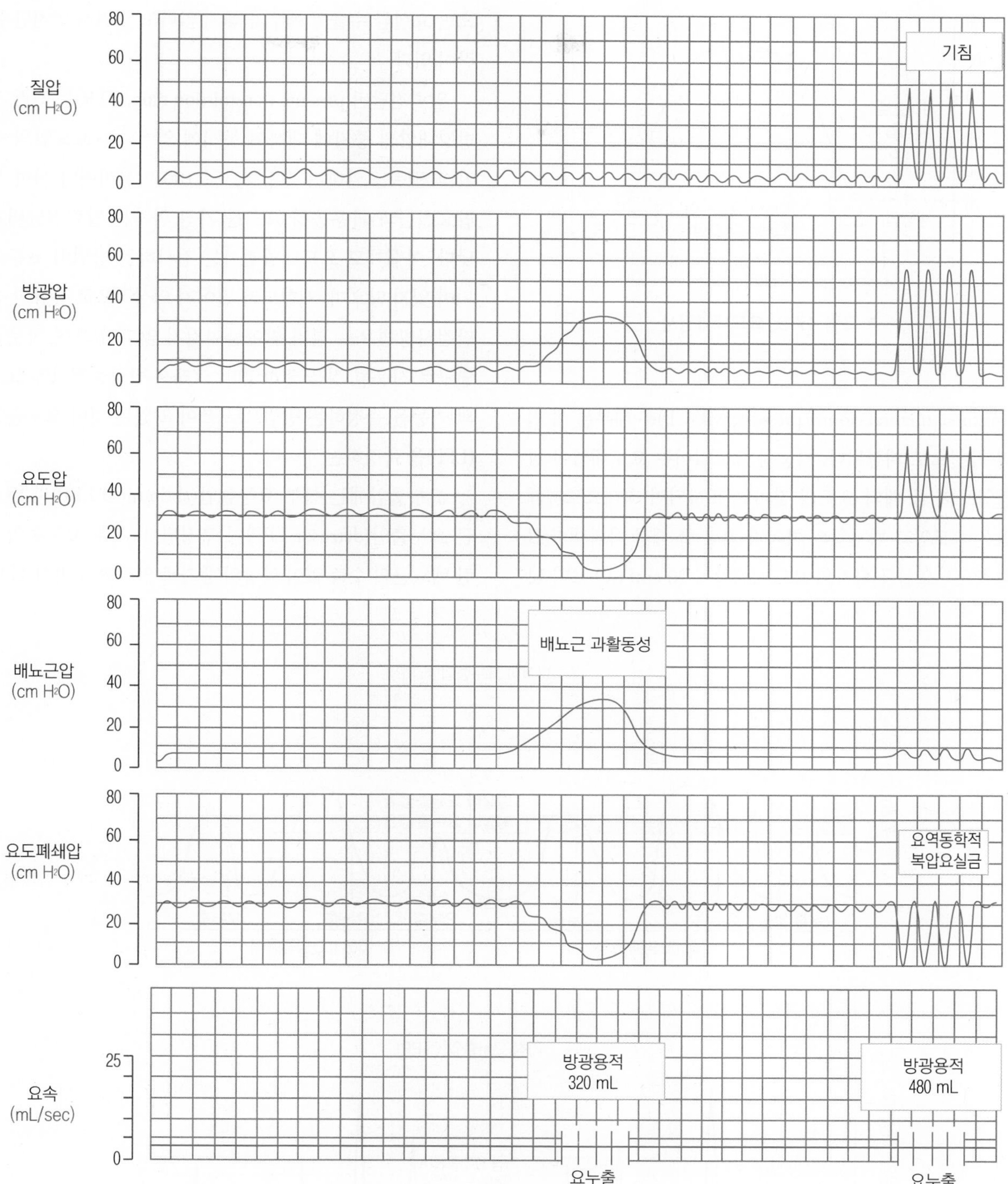

● **그림 47-8. 다중채널 요역동학검사에서 보이는 배뇨근의 과활동성과 복압요실금** 방광을 320 mL 채운 상태에서 갑작스러운 불수의적인 배뇨근의 수축이 오면서 절박감과 함께 요실금을 보이고 있다. 또 방광을 480 mL 채운 상태에서 기침을 시켰더니 복압의 상승과 함께 배뇨근의 수축이 없이 요실금을 보이고 있다.

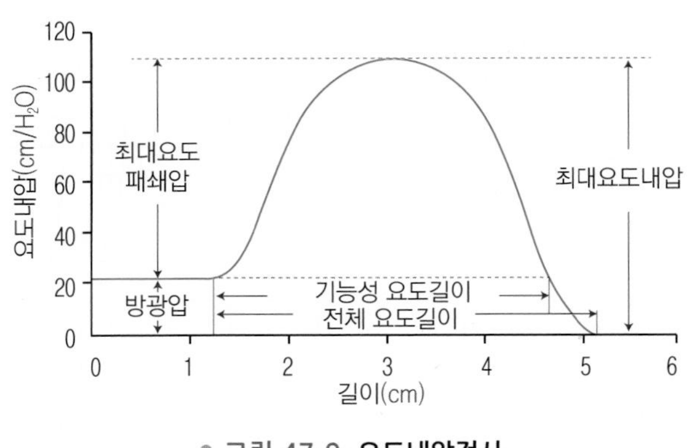

● 그림 47-9. **요도내압검사**

(maximal urethral closure pressure, MUCP)은 대부분 이 결과 곡선으로 계산된다. 기능성 요도길이는 요도내압이 방광압보다 클 때의 요도의 길이로 표시되며 최대요도폐쇄압은 요도압과 방광압의 차이가 가장 클 때를 나타낸다(그림 47-9). 요실금 환자의 요도폐쇄압이 20 cmH_2O 보다 낮으면 요실금 수술의 예후가 좋지 않다고 알려져 있지만 논란이 있다.

압력전달비(pressure transmission ratio, PTR)는 긴장 시 방광내압의 증가에 대하여 동시에 일어나는 요도압의 증가 퍼센트를 말하며 정상적으로 100 이상이어야 하며 복압요실금과 과운동성 요도를 가진 환자는 압력전달비가 낮다. 아쉽게도 요도내압검사는 검사하는 방법이 표준화되어 있지 않으며, 재현도가 떨어져 임상적으로 유용한 진단검사방법으로 널리 받아들여지지 않고 있으며 학문적 연구로 사용될 것을 권하였다. 그래서 방광충전기에 요도의 기능을 측정하는 방법으로 쓰이고 있는 것이 요누출압(LPP)을 측정하는 것이다.

요누출압에는 복부 요누출압(abdominal LPP)과 배뇨근 요누출압(detrusor LPP)이 측정된다. 복부 요누출압이란 배뇨근의 수축 없이 복압의 증가로 인하여 소변이 샐 때

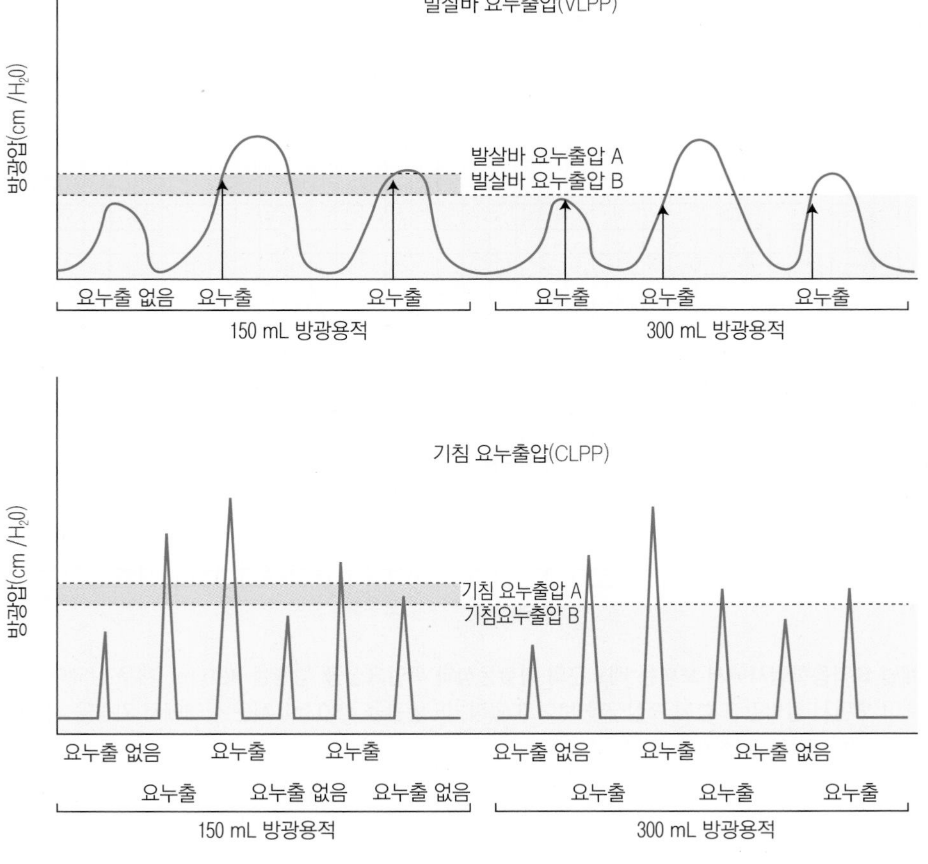

● 그림 47-10. **요누출압의 측정**

가장 낮게 측정되는 방광압으로 정의한다. 배뇨근 요누출압은 배뇨근이나 복압의 증가없이 소변이 샐 때 가장 낮은 배뇨근의 압력으로 정의한다. 배뇨근 요누출압은 상부 비뇨기계의 기능과 연관이 있으며, 40 cm/H_2O이상인 경우 상부 요로계의 이상을 의심해볼 수 있다. 복부 요누출압을 측정하기 위해서는 방광을 150-200 mL까지 채운 다음, 환자가 눕거나 서 있는 상태에서 요누출이 일어날 때까지 숨을 참고 아랫배에 힘을 주어 밀어내는 발사바법을 시행하게 하여 요누출이 일어나는 것이 확인될 때 배뇨근의 수축이 없는 가장 낮은 방광압을 측정하는 것이다. 발사바법에 의해 요실금이 재현되는 않는 경우에는 기침을 시켜 요누출이 일어나는 것을 확인한 다음, 기침의 강도를 약하게 하여 반복시킨 다음 요누출이 일어나는 방광압을 측정한다. 방광을 150-200 mL 채운 상태에서 발살바(Valsalva) 요누출압이 측정되지 않는 경우, 방광을 최대용적까지 채우면서 발사바법을 반복하게 해서 복부 요누출압을 측정하기도 한다(그림 47-10). Valsalva법이나 기침에 의해 요누출이 재현되지 않는 경우, 방광내의 요도관을 제거한 다음, 요누출을 유발하는 자극을 해서 요누출을 재현한다.

복부 요누출압을 측정하는 데 있어, 도뇨관의 굵기와 위치, 방광의 용적, 환자의 위치, Valsalva법 또는 기침을 유도하여 측정하였느냐에 따라 그 결과는 영향을 받는다. 도뇨관의 굵기가 가늘수록 요누출이 더 쉽게 재현이 된다고 하며, 방광의 용적과 측정되는 복부 요누출압은 역비례관계를 보인다고 한다. 즉 방광 용적이 증가할수록 복부 요누출압이 낮게 측정되어 방광용적을 150 mL에서 400 mL까지 증가시키면, 측정되는 복부 요누출압이 19 cmH_2O 정도 낮게 측정된다. 누워있는 자세에서 측정되는 것보다 서서 측정했을 때 복부 요누출압이 더 낮게 측정된다. 또 기침을 유도하여 측정된 복부 요누출압이 발사법에 의해 측정된 값보다 높게 측정되며, 일부 요실금 환자에서는 Valsalva법에 의해서는 요실금이 재현되지 않을 수 있다(Valsalva법에 의한 요실금 검사방법이 복압요실금을 진단하는 민감도는 70-80%이다). 그러나 Valsalva법에 의해 측정된 복부 요누출압은 재현도가 우수하며, 검사-재검사간의 상관계수가 0.9이상으로 진단적 가치가 높다. 이 때 측정하는 방광압을 일부 연구자는 증가하는 전 방광압을 일컬으며, 다른 연구자는 실제로 증가하는 방광압(측정되는 방광압에서 기저방광압을 뺀 방광압)을 측정하는데, 엄밀한 의미에서는 복부 요누출압은 Valsalva법에 의해 요누출이 일어날 때 증가하는 방광압 중 가장 낮은 방광압으로 정의한다.

복부 요누출압은 측정하는 방법이 표준화되어 있지 않으며, 요도압과의 상관관계가 입증되어 있지 않아 임상적으로 많이 사용되고 있음에도 불구하고 임상에서의 신뢰도는 높지 않다. 현재 복부 요누출압은 요실금의 중증도를 재는 척도로서 내인 요도괄약근 기능부전(intrinsic sphincter deficiency, ISD)의 정도를 진단하는 척도로 이용되고 있는데 Valsalva 요누출압이 60 cmH_2O 이하인 경우를 중증, 60-100 cmH_2O인 경우에는 중등도, 100 cmH_2O 이상인 경우에는 경한 요도괄약근 기능부전이 있는 요실금을 시사한다. 그러나 이러한 진단 기준이 입증 확인되어 있지 않으며, 요실금 치료를 정하는 기준으로 사용되어야 하는 증거도 없다.

방광을 각각 150 mL, 300 mL 채운 상태에서 Valsalva 또는 기침을 시켜 요누출이 일어날 때의 방광압(VLPP, CLPP)을 재는 것을 보여주고 있다. 방광용적이 150 mL 일 때 측정되는 요누출압(LPP A)보다 300mL일 때 측정되는 요누출압(LPP B)이 낮아지는 것을 알 수 있다. 또, 아래 그래프에서는 기침을 시켜서 요누출이 일어나는 시점을 정확하게 읽어 내기가 어려운 것을 보여주고 있다.

(4) 압력요속검사

요속측정검사는 배뇨에 관하여 간단하게 제한된 정보만을 제공하므로, 좀 더 자세하게 배뇨 시의 방광압과 요도의 저항 여부를 알 수 있는 압력요속검사를 함으로써 더 자세한 정보를 얻을 수 있다. 배뇨행위는 남에게 보이고 싶지 않은 은밀한 개인용무인데 이를 검사화해서 검사자가 보는 앞에서 방광과 직장/질에 압력을 측정하고 근전도 활동을 측정하는 침습적인 압력요속검사는 환자에게 큰 부담이다. 검사를 받는 환자의 30% 내외에서는 압력요속검사하에서 배뇨를 할 수 없어 검사가 불가능할 수도 있다. 또

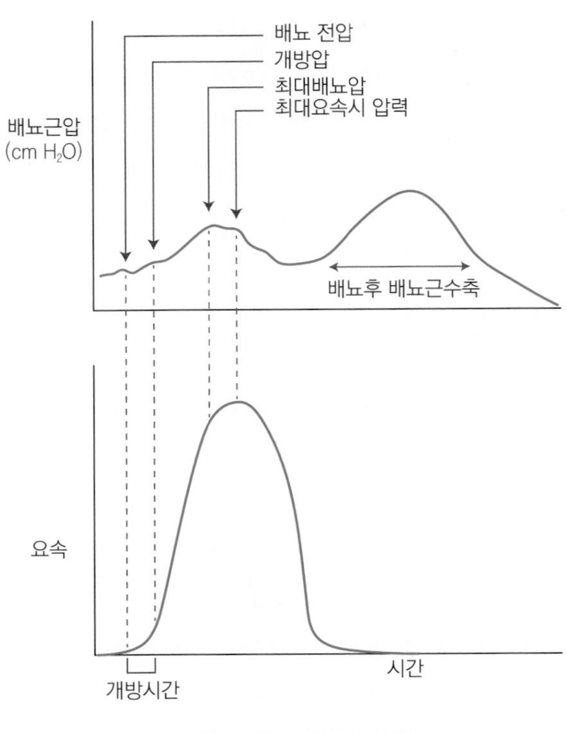

● 그림 47-11. 압력요속검사

도뇨관을 삽입한 상태에서 배뇨가 일어날 때 측정되는 방광압 및 요속은 정상적으로 배뇨가 일어날 때와 차이가 있을 수 있다는 것을 염두에 두고 해석해야 한다.

압력요속검사는 요실금 또는 골반장기탈출증 수술 후 요정체 또는 배뇨장애를 보이는 경우에 시행하여 높은 배뇨근압과 낮은 요류 속도 및 곡선을 보일 때 수술로 인한 배뇨장애로 진단을 내릴 수 있다. 또한 요실금 밀 골반장기탈출증 수술 전에 배뇨기능의 이상여부를 진단하기 위한 예비검사로 이용될 수 있다.

압력요속검사에서 사용되는 용어와 그 정의를 그림 47-11, 표 47-7에 정리하였다.

표 47-7. 압력요속검사에서 사용되는 용어 정의

- 배뇨 전압(premicturition pressure) : 방광이 배뇨 전 첫 방광 수축(isovolumetric contraction)이 일어나기 직전의 방광압
- 개방압(opening pressure) : 요류가 시작되었을 때 기록되는 압력이다
- 개방시간(opening time) : 배뇨근압이 처음 상승하는 시점부터 요류가 시작될 때까지 걸린 시간(초)
- 최대배뇨압(maximum voiding pressure) : 배뇨 중 측정된 압력 중 최대치
- 최대요속 시 압력(pressure at maximum flow, PdetQmax) : 최대 요속을 보이는 시점에 측정되는 배뇨근압
- 최대 요속 시 수축압(contraction pressure at maximum flow) : 최대 요속 때 압력과 배뇨전압의 차이
- 폐쇄압(closing pressure) : 측정되는 요류가 끝나는 시점에 측정되는 압
- 배뇨 후 배뇨근 수축(after contration) : 요류가 끝난 후 배뇨근의 수축이 다시 일어나는 것으로 대부분 최대요속 시 압보다 크게 일어난다. 그 의미는 잘 이해되지 못하고 있다

① 배뇨 중의 배뇨근기능

정상적인 배뇨는 수의적으로 배뇨근의 수축이 일어나 지속적으로 수축하여 정상적인 기간 내에 요배출이 종료된다. 이 때 복압의 상승은 없어야 한다. 남성과 달리 여성에서 방광출구폐색을 진단하는 기준은 명확하지 않으나, 낮은 요속과 높은 배뇨압을 보이는 경우 방광출구폐색을 의미한다(그림 47-12). 남성과 달리 여성의 방광출구폐색의 진단기준에 관하여 공통된 합의가 확립되어 있지 않으므로, 남성의 방광출구폐색기준을 여성환자에게 적용할 수 없다. 배뇨근 저활동성(underactivedetrusor)이란 배뇨근 수축의 강도가 감소되어 있는 경우로 요배출이 정상적인 기간내에 일어나지 못한다. 무수축성 배뇨근(acontractile detrusor)이란 배뇨근의 수축이 일어나지 않는 경우이다. 배뇨근의 수축이 없거나 미미하게 있으면서 복압만을 이용해 요도가 개방되어 배뇨가 이루어지는 것을 Valsalva배뇨(valsalva voider)라고 한다(그림 47-13).

② 배뇨 중의 요도기능

정상적으로 배뇨가 일어나는 동안에는 요도가 개방되어야 한다. 비정상 요도의 기능은 요도폐색(bladder outlet obstruction)이나 요도의 과운동성(urethral overactivity)에 의해 야기될 수 있다. 여성에서는 남성에 비해 요도폐색의 빈도가 낮으나, 신경질환, 골반장기탈출증, 이전의 요실금 수술 등에 의해 요도폐색이 일어날 수 있다. 배뇨근-괄약근 협조장애는 배뇨근 수축이 요도 및 요도 주위 횡문근의 불수의적인 수축과 동시에 일어나 간헐적인 요속곡선을 보인다.

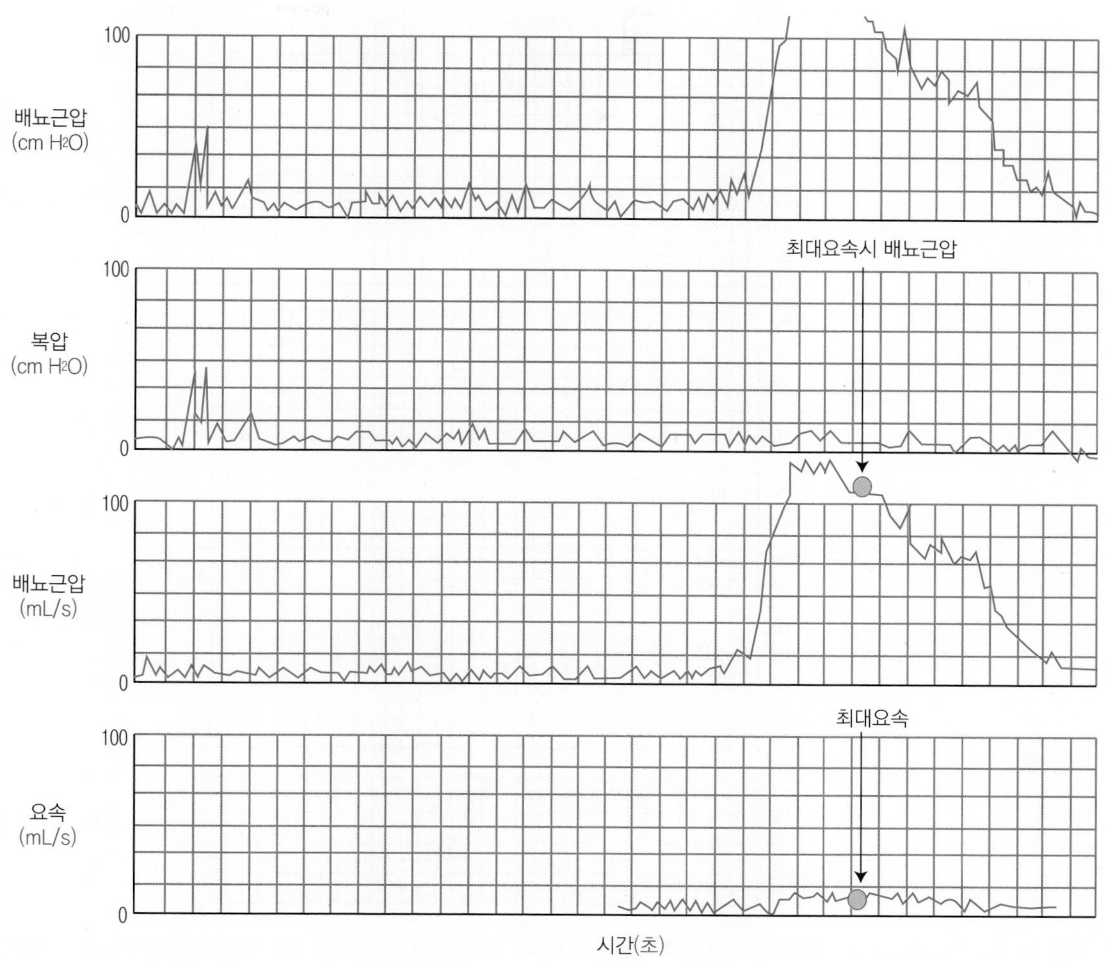

● 그림 47-12. **방광출구폐색이 있는 압력요속검사** 낮은요속과 최대요속 시 배뇨압이 100 cmH_2O으로 측정된다

Ⅳ. 치료

요실금의 치료는 하부요로 재활 및 약물요법을 포함한 비수술 치료와 수술 치료로 구분된다. 치료방법을 선택하기 전 환자 개개인의 임상 상태 및 요실금의 심한 정도를 평가해야 하며 각각의 치료방법에 대한 충분한 설명이 필요하다. 치료는 합병증이 적고 덜 침습적인 방법을 먼저 선택하는 것이 바람직하다.

1. 비수술 치료

체중감소, 카페인 및 수분섭취 제한, 변비 완화 등의 생활양식에 대한 중재, 골반저근운동(pelvic floor muscle exercise), 질콘, 전기자극치료, 방광훈련(bladder training) 등이 있다. 이러한 방법들은 부작용이 없기 때문에 일차 치료방법으로 선택할 수 있지만 이들의 효과에 대한 문헌 근거는 부족하다.

1) 물리치료 및 행동요법

(1) 골반저근운동

케겔운동이라고도 하며 외요도괄약근(external urethral sphincter)과 항문거근(levator ani)을 강화시키는 운동으로 복압요실금에 대한 일차치료로 권장된다. 방광훈련, 바이오피드백, 전기자극치료 등과 함께 시행할 수 있다. 골반저

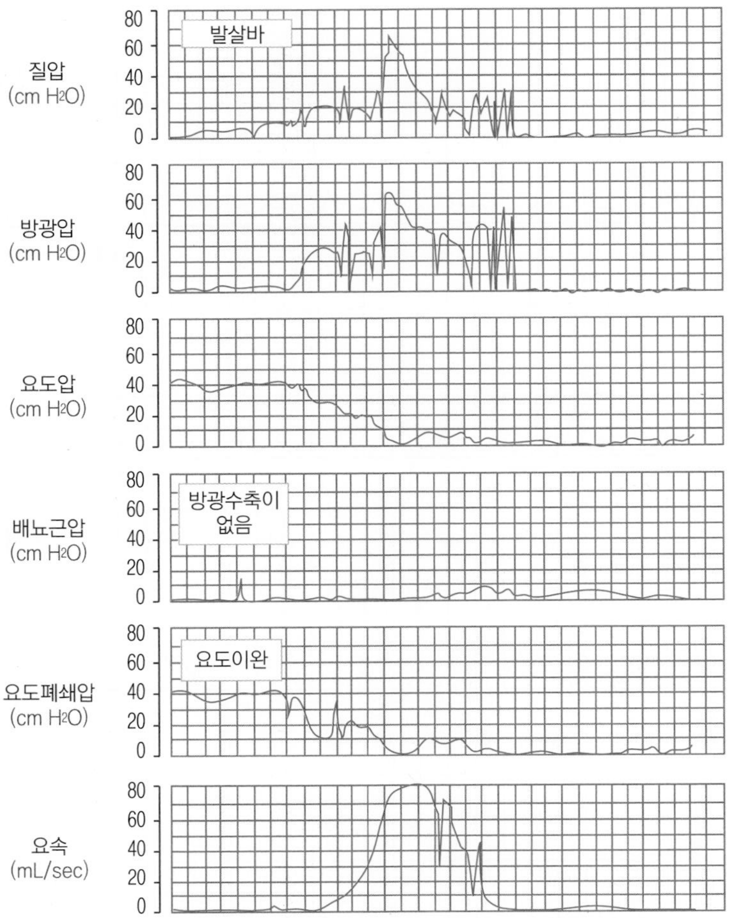

• 그림 47-13. **Valsalva voider의 특징적인 압력요속검사** 배뇨근의 수축이 거의 없이 주로 복압에 의해 배뇨가 일어난다.

근을 10초간 수축하고 10초간 휴식하는 것을 8-10회 정도 반복하고, 이러한 일련의 운동을 하루에 3회, 주당 3-4회를 적어도 6주간 시행한다. 골반저근운동은 복압 또는 혼합요실금에 대한 효과적인 치료방법으로 요실금 횟수를 감소시키고 질압을 증가시키며, 전기자극치료 및 질콘에 비해 치료성적이 우수한 것으로 알려져 있다. 골반저근운동을 다른 복압요실금에 대한 치료방법들과 동시에 시행할 경우 효과가 더해지는지 또는 절박요실금 치료로서 단독 시행할 경우 효과가 있는지에 대해서는 확실히 알려진 바가 없다.

(2) 방광훈련

부작용이 없고 향후 치료결과에 영향을 미치지 않기 때문에 널리 사용되고 있다. 방광반복연습(bladder drills) 또는 시간배뇨(timed voiding)라고도 불린다. 주로 절박요실금의 치료로 사용되며 혼합 또는 복압요실금 증상 완화에도 효과가 있다. 이 방법은 배뇨간격을 늘리는데 목적이 있다. 일정한 시간간격을 두고 소변을 보게 하며, 대개 일주일 간격으로 30분씩 간격을 늘려 3시간 정도마다 300 mL 정도의 소변을 보게 한다.

2) 약물요법

다양한 약물들이 요실금 치료에 사용되어 왔다. 약물이 증상개선에 효과적인 경우도 있지만 동시에 부작용으로 인해 투약을 중지하는 경우도 흔하다. 따라서 약물은 보존치료의 부가적인 치료로 사용하도록 권장하고 있다.

(1) 절박요실금

① 항무스카린제

방광 수축은 배뇨근에 존재하는 무스카린 수용체에 아세틸콜린이 결합함으로써 발생하므로 항콜린성(항무스카린) 약물들이 주된 치료제로 사용되고 있다. 이들 약물들은 방광으로 가는 부교감신경의 원심성 섬유에 작용하며 구심성 섬유에도 작용할 것으로 여겨진다. 옥시부티닌(oxybutynin), 톨테로딘(tolterodine), 프로피베린(propiverine), 다리페나신(darifenacin), 솔리페나신(solifenacin), 트로스피움(trospium), 페소테로딘(fesoterodine)과 같은 항무스카린제의 임상적 효용성에 대한 많은 연구가 시행되었으며 현재 가장 많이 사용되고 있다(표 47-8). Chapple 등(2005)은 항무스카린제들이 절박뇨, 요실금, 빈뇨 등의 증상 개선에 효과적이며 삶의 질도 향상시켰다고 보고하였다. 또한, 속효성(immediate-release) 옥시부티닌을 제외한 대부분의 약물을 환자들이 사용중단 없이 복용하였다고 보고하였다. 항무스카린제들은 비교적 안전하게 사용할 수 있으며 부작용도 예측 가능하다. 적정량을 투여할 경우 배뇨근 과활동성을 억제하며 방광저장기 동안 방광탄력을 감소시키고 방광용적을 증가시키지만 배뇨압에는 거의 영향을 미치지 않는다. 부작용으로는 구강건조, 변비, 흐려보임(blurred vision), 졸림, 현기증, 의식장애 등이 있으며 치료 중단의 가장 흔한 이유는 구강건조이다. 잔뇨 증가 및 급성 요정체와 같은 이론상 발생 가능한 부작용에 대해서는 알려진 바 없다.

가. 옥시부티닌

옥시부티닌은 3기 아민으로 항콜린작용, 근육이완작용 및 국소마취작용을 동시에 가지고 있다. 수십 년에 걸쳐 과민방광 치료제로 널리 사용되어 왔다. 속효성과 서방형(extended-release) 제제가 있으며, 서방형제가 구강건조가 더 적게 발생한다. 많은 무작위 대조연구가 시행되었으며 과민방광의 증상 개선을 보고하였다. 항콜린성 부작용 감소 및 사용의 편리를 위해 경피제(3.9 mg/일, 주당 2회)가 개발되었으며 몇몇 연구에서 효능은 비슷하고 부작용이 적다고 보고되었다.

표 47-8. 과민방광 및 절박요실금에서 사용되는 약물들의 작용기전에 따른 분류

작용기전	약물
항무스카린제제 (Antimuscarinic drugs)	Atropine, hyoscyamine Darifenacin Propantheline Solifenacin Tolterodine Trospium Imidafenascin
혼합작용제 (Drugs with mixed actions)	Oxybutynin Propiverine Dicyclomine Flavoxate
알파길항제 (α adrenoreceptor antagonists)	Alfuzosin Doxazosin Prazosin Terazosin Tamsulosin
베타작용제 (β adrenorecoptor agonists)	Terbutaline Salbutamol Mirabegron
항우울제(antidepressants)	Imipramine
COX 억제제(COX inhibitors)	Indomethacin Flurbiprofen
독소(toxins)	Botulinum toxin Capsaicin Resinferatoxin
호르몬(hormones)	Estrogen Desmopressin

나. 톨테로딘

톨테로딘은 3기 아민 비특이 무스카린 수용체 길항제로 방광 과활동성 치료를 목표로 개발된 최초의 항무스카린제이다. 생체 실험결과 방광특이성을 띄고 있어 타액보다는 방광에 더 강한 작용을 하는 것으로 알려져 있다. 속효성과 서방형 제제가 있다. 속효성은 대개 1-2 mg을 하루에 두 번 복용하며, 서방형의 경우 4 mg을 하루에 한 번 복용한다. 위약과 비교하였을 경우 배뇨횟수, 요실금횟수, 빈뇨 및 절박뇨를 감소시키고 배뇨량을 증가시키는 것으로 알려져 있다.

다. 다리페나신

선택M3 수용체 길항제로 하루에 한 번 복용하며 선택적으로 작용하기 때문에 이론상 부작용이 적을 것으로 기대된다. 두 가지(7.5 mg, 15 mg) 용량의 제제가 있으며 위약에 비해 절박요실금, 빈뇨, 절박뇨 등이 개선되는 것으로 보고되었다.

라. 솔리페나신

하루에 5 mg 또는 10 mg을 한 번 복용하는 항무스카린제로 침샘 및 다른 기관에 비해 방광에 대한 조직특이성을 갖고 있는 것으로 알려져 있다. 또한, 옥시부티닌과 톨테로딘에 비해 방광특이성이 더 강한 것으로 여겨진다. 과민방광 환자에서 3개월간 치료한 결과 증상이 개선되었고 배뇨량도 감소한다고 보고되었다.

마. 프로피베린

옥시부티닌과 마찬가지로 프로피베린은 3기 아민으로 항콜린작용, 근이완작용 및 국소마취작용을 한다. 프로피베린은 효능 및 삶의 질 개선 측면에서 옥시부티닌, 톨테로딘과 비슷한 성적을 보이며, 옥시부티닌에 비해 내약성(tolerability)은 더 우수한 것으로 보고되었다.

바. 트로스피움

트로스피움은 유일하게 4기 아민 구조를 가진 비특이 항무스카린제이다. 혈뇌장벽(blood-brain barrier)을 통과하지 않으므로 인지(cognition) 기능에는 영향이 없다. 위약과 비교한 결과 절박요실금 및 빈뇨 증상에 매우 효과적임이 보고되었다. 한 연구에 따르면 톨테로딘과 비교하였을 때 트로스피움이 배뇨 및 요실금 횟수를 더 감소시켰고 구강건조 등의 부작용은 비슷하다고 하였다.

사. 페소테로딘

페소테로딘은 전구약물로 복용 후 신속하게 톨테로딘의 활성 대사산물인 5-수산화메틸톨테로딘(5-hydroxymethyl tolterodine, 5-HMT)으로 전환되어 작용한다. 3상 임상시험결과 페소테로딘 4 mg, 8 mg 모두 과민방광 환자들의 증상을 매우 개선시켰으며 부작용도 서방형 톨테로딘과 견줄만 하다고 하였다.

② 선택베타3작용제

배뇨근에 존재하는 베타3 아드레날린 수용체에 노르에피네프린이 결합하면 방광 이완이 발생한다. 이로 인해 선택베타3작용제인 미라베그론(mirabegron)이 과민방광 치료제로 사용되고 있다. 두 가지(25 mg, 50 mg) 용량의 제제가 있으며, 하루 한 번 복용한다. 미라베그론 50 mg은 솔리페나신 5 mg과 과민방광 치료에 있어 동등한 효능으로 보이는 반면 구강건조를 비롯한 항무스카린제의 부작용이 없어 내약성이 보다 우수한 것으로 보고되고 있다. 또한 선택베타3작용제와 항무스카린제는 다른 기전을 통해 작용하며 약동학적으로 유의한 영향이 없어 병합치료 시 단독치료에 비해 합병증 증가 없이 보다 나은 치료효과를 보이는 것으로 알려져 있다.

③ 이외의 약물

항무스카린제, 선택베타3작용제 이외에 절박요실금 치료로 사용 가능한 약물은 이미프라민, 데스모프레신, 알파길항제, 베타작용제, COX 억제제, 바클로펜, 캡사이신, 레시페로톡신, 보툴리눔톡신 등이 있다. 하지만 일반적으로 사용하기에는 아직 그 효과 및 투여경로에 대한 연구가 미흡한 상태로 권장되지는 않는다.

가. 이미프라민

삼환계 항우울제인 이미프라민은 과민방광 치료제로 널리 사용되어 왔으며, 특히 항콜린제와 병행투여 하였을 경우 유용하다고 알려져 왔다. 전신 항콜린작용과 함께 세로토닌/노르에피네프린 재흡수를 억제하지만 배뇨근에 대한 영향은 확실하지 않다. 심각한 부작용이 발생할 수 있으므로 신중히 사용해야 한다. 또한, 그 효능을 평가한 대조연구가 미흡하여 과민방광 치료제로서의 역할은 확실하지 않다.

나. 데스모프레신

데스모프레신은 위약에 비해서 야간배뇨 횟수를 줄이

는데 효과적이며 또한 삶의 질도 향상시키는 약제로 알려져 왔다. 하지만 저나트륨혈증과 같은 심각한 부작용이 발생할 수 있으므로 사용에 주의를 요한다. 저나트륨혈증은 두통, 오심, 구토 및 식욕부진과 같은 다양한 임상증상을 동반할 수 있고 의식소실, 경련 심지어 사망에 이를 수 있다. 메타분석에 따른 저나트륨혈증의 빈도는 대략 7.6% 정도이며 나이 및 심혈관질환 등이 위험요소로 알려져 있다. 65세 이상의 고령 환자에서 사용 시 주의를 요하며 일반적으로 권장되지 않는다.

다. 보툴리눔 톡신

보툴리눔 톡신은 Clostridium botulinum의 신경독소로 A-G의 7종류가 존재하며, 이중 BTX-A는 배뇨근-괄약근 협조장애(detrusor-sphincter dyssynergia)의 치료로 사용된 바 있다. 과민방광의 치료로 200-300 단위의 BTXA를 방광 삼각부(trigone)를 피하여 20-30군데 주사한다. 부작용으로는 발진, 요정체, 독감유사증후군 등이 발생 가능하다. 아직까지 그 효능과 장기 안정성에 대한 무작위 대조시험은 부족한 상태로 임상에서 널리 사용되지 않는다.

(2) 복압요실금

복압요실금에 대한 약물치료는 요도의 평활근(smooth muscle)과 횡문근(striated muscle)의 탄력을 증가시켜 요도폐쇄압력을 증가시킴으로써 그 효과가 나타난다. 이론상 알파작용제가 요도 평활근을 수축시켜 요도폐쇄압을 증가시키고 요실금을 예방할 수 있을 것으로 기대되지만 그 효능에 대한 근거는 미약하다. 몇몇 약제가 사용되고 있으나 미흡한 효능과 높은 부작용 발생으로 인해 실제적인 임상 사용이 제한되고 있다. 선택베타2작용제인 클렌부테롤(clenbuterol)은 일본에서 복압요실금 치료제로 승인되어 사용되고 있으며, 선택알파1작용제인 미도트린(mitodrine)은 포르투갈에서 승인되어 사용되고 있다. 페닐프로파놀아민(phenylpropanolamine)은 출혈성 뇌경색의 위험으로 그 사용이 금지되었다.

① 에스트로겐

노화에 따른 비뇨생식기 위축은 빈뇨, 절박뇨 및 요실금과 같은 하부요로 증상의 원인으로 여겨져 왔다. 따라서 이들 증상 개선 및 치료 목적으로 에스트로겐의 역할에 관심을 가져왔다. 최근 연구에 따르면 요실금 치료로서 에스트로겐 단독 또는 프로게스테론과의 병합요법 결과는 매우 좋지 못하다. 이들 대규모 무작위 대조실험에 따르면 에스트로겐 단독 또는 프로게스테론 병합요법을 시행한 군에서 이미 존재하는 복압 및 절박요실금이 악화되거나 새로이 발생됨이 관찰되었다. 따라서 요실금 치료 목적으로 에스트로겐 사용은 효과에 대한 증거가 없기 때문에 사용해서는 안된다. 하지만, 폐경 여성에서 빈뇨, 절박뇨 및 절박요실금과 같은 증상은 비뇨생식기 위축과 연관성이 있기 때문에 이러한 증상 개선에는 효과가 있으며 국소 투여가 가장 유용하다고 보고되었다.

② 이미프라민

노르에피네프린과 세로토닌의 재흡수를 억제하여 요도 평활근을 수축시킴으로써 효과가 있을 것으로 기대되지만 이를 입증할 만한 연구결과는 없다. 부작용으로는 기립성 저혈압, 구강건조, 변비, 요정체 등이 있다.

③ 둘로세틴(Duloxetine)

세로토닌은 일반적으로 하부요로의 부교감신경을 억제하고 교감신경 및 체신경을 활성화시켜 요저장을 촉진시킨다. 세로토닌과 노르에피네프린 재흡수 억제제인 둘로세틴은 외요도괄약근의 신경 활성을 증가시키고 방광 활성은 감소시킨다. 여러 임상 연구에서 복압요실금 치료제로서의 그 효과가 입증된 유일한 약물이다. 이들 연구에 따르면 요실금의 심한 정도에 상관없이 둘로세틴 40 mg을 하루 두 번 복용한 결과 복압요실금 치료에 효과적이고 안전하다고 보고하였다. 하지만 장기복용 시 또는 투여 중지 후 효능의 지속성에 대해서는 아직 확실한 결과는 없다. 부작용으로는 오심, 두통, 어지럼증, 구강건조, 불면, 피곤, 변비 등이 있다. 치료 중단의 가장 흔한 원인은 오심으로 약 13%의 환자에서 발생하며 대부분에서 3-4일 후에는 증상이 사라지는 것으로 알려져 있다. 복압요실금 치료제로서의 역할은 확실히 정립되지 않았으며, 따라서 아직 일차 약제로 권장되지는 않는다.

(3) 혼합요실금

혼합요실금은 복압요실금과 절박요실금이 함께 있는 경우를 말한다. 혼합요실금 증상을 완화시키기 위해서는 환자 개개인의 상태에 맞춘 개별화된 치료가 필요하다. 따라서 치료는 복압 또는 절박요실금 증상의 심한 정도에 의해 결정된다. 항콜린제와 둘로세틴의 병합치료가 최대의 효과를 보일 것으로 기대되지만 이에 대한 연구결과는 없다. Kullar 등은 혼합요실금의 치료로 항무스카린제가 효과적이며, 76%의 환자에서 증상의 호전을 보였다고 보고하였다.

2. 수술 치료

1) 복압요실금

수술 치료는 보존 치료방법들이 만족스러운 증상 개선에 실패한 경우 그리고 환자들이 요자제를 위해 다른 치료 방법을 원하는 경우 시행될 수 있다. 이론적으로 복압요실금은 요도 과운동성 또는 내인 요도괄약근 기능부전에 의해 발생하며 각각의 상황에 적합한 수술 방법들로 구분될 수 있다(표 47-9). 과거부터 복압요실금 치료로 수많은 수술 방법들이 시도되어 왔지만 단지 소수의 방법들만이 남아 현재 시행되고 있다. 앞질벽협축술(anterior colporrhaphy) 및 견인바늘걸기술(needle suspension procedure)은 장기 치료성공률이 매우 낮기 때문에 현재 단독 수술로 복압요실금 치료를 위해 권장되지는 않는다. 앞질벽협축술의 경우 복압요실금이 심하지 않는 방광류 복구를 위해서만 시행한다.

(1) Burch 수술법

1961년 Burch에 의해 고안됐으며 방광목과 근위요도 부위를 동측의 쿠퍼인대(Cooper's ligament)에 견인하는 방법으로 치골결합 후면에 견인하는 Marshall-Marchetti-Kranz (MMK) 수술의 문제점을 개선시켰다. 장기 치료성공률은 5년 그리고 12년에 각각 82% 및 69%로 보고되었다. 수술 후 20% 환자에서 배뇨장애 또는 요정체가 발생하며 대부분은 일시적이고 4% 미만의 환자에서 장기적으로 문제가 된다고 하였다. 가장 문제되는 합병증은 직장류(rectocele) 및 탈장(enterocele)으로 7-17%의 환자에서 발생하며, 이는 수술 후 질축이 보다 전방경사(anterior angulation)를 보이기 때문으로 여겨진다. 자궁절제술은 Burch 수

표 47-9. 복압요실금 유형에 따른 수술 방법 분류

수술방법	복압요실금 유형		
	요도 과운동성	혼합형	내인 요도괄약근 기능부전
MMK 수술	+++	++	++
Burch수술	++++	+++	++
질전벽협축술	+	−	−
견인바늘걸기수술	++	+	+
치골질걸이	+++	+++	+++
무장력질테이프술	++++	++	++
경폐쇄공 테이프술	++++	++	+
충전제 주입술	++	+	++

술의 치료성공률 향상에 도움이 되지 않으므로 자궁내 병변이 있거나 자궁탈출을 동반한 경우만 시행한다. 1991년 복강경하 Burch 수술도 소개되었으며, 2006 Cochrane 분석에서 개복수술과 비교하였을 경우 성공률은 비슷하다고 하였다.

(2) 무장력 질테이프술(Tension-free Vaginal Tape, TVT)

TVT는 복압요실금이 두덩요도인대(pubourethral ligament)의 결함에 의해 발생된다는 integral theory에 근거한 수술 방법이다. 수술 방법은 치골 상연 중앙에서 좌우로 2-3 cm 떨어진 부위에 5 mm 크기의 피부 절개를 하고 중요도(midurethra) 부위 질벽에도 1-2 cm 절개 후 좌측과 우측 두덩궁(pubic arch)까지 박리하고 6 mm 투관침(trocar)을 이용하여 40×1 cm 되는 폴리프로필렌 메쉬(polypropylene mesh) 테이프를 장력이 가지 않게 중요도 아래에 거치한 후 절개부위에서 요생식격막(urogenital diaphragm)과 Retzius 공간을 지나 치골 상연의 피부절개를 통해 관통시킨다. 수술 중 방광경을 통한 방광 및 요관 손상 여부 확인이 필요하다. 주요 합병증으로는 방광손상 9%, 혈관손상 1% 그리고 치골뒤혈종 2% 정도의 빈도로 보고되었으며, 장손상은 매우 드물지만 발생 가능하다. 질미란 발생빈도는 1.2% 정도로 보고되었다. 대부분의 연구에서 Burch 수술과 TVT는 비슷한 성공률을 보고하였으며, 복강경하 Burch 수술과 비교한 연구에서는 TVT가 다소 우수한 성적을 보였다. 장기 치료성공률도 우수하며 11년 후 90% 환자에서 객관적인 치유상태를 보였다. 무작위 대조군 연구 결과 및 장기 치료성적을 고려할 때 현재 복압요실금에 대한 수술 치료의 최적 표준으로 여겨진다.

(3) 경폐쇄공 테이프술(Transobturator tape, TOT)

2001년 Delorme에 의해 기술된 TOT는 TVT 수술이 치골뒤공간(retropubic space)을 통과함으로써 드물지만 방광, 주요혈관 및 장 등에 치명적인 손상을 줄 수 있기 때문에 이러한 단점을 극복하기 위해 폐쇄공(obturator foramen)을 이용한다. 방광손상의 빈도는 0.5% 정도로 TVT에 비해 적은 것으로 여겨진다. 방광손상은 바늘이 요도하부로부터 넓적다리 주름을 향하여 폐쇄공을 통과할 경우 더욱 감소시킬 수 있으며, 이에 따라 2003년 TVT-O (TVT-Obturator system)가 고안되었다. 폐쇄공을 통한 방법들은 방광손상뿐만 아니라 주요혈관 및 장 손상 그리고 그 외 심각한 합병증을 감소시켰다. 또한, 수술 방법이 간단하며 방광손상이 적기 때문에 수술 중 방광경 검사를 생략할 수 있다고 여겨졌지만, 2010년 미국 비뇨기과학회에서는 모든 걸이(sling) 수술 시 수술 중 방광경 검사를 권고하기도 하였다. 성공률은 86-95% 정도로, 1-2년 단기 성적은 85-90% 그리고 보다 장기적인(2-10년) 성적은 70-85% 정도로 보고되고 있다. 최대요도폐쇄압이 낮은 저압력요도 또는 심한 복압요실금 환자에서는 TOT보다는 TVT가 권장되기도 한다. 최근 수술 후 넓적다리 통증과 방광손상을 감소시키고 수술 방법을 최소화시키기 위해 더 짧은 폴리프로필렌 메쉬를 사용하고 치골뒤공간이나 폐쇄공을 통하지 않고 내폐쇄근(internal obturator muscle)에 도입시키는 방법이 고안되었다. 하지만 아직 이들 새로운 미니슬링 수술들은 TOT에 비해 치료성공률이 낮게 보고되고 있다.

(4) 충전제 주입술(Bulking procedures)

내인 요도괄약근 기능부전에 의한 복압요실금의 치료로 충전제가 사용되고 있다. 충전제는 대개 수술 실패 후 요도 과운동성이 없는 지속적인 복압요실금이나 수술 치료가 위험한 상황 등에서 이차 치료방법으로 시행된다. 현재 가장 많이 사용되는 충전제는 glutaraldehyde cross-linked collagen (Contigen), silicone microimplants 그리고 carbon-coated beads (Durasphere) 등이 있다. 치료 성공률은 대부분 40-60% 정도로 보고되었으며 시간이 지남에 따라 감소된다.

2) 절박요실금

과민방광과 절박요실금에 대한 수술 치료의 효능에 대해서는 확실히 정립되어 있지 않으며, 행동요법 및 약물치료에 반응이 없는 환자에서 고려해 볼 수 있다. 배뇨근절제술(detrusor myomectomy), 천수신경조절술(sacral neuromodulation), 확대방광성형술(augmentation cystoplasty) 및 요로전환술(urinary diversion) 등이 시행되고 있다.

** 참고문헌 목록은 대한산부인과내분비학회 홈페이지 http://www.kosge.or.kr 또는 QR코드를 통해 보실 수 있습니다.*

부 인 과 내 분 비 학

12 인간의 성

Chapter 48 트랜스젠더 내분비학

CHAPTER

48 트랜스젠더 내분비학

이은실(순천향의대)

I. 서론

ICD10과 DSM-IV에서 진단명으로 이용되던 성별정체성장애(Gender Identity Disorder)는 DSM-V와 ICD-11에서는 더 이상 사용되지 않고 DSM-V에서는 성별불쾌감(Gender Dysphoria), ICD-11에서는 성별비순응(Gender Incongruence)이라는 새로운 진단명으로 전환되었다. 이에 앞서 WPATH (World Professional Association of Transgender Health)에서는 성명을 통해 "성별정체성을 포함한 성별특징을 출생 시 지정된 성에 전형적으로 부합되지 않는 방식으로 표현하는 행위는 흔히 나타나며, 문화권에 따라 다양하게 일어나는 현상으로서, 병적이거나 부정적으로 간주되어서는 안 된다"라고 발표하며 전 세계에 성별비순응을 정신병리로 간주하는 경향에서 탈피하도록 촉구하였다.

성별불일치(gender incongruence)는 개인의 성별정체성, 성역할, 성별표현이 개인이 속한 문화에서 특정 성에 따라 정상이라고 규정한 것과 차이가 나는 것을 의미한다. 성별불쾌감은 성별정체성과 출생당시 지정된 성(성역할 혹은 일차, 이차성징)이 일치하지 않음으로써 발생하는 불편함이나 고통을 의미한다. 성별비순응자 중 일부만이 삶의 어느 시점에서 성별위화감을 느낀다.

본 단원에서는 성별정체성을 포함한 여러 가지 단어의 정의를 살펴보고자 한다.

■ **성별정체성**(gender identity)

자신이 남성(소년 또는 남자), 여성(소녀 또는 여자) 혹은 다른 성별(트랜스젠더, 젠더퀴어 등)이라고 느끼는 내면의 감각

■ **성별정제성장애**(gender identity disorder)

DSM IV, ICD-10에 근거한 진단명. 반대 성별에 강력하고 지속적으로 동질감을 느끼고, 자신의 생물학적인 성이 불편하거나 자신에게 부여된 성역할이 부적절하다는 느낌이 지속됨으로써 임상적으로 의미 있는 고통을 초래하거나, 사회 활동, 직업 및 다른 중요 기능에 손상이 초래되는 상태. DSM-V 및 ICD-11에서 삭제됨.

■ **성**(sex)

출생 시 외부성기의 형태에 따라 남성 혹은 여성으로 지정됨. 외부성기가 모호한 경우 다른 요소(내부생식기, 염색체 및 호르몬)를 고려하여 지정됨. 대부분의 사람들은 성별정체성과 성별표현은 지정된 성과 일치하지만, 트랜스섹슈얼, 트랜스젠더 및 성별비순응자의 성별정체성과 표현은 지정된 성과 다름.

■ **성별역할**(gender role)/**성별표현**(gender expression)

특정 문화나 시대에서 남성적이거나 여성적이라고 규정된 성격, 외모, 행동상의 특징.

■ **젠더퀴어**(gender queer)

자신의 성별정체성 혹은 성역할이 남성 혹은 여성으로 이분화된 범주와 일치하지 않는다고 여기는 사람들에 의해 사용되는 정체성의 표현

■ **성별비순응**(gender nonconforming)/**성별불일치**(gender incongruence)

특정 문화나 시대에서 개인에 부여된 생물학적 성에 적합하다고 규정하는 성별정체성, 성역할, 성별표현이 자신의 실제 성별정체성, 성역할, 성별표현에 일치하지 않는 사람들을 묘사하는 수식어

■ **성별불쾌감**(gender dysphoria)

한 개인의 성별정체성과 출생 당시 지정된 성(및 해당 성에 부여된 성역할 내지 일차, 이차 성징)이 일치하지 않음으로써 발생하는 고통

■ **트랜스젠더**(transgender)

문화적으로 규정된 성별의 구분을 가로지르거나 초월한 사람들로 구성된 다양한 그룹의 사람들. 트랜스젠더의 성별정체성은 출생 시 지정받은 성과 다양한 정도로 다르다.

■ **시스젠더**(cisgender)

성별정체성이 출생 시 지정된 성과 일치하는 사람들. 따라서 트랜스젠더와 달리 성별불일치(gender incongruence)를 느끼지 않음

■ **넌바이너리**(non-binary)

성별을 남성과 여성 둘로만 분류하는 기존의 이분법의 성별 구분(gender binary)을 벗어난 종류의 성별정체성이나 성별을 지칭하는 용어로, 그러한 성별정체성을 가지고 있는 사람들을 가리키기도 함.

■ **성별이행/트랜지션**(transition)

출생 시 지정된 성의 성 역할에서 다른 성 역할로 전환하는 시기. 많은 사람들이 이 시기에 다른 성별의 성역할로 사회 생활하는 법을 배우고, 어떤 사람은 이 과정에서 자신에게 가장 편안한 성역할과 성별표현을 찾기도 함. 트랜지션 과정에서 호르몬치료나 다른 의학적 치료를 이용하여 신체를 남성화/여성화할 수도 있고, 하지 않을 수도 있음. 트랜지션의 성격 및 기간은 개인에 따라 다름

■ **성전환수술/성확정수술**(Sex reassignment surgery/gender affirmation surgery)

성별정체성에 부합되는 일차성징 혹은 이차성징으로 전환하는 수술. 성확정수술은 성별위화감을 해소하기 위해 의학적으로 필요한 치료 중 중요한 부분일 수 있음.

■ **성확정호르몬치료**(gender affirmation hormone therapy)

트랜스젠더 혹은 넌바이너리 젠더에서 성별정체성에 맞는 이차성징을 변화시키기 위해 투약하는 호르몬치료

■ **트랜스섹슈얼**(transsexual)

의학 조치(호르몬 혹은 수술)를 통해 일차성징 혹은 이차성징을 이미 바꾸었거나 바꾸기를 원하는 사람을 지칭하며, 통상적으로 성역할을 영구적으로 바꾼 사람을 지칭함.

■ **트랜스여성**(transwoman, transgender woman, male to female, MtF)

출생 시 남성으로 지정되었으나 신체 및 성역할을 여성

의 신체 및 성역할로 전환하고 있거나 이미 전환한 사람

■ **트랜스남성**(transman, transgender man, female to male, FtM)

출생 시 여성으로 지정되었으나 신체 및 성역할을 남성의 신체 및 성역할로 전환하고 있거나 이미 전환한 사람

■ **성적지향**(sexual orientation)

개인이 성적으로, 감정적으로 이끌리는 대상이 누구인가에 관한 것으로 성별정체성과는 구분됨. 과거에는 성정체성(sexual identity)이라고 불리기도 했음.

■ **내면화된 트랜스혐오**(internalized transphobia)

사회가 정상이라고 규정한 성역할 규범이 내면화됨으로 인해 자신의 트랜스젠더 감정 혹은 정체성에 불편함을 느끼는 것

II. 유병률

실제 얼마나 많은 사람들이 트랜스젠더인지 정확하게 파악된 바는 없으며, 트랜스젠더를 어느 범위까지 인정할 것인가 혹은 어떤 방식으로 조사할 것인가에 따라 결과는 매우 달라질 수 있다. 트랜스젠더는 매우 다양한 그룹으로 일부는 성별불일치를 느껴도 트랜지션 없이 살기도 하고, 일부는 의학적 치료 없이 사회적 트랜지션만 이행하기도 하고, 일부는 비의료인을 통한 방법으로 호르몬을 구입하기도 하므로 어느 범주에서 조사하느냐에 따라 달라질 수 있는 것이다. 벨기에에서 성전환수술을 시행 받은 트랜스젠더의 인구조사를 시행한 결과 MtF(남성에서 여성으로 트랜지션) 1:12,900, FtM(여성에서 남성으로 트랜지션)은 1:33,800의 비율을 보여 남성과 여성에서 성전환수술을 받는 비율은 2.43:1의 비율로 보고된 바 있다. 네덜란드에서도 호르몬치료와 성전환수술을 받은 트랜스젠더는 MtF가 1:11,900, FtM이 1:30,400으로 보고되었다. 그러나 전문의료기관을 방문하는 사람에 국한하여 트랜스젠더 인구조사를 할 경우 매우 과소평가될 가능성이 높다. 연구마다 데이터 수집 방법 및 트랜스젠더를 규정한 기준이 다르기 때문에 개별 연구들을 직접 비교하기는 불가능하다. 최근 연구일수록 유병률이 높아지는 경향이 나타나는데 이는 시대가 바뀌면서 임상 치료를 받으러 찾아오는 사람들이 늘어남을 보여주는 지표일 것으로 생각된다.

2017년에 미국에서 발표된 인구조사 자료에 따르면 미국 전역 50개 주에 거주하는 18세 이상의 성인 140만명과 13-17세의 청소년 15만명을 대상으로 설문조사를 시행한 결과 성인의 0.58%, 청소년의 0.73%가 자신을 트랜스젠더로 정체화하였다. 성인의 경우 18-24세 성인은 0.66%, 25-64세 성인은 0.58%, 65세 이상의 성인은 0.5%가 트랜스젠더로 정체화된 것으로 보고되었다. 2007년부터 2009년까지 미국 매사추세츠에 거주하는 18-64세의 성인 중 0.5%가 자신을 트랜스젠더로 정체화하였으며, 벨기에에

표 48-1. 트랜스젠더 유병률.

	표본 수	측정대상	지정성별에 따른 트랜스젠더 유병률		
			남성	여성	전체
Conron 등 (2012)	28,176 성인	트랜스젠더로 정체화	0.5%	0.46%	0.5%
Flores 등 (2016)	14백만 성인	트랜스젠더로 정체화			0.58%
Van Caenegem 등 (2015)	1,832 성인	성별불일치감	0.7%	0.6%	0.6%
Kuyper 등	8,064성인	성별불일치감	1.1%	0.8%	0.9%

서 14-80세의 인구 1832명을 대상으로 조사한 바에 따르면 남성의 0.7%, 여성의 0.6%가 성별불일치를 느낀다고 하였다. 네덜란드에서 8천여 명의 성인을 대상으로 조사한 바에 따르면 0.9% 빈도를 보였다(표 48-1).

III. 원인

성별정체성을 초래하는 생물학적인 요인들이 다양하게 제시되고 있지만 성별은 생물학적인 원인 외 사회, 문화 환경의 영향을 받으며 이러한 요소들은 아동과 그들의 부모들에게 생물학적인 성과 일치하는 전형적인 행동을 하도록 압박을 가하기도 한다. 최근 양육방식과 성별불일치감은 관련이 없는 것으로 밝혀지고 있다.

유전 원인 규명을 위한 쌍둥이 연구에서 일란성 쌍둥이 중 한 명이 성별불일치를 호소할 경우 39.1%에서는 다른 한 명도 성별불일치를 호소하였지만, 성별이 같은 이란성 쌍둥이와 반대성의 쌍둥이에서는 성별불일치를 동시에 호소하는 경우는 없었다. 이 결과는 성별불일치의 발생에 있어 유전 소인의 역할을 제시한다. 선천부신과다형성증(congenital adrenal hyperplasia) 진단 후 여성 혹은 남성으로 양육된 46XX 여성들의 성별정체성, 성별위화감 및 성별의 변화를 고찰한 문헌에서 여성으로 양육된 부신과다형성증 여성의 94.8%는 여성의 성별정체성을 보였으며 5.2%는 성별위화감을 느꼈다고 보고하였는데, 5.2%의 비율은 일반적인 인구에서 나타나는 FtM비율보다 매우 높은 빈도임을 강조하면서 성별정체성과 성별불일치의 발달에 임신 중 안드로겐화(prenatal androgenization)가 어느 정도 기여하고 있음을 시사하였다. 총배출강외번증(cloachal exstrophy, 태생기에 골반 및 골반 장기의 복합적인 결함 발생으로 유전적 남자에서 심각한 음경의 발달 저하 혹은 음경이 없는 상태를 초래하는 선천질환)을 동반하여 출생했던 유전적 남아 16명에 대한 연구에서 16명 중 14명은 사회적, 법적, 수술적(고환절제술 및 회음부 재건)으로 여성으로 지정되었고, 남은 2명은 부모가 여성으로 지정하기를 거부하고 남성으로 지정되어 양육하였는데, 여성으로 지정되었던 14명 중 8명은 연구 기간 동안 자신의 성별정체성을 남성으로 정체화하였고, 남성으로 지정되었던 2명은 남성으로 정체화하고 있었다. 이 연구 결과는 염색체 및 태생기 호르몬이 성별정체성의 형성에 중요한 역할을 하고 있음을 시사하는 동시에 양육 환경 역시 성별정체성에 형성에 역할을 하고 있음을 시사한다고 할 수 있다.

Bed nucleus of the stria terminalis에서 성장억제호르몬(somatostatin) 발현 뉴런의 수는 성적지향(동성애 혹은 이성애)과 무관하게 남성이 여성에 비해 두 배 더 많이 발현되는데, 트랜스젠더 여성은 시스젠더 여성과 유사한 반응을 보였고, 트랜스젠더 남성은 시스젠더 남성과 유사한 반응을 보인다는 연구결과는 성별정체성에 있어 신경학적인 역할이 있음을 시사한다. Luders 등은 24명의 트랜스여성 중 아직 여성호르몬 치료를 받지 않은 24명의 자기공명영상을 시스젠더 남성 30명, 시스젠더 여성 30명의 자기공명영상과 비교하여 우측 조가비핵(Rt. putamen)에서의 회백질(gray matter)의 부피를 비교하였다. 결과적으로 우측 조가비핵에서의 회백질의 부피가 남성에 비해 여성과 트랜스여성에서 유의하게 증가되어 있음을 발견하였고, 이로써 성별정체성에 해부학적인 뇌의 역할이 있을 것이라는 가정을 지지하는 또 하나의 근거가 되었다.

뇌의 형태학적인 측면에서 트랜스여성과 트랜스 남성의 뇌가 완벽하게 남성화되거나 완벽하게 여성화되지 않은 것으로 보이며, 성별에 따라 이분화되는 일부 구조가 여성화/불완전한 남성화 혹은 남성화/불완전한 여성화되는 것으로 보인다. 그러나 이러한 결과 역시 많은 논란이 있으며 지금까지 트랜스섹슈얼리즘을 상징하는 신경해부학 지표는 없다. 즉 트랜스섹슈얼과 시스젠더 간에 일부 신경해부학 차이가 발견되기도 하지만 이는 특정 그룹에 제한되어 나타날 뿐이다.

안드로스타디에논(androstadienone)은 피부 표면의 땀샘(apocrine gland)과 액와모(axillary hair) 및 땀과 정액을 포함한 체액에서 발견되는 스테로이드로 여성에 비해 남성의 땀에서 더 높은 농도를 보인다. 안드로스타디에논에 노출되면 성별에 따라 시상하부에서 다른 반응을 보이게 되는데 Burke 등의 연구에서 성별위화감을 느끼는 여자 및 남자 청소년에서 후각을 통한 안드로스타디에논 자극 시 지정성별에서 보이는 반응과 다르게, 정체화하고 있는 성별에서와 같은 반응을 보였다. 이는 성별위화감을 느끼는 개인에서 그들이 정체화하는 성별의 뇌기능의 특성이 보이며, 지정성별과 다른 뇌신경의 분화가 있을 수 있음을 시사한다.

IV. 트랜스젠더의 호르몬치료

호르몬치료의 주요 목적은 내인 성호르몬을 억제하여 지정성별의 이차성징을 억제하고 자신의 정체성에 부합하는 성호르몬을 투약하는 것이다. 성호르몬 투약은 생식샘저하증 환자의 치료원칙에 따라 투약한다. 성호르몬 투약으로 자신의 정체성에 부합하는 이차성징이 유도되며 이러한 변화는 정신건강에도 긍정적인 효과를 동반한다.

호르몬치료를 시작하기 전에 성별불쾌감/성별불일치 진단에 부합되는지, 성별이행을 시작하기에 적절한 시기인지 확인하고 성호르몬치료로 인해 악화될 수 있는 내과적 질환 여부를 확인한다. 호르몬치료가 시작되면 내적인 성호르몬이 억제되고 투약한 성호르몬은 정체화하는 성별의 정상 생리학적인 농도 내에서 유지되고 있는지 확인한다(표 48-2).

우울, 불안감 등 동반된 정신건강 문제가 있다고 해서 여성화/남성화 호르몬치료를 제한해서는 안 되며, 이러한 문제는 성별불쾌감을 치료하기 전 혹은 치료하는 동시에 관리하도록 한다. 때에 따라 기준을 충족하지 못하더라도, 이미 본인이 원하는 성별을 확립하였으며 과거 호르몬 투여 경력이 있는 환자에게 호르몬을 처방할 수도 있으며, 자의로 음성적인 방식으로 호르몬을 사용하는 사람에게 검증된 방식의 호르몬치료와 모니터링을 제공하는 것을 고려해야 한다.

1. 트랜스젠더 남성

1) 호르몬요법

테스토스테론은 남성 생식샘기능저하증 환자의 치료 기준에 부합하도록 투약하여 남성적인 이차성징을 유도한다. 비경구요법 혹은 경피요법으로 투약 가능하고, 남성의 정상 범위 혈중 농도(320-1,000 ng/dL, 기관의 정상기준치는 다를 수 있음)를 유지하도록 한다. 정상 범위 혈중 농도보다 높은 농도의 테스토스테론이 지속적으로 유지되는 경우 부작용의 우려가 있으므로 주의해야 한다. 테스토스테론은 목표 조직의 안드로겐 수용체를 직접 자극하여 반응을 나타내고, 임상 효과는 혈중 에스트로겐 농도가 감소되는 정도보다는 혈중 테스토스테론 농도가 남성의 수준으로 증가되는 것에 비례하여 나타난다.

(1) 테스토스테론

현재 국내에서는 testosterone enanthate, testosterone undecanoate, 테스토스테론 젤(2%)이 이용 가능하며, 최근에 테스토스테론 비강 젤이 판매되어 이용 가능하다.

Testosterone undecanoate (Nebido®)는 1 바이알 4 mL에 1000 mg의 테스토스테론이 함유되어 있다. 1회 주사 후 6주 후에 2회차 주사를 투약하고 이후부터 12주 간격으로 투약한다. 초기 3회 투약한 후 4번째 투약 직전에 혈중 테스토스테론 농도를 측정하여 그 투약 간격을 10-20주 사이로 조절할 수 있다.

Testosteone enanthate (Jenasterone®)은 국내에서 시판되는 제형은 한 개의 1 mL 앰플에 250 mg의 테스토스테론이 함유되어 있으며 2주마다 100-200 mg을 투약하기도 하고 2-4주마다 250 mg 한 앰플을 모두 투약하기도 한다.

테스토스테론 젤(2%) (Tostrex®)은 1회 펌핑 시 10 mg의 테스토스테론이 함유되어 있다.

테스토스테론 패치는 현재 국내에서 이용 가능한 제품이 없다.

국내에 최근에 출시된 테스토스테론 비강 젤(Natesto®)은 1회 분무 시 5.5 mg이 분무되며 양쪽 비강에 한번씩 분무하는 경우 11 mg의 테스토스테론이 포함된다. 하루 22-33 mg을 투약할 수 있다(표 48-3).

(2) 프로게스토겐

월경중단을 유도하고, 피임이 필요한 경우 FtM에서 프로게스토겐을 사용할 수 있다. 데포 MPA주사제를 테스토스테론 치료 전 혹은 치료와 동시에 투약하고, 테스토스테론 치료 후 3-6개월에 중단한다. 데포 MPA 피하주사제(Sayana®)가 국내에서 사용되었으나 현재는 국내에서 판매를 철수한 상태이다.

레보노게스트렐분비 자궁내장치(LNG-IUS, Mirena®) 또한 동일한 목적으로 사용할 수 있다.

2) 남성화 효과

남성호르몬 효과가 나타나는 속도와 효과의 정도는 사용된 제제, 용량, 환자의 반응도에 따라 달라진다. 일반적으로 초기 1-3개월 내에 피부의 유분이 증가되는 것을 느끼게 되고, 근육 증가 및 상체의 힘이 증가되며 피하지방의 골반에서 복부쪽으로 재분배를 통해 남성형 신체로 변해간다. 피하지방의 전반적인 감소, 복부지방의 증가, 약 4 kg의 근육증가로 인해 체중은 이보다 더 증가되지만 식이요법으로 조절 가능하다. 테스토스테론 치료는 성욕 및 성흥분을 증가시킨다. 목소리는 초기 3-6개월 내에 갈라지고 깊어지고, 목소리 톤이 완전히 낮아지기까지는 1년 혹은 그 이상이 소요되기도 한다(표 48-4). 여드름은 약 40%에서 증가되며, 얼굴보다는 등에 더 빈번하게 발생한다.

테스토스테론 치료 시작 몇 개월 내에 클리토리스가 커지지만 1년 이내에 더 커지지 않고 유지된다. 클리토리스는 최대 3.5-6 cm까지 증가되어 5-8%에서는 질 삽입성교가 가능할 만큼 커지기도 한다. 클리토리스에 테스토스테론 크림을 직접 바르는 것이 클리토리스 크기 증가에 도움이 되지는 않는다. 장기간의 테스토스테론 치료는 질과 자궁경부의 위축을 초래하여 질분비물이 감소되고 일부 환자들은 삽입 성관계의 어려움을 호소하기도 한다. 대부분에서 1-6개월 이내에 월경이 중단되는데, 3개월 이후에도 월경이 중단되지 않는다면 혈중 테스토스테론의 농도가 정상범위의 상위 25%에 도달하거나 월경이 중단될 때까지 테스토스테론의 용량을 최대한으로 늘린다. 출혈이 지속된다면 프로게스토겐 제제를 추가하거나 자궁내막절제술(endometrial ablation)을 고려해볼 수도 있다. 테스토스테론 치료를 시작하기 전에 GnRH agonist 혹은 데포 MPA를 투약하여 월경을 중지시키기도 한다.

자궁내막이 위축되고, 월경이 중단되고, 생식력이 감소되더라도 테스토스테론 치료 몇 년 후에도 배란이 나타날 수도 있으므로 테스토스테론 자체가 안전한 피임이 될 수는 없다.

치료 첫 해에 상체와 사지의 체모가 길고, 거칠며 굵어진다. 얼굴의 수염은 조금 천천히 증가하여 완전히 자라기까지는 약 3-5년 소요된다. 일부 환자들은 남성화 과정의

표 48-3. 테스토스테론 치료요법

주사요법	
Testosterone enanthate 또는 cypionate	100-200 mg 근육 혹은 피하/2주 50-100 mg 피하/주
Testosterone undecanoate	1000 mg/12주
기타 비경구요법	
테스토스테론 젤(1%)	25-100 mg/일
테스토스테론 젤(2%)	30-80 mg/일(10 mg/pump)
테스토스테론 비강 젤	22-33 mg/일(5.5 mg/spray)
테스토스테론 패치	2.5-7.5 mg/일

표 48-4. 남성호르몬이 미치는 영향 및 예상되는 시간 경과

효과	예상 시작 시기	예상 극대화 시기
피지증가/여드름	1-6개월	1-2년
수염/체모증가	3-6개월	3-5년
남성형탈모	>12개월[1]	개인차 있음
근육량 및 근력 증가	6-12개월	2-5년[2]
체지방 재분배	3-6개월	2-5년
월경중단	2-6개월	
클리토리스 비대	3-6개월	1-2년
질위축	3-6개월	1-2년
음성 변화(굵어짐)	3-12개월	1-2년

1: 연령과 유전에 따라 다르며, 거의 나타나지 않을 수도 있음.
2: 운동량에 따라 좌우됨.

후반기에 남성형탈모를 경험하기도 한다. 난소에는 다낭 변화가 초래되고, 유방의 분비샘 활동을 감소시키지만 유방의 크기를 감소시키지는 않는다.

이러한 변화들이 대부분 치료를 중단 시 가역적이지만, 목소리의 변화와 남성형탈모는 비가역적이다. 수염과 체모의 증가는 전기분해, 레이저 치료 등을 통해 제거할 수 있다. 생식능력 및 클리토리스의 변화가 가역적인지는 아직 분명하지 않다. 따라서 젊은 사람들에서는 생식조직 및 생식세포의 냉동보관을 포함하여 생식능력의 보존에 관한 논의가 이루어져야 한다.

테스토스테론의 부작용에 대한 위험도가 낮은 환자라면 초기용량에서부터 점진적으로 용량을 최대용량까지 증가시키며 투약한다. 최대한의 변화가 유도된 후, 치료 2년 후에는 더 이상의 변화 없이 유지된다. 충분히 남성화 성징이 나타났고 무월경이 유지된다면 투약 용량을 줄여볼 수 있다. 난소절제술을 시행받은 경우 난소절제 후 골밀도를 유지하기 위해서 치료의 이점이 위험보다 크다고 판단되면 평생 테스토스테론 치료를 유지하며, 칼슘과 비타민 D를 섭취하도록 한다.

3) 부작용

테스토스테론 치료 후 몇 개월 이내에 월경이 중지되지만 일부에서는 지속적으로 출혈이 발생한다. 이 경우 테스토스테론 농도를 확인하여 농도가 낮다면 투약 용량을 증량하고, 월경의 중단을 유도하기 위해 GnRH agonist나 MPA와 같은 경구 프로게스틴의 추가를 고려해볼 수 있다.

테스토스테론 치료 시 체중증가와 이상지혈증(저밀도 콜레스테롤과 중성지방 증가)을 초래하고, 폐쇄수면무호흡, 비만, 여드름을 증가시킨다. 적혈구증가증의 발생으로 인해 혈전색전증의 위험도가 증가되고 혈관질환이 악화될 우려가 있다.

테스토스테론 치료 이후 체중이 증가된 트랜스남성에서 내장지방의 증가는 심혈관질환의 위험도와 2형 당뇨병의 위험을 증가시킬 수 있다. 그러나 트랜스남성에서 테스토스테론 치료로 인해 심혈관질환의 이환 및 사망이 증가했다는 보고는 없다. 전반적으로 테스토스테론 치료를 받는 트랜스남성의 이환율은 단기간 혹은 중장기간(약 5-10년) 관찰했을 때 비트랜스젠더 남성과 다르지 않다고 보고되었다.

또한 에스트로겐의존성 종양의 가족력이 있는 경우 테스토스테론이 체내에서 에스트로겐으로 전환되어 에스트로겐의존성 종양의 위험을 증가시킬 수 있지만 아직까지 테스토스테론이 악성종양을 증가시킨다는 보고는 없다.

테스토스테론은 주사제나 경피형으로 투약되므로 간에 대한 효과는 매우 미미하다. 주사제의 경우 주기적으로

투약되므로 일부에서는 주기적인 효과의 차이를 느낀다. 즉 투약주기 마지막에 피로감이나 짜증을 느끼고, 투약 초기에 공격성 혹은 기분의 변화를 느끼기도 한다. 이러한 경우 적은 용량으로 투약주기를 줄여서 투약함으로써 주기 변화를 최소화하거나 경피제제를 사용할 수 있다. 경피제제는 스스로 주사를 투약하는데 어려움을 느끼는 경우, 주사제의 투약주기 관련 부작용을 느끼는 경우, 천천히 용량을 단계적으로 증량하기를 원하는 경우에서 선호된다.

4) 치료 모니터링

혈중 테스토스테론 농도는 비트랜스젠더 남성의 생리적 농도 범위(300-1,000 ng/dL)에서 유지하도록 한다. 테스토스테론 주사제를 투약하고 있다면 최저 농도가 정상농도의 최저수준 정도, 최고 농도는 정상농도의 최고수준 농도에서 유지되도록 하고, 최고 혈중 농도는 1,000 ng/dL을 초과하지 않도록 한다.

혈중 테스토스테론 농도는 Testosterone enanthate/cypionate 주사제를 투약하는 경우 투약 주기 중간에 시행하지만 testosterone undecanoate를 투약하는 경우 다음 주사 투약 직전에 혈액검사를 시행한다. 만일 주기적으로 편두통, 골반통증, 감정기복을 느낀다면 최고농도와 최저농도를 측정하여 농도의 차이가 크다면 경피요법으로 바꾸거나, 투약 용량을 줄여서 더 짧은 간격으로 투약 주기를 바꿀 수 있다.

경피 혹은 비강으로 투약하는 경우 1주 이상 투약 후 아무 때나 측정할 수 있다.

테스토스테론 치료 시 첫 6개월 혹은 자궁출혈이 소실될 때까지 혈중 에스트라디올 농도를 측정하여 그 농도가 50 pg/mL 이하로 유지되도록 한다.

체중과 혈압을 측정하고, 테스토스테론 치료 시 적혈구증가증이 초래될 수 있으므로 혈중 적혈구용적률(hematocrit) 농도를 확인하여 적혈구용적률 농도가 50% 미만으로 유지되는지 확인한다.

유방절제술을 시행하지 않았다면 비트랜스젠더 여성 같이 유방촬영을 시행하고, 유방절제술을 받았다면 유방촬영술은 필요로 하지 않는다. 다만 매년 흉부와 액와부위 진찰을 통해 수술흉터 및 특정 변화여부를 확인하고 유방암의 위험도가 매우 적지만 가능성이 있음을 주지시킨다.

자궁경부가 있다면 비트랜스젠더 여성과 같이 자궁경부암 선별검사를 시행하고, 자궁경부가 없다면 시행하지 않는다. 남성호르몬을 투약하고 있다면 매년 혈중 콜레스테롤 검사를 시행하고, 위험요소가 있다면 심혈관질환에 대한 검사를 시행한다. 당뇨검사는 다낭난소증후군이 있

표 48-5. 트랜스남성에서 남성호르몬치료 모니터링

1. 치료 첫 해 동안 3개월마다, 이후에는 1년에 1-2회 환자의 남성화 징후 및 부작용 발생여부 확인
2. 혈중 농도가 남성의 생리적 농도에 이를 때까지 3개월 간격으로 혈중 테스토스테론 농도 확인
   - Testosterone enanthate/cypionate 주사제의 경우 주기 중간에 검사하여 300-1000 ng/dL 유지, 혹은 최저 및 최고 농도 검사하여 생리적 농도 범위 내에 있도록 유지
   - Testosterone undecanoate 주사제의 경우 다음 주사제 투약 직전에 검사, 농도가 300 ng/dL미만이면 투약간격 조절
   - 경피 테스토스테론 패치의 경우 치료 1주일 이상 경과 후 검사(피부에 사용 후 2시간 이상 경과 후 채혈)
3. 치료 전 혈중 Hct, 혈색소 측정
   - 치료 후 첫 1년 동안 3개월마다 측정, 이후에는 1년에 1-2회 측정.
   - 방문시마다 혈압, 체중 측정 및 매년 혈중 콜레스테롤 측정
4. 호르몬치료를 5년 이상 중지, 호르몬치료의 순응도가 낮거나, 위험요소가 있는 경우 골밀도검사
5. 자궁경부가 있다면 일반적인 지침에 준하여 자궁경부암 세포검진
6. 유방절제술 시행 시 주기적인 흉부 및 액와부위 검진, 유방절제술 시행하지 않았다면 일반적인 지침에 준하여 유방촬영
7. 고환절제술을 시행한 경우 65세 이상부터 골밀도검사, 호르몬치료를 5년 이상 중단 시 50-65세에 골밀도 검사, 고환이 있는 경우 비트랜스젠더 남성의 기준에 의한 골밀도검사

는 여성의 일반적인 기준에 준하여 검사를 시행한다. 모든 트랜스남성에서 65세 이후에 골밀도검사를 시행하고, 만일 5년 이상 호르몬을 중지했다면 50-65세 사이에 골밀도 검사를 시행한다(표 48-5).

2. 트랜스젠더 여성

1) 호르몬요법

MTF범주의 트랜스젠더에서 여성화 효과는 안드로겐을 직접 혹은 간접적으로 억제하고 여성적인 이차성징을 유도하는 것을 목표로 한다.

트랜스여성의 호르몬 요법은 트랜스남성에 비해 복잡한데, 이는 생리적인 용량의 에스트로겐 단독으로는 테스토스테론을 여성의 생리적 농도 범주까지 충분히 억제할 수 없기 때문이다. 따라서 에스트로겐과 항안드로겐 제제를 동시 투약한다.

안드로겐 억제는 생식샘자극호르몬 분비를 억제하는 기전(GnRH agonist), 프로게스토겐 제제를 이용하여 LH를 억제하는 기전(cyproterone acetate), 테스토스테론의 합성을 방해하거나 테스토스테론이 다이하이드로테스토스테론(dihydrotestosterone)으로 대사되는 것을 방해하는 기전(spironolactone, finasteride, cyproterone acetate), 안드로겐이 목표조직의 수용체에 결합하는 것을 방해하는 기전(spironolactone, cyproterone acetate)을 이용한다. 에스트로겐은 여성적인 이차성징을 유도하는 주요 약제이며 목표조직의 에스트로겐 수용체를 직접 자극하여 작용한다.

가장 많이 사용되는 방법은 에스트로겐과 항안드로겐 제제인 sprinolactone 혹은 cyproterone acetate를 동시에 투약하는 방법으로 항안드로겐 제제 사용은 남성형 체모의 성장을 줄이고 테스토스테론을 억제하기 위해 필요한 에스트로겐 용량을 줄일 수 있다. Sprinolactone은 안드로겐 수용체를 직접 차단하며, 일부 에스트로겐 효과를 나타낸다. Cyproterone acetate는 유럽에서 많이 사용되며, 국내에서도 항안드로겐제제로 사용되고 있다. 항안드로겐 효과를 유도하기 위해 GnRH 작용제를 이용할 수 있다.

남성형탈모의 진행을 억제하기 위해 finasteride를 추가할 수 있다. 고환절제술을 시행한 경우 내부에서의 안드로겐 합성이 중지되었으므로 항안드로겐 투약을 중지한다. 고환절제술 이후 골밀도를 유지하기 위해서는 이점이 위험을 상회하는 한 건강상태와 기대수명을 고려하여 지속적으로 에스트로겐을 투여하며, 고령에서는 초저용량 에스트로겐을 투약한다.

혈중 에스트라디올 농도와 테스토스테론 농도를 측정하여 폐경 전 여성의 생리적 농도 범위(100-200 pg/mL, 50 ng/dL)를 유지하도록 한다.

(1) 에스트로겐

에스트로겐 사용 시 에티닐 에스트라디올(ethinyl-estradiol)은 혈전색전증의 우려가 증가하므로 천연에스트로겐제제인 에스트라디올 주사제, 경구에스트라디올, 경피에스트라디올 제제를 이용하며 나이가 증가할수록 혈전의 위험을 고려하여 경구제제보다는 주사제 혹은 경피제

표 48-6. 에스트로겐 및 항안드로겐 치료요법

에스트로겐 치료	
주사용법	
Estradiol valerate	5-10 mg/주, 근육 10-20 mg/2주, 근육
Estradiol cypionate	2-10 mg/주, 근육
경구요법	
Estradiol	2.0-6.0 mg/일
경피요법	
Estradiol transdermal patch	0.025-0.2 mg/일
estradiol 0.1% gel (1 mg/g)	2.0-6.0 mg/일
항안드로겐 치료	
Spironolactone	100-300 mg/일
Cyproterone acetate	25-50 mg/일
Finasteride	1-5 mg/일
Dutasteride	0.5 mg/일
GnRH agonist	3.75 mg/개월 혹은 11.25 mg/3개월

제를 사용하는 것이 좋다. 경구 에스트라디올은 2-6 mg/일의 방법으로 매일 투약하며, 에스트라디올 주사제는 2주 간격으로 5-30 mg을 근육주사 혹은 2-10 mg을 매주 근육 주사한다. 경피 패치는 0.025-0.2 mg/일의 방법으로 투약한다.

국내에서는 경구 estradiol valerate(프로기노바®) 1 mg 혹은 2 mg 제제, 주사제인 estradiol valerate(에스트라디올 데포주®) 10 mg/mL가 주로 이용되며, 경피 패치는 시판되지 않고, 경피 젤(디비겔®)을 경구 용량에 상응하는 용량으로 사용할 수 있다(표 48-6).

(2) 항안드로겐

항안드로겐 제제는 sprinolactone(알닥톤® 등) 100-300 mg/일 혹은 cyproterone acetate(안드로쿨®) 25-50 mg/일을 주로 사용하며 GnRH 작용제를 3.75 mg을 매달 혹은 11.25 mg을 3개월 간격으로 사용할 수 있다.

Finasteride는 5-α reductase type 2, 3 억제제로 Finasteride 1 mg은 남성형탈모의 치료, 5 mg은 전립샘비대의 치료 목적으로 FDA승인을 받았다. Dutasteride는 5-α reductase type 1 억제제로 Finasteride에 비해 더 효과적이다. 이러한 약들은 테스토스테론의 합성과 작용을 억제하지는 않기 때문에 항안드로겐효과는 상대적으로 낮다. 5-α reductase 억제제는 부분적인 여성화를 추구하거나 일부 남성 특징을 유지하기 원하거나, 다른 항안드로겐제를 사용하거나 고환절제술 이후에 탈모를 치료하기 위해 사용할 수 있다(표 48-6).

(3) 프로게스토겐

일부 임상의들은 프로게스토겐을 여성호르몬 치료에 추가하는 것이 유두 발달에 도움이 된다고 주장하지만 여성호르몬요법에서 프로게스토겐 유무에 따른 결과를 비교한 결과에서 프로게스토겐을 추가하는 것이 유방의 성장을 촉진시키지도 않고, 유리 테스토스테론의 수치를 낮추지 않는다고 보고되었다. 또한 폐경 여성의 WHI연구에서 에스트로겐과 프로게스토겐을 병합하여 투약한 그룹에서 심혈관질환 및 유방암의 위험이 증가하였다. 또한 프로게스토겐 사용시 염분/수분 저류로 인해 혈압상승, 정맥류를 초래할 수 있다. 이로 인해 일부 임상의들은 프로게스토겐의 사용을 반대하기도 한다.

2) 여성화 효과

여성화 효과의 속도와 결과의 정도는 사용된 제제, 용량, 개인별 반응도에 따라 다르다. 일반적으로 1-5개월 내에 지방의 재분배가 일어나 여성형 신체로 변해가고, 근육량의 감소 및 근력의 감소 특히 상체의 힘이 감소한다. 그러나 이러한 변화는 음식과 운동의 종류 및 운동량에 따라 달라질 수 있다. 또한 피부가 부드러워지고, 성욕이 감소하며, 오르가즘을 느끼기 어렵고 사정 빈도의 감소, 자연 발기 감소를 보인다. 고환의 부피가 초기 1년 동안 약 25% 감소하고 장기간 치료 시 치료 전 부피보다 약 50%까지 감소된다. 고환의 위축변화로 인해 정자의 성숙 및 운동성에 영향을 주며 이는 영구적일 수도 있다. 전립샘이 위축되고, 방광목(bladder neck)의 해부학 변화가 초래되어 일시적으로 소변이 똑똑 떨어진다고 느낄 수 있으나 이러한 현상은 대개 1년 이내에 소실된다.

유방의 발달은 개인차가 크며 트랜스젠더 여성의 기대와 다를 수 있다. 약 3-6개월 후에 시작되며 점차 성장하여 약 2년 혹은 그 이상에 걸쳐 유두의 발달까지 진행된다. 유방의 발달은 비트랜스젠더 여성의 유방발달에 비해 현저하지 않으며, 트랜스젠더 여성에서 유방이 Tanner 5단계까지 발달되는 경우는 매우 드물다. 최대 유방의 발달은 호르몬 치료 후 약 18-24개월에 이루어지므로 이 시기까지 유방의 발달이 만족할 만큼 충분하지 않다면 확대수술을 고려해볼 수 있다. 약 50-60%는 호르몬치료 이후 유방의 발달에 만족하지만, 40-50%는 유방의 발달이 충분하지 않다고 느낀다(표 48-7).

프로게스토겐을 추가하는 것이 성욕과 기분 및 유방발달에 긍정적인 효과를 준다는 내용들이 언급되나 이에 관하여 잘 계획된 연구 결과가 없으므로 과학적인 근거는 충분하지 않다.

수년간 호르몬치료를 지속하면서 체모가 가늘어지고

표 48-7. 여성호르몬이 미치는 영향 및 예상되는 시간 경과

효과	예상 시작 시기	예상 극대화 시기
체지방 재배치	3-6개월	2-5년
근육량 및 근력 감소	3-6개월	1-2년
피부 부드러워짐, 피지 감소	3-6개월	알 수 없음
성욕 감소	1-3개월	1-2년
자연 발기 감소	1-3개월	3-6개월
남성 성기능 부전	개인차 있음	개인차 있음
유방 발달	3-6개월	2-3년
고환 크기 감소	3-6개월	2-3년
정자 생성 감소	개인차 있음	개인차 있음
수염과 체모가 가늘어지고 성장속도가 느려짐	6-12개월	>3년
남성형 탈모 중단	1-3개월	1-2년

성장이 느려지지만 호르몬치료 단독만으로는 완전히 제거되지 않으므로 전기분해, 레이저 치료 및 다른 형태의 치료를 이용하여 제모를 시도할 수 있다. 남성형탈모의 진행이 느려지거나 멈추지만 이미 탈모가 일어난 부위가 완전히 회복되지는 않는다. 치료가 중단되면 이러한 변화의 대부분이 가역적으로 다시 변하지만 유방 및 유두의 발달과 성장은 비가역적이다. 또한 생식능력의 변화가 가역적인지 여부는 아직 확실하지 않으므로 호르몬치료를 시작하기 전에 정자 보존에 관하여 논의하도록 한다. 특정 경로의 호르몬 요법이 다른 경로의 호르몬 요법보다 더 효과적이라는 근거는 없다.

여성호르몬과 항안드로겐치료는 목소리에 영향을 주지 않으므로 일부 트랜스여성은 음성치료를 받기도 한다.

3) 부작용

에스트로겐 투약으로 인해 정맥혈전증, 폐색전증, 및 뇌졸중의 위험이 증가할 수 있다. 이러한 위험도는 투약하는 약의 종류, 투여 경로(경피 vs 경구), 용량 및 흡연 등의 용인에 따라 달라질 수 있다. 일부 의사들은 주요 수술 전 혈전의 위험을 줄이기 위해 수술 2-4주 전에 여성호르몬을 중지하도록 하고 충분히 움직일 수 있을 정도로 회복한 후 다시 투약하도록 권하기도 한다. 혈전색전증의 위험을 고려할 때 합성에스트로겐보다는 에스트라디올을 투약하는 것이 더 안전하다고 여겨지며, 특히 경피 에스트라디올을 투약하는 것이 혈전색전증의 위험이 가장 낮으므로 혈관질환 혹은 혈전의 위험요인이 있는 경우(40세 이상 및 흡연자), 동반질환이 있는 경우 특히 주의해야 한다. 따라서 경구투약이 이루어지는 경우 복합에스트로겐(conjugated estrogen)이나 에티닐 에스트라디올(ethinyl estradiol)보다는 에스트라디올(estradiol)제제를 투약하는 것이 혈액응고의 위험을 감소시킬 수 있다. 여성호르몬을 장기간 사용 시 체중증가, 체질량지수의 증가 및 내장지방증가 등의 대사증후군 위험이 증가하며, 콜레스테롤은 고밀도콜레스테롤(HDL cholesterol)과 중성지방이 증가되고, 저밀도콜레스테롤(LDL cholesterol)은 감소되며 총 콜레스테롤은 변화를 보이지 않는다. 또한 여성호르몬 투약은 담석증, 고프로락틴혈증, 고중성지방혈증, 간기능 이상 등의 부작용을 초래할 수 있다. 에스트로겐 사용으로 유방암이 증가될 위험은 있으나 트랜스여성이 여성호르몬 투약으로 인해 암이 증가된다는 보고는 없다. 항경련제, 리팜핀(rifampin)을 동시에 복용 시 에스트로겐의 효과가 감소되며, 스테로이드호르몬을 함께 복용하면 스테로이드호르몬의 효과가 증가될 수 있다.

Spironolactone의 부작용으로 고칼륨혈증, 신장기능이상, 저혈압, 및 피부발진 등이 있다. Cyproterone acetate의 부작용은 간기능 이상과 우울증, 고프로락틴혈증 등이 있다.

4) 치료 모니터링

여성호르몬치료를 받은 트랜스여성의 임상적 추적관찰은 치료 첫해에는 3개월 간격으로 시행하면서 치료요법이 적절하게 이루어지고 있는지 확인한다. 첫 해가 지나면 이후에는 1년에 1-2회 추적관찰하며 환자가 주어진 호르몬요법에 편안함을 느끼는지 및 임상 경과를 확인한다.

혈중 테스토스테론 농도는 비트랜스젠더 여성의 농도 범위로 유지하고, 혈중 에스트라디올 농도는 여성의 정상 혈중 농도에 맞추어 유지한다.

혈중 에스트라디올 농도는 주사제의 경우 투약주기 중간에 측정하여 정상 혈중 농도를 유지하도록 한다. 주기적으로 편두통, 감정기복 등을 느낀다면 최고농도와 최저농도를 측정하고 그 차이가 매우 크다면 경구 혹은 경피요법으로 바꾸거나 주사제의 경우 투약용량 및 투약주기를 줄여서 투약하는 것을 고려한다. 에스트로겐 주사제는 근육주사 외에 피하주사로도 투약이 가능하다.

Spironolactone을 복용하고 있다면 혈중 칼륨농도를 주기적으로 측정한다.

유방암의 위험인자(에스트로겐/프로게스틴 병합요법을 5년 이상 시행, 가족력, 체질량지수>35)가 있는 경우 50세 이후부터 유방암의 선별검사를 고려하고, 전립샘암의 선별검사를 비트랜스젠더와 같은 시기부터 시행한다. 여성호르몬을 투약하고 있다면 매년 콜레스테롤 검사를 시행하고, 위험요소가 있다면 심혈관질환과 당뇨에 대한 선별검사를 시행한다. 고환절제술을 받았다면 65세부터 모든 트랜스여성에서 골밀도검사를 시행하고, 만일 이전에 호르몬치료를 5년 이상 중지했다면 50-65세 사이에 골밀도검사를 시행한다. 에스트로겐 복용 시, 특히 cyproterone acetate를 같이 복용하는 경우 혈중 프로락틴이 증가될 수 있으므로 혈중 프로락틴 농도를 주기적으로 검사한다(표 48-8).

V. 트랜스젠더의 가임력

성확정호르몬치료는 가임력을 감소시킬 수 있다. 생식샘절제를 포함한 성확정수술은 생식력을 비가역으로 제거한다. 따라서 어떠한 치료를 시작하기 전에 생식력보존에 관한 상담을 받도록 한다. 트랜스여성은 정자의 냉동보관을, 트랜스남성은 난자 혹은 수정란의 냉동보관을 고려할 수 있다.

트랜스여성 및 트랜스남성은 호르몬치료를 중지한 후 파트너, 기증정자, 혹은 대리모를 통해 성공적으로 임신할 수 있다.

트랜스남성은 테스토스테론 치료를 받는 동안 월경이 중지된 상태라도 배란이 지속되는 경우도 있다. 테스토스테론은 태아발달에 해로운 영향을 줄 수 있으므로 테스토스테론 치료를 고려하거나 받고 있으며, 임신의 위험이 있는 경우 데포 MPA, 콘돔, 살정제 등의 피임법을 고려한다. 장기간의 피임을 원하는 경우 자궁관결찰술, 호르몬이식제 및 자궁내장치도 고려한다.

VI. 트랜스젠더의 암검진

1. 유방암

1) 트랜스여성

여성호르몬 치료를 하지 않는 트랜스여성에서 비트랜스젠더 남성과 비교하여 유방암의 위험이 증가하지 않는다. 따라서 위험요인이 없다면 정기적인 유방검진이나 유

표 48-8. 트랜스여성에서 여성호르몬치료 모니터링

1. 치료 첫해 동안 3개월마다, 이후에는 1년에 1–2회 환자의 여성화 징후 및 부작용 발생여부 확인
2. 혈중 농도가 정상 혈중 농도에 이를 때까지 3개월 간격으로 혈중 테스토스테론, 에스트라디올 농도 확인 ■ 혈중 테스토스테론 〈50 ng/dL 유지 ■ 혈중 에스트라디올 100–200 pg/mL 유지
3. Spironolactone을 복용하는 경우 첫해에는 3개월 간격으로 혈중 전해질(특히 potassium)농도 확인, 이후에는 1년 간격으로 확인
4. 비트랜스젠더와 같은 형태의 정기 암검진
5. 골밀도검사는 저위험군 환자에서 65세부터 시작

방촬영은 필요하지 않다.

과거에 여성호르몬치료를 받았거나 현재 받고 있다면 비트랜스젠더 남성에 비해 유방암의 위험도가 증가할 것으로 생각되나 비트랜스젠더 여성에 비해서는 위험이 매우 낮다. 5년 이상의 호르몬치료, 가족력, 고도비만(체질량지수>35 kg/m^2) 황체호르몬 복용 등의 요인들이 유방암의 위험도를 증가시킬 수 있다. 이러한 위험인자가 있는 트랜스여성은 50세부터 매 1-2년마다 유방촬영을 하도록 U.S. Preventive Service Task Force (USPSTF)에서는 권장하고 있다. 유방확대술은 유방촬영의 정확도를 감소시키지만 트랜스여성의 유방암 위험도를 증가시키지는 않는다.

2) 트랜스남성

유방절제술을 시행하지 않았다면 남성호르몬 사용에 관계없이 비트랜스젠더 여성과 같이 유방촬영을 시행한다

유방절제술을 시행받았더라도 미용 목적을 위해 일부 유방조직이 남겨두는 것이 일반적이다. 유방절제술을 받은 경우 유방암의 위험은 감소하지만 비트랜스젠더 남성의 위험보다는 높다. 유방암의 위험도는 유방절제술을 시행한 나이, 남아있는 유방조직의 양에 따라 달라진다. 매년 흉부 및 액와진찰을 시행하고, 위험도가 낮지만 유방암의 위험도가 있음을 교육한다.

2. 자궁경부암

1) 트랜스여성

USPSTF에서는 양성질환으로 자궁절제술을 받은 비트랜스젠더 여성에서 자궁경부암 검진은 권고하지 않는다. 질성형술을 받은 트랜스여성에서 신생 질내부에 콘딜로마가 발생했다는 일부 보고가 있으므로 특히 면역저하가 있는 트랜스여성에서는 질이형성증의 검진을 고려할 수 있다.

2) 트랜스남성

자궁경부가 있는 트랜스남성에서 자궁경부암 검진은 매우 불쾌감을 유발할 수 있으므로 인유두종바이러스 전파의 위험이 낮은 경우 자궁경부암 검진은 최소화한다.

자궁경부를 가지고 있는 트랜스남성(자궁절제술을 시행받지 않거나 자궁경부상부자궁절제술을 시행받은 경우)에서 자궁경부암 세포검진은 비트랜스젠더 여성과 같이 권고한다. 테스토스테론 치료가 자궁경부암을 증가시키거나 감소시킨다는 근거는 없다. 테스토스테론 치료가 자궁경부 상피세포에 세포이형성증과 유사한 위축 변화를 유발할 수 있으므로 검진 시 환자의 호르몬 상태에 관한 정보를 기록하고 병리의사에게 알려야 한다. 자궁경부를 가지고 있는 트랜스남성은 일반지침대로 세포검사와 필요시 인유두종바이러스 검사로 암검진을 시행한다. 고등급편평상피세포내병변(HSIL)이 있으면서 세포검사에 불쾌감을 느끼는 경우, 임신을 위해 자궁을 보존하기 원하는 것이 아니라면 자궁절제술을 고려한다.

자궁절제술로 자궁경부를 갖고 있지 않은 트랜스남성의 경우 HSIL 혹은 자궁경부암의 병력이 없다면 더 이상의 세포검사는 시행하지 않는다. 만일 HSIL 및 자궁경부암의 병력이 있다면 일반적인 지침대로 주기적인 검사를 시행한다.

3. 난소암/자궁내막암: 난소 및(혹은) 자궁을 보유한 트랜스남성

트랜스남성에서 테스토스테론 치료를 하지 않아도 고안드로겐혈증 및 다낭난소증후군의 빈도가 증가한다. 다낭난소증후군은 고혈압, 자궁내막암의 위험인자이므로 모든 트랜스남성에서 병력청취와 신체검진을 통해 다낭난소증후군의 증상과 징후를 확인하는 것이 필요하다.

테스토스테론 치료를 받는 트랜스남성에서 난소암의 발생에 관한 장기간의 연구 결과는 없다. 다낭난소증후군이 있는 여성에서 난소암의 발생이 증가한다는 증례보고는 있지만 근거는 명확하지 않다. 비트랜스젠더 여성에서

연령이 증가할수록(특히 40세 이상) 난소암의 위험이 증가하고, 출산의 과거력이 없는 미분만부, 불임의 과거력, 난소암의 가족력, 난소암과 관련된 유전자 등의 위험요소를 고려하여 위험요소가 있다면 매 1-3년마다 병력청취와 골반검진을 시행하여야 한다. 유전적 위험요인이 있는 트랜스남성은 유전상담을 통해 예방 방법에 관하여 논의하고, 만일 40세 이상이거나 골반검진에 거부감을 가지고 있거나, 생식력 보존을 원하지 않거나, 수술이 환자의 건강에 영향을 주지 않는다면 난소절제술을 고려해볼 수 있다.

40세 이상의 비트랜스젠더 여성 및 다낭난소증후군이 있는 모든 여성에서 자궁내막암의 위험이 증가하지만 테스토스테론이 자궁내막에 미치는 효과는 명확하지 않다. 출혈이 지속된다면 초음파검사 혹은 자궁내막조직검사를 통해 자궁출혈에 관하여 평가해야 한다. 트랜스남성 환자가 지속적인 골반검진에 거부감을 느끼고, 특히 생식력 보존을 원치 않으며 수술이 환자의 건강에 영향을 주지 않는다면 자궁절제술을 고려한다.

4. 전립샘암: 트랜스여성

1) 과거 및 현재 여성호르몬치료를 받지 않았으며, 수술을 받지 않은 트랜스여성

보통의 위험군에서 전립샘특이항원(prostate-specific antigen,PSA)을 정기적으로 검사하는 것은 권고되지 않으며, 고위험군(아프리카계 미국인, 전립샘암의 가족력)에서 45-50세부터 시행하도록 한다. 항문수지검사는 침습적이며 불편함을 초래한다. 50세 이상에서 남녀 성별에 상관없이 대장암 검진을 위해 종종 시행되는 성별중립적인 검사이지만, 필요시 시행하기 전에 환자에게 설명하도록 한다.

2) 과거 혹은 현재 여성호르몬치료를 받는 여성

여성호르몬 치료는 전립샘암의 위험도를 낮추지만 어느 정도로 낮추는지는 명확하지 않다. 여성성별확정수술 시 전립샘은 제거되지 않고, 성확정수술 전 및 수술 후에 여성호르몬 치료를 받고 있는 환자에서 전림샘암이 보고된 사례들이 있다(이 경우 50세 이후에 트랜지션을 하고 호르몬 치료를 시작했음). 따라서 일반 위험군의 환자들에서도 50세 이상부터 항문수지검사를 시행하고, 성확정수술 이후에도 전립샘암이 매우 드물지만 발생할 수 있음을 주지시킨다.

5. 기타 암

트랜스젠더가 다른 암에 대하여 위험이 증가하거나 감소했다는 근거는 없다. 따라서 다른 암(대장암, 폐암, 항문암 등)의 검진은 비트랜스젠더와 같이 시행하도록 한다.

VII. 호르몬치료의 위험성

일반적으로 성확정호르몬치료(gender affirmative hormone therapy)는 안전하지만 호르몬요법의 용량, 투여경로 등은 개인별 위험을 최소화할 수 있도록 개별화되어야 한다. 생활습관과 가족력 및 동반질환 등에 관하여 면밀히 조사하고 검진함으로써 부작용을 최소화해야 한다.

트랜스남성에서 남성호르몬치료는 적혈구증가증, 체중증가, 체질량지수증가, 여드름, 남성형탈모, 수면 무호흡증 등을 증가시킨다. 또한 중성지방과 저밀도(LDL)콜레스테롤을 증가시키고 고밀도(HDL) 콜레스테롤을 감소시킨다. 비만, 가족력 등의 위험요소가 있는 경우, 고혈압, 당뇨 및 심혈관질환의 위험을 증가시킨다. 따라서 호르몬치료를 시작하기 전에 콜레스테롤 및 공복 혈당을 검사하고 호르몬치료를 하는 동안 주기적으로 검사를 하여 이상지혈증 및 당뇨 등 대사 이상을 관찰하는 것이 필요하다. 테스토스테론은 방향효소(aromatase)에 의하여 에스트로겐으로 전환된다. 남성호르몬치료를 받은 트랜스남성에서 골다공증은 우려할 요소는 아니지만, GnRH 작용제를 매우 이른 시기에 투약했거나, 장기간 투약했거나, 남성호르몬 치료를 중단하는 등의 골다공증의 위험요소가 동반되어 있는 경우 골밀도검사를 시행한다.

트랜스여성에서 여성호르몬의 첫 번째 우려사항은 혈전색전증의 위험이다. 따라서 흡연, 비만, 고혈압 등의 교정 가능한 위험요소들을 조절하여 내재되어 있는 위험도를 줄여야 한다. 혈전색전증 위험은 에스트로겐의 용량, 투여경로, 종류에 따라 달라진다. 모든 종류의 에스트로겐이 혈전색전증을 증가시키지만, 에티닐 에스트라디올은 다른 에스트로겐에 비해 20배나 그 위험이 높다. 에스트로겐 치료는 담석, 체중증가, 고중성지방혈증, 성욕의 감소, 고프로락틴혈증, 및 심혈관질환을 증가시킨다. 에스트로겐의 투약경로는 이러한 위험도에 영향을 주어, 경피투여는 간에서 일어나는 첫째통과효과(first pass effect)를 유발하지 않으므로 정맥혈전색전증의 위험도를 낮춘다. 프로락틴샘종은 주로 경구 에스트라디올 복용 시 발생하므로 이 경우 다른 투약경로를 선택할 수 있다. 골다공증의 위험요소가 동반된 트랜스여성은 낮은 골밀도 및 당대사 악화에 취약하다. 따라서 매년 공복혈당을 측정하고 호르몬치료를 중지했거나 위험요소가 동반되어 있는 경우에는 골밀도검사를 시행한다.

** 참고문헌 목록은 대한산부인과내분비학회 홈페이지 http://www.kosge.or.kr 또는 QR코드를 통해 보실 수 있습니다.*

부 인 과   내 분 비 학

13 부인과 내분비학의 최신동향

CHAPTER 49

유전학

황도영(함춘여성의원)

어떤 DNA 염기서열을 보면 돌연변이체(mutant)라는 것을 분명히 알 수 있는 경우가 있다. 염기서열로 이루어진 암호를 이해하고 이것이 돌연변이라는 것을 알아차린다는 사실은 사람생물학을 이해하는데 이루어진 믿기 어려운 진전이다. 분자유전학은 유전체의 구조와 기능, DNA의 전체 구성 그리고 모든 유전 정보를 포함하는 고분자에 대해 연구하는 생물학의 한 세부전문분야이다.

오스트리아 수도사인 그레고르 멘델(Gregor Mendel)은 생의 많은 시간을 그가 있었던 수도원에서 경작하고 있던 콩밭을 연구하는데 쏟았으며, 1860년대에 유전 원리들을 처음으로 기술하였다. 그는 우성인자(dominant trait)와 열성인자(recessive trait)를 기술했으며, 이런 인자들의 동형접합체(homozygote) 및 이형접합체(heterozygote)의 유전을 관장하는 전달 법칙들을 기술했다. 멘델의 학설은 그의 사후 16년이 지난 1900년이 될 때까지도 알려지지 않았다. 세포분열 시 염색체들이 쌍을 이루었다가 분리되는 현상이 1903년에 제시된 이래 1946년이 되어서야 예일(Yale) 대학의 Edward Tatum과 Joshua Lederberg가 DNA가 유전에 관한 정보를 운반한다는 사실을 박테리아에서 증명하게 되었다. 이후 1953년에 Cambridge Cavendish 연구소의 James Watson과 Francis Crick은 Maurice Wilkins와 Rosaline Franklin이 X선 회절기법을 이용하여 얻어낸 정보를 바탕으로 한 DNA의 화학구조를 제시하였다. 그리하여 Crick, Watson, Wilkins는 1962년에 노벨상을 수상했다(Rosaline Franklin은 1958년에 사망하였으며, 고인에 대해 상을 수여하지 않는 노벨상의 관례에 따라 수상하지 못했다).

DNA 복제에는 많은 효소들이 관여하는데 DNA 중합효소(DNA polymerase)가 1958년에, RNA 중합효소(RNA polymerase)는 1960년에 각각 분리되었으며, Werner Arber, Hamilton Smith, Daniel Nathans는 DNA를 이어 붙이거나 자르는 효소들을 1960년대에 발견함으로써 1978년에 노벨상을 받았다. 라이게이스(Ligase)와 제한 엔도뉴클레아제 효소(restriction endonuclease enzymes; DNA 혹은 RNA의 사슬을 분해하여 불연속화시키는 효소)를 사용할 수 있게 됨에 따라 1972년 스탠포드대학교의 Paul Berg에 의해 처음으로 재조합 DNA 분자(recombinant DNA molecule)를 제작할 수 있게 되었다.

1975년에는 에딘버러 대학교의 E.M. Southern이 agarose gel로부터 nitrocellulose filter로 DNA를 옮기는 기술을 개발하여 DNA 절편들이 radiolabeled RNA 절편들과 결합하여 분리되는 것이 가능해졌다. 외부의 DNA 분자들을 운반하는 plasmid들이 박테리아 내로 삽입되어, 외부의 DNA 복제를 이끄는 발견을 통해 유전자 복제(gene cloning)가 가능해졌다.

1973년에는 Frederick Sanger에 의해 신속하게 DNA 염기서열을 분석할 수 있는 기술이 개발되고, 1983년 Kary Mullis가 중합효소연쇄반응(polymerase chain reaction, PCR)을 개발함에 따라 유전자의 발견과 그 기능을 규정하는 과정이 더 쉬워지게 되었다. 곧 완전한 유전체의 염기서열을 분석할 수 있게 되어, 1996년에 효모인 Saccharomyces cerevisiae가 진핵생물(eukaryotic species)로는 처음으로 완전한 염기서열이 분석되었으며, 이후 많은 다른 유기체들(organisms)이 분석되면서 2003년에는 Human Genome Project로 절정에 이르게 되었다.

분자유전학의 발전은 현대의학의 혁명을 이루게 하였으나 생식내분비학(reproductive endocrinology)만큼 큰 영향을 받은 전문분야는 드물다. 생식기 기형의 위험성을 증가시키는 유전자변이를 확인하는 것부터 배양된 배아에서 발생하는 반복적이고 간헐적인 유전 이상을 선별하기 위한 착상전유전검사(preimplantation genetic testing)에 이르기까지 기본적인 분자유전학에 대한 배경지식이 현대 생식내분비학 의사들에게는 필수적인 내용이 되었다. 이 chapter는 현대유전학에 대한 안내를 위한 것이며, 오늘날 임상적으로 진료하는 데 필요한 대부분의 중요한 원리와 정보를 훑어보는 장이 될 것이다.

I. 인간유전체(Human genome)

각 종(species)의 유전체(genome)는 모든 염색체 상에 존재하는 완전한 DNA 염기서열의 집합으로 이루어져 있으며 각 반수체(haploid)의 사람유전체는 거의 30억개의 염기쌍(base pair)으로 이루어져 있고, 20,000-25,000의 유전자(gene)가 존재한다. 유전정보의 가장 작은 기능적 단위를 나타내는 유전자는 단백질 산물을 코딩하고 그 발현

표 49-1. The mRNA Genetic Code

First position (5′ End)	Second position				Third position (3′ End)
	U	C	A	G	
U	Phe	Ser	Tyr	Cys	U
	Phe	Ser	Tyr	Cys	C
	Leu	Ser	Stop	Stop	A
	Leu	Ser	Stop	Trp	G
C	Leu	Pro	His	Arg	U
	Leu	Pro	His	Arg	C
	Leu	Pro	Gln	Arg	A
	Leu	Pro	Gln	Arg	G
A	Ile	Thr	Asn	Ser	U
	Ile	Thr	Asn	Ser	C
	Ile	Thr	Lys	Arg	A
	Met	Thr	Lys	Arg	G
G	Val	Ala	Asp	Gly	U
	Val	Ala	Asp	Gly	C
	Val	Ala	Glu	Gly	A
	Val	Ala	glu	Gly	G

을 관장하는 조절염기서열(regulatory sequence)이 포함된 DNA 상의 연속적인 부분으로 이들 유전자는 사람 DNA의 약 2%만을 차지한다. 처음에는 매우 복잡한 구조일 것으로 생각되었지만 전체 유전 언어(genetic language)가 오직 4개의 문자(A,C,G,T [RNA의 경우 U])로 씌어 있다. 더욱이 그 언어는 오직 3개의 문자로 된 단어로 국한되는데 이를 유전자부호(codon)이라 한다. 이들 4개의 문자가 3개씩 이루어지는 조합을 생각하면 모두 64개의 조합이 가능하다. 기본적으로 모든 생명체는 이 부호(code)를 사용한다. 유전체는 부모로부터 유래된 새로운 조합이나 변이에 의해서만 변화한다. 일직선으로 나열된 전체 유전체는 결국 23쌍의 염색체에 나뉘어져 있는 것이다(표 49-1).

II. DNA 구조와 기능

DNA는 특정 단백질로 전사되는 유전 메시지(genetic message)의 코딩을 담당하는 유전자로 이루어진 물질이다. 따라서 이것은 생명의 가장 중요한 분자이며, 진화의 기본적인 기전이다. 유전자의 기능을 조절하고 제어하는 기능을 가지는 유전자 인접서열(flanking sequence, 대개 promoter region을 가리킨다)과 이들 사이에 끼어들어 있는 intron (intervening sequence)과 함께 유전자는 특정 단백질을 코딩하는 DNA 절편들이다. DNA의 1차 구조는 수많은 반복 단위체가 서로 연결되어 있는 사슬의 중합체이다. DNA 반복단위는 뉴클레오타이드이며 각각 3부분으로 구성되어 있다: 1) 당, 2) 인산기, 3) 질소를 포함하는 염기 5탄당이라 부르는 핵산의 당은 1', 2', 3', 4', 5'으로 5개의 탄소 원자를 가지고 있으며, DNA와 RNA의 당 구조는 약간 다르다. 리보스(ribose)라고 부르는 RNA의 당은 2번 탄소 원자에 부착된 수산기(-OH)를 가지고 있으며, DNA의 당인 디옥시리보스(deoxyribose)는 2번 탄소 원자에 수소(-H)를 가지고 있어 전체적으로 산소 하나가 적다. 이러한 차이 때문에 리보핵산(RNA)과 디옥시리보핵산(DNA)이라고 부른다. 이러한 사소한 차이는 DNA나 RNA와 상호작용하는 세포 내 모든 효소에 의해 인식되고 그 결과 각 핵산에 대한 특수한 기능을 하게 된다. DNA 구조에서 리보스의 2번 탄소에 결합하는 수소는 매우 안정적인데 반해 RNA 구조의 2번 탄소에 결합하는 수산화기(OH)는 매우 불안정하고 반응성이 높아 RNA는 쉽게 분해되는 성질을 가진다.

뉴클레오타이드의 두 번째 성분은 질소함유염기(nitrogenous base)이다. 염기는 두 종류-퓨린(purine)과 피리미딘(pyrimidine)-가 있다. 두 개의 링(ring)구조를 가진 염기(adenine과 guanine)를 퓨린이라 하며, 1개의 링구조를 가진 염기(cytosine과 thymine)는 피리미딘이라고 한다. 두 개의 링구조는 5원자 고리가 붙어 있는 6원자 고리로 구성되며, 1개의 링구조는 6원자 고리로 구성되어 있다. 그리고 핵산의 구조에서 3개의 인산기(phosphate)는 음의 전하(negative charge)를 가지고 있으며, 그 위치에 따라 alpha, beta, gamma-phosphate로 구분하고 있다. 이처럼 DNA에 존재하는 인산기가 음의 전하를 가지고 있기 때문에 DNA를 분리하기 위한 전기영동(gel electrophoresis) 과정에서 DNA가 음의 전하(음극)에서 양의 전하(양극) 방향으로 이동하게 된다.

DNA와 RNA에는 모두 2개의 퓨린-아데닌(adenine[A])과 구아닌(guanine[G])-이 있다. 아데닌과 구아닌은 이중결합의 위치와 6원자 고리에 부착되어 있는 그룹에서 차이가 있다. 3개의 피리미딘-시토신(cytosine[C]), 티민(thymine[T]), 우라실(Uracil[U])은 핵산에 공통적으로 존재한다. 시토신은 DNA와 RNA에 모두 존재하지만 티민은 DNA에서만, 우라실은 RNA에서만 발견된다. 2개의 피리미딘은 고리의 탄소 원자에 붙어 있는 그룹이나 원자가 다르고, 고리에 있는 이중결합의 수가 다르다. 하나의 뉴클레오타이드에서 질소함유 염기는 당의 1번 탄소 원자와 항상 공유결합을 이룬다. 디옥시리보스 또는 리보스와 결합한 염기를 뉴클레오사이드(nucleoside)라 부른다. 여기에 인산이 첨가되면 뉴클레오타이드(nucleotide)가 된다. 비록 세포에는 하나, 둘, 세 개의 인산기를 가지는 뉴클레오타이드가 존재하지만 오직 뉴클레오사이드 삼인산만이 DNA 합성의 기질로 이용된다. 한편 DNA를 구성하는 기본 단위인 핵산은 염기가 놓이는 위치에 따라 아데닌, 시토신, 구아닌, 티민이 있는 경우에 각각 dATP, dCTP, dGTP, dTTP라고 하며 4개의 핵산을 모두 통칭하여 dNTP라고 한다. DNA 분자를 형성하는 이 네 가지 뉴클레오타이드의 완전한 화학명칭은 다음과 같다.

2'-디옥시아데노신 5'-삼인산(dATP)

2'-디옥시사이토신 5'-삼인산(dCTP)

2'-디옥시구아노신 5'-삼인산(dGTP)

2'-디옥시타이미딘 5'-삼인산(dTTP)

DNA는 뉴클레오타이드의 5'-인산 그룹 하나와 다음 뉴클레오타이드의 3'-탄소 원자를 연결하는 공유결합에 의해 많은 뉴클레오타이드들이 연결되어 이루어져 있다. **인산다이에스테르결합(phosphodiester linkage)**이라 불리는 이러한 결합은 강한 공유결합으로 일련의 뉴클레오타이드가 이러한 방법으로 연결되어 폴리뉴클레오타이드 가닥(polynucleotide strand)을 이룬다(그림 49-1). 폴리뉴클레오타이드의 골격은 당과 인산이 교대로 연결되어 있다. 염기는 가닥의 긴 축으로부터 튀어나와 있다. 인산기의 음전하는 양전하를 띠는 단백질, 금속, 또는 다른 분자들과 결합되어 보통 중성이 된다.

폴리뉴클레오타이드 가닥의 가장 중요한 특징은 그것의 방향성, 즉 극성이다. 가닥의 한쪽 끝에는 뉴클레오타이드에 있는 당의 5'-탄소 원자에 자유 인산기(한쪽 끝에 아무 것도 결합되지 않음을 뜻한다)가 결합되어 있다. 그러므로 가닥의 이 끝을 **5'말단(5 prime end)**이라고 한다. 가닥의 반대 끝은 **3'말단(3 prime end)**이라고 하는데 자유 수산기가 당의 3' 탄소 원자에 붙어 있다. RNA 뉴클레오타이드 역시 인산다이에스테르결합으로 연결되어 폴리뉴클레오타이드 가닥을 형성한다. DNA와 핵산은 왼쪽으로부터 오른쪽으로, 5'말단으로부터 3'말단으로 쓰여지며, 이것은 전사의 방향이 된다. 5'말단은 단백질의 아미노말단(amino end)을 형성하는데 반해 3'말단은 단백질의 카르복시말단(carboxy end)을 형성한다. DNA는 서로 시계방향의 이중나선 형태로 꼬여있는 두 개의 디옥시리보스 가닥(deoxyribose strand)으로 이루어져 있다. 당-인산 결합은 나선의 바깥쪽에 위치하고, 염기는 DNA의 내부에 쌓여 위치한다. 2개의 폴리뉴클레오타이드 가닥은 반대 방향으로 된 역평행(antipararell)이다. 이것은 한 가닥의 한 쪽 끝은 5'이고 다른 가닥의 끝은 3'임을 말한다. 아데닌은 티민과 쌍을 이루고 시토신은 구아닌과 쌍을 이룬다. RNA의 경우는 티민 대신에 우라실이 사용된다. Phoebus Levene은 러시아에서 미국으로 이민 와서 1905년부터 그가 사망한 1940년까지 Rockefeller Institute of Medical Research에서 일하면서 DNA의 성분을 발견하고(ribose와 deoxyribose sugar를 발견하고 그 이름을 붙였다.) 뉴클레오타이드 구조를 처음으로 제시했으며, 후에 DNA의 중요성을 밝히는 기초를 제공하였다.

길게 늘어뜨리면 거의 2 m에 달하는 세포의 DNA가 어떻게 하나의 세포 속으로 맞춰 들어갈까? Watson과 Crick은 단단히 감겨진 두 사슬의 나선, 즉 이중나선을 제시하여 이 수수께끼를 밝혀냈다. 나선구조는 오른쪽으로 회전하고 두 개의 폴리뉴클레오타이드 사슬이 서로 반대 방향(antiparallel)으로 향하여, 한 가닥의 한 쪽 끝은 5'이고 반대로 다른 가닥의 끝은 3'임을 말한다. 그들의 염기쌍 사이는 수소결합으로 이루어져 있으며, 이 결합은 같은 가닥에 인접해 있는 뉴클레오타이드의 당과 인산을 연결하는 인산다이에스터결합에 비해 비교적 약하다. DNA가 여러 가지 중요한 기능을 하기 위해서는 두 가닥의 뉴클레오타이드는 쉽게 분리되어야 하는데 이런 목적에 적합하게 수소결합은 쉽게 끊어지고 다시 연결된다. 센티미터(centimeter)가 길이를 측정하는 것과 같이 염기쌍(base pair)은 DNA를 측정하는 단위이다. 염기쌍은 아데닌-구아닌 혹은 시토신-티민으로 결합하는데 그 이유는 수소결합의 성질 때문에 쌍을 이룰 수 있는 염기가 한정되는 것이다. 그 결과로 한쪽 가닥의 뉴클레오타이드 염기 서열을 알면 자동적으로 반대쪽 가닥의 서열을 결정할 수 있다. DNA의 이중나선 구조는 복제를 하기 위해 미리 두 개의 가닥으로 분리되고 원래의 주형 사술의 서열에 따라 새로운 두 개의 상보적인 가닥이 합성된다. 아데닌은 보통 2개의 수소결합에 의해 티민과 쌍을 이루고 시토신은 3개의 수소결합에 의해 구아닌과 쌍을 이룬다. G와 C 사이에는 3개의 수소결합이, A와 T 사이에는 2개의 수소결합이 형성되기 때문에 G-C 쌍이 A-T 쌍보다 더 강하다. 그러므로 DNA의 두 뉴클레오타이드 가닥은 똑같지 않고 상보적 DNA 가닥(complementary DNA strand)이다. 두 뉴클레오타이드 가닥의 상보적인 특성은 효율적이며 정확한 DNA 복제를 제공한다. 2개의 DNA 가닥을 결합시키는 두 번째 힘은 분자 내부에 쌓여 있는 염기쌍 사이의 상호작용이다. 이렇게 쌓여 있는 염기쌍 사이의 상호작용은 DNA 분자의 안정성에 기여하고 어느 특정 염기 옆에 아무 염기가 존재해도 상관없게 만든다. 그러므로 DNA 분자의 염기서열은 자유롭게 변할 수 있어 DNA가 다양한 유전정보를 가질 수 있다. DNA 절편(fragment)의 크기는 예를 들어 "4,800bp (4.8kb)의 절편"과 같은 표현처럼 염기쌍의 수로 측정된다. 사람은 DNA 상에 거의 30억 개의 bp (base pair)를 가지는 것으로 추산되고 있으며, 이중 적은 부분만 실제 단백질을 생산하도록 코딩되어 있다.

DNA는 세포 내에서 헐벗은 분자상태(naked molecule)로 존재하지 않는다. 뉴클레오타이드 가닥은 단백질(histone)을 중심으로 그 주변을 감아 돌아가면서 **뉴클레오솜(nucleosome)**을 형성한다. 뉴클레오솜은 8개의 histone 단백질(H2A, H2B, H3, H4가 각각 2개씩 모여 8개가 됨) 주위를 약 2번 감싸는 DNA로 구성된 핵심입자이다. 이것은 실패를 감고 있는 실과 같다. Histone 8량체와 직접 접촉을 하는 DNA에는 145~147개의 염기쌍이 있다. 뉴클레오솜은 응축되어 염색체 핵형 분석에서 보이는 band가 된다. 이런 응축은 길다란 DNA 구조를 세포 내로 포장하는 또 다른 중요한 기전이다. Watson과 Crick의 위대한 공헌은 유전학자들이 유전자 활동의 표현형 결과만을 관찰하는 것 대신에 유전자를 직접 조사할 수 있게 만든 유전자형의 화학구조를 밝힌 것이다. DNA 구조가 밝혀지면서 유전정보의 화학적 그리고 분자적 성질을 연구하는 분자유전학이 탄생되었다. 이들이 밝힌 DNA 구조에 의해 유전물질은 네 가지 기본적인 성질을 가져야 한다고 밝혀졌다. 첫째 그것은 엄청난 양의 정보를 가질 수 있어야 하고, 둘째 정확히 복제할 수 있어야 하며, 셋째 유전정보를 표현형으로 발현시킬 수 있는 능력을 가져야 하며, 넷째 변화하는 능력을 갖고 있어야 한다는 것들이다. DNA는 전사(transcription)라 불리는 과정에서 유전정보를 RNA로 처음 전달한다. RNA는 아미노산 순서를 지정함으로써 단백질로 전달한다. 유전정보가 핵산의 언어로부터 아미노산의 언어로 번역되어야 하기 때문에 이 과정을 번역(translation)이라 부른다. 오늘날 우리는 세포에서 유전정보가 흘러 가는 세 가지 주요 경로를 알 수 있다. 복제(replication)에서 유전정보는 하나의 DNA에서 다른 DNA로 이동하며, 전사를 통해 정보가 DNA에서 RNA로 전달되고, 번역에서 정보는 RNA에서 단백질로 이동하는데 이런 유전 정보의 이동 개념은 Crick이 공식화했는데 이것을 **분자생물학의 중심원리(central dogma)**라고 불렀다

DNA 복제 과정은 여러 단계의 효소 작용에 의해 이중나선이 분리되는 것부터 시작한다. 원래의 DNA는 주형가닥(template strand)으로 풀어져서 DNA 중합효소(DNA polymerase)가 새로운 복사가닥(duplicate strand) 생성을 촉진하여 원래의 가닥과 함께 이중나선(double helix)을 다시 형성한다(이를 복제-replication-라 한다). 따라서 각 딸 분

표 49-2. The 20 Amino Acid in Proteins

Amino Acid	Three-letter Abbreviation	Single-letter Code
Glycine	Gly	G
Alanine	Ala	A
Valine	Val	V
Isoleucine	Ile	I
Leucine	Leu	L
Serine	Ser	S
Threonine	Thr	T
Proline	Pro	P
Aspartic acid	Asp	D
Glutamic acid	Glu	E
Lysine	Lys	K
Arginine	Arg	R
Asparagine	Asn	N
Glutamine	Gln	Q
Cysteine	Cys	C
Methionine	Met	M
Tryptophan	Trp	W
Phenylalanine	Phe	F
Tyrosine	Tyr	Y
Histidine	His	H

자(daughter molecule)는 부모 가닥 하나씩을 갖고 있으며, 수정된 접합체(zygote)는 일생동안 대략 1015번 복제되어야 한다. 신속과 정확은 필수적이며, 오류 교정 시스템(error correction system)을 동반하는 정밀함 때문에 유전자의 단백질 기능에 영향을 주는 오류는 놀랍게도 매우 드물다(표 49-2).

- **인트론(Intron)**
  성숙한 RNA로 나타나지 않아 단백질을 코딩하지는 못하나 조절기능은 갖고 있는 유전자 부위
- **코돈(Codon)**
  triplet codon은 특정 아미노산이나 번역말단점(translational end-point)을 코딩하는 RNA나 DNA 상에 3개의 염기로 이루어진 서열

III. 유전자의 구조

유전자는 인트론(intron; 코딩 되지 않는 부위, intervening sequence)에 의해 분리되는 엑손(exon; 코딩 되는 부위)들을 포함하는 DNA로 구성되어 이루어져 있다. 인트론-엑손(intron-exon) 패턴은 진화과정 중 보존되는 경향이 있다. 예를 들어 알파(alpha) 및 베타(beta)-글로빈(globin) 유전자들은 50억년 전에 발생한 것으로 생각되고 있다.

- **엑손(Exon)**
  특별한 단백질을 코딩하는 messenger RNA (mRNA)를 생산하는 유전자 부위

일부 예외적인 경우를 제외하고 하나의 유전자가 하나의 단백질을 만든다고 믿어왔다. One gene-one protein 개념은 1909년에 Archbold Garrod에 의해 처음으로 제안되었으며, 1940년대에 미국 유전학자들인 George Beadle과 Edward Tatum에 의해 하나의 유전자 돌연변이가 하나의 효소 결핍을 야기한다는 것을 실험적으로 시행하여 뒷받침하였다. 그러나 alternative splicing으로 알려진 기전을 통해 20,000-25,000개의 사람의 유전자가 100,000개 이상의 단백질을 생산할 수 있다. 앞서 언급한 바와 같이 intron은 번역되지 않기 때문에 단백질을 생산하지 않는다. 오직 엑손 내에 있는 DNA 서열만이 mRNA로 전사(transcription)

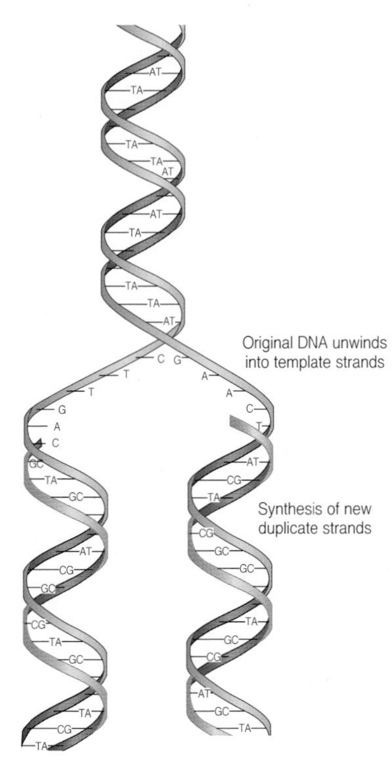

• 그림 49-1.

되어 단백질로 번역된다. 그러나 선택적 잘라잇기(alternative splicing)에 의한 변이들은 하나의 유전자 내의 엑손들을 선택적으로 이용하여 관련 단백질들을 생산한다.

유전자들은 유전자 전사에 중요한 인접 염기서열들을 갖고 있다. DNA 작용을 시작하게 하는 부위 즉, 호르몬-수용체 복합체(hormone-receptor complex)에 DNA가 결합하는 부위를 **enhancer region**이라 하고 실제로 전사가 일어나는 부위를 **promoter region**라 한다. 오직 소수의 비교적 짧은 뉴클레오타이드 염기서열들인 T-A-T-A-A 염기서열(TATA box)과 C-C-A-A-T 염기서열(CAT box) 같은 것들이 promoter이다. Promoter 위치는 RNA 중합효소(polymerase)와 여러 보조인자(cofactor)가 결합하는 자리로 대개는 유전자의 코딩 시작 부위에 위치한다. Enhancer 자리에는 promoter 자리보다 더 크며, 어디든 위치할 수 있어 심지어 관련유전자와 멀리 떨어져 있기도 하지만, 대개는 5' 인접 말단에 위치하는 편이다. 보통 3' 말단부위에 대부분의 mRNA 분자에 흔한 polyadenosine (poly-a) tail을 위한 코딩 염기서열이 존재한다.

Enhancer 자리에는 promoter region 내 RNA 중합효소(polymerase)의 결합을 촉진하거나 억압하여 유전자 발현을 조절하는 신호로 작용하는 조절 단백질들이 결합한다(그림 49-2). 이것은 고유의 세포기능을 만들어내는 한 방법이다. 예를 들어 호르몬 타겟 조직(hormone target tissue) 호르몬에 반응할 수 있는데 그 이유는 호르몬이 결합함에 따라 DNA enhancer 자리에 결합하는 특별한 수용체 단백질을 갖고 있기 때문이다. 전사요소(transcription factor)라

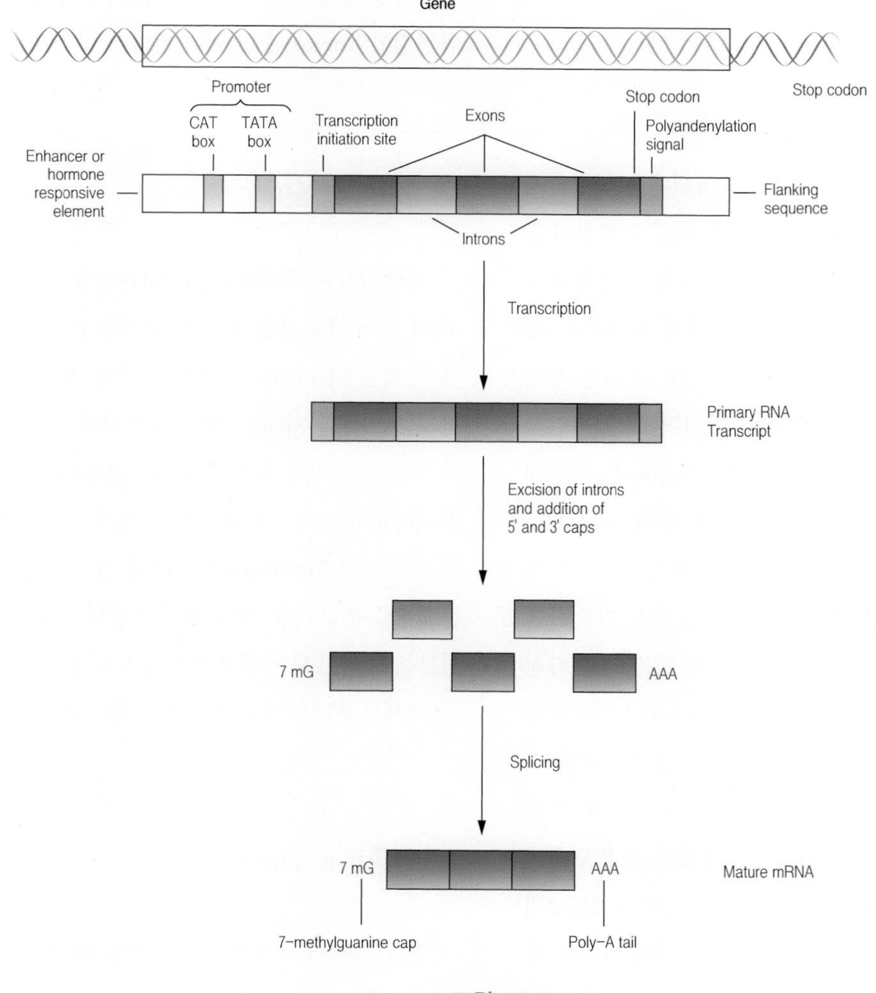

• 그림 49-2.

불리는 특별한 단백질들은 enhancer 자리에 달라붙어 전사를 활성화한다. 유전자 전사의 조절은 대개 유전자의 5' 인접 상류부위(upstream region) 내의 DNA 염기서열들에서 일어난다.

단백질을 코딩하는 유전자들은 AUG의 시작코돈(start codon)을 가지며 이것은 유전자 산물의 아미노산 염기서열을 코딩하는 유전자 구간 즉 열린해독틀(open reading frame)을 개시한다. 열린해독틀(open reading frame)은 정지코돈(stop codon)에서 종료되는데 UGA, UAA, UAG등이 해당되면 마치 문장의 끝에 마침표가 있듯이 RNA가 단백질로의 번역을 종결하도록 한다. 열린해독틀을 찾아서 확인하는 것은 DNA 염기서열을 분석하는데 중요한 과정인데 그와 같이 긴 염기서열들은 대개 활성화된 유전자에서만 보게 되기 때문이다.

IV. 염색체

많은 유전자들을 일렬로 나열하면 염색체를 형성하게 된다. 염색체는 그 구조를 유지하는 많은 수의 단백질이 붙어 있는 DNA 분자로 이루어진 유전물질의 포장물로서 유전자 발현에 중요한 역할을 한다. 사람의 체세포는 46개의 염색체(22쌍의 상염색체와 2개의 성염색체)를 가지고 있다. 모든 체세포는 이배체(diploid)이며 23쌍의 염색체를 갖는다. 오직 생식세포만이 단배체(haploid)로 22개의 상염색체와 1개의 성염색체를 가진다. 염색체는 그 크기가 모두 다르며, 5천만-2억5천만 염기 쌍으로 이루어져 있다. 염색체 1번은 가장 많은 수의 단백질 코딩 유전자들(2,044)을 가지고 있으며, Y염색체가 가장 적은 수를 가진다(63). 모든 염색체는 동원체(centromere)라는 세포분열 동안 염색체 이동에 관여하는 필라멘트인 방추체 미세소관(microtubule)이 부착하는 장소를 가지고 있으며, 이것은 염색체를 두 개의 팔로 분할한다. 이때 짧은 팔을 단완(p arm), 긴 팔을 장완(q arm)이라 한다, 어떤 상염색체도 2개의 상동염색체로 이루어져 있으며, 부모로부터 하나씩 유래한다. 염색체의 숫자는 진화적인 정도나 복잡성을 나타내지는 않는다. 예를 들어 개는 78개의 염색체를 갖고 있으며, 잉어는 104개를 갖고 있다.

핵형은 염색체를 쌍으로 나열한 것인데 단백질 효소로 처리한 후 Giemsa 염색하여 특징적인 band 패턴이 나타나게 하는데 이로써 어느 염색체인지 구분이 용이하게 된다. 염색 후 염색체의 단완과 장완은 region으로 구분되며, 이는 다시 band로 나뉘어지며, band는 다시 subband로 나눠진다. 그래서 염색체의 어느 한 지점은 다음과 같은 순서로 표기된다. 가장 먼저 염색체의 번호를 표기하며 다음에는 어느 팔(p 혹은 q)인지 나타내고, 다음에는 region, band, subband 순으로 나타낸다. 예를 들어 7q31.1("칠큐삼일점일"이라는 식으로 발음한다)은 낭성섬유증(cystic fibrosis) 유전자 위치(gene locus)를 나타낸다. 22쌍의 상염색체가 존재하므로 대부분의 유전자는 쌍으로 존재한다. 그 쌍이 비슷하면 동형접합(homozygous)이라고 하고 서로 다르면 이형접합(heterozygous)이라 한다.

V. 유사분열(Mitosis)

박테리아는 원핵생물(prokaryote)로서 진핵(true nucleus)이 없이 세포분열에 의해 생식을 한다. 이에 반해 사람은 진핵생물(eukaryote)로서 핵막에 둘러싸인 진짜 핵을 가지는 세포를 가지고 있다. 효모로부터 사람에 이르기까지 모든 진핵 생물은 비슷한 세포분열(cell division)과 증식(multiplication)을 겪는다. 모든 체세포에서의 핵분열과정을 체세포분열(mitosis)이라 하며 그 기간 동안 각 염색체는 2개로 분열된다. 정상 성장과 발달을 위해 모든 유전체 정보는 충실히 모든 세포에서 증식되어야 한다.

체세포분열은 다음과 같은 단계로 이루어져 있다.

1. 간기(Interphase)

이 단계에서는 활성화된 분열을 제외하고는 모든 정상 세포의 활동이 일어난다. 비활성화된 X 염색체(Barr body

혹은 sex chromatin)가 여성의 세포에서 보여지는 것도 이 시기이다. DNA 복제는 세포 분열을 준비하면서 간기 중에 일어난다.

2. 전기(Prophase)

복제가 일어나기 전에는 하나의 염색체는 하나의 DNA 분자로 이루어져 있다. 복제가 일어난 다음에는 두 개의 복제된 염색체가 되는데 이를 염색분체(chromatid)라 한다. 세포분열의 후반기에는 이들 염색분체들은 세로로 분열되어 개별적인 염색체가 된다. 염색분체들은 자매염색체분체(sister chromatid) 혹은 비자매염색분체(non-sister chromatid)일 수 있다. 자매염색분체는 공통의 동원체에 의해 연결된 같은 염색체의 두 개 염색분체 중 하나이다. 분열이 시작되면서 염색체는 응축되면서 두 개의 염색분체는 비로소 보이게 된다. 핵막은 사라지며, 세포분열을 위한 방추사(spindle fiber)를 형성하는 중심소체(centriole)는 핵의 외부에 있는 소기관으로 두 개의 중심소체는 세포의 반대쪽 극으로 이동한다.

3. 중기(Metaphase)

염색체는 세포의 중심으로 이동하여 적도판(equatorial plate)이라 불리는 선을 형성하는데 이때 염색체는 최대로 응축되며, 중심소체로부터 방사상으로 퍼져 동원체에 붙는 단백질 미세소관인 방추사가 형성된다.

4. 후기(Anaphase)

분열이 동원체의 세로면을 따라 일어나 새로이 형성된 두 개의 염색분체는 방추사가 끌어당김으로 인해 세포의 양쪽으로 이동한다.

5. 말기(Telophase)

세포질의 분열은 적도면(equatorial plane)에서 시작하여 두 개의 완전한 세포막을 형성함으로써 종료된다. 두 그룹의 염색체들은 핵막에 의해 둘러 싸여져 새로운 핵을 형성한다.

VI. 감수분열(Meiosis)

감수분열은 반수체의 염색체를 가지는 생식세포를 형성하는 세포분열인데 두 가지 목적을 가진다. 하나는 염색체 수의 감소(reduction)이고 다른 하나는 유전정보를 전달해서 유전적 다양성을 촉진하는 재조합(recombination)이다. 감수분열이 시작되기 전에 세포주기의 S 단계에서 각 염색체의 DNA는 복제되어 두 개의 자매염색분체로 이루어지게 된다. 생식세포 분열 시 존재하는 두 번의 분열을 제1감수분열과 제2감수분열이라 한다. 제1감수분열 시 상동염색체는 쌍을 이루었다가 서로 분리되어 각각은 두 개의 자매염색분체를 형성하고 제2감수분열은 체세포분열과 비슷하게 자매염색분체들이 쪼개져서 새로운 세포들로 분리된다.

1. 제1감수분열(The First Meiotic Division : Meiosis I)

1) 전기(Prophase)

- 세사기(Leptotene) : 염색체의 응축.
- 접합기(Zygotene) : 상동염색체들끼리 쌍을 이룸(synapsis)
- 태사기(Pachytene) : 각 염색체 쌍은 두꺼워져 4개의 가닥을 형성한다.

이것이 교차(crossing over) 혹은 재조합(recombination)이 일어날 수 있는 단계이다(상동염색체 4개의 가닥 중 두

개 사이에서 일어나는 DNA의 교환). Chiasmata는 교차가 일어나는 접촉 장소를 말한다. 이렇게 DNA 덩어리가 이동하는 것은 유전적 다양성을 만들어내는 한 방법이 된다. 한편 유전질환들은 생식세포 형성 중에 염기서열들이 삽입되어 발생할 수 있다.

- 겹섬유기(Diplotene) : 각 염색체의 세로 분리(longitudinal separation)

이것은 여성 태아의 gonad(생식샘)에서 난자가 정지된(arrested) 감수분열 시기인데 사춘기에 들어서 배란이 될 때까지 멈춰있게 된다. 남성에서는 감수분열이 오직 사춘기 이후에 일어나며, 난자와는 달리 중간에 분열이 멈춰있는 기간이 없다.

2) 중기, 후기, 말기(Metaphase, Anaphase, and Telophase of Meiosis I)

사람은 2배수체로 이는 대부분의 염색체가 상동으로 쌍을 이루는 세트로 구성되어 있다는 것을 의미한다. 사람의 세포 내에는 46개의 염색체가 23쌍으로 구성되어 있으며, 각 쌍의 두 개의 염색체는 서로에게 똑같다는 의미로 상동하다고(homologous) 표현한다.

핵막은 사라지고 염색체들은 세포의 중심으로 이동하여 각 상동염색체 쌍들이 각 세포의 극으로 분리되면 세포가 분열된다. 난자 형성 시 세포분열은 한 개씩의 2차 난모세포와 1차 극체를 형성하는데 반수체(haploid)인 극체는 난자보다 더 작고 수정은 할 수 없다.

제1감수분열을 통해 만들어지는 새로운 산물은 반수체의 염색체를 가지고 있기 때문에 감수분열이라 칭하고 있는 것이다. 멘델성 유전이 일어나는 시기가 바로 제1감수분열이다. 중기 전에 일어나는 교차는 새로운 유전물질의 재조합을 이끌어낸다.

2. 제 2 감수분열(Second Meiotic Division ; Meiosis II)

제2감수분열은 DNA 복제과정 없이 진행되는데 최종 결과는 4개의 반수체 세포가 생성된다. 발달 중의 난자는 제2감수분열이 중기 II에서 멈춰 있다가 수정이 되면 다시 진행이 된다. 수정 후에는 제2극체(second polar body)가 배출되고 오직 수정이 된 성숙난자만 남게 된다(그림 49-3).

VII. 유전자 기능

DNA, 유전자 그리고 염색체의 구조는 구성 성분과 복제를 이해하게 하며, 이들 구조의 힘은 그들이 코딩하는 기능으로부터 나온다. 유전자의 표현은 다음 과정으로 이루어진다.

1) DNA가 RNA로의 전사
2) RNA가 진행하여 기능을 가지는 mRNA 생산
3) mRNA가 ribosome에서 peptide chain 형성
4) 단백질의 기능적인 형태로의 구조적 과정

1. 전사(Transcription)

전사는 두 가닥의 유전자로부터 단일 가닥의 mRNA를 만드는 것이다. 단백질의 아미노산 서열은 DNA에서 코딩되며, 단일 아미노산은 각각의 triplet codon에 의해 코딩된다. RNA 중합효소는 RNA에 상보적인 DNA 가닥(antisense strand)을 읽음으로써 mRNA를 구축한다. 따라서 RNA는 DNA 분자의 상보적인 가닥이며 다른 DNA 가닥(sense strand)의 완전한 복제품이다. 중요한 두 가지 차이점은 DNA에 있는 티민(thymine)이 우라실(urasil)로 바뀌며, RNA에서는 ribose가 deoxyribose로 교체된다는 것이다.

분자적 상보성은 어렵기도 하고 간단하기도 한 개념이다. 간단한 측면은 하나가 다른 것과 같다는 것이고 어려운 측면은 상보적인 분자가 그 주형과 완전히 같지는 않다는

것을 이해하고 시각화할 필요성이 있다는 것이다. 따라서 이중나선의 가닥들은 서로 완전히 같지는 않다. 각 DNA 가닥은 어느 면에서 상보적인 구조를 가지고 있어 하나는 양성 주형(positive template), 다른 하나는 음성 주형(negative template)으로 각각은 서로를 특성화한다. 그러므로 각 가닥은 상보적인 DNA에 대한 주형으로 작용하거나 (복제

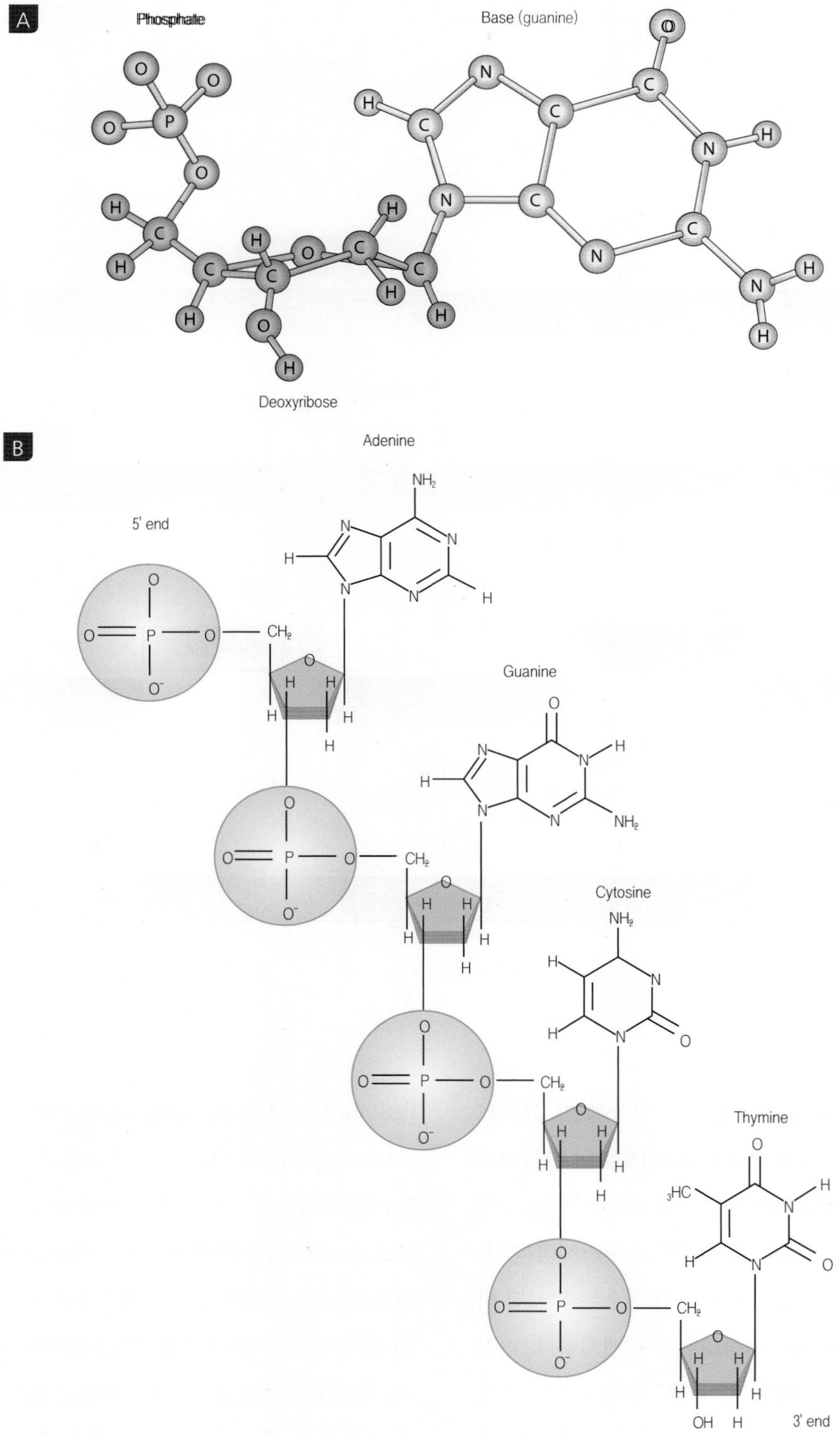

• 그림 49-3.

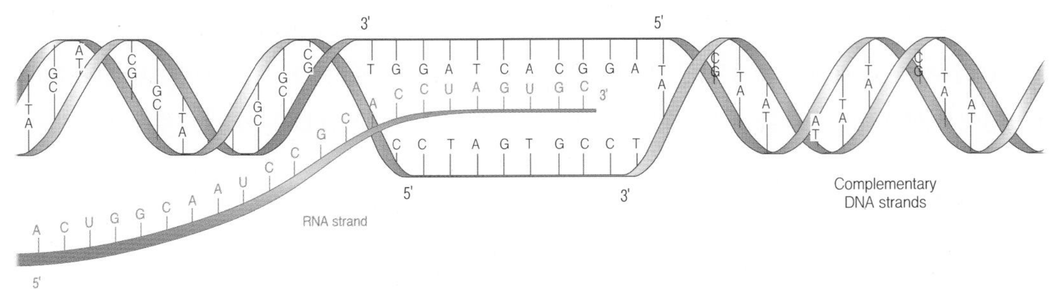

• 그림 49-4.

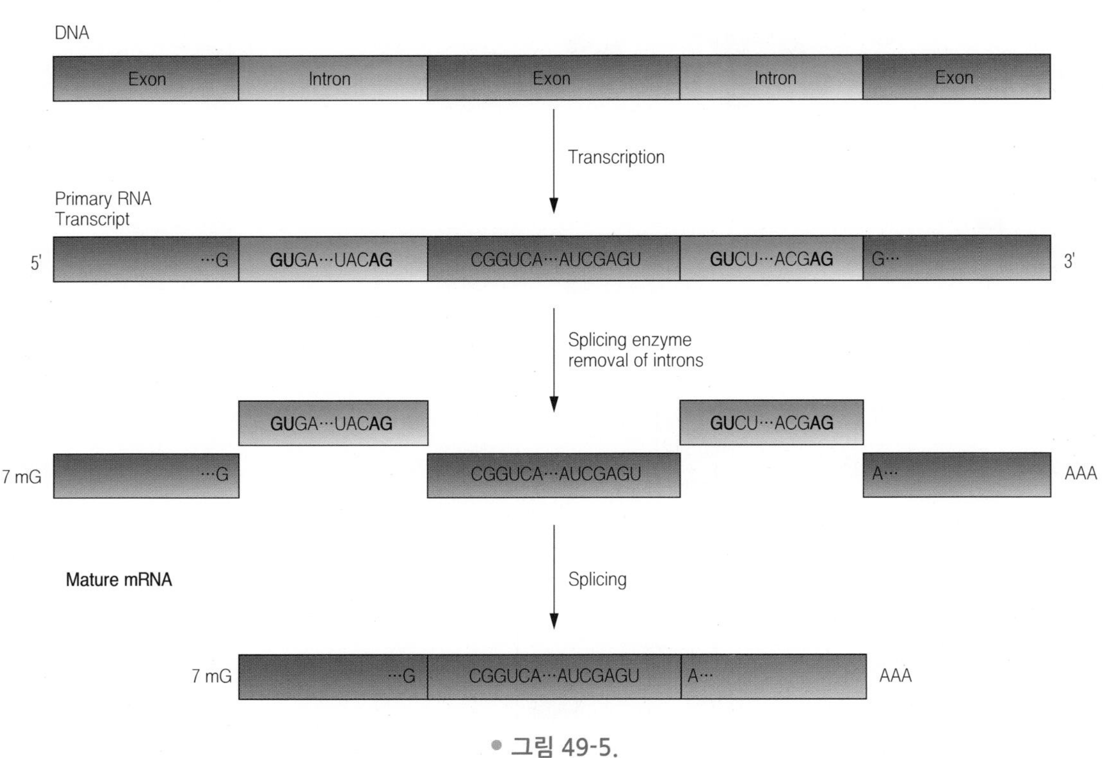

• 그림 49-5.

과정) 상보적인 RNA로 그 역할을 한다(전사과정). 그러므로 mRNA는 음성 주형인 antisense strand로부터 만들어져서 양성주형, 즉 sense strand와 같은 구조를 가지게 될 것이다. 따라서 분자생물학자들은 3차원적으로 생각해야 한다.

전사는 이중나선의 두 가닥이 떨어져 나오는 5' 인접 비전사 부위인 상위(upstream) 시작부위에서 개시된다. 과정은 종료 시그널에 다다를 때까지 가닥들 중의 하나를 복제하면서 하위(downstream) 쪽으로 계속된다. 일단 mRNA가 합성되면 핵 속에서 계속 진행되어 5'쪽의 cap (a modified nucleotide, 7-methyl guanosine)과 3'쪽의 the poly-A tail (long chain adenine)이 더해지게 되는데 이는 mRNA가 손상되지 않도록 보호하고 번역(translation)을 용이하게 함으로써 mRNA를 안정화시키는 작용을 한다. 그에 더하여 인트론(intron) 부위들은 잘려나가고 엑손(exon)들끼리 함께 붙는 과정인 RNA 스플라이싱(RNA splicing)이 일어난다. 각 엑손과 인트론의 시작과 끝은 RNA에 대해 복사될 때 인트론을 제거하는 효소에 신호를 보내는 염기서열을 가지고 있다. 거의 모든 인트론들은 GU로 시작해서 AG

(DNA 인트론에서는 GT와 AG)로 끝난다. 인트론들은 다양한 길이로 존재하는데 하나의 인트론이 최종 RNA 산물보다 길 수 있다. Capping, tailing, splicing 후 mRNA는 세포질로 곧 운반될 준비를 한다(그림 49-4, 5).

1) 전사인자(Transcription factor)

전사인자들(transcription factors)은 DNA의 조절요소에 결합하는 단백질들(enhancer and promoter)로서 유전자 표현에 영향을 준다. 예를 들어 스테로이드호르몬 수용체는 전사인자이다. 유전자 전사 및 mRNA 형성은 DNA와 직접적인 상호작용을 통해 활성화되거나 억제된다. 전사인자들은 다른 요소들(adaptor protein이라 불리는 coactivator(보조활성인자; 유전자의 전사를 옆에서 보조하여 촉진하는 단백질)과 corepressor(보조억제인자; 효소활성을 억제하여 효소의 합성을 방해하고 작동을 억제시키는 물질)과 상호작용하여 협력적인 효과를 나타낸다. 이들 단백질의 활동은 세포표면수용체(빈번하게 성장인자, growth factor)로부터 나오는 신호(signal)를 통해 촉발되는 인산화(phosphorylation)에 의해 영향을 받는다. 중요한 개념은 호르몬 활성 및 유전자 발현의 최종 결과를 **cellular context**, 즉 특정 세포 내 수용체단백질(adapter protein)의 영향을 받는 전사 인자의 특성 및 활성을 반영하는 것으로 보는 것이다. 이것은 유사한 물질들 및 유사한 전사 인자, 예를 들어 에스트로겐 수용체가 여러 조직에서 어떻게 다른 작용을 할 수 있는지를 설명한다.

2. 번역(Translation)

mRNA는 핵으로부터 세포질로 이동하여 리보솜(ribosome)에서 단백질로의 아미노산 조립(번역, translation)이 이루어지도록 한다. 각 세포는 특징적이지만 역동적이고 변화하는 단백질체(proteome; 그 세포에 고유한 단백질의 집합)를 가지고 있다. 아미노산은 특별한 전달 RNA (transfer RNA, tRNA) 분자에 의한 과정으로 들어가서 tRNA의 한 쪽 끝의 특별한 3염기서열은 특별한 아미노산을 코딩하는 코돈에 상보적이다. 이 영역을 mRNA 코돈에 결합하면 다른 쪽 끝에 있는 특정 아미노산이 단백질의 적절한 서열로 배치된다. tRNA 분자들이 아미노 말단에서 시작하여 카르복시 말단에서 끝나는 RNA 주형의 번역에 따라 아미노산이 놓이게 된다. 이 과정은 처음 AUG triplet에서 시작하여 종결 코돈(UAA, UAG, UGA)에 다다를 때까지 계속되며, 이후 mRNA는 리보솜(ribosome)에서 떨어져 나와 소멸된다(그림 49-6). 아미노산의 특정 선형 서열은 유전적 코딩에 의해 특성화되고, 이 서열은 기능을 발휘하는데 필요한 단백질의 3차원 구조를 결정한다. 오직 20,000-25,000개의 단백질 코딩 사람 유전자가 존재하나 100,000개 이상의 단백질이 존재하는 것으로 보아 분명히 한 개의 유전자가 선택적 스플라이싱(alternative splicing) 과정을 통해 한 개 이상의 단백질을 생산할 수 있다.

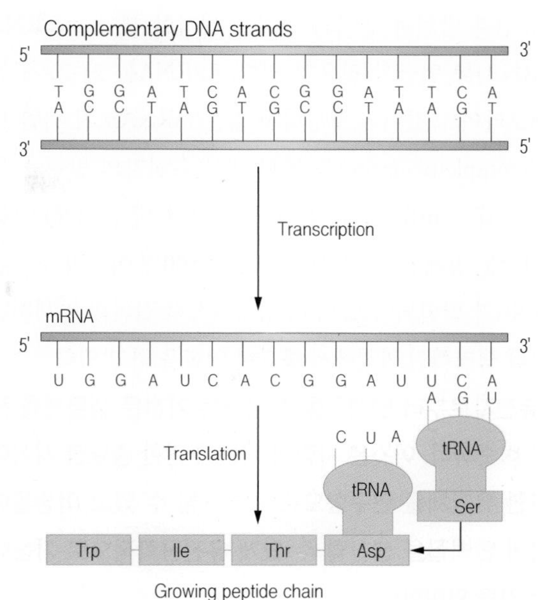

• 그림 49-6.

유전자의 마지막 발현은 번역 과정으로 끝나는 것은 아니고 단백질의 posttranslational process가 일어나는데 여기에는 당화(glycosylation) (예: 생식샘자극호르몬)과정이나 단백질 가수분해 분할(proteolytic cleavage)(예: proopoomelanocortin의 ACTH로의 전환) 등이 포함된다.

유전자 발현과 번역의 조절을 얘기할 때 micro RNA (miRNA)를 언급할 필요가 있다. miRNA는 21-22개 뉴클레오타이드 길이의 코딩하지 않는 mRNA로써 서열 보상성(complementarity)을 통해 대상 유전자의 발현을 억제하여 대상 mRNA의 질 저하나 (보다 더 흔하게) 그들의 번역을 방해한다. 진화론적으로 1,500개 이상의 보존된 miRNA가 확인되어 있으며, 생식의학적 질환의 발생뿐만 아니라 생리적인 과정에서 중요한 역할을 하고 있다.

유전자로부터 단백질을 생산하는 기전은 생물계를 통틀어 비슷하다. 이것은 사람의 기능에 관한 중요한 지식이 간단한 유기체를 연구함으로써 획득될 수 있고 미생물이 사람의 단백질을 생산할 수 있게 유전공학적으로 가능하다는 것을 의미한다.

3. 후성유전학(Epigenetics)

후성유전학(epigenetics)은 DNA 서열 자체에는 변화가 없으면서 유전자 발현의 유전성 변화를 연구하는 것이다. 후성유전학적 통제는 DNA 메칠화 과정을 통하거나 염색질(chromatin)의 전체적인 구조를 책임지는 히스톤(histone) 단백질에 변화가 생김으로써 일어난다. 가장 특징적인 DNA 메칠화 과정은 메칠기가 cytosine ring의 5번 탄소에 공유결합이 일어나 5-methylcytosine(5-mC)이 되는 것이다. 이런 메칠기들이 DNA의 주요 굴곡으로 튀어나와 전사를 방해한다. 후성유전학적인 수정이 DNA 서열이나 유전자 및 염색체의 구성에 변화를 주지는 않지만 유전자의 기능과 그로 인해 나타나는 표현형에는 지대한 영향을 미친다.

VIII. 유전학, 후성유전학의 다양성

유기체의 유전학 그리고 후성유전학 정보의 내용은 그들이 코딩해서 나타나는 기능들을 결정한다. 그러므로 유전학적이고 후성유전학적인 변이는 유전적인 위험과 유전질환의 기전들을 유발할 뿐만 아니라 같은 종들의 개체들 사이에서 다양성을 야기한다. 변이는 돌연변이(mutation)를 통해 새로 발생(de novo)할 수도 있고, 부모로부터 유전될 수도 있다. 역사적으로 돌연변이는 병적인 변화를 뜻했지만 이런 돌연변이들은 개인에게 표현형적으로 이득이 될 수도 있다. 어떤 이들은 인구집단에서 드문 변이를 일컫는데 사용하자고 하기도 하고 인구집단의 1% 이상에서 나타나는 변이인 경우 다형성(polymorphism)이라는 용어를 사용하기도 한다. 그러나 드물게 나타나는 어떤 변이들은 겉으로 드러나는 기능적 결과를 나타내지는 않으며 나타난다고 해도 드물게 나타나거나 개인 고유의 변이로 더 잘 특징지어진다. 돌연변이(mutation)라는 용어는 일반적으로 사람에서 발생하는 유전성 질환을 지칭한다.

유전성변이와 돌연변이는 단일 뉴클레오타이드, 유전자 일부, 염색체 일부, 또는 한 염색체 전체, 또는 염색체 세트 수준에서 발생할 수 있다. 유전학적 그리고 후성유전학적 변이를 이해하는 것은 오늘날 생식의학 내분비학 전문가들에게는 필수적인 사항이다.

1. 단일유전자 서열변이(Single-Gene Sequence Variation)

많은 유전자들은 대립유전자(allele)라 불리는 다양한 형태로 존재한다. DNA 서열의 변화로 인해 단백질 구조나 기능에 해로운 변화가 초래되면 병적인 변이나 돌연변이를 이루게 된다. 치환(substitution)은 단일 뉴클레오타이드의 변화를 일컫는다. 유전정보(genetic code)의 중복으로 인해 하나의 아미노산을 코딩하는 여러 개의 코돈이 존재한다. 동의적인(synonymous) 단일 큐클레오타이드 변이들은 유전자 산물의 변화를 나타내지 않는다. 그러나 코돈 내 비동의적인 치환(nonsynonymous substitution)은 단백질 내로 잘못된 아미노산을 편입함으로써 기능의 변화나 상실을 초래한다. 그런 변화를 초래하는 임상적 예를 하나 들자면 겸상적혈구(sickle-cell) 돌연변이가 있는데 베타글로빈(beta-globin) 유전자 내에서 티민(thymine)이 아데닌(adenine)으로 치환되어 우리가 잘 아는 표현형으로 나타나는 것이다. 단일 염기 치환은 유전자의 promoter 내에서 일어나 유전자 발현을 변화시키거나 또는 어떤 특징 위치에서 일어나 스플라이싱(splicing)을 방해하여 변형된 하위 아미노산 서열에 변화가 생기거나 심지어는 조기에 종결 코돈을 맞이함으로써 끝은 잘려버린 단백질이 되어 불완전하게 발현이 일어날 수 있다.

만일 DNA의 상동부위(homolous region)가 어긋나게 배치된다면 불균형 교차가 일어날 수 있어 그 결과 결실(deletion)이나 삽입(insertion)이 일어나게 된다. 결실과 삽입은 단일 뉴클레오타이드 만큼 작은 것일 수도 있고 여러 유전자가 포함될 정도로 큰 것일 수도 있다. 단일 유전자 결실과 삽입은 보통 "Indel"이라고 칭해지기도 한다. 그런 indel의 내용과 위치는 그들의 기능에 영향을 주는데 예를 들면 3염기쌍의 frame 내 삽입(in-frame insertion)은 큰 영향을 주지 않을 수도 있지만 단일 염기쌍 결실은 frameshift를 야기하여 병적인 영향을 나타낼 가능성이 매우 크다.

단일 유전자 돌연변이는 일반적으로 멘델유전방식인 상염색체 우성(AD), 상염색체 열성(AR), X연관 열성(X-linked recessive), 드물게 X연관 우성(X-linked dominant)에 따라 전해진다. 상염색체 우성 조건에서는 하나의 주어진 대립유전자 중 어느 한쪽에만 이상이 있어도 질환 발현을 일으키기에 필요충분하다. 부모 둘이 모두 이형접합(heterozygous) 상태일 때 그 아이들은 이환율이 75%에 달한다. 부모 중 한 쪽만 이형접합인 경우는 이환율은 50%이다. 상염색체 우성 질환의 예를 들면 헌팅톤병, 신경섬유종, 말판증후군(Marfan syndrome) 등이 있다. 이상이 있는 우성 유전자의 영향은 투과도(penetrance)에 의해 영향을 받는데 이는 우성 유전자가 발현되는 정도를 일컫는다. 완전한 투과도는 불완전한 투과도에 비해 유전자가 항상 발현되는 것을 의미하며, 항상 알아볼 수 있는 표현형을 나타낸다.

이와는 대조적으로 상염색체 열성 조건은 양쪽 대립유전자가 모두 이상이 있는 동형접합인 경우에만 표현형으로 발현한다. 이형접합의 부모에서 태어나는 아이들은 25%의 이환률을 가지며, 50%는 이형접합의 보인자(carrier)가 된다. 상염색체 열성질환의 예를 들면 낭포성 섬유종(cystic fibrosis), 겸상적혈구빈혈증(sickle cell anemia), 21-hydroxylase의 결핍으로 발생하는 선천부신과다형성증(congenital adrenal hyperplasia)이 있다. 비슷하게 X연관 열성 조건도 대립유전자가 존재하지 않을 때 나타난다. 여성에 있어 이런 상황이 발생하려면 변이 대립유전자의 동형접합일 경우에만 발생하나 남성의 경우 두번째 X 염색체가 없기 때문에 변이 대립유전자가 하나 있는 X염색체에 존재할 경우 질환의 표현형으로 나타난다. 그러므로 여성 보인자의 각 아들은 50%의 이환율을 가지며 각 딸은 50%의 보인자가 될 확률을 가진다. 적록색맹과 A형 혈우질환이 그 예가 된다.

단일 유전자 변이의 형태 중 마지막으로 논할 만한 가치가 있는 것은 미토콘드리아 DNA 변이이다. 미토콘드리아는 우리 조상의 몸에 들어온 원시 박테리아에서 유래된 것이며, 아직도 몇 개의 중요한 유전자를 가지고 있다. 각 미토콘드리아는 2-10개의 mtDNA copy를 가지고 있으며, 난자와 정자의 경우 예외적으로 100-10,000개의 mtDNA copy를 가지고 있다. 동물의 경우 두 가닥의 원형 mtDNA 분자는 각각 15,000-17,000 염기쌍으로 이루어져 있으면서 총 37개의 유전자를 코딩한다. 이 중에서 13개의 유전자는 전자전달계에 관여하는 단백질을 코딩한다. 반면에 나머지 유전자들은 리보좀 RNA (ribosomal RNA) 혹은 tRNA를 코딩한다. 정자에 존재하는 미토콘드리아는 수정과정에서 제거되기 때문에 부계의 미토콘드리아 DNA의 전달은 없게 되며, 미토콘드리아 유전자로 인한 질환은 순전히 모계에 의해 유전된다.

2. 다유전자 특성 및 질환(Polygenic Traits and Disorders)

단일 유전자 변이가 질환이나 각 개인의 다양성을 나타내는 반면에 많은 유전적 특성(trait)과 질환은 유전적 영향들의 조합에 기인한다. 키나 눈 색깔 같은 다인자 특성들은 여러 유전좌(genetic loci)에서 서로 다른 대립유전자들의 결합된 영향에 의해 결정된다. 다인자 유전질환은 환경적인 영향들의 조합으로 병을 유발할 위험성을 높이는 수많은 유전 변이로부터 유래한다. 대부분의 유전 요인을 가지는 흔한 질환들(common diseases), 예를 들어 관상동맥질환, 다낭난소증후군은 다인자성이다. 덧붙여 유전 돌연변이의 특별한 부류에서 유래되는 몇몇 유전질환들이 있다. 발암(carcinogenesis)의 "two-hit hypothesis"로 잘 알려진 두 유전자 사이의 공통 변이들에서 유래하는 암(cancer)이 가장 잘 기술되어져 있는 질환이다.

3. 염색체 이상

1) 수 이상

수의 이상은 대개 비분리현상(nondisjunction)에서 유래하는데 이는 체세포분열 혹은 감수분열 시후기(anaphase)에서 염색체 분리에 실패한 것이다. 이수성(aneuploid)은 반수체의 염색체 숫자에 정확히 맞지 않은 수를 가지는 것으로 예를 들면 monosomy (45, X Turner syndrome) 혹은 trisomy (trisomy 13 Patau syndrome, trisomy 18 Edwards syndrome, trisomy 21 Down syndrome, 혹은 47, XXY Kleinefelter syndrome)가 이에 해당된다. 모자이시즘(mosaicism)은 서로 다른 핵형을 가지는 하나 이상의 세포주(cell line)가 섞여 있는 것을 일컫는데 이는 대개 수정이 이루어진 배아에서 체세포분열의 비분리현상(두 개의 쌍을 이루는 염색체가 서로 분리되지 못하는 것)이나 anaphase lag(후기지연, anaphase 시 분리가 지연됨에 따라 염색분체가 탈락(omission)되는 것)때문에 발생하는 것이다. 배수성(Polyploidy)은 반수체의 염색체가 3배수 이상이 되는 것으로 자연 유산의 중요한 원인이다.

2) 구조 이상

구조 이상은 교차가 진행되는 동안의 감수분열 오류나 방사선, 약물, 또는 바이러스에 의해 야기되는 염색체 파손에 의한 DNA 복제 오류 때문에 발생할 수 있다. 전좌(translocation)에서는 두 개 이상의 비동형접합 염색체 사이에 염색체가 상호교환이 일어난다. 균형 전좌는 유전물질의 획득이나 손실과는 관련이 없어 그런 사람을 "전좌보인자(translocation carrier)"라고 한다. 만일 균형 전좌가 두 개의 acrocentric chromosome의 장완(q arm) 사이에서 일어난다면 이를 로버트슨 전좌(robertsonian translocation)라 한다. 균형전좌를 가지고 있는 보인자들은 대개 이로 인해 겉으로 드러나는 표현형을 가지지는 않으나(염색체상 재배열이 일어나 있지만 실제 유전적인 내용은 완벽하기 때문에) 감수분열 중 전좌가 일어난 염색체의 분리가 일어나는 과정에서 그들은 불균형 염색체를 가지는 생식세포를 만들어 낼 가능성이 높다. 이것은 염색체 불균형 상태의 후손(offspring)을 가질 가능성이 높아져 유산의 가장 많은 원인이 된다.

구조 이상의 또 다른 종류로는 삽입(insertion), 중복(duplication), 결실(deletion)이 있다. 이들 이상은 염색체 조각이 한 위치에서 다른 위치로 옮겨져서 이웃해있는 위치에서 중복되거나 완전히 없어져버린다. 여러 개의 유전자가 포함되어 있는 염색체 일부가 결실되면 심한 병적 상태(예, cri-du-chat syndrome, 5번 염색체 단완 결실)를 유발하거나 유산으로 끝나게 된다. 그러나 더 작은 결실과 중복은 병을 유발(pathogenic)하거나 인구집단에서 발견되는 유전적 변이에 그치는 등 다양한 모습을 보인다. 그러나 결실과 중복은 "del dups" 혹은 copy number variation (CNV)이라 언급되며 사람 유전체의 거의 10%를 차지한다.

다른 구조 이상으로는 염색체 역위(inversion)와 고리염색체(ring chromosome)가 있는데 이 과정을 통해 필수적인 유전자가 파괴하거나 불균형 유전 상태가 초래됨으로써 병이 유발될 수 있다.

4. 후성유전학 변이(Epigenetic Variation) 및 유전체 각인(Genomic Imprinting)

변이는 후성유전학 수준에서도 발생할 수 있다. 예를

들면 DNA 메칠화 양상은 유전 요인과 환경 요인에 따라 개인마다 차이가 있다. 어떤 경우에는 이런 변이가 표현형에 미치는 영향이 매우 작거나 거의 알아차리지 못할 정도이다. 그러나 메칠화가 어떤 유전좌를 포함할 경우 특별한 질환을 유발할 수 있다. 예를 들면 H19 유전자의 비정상적인 메칠화는 Silver-Russel 증후군 혹은 Beckwith-Wiedemann 증후군을 초래할 수 있다.

유전체 각인(genomic imprinting)은 특별한 후성유전학 과정으로 어떤 대립유전자가 부모 중 누구로부터 유전되었느냐에 따라 유전체 기능에 계속적인 영향을 주는 것을 뜻한다. 예를 들면 어떤 상염색체 열성 조건 하에서 발현, 심한 정도, 발생 나이는 변이 유전자나 염색체를 제공하는 부모의 성에 의해 영향을 받는다. 유전체 각인은 한쪽 부모로부터 온 대립유전자의 발현을 잠재울 수 있기 때문에 수반되는 결실이 있을 경우 더 심한 표현형을 나타낼 수 있다. 이러한 소견을 Angelman증후군과 Prader-Willi 증후군에서 관찰되는데 염색체 15q11-13부위의 결실은 3개의 잘 알려진 유전자인 SNRPN, NDN, UBE3A의 반접합성(hemizygosity, 즉 한 쪽 copy만 존재하는 것)을 초래한다. 이 세 가지 유전자가 각인되어 SNRPN 및 NDN의 부계 대립 유전자 만 발현되고 UBE3A의 모계 대립 유전자 만 발현되기 때문에 동일한 15q11-13 결실이 모계 대 부계 유전인 경우 다른 비기능적 유전자를 초래한다. 기능이 없는 서로 다른 유전자에 따라 두 개의 서로 다른 표현형이 나오면서 Angelman 증후군과 Prader-Willi 증후군이 된다.

VIIII. 분자생물학의 기술

인산다이에스테르 결합을 깨서 여러 조각의 DNA 분자로 자르는 효소를 endonuclease라고 하는데 이 **restriction enzyme**(제한효소 restriction endonuclease, 제한핵산 내부가수분해효소)은 특정 핵산 서열 부위에서만 작용하여 DNA를 잘라낸다. 제한효소는 박테리아 세포 내로 들어온(침투하는 바이러스로부터) 이물질의 DNA를 잘라내고 비활성화시키기 위한 방어기전을 형성하는 박테리아에서 발견되었다. 이런 보호기전의 일부로서 박테리아는 역시 토종의 DNA 내 인식 부위(recognition site)를 메칠화하는 methylase를 가지고 있어 비메칠화된 이질적 DNA에 제한효소가 작용하게 한다. 서로 다른 박테리아는 특수한 작용부위가 있는 서로 다른 제한효소를 가지고 있다. 제한효소는 인식 서열(recognition sequence)에 있는 뉴클레오타이드의 수에 따라 작은 절편으로부터 큰 절편에 이르기까지 DNA를 제한 절편(restriction fragments)으로 잘라내는 것이 가능하다. 효소들은 그들이 유래된 유기체와 종(strain)에 따라 이름이 정해진다. 제한 절편들의 결합, 즉 DNA의 두 절단된 조각의 합체(merger)는 **재조합 DNA (recombinant DNA)**를 형성한다.

DNA 중합효소(DNA polymerase)는 단일 뉴클레오타이드를 DNA 분자로 가져오는 효소이다. DNA 중합효소는 DNA 주형이 존재하는 경우에만 DNA를 형성할 수 있고, 이는 합성된 주형에 대해 상보적이 될 것이다. RNA 중합효소 역시 DNA 주형이 있는 경우에만 RNA를 형성할 수 있다.

DNA분해효소(deoxyribonuclease, DNAase)는 뉴클레오타이드를 제거할 수 있다. DNA 중합효소(polymerase)의 작용과 함께 DNAase를 처리하면 radiolabeled nucleotide는 DNA 분자로 들어가서 DNA probe를 만든다. DNA probe는 immunoassay에 쓰이는 항체와 비교될 수 있는데 항체는 특별해서 항체가 만들어지는 대상이 되는 epitope를 인식하지만, DNA probe는 DNA의 특정 서열을 찾아낼 수 있다.

역전사효소(Reverse transcriptase)는 RNA 의존적인 DNA 중합효소(polymerase)이다. 이런 이름으로 불리는 이유는 정보의 흐름이 RNA로부터 DNA로 진행되어 일반적인 흐름의 방향과는 반대이기 때문이다. 이 효소는 기본적으로 어떤 RNA 분자라도 단일 가닥의 DNA로 복사하도록 하며, 그렇게 생긴 DNA를 mRNA의 거울상(mirror image)이기 때문에 **complementary DNA** (cDNA)라고 한다. cDNA probe는 오직 엑손(exon)만 읽는 것으로 제한된다(인트론은 splicing을 통해 RNA로부터 잘려 나갔음을 상기해야 한다).

DNA와 RNA는 전하를 띤 분자로서 전기장에서 움직인다. 젤(gel, agarose 혹은 polyacrylamide) 전기영동에 의해 절편들은 분석이 가능한데 가장 큰 절편들이 가장 천천히 움직인다. 전통적으로 젤은 위에서 아래로 읽히는데 가장 작은 절편들이 가장 아래쪽에 위치하게 된다.

1. 서던 블롯분석(Southern Blot Analysis)

DNA의 두 가닥이 처음에는 서로 분리되도록 변성시킨 후(denaturation) 제한효소로 처리하여 생기는 여러 절편들을 전기영동 젤 위에 놓는다. 발명자인 E.M.Southern의 이름을 따서 만들어진 Southern blot 방법은 크기에 따라 전기영동에 의해 절편들이 분리된다. 절편의 크기가 작을수록 더 빨리 이동한다. 전기영동 젤은 한 쪽 끝을 고농도의 염화나트륨용액(high salt solution)에 담겨 있는 두꺼운 거름 종이(filter paper) 위에 놓인다. 다음에는 특별한 membrane (nitrocellulose 혹은 nylon)이 젤 위에 놓이고 이 위에 종이타월 더미를 놓고 무거운 것으로 누른다. 염화나트륨용액은 거름종이 안으로 모세관 현상에 의해 상승하며 이것은 젤을 통해 DNA를 함께 움직이게 한다. DNA는 membrane으로 옮겨지고 염화나트륨용액은 DNA가 계속 움직이게 하여 종이 타월에 흡수되도록 한다. Nitrocellulose 혹은 nylon membrane은 원래의 전기영동 패턴과 같은 복제품을 만들어낸다. DNA는 고열로 굽거나 자외선에 의해 membrane에 고정된다. 그런 다음 특별히 표지된 DNA나 RNA probe를 넣어 hybridization한다. Hybridization은 특별한 probe가 그에 상보적인 서열과 반응하여 달라붙는 것을 뜻한다. 이 서열과 붙은 절편들은 자가조직영상촬영(autoradiography)에 의해 확인된다. Laser beam에 의해 활성화된 후 발견되는 형광 probe들이 이용될 수 있으며, 컴퓨터의 도움으로 질적이고 양적인 평가가 이루어질 수 있다. Southern blotting은 아직 필요한 실험방법이지만 보다 빠르고 민감한 PCR 방법으로 자주 대치되곤 한다.

2. 노던 블롯분석(Northern blotting)

RNA 서열을 찾아내는데 RNA가 DNA의 반대되는 이미지라는 것 때문에 Southern(원래 Southern은 이 방법을 발명한 사람의 이름)인 반대인 "Northern"이라는 이름이 붙여졌다. 추출된 RNA는 전기영동에 의해 분리되어 membrane에 옮겨져 상보적인 DNA probe와 hybridization한다. 예를 들어 이 방법은 mRNA의 양이 증가하면 즉 유전자 발현이 일어나면 조직 내 특정 단백질의 호르몬 자극에 영향을 주는지 여부를 결정하기 위해 사용할 수도 있다. Northern blotting은 역전사효소(reverse transcriptase enzyme)를 이용한 PCR로 대치될 수 있다.

단백질을 분리하고 정량화하는 전기영동 방법을 **웨스턴 블롯분석(Western blotting)**이라 하며, hybridization을 이용한 확인 과정을 항체(antibody)가 사용된다. Northern blotting과 같이 Western blotting은 유전자 발현을 검사하며, 유전자 자체를 검사하지는 않는다. Northern과 Western이라는 용어는 Southern이라는 용어에 대해 반응하여 국제적으로 사용하게 된 재치 있는 용어이다. 한 방울의 세포 추출물을 거름 종이에 전기영동 없이 hybridization 시키는 방법을 **dot 혹은 slot blotting**이라 한다.

3. 부합화(Hybridization)

DNA의 두 상보적인 가닥이 서로 재연합할 때 이를 부합화(hybridization)라고 한다. 이 과정은 방사성동위원소로 표지된 특정한 DNA probe를 사용하여 상보적인 서열을 통해 DNA의 특정 부위를 조사할 수 있다. Membrane은 표지된 probe로 hybridization되어 결합한 probe의 위치는 방사선사진촬영(방사성동위원소로 표지된 probe에 대해)을 통하거나 비색법(colorimetric method)를 통해 확인된다. 그러므로 probe의 염기서열은 결합하는 부위의 염기서열을 결정한다. 두 개의 산물이 서로 상보적일 때 hybridization이 일어나며, 이런 상보적인 DNA는 그 주형이 mRNA와 hybridization 될 수 있다. In situ hybridization

은 표지된 DNA나 RNA probe가 조직이나 세포가 있는 슬라이드 위에 직접적으로 반응하도록 놓이는 방법이다. 형광표식자(fluorescent marker)로 표지된 한 조각의 복제된 DNA (cloned DNA)가 사용될 수 있는데 **형광제자리부합법(fluorescent in situ hybridization, FISH)**이라는 이름으로 알려진 이 방법은 만일 그 부위가 염색체 중 어느 하나에서라도 결실되지 않은 상태라면 복제된 DNA에 상응하는 부위가 형광조명 하에서 두 개로 밝게 빛나게 된다. 그렇지만 그 부위가 두 개의 상동염색체 중 어느 하나에서 결실이 되었다면 한 개만 밝게 빛날 것이다. 여러 개의 미세결실증후군은 FISH 방법으로 발견이 되었는데 예를 들면 Prade-Willi증후군이 이에 해당된다.

4. DNA 미세배열(microarray)

DNA 미세배열은 위에서 언급한 hybridization 접근방법을 사용하는데 "lab-on-a-chip"이라 일컬어지는 격자모양의 방으로 구분된 다중복합 형태의 특별한 슬라이드가 쓰여진다. 수천 개의 DNA probe가 유리 슬라이드의 표면에 알고 있는 순서에 따라 붙여진다. Sample DNA로 hybridization시키면 확인 가능한 반응(chemiluminescence 혹은 fluorescence)을 야기하는데 이것은 발생하는 hybridization의 상대적인 양을 가리킨다. 이런 기술은 reference control과 hybridization하는 양을 비교함으로써 반정량적이다. Microarray 기술은 유전자 발현, 단일 유전자 서열 변이(single gene sequence variation), 염색체 성분을 발견하는 것과 같은 여러 가지 실험과 임상검사에 사용되어질 수 있다. Expression array는 관심을 가는 조직에서 유래한 RNA(상보적인 DNA probe에 반응하는)로부터 생성된 cDNA와 hybridization한다. 만일 관심의 대상인 조직에서 유전자를 발현하면 표지된(labeled) 신호는 쉽게 검출이 된다. SNP(단일 뉴클레오타이드 다형성, single nucleotide polymorphism) array는 서열 변이를 평가하는데 활용되는 microarray의 한 형태이다. 그런 array는 주어진 뉴클레오타이드 위치에 이미 알고 있는 대립유전자를 나타내는 probe를 포함하고 있다. 동형접합성(homozygosity), 이형접합성(heterozygosity), 그리고 심지어는 이수성(aneuploid)까지도 이 방법으로 발견할 수 있다.

염색체 성분은 CGH array (array CGH, aCGH)를 이용해서도 분석이 될 수 있는데, 이는 관심이 가는 DNA sample(예를 들면 trophectoderm biopsy을 통해 얻어낸 세포)과 사람의 유전체 전체를 포함하는 control DNA probe 사이의 hybridization을 측정하는 것이다. 이수성(aneuploid)과 CNV(copy number variation)는 sample과 reference control과의 hybridization을 비교함으로써 발견이 가능하다. Array CGH가 수적인 염색체 이상과 불균형의 구조적 염색체 이상을 발견하는데 매우 강력한 방법이긴 하나 균형적인 염색체 구조 이상을 발견하는 것은 현재 효과적이지 않다. Sample DNA를 처리하는 데는 유전체 수준의 구조를 작게 조각내는 과정이 있기 때문에 균형적인 구조 재배열은 array CGH에 의해서는 전형적으로 발견이 불가능하다(이것은 책의 일부 쪽이 순서를 달리 해서 제본이 되어 있을 때 쪽수를 센다고 하면 쪽수가 온전하다는 것은 알 수 있지만 순서가 바뀌어 있다는 것은 알 수 없는 것과 비슷한 이치이다). 따라서 아직은 핵형 분석(karyotype)이 균형적인 구조 이상을 발견하는 데 가장 효과적이다.

5. 중합효소 연쇄반응(Polymerase Chain Reaction, PCR)

PCR은 비교적 빨리 DNA의 작은 절편이나 부위를 증폭하여 많은 양의 DNA로 만들어 전기영동과 blotting 방법으로 분석을 할 수 있게 해주는 기술이다. 이 기술은 특정 DNA 절편을 복제기술에 의존하지 않고 엄청나게 수많은 복제를 가능하게 한다. 증폭될 서열에 대해서는 알고 있어야 하며 증폭될 DNA 부위를 밝혀줄 특정 표지자(marker, 검사하고자 하는 서열의 양쪽 말단에 대응하는 합성된 DNA의 짧은 서열들)가 선택된다. 이렇게 알고자 하는 부위의 양쪽 말단과 결합하여 증폭을 가능하게 하는 DNA 작은 서열을 primer라고 한다. DNA sample, primers,

충분한 양의 자유롭게 유리되어 있는 단일 뉴클레오타이드(free single nucleotides)들을 DNA 중합효소(DNA 중합효소)와 함께 반응시킨다.

보통 PCR은 3단계로 이루어진다. 1단계에서는 DNA가 담긴 용액을 90-100℃ 사이로 가열하여 가닥 사이의 수소결합을 파괴하고 필요한 단일 가닥 주형을 생성한다. 반응 혼합물을 이 온도에서 1-2분간 유지한다. 2단계에서는 DNA 용액을 30-65℃사이로 빠르게 냉각시켜 1분 이하로 유지한다. 이 짧은 시간 동안 DNA 가닥을 다시 결합할 기회를 가지지 못하지만 primer는 주형 DNA에 결합한다. 3단계에서는 DNA 중합효소가 새로운 DNA 가닥을 합성할 수 있는 72℃의 온도로 1분 이하로 가열한다. 이 주기의 마지막에는 원래의 각 표적 DNA 분자로부터 2개의 새로운 이중가닥 DNA 분자가 생성된다. 이후 모든 주기가 반복되어 매 주기마다 표적 DNA의 양은 두 배가 되므로 표적 DNA는 기하급수적으로 증가한다. 이렇게 되면 짧은 시간에 분석에 필요한 충분한 양의 DNA를 확보할 수 있게 된다. 이 과정은 가열과 냉각을 반복하기 때문에 고온에서 안정적인 DNA 중합효소가 실험 중간에 보충할 필요가 없다는 면에서 유리할 수 있는데 원래 PCR에 사용되었던 대장균 DNA 중합효소는 90℃에서 변성되므로 매 주기마다 새로운 효소를 반응에 첨가하여야 했다. 이런 장애물은 옐로우스톤 국립공원의 Mushroom Pool이라 불리는 온천에 서식하는 세균인 Thermus aquaticus로부터 DNA 중합효소를 분리함으로써 극복되었다. Taq 중합효소(Taq polymerase)라고 이름 붙인 이 효소는 고온에서 매우 안정적이며, 가닥 분리 단계 동안에도 변성되지 않는다. 따라서 이 효소는 PCR 과정의 초기 반응 혼합물에 첨가되어 많은 주기 동안 그 기능을 계속할 수 있다.

Reverse transcription PCR(역전사 PCR)은 소량의 특정 RNA 서열을 증폭하는데 사용된다. 시작이 되는 주형은 RNA 분자인데 이것은 원래 retrovirus에서 발견된 효소인 reverse transcriptase에 의해 상보적인 DNA로 전환된다. 새로이 합성된 cDNA는 표준 PCR 과정을 통해 진행되어 살펴보고자 하는 RNA에 상응하는 다량의 DNA를 생산하게 된다. Real time PCR (quantitative PCR로도 알려져 있다)은 이제는 임상실험실에서 일상적으로 사용하는 방법이 되었는데 fluorescent probe를 이용하여 PCR로 생성된 DNA의 양을 측정한다. 이 방법은 감염질환을 진단하는 것과 같이 소량의 특정 DNA를 신속하게 발견하거나 역전사하여 살펴보고자 하는 유전자 발현의 정도를 측정한다. 전통적인 PCR(역시 end point PCR이라고도 함)과는 달리 real time PCR은 그 반응이 선형적인 증폭단계로 그 분석을 제한함으로써 샘플들 사이의 양적 비교를 신뢰할만한 수준으로 제공한다(cDNA 내용물은 각 반응마다 두 배가 된다).

6. DNA 염기서열 분석법(DNA sequencing)

DNA 염기서열 분석법(DNA sequencing)이란 유전체의 특별한 부위에 있는 뉴클레오타이드들이 순서대로 확인되도록 하는 접근방법을 일컫는 이름이다. Sanger 염기서열 분석법은(chain termination sequencing으로도 알려져 있음) 지난 40년 동안 염기서열 분석으로 가장 보편적인 접근방법이었다. DNA primer에 의해 지정된 자리에서 시작되는 뉴클레오타이드의 융합이 일어나도록 하는 DNA polymerase와 함께 In vitro DNA 복제반응이 이루어진다. 각 반응의 뉴클레오타이드 세트는 DNA 가닥의 연장을 종결하는 방법으로 변경된 subset를 포함하고 있어서 이러한 변경된 뉴클레오타이드들(dideoxynucleotides, 혹은 ddNTPs라고 불림)은 전형적으로 형광으로 표지되어 보다 빠르게 기계로 자동 확인이 가능하다. 염기 특이 형광 파장은 절편의 길이와 맞물려서 DNA 서열을 결정하게 된다.

최근에는 DNA 염기서열 분석법이 더욱 발전하여 낮아진 가격으로 높은 수준의 분석이 가능하게 되었다. 총체적으로 차세대염기서열분석(next generation sequencing, NSG) 혹은 대용량염기서열분석(massively parallel sequencing, MPS)이라고 불리는 이들 방법은 뚜렷이 구별이 되는 공간 배열 상에서 동시에 수백만-수십억번의 sequencing이 이루어지는 개념에 기반을 둔다. 오늘날에는 서로 다른 많은 종류의 NGS가 소개되고 있는데 이들의 대부분은 합성에 의한 sequencing을 이용한다. 이런 방법으로 복제 증폭된 DNA는 공간적으로 구별된 칸에 보존되어 DNA 복제 반응을 위한 주형이 된다.

이런 칸들은 emusion PCR (DNA 분자들이 서로 분리되도록 하는 water-oil 기반의 droplet들을 사용하는 PCR)과 DNA colony formation (DNA adapter와 bridge amplification을 사용하여 flow cell의 표면 상 구별되는 위치에 복제 DNA 절편들의 작은 집단을 생성하는 방법)과 같은 방법을 통해 형성된다. Sanger sequencing과 달리 NGS 복제 반응은 염기들이 단계적으로 연장되는 것이 일어날 때 마다 보이도록 하는 여러 방법들을 사용한다.

7. 염색질 면역침전(Chromatin Immunoprecipitation, ChIP)

ChIP은 단백질이 DNA 상에 붙는 자리를 알려주는 방법으로 관심이 가는 단백질의 특이한 항체를 이용한다. 항체-단백질-DNA 복합체에 의해 유리된 DNA는 PCR로 확인될 수 있다. 살펴보고자 하는 단백질과 붙는 유전체의 특정 부위는 ChIP-on-ChIP으로 알려진 방법인 DNA microarray로 결정될 수 있다.

8. DNA 복제(DNA Cloning)

복제(cloning)라 함은 유전자를 분리해내서 그 유전자의 복제품들을 만들어내는 것을 뜻한다. DNA library는 이렇게 복제된 방법에 의해 유래된 DNA 집합체이다. 상보적인 DNA library는 특별한 세포나 조직으로부터 분리된 모든 mRNA의 상대가 되는 DNA이다. mRNA와 함께 시작함으로써(전 유전체를 조사하는 대신) 관심있는 유전자에 대한 조사에 집중할 수 있다. 그런 library는 역전사효소(reverse transcriptase)에 의해 만들어진다. DNA 분자는 적절한 vector(매개체) 내로 삽입되어 cloning 분자들이 생성된다. Probe를 사용하면 관심있는 유전자와 서로 맞는 상보적인 DNA가 선택될 수 있다(상보적인 DNA만이 유전자의 엑손들을 포함한다는 것을 기억하라). DNA를 복제(cloning)한다는 것은 단순히 DNA의 어떤 특정 절편과 동일한 절편을 많이 생성한다는 것을 의미할 따름이다. 복제(cloning)는 PCR에 의해서도 행해질 수 있다. 위에서 언급한 바와 같이 상보적인 DNA cloning은 mRNA의 DNA counterpart에 초점을 맞추어 할 수 있다. 유전체 DNA cloning은 제한효소를 이용하여 유전자 내의 DNA를 복사한다. 복제(cloning)은 또한 probe나 알려지지 않은 절편에 대해 복수의 복사본을 만들어내는 데 사용된다.

만일 아미노산의 염기서열이 알려져 있지 않다면 후진적으로(backward) 일을 시행할 수 있다. 특정 단백질 산물을 안다면 그 단백질에 대한 항체가 만들어질 수 있어서 상보적인 DNA가 어떤 vector 내로 삽입되었을 때 그 단백질이 만들어진 것이 항체로 확인될 수 있기 때문에 DNA 절편이 분리될 수 있을 것이다.

Vector는 외부의 DNA가 삽입될 수 있는 개체(entity)이다. "Vector+외부 DNA"가 숙주세포에 삽입되면 숙주세포는 vector와 외부의 DNA를 동시에 생산한다. 처음에 사용된 vector는 세포질 내에 박테리아의 염색체 DNA와 함께 공존하는 원형의 DNA 분자(minichromosome)인 박테리아의 플라스미드(plasmid)이다. 매우 주목할 만한 것이 이들은 항생제의 내성을 코딩하는 유전자를 갖고 있다. 이 내성은 plasmid를 포함하고 있는 박테리아 세포들이 적절한 항생제에 의해 선택되도록 하게 해준다. 색깔에 의해 선택되는 플라스미드 매개체(plasmid vector)도 개발되었으며, 그 외 다양한 종류의 박테리아 종(strain)들이 특별한 용도에 맞춰 개발되어 왔다.

제한효소로 plasmid DNA를 절단하면 외부의 DNA가 DNA ligase와 작용하여 plasmid DNA 안으로 들어오게 되어 복제될 수 있는 plasmid DNA 분자를 만든다(외부 DNA를 포함하는 재조합 DNA). Plasmid vector는 10Kb 크기까지의 외부 DNA 절편을 수용할 수 있다(incorporate). 제한효소로 회수된 plasmid를 분해시키면 원하는 DNA 절편을 방출하게 되고 이것은 전기영동에 의해 회수될 수 있다.

다른 vector들도 존재하는데 박테리오파지(bacteriophage)는 박테리아 내에서 감염시키고 복제하는 바이러스이다. Phage vector들은 20Kb까지의 DNA 삽입절편을 수용할 수 있는데 phage vector들과 함께 하는 cloning DNA는 plasmid와 기본적으로 같은 디자인을 따른다. 보다 큰 절편의 외부 DNA는 인위적으로 생성된 phage와 plasmid vector의 혼합체인 cosmid vector로 cloning된다. 1,000 kb에 달하는 매우 큰 절편들은 효모인공염색체(yeast artificial chromosome)를 이용하여 cloning될 수 있는데 이 방법은 모든 유전자들과 잘 작용한다.

복제를 위한 기본단계(Basic Steps for Cloning)

1. 먼저 유전체 DNA나 상보적 DNA를 선택한다.
2. 제한효소로 DNA를 자른다.
3. 이 절편들을 vector안으로 끼워 넣는다
4. 박테리아 내부로 이 vector를 집어넣는다.
5. library를 만들기 위해 박테리아 내부의 퍼져 있는 cloning된 DNA를 모은다.
6. 원하는 서열을 찾기 위해 library를 검색한다. 가능한 방법으로는 결합할 절편에 대한 상보적인 뉴클레오타이드 probe를 사용하거나 그 단백질에 특이한 항체로 생성된 특정 단백질을 발견하거나 단백질의 기능을 평가하는 것이다.

X. 형질전환 동물(Transgenic Animals)

유전자가 이식된 동물들은 cloning된 유전자나 상보적인 DNA를 박테리아, 효모, 선충과 같은 벌레 혹은 쥐와 같은 유기체 안으로 삽입함으로써 생성된다. 동물에서는 복제된 유전자나 cDNA를 수정된 난자의 풋핵(pronucleus)에 주사하면 염색체 안으로 들어가게 된다. 변형된 배아는 recipient mother의 자궁에 이식되어 외부 DNA가 삽입되어 있는 자손(progeny)을 낳게 된다. 변화된 생물학적 행동양식과 기능들은 외부 DNA에 기인한다. 이식유전자를 가진 동물은 사람에서 발생하는 질환의 동물 모델을 제공하며 유전 변이의 생체 내 기능을 연구하는 방안이 된다. 유전자의 기능을 연구하기 위한 동물 모델의 경우 자주 특정 유전자의 기능을 해체하는(knocking out) 방법을 사용한다. Knock out이란 일반적으로 배아줄기세포(embryonic stem cell)에서 관심이 있는 유전자와 기능이 상실된 전이유전자(transgene) 사이의 in vitro homologous recombination에 의해 창출된다. 특정 유전자와 그 단백질이 정상적인 난자 생성이나 생명에 필수적인지 여부를 직접적으로 입증함으로써 결정될 수 있다.

발달 초기의 모든 조직에서 유전자가 knock-out된 constitutive gene knockout 모델과 비교하여 conditional knock-out model은 좀 더 유연성과 정밀성을 부여한다. Conditional knock-out에서는 기능적인 유전자는 발달 과정의 특별한 시기나 특정한 종류의 세포에서만 불활성화된다.

상동재조합 기반의 유전자이식 방법(transgenesis)을 대체할 수 있는 방법은 유전자를 편집하는 CRISPR/Cas9 방법이다. 이 시스템에서는 대상이 되는 안내(guide) RNA는 Cas9 endonuclease와 결합하여 복합체를 이룬 다음 안내 RNA가 유전정보가 일치하는 바이러스의 DNA에 달라붙어 절단효소가 그곳을 절단한다. 복구(repair) 주형 DNA는 homology-directed repair (HDR)의 내부 세포 기전에 의해 그 자리에 끼어 들어간 변형된 DNA의 염기서열을 구체적으로 찾아내어 나타낸다. 그 대신에 두 가닥에 발생한 절단 중 일부는 nonhomologous end joining (NHEJ, 비상동말단접합)에 의해 복구되는데 이는 유전자 knock out를 이끄는 무작위 삽입이나 결실을 야기한다. CRIPR/Cas9의 의도적인 적용을 위해 HDR:NHEJ 비(ratio)를 적정화하는 여러 방법들이 개발되고 있는 중이다.

1. 유전체학(Genomics), 단백질체학(Proteomics)과 '학' 혁명(Omics Revolution)

기술과 생물정보학의 발전으로 대용량의 데이터를 높은 효율로 처리 평가할 수 있게 됨에 따라 분자 생물학은 omics revolution('학' 혁명)으로 일컬어지는 시기를 거치고 있다. 유전학적 연구가 역사적으로 단일 유전자에 초점을 맞추었던 때에 비해 전체 유전체에 대한 완전한 염기서열 결정과 연구는 유전체학(genomics)으로 불리게 되었다. 막대한 양의 염기서열 데이터가 축적되는 것을 넘어서 유전체학 연구는 유전자의 상호작용과 발현에 대한 시스템 수준의 연구를 가능하게 하였다. 어떤 종의 구성원들 사이에서 발생하는 유전적 변이에 대한 연구는 variomics라고 불리는데 사람에서 발생하는 변이에 대한 광범위한 목록 작성이 이루어지고 있어 이는 "HapMap Project"와 "the 1000 Genomes Project"로 불리는 과정을 정립하는 중이다. 어떤 종에서 발생하는 일련의 후생유전학적 변이를 규명하는 학문을 "**후성유전체학(epigenomics)**"라고 한다.

그러나 유전체학과 그와 관련된 연구학문이 모든 얘기를 들려주는 것은 아닐 것이다. 유전자 발현으로 생긴 단백질 산물들은 번역 과정과 그 이후에 일어나는 당화(glycosylation), 메칠화(methylation), 인산화(phosphorylation)와 같은 변형 과정을 통해 변화한다. 따라서 생물학적으로 기능하는 세포나 조직의 단백질인 최종 산물에 대한 연구인 단백질체학(proteomics)을 통해 보다 완전한 그림을 얻을 수 있다. 유전체학과 단백질체학 모두 생리학적인 면을 이해하고 질병을 진단하고 신약을 설계하는 데 중요하다.

대사체학(Metabolomics)은 세포를 특성화하는 대사산물인 세포 내의 작은 분자에 대해 연구하는 것이다. 조잡한 세포 추출물에서 정상 또는 비정상 세포 기능과 관련된 특징적인 화학적 지문(fingerprint)을 생성하기 위해 크로마토그래피, 분광법 또는 핵자기공명 측정을 시행한다.

Omics 연구에서 생성되는 데이터의 양은 엄청나서 컴퓨터 데이터베이스 프로그램 없이는 관리가 불가능하다. **Bioinformatics(생물정보학)**는 이와 같이 증가하는 풍부한 정보를 가장 잘 구성하고 분석하고 효율적으로 검색하고 그 안에서 필요한 정보를 얻어내는 시스템을 만드는 컴퓨터 알고리즘 개발을 위한 과학이다. 이를 통해 전 세계에 흩어져 있는 실험실에서 데이터를 사용할 수 있으며 정교한 수학적 분석을 통해 정보를 연구할 수 있다.

XI. 유전자의 확인

단백질 산물이 알려진 전체 유전자를 복제하기 위해서는 상보적인 DNA 라이브러리가 생성된다. 특정 DNA 절편은 단백질에 연결하여 식별된다. 일단 확인되면, 전체 유전자는 인트론과 엑손을 나타내는 확인된 상보적 DNA를 사용하여 스크리닝 될 수 있다. 또 다른 전략은 단백질 산물에서 알려진 아미노산 서열을 기반으로 하는 oligonucleotide probe를 합성하는 것이다(펩타이드 서열에서 해당 단백질을 코딩하는 DNA 서열을 예측할 수 있음). 이 방법은 상대적으로 작은 펩티드 조각으로만 사용할 수 있다. 역전사효소에 의해 mRNA로 만들어진 상보적 DNA를 증폭하는 PCR을 사용하여 라이브러리를 생성하지 않고 상보적 DNA를 복제할 수 있다. 유전체의 겹치는 서열은 각 후속 제품의 DNA 조각을 사용하여 복제되어 유전자를 찾기 위해 체계적인 방식으로 염색체에 걸쳐 작업할 수 있습니다. 이것을 **염색체 워킹(chromosome walking)**이라고 한다

전체 염기서열 과정은 컴퓨터로 수행할 수 있으며 열린 해독틀(open reading frame)을 검색할 수도 있다. DNA 절편의 서열이 확인되면 컴퓨터는 DNA 및 단백질 데이터를 활용하여 서열, 인식 부위, 단백질 번역 및 알려진 염기서열과의 상동성을 예측할 수 있다. 그런 다음 과학자는 복제를 위한 제한 조각 크기를 선택할 수 있다. 유전자가 분석되면 질병 상태의 유전자와 비교해야 한다. 변이의 크기가 크다면 Southern blotting으로 발견될 수 있다. 사소한 변형은 DNA 서열의 비교를 필요로 하며, 이는 쉽게 조사될 수 있는 정도의 양에서 특정 유전자 서열을 생성하기 위해 polymerase chain amplification을 이용함으로써 가능하다.

염색체 재배열 및 연관 분석을 포함하는 연구에 의해서 단백질 생성물을 알 수 없을 때 그 유전자는 특정 염색체에 국한될 수 있다. 특정 질환들은 핵형 변화와 관련이 있기 때문에 특정 염색체는 유전자 위치 파악을 위해 표적화 될 수 있다. 연관분석은 RFLP (restriction fragment length polymorphism, 제한효소 절편 길이 다형성) 방법을 이용한다.

1. DNA 다형성(DNA polymorphism)

Southern blotting은 제한 효소 작용에 의해 생성되는 DNA 단편의 다양한 길이를 반영하는 밴드의 특정 패턴을 나타낸다. 특정 부위는 다른 패턴을 가짐으로써 돌연변이임을 나타낼 수 있다(Southern blotting에서 염기서열 차이로 인해 DNA 단편의 길이가 다르다). DNA 염기서열의 이러한 차이는 **restriction fragment length polymorphisms (RFLP)**이라고 불린다. SNP 또는 단일 뉴클레오타이드 다형성은 흔히 발견되고, 표현형의 변화나 병을 일으키지 않고 사람에게 있어 일반적인 변이이다. 사람 유전체에는 약 450만 개의 다형성이 포함되어 있으며, 이 중 3백만 개 이상이 확인되었다. 사람의 DNA 염기 서열의 99.9 %가 동일하지만 SNP는 의학적으로 중요한 유전자에 대한 유전 표지자(marker) 역할을 할 수 있다. 다형성은 유전에 대한 멘델의 법칙에 의해 관리되며, 우연히 특정 질병을 가진 환자에서 다형성이 확인되면 이 질병이 어떻게 전파되는지를 연구할 수 있다. 우연히 질병과 관련되어 발견된 다형성은 유전자가 알려지지 않은 질병이 어떻게 유전되는지를 연구하는 데 사용될 수 있다. 다형성은 염색체의 특정 영역을 표시하는 깃발과 같다. 이 연구 방법은 Southern blotting(길이가 긴 염기서열의 경우) 또는 PCR(길이가 짧은 염기서열에 가장 좋음)에 의해 다형성을 추적하기 위해 최소한 한 명의 이환자(affected individual)와 충분한 수의 가족 구성원의 DNA가 필요하다. 유전적 표지자(다형성)와 표현형의 상관관계 역시 **haplotypes**(다형성과 유사하지만 뉴클레오티드의 더 긴 서열, 심지어 여러 다형성의 집합)을 사용한다. SNP와 haplotype을 임상적인 문제와 유전된 형질에 결부시키는 유전 기술을 사용하는 연구를 전장유전체 연관분석(**genome-wide association study, GWAS**)이라고 한다.

Minisatellite는 다형성의 한 형태이다. 유전자는 코딩을 하지 않는 DNA의 긴 염기서열에 의해 분리된 염색체를 따라 무작위 영역에 밀집되어 있다. Minisatellites는 모든 사람 염색체의 길이에 걸쳐 분포하는 다양한 수를 나타내는 **tandem repeat sequence**로 불리는 것이 반복되는 DNA의 비코딩 영역이다. 이들 영역은 DNA probe가 따라와서 특정 개인에게 그만의 고유한 "지문(fingerprint)"를 제공하고, 이 유일함은 법의학에서 사용된다. 이름에서 알 수 있듯이 microsatellite는 minisatellite보다 작다. 일반적으로 microsatellite는 단 두 개의 뉴클레오타이드의 반복으로 구성된다. DNA 다형성은 이제 수천 개에 달하며 매우 정밀한 유전자 지도(genetic mapping)를 만들 수 있게 한다.

2. 인간유전체 사업(Human Genome Project)

사람의 모든 유전자는 총체적으로 유전체(genome)라고 알려져 있다. 1990년에 시작된 국제 인간 유전체 사업(Internation Human Genome Project)은 인간 유전체의 염기서열을 분석(sequencing)하는 것이었는데, 그 결과 2001년에 초안(draft) 형태가 밝혀지고, 2003년 실제 염기서열의 99 %에 도달해서 원래 목표 일정보다 2년 이상 앞서 달성했으며, 이는 Watson과 Crick이 논문 발표한지 50년이 지난 후였다. 단백질을 코딩하는 유전자의 숫자는 20,000-25,000개인데 이는 과거에 추정한 것보다는 훨씬 적었다. 거의 30억 개의 뉴클레오타이드의 인간 유전체 중 2% 미만이 단백질 생성을 코딩하고 있기 때문에 나머지 부분은 진화역사가들에게는 진화에 대해 연구할 수 있는 풍부한 자원일 뿐만 아니라 유전 변화가 일어나는 표적장소가 된다. 특정 염색체 내의 유전자 수는 다양해서 trisomy인 염색체 13,18,21 같은 염색체는 가장 적은 유전자를 갖고 있어 이런 염색체 이상을 가지고 태어난 아기는 생명에 중대한 영향을 끼치는 정도가 다른 염색체에 비해 적기 때문에 출생할 수 있다. 사람유전체사업에 관한 정보는 http://www.ornl.gov/sci/techresources/Human_Genome/home.shtml에서 이용 가능하다.

다행히도 인터넷은 사람 유전체를 연구하여 생성된 방대한 데이터를 수용할 수 있는 시기에 등장했다. NCBI (National Center for Biotechnology Information)는 사람 유전자 및 유전 질환에 대한 가이드로 Johns Hopkins University의 Victor A. McKusick이 개발한 OMIM (Online

Mendelian Inheritance in Man) 사이트뿐만 아니라 데이터베이스를 제공하는 웹사이트를 운영하고 있다(https://www.ncbi.nlm.nih.gov/omim).

다음 정보의 물결은 ENCODE 사업 및 1000 유전체 사업과 같은 사업에서 나올 것이다. ENCODE는 NIH(미국 국립보건원)의 국립인간유전체연구소(National Human Genome Research Institute of NIH)가 인간 유전체의 기능적 요소에 대한 백과 사전을 개발하기 위해 조직한 연구 컨소시엄이다(http://www.genome.gov/ENCODE). 1,000 genome Project는 전 세계에서 온 1,000 명의 유전체 서열을 제공하여 정밀한 해상도로 DNA 변이를 mapping한다(http://www.internationalgenome.org/data/).

인간 유전체지도는 질병에 걸리기 쉬운 유전인자와 질병을 유발하는 돌연변이 위치를 찾고 유전 분석을 생물학적 기능과 결부하여 통합하기 위한 기초 역할을 할 수 있다. 조만간 우리는 개인의 완전한 유전 청사진에 대한 개개인 기록을 가질 수 있게 될 것이다. 호르몬 생산을 담당하는 유전자의 염색체 위치가 mapping되었고, 복제된 DNA 서열에서 아미노산 서열을 예측할 수 있다. 유전자의 모든 단백질 산물은 잠재적인 진단 또는 치료의 표적이 된다. 물론 유전 질환은 그 실체가 밝혀져 결국 유전자 치료의 대상이 될 것이다. 그러나 유전자가 확인되고 유전적으로 mapping된 후에도 완전히 그 특성을 규명하기는 어렵고 시간이 걸리는 작업으로 남아 있을 것이다. 따라서 여러 유전자의 상호 작용과 관련된 질환을 완전히 이해한다는 것은 훨씬 더 복잡할 것이다.

XII. 임상적용

현대 의학의 과제는 유전체학과 단백질체학에 의해 생성된 방대한 데이터 수집을 임상적으로 이해하는 것이다. 유전자와 단백질의 기능을 이해하는 것은 의심할 여지없이 사람의 진보를 가속화하는 특징이 될 것이다. 개인의 유전 감수성을 알면 의학적 진단과 치료를 더 높은 수준으로 맞춤화할 수 있다. 그렇지만 이것은 복잡하고 새로운 시대가 열리는 것이지만 항상 간단한 것은 아닐 것이다. 예를 들어, 유전 감수성(genetic susceptibility)은 질병에 대한 위험을 약간만 증가시킬 수 있다. 개인뿐만 아니라 사회를 위해 이익과 비용 측면에서 어떤 시점에 개입하는 것이 가치가 있을까? 또한 유전자 활동은 환경 요인에 따라 켜지기도 하고 꺼지기도 하는데 실험실의 지식이 환자에게 적용되기까지 예상보다 오랜 시간이 걸릴 수 있다. 그러나, 우리가 유전체 이론을 임상에 적용하기 직전에 있다는 것은 의심의 여지가 없다.

1. 유전질환(Genetic Disorder)의 진단

유전질환의 분자 진단에는 백혈구 또는 상피 세포와 같이 핵이 생성된 모든 세포에서 얻을 수 있는 소량의 DNA 샘플만 필요하다. PCR은 소량의 DNA 샘플을 증폭하여 임상적으로 관련된 유전 변이를 식별하기 위해 다양한 분석을 수행할 수 있다.

이러한 진단 분석은 다양한 기술을 사용할 수 있다. 많은 사람들이 이 장의 앞부분에서 설명한 DNA sequencing이나 hybridization 접근법을 활용한다. Sequencing 접근법은 Sanger sequencing 또는 NGS를 기반으로 할 수 있으며 유전 변이의 유전자좌가 임상적으로 분명하지 않은 경우 whole exome sequencing (WES)을 수행할 수도 있다. Hybridization 접근법은 real-time PCR 동안 대립유전자 특이 DNA 염기서열에 hybridization하는 단일 DNA probe처럼 간단하거나 특정 조건과 관련된 다양한 유전적 변이에 대한 probe가 있는 맞춤형 microarray처럼 복잡할 수 있다.

분자진단은 유전적 이질성(heterogeneity)의 퍼져 있는 정도(prevalence)에 의해 제한된다. 즉, 많은 질병들은 사람마다 다른 돌연변이로 인해 발생한다. 이와는 대조적으로, 일부(겸상 적혈구 질환과 같은) 질환은 항상 동일한 변화를 수반한다. 낭포성섬유증(cystic fibrosis) 환자(북유럽 혈통)의 70%는 동일한 3염기 결실을 보이는 반면 나머지 30%는 극도로 이질적인 돌연변이 집합을 가지고 있다. 분자진단을 위해 sequencing 기반 접근 방식을 사용하는 이점은 이러한 새롭거나 희귀한 변이를 무시하지 않는 보다 포괄적인 시각을 제공할 수 있다. 그러나 이 접근 방식의 내재된 단점은 단순한 양성 변형일 수 있는데 그때까지 그 **유의성이 알려지지 않은 변이(VUS, variants of unknown significance)**까지도 식별할 수 있다는 것이다. 발견된 희귀하거나 새로운 변이의 중요성을 이해하려면 가족 내에서 확인된 질병을 가진 돌연변이 분리의 종 간 보존 검사(examination of cross-species conservation of segregation)와 같이 병적일 가능성(likelihood of pathogenesis)에 대한 면밀한 평가가 필요하다.

2. 착상전 유전검사(Preimplantation Genetic Testing)

현대 생식 의학에서 유전 기술의 가장 중요한 임상 적용 사례들 중 하나는 착상전 유전검사이다. 이러한 검사에는 알려진 돌연변이(고전적으로는 착상전 유전진단 또는 PGD로 알려져 있으며 현재 단일 유전자 질환에 대한 착상전 유전 검사, PGT-M이라고 함) 및 부모의 염색체 핵형 혹은 나이에 따른 요인에 의한 이수성(전통적으로 이식 전 유전자 스크리닝 또는 PGS로 알려져 있으며, 현재는 이수성에 대한 착상전 유전검사 또는 PGT-A라고 함)에 대한 배아 평가가 포함된다. 이들 검사는 시험관아기 시술로 수정된 배아로부터 생검을 통해 그 중 일부 세포를 분석을 위한 DNA 주형의 소스로 사용한다. 이 생검은 여러 발달 단계에서 할 수 있고, 수정된 난모세포의 극체 생검(polar body biopsy), 세포분열 단계의 할구 또는 배반포주머니배(blastocyst)의 영양배엽 세포 생검(trophectoderm biopsy) 등이 포함된다. 극체 생검은 샘플링 중에 배아를 그대로 두는 이점이 있지만, 모체의 유전 결과만 알 수 있어 유용성이 제한적이다. 세포분열단계의 생검은 수년 동안 사용된 방법이지만 높은 등급의 염색체 모자이크 현상과 생검된 배아의 후속 발달에 대한 손상에 대한 우려로 인해 선호되지 않았다. 배반포주머니배 생검은 많은 불임/난임센터에서 선호되는 방법이 되었는데, 그 이유는 여러 개의 세포를 얻어낼 수 있어 더 많은 DNA를 얻을 수 있을 뿐만 아니라 이로 인해 진단의 정확도가 향상되었기 때문이다.

착상전 유전검사의 목적이 알려진 돌연변이(예를 들어, 둘 다 유해한 열성 돌연변이를 가진 부부의 배아 자손에서)를 확인하는 것이라면, 생검된 세포에서 DNA를 추출해서 증폭한 후 유전자형을 결정한다. 유전자형 분석은 이환된 성인에서의 유전자형 분석과 마찬가지로 다양한 sequencing 및 hybridization 기반의 접근 방식을 통해 확인할 수 있다. 진단 오류의 가능성을 줄이기 위해 유용한 정보를 주는 연관 다형성들을 관심있는 돌연변이와 함께 유전자형 결정을 한다.

모든 연관 다형성에 대한 유전자형 데이터가 일관성 있게 확인된다는 것은 우려되는 돌연변이가 정확하게 진단되었다는 확신을 준다. 이수성 평가의 경우, 생검 표본에서 추출된 DNA는 다양한 기술 중 하나를 이용하여 평가할 수 있다. 역사적으로 FISH는 배아 생검에서 이수성 검출을 위해 선호되는 방법이었다. 제한된 수의 hybridization probe를 사용하여 염색체의 일부 그룹에서 수적 이상을 분석할 수 있었다. 그러나 염색체를 포괄적으로 평가할 수 있는 대량신속기술(high throughput technology)이 가능해진 것과 더불어 FISH가 제공하는 정보가 포괄적이지 않은 불완전한 평가 방식이라고 인식되면서 FISH로부터 관심이 멀어져 갔다. 이수성의 착상전 유전검사에 대한 현대적인 접근 방식에는 array CGH, SNP array 및 NGS가 포함된다. 일부는 이러한 발전된 접근 방식의 진단 정확도에 대해 계속 우려를 표명했지만(위양성 사례 인용), 많은 사람들은 적어도 선택된 인구집단에서는 배아 선택을 위한 이 접근 방식을 생존출생(live birth) 때까지의 시간을 단축하고 배아이식당 출산율을 증가시키는 수단으로 보고 있다.

3. 개인 유전체학(Personal Genomics)

진행 중인 연구조사 중 흥미로운 방법의 하나는 정밀의학(precision medicine) 및 개인 유전체학(personal genomics)이다. DNA sequencing 및 유전자형 분석에 대한 비용이 감소함에 따라 많은 사람들이 자신의 유전체 전체를 sequencing할 수 있는 가까운 미래를 쉽게 상상할 수 있게 되었다. 그 시기가 다가옴에 따라 다양한 질환에 대한 유전 위험요인을 식별하여 유방암에서 난임에 이르기까지 지금까지 연구된 많은 질병에 대한 유전 위험 패널(genetic risk panel)이 구축되었다. 그러한 패널의 임상적 유용성은 특히 관련 환경 요인과 결합될 때 그들이 부여하는 절대적인 위험에 대해 얼마나 지속적으로 연구하는지에 달려 있다. 그러한 지식은 그것들이 진정으로 일반 임상 정보 소스가 될 때 개인 유전체 분석에 더 큰 유용성을 가져올 것이다.

개인 유전체학의 개념과 관련된 약물유전체학(pharmacogenomics)은 약물의 동일한 용량에 대해 개인마다 서로 다르게 나타나는 반응을 설명할 수 있는 약력학(pharmacodynamics)의 유전 변이에 대한 연구이다. 예를 들어, 효소 합성에 관련된 여러 다형성이 대사 및 배설에 영향을 미칠 수 있다. 유전자 검사는 개인의 약물동태학(pharmacokinetics, 약물동력학)을 예측할 수 있는 잠재력을 제공하여 부작용을 최소화하고 효능을 극대화하기 위한 적절한 용량을 선택할 수 있게 해준다.

XIII. 결론

분자 수준에서의 진전은 멈출 줄 모르고 앞으로 나아가고 있다. 미래에는 예측에 의한 예방 의학의 세계를 보게 될 것이다. 개인의 유전 체질을 알면 소인이 있는 상태에 대해 적절하고 집중된 검사를 받을 수 있고 이러한 종류의 지식은 또한 사회, 정치적 고려를 필요로 한다. 현대 사회는 개인, 고용주, 의료 기관 및 정부의 이러한 정보 사용에 관한 지침을 개발하고 있으며 과학의 진보는 이러한 지식을 적절하게 관리하기 위해 공공 및 전문 교육과 발 맞춰 나가야 한다.

** 참고문헌 목록은 대한산부인과내분비학회 홈페이지 http://www.kosge.or.kr 또는 QR코드를 통해 보실 수 있습니다.*

CHAPTER 50

착상전 유전진단

김진영(차의과학대), 유은정(차의과학대)

착상전 유전진단(preimplantation genetic testing, PGT)은 착상전 배아 단계에서 유전질환이나 염색체 이상의 유무를 진단하여 정상적인 태아의 임신을 성립시킴으로써 유전질환에 이환된 태아의 임신 중절을 피할 수 있는 방법이다. 산전 진단(prenatal diagnosis)은 임신이 된 후 양수검사(amniocentesis)나 융모막 융모검사(chorionic villi sampling) 등을 통해 얻어진 태아세포에서 유전질환이나 염색체 이상을 진단하는 방법으로, 이러한 산전 진단의 단점은 질환에 이환된 태아가 진단될 경우 임신중절을 결정해야 하는 상황에 직면하게 된다는 것이다.

이러한 경우 임신 중절에 따르는 신체적, 정신적 고통을 겪게 되며 윤리적 문제가 있다. 또한 부부의 염색체 이상으로 인한 반복 자연유산에서는 산전 진단이 가능한 시기 이전에 유산이 일어나기 때문에 산전 진단보다 더 조기에 진단할 수 있는 방법이 필요하며, 이러한 측면에서 착상전 유전진단은 매우 효과적인 방법이다. 착상전 유전 진단은 매우 초기단계의 산전 진단으로 볼 수 있는데, 체외수정(in vitro fertilization and embryo transfer, IVF-ET)의 발전과 중합효소연쇄반응(polymerase chain reaction, PCR), 차세대 염기서열 분석(next generation sequencing, NGS) 등 분자생물학 기법의 발달에 따라 가능하게 되었다. 그 과정은 체외수정을 통해 얻어진 배아(blastocyst)로부터 5-10개의 영양외배엽 세포(trophectoderm)를 생검하여 유전 진단을 시행하고, 유전병이 없거나 정상적인 염색체를 갖는 배아를 선별적으로 자궁 내에 이식하여 임신을 시도한다. 따라서 유전병이나 염색체 이상을 가진 부부에서 유전병에 이환된 아기의 출생이나 염색체 이상과 관련된 반복 유산을 예방할 수 있는 방법이며 단일 세포를 이용한 진단방법의 발전과 함께 그 적용 범위가 확대되고 있다.

Ⅰ. 역사

착상전 유전진단은 배아의 초기 발달 단계에 있어 부정형 난할(indeterminate cleavage)이라는 현상에 기초한다. 즉, 8 세포기 정도의 초기 배아로부터는 한 개 내지 두 개의 할구를 떼어내도 배아는 내부세포괴(inner cell mass)와 영양외배엽(trophectoderm) 세포의 비율이 정상으로 유지되며, 남은 할구 세포로부터 정상적으로 온전한 개체가 발생한다는 것이다. 그러나 이렇게 얻어진 단일 세포에서 유전진단을 할 수 있을 정도로 예민한 진단 기법이 뒷받침되어야 하는데, 따라서 착상전 유전진단의 발달은 형광제자리부합법(FISH)이나 중합효소연쇄반응(PCR) 등의 적은 검체에서도 유전진단을 할 수 있는 유전진단 기법의 발달과 함께 이루어졌다. 최초의 착상전 유전진단은 1989년 Handyside 등이 X-연관 열성(X-linked recessive) 유전질환을 가진 가계의 부부에서 정상인이나 보인자가 되는 여아를 진단하여 선택적으로 이식하여 임신을 보고한 것이었다. 즉, 배아의 할구 세포에서 중합효소연쇄반응 기법을 이용하여 Y 염색체 특이 서열을 증폭시킴으로써 증폭이 없는 경우는 여아로 진단하여 배아 이식을 하였다. 이후 형광제자리부합법의 발달로 수정란의 성별을 진단하거나(sexing) 염색체 이수성(aneuploidy)을 진단하고 염색체 전좌(translocation)로 인한 반복자연유산 등에서 착상전 유전진단의 시행이 확대되어 시행되어왔다.

II. 방법

1. 체외수정 및 착상전 유전진단 과정

착상전 유전진단에서는 수정란을 검사해야 하기 때문에 체외수정(In vitro fertilization, IVF-ET)을 시행해야 한다(그림 50-1). 생식샘자극호르몬방출호르몬(gonado tropin releasing hormone, GnRH) 작용제(agonist) 또는 길항제(antagonist)와 생식샘자극호르몬(gonadotropin)을 사용하여 과배란유도(controlled ovarian hyperstimulation)를 한다. 난포가 충분히 성장하면 사람 융모생식샘자극호르몬(hCG)을 투여하여 36시간 후 난자 채취(ovum pick up)를 한다. 난자와 정자를 수정시킬 때 다른 세포의 유전물질이 혼입되는 것을 막기 위해서 미세조작술로 난자세포내 정자주입술(intracytoplasmic sperm injection, ICSI)을 시행하여 한 개의 정자만 난자에 넣어 수정을 시도한다. 정상적인 배아 발달과정에서 수정 1일 후 풋핵 단계(pronucleus, PN stage), 제2일에 4세포기(4-cell stage), 제3일에 8세포기(8-cell stage), 제4일에 상실기(morula stage), 제5일에 주머니배(blastocyst)로 발달하는데, 대개 주머니배 영양외배엽 생검은 수정 5-6일째 배아에서 시행하며 세포 5-10개를 분리해 낸다. 이외에도 난자의 극체(polar body) 또는 8세포기 할구 생검을 할 수 있다. 단일유전자 질환에서 유전자 돌연변이 진단을 하려는 경우에는 중합효소연쇄반응 기법이나 karyomapping을 이용하며, 염색체의 구조 이상이나 염색체 이수성의 진단은 과거에는 형광제자리부합법이나 미세배열(microarray) CGH를 사용했으나 이제는 주로 차세대

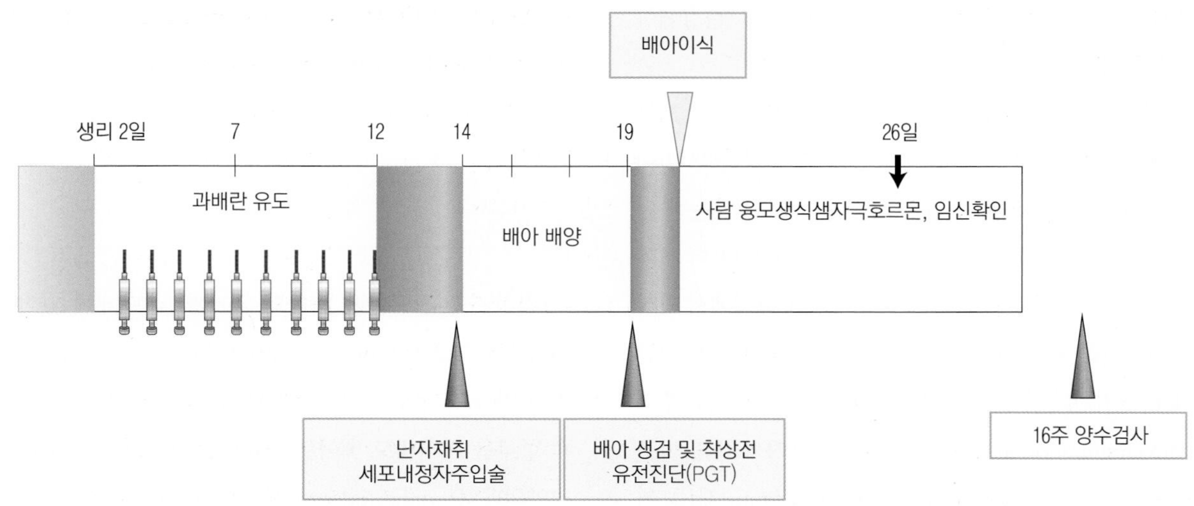

● 그림 50-1. 착상전 유전진단의 일정

염기서열 분석법(NGS)을 시행하여 염색체 검사를 시행한다. 검사결과, 유전병이 발현되지 않을 정상 수정란 또는 균형 염색체를 가진 수정란만을 선택하여 자궁에 이식한다. 염색체 구조 이상이나 유전병인 경우 임신에 성공하면 반드시 산전진단(융모검사 또는 양수검사)을 시행하여 태아의 염색체나 유전자 상태를 확인해야 한다.

2. 생검 방법

1) 투명대의 절개(Making a hole in zona pellucida)

난자나 수정란을 둘러싸고 있는 투명대를 열어준다.

(1) 산성 Tyrode 용액(Acidified Tyrode's solution)

과거에는 pH 2.2-2.4의 산성을 이용하여 배아의 투명대를 녹이는 방법으로 널리 사용되었으며, 난자의 극체를 생검하는 데는 적합하지 않다.

(2) 기계 절개술-부분 투명대 절개(Mechanial dissection; partial zona dissection, PZD)

물리적인 방법으로 "V" 또는"X" 자 형태의 투명대 절개를 하는 방법으로 극체를 생검하는 데 많이 사용된다.

(3) 레이저 부화술(Laser hatching)

사용이 간단하며 구멍의 크기를 정확히 조절할 수 있고 수정란에 해를 줄 가능성이 적어 최근 널리 사용되고 있다.

2) 세포 생검(Cell biopsy)

(1) 극체 생검(Polar body biopsy)

감수분열의 결과로 형성된 극체는 배아 발달에 필수적 요소가 아니므로 생검하여 진단에 활용될 수 있다. 극체의 염색체나 유전자 상태는 난자의 것과 상호 관련되므로 극체를 생검하여 유전검사를 시행하면 난자의 상태를 진단할 수 있다. 난자로부터 제1극체만 생검하거나 제1극체와 함께 수정 후 제2 감수분열이 완성된 후 제2극체를 생검하여 진단의 정확도를 증가시킬 수 있다. Rechitsky 등은 제1, 제2 극체 생검을 이용하여 다양한 단일유전자 질환에서 착상전 유전진단을 시행하여 정확성을 보고하였다. 극체 생검은 유전자 검사 후 이식까지 걸리는 시간에 여유가 있으며, 수정란에 조작을 가하지 않는다는 장점이 있다. 그러나 난자, 즉 모계에서 유래되는 질환에만 적용이 가능하고, 배아 발육이 실패할 배아도 생검하게 되고, 2개의 극체를 모두 얻는데 작업량이 많다는 단점이 있다. 난자를 피펫(holding pipette)으로 잡고, 투명대에 물리적으로 예리한 구멍(slit)을 만든 후, 얇은 피펫으로 극체를 생검한다.

(2) 난할 단계 배아의 할구생검(Cleavage-stage blastomere biopsy)

수정란의 할구를 진단에 이용하므로 모계나 부계 어느 쪽에서 유전되든지 사용할 수 있다. 수정란의 밀착(compaction)이 완전히 일어나면 세포를 분리하기가 어려우므로 수정 3일째(6-10 세포기) 오전에 시행한다. 이 시기에는 생검 후에 세포의 회복이 빠르며, 할구 사이에 접합(junction)이 잘 발달하여 자궁에 이식할 때 수정란의 구조를 그대로 잘 유지하기 때문에 가장 널리 이용되며. 생검된 배아의 착상 능력에도 차이가 없다. 방법은 산성 Tyrode 용액 또는 레이저부화로 투명대에 구멍을 만든 후에 생검 피펫(biopsy pipette)으로 1-2개의 할구를 흡인(aspiration) 하거나 액체를 이용하여 밀어내는 방법(extrusion)으로 할구를 분리해낸다. 할구의 밀착(compaction)을 약화시키기 위해 Ca2+, Mg2+ free 배양액을 이용한다. 이 방법의 단점으로는 1-2개의 세포만 진단에 이용된다는 제한이 있고, 배아의 모자이시즘을 진단하기 어렵다는 점이다.

(3) 주머니배 영양세포외배엽 생검(Trophectoderm biopsy)

수정란이 발생하여 주머니배에 도달하면 속세포덩이와 영양외배엽으로 나뉜다. 영양외배엽은 주로 태반을 형성하며 태아형성에는 직접 관여하지 않으므로 세포를 여러 개 생검해도 태아에게 해를 주지 않는다는 장점이 있으며, 생검되는 세포의 수가 많으므로 좀 더 정확한 착상전

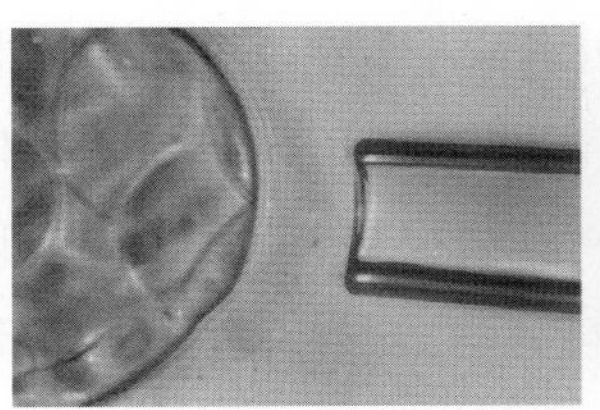
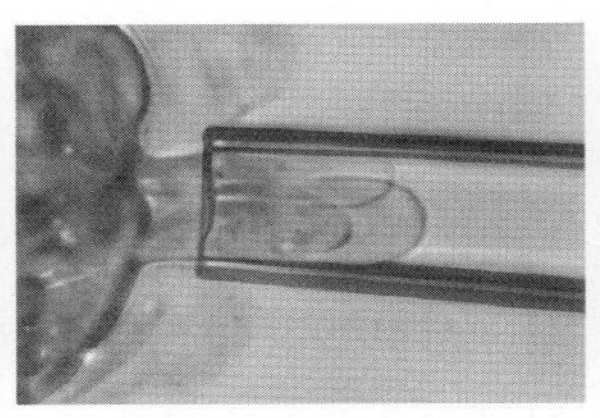
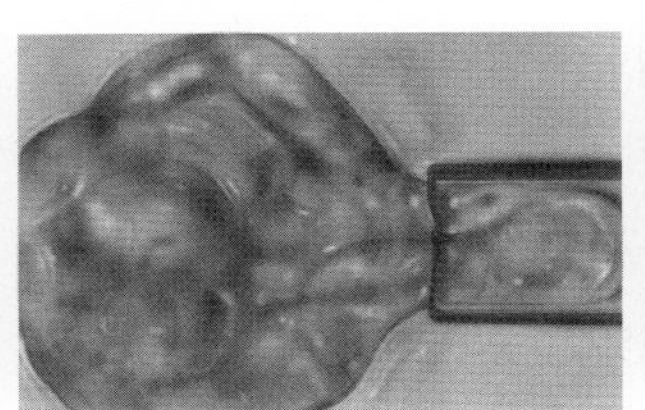
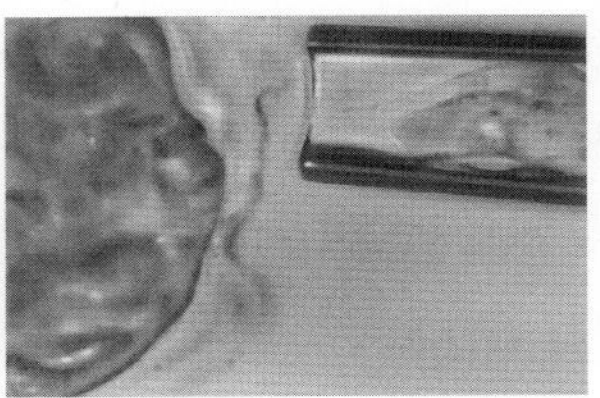

● 그림 50-2. **주머니배 단계의 영양세포외배엽 생검**

유전진단이 가능하다. 그 방법은 발생 5-6일째에 주머니배 배아로 발달되면 부화(hatching) 전에 속세포덩이의 반대편에 피펫이나 레이저로 투명대에 구멍을 만들어 6-24시간 후 일부 영양세포외배엽을 이탈(herniation)시켜 그 일부를 생검한다(그림 50-2). 10개 정도까지의 세포 생검은 주머니배 배아의 생존을 나타내는 인간 융모성 생식샘자극호르몬 생성에 큰 영향을 주지 않는다. 5-20개의 세포를 얻으면 중기 염색체확산(metaphase chromosome spread)을 얻기가 훨씬 수월하여 더욱 정확한 유전진단이 가능하여 최근에는 이 방법을 널리 사용한다. 그러나 단점으로는 태아와 태반세포 사이에 염색체 상태가 다른 태반 모자이시즘(confined placental mosaicism)인 경우에는 태반세포와 태아의 유전자 상태가 다를 수 있다는 점이다.

3. 단일 세포에서의 유전 분석

1) 형광제자리부합법(Fluorescent in situ hybridization, FISH)

과거에는 염색체의 구조 이상이나 고령임신, 성염색체 이상 등에서 염색체의 이수성(aneuploidy)을 진단하기 위해서 형광제자리부합법을 사용하였으나 요즘은 거의 사용되지 않는다. 생검된 단일 할구 세포에서는 중기 염색체를 얻기가 힘들기 때문에, 형광제자리부합법을 이용하면 간기핵 내 염색체에서 발광체의 신호를 관찰하여 염색체의 수나 구조 이상을 진단할 수 있다. 각 염색체에 특이 반복서열(repetitive satellite)에 대한 DNA 탐침자(DNA probe)를 사용하여 각각 다른 색의 형광 신호를 내는 반복서열 탐침자(repetitive satellite probe)을 사용하면 여러 개의 DNA에 대한 신호를 동시에 관찰할 수 있다. 적색(tetrarhodamine isothiocyanate, TRITC), 녹색(fluorescein isothiocyanate, FITC), 청색(aminomethy lcoumarin acetate, AMCA) 형광물질만 형광제자리부합법에 적합하기 때문에 두 개의 형광물질 혼합비율에 따라 다른 색상이 나타날 수 있으므로, 휴지기 세포에서 X, Y, 13, 16, 18, 21, 22 등의 염색체를 동시에 진단할 수 있다. 더 많은 염색체에 대해 진단하기 위해서는 형광제자리부합법을 2-3회 반복하여 이용할 수 있다. 형광제자리부합법의 제한점으로는 신호(signal)의 판독상의 문제, 사용할 수 있는 색의 제한, 그리고 배아의 모자이시즘 판독이 불가능하다는 점이다.

2) 중합효소연쇄반응 및 관련 기법(Polymerase chain reaction, PCR)

일반적으로 단일유전자 질환에서는 중합효소연쇄반응으로 진단한다. 돌연변이가 일어난 특정 유전자 부위 전후에 충분한 길이의 염기서열을 알고 있으면 2개의 올리고핵산염 염기서열(oligonucleotide sequence)을 선택하여 중합효소연쇄반응으로 유전자를 증폭할 수 있다. 중합효소연쇄반응을 이용한 착상전 유전진단에서의 유의점으로는, 적은 수의 세포를 증폭하여 검사하게 되므로 다른 세포의 혼입(contamination)의 문제, 중합효소연쇄반응 반응의 특이성 문제, 대립유전자 탈락(allele drop out, ADO)의 문제 등을 들 수 있다. 중합효소연쇄반응을 하는 장소를 분리시켜 청결을 유지하고, 시약을 구분해서 분주하여 사용함으로써 혼입을 방지할 수 있으며, 비특이 증폭이 되는 것을 방지하고 정확성을 높이기 위하여 hemi-nested 또는 nested primer를 사용하여 2단계의 중합효소연쇄반응을 시행한다. 즉, 첫 단계의 중합효소연쇄반응에서 일단 증폭한 조각(fragment)의 내부에 2단계 시발체들이 결합할 수 있도록 하여 원하는 부위만을 증폭하는 방법으로, 단일유전자 질환의 착상전 유전진단에서 대부분 적용하고 있다.

한편 이형접합세포(heterozygotic cell)의 대립유전자 중 한 대립유전자에서는 많이 증폭이 되고, 다른 대립유전자에서는 약하게 증폭이 일어나는 경우를 선택적 증폭(preferential amplification, PA)라고 하며, 선택적 증폭이 극단적으로 되는 경우 즉, 한쪽 대립유전자(allele)에서만 증폭이 일어나고 다른 쪽에서는 증폭이 거의 안되면 대립유전자 탈락이라고 한다. 대립유전자 탈락이 발생하면 오진이 될 수 있으므로 주의를 요한다. 대립유전자 탈락율을 줄이기 위한 방안으로 영양외배엽 세포 2개를 생검하거나 민감도가 높은 형광 중합효소연쇄반응(fluorescence PCR), 다중중합효소연쇄반응(multiplex PCR) 기법이 이용되고 있으며, 다형표지(polymorphic marker)를 이용한 연관분석(linkage analysis)도 이용된다.

(1) 다중 중합효소연쇄반응(Multiplex PCR)

착상전 유전진단에서는 적은 수의 세포를 이용하므로 중합효소연쇄반응 증폭 시 여러 유전자를 조사하기에는 그 양이 제한적이다. 그러나 다중 중합효소연쇄반응을 사용하여 2개 이상의 여러 유전자를 동시에 조사할 수 있다. 여러 개의 서로 관계없는 시발체 세트(primer set)를 혼합하여 한번에 중합효소연쇄반응을 시행하는 방법으로 대립유전자 탈락 문제를 해결하는데 도움이 되는데, 병을 유발하는 돌연변이 유전자, 그리고 이와 인접한 부위 표지자(marker)의 다형성(polymorphism)을 같이 조사하면 이 두 곳에서 대립유전자탈락이 동시에 일어날 확률은 매우 적으므로, 돌연변이가 없는 것인지 대립유전자탈락이 발생한 것인지 정확히 진단이 될 수 있다. 이것은 특히 상염색체 우성 질환이나 복합 이형접합체(compound heterozygote)의 진단에 중요하다.

(2) 형광 중합효소연쇄반응(Fluorescent PCR)

일반적인 중합효소연쇄반응기법은 정성적인 방법이므로 비슷한 크기의 중합효소연쇄반응 산물을 구별할 수 없다. 형광 중합효소연쇄반응에서는 형광물질이 부착된 형광 올리고핵산염(fluorescent oligonucleotide)을 사용하여 증폭시켜 레이저 분석기로 그 중합효소연쇄반응 산물을 감지해 내므로, 형광 중합효소연쇄반응의 민감도는 일반적인 중합효소연쇄반응의 약 1,000배 이상으로 높아서 대립유전자탈락이나 선택적 증폭 문제를 해결할 수 있다.

(3) 전 유전체 증폭(Whole genome amplification)

착상전 유전진단에서 2개 이상의 돌연변이를 진단해야 하는 경우, 단일세포를 사용하므로 적은 DNA양이 문제가 된다. 이것을 해결하기 위하여 시발체 확장전증폭법(primer extension preamplification, PEP), 퇴행성 올리고핵산염 중합효소연쇄반응(degenerate oligonucleotide primed PCR, DOP-PCR)등이 개발되었다. 기존 중합효소연쇄반응에서 사용하는 특정 시발체(specific primer) 대신에 15-염기 무작위 올리고핵산염 시발체(random oligonucleotide primer) 또는 퇴행성 올리고핵산염시발체를 이용하여 DNA 전체에 걸쳐 결합하므로 다량의 증폭을 얻을 수 있다. 이것은 착상전 유전진단에서 비교유전체부합법(comparative genomic hybridization, CGH)이나 미세배열(microarray), NGS를 하기 전에 반드시 필요한 방법이다. 최근에는 바이러스에서 유래한 phi 29 중합효소(polymerase)와 무작위헥사머시발체(random hexamer primer)를 이용한 DNA 증폭방법인 다중전위증폭법(multiple displacement amplification, MDA)를 이용한 착상전 유전진단도 확립되어 시행되고 있다.

3) 비교유전체 부합법(Comparative genomic hybridization, CGH)

형광제자리부합법을 이용한 착상전 유전진단에서는 대상 염색체 몇 개만을 검사하므로 검사하지 않은 다른 염색체의 이상 여부를 알 수 없다는 제한점이 있었다. 비교

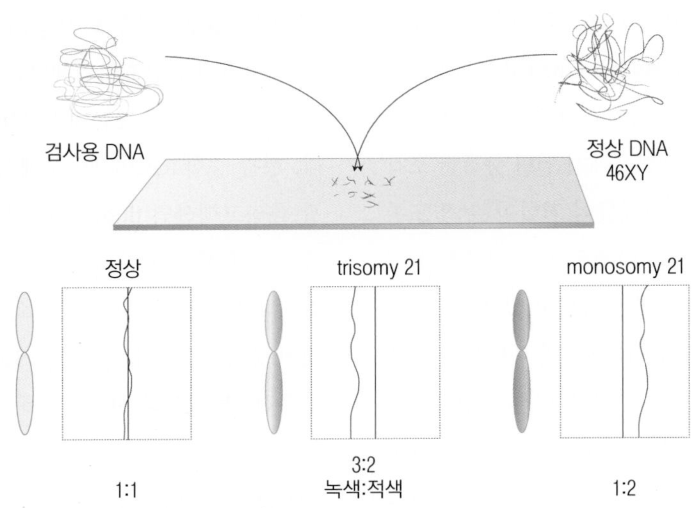

● 그림 50-3. **비교유전체 부합법 과정의 간략도**

유전체부합법은 기준 DNA (reference DNA, digoxigenin-labeled)와 시험 DNA (test DNA, biotin-labeled)를 정상중기염색체에 동시에 경쟁적으로 부합(hybridization)시키는 방법으로(그림 50-3), 시험 DNA의 염색체 결실 또는 중복, 이수성 등이 있으면 녹색-적색 형광의 차이로 나타나므로 이를 진단할 수 있다. FISH 이후에 이 방법이 개발되어 전체 염색체에 대해서 이수성 선별검사(aneuploidy screening)를 할 수 있게 되어 염색체 전체에 대한 포괄 진단이 가능하게 되었다. 시간 문제와 정확성을 극복하기 위해 미세배열 기법을 도입한 미세배열-비교유전체부합법(microarray-comparative genomic hybridization)이 개발되어 사용되었다.

4) 차세대 염기서열분석(next generation sequencing, NGS)

기존의 염기서열 분석방법인 Sanger sequencing 방법은 높은 정확도를 보이나 분석하고자 하는 부위를 PCR로 증폭해야 하기 때문에 여러 타깃을 분석할 경우 비용과 시간이 많이 들고 처리 속도가 늦어 효율이 낮은 단점이 있었다. 이에 비해 차세대 염기서열분석(NGS) 방법은 한번의 플랫폼을 통하여 수십만 내지 수십억 개의 서로 다른 염기서열 분석반응이 동시에 진행되고 판독 가능한 방법으로, 이를 통하여 분석가능한 유전적 범위가 확대되고 대량의 유전 정보를 얻을 수 있는 장점이 있다.

NGS는 총 4단계로 구성되는데 (1) 배아로부터 일부 조직을 생검 한 뒤 조직에서 추출한 DNA를 일정한 조각으로 분절화시킨 후 (2) 장비가 인식할 수 있는 특정 염기서열을 가진 올리고뉴클레오티드(oligonucleotide)를 붙여주는 라이브러리(library) 제작, (3) 각 라이브러리 DNA 가닥의 염기서열을 장비에서 읽은 후(sequencing), (4) 장비에서 생성된 데이터를 가공하여 배아의 염색체 수적이상 유무를 분석하는 단계로 구성된다. 그 결과 정상 및 비정상 배아가 구분되게 된다(그림 50-4).

이에 최근에는 array CGH 방법보다 더 많은 유전정보를 얻을 수 있고 상대적으로 비용이 저렴한 NGS 방법이 주로 사용되고 있으며, Wells 등은 NGS와 array CGH 방법을 비교하여 정상과 비정상 배아의 진단이 일치함을 보고하였고, 검사한 모든 염색체(1,296개)의 진단 일치율은 99.7%로 조사되었다. 또한 염색체의 이수성 검사와 동시에 낭포섬유증(cystic fibrosis)의 CFTR ΔF508 돌연변이도 동시에 정확하게 진단하였다. 이처럼 NGS 방법의 사용은 저비용과 빠른 처리속도, 다양한 유전정보의 획득, 그리고 정확성에 있어서 효용성이 있다. 현재 NGS는 염색체 수적 이상과 구조 이상을 보는 착상전 유전검사(PGT)에 널리 사용되고 있다.

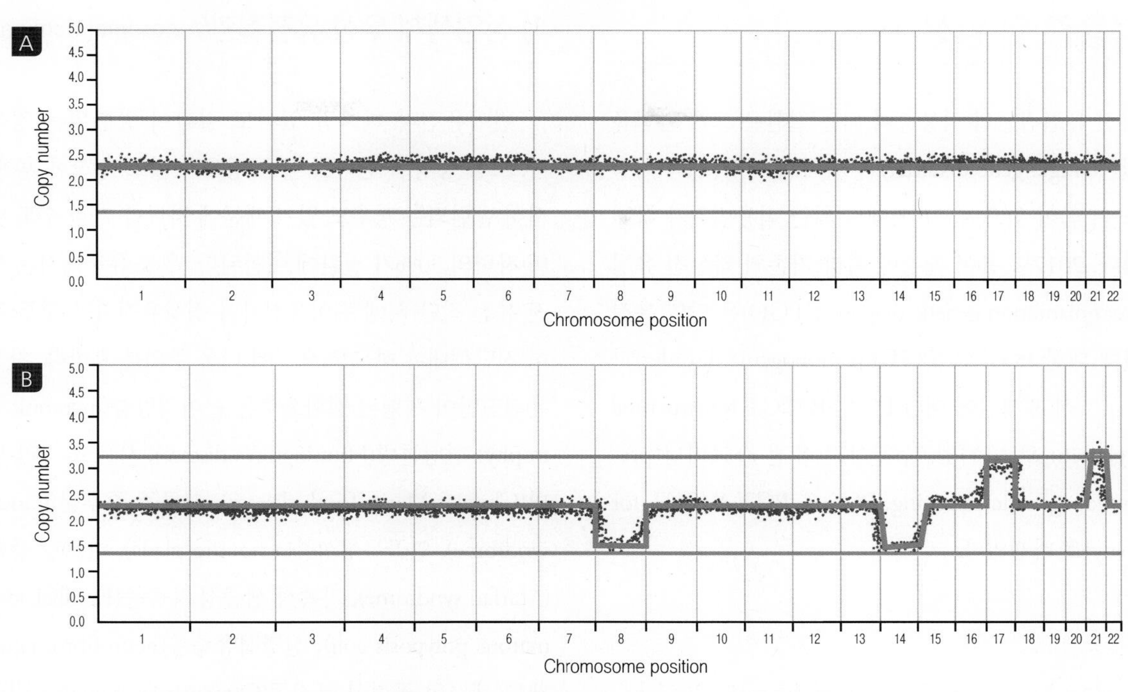

● 그림 50-4. **차세대 염기서열분석 결과 (A)** 정상 배아(Euploidy) **(B)** 비정상 배아(Aneuploidy)

5) Karyomapping

유전병을 진단하기 위한 착상전 유전진단은 (1) 중합효소 연쇄반응법에 의한 DNA sequencing으로 돌연변이 유무를 알 수 있는데 ADO가 일어나면 오진이 생길 수 있으므로 이를 보완하기 위하여 (2) 특정 질병 유전자좌(loci)에 인접한 짧은 연쇄 반복(short tandem repeat, STR)을 이용한 연관분석법으로 돌연변이 유무를 정확히 진단할 수 있다. 이 두 가지 방법을 사용하는 것이 유전병 진단의 표준이며 지금도 사용되고 있다. 그러나 이 방법은 유전질환에 대해 각 부부 및 가계마다, 다른 변이마다 개별적으로 이루어져야 하며, 이것은 매우 정교한 과정이 필요하여 고도로 숙련된 전문가에 의해 3-6개월 간의 준비 검사(pretest)를 통해 진행되는 단점이 있었다. 이러한 단점을 극복하기 위하여 Karyomapping이 개발되었다.

karyomapping은 개인의 각 염색체에 있는 특이한 단일 염기다형성(single nucleotide polypmorphisms, SNP)을 분석하여 부부의 질병을 일으키는 돌연변이가 배아로 유전되는지를 간접적으로 확인하는 방법이다. 부모로부터 얻은 약 300,000개의 단일염기다형성(SNP) 결과를 부모 중 하나와 동일한 돌연변이를 가진 다른 가족 구성원에서 얻은 결과와 비교하여 돌연변이 유전자를 보유한 염색체와 관련한 단일염기다형성(SNP) 대립 유전자의 조합을 확인하게 된다. 즉, karyomapping은 결함이 있는 유전자를 운반하는 염색체 고유의 지문(fingerprint)을 찾는 것이다. 그런 다음 이 지문(fingerprint)의 존재에 대해 체외수정으로 생성된 배아를 테스트하게 된다. 배아에서 지문(fingerprint)이 보일 때마다 결함이 있는 유전자를 가지고 있는 염색체를 물려받은 것으로 판단하게 된다. 결함이 있는 유전자를 가지고 있는 염색체의 지문 특성이 배아에서 검출되지 않으면 배아가 유전자의 정상적인 사본을 물려받았기 때문에 유전질환이 없을 가능성이 높다고 추론하여 배아 이식을 진행하게 된다.

이는 기존의 PCR 방법보다 준비기간이 적게 걸려 환자들의 만족도가 높으며 PCR 기법과 비교한 임상 결과에서도 동일한 결과들이 확인되었다. 또한, Karyomapping은 이형 접합 정보 SNP만 분석하므로 단일 세포의 대립 유전자 탈락으로 인한 오류를 피할 수 있다.

III. 적응증 및 임상 결과

착상전 유전진단의 적응증이 되는 질환은 크게 단일유전자 질환(single gene disorder)과 염색체 이상(수적 이상 및 구조 이상)이 있으며, 그 외에도 최근 적용범위가 확대되고 있다. 2017년 용어 개정에 따라 기존의 착상전 유전진단(preimplantation genetic diagnosis, PGD)은 단일 유전자 질환에 대한 PGT-M (PGT for monogenic disorder)과 염색체 구조적 재배열에 대한 PGT-SR (PGT for structural rearrangement)로 나뉘었고, 착상전 유전 스크리닝(preimplantation genetic screening, PGS)은 PGT-A (PGT for aneuploidy)로 바뀌었다.

1. 단일유전자 질환의 착상전 유전진단: PGT-M

착상전 유전진단은 단일유전자 질환에서 많이 연구되고 시행되어 왔다. 대표적인 질환이 낭포섬유증(cystic fibrosis)으로 가장 흔한 ΔF508 돌연변이를 진단하기 위한 착상전 유전진단이 최초로 시행되었다. 단일유전자질환은 유전자의 돌연변이(mutation), 결손(deletion) 등에 의해 발생할 수 있으며, 유전되는 방식에 따라 상염색체 우성, 상염색체 열성, X-연관 열성, X-연관 우성 유전, 및 3개의 염기서열의 수가 과다하게 증가되는 삼핵산 반복서열질병(triple repeat disease)로 분류된다. 착상전 유전진단을 시행하는 경우에는 임상적, 유전적으로 정확한 진단이 확립되고 단일 유전자 이상에 의한 유전 질환인지 명확해야 하며, 정확한 가계도와 가능한 많은 가족 구성원에 대한 유전정보가 있어야 한다. 또한 치료방법이 없는 치명적인 병인지 윤리적 측면도 고려하여야 한다.

우리나라에서는 2005년부터 "생명윤리 및 안전에 관한 법률"에 의거, 배아나 태아를 대상으로 시행할 수 있는 유전자 검사를 189종의 유전질환으로 제한하고 있다(표 50-1, 2).

1) 상염색체 우성 유전질환(Autosomal dominant)

변이유전자 하나만 있어도 질환이 발현되는 경우이다. 보통 증상이 심하지 않은 경우가 많고 성장한 후에 서서히 발현되는 경우도 있기 때문에 자녀를 가질 수도 있으며 자녀의 50%가 질환에 이환된다. 우성 유전에서는 착상전 유전 진단 시에 변이유전자와 정상유전자를 모두 정확히 진단해내야 하므로 오진에 더욱 주의를 요한다. 착상전 유전진단이 시행된 질환으로는 근이영양증(myotonic dystrophy) 헌팅톤병(Huntington's disease), 샤르코-마리-투스병(Charcot-Marie-Tooth disease), 크루존 증후군(Crouzon syndrome), 연골무형성증(achondro-plasia), 마르팡 증후군(Marfan syndrome), 가족성 샘종성 용종증(Familial adenomatous polyposis coli), 신경섬유종증(neurofibromatosis), 제1형과 4형 골형성 부전증(Osteogenesis imperfecta I and IV), 스티클러 증후군(Stickler syndrome), 결절 경화증(tuberoussclerosis) 등에서 착상전 유전진단이 시행되었다.

2) 상염색체 열성 유전질환(Autosomal recessive)

대부분의 치명적인 질환은 열성 유전으로, 부모로부터 물려받은 유전자가 모두 변이유전자일 때 질환을 나타내는 경우이다. 한 개의 변이 유전자와 한 개의 정상 유전자를 가진 이형접합(heterozygous)일 때는 질환을 나타내지 않는다. 가계도에 서 보면 남자, 여자가 동일하게 이환되고, 한 세대에 국한되어 나타나며, 이환된 아이가 있을 때 다음 아기에서 다시 나타날 확률은 1/4이고, 환아가 있는 가계에서 정상아가 보인자일 확률은 2/3이다. 베타-탈라세미아(β-thalassemia)나 낭포섬유증(cystic fibrosis)의 경우에는 돌연변이가 환자마다 매우 다양하고, 양측으로부터 물려받은 돌연변이가 각각 다른 경우도 있는데 이를 복합이형접합(compound heterozygous)라고 하며, 이 경우 착상전 유전진단이 매우 까다롭다. 착상전 유전진단이 시행된 대표적인 질환들은 낭포섬유증(cystic fibrosis), 테이-삭스병(Tay-Sachs disease), 레쉬-니한 증후군(Lesch Nyhan syndrome), 베타-탈라세미아(β-thalass- emia), 척추근육

표 50-1. 국내에서 배아 및 태아의 유전자검사가 허용된 유전질환 목록

1. 수 이상 염색체이상질환(Numerical chromosome abnormalities)	33. 헌팅톤병(Huntington's disease)
2. 구조 이상 염색체이상질환(Structural chromosome rearrangements)	34. 발한저하성 외배엽이형성증(Hypohydrotic ectodermal dysplasia)
3. 연골무형성증(Achondroplasia)	35. 색소 실조증(Incontinentia pigmenti)
4. 낭포섬유증(Cystic fibrosis)	36. 케네디병(Kennedy's disease)
5. 혈우병(Haemophilia)	37. 크라베병(Krabbe's disease)
6. 척수근육위측(Spinal muscular atrophy)	38. 로웨 증후군(Lowe syndrome)
7. 디 죠지 증후군(Di George's syndrome)	39. 신경섬유종증(Neurofibromatosis)
8. 표피 수포증(Epidermolysis bullosa)	40. 구안지 증후군(Orofacial-digital syndrome)
9. 고셰병(Gaucher's disease)	41. 불완전 골형성증(Osteogenesis imperfecta)
10. 레쉬 니한 증후군(Lesch Nyhan syndrome)	42. 펠리제우스-메르츠바하병(Pelizaeus-Merzbacher disease)
11. 마르팡 중후군(Marfan's syndrome)	43. 피르브산 탈수소효소 결핍(Pyruvate dehydrogenase deficiency)
12. 근육긴장성 장애(Myotonic dystrophy)	44. 망막세포변성(Retinitis pigmentosum)
13. 오르니틴 트랜스카바밀레이즈 결핍(Ornithine transcarbamylase deficiency)	45. 망막아세포증(Retinoblastoma)
14. 다낭신질환(Polycystic kidney disease)	46. 망막층간분리(Retinoschisis)
15. 겸상 적혈구빈혈(Sickle cell anemia)	47. 산필립포 증후군(Sanfilippo disease)
16. 테이삭스병(Tay-Sachs disease)	48. 척수소뇌성 운동실조(Spinocerebellar ataxia)
17. 윌슨병(Wilson's disease)	49. 스틱클러 증후군(Stickler syndrome)
18. 판코니 빈혈(Fanconi's anemia)	50. 결절성 경화증(Tuberous sclerosis)
19. 블룸 증후군(Bloom syndorme)	51. 비타민D저항구루병(Vitamin D resistant rickets)
20. 부신백질 영양장애(Adrenoleukodystrophy)	52. 폰 히펠-린다우 증후군(Von Hippel-Lindau disease)
21. 무감마글로불린혈증(Agammaglobulinemia)	53. 비스코트-올드리치 증후군(Wiskott-Aldrich syndrome)
22. 알포트 증후군(Alport syndrome)	54. 니만-피크병(Niemann-Pick Disease)
23. 파브리(-안더슨)병(Fabury's-Anderson disease)	55. 이염성 백질 이영양증(Metachromatic Leukodystrophy)
24. 바스 증후군(Barth syndrome)	56. 후를러 증후군(Hurler syndrome)
25. 샤르코-마리-투스병(Charcot-Marie-Tooth disease)	57. 프로피온산혈증(Propionic acidemia)
26. 코핀-로리 증후군(Coffin-Lowry syndrome)	58. 메틸말로닌산혈증(Methylmalonic acidemia)
27. 선천부신과다형성증(Congenital adrenal hyperplasia)	59. 페닐케톤뇨증(Phenylketonuria)
28. 크루존 증후군(Crouzon syndrome)	60. 티로신혈증(Tyrosinemia)
29. 가족성 샘종성 용종증(Familial adenomatous polyposis coli)	61. 월프-허쉬호른 증후군(Wolf-Hirschhorn syndrome)
30. 골츠 증후군(Goltz's syndrome)	62. 베타-지중해빈혈(β-thalassemia)
31. 육아종병(Granulomatous disease)	63. 근이영양증(Muscular dystrophy)
32. 헌터 증후군(Hunter's syndrome)	

위축(spinal muscular atrophy), 겸상적혈구 빈혈(sickle cell anemia), 표피 수포증(epidermolysis bullosa), 부신피질이영양증(adrenoleukodystrophy), 고셰병(Gaucher's disease), 선천부신과다형성증(congenital adrenal hyperplasia) 등이 있다.

3) X-연관 열성 유전질환(X-linked recessive disease)

변이 유전자가 X 염색체에 존재하는 경우이며 심한 경우는 모두 열성이다. 모친은 증상이 없는 보인자이고 그 아들의 반이 질환에 이환된다. 대표적으로 듀센씨 근이양증(Duchenne muscular dystrophy, DMD), 혈우병 A (haemophilia A), 알포트 증후군(Alport syndrome), 헌터병(Hunter's syndrome), 망막색소상피변성증(retinitis pigmentosum) 등에서 착상전 유전진단이 시행된 바 있다.

표 50-2. 추가 고시된 국내 배아 및 태아의 유전자검사 허용 유전질환 목록

(2009년 추가 고시 질환)

1. 시투룰린혈증(Citrullinemia)
2. 크리글러-나자르증후군(Crigler-Najjar syndrome)
3. 갈락토스혈증(Galactosemia)
4. 글루타릭산혈증(Glutaric acidemia)
5. 당원축적병(Glycogen storage disease)
6. 저인산효소증(Hypophosphatasia)
7. 장쇄수산화 acyl-CoA 탈수소효소 결핍증(Long chain 3-hydroxy acyl-CoA dehydrogenase deficiency)
8. 단풍당밀뇨병(Maple syrup urine disease)
9. 멘케스 증후군(Menkes syndrome)
10. 비케톤성 고글리신혈증(Nonketotic hyperglycinemia)
11. 지속성 고인슐린혈증에 의한 영아기 저혈당증(Persistent hyperinsulinemic hypoglycemia of infancy)
12. 중증 복합 면역결핍 장애 (Severe combined immunodeficiency disorder)
13. 월만병(Wolman disease)
14. 젤웨거 증후군(Zellweger peroxisome syndrome)
15. 모세혈관확장성 운동실조(Ataxia telangiectasia)
16. 점액다당질증(Mucopolysaccharidosis)
17. 골화석증(Osteopetrosis)
18. 레트 증후군(Rett syndrome)
19. 골연골종증(Osteochondroma)
20. 점상연골 이형성증(Rhizomelic chondrodysplasia punctata)
21. 백색증(Albinism)
22. 알라질 증후군(Alagille syndrome)
23. 유전성 과당불내증(Hereditary fructose intolerance 또는 Aldolase A deficiency)
24. 알파-지중해빈혈(α-thalassemia)
25. 카나반병(Canavan disease)
26. 세로이드 리포푸신증(Ceroid lipofuscinosis 또는 Batten disease)
27. 선천 당화부전(Congenital disorder of glycosylation)
28. 주기성 호중구 감소증(Cosman-cyclic neutropenia)
29. 시스틴축적증(Cystinosis)
30. 데니스-드래쉬 증후군(Denys-Drash syndrome)
31. GM1 강글리오사이드증(GM1 gangliosidosis)
32. 할러포르텐-스파츠병(Hallervorden-Spatz disease)
33. 수두증(Hydrocephalus : X-linked L1CAM)
34. 선천 면역결핍증(Hyper IgM syndrome)
35. 뮤코리피드증 Ⅳ(Mucolipidosis Ⅳ)
36. NEMO 면역결여(NEMO immunodeficiency)
37. 허파고혈압(Pulmonary hypertension)
38. 액틴-네말린 근육병증(Actin-Nemaline myopathy)
39. 알파-1 항트립신 결핍증(Alpha-1 antitrypsin deficiency)
40. 아동기 저수초형성 운동실조(Childhood ataxia with central nervous system hypomyelination)
41. 선천 핀란드형 신장증(Congenital Finnish nephrosis)
42. 아페르 증후군(Apert syndrome)
43. 맥락막 결손(Choroideremia)
44. 쇄골두개골 형성이상(Cleidocranial dysplasia)
45. 코케인 증후군(Cockayne syndrome)
46. 선천 조혈기성 포르피린증(Congenital erythropoietic porphyria)
47. 데스민 축적 근육병증(Desmin storage myopathy)
48. 표피박리 각화다과증(Epidermolytic hyperkeratosis)
49. 프리드라이히 운동실조(Friedreich's ataxia)
50. 글리신 뇌병증(Glycine encephalopathy)
51. 유전성 출혈성 모세혈관확장(Hereditary hemmorrhagic telangiectasia)
52. 혈구탐식성 림프조직구증(Hemophagocytic lymphohistiocytosis)
53. 레베르 선천 흑암시(Leber retinal congenital amaurosis)
54. 베스트병(Best disease 또는 Vitelliform macular dystrophy)
55. 누난 증후군(Noonan syndrome)
56. 노리병(Norrie disease)
57. 눈-코-치아-골격 이형성증(Oculodentodigital dysplasia)
58. 시신경 위축(Optic atrophy 1)
59. 백질 이소증(Periventricular heterotopia)
60. 파이퍼 증후군(Pfeiffer syndrome)
61. 천골무형성증(Sacral agenesis syndrome 또는 Currarino syndrome)
62. 스미스-렘리-오피쯔 증후군(Smith-Lemli-Opitz syndrome)
63. 선천 척추뼈끝 형성이상(Spindylo-epiphyseal dysplasia congenita)
64. 트레처 콜린스 증후군(Treacher Collins syndrome)
65. 바르덴부르크 증후군(Waardenburg syndrome)
66. 유전성 혈관부종(Hereditary angioedema)
67. 유전성 청각장애(Hereditary deafness)
68. 블랙판-다이아몬드 증후군(Blackfan-Diamond syndrome)
69. 저칼륨성 주기성 마비(Hypokalemic periodic paralysis)
70. X-연관 어린선: 스테로이드 설파타제 결핍증(X-linked ichthyosis: Steroid sulfatase deficiency)
71. 선천 어린선(Congenital harlequin ichthyosis)
72. 유전성 림프부종(Hereditary lymphedema)
73. 선천 손발톱 비대증(Pachyonychia congenita)
74. 가성 부갑상선기능저하증(Pseudohypoparathyroidism)
75. 밸라-제롤드 증후군(Baller-Gerold syndrome 또는 Saethre-Chotzen syndrome)
76. 웨스트 증후군(West syndrome)

(2011년 11월 14일 추가 고시 질환)
77. 이영양성 형성이상(Diastrophic dysplasia)
78. 폰 빌레브란트병(Von Willebrand disease)
79. 다발성골단 이형성증(Multiple epiphyseal dysplasia)
80. 제1형 진행성 가족성 간내담즙정체증(Progressive familial intrahepatic cholestasis 1)
81. 오르니틴 아미노전환효소 결핍증(Ornithine aminotransferase deficiency)
82. 제1형 자가면역성 다선 증후군(Autoimmune polyendocrine syndrome type 1)
83. 아가미-귀-콩팥 스텍트럼 장애(Branchio-oto-renal spectrum disorders)
84. 선천 중추 저환기 증후군(Congenital central hypoventilation syndrome)
85. 제2형 뮤코지질증(Mucolipidosis Ⅱ)
86. 여린 X 증후군 (Fragile X syndrome)
87. 로이디에츠 신드롬(Loeye-Dietz syndrome)
88. 멕켈그루버 증후군(Meckel Gruber syndrome)
89. 연골저형성증(Hypochondroplasia)
90. 가성연골무형성증(Pseudoachondroplasia)

(2016년 6월 20일 추가 고시 질환)
91. Combined oxidative phosphorylation deficiency 14(mCOX-PD14)
92. ARC 증후군(ARC syndrome)
93. 촤지 증후군(CHARGE syndrome)
94. 샌드호프병(Sandhoff's disease)
95. 치사성이형성증(Thanatophoric dysplasia)
96. 쉼케면역골이형성이상증(Schimke immunoosseous dysplasia)
97. 소토스 증후군(Sotos syndrome)
98. 루빈스타인-테이비 증후군(Rubinstein-Taybi syndrome)
99. 홀트-오람 증후군(Holt-Oram syndrome)
100. 폐포모세혈관이형성증(Congenital alveolar dysplasia, Alveolar capillary dysplasia)
101. 유전성 강직성 하반신마비(Hereditary spastic paraplegia)
102. 중심핵병(Central Core Disease)

(2020년 2월14일 추가 고시 질환)
103. 가부키증후군(Kabuki syndrome)
104. 포이츠제거스 증후군(Peutz-Jeghers syndrome)
105. 갑상선수질암(Medullary thyroid cancer)
106. X-연관 림프증식성 질환(X-linked lymphoproliferative disease)
107. X-연관 근세관성 근육병증(X-linked myotubular myopathy)
108. 코넬리아드랑에 증후군(Cornelia de Lange syndrome)
109. 유전감각신경병4형(Hereditary sensory and autonomic neuropathy IV)
110. 화버 증후군(Farber`s syndrome)
111. 비키 증후군(VICI Syndrome)
112. 급성 괴사성 뇌증(Acute Necrotizing Encephalopathy)
113. 피르빈산키나아제 결핍증 (Pyruvate kinase Deficiency)
114. 부분백색증(Partial albinism)
115. 멜라스 증후군(MELAS syndrome)
116. 선천부신 저형성증(Adrenal hypoplasia congenita)]
117. 바터 증후군(Batters syndrome)
118. 옥살산뇨증(Hyperoxaluria, primary)
119. 주버트 증후군(Joubert syndrome)
120. 싱글턴머튼 증후군(atypical Singleton-Merten syndrome)
121. 무홍채증(Aniridia). 다만, 해당 분야 전문의의 판단에 따라 이환된 가족의 중증도를 고려한 선별적인 검사에 한한다.
122. 아벨리노 각막이상증(Avellino corneal dystrophy). 다만, 해당 분야 전문의의 판단에 따라 이환된 가족의 중증도를 고려한 선별적인 검사에 한한다.
123. 스타가르트병(Stargardt disease). 다만, 해당 분야 전문의의 판단에 따라 이환된 가족의 중증도를 고려한 선별적인 검사에 한한다.
124. 영아간부전 증후군 1형(Infantile liver failure syndrome type 1/LARS). 다만, 해당 분야 전문의의 판단에 따른 LARS 유전자의 열성유전에 의한 영아간부전증후군 1형 유전병 검사에 한한다.
125. 엘러스단로스 증후군(Ehlers-Danlos syndrome). 다만, 해당 분야 전문의의 판단에 따른 혈관성 엘로스 단로스 증후군 (Vascular Ehlers-Danlos Syndrome) 유전병 검사에 한한다.
126. 외안근 섬유화증(Fibrosis of Extraoccular Muscles). 다만, 해당 분야 전문의의 판단에 따른 제3형 TUBB3 타입 유전병 검사에 한한다.

4) X-연관 우성 유전질환(X-linked dominant disease)

변이유전자가 X 염색체에 존재하며 보인자인 여아에서도 증상이 나타날 수 있다. 오르니틴 트랜스카바밀라제 결핍증(Ornithine transcarbamylase, OTC deficiency), 알포트증후군(Alport syndrome), 제1형 입-얼굴-손발가락증후군(oro-facial-digital syndrome type I) 등에서 착상전 유전진단이 시행되었다.

5) 삼핵산 반복서열 질환(Triple repeat disease)

특정 유전자와 관련된 3염기의 수가 불안정하게 반복되어 증가되면서 나타나는 질환이다. 각 세대를 내려오면서 반복되는 염기의 수가 증폭되어 대를 이어서 점점 심해진다. 신경 질환(neurological disease)과 관련되어 있다. 근긴장성 근이양증(Myotonic dystrophy), 헌팅톤병(Hunting-ton's disease), 취약 X증후군(Fragile X syndrome) 등에서 착상전 유전진단이 시행된다.

2. 염색체 이상의 착상전 유전진단

1) 염색체 구조 이상(Structural aberration)의 착상전 유전진단: PGT-SR

(1) 상호 전좌 및 로버트슨 전좌(Reciprocal and Robertsonian translocation)

반복 유산에서 가장 흔한 염색체의 구조 이상으로 전체 습관성 유산 부부의 약 5-9%를 차지한다. 상호 균형전좌(reciprocal translocation)는 2개 이상의 관련된 염색체 일부가 각기 절단된 후 위치가 서로 교환되어 새로운 염색체 구조를 형성한 것이다(그림 50-5). 2개 이상의 관련된 염색체 일부가 각각 잘려서 위치가 서로 교환되는 경우로 전체 염색체의 양은 정상이므로 대개 표현형은 정상이지만, 생식세포의 감수분열 과정에서 염색체의 중복(duplication)이

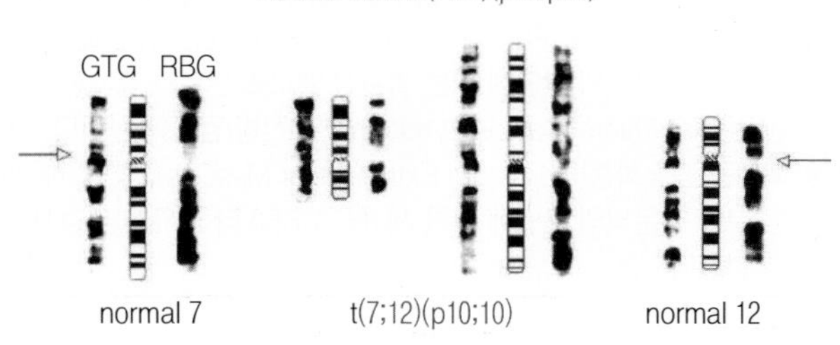

• 그림 50-5. 상호균형 전좌 (Reciprocal translocation)

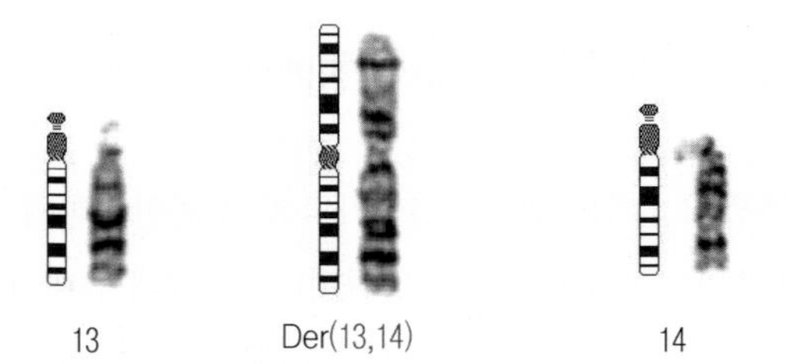

• 그림 50-6. 로버트슨 전좌 (Robertsonian translocation)

나 결손이 일어나서 불균형전좌(unbalanced chromosome)를 갖는 배아가 많이 생성되어 반복 유산이 발생한다. 태아의 표현형은 염색체의 중복이나 결손에 관여한 전좌 절편(translocation segment)의 길이 또는 부위에 따라 달라서 자연유산이 되거나 염색체 이상을 갖는 아기가 태어나기도 한다.

로버트슨 전좌는 선단부 부착 염색체(acrocentric chromosome, 13, 14, 15, 21, 22)에서 일어나는데, 단완의 위성부위가 손실되고 중심에서 두 염색체가 융합된다(그림 50-6). 염색체 전좌를 가진 환자에서 착상전 유전진단으로 자연유산율을 감소시킬 수 있으며, 착상전 유전진단 시 얻어진 수정란 중 염색체적으로 정상 또는 균형적인 배아의 비율은 전좌에서 약 23-24% 정도밖에 되지 않으므로, 자연임신이 될 경우 불균형적인 염색체로 인한 높은 유산율을 예상할 수 있다.

(2) 역위(Inversion)

한 염색체의 일부의 양끝이 잘려서 거꾸로 재조합되어 그 부위 유전물질의 순서가 거꾸로 되는 경우이다. 중심체를 포함하는 중심체주변 역위(pericentric inversion)과 중심체로부터 떨어진 부위의 부중심절 역위(paracentric inversion)가 있다. 역위가 1qh, 9qh, 16qh 즉, 염색체 장완의 이질염색질(heterochromatic)부위에 발생한 경우는 정상 염색체 다형성(polymorphism)이므로 임상적인 문제가 없고 착상전 유전진단이 필요하지 않다. 그러나 다른 곳에서 발생한 역위는 유산의 위험이 높다. 보인자는 임상적으로 대개 정상이나, 생식세포는 감수분열 과정에서 불균형한 염색체를 가진 난자, 정자를 생성할 확률이 높다.

2) 염색체 이수성(aneuploidy)에 대한 착상전 유전진단: PGT-A

모체의 나이가 증가함에 따라 염색체 이수성의 난자 및 배아의 염색체 이수성이 증가되어 20-34세에서 이수성의 비율이 30.6%에 비해 40-47세에서는 52-80%로 나타나 이는 임신실패나 자연유산, 기형아의 위험으로 나타난

다. 따라서 모체의 연령이 고령인 경우 착상전 유전진단으로 유산율을 감소시키고 착상율을 높일 수 있다. 또한 원인 불명의 반복 자연유산(recurrent spontaneous abortion)이나 착상 실패(repeated implantation failure)에서도 염색체 이수성을 갖는 배아에 기인하는 경우가 있으며, 착상전 유전진단을 적용하여 착상률을 증가시킬 수 있다.

그 외에도 무정자증이나 심한 희소정자증 환자에서 다수의 고환 정자 추출(multiple testicular sperm extraction)과 ICSI로 임신이 가능할 수 있으나 비정상적인 염색체를 갖는 수정란 발생의 위험이 높으므로 착상전 유전진단을 적용하여 착상률 및 임신율을 증가시킬 수 있다.

포배주머니배낭(blastocyst)을 이용한 PGT-A 나 PGT-SR를 하면 11-25%의 배아에서 부분(segmental) 또는 전염색체 모자이시즘(whole chromosome mosaicism)이 발견된다(그림 50-7). 2015년 첫 배아 이식을 한 이후 많은 연구결과에서 임상적 임신율은 다소 저하되지만 정상 염색체를 가진 건강한 아기들이 출생한 것이 보고되고 있다. 이러한 모자이시즘 배아를 이식하기 전에는 위험성을 설명해야 하고 임신한 경우에는 융모막 융모생검법(CVS) 보다는 양수검사를 시행하여 태아의 핵형을 반드시 확인해야 한다.

3) 진단의 오류

단일 세포를 이용한 시술이므로 진단 과정에서 오류가 있을 수 있고, 배아의 모자이시즘 등이 진단 오류의 원인이 될 수 있다. 전반적인 진단 오류는 약 2% 정도로 보고되고 있으며, 따라서 착상전 유전진단을 시행하여 임신이 된 경우에서는 양수검사 등의 산전 진단으로 반드시 확인하는 것이 필요하다.

3. 유전 소인(genetic predisposition)의 후발 질환

유전자 변이가 있는 가계에서 성인이 된 후 악성 종양 등 심각한 질환이 발생할 가능성이 높은 경우, 임신이 성립되기 전에 착상전 유전진단으로 심각한 위험성을 가진 배아를 이식에서 배제시키는 방법을 사용할 수 있다.

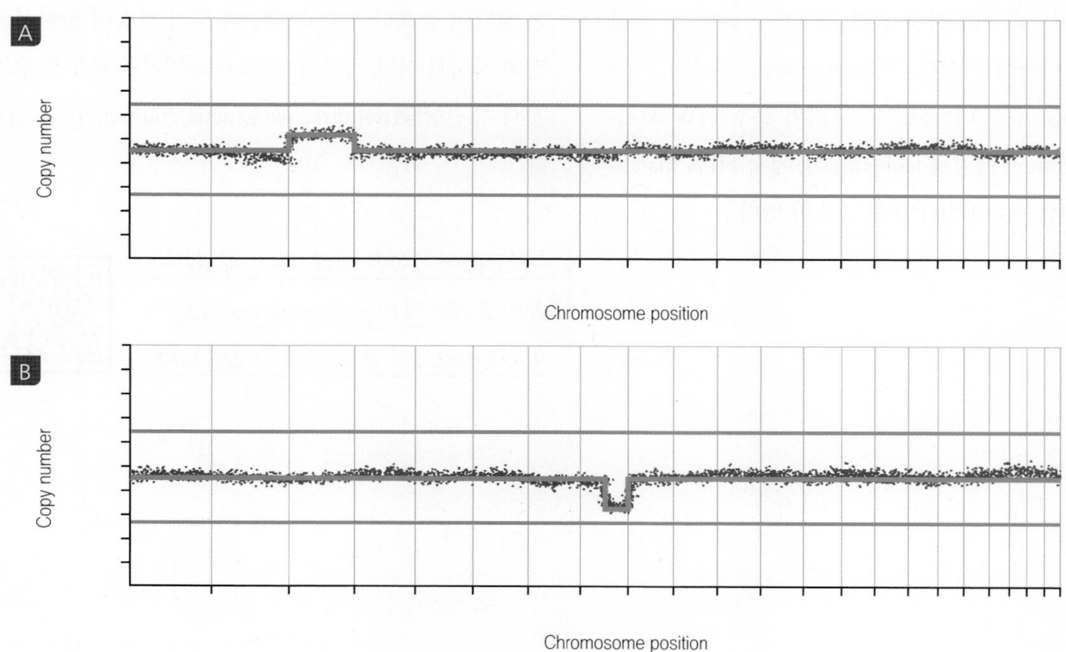

● 그림 50-7. NGS 결과 (A) whole chromosome mosaicism : Chromosome 3, +40% (B) segmental mosaicism : Chromosome 8 (p21.2-qter), -70%

가족력을 보이는 치매질환으로 조발 알쯔하이머병(early onset Alzheimer disease, APP gene)이나, 가족성 샘종 용종증(familial adenomatous polyposis coli), 망막모세포종(Retinoblastoma), p53종양억제유전자 변이(p53 tumor suppressor gene mutation), BRCA1, BRCA2, 신경섬유종증(neurofibromatosis) 같은 암 소인유전자(cancer predisposition gene)에 대한 착상전 유전진단이 시행된 바 있으며 유전적인 암의 발생을 방지할 수 있다.

4. 조직적합항원 검사(HLA typing)

이 외에도 착상전 유전진단을 통해 조직적합항원 검사를 시행하여 줄기세포 공여가 가능하도록 하는 시술이 시행되고 있다. Verlinsky 등은 판코니 빈혈(Fanconi anemia) 환아를 출산한 부부에서, 두 번째 임신을 위해 착상전 유전진단을 시행하면서 판코니 빈혈 유전자 돌연변이가 없고, 환아와 조직적합항원이 적합한 수정란을 선택하여 이식하는 방법을 시행하였다. 이렇게 태어난 건강한 둘째 아기는 제대혈의 줄기세포를 환아에게 이식해줄 수 있는 기증자로서 면역학적 거부현상 없이 환아를 치료할 수 있었다. 이외에도 다양한 조혈질환(hematopoietic disease), 지중해 빈혈(thalassemia), 비스코트-올드리치 증후군(Wiskott-Aldrich syndrome), 백혈병(leukemia) 등에서 HLA matching을 위한 착상전 유전진단이 보고된 바 있다

Ⅳ. 결론

착상전 유전진단은 유전병이 있는 가계에서 건강한 아기를 갖기 위한 경우, 염색체의 구조이상으로 인한 자연유산과 기형아 출산을 예방하거나, 염색체의 수 이상으로 인한 반복적 착상 실패, 반복 자연유산을 경험한 환자에게 매우 유용하게 이용될 수 있다. 산전진단과 비교할 때 윤리적 측면에서 보다 시행할 수 있는 범위가 넓고, 이환된 환아가 진단될 경우 임신 중절을 결정해야 하는 어려운 상황을 피할 수 있으며, 반복 자연유산이나 불임/난임 문제를 치료할 수 있는 장점이 있다. 현재까지 착상전 유전진단을 통해 출생한 아기들에서 건강측면이나 선천 기형 발생에 있어 차이가 없는 것으로 보고되었다. 이제는 기술의 진보로 적은 양의 DNA로 염색체나 유전자 이상을 신속하고 포괄적으로 진단할 수 있게 되었고 거의 모든 유전 질환에서 착상전 유전진단이 가능하게 되었다.

그러나 기술의 발달과 함께 유전 상담의 중요성도 한층 커지고 있다. PGT를 하기 전에 환자에게 자연임신 후 산전진단의 선택권(option)도 설명하고 정확한 유전 정보를 제공하며, 진단 후에도 있을 수 있는 위험을 충분히 설명하는 상담이 필요하며 치료 방법과 의사 결정에 있어서 의료진의 지시가 아닌 환자의 자유 선택 의지를 존중해 주는 비지시 유전상담(nondirective genetic counseling)이 필요하다.

*참고문헌 목록은 대한산부인과내분비학회 홈페이지 http://www.kosge.or.kr 또는 QR코드를 통해 보실 수 있습니다.

CHAPTER 51

줄기세포

구승엽(서울의대), 박주현(연세의대)

I. 줄기세포의 기원에 따른 종류와 특성

완치가 어려운 난치병을 치료하기 위해 손상된 조직 또는 기능을 상실한 세포를 정상 기능을 가진 세포로 대체하고자 하는 세포치료법은 줄기세포에 관한 활발한 연구, 구조 생성 및 기능조절을 위한 조직공학의 발전과 더불어 치료의 새로운 대안으로 대두되어 재생의료의 중요한 축을 담당하고 있다. 이에 줄기세포는 중요한 세포공급원으로 대두되고 있는데, 본 장에서는 다양한 줄기세포의 특성에 대하여 살펴보고자 한다.

줄기세포는 자가증식(self-renewal)과 특정한 조직 및 세포 계열(lineage)의 세포로 분화(differentiation)할 수 있는 발생 능력(developmental potential)을 가진 세포로 정의된다. 줄기세포는 그 기원에 따라 크게 성체줄기세포(adult stem cell)와 배아줄기세포(embryonic stem cell)로 분류하는데, 성체줄기세포는 기원된 조직 계열에 속하는 세포로 분화할 수 있는 다분화능(multipotency)을 가지고 있으며, 배아줄기세포는 포배기 배아(blastocyst)의 속세포덩이(inner cell masss)로부터 유래되어 인체를 구성하는 삼배엽성(three germ layer) 세포로 모두 분화할 수 있는 전분화능(pluripotency)을 가진 세포이다. 성체줄기세포는 이미 세포분열이 종결된 성체 조직의 일부에 존재하며, 자가증식 능력을 보존하고 있는 세포로서 한정된 분화 능력과 소량으로 존재하는 한계점이 있다. 성체줄기세포는 처음 그 존재가 밝혀진 이후 꾸준한 연구를 통해 다양한 조직에 존재하고 있음이 보고되었으며, 대표적인 예로 중간엽(mesenchymal)줄기세포, 골수(bone marrow)줄기세포, 조혈모(hematopoietic)줄기세포, 제대혈(umbilical cord blood)줄기세포 등을 들 수 있다. 성체줄기세포는 다양한 종류의 세포로 분화할 수 있는 분화능이 있으나, 체내에 존재하기 때문에 치료목적으로 사용하기 위해서는 체외로 추출하여 증식시키는 과정(ex vivo expansion)을 거쳐야 하며, 가시적인 치료효과가 완전히 증명되지는 않은 상태이다. 그러나, 세포 분열 및 분화가 종결된 성체에 존재하여 유래된 세포 또는 조직의 일부를 재생할 수 있는 줄기세포이므로, 난치성 질환이 발생할 경우 활용할 수 있는 가능성은 충분하기 때문에, 관련 연구는 다양한 형태로 이루어지고 있다.

배아줄기세포는 체외수정을 위해 사용되고 남은 수정란으로부터 확립된 세포로서 전분화능과 자가증식을 그 특징으로 하며 1998년 처음 확립이 보고된 이후로 200개 이상의 세포주가 확립되었으며, 사람의 배아 발생의 체외 모델로서 다양한 연구에 활용되고 있다. 또한 확립 과정 중 배아의 파괴를 수반한다는 윤리적 논란에도 불구하고, 배아 발생 초기의 유전자 발현 양상, 후성적 특성, 유전체 각인 등의 특성 분석 모델로서 여전히 활용되고 있다. 사람 배아줄기세포는 체외배양 시 세포증식이 매우 활발하며, 핵/세포질의 비율이 높은 특징을 나타낸다. 확립된 사람 배아줄기세포는 체외배양 시 미분화 상태 유지를 도와주는 지지세포(feeder cell)와 함께 배양하거나, 미분화 유지를 위한 인자를 포함하는 환경에서 배양하여야 한다. 배아줄기세포는 특이적으로 증식이 활발하기 때문에 세포주기에서 S기에 속해 있는 세포가 대부분이며, 빠른 증식을 위해 짧은 G1기를 가지는 것을 특징으로 한다. 배아줄기세포는 성체줄기세포와 달리 이론적으로 무한한 다수의 세포를 얻을 수 있고 모든 종류로의 세포로 분화할 수 있기 때문에 난치 질환의 치료를 위한 세포공급원으로 중요할 뿐 아니라, 사람 발생과정의 연구, 약물 스크리닝의 준임상 모델 등 여러 분야에 활용이 되고 있으나, 체외배양에 따른 염색체 이상 발생, 체외배양 기간에 따른 분화능 감소, 잉여배아 이용에 따른 윤리적 한계, 이식 시 면역거부 반응 유발 등은 여전히 극복하여야 할 과제이다(그림 51-1).

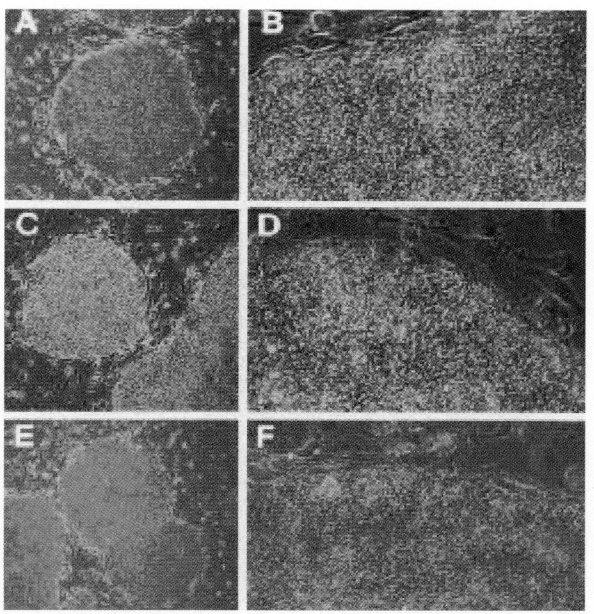

• 그림 51-1. **미분화 상태의 사람배아줄기세포 군락의 모습**

성체줄기세포의 한정된 분화능과 배아줄기세포의 면역거부반응을 해결할 수 있는 자가 유래 줄기세포인 유도만능줄기세포(induced pluripotent stem cell)는 2007년에 확립되었다. 체세포의 한 종류인 섬유아세포(fibroblast)를 리프로그래밍인자 4종류(Oct4, Sox2, c-Myc, Klf4)를 바이러스, mRNA 혹은 단백 벡터에 삽입하여 역분화 과정을 통해 확립한 세포주로서 배아줄기세포와 유사한 특성을 가지고 있어 체세포의 분화에 대한 개념을 재정립하였다. 즉, 유도만능(또는 역분화)줄기세포는 체세포에 역분화 인자를 도입하여 체세포로부터 배아줄기세포와 유사한 상태로 전환시킨 세포로서, 환자의 체세포를 이용하여 세포주를 확립할 경우 면역거부 반응 없이 이식할 수 있는 장점이 있어, 확립 이후 리프로그래밍 방법의 다양화, 효율 증진, 다양한 세포 종류로부터 자가세포 획득, 암 유발인자 대체 등의 지속적 개선을 통해, 인체의 체외 모델로 각광을 받고 있다. 특히 비교적 그 원천이 풍부하고 채취 후 공여자의 조직의 재생인 용이한 자궁내막세포는 기존에 적합한 유도만능줄기세포의 원천으로 규명된 바 있다. 체외에서 유지가 용이하고, 월경주기에 따라 다양한 세포형태로 변할 수 있는 특징을 갖고 있는 자궁내막세포는 역분화의 효율이 뛰어나 환자로부터 얻게 되는 내막조직을 재활용해 역분화 상태로 보관하다가, 필요한 세포주로 분화를 유도하여 사용하는 데 활용이 가능하다.

II. 사람 배아줄기세포의 분화

줄기세포를 세포공급원으로 사용하기 위해서는 줄기세포로부터 신경세포, 심근세포, 췌장 인슐린 분비세포등과 같은 특정한 세포로의 분화유도 과정을 거쳐야 한다. 체외 분화유도 과정은 특정한 세포로의 발생 과정을 관장하는 것으로 알려진 신호 및 유도 인자를 처리하는 것이 기본이 되며, 체외에서 발생 과정을 재현하는 과정을 바탕으로 한다. 이를 위하여 배아줄기세포 분화의 경우, 배아체(embryoid body) 형성 방법, 공배양(co-culture) 방법, 직접 분화법(direct differentiation) 등의 방법이 활용되고 있다. 배아체는 초기 배아의 모습과 유사하여 배아체라고 명명되었으며, 미분화 배아줄기세포에서 군락을 분리하여 부유 배양을 거쳐 형성된다. 배아체는 미분화 사람 배아줄기세포로부터 특정 계열의 세포로 분화를 유도할 때 가장 많이 사용되는 방법으로 심근세포로의 분화의 경우, 형성된 배아체에 분화유도 인자 BMP2를 처리하여 심근세포로 분화된 결과가 보고된 바 있다. 공배양을 이용한 분화는 분화유도 능력을 가진 세포와 미분화 사람 배아줄기세포를 함께 배양하여 분화를 유도하는 방법이다. 공배양에 이용되는 세포들은 특정 세포로의 분화 과정에 필요한 성장인자를 분비하는 세포주로, 대표적으로 신경세포로의 분화에 이용되고 있는 PA6세포나 심근세포로의 분화에 이용되는 END-2 세포 등이 있다. 직접 분화법은 배아체 단계를 거치지 않고, 미분화상태의 사람 배아줄기세포로부터 직접 특정세포로의 분화를 유도하는 방법으로, 분화된 세포의 동일성이 높다는 특징이 있다(그림 51-2).

최근의 분화 연구는 특정세포로의 분화 단순 분화뿐 아니라, 줄기세포 유래 장기모사체(organoid)를 활용한 연구가 활발히 진행되고 있다. 장기모사체는 이차원 배양과는 달리 부유 배양 상태로 장기 배양이 가능하며, 삼차원 환경에서 분화가 진행되어 실체 인체의 구조를 좀 더 정교하게 모사하는 특징을 갖고 있어, 다양한 장기모사체가 여러 줄기세포를 이용해 제작되고 있으며, 이를 약물 스크리닝 모델 등으로 활용하는 연구가 활발히 진행되고 있다.

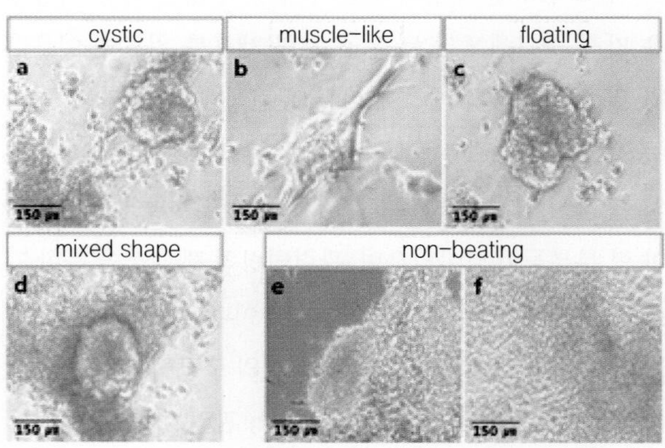

● 그림 51-2. **직접 분화법에 의해 분화유도된 사람배아줄기세포 유래 심근세포의 다양한 모습**

III. 줄기세포 유래 세포의 임상 적용을 위한 시도

근래에는 줄기세포 유래 세포를 이용한 세포치료제 개발이 가속화되어 임상적용을 위한 전임상 시험 단계 및 임상시험이 진행되고 있다. 유도만능줄기세포를 이용한 임상시험은 2014년 일본에서 세계 최초로 시작되었으며, 망막 세포를 안과 질환을 가진 환자에게 이식한 경우이다. 이후 파킨슨병, 심장병, 혈소판 수혈, 손상된 척수를 치료하기 위한 목적으로 시행되었으며, 각막 질환을 치료하는 세계 최초의 임상시험 또한 최근 승인되었다. 이밖에 다양한 줄기세포를 이용한 연구들이 임상진입 또는 임상시험이 진행되고 있으나, 중간에 기대 이하의 치료효과 또는 부작용에 의해 중단되는 경우도 있어 줄기세포 유래 세포치료제들이 허가를 통해 임상에 사용되기 위해서는 여전히 해결되어야 하는 부분이 있는 실정이다.

IV. 산부인과 분야의 줄기세포 연구 동향

대부분의 포유류는 난소에 고정된 수의 난자를 가지고 출생하며 정자와 달리 사춘기 이후에 추가로 생성되지 않는다는 것이 정설로 받아들여져 왔다. 하지만 2000년대 중반 이후 난소에 생식선줄기세포(germline stem cell)가 존재한다는 연구들이 보고되었으며 최근에 난소의 피질(cortex)에서 중간엽줄기세포(ovarian mesenchymal stem cell)의 발견이 보고되기도 하였다. 항암 치료, 조기난소부

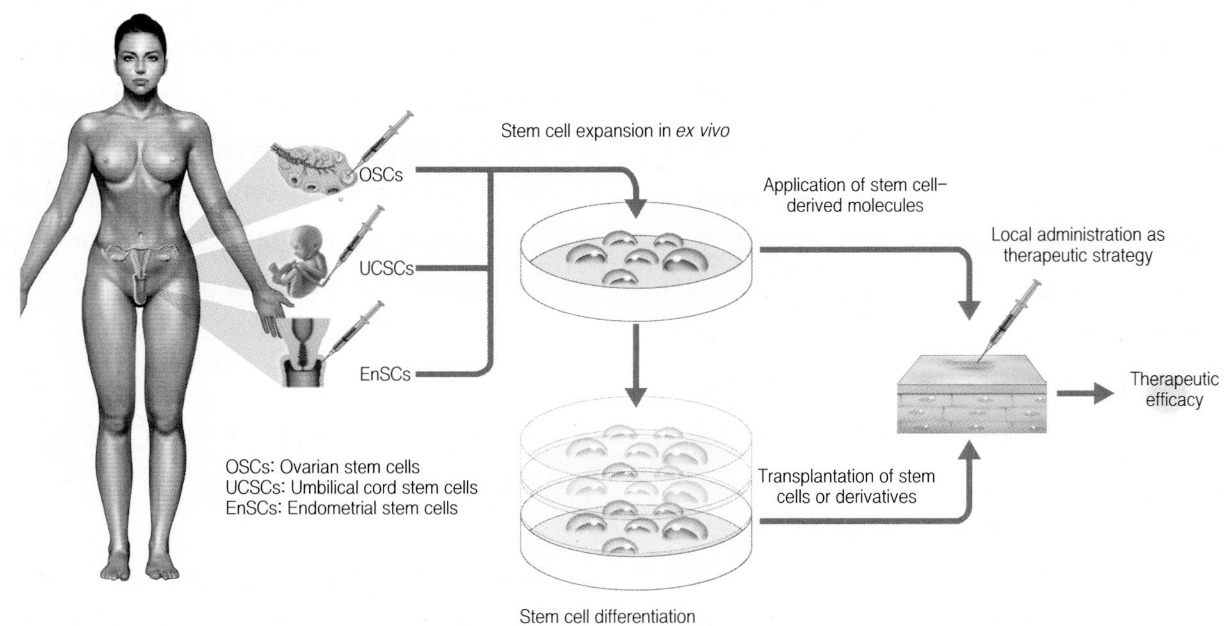

• 그림 51-3. **다양한 줄기세포를 활용한 조직재생치료의 모식도**

전(premature ovarian insufficiency), 노화 등에 따른 난소 기능의 저하를 회복시키기 위한 방법으로 중간엽줄기세포를 활용한 동물 연구에서 고무적인 결과들이 보고되었고, 난소줄기세포(ovarian stem cell)를 활용한 연구도 향후 가임력 관련 치료의 획기적인 발전을 가져올 수 있을 것으로 기대되고 있다. 하지만 아직까지는 그 효과가 불분명하며, 안전성과 윤리적 측면 등에서도 여전히 해결해야 될 부분들이 남아있다.

한편, 사람의 자궁내막은 일생 동안 400회 이상의 탈락과 재생을 반복하는 조직으로, 이러한 재생 능력 때문에 자궁내막줄기세포(endometrial stem cell)의 존재에 대해 많은 연구가 진행되었으며 2004년에 자궁내막의 간질세포와 상피세포에서 줄기세포가 발견되었다. 이러한 자궁내막간질줄기세포(endometrial stromal stem cell)와 자궁내막상피줄기세포(endometrial epithelial stem cell)의 존재, 그리고 자궁 외부 줄기세포의 동원(mobilization) 및 생착에 대한 이해의 확장이 자궁내막증 및 자궁내막암과 같은 자궁내막 증식성 질환의 발병 기전 규명 뿐 아니라 손상된 자궁조직을 재생하기 위한 치료 전략의 개발에 도움이 될 것으로 생각되고 있다. 현재까지, 자궁내막줄기세포의 역할을 하는 것으로 알려진 세포들은 CD140b, CD146, SUSD2, 그리고 N-cadherin 등을 발현하는 것으로 연구된 바 있으며 향후 더 활발한 규명의 과정을 거쳐야 한다(그림 51-3).

V. 결론

세포치료 및 재생의학 분야에 있어 많은 활용 가능성을 가진 줄기세포 또는 유래 분화 세포를 치료에 이용하기 위해서는 장기 배양에 따른 유전적 안정성 확보, 임상등급(clinical grade) 세포주의 확립, 분화 효율 및 배양 환경의 개선, 이식 후 효능 분석, 임상시험 진행 등의 선결되어야 할 부분들이 남아있으며, 관련법령의 제정 등을 통한 기준 및 관리 방안 마련이 필요한 실정이다. 최근에는 줄기세포 유래 세포치료제의 임상 허가 등의 포괄적 내용을 포함하는 첨단재생바이오법이 제정되고, 관련 연구 및 적용을 관리하는 기구가 출범하여, 줄기세포 기반 치료 관련 연구 및 시장은 더욱더 확대될 것으로 예상된다. 향후 줄기세포를 이용한 지속적이고 다양한 연구를 통하여 장점의 극대화 및 한계 극복을 위한 노력, 환자 적용을 위한 신중한 검토 등이 필요한 실정이다.

** 참고문헌 목록은 대한산부인과내분비학회 홈페이지 http://www.kosge.or.kr 또는 QR코드를 통해 보실 수 있습니다.*

CHAPTER

52 미래의학 동향

이병석(연세의대), 이재훈(연세의대)

지금 이 순간도 수많은 과학 발전과 혁신이 이루어지고 있다. 과학의 발전은 산부인과 내분비학 영역을 포함한 의학의 전반에 영향을 끼치고, 이러한 영향들이 쌓여 새로운 과학적 발견과 혁신의 밑거름으로 작용한다. 이번 장에서는 산부인과 내분비영역에서 기술 발전과 환경 변화에 따라 빠르게 발전하고 있는 분야들을 조명할 것이다. 이들은 모두 산부인과 내분비학에서 미래의 연구방법들에 영향을 미치고 의료행태를 바꿀 정도로 파급력이 큰 것들이다. 특히, 유전자가위 같은 기술은 인류 문명의 근간을 바꿀 수 있는 기술로 평가되고 있다. 산부인과 내분비학의 다양한 분야에서 이루어지는 시도들과 성과들을 살펴봄으로써, 현재 우리의 위치를 확인하고 앞으로 나아갈 방향을 설정하는 데에 참고하고자 한다.

먼저, 정밀의료로서 유전자가위를 이용한 배아의 유전자 교정은 유전병들을 예방하는 수단으로 인류가 건강한 삶을 살 수 있도록 기여할 것으로 기대가 모아지고 있다. 최근 국내에서 자궁이식을 통한 임신 및 출산이 시도되고 있는데, 이를 넘어 여러 재생의학 시도들은 난소 및 자궁의 노화를 극복하고 손상된 장기의 기능을 회복할 수 있을 것이라는 희망을 준다. 산부인과 내분비영역에서도 약물유전자검사, 유전체기반 맞춤형치료(genome-based personalized medicine)를 기반으로 한 정밀의약품들이 도입되고 있으며, 내인성 호르몬과 근접한 성분의 호르몬제 개발이 지속적으로 이루어지면서 이들을 이용한 피임약의 출시를 눈앞에 두고 있다.

과학기술의 발전뿐만 아니라, 사회 환경 및 자연 환경의 변화들도 산부인과 내분비학의 지형도를 바꾸고, 관련 의료 서비스의 형태를 바꾼다. 인터넷과 정보통신 기술이 급속히 발전하고 COVID-19의 세계 대유행(pandemic)을 거치면서 원격의료를 본격화하려는 움직임이 있고, 대규모의 정보처리 및 연산에 의해 다양한 종류의 빅데이터들(molecular big data, clinical big data, imaging big data, digital big data)을 이용한 연구 및 진료가 가능해지고 있다. 한편, 환경오염 및 지구온난화에 따라 내분비계장애물질 또는 미세먼지 등에 의해 이전에는 없었던 새로운 생식내분비 계통의 장애들이 관심을 모으고 있다.

I. 유전자가위를 이용한 배아의 유전자 교정

게놈 과학은 유전체시퀀싱(whole genome sequencing)을 포함하여 지난 10년 동안 개인의 유전 프로파일링과 유전자변이를 식별할 정도로 큰 진보가 이루어졌다. 질병의 원인이 되는 유전자를 교정하는 기술 역시 빠르게 발전하고 있다.

유전질환을 갖고 태어나는 생존아는 1%에 불과하지만 소아 입원율의 20%, 영아 사망률의 20%의 원인이 된다. 체외수정(in-vitro fertilization, IVF) 등의 보조생식술의 발달로 배아에 접근할 수 있게 됨에 따라, 1990년 착상전 유전자검사(preimplantation genetic testing, PGT)를 통한 첫 아기가 태어났다. 이후 전 세계적으로 각각의 국가에서 법령으로 착상전 유전자검사 가능한 질병을 지정하여 다양한 유전질환에 대한 검사가 시행되고 있다.

단순한 유전자검사를 넘어 유전자교정을 통한 유전질환 등의 극복을 위한 노력도 계속되고 있다. 유전자교정은 유전자 DNA (genomic DNA)를 수정하고 인공으로 유전정보를 변경하는데, 기능을 추가하거나 기능을 잃게 하는 변이 모두 가능하다. DNA의 특정 구역을 잘라내는 핵산분해효소(nuclease)나 바이러스 혹은 비바이러스 전달 시스템 등을 이용하여 이중 나선분해(double strand breaks)를 일으키고, 궁극적으로는 염기서열을 변경한다.

따라서 유전자교정의 핵심 단계는 핵산분해효소의 선택이다. 널리 알려진 핵산분해효소는 다음과 같다: 메가뉴클레이스(meganucleases), 징크 핑거 뉴클레이스(zinc finger nucleases, ZFNs), 탈렌(transcription activator-like effector nucleases, TALENs), 크리스퍼 유전자가위(the clustered regularly interspaced short palindromic repeat-associated Cas protein 9 system, CRISPR/Cas9). 메가뉴클레이스(meganucleases)는 DNA 결합 및 절단에 가장 효과적이지 않으며, 포유동물의 세포에서 징크 핑거 뉴클레이스는 약 24%의 성공률, 탈렌과 크리스퍼 유전자 가위(CRSPR/Cas9)는 80-90%의 성공률을 보인다. 이 중 최근 가장 널리 쓰이는 것은 크리스퍼 유전자 가위(CRISPR/Cas9)로 RNA 유도의 엔도뉴클레이스(endonuclease)로 기존 핵산분해효소보다 높은 특이성과 효율을 보이며 멀티플렉스 유전자교정을 수행할 수 있는 장점이 있다.

핵산분해효소가 DNA를 절단하면 내부에서 수선과정이 시작되며 비상동 말단접합(nonhomologous end-joining, NHEJ) 또는 상동 직접수선 (homology-directed

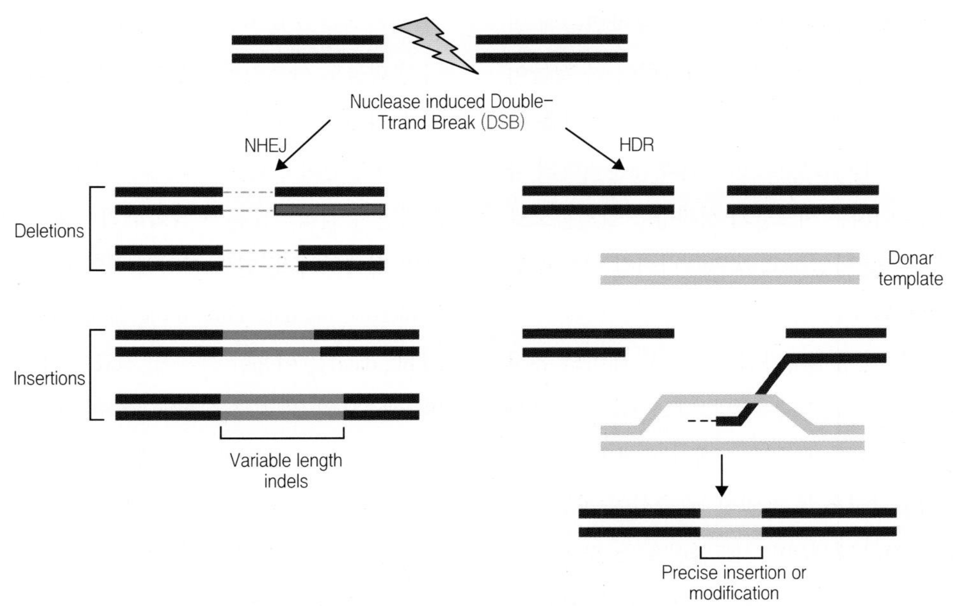

● 그림 52-1. **이중나선 해체 수선과정**

repair, HDR) 방식으로 완성된다(그림 52-1). 대부분의 경우 NHEJ 경로는 세포 주기 G0-G1 단계에서 주로 일어나게 되고, 수선 부위에 짧은 삽입(insertion) 혹은 결실(deletion)이 발생하기도 하는데, 이로 인해 리딩 프레임(reading frame)의 변형을 가져오게 되어 mRNA의 분해나 비기능 단백질이 생성되기도 한다. HDR 경로로 진행되는 경우 질병을 일으키는 과오 돌연변이 등의 수정이 정확하게 진행될 수 있다. 그러나 HDR은 세포 주기 S 단계와 G2 단계에 주로 일어나기 때문에 비분열 세포와 생체내(in vivo)에서는 효율이 매우 낮다.

크리스퍼 유전자 가위(CRIPR/Cas9) 시스템은 도입 이후 포유류, 영장류를 포함한 다양한 유기체에서 유전자 교정이 시도되었고 2013년에는 최초로 인간의 유전자 편집에 적용되었다. 단일 염기와 연관된 질환의 교정 또한 시도되고 있다. "염기 교정"은 2016년에 보고되었고, 이는 CRISPR-Cas9에 시스티딘 탈아미노효소(cystidine deaminase)를 공학으로 결합시켜 게놈 염기편집자(genomic base editor)를 만들어 DNA 이중나선 해체 없이 단일 염기치환(C->T or G->A)하는 방식이다. 이 방식은 질환과 연관된 단일 염기만을 바꿀 수 있고, 게놈의 비번역 조절 구역에 변화를 유도할 수 있다는 장점이 있다. 또한 CRISPR 기반의 후성유전체 편집은 메틸화와 아세틸화를 통해 목표로 하는 부위의 유전자 발현을 조절할 수 있다.

2013년 이후 인간 생식세포 편집에 대한 연구가 활발히 진행되었으며, 2018년 11월 중국 남방과학기술대 허젠쿠이 교수가 크리스퍼 유전자가위로 유전자교정한 쌍둥이 맞춤형 아기를 만든 사건이 있었다. 이에 유전자 편집기술을 규제하고 관리, 감독할 수 있는 국제 거버넌스 체계를 구축하려는 국제적 움직임이 있다. 유전자교정은 완벽하지 않을 수 있으며, 염색체섞임증(mosaicism)이나 잘못된 교정으로 인해 때로는 원하지 않는 형태로 교정될 수 있다. 생식세포(난자, 정자) 혹은 생식세포로 분화할 수 있는 세포들 모두 교정된 유전물질이 대를 이어 전달될 수 있으므로, 어떤 국가도 공식적으로는 허가하지 않았고 International Commission on the Clinical Use of Human Germline Genome Editing에서 발표한 가이드라인에서는 극히 제한된 일부에 경우에서만 허용되어야 한다고 권고하고 있다. 분명 착상전 유전자검사에서 더 나아가 치명적인 유전질환에서 벗어날 수 있는 새로운 방법이기는 하지만, 실제 임상에 도입하기 위해서는 윤리 문제들을 신중히 검토해야 한다.

II. 자궁 이식

자궁이식은 선천 또는 후천 이유에서 자궁이 없는 여성에게 기증자의 자궁을 이식하여 절대적인 자궁요인의 불임 여성의 치료 방법으로 제시되는 수술이다. 절대적인 자궁요인의 불임이란 자궁 결손(선천 또는 후천), 또는 기능 문제로 인한 불임을 의미하며 가임기 여성 500명당 1명 정도로, 전 세계 약 150만 명의 여성이 해당되는 것으로 추산된다. 뮐러관 무형성증(Müllerian agenesis, Mayer-Rokitansky-Küster-Hauser syndrome) 같은 선천 기형을 가지는 여성을 포함하여 전자궁절제술을 시행받은 여성, 아셔만증후군(Asherman's syndrome)으로 임신이 어려운 여성 등이 이에 해당한다. 1970년대 후반에 체외수정이 시작되고 1990년대 초에 세포질내정자주입이 성공적으로 도입된 이후 수많은 불임 부부의 출산이 가능해졌지만 불임 환자의 상당수를 차지하는 절대적인 자궁요인의 불임 여성은 큰 혜택을 받지 못하고 있으며, 이 여성들에게 어머니가 될 수 있는 선택권은 대리모임신(gestational surrogacy) 또는 입양(adoption)으로 극히 한정되어 있다. 하지만 이러한 방법조차 법률, 종교, 윤리, 문화적 이유에서 현실적으로 시행하기에 어려운 점이 많다. 국내의 경우 대리모 출산은 체외수정을 통해 만들어진 부부의 배아를 대리모에 이식하는 것으로 윤리, 법률상 문제의 소지가 있어 제약이 있으며, 입양은 복잡한 절차가 필요하고 부모와의 유전적 관련성이 없어 꺼려하는 경향이 있다. 자궁이식은 절대적인 자궁요인의 불임 여성에게 스스로 임신할 수 있는 기회를 제공할 수 있는 유일한 치료 방법에 해당된다. 또한 자궁이식은 일반 장기이식과 여러 측면에서 차별화되는데, 필수적이지 않은(non-vital) 장기이식 범주에 포함되며, 출산이라는 목표가 완료되면 제거할 수 있는 일시적인 장기이식

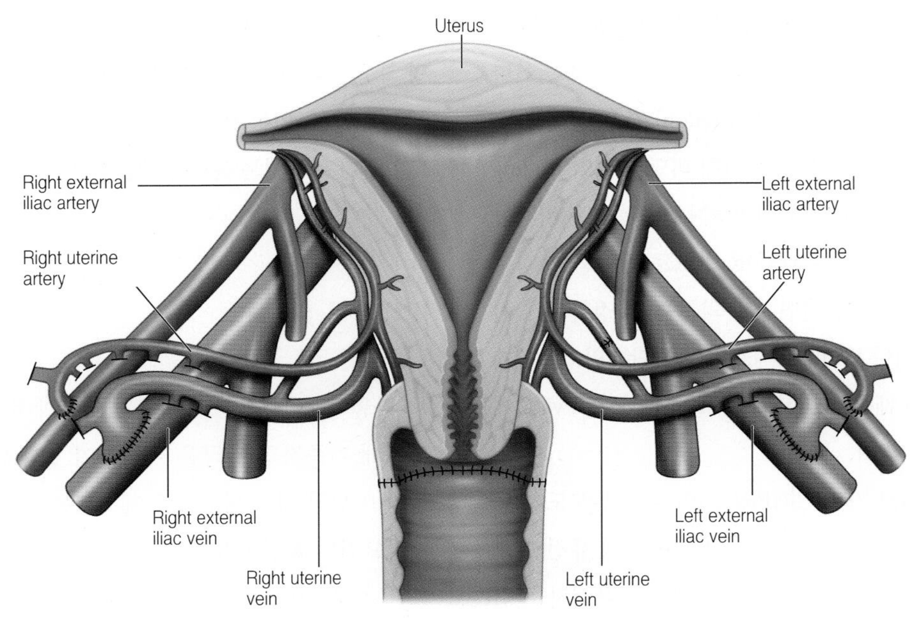

● 그림 52-2. **자궁이식에서 혈관문합의 개략도**

이다. 따라서 평생 동안 면역억제제를 복용해야 하는 필수적인(vital) 장기이식과는 다르게 출산 및 자궁제거 후 면역억제제를 중단하게 된다.

1. 현황

자궁이식술은 1960년대 처음으로 연구가 시작되어 동물모델을 통한 선행연구 이후 2002년 사우디아라비아에서 최초로 인간대상 자궁이식이 시도되었다. 이후 2014년 스웨덴 예테보리 대학의 Mats Brännström 주도 하에 생존 기증자를 통한 자궁이식수술로 첫 생아 출산이 보고되었고, 2016년 브라질에서 최초 사후 기증자를 통한 자궁이식수술로 생아 출산이 이루어졌다. 현재까지 70여건 이상의 자궁이식술을 통해 31명의 성공적인 생아 출산이 보고되었으며, 이에 대한 연구가 급격하게 증가하고 있는 실정이다.

2. 기증자 및 수혜자 선정

자궁이식은 다학제접근(Multidisciplinary approach)이 필요한 분야로 산부인과 내의 생식내분비, 부인종양, 모체태아의학 분과 및 이식외과, 정신건강의학과 등의 긴밀한 협력이 필요하다. 기증자 선정 시에는 생존 기증자와 사후 기증자 선정의 2가지 방법이 있는데, 각각의 장단점에 대한 의견이 분분하다. 사후 기증자에 비해 생존기증자를 통한 자궁이식술은 기증자의 선별과 수술의 시기를 정하는 것이 용이한 부분이 있으나, 기증자에게 신체적, 정신적 위해가 가해질 수 있다. 사후기증자를 통한 자궁이식술은 적절한 기증자 선별이 어려우며, 장기의 허혈 시간이 길어진다는 단점이 있다. 자궁이식 수혜자 선정 시에는, 반드시 가임기의 여성이어야 하며 흡연자, 약물중독자, 만성질환자, 암환자, 만성 감염자 등은 제외된다.

3. 방법

수혜자 선정 후 자궁이식을 진행하기 최소 6개월 전 충분한 개수의 배아형성 및 동결이 선행되면 자궁이식 수술을 진행하게 된다. 기증자에서 자궁절제술을 먼저 시행하게 되는데 이는 개복, 복강경, 그리고 로봇수술의 방법이 모두 시도되고 있다. 기증자에서 자궁과 자궁주위조직, 자궁혈관을 충분히 확보하여 절제한 뒤 수혜자의 외장골정맥과 동맥에 각각 연결한다(그림 52-2).

자궁이식 후 면역억제제를 투여하며 주기적으로 자궁경부 조직검사 및 초음파검사를 통해 거부반응을 확인한다. 이후 동결배아를 이용한 배아이식을 시행하며, 임신 시에는 고위험산모에 준하는 산전진찰을 진행한다.

4. 합병증

자궁이식의 합병증으로는 다양한 기증자, 수혜자, 산과 합병증이 보고된 바 있다. 생존 기증자의 경우 근치 전자궁절제술에 가까운 수술을 시행하게 되므로 이에 따른 출혈, 감염, 림프종, 수술부위의 열개, 요관 손상 등이 보고되었다. 수혜자의 경우 수술 후 이식 거부 반응으로 인한 혈전증, 자궁괴사의 합병증이 보고되었다. 자궁이식 후 임신한 여성에 관한 연구는 상대적으로 제한적이나 발생 가능한 산과 합병증으로는 자간전증과 담즙정체증이 보고된 바 있다.

5. 결론

자궁이식은 아직까지 실험 단계로 간주되고 있으나 전 세계적으로 연구가 활발하게 진행되고 있는 상황이다. 자궁이식에 대한 법률 또는 윤리 문제의 해결이 필요하겠지만 자궁요인의 불임 여성에서 본인이 임신을 시도할 수 있는 유일한 방법이므로, 자궁이식의 성공적인 선행연구를 통해 안전하고 효과적인 표준치료의 개발이 기대되는 바이다.

III. 산부인과 내분비 영역에서의 재생의학

재생의학(regenerative medicine)은 인간의 세포와 조직, 장기를 대체하거나 재생시켜서 원래의 기능을 할 수 있도록 복원시키는 의학 분야이다. 재생의학의 목표는 이전엔 회복이 불가능했던 조직이나 장기들에서 신체 고유의 회복 메커니즘을 활성화하거나 손상된 조직을 교체함으로써 손상된 부위를 재생하는 것이다. 또한 재생의학에는 신체가 스스로 치유할 수 없는 조직, 장기를 실험실에서 배양하고, 안전하게 이식하려는 시도도 포함된다. 이로써 재생의학은 특히 장기이식이 필요한 사람들에 비해 턱없이 부족한 장기기증의 문제를 해결할 수 있을 것으로 기대된다. 그리고 환자 자신의 세포를 이용한 장기배양을 통해 장기이식 때 발생하는 면역 거부 현상도 해결할 수 있을 것이다.

재생의학은 다음과 같이 세 가지 접근 방식이 있다. 줄기세포나 전구세포를 주사하는 세포치료(cell therapy)나, 생리활성물질(Biologically active molecules)의 직접 이용이나 이러한 물질을 주입한 세포의 분비물을 이용한 면역조절 치료(immunomodulation therapy), 시험관에서 배양한 장기, 조직을 이식하는 조직공학(tissue engineering)이 그것이다. 이러한 재생의학의 접근 방식들은 부인과 영역에서도 다양하게 시도되고 있으며, 이들에 대해 간략히 소개하겠다.

1. 줄기세포를 이용한 세포치료

줄기세포는 분화되지 않은 세포로, 분열하여 같은 줄기세포로 지속되거나(self-renewal,자기 재생) 여러 성숙한 세포 유형으로 분화할 수 있는 자손 세포를 생성할 수 있다. 줄기세포는 혈액, 피부, 뇌, 뼈, 지방 및 거의 모든 세포로 발전할 수 있어, 손상된 세포를 복구하고 재생할 수 있으며 의학적 치료에 이용될 가능성이 많다. 줄기세포는 그 유래에 따라 배아 줄기세포와 성체 줄기세포로 나눌 수 있다. 윤리 문제와 종양 발생 가능성 때문에 배아 줄기세포에 대한 연구는 제한되어 진행된다. 반대로 성체 줄기세포를 이용한 연구는 매년 증가하고 있으며 특히 중간엽 줄기세포(mesenchymal stem cells)를 이용한 연구 및 임상 적용이 활발히 이루어지고 있다.

다양한 질병의 동물모델 및 체외(in vitro) 실험에서 줄기세포를 사용한 연구들이 진행되고 있으나, 몇몇 혈액질환들을 제외하고는 아직 연구 및 임상 시험 단계에 있으며 상업적으로 이용 가능하지 않다. 부인과 분야에서는 생식 내분비 질환인 원발난소부전(primary ovarian insufficiency, POI)과 자궁내막의 이상인 아셔만증후군에서 활발히 연구되고 있다. 그러나 이들 질환에 대한 연구는 포함된 대상자의 수가 적고 일관된 결과가 나오지 않는다는 점 때문에 더 많은 연구가 필요하다.

2. 자가 혈소판풍부혈장(Platelet-rich plasma, PRP)

재생의학의 영역에서 가장 폭넓고 다양하게 임상에 적용되고 있는 생리 활성물질(biologically active molecules)은 자가 혈소판풍부혈장이다. 부인과 영역에서 PRP는 난소기능이 저하되어 있거나 자궁내막이 얇은 불임 환자들에서 연구되었다. 혈소판 풍부 혈장(PRP)은 인체에 투여 후 수많은 성장 인자와 사이토카인들- transforming growth factor-beta (TGF-β), fibroblast growth factor (FGF), insulin-like growth factors 1 and 2 (IGF-1, IGF-2), vascular endothelial growth factor (VEGF), and epidermal growth factor (EGF)-에 의해 매개되는 조직재생, 혈관신생, 세포이동, 분화 및 증식에 역할을 하는 것으로 알려져 있다. 혈소판 풍부 혈장은 다양한 임상분야- 정형 외과, 심장 수술, 성형 수술, 피부과, 치과 및 당뇨병 상처 치유-에서 조직성장 및 복구에 대한 역할을 기대하고 연구되었지만, 그 효능을 입증하는 높은 근거 수준의 연구는 많지 않다.

여러 연구에서 지적되는 부분은, 혈소판 풍부 혈장을 만드는 표준화된 프로토콜이 없어 연구마다 조금씩 다른 것을 사용한다는 것이다. 자가 혈소판 풍부 혈장은 말초정맥천자를 통해 개인의 전혈(whole blood)을 채취한 다음 원심분리하여 검체에서 적혈구를 제거한다. 이런 과정을 통해, 활성화된 혈소판에 의해 방출되는 것보다 5-10배 더 높은 농도의 성장인자를 포함하는 농축된 혈소판 샘플을 갖게 된다. 혈소판 풍부 혈장 준비의 일반적인 과정은 전혈 수집, 샘플에서 적혈구를 분리 및 제거하기 위한 초기 원심분리, 혈소판을 농축하기 위한 추가 원심 분리, 샘플을 활성화하기 위한 혈소판 작용제 추가 등으로 이루어진다.

문헌에 따르면, 자궁 내막이 얇은 여성에서 혈소판풍부혈장을 투여함으로써 자궁내막 두께가 증가하고 임신율의 증가를 기대할 수 있으며, 난소 예비력이 낮은 여성에서 난소 내 혈소판풍부혈장을 투여하는 치료는 항뮐러관호르몬(anti-mullerian hormone, AMH) 수치의 증가, 난포자극호르몬(FSH)의 감소, 임신율과 생아출산율(live birth rate)이 증가하는 경향이 있다고 보고하고 있다. 이와 같이, 불임 환자에서 혈소판 풍부 혈장의 투여는 희망적인 결과를 보고하고 있지만, 대규모 무작위대조연구의 부재와 혈소판 풍부 혈장 제작 프로토콜의 표준화 부족은 향후 연구에서 해결되어야 하며, 아직까지는 실험실 수준의 치료로 간주되어야 한다.

3. 조직공학

인공장기(artificial organs)는 인간의 장기를 대신하거나 장기의 기능을 증강해줄 수 있는 무기질 기계 혹은 인위적으로 생산한 조직이나 장치를 말한다. 결손 장기의 보완에는 크게 두 가지로 크게 나뉘는데 생물학적 장기로 그 기능을 대신하는 '장기이식'이고, 다른 하나는 인공기술로 개발한 기계인 인공장기이다. 인공장기 기술은 생명과학의 대표적인 응용 기술로서, 장기기증의 수요는 늘어나는데, 기증자가 부족해지자 나오게 된 기술로 건강 수명 연장의 열쇠가 될 것으로 기대되고 있다. 특히 최근 면역조절 기술, 유전자편집 기술 및 역분화 줄기세포(induced pluripotent stem cell, iPSC) 분화 및 배양 기술, 3차원(3D) 바이오 프린팅 기술 등 각종 관련 기술들이 급속하게 발전함에 따라 가까운 미래에 원래 장기의 기능을 넘어 신체의 능력을 증강할 수 있을 것으로 기대한다. 최근에는 인공장기의 개념이 확장되어, 장기의 기능 단위를 재현해내는 생체모방 장기 칩(Organ on a chip)을 이용한 다양한 시도들이 이루어지고 있다.

1) 생체모방 장기 칩: 난소 칩(ovary on chip)

생체모방 장기 칩은 조직 공학기술을 통해, 초소형 칩

과 미세유체 채널(microfluidic channel)을 기반으로 역학적, 생리적으로 생체와 더 유사한 환경에서 세포를 배양하며 장기의 기능 단위를 재현해내는 기술이다. 다세포구조, 조직 인터페이스, 물리, 화학 미세 환경 및 모세혈관 관류 모방 기술을 집약함으로써, 기존의 2D 또는 3D 배양의 한계점을 극복하였다. 다양한 장기를 대상으로 질병모델의 개발, 약물 평가, 미래에는 장기이식과 같은 분야에 활용되기 위해 활발하게 연구가 이루어지고 있다.

장기 칩의 제조는 초기 Soft lithography 방식으로 실리콘 칩 또는 배양기판의 몰드에 다양한 소재로 구조를 본뜨거나 나노 구조를 형성하여, 세포의 모양, 위치, 기능을 최적화하였다. 이후에는 생체적합성이 우수한 투명한 고분자 물질인 폴리디메틸실리옥산(PDMS) 몰드에 배양액이 양쪽으로 출입이 가능한 미세유체 채널(단면 <1 mm^2)을 접합하였다. 점차 더 다양한 재료(예: 실리콘, 플라스틱, 유리, 실크)로 micromolding, microetching, laser etching, injection molding, photopolymerization, solid object printing, 3D printing 등의 마이크로스케일 제조 방식을 적용한 생체모방 장기 칩이 개발되고 있다.

2010년 하버드대 위스 연구소(Wyss Institute)에서 폐 장기 칩(Lung-on-a-chip) 개발을 시작으로, 간, 신장, 소장, 심장, 유방, 근육, 뼈, 골수, 각막, 피부, 혈관, 신경, 혈액-뇌 장벽 등에 대한 생체모방 장기 칩이 개발되었다. 산부인과 영역에서도 생식기계 장기 칩 개발을 통해, 임신과 보조생식술, 산부인과 질환 등에 관련된 연구를 시행하고 있다(표 52-1.).

산부인과학에서 약물 효능 및 독성 평가 모델의 개발은 중요한 영역이다. 이와 관련하여 임신 초기단계의 탈락막화(decidualization)과 착상(implantation) 과정뿐 아니라 태반의 태아-모체 교류(fetal-maternal crosstalk)를 구현한 장기 칩이 연구되었다. 이는 산모의 약물 사용 시의 약물 전달과 안정성에 대한 연구에부터 전자간증, 조기 진통 등의 임신 합병증 치료 연구에 중요하게 사용될 수 있다.

2017년 3월 노스웨스턴 대학에서 세계 최초로 나팔관, 자궁, 자궁경부, 난소, 간 등 살아있는 조직이 개별적으로 담긴 이바타(Evatar) 시스템을 개발하였다. 이바타 시스템은 인간의 월경 주기를 모사한, 칩 위의 미니 생식계라고 할 수 있으며 나팔관과 자궁, 자궁경부, 간 조직은 기증받은 인간의 조직, 난소는 생쥐의 조직에서 채취된 것을 사용하였다. 이 시스템은 각 조직의 반응을 쉽게 관찰할 수 있어 자궁 질환의 생리학적인 이해, 치료제 개발, 피임약 실험에 활용될 것으로 예상된다.

표 52-1. 산부인과 영역에서 연구중인 생체모방 장기 칩 모델

적용 분야	생리학적	세포 종류	제작 기법 및 재료
임신 모델링	탈락막화(decidualization)	HUVECs, Stromal fibroblasts,	Soft lithography, PDMS
	착상(implantation)	Primary EVTs, uNKs	
	태아-모체 교류(Fetal-maternal crosstalk)	BeWo b30, JEP-3, HUVEC, HPVEC	Soft lithography, PDMS, PET, vitrified collagen, polycarbonate
보조생식술 (ART)	배아 발달	BOEC, bovine oocytes, mouse embryos, bull sperm, human primary stromal cells	Soft lithography, 3D printing, PDMS, Photo-cured resin
	난포 발달	Mouse, cat and dog ovarian follicles	Soft lithography, micromachining, PMMA, PDMS
질병 모델링	조기 진통 / 태반의 염증	BeWo b30, HUVECs	Soft lithography, PDMS, polycarbonate
	난소암	Dog oviduct epithelial, A2780, HUVECs	Soft lithography, PDMS
	자궁내막증	primary human endometrial stromal and peritoneum mesothelial	Soft lithography, PDMS

선천 및 후천 여성 생식기 질환을 가진 환자들에게 생체 모방 장기 칩을 여성 생식기의 생물학적인 대체물질로 활용하여 환자들의 삶의 질을 향상시키고자 하는 연구가 이루어지고 있다. 미국 노스웨스턴대 의대는 2017년 5월 3차원 프린팅(3D printing)으로 만든 인공난소에 난포세포를 붙여 암컷 쥐에 이식한 뒤 수컷 쥐와 교배를 통해 건강한 새끼를 출산했다고 발표하였다. 국내 연구진에서는 2021년 난소의 과립막세포, 막세포로 구성된 난소세포 응집체(spheroid)로 이루어진 난소 칩 플랫폼을 확립하고 이를 하지 허혈모델 (lower limb ischemia model)을 이용하여 쥐의 체내에 이식, 4주 이상 효과적으로 쥐의 내분비 기능을 회복시킴을 확인한 바 있다. 추후 미성숙난포로 구성된 인공난소의 생체 내 이식을 통한 가임력 보존 기술 개발을 통해 난자동결 및 배아동결이 어려운 청소년기 암환자 또는 전신암인 백혈병 환자에서 여러 한계점을 가지고 있는 기존 난소 조직 동결 보존의 좋은 대안이 될 것으로 기대된다.

2) 인공자궁

산부인과 영역에서 가장 기대되는 인공장기로는 인공자궁을 예로 들 수 있다. 뮐러관 무형성증 환자와 같이 선천으로 자궁이 없는 여성, 과거 암 등의 치료를 이유로 인하여 자궁절제술을 받은 여성의 경우 앞서 다룬 자궁 이식과 인공장기는 마지막 희망이 될 수 있으며, 궁극적인 치료법이 될 수 있을 것이다. 2014년 최초로 자궁이식 후 분만이 성공하였음에도 자궁이식이 가진 한계를 보완할 수 있다는 점에서 인공자궁은 지속적으로 관심이 모아지고 있다.

현재 인공자궁의 개념은 바이오백(bio bag) 형태의 인공자궁을 이야기하며, 태아가 자라날 때마다 그에 맞춰 변할 수 있게 만들어진 자궁내막과 물질교환이 가능한 인공태반, 인공양수 및 태아를 자극하는 시스템이 포함되어 있다. 하지만 궁극적으로는 체외 발생(ectogenesis)까지 포함하고 있다. 그렇기에 인공자궁은 배아착상, 태아성장, 출산까지 모든 부분을 총괄 진행할 수 있는 유전학, 조직공학, 생체공학, 나노 공학이 합쳐진 첨단 과학의 밀집체다. 현재 인공자궁은 동물 단계에서 연구 중이다.

미국 코넬대학교에서는 2002년 자궁내막에서 채취한 세포를 콜라겐 같은 단백질로 자궁 형태의 틀에 붙여 인공자궁을 만들고, 쥐의 배아를 이식하여 다시 성인 쥐에게 이식하는 단계까지 성공했다. 2016년에 영국 케임브리지대학교 등이 참여한 공동 연구팀은 인간 배아를 모체 없이 체외에서 상당 기간 배양, 13일간 생존시켰다. 2016년 미국 필라델피아 어린이병원 연구진은 미숙아로 태어난 새끼 양을 바이오백(bio bag)에 넣어 4주가량 기르는 데 성공했다(그림 52-3). 한편 노스웨스턴 대학교 연구팀은 2017

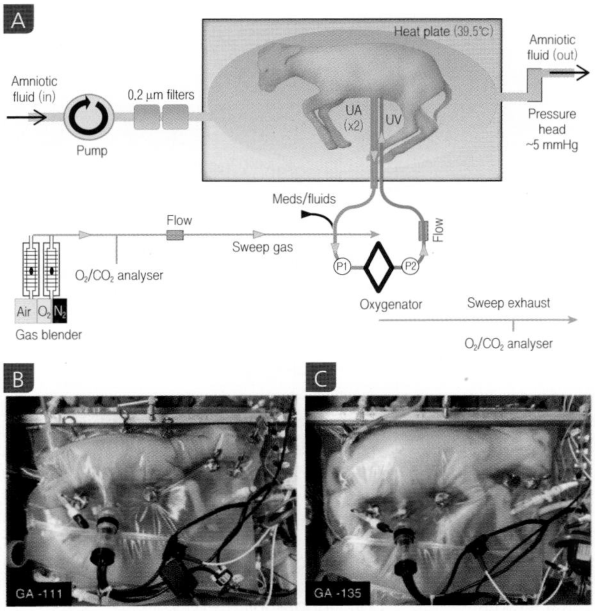

• 그림 52-3.

• 그림 52-4.

년 3월 세계 최초로 나팔관, 자궁, 자궁경부, 난소 등 살아 있는 조직이 개별적으로 담긴 여성 생식시스템 칩인 이바타(Evatar) 시스템도 개발했다. 나팔관과 자궁, 자궁 경부는 기증받는 인간의 조직, 난소는 생쥐의 조직에서 채취된 것을 사용한 이 시스템은 각 조직의 반응을 쉽게 관찰할 수 있어 자궁질환이나 치료제 개발, 피임약 실험에 활용될 것으로 기대된다.

2021년 3월, 이스라엘 와이즈만 과학연구소 연구팀은 착상된 지 5일 된 실험용 쥐의 배아를 특수 배양액 속에서 태아 형태까지 자라게 하는 데 성공했다(그림 52-4). 태아는 배아 상태에서 뇌, 심장 등 주요 장기가 발달한 이후를 말하는 것으로, 연구팀이 생성한 생쥐 배아는 머리, 팔다리, 위를 갖추고 있었으며 분당 170회로 심장이 뛸 정도로 발달해 있었다. 혈액 및 산소 공급 불가능 등을 이유로 더는 생쥐 태아를 발달시키지는 못했다.

4. 예상되는 이점과 문제점

인공장기 기술은 현재 인간 생명 연장의 열쇠가 되어줄 미래 기술로 주목을 받으며 하루가 다르게 발전하고 있다. 그 중에서 인공자궁이 기대를 모으는 큰 이유는 인공자궁은 동종장기 자궁 이식이 가진 여러 한계를 극복할 수 있을 것이며, 출산 과정의 패러다임을 크게 바꿀 것으로 보이기 때문이다. 또한, 장기이식을 받기까지 시간이 길고, 이식을 기다리다가 시기를 놓치는 경우가 생길 수 있는데, 인공자궁은 이 문제를 해결할 수 있을 것으로 생각되기 때문이다. 자궁이식 후 면역억제제의 사용 필요성, 평균 결혼 연령 및 첫 임신 나이가 증가하는 추세를 볼 때 인공자궁에 관한 관심은 늘어갈 것으로 예상된다.

특히 오랜 기간 불임이나 임신으로 고통 받던 환자에게 인공자궁은 삶의 질 향상에 크게 기여할 것이며, 여러 이유로 조산으로 태어난 미숙아의 생존에도 큰 도움이 될 것이다. 임신으로 인하여 발생한 신체 제약, 여성의 사회 경력 단절 등이 해소됨으로 임신으로 인한 기회비용의 절감도 기대할 수 있다. 따라서 인공장기 기술은 국민 삶의 질과 행복도를 높일 수 있을 것으로 예상된다.

하지만 인공장기 기술이 본격적으로 연구 및 실제로 활용되기 위해서 아직 장애 요인들이 존재한다. 가장 대표적인 것이 면역거부 반응이다. 현재 이종장기 면역거부 반응을 없애기 위해서 면역억제제를 사용하거나 장기 생산동물이 가진 항원 유전자를 제거하는 기술이 개발되고 있다. 성공적인 이종장기 이식을 위해서는 인수공통감염병의 위험도 제거해야 한다. 이러한 이종장기의 기술 난제를 해결해가는 과정에서 수의학, 약학, 이식 외과학도 획기적으로 발전하게 될 것이다.

바이오백과 같은 전자기기 인공장기의 경우에는 해킹이나 오작동의 위험을 해결해야 한다. 일부 전자기기 인공장기는 외부와 유-무선 통신수단을 이용해 생체정보나 기능 실행에 필요한 정보를 전달하기 때문에 해킹 당할 위험이 있다. 해킹은 민감한 생체정보를 유출하는 범죄이기도 하지만, 무엇보다 장기 오작동을 일으켜 생명을 위협할 수 있다는 점이 큰 문제이다.

윤리 문제도 반드시 고려되어야 하는 부분이다. 자궁 밖에서 배아가 자랐을 경우 배아의 인격성 및 유전자 조작으로 인하여 태아의 선택 및 낙태에 대한 문제도 논의가 필요할 것이다.

기술적인 장애 요인 이외도 법률상의 문제도 같이 존재한다. 앞서 영국 케임브리지대학교 연구팀은 2016년에 인간 배아를 체외에서 13일간 생존시켰지만, 13일까지만 연구를 진행한 것은 기술력 부족이 아닌, 법적인 연구 제한 때문이었다. 이처럼 인공자궁 기술 발전을 위해서는 전 세계적으로 배아에 관한 연구규제에 대한 논의 및 완화가 필요하다. 그 외에도 인공자궁 기술을 의료용으로 제한해야 하는지 아닌지를 결정하는 것도 사회 문제가 될 수 있다. 인공장기 기술이 단순 편의를 목적으로 무분별하게 사용될 수 있으므로 이식의 적용 범위에 대한 기준도 명확히 마련해야 한다.

앞서 본 것과 같이 문제점도 많지만, 여러 분야의 첨단 과학기술이 융합되는 분야로 그 파급력이 매우 크고 자궁 결손에 대하여 궁극적 치료방법이 될 수 있으므로 지속적인 관심과 연구 개발로 인공장기 및 인공자궁 기술 발전을 위한 노력이 필요할 것이다.

IV. 정밀의약품과 새로운 피임약

미국 국립보건원(National Institutes of Health, NIH)에 따르면, 정밀의학은 환자 개인의 유전자프로파일, 노출되는 환경, 생활 습관 등 개별 환자의 고유한 특성에 대한 철저한 이해를 바탕으로 하여 개별화된 치료 및 질병 예방을 하는 것을 의미한다. 부인과 영역에서도 약물유전자검사를 기반으로 한 정밀의약품들이 연구되고 있으며, 내인성 여성호르몬과 최대한 가까운 성분의 여성호르몬제들을 개발함으로써 효과와 안전성을 높이려는 시도들이 이루어지고 있다.

1. 정밀의약품과 정밀의학

유전자프로파일을 바탕으로 한 진단기술과 치료제 개발은 앞으로도 그 적용분야가 확대될 것으로 예상된다. 부인과 영역에서 시판되고 있는 정밀의약품은 악성종양의 유전자프로파일을 바탕으로 한 부인암 항암치료제들이 주를 이루고 있다. 그 외에도, 파골세포의 분화 및 활성을 촉진하는 랑클(RANKL)을 억제하는 단클론항체인 데노수맙(denosumab)과 칼슘반응 수용체 및 MK-5442, Wnt/β-catenin에 작용하여 골생성을 촉진하는 스클레로스틴(sclerostin)에 대한 항체 로모소주맙(Romosozumab)은 폐경 여성의 골다공증 치료에 사용되고 있다.

최근 초혼 연령, 첫 출산 연령이 증가함에 따라, 불임 치료를 위한 보조생식술도 지속적으로 증가하고 있다. 불임은 남성요인 불임, 여성요인 불임 외에도, 원인불명 불임(unexplained subfertility)이 전체의 8-20% 정도를 차지하고 있으며, 이 중의 상당수는 자가항체와 관련이 있을 것으로 생각된다. 정확한 기전은 알려져 있지 않지만, 항지질항체, 항핵항체, 항조직항체, 갑상선자가면역, 항난소항체 등은 원인불명 불임에 기여를 하는 것으로 생각된다. 현재 불임 환자들의 자가항체와 관련된 개별 특성을 이용한 불임 치료가 연구되고 있다.

보조생식술의 임신율을 높이기 위해 불임 또는 반복유산과 관련된 유전자를 찾으려는 시도가 계속되고 있는데, 체외수정에서 배아이식 후의 착상율을 높이기 위해 238개의 유전자 발현 정도를 이용하여 착상에 최적화된 시기를 진단하는 자궁내막수용성검사(endometrial receptivity array, ERA)는 이미 널리 이용되고 있다. 이식 전의 배아에 질병을 일으키는 단일유전자가 있는지 혹은 염색체이상이 있는지를 검사하는 착상전 유전검사(preimplantation genetic test, PGT)도 세계적으로 시행 건수가 증가하고 있는 검사이다. 착상전 유전검사와 더불어 유전자가위를 이용한 배아의 유전자교정도 부인과 영역의 대표적인 미래 정밀의학기술이다.

2.에스테트롤-드레스피레논 복합경구피임약(Estetrol-drospirenone containing combined oral contraceptives)

에스테트롤(estetrol, E4)은 사람 태아의 간에서만 생성되는 자연적인 에스트로겐으로, 임상적으로 사용되는 에스테트롤은 보통 식물로부터 추출되어 만들어진다. 에스테트롤은 에스트라디올보다 반감기가 길어(24-28시간) 우수한 피임 효과를 보이고, 선택에스트로겐수용체 조절제(SERM)와 비슷하게 조직선택 특성을 보여 혈액응고인자, 콜레스테롤, 중성지방, 혈당, 유방 조직에 적은 영향을 가지고 있어 안정성 면에서도 우수하다. 그러나 SERM과는 달리, 에스테트롤은 프로게스테론과 길항작용을 함으로써 피임약에 포함된 프로게스테론에 의한 부정출혈을 감소시킨다. 임상 2상시험에서는, 비정상자궁출혈, 배란억제, 중성지방 응고인자들에 적은 영향을 주는 농도와 프로게스틴의 조합으로 에스테트롤 15 mg/드로스피레논 3 mg의 조합을 선택하였다.

이어진 임상 3상시험으로 두 가지 연구(E4Freedom)가 진행되어 결과가 보고되었다. 미국/캐나다와 유럽/러시아에서 진행되었고, 18-35세 여성에서의 Pearl Index (PI) (overall and method-failure)로 피임효과, 출혈 양식, 이상반응을 주 결과로 본 두 연구 모두에서 에스테트롤-드레스피레논 복합경구피임약은 높은 피임효과와 예측 가능한 출혈, 높은 안정성을 보여주었다. 2021년 4월 FDA에서 승인을 받았으며, 앞으로 추가적인 대규모 4상시험이 진행될 예정이다. 에스테트롤과 같은 내인성 호르몬과 유사한 성분의 호르몬제를 사용하는 것은 피임약품에 인한 이상반응을 줄이고, 피임 외의 이익을 증진시킬 수 있는 시도가 될 것이다.

V. 부인과영역에서의 원격의료 그리고 빅데이터

1. 부인과영역에서의 원격의료

인터넷과 정보통신 기술의 급속한 발전에 따라, 고품질의 의료서비스를 제공할 수 있는 원격의료 기술들과 플랫폼들이 개발되고 있다. 원격의료는 환자의 편의성을 높이고 비용을 절감하며, 특수한 환자 군에서는 의료의 질을 향상시킬 수 있다. 예를 들어, 지방에 거주하고 거동이 불편한 희귀병 환자는 원격의료를 통해 전문가의 의료서비스를 받을 수 있게 될 것이다. 이러한 장점들 때문에, 특히 국토가 넓은 나라에서는 환자와의 대면을 통한 전통적인 진료 방식에서 벗어나 정보통신 기술을 이용하여 새로운 방식으로 환자를 관리하려는 시도들이 이루어지고 있다.

현재 원격의료는 두 가지 방식이 있다. 환자가 자신의 증상과 관련하여 의료전문가에게 의뢰를 하고 그 의뢰가 네트워크 상에서 저장이 되어 전문가가 편리한 시간에 의뢰에 대한 의료서비스를 제공하는 방식(store-and-forward)과 실시간으로 환자와 의료전문가가 대면진료를 하듯 원격의료를 수행하는 방법(real-time telemedicine)이다. 원격의료에서도 몇 가지 단점이 있는데, 환자가 원격의료를 하게 되는 경우, 매번 다른 의사에게 보게 될 수 있으며 이는 진료의 연속성을 떨어뜨릴 수 있다. 또한 비대면 진료에 의한 인간 상호 작용 부족, 오진 및 과실 보험 문제 및 법적 문제, 보험료 청구 문제, 환자가 거주하는 지역과 의료전문가가 거주하는 지역 사이의 의료면허 호환 문제 및 환자 정보 보안 등은 원격의료의 장애물로 작용하고 있다. 따라서, 원격의료가 전통적인 대면진료에 비해 열등하지 않음을 검증하기 위한 대규모 연구가 필요하지만, 특히 의료 자원이 제한된 지역에서의 원격의료의 효용은 인정되고 있다.

원격의료가 전통적인 대면진료에 비해 열등하지 않다는 검증이 아직 되기 않았기 때문에 적용할 수 있는 범위에는 한계가 있다. 부인과 영역에서는 건강한 중장년 여성들을 대상으로 한 검진, 산전 상담, 가족계획 및 피임 상담, 불임 상담 등을 원격진료를 통해 시도해 볼 수 있다. 진료 과정에서 부인과 검사가 필요한 경우에는 진료의 범위가 한정될 수 있는데, 골반진찰이 필요한 경우에는 대면 진료가 필요하다. 그러나 산부인과 진단에 있어 매우 중요한 검사인 초음파검사의 경우, 이미 원격으로 검사가 시행되고 있다. 1997년도부터 외국에서는 원격 산과초음파를 통해 태아 심장 기형을 검사하고 원격으로 판독을 받는 의료서비스가 시행되고 있으며, 불임 환자들에서 스스로 시행할 수 있는 질초음파기기들이 개발되고 있다.

2. 정보통신기술의 발전과 빅데이터

과학 기술의 발전은 의사가 진료를 보고, 의학기술을 적용하고, 의학 연구를 하는 방식에도 변화를 일으키고 있다. 우리 생활 곳곳에 스며든 디지털화 및 정보 통신 기술(information and communication technologies, ICT)에 의해 사물 인터넷(IoT)의 개념이 발생했듯이, 현재 의료계에서는 의료 사물 인터넷(the internet of medical things, IoMT)이라는 새로운 개념이 대두되고 있다. 또한 증강 현실, 클라우드 컴퓨팅, 3 차원(3D) 프린팅, 빅데이터시각화 및 분석(BDVA, big data visualization and analytics), 인공지능(AI, artificial intelligence)과 같은 정교한 통계 도구, 모바일 및 스마트폰 애플리케이션(앱), 원격모니터링 및 웨어

표 52-3. 다양한 종류의 빅데이터

Type of Big Data	Sources
Molecular Big Data	Wet-lab, microarrays Bioinformatics/cheminformatics repositories
Computational/ Clinical Big Data	Electronic Health Records (EHRs) and clinical databases
Imaging Big Data	Wearable sensors, imaging approaches
Digital Big Data	Website searches

러블 등의 분야가 의료와 융합하여 새로운 형태의 의학 및 의료서비스로 진화하고 있다.

이와 동시에, 의학 및 의료는 P6의학(personalized, predictive, preventive, participatory, psycho-cognitive, and public)과 정밀의학(분자 의학 및 나노 치료 분야, 유전체편집 및 공학)으로 요약되는 새로운 방향으로 진화하고 있다. 이 두 가지 방향의 진화는 대규모 정보처리 및 연산에 의해 가능해졌다는 공통점이 있으며, 이러한 대규모 데이터를 데이터의 종류와 관계없이 빅데이터라고 부른다. 빅데이터는 기존 기술을 활용하여 효율적으로 저장, 처리, 분석하기가 어렵기 때문에 새로운 전산 인프라가 필요하다(표 52-3).

그러나 이러한 장점에도 불구하고 빅데이터를 이용한 의학연구와 의료서비스는 여러 가지 제한점이 있다. 다양한 형태의 정보들을 하나의 형태로 융합하고 운용하는 데에 기술상의 어려움이 있다. 또한, 데이터가 단편화되고 데이터의 출처와 유형이 다양해짐에 따라 윤리적 동의, 데이터 접근, 데이터 공유 및 데이터 소유자/법적 관리인/구매자와 데이터의 구별에 대한 고전적인 개념이 점점 흐려지고 있으며, 구분이 어려워지고 있다. 그에 따라, 데이터 도난/침해 위험을 최소화하고 민감한 정보를 보호하는 방식으로 데이터가 처리되기 어려운 상황들이 발생한다. 또한, 데이터 무결성(integrity), 복제성(replicability), 재현성(reproducibility)등과 관련된 윤리, 법률 문제가 발생할 위험이 있다.

빅데이터를 이용한 연구는 생리학 및 병태생리학 측면에서 여성 생식 건강의 발전을 불러일으킬 중요한 수단이며, 의료서비스에서도 일률적인 치료 대신, 개별화된 치료 옵션에 대한 기회를 제공할 가능성이 기대된다. 그러나, 빅데이터를 이용한 의료 관리규정의 정립이 필요하며 빅데이터의 기술, 윤리적 한계를 극복하기 위한 연구도 동시에 필요하다.

VI. 환경오염과 생식내분비

1. 내분비계장애물질(endocrine-disrupting chemicals, EDC)

2012년 내분비학회(Endocrine Society)는 내분비계장애물질을 “호르몬 작용의 어떤 측면이라도 방해할 수 있는 외인성 화학 물질 혹은 화학 물질의 혼합물”이라 정의하였다. 이 물질들은 내분비 수용체에 결합하여 자연 호르몬의 합성과 분해를 활성화, 차단 혹은 변경하여 비정상적인 호르몬 신호를 유발할 수 있다. 이러한 내분비계장애물질이 여성 생식기관에 악영향을 미친다는 역학 연구 결과들이 꾸준히 보고되고 있다. 내분비계장애물질에 노출되는 주요 통로는 작업장과 생활 환경으로, 배아, 태아, 신생아, 사춘기 및 성인과 같은 다양한 발달 단계에서 영향을 미칠 수 있다.

먼저 시상하부-뇌하수체-생식샘에 이르는 축에서 내분비계장애물질에 의해 신경내분비 항상성이 파괴될 수 있다. 내분비계장애물질은 성분화 장애와 함께 성조숙, 사춘기 지연 등을 일으킬 수 있다. 논란의 여지는 있지만 미국, 벨기에, 푸에르토리코, 대만에서 내분비계장애물질 노출과 성조숙이 관련이 있는 것으로 보고되었다. 또한 여러 실험들에 의하면 산전 혹은 주산기 동안 내분비계장애물질에 노출되면 여성의 난소, 나팔관, 자궁, 자궁경부, 질, 유선 등 생식내분비계 기관의 비가역 변화가 유발됨이 확인되었다.

알려진 유전, 영양 요인 외에도 내분비계장애물질에 노

출되면 염색체이수성(aneuploidy), 원발난소부전, 다낭난소증후군, 에스트로겐 결핍, 무배란, 월경주기의 변화를 포함한 여러 난소 질환 발병에 관여하여 임신율이 감소할 수 있다는 가설이 제기되고 있다. 시상하부-뇌하수체-난소 축의 조절 하에 있는 자궁은 배아착상, 임신 유지와 태아 분만을 위한 환경 제공에 중요한데, 여러 연구에 의하면 내분비계장애물질은 자궁의 구조와 기능에 영향을 미치며, 자궁내막증 및 섬유종과 같은 질병도 유발할 수 있다. 여러 여성 생식기 장애와 환경 노출 사이의 연관성에 관한 실험과 임상연구가 이루어지고 있음에도, 아직 내분비계장애물질과 여성 생식 문제에 대한 완전한 이해는 부족하며, 인체의 건강에 대한 위험을 파악하기 위해 더 많은 연구가 이루어져야 할 것이다.

2. 미세먼지를 포함한 대기오염물질

미세먼지란 지름이 10 um보다 작은 미세먼지(PM 10)와 지름이 2.5 um 보다 작은 초미세먼지(PM 2.5)로 나뉠 수 있으며, 크기가 작아서 코, 구강, 기관지 등에서 걸러지지 않고 몸 속에 스며들어 호흡기계, 심혈관계, 신경계, 면역계 등 각 장기에서 여러 질병을 유발하게 된다. 미세먼지와 대기오염은 전세계적으로 건강을 위협하는 물질로 알려져 있지만, 아직 생식 내분비계에 미치는 영향은 많이 밝혀진 바가 없으며, 대부분의 연구는 역학조사에 기반하고 있다.

미세먼지를 포함한 대기오염물질은 다음과 같은 메커니즘으로 인체에 영향을 미치게 된다. 첫째로 내분비계장애물질로서 작용하는 것으로 미세먼지에 포함된 다환방향탄화수소(PAH), 중금속 등이 이에 해당한다. 이들은 에스트론성, 항에스토론성, 항안드로겐성 활동으로 생식샘스테로이드 분비와 정자, 난자의 생성을 방해하게 된다. 두 번째로 이산화질소, 오존, 미세먼지와 같은 물질은 활성산소를 생성하여 DNA, 단백질, 세포막의 지질층 등의 변화를 일으킨다. 세 번째로 DNA 부가물의 형성을 통해 유전자 발현 변형, 후성유전학 돌연변이, DNA 메틸화 등을 일으킨다.

대기오염이 자궁근종, 자궁내막증, 불임과 같은 부인과 질환을 진행시키는 메커니즘으로는 염증반응과 산화스트레스가 제시되고 있다. 그 외에도 대기오염물질이 직접적으로 국소 혈관신생과 같은 생물학적 활동 혹은 손상된 DNA 복구 기능에 영향을 미친다는 가설, 난자에 직접적인 독성작용을 일으킨다는 가설, 호르몬수용체 결합을 통한 호르몬 활동 등의 가설들이 있다.

특히 미세먼지의 노출은 불규칙한 월경과 불임에 강한 연관성을 갖는다고 알려져 있다. 남아시아에서 시행한 역학 연구에 의하면 PM2.5가 유산율을 높이는 것으로 보고되었으며, 이는 북아메리카, 동아시아, 아프리카 등의 연구에서도 확인된 바 있다. 또한 중국에서 10,000여 커플을 대상으로 한 연구에서, PM 2.5가 10 μg/m3 증가할수록 수태율은 11% 감소, 불임률을 20% 증가하는 것으로 확인되었다. 미국 불임클리닉에서 632명의 여성을 대상으로 시행한 연구에서 PM2.5 2 μg/m3의 증가는 AFC를 7.2%씩 감소시킨다는 연구 결과도 존재한다.

대기오염물질과 부인과 질환의 관계에 대해서는 앞으로 더 많은 관심과 연구가 필요하며, 특히 단일 오염물질 모델을 넘어 실제 노출을 더욱 정확하게 반영하는 여러 오염물질 분석이 필요할 것이다.

** 참고문헌 목록은 대한산부인과내분비학회 홈페이지 http://www.kosge.or.kr 또는 QR코드를 통해 보실 수 있습니다.*

부 인 과 내 분 비 학

Index

Index

국문 찾아보기

ㄱ

ㄷ

ㄹ

ㅁ

ㅇ

ㅈ

ㅊ

ㅋ

ㅌ

번호

영문 찾아보기

A

B

C

D

E

F

G

H

I

N

O

P

Q

R

S

T